Elenchus
of Biblica
22

ROBERT ALTHANN S.J.

Elenchus
of Biblica

2006

ISBN 978-88-7653-649-6

Urbes editionis—Cities of publication

AA	Ann Arbor	Lv(N)	Leuven (L-Neuve)
Amst	Amsterdam	M/Mi	Madrid/Milano
B	Berlin	Mkn	Maryknoll/
Ba/BA	Basel/Buenos Aires	Mp	Minneapolis
Barc	Barcelona	Mü/Müns	München/Münster
Bo/Bru	Bologna/Brussel	N	Napoli
C	Cambridge, England	ND	NotreDame IN
CasM	Casale Monferrato	Neuk	Neukirchen/Verlag
Ch	Chicago	NHv	New Haven
CinB	Cinisello Balsamo	Nv	Nashville
CM	Cambridge, Mass.	NY	New York
ColMn	Collegeville MN	Oxf	Oxford
Da:Wiss	Darmstadt, WissBuchg	P/Pd	Paris/Paderborn
DG	Downers Grove	Ph	Philadelphia
Dü	Düsseldorf	R/Rg	Roma/Regensburg
E	Edinburgh	S	Salamanca
ENJ	EnglewoodCliffs NJ	Sdr	Santander
F	Firenze	SF	San Francisco
Fra	Frankfurt/M	Shf	Sheffield
FrB/FrS	Freiburg-Br/Schweiz	Sto	Stockholm
Gö	Göttingen	Stu	Stuttgart
GR	Grand Rapids MI	T/TA	Torino/Tel Aviv
Gü	Gütersloh	Tü	Tübingen
Ha	Hamburg	U/W	Uppsala/Wien
Heid	Heidelberg	WL	Winona Lake IN
Hmw	Harmondsworth	Wmr	Warminster
J	Jerusalem	Wsb	Wiesbaden
K	København	Wsh	Washington D.C.
L/Lei	London/Leiden	Wsz	Warszawa
LA	Los Angeles	Wu	Wuppertal
Lp	Leipzig	Wü	Würzburg
LVL	Louisville KY	Z	Zürich

Punctuation: To separate a subtitle from its title, we use a COLON (:). The *semicolon* (;) serves to separate items that in other respects belong together. Hence, at the end of an entry a *semicolon* indicates a link with the following entry. This link may consist in the two entries having the same author or in the case of multiauthor works having the same book title; the author will be mentioned in the first entry of such a group, the common book title in the last entry, that is the one which concludes with a fullstop [period] (.).
Abbreviations: These follow S.M. Schwertner, **IATG**[2] (De Gruyter; Berlin 1992) as far as possible. A list of abbreviations **not found** in Schwertner appears below.
* The asterisk after a book review or an article indicates a reference to an electronic version.
Price of books: This is sometimes rounded off ($10 for $9.95).

Index systematicus — Contents

The present volume contains all the 2006 material of the Elenchus. In first place a word of warm thanks to the staff of the Editrice Pontificio Istituto Biblico which assures the publication of the Elenchus. Graduates of the Institute have made a significant contribution in its preparation for which we sincerely thank them.

The materials for this volume were gathered principally from the libraries of the Pontifical Biblical Institute, the Pontifical Gregorian University and the University of Innsbruck. I thank the staff of these libraries for their courtesy and readiness to help, which are much appreciated. The Department for Biblical Studies and Historical Theology of the University of Innsbruck continues to be an invaluable source of bibliographical information. We in turn supply the Department with lists of book reviews which may be accessed through the University's electronic catalogue, BILDI, at the following address: http://bildi.uibk.ac.at.

Work on putting the Elenchus online is proceeding. We hope that there will soon be more definite news to impart to our patient readers.

Acronyms: Periodica - Series (small).
8 fig.=ISSN; *10 or 13 fig.*=ISBN.

A: in Arabic.
ABIG: Arbeiten zur Bibel und ihrer Geschichte; Lp.
AcBib: Acta Pontificii Instituti Biblici; R.
Al-Machriq; Beyrouth.
ACCS: Ancient Christian Commentary on Scripture; DG.
ACPQ: American Catholic Philosophical Quarterly; Wsh.
Acta Philosophica; R.
ActBib: Actualidad Bibliográfica; Barc.
AcTh(B): Acta Theologica; Bloemfontein.
Ad Gentes; Bo.
Adamantius; Pisa.
AETSC: Annales de l'Ecole Théologique Saint-Cyprien; Yaoundé, Cameroun.
AfR: Archiv für Religionsgeschichte; Stu.
Afrika Yetu; Nairobi.
AGWB: Arbeiten zur Geschichte und Wirkung der Bibel; Stu.
AHIg: Anuario de historia de la iglesia; Pamplona.
AJEC: Ancient Judaism & Early Christianity; Lei.
AJPS: Asian Journal of Pentecostal Studies;
AJSR: Association for Jewish Studies Review; Waltham, MA.
Ä&L: Ägypten und Levante; Wien.
Alpha Omega; R.
Alternativas; Managua.
AltOrF: Altorientalische Forschungen; B.
AMIT: Archäologische Mitteilungen aus Iran und Turan; B.
AnáMnesis; México
Anatolica; Lei..
AnBru: Analecta Bruxellensia; Bru.
Ancient Philosophy; Pittsburgh.
Ancient West & East; Lei.
ANESt [<Abr-n]: Ancient Near Eastern Studies; Melbourne.
Anime e corpi; Brezzo di Bedero, Va.

Annali Chieresi; Chieri.
Annals of Theology [**P.**]; Krákow.
AnnTh: Annales Theologici; R.
AnScR: Annali di Scienze Religiose; Mi.
AnStR: Annali di studi religiosi; Trento.
APB: Acta Patristica et Byzantina; Pretoria.
AramSt: Aramaic Studies; L.
Archaeology in the Biblical World; Shafter, CA.
ARET: Archivi reali di Ebla, testi; R.
ARGU: Arbeiten zur Religion und Geschichte des Urchristentums; Fra.
AsbJ: The Asbury Journal; Wilmore, KY.
ATM: Altes Testament und Moderne; Münster.
ATT: Archivo teologico torinese; Leumann (Torino).
AtT: Atualidade teológica; Rio de Janeiro.
Atualizaçâo; Belo Horizonte.
AuOr: Aula Orientalis (**S**: Supplement); Barc.
AUPO: Acta Universitatis Palackianae Olomucensis; Olomouc.
Auriensia; Ourense, Spain.
AWE: Ancient West & East; Lei.
B&B: Babel und Bibel; Moscow.
BAChr: The Bible in Ancient Christianity; Lei.
BABC: Butlletí de l'Associació Bíblica de Catalunya.
BAIAS: Bulletin of the Anglo-Israel Archaeological Society; L.
BBR: Bulletin for Biblical Research; WL.
BCSMS: Bulletin of the Canadian Society for Mesopotamian Studies; Toronto.
BEgS: Bulletin of the Egyptological Seminar; NY.
BHQ: Biblia Hebraica Quinta; Stu.
Bib(L): Bíblica; Lisboa.
BiblInterp (BiblInterp): Biblical Interpretation; Lei.
Biblioteca EstB: Biblioteca de Estudios Bíblicos; S.
BiCT: The Bible and Critical Theory; Monash University, ePress.

Bobolanum [**P**.]; Wsz.
Bogoslovni Vestnik [**S**.]; Ljubljana.
BolT: Boletín teológico; BA.
BoSm: Bogoslovska Smotra; Zagreb.
BOTSA: Bulletin for Old Testament Studies in Africa; Stavanger.
BPOA: Biblioteca del Próximo Oriente Antiguo; M.
BSÉG: Bulletin de la Société d'Égyptologie; Genève.
BSGJ: Bulletin der Schweizerischen Gesellschaft für Judaistische Forschung; Z.
BSLP: Bulletin de la Société de Linguistique de Paris; P.
BuBB: Bulletin de bibliographie biblique; Lausanne.
Bulletin of Judaeo-Greek Studies; C.
C: in Chinese.
Cahiers de l'Atelier; P.
CamArchJ: Cambridge Archaeological Journal; C.
Camillianum; R.
Carmel(T); Toulouse.
Carmel(V); Venasque.
Cart.: Carthaginensia; Murcia.
Cathedra [**H**.]; J.
CBET: Contributions to biblical exegesis and theology; Lv.
CBRL: Newsletter of the Council for British Research in the Levant; L.
CCO: Collectanea Christiana Orientalia; Córdoba.
Centro pro unione, Bulletin; R.
CHANE: Culture and History of the Ancient Near East; Lei.
ChDial:Chemins de Dialogue; Marseille.
Choisir; Genève.
Chongshin Review; Seoul.
Christian Thought; Seoul.
Christus(M); México.
Cias; Buenos Aires.
CMAO: Contributi e Materiali di Archeologia Orientale; R.
Colloquium; Brisbane.
Comunidades; S.
ConAss: Convivium Assisiense; Assisi.
Confer; M.
ConnPE: Connaissances des Pères de l'Église; Montrouge.
Contacts; Courbevoie.

Contagion; Rocky Mount.
CoSe: Consacrazione e Servizio; R.
CQuS: Companion to the Qumran Scrolls; L.
CR&T: Conversations in Religion and Theology; Oxf.
CredOg: Credereoggi; Padova.
Crkva u Svijetu; Split.
Croire aujourd'hui; P.
Crux; Vancouver.
CSMSJ: The Canadian Society for Mesopotamian Studies Journal; Toronto. 1911-8643.
CTrB: Cahiers de traduction biblique; Pierrefitte, France.
CuBR: Currents in biblical research; L.
CuesTF: Cuestiones Teológicas y Filosóficas; Medellin.
Cuestion Social, La; Mexico.
Cultura e libri; R.
ᴰ: Director dissertationis.
DCLY: Deuterocanonical and Cognate Literature Yearbook; B.
Diadokhē [ΔIAΔOXH]. Revista de Estudios de Filosofía Platónica y Cristiana; B.A.
Direction; Fresno, CA.
DiscEg: Discussions in Egyptology; Oxf.
DissA: Dissertation Abstracts International; AA/L. -A [= US etc.]: 0419-4209 [C = Europe. 0307-6075].
Doctor Angelicus; Bonn.
DosArch: Les Dossiers de l'Archéologie; Dijon.
DosB: Les Dossiers de la Bible; P.
DQ: Documenta Q; Leuven.
DSBP: Dizionario di spiritualità biblico-patristica; R.
DSD: Dead Sea Discoveries; Lei.
DT(B): Divus Thomas; Bo.
ᴱ: Editor, Herausgeber, a cura di.
EBM: Estudios Bíblicos Mexicanos; México.
Ecclesia orans; R.
Eccl(R): Ecclesia; R.
EfMex: Efemérides Mexicana; Tlalpan.
EgArch: Egyptian Archaeology, Bulletin of the Egypt Exploration Society; L.

Elenchos; R.
Emmanuel; Cleveland, OH.
Emmaus; Gozo, Malta.
Encounters; Markfield, U.K.
ERSY: Erasmus of Rotterdam Society Yearbook; Lexington.
EscrVedat: Escritos del Vedat; Valencia.
Esprit; P.
EThF: Ephemerides Theologicae Fluminenses; Rijeka.
ETJ: Ephrem's Theological Journal; Satna, India.
EurJT: European Journal of Theology; Carlisle.
Evangel; E.
Evangelische Aspekte; Stu.
Evangelizzare; Bo.
EyV: Evangelio y Vida; León.
Exchange; Lei.
F: Festschrift.
Faith & Mission; Wake Forest, NC.
FCNT:The feminist companion to the New Testament and early christian writings; L.
Feminist Theology; Shf.
FgNT: Filologia Neotestamentaria; Córdoba.
FIOTL: Formation and interpretation of Old Testament literature; Lei.
Firmana; Fermo.
Giovanni in Fiore (CS).
FolTh: Folia theologica; Budapest.
Forum. Sonoma, CA.
Forum Religion; Stu.
FoSub: Fontes et Subsidia ad Bibliam perinentes; B.
Franciscanum; Bogotá.
Freiburger Universitätsblätter; FrB.
Furrow; Maynooth.
G: in Greek.
Georgica; Konstanz.
Gnosis; SF.
Graphè; Lille.
H: in Hebrew.
Hagiographica; F.
HBM: Hebrew Bible Monographs; Shf.
HBO: Hallesche Beiträge zur Orientwissenschaft; Halle.
Hekima Review; Nairobi.
Henoch; T.
Hermeneutica; Brescia.

Hermenêutica; Cachoeira, Brasil.
HlL: Das Heilige Land; Köln.
History of European Ideas; Oxf.
Ḥokhma; Lausanne.
Holy Land; J.
Horeb; Pozzo di Gotto (ME).
Horizons; Villanova, PA.
Ho Theológos; Palermo.
HPolS: Hebraic Political Studies; J.
HTSTS: HTS Teologiese Studies/ Theological Studies; Pretoria.
Ichthys ΙΧΘΥΣ; Aarhus.
ICMR: Islam and Christian-Muslim Relations; Birmingham.
ICSTJ: ICST Journal; Vigan, Philippines.
Igreja e Missão; Valadares, Cucujaes.
IHR: International History Review; Burnaby, Canada.
IJCT: International Journal of the Classical Tradition; New Brunswick, NJ.
IJSCC: International Journal for the Study of the Christian Church; E.
IJST: International journal of systematic theology; Oxf.
ImAeg: Imago Aegypti; Gö.
IncW: The Incarnate Word; NY.
INTAMS.R: INTAMS [International Academy for Marital Spirituality] review; Sint-Genesius-Rode, Belgium.
Interpretation(F). Journal of Political Philosophy; Flushing.
Iran; L.
IRBS: International Review of Biblical Studies; Lei.
Isidorianum; Sevilla.
IslChr: Islamochristiana; R.
ITBT: Interpretatie; Zoetermeer.
Iter; Caracas.
Itin(L): Itinerarium; Lisboa.
Itin(M): Itinerarium; Messina.
J: in Japanese.
JAAS: Journal of Asia Adventist Seminary; Silang, Philippines.
JAAT: Journal of Asian and Asian American Theology; Claremont, Calif.

JAB: Journal for the Aramaic Bible; Shf.
JANER: Journal of Ancient Near Eastern Religions; Lei.
JAnS: Journal of Anglican Studies; L.
Japan Mission Journal; Tokyo.
JATS: Journal of the Adventist Theological Society; Collegedale, Tennessee.
JBMW: Journal for Biblical Manhood and Womanhood; LVL.
JBSt: Journal of Biblical Studies; http://journalofbiblicalstudies.org.
JCoptS: Journal of Coptic Studies; Lv.
JCoS: Journal of Coptic Studies; Lv.
JECS: Journal of Early Christian Studies; Baltimore.
Jeevadhara; Alleppey, Kerala.
JEMH: Journal of Early Modern History; Lei.
JGRChJ: Journal of Greco-Roman Christianity and Judaism; Shf.
JHiC: Journal of Higher Criticism; Montclair, NJ.
JHScr: Journal of Hebrew Scriptures [electr. journal]; Edmonton.
Jian Dao; Hong Kong.
JIntH: Journal of interdisciplinary history; CM.
JISt: Journal of Interdisciplinary Studies; Pasadena, CA.
JJSS: Jnanatirtha. (International) Journal of Sacred Scriptures; Ujjain, India.
JMEMS: Journal of Medieval and Early Modern Studies; Durham, NC.
JNSL: Journal of Northwest Semitic Languages; Stellenbosch.
JOT; Journal of Translation [http://www.sil.org./siljot/].
Journal of Ancient History; Moscow.
Journal of Constructive Theology; Durban.
Journal of Israeli History; TA.
Journal of Medieval History; Amst.
Journal of Medieval Latin; Turnhout.
Journal of Psychology and Judaism; NY.
JPentec: Journal of Pentecostal Theology; Shf (**S**: Supplement).

JPersp: Jerusalem Perspective; J.
JPJRS: Jnanadeepa, Pune Journal of Religious Studies; Pune.
JProgJud: Journal of Progressive Judaism; Shf.
JRadRef: Journal from the Radical Reformation; Morrow, GA.
JRTR: Jahrbuch für Religionswissenschaft und Theologie der Religionen; FrB.
JSAI: Jerusalem Studies in Arabic and Islam; J.
JSem: Journal for Semitics; Pretoria.
JSHJ(.S): Journal for the study of the historical Jesus (Supplementary series); Shf.
JSIJ: Jewish Studies, an Internet Journal (http://www.biu.ac.il/JS/JSIJ/).
JSQ: Jewish Studies Quarterly; Tü.
JSSc: Journal of Sacred Scriptures; Ujjain, India.
JSSEA: Journal of the Society for the Study of Egyptian Antiquities; Toronto.
Jud.: Judaism; NY.
K: in Korean.
Kairos(G); Guatemala.
KaKe: Katorikku-Kenkyu [**J.**]; Tokyo
KASKAL: Rivista di Storia, Ambiente e Culture del Vicino Oriente Antico; R.
Kerux; Escondido, CA.
KUSATU (KUSATU): Kleine Untersuchungen zur Sprache des Alten Testaments und seiner Umwelt; Waltrop.
Kwansei-Gakuin-Daigaku; Japan.
Landas. Journal of Loyola School of Theology; Manila.
Laós; Catania.
LecDif: Lectio Difficilior [electr. journal]; Bern.
LeD: Lire et Dire; Donneloye.
Levant; L.
LHBOTS: Library of Hebrew Bible/ Old Testament studies; NY.
LingAeg; Lingua Aegyptia; Gö.
Literary and linguistic computing; Oxf.

L&S: Letter and Spirit; Steubenville.
LNTS: Library of New Testament studies; L.
LSDC: La Sapienza della Croce; R.
LSTS: Library of Second Temple Studies; L.
Luther-Bulletin; Amst.
Luther Digest; Crestwood, Miss.
M: Memorial.
Mayéutica; Marcilla (Navarra).
Meghillot; J.
Mélanges carmélitains; P.
Mid-Stream; Indianapolis.
Miles Immaculatae; R.
MillSt: Milltown Studies; Dublin.
Mission de l'Église; P.
Missionalia; Menlo Park, South Africa.
MissTod: Mission Today; Shillong, India.
MoBe: Modern Believing; Liverpool.
Monde des religions, Le; P.
Mondo della Bibbia, Il; T.
Moralia; M.
MSJ: Master's Seminary Journal; Sun Valley, CA.
MST Review; Manila.
MTSR: Method and Theory in the Study of Religion; Lei.
Muslim World Book Review; Markfield, UK.
NABU: Nouvelles Assyriologiques Brèves et Utilitaires; P.
NAC(SBT): New American Commentary (Studies in Bible and Theology); Nv.
NEA: Near Eastern Archaeology; Boston.
Nemalah; K.
NET: Neutestamentliche Entwürfe zur Theologie; Ba.
NewTR: New Theology Review; Ch.
NHMS: Nag Hammadi and Manichaean Studies; Lei.
NIBC: New International Biblical Commentary; Peabody.
Nicolaus; Bari.
NIDB: New Interpreter's Dictionary of the Bible; Nv.
NIGTC: The New International Greek Testament Commentary; GR.
NIntB: The New Interpreter's Bible; Nv.
NSK.AT:Neuer Stuttgarter Kommentar: Altes Testament; Stu.

NTGu: New Testament Guides; Shf.
NTMon: New Testament Monographs; Shf.
NTSCE: New Testament Studies in Contextual Exegesis; Fra.
NTTRU: New Testament Textual Research Update; Ashfield NSW, Australia. 1320-3037.
NTTSD: New Testament Tools, Studies and Documents; Lei.
Nuova Areopago, Il; Forlì.
Nuova Europa, La; Seriate (Bg).
Nuova Umanità; R.
NV(Eng):Nova et Vetera, English edition; Naples, FL.
Obnovljeni Život; Zagreb.
Omnis Terra; R.
OrBibChr: Orbis biblicus et christianus; Glückstadt.
OrExp: Orient-Express, Notes et Nouvelles d'Archéologie Orientale; P.
Orient; Tokyo.
Orientamenti pastorali; Bo.
Orientamenti pedagogici; R.
P: in Polish.
Pacifica. Australian Theological Studies; Melbourne.
Paginas; Lima.
Paideia Cristiana; Rosario, ARG.
Paléorient; P.
Palestjinskji Sbornik [R.]; Moskva.
Parabola; NY.
PaRe: The Pastoral Review; L.
Passaggi; Terni.
Path; Città del Vaticano.
Phase; Barc.
Philosophiques; Montréal.
PHScr: Perspectives on Hebrew Scriptures; Piscataway, NJ.
PJBR: The Polish Journal of Biblical Research; Kraków.
PKNT: Papyrologische Kommentare zum Neuen Testament; Gö.
PoeT: Poetics Today; Durham, NC.
PoST: Poznańskie studia teologiczne; Poznán.
PredOT: Prediking van het Oude Testament; Baarn.
Presbyteri; Trento.
Presbyterion; St. Louis.

PresPast: Presenza Pastorale, R.
Prism; St. Paul, MN.
ProcGLM: Proceedings of the Eastern Great Lakes and Midwest Bible Societies; Buffalo.
Pro dialogo; Città del Vaticano.
ProEc: Pro ecclesia; Northfield, MN.
Prooftexts; Baltimore.
Proverbium; Burlington, VT.
Proyección; Granada.
Prudentia [.S]; Auckland, NZ.
Przegląd Tomistyezny; Wsz.
PzB: Protokolle zur Bibel; Klosterneuburg.
Qol; México.
Qol(I); Novellara (RE).
Quaderni di scienze religiose; Loreto.
Qumran Chronicle; Kraków.
QVC: Qüestions de Vida Cristiana; Barc.
R: in Russian.
R: *recensio*, book-review.
RANL.mor.: Rendiconti dell'Accademia Nazionale dei Lincei, Cl. di scienze morali; R.
RANT: Res Antiquae; Bru.
RBBras: Revista Bíblica Brasileira; Fortaleza.
RBLit: Review of Biblical Literature; Atlanta.
REAC: Ricerche di egittologia e di antichità copte; Bo.
REAug: Revue d'études augustiniennes et patristiques; P.
Reformation, The; Oxf (Tyndale Society).
Religion; L.
Religious Research; Wsh.
RelSet: Religioni e Sette; Bo.
RelT: Religion and Theology; Pretoria.
RenSt: Renaissance Studies; Oxf.
ResB: Reseña Bíblica; Estella.
RevCT: Revista de cultura teológica; São Paulo.
Revista católica; Santiago de Chile.
Revue d'éthique et de théologie morale; P.
RGRW: Religions in the Graeco-Roman World; Lei.
Ribla: Revista de interpretação biblica latino-americana; Petrópolis.

RICAO: Revue de l'Institut Catholique de l'Afrique de l'Ouest; Abidjan.
Ricerche teologiche; Bo.
RiSCr: Rivista di storia del cristianesimo; Brescia.
Rivista di archeologia; R.
Rivista di scienze religiose; R.
Rivista de storia della miniatura; F.
Roczniki Teologiczne; Lublin
Romania; P.
RRJ: Review of Rabbinic Judaism; Lei.
RRT: Reviews in Religion and Theology; L.
R&T: Religion and theology = Religie en teologie; Pretoria.
RTE: Rivista di teologia dell'evangelizzazione; Bo.
RTLit: Review of Theological Literature; Leiderdorp.
RTLu: Rivista Teologica di Lugano; Lugano.
S: Slovenian.
SAA Bulletin: State Archives of Assyria Bulletin; Padova.
SAAS: State Archives of Assyria, Studies; Helsinki.
Sacrum Ministerium; R.
Saeculum Christianum; Wsz.
San Juan de la Cruz; Sevilla.
Sapientia Crucis; Anápolis.
SaThZ: Salzburger Theologische Zeitschrift; Salzburg.
Satya Nilayam; Chennai, India.
SBL.SCSt: Society of Biblical Literature, Septuagint and Cognate Studies; Atlanta.
SBSl: Studia Biblica Slovaca; Svit.
Science and Christian Belief; Carlisle.
Scriptura; Stellenbosch.
Scriptura(M): Scriptura; Montréal.
Scrittura e civiltà; F.
SdT: Studi di Teologia; R.
SEAP: Studi di Egittologia e di Antichità Puniche; Pisa.
Search; Dublin.
SECA: Studies on early christian Apocrypha; Lv.
Sedes Sapientiae; Chéméré-le-Roi.
Segni e comprensione; Lecce.
SeK: Skrif en Kerk; Pretoria.

Semeia; Atlanta.
Seminarios; M.
Semiotica; Amst.
Servitium; CasM.
Sevartham; Ranchi.
Sève; P.
Sewanee Theological Review; Sewanee, TN.
Shofar; West Lafayette, IN.
SiChSt: Sino-Christian Studies, Taiwan.
SIDIC: Service International de Documentation Judéo-Chrétienne; R.
Silva–Estudios de humanismo y tradición clásica; León.
Sinhak Jonmang; Kwangju, S. Korea.
SMEA: Studi micenei ed egeo-anatolici; R.
SMEBT: Serie Monográfica de Estudios Biblicos y Teológicos de la Universidad Adventista del Plata; Libertador San Martín, Argentina.
Sources; FrS.
Spiritus(B); Baltimore.
Spiritus; P.
STAC: Studien und Texte zu Antike und Christentum; Tü.
Stauros; Pescara.
StBob: Studia Bobolanum; Wsz.
StEeL: Studi epigrafici e linguistici; Verona.
Storia della storiografia; Mi.
St Mark's Review; Canberra.
StPhiloA: Studia Philonica Annual; Providence, RI.
StSp(N): Studies in Spirituality; Lv.
Studi Fatti Ricerche; Mi.
Studi sull'Oriente Cristiano; R.
Studium(R): Studium; R.
Stulos. Theological Journal; Bandung, Indonesia.
StWC: Studies in World Christianity; E.
Sudan & Nubia; L.
Synaxis; Catania.
T: Translator.
TA:Tel Aviv; TA.
TBAC: The Bible in Ancient Christianity; Lei.
TC.JBTC: TC: a journal of biblical textual criticism [http://purl.org/TC].

TENTS: Texts and editions for New Testament study; Lei.
Teocomunicaçâo; Porto Alegre, Brasil.
Tertium Millennium; R.
TGr.T: Tesi Gregoriana, Serie Teologia; R.
TEuph: Transeuphratène; P.
Themelios; L.
Theoforum; Ottawa.
Theologia Viatorum; Potenza.
Theologica & Historica; Cagliari.
Theologika; Lima.
Theologisches; Siegburg.
Théologiques; Montréal.
ThEv(VS): Théologie évangélique; Vaux-sur-Seine.
ThLi: Theology & Life; Hong Kong.
Theology for Our Times; Bangalore.
Theotokos; R.
ThirdM: Third Millennium: Pune, India.
TKNT: Theologischer Kommentar zum Neuen Testament; Stu.
TrinJ: Trinity Journal; Deerfield, IL.
Tychique; Lyon.
Una Voce-Korrespondenz; Köln.
VeE: Verbum et Ecclesia; Pretoria.
VeVi: Verbum Vitae; Kielce. **P.**
Viator; Turnhout.
Vie Chrétienne; P.
Vie, La: des communautés religieuses; Montréal.
Vita Sociale; F.
Vivar(C): Vivarium; Catanzaro.
Vivar(L): Vivarium; Lei.
VivH: Vivens Homo; F.
VO: Vicino Oriente; R.
Volto dei volti, Il; R.
Vox latina; Saarbrücken.
Vox Patrum; Lublin.
VoxScr: Vox Scripturae; São Paulo.
VTeol: Via Teológica; Paraná.
WAS: Wiener alttestamentliche Studien; Fra.
WaW: Word and World; St. Paul, Minn.
Way, The; L.

WBC: Word Biblical Commentary; Waco.
WGRW: Writings from the Greek and [Greco-] Roman World; Atlanta.
WJT: Wiener Jahrbuch für Theologie; W.
WUB: Welt und Umwelt der Bibel; Stu.
ZAC: Zeitschrift für antikes Christentum; B.
ZAR: Zeitschrift für altorientalische

und biblische Rechtsgeschichte; Wsb.
Zeitzeichen; Stu.
ZNT: Zeitschrift für Neues Testament; Tü.
ZNTG: Zeitschrift für neuere Theologiegeschichte; B.
ZOrA: Zeitschrift für Orient-Archäologie; B.
ZThG: Zeitschrift für Theologie und Gemeinde; Mü.

I. Bibliographica

A1 Opera collecta .1 **Festschriften**, memorials

1 (*a*) ADAMS, Barbara: Egypt at its origins: studies in memory of Barbara Adams. [E]**Hendrickx, Stan; Friedman, R.F.**, *al*.: OLA 138: 2004 ⇒20, 3. [R]ArOr 74 (2006) 473-477 (*Vlčková, Petra*);
(*b*) AGUS, Aharon: 'Der Odem des Menschen ist eine Leuchte des Herrn': Aharon Agus zum Gedenken. [E]**Reichman, Ronen**: Heid 2006, Winter 298 pp. €38. 978-38253-51915.

2 AGOURIDES, Savas: Sacred text and interpretation: perspectives in Orthodox biblical studies: papers in honor of Professor Savas Agourides. [E]**Stylianopoulos,T.G.**: Brookline, Mass. 2006, Holy Cross Orthodox xx; 397 pp. 18856-52860. [R]DBM 24 (2006) 259-264 (*Gkoutzioudes, Moschos*).

3 ALEXANDER, Jonathan J.G.: Tributes to Jonathan J.G. Alexander: the making and meaning of illuminated medieval and Renaissance manuscripts, art and architecture. [E]**L'Engle, Susan; Guest, Gerald B.**: L 2006, Harvey Miller ix; 532 pp. 978-18725-01478.

4 AUNE, David E.: The New Testament and early christian literature in Greco-Roman context: studies in honor of David E. Aune. [E]**Fotopoulos, John**: NT.S 122: Lei 2006, Brill xv; 468 pp. 90-04-14304-1. Bibl. Aune 445-456.

5 BARTH, Hermann: Von der Anmut des Anstandes: das Buch Jesus Sirach. [E]**Gundlach, Thies; Markschies, Christoph** 2005 ⇒21,5. [R]ThLZ 131 (2006) 1021-1023 (*Kaiser, Otto*).

6 BECKER, Jürgen: Paulus und Johannes: exegetische Studien zur paulinischen und johanneischen Theologie und Literatur. [E]**Mell, Ulrich; Sänger, Dieter**: WUNT 198: Tü 2006, Mohr S. x; 556 pp. €109. 3-16-1490-64-9. Bibl. Becker 1999-2006, 499-501.

7 BERGANT, Dianne: The wisdom of creation. [E]**Foley, Edward; Schreiter, Robert** 2004 ⇒20,9; 21,7. [R]Pacifica 19/1 (2006) 93-95 (*Sinnott, Alice*).

8 BIETAK, Manfred F.K.W.: Timelines: studies in honour of Manfred Bietak. [E]**Czerny, Ernst**, *al*.: OLA 149: Lv 2006, Peeters 3 vols; 454+498+387 pp. €270. 90-429-1730-X.

9 BORGEN, Peder Johan: Neotestamentica et Philonica: studies in honor of Peder Borgen. [E]**Aune, David E.; Seland, Torrey; Ulrichsen, Jarl H.**: NT.S 106: 2003 ⇒19,12. [R]RBLit (2006)* (*Sterling, Gregory*).

10 BOSCHI, Walther: L'armonia della scrittura: saggi in onore di p. Bernardo Boschi o.p.: Bo 2006, Studio Domenicano 201 pp.

11 BROWN, Raymond E.: Life in abundance: studies of John's gospel in tribute to Raymond E. Brown. ᴱ**Donahue, John R.**: 2005 ⇒21,15. ᴿNewTR 19/3 (2006) 89-91 (*Reid, Barbara E.*); TS 67 (2006) 883-884 (*Mitchell, Alan C.*); CBQ 68 (2006) 798-800 (*Achtemeier, Paul J.*).

12 BRUEGGEMANN, Walter; COUSAR, Charles: Shaking heaven and earth. ᴱ**Yoder, Christine**, *al.*: 2005 ⇒21,16. ᴿRBLit (2006)* (*Branch, Robin*).

13 BURCHARD, Christoph: Das Gesetz im frühen Judentum und im Neuen Testament: Festschrift für Christoph Burchard zum 75. Geburtstag. ᴱ**Konradt, Matthias; Sänger, Dieter**: StUNT 57; NTOA 57: FrS 2006, Academic 344 pp. €99. 3-7278-1550-7.

14 CAMPBELL, Antony F.: Seeing signals, reading signs: the art of exegesis: ᴱ**O'Brien, Mark A.; Wallace, Howard N.**: JSOT.S 415: 2004 ⇒20,15; 21,19. ᴿCBQ 68 (2006) 364-366 (*Green, Barbara*).

15 CAQUOT, André: La bible et l' héritage d'Ougarit. ᴱ**Michaud, Jean-Marc**: 2005 ⇒21,22. ᴿOLZ 101 (2006) 478-482 (*Herrmann, W.*);

16 Qoumrân et le judaïsme du tournant de notre ère. ᴱ**Lemaire, André; Mimouni, Simon C.** Coll. REJ 40: Lv 2006, Peeters x; 153 pp. €38. 90429-17601. Actes de la Table Ronde, Collège de France, 2004. ᴿCRAI (2006/4) 1717-1719 (*Lemaire, André*).

17 CASEVITZ, Michel: φιλολογία: mélanges offerts à Michel Casevitz. ᴱ**Brillet-Dubois, Pascale; Parmentier, Edith**: Lyon 2006, Maison de l'Orient 381 pp. €32. 29032-64287.

18 CATHCART, Kevin James: Biblical and Near Eastern essays. ᴱ**McCarthy, Carmel; Healey, John F.**: JSOT.S 375: 2004 ⇒20,19; 21,24. ᴿJThS 57 (2006) 599-606 (*Macintosh, A.A.*).

19 CHARLESWORTH, James H.: The changing face of Judaism, christianity, and other Greco-Roman religions in antiquity. ᴱ**Henderson, Ian H.; Oegema, Gerbern S.**: Studien zu den Jüdischen Schriften aus hellenistisch-römischer Zeit 2: Gü 2006, Gü xii; 551 pp. €148. 3579-05361-2.

20 CHERNETSOV, Sevir B.: Varia aethiopica: in memory of Sevir... Scrinium 1 (Saint-Pétersbourg 2005, Société des études byzantines et slaves) lii; 417 pp. 1817-7530. ᴿUF 38 (2006) 834-835 (*Dietrich, Manfried*).

21 CIGNELLI, Lino: Grammatica intellectio scripturae: saggi filosofici di Greco biblico in onore di Lino Cignelli OFM. ᴱ**Pierri, Rosario**: SBFA 68: J 2006, Franciscan xiii; 386 pp. 965-516-071-8.

22 CLARKE, Ernest G.: Targum and scripture: studies in Aramaic translations and interpretation in memory of Ernest G. Clarke. ᴱ**Flesher, Paul V.M.**: Studies in the Aramaic interpretation of Scripture 2: 2002 ⇒18, 16; 20,20. ᴿJSSt 51 (2006) 205-207 (*Adams, S.G.D.*).

23 CLEMENTS, Ronald Ernest: In search of true wisdom. ᴱ**Ball, Edward**: JSOT.S 300: 1999 ⇒15,18... 17,18. ᴿThR 71 (2006) 27-30 (*Reventlow, Henning Graf*).

24 CLINES, David J.A.: Reading from right to left. ᴱ**Williamson, Hugh G.M.; Exum, J. Cheryl**: JSOT.S 373: 2003 ⇒19,21; 21,25. ᴿBZ 50 (2006) 315-319 (*Scoralick, Ruth*).

25 COHEN, David: Mélanges David Cohen, études sur le langage, les langues, les dialectes, les littératures. ᴱ**Lentin, Jérôme; Lonnet, Antoine**: 2003 ⇒19,22... 21,26. ᴿJNES 65 (2006) 216-218 (*Kaye, Alan S.*).

26 COPELAND, Lorraine: From the river to the sea. ᴱ**Aurenche, Olivier; Le Mière, Marie; Sanlaville, Paul**: BAR International Ser. 1263: 2004 ⇒ 20,23. ᴿBASOR 343 (2006) 121-122; (*Olszewski, Deborah I.*); Paléorient 32 (2006) 163-164 (*Olszewski, Deborah I.*).

27 CRENSHAW, James L.: Shall not the judge of all the earth do what is right?. ᴱ**Penchansky, David; Redditt, Paul L.**: 2000 ⇒16,31; 17,19. ᴿThR 71 (2006) 30-32 (*Reventlow, Henning Graf*).

28 DANKER, Frederick W.: Biblical Greek language and lexicography. ᴱ**Taylor, Bernard Alwyn**, *al.*: 2004 ⇒20,26; 21,31. ᴿBiTr 57 (2006) 51-52 (*Sipilä, Seppo*); Faith & Mission 23/2 (2006) 87-89 (*Winstead, Melton B.*); JThS 57 (2006) 287-291 (*North, J. Lionel*).

29 DE BENEDETTI, Paolo: Il settantunesimo senso: omaggio a Paolo De Benedetti. ᴱ**Bertoletti, Ilario; Capelli, Piero; Giuliani, Massimo**: Hum(B) 61/1 (Brescia 2006, Morcelliana) 1-143. €13. 88-372-2089-8. Bibl. De Benedetti 132-143—P. Cattani.

30 DE VRIES, Simon J.: God's word for our world. ᴱ**Ellens, J. Harold & Deborah L.**: JSOT.S 388-9: 2004 ⇒20,28; 21,33. ᴿCBQ 68 (2006) 359-61 (*Landes, George M.*); JThS 57 (2006) 281-83 (*Williamson, H.G.M.*).

31 DEVER, William G.: The Near East in the southwest. ᴱ**Nakhai, Beth A.**: AASOR 58: 2003 ⇒19,30. ᴿJAOS 125 (2005) 425-426 (*Crowell, Bradley*);

32 Confronting the past: archaeological and historical essays on ancient Israel in honor of William G. Dever. ᴱ**Dessel, J.P.; Gitin, Seymour; Wright, J. Edward**: WL 2006, Eisenbrauns xxiv; 376 pp. $69.50. 978-1-575-06117-7. Bibl. xiii-xxiv.

33 DI LELLA, Alexander: Intertextual studies in Ben Sira and Tobit. ᴱ**Corley, Jeremy; Skemp, Vincent**: CBQ.MS 38: 2005 ⇒21,35. ᴿRivBib 54 (2006) 235-238 (*Mazzinghi, Luca*); Gr. 87 (2006) 395-396 (*Calduch Benages, Núria*); ITS 43 (2006) 103-105 (*Legrand, Lucien*).

34 DIAKONOFF, Igor M.: Memoriae Igor M. Diakonoff. ᴱ**Kogan, Leonid; Loesov, S.; Tishchenko, S.**: B&B 2; Orientalia et classica 8: 2005 ⇒21,36. ᴿUF 38 (2006) 813-818 (*Dietrich, Manfried*).

35 DUNN, James: The Holy Spirit and christian origins. ᴱ**Longenecker, Bruce W.; Stanton, Graham; Barton, Stephen**: 2004 ⇒20,33; 21,38. ᴿBZ 50 (2006) 267-269 (*Scherer, Hildegard*); Theol. 109 (2006) 291-292 (*Campbell, William S.*); JThS 57 (2006) 669-673 (*Isaacs, Marie E.*).

36 ELLIS, Edward E.: History and exegesis: New Testament essays in honor of Dr. E. Earle Ellis for his 80th birthday. ᴱ**Son, Sang-Won**: NY 2006, Clark xix; 397 pp. £30. 0-567-02801-1. Bibl. 17-26. ᴿRBLit (2006)* (*Fairchild, Mark*).

37 EOGAN, George: From megaliths to metal: essays in honour of George Eogan. ᴱ**Roche, Helen**: Oxf 2004, Oxbow xiii; 263 p. 1-8421-7151-8.

38 FABRIS, Rinaldo: "Generati da una parola di verità" (Gc 1,18): scritti in onore di Rinaldo Fabris nel suo 70 compleanno. ᴱ**Grasso, Santi; Manicardi, Ermenegildo**: SRivBib 47: Bo 2006, EDB 426 pp. €35. 88-10-30235-4. Bibl. Fabris 13-26.

39 FAHEY, Michael A.: In God's hands: essays on the church and ecumenism in honour of Michael A. Fahey, S.J. ᴱ**Attridge, M.S.; Skira, J.Z.**: Lv 2006, Peeters 314 pp. 90429-18306.

40 FIORENZA, Elisabeth Schüssler: On the cutting edge. ᴱ**Schaberg, Jane; Balch, Alice; Fuchs, Esther**: 2003 ⇒19,37... 21,41. ᴿBiCT 2/3 (2006)* (*West, Gerald*); JThS 57 (2006) 264-266 (*Gooder, Paula*);

41 Walk in the ways of wisdom. ᴱ**Matthews, Shelly; Kittredge, Cynthia Briggs; Johnson-DeBaufre, Melanie**: 2003 ⇒19,39; 20,36. ᴿTheol. 109 (2006) 368-369 (*Walton, Heather*).

42 FORMIGARI, Lia: Il linguaggio: teorie e storia delle teorie: in onore di Lia Formigari. ᴱ**Gensini, Stefano; Martone, Arturo**: N 2006, Liguori 383 pp. 88-207-3908-9.

43 FOX, Michael V.: Seeking out the wisdom of the ancients. ^E**Friebel, Kelvin G.; Magary, Dennis R.; Troxel, Ronald L.**: 2005 ⇒21,43. ^RHebStud 47 (2006) 444-447 (*Goff, Matthew*).

44 FRANK, Richard M.: Arabic theology, Arabic philosophy: from the many to the one: essays in celebration of Richard M. Frank. ^E**Montgomery, James E.**: OLA 152: Lv 2006, Peeters vi; 463 pp. 90-429-1778-4.

45 FRETHEIM, Terence E.: 'And God saw that it was good': essays on creation and God in honor of Terence E. Fretheim. ^E**Gaiser, Frederick J.; Throntveit, Mark A.**: St. Paul, MN 2006, Luther Seminary xi; 190 pp. $17. 09632-38965.

46 FREYNE, Seán: Recognising the margins: developments in biblical and theological studies: essays in honour of Seán Freyne. ^E**Jeanrond, Werner G.; Mayes, Andrew**: Dublin 2006, Columba 352 pp. €20. 978-1-85607-549-7.

47 FRONZAROLI, Pelio: Semitic and Assyriological studies. ^E**Marrassini, Paolo** 2003 ⇒19,44. ^RJSSt 51 (2006) 169-172 (*Watson, Wilfred G.E.*).

48 FUNK, Wolf-P.: Coptica, gnostica, manichaica: mélanges offerts à Wolf-Peter Funk. ^E**Painchaud, Louis; Poirier, Paul-Hubert**: BCNH.Etudes 7: Québec, Canada 2006, Presses de l'Univ. Laval xxxiv; 1052 p. 2-7637-8335-X. Bibl. Funk xxii-xxxiv. ^RScEs 58 (2006) 315-317 (*Kaler, Michael*).

49 GALITIS, Georgios A.: Diakonia, leitourgia, charisma: patristic and contemporary exegesis of the New Testament. ^E**Galanis, Ioannis**: Athena 2006, En Plo 615 pp. 960-88994-5-1. Bibl. 66-93.

50 GENEST, Olivette: 'Christ est mort pour nous': études sémiotiques, féministes et sotériologiques en l'honneur d'Olivette Genest. ^E**Gignac, Alain; Fortin, Anne**: 2005 ⇒21,46. ^RTheoforum 37 (2006) 96-97 (*Laberge, Léo*).

51 GHIBERTI, Giuseppe: "Il vostro frutto rimanga" (Gv 16,16). ^E**Passoni Dell'Acqua, Anna**: RivBib.S 46: 2005 ⇒21,47. ^RATR 12/1 (2006) 255-262 (*Marenco, Mariarita*).

52 GIBERT, Pierre: Mémoires d'écriture: hommage à Pierre Gibert s.j. offert par la Faculté de théologie de Lyon. ^E**Abadie, Philippe**: Le livre et le rouleau 25: Bru 2006, Lessius 332 pp. €28. 28729-91530. Bibl. 15-31.

53 GONZÁLEZ Blanco, Antonino: Espacio y tiempo en la percepción de la antigüedad tardía: homenaje al profesor Antonino González Blanco, in maturitate aetatis ad prudentiam. ^E**Conde Guerri, Elena; Egea Vivancos, Alejandro; González Fernández, Rafael**: Antigüedad y cristianismo 23: Murcia 2006, Universidad de Murcia 1083 pp. 978-84-8371-667-0.

54 GRAYSON, Albert K.: From the upper sea to the lower sea: studies on the history of Assyria and Babylonia in honour of A.K. Grayson. ^E**Frame, Grant**: 2004 ⇒20,50. ^RRA 100 (2006) 180-182 (*Charpin, Dominique*).

55 GREENWAY, Roger S.: For God so loved the world: missiological reflections in honor of Roger S. Greenway. ^E**Leder, Arie C.**: Belleville, Ont. 2006, Essence 328 pp. $17.

56 GROTTANELLI, Cristiano: Il saggio Ahiqar: fortuna e trasformazioni di uno scritto sapienziale: il testo più antico e le sue versioni. ^E**Contini, Riccardo**: StBi 148: 2005 ⇒21,52. ^ROLZ 101 (2006) 521-528 (*Gzella, Holger*); CivCatt 157/4 (2006) 202-204 (*Prato, G.L.*).

57 GUSMANI, Roberto: Studi linguistici in onore di Roberto Gusmani. ^E**Bombi, Raffaella**, *al.*: Alessandria 2006, Dell'Orso 3 vols; xlvi; 1866 pp. 88769-48880. Bibl. Gusmani xxix-xlvi.

58 HAASE, Richard: Recht gestern und heute: Festschrift zum 85. Geburtstag von Richard Haase. ᴱ**Hengstl, Joachim; Sick, Ulrich**: Philippika 13: Wsb 2006, Harrassowitz xxvii; 380 pp. €78. 978-3-447-05387-7.

59 HAGEN, Kenneth: Ad fontes Lutheri. ᴱ**Maschke, Timothy; Posset, Franz; Skocir, Joan**: 2001 ⇒17,40; 18,56. ᴿLuther-Bulletin 15 (2006) 99-100 (*Bell, Th.M.*).

60 HAIDER, Peter W.: Altertum und Mittelmeerraum: die antike Welt diesseits und jenseits der Levante: Festschrift für Peter W. Haider zum 60. Geburtstag. ᴱ**Rollinger, Robert**: Oriens et Occidens 12: Stu 2006, Steiner 878 pp. 978-3-515-08738-4.

61 HANKEY, Vronwy: La céramique mycénienne de l'Egée au Levant. ᴱ**Balensi, Jacqueline; Monchambert, Jean-Y.; Müller Celka, Sylvie**: 2004 ⇒20,53. ᴿBASOR 343 (2006) 126-128 (*Van Wijngaarden, Gert Jan*); Syr. 83 (2006) 308-309 (*Poursat, Jean-Claude*).

62 HARRIS, William V.: A tall order: writing the social history of the ancient world. ᴱ**Aubert, Jean-Jacques; Várhelyi, Zsuzsanna**: 2005 ⇒21,57. ᴿHZ 283 (2006) 436-437 (*Baltrusch, Ernst*).

63 HAUFE, Günter: Eschatologie und Ethik im frühen Christentum: Festschrift für Günter Haufe zum 75. Geburtstag. ᴱ**Böttrich, Christfried**: GThF 11: Fra 2006, Lang 376 pp. €39.80. 3-631-54377-8.

64 HAYES, John H.: Israel's prophets and Israel's past: essays on the relationship of prophetic texts and Israelite history in honor of John H. Hayes. ᴱ**Kelle, Brad E.; Moore, Megan B.**: LHBOTS 446: NY 2006, Clark xiv; 363 pp. 0-567-02652-3. Bibl. Hayes: 342-345.

65 HEINZ, Andreas: Liturgie und Lebenswelt: Studien zur Gottesdienst- und Frömmigkeitsgeschichte zwischen Tridentinum und Vatikanum II. ᴱ**Bärsch, Jürgen; Schneider, Bernhard**: LWQF 95: Münster 2006, Aschendorff x; 582 pp. 3-402-04075-1.

66 HOFFNER, Harry A.: Hittite studies. ᴱ**Beal, Richard H.; McMahon, John G.; Beckman, Gary M.**: 2003 ⇒19,58. ᴿOLZ 101 (2006) 173-177 (*Lebrun, René*).

67 HOLTZ, Traugott; WALTER, Nikolaus: Frühjudentum und NT. ᴱ**Kraus, Wolfgang; Niebuhr, Karl-W.**: WUNT 162: 2003 ⇒19,60... 21,62. ᴿThLZ 131 (2006) 153-155 (*Konradt, Matthias*).

68 HOUTMAN, Cornelis: The interpretation of Exodus: studies in honour of Cornelis Houtman. ᴱ**Roukema, Riemer**, *al.*: CBET 44: Lv 2006, Peeters x; 317 pp. €39. 90-429-1806-3. Bibl. Houtman 283-293.

69 HUBER, Friedrich: Wir haben doch alle denselben Gott: Eintracht, Zwietracht und Vielfalt der Religionen: Friedrich Huber zum 65. Geburtstag. ᴱ**Asmus, Sören; Schulze, Manfred**: VKHW 8: Neuk 2006, Neuk 304 pp. 978-3-938180-03-7.

70 HUFFMON, Herbert Bardwell: Inspired speech: prophecy in the ancient Near East, essays in honor of Herbert B. Huffmon. ᴱ**Stulman, Louis; Kaltner, John**: JSOT.S 378: 2004 ⇒20,61. ᴿBBR 16/1 (2006) 157-158 (*Hess, Richard S.*).

71 HURSKAINEN, Arvi: Africa in the long run: Festschrift in the honour of professor Arvi Hurskainen. ᴱ**Harjula, Lotta; Ylanko, Maaria**: StOr 103: Helsinki 2006, Finnish Oriental Society xviii; 230 pp. 951-9380-67-1.

72 ILLMAN, Karl-J.: Ancient Israel, Judaism and Christianity in contemporary perspective: essays in memory of Karl-Johan Illman. ᴱ**Neusner, Jacob**, *al.*: Studies in Judaism: Lanham 2006, University Press of America ix; 448 pp. 0-7618-3362-5. Bibl. Illman 9-22.

73 JACOBSEN, Thorkild: Riches hidden in secret places: ancient Near Eastern studies. ^{E}**Abusch, I. Tzvi**: 2002 ⇒18,62... 21,68. ^{R}RA 100 (2006) 177-179 (*Charpin, Dominique*).

74 JASTROW, Otto: 'Sprich doch mit deinen Knechten aramäisch, wir verstehen es!': 60 Beiträge zur Semitistik. ^{E}**Arnold, Werner; Bobzin, Hartmut**: 2002 ⇒18,64... 21,70. ^{R}JSSt 51 (2006) 373-377 (*Coghill, Eleanor*).

75 JENNER, Konrad D.: Text, translation, and tradition: studies on the Peshitta and its use in the Syriac tradition presented to Konrad D. Jenner on the occasion of his sixty-fifth birthday. ^{E}**Ter Haar Romeny, Bas ; Van Peursen, Wido**: MPIL 14: Lei 2006, Brill xiv; 266 pp. $167. 978-90-04-15300-4.

76 JEREMIAS, Jörg: Schriftprophetie. ^{E}**Hartenstein, F.; Krispenz, J.; Schart, A.**: 2004 ⇒20,65. ^{R}ETR 81 (2006) 265-267 (*Vincent, Jean Marcel*).

77 JEWETT, Robert: Celebrating Romans. ^{E}**McGinn, Sheila E.**: 2004 ⇒20,66; 21,71. ^{R}LASBF 56 (2006) 648-652 (*Chrupcała, Lesław D.*).

78 JOBLING, David: Voyages in uncharted waters: essays on the theory and practice of biblical interpretation in honour of David Jobling. ^{E}**Bergen, Wesley J.; Siedlecki, Armin**: Shf 2006, Sheffield Phoenix 248 pp.

79 JUEL, Donald H.: The ending of Mark and the ends of God: essays in memory of Donald Harrisville Juel. ^{E}**Gaventa, Beverly R.; Miller, Patrick D.**: 2005 ⇒21,73. ^{R}CBQ 68 (2006) 170-171 (*Powell, Mark Allan*).

80 KAISER, Otto: "Reichtum ist gut, ist er ohne Schuld" (Sir 13,24): Vorstellung eines Exegeten: Ehrendoktorat für Otto Kaiser am 17. 11. 2002 in Salzburg. ^{E}**Reiterer, Friedrich V.**: Salzburger exegetische theologische Vorträge 2: Müns 2003, LIT vii; 100 pp. 3-8258-6789-7;

81 Gott und Mensch im Dialog. ^{E}**Witte, Markus**: BZAW 345/1-2: 2004 ⇒20,69. ^{R}ZKTh 128 (2006) 132-133 (*Markl, Dominik*); ThRv 102 (2006) 293-296 (*Groß, Walter*).

82 KELBER, Werner: Peforming the gospel: orality, memory, and Mark. ^{E}**Horsley, Richard A.; Draper, Jonathan A.; Foley, John M.**: Mp 2006, Fortress xvi; 239 pp. $35. 0-80063-828X. Bibl. 193-236 [BiTod 44,328—Donald Senior].

83 KEMPINSKI, Aharon: Aharon Kempinski memorial volume. ^{E}**Ahituv, Shmuel; Oren, Eliezer D.**: Beer-Sheva 15: 2002 ⇒18,66; 20,71. ^{R}ArOr 74 (2006) 128-131 (*Mynářová, Jana*).

84 KESSELS, A.H.M.: The land of dreams: Greek and Latin studies in honour of A.H.M. Kessels. ^{E}**Lardinois, André; Van der Poel, Marc; Hunink, Vincent**: Lei 2006, Brill xxiv; 416 pp. €106/$160. 978-90041-50614.

85 KIENAST, Burkhart: Festschrift für Burkhart Kienast. ^{E}**Selz, Gebhard J.**: AOAT 274: 2003 ⇒19,68, 21,76. ^{R}AfO 51 (2005-2006) 340-343 (*Charvát, Petr*).

86 KLINGER, Elmar: Glaube in der Welt von heute: Theologie und Kirche nach dem Zweiten Vatikanischen Konzil: Festschrift für Elmar Klinger. ^{E}**Franz, Thomas; Sauer, Hanjo**: Wü 2006, Echter 599 + 554 pp. €80. 20. 9783-4290-28046.

87 KNIBB, Michael A.: Biblical traditions in transmission: essays in honour of Michael A. Knibb. ^{E}**Hempel, Charlotte; Lieu, Judith M.**: JSJ.S 111: Lei 2006, Brill xxv; 393 pp. €139/$181. 90-04-13997-4. Bibl. Knibb xv-xxi.

88 KÖNIG, Franz: Spiritualität—mehr als ein Megatrend: Gedenkschrift für Kardinal DDr. Franz König. ^E**Zulehner, Paul M.**: Ostfildern 2006, Schwaben 229 pp. €19.90. 3-7966-1174-5. ^RGuL 79 (2006) 399-400 (*Philipp, Thomas*).

89 KUGEL, James L.: The idea of biblical interpretation. ^E**Najman, Hindy; Newman, Judith H.**: JSJ.S 83: 2004 ⇒20,78; 21,82. ^RTS 67 (2006) 178-179 (*Ryan, Stephen D.*); JSJ 37 (2006) 473-475 (*Dimant, Devorah*).

90 KUNTZMANN, Raymond: Le jugement dans l'un et l'autre Testament, 1. ^E**Bons, Eberhard**: LeDiv 197: 2004 ⇒20,79. ^RETR 81 (2006) 261-262 (*Vincent, Jean Marcel*); SR 35 (2006) 145-147 (*Vogels, Walter*); CrSt 27 (2006) 658-661 (*Simoens, Yves*).

91 KUSS, Otto: Unterwegs mit Paulus: Otto Kuss zum 100. Geburtstag. ^E**Hainz, Josef**: Rg 2006, Pustet 296 pp. €34.80. 3-7917-2000-7.

92 Laetare Jerusalem: Festschrift zum 100jährigen Ankommen der Benediktinermönche auf dem Jerusalemer Zionsberg. ^E**Schnabel, Nikodemus**: Jerusalemer Theologisches Forum 10: Müns 2006, Aschendorff 611 pp. €29.80. 3-402-07509-1. Ill. ^RIren. 79/1 (2006) 196-197.

93 LASH, Nicholas: Fields of faith. ^E**Ford, David F.; Quash, Ben; Soskice, Janet** 2005 ⇒21,86. ^RRRT 13 (2006) 89-92 (*McCosker, Philip*).

94 LATEGAN, Bernard C.: The New Testament interpreted: essays in honour of Bernard C. Lategan. ^E**Breytenbach, Cilliers; Punt, Jeremy; Thom, Johan**: NT.S 124: Lei 2006, Brill x; 404 pp. 978-90041-53042.

95 LEICHTY, Erle: If a man builds a joyful house: Assyriological studies in honour of... ^E**Guinan, Ann K.**, *al.*: Cuneiform monographs 31: Lei 2006, Brill xxvii; 529 pp. €159. 9004146326. Bibl. Leichty xxiii-xxvii.

96 LEVINAS, Emmanuel: Après vous: Denkbuch für Emmanuel Levinas 1906-1995. ^E**Miething, Frank; Wolzogen, Christoph von**: Fra 2006, Neue Kritik 262 pp. 3-8015-0383-6.

97 LJUNG, Inger: Vad, hur och varför?: reflektioner över bibelvetenskap: Festskrift till Inger Ljung. ^E**Hartman, Lars; Sjöberg, Lina; Sjöberg, Mikael**: AUU.Uppsala Studies in Faiths and Ideologies 17: U 2006, Uppsala Univ. 224 pp. 91554-67237.

98 LOFFREDA, Stanislao: One land—many cultures. ^E**Bottini, Giovanni C.; Di Segni, Leah; Chrupcala, L. Daniel**: SBF.CMa 41: 2003 ⇒19, 76; 21,89. ^RRB 113 (2006) 152-155 (*Murphy-O'Connor, Jerome*).

99 LUST, Johan: Interpreting translation. ^E**García Martínez, Florentino; Vervenne, Marc**: BEThL 192: 2005 ⇒21,92. ^RRTL 37 (2006) 415-417 (*Bogaert, Pierre-Maurice*); EThL 82 (2006) 485-489 (*Vianès, L.*).

100 LUTTIKHUIZEN, Gerard P.: The wisdom of Egypt. ^E**Hilhorst, Anthony; Van Kooten, George H.** AGJU 59: 2005 ⇒21,93. ^RJSJ 37 (2006) 115-116 (*Goff, Matthew*).

101 MALHERBE, Abraham J.: Early christianity and classical culture. ^E**Fitzgerald, John; Olbricht, Thomas; White, Michael**: NT.S 110: 2003 ⇒19,80. ^RRBLit (2006)* (*Van Rensburg, Fika; Verheyden, Joseph*).

102 MARAVAL, Pierre: Pélerinages et lieux saints dans l'antiquité et le moyen âge: mélanges offerts à Pierre Maraval. ^E**Caseau, B.; Cheynet, J.-C.; Deroche, V.**: Monographies 23: P 2006, Association des Amis du Centre d'Histoire et Civilisation de Byzance xxii; 490 pp. 29167-1608-4. Bibl. Maraval xv-xxii.

103 MARBÖCK, Johannes: Auf den Spuren der schriftgelehrten Weisen. ^E**Fischer, Irmtraud; Rapp, Ursula; Schiller, Johannes**: BZAW 331: 2003 ⇒19,81; 21,96. ^RZKTh 128 (2006) 317-319 (*Bilić, Niko*).

104 MARGUERON, Jean-Claude: Les espaces syro-mésopotamiens: dimensions de l'espérience humaine au proche-orient ancien: volume d'hommage offert à Jean-Claude Margueron. ᴱButterlin, P., al.: Subartu 17: Turnhout 2006, Brepols xxxi; 548 pp. 2-503-52023-0.

105 MARROW, James H.: Tributes in honor of James H.Marrow: studies in painting and manuscript illumination of the late Middle Ages and northern Renaissance. ᴱHamburger, Jeffrey; Korteweg, A.S.: Turnhout 2006, Brepols 679 pp. €150. 978-19053-75080.

106 MARTIN, Jean-Pierre: Pouvoir et religion dans le monde romain, en hommage à Jean-Pierre Martin. ᴱBéranger-Badel, Agnès, al.: P 2006, Presses de l'Université Paris-Sorbonne 607 pp. €40. 2840-5042-86. Ill.

107 MATTHIAE, Paolo: Ina kibrat erbetti: studi di archeologia dedicati a Paolo Matthiae. ᴱBaffi, Francesca, al.: R 2006, Università La Sapienza 622 pp. 88-87242-73-9.

108 MAZAR, Amihai: "I will speak the riddles of ancient times": archaeological and historical studies in honor of Amihai Mazar on the occasion of his sixtieth birthday. ᴱMaier, Aren M.; Miroschedij, Pierre R. de: WL 2006, Eisenbrauns 2 vols; xxxii; 398 pp + ix; 401-893 pp. $97.50. 978-1575-06103-0/26-9. Bibl. Mazar vol. 1, xxi-xxxii.

109 MCBRIDE, Samuel D.: Constituting the community. ᴱStrong, John T.; Tuell, Steven S.: 2005 ⇒21,98. ᴿCBQ 68 (2006) 791-793 (McCann, J. Clinton, Jr.); RBLit (2006)* (Hawkins, Ralph; Burke, Donald).

110 MEINHOLD, Arndt: Die unwiderstehliche Wahrheit: Studien zur alttestamentlichen Prophetie: Festschrift für Arndt Meinhold. ᴱLux, Rüdiger; Waschke, Ernst-Joachim: ABIG 23: Lp 2006, Evangelische xi; 574 pp. €84. 978-3374-02428-5.

111 MERK, Otto: Die bleibende Gegenwart des Evangeliums. ᴱGebauer, Roland; Meiser, Martin: MThSt 76: 2003 ⇒19,84. ᴿNT 48 (2006) 404-407 (Stenschke, Christoph).

112 MILLER, Patrick D.: A God so near. ᴱStrawn, Brent; Boven, Nancy: 2003 ⇒19,94; 20,92. ᴿThR 71 (2006) 23-25 (Reventlow, Henning).

113 MOOREY, Peter R.S.: Culture through objects. ᴱPotts, Timothy; Roaf, Michael; Stein, Diana: 2003 ⇒19,98... 21,106. ᴿAJA 110 (2006) 508-510 (Feldman, Marian H.); BASOR 341 (2006) 86-88 (Adams, Russell).

114 MORAN, William L.: Biblical and oriental essays. ᴱGianto, Agustinus: BibOr 48: 2005 ⇒21,107. ᴿCrSt 27 (2006) 944-947 (Di Vito, Robert).

115 MORGAN, Robert: The nature of New Testament theology: essays in honour of Robert Morgan. ᴱRowland, Christopher; Tuckett, Christopher: Malden, Mass. 2006, Blackwell 314 pp. $35. 9781-405-1-1174-4.

116 MOSIS, Rudolf: Gottes Wege suchend. ᴱSedlmeier, Franz: 2003 ⇒19, 99; 20,94. ᴿThRv 102 (2006) 120-122 (Dormeyer, Detlev).

117 MUSSNER, Franz: "Für alle Zeiten zur Erinnerung" (Jos 4,7): Beiträge zu einer biblischen Gedächtniskultur. ᴱTheobald, Michael; Hoppe, Rudolf: Stu 2006, Katholisches Bibelwerk 379 pp. 3-460-03094-1. Bibl. Mussner 1982-2005 369-379.

118 MÜHLSTEIGER, Johannes: Recht—Bürge der Freiheit: Festschrift für Johannes Mühlsteiger zum 80. Geburtstag. ᴱBreitsching, Konrad.; Rees, Wilhelm: KStT 51: B 2006, Duncker & H. xxiv; 1164 pp. €79. 80. 3-428-12262-3.

119 MÜLLER, Mogens: Kanon: Bibelens tilblivelse og normative status. ᴱEngberg-Pedersen, Troels; Lemche, Niels P.; Tronier, Henrik: Forum for Bibelsk Exsegese 15: K 2006, Museum Tusculanum 309 pp.

120 NA'AMAN, Nadav: Essays on ancient Israel in its Near Eastern context:
     a tribute to Nadav Na'aman. ᴱAmit, Yairah, *al.*: WL 2006, Eisen-
     brauns xxix; 466 pp. $60. 978-1-575-06128-3. Bibl. xv-xxix.
121 NORET, Jacques: Philomathestatos. ᴱJanssens, B.; Van Deun, Peter;
     Roosen, Bram: OLA 137: 2004 ⇒20,102. ᴿAnBoll 124 (2006) 208-
     213 (*Noret, Jacques*).
122 OOSTHUIZEN, Gerhardus C.: Study of religion in Southern Africa: es-
     says in honour of G.C. Oosthuizen. ᴱKumar, Pratap; Smit, Johannes
     A.: SHR 109: Lei 2006, Brill x; 329 pp. 90-041-4384-X.
123 ORTÍZ VALDIVIESO, Pedro: A la luz y al servicio de la palabra. ᴱNorat-
     to Gutiérrez, José: Colección teología hoy 54: Bogotá 2006, Pontifi-
     cia Universidad Javeriana, Fac. de teología 298 pp. 9586838722. Bibl.
124 OSBURN, Carroll D.: Transmission and reception: New Testament text-
     critical and exegetical studies. ᴱChilders, Jeff W.; Parker, David C.:
     TaS 4: Piscataway (N.J.) 2006, Gorgias xxiii; 327 pp. 1-593-33367-6.
     Bibl. Osburn 288-291.
125 OVADIAH, Asher: ΚΑΛΑΘΟΣ: studies in honour of Asher Ovadiah.
     ᴱMucznik, Sonia Studies in Art History 10-11: TA 2006, Tel Aviv
     Univ., Dept of Art History 2 vols; xxviii; 668 pp. 0333-6476. Bibl.
     Ovadiah xix-xxviii.
126 PECKHAM, J. Brian: From Babel to Babylon: essays on biblical history
     and literature in honour of Brian Peckham. ᴱHarvey, John E.; Rilett
     Wood, Joyce L.; Leuchter, Mark: LHBOTS 455: NY 2006, Clark
     xx; 372 pp. $180. 0-567-02892-5. Bibl. Peckham 346-348.
127 PENNACCHIETTI, Fabrizio A.: Loquentes linguis: studi linguistici e ori-
     entali in onore di Fabrizio A. Pennacchietti. Borbone, Pier G.; Men-
     gozzi, Alessandro; Tosco, Mauro: Wsb 2006, Harrassowitz xii; 751
     pp. €148. 978-34470-54843.
128 PETTINATO, Giovanni: Von Sumer nach Ebla und zurück. ᴱWaetzoldt,
     Harmut: Heidelberger Studien zum Alten Orient 9: 2004 ⇒20,106;
     21,120. ᴿAfO 51 (2005-2006) 343-344 (*Weszeli, Michaela*).
129 PHILIPPART, Guy: Scribere sanctorum gesta. ᴱRenard, Etienne, *al.*:
     2005 ⇒21,121. ᴿAnBoll 124 (2006) 213-217 (*Vriendt, Fr. de*).
130 PLÜMACHER, Eckhard: Die Apostelgeschichte und die hellenistische
     Geschichtsschreibung. ᴱBreytenbach, Cilliers; Schröter, Jens: AGJU
     57: 2004 ⇒20,111. ᴿThRv 102 (2006) 464-466 (*Backhaus, Knut*).
131 POKORNÝ, Petr: Testimony and interpretation. ᴱMrázek, Jirí; Rosko-
     vec, Jan: JSNT.S 272: 2004 ⇒20,112. ᴿRBLit (2006)* (*Percer, Leo*);
     JThS 57 (2006) 215-216 (*Marshall, I. Howard*).
132 PRÖPPER, Thomas: Freiheit Gottes und der Menschen: Festschrift für
     Thomas Pröpper. ᴱBöhnke, Michael, *al.*: Rg 2006, Pustet 540 pp. €50.
     978-3-7917-2042-5.
133 PUECH, Émile: From 4QMMT to resurrection: mélanges qumraniens en
     hommage à Émile Puech. ᴱGarcía Martínez, Florentino; Steudel,
     Annette; Tigchelaar, Eibert J.C.: StTDJ 61: Lei 2006, Brill ix; 375
     pp. $168. 90-04-15252-0. Bibl. Puech 357-375.
134 QUISPEL, Gilles: Paradise now: essays on early Jewish and christian
     mysticism. ᴱDe Conick, April D.: SBL.Symposium 11: Atlanta, GA
     2006, SBL xxiii; 455 pp. $50. 978-1-589-83257-2. Bibl. 381-418.
135 REDFORD, Donald B.: Egypt, Israel, and the ancient Mediterranean
     world. ᴱKnoppers, Gary; Hirsch, Antoine: PÄ 20: 2004 ⇒20,118;
     21,126. ᴿJAOS 125 (2005) 273-274 (*Spalinger, Anthony*).

136 RETAMAL FUENTES, Fernando: Plenitudo: legis dilectio II: homenaje al Profesor Dr. Fernando Retamal Fuentes. ᴱAraneda Salinas, Carlos: AFTC 57: Santiago 2006, Pont. Univ. Católica de Chile 369 pp. $180.

137 RICOEUR, Paul: La juste mémoire: lectures autour de Paul Ricoeur. ᴱAbel, Olivier, al.: Le champ éthique 46: Genève 2006, Labor et F. 213 pp. ᴿRThPh 138 (2006) 392-393 (Schouwey, Jacques).

138 RODRÍGUEZ CARMONA, Antonio: La biblia en España: homenaje a Antonio Rodríguez Carmona. ᴱContreras Molina, Francisco: Estella (Navarra) 2006, Verbo Divino 407 pp. 978-84816-97001. Bibl. Rodríguez Carmona 59-69.

139 ROFÉ, Alexander: On the border line: textual meets literary criticism. ᴱTalshir, Zipora; Amara, Dalia: 2005 ⇒21,130. ᴿJSJ 37 (2006) 150-153 (Van Peursen, Wido).

140 ROOS, Johan de: The life and times of Hattusili III and Tuthaliya IV: proceedings of a symposium in honour of J. de Roos, 12-13 December 2003, Leiden. ᴱVan den Hout, Theo P.J.: UNHAII 103: Lei 2006, Nederlands Instituut voor het Nabije Oosten vi; 209 pp. 90625-83148.

141 RUZÉ, Françoise: Le législateur et la loi dans l'antiquité. ᴱSineux, Pierre 2005 ⇒21,131. ᴿREA 108 (2006) 790-792 (Arnaoutoglou, Ilias).

142 SAKENFELD, Katharine D.: Engaging the bible in a gendered world: an introduction to feminist biblical interpretation in honor of Katharine Doob Sakenfeld. ᴱDay, Linda; Pressler, Carolyn: LVL 2006, Westminster 260 pp. $30. 0-664-22910-7. Bibl. Sakenfeld 255-260.

143 SANDERS, James A.: A gift of God in due season. ᴱWeis, Richard D.; Carr, David M.: JSOT.S 225: 1996 ⇒12,77. ᴿThR 71 (2006) 25-27 (Reventlow, Henning Graf).

144 SANMARTÍN, Joaquín: Shapal tibnim mu illaku: studies presented to Joaquín Sanmartín on the occasion of his 65th birthday. ᴱFeliu, Lluís; Millet Albà, Adelina; Olmo Lete, Gregorio del: AuOr.S 22: Sabadell 2006, AUSA xvii; 531 pp. 84888-10717. Bibl. Sanmartín xi-xvii.

145 SATZINGER, Helmut: Das alte Ägypten und seine Nachbarn: Festschrift zum 65. Geburtstag von Helmut Satzinger: mit Beiträgen zur Ägyptologie, Koptologie, Nubiologie und Afrikanistik. ᴱHasitzka, Monika R.M.; Diethart, Johannes M.; Dembski, Günther: Kremser Wissenschaftliche Reihe 3: Krems 2003, Österreichisches Literaturforum xxiii; 368 pp. 3-900860-21-1.

146 SCHENKE, Hans-Martin: For the children, perfect instruction. ᴱBethge, Hans-G.: NHS 54: 2002 ⇒18,108... 21,133. ᴿBiOr 63 (2006) 150-152 (Helderman, J.).

147 SCHENKER, Adrian: Sôfer mahîr: essays in honour of Adrian Schenker. ᴱGoldman, Yohanan; Van der Kooij, Arie; Weis, Richard D.: VT.S 110: Lei 2006, Brill viii; 307 pp. $147. 90-04-15016-1.

148 SCHLOSSER, Jacques: Le jugement dans l'un et l'autre Testament, 2. ᴱCoulot, Claude: LeDiv 198: 2004 ⇒20,126. ᴿSR 35 (2006) 147-150 (Vogels, Walter).

149 SCHMID, Johannes H.: Der Erneuerung von Kirche und Theologie verpflichtet. ᴱNanz, Philipp: 2005 ⇒21,135. ᴿJETh 20 (2006) 245-246 (Eber, Jochen).

150 SCHMITHALS, Walter: Paulus, die Evangelien und das Urchristentum. ᴱBreytenbach, Cilliers: AGJU 54: 2004 ⇒20,127; 21,136. ᴿBBR 16/1 (2006) 164-167 (Schnabel, Eckhard J.).

151 SCHMITT, Hans-Christoph: Auf dem Weg zur Endgestalt von Genesis bis II Regum: Festschrift Hans-Christoph Schmitt zum 65. Geburtstag.

ᴱ**Beck, Martin; Schorn, Ulrike**: BZAW 370: B 2006, De Gruyter x; 293 pp. €88. 3-11-018576-8.

152 SCHNEIDERS, Sandra M.: Exploring christian spirituality: essays in honour of Sandra M. Schneiders. ᴱ**Leschur, Bruce H.; Liebert, Elizabeth**: NY 2006, Paulist 249 pp. $23.

153 SCHÜNGEL-STRAUMANN, Helen: 'Gott bin ich, kein Mann': Beiträge zur Hermeneutik der biblischen Gottesrede: Festschrift für... zum 65. Geburtstag. ᴱ**Riedel-Spangenberger, Ilona; Zenger, Erich**: Pd 2006, Schöningh 454 pp. €58. 3-506-71385-X.

154 SLATER, William J.: Poetry, theory, praxis. ᴱ**Csapo, Eric; Miller, Margaret**: 2003 ⇒19,133. ᴿAJA 110 (2006) 179-181 (*Kilinski, Karl*).

155 TAL, Abraham: Samaritan, Hebrew and Aramaic studies. ᴱ**Bar-Asher, M.; Florentin, M.** 2005 ⇒21,146. ᴿLeš. 68 (2006) 353-363 (*Assis, Moshe*).

156 TANNEHILL, Robert C.: Literary encounters with the reign of God. ᴱ**Ringe, Sharon H.; Kim, H.C. Paul**: 2004 ⇒20,138; 21,147. ᴿCBQ 68 (2006) 171-173 (*Darr, John A.*); BiCT 2/3 (2006)* (*Eubank, Nathan*).

157 THRALL, Margaret: Paul and the Corinthians. ᴱ**Burke, Trevor J.; Elliott, J. Keith**: NT.S 109: 2003 ⇒19,145; 21,150. ᴿBZ 50 (2006) 279-281 (*Schmeller, Thomas*).

158 TRIANTES, Stelios: Ancient Greek sculpture. ᴱ**Damaskos, D.**: 2002 ⇒ 20,143. ᴿAJA 110 (2006) 514-516 (*Kopanias, Konstantinos*).

159 ULLENDORFF, Edward: Semitic studies in honour of Edward Ullendorff. ᴱ**Khan, Geoffrey**: SStLL 47: 2005 ⇒21,154. ᴿOLZ 101 (2006) 530-536 (*Wagner, Ewald*).

160 ULRICH, Eugene: Studies in the Hebrew Bible, Qumran, and the Septuagint: presented to Eugene Ulrich. ᴱ**Flint, Peter W.**, *al.*: VT.S 101: Lei 2006, Brill xxxvii; 460 pp. €139. 9004137386. Bibl. Ulrich xi-xxv.

161 UNTERGASSMAIR, Franz G.: Verantwortete Exegese: hermeneutische Zugänge-exegetische Studien–systematische Reflexionen–ökumenische Perspektiven–praktische Konkretionen: Franz Georg Untergaßmair zum 65. Geburtstag. ᴱ**Hotze, Gerhard; Spiegel, Egon**: Vechtaer Beiträge zur Theologie 13: B 2006, LIT 664 pp. €50. 3-8258-0064-4.

162 VAN TILBORG, Sjef: One text, a thousand methods. ᴱ**Counet, Patrick C.; Berges, Ulrich**: BiblInterp 71: 2005 ⇒21,155. ᴿRBLit (2006)* (*Hoop, Raymond de*).

163 VANNI, Ugo: Apokalypsis. ᴱ**Colacrai, Angelo; Bosetti, Elena**: 2005 ⇒21,156. ᴿOCP 72 (2006) 201-205 (*Ghiberti, G.*); CivCatt 157/2 (2006) 95-96 (*Scaiola, D.*).

164 VANSTIPHOUT, Herman L.J.: Approaches to Sumerian literature: studies in honor of Stip (H.L.J. Vanstiphout). ᴱ**Michalowski, Piotr; Veldhuis, Niek**: Cuneiform Monographs 35: Lei 2006, Brill 247 pp.

165 VIAN, Francis: Des géants à Dionysos. ᴱ**Accorinti, Domenico; Chuvin, Pierre**: Hellenica 10: 2003 ⇒19,151. ᴿRHR 223 (2006) 345-347 (*Ballabriga, Alain*).

166 WAARD, Jan de: Text, theology and translation. ᴱ**Crisp, Simon; Jinbachian, Manuel**: 2004 ⇒20,148. ᴿBiTr 57 (2006) 157-158 (*Van der Kooij, Arie*).

167 WANKE, Joachim: Christi Spuren im Umbruch der Zeiten: Festschrift für Bischof Joachim Wanke... ᴱ**Freitag, Josef; März, Claus-P.**: EThSt 88: Lp 2006, St. Benno 374 pp. €24. 37462-20726.

168 WANSBROUGH, Henry J.: What is it that the scripture says?: essays in biblical interpretation, translation and reception in honour of Henry Wansbrough OSB. ^EMcCosker, Philip: LNTS 316: L 2006, Clark xxx; 331 pp. 0-567-04353-3. Bibl. Wansbrough 293-309.
169 WEINFELD, Moshe: Sefer Moshe. ^ECohen, Chaim; Hurvitz, Avi; Paul, Shalom M. 2004 ⇒20,152; 21,162. ^RArOr 74 (2006) 134-135 (Čech, Pavel).
170 WEISS, Hans-F.: Bekenntnis und Erinnerung: Festschrift.... ^EBull, K.-M.; Reinmuth, E.: Rostocker Theologische Studien 16: Müns 2004, LIT 273 pp.
171 WILKEN, Robert Louis: In dominico eloquio. ^EBlowers, Paul M.: 2002 ⇒18,136... 20,157. ^RJThS 57 (2006) 705-708 (Young, Frances).
172 WINK, Walter: Transforming the powers: peace, justice, and the domination system. ^EGingerich, Ray C.; Grimsrud, Ted: Mp 2006, Fortress ix; 227 pp. 0-8006-3817-4. Bibl. 181-213; Wink 177-179.
173 WRIGHT, J. Robert: One Lord, one faith, one baptism. ^EDutton, Marsha; Gray, Patrick: GR 2006, Eerdmans 337+9 pp. $35.
174 YOUNG, Frances: Wilderness. ^ESugirtharajah, R.S.: JSNT.S 295; LNTS 295: 2005 ⇒21,168. ^RBBR 16 (2006) 360-361 (Evans, Craig A.).
175 ZENGER, Erich: Das Manna fällt auch heute noch ^EHossfeld, Frank-Lothar; Schwienhorst-Schönberger, Ludger: Herders Biblische Studien 44: 2004 ⇒20,163; 21,171. ^RCrSt 27 (2006) 645-653 (Minissale, Antonino); ThZ 62 (2006) 553-555 (Weber, Beat).

A1.2 **Miscellanea** *unius* auctoris

176 **Albertz, Rainer** Geschichte und Theologie: Studien zur Exegese des Alten Testaments und zur Religionsgeschichte Israels. ^E*Kottsieper, Ingo; Wöhrle, Jakob*: BZAW 326: 2003 ⇒19,163... 21,173. ^RThRv 102 (2006) 122-125 (Uehlinger, Christoph).
177 **Allison, Dale C.** Resurrecting Jesus: the earliest christian tradition and its interpreters. 2005 ⇒21,175. ^RRBLit (2006)* (Licona, Michael; Subramanian, J. Samuel).
178 **Auld, A. Graeme** Samuel at the threshold. 2004 ⇒20,167; 21,176. ^RJThS 57 (2006) 183-185 (Jones, Gwilym H.).
179 **Barrett, C.K.** On Paul. 2003 ⇒19,165... 21,180. ^RHBT 28 (2006) 70-71 (Dearman, J. Andrew).
180 **Bartelmus, Rüdiger** Auf der Suche nach dem archimedischen Punkt der Textinterpretation. 2002 ⇒18,140... 20,171. ^RThR 71 (2006) 50-51 (Reventlow, Henning Graf).
181 **Bauckham, Richard** Jesus and the eyewitnesses: the gospels as eyewitness testimony. GR 2006, Eerdmans xiii; 538 pp. €26.84. 0-8028-3162-1.
182 **Baumert, Norbert** Studien zu den Paulusbriefen. SBAB 32: 2001 ⇒ 17,123. ^RThPh 81 (2006) 129-130 (Giesen, Heinz).
183 **Beauchamp, Paul** Conférences: une exégèse biblique. 2004 ⇒20,173. ^RTeol(Br) 31 (2006) 318-20 & EL 120 (2006) 254-6 (Manzi, Franco); 184 Pages exégétiques. LeDiv 202: 2005 ⇒21,183. ^REeV 156 (2006) 30-31 (Cothenet, Edouard); CBQ 68 (2006) 296-297 (Miscall, Peter D.).
185 **Beckwith, Roger** Calendar, chronology and worship. AGJU 61; AJEC 61: 2005 ⇒21,184. ^RJSJ 37 (2006) 409-411 (Ben-Dov, Jonathan).

186 **Beentjes, Pancratius C.** Happy the one who meditates on wisdom (Sir. 14,20): collected essays on the book of Ben Sira. CBET 43: Lv 2006, Peeters xvi; 386 pp. €45. 90-429-1751-2.

187 **Ben Zvi, Ehud** History, literature and theology in the book of Chronicles. Bible World: L 2006, Equinox xi; 316 pp. £16/$27. 978-184553-0709/16. Bibl. 289-302.

188 **Berger, Klaus** Tradition und Offenbarung: Studien zum frühen Christentum. ᴱ*Klinghardt, Matthias; Röhser, Günter*: Tü 2006, Francke x; 513 pp. €148. 3-77208-108-8.

189 **Birdsall, James N.** Collected papers in Greek and Georgian textual criticism. Texts and Studies 3,3: Piscataway 2006, Gorgias xvii; 288 pp. $65. 15933-30987.

190 **Blázquez, José M.** El Mediterráneo: historia, arqueología, religión, arte. Historia, ser. mayor: M 2006, Cátedra 445 pp. 84376-22891. ᴿEtCl 74 (2006) 371-372 (*Rey, Sarah*).

191 **Blenkinsopp, Joseph** Treasures old and new: essays in the theology of the pentateuch. 2004 ⇒20,178; 21,190. ᴿHeyJ 47 (2006) 103-104 (*Madigan, Patrick*); JJS 57 (2006) 172 (*Williamson, H.G.M.*); TJT 22 (2006) 71-72 (*Van Seters, John*); WThJ 68 (2006) 365-368 (*Estelle, Bryan D.*).

192 **Blocher, Henri** La bible au microscope: exégèse et théologie biblique. Vaux-sur-Seine 2006, Edifac 318 pp. 29044-07405.

193 **Bovon, François** Studies in early christianity. 2005 <2003> ⇒19,175; 21,193. ᴿRBLit (2006)* (*Verheyden, Joseph; Williams, H.H.*).

194 **Braulik, Georg** Studien zu den Methoden der Deuteronomiumsexegese. SBAB 42: Stu 2006, Kathol. Bibelwerk 207 pp. €45. 34600-64218.

195 **Brock, Sebastian P.** Fire from heaven: studies in Syriac theology and liturgy. CStS 863: Aldershot 2006, Ashgate xiii; 352 pp. 07546-59089.

196 **Brueggemann, Walter** The book that breathes new life: scriptural authority and biblical theology. ᴱ*Miller, Patrick D.*: 2004 ⇒20,185. ᴿJHScr 6 (2006)* = Perspectives on Hebrew Scriptures III,452-454 (*Santos, Carluci dos*) [⇒593];

197 The word that redescribes the world: the bible and discipleship. ᴱ*Miller, Patrick D.*: Mp 2006, Fortress xviii; 237 pp. $35. 08006-3814X. Bibl.;

198 Like fire in the bones: listening for the prophetic word in Jeremiah. ᴱ*Miller, Patrick D.*: Mp 2006, Fortress xvi; 255 pp. $35. 978-0-8006-3561-9. Bibl. 215-248.

199 **Burkert, Walter** Kleine Schriften III: mystica, orphica, pythagorica. ᴱ*Graf, F.*: Hypomnemata.S 2: Gö 2006, Vandenhoeck & R. viii; 329 pp. €59.90.

200 **Chadwick, Henry** Studies on ancient christianity. CStS 832: Aldershot 2006, Variorum Pag. var. 0-86078-976-4.

201 **Collins, John J.** Jewish cult and Hellenistic culture. JSJ.S 100: 2004 ⇒20,4146. ᴿStPhiloA 18 (2006) 212-215 (*Gruen, Erich S.*); JThS 57 (2006) 614-616 (*Oakes, Peter*);

202 Encounters with biblical theology. 2005 ⇒21,200. ᴿCBQ 68 (2006) 564-565 (*Gnuse, Robert K.*); RBLit (2006)* (*Reventlow, Henning Graf; Sanders, James*); HBT 28 (2006) 67-68 (*Dearman, J. Andrew*).

203 **Corbier, Mireille** Donner à voir, donner è lire: mémoire et communication dans la Rome ancienne. P 2006, CNRS 296 pp. €45. 978-22710-63823.

204 **Crenshaw, James L.** Prophets, sages, and poets. St. Louis, Mo. 2006, Chalice ix; 285 pp. 978-0-8272-2988-4. Bibl. 201-264.

205 **Daube, David** Biblical law and literature: collected works of David Daube, 3. [E]*Carmichael, Calum*: 2003 ⇒19,184. [R]JJS 57 (2006) 159-160 (*Jackson, Bernard S.*).

206 **De La Lama, Enrique** Historiológica: estudios y ensayos. Biblioteca de Teología 32: Pamplona 2006, EUNSA 634 pp. 84-313-2420-1.

207 **Deissler, Alfons** Wozu brauchen wir das Alte Testament?: zwölf Antworten von Alfons Deissler. [E]*Feininger, Bernd; Weißmann, Daniela*: Übergänge 5: Fra [2]2006 <2004>, Lang 274 pp. €39.80. 363155036-7.

208 **Delorme, Jean** Parole et récit évangéliques: études sur l'évangile de Marc. [E]*Thériault, Jean-Yves*: LeDiv 209: P 2006, Cerf 326 pp. €28. 2-204-08242-2. Bibl. 317-321.

209 **Dhavamony, Mariasusai** The kingdom of God and world religions. Documenta Missionalia 31: 2004 ⇒20,193. [R]Ang. 83 (2006) 475-476 (*Thanh, Joseph Phan Tan*).

210 **Dietrich, Walter** Theopolitik: 2002 ⇒18,159. [R]ThR 71 (2006) 53-57 (*Reventlow, Henning Graf*).

211 **Dunn, James D.G.** The new perspective on Paul: collected essays. WUNT 185: 2004 ⇒20,195. [R]Henoch 28/2 (2006) 163-165 (*Marshall, John W.*).

212 **Ehrman, Bart** Studies in the textual criticism of the New Testament. NTTS 33: Lei 2006, Brill ix; 406 pp. €105. 9004-15032-3.

213 **Epp, Eldon Jay** Perspectives on NT textual criticism. NT.S 116: 2005 ⇒21,207. [R]NT 48 (2006) 292-293 (*Rodgers, Peter R.*); RBLit (2006)* (*Elliott, J.K.*); JThS 57 (2006) 632-634 (*Foster, Paul*).

214 **Esposito, Mario** Studies in Hiberno-Latin literature. CStS 810: Aldershot 2006, Ashgate xxx; 288 pp. [RBen 118,163–P.-M. Bogaert].

215 **Feldman, Louis** H. Judaism and Hellenism reconsidered. JSJ.S 107: Lei 2006, Brill xiii; 950 pp. $269. 90-04-14906-6. Bibl. 813-843.

216 **Fiedler, Peter** Studien zur biblischen Grundlegung des christlich-jüdischen Verhältnisses. SBAB 35: 2005 ⇒21,209. [R]FrRu 13 (2006) 54-55 (*Hartmann, Stefan*).

217 **Flusser, David** Judaism of the second temple period: Qumran and apocalypticism. [E]*Ruzer, S.*: 2002 ⇒19,191. [R]DSD 13 (2006) 114-117 (*Heshel, Hanan*).

218 **Focant, Camille** Marc, un évangile étonnant: recueil d'essais. BEThL 194: Lv 2006, Peeters xv; 402 pp. €60. 90-429-1699-0. Bibl. xi-xii.

219 **Frymer-Kensky, Tikva S.** Studies in bible and feminist criticism. Ph 2006, Jewish Publication Society xxvi; 436 pp. $40. 0-8276-0798-9. Bibl. Frymer-Kensky 429-436.

220 **Fuchs, Ottmar** Praktische Hermeneutik der Heiligen Schrift. 2004 ⇒ 20,203; 21,211. [R]ThRv 102 (2006) 254-255 (*Dormeyer, Detlev*).

221 **Fusco, Vittorio** Euanghelion: discussioni neotestamentarie. 2005 ⇒ 21,212. [R]AnnTh 20/1 (2006) 207-209 (*Estrada, B.*).

222 **Geffré, Claude** De Babel à Pentecôte: essais de théologie interreligieuse. CFi 247: P 2006, Cerf 363 pp. €39. 22040-80276. [R]RSPhTh 90 (2006) 800-1 (*Rousse-Lacordaire, Jérôme*); ScEs 58 (2006) 308-312 (*Courtemanche, Gilles*); IslChr 32 (2006) 326-327 (*Renaud, Etienne*).

223 **Georgi, Dieter** The city in the valley. Studies in bibl. literature 7: 2005 ⇒21,214. [R]RBLit (2006)* (*Friedrichsen, Timothy; Haney, Randy*).

224 **Gordon, Robert P.** Hebrew Bible and ancient versions: selected essays of Robert P. Gordon. MSSOTS: Aldershot 2006, Ashgate xxxi; 375 pp. £75. 0-7546-5617-9. Bibl.

225 **Grech, Prosper** Il messaggio biblico e la sua interpretazione:.saggi di ermeneutica, teologia ed esegesi. RivBib.S 44: 2005 ⇒21,216. ᴿGr. 87 (2006) 400-401 (*Oniszczuk, Jacek*).

226 **Green, R.P.H.** Latin epics of the New Testament: JUVENCUS, SEDULI-US, ARATOR. Oxf 2006, OUP xx; 443 pp. £65. 978-01992-84573.

227 **Grosby, Steven** Biblical ideas of nationality: ancient and modern. 2002 ⇒18,172... 21,219. ᴿOLZ 101 (2006) 496-498 (*Welten, Peter*).

228 **Gundry, Robert H.** The old is better: New Testament essays in support of traditional interpretations. WUNT 178: 2005 ⇒21,220. ᴿThLZ 131 (2006) 1152-1154 (*Reiser, Marius*).

229 **Habicht, Christian** The Hellenistic monarchies: selected papers. AA 2006, Univ. of Michigan Pr. 322 pp. $80. 978-04721-11091.

230 **Hahn, Ferdinand** Studien zum Neuen Testament, I: Grundsatzfragen, Jesusforschung, Evangelien. ᴱ*Frey, Jörg; Schlegel, Juliane*: WUNT 191: Tü 2006, Mohr S. xvi; 691 pp. €139. 3-16-148808-3. ᴿNeotest. 40 (2006) 417-420 (*Stenschke, Christoph*);

231 II: Bekenntnisbildung und Theologie in urchristlicher Zeit. ᴱ*Frey, Jörg; Schlegel, Juliane*: WUNT 192: Tü 2006, Mohr S. xiv; 745 pp. €144. 3-16-148809-1. Bibl. 683-713. ᴿNeotest. 40 (2006) 420-423 (*Stenschke, Christoph*).

232 **Hainz, Josef** Neues Testament und Kirche: gesammelte Aufsätze. Rg 2006, Pustet 455 pp. 3-7917-2034-1.

233 **Hardmeier, Christof** Realitätssinn und Gottesbezug: geschichtstheologische und erkenntnisanthropologische Studien zu Genesis 22 und Jeremia 2-6. BThSt 79: Neuk 2006, Neuk xiv; 161 pp. €19.90. 3-7887-2182-0.

234 **Harris, James Rendel** New Testament autographs and other essays. ᴱ*Falcetta, Alessandro*: NTMon 7: Shf 2006, Phoenix xvi; 256 pp. 1-905048157. Bibl. 240-247.

235 **Heinen, Heinz** Vom hellenistischen Osten zum römischen Westen: ausgewählte Schriften zur Alten Geschichte. ᴱ*Binsfeld, Andrea; Pfeiffer, Stefan*: Hist.E 191: Stu 2006, Steiner 553 pp. €80. 978-35150-874-07.

236 **Hengel, Martin** Paulus und Jakobus: Kleine Schriften I-III. WUNT 90, 109, 141: 1996-2002 ⇒18,178... 21,224. ᴿBBR 16/1 (2006) 178-179 (*Schnabel, Eckhard J.*);

237 Studien zur Christologie: kleine Schriften IV. ᴱ*Thornton, Claus-J.*: WUNT 201: Tü 2006, Mohr S. x; 650 pp. €179. 978-3-16-149196-2;

238 Der unterschätzte Petrus: zwei Studien. Tü 2006, Mohr S. x; 261 pp. €24. 3-16-148895-4.

239 **Henrix, Hans H.** Gottes Ja zu Israel: ökumenische Studien christlicher Theologie. Studien zu Kirche und Israel 23: 2005, ⇒21,225. ᴿThQ 186 (2006) 239-240 (*Freyer, Thomas*).

240 **Horbury, William** Herodian Judaism and New Testament study. WUNT 193: Tü 2006, Mohr S. xii; 268 pp. €89. 3-16-148877-6.

241 **Höffken, Peter** JOSEPHUS Flavius und das prophetische Erbe Israels. Lüneburger Theologische Beiträge 4: B 2006, LIT viii; 181 pp. €19.90. 58258-93863.

242 **Hurtado, Larry W.** How on earth did Jesus become a God?: historical questions about earliest devotion to Jesus. 2005 ⇒21,227. ᴿScrB 36 (2006) 101-103 (*Turner, Seth*); CTJ 41 (2006) 392-394 (*Overduin, Nick*); VJTR 70 (2006) 714-716 (*Gispert-Sauch, G.*); WThJ 68 (2006)

369-372 (*Kruger, Michael J.*); Gr. 87 (2006) 850-851 (*Janssens, Jos*); RBLit (2006)* (*Just, Felix*).

243 **Hübner, Hans** Wahrheit und Wirklichkeit: Exegese auf dem Weg zur Fundamentaltheologie. E*Labahn, Antje*: 2005 ⇒21,229. RActBib 43 (2006) 209-210 (*Boada, Josep*).

244 **Janowski, Bernd** Beiträge zur Theologie des AT, 2: die rettende Gerechtigkeit. 1999 ⇒15,142. RThR 71 (2006) 42-45 (*Reventlow, Henning Graf*);

245 3: der Gott des Lebens. 2003 ⇒19,211. RThR 71 (2006) 45-7 (*Reventlow, Henning Graf*).

246 **Japhet, Sara** From the rivers of Babylon to the highlands of Judah: collected studies on the restoration period. WL 2006, Eisenbrauns ix; 469 pp. $49.50. 1-57506-121X.

247 **Jenni, Ernst** Studien zur Sprachwelt des Alten Testaments, 2. E*Luchsinger, Jürg; Mathys, Hans-Peter; Saur, Markus*: 2005 ⇒21,232. RJETh 20 (2006) 185-187 (*Siebenthal, Heinrich von*); ATG 69 (2006 443-453 (*Torres, A.*); JETh 20 (2006) 185-187 (*Siebenthal, Heinrich von*); CBQ 68 (2006) 786-787 (*Cook, John A.*).

248 **Käsemann, Ernst** In der Nachfolge des gekreuzigten Nazareners. E*Landau, Rudolf; Kraus, Wolfgang*: 2005 ⇒21,236. RProtest. 61 (2006) 194-196 (*Ferrario, Fulvio*).

249 **Kessler, Rainer** Gotteserdung: Beiträge zur Hermeneutik und Exegese der Hebräischen Bibel. BWANT 170: Stu 2006, Kohlhammer ix; 246 pp. 3-17-019332-5.

250 **Kim, Heerak** Jewish law and identity: academic essays. Hermit Kingdom Studies in Christianity and Judaism 2: Cheltenham 2005, Hermit 256 pp. $24. 978-15968-90473. RRBLit (2006)* (*Schwartz, Joshua*).

251 **Kim, Seyoon** Paul and the new perspective. WUNT 140: 2002 ⇒18, 190... 21,237. RHeyJ 47 (2006) 455-456 (*Turner, Geoffrey*).

252 **Klauck, Hans-Josef** Religion und Gesellschaft im frühen Christentum: neutestamentliche Studien. WUNT 152: 2003 ⇒19,216... 21,238. RBZ 50 (2006) 148-140 (*Fürst, Alfons*).

253 **Klinger, Elmar** Jesus und das Gespräch der Religionen: das Projekt des Pluralismus. Wü 2006, Echter 126 pp. €12.80. 3-429-02779-9. RActBib 43 (2006) 210-212 (*Boada, Josep*).

254 **Koet, Bart J.** Dreams and scripture in Luke-Acts: collected essays. CBET 42: Lv 2006, Peeters iv; 232 pp. €39. 90-429-1750-4.

255 **Kottsieper, Ingo** Wort und Wörter: Studien zum Alten Testament und seiner Umwelt. D*Albertz, Rainer* 2006, Diss.-Habil. Münster.

256 **Köckert, Matthias** Leben in Gottes Gegenwart: Studien zum Verständnis des Gesetzes im Alten Testament. FAT 43: 2004 ⇒20,223. RThLZ 131 (2006) 1135-1138 (*Schmitt, Hans-Christoph*).

257 **Kratz, Reinhard G.** Das Judentum im Zeitalter des zweiten Tempels. FAT 42: 2004 ⇒20,225; 21,240. RZKTh 128 (2006) 322-323 (*Bilić, Niko*); OLZ 101 (2006) 456-462 (*Albertz, Rainer*).

258 **Krenkel, Werner** Naturalia non turpia: sex and gender in ancient Greece and Rome–Schriften zur antiken Kultur und Sexualwissenschaft. E*Bernard, Wolfgang; Reitz, Christiane*: Spudasmata 113: Hildesheim 2006, Olms viii; 559 pp. 34871-32729.

259 **Kugel, James L.** The ladder of Jacob: ancient interpretations of the biblical story of Jacob and his children. Princeton, NJ 2006, Princeton University Press xiii; 278 pp. $16. 0-691-12122-2. Bibl. 223-262.

260 **Le Boulluec, Alain** Alexandrie antique et chrétienne: CLÉMENT et ORIGÈNE. ^E*Conticello, Carmelo G.*: Coll.REAug.Antiquité 178: P 2006, Institut d'Études Augustiniennes 473 pp. 978-28512-12115.

261 **Lenhardt, Pierre** A l'écoute d'Israël, en église: 'car de Sion sort la torah et de Jérusalem la parole de Dieu' (Isaïe 2,3). Essais de l'Ecole cathédrale: P 2006, Parole et S. 280 pp. €23.

262 **Liverani, Mario** Myth and politics in ancient Near Eastern historiography. ^E*Bahrani, Zainab; Van de Mieroop, Marc*: 2004 ⇒20,231. ^RBiOr 63 (2006) 550-552 (*Glassner, Jean-Jacques*).

263 **Lohfink, Norbert** Studien zum Deuteronomium und zur deuteronomistischen Literatur V. SBAB 38: 2005 ⇒21,250. ^RGr. 87 (2006) 844-845 (*Bretón, Santiago*); RBLit (2006)* (*Hagedorn, Anselm*).

264 **Lust, Johan** Messianism and the Septuagint. ^E*Hauspie, Katrin*: BEThL 178: 2004 ⇒20,235. ^ROLZ 101 (2006) 207-9 (*Rösel, Martin*).

265 **Mack, Burton L.** The christian myth: origins, logic, and legacy. 2001 ⇒17,181... 19,232. ^RHST 62/1 (2006) 123-138 (*Schutte, F.*).

266 **Maehler, Herwig** Schrift, Text und Bild: kleine Schriften. ^E*Láda, Csaba A.; Römer, Cornelia Eva*: APF.B 21: Mü 2006, Saur xvi; 249 pp. Bibl. Maehler vii-xvi.

267 **Maier, Johann** Studien zur jüdischen Bibel und ihrer Geschichte. SJ 28: 2004 ⇒20,238. ^RJSJ 37 (2006) 469-470 (*Van Ruiten, J.T.A.G.M.*); ZKTh 128 (2006) 312-313 (*Bilić, Niko*).

268 **Malina, Bruce J.** El mundo social de Jesús y los evangelios. ^T*Lozano-Gotor Perona, José Manuel*: Presencia teológica 116: 2002 ⇒18,206; 19,235. ^RResB 49 (2006) 70-71 (*Tosaus Abadía, J.P.*).

269 **Marböck, Johannes** Weisheit und Frömmigkeit: Studien zur alttestamentlichen Literatur der Spätzeit. ÖBS 29: Fra 2006, Lang 269 pp. €42.50. 3-631-54298-4.

270 **Martin, Dale B.** Sex and the single Savior: gender and sexuality in biblical interpretation. LVL 2006, Westminster xii; 268 pp. $30. 978-0-664-23046-3. Bibl. 241-257.

271 **Mays, James L.** Preaching and teaching the psalms. ^E*Miller, Patrick D.; Tucker, Gene M.*: LVL 2006, Westminster 189 pp. $20. 978-0664-23041-8. ^RInterp. 60 (2006) 450-452 (*McCann, J. Clinton, Jr.*); RBLit (2006)* (*Branch, Robin G.*).

272 **Meagher, Paddy** Paddy fields and a grain of rice. ^E*Gonsalves, Francis*: Delhi 2006, ISCPK xii; 317 pp. £13/$18. 81-7214-951-4.

273 **Metzger, Martin** Schöpfung, Thron und Heiligtum: Beiträge zur Theologie des Alten Testaments. ^E*Zwickel, Wolfgang*: BThSt 57: 2003 ⇒ 19,239. ^RThR 71 (2006) 51-53 (*Reventlow, Henning Graf*).

274 **Meynet, Roland** Études sur la traduction et l'interprétation de la bible. Beyrouth 2006, Université Saint Joseph ii; 194 pp. 1561-8005. Bibl. 187-194.

275 **Millar, Fergus** Rome, the Greek world, and the east, 3: the Greek world, the Jews and the east. ^E*Cotton, Hannah M.; Rogers,Guy, M.*: Studies in the History of Greece and Rome: Chapel Hill 2006, Univ.of North Carolina Pr. xxxii; 516 pp. $30. 08078-56932.

276 **Miller, Patrick D.** The way of the Lord: essays in Old Testament theology. FAT 39: 2004 ⇒20,245; 21,261. ^RETR 81 (2006) 262-264 (*Vincent, Jean Marcel*); JSSt 51 (2006) 394-396 (*Moberly, Walter*);

277 Theology today: reflections on the bible and contemporary life. LVL 2006, Westminster 137 pp. $17. 0-664-22992-1. ^RRBLit (2006)* (*Senior, Donald*).

278 **Müller, Carl W.** Legende—Novelle—Roman: dreizehn Kapitel zur erzählenden Prosaliteratur der Antike. Gö 2006, Vandenhoeck & R. 509 pp. ᴿGGA 258 (2006) 141-161 (*West, Stephanie*).

279 **Müller, Ulrich B.** Christologie und Apokalyptik. ABIG 12: 2003 ⇒ 19,246; 20,251. ᴿAcTh(B) 26/2 (2006) 274-277 (*Stenschke, C.*).

280 **Onuki, Takashi** Heil und Erlösung: Studien zum Neuen Testament und zur Gnosis. WUNT 165: 2004 ⇒20,253; 21,271. ᴿBBR 16 (2006) 363-364 (*Yarbrough, Robert*).

281 **Oppenheimer, Aharon** Between Rome and Babylon: studies in Jewish leadership and society. ᴱ*Oppenheimer, Nili*: TSAJ 108: 2005 ⇒21, 272. ᴿHenoch 28/2 (2006) 178-181 (*Kalmin, Richard*).

282 **Overbeck, Franz** Werke und Nachlaß, 9: Aus den Vorlesungen zur Geschichte der Alten Kirche bis zum Konzil von Nicaea 325 n. Chr.. ᴱ*Emmelius, Johann-Christoph*: Stu 2006, Metzler lxxxvi; 670 pp. €85. 978-23760-09715.

283 **Peterson, Erik** Ausgewählte Schriften, 5: Lukasevangelium und Synoptica. ᴱ*Bendemann, Reinhard von*: 2005 ⇒21,277. ᴿThLZ 131 (2006) 858-860 (*Lohse, Eduard*).

284 **Pieris, Aloysius** Prophetic humour in Buddhism and christianity. 2005 ⇒21,278 = Dialogue 31 (2004). ᴿVJTR 70 (2006) 394-395 (*Gispert-Sauch, G.*).

285 **Plaskow, Judith** The coming of Lilith: essays on feminism, Judaism, and sexual ethics, 1973-2003. 2005 ⇒21,280. ᴿRRT 13 (2006) 51-53 (*Hornsby, Teresa J.*).

286 **Prior, Michael** A living stone: selected essays and address of Michael Prior CM. ᴱ*Macpherson, Duncan*: L 2006, Living Stones 309 pp. £25. 97809-5520-8805 [ScrB 37/1,30–Martin O'Kane].

287 **Rajak, Tessa** The Jewish dialogue with Greece and Rome. AGJU 48: 2001 ⇒17,199... 19,260. ᴿGn. 78 (2006) 45-48 (*Ameling, Walter*).

288 **Ravasi, Gianfranco** Numeri e lettere ai Tessalonicesi: ciclo di conferenze tenute al Centro culturale S. Fedele di Milano. Conversazioni bibliche: Bo 2006, EDB 88 pp. 88-10-70990-X.

289 **Reif, Stefan C.** Problems with prayers: studies in the textual history of early rabbinic liturgy. SJ 37: B 2006, De Gruyter ix; 369 pp.

290 **Remaud, Michel** Vangelo e tradizione rabbinica. CSB 47: 2005 ⇒21, 285. ᴿSal. 68 (2006) 395-396 (*Vicent, Rafael*).

291 **Richardson, Peter** Building Jewish in the Roman East. JSJ.S 92: 2004 ⇒20,265. ᴿRBLit (2006)* (*McCane, Byron*).

292 **Robinson, James M.** The sayings gospel Q. ᴱ*Heil, Christoph; Verheyden, Joseph*: BEThL 189: 2005 ⇒21,289. ᴿBTB 36 (2006) 188-189 (*Kloppenborg, John S.*).

293 **Rosenzweig, Franz** The legacy of Franz Rosenzweig. ᴱ*Anckaert, Luc; Brasser, Martin; Samuelson, Norbert*: 2004 ⇒20,165. ᴿJud. 62 (2006) 185-186 (*Dober, Hans Martin*).

294 **Rudhardt, Jean** Les dieux, le féminin, le pouvoir: enquêtes d'un historien des religions. ᴱ*Borgeaud, Philippe; Pirenne-Delforge, Vinciane*: Genève 2006, Labor et F. 179 pp. FS31/€19. 978-2-8309-1219-7.

295 **Sampathkumar, P.A.** Darsnik studies in the New Testament. Bible and culture 1: Puducherry 2006, Escande R.C. xii; 308 pp. Rs150 [ITS 44,231—L. Legrand].

296 **Schlosser, Jacques** À la recherche de la parole: études d'exégèse et de théologie biblique. LeDiv 207: P 2006, Cerf 606 pp. €38. 2-204-0738-1-4. Bibl.

297 **Schmelzer, Menahem H.** Studies in Jewish bibliography & medieval Hebrew poetry: collected essays. NY 2006, Jewish Theological Seminary of America 283+243 pp. $40. 96545-60437.

298 **Segalla, Giuseppe** Sulle tracce di Gesù: la 'Terza ricerca'. Teologia saggi: Assisi 2006, Cittadella 421 pp. €27.50. 88-308-0846-6. Bibl. 392-397. [R]ATT 12 (2006) 448-452 (*Ghiberti, Giuseppe*).

299 **Seland, Torrey** Strangers in the light: Philonic perspectives on christian identity in 1 Peter. BiblInterp 76: 2005 ⇒21,301. [R]RBLit (2006)* (*Van Rensburg, Fika*).

300 **Ska, Jean-Louis** Il libro sigillato e il libro aperto. 2004 ⇒20,1111. [R]StPat 53 (2006) 776-777 (*Broccardo, Carlo*); Firmana 41/42 (2006) 299-305 (*Miola, Gabriele*).

301 **Skeat, Theodore C.** The collected biblical writings of T.C. Skeat. [E]*Elliott, James K.*: NT.S 113: 2004 ⇒20,279; 21,303. [R]NT 48 (2006) 293-5 (*Leary, M. James*); ThLZ 131 (2006) 708-709 (*Aland, Barbara*).

302 **Smend, Rudolf** Bibel, Theologie, Universität. KVR 1582: 1997 ⇒13, 162; 14,202. [R]ThR 71 (2006) 57-58 (*Reventlow, Henning Graf*);

303 Bibel und Wissenschaft. 2004 ⇒20,280. [R]ETR 81 (2006) 436-437 (*Vincent, Jean M.*); OLZ 101 (2006) 677-680 (*Saeboe, Magne*).

304 **Smith, Jonathan Z.** Relating religion: essays in the study of religion. 2004 ⇒20,281; 21,304. [R]JR 86 (2006) 287-297 (*McCutcheon, R.T.*).

305 **Snodgrass, A.M.** Archaeology and the emergence of Greece. E 2006, Edinburgh Univ. Pr. x; 485 pp. £60. 978-07486-23334.

306 **Soloveitchik, Joseph D.** Festival of freedom: essays on Pesah and the Haggadah. [E]*Wolowelsky, Joel B.; Ziegler, Reuven*: MeOtzar HoRav 6: Jersey City, NJ 2006, KTAV 205 pp. 0-88125-918-7.

307 **Sordi, Marta** Impero romano e cristianesimo: scritti scelti. SEAug 99: R 2006, Augustinianum 548 pp.

308 **Spieckermann, Hermann** Gottes Liebe zu Israel: Studien zur Theologie des Alten Testaments. FAT 33: 2001 ⇒17,215... 21,307. [R]ThR 71 (2006) 36-42 (*Reventlow, Henning Graf*); JSSt 51 (2006) 196-198 (*Hagedorn, Anselm C.*).

309 **Stanton, Graham N.** Jesus and gospel. 2004 ⇒20,284; 21,308. [R]ThLZ 131 (2006) 282-284 (*Schröter, Jens*); CTJ 41 (2006) 361-362 (*Overduin, Nick*); JR 86 (2006) 672-674 (*Aune, David E.*).

310 **Stone, Michael E.** Apocrypha, pseudepigrapha and Armenian studies: collected papers. OLA 144-145: Lv 2006, Peeters 2 vols; xviii; 464 + xviii; 395 pp. €82+74. 90-429-1643-5/4-3.

311 **Stramare, Tarcisio** Scrutate le scritture: saggi di esegesi e di teologia biblica. Bornato in Franciacorta 2006, Sardini 191 pp. 88-7506-178-5. Bibl. 185-188.

312 **Stroumsa, Guy** Le rire du Christ: essais sur le christianisme antique. [T]*Carnaud, Jacqueline*: P 2006, Bayard 288 pp. €34.

313 **Studer, Basil** Durch Geschichte zum Glauben: zur Exegese und zur Trinitätslehre der Kirchenväter. R 2006, Pont. Ateneo S. Anselmo 480 pp.

314 **Tadmor, Hayim** אשור בבל ויהודה בתולדות המזרח הקדום (Assyria, Babylonia and Judah: studies in the history of the ancient Near East). [E]*Cogan, Mordechai*: J 2006, Bialik xvii; 370 pp. 965-342-901-9. Bibl. 323-325.

315 **Taeger, Jens W.** Johanneische Perspektiven: Aufsätze zur Johannesapokalypse und zum johanneischen Kreis, 1984-2003. [E]*Bienert, David C.; Koch, Dietrich-Alex G.*: FRLANT 215: Gö 2006, Vandenhoeck & R. 254 pp. €70. 3-525-53082-X. Bibl. Taeger 241-242.

316 **Tammaro, Biancamarta** Studi e ricerche di intertestamentaria: due momenti significativi delle origini cristiane: 76-67 a.c., il crollo asmoneo e la disperata ricerca di salvezza farisea; 50-90 d.C., la prima diffusione della chiesa tra i culti privati ellenistici. Quaderni dell'ISSR 'S. Roberto Bellarmino' di Capua, Biblica 1: Capua 2006, Su Ali D'Aquile 51 pp. €7.50. 978-88-95271-00-2.

317 **Theobald, Michael** Studien zum Römerbrief. WUNT 136: 2001 ⇒17, 219... 20,287. ᴿRBLit (2006)* (*Omerzu, Heike*).

318 **Thiselton, Anthony C.** Thiselton on hermeneutics: the collected works with new essays. GR 2006, Eerdmans xvi; 827 pp. $85. 978-0-7546-3925-1.

319 **Tomberg, Valentin** Lazarus, komm heraus: vier Schriften. Sammlung Überlieferung und Weisheit: Ba 2003, Herder 239 pp. 3-906-37112-3. Einf. von *Robert Spaemann*.

320 **Tremblay, Réal** 'Ma io vi dico...': l'agire eccellente specifico della morale cristiana. Bo 2006, EDB 214 pp.

321 **Van der Horst, Pieter W.** Jews and Christians in their Graeco-Roman context: selected essays on early Judaism, Samaritanism, Hellenism, and Christianity. WUNT 196: Tü 2006, Mohr S. x; 352 pp. €99. 3-16-148851-2. Bibl. v.d. Horst 287-320.

322 **Vance, Laurence M.** Christianity and war: and other essays against the warfare state. Pensacola, Fla. 2005, Vance x; 118 pp. $9. ᴿRBLit (2006)* (*Williams, Joel*).

323 **Waschke, Ernst-Joachim** Der Gesalbte: Studien zur alttestamentlichen Theologie. BZAW 306: 2001 ⇒17,227; 18,259. ᴿThR 71 (2006) 47-50 (*Reventlow, Henning Graf*).

324 **Weippert, Helga** Unter Olivenbäumen: Studien zur Archäologie Syrien-Palästinas, Kulturgeschichte und Exegese des Alten Testaments: Gesammelte Aufsätze. ᴱ*Berlejung, Angelika; Niemann, Hermann M.*: AOAT 327: Müns 2006, Ugarit-Verlag x; 525 pp. €94. 3-934628-68-0. Bibl. Weippert 473-480.

325 **Wenz, Armin** Sana doctrina: Heilige Schrift und theologische Ethik. Kontexte 37: 2004 ⇒20,299; 21,321. ᴿThLZ 131 (2006) 1092-1095 (*Slenczka, Reinhard*).

326 **Wilhelm, Adolf** Kleine Schriften: Abteilung III, Schriften aus Adolf Wilhelms Nachlass. ᴱ*Dobesch, Gerhard; Rehrenböck, Georg;Taeuber, Hans*: DÖAW.PH; Veröffentlichungen der Kleinasiatischen Kommission 16: W 2006, Verlag der ÖAW 297 pp.

327 **Williamson, Hugh G.M.** Studies in Persian period history and historiography. FAT 38: 2004 ⇒20,301; 21,326. ᴿThLZ 131 (2006) 271-273 (*Koch, Heidemarie*); OLZ 101 (2006) 482-486 (*Albertz, Rainer*).

328 **Willi-Plein, Ina** Sprache als Schlüssel. ᴱ*Pietsch, Michael; Präckel, Tilmann*: 2002 ⇒18,261. ᴿOrthFor 20/1 (2006) 99-102 (*Dafni, Evangelia G.*).

329 **Wischmeyer, Oda** Von Ben Sira zu Paulus. ᴱ*Becker, Eve-M.*: WUNT 173: 2004 ⇒20,302; 21,327. ᴿSal. 68 (2006) 190-191 (*Vicent, Rafael*).

330 **Wyatt, Nick** The mythic mind: essays on cosmology and religion in Ugaritic and Old Testament literature. 2005 ⇒21,328. ᴿRBLit (2006)* (*Pardee, Dennis*); JHScr 6 (2006)* = Perspectives on Hebrew Scriptures III,416-419 (*Smith, Mark S.*) [⇒593].

331 **Zeller, Dieter** Neues Testament und hellenistische Umwelt. BBB 150: B 2006, Philo 253 pp. €39.80. 3-86572-570-8.

A1.3 *Plurium compilationes* **biblicae**

332 **Adam, A.K.M.**, *al.*, Reading scripture with the church: toward a
     hermeneutic for theological interpretation. GR 2006, Baker 155 pp.
     $18. 0-8010-3173-7 [BiTod 45,325—Dianne Bergant].

333 ᴱ**Adamo, David T.** Biblical interpretation in African perspective. Lan-
     ham, MD 2006, University Pr. of America viii; 265 pp. 07618-3303-X.

334 ᴱ**Allison, Dale C., Jr.; Crossan, John D.; Levine, Amy-J.** The histor-
     ical Jesus in context. Princeton Readings in Religion: Princeton 2006,
     Princeton Univ. Pr. xi; 440 pp. $23. 978-06910-09926.

335 ᴱ**Amphoux, Christian-B.; Bouhot, Jean-P.** Lecture liturgique des
     Epîtres catholiques dans l'église ancienne. Lausanne 2006, Zèbre 367
     pp. ᴿRCatT 31 (2006) 470-472 (*Janeras, Sebastià*).

336 ᴱ**An, Choi Hee; Darr, Katheryn P.** Engaging the bible: critical read-
     ings from contemporary women. Mp 2006, Fortress 150 pp. $18. 978-
     0-8006-3565-7. Bibl. 132-145.

337 **Angelini, Giuseppe**, *al.*, La figura di Gesù nella predicazione della
     chiesa. Disputatio 17: Mi 2006, Glossa 244 pp. 88-7105-193-9.

338 Apostel. entdecken: Stu 2006, Kathol. Bibelwerk 144 pp. 3-460-
     20073-1.

339 ᴱ**Aragione, Gabriella; Junod, Éric; Norelli, Enrico** Le canon du
     Nouveau Testament: regards nouveaux sur l'histoire de sa formation.
     MoBi 54: 2005 ⇒21,334. ᴿRHPhR 86 (2006) 441 (*Grappe, C.*).

340 ᴱ**Attridge, Harold W.; VanderKam, James C.** Presidential voices:
     the Society of Biblical Literature in the twentieth century. SBL.Biblical
     Scholarship in North America 22: Lei 2006, Brill xi; 350 pp. $40. 978-
     90-04-15123-9.

341 ᴱ**Bachmann, Michael** Lutherische und neue Paulusperspektive: Beiträ-
     ge zu einem Schlüsselproblem der gegenwärtigen exegetischen Diskus-
     sion. WUNT 182: 2005 ⇒21,339. ᴿLuther 77 (2006) 130-131 (*Stein,
     Hans Joachim*): ThLZ 131 (2006) 1052-1055 (*Klaiber, Walter*); ThRv
     102 (2006) 381-384 (*Schreiber, Stefan*); Protest. 61 (2006) 378-380
     (*Jourdan, William*).

342 ᴱ**Bartholomew, Craig**, *al.*, A royal priesthood?: the use of the bible
     ethically and politically—a dialogue with Oliver O'DONOVAN. 2002 ⇒
     18,272; 20,312. ᴿSJTh 59 (2006) 486-488 (*Cavanaugh, William T.*).

343 ᴱ**Bartholomew, Craig; Green, Joel; Thiselton, Anthony** Reading
     Luke: interpretation, reflection, formation. 2005 ⇒21,343. ᴿCBQ 68
     (2006) 793-795 (*Chance, J. Bradley*); RBLit (2006)* (*Squires, John*).

344 ᴱ**Barton, Stephen C.** The Cambridge companion to the gospels. The
     Cambridge companion to religion: C 2006, CUP xii; 300 pp. £22.90. 0-
     521-00261-3.

345 ᴱ**Bauckham, Richard J.** The gospels for all christians: rethinking the
     gospel audiences. 1998 ⇒14,213... 17,237. ᴿEurJT 15/1 (2006) 5-13
     (*Bird, Mike*).

346 ᴱ**Becker, Brian; Notley, R. Steven; Turnage, Marc** Jesus' last week:
     Jerusalem studies in the synoptic gospels. Jewish and Christian Per-
     spectives 11: Lei 2006, Brill 350 pp. 90-04-14790-X.

347 ᴱ**Becker, Eve-Marie** Die antike Historiographie und die Anfänge der
     christlichen Geschichtsschreibung. BZNW 129: 2005 ⇒21,348.
     ᴿThRv 102 (2006) 30-33 (*Backhaus, Knut*); ThZ 62 (2006) 78-80

(*Bachmann, Veronika*); RBLit (2006)* (*Nicklas, Tobias*); JBL 125 (2006) 824-827 (*Rothschild, Clare K.*).

348 ᴱ**Becker, Michael; Öhler, Markus** Apokalyptik als Herausforderung neutestamentlicher Theologie. WUNT 2/214: Tü 2006, Mohr S. viii; 447 pp. €74. 3-16-148592-0. Bibl.

349 ᴱ**Ben Zvi, Ehud** Utopia and dystopia in prophetic literature. SESJ 92: Helsinki 2006, Finnish Exegetical Society 298 pp. €36. 951-9217-47-9. Bibl.

350 ᴱ**Betz, P; Schramm, T.** Da gedachte ich der Perle: Thomasevangelium und Perlenlied. Klassiker der Moderne: Dü 2006, Patmos 134 pp. €12.90. 3-491-71306-4.

351 ᴱ**Black, Fiona C.** The recycled bible: autobiography, culture, and the space between. SBL.Semeia Studies 51: Atlanta, GA 2006, Society of Biblical Literature vii; 218 pp. $30. 1-58983-146-2. Bibl. 203-215.

352 **Bland, Dave; Fleer, David** Preaching Mark's unsettling Messiah. St. Louis, MO 2006, Chalice xi; 188 pp. $20. 08272-29860. Bibl. 183-88.

353 ᴱ**Bons, Eberhard** "Car c'est l'amour qui me plait, non le sacrifice..." : recherches sur Osée 6:6 et son interprétation juive et chrétienne. JSJ.S 88: 2004 ⇒20,322. ᴿRevSR 80 (2006) 273-275 (*Siffer, Nathalie*).

354 ᴱ**Brakke, David; Jacobsen, Anders-C.; Ulrich, Jörg** Beyond reception: mutual influences between antique religon, Judaism and early christianity. Early christianity in the context of antiquity 1: Fra 2006, Lang 245 pp. €39.70. 3-361-55583-0.

355 **Braulik, Georg; Lohfink, Norbert** Liturgie und Bibel. ÖBS 28: 2005 ⇒21,360. ᴿEO 23 (2006) 249-258 (*Stadelmann, Andreas*).

356 ᴱ**Brawley, Robert L.** Character ethics and the New Testament: moral dimensions of scripture. LVL 2006, Westminster 269 pp. $30. 978-06-642-30661.

357 ᴱ**Bredin, Mark** Studies in the book of Tobit: a multidisciplinary approach. LSTS 55: L 2006, Clark x; 193 pp. £65. 0-567-08229-6.

358 ᴱ**Brown, William P.** The ten commandments: the reciprocity of faithfulness. 2004 ⇒20,325; 21,361. ᴿOTEs 19 (2006) 342-344 (*Maré, L.P.*); RBLit (2006)* (*Hawkins, Ralph*).

359 ᴱ**Carroll R., M. Daniel; Lapsley, Jacqueline E.** Character ethics and the Old Testament: moral dimensions of scripture. LVL 2006, Westminster 260 pp. $30. 978-06642-29368.

360 ᴱ**Chapa, Juan** 50 preguntas sobre Jesús. Libros de Bolsillo Rialp 197: M 2006, Rialp 170 pp. 84-321-3595-X.

361 ᴱ**Chapman, Stephen B.; Helmer, Christine; Landmesser, Christof** Biblischer Text und theologische Theoriebildung. BThSt 44: 2001 ⇒ 17,252; 19,324. ᴿThR 71 (2006) 381-383 (*Lindemann, Andreas*).

362 ᴱ**Charlesworth, James H.** Jesus and archaeology. GR 2006, Eerdmans xxv; 740 pp. $50. 0-8028-4880-X. Bibl. 702-706. ᴿLASBF 56 (2006) 678-679 (*Manns, Frédéric*).

363 ᴱ**Chazelle, Celia; Edwards, Burton Van Name** The study of the bible in the Carolingian era. Medieval church studies 3: 2003 ⇒19,325... 21,367. ᴿCCMéd 49 (2006) 182-183 (*Palazzo, Eric*).

364 ᴱ**Chilton, Bruce D.; Evans, Craig A.** James the Just and christian origins. NT.S 98: 1999 ⇒15,208... 18,288. ᴿVigChr 60 (2006) 114-116 (*Van Amersfoort, Jaap*);

365 The missions of James, Peter, and Paul: tensions in early christianity. NT.S 115: 2005 ⇒21,369. ᴿBijdr. 67 (2006) 346-347 (*Koet, Bart J.*).

366 ^E**Collins, John; Senior, Donald** The catholic study bible. NY ²2006, OUP xix; 1851 pp. $33 [BiTod 44,266—Donald Senior].
367 ^E**Corley, Kathleen E.; Webb, Robert L.** Jesus and Mel Gibson's The Passion of the Christ. 2004 ⇒20,330; 21,5446. ^RJSNT 28 (2006) 378-379 (*Marsh, Clive*).
368 ^E**Cothenet, Edouard** L'origine du christianisme. P 2006, Cerf 72 pp. €7. Esprit et Vie, hors-série.
369 ^E**Coulot, Claude; Heyer, René; Joubert, Jacques** Les Psaumes: de la liturgie à la littérature. P 2006, PUS 286 pp. €18. 978-28682-02956.
370 ^E**Court, John M.** Biblical interpretation: the meanings of scripture. 2004 ⇒20,332; 21,372. ^RRBLit (2006)* (*Moyise, Stephen*).
371 ^E**Czapla, Ralf G.; Rembold, Ulrike** Gotteswort und Menschenrede: die Bibel im Dialog mit Wissenschaften, Künsten und Medien. Jahrbuch für Internationale Germanistik A.73: Fra 2006, Lang 417 pp. €75.20. 3-03910-7674. Vorträge der interdisziplinären Ringvorlesung des Tübinger Graduiertenkollegs 'Die Bibel—ihre Entstehung und ihre Wirkung' 2003-2004.
372 ^E**Dahmen, Ulrich; Stegemann, Hartmut; Stemberger, Günter** Qumran—Bibelwissenschaften—antike Judaistik. Einblicke 9: Pd 2006, Bonifatius 119 pp. €14.90. 978-389710-3474.
373 ^E**Dal Covolo, Enrico; Maritano, Mario** Commento a Giovanni: lettura origeniana. BSRel 198: R 2006, LAS 166 pp. €11. 88213-06267.
374 ^E**Dieckmann, Detlef; Erbele-Küster, Dorothea** "Du hast mich aus meiner Mutter Leib gezogen": Beiträge zur Geburt im Alten Testament. BThSt 75: Neuk 2006, Neuk viii; 196 pp. €25. 3-7887-2140-5.
375 ^E**Dozzi, Dino** Isaia: il mistero di Dio. La Bibbia di San Francesco 4: Bo 2006, EDB 194 pp;
376 Luca: il vangelo della misericordia. La Bibbia di San Francesco 5: Bo 2006, EDB 205 pp.
377 ^E**Draper, Jonathan; Foley, John; Horsley, Richard** Performing the gospel: orality, memory, and Mark. Ment. *Kelber, Werner*: Mp 2006, Fortress 239 pp. $35. 0-8006-3828-X. ^RRBLit (2006)* (*Kirk, Alan*).
378 ^E**Draper, Jonathan** The eye of the storm: Bishop John William CO-LENSO and the crisis of biblical inspiration. JSOT.S 386: 2003 ⇒19, 334... 21,378. ^RHeyJ 47 (2006) 326-328 (*Klaver, Jan Marten Ivo*).
379 ^E**Dunn, James D.G.; McKnight, Scot** The historical Jesus in recent research. 2005 ⇒21,379. ^RRBLit (2006)* (*Joubert, Stephan*).
380 ^E**Ego, Beate; Merkel, Helmut** Religiöses Lernen in der biblischen, frühjüdischen und frühchristlichen Überlieferung. WUNT 180: 2005 ⇒21,384. ^RThLZ 131 (2006) 1035-1037 (*Höffken, Peter*); JAC 48-49 (2005-2006) 172-174 (*Schmeller, Thomas*).
381 ^E**Ehrlich, Carl S.** Saul in story and tradition. FAT 47: Tü 2006, Mohr S. viii; 358 pp. €84. 3-16-148569-6. Collab. *Marsha C. White*; Bibl. ^ROLZ 101 (2006) 664-671 (*Schäfer-Lichtenberger, Christa*); ZAR 12 (2006) 229-244 (*Otto, Eckart*).
382 ^E**Eltrop, Bettina; Hecht, Anneliese** Frauenbilder. FrauenBibelArbeit 1: Stu 1998, Katholisches Bibelwerk 79 pp. 3-460-25281-2;
383 Frauenleben. FrauenBibelArbeit 2: Stu 1999, Katholisches Bibelwerk 3-460-25282-0;
384 Frauenstreit. FrauenBibelArbeit 3: Stu 1999, Katholisches Bibelwerk 88 pp. 3-460-25283-9.
385 ^E**Eltrop, Bettina**, *al.*, Frauenfreundschaft. FrauenBibelArbeit 14: Stu 2005, Katholisches Bibelwerk 88 pp.

386 ^E**Eltrop, Bettina** Frauendinge. FrauenBibelArbeit 4: Stu 2000, Katholisches Bibelwerk 3-460-25284-7.
387 ^E**Eltrop, Bettina**, *al.*, Frauengefühle. FrauenBibelArbeit 5: Stu 2000, Katholisches Bibelwerk 94 pp. 3-460-25285-5;
388 Frauengottesbilder. FrauenBibelArbeit 6: Stu 2001, Katholisches Bibelwerk 94 pp. 3-460-25286-3;
389 Frauenstärke. FrauenBibelArbeit 7: Stu 2001, Katholisches Bibelwerk 86 pp. 3-460-25287-1;
390 Frauenrhythmus. FrauenBibelArbeit 9: Stu 2002, Katholisches Bibelwerk 86 pp. 3-460-25289-8;
391 Frauentrauer. FrauenBibelArbeit 8: Stu 2002, 80 pp. 3-460-25288-X;
392 Frauensehnsucht. FrauenBibelArbeit 11: Stu 2003, Katholisches Bibelwerk 89 pp. 3-460-25291-X;
393 Frauenwiderstand. FrauenBibelArbeit 12: Stu 2004, Katholisches Bibelwerk 80 pp. 3-460-25292-8;
394 Namenlose Frauen. FrauenBibelArbeit 13: Stu 2004, Katholisches Bibelwerk 80 pp. 3-460-25293-6;
395 Eltrop, Bettina <Frauen schaffen Frieden. FrauenBibelArbeit 17: Stu 2006, Katholisches Bibelwerk 86 pp. 978-3-460-25297-4;
396 Frauenprophetinnen. FrauenBibelArbeit 16: Stu 2006, Katholisches Bibelwerk 78 pp. 978-3-460-25296-7.
397 ^E**Evans, Craig A.** Of scribes and sages: early Jewish interpretation and transmission of scripture, volume 2: later versions and traditions. 2004 ⇒20,347; 21,385. ^RRRT 13 (2006) 25-27 (*Hamilton, Mark W.*); JSJ 37 (2006) 432-434 (*Reuling, Hanneke*);
398 From prophecy to Testament: the function of the Old Testament in the New. 2004 ⇒20,345; 21,386. ^RFaith & Mission 23/2 (2006) 83-84 (*Bandy, Alan*); AUSS 44 (2006) 178-181 (*Paulien, Jon*).
399 ^E**Fee, Gordon D.; Groothuis, Rebecca M.; Pierce, Ronald W.** Discovering biblical equality: complementarity without hierarchy. 2004 ⇒ 20,348; 21,387. ^RAUSS 44 (2006) 186-188 (*Davidson, Jo Ann*); EvQ 78/1 (2006) 65-84 (*Wilks, J.; James, S.; Gouldbourne, R.*); Anvil 23/1 (2006) 43-51 (*Hendry, C.; Dyer, A.*).
400 ^E**Fowler, Robert M.; Blumhofer, Edith; Segovia, Fernando F.** New paradigms for bible study: the bible in the third millennium. 2004 ⇒ 20,352. ^RTheol. 109 (2006) 41-42 (*Bray, Gerald*); JThS 57 (2006) 283-286 (*Jasper, David*).
401 ^E**Frey, Jörg; Schröter, Jens** Deutungen des Todes Jesu im NT. WUNT 181: 2005 ⇒21,392. ^RNT 48 (2006) 300-303 (*Stenschke, Christoph*); JETh 20 (2006) 233-236 (*Schnabel, Eckhard*); RHPhR 86 (2006) 411-412 (*Grappe, C.*); RBLit (2006)* (*Loader, William*).
402 ^E**Gallagher, Robert L.; Hertig, Paul** Mission in Acts: ancient narratives in contemporary context. ASMS 34: 2004 ⇒20,354. ^RIRM 95 (2006) 201-203 (*Nottingham, William J.*).
403 ^E**Gelardini, Gabriella** Hebrews: contemporary methods–new insights. BiblInterp 75: 2005 ⇒21,395. ^RJBL 125 (2006) 608-610 (*Gray, Patrick*).
404 ^E**Gemünden, Petra von; Weissenrieder, Annette; Wendt, Friederike** Picturing the New Testament: studies in ancient visual images. WUNT 2/193: 2005 ⇒21,396. ^RBBR 16 (2006) 361-363 (*Evans, Craig A.*).
406 ^E**Gorman, Michael J.** Scripture: an ecumenical introduction to the bible and its interpretation. 2005 ⇒21,398. ^RBTB 36 (2006) 136-137 (*Smith, Daniel A.*); RBLit (2006)* (*Weedman, Mark*).

407 Gottes Kinder. JBTh 17: 2002 ⇒18,301. ᴿThR 71 (2006) 158-160 (*Reventlow, Henning Graf*).
408 ᴱ**Grappe, Christian; Ingelaere, Jean-C.** Le temps et les temps dans les littératures juives et chrétiennes au tournant de notre ère. JSJ.S 112: Lei 2006, Brill viii; 294 pp. ᴿCBQ 68 (2006) 800-2 (*Patella, Michael*).
409 ᴱ**Greenman, Jeffrey P.; Larsen, Timothy** Reading Romans through the centuries: from the early church to Karl BARTH. 2005 ⇒21,400. ᴿRRT 13 (2006) 471-47 (*Barram, Michael*).
410 ᴱ**Grilli, Massimo; Landgrave Gándara, Daniel; Langner, Córdula** Riqueza y solidaridad en la obra de Lucas. Evangelio y cultura.Monografías 3: Estella (Navarra) 2006, Verbo Divino 325 pp. 84-8169-146-1. Bibl. 301-317.
411 ᴱ**Hawkins, Peter S.; Stahlberg, Lesleigh C.** Scrolls of love: reading Ruth and the Song of Songs. NY 2006, Fordham University Press xxiii; 382 pp. $26. 978-08232-25719. Bibl. 331-367.
412 ᴱ**Heinen, Ulrich; Steiger, Johann A.** Isaaks Opferung (Gen 22) in den Konfessionen und Medien der frühen Neuzeit. AKG 101: B 2006, De Gruyter xv; 824 pp. €168. 978-311-019117-2.
413 ᴱ**Hermans, Michel; Sauvage, Pierre** Bible et médecine: le corps et l'esprit. 2004 ⇒20,364. ᴿCBQ 68 (2006) 568-569 (*Avalos, Hector*).
414 ᴱ**Hessayon, Ariel; Keene, Nicholas** Scripture and scholarship in early modern England. Aldershot 2006, Ashgate ix; 255 pp. 978-0-7546-38-93-3.
415 ᴱ**Holcomb, Justin S.** Christian theologies of scripture: a comparative introduction. NY 2006, New York Univ. Pr. ix; 330 pp. $23. ᴿRBLit (2006)* (*Marshall, I. Howard*).
416 ᴱ**Holter, Knut** Let my people stay!: researching the Old Testament in Africa. Nairobi, Kenya 2006, Acton 218 pp. 9966-888-30-6.
417 ᴱ**Horsley, Richard A.** Oral performance, popular tradition, and hidden transcripts in Q. SBL.Semeia studies 60: Atlanta 2006, SBL vii; 229 pp. $36. 978-1-58983-248-0. Bibl. 217-229.
418 ᴱ**Human, Dirk; Vos, Cas J.A.** Psalms and liturgy. JSOT.S 410: 2004 ⇒20,371; 21,408. ᴿCBQ 68 (2006) 363-364 (*Clifford, Richard J.*).
419 ᴱ**Hurtado, Larry W.** The Freer biblical manuscripts: fresh studies of an American treasure trove. SBL.Text-Critical studies 6: Atlanta 2006, SBL x; 308 pp. $35. 978-1-58983-208-4. Bibl. 289-301.
420 ᴱ**Janowski, Bernd; Ego, Beate** Das biblische Weltbild und seine altorientalischen Kontexte. FAT 32: 2001 ⇒17,285... 21,409. ᴿThLZ 131 (2006) 987-989 (*Rösel, Martin*).
421 **Johnson, Luke T.; Kurz, William S.** The future of catholic biblical scholarship. 2002 ⇒18,337... 20,14313. ᴿNV(Eng) 4 (2006) 95-120 (*Hays, Richard B.*), 120-132 (*Matera, Frank J.*), 132-141 (*Ryan, Stephen D.*); 159-171 (*Yeago, David S.*), 172-185 [Resp. *Johnson*], 185-200 [Resp. *Kurz*]; HeyJ 47 (2006) 98-99 (*King, Nicholas*).
422 ᴱ**Jordan, Mark** Authorizing marriage?: canon, tradition, and critique in the blessing of same-sex unions. Princeton 2006, Princeton Univ. Pr. 208 pp. $35. 0-691-12346-2.
423 **Keller, Christoph; Van Meegen, Sven; Wahl, Otto** Lebensdeutung aus der Genesis. Bibel konkret 2: B 2006, LIT 104 pp. €9.90. 3-8258-0015-6.
424 ᴱ**Kinsler, Gloria; Kinsler, Ross** God's economy: biblical studies from Latin America. 2005 ⇒21,415. ᴿER 58 (2006) 209-210 (*Sapsezian, Aharon*).

425 ^E**Kirk, Alan K.; Thatcher, Tom** Memory, tradition, and text: uses of the past in early christianity. SBL.Semeia Studies 52: 2005 ⇒21,416. ^RRBLit (2006)* (*Kraus, Thomas*).

426 Klage. ^E**Ebner, Martin; Fischer, Irmtraud** JBTh 16: 2001 ⇒17,261. ^RThR 71 (2006) 157-158 (*Reventlow, Henning Graf*).

427 ^E**Knight, Mark; Woodman, Thomas** Biblical religion and the novel. Aldershot 2006, Ashgate vii;170 pp. £45.

428 ^E**Korpel, Marjo; Oesch, Josef** Layout markers in biblical manuscripts and Ugaritic tablets. Pericope 5: 2005 ⇒21,422. ^RCBQ 68 (2006) 570-572 (*Renz, Thomas*); RBLit (2006)* (*Engle, John*); JHScr 6 (2006)* = Perspectives on Hebrew Scriptures III,450-451 (*Hu, Wesley*) [⇒593].

429 ^E**Kruck, Günter; Sticher, Claudia** "Deine Bilder stehn vor dir wie Namen": zur Rede von Zorn und Erbarmen Gottes in der Heiligen Schrift. Mainz 2006, Matthias-Grünewald-Verlag 174 pp. €22.80. 3-7867-2600-0.

430 ^E**Kuhlmann, Helga** Die Bibel–übersetzt in gerechte Sprache?: Grundlagen einer neuen Übersetzung. 2005 ⇒21,423. ^RThR 71 (2006) 247-257 (*Köhlmoos, Melanie*); Bijdr. 67 (2006) 92-93 (*Beentjes, P.C.*); ThZ 62 (2006) 550-551 (*Kellenberger, Edgar*).

431 ^E**Kügler, Joachim; Ritter, Werner H.** Auf Leben und Tod oder völlig egal: Kritisches und Nachdenkliches zur Bedeutung der Bibel. TRANSIT 3: 2005 ⇒21,424. ^RBiKi 61 (2006) 49-50 (*Bauer, Dieter*).

432 ^E**Kügler, Joachim** Prekäre Zeitgenossenschaft: mit dem Alten Testament in den Konflikten der Zeit. B 2006, LIT 280 pp. €19.90. 978-38-258-91763.

433 ^E**Laato, Antti; Moor, Johannes C. de** Theodicy in the world of the bible. 2003 ⇒19,365... 21,425. ^RThLZ 131 (2006) 155-158 (*Schmid, Konrad*); ThR 71 (2006) 32-35 (*Reventlow, Henning Graf*); JSSt 51 (2006) 198-200 (*Rodd, C.S.*); BiOr 63 (2006) 353-356 (*Spronk, Klaas*); JAOS 125 (2005) 428-429 (*Sasson, Jack M.*).

434 ^E**Lemaire, André** Prophètes et rois: Bible et Proche-Orient. LeDiv hors série: 2001 ⇒17,292...20,386. ^RBiOr 63 (2006) 347-350 (*Hentschel, Georg*).

435 ^E**Levine, Amy-Jill; Blickenstaff, Marianne** A feminist companion to John, 1-2. FCNT 4-5: 2003 ⇒19,372; 21,6935. ^RBiCT 2/3 (2006)* (*Petterson, Christina*).

436 ^E**Levine, Amy-Jill; Robbins, Maria M.** A feminist companion to the New Testament Apocrypha. FCNT 11: L 2006, Clark viii; 292 pp. £25. 08264-66885. Bibl. 245-275.

437 Liber Annuus LIV: 2004. J 2006, Franciscan 513 pp. 29 pp foto.

438 ^E**Lieu, Judith M.; Rogerson, John W.** The Oxford handbook of biblical studies. Oxf 2006, OUP xviii; 896 pp. £85. 0-19-925425-7. Bibl.

439 ^E**Lozada, Francisco; Thatcher, Tom** New currents through John: a global perspective. Resources for biblical study 54: Atlanta, Ga. 2006, Scholars vii; 248 pp. $30. 978-1-58983-201-5. Bibl. 211-227.

440 ^E**Marcheselli, Maurizio** Navigating Romans through cultures: challenging readings by charting a new course. 2004 ⇒20,444. ^RRBLit (2006)* (*Loubser, Johannes*).

441 ^E**Martus, S.; Polaschegg, A.** Das Buch der Bücher–gelesen: Lesearten der Bibel in den Wissenschaften und Künsten. Publikationen zur Zeitschrift für Germanistik 13: Fra 2006, Lang 488 pp. €69. 30391-08395.

442 ^E**McKim, Donald K.** L'interprétation de la bible au fil des siècles, 1: du IIe au XVe siècle. ^T*Triqueneaux, Paya; Triqueneaux, Sylvain*: 2005 ⇒21,441. ^REvTh(VS) 5/1 (2006) 78-79 (*Blocher, Henri*);

443 CALVIN and the bible. C 2006, CUP xiv; 296 pp. $30. 0-521-54712-1. ^RHBT 28 (2006) 181-182 (*Dearman, J. Andrew*).

444 ^E**McKnight, Scot; Osborne, Grant R.** The face of New Testament studies: a survey of recent research. 2004 ⇒20,400; 21,442. ^RFaith & Mission 23/2 (2006) 79-81 (*Kellum, Scott*).

445 ^E**Menken, Maarten J.J.; Moyise, Steve** Isaiah in the New Testament. 2005 ⇒21,443. ^RRBLit (2006)* (*Knowles, Michael*).

446 ^E**Metternich, Ulrike; Rapp, Ursula; Sutter Rehmann, Luzia** Zum Leuchten bringen: biblische Texte vom Glück. Gü 2006, Gü 208 pp. €20. 3-579-05405-8.

447 ^E**Mies, Françoise** Bible et sciences: déchiffrer l'univers. Le livre et le rouleau 15: 2002 ⇒18,358... 20,402. ^RRSR 94 (2006) 211-213 (*Ganoczy, Alexandre*);

448 Bible et sciences des religions: Judaïsme, christianisme, Islam. Le livre et le rouleau 23; Connaître et croire 12: 2005 ⇒21,445. ^RASSR 51/2 (2006) 244-245 (*Lassave, Pierre*); CBQ 68 (2006) 790-791 (*Bernas, Casimir*); RBLit (2006)* (*Lemaire, André*);

449 Bible et théologie: l'intelligence de la foi. Le livre et le rouleau 26; Connaître et croire 13: Namur 2006, Presses universitaires 139 pp. €18. 978-28703-751-29. Bibl.

450 ^E**Moore, Stephen D.; Segovia, Fernando F.** Postcolonial biblical criticism: interdisciplinary intersections. 2005 ⇒21,449,1412. ^RTheol. 109 (2006) 294-295 (*Brett, Mark G.*); BiCT 2/3 (2006)* (*McKinlay, Judith*); JBL 125 (2006) 622-625 (*Marchal, Joseph*).

451 ^E**Neudorfer, Heinz-W.; Schnabel, Eckhard J.** Das Studium des Neuen Testaments: Einführung in die Methoden der Exegese. TVG: Wu 2006, Brockhaus 527 pp. €34.90. 3-417-29430-4.

452 Neues Testament und Antike Kultur, Band 1-3. ^E**Erlemann, Kurt,** *al.,* 2005 ⇒21,677. ^RZRGG 58 (2006) 275-276 (*Horn, Friedrich W.*).

453 ^E**Nicklas, Tobias; Kraus, Thomas J.** New Testament manuscripts: their texts and their world. Texts and editions for New Testament study 2: Lei 2006, Brill ix; 346 pp. €129. 90-04-14945-7. Bibl. ^RBasPap 43 (2006) 175-177 (*Parker, David C.*).

454 ^E**Noel, James A.; Johnson, Matthew V.** The passion of the Lord: African American reflections. 2005 ⇒21,451. ^RRBLit (2006)* (*Segovia, Fernando*).

455 Nuovo commentario biblico: Atti degli Apostoli, Lettere, Apocalisse. ^E**Levoratti, Armando J.** R 2006, Borla 848 pp. 88-263-1602-3. Collab. *Elsa Tamez; Pablo Richard.*

456 ^E**Ollenburger, Ben C.** Old Testament theology: flowering and future. Sources for Biblical and Theological Study 1: ²2004 <1992> ⇒20,409. ^RBBR 16/1 (2006) 160-161 & TrinJ 27 (2006) 180-182 (*Young, Theron R.*).

457 **Osiek, Carolyn; MacDonald, Margaret Y.,** *al.,* A woman's place: house churches in earliest christianity. Mp 2006, Fortress 345 pp. $35. 08006-36902. ^RWorship 80 (2006) 569-570 (*Phillips, L. Edward*); RivAC 82 (2006) 448-450 (*Irelli, Giuseppina C.*); RBLit (2006)* (*Økland, Jorunn*); JBL 125 (2006) 617-622 (*Nasrallah, Laura*).

458 ^E**Otto, Eckart; Achenbach, Reinhard** Das Deuteronomium zwischen Pentateuch und Deuteronomistischem Geschichtswerk. FRLANT 206: 2004 ⇒20,411; 21,456. ^RThRv 102 (2006) 296-298 (*Dahmen, Ulrich*).

459 ^E**Penna, Romano** Le origini del cristianesimo: una guida. 2004 ⇒20, 415; 21,462. ^RRiSCr 3 (2006) 545-550 (*Jurissevich, Elena*).

460 ^E**Phillips, Thomas E.** Acts and ethics. New Testament Monographs 9: 2005 ⇒21,464. ^RScrB 36 (2006) 108-109 (*Wansbrough, Henry*); HBT 28 (2006) 59-60 (*García, Ismael*).

461 ^E**Porter, Stanley E.** The Pauline canon. Pauline studies 1: 2004 ⇒20, 420; 21,7696. ^RJThS 57 (2006) 677-679 (*Murphy-O'Connor, J.*);

462 Paul and his theology. Pauline Studies 3: Lei 2006, Brill xiii, 454 pp. 90-04-15408-6.

463 ^E**Puig i Tàrrech, Armand** Imatge de Déu. Scripta biblica 7: Montserrat 2006, Abadia de Montserrat 332 pp. €18. 84-8415-841-1.

464 **Ricoeur, Paul; Blocher, Henri; Parmentier, Roger** Herméneutique de la bible; Prédication de la bible; Actualisation de la bible. P 2006, L'Harmattan 116 pp. €12. 27475-99973.

465 ^E**Sawyer, John F.A.** The Blackwell companion to the bible and culture. Oxf 2006, Blackwell 555 pp. £85/$150. 14051-01369.

466 ^E**Sänger, Dieter** Das Ezechielbuch in der Johannesoffenbarung. BThSt 76: Neuk 2006, Neuk 126 pp. 3-7887-2143-X.

467 ^E**Schäfer, Brigitte** Gestaltete Lebensräume: Gärten als Orte der Verwandlung. WerkstattBibel 8: Stu 2005, Katholisches Bibelwerk 96 pp. 3-460-08508-8;

468 Gottes Wort schafft Leben: die Gestaltungskraft der Sprache in der Bibel. WerkstattBibel 10: Stu 2006, Katholisches Bibelwerk 96 pp. 978-3-460-08510-7.

469 ^E**Schefzyk, Jürgen** Alles echt: älteste Belege zur Bibel aus Ägypten. Mainz 2006, Von Zabern 139 pp. €25. 3-8053-36934. Num. ill.; Ausstellung Frankfurt.

470 ^E**Schenke, Ludger** Jesus von Nazaret—Spuren und Konturen. 2004 ⇒ 20,428; 21,476. ^RZKTh 128 (2006) 300-302 (*Kowalski, Beate*).

471 ^E**Schmid, Konrad** Prophetische Heils- und Herrschererwartungen. SBS 194: 2005 ⇒21,479. ^RThRv 102 (2006) 379-81 (*Zapff, Burkard*).

472 ^E**Schöttler, Heinz-Günther** 'Der Leser begreife!': vom Umgang mit der Fiktionalität biblischer Texte. Biblische Perspektiven für Verkündigung und Unterricht 1: Müns 2006, LIT 296 pp. €25. 38258-90171.

473 ^E**Shepherd, Tom; Van Oyen, Geert** The trial and death of Jesus: essays on the passion narrative in Mark. CBET 45: Lv 2006, Peeters x; 268 pp. €40. 90429-18349.

474 ^E**Sherwood, Yvonne** DERRIDA's bible (reading a page of scripture with a little help from Derrida). 2004 ⇒20,431. ^RBiCT 2/3 (2006)* (*Berkowitz, Charlotte*).

475 ^E**Sim, David C.; Riches, John K.** The gospel of Matthew in its Roman imperial context. JSNT.S 276: 2005 ⇒21,484. ^RNeotest. 40 (2006) 434-439 (*Combrink, H.J. Bernard*); CBQ 68 (2006) 373-375 (*Fiensy, David A.*); RBLit (2006)* (*McIver, Robert; Oehler, Markus*).

476 **Stewart, Robert B.** The resurrection of Jesus: John Dominic CROSSAN and N.T. WRIGHT in dialogue. Mp 2006, Fortress 220 pp. $18. 0-8006-3785-2. ^RRBLit (2006)* (*Licona, Michael*); CCen 123/8 (2006) 34-36 (*Powell, M.A.*).

477 ^E**Striet, Magnus** Monotheismus Israels und christlicher Trinitätsglaube. QD 210: 2004 ⇒20,433. ^RThLZ 131 (2006) 1329-1331 (*Assel, Heinrich*).

478 ^E**Stuckenbruck, Loren; North, Wendy** Early Jewish and Christian monotheism. JSNT.S 263: 2004 ⇒20,434; 21,489. ^RRBLit (2006)* (*Carrell, Peter*).

479 ^E**Sugirtharajah, Rasiah S.** The postcolonial biblical reader. Malden,
     MA 2006, Blackwell xii; 317 pp. £60/20; $82/33. 1-4051-3349-X/50-
     3. ^RRBLit (2006)* (*Smit, Peter*); RRT 13 (2006) 271-278 (*Kim, U.Y.*);
480 Voices from the margin: interpreting the bible in the third world. Mkn
     ³2006, Orbis 506 pp.
481 ^E**Trible, Phyllis; Russell, Letty M.** Hagar, Sarah, and their children:
     Jewish, Christian and Muslim perspectives. LVL 2006, Westminster
     xii; 211 pp. $25. 0-664-22982-4. Bibl. 199-200. ^RRRT 13 (2006) 461-
     465 (*Kim, Uriah Y.*) [Gen 16; Gal 4,21-31].
482 ^E**Trigano, Shmuel** La cité biblique: une lecture politique de la bible. P
     2006, Editions in Press 298 pp. €26. 2-8483-51020.
483 ^E**Uríbarri, G.** Biblia y nueva evangelización. 2005 ⇒21,491. ^REE 81
     (2006) 200-202 & SalTer 94 (2006) 693-695 (*Yebra Rovira, Carme*).
484 ^E**Valerio, Adriana** Donne e bibbia: storia ed esegesi. La Bibbia nella
     storia 21: Bo 2006, Dehoniane 399 pp. €35. 978-88-10-40273-1.
485 ^E**Van der Watt, Jan G.** Review of biblical literature 8. Atlanta 2006,
     SBL vi; 634 pp. $50. 1099-0046.
486 ^E**Van Keulen, Percy S.F.; Van Peursen, W.Th.** Corpus linguistics
     and textual history: a computer-assisted interdisciplinary approach to
     the Peshitta. SSN 48: Assen 2006, Van Gorcum xiii; 248 pp. €109. 90-
     232-4194-0. Bibl. ^RAramSt 4 (2006) 259-263 (*Greenberg, Gillian*).
487 ^E**Vander Stichele, Caroline; Penner, Todd C.** Her master's tools?:
     feminist and postcolonial engagements of historical-critical discourse.
     Global perspectives on biblical scholarship 9: 2005 ⇒21,493. ^RRBLit
     (2006)* (*Runions, Erin*).
488 ^E**Vincent, John J.** Mark: gospel of action: personal and community
     responses. L 2006, SPCK xii; 211 pp. £15. 978-0-281-05831-0.
489 ^E**Wagner, Andreas** Primäre und sekundäre Religion als Kategorie der
     Religionsgeschichte des Alten Testaments. BZAW 364: B 2006, De
     Gruyter viii; 329 pp. 3-11-018499-0. Bibl. 295-323.
490 ^E**Wills, Lawrence M.; Wright, Benjamin G.** Conflicted boundaries in
     wisdom and apocalypticism. SBL.Symposium 35: 2005 ⇒21,495.
     ^RRBLit (2006)* (*Beyerle, Stefan; Steinmann, Andrew*).
491 ^E**Wischmeyer, Oda** Paulus: Leben—Umwelt—Werk—Briefe. UTB
     2767: Tü 2006, Francke xxi; 388 pp. €20. 978-3-7720-8150-7.
492 ^E**Witte, Markus** Die deuteronomistischen Geschichtswerke: redakti-
     ons- und religionsgeschichtliche Perspektiven zur "Deuteronomismus"-
     Diskussion in Tora und Vorderen Propheten. BZAW 365: B 2006, De
     Gruyter xvii; 444 pp. €98. 3-11-018667-5. Bibl. 407-428.

A1.4 *Plurium compilationes* theologicae

493 ^E**Ando, Clifford; Rüpke, Jörg** Religion and law in classical and chris-
     tian Rome. Potsdamer Altertumswissenschaftliche Beiträge 15: Stu
     2006, Steiner 176 pp. €42. 978-35150-88541.
494 ^E**Arweck, Elisabeth; Collins, Peter** Reading religion in text and con-
     text: reflections of faith and practice in religious materials. Aldershot
     2006, Ashgate 193 pp. $110. 978-07546-54827.
495 ^E**Athappilly, Sebastian; Kochapilly, Paulachan** The mystery of the
     Eucharist: essays on the occasion of the Eucharistic Year. Bangalore
     2006, Dharmaram vi; 266 pp. Rs150/$11. 81-86861-86-6. ^RVJTR 70
     (2006) 720, 709 (*Mattam, Joseph*).

496 ^E**Baugh, Lloyd; Mazza, Giuseppe; Srampickal, Jacob** Cross connections: interdisciplinary communications studies at the Gregorian University: saggi celebrativi per il XXV anniversario del CICS. R 2006, E.P.U.G. 406 pp. 88-7839-061-5.

497 ^E**Beilby, James; Eddy, Paul R.** The nature of the atonement: four views. DG 2006, InterVarsity 208 pp. $20.

498 ^E**Bongardt, Michael; Kampling, Rainer; Wörner, Markus** Verstehen an der Grenze: Beiträge zur Hermeneutik. 2002 ⇒18,393. ^RThLZ 131 (2006) 141-142 (*Hauenstein, Philipp*).

499 ^E**Borowski, Irvin J.** Defining new christian/Jewish dialogue. 2004 ⇒ 20,454; 21,511. ^RRExp 103 (2006) 249-250 (*Pawlikowski, John T.*).

500 ^E**Børresen, Kari** Christian and islamic gender models in formative traditions. 2004 ⇒20,455. ^RRHE 101 (2006) 162-64 (*Dermience, Alice*).

501 ^E**Brandt, Reinhard; Schmidt, Steffen** Mythos und Mythologie. 2004 ⇒20,457. ^RThLZ 131 (2006) 259-260 (*Sundermeier, Theo*).

502 ^E**Braun, Willi** Rhetoric and reality in early christianities. 2005 ⇒21,515. ^RRBLit (2006)* (*Kloppenborg, John*).

503 ^E**Byrnes, Timothy A.; Katzenstein, Peter J.** Religion in an expanding Europe. C 2006, CUP ix; 350 pp. 0-521-67651-7. Bibl. 306-336.

504 ^E**Cartledge, Mark J.** Speaking in tongues: multi-disciplinary perspectives. Waynesboro, Ga. 2006, Paternoster xxiv; 238 pp. $25.

505 **Chittister, Joan; Chishti, Murshid S.S.; Waskow, Arthur** The tent of Abraham: stories of hope and peace for Jews, christians, and Muslims. Boston 2006, Beacon 218 pp. $25. 0-8070-7728-3.

506 ^E**Cornehl, Peter** Der Evangelische Gottesdienst—biblische Kontur und neuzeitliche Wirklichkeit, 1: theologischer Rahmen und biblische Grundlagen. Stu 2006, Kohlhammer 344 pp. €24. 978-31701-96971.

507 ^E**Crociata, Mariano** L'uomo al cospetto di Dio: la condizione creaturale nelle religioni monoteiste. Collana di teologia 51: R 2004, Città N. 447 pp. 88-311-3356-X.

508 ^E**Dalferth, Ingolf U.** Eine Wissenschaft oder viele–die Einheit evangelischer Theologie in der Sicht ihrer Disziplinen. Lp 2006, Evangelisches 144 pp. €16.80.

509 ^E**De Grummond, Nancy; Simon, Erika** The religion of the Etruscans. Austin 2006, University of Texas Press 225 pp. 0-292-70687-1. Bibl.

510 **De Villiers, Pieter; Fourie, Celia E.T.; Lombaard, Christo** The Spirit that moves: orientation and issues in spirituality. AcTh(B).S 8: Bloemfontein 2006, University of the Free State v, 196 pp. 0-86886-713-6.

511 ^E**Deeg, Alexander; Mildenberger, Irene** "... dass er euch auch erwählet hat": Liturgie feiern im Horizont des Judentums. Beiträge zu Liturgie und Spiritualität 16: Lp 2006, Evangelische 300 pp. 978-3-374-02-415-5.

512 ^E**Dietrich, Walter; Lienemann, Wolfgang** Gewalt wahrnehmen—von Gewalt heilen: theologische und religionswissenschaftliche Perspektiven. 200, ⇒20,467. ^RThLZ 131 (2006) 692-693 (*Ratzmann, Wolfgang*).

513 ^E**Digeser, E.D.; Frakes, R.M.** Religious identity in late antiquity. Toronto 2006, Kent vi; 290 pp. US$82.50. 978-08886-66536.

514 ^E**Doerksen, Daniel W.; Hodgkins, Christopher** Centered on the word: literature, scripture, and the Tudor-Stuart middle way. 2004 ⇒ 20,471. ^RJEH 57 (2006) 155-157 (*Clarke, Elizabeth*).

515 ^E**Ebach, Jürgen**, *al.*, "Dies ist mein Leib": Leibliches, Leibeigenes und Leibhaftiges bei Gott und den Menschen. Jabboq 6: Gü 2006, Gü 301 pp. €30. 3-579-05335-3.

516 ^E**Egger, Monika** WoMan in Church: Kirche und Amt im Kontext der Geschlechterfrage. Theologische Frauenforschung in Europa 20: B 2006, LIT 142 pp. 3-8258-9220-4.

517 ^E**Ellens, J. Harold** The destructive power of religion: violence in Judaism, christianity, and Islam. 2004 ⇒20,474. ^RRBLit (2006)* (*Vargas, Ivette*).

518 ^E**Evans, C. Stephen** Exploring kenotic christology: the self-emptying of God. Oxf 2006, OUP xii; 348 pp. £50/$95/€77.40.

519 ^E**Evans, Gillian R.** The first christian theologians: an introduction to theology in the early church. 2004 ⇒20,476; 21,531. ^RRRT 13 (2006) 31-34 (*Toom, Tarmo*); JRH 30/1 (2006) 96-97 (*Dunn, Rosemary*); Theol. 109 (2006) 204-205 (*Ashwin-Siejkowski, Piotr*).

520 ^E**Fernández Sangrador, Jorge J.** De Babilonia a Nicea: metodología para el estudio de orígenes del cristianismo y patrología. S 2006, Univ. Pontificia 264 pp. [ResB 51,70s—José Cervantes Gabarrón].

521 ^E**Ferri, R.; Manganaro, P.** Gesto e parola: ricerche sulla rivelazione. 2005 ⇒21,534. ^RATR 12/1 (2006) 242-243 (*Casale, Umberto*).

522 ^E**Finlan, Stephen; Kharlamov, Vladimir** Theōsis: deification in christian theology. PTMS: Eugene, OR 2006, Pickwick ix; 185 pp. $22.

523 ^E**Ford, David F.; Pecknold, C.C.** The promise of scriptural reasoning. Oxf 2006, Blackwell xi; 216 pp. $35. 1-4051-46303.

524 ^E**Galindo García, A.; Barrado Barquilla, J.** León XIII y su tiempo. BSal.E 264: 2004 ⇒20,479. ^RCDios 219 (2006) 577-9 (*Gutiérrez, J.*).

525 ^E**Gerhards, Albert; Wahle, Stephan** Kontinuität und Unterbrechung: Gottesdienst und Gebet in Judentum und Christentum. Studien zu Judentum und Christentum: 2005 ⇒21,540. ^RStreven 73/1 (2006) 84-85 (*Faseur, Geert*); ThLZ 131 (2006) 142-144 (*Kranemann, Daniela*); RHE 101 (2006) 160-162 (*Join-Lambert, Arnaud*).

526 ^E**Gilbert, Paul; Spaccapelo, Natalino** Il teologo e la storia: LONERGAN's centenary (1904-2004). R 2006, E.P.U.G. xiii; 369 pp. €45. 978-88783-90690.

528 ^E**Gyselen, Rika** Démons et merveilles d'Orient. Res Orientales 13: 2001 ⇒17,361. ^ROLZ 101 (2006) 444-447 (*Koch, Heidemarie*).

529 ^E**Hanges, James C.; Idinopulos, Thomas A.; Wilson, Brian C.** Comparing religions: possibilities and perils. SHR 113: Lei 2006, Brill xvii; 320 pp.

530 ^E**Harris, William V.** The spread of christianity in the first four centuries: essays in explanation. CSCT 27: 2005 ⇒21,545. ^RRBLit (2006)* (*Stander, Hennie*).

531 ^E**Harvey, Paul B., Jr.; Schultz, Celia E.** Religion in republican Italy. YCS 33: Cambridge 2006, Cambridge University Press xiv; 299 pp. 0-521-86366-X. Bibl. 253-291.

532 ^E**Heller, Dagmar; Oeldemann, Johannes; Swarat, Uwe** Von Gott angenommen—in Christus verwandelt: die Rechtfertigungslehre im multilateralen ökumenischen Dialog. ÖR.B 78: Fra 2006, Lembeck 382 pp. 978-3-87476-496-4.

533 ^E**Helmer, Christine; Goetz, Katie; De Troyer, Kristin** Truth: interdisciplinary dialogues in a pluralistic age. Studies in philosophical theology 22: Lv 2003, Peeters vi; 257 pp. 90-429-1315-0.

534 ^E**Herkommer, Hubert; Schwinges, Rainer C.** Engel, Teufel und Dämonen: Einblicke in die Geisterwelt des Mittelalters. Ba 2006, Schwabe 270 pp. €47.50. 978-37965-20273. Num. ill.

535 ^E**Hilpert, Konrad; Mieth, Dietmar** Kriterien biomedizinischer Ethik: theologische Beiträge zur gesellschaftlichen Diskurs. QD 217: FrB 2006, Herder 503 pp. 3-451-02217-6.

536 ^E**Hoelzl, Michael; Ward, Graham** Religion and political thought. L 2006, Continuum ix; 292 pp. 0-8264-8006-3. Bibl. 282.

537 ^E**Horsley, Richard A.** Christian origins. A people's history of Christianity 1: 2005 ⇒21,550. ^RRBLit (2006)* (*Rothschild, Clare*).

538 ^E**Hsia, R. Po-chia** A companion to the Reformation world. Blackwell companions to European history: Malden 2006, Blackwell xix; 572 pp.

539 ^E**Hunter, Alastair G.; Vander Stichele, Caroline** Creation and creativity: from Genesis to genetics and back. The Bible in the modern world 9; Amsterdam studies in the bible and religion 1: Shf 2006, Sheffield Phoenix xii; 221 pp. 978-1-905048-49-6. Bibl. 206-215.

540 ^E**Johnston, Sara I.** Religions of the ancient world: a guide. 2004 ⇒ 20,493; 21,552. ^RJournal of the American Oriental Society 126 (2006) 125-127 (*Flannery, Frances*).

541 ^E**Katz, Steven T.** The Cambridge history of Judaism, 4: the late Roman-Rabbinic period. C 2006, CUP xxvii; 1135 pp. $200/£130. 0-521-77248-6.

542 ^E**Klein, Andreas; Geist, Matthias** "BONHOEFFER weiterdenken": zur theologischen Relevanz Dietrich Bonhoeffers (1906-1945) für die Gegenwart: mit einem Exposé von *Ulrich H.J. Körtner*. Theologie: Forschung und Wissenschaft 21: Münster 2006, LIT 200 pp. 3-8258-92-79-4.

543 ^E**Klieber, Rupert; Stowasser, Martin** Inkulturation: historische Beispiele und theologische Reflexionen zur Flexibilität und Widerständigkeit des Christlichen. Theologie: Forschung und Wissenschaft 10: W 2006, Lit 281 pp. €19.90. 3-8258-8080-X.

544 ^E**Kranemann, Benedikt; Sternberg, Thomas; Zahner, Walter** Die diakonale Dimension der Liturgie. QD 218: FrB 2006, Herder 306 pp. 3-451-02218-4.

545 ^E**Kreinath, Jens; Snoek, Joannes; Stausberg, Michael** Theorizing rituals: issues, topics, approaches, concepts. SHR 114.1: Lei 2006, Brill 778 pp. Bibl. 767-777.

546 ^E**Kreuzer, Siegfried; Ueberschaer, Frank** Gemeinsame Bibel—gemeinsame Sendung: 25 Jahre Rheinischer Synodalbeschluss zur Erneuerung des Verhältnisses von Christen und Juden. VKHW 9: Neuk 2006, Neuk 278 pp. 978-3-7887-2188-6.

547 ^E**Lange, Armin; Lichtenberger, Hermann; Römheld, Diethard** Die Dämonen—Demons. 2003 ⇒19,454... 21,558. ^RJSJ 37 (2006) 123-127 (*Bohak, Gideon*); ThRv 102 (2006) 118-129 (*Kampling, Rainer*).

548 **Levinson, Nathan P.** Widerstand und Eigensinn: sechs jüdische Lehrer: Jesus Jeschua, Martin Buber, Franz Rosenzweig, Leo Baeck, Joseph Carlebach, Abraham Joshua Heschel. ^E*Zapf, Irmgard*: Schibboleth 3: Müns 2006, LIT 208 pp. 3-8258-8717-0.

549 ^E**Linzey, Andrew; Kirker, Richard** Gays and the future of Anglicanism: responses to the Windsor Report. 2005 ⇒21,562. ^RAThR 88 (2006) 462-463, 465 (*Johnson, Jay Emmerson*).

550 ^E**Mager, R.** Dieu agit-il dans l'histoire?: explorations théologiques. Saint-Laurent 2006, Fides 288 pp. Can$35. 27621-25549.

551 ᴱ**Marjanen, Antti; Luomanen, Petri** A companion to second-century christian 'heretics'. VigChr.S 76: 2005 ⇒21,567. ᴿVigChr 60 (2006) 349-353 (*Nicklas, Tobias*); RHE 101 (2006) 1103-1110 (*Brankaer, Johanna*); Henoch 28/2 (2006) 176-178 (*Kelley, Nicole*); JThS 57 (2006) 293-295 (*Hall, Stuart G.*).

552 ᴱ**McLeod, Hugh** World Christianities c. 1914-c. 2000. Cambridge History of Christianity 9: C 2006, CUP xviii; 717 pp. 0-521-81500-2. Bibl. 648-690.

553 ᴱ**McNamara, Martin** Apocalyptic and eschatological heritage: the Middle East and Celtic realms. 2003 ⇒20,508; 21,570. ᴿIThQ 71 (2006) 360-362 (*O'Callaghan, Paul*); PIBA 29 (2006) 101-103 (*Herbert, Máire*).

554 ᴱ**Mendl, Hans; Schwienhorst-Schönberger, Ludger; Stinglhammer, Hermann** Wo war Gott, als er nicht da war?. Glauben und Leben 33: B 2006, LIT 104 pp. 3-8258-9196-8.

555 ᴱ**Miller, William R.; Delaney, Harold D.** Judeo-Christian perspectives on psychology: human nature, motivation, and change. 2005 ⇒ 21,572. ᴿRRT 13 (2006) 62-65 (*Sung, Hung-En*).

556 ᴱ**Mimouni, Simon C.; Ullern-Weité, Isabelle** Pierre GEOLTRAIN ou comment 'faire l'histoire' des religions?: le chantier des 'origines', les méthodes du doute et la conversation contemporaine entre les disciplines. BEHE.R 128: Turnhout 2006, Brepols 395 pp. 25035-23412.

557 Miscellanea Bibliothecae Apostolicae Vaticanae, 13. StT 433: Città del Vaticano 2006, Biblioteca Apostolica Vaticana 696 pp. 88-210-08096.

558 ᴱ**Mitchell, Margaret M.; Young, Frances M.** The Cambridge history of christianity, 1: origins to Constantine. C 2006, CUP xlviii; 740 pp. €143.89. 0-521-81239-9. Bibl. 590-682.

559 ᴱ**Moreau, Pierre-F.; Ramond, Charles** SPINOZA. Lectures de...: P 2006, Ellipses 300 pp. 27298-25495. Ill.

560 ᴱ**Mortensen, Lars B.** The making of christian myths in the periphery of Latin Christendom (ca. 1000 - 1300). K 2006, Museum T. 348 pp. 87-635-0407-3. Bibl.

561 ᴱ**Moss, David; Oakes, Edward T.** The Cambridge companion to Hans Urs VON BALTHASAR. Cambridge companions to religion: 2004 ⇒20, 512. ᴿThom. 70 (2006) 292-296 (*Casarella, Peter J.*).

562 ᴱ**Navarro Puerto, Mercedes** En el umbral: muerte y teología en perspectiva de mujeres. Bilbao 2006, Desclée de B. 268 pp. 84-330-2061-7. Bibl.

563 ᴱ**Neusner, Jacob** Religious foundations of western civilization: Judaism, christianity and Islam. Nv 2006, Abingdon ix; 686 pp. $39. 06873-32028.

564 ᴱ**Pérez de Labaorda, Alfonso** Una mirada a la gracia. Collectanea Matritensia 3: M 2006, 'San Damaso' 316 pp. ᴿLumen 55 (2006) 385-387 (*Oz. de Urtaran, Félix*).

565 ᴱ**Poorthuis, Marcel; Schwartz, Joshua** A holy people: Jewish and christian perspectives on religious communal identity. Jewish and Christian Perspectives 12: Lei 2006, Brill xvii; 395 pp. $159. 90-04-15052-8.

566 ᴱ**Prieur, Jean-Marc** La résurrection chez les Pères. CBiPa 7: Strasbourg 2003, Univ. Marc Bloch 279 pp. 29068-05068. ᴿJThS 57 (2006) 296-298 (*Edwards, M.J.*).

567 **Pycke, Jacques; Dupont, Anne; Van Eeckenrode, Marie** Manuscrits précieux et trésor des chartes des 'Archives et Bibliothèque de la Ca-

thédrale de Tournai': premières portes ouvertes. Art et histoire, instruments de travail 4: Tournai 2006, Archives de la Cathédrale 90 pp. Ill. [RBen 118,165–P.-M. Bogaert].

568 ᴱ**Ratzmann, Wolfgang** Religion—Christentum—Gewalt: Einblicke und Perspektiven. 2004 ⇒20,522. ᴿThLZ 131 (2006) 146-147 (*Balz, Heinrich*).

569 ᴱ**Reventlow, Henning Graf; Hoffman, Yair** The problem of evil and its symbols in Jewish and christian tradition. JSOT.S 366: 2004 ⇒20, 523. ᴿRBLit (2006)* (*Nicklas, Tobias*).

570 ᴱ**Riedel-Spangenberger, Ilona; Boekholt, Peter** Rechtskultur in der Diözese: Grundlagen und Perspektiven. QD 219: FrB 2006, Herder 464 pp. 3-451-02219-2.

571 ᴱ**Rippin, Andrew** The Blackwell companion to the Qur'an. Blackwell Companions to Religion: Oxf 2006, Blackwell xiii; 560 pp. £85. 14051-17524.

572 ᴱ**Ritter, Werner H.; Kügler, Joachim** Gottesmacht: Religion zwischen Herrschaftsbegründung und Herrschaftskritik. Bayreuther Forum Transit: Kulturwissenschaftliche Religionsstudien 4: B 2006, LIT 192 pp. 3-8258-9123-3.

573 ᴱ**Roth, Michael** Leitfaden Theologiestudium. UTB 2600: 2004 ⇒20, 526. ᴿBN 129 (2006) 103-104 (*Reiterer, Friedrich V.*).

574 **Runia, David T.; Sterling, Gregory E.** The Studia Philonical Annual: Studies in Hellenistic Judaism. StPhiloA 18: Atlanta, GA 2006, Scholars 1-58983-253-1.

575 ᴱ**Saturnino, Mario** Rooting faith in Asia. Source book for inculturation: 2005 ⇒21,586. ᴿITS 43 (2006) 105-107 (*Legrand, Lucien*).

576 ᴱ**Schreiner, Thomas R.; Wright, Shawn D.** Believer's baptism: sign of the new covenant in Christ. NAC Studies in Bible & Theology: Nv 2006, Broadman & H. xix; 364 pp. $20.

577 ᴱ**Segal, Robert A.** The Blackwell companion to the study of religion. Blackwell companions to religion: Oxf 2006, Blackwell 471 pp. £75. 0-631-23216-8.

578 ᴱ**Stiegler, Stefan; Swarat, Uwe** Der Monotheismus als theologisches und politisches Problem. Lp 2006, Evangelische 152 pp. 3374-02446.

579 ᴱ**Trelstad, Marit** Cross examinations: readings on the meaning of the cross today. Minneapolis 2006, Fortress 320 pp. $20. 9780-8006-204-62.

580 ᴱ**Watts, Fraser; Dutton, Kevin** Why the science and religion dialogue matters: voices from the International Society for Science and Religion. Ph 2006, Templeton viii; 158 pp. $20. 15994-71035 [ThD 53, 192–W. Charles Heiser].

581 ᴱ**Welker, Michael** The work of the Spirit: pneumatology and Pentecostalism. Grand Rapids 2006, Eerdmans 236 pp. $35. 9780-8028-038-70.

582 ᴱ**Young, Frances; Ayres, Lewis; Louth, Andrew** The Cambridge history of early christian literature. 2004 ⇒20,541; 21,599. ᴿThTo 62 (2006) 572, 574 (*Black, C. Clifton*).

583 ᴱ**Zank, Michael** New perspectives on Martin BUBER. Religion in Philosophy and Theology 22: Tü 2006, Mohr S. viii; 280 pp. 31614-89985.

A1.5 *Plurium compilationes* **philologicae vel archaeologicae**

584 ᴱ**Alkier, Stefan; Zangenberg, Jürgen** Zeichen aus Text und Stein: Studien... zu einer Archäologie des NT. TANZ 42: 2003 ⇒19,489; 21,604. ᴿNeotest. 40 (2006) 402-408 (*Stenschke, Christoph*).

585 ᴱ**Altenmüller, Hartwig; Kloth, Nicole** Studien zur altägyptischen Kultur [SAÄK], 34. Ha 2006, Buske vi; 410 pp. 3-87548-443-6.

586 ᴱ**Averbeck, Richard; Chavalas, Mark William; Weisberg, David** Life and culture in the ancient Near East. 2003 ⇒19,492; 21,13086. ᴿArOr 74 (2006) 135-137 (*Čech, Pavel*).

587 **Bagatti, Bellarmino; Piccirillo, Michele; Prodomo, A.** New discoveries at the tomb of the Virgin Mary in Gethsemane. SBF.CMi 17: 2004 <1972-3> ⇒20,547. ᴿCDios 219 (2006) 571-572 (*Gutiérrez, J.*).

588 ᴱ**Bar-Asher, Moshe; Dimant, Devorah** Meghillot 3. 2005 ⇒21,608. ᴿRivBib 54 (2006) 240-244 (*Puech, Émile*). **H.**;

589 Meghillot IV: studies in the Dead Sea scrolls. Haifa 2006, Univ. of Haifa x; 189 pp. $17. **H.**

590 ᴱ**Barbero, Alessandro** Storia d'Europa e del Mediterraneo, 1: il mondo antico, sez. 1: la preistoria dell'uomo: l'oriente mediterraneo, 1: dalla preistoria alla storia. R 2006, Salerno xiii; 741 pp. 88840-25257.

591 ᴱ**Bartsch, Shadi; Bartscherer, Thomas** Erotikon: essays on eros, ancient and modern. Ch 2005, Univ. of Chicago Pr. 338 pp. 0-226-0383-8-6. Bibl. 303-319.

592 ᴱ**Belayche, Nicole; Mimouni, Simon C.** Les communautés religieuses dans le monde gréco-romain: essai de définition. BEHE.R 117: 2003 ⇒19,493; 21,610. ᴿASSR 51/4 (2006) 134-135 (*Gounelle, Rémi*); EtCl 74 (2006) 73-74 (*Bonnet, Corinne*).

593 ᴱ**Ben Zvi, Ehud** Perspectives on Biblical Hebrew: comprising the contents of Journal of Hebrew Scriptures volumes 1-4. Piscataway (N.J.) 2006, Gorgias xxiii; 934 pp. 1-593-33310-2. Thereafter "Perspectives on Hebrew Scriptures", becoming an annual; vol. II (JHScr 5); vol. III (JHScr 6). From vol. IV printed the year after publication online.

594 ᴱ**Bienkowski, Piotr A.; Galor, Katharina** Crossing the rift: resources, routes, settlement patterns and interaction in the Wadi Arabah. Levant Suppl. Ser. 3: Oxf 2006, Oxbow vi; 258 pp. 1-84217-209-3.

595 ᴱ**Biller, Thomas** Der Crac des Chevaliers: die Baugeschichte einer Ordensburg der Kreuzfahrerzeit. Forschungen zu Burgen und Schlössern, Sonderband 3: Rg 2006, Schnell & S. 445 pp. 978-3-7954-1810-6.

596 ᴱ**Bispham, E.; Harrison, T.; Sparkes, B.A.** The Edinburgh companion to ancient Greece and Rome. E 2006, Edinburgh Univ. Pr. xii; 604 pp. £120. 07486-16296.

597 ᴱ**Bottini, Angelo** Musa pensosa: l'immagine dell'intellettuale nell'antichità. Mi 2006, Electa 256 pp. $35. Num. ill.

598 ᴱ**Bowden, William; Gutteridge, Adam; Machado, Carlos** Social and political life in late antiquity. Late Antique Archaeology 3.1: Lei 2006, Brill xxx; 656 pp. 90-04-14414-5. Co-ord. *Lavan, Luke*.

599 ᴱ**Boys, Mary C.** Seeing Judaism anew: christianity's sacred obligation. 2005 ⇒21,618. ᴿRExp 103 (2006) 251-252 (*Boys, Mary C.*); SvTK 82 (2006) 135-136 (*Stenhammar, Margaretha*).

600 ᴱ**Calame, Claude; Chartier, Roger** Identités d'auteur dans l'Antiquité et la tradition européenne. 2004 ⇒20,559. ᴿAnCl 75 (2006) 676-678 (*Donnet, Daniel*).

601 ^E**Campagno, Marcelo; Daneri Rodrigo, Alicia** Antiguos contactos: relaciones de intercambio entre Egipto y sus periferias. 2004 ⇒20,560. ^RBiOr 63 (2006) 508-510 (*Pons Mellado, Esther*).

602 ^E**Cannuyer, Christian** Les scribes et la transmission du savoir. Acta Orientalia Belgica 19: Bru 2006, Société belge d'études orientales x; 178 pp. €37. Bibl.

603 ^E**Chazon, Esther G.; Bakhos, Carol** Ancient Judaism in its Hellenistic context. JSJ.S 95: 2005 ⇒21,626. ^RJThS 57 (2006) 623-625 (*Williamson, H.G.M.*).

604 ^E**Christes, Johannes; Klein, Richard †; Lüth, Christoph** Handbuch der Erziehung und Bildung in der Antike. Da:Wiss 2006, 336 pp. ^RGGA 258 (2006) 161-175 (*Kuhlmann, Peter*).

605 ^E**Ciccolini, Laetitia, al.**, Réceptions antiques: lecture, transmission, appropriation intellectuelle. P 2006, Ens 160 pp. €20. 27288-03552.

606 ^E**Ciggaar, Krijna N.; Metcalf, David M.** East and West in the medieval eastern Mediterrean, 1: Antioch from the Byzantine reconquest until the end of the Crusader principality. OLA 147: Lv 2006, Peeters 378 pp. 90-429-1735-0.

607 ^E**Cohen, David J.; Gagarin, Michael** The Cambridge companion to ancient Greek law. 2005 ⇒21,630. ^REtCl 74 (2006) 392-394 (*Miogeotte, L.*).

608 ^E**Cohen, Getzel M.; Joukowsky, Martha S.** Breaking ground: pioneering women archaeologists. 2004 ⇒20,563. ^RAJA 110 (2006) 311-312 (*Claassen, Cheryl*).

609 ^E**Cohn-Sherbok, Dan; Court, John M.** Religious diversity in the Graeco-Roman world: a survey of recent scholarship. BiSe 79: 2001 ⇒ 17,398... 21,631. ^ROLZ 101 (2006) 486-491 (*Wick, Peter*).

610 Collectanea christiana orientalia (CCO). 2004 ⇒20,566. ^RJSSt 51 (2006) 236-237 (*Watson, Wilfred G.E.*).

611 ^E**Collins, John J.; Sterling, Gregory E.** Hellenism in the land of Israel. Christianity and Judaism in Antiquity 13: 2001 ⇒17,399... 21,632. ^RAWE 5 (2006) 484-487 (*Fischer, Moshe*); Judaism and Hellenism reconsidered [⇒215] 71-101 (*Feldman, Louis H.*).

612 ^E**Costa, Paolo; Michelini, Francesca** Natura senza fine: il naturalismo moderno e le sue forme. Scienze religiose n.s. 14: Bo 2006, EDB 376 pp. €28.60. 88-10-14502-7.

613 ^E**Coudert, Allison; Shoulson, Jeffrey** Hebraica veritas?: christian Hebraists and the study of Judaism in modern Europe. 2004 ⇒20,629. ^RRenSt 20/1 (2006) 97-99 (*Jones, Gareth Lloyd*); SCJ 37 (2006) 630-31 (*Austin, Kenneth*); REJ 165 (2006) 591-2 (*Rothschild, Jean-Pierre*).

614 ^E**Couvenhes, Jean-Christophe; Legras, Bernard** Transferts culturels et politique dans le monde hellénistique. Histoire ancienne et médiévale 86: P 2006, Sorbonne 188 pp. €19. 28594-45544. Bibl.

615 ^E**Dewald, Carolyn; Marincola, John** The Cambridge Companion to HERODOTUS. Cambridge Companions to Literature: C 2006, CUP xv; 378 pp. £18/$30; £45/$75. 0-521-53683-9/18001-X.

616 ^E**Dillon, Sheila; Welch, Katherine E.** Representations of war in ancient Rome. C 2006, CUP xiv; 365 pp. $90. 0521-848-172. 106 fig.

617 ^E**D'Onofrio, Salvatore; Taylor, Anne C.** La guerre en tête. Cahiers d'anthropologie sociale 2: P 2006, L'Herne 142 pp. 978-2-85197-371-9. Bibl. 211-236.

618 ^E**Dormeyer, Detlev; Siegert, Folker; Vos, Jacobus C. de** Arbeit in der Antike, in Judentum und Christentum. Münsteraner Judaistische Studien 20: B 2006, LIT vi; 181 pp. 3-8258-9642-0. Bibl.

619 [E]**Edwards, Douglas R.** Religion and society in Roman Palestine. 2004 ⇒20,570; 21,640. [R]HZ 282 (2006) 175-176 *(Eck, Werner)*; ASSR 51/ 2 (2006) 193-195 *(Goldberg, Sylvie-Anne)*; AnCl 75 (2006) 459-460 *(Straus, Jean)*.

620 [E]**Foley, John M.** A companion to ancient epic. Malden, MA 2005, Blackwell xxi; 664 pp. 1-405-10524-0. Bibl. 589-650.

621 [E]**Galinsky, Karl** The Cambridge companion to the age of AUGUSTUS. 2005 ⇒21,647. [R]RBLit (2006)* *(Klauck, Hans-Josef)*.

622 [E]**Gill, M.L.; Pellegrin, P.** A companion to ancient philosophy. Oxf 2006, Blackwell xxxvi; 791 pp. £100/$166. 978-07546-58474.

623 [E]**Gries, Stefan T.; Stefanowitsch, Anatol** Corpus-based approaches to metaphor and metonymy. Trends in linguistics, studies and monographs 171: B 2006, De Gruyter vi; 319 pp. 3-11-018604-7.

624 [E]**Hoffmann, Adolf; Kerner, Susanne** Gadara—Gerasa und die Dekapolis. Zaberns Bildbände zur Archäologie: 2002 ⇒18,485; 20,585. [R]Neotest. 40 (2006) 199-203 *(Stenschke, Christoph)*.

625 [E]**Hoftijzer, Paul** Bronnen van kennis: wetenschap, kunst en cultuur in de collecties van de Leidse Universiteitsbibliotheek. Lei 2006, Primavera 278 pp. 978-90599-70281. al.

626 [E]**Holloway, Steven W.** Orientalism, assyriology and the bible. HBM 10: Shf 2006, Phoenix xiv; 572 pp. 978-1-905048-37-3. Bibl. 468-529.

627 [E]**Hopkins, David C.** Across the Anatolian Plateau: readings in the archaeology of ancient Turkey. AASOR 57, 2000: 2002 ⇒18,486... 21, 658. [R]JNES 65 (2006) 318-320 *(Parker, Bradley J.)* JAOS 126 (2006) 121-122 *(Van den Hout, Theo)*.

628 [E]**Hornung, Erik; Krauss, Rolf; Warburton, David A.** Ancient Egyptian chronology. HO 1/83: Lei 2006, Brill ix; 517 pp. €159/$215. 90-04-11385-1. Bibl. 504-508.

629 [E]**Humbert, Jean-Baptiste; Gunneweg, Jan** Khirbet Qumrân et 'Aïn Feshkha II: études d'anthropologie, de physique et de chimie: studies of anthropology, physics and chemistry. NTOA.Archaeologica 3: 2003 ⇒ 19,521... 21,659. [R]JSJ 37 (2006) 452-456 *(Popović, Mladen)*.

630 [E]**Hübner, Ulrich** Palaestina exploranda: Studien zur Erforschung Palästinas im 19. und 20. Jahrhundert anlässlich des 125jährigen Bestehens des Deutschen Vereins zur Erforschung Palästinas. ADPV 34: Wsb 2006, Harrassowitz xix; 330 pp. €68. 3-447-04895-6.

631 [E]**Janowski, Bernd; Wilhelm, Gernot** Texte zum Rechts- und Wirtschaftsleben. TUAT 1: 2004 ⇒20,592. [R]ArOr 74 (2006) 489-491 *(Čech, Pavel)*.

632 [E]**Janowski, Bernd; Lichtenstein, Michael; Wilhelm, Gernot** Briefe. TUAT 3: Gü 2006, Gü xviii; 458 pp. €128. 978-3-579-05287-8.

633 [E]**Jourdan, Christine; Tuite, Kevin** Language, culture, and society: key topics in linguistic anthropology. Studies in the social and cultural foundations of language 23: C 2006, CUP xi; 310 pp. 0-521-84941-1. Bibl. 257-300.

634 [E]**Kinzl, Konrad H.** A companion to the classical Greek world. Malden, MA 2006, Blackwell xviii; 606 pp. £85/$150. 0-631-23014-9.

635 [E]**Kogan, L.**, *al.*, Babel und Bibel 3: annual of ancient Near Eastern, Old Testament, and Semitic Studies. Orientalia et Classica, papers of the Institute of Oriental and Classical Studies 14: WL 2006, Eisenbrauns 644 pp. 978-15750-61344. [R]UF 38 (2006) 818-822 *(Dietrich, Manfried)*.

636 ^E**Kratz, Reinhard Gregor; Spieckermann, Hermann** Götterbilder Gottesbilder Weltbilder, I: Ägypten, Mesopotamien, Persien, Kleinasien, Syrien, Palästina; II: Griechenland und Rom, Judentum, Christentum und Islam. FAT 2/17-18: Tü 2006, Mohr S. 2 vols; 378+335 pp. €69+59. 3-16-148673-0/807-5. ^RThQ 186 (2006) 242 (*Groß, Walter*); UF 37 (2005) 828-829 (*Loretz, Oswald*).

637 ^E**Kreisel, Howard** (Hayyim) לימוד ודעת במחשבה יהודית [Study and knowledge in Jewish thought]. Beer Sheva 2006, Ben-Gurion Univ. 2 vols; 373 (Eng.) + 299 (Hebr.) + xvii pp.]REJ 167,272s–Jean-Pierre Rothschild].

638 ^E**Kreuzer, Siegfried** Taanach/ Tell Ta'annek: 100 Jahre Forschungen zur Archäologie, zur Geschichte zu den Fundobjekten und zu den Keilschrifttexten. WAS 5: Fra 2006, Lang 313 pp.

639 ^E**Krueger, Derek** Byzantine christianity. A people's history of christianity 3: Mp 2006, Fortress xv; 252 pp. 08006-34136. Bibl. 223-240.

640 ^E**LaBianca, Øystein S.; Scham, Sandra A.** Connectivity in antiquity: globalization as long-term historical process. L 2006, Equinox viii; 175 pp. $87.50. 26 fig.

641 ^E**Laird, Andrew** Ancient literary criticism. Oxford Readings in Classical Studies: Oxf 2006, OUP 512 pp. $350. 978-01992-58659. ^RREG 119 (2006) 791-793 (*Billault, Alain*).

642 ^E**Leclant, Jean** Le temps des pyramides : de la préhistoire aux Hyskos (1560 av. J.-C.). L'univers des formes: P 2006, Gallimard 352 pp. €25. 978-20701-18632.

643 ^E**Lenski, Noel E.** The Cambridge companion to the age of CONSTANTINE. C 2006, CUP xviii; 469 pp. 0-521-81838-9. Bibl. 411-455.

644 ^E**Levinson, Bernard M.** Theory and method in biblical and cuneiform law: revision, interpolation and development. Shf 2006 <1994>, Sheffield Phoenix 207pp. €18.50. 19050-48610.

645 ^E**Levy, Thomas E.** Archaeology, anthropology, and cult: the sanctuary at Gilat, Israel. L 2006, Equinox x; 875 pp. $199. 1-904768-58-X.

646 ^E**Lewin, Ariel** Palästina in der Antike. 2004 ⇒20,602. ^RNeotest. 40 (2006) 427-430 (*Stenschke, Christoph*).

647 ^E**Ligabue, Giancarlo; Rossi-Osmida, Gabriele** Dea madre. Mi 2006, Electa 297 pp. 88-370-3023-1. Pres. *Pierre Amiet*; postfaz. *Massimo Cacciari*.

648 ^E**Limor, Ora; Stroumsa, Gedaliahu A.G.** Christians and christianity in the Holy Land: from the origins to the Latin Kingdoms. Cultural encounters in late antiquity and the Middle Ages 5: Turnhout 2006, Brepols xii; 527 pp. 2-503-51808-7.

649 ^E**Lion, Brigitte; Michel, Cécile** De la domestication au tabou: le cas des suidés dans le Proche-Orient ancien. Travaux de la maison Renéinouvès 1: P 2006, De Boccard xx; 338 pp. 2-7018-0210-5.

650 ^E**Martin, Dale B.; Miller, Patricia Cox** The cultural turn in late ancient studies: gender, asceticism, and historiography. 2005 ⇒21,670. ^RRBLit (2006)* (*Stander, H.F.*).

651 ^E**Matras, Yaron; McMahon, April M.S.; Vincent, Nigel** Linguistic areas: convergence in historical and typological perspective. NY 2006, Palgrave M. xx, 313 pp. 1-403-99657-1.

652 ^E**Morrow, John A.** Arabic, Islam, and the Allah lexicon: how language shapes our conception of God. Lewiston, N.Y 2006, Mellen viii; 317 pp. 978-0-7734-5726-3.

653 ᴱNaïm, Samia La rencontre du temps et de l'espace: approches linguistique et anthropologique. Société d'études linguistiques et anthropologiques de France 433, Numéro spécial 32: Lv 2006, Peeters 267 pp. 90-429-1746-6.

654 Neues Testament und antike Kultur, 2: Familie—Gesellschaft—Wirtschaft. ᴱErlemann, Kurt, al., 2005 ⇒21,676. ᴿJETh 20 (2006) 226-228 (Schnabel, Eckhard).

655 Neues Testament und antike Kultur, 4: Gesamtregister—Tafeln. ᴱErlemann, Kurt; Noethlichs, Karl Leo; Scherberich, Klaus Neuk 2006, Neuk 240 pp. €29.90. 3-7887-2039-5.

656 ᴱNeusner, Jacob; Avery-Peck, Alan J. Judaism in late antiquity, 5: the Judaism of Qumran. HO 1/56-57: 2001 ⇒17,425-6; 18,511. ᴿRSR 94/1 (2006) 149-150 (Paul, André).

657 ᴱPiñero, Antonio En la frontera de lo imposible: magos, médicos y taumaturgos en el Mediterráneo antiguo en tiempos del Nuevo Testamento. 2001 ⇒17,430; 19,536. ᴿThLZ 131 (2006) 704-706 (Stenschke, Christoph).

658 ᴱPollock, Susan; Bernbeck, Reinhard Archaeologies of the Middle East. Blackwell studies in global archaeology 4: 2005 ⇒21,683. ᴿBASOR 341 (2006) 70-71 (Kersel, Morag M.); OLZ 101 (2006) 21-26 (Hempelmann, Ralph); BiOr 63 (2006) 153-155 (Wossink, Arne).

659 ᴱPorter, James I. Classical pasts: the classical traditions of Greece and Rome. Princeton, NJ 2006, Princeton University Press xiii; 450 pp. 0-691-08942-6. Bibl. 389-430.

660 ᴱPotter, David S. A companion to the Roman Empire. Malden (MA) 2006, Blackwell xxx; 698 pp. £95/$150. 0631-226443. ᴿEtCl 74 (2006) 402-403 (Boulogne, J.).

661 ᴱPrechel, Doris Motivation und Mechanismen des Kulturkontaktes in der späten Bronzenzeit. Eothen 13: F 2006, LoGisma xiv; 279 pp. 88-87621-58-6. Bibl.

662 ᴱSchroer, Silvia Images and gender: contributions to the hermeneutics of reading ancient art. OBO 220: FrS 2006, Academic 383 pp. €65. 3-7278-1558-2. Num. ill.

663 Schuller, Florian; Veltri, Giuseppe; Wolf, Hubert Katholizismus und Judentum: Gemeinsamkeiten und Verwerfungen vom 16. bis zum 20. Jahrhundert. Rg 2006, Pustet 310 pp. 3-7917-1955-6.

664 ᴱShimron, Joseph Language processing and acquisition in languages of Semitic, root-based, morphology. 2003 ⇒19,545. ᴿLg. 81 (2005) 290-291 (Kaye, Alan S.).

665 ᴱSnell, Daniel C. A companion to the ancient Near East. Blackwell Companions to the Ancient World: 2005 ⇒21,691. ᴿRA 100 (2006) 121-129 (Charpin, Dominique).

666 ᴱSpencer, Diana; Theodorakopoulos, Elena Advice and rhetoric in Greece and Rome. Nottingham classical literature studies 9: Bari 2006, Levante 216 pp. 978-88-7949-439-7. Bibl. 193-207.

667 ᴱStreck, Michael P. Sprachen des Alten Orients. Da:Wiss ²2006, 184 pp. 978-3-534-17996-1.

668 ᴱSuter, Claudia E.; Uehlinger, Christoph Crafts and images in contact: studies on eastern Mediterranean art of the first millennium BCE. OBO 210: 2005 ⇒21,693. ᴿAuOr 24 (2006) 281-282 (Valdés Pereiro, C.); UF 38 (2006) 842-850 (Hockmann, D.).

669 ᴱTomson, Peter J., al., The literature of the sages, 2: midrash and targum, liturgy, poetry, mysticism, contracts, inscriptions, ancient

science and the languages of rabbinic literature. CRI: Assen 2006, Royal Van Gorcum xvii; 772 pp. €85. 90-232-4222-X.
670 ᴱ**Vaage, Leif E.** Religious rivalries in the early Roman empire and the rise of christianity. SCJud 18: Waterloo, Ontario 2006, Canadian Corporation for Studies in Religion/Corporation canadienne des sciences religieus xvi; 324 pp. $85. 0-88920-449-7. Bibl. 279-304.
671 ᴱ**Williams, Gareth D.; Volk, Katharina** Seeing Sᴇɴᴇᴄᴀ whole: perspectives on philosophy, poetry and politics. CSCT 28: Lei 2006, Brill xviii; 222 pp. 978-90-04-15078-2. Bibl. 201-211.
672 ᴱ**Williamson, Ronald F.; Bisson, Michael S.** The archaeology of Bruce Trigger: theoretical empiricism. Montreal 2006, McGill-Queen's Univ. Pr. xiv; 304 pp. 978-0-7735-3127-7/611. Bibl. 259-288.
673 ᴱ**Young, Ian** Biblical Hebrew: studies in chronology and typology. JSOT.S 369: 2003 ⇒19,559... 21,700. ᴿJHScr 6 (2006)* = Perspectives on Hebrew Scriptures III,350-353 (*Gianto, Agustinus*) [⇒593].
674 ᴱ**Yunis, Harvey** Written texts and the rise of literate culture in ancient Greece. 2003 ⇒19,560; 20,641. ᴿREG 119 (2006) 455-457 (*Demont, Paul*).
675 ᴱ**Zamora, José Ángel** El hombre fenicio: estudios y materiales. Arqueológica 9: 2003 ⇒19,561. ᴿTEuph 31 (2006) 181-183 (*Elayi, J.*).
676 ᴱ**Zerbst, Uwe; Van der Heen, Peter G.** Keine Posaunen vor Jericho?: Beiträge zur Archäologie der Landnahme. 2005 ⇒21,701. ᴿJETh 20 (2006) 191-194 (*Hilbrands, Walter*); JETh 20 (2006) 191-194 (*Hilbrands, Walter*).

A2.1 **Acta** *congressuum* **biblica**

677 ᴱ**Aguilar, Mario; Lawrence, Louise** Anthropology and biblical studies. 2004 ⇒20,644. ᴿThLZ 131 (2006) 17-19 (*Strecker, Christian*); BTB 36 (2006) 190-92 (*Crook, Zeba*); RBLit (2006)* (*Hood, Renate*).
678 ᴱ**Albertz, Rainer; Becking, Bob** Yahwism after the exile. 2003 ⇒19,563; 20,645. ᴿJSJ 37 (2006) 87-90 (*Grabbe, Lester L.*).
679 ᴱ**Alomnia, Merling,** *al.*, Volviendo a los orígenes: entendiendo el pentateuco. Lima 2006, Univ. Peruana Unión. 978-99726-04089. VI simposio bíblico-teologico sudamericano.
680 ᴱ**Alston, Wallace M.; Möller, Christian; Schwier, Helmut** Die Predigt des Alten Testaments. ATM 16: 2003 ⇒19,564... 21,702. ᴿThLZ 131 (2006) 117-118 (*Koch, Klaus*).
681 ᴱ**Amphoux, Christian-B.; Elliott, James K.** The New Testament text in early christianity. 2003 ⇒19,565... 21,703. ᴿNT 48 (2006) 196-198 (*Delobel, Joël*); Henoch 28/2 (2006) 165-173 (*Bossina, Luciano*).
682 **Angelini, Giuseppe,** *al.*, Fede, ragione, narrazione: la figura di Gesù e la forma del racconto. Disputatio 18: Mi 2006, Glossa 254 pp. €23. 88-7105-209-9. Conv. di studi, Milano febb. 2006.
683 ᴱ**Assmann, Jan; Mulsow, Martin** Sintflut und Gedächtnis: Erinnern und Vergessen des Ursprungs. Kulte, Kulturen: Mü 2006, Fink 414 pp. €54. 3-7705-4128-6. Meeting Wolfenbüttel 2003.
684 ᴱ**Attias, Jean-Christophe; Gisel, Pierre** De la bible à la littérature. RePe 15: 2003 ⇒19,567; 21,704. ᴿRSR 94 (2006) 255-256 (*Gibert, Pierre*); RThPh 138 (2006) 411-412 (*Couteau, Elisabeth*).
685 ᴱ**Attridge, Harold W.; Fassler, Margot E.** Psalms in community: Jewish and christian textual, liturgical, and artistic traditions.

Symposium 25: 2003 ⇒19,568... 21,705. Conf. Yale 2002. ^RJSSt 51 (2006) 396-397 (*Limburg, James*).

686 ^E**Augustin, Matthias; Niemann, Hermann M.** Stimulation from Leiden: collected communications to the XVIIIth Congress of the International Organization for the Study of the Old Testament, Leiden 2004. BEAT 54: Fra 2006, Lang 318 pp. 3-631-55049-9.

687 ^E**Aune, David E.** Rereading Paul together: Protestant and Catholic perspectives on justification. GR 2006, Baker 270 pp. $25. 978-0-80-102-840-3. Symp. Notre Dame; Bibl. 247-254 [BiTod 45,195—D. Senior].

688 ^E**Azzopardi, John** The cult of St Paul in the christian churches and in the Maltese tradition = Il culto di san Paolo nelle chiese cristiane e nella tradizione maltese. Rabat (Malta) 2006, Wignacourt Museum xiii; 240 pp. 99932-25029. Internat. Symp. Rabat, June 2006; Bibl.

689 ^E**Baker, David W.** Biblical faith and other religions. 2004 ⇒20,652. ^RFaith & Mission 23/2 (2006) 129-131 (*Greenham, Ant*).

690 ^E**Ballard, Paul; Holms, Stephen R.** The bible in pastoral practice. GR 2006, Eerdmans 316 pp. $27. Symposium Cardiff Univ. 2000.

691 ^E**Barr, David L.** The reality of apocalypse: rhetoric and politics in the book of Revelation. SBL.Symposium 39: Atlanta, Ga. 2006, Society of Biblical Literature ix; 306 pp. $30. 978-1-58983-218-3. Bibl. 271-275.

692 ^E**Bartholomew, Craig G.; Evans, C. Stephen** "Behind" the text: history and biblical interpretation. Scripture and Hermeneutics 4: 2003 ⇒ 19,571... 21,709. ^RCTJ 41 (2006) 139-142 (*Baugus, Bruce P.*).

693 ^E**Bartholomew, Craig G.**, al., Canon and biblical interpretation. Scripture and hermeneutics 7: GR 2006, Zondervan xvi; 445 pp. £20. 0-310-23417-4.

694 ^E**Becker, Adam; Reed, Annette** The ways that never parted: Jews and christians in late antiquity and the early middle ages. TSAJ 95: 2003 ⇒ 19,572... 21,712. ^RHenoch 28/1 (2006) 176-184 (*Gianotto, Claudio*).

695 ^E**Behrends, Okko** Der biblische Gesetzesbegriff: auf den Spuren seiner Säkularisierung. AAWG.PH 278: Gö 2006, Vandenhoeck & R. 389 pp. €129. 13. Symposion der Kommission 'Die Funktion des Gesetzes in Geschichte und Gegenwart'.

696 ^E**Berder, Michel** Les Actes des Apôtres: histoire, récit, théologie. LeDiv 199: 2005 ⇒21,715. ^REeV 116/1 (2006) 19-20 (*Cothenet, Édouard*); ThLZ 131 (2006) 372-374 (*Riaud, Jean*).

697 Bibles en français: traduction et tradition. 2004 ⇒20,658; 21,716. ^REeV 116/5 (2006) 23-25 (*Trimaille, Michel*); RSR 94 (2006) 244-245 (*Gibert, Pierre*); Gr. 87 (2006) 847-849 (*Farahian, Edmond*).

698 ^E**Blum, Erhard; Lux, Rüdiger** Festtraditionen in Israel und im alten Orient. Veröffentlichungen der Wissenschaftlichen Gesellschaft f. Theologie 28: Gü 2006, Gü 260 pp. €40. 978357-9053554. Eisenach 2003.

699 ^E**Blum, Erhard; Utzschneider, Helmut** Lesarten der Bibel: Untersuchungen zu einer Theorie der Exegese des Alten Testaments. Stu 2006, Kohlhammer 319 pp. €32. 978-31701-9720-6. Koll. 'Theorie der Exegese'.

700 ^E**Boda, Mark J.; Falk, Daniel K.; Werline, Rodney A.** Seeking the favor of God, 1: the origins of penitential prayer in second temple Judaism. Early Judaism and its literature 21: Lei 2006, Brill xvii; 249 pp. $36. 978-90-04-15124-6. SBL consultation.

701 ^E**Borghi, Ernesto; Petraglio, R.** La fede attraverso l'amore: introduzione alla lettura del Nuovo Testamento. Nuove vie dell'esegesi: R 2006, Borla 480 pp. Giornata gen. 2005, Bellinzona.

702 ᴱ**Brant, Jo-Ann A.; Hedrick, Charles W.; Shea, Chris** Ancient fiction: the matrix of early Christian and Jewish narrative. SBL.Symposium 32: 2005 ⇒21,721. ᴿCBQ 68 (2006) 796-798 (*Fullmer, Paul M.*); RBLit (2006)* (*Alexander, Loveday*).

703 ᴱ**Bürki, B.; Klöckener, M.; Lambert, John** Présence et rôle de la bible dans la liturgie. FrS 2006, Academic 434 pp. €44. 28271-10032.

704 ᴱ**Calduch-Benages, Núria; Liesen, Jan** History and identity: how Israel's authors viewed its earlier history. Deuterocanonical and Cognate Literature, Yearbook 2006: B 2006, De Gruyter xii; 415 pp. €98/$137. 3-11-018660-8. Coll. Barcelona 2005.

705 **Charlesworth, James H.,** *al.*, Resurrection: the origin and future of a biblical doctrine. Faith and scholarship colloquies: NY 2006, Clark xix; 250 pp. $60. 978-05670-28716. Symp. Florida Southern College 1999. ᴿRBLit (2006)* (*Culpepper, R. Alan*).

706 ᴱ**Charlesworth, James H.** The bible and the Dead Sea scrolls: the second Princeton Symposium on Judaism and christian origins. Waco (Tex.) 2006, Baylor University Pr. 3 vols; xxxi; 319; vi; 491; vi; 734 pp. $200. 1-932792-19-8/20-1/1-X. Bibl. III,463-583.

707 ᴱ**Chazan, Mireille; Dahan, Gilbert** La méthode critique au Moyen Âge. Turnhout 2006, Brepols 325 pp. Coll. Metz.

708 Chroniques de Port Royal, Port-Royal et le peuple d'Israël. P 2006, Bibliothèque Mazarine 407 pp. Colloque, Société des Amis de Port-Royal, Blois sept. 2003.

709 ᴱ**Clines, David J.A.; Lichtenberger, Hermann; Müller, Hans-P.** Weisheit in Israel. ATM 12: 2003 ⇒19,583... 21,724. ᴿThLZ 131 (2006) 112-114 (*Koch, Klaus*).

710 ᴱ**Collins, John J.; Evans, Craig A.** Christian beginnings and the Dead Sea scrolls. GR 2006, Baker 144 pp. $17. 0-8010-2837X. Symposium 2004 [BiTod 45,60—Donald Senior].

711 ᴱ**Cormier, Jacques,** *al.*, Robert Challe: sources et héritages. 2003 ⇒ 20,664. ᴿRSR 94 (2006) 251-252 (*Gibert, Pierre*).

712 ᴱ**Cremascoli, Giuseppe; Santi, Francesco** La bibbia del XIII secolo: storia del testo, storia dell'esegesi. Millennio medievale 49: 2004 ⇒20, 665; 21,725. ᴿRHE 101 (2006) 225-230 (*Bartoli, Marco*).

713 ᴱ**Dauphinais, Michael; Levering, Matthew W.** Reading John with St. Thomas Aquinas. 2005 ⇒21,727. ᴿDoctor Angelicus 6 (2006) 282-285 (*Vijgen, Jörgen*).

714 ᴱ**David, Robert; Jinbachian, Manuel** Traduire la Bible hébraïque: de la Septante á la Nouvelle Bible Segond. Sciences bibliques 15: 2005 ⇒21,728. ᴿRBLit (2006)* (*Eynikel, Erik*).

715 ᴱ**Day, John** In search of pre-exilic Israel. JSOT.S 406: 2004 ⇒20,667; 21,730. ᴿTheol. 109 (2006) 125-6 (*Jeffers, Ann*); BBR 16/1 (2006) 152-5 (*Hess, Richard*); JThS 57 (2006) 166-170 (*Johnstone, William*);

716 Temple and worship in biblical Israel. LHBOTS 422: NY 2006, Clark xviii; 559 pp. $175. 0-5670-4262-6. Oxford OT Sem. ᴿThLZ 131 (2006) 1045-1046 (*Zwickel, Wolfgang*); ThZ 62 (2006) 555-557 (*Weber, Beat*); CBQ 68 (2006) 565-567 (*Clifford, Richard J.*); RBLit (2006)* (*Nihan, Christopher*).

718 ᴱ**Deines, Roland; Niebuhr, Karl-W.** PHILO und das NT. WUNT 172: 2004 ⇒20,668; 21,734. ᴿJSJ 37 (2006) 107-110 (*Geljon, Albert-K.*); Adamantius 12 (2006) 544-545 (*Penna, Romano*); SEÅ 71 (2006) 274-277 (*Sandelin, Karl-Gustav*); RBLit (2006)* (*Frick, Peter*).

719 ^E**Den Hollander, A.A.; Lamberigts, M.** Lay bibles in Europe 1450-1800. BEThL 198: Lv 2006, Peeters x; 360 pp. €79. 978904-2917859.

720 ^E**Dever, William G.; Gitin, Seymour** Symbiosis, symbolism, and the power of the past: Canaan, Ancient Israel, and their neighbors... 2003 ⇒19,590... 21,735. ^RZDPV 122 (2006) 189-191 (*Kamlah, Jens*).

721 ^E**Dimitrov, Ivan Z.**, *al.*, Das Alte Testament als christliche Bibel in orthodoxer und westlicher Sicht. WUNT 174: 2004 ⇒20,670; 21,736. ^RTS 67 (2006) 880-881 (*Ryan, Stephen D.*); Iren. 79/1 (2006) 166-167.

722 ^E**Dozeman, Thomas; Schmid, Konrad** A farewell to the Yahwist?: the composition of the pentateuch in recent European interpretation. SBL.Symposium 34: Atlanta, GA 2006, SBL viii; 197 pp. $25. 15898-31632. Pentateuch Seminar, SBL Annual Meeting 2004; Bibl. 181-85.

723 ^E**Eriksson, Anders; Olbricht, Thomas H.** Rhetoric, ethic, and moral persuasion in biblical discourse. Emory Studies in Early Christianity 11: 2005 ⇒21,738. ^RRBLit (2006)* (*Vogels, Walter*).

724 ^E**Esler, Philip F.** Ancient Israel: the Old Testament in its social context. Mp 2006, Fortress xvii; 420 pp. $35. 0-8006-3767-4. Conference St Andrews 2004; Bibl. 353-405. ^RBTB 36 (2006) 186-187 (*McLaughlin, John L.*); RBLit (2006)* (*Hagelia, Hallvard*).

725 ^E**Fassberg, Steven E.; Hurvitz, Avi** Biblical Hebrew in its Northwest Semitic setting: typological and historical perspectives. Publication of the Inst. for Advanced Studies, Hebrew Univ. 1: J 2006, Magnes 323 pp. $49.50. 1-57506-116-3. Proc. workshop Hebr. Univ. 2001-2002. ^RLeš. 68 (2006) 341-351 (*Zewi, Tamar*).

726 ^E**Ferrer, Véronique; Mantero, Anne** Les paraphrases bibliques aux XVIe et XVIIe siècles. THR 415: Genève 2006, Droz 492 pp. €99. 26-000-10947. Colloque Bordeaux... sept. 2004; Introd. *M. Janneret.*

727 ^E**Fischer, Irmtraud; Schmid, Konrad; Williamson, Hugh G.M.** Prophetie in Israel. ATM 11: 2003 ⇒19,595... 21,741. ^RThLZ 131 (2006) 110-112 (*Koch, Klaus*); ZKTh 128 (2006) 314-315 (*Bilić, Niko*).

728 ^E**Floyd, Michael; Haak, Robert** Prophets, prophecy, and prophetic texts in second temple Judaism. NY 2006, Clark x; 324 pp. $175. SBL Annual Meeting 139, 2003, Atlanta; Bibl.

730 ^E**Frey, Jörg; Van der Watt, Jan G.; Zimmermann, Ruben** Imagery in the gospel of John: terms, forms, themes, and theology of Johannine figurative language. WUNT 200: Tü 2006, Mohr S. ix; 495 pp. €109. 978-3-16-149116-0. Cong. Eisenach 2005.

731 ^E**García Martínez, Florentino** Wisdom and apocalypticism in the Dead Sea scrolls and in the biblical tradition. BEThL 168: 2003 ⇒19, 4191... 21,747. ^RLTP 62/1 /2006) 136-137 (*Dias Chaves, Julio César*).

732 ^E**Garribba, Dario; Tanzarella, Sergio** Giudei o cristiani?: quando nasce il cristianesimo?. 2005 ⇒21,748,833. ^RATT 12 (2006) 445-448 (*Ghiberti, Giuseppe*).

733 ^E**Grabbe, Lester L.; Haak, Robert D.** Knowing the end from the beginning: the prophetic, the apocalyptic and their relationships. JSPE.S 46: 2003 ⇒19,600... 21,750. SBL Meeting 2001: prophetic texts. ^RBZ 50 (2006) 290-292 (*Dormeyer, Detlev*).

734 ^E**Grabbe, Lester L.** Good kings and bad kings. JSOT.S 393: 2005 ⇒ 21,751. ^RRBLit (2006)* (*Engle, John; Otto, Eckart*).

735 ^E**Grappe, Christian** Le repas de Dieu: das Mahl Gottes. WUNT 169: 2004 ⇒20,678. ^RJSJ 37 (2006) 439-441 (*Hogeterp, Albert L.A.*); Sal. 68 (2006) 196-197 (*Vicent, Rafael*); ThLZ 131 (2006) 1128-1130 (*Kollmann, Bernd*); CrSt 27 (2006) 661-666 (*Maffeis, Angelo*).

736 ^E**Gregory, Andrew F.; Tuckett, Christopher M.** The NT and the Apostolic Fathers, 1: the reception of the NT in the Apostolic Fathers. 2005 ⇒21,752. ^RASEs 23 (2006) 338-339 (*Nicklas, Tobias*); NT 48 (2006) 397-400 (*Parker, D.C.*); RHE 101 (2006) 1099-1101 (*Amphoux, Christian-B.*);

737 The NT and the Apostolic Fathers, 2: trajectories through the NT and the Apostolic Fathers. 2005 ⇒21,752. ^RNT 48 (2006) 398-400 (*Parker, D.C.*); RHE 101 (2006) 1099-1101 (*Amphoux, Christian-B.*).

738 The NT and the Apostolic Fathers, 1-2. 2005 ⇒21,751,752. Conf. Oxford 2004. ^RJThS 57 (2006) 695-700 (*Hall, Stuart G.*).

739 ^E**Guida, Annalisa; Vitelli, Marco** Gesù e i messia di Israele: il messianesimo giudaico e gli inizi della cristologia. Oi chrístianoí, sezione antica 4: Trapani 2006, Il pozzo di Giacobbe 205 pp. €20. 88-87324-93-X. Giornata di studio sulla storia del cristianesimo, 2005 Napoli.

740 ^E**Guijarro, Santiago** Los comienzos del cristianismo: IV simposio international del grupo europeo de investiagión interdisciplinar sobre los orígenes del cristianismo (G.E.R.I.C.O.). BSal.E 284: S 2006, Publicaciones Universidad Pontificia 254 pp. €16. 84-7299-698-0. Salamanca 2005; Bibl. 233-251. ^RActBib 43 (2006) 206-207 (*Boada, Josep*).

741 ^E**Gutsfeld, Andreas; Koch, Dietrich-Alex** Vereine, Synagogen und Gemeinden im kaiserzeitlichen Kleinasien. STAC 25: Tü 2006, Mohr S. 202 pp. €44. 3-16-148620-X. Koll. Münster 2001.

742 ^E**Haas, Peter J.; Kalimi, Isaac** Biblical interpretation in Judaism and Christianity. LHBOTS 439: L 2006, Clark xiv; 265 pp. $130. 0-567-02682-5. Study Day May 2004, Cleveland, Ohio.

743 ^E**Heffernan, Thomas J.; Burman, Thomas E.** Scripture and pluralism: reading the bible in the religiously plural worlds of the Middle Ages and Renaissance. Studies in the History of Christian Traditions 123: 2005 ⇒21,757. ^RThLZ 131 (2006) 1039-1041 (*Leppin, Volker*).

744 ^E**Helmer, Christine; Petrey, Taylor G.** Biblical interpretation: history, context, and reality. SBL.Symposium 26: 2005 ⇒21,758. ^RRBLit (2006)* (*Nicklas, Tobias*).

745 ^E**Helmer, Christine; Higbe, Charlene T.** The multivalence of biblical texts and theological meanings. SBL.Symposium 37: Atlanta 2006, SBL xii; 199 pp. $25. 978-1-58983-221-3.

746 ^E**Henze, Matthias** Biblical interpretation at Qumran. 2005 ⇒21,759. ^RRSR 94/1 (2006) 153-154 (*Paul, André*); Sal. 68 (2006) 393-394 (*Vicent, Rafael*); JAOS 126 (2006) 301-302 (*Davies, Philip R.*); RBLit (2006)* (*Nitzan, Bilha*); JHScr 6 (2006)* = Perspectives on Hebrew Scriptures III,361-364 (*Schuller, Eileen*) [⇒593].

747 ^E**Horton, Charles** The earliest gospels...the contribution of the Chester Beatty Gospel Codex P45. JSNT.S 258: 2004 ⇒20,682; 21,763. ^RNT 48 (2006) 198-200 (*Parker, D.C.*).

748 ^E**Izquierdo, Antonio** Scrittura ispirata. Atti e Documenti 16: 2002 ⇒ 18,565... 20,683. ^RCTom 133 (2006) 157-159 (*Rodríguez, Eliseo*);

749 La bibbia nella chiesa nel 40° della Dei Verbum. Atti di convegni 9: R 2006, Ateneo pontificio Regina Apostolorum 158 pp. €8. 88-89174-47-1. Convegno 2005 Roma.

750 Jean-Baptiste le Précurseur au Moyen Age. 2002 ⇒20,685. ^RStMed 47/1 (2006) 469-471 (*Squillaciotti, Paolo*).

751 ^E**Kloppenborg, John S.; Marshall, John W.** Apocalypticism, antisemitism and the historical Jesus: subtexts in criticism. JSNT.S 275;

JSHS.S: 2005 ⇒21,767. ᴿCBQ 68 (2006) 578-580 (*Pitre, Brant*); JThS 57 (2006) 655-660 (*Casey, Maurice*).

752 ᴱ**Klutz, Todd E.** Magic in the biblical world. JSNT.S 245: 2003 ⇒19, 613; 21,768. ᴿJAOS 125 (2005) 429-431 (*Noegel, Scott B.*).

753 ᴱ**Knibb, Michael A.** The Septuagint and messianism. BEThL 195: Lv 2006, Peeters xxxi; 560 pp. €60. 90-429-1733-4. Journées bibliques de Louvain 53, 2004.

754 ᴱ**Korpel, Marjo C.A.; Oesch, Josef M.** Unit delimitation in Biblical Hebrew and Northwest Semitic literature. Pericope 4: 2003 ⇒19,614... 21,769. ᴿJSSt 51 (2006) 180-182 (*Watson, Wilfred G.E.*).

755 ᴱ**Kraus, Wolfgang; Wooden, R. Glenn** Septuagint research: issues and challenges in the study of the Greek Jewish scriptures. SBL.SCSt 53: Lei 2006, Brill xv; 414 pp. $50. 90-04-14675-X. Conf. Bangor 2002; Bibl.

756 ᴱ**Kunz-Lübcke, Andreas; Luz, Rüdiger** 'Schaffe mir Kinder...': Beiträge zur Kindheit im alten Israel und in seinen Nachbarkulturen. ABIG 21: Lp 2006, Evangelische 263 pp. €54. 3-374-02384-3. Tagung Leipzig Herbst 2004.

757 L'unité de l'un et l'autre Testament dans l'oeuvre de Paul BEAU-CHAMP. 2005 ⇒21,771. ᴿEeV 156 (2006) 30-31 (*Cothenet, Edouard*).

758 ᴱ**Labahn, Michael; Peerbolte, Bert J.L.** Wonders never cease: the purpose of narrating miracle stories in the New Testament and its religious environment. LNTS 288: NY 2006, Clark xviii; 286 pp. $140. 0-567-08077-3. Meetings 2002, 2003 Europ. Assoc. for Biblical Studies. ᴿRBLit (2006)* (*Lybaek, Lena*).

759 ᴱ**Lemaire, André** Congress volume Leiden 2004. VT.S 109: Lei 2006, Brill vi; 470 pp. 90-04-14913-9. IOSOT.

760 ᴱ**Létourneau. P.; Talbot, M.** Et vous, qui dites-vous que je suis?: la gestion des personnages dans les récits bibliques. Sciences bibliques: Montréal 2006, Médiaspaul 284 pp. €23.30. 28942-0695X. Symp. Montréal 2005.

761 ᴱ**Lierman, John** Challenging perspectives on the gospel of John. WUNT 2/219: Tü 2006, Mohr S. xii; 370 pp. €69. 978-3-16-149113-9. Cambridge Tyndale Fellowship NT Study Group 2002; Bibl. 302-333.

762 ᴱ**Longère, Jean**, *al.*, Marie et la sainte famille dans les récits apocryphes chrétiens. 2. P 2006, Médiaspaul 176 pp. €21. 2-7122-0987-7. Société française d'études mariales, Nevers, sept. 2005.

763 ᴱ**Mahoney, Edward J.** Scripture as the soul of theology. 2005 ⇒21, 776. ᴿCBQ 68 (2006) 372-373 (*Bowe, Barbara E.*).

764 ᴱ**Marin, Marcello; Ricci, Carla** L'apostola: Maria Maddalena inascoltata verità. Tyche 2: Bari 2006, Palomar 336 pp. 88-7600-178-6. Convegno, La Maddalena (Sassari) il 26 e 27 settembre 2003.

765 ᴱ**McGinnis, Claire M.; Tull, Patricia K.** "As those who are taught": the interpretation of Isaiah from the LXX to the SBL. SBL.Symposium 27: Atlanta, GA 2006, SBL xii; 342 pp. $40. 978-15898-31032.

766 ᴱ**Mell, Ulrich** Pflanzen und Pflanzensprache der Bibel: Erträge des Hohenheimer Symposions vom 26. Mai 2004. Fra 2006, Lang 172 pp. 3-631-52731-4.

767 ᴱ**Morgan, Nigel** Prophecy, Apocalypse and the day of doom: proceedings of the 2000 Harlaxton Symposium. Harlaxton Medieval Studies 12: 2004 ⇒20,703. ᴿRH 308 (2006) 448-450 (*Lachaud, Frédérique*).

768 ᴱ**Oeming, Manfred; Schmid, Konrad; Schüle, Andreas** Theologie in Israel und in den Nachbarkulturen. ATM 9: 2004 ⇒20,708; 21,782. ᴿThLZ 131 (2006) 109-110 (*Koch, Klaus*).

769 ^E**Otto, Eckart** Mosè, Egitto e Antico Testamento. Studi biblici 152: Brescia 2006, Paideia 183 pp. €18.30. 88394-0726X.

770 ^E**Otto, Eckart; Levinson, Bernard** Recht und Ethik im Alten Testament. ATM 13: 2004 ⇒20,710; 21,783. ^RThLZ 131 (2006) 114-117 (*Koch, Klaus*); ZKTh 128 (2006) 140-141 (*Markl, Dominik*); JNSL 32/1 (2006) 131-133 (*Nel, Philip J.*); RBLit (2006) (*Hamilton, Mark*).

771 ^E**Padgett, Alan G.; Keifert, Patrick R.** But is it all true?: the bible and the question of truth. GR 2006, Eerdmans 187 pp. $16. 0-8028-63-16-7. Coll. 1999. ^RRRT 13 (2006) 476-478 (*Gallagher, Daniel B.*); AsbJ 61/2 (2006) 108-112 (*Walls, Jerry L.*).

772 ^E**Padovese, Luigi** Atti del IX simposio paolino: Paolo tra Tarso e Antiochia: archeologia, storia, religione. Simposio paolino 9; Turchia 20: R 2006, Pontificia Università Antoniano, Istituto francescano di spiritualità 269 pp.

773 ^E**Pastor, Jack; Mor, Menachem** The beginnings of christianity. 2005 ⇒21,786. ^RRBLit (2006)* (*Gruenwald, Ithamar*).

774 ^E**Peters, Melvin K.H.** XII Congress of the International Organization for Septuagint and Cognate Studies, Leiden, 2004. SBL.SCSt 54: Lei 2006, Brill x; 232 pp. $35. 978-90-04-15122-2.

775 ^E**Pipa, Joseph** The worship of God: reformed concepts of biblical worship. 2005 ⇒21,787. ^RSBET 24 (2006) 238-240 (*MacPherson, John*).

776 ^E**Poffet, Jean-Michel** La bible et l'histoire: actes des colloques de l'Ecole biblique de Jérusalem et de l'Institut catholique de Toulouse (nov. 2005) pour le 150ème anniversaire de la naissance du P. M.-J. LA-GRANGE. CRB 65: P 2006, Gabalda 292 pp. 2-85021-173-4.

777 ^E**Porter, Stanley E.** Hearing the Old Testament in the New Testament. GR 2006, Eerdmans xiii; 316 pp. $29. 0-8028-2846-9. Coll. Hamilton, Ontario; Bibl. ^RPIBA 29 (2006) 105-108 (*Goan, Seán*).

778 ^E**Porter, Stanley E.; Brodie, Thomas L.; MacDonald, Dennis R.** The intertextuality of the epistles: explorations of theory and practice. NTMon 16: Shf 2006, Sheffield Phoenix xvi; 311 pp. $95. 978-1-905-048-62-5. Conf. Limerick 2005.

779 ^E**Rambaldi, Enrico I.** Qohelet: letture e prospettive. CFil(M) 84: Mi 2006, Angeli 176 pp. 88-464-7216-0. Convegno Univ. degli Studi di Milano, 12-13 maggio 2003.

780 ^E**Romanello, Stefano; Vignolo, Roberto** Rivisitare il compimento: le scritture d'Israele e la loro normatività secondo il Nuovo Testamento: atti del VI seminario biblico di teologia del libro, 22 marzo 2005, Facoltà teologica dell'Italia settentrionale. Biblica 3: Mi 2006, Glossa xxxi; 283 pp. €32. 88-7105-206-4.

781 ^E**Romeny, Bas ter Haar** The Peshitta: its use in literature and liturgy: papers read at the third Peshitta Symposium. MPIL 15: Lei 2006, Brill xxiv; 412 pp. €139/$188. 978-90041-56586.

782 ^E**Sartorio, Ugo** Annunciare il vangelo oggi: è possibile?. 2005 ⇒21, 791. ^RHum(B) 61 (2006) 575-576 (*Anelli, Alberto*).

783 ^E**Schenker, Adrian** The earliest text of the Hebrew Bible: the relationship between the Masoretic Text and the Hebrew base of the Septuagint reconsidered. SBL.SCSt 52: 2003 ⇒19,639... 21,792. ^RJSSt 51 (2006) 178-180 (*De Troyer, Kristin*); OLZ 101 (2006) 38-41 (*Kim, Jong-Hoon*); JAOS 126 (2006) 271-273 (*Gentry, Peter J.*).

784 ^E**Schlosser, Jacques** The Catholic Epistles and the tradition. BEThL 176: 2004 ⇒20,722; 21,793. ^RSNTU.A 31 (2006) 283-284 (*Pichler, Josef*).

785 Scripture and the quest for a new society: proceedings of the sixth annual convention, Phinma Training Center, Tagaytay City, 22-24 July 2005. Manila 2006, Catholic Biblical Association of the Philippines x; 156 pp.

786 ᴱStadelmann, Helge Den Sinn biblischer Texte verstehen: eine Auseinandersetzung mit neuzeitlichen Ansätzen. Systematisch-theologische Monographien 16: Giessen 2006, Brunnen vi; 233 pp. €20. 37655-949-97. Bericht von der 14. Studienkonferenz des Arbeitskreises für evangelikale Theologie (AfeT), 2005 Bad Blankenburg. ᴿOTEs 19 (2006) 782-785 (Weber, B.).

787 ᴱStarr, James; Engberg-Pedersen, Troels Early christian paraenesis in context. BZNW 125: 2004 ⇒20,726; 21,794. ᴿSEÅ 71 (2006) 266-269 (Syreeni, Kari); CBQ 68 (2006) 585-587 (Fiore, Benjamin).

788 ᴱStegemann, Wolfgang; Malina, Bruce J.; Theissen, Gerd Il nuovo Gesù storico. Introd. allo studio della Bibbia.Suppl. 28: Brescia 2006, Paideia 395 pp. €38.60. 88-394-0721-9. Conv. Tutzing 1999, Bibl. 327-374.

789 ᴱTollet, Daniel Les églises et le talmud: ce que les chrétiens savaient du judaïsme (XVIᵉ-XIXᵉ siècles). Mythes, critiques et histoire: P 2006, PUPS 202 pp. €18. Introd. Michel Meslin; Coll. Sorbonne 2003.

790 Ukpong, Justin S., al., Reading the bible in the global village: Cape Town. Global perspectives on biblical scholarship 3: 2002 ⇒18,607... 20,730. ᴿBiblInterp 14 (2006) 421-423 (Taylor, N.H.).

791 ᴱValentini, Natalino Le vie della rivelazione: parola e tradizione. R 2006, Studium 243 pp. €22.50. 88382-40051. Conf. Rimini.

792 ᴱVan Belle, Gilbert; Van der Watt, Jan; Maritz, Petrus Theology & christology in the fourth gospel. BEThL 184: 2005 ⇒21,796. ᴿFaith & Mission 23/3 (2006) 78-9 (Köstenberger, Andreas); RTL 37 (2006) 400-407 (Kaefer, Jean-P.); RHPhR 86 (2006) 426-427 (Grappe, C.).

793 ᴱVan de Sandt, Huub Matthew and the Didache: two documents from the same Jewish-Christian milieu?. 2005 ⇒21,797. ᴿCTJ 41 (2006) 146-149 (Ellens, J. Harold); JJS 57 (2006) 164-166 (Lahey, Lawrence); TS 67 (2006) 667-668 (Daly, Robert J.); ThLZ 131 (2006) 999-1000 (Schröter, Jens); JThS 57 (2006) 249-251 (Tuckett, C.M.).

794 ᴱVan der Watt, Jan Gabriël Salvation in the New Testament: perspectives on soteriology. NT.S 121: 2005 ⇒21,798. ᴿNeotest. 40 (2006) 220-222 (Malan, Francois S.); RBLit (2006)* (Matera, Frank);

795 Identity, ethics, and ethos in the New Testament. BZNW 141: B 2006, De Gruyter xiv; 645 pp. 3-11-018973-9. Conf. Pretoria 2004 & 2005.

796 ᴱVan Kooten, Geurt H. The revelation of the name YHWH to Moses: perspectives from Judaism, the pagan Graeco-Roman world, and early christianity. Themes in Biblical Narrative: Jewish and Christian traditions 9: Lei 2006, Brill xiv; 264 pp. €109/$139. 90041-53985. Conf. Groningen 2004.

797 ᴱVan Oyen, Geert; Kevers, Paul De apocriefe Jezus. Lv 2006, Acco 222 pp. €19.20. 978-90334-61163. Leergang, aug. 2005, Leuven.

798 ᴱVolgers, Annelie; Zamagni, Claudio Erotapokriseis: early christian question-and-answer literature in context. CBET 37: 2004 ⇒20,732. ᴿStPhiloA 18 (2006) 228-230 (Runia, David T.).

799 ᴱWalls, Neal H. Cult image and divine representation in the ancient Near East. ASOR 10: 2005 ⇒21,801. ᴿArOr 74 (2006) 488-489 (Halton, Charles).

800 ᴱ**Welker, Michael; Oeming, Manfred; Schmid, Konrad** Das Alte Testament und die Kultur der Moderne. ATM 8: 2004 ⇒20,734; 21, 802. ᴿThLZ 131 (2006) 106-108 (*Koch, Klaus*).

801 ᴱ**Wells, Paul** Bible et sexualité, l'un et l'autre: la sexualité à la lumière de la bible. 2005 ⇒21,803. Rencontre 2004, Aix-en-Provence. ᴿThEv(VS) 5 (2006) 203-206 (*Aharonian, Sylvain*).

802 ᴱ**Weren, Wim; Koch, Dietrich-Alex G.** Recent developments in textual criticism: New Testament, other early christian and Jewish literature. Studies in Theology and Religion 8: 2003 ⇒19,650... 21,804. ᴿNeotest. 40 (2006) 203-204 (*Van der Bergh, Ronald H.*).

803 ᴱ**Wischmeyer, Oda** Herkunft und Zukunft der neutestamentlichen Wissenschaft. NET 6: 2003 ⇒19,651; 21,805. Erlanger NT Kolloquium Jan. 2002. ᴿZKTh 128 (2006) 306-307 (*Oberforcher, Robert*).

804 ᴱ**Xeravits, Géza G.; Zsengeller, József** The book of Tobit text, tradition, theology. JSJ.S 98: 2005 ⇒21,3654. ᴿCBQ 68 (2006) 368-369 (*Di Lella, Alexander A.*).

A2.3 Acta *congressuum* theologica

805 ᴱ**Aitken, James K.; Kessler, Edward** Challenges in Jewish-Christian relations. NY 2006, Paulist vii; 282 pp. $25. 08091-43925. Conf. Cambridge.

806 **Alexandre, Jérôme**, *al.*, Penser le Christ aujourd'hui. 2005 ⇒21,806. ᴿRTL 37 (2006) 407-409 (*Bourgine, Benoît*).

807 ᴱ**Alkier, Stefan; Witte, Markus** Die Griechen und das antike Israel. OBO 201: 2004 ⇒20,740; 21,807. Symp. Frankfurt April 2003. ᴿZKTh 128 (2006) 323-325 (*Bilić, Niko*).

808 ᴱ**Allen, Pauline; Cross, Lawrence; Mayer, Wendy** Prayer and spirituality in the early church, 4: the spiritual life. Strathfield, NSW 2006, St Pauls xi; 367 pp. A$44. 09752-13830. Patristics Conf. Melbourne 2005.

809 ᴱ**Arnold, Matthieu; Decot, Rolf** Christen und Juden im Reformationszeitalter. VIEG Abt. Abendländischegeschichte 72: Mainz 2006, Von Zabern xvi; 315 pp. 9783-8053-37090. Coll. Mainz 2005.

810 ᴱ**Badilita, Cristian; Kannengiesser, Charles** Les pères de l'église dans le monde d'aujourd'hui: actes du colloque international, Bucarest, oct. 2004. P 2006, Beauchesne 341 pp. €24. 27010-14921.

811 ᴱ**Becking, Bob; Rouwhorst, G.** Religies in interactie: jodendom en christendom in de oudheid. Utrechtse Studies 9: Zoetermeer 2006, Meinema 190 pp. €18.50. 90-211-4100-0. Symposium 2004.

812 ᴱ**Bird, Darlene; Sherwood, Yvonne** Bodies in question: gender, religion, text. 2005 ⇒21,811. Conf. Glasgow-Mainz 2001-2. ᴿScrB 36 (2006) 92-93 (*Mills, Mary E.*).

813 ᴱ**Boda, Mark J.; Smith, Gordon T.** Repentance in christian theology. Michael Glazier: ColMn 2006, Liturgical xviii; 429 pp. $40. 08146-57755. Coll. 2003, 2004.

814 ᴱ**Bolgiani, Franco; Margiotta Broglio, Francesco; Mazzola, Roberto** Chiese cristiane, pluralismo religioso e democrazia liberale in Europa: atti del convegno della Fondazione Michele Pellegrino. Bo 2006, Il Mulino 303 pp. 88-15-11387-8.

815 ᴱ**Boulhol, Pascal; Gaide, Françoise; Loubet, Mireille** Guérisons du corps et de l'âme: approches pluridisciplinaires. Aix-en-Provence

2006, Publications de l'Université de Provence 366 pp. €32. 978-2853-9-96518. Actes Coll., sept. 2004, Aix-en-Provence.

816 ^E**Boustan, Ra'anan S.; Reed, Annette Y.** Heavenly realms and earthly realities in late antique religions. 2004 ⇒20,746; 21,814. ^RJSJ 37 (2006) 421-422 (*Tigchelaar, Eibert*); AnCl 75 (2006) 373-375 (*Schamp, Jacques*).

817 ^E**Brakke, David; Satlow, Michael; Weitzman, Steven** Religion and the self in antiquity. 2005 ⇒21,818. ^REtCl 74 (2006) 344-345 (*Clarot, B.*); CBQ 68 (2006) 795-796 (*Chin, Catherine M.*).

818 ^E**Breid, Franz** Die heilige Eucharistie. 2005 ⇒21,819. ^RTheologisches 36/1-2 (2006) 79-81 (*Hartmann, Stefan*).

819 ^E**Campbell, Douglas A.** Gospel and gender: a trinitarian engagement with being male and female in Christ. Studies in theology and sexuality 7: 2004 ⇒20,750. ^RRRT 13 (2006) 56-57 (*Bruyneel, Sally*).

820 ^E**Capdeville, Gérard** L'eau et le feu dans les religions antiques. 2004 ⇒20,751. ^RAnCl 75 (2006) 432-434 (*Anthoons, Greta*).

821 ^E**Carruthers, Iva E.; Haynes, Frederick D., III; Wright, Jeremiah A., Jr.** Blow the trumpet in Zion: global vision and action for the 21st-century Black church. 2005 ⇒21,821. ^RBiblInterp 14 (2006) 543-546 (*Byron, Gay L.*).

822 ^E**Chouraqui, Jean-Marc; Dorival, Gilles; Zytnicki, Colette** Enjeux d'histoire, jeux de mémoire: les usages du passé juif. L'atelier méditerranéen 8: P 2006, Maison méditerranéenne 610 pp. Coll. 2003.

823 ^E**Corbí, Marià** Lectura simbólica de los textos sagrados. Encuentros en Can Bordoi 4: Barc 2006, CERT 266 pp. 84-935368-14.

824 ^E**Corley, Jeremy; Egger-Wenzel, Renate** Prayer from Tobit to Qumran. 2004 ⇒20,755; 21,823. ^RJSJ 37 (2006) 112-113 (*Xeravits, Géza*); TS 67 (2006) 666-667 (*Ryan, Stephen D.*); ThLZ 131 (2006) 710-713 (*Löhr, Hermut*).

825 ^E**Coward, Harold** Los escritos sagrados en las religiones del mundo. Bilbao 2006, DDB 188 pp. Conf. Univ. Victoria 1999.

826 ^E**Danz, Christian; Hermanni, Friedrich** Wahrheitsansprüche der Weltreligionen: Konturen gegenwärtiger Religionstheologie. Neuk 2006, Neuk 237 pp. €24.90. 3-7887-2170-7.

827 ^E**Davis, Stephen T.; Kendall, Daniel; O'Collins, Gerald** The redemption: an interdisciplinary symposium on Christ as redeemer. 2004 ⇒20,759. ^RNBl 87 (2006) 445-447 (*Murphy, Anne*); EThL 82 (2006) 263-266 (*Geldhof, J.*).

828 ^E**De Troyer, Kristin**, *al.*, Wholly woman holy blood: a feminist critique of purity and impurity. Studies in Antiquity and Christianity: 2003 ⇒19,667... 21,826. ^RJBL 125 (2006) 803-805 (*Tuzlak, Ayse*).

829 ^E**Descotes, Dominique** PASCAL, auteur spirituel. P 2006, Champion 537 pp. €75. 27453-14432. Colloq. Clermont-Ferrand 2000-2005.

830 ^E**Destro, Adriana; Pesce, Mauro** Rituals and ethics: patterns of repentance: Judaism, Christianity, Islam. 2004 ⇒20,761. ^RJSJ 37 (2006) 427-428 (*Nicklas, Tobias*).

831 ^E**Dietrich, Manfried; Kulmar, Tarmo** The significance of base texts for the religious identity–Die Bedeutung von Grundtexten für die religiöse Identität. FARG 40: Müns 2006, Ugarit-Verlag ix; 248 pp. €66. Symp. Tartu 2003.

832 ^E**Draper, Jonathan A.** Orality, literacy, and colonialism in antiquity. Semeia Studies 47: 2004 ⇒20,763; 21,827. ^RBiCT 2/3 (2006)* (*Jorgensen, Darren*).

833 ᴱ**Edwards, M.; Parvis, P.; Young, F.** Studia patristica, XXXIX-XLIII. Lv 2006, Peeters xv; 472; xv; 526; xvii; 569; xv; 415; xvii; 475 pp. €120/120/120/120/120. 90-429-18829/37/45/53/61. Papers 14th Conf. Patristic Studies, Oxford 2003.

834 ᴱ**Elm von der Osten, Dorothee; Rüpke, Jörg; Waldner, Katharina** Texte als Medium und Reflexion von Religion im römischen Reich. Potsdamer Altertumswissenschaftliche Beiträge 14: Stu 2006, Steiner 260 pp. €49. 3515-086412. Studientag 2003.

835 ᴱ**Faggioli, Massimo; Melloni, Alberto** Religious studies in the 20th century: a survey on disciplines, cultures and questions. Christianity and history 2: B 2006, LIT ii; 340 pp. €26.91. 3-8258-8205-5. International Colloquium Assisi 2003.

836 ᴱ**Fantar, M'hamed Hassine** Dialogues des religions d'Abraham pour la tolérance et la paix. Tunis 2006, Chaire Ben Ali Coll. Tunis déc. 2004; [CRAI 1/2007,230–André Lemaire].

837 ᴱ**Fraade, Steven D.; Shemesh, Aharon; Clements, Ruth A.** Rabbinic perspectives: rabbinic literature and the Dead Sea scrolls: Proc. Eighth International Symposium of the Orion Center for the Study of the Dead Sea Scrolls and Associated Literature, 7-9 January 2003, Jerusalem. StTDJ 62: Lei 2006, Brill xi; 211 pp. $168. 90-04-15335-7.

838 ᴱ**Garibba, Dario; Tanzarella, Sergio** Giudei o cristiani?: quando nasce il cristianesimo?. Oi christianoi: 2005 ⇒21,833. Giorno di studio, Napoli, 2004. ᴿHenoch 28/1 (2006) 176-184 (*Gianotto, Claudio*).

839 ᴱ**Giustiniani, Pasquale; Matarazzo, Carmine** Giocare davanti a Dio: l'universo liturgico tra storia, culto e simbolo. BTNap 28: N 2006, Pont. Fac. teol. dell'Italia Meridionale 426 pp. €32. 88-95459-04-1. Atti Convegno 2005 dei docenti Sez. S. Tommaso d'Aquino.

840 ᴱ**Goodblatt, Chanita; Kreisel, Howard** Tradition, heterodoxy and religious culture, Judaism and christianity in the early modern period. Beer-Shevah 2006, Ben-Gurion Univ. Pr. 588 pp. Symp. 2005.

841 ᴱ**Grohe, J.; Leal, J.; Reale, V.** I padri e le scuole teologiche nei concili: atti del VII simposio internazionale della facoltà di teologia, 6-7 marzo 2003. Città del Vaticano 2006, Pont. Univ. della Santa Croce 464 pp.

842 ᴱ**Guggenberger, Wilhelm; Steinmair-Pösel, Petra** Religionen–Miteinander oder Gegeneinander?: Vorträge der sechsten Innsbrucker Theologischen Sommertage 2005. theologische trends 15: Fra 2006, Lang 170 pp. 3-631-55515-6.

843 ᴱ**Hart, Kevin; Sherwood, Yvonne** DERRIDA and religion: other testaments. 2005 ⇒21,839. ᴿBiCT 2/2 (2006)* (*Chrulew, Matthew*).

844 ᴱ**Heller, Dagmar; Koppe, Rolf** Die Gnade Gottes und das Heil der Welt: das 13. Gespräch im Rahmen des bilateralen Theologischen Dialogs zwischen dem Ökumenischen Patriachat von Konstantinopel und der Evangelischen Kirche in Deutschland. Fra 2006, Lembeck 107 pp. €14. 978-3-87476-509-1.

845 ᴱ**Hezser, Catherine** Rabbinic law in its Roman and Near Eastern context. TSAJ 97: 2003 ⇒19,681... 21,842. ᴿJSSt 51 (2006) 214-218 (*Levine, Baruch*).

846 ᴱ**Hutter, Manfred; Hutter-Braunsar, Sylvia** Pluralismus und Wandel in den Religionen im vorhellenistischen Anatolien: Akten des religionsgeschichtlichen Symposiums in Bonn (19.-20. Mai 2005). AOAT 337: Müns 2006, Ugarit-Verlag 263 pp.

847 ^E**Janowski, C. Christine; Janowski, Bernd; Lichtenberger, Hans P.**
Stellvertretung: theologische, philosophische und kulturelle Aspekte,
Band 1: interdisziplinäres Symposium 2004. Neuk 2006, Neuk viii;
371 pp. €29.90.

848 ^E**Köstenberger, Andreas** Whatever happened to truth?. 2005 ⇒21,
845. ^RFaith & Mission 23/3 (2006) 94-96 (*Hammett, John S.*); AsbJ
61/2 (2006) 107-108 (*Walls, Jerry L.*).

849 ^E**Kreider, Alan** The origins of christendom in the West. 2001 ⇒17,
532. ^RHeyJ 47 (2006) 115-117=308-310 (*Leemans, Johan*).

850 ^E**Langer, Ruth; Fine, Steven** Liturgy in the life of the synagogue:
studies in the history of Jewish prayer. Duke Judaic Studies 2: 2005 ⇒
21,848. ^RRBLit (2006)* (*Glazov, Gregory; Roudkovsky, Viktor*).

851 ^E**López Rosas, R.; Landgrave Gándara, D.** Pan para todos: estudios
bíblicos en torno a la eucaristía. Eucharistic Congress 2004 Guadalaja-
ra. Estudios Bíblicos Mexicanos 2: México 2004, Univ. Pont. de Méxi-
co 228 pp.

852 ^E**Mahé, Jean-P.** Saint GRÉGOIRE de Narek, théologien et mystique:
colloque international, l'Institut Pontifical Oriental janvier 2005. OCA
275: R 2006, Pontificio Istituto Orientale 377 pp. 88-7210-350-9.

853 ^E**Marguerat, Daniel** Parlons argent: économistes, psychologues et thé-
ologiens s'interrogent. Genève 2006, Labor et F. 142 pp. 28309-1199-
7. Sem. Lausanne 2005.

854 ^E**Maritano, Mario; Zevini, Giorgio** La lectio divina nella vita della
chiesa. 2005 ⇒21,437. ^RClar. 46 (2006) 504-506 (*Huerta Pastén,
Eduardo*).

855 ^E**McAuliffe, Jane D.; Walfish, Barry; Goering, Joseph W.** With
reverence for the word: medieval scriptural exegesis in Judaism, Chris-
tianity, and Islam. 2003 ⇒19,691... 21,851. Conf. Toronto 1997. ^RJQR
96 (2006) 268-271 (*Fishbane, Eitan P.*).

856 ^E**Meynard, Thierry** TEILHARD and the future of humanity. NY 2006,
Fordham University Press xi; 185 pp. 0-8232-2690-5. Bibl. 171-177.

857 ^E**Narcy, Michel; Rebillard, Eric** Hellénisme et christianisme. 2004 ⇒
20,793. ^RRiSCr 3 (2006) 550-553 (*Bossina, Luciano*).

858 ^E**Sattler, Dorothea; Wenz, Gunther** Das kirchliche Amt in apostoli-
scher Nachfolge, 2: Ursprünge und Wandlungen. DiKi 13: FrB 2006,
Herder 423 pp. €35. 978-3451-286186. Ökumenischer Arbeitskreis
evangelischer u. katholischer Theologen; Tagungen 2004, 2005.

859 ^E**Schäfer, Peter** Wege mystischer Gotteserfahrung: Judentum, Chris-
tentum und Islam—Mystical approaches to God: Judaism, Christianity,
and Islam. Schriften des Historischen Kollegs 65: Mü 2006, Olden-
bourg ix; 164 pp. €29.80. 978-34865-80068. Koll. München 2003.

860 ^E**Schmidinger, Heinrich; Hoff, Gregor M.** Ethik im Brennpunkt.
2005 ⇒21,855. ^RThPh 81 (2006) 605-607 (*Schuster, J.*).

861 ^E**Shaked, Shaul** Officina magica: essays on the practice of magic in
antiquity. Studies in Judaica 4: 2005⇒21,859. ^RJSJ 37 (2006) 497-499
(*Klostergaard Petersen, Anders*).

862 ^E**Wallraff, Martin** JULIUS Africanus und die christliche Weltchronik.
TU 157: B 2006, De Gruyter viii; 346 pp. 3-11-019105-9. Eisenach
19-21.5.2005.

863 ^E**Xella, Paolo; Rocchi, Maria** Archeologia e religione: atti del I Col-
loquio del "Gruppo di contatto per lo studio delle religioni mediterra-
nee", Roma, CNR 15 dicembre 2003. Storia delle religioni 2: Verona
2006, Essedue 168 pp. Bibl. 154-158.

A2.5 *Acta* philologica et historica

864 [E]**Atkins, Margaret; Osborne, Robin** Poverty in the Roman world. NY 2006, CUP xiii; 226 pp. $90. 978-05218-62110.

865 [E]**Basset, L.; Biville, F.** Les jeux et les ruses de l'ambiguité volontaire dans les textes grecs et latins. CMOM 33: 2005 ⇒21,868. [R]REA 108 (2006) 743-745 (*Deschamps, Lucienne*); BSLP 101 (2006) 240-242 (*Biraud, Michèle*).

866 [E]**Belayche, Nicole,** *al.*, Nommer les dieux: théonymes, épithètes, épiclèses dans l'antiquité. Turnhout 2006, Brepols 665 pp. 25035-16866. 2 colloques. [R]EtCl 74 (2006) 345-346 (*Bonnet, Corinne*).

867 [E]**Benson, Bruce; Smith, James K.A.; Vanhoozer, Kevin** Hermeneutics at the crossroads. Bloomington 2006, Indiana University Press xviii; 246 pp. $25. 0-253-21849-7.

868 [E]**Bertrand, J.M.** La violence dans les mondes grec et romain. Histoire ancienne et médiévale 80: 2005 ⇒21,870. Colloq. Paris mai 2002 [R]EtCl 74 (2006) 181-183 (*Migeotte, L.*).

869 [E]**Catenacci, Carmine; Vetta, Massimo** I luoghi e la poesia della Grecia antica: Convegno, Università "G. D'Annunzio" di Chieti-Pescara, 20-22 aprile 2004. Dipartimento di scienze dell'antichità, sez. filologica 4: Alessandria 2006, Dell'Orso xi; 408 pp. 88769-48805.

870 [E]**Crespo, Emilio; Revuelta, Antonio R.; Villa, Jesús de la** Word classes and related topics in ancient Greek: proceedings of the conference on "Greek syntax and word classes" held in Madrid on 18-21 June 2003. BCILL 117: Lv 2006, Peeters 584 pp. 90-429-1737-7.

871 [E]**Dahan, Gilbert; Goulet, Richard** Allégorie des poètes: allégorie des philosophes: études sur la poétique et l'herméneutique de l'allégorie de l'Antiquité à la Réforme: table ronde internationale de l'Institut des traditions textuelles (Fédération de recherche 33 du C.N.R.S.). Textes et traditions 10: 2005 ⇒21,874. [R]REAug 62 (2006) 199-202 (*Dross, Juliette*); StPhiloA 18 (2006) 209-212 (*Riaud, Jean*).

872 [E]**De Blois, Lukas; Funke, Peter; Hahn, Johannes** The impact of imperial Rome on religions, ritual and religious life in the Roman Empire: proceedings of the fifth workshop of the international network Impact of Empire (Roman Empire, 200 B.C.-A.D. 476), Münster, June 30-July 4, 2004. Lei 2006, Brill xi; 287 pp. 90-04-15460-4.

873 [E]**De Carvalho, Paulo; Lambert, Frédéric** Structures parallèles et corrélatives en grec et en latin. 2005 ⇒21,875. [R]BSLP 101 (2006) 231-240 (*Touratier, Christian*).

874 [E]**Deger-Jalkotzy, Sigrid; Lemos, Irene S.** Ancient Greece from the Mycenaean palaces to the age of HOMER. E 2006, Edinburgh UP xxiii; 695 pp. £90.

875 [E]**Edzard, Lutz; Retsö, Jan** Current issues in the analysis of Semitic grammar and lexicon II. AKM 59: Wsb 2006, Harrassowitz 225 pp. 3-447-05441-7.

876 [E]**Faraone, C.A.; McLure, L.K.** Prostitutes and courtesans in the ancient world. Madison 2006, Univ. of Wisconsin Pr. x; 360 pp. £46.50/ $65. 02992-13145.

877 [E]**Fartzoff, Michel; Geny, Evelyne; Smadja, Elisabeth** Signes et destins d'élection dans l'antiquité: colloque international de Besançon– 16-17 novembre 2000. Besançon 2006, Presses Univ. de Franche-Comté 248 pp. €37. 28486-71262.

878 ^E**Frede, Dorothea; Inwood, Brad** Language and learning: philosophy of language in the Hellenistic Age. 2005 ⇒21,878. ^RAnCl 75 (2006) 396-398 (*Rochette, Bruno*).

879 ^E**Loprieno, Antonio** Mensch und Raum von der Antike bis zur Gegenwart. Colloquium Rauricum 9: Mü 2006, Saur x; 221 pp. 3598773803.

880 ^E**Mathieu, Bernard; Bickel, Susanne** D'un monde à l'autre: textes des pyramides & textes des sarcophages. Bibliothèque d'étude 139: 2004 ⇒20,817. ^RAPF 52 (2006) 259-260 (*Vleeming, Sven*); JAOS 126 (2006) 450-452 (*Russo, Barbara*); JARCE 41 (2004) 194-198 (*Manassa, Colleen*).

881 ^E**McGing, Brian; Mossman, Judith** The limits of ancient biography. Swansea 2006, Classical Press of Wales xx; 447 pp. $89. 1905125127.

882 ^E**Molin, M.** Les régulations sociales dans l'antiquité: actes du colloque d'Angers 23 et 24 mai 2003. Histoire: Rennes 2006, Presses universitaires 426 pp. 27535-01386.

883 ^E**Montanari, Franco; Rengakos, Antonios** La poésie épique grecque: metamorphoses d'un genre littéraire: Vandoeuvres 22-26 Août 2005. Fondation Hardt, Entretiens 52; Entretiens sur l'Antiquité Classique 52: Genève 2006, Fondation Hardt xiii; 334 pp.

884 ^E**Naso, Alessandro** Stranieri e non cittadini nei santuari greci: atti del convegno internazionale. Studi udinesi sul mondo antico: F 2006, Le Monnier 588 pp. €33. 88008-61032.

885 ^E**Nebes, Norbert** Neue Beiträge zur Semitistik. Jenaer Beiträge zum Vorderen Orient 5: 2002 ⇒18,692... 21,888. ^RBiOr 63 (2006) 192-199 (*Gzella, Holger*).

886 ^E**Nicolas, Christian** Hôs ephat', dixerit quispiam, comme disait l'autre... mécanismes de la citation et de la mention dans les langues de l'antiquité. Recherches et Travaux, hors série, 15: Grenoble 2006, Ellug 368 pp. €13. 29518-25455.

887 ^E**Pouderon, Bernard; Peigney, Jocelyne; Bost-Pouderon, Cécile** Discours et débats dans l'ancien roman: actes du Colloque de Tours, 21-23 octobre 2004. Lyon 2006, Maison de l'Orient 362 pp. €90. 978-29032-64697.

888 Semitic linguistics: the state of the art at the turn of the twenty-first century. ^E**Izre'el, Shlomo**: IOS 20: 2002 ⇒18,522... 20,821. Conf. Tel Aviv 1999. ^RJSSt 51 (2006) 172-174 (*Lipiński, Edward*).

889 ^E**Stavrianopoulou, Eftychia** Ritual and communication in the Graeco-Roman world. Kernos.S 16: Liège 2006, Centre international d'étude de la religion grecque antique 350 pp. €40. ^REtCl 74 (2006) 347-350 (*Grand-Clément, Adeline*).

A2.7 *Acta* **orientalistica**

890 ^E**Al-Ghul, Omar** Proceedings of Yarmouk Second Annual Colloquium on epigraphy and ancient writings 7th-9th October, 2003. Irbid, Jordan 2005, Yarmouk-Univ. 115 (Eng,); 85 (Arab.) pp. $150. Collab. *Afaf Zeyadeh*.

891 ^E**Bacqué-Grammont, J.L.; Pino, A.; Khoury, S.** D'un Orient l'autre. Cahiers de la Société Asiatique n.s. 4: Lv 2005, Peeters x; 606 pp. €75. 978-90429-15374. Troisièmes journées de l'Orient, 2002, Bordeaux.

892 ^E**Bárta, Miroslav** Old Kingdom art and archeology: proceedings of a conference held in Prague, May 31 - June 4, 2004. Prague 2006, Czech Institute of Egyptology vii; 381 pp. 80-200-1465-9.

893 ᴱBoud'Hors, Anne; Gascou, Jean; Vaillancourt, Denyse Études coptes IX: onzième journée d'études (Strasbourg, 12-14 juin 2003). CBCo 14: P 2006, De Boccard 404 pp. 2-7018-0190-7.

894 ᴱBouvarel-Boud'hors, Anne; Vaillancourt, Denyse Huitième congrès international d'études coptes (Paris 2004). CBCo 15: P 2006, De Boccard 338 pp. 2-7018-0208-3.

895 ᴱBriant, P.; Joannès, F. La transition entre l'empire achéménide et les royaumes hellénistiques (vers 350-300 av. J.C.). Persika 9: P 2006, De Boccard 480 pp. 27018-02138. Actes du colloque, Collège de France, nov. 2004; Bibl.

896 ᴱBricault, Laurent Isis en occident. RGRW 151: 2004 ⇒20,825; 21,898. ᴿLatomus 65 (2006) 1044-1047 (Koemoth, Pierre P.).

897 ᴱCacouros, Michel; Congourdeau, Marie-Hélène Philosophie et sciences à Byzance de 1204 à 1453: les textes, les doctrines et leur transmission: actes de la table ronde organisée au XXe Congrès international d'études byzantines, Paris, 2001. OLA 146: Lv 2006, Peeters xvii; 290 pp. 90-429-1671-0. Introd. M.J. Irigoin; Bibl.

898 ᴱCharvát, P., al., L'état, le pouvoir, les prestations et leurs formes en Mésopotamie ancienne. Colloque assyriologique franco-tchèque, Paris, 7-8 nov. 2002. Praze 2006, Univ. Karlova 165 pp. 80-7308-1342.

899 ᴱCollon, Dominique; George, Andrew Nineveh: Papers of the XLIXᵉ Rencontre Assyriologique Internationale: London, 7-11 July 2003. 2005 ⇒21,901. ᴿBASOR 344 (2006) 97-99 (Parker, Bradley J.); JAOS 126 (2006) 583-585 (Melville, Sarah C.).

900 ᴱDann, Rachael J. Current research in Egyptology 2004: proceedings of the fifth annual symposium, University of Durham, January 2004. Oxf 2006, Oxbow x; 157 pp. 1-8421-7220-4.

901 ᴱDeutscher, Guy; Kouwenberg, N.J.C. The Akkadian language in its Semitic context: studies in the Akkadian of the third and second millennium BC. Uitgaven van het Nederlands Instituut voor het Nabijie Oosten te Leiden 106: Lei 2006, Nederlands Instituut voor het Nabije Oosten xii; 298 pp. 90-6258-317-2. Conf. Leiden 2004; Bibl. 261-298.

902 ᴱGalas, Michał Światło i słońce: studia z dziejów chasydzmu [Licht und Sonne: Studien zur Geschichte des Chassidismus]. Kraków 2006, Austeria 221 pp. 83891-29655. Conf. Kraków 2005. P.

903 ᴱGundlach, Rolf; Klug, Andrea Das ägyptische Königtum im Spannungsfeld zwischen Innen- und Außenpolitik im 2. Jahrtausend v.Chr. 2004 ⇒20,828. ᴿBiOr 63 (2006) 273-277 (Hüttner, Michaela);

904 Der ägyptische Hof des Neuen Reiches: seine Gesellschaft und Kultur im Spannungsfeld zwischen Innen- und Aussenpolitik: Akten des Internationalen Kolloquiums vom 27.-29. Mai 2002 an der Johannes Gutenberg-Universität Mainz. Königtum, Staat und Gesellschaft früher Hochkulturen 2: Wsb 2006, Harrassowitz 284 pp. 978-3-447-05324-2.

905 ᴱLanfranchi, Giovanni B.; Rollinger, Robert; Roaf, Michael Continuity of empire: Assyria, Media, Persia. 2003 ⇒19,757... 21,906. ᴿVDI 255 (2006) 202-209 (Medvedskaya, I.N.; Dandamayev, M.A.); BiOr 63 (2006) 556-560 (Holloway, Steven W.).

906 ᴱMathieu, Bernard; Wissa, Myriam; Meeks, Dimitri L'apport de l'Égypte à l'histoire des techniques: méthodes, chronologie et comparaisons. Bibliothèque d'étude 142: Le Caire 2006, Institut Français d'Archéologie Orientale viii; 301 pp. 27247-04177. Coll. Cairo 2003.

907 ᴱMichalak-Pikulska, Barbara; Pikulski, Andrzej Authority, privacy and public order in Islam: proceedings of the 22nd Congress of L'Uni-

on européenne des arabisants et islamisants. OLA 148: Lv 2006, Peeters xii; 484 pp. 90-429-1736-9. 2004, Cracow.

908 ^E**Mora, Clelia; Piacentini, Patrizia** L'ufficio e il documento: i luoghi, i modi, gli strumenti dell'amministrazione in Egitto e nel vicino Oriente antico: atti delle giornate di studio degli egittologi e degli orientalisti italiani, Milano - Pavia, 17-19 febbraio 2005. Quaderni di Acme 83: Mi 2006, Cisalpino 565 pp. 88-323-6049-7.

909 ^E**Pruzsinszky, Regine; Hunger, Hermann** Mesopotamian dark age revisited. DÖAW 32: 2004 ⇒20,836; 21,910. ^RAfO 51 (2005-2006) 344-347 (*Michael, Cécile*).

910 ^E**Schipper, Bernd U.** Ägyptologie als Wissenschaft: Adolf Erman (1854 - 1937) in seiner Zeit. B 2006, De Gruyter xi; 457 pp. €28. 3-11-018665-9. Symp. Bremen 2004.

911 ^E**Taylor, Paul** The iconography of cylinder seals. Warburg Institute Colloquia: L 2006, Warburg I. xiv; 245 pp. £40. 0-85481-135-4. Coll. 2002. ^RJAOS 126 (2006) 627-628 (*Beckman, Gary*).

A2.9 *Acta* archaeologica

912 ^E**Aigner-Foresti, Luciana; Siewert, Peter** Entstehung von Staat und Stadt bei den Etruskern: Probleme und Möglichkeiten der Erforschung früher Gemeinschaften in Etrurien im Vergleich zu anderen mittelmeerischen Kulturen; Gespräche einer Tagung in Sezzate 11.-14. Juni 1998. DÖAW.PH 725: W 2006, Verlag der Österreichischen Akademie der Wissenschaften 295 pp. 3-7001-3509-2. Bibl. 265-268.

913 ^E**Amenta, Alessia; Luiselli, Maria M.; Sordi, Maria N.** L'acqua nell' antico Egitto: vita, rigenerazione, incantesimo, medicamento. 2005 ⇒ 21,913. ^RRHDF (2006/2) 281-283 (*Blouin, Katherine*).

914 ^E**Angeli Bertinelli, Maria G.; Donati, Angela** Le vie della storia: migrazioni di popoli, viaggi di individui, circolazione di idee nel Mediterraneo antico. Serta antiqua et mediaevalia 9: R 2006, Bretschneider 405 pp. €160. 978-88768-92301. Incontro Genova ott. 2004.

915 ^E**Banning, E.B.; Chazan, Michael** Domesticating space: construction, community, and cosmology in the late prehistoric Near East. SENEPSE 12: B 2006, ex oriente 112 pp. €25. 39807-57838. Num. ill.; Conf. Toronto Nov. 2002.

916 ^E**Bienert, Hans-D.; Häser, Jutta** Men of dikes and canals: the archaeology of water in the Middle East. Orient-Archäologie 13: 2004 ⇒20, 847. ^RBiOr 63 (2006) 384-388 (*Petit, Lucas P.*).

917 ^E**Blenkinsopp, Joseph; Lipschits, Oded** Judah and the Judeans in the Neo-Babylonian period. 2003 ⇒19,776...21,920. Conf. Tel Aviv 2001. ^RBASOR 341 (2006) 74-76 (*Blakely, Jeffrey A.*); JAOS 126 (2006) 585-586 (*Holm, Tawny L.*).

918 ^E**Bonghi Jovino, Maria** Tarquinia e le civiltà del Mediterraneo: convegno internazionale, Milano, 22-24 giugno 2004. Quaderni di Acme 77: Mi 2006, Cisalpino 432 pp. 88-323-6046-2. Bibl.

919 ^E**Braund, David** Scythians and Greeks: cultural interactions in Scythia, Athens and the early Roman Empire (sixth century BC-first century AD). 2005 ⇒21,924. ^RAnCl 75 (2006) 530-531 (*Cabanes, Pierre*).

920 ^E**Bresson, Alain**, *al.*, Parenté et société dans le monde grec de l'antiquité à l'âge moderne. Bordeaux 2006, Ausonius 412 pp. 29100-2360-5. Coll. Volos juin 2003; Bibl. 369-385.

921 ^E**Briant, Pierre; Boucharlat, Rémy** L'archéologie de l'empire aché-
ménide: nouvelles recherches. Persika 6: 2005 ⇒21,926. Colloq. nov.
2003. ^RSyr. 83 (2006) 309-312 (*Huot, Jean-Louis*).

922 ^E**Castel, Corinne,** *al.*, Les maisons dans la Syrie antique du IIIe millé-
naire aux débuts de l'islam. BAHI 150: 1997 ⇒13,386; 15,526.
^RWZKM 96 (2006) 397-407 & AfO 51 (2005-2006) 382-387 (*Koliń-
ki, Rafał*).

923 ^E**Cesarone, Virgilio** Libertà: ragione e corpo. Padova 2006, Messag-
gero 446 pp. 88-250-1729-4. Convegno tenuto a Santa Cesarea Terme
(Lecce) nel maggio 2005.

924 ^E**Couvenhes, Jean-C.; Fernoux, Henri-L.** Les cités grecques et la
guerre en Asie mineure à l'époque hellénistique. Perspectives Histo-
riques 7: 2004 ⇒20,855. ^RAnCl 75 (2006) 537-539 (*Richer, Nicolas*).

925 ^E**Dasen, Véronique** Naissance et petite enfance dans l'antiquité. OBO
203: 2004 ⇒20,856; 21,933. ^RJESHO 49 (2006) 370-372 (*Scurlock,
JoAnn*); WO 36 (2006) 239-241 (*Stol, Marten*); BiOr 63 (2006) 269-
273 (*Lion, Brigitte*).

926 ^E**Descat, Raymond** Approches de l'économie hellénistique. Entretiens
d'archéologie et d'histoire 7: Saint-Bertrand-de-Comminges 2006, Mu-
sée archéologique 454 pp. 2-912729-05-X. Rencontres d'économie an-
tique, 2004, Saint-Bertrand-de-Comminges.

927 ^E**Duval, N.** Les églises de Jordanie et leurs mosaïques. BAH 168: 2003
⇒19,791; 20,858. ^RRQ 101 (2006) 313-314 (*Dresken-Weiland, Jutta*);
LASBF 56 (2006) 610-614 (*Hamarneh, Basema*); JAC 48-49 (2005-
2006) 229-232 (*Brenk, Beat*).

928 ^E**Duyrat, Frédérique; Picard, Olivier** L'exception égyptienne?: pro-
duction et échanges monétaires en Egypte hellénistique et romaine.
Etudes alexandrines 10: 2005 ⇒21,937. ^RCRAI (2006/1) 335-337
(*Picard, Olivier*).

929 ^E**Eichmann, Ricardo; Hickmann, Ellen** Studien zur Musikarchäolo-
gie IV: Musikarchäologische Quellengruppen: Bodenurkunden, münd-
liche Überlieferung, Aufzeichnung. Orient-Archäologie 15: 2004 ⇒20,
12293; 21,939. ^RJAOS 126 (2006) 297-298 (*Crocker, Richard*).

930 ^E**Fernández Jurado, J.; García Sanz, C.; Rufete Tomico, P.** Actas
del III congreso español de antiguo Oriente Próximo. Huelva Arqueo-
lógica 19-20: 2004 ⇒20,862. ^RTEuph 31 (2006) 147-150 (*Elayi, J.*).

931 ^E**Fitzenreiter, Martin** Genealogie—Realität und Fiktion von Identität.
Internet Beiträge zur Ägyptologie und Sudanarchäologie 5: 2005 ⇒
21,942. ^RBiOr 63 (2006) 479-481 (*Payraudeau, Frédéric*).

932 ^E**Galor, Katharina; Humbert, Jean-B.; Zangenberg, Jürgen** Qum-
ran, the site of the Dead Sea scrolls: archaeological interpretations and
debates. Proc. conference, Brown University, November 17-19, 2002.
StTDJ 57: Lei 2006, Brill x; 308 pp. €109. 90041-45044. Bibl. 285-97.

933 ^E**González Prats, Alfredo** El mundo funerario. 2004 ⇒20,867.
^RTEuph 31 (2006) 154-157 (*Elayi, J.*).

934 ^E**Grimal, Nicolas-C.; Baud, M.** Évènement, récit, histoire officielle:
l'écriture de l'histoire dans les monarchies antiques. 2003 ⇒19,800.
^RTEuph 31 (2006) 157-160 (*Elayi, J.*).

935 ^E**Guimier-Sorbets, Anne-M.; Hatzopoulos, Miltiade; Morizot,
Yvette** Rois, cités, nécropoles: institutions, rites et monuments en Ma-
cédoine. Colloques de Nanterre (Decembre 2002) et d'Athènes (Jan-
vier 2004). Meletemata 45: Athens 2006, Centre de Recherches de
l'Antiquité Grecque et Romaine 366 pp. €98. 96079-05296. Num. ill.

936 ^E**Hardmeier, Christof** Steine–Bilder–Texte: historische Evidenz außerbiblischer und biblischer Quellen. ABIG 5: 2001 ⇒17,613; 18, 742. ^RNeotest. 40 (2006) 408-410 (*Stenschke, Christoph*).

937 ^E**Henig, Martin** Roman art, religion and society: new studies from the Roman art seminar, Oxford 2005. BArR. Internat. Ser. 1577: Oxf 2006, Archaeopress ix; 213 pp. 18417-17916.

938 ^E**Hersberg, Henner von; Freyberger, Klaus S.; Henning, Agnes** Kulturkonflikte im Vorderen Orient an der Wende vom Hellenismus zur römischen Kaiserzeit. Orient-Archäologie 11: 2003 ⇒19,802; 21, 948. ^RAfO 51 (2005-2006) 411-412 (*Schmidt-Colinet, Andreas*); JAOS 126 (2006) 299-300 (*Downey, Susan B.*).

939 ^E**Hoffmeier, James K.; Millard, Alan R.** The future of biblical archaeology: reassessing methodologies and assumptions. 2004 ⇒20, 869; 21,949. ^RBS 163 (2006) 244-245 (*Merrill, Eugene H.*); REJ 165 (2006) 571-572 (*Lemaire, André*); JAOS 126 (2006) 120-121 (*Bloch-Smith, Elizabeth*).

940 ^E**Küchler, Max; Schmidt, Karl M.** Texte, Fakten, Artefakte: Beiträge zur Bedeutung der Archäologie für die neutestamentliche Forschung. NTOA 59; StUNU 59: FrS 2006, Academic xii; 232 pp. €39.90. 978-3-7278-1559-1.

941 ^E**Lipschits, Oded; Oeming, Manfred** Judah and the Judeans in the Persian period. WL 2006, Eisenbrauns xxii; 721 pp. $59.50. 1-57506-104-7. Bibl.; Conf. Heidelberg-Tel Aviv 2003. ^RRBLit (2006)* (*Gerstenberger, Erhard*).

942 ^E**Marcone, Arnaldo** Medicina e società nel mondo antico: atti del convegno di Udine (4-5 ottobre 2005). Studi udinesi sul mondo antico 4: Grassina (Firenze) 2006, Le Monnier università vi; 287 pp. €21.50. 978-88002-05801.

943 ^E**Menu, Bernadette** La dépendance rurale dans l'antiquité égyptienne et proche-orientale. Bibliothèque d'étude 140: 2004 ⇒20,881. ^RTEuph 31 (2006) 167-170 (*Gorre, G.*).

944 ^E**Nichols, J.J.; Schwartz, G.M.** After collapse: the regeneration of complex societies. Tucson 2006, Univ. of Arizona Pr. vi; 289 pp. 978-08165-25096. Symp. Milwaukee 2003; Bibl. 228-276.

945 ^E**Nigro, Lorenzo; Taha, Hamdan** Tell Es-Sultan/Jericho in the context of the Jordan Valley: site management conservation, and sustainable development. International workshop, Ariha 7th-11th Feb. 2005. Studies on the Archaeology of Palestine & Transjordan 2; ROSOPAT 2: R 2006, Univ. di Roma "La Sapienza" xviii; 320 pp. 88-88438-02-7.

946 ^E**Radt, Wolfgang** Stadtgrabungen und Stadtforschung im westlichen Kleinasien: Geplantes und Erreichtes: internationales Symposion 6./7. August 2004 in Bergama (Türkei). BYZAS 3: Istanbul 2006, Deutsches Archäologisches Institut x; 398 pp. 978-97580-71241.

947 ^E**Riva, Corinna; Vella, Nicholas** Debating orientalization: multidisciplinary approaches to change in the ancient Mediterranean. L 2006, Equinox ix; 170 pp. $95. 18455-31922. 25 fig.; Symp. Oxford 2002.

948 ^E**Ruggieri, Giuseppe** Io sono l'altro degli altri: l'ebraismo e il destino dell'Occidente. Quaderni di Synaxis 19: Catania 2006, Studio Teologico S. Paolo 309 pp. €12.50. 88-0905-2412. Seminario Catania 2005-6.

949 ^E**Sanders, Seth** Margins of writing, origins of cultures. Univ. of Chicago Oriental Institute seminars 2: Ch 2006, Oriental Institute of the Univ. of Chicago xi; 300 pp. £22. 18859-23392. 25-6 Feb. 2005; Bibl.

950 ^E**Schipper, Friedrich** Zwischen Euphrat und Tigris: österreichische Forschungen zum Alten Orient. Wiener Offene Orientalistik 3: 2004 ⇒ 20,892. ^RWZKM 96 (2006) 426-431 (*Tyukos, Ádam N.*).

951 ^E**Tomson, Peter J.; Lambers-Petry, Doris** The image of the Judaeo-Christians in ancient Jewish and Christian literature. WUNT 158: 2003 ⇒19,827; 20,896. ^RREJ 165 (2006) 300-303 (*Maraval, Pierre*).

952 ^E**Veltri, Giuseppe; Necker, Gerold** Gottes Sprache in der philologischen Werkstatt [!]: Hebraistik vom 15. bis zum 19. Jahrhundert. Studies in European Judaism 11: 2004 ⇒20,897. Symposium Wittenberg. ^RThLZ 131 (2006) 982-984 (*Riemer, Nathanael*).

953 ^E**Villing, Alexandra** The Greeks in the east. 2005 ⇒21,965. ^RUF 38 (2006) 852-856 (*Rehm, E.*).

954 ^E**Wilhelm, Gernot** Akten des IV. Internationalen Kongresses für Hethitologie Würzburg, 4.-8. Oktober 1999. StBT 45: 2001 ⇒17,650... 20,900. ^RJAOS 126 (2006) 269-271 (*Beal, Richard H.*).

955 ^E**Willems, Harco** Social aspects of funerary culture in the Egytian [sic] Old and Middle Kingdoms. OLA 103: 2001 ⇒17,651; 19,834. ^RBiOr 63 (2006) 50-56 (*Bommas, M.*).

A3.1 *Opera consultationis*—**Reference works** *plurium* infra

956 Augustinus-Lexikon, 3/3-4 Hieronymus—Institutio, institutum. ^E**Mayer, Cornelius**: Ba 2006, Schwabe 321-640 col.. 3-7965-2145-2.

957 Catholicisme, hier, aujourd'hui, demain. Tables compléments et mises à jour. ^E**Mathon, Gérard** P 2006, Letouzey et Ané 765-1100 col. 2-7063-0234-8. Fasc. 78: F-G-H.

958 **DHGE**: Dictionnaire d'histoire et de géographie ecclésiastiques, Fasc. 169b-170: Know-Nothingism—Krafft. ^E**Aubert, R.**: P 2006, Letouzé et A. 385-768 col.. 2-7063-0235-6;

959 Fasc. 171: Krafft—Kutschker. ^E**Aubert, R.** P 2006, Letouzé et A. 769-1024 col.. 2-7063-0226-7.

960 **RAC**: Reallexikon für Antike und Christentum: Lieferung 167: Kot [Forts.] - Krankenöl. ^E**Schöllgen, Georg**, *al.*: Stu 2006, Hiersemann 801-960 col. 3-7772-0607-5;

961 Lieferung 168/169: Krankenöl [Forts.]-Kreuzzeichen. ^E**Schöllgen, Georg**, *al.*: Stu 2006, Hiersemann 961-1178 col.. 3-7772-0610-5.

962 **Conrad, Ruth** Lexikonpolitik: die erste Auflage der RGG im Horizont protestantischer Lexikographie. AKG 97: B 2006, xiii; 606 pp. 3-11-018914-3. Bibl. 453-522.

963 **RLA**: Reallexikon der Assyriologie 11/1-2: Prinz, Prinzessin-Qaṭṭara. ^E**Streck, M.P.**: B 2006, De Gruyter 1-170 pp. 3-11-019133-4.

964 **TRE**: Theologische Realenzyklopädie: Gesamtregister Band 1: Bibelstellen, Orte, Sachen. ^E**Döhnert, Albrecht**: B 2006, De Gruyter xi; 693 pp. 3-11-018384-6.

A3.3 *Opera consultationis* **biblica** *non excerpta infra*—**not subindexed**

965 ^E**Achtemeier, Paul J.** The HarperCollins Bible Dictionary. SF 2006 <1985, 1996>, HarperSanFrancisco xxiv; 1256 pp. $47.50 [BiTod 45,59—Donald Senior].

966 ^E**Alexander, T.D.; Rosner, B.S.** Dictionnaire de théologie biblique.
     Cléon d'Andran 2006, Excelsis 1006 pp.
967 ^E**Arnold, Bill T.; Williamson, Hugh G.M.** Dictionary of the Old
     Testament: historical books. 2005 ⇒21,979. ^RRBLit (2006)* *(Power,
     Bruce)*.
968 ^E**Berlejung, Angelika; Frevel, Christian** Handbuch theologischer
     Grundbegriffe zum Alten und Neuen Testament (HGANT). Da:Wiss
     2006, 468 pp. €119. 3-534-1538-0. Ill.
969 The bible experience (DVD). GR 2006, Zondervan $50.
970 **Browning, W.R.F.** A dictionary of the bible. ²2004 <1996> ⇒20,924.
     ^REO 23 (2006) 142-143 *(Simon, László T.)*.
971 **Evans, Craig A.** Ancient texts for New Testament studies: a guide to
     the background literature. 2005 ⇒21,985. ^RBBR 16/1 (2006) 171-173
     (Schnabel, Eckhard J.); BTB 36 (2006) 139 *(Crook, Zeba)*; Neotest.
     40 (2006) 413-417 *(Stenschke, Christoph)*; RBLit (2006)* *(Neyrey,
     Jerome)*.
972 **Gilmore, Alec** A concise dictionary of bible origins and interpretation.
     L 2006, Clark xiii; 228 pp. 978-0-567-03096-2. Bibl. 217-228.
973 GLAT 6: Grande lessico dell'Antico Testamento, 6: נתך - עשתרת.
     ^E**Botterweck, G. Johannes; Borbone, Pier G.**, al.; ^T*Ronchi, Franco*:
     Brescia 2006, Paideia xvi pp; 1138 col. 88-394-07280;
974 GLAT 3-4. ^E**Botterweck, G. Johannes**, al., ^T*Ronchi, Franco*: 2003-
     2004 ⇒19,866; 20,930. ^RRivBib 54 (2006) 91-98 *(Prato, Gian Luigi)*;
975 GLAT 4: ירש - מטר. ^E**Botterweck, G. Johannes**, al., ^T*Ronchi, Franco*:
     2004 ⇒20,930. ^RSal. 68 (2006) 812-813 *(Bracchi, Remo)*.
976 **Heriban, Jozef** Dizionario terminologico-concettuale di scienze bibli-
     che e ausiliarie. 2005 ⇒21,989. ^RSal. 68 (2006) 588-590 *(Felici,
     Sergio)*; CBQ 68 (2006) 732-734 *(Štrba, Blažej)*.
977 **Holloman, Henry** Kregel dictionary of the bible and theology. 2005
     ⇒21,990. ^RFaith & Mission 24/1 (2006) 123-124 *(Winstead, Melton)*.
978 ^E**Houlden, Leslie** Jesus: the complete guide. L 2005 <2003>, Continu-
     um xxxviii; 922 pp. $40. 978-08264-80118.
979 **Losch, Richard R.** The uttermost parts of the earth: a guide to places
     in the bible. 2005 ⇒21,992. ^RRBLit (2006)* *(Kraus, Thomas)*.
980 ^E**Mounce, William D.** Mounce's complete expository dictionary of
     Old and New Testament words. GR 2006, Zondervan xxvi; 1316 pp.
     $30.
981 ^E**Negev, Abraham; Gibson, Shimon** Dictionnaire archéologique de la
     bible. ^T*Véron, Marianne; Véron, Nicolas*: P 2006, Hazan 621 pp. Phot.
     de *Zev Radovan* et *Erich Lessing*.
982 NIDB 1: New interpreter's dictionary of the bible: A-C. ^E**Sakenfeld,
     Katharine** Nv 2006, Abingdon xxxi; 843 pp. $75. 978-06870-54275.
983 ^E**Prévost, Jean-Pierre** Le nouveau vocabulaire biblique. 2004 ⇒20,
     938. ^REeV 116/2 (2006) 21 *(Cothenet, Édouard)*.
984 **Rakić, Radomir B.** Biblijcka enciklopedija. 2004 ⇒20,939. ^RIKZ 96
     (2006) 165-166 *(Marković, Stanko)*. **Serbian**.
985 ^E**Renn, Stephen D.** Expository dictionary of bible words. 2005 ⇒21,
     996. ^RRBLit (2006)* *(Nicklas, Tobias)*.
986 ^E**Ryken, Leland; Wilhoit, James C.; Longman, Tremper, III** Le im-
     magini bibliche: simboli, figure retoriche e temi letterari della bibbia.
     CinB 2006, San Paolo 1634 pp. €120.
987 **Schelling, Piet** Werkwoorden in de bijbel: hun betekenis in godsdienst
     en cultuur. Zoetermeer 2006, Meinema 668 pp. €52.50. 90211-4112-4.

988   Tate, W. Randolph Interpreting the Bible: a handbook of terms and methods. Peabody, MASS 2006, Hendrickson viii; 482 pp. $30. 1-56563-515-9. Bibl. 397-424.

989   TDOT: Theological Dictionary of the Old Testament, 15: - תְּרָשִׁישׁ šākar—taršîš. ᴱBotterweck, G. Johannes, al., ᵀGreen, David E.; Stott, Douglas W. GR 2006, Eerdmans xxvii; 793 pp. $65/£38. 0-8028-2338-6. ᴿIgreja e Missão 59/1 (2006) 181-182 (Couto, A.).

990   TDOT 13: qoṣ-râqîaʿ. ᴱBotterweck, G. Johannes, al., ᵀGreen, David E. 2004 ⇒20,943; 21,999. ᴿBS 163 (2006) 362-3 (Chisholm, Robert).

991   TDOT 14: שָׁכַן-רְשׁע. ᴱBotterweck, G. Johannes, al., ᵀStott, Douglas W. 2004 ⇒20,944; 21,998. ᴿBS 163 (2006) 363-4 (Chisholm, Robert).

992   Tischler, Nancy M.P. All things in the bible: an encyclopedia of the biblical work. Westport, CONN 2006, Greenwood 2 vols; xxviii; 376 + xxiv; 377-749 pp. $150. 0-313-33083-2/4-0. Ellen J. McHenry, illustrator; Bibl. 725-729.

993   ᴱVanhoozer, Kevin J., al., Dictionary for theological interpretation of the bible. 2005 ⇒21,1000. ᴿRRT 13 (2006) 483-484 (Kim, Uriah Y.); CTJ 41 (2006) 362-366 (Baugus, Bruce); TS 67 (2006) 881-883 (Harkins, Angela K.); L&S 2 (2006) 247-248; CBQ 68 (2006) 745-747 (Gnuse, Robert).

994   Vigni, Giuliano Dizionario del Nuovo Testamento: concetti fondamentali, parole-chiave, termini ed espressioni caratteristiche, 3: D-fede. Bibbia Paoline: Mi 2006, Paoline 143 pp. €13.50. 97888-31529-853;

995   4: Fedeltà-idolatria. 2006, Paoline 176 pp. €13.50. 978-88315-31252.

996   Waldram, Joop Encyclopedie van de bijbel in de Nieuwe Vertaling. Kampen 2006, Kok 400 pp. €22.50. 90-435-1216-8.

A3.5 Opera consultationis **theologica** non excerpta infra

997   ᴱAuffarth, Christoph; Kippenberg, Hans G.; Michaels, Axel Wörterbuch der Religionen. Stu 2006, Kröner 589 pp. €49.80. 978-35201-40012.

998   ᴱBowden, John Encyclopedia of christianity. 2005 ⇒21,1006. ᴿChH 75 (2006) 961-962 (Sweeney, Douglas A.).

999   ᴱDi Berardino, Angelo Nuovo dizionario patristico e di antichità cristiane, A-E. R ²2006 <1983>, Institutum Patristicum Augustinianum xxxii; 1898 pp. €80. 88211-67402.

1000   ᴱDöpp, Siegmar; Geerlings, Wilhelm Dizionario di letteratura cristiana antica. Città del Vaticano 2006, Urbaniana Univ. Pr. xxiv; 914 pp. €140. 88-401-5006-4. Bibl.

1001   ᴱEliade, Mircea Le religioni e i mondi religiosi: edizione tematica europea delle parti specifiche della Encyclopedia of Religion. Enciclopedia delle religioni 9: R 2006, Città N. viii; 507 pp. 88-311-9332-5. Hinduism;

1002   10: R 2006, Città N. ix; 723 pp. 88-311-9335-X. Buddismo.

1003   Encyclopaedia of the Qur'an, v. 5: Si-Z. ᴱMcAuliffe, Jane D. Lei 2006, Brill xxiii; 576 pp. €196.20. 90-04-12356-3;

1004   Index volume. ᴱMcAuliffe, Jane D. Lei 2006, Brill ix; 860 pp. 90-04-14764-0.
1005   Floristán, C. Palabras clave: símbolos del cristianismo. Estella 2006, Verbo Divino 330 pp.
1006   Ford, John T. Saint Mary's Press glossary of theological terms. Winona 2006, Saint Mary's 207 pp.
1007   ᴱGisel, Pierre Encyclopédie du protestantisme. Quadrige/dico poche: P ²2006, PUF 1572 pp. €49.
1008   ᴱGonzález, Justo L. The Westminster dictionary of theologians. LVL 2006, Westminster 362 pp. $45.
1009   Harding, Les Holy bingo, the lingo of Eden, jumpin' Jehosophat, and the land of Nod: a dictionary of the names, expressions, and folklore of christianity. Jefferson, N.C. 2006, McFarland vii; 228 pp. 0-7864-2241-6. Bibl. 221-222.
1010   Hermann, Uwe Taschenbuch theologischer Fremdwörter. 2005 ⇒ 21,1018. ᴿJETh 20 (2006) 244-245 (Eber, Jochen).
1011   Herring, George An introduction to the history of christianity: from the early church to the Enlightenment. L 2006, Continuum xviii; 370 pp. 0-82-646737-7. Bibl. 335-353.
1012   ᴱIzquierdo, César, al., Diccionario de teología. Pamplona 2006, EUNSA 1059 pp. 84313-24058.
1013   Lexikon des frühgriechischen Epos (LfgrE), 21. Lieferung ῥα - τέκτων. ᴱMeier-Brügger, Michael Gö 2006, Vandenhoeck & R. 368 col.. 3-525-25524-1.
1014   ᴱLivingstone, Elizabeth A. Oxford concise dictionary of the christian church. Oxf ²2006, OUP xi; 655 pp. £12. 9780-19861-4425.
1015   McGuckin, John A. The SCM Press A-Z of patristic theology. ²2005 ⇒21,1023. ᴿRRT 13 (2006) 245-246 (Anderson, Owen).
1016   ᴱPotin, Jacques; Zauber, Valentine Dizionario dei monoteismi. 2005 ⇒21,1028. ᴿRSEc 24 (2006) 690-692 (Morandini, Simone);
1017   Dictionnaire des monothéismes. 2003 ⇒20,979... 21,1028. ᴿASSR 51/2 (2006) 250-252 (Lambert, Jean).
1018   ᴱSallmann, Jean-M. Dictionnaire historique de la magie et des sciences occultes. La pochotèque: P 2006, Librairie générale française 832 pp. €25. 978-2253-131151.
1019   ᴱSheldrake, Philip The new Westminster[/SCM] dictionary of christian spirituality. 2005 ⇒21,1030. ᴿWay 45/3 (2006) 114-16 (Nicholson, Paul).
1020   ᴱStuckrad, Kocku von The Brill dictionary of religion. ᵀBarr, Robert R. Lei 2006, Brill 4 vols; xxxvi; 2100 pp. $600. 90-04-12433-0 (set). Rev. ed. of Metzler Lexikon Religion; Num. pl.
1021   ᴱSwarat, Uwe Fachwörterbuch für Theologie und Kirche. ³2005 ⇒ 21,1032. ᴿJETh 20 (2006) 244-245 (Eber, Jochen).
1022   Thesaurus cultus et rituum antiquorum (ThesCRA), 1. ᴱBalty, Jean Charles; Lambrinoudakis, Vassili 2004 ⇒20,981. ᴿRBLit (2006)* (Witetschek, Stephan);
1023   5: personnel of cult; cult instruments. LA 2006, Getty Museum xix; 520 pp. €180. 0-89236-792X. 67 pl.;
1024   Abbreviations, index of museums, collections and sites. LA 2006, Getty Museum xvi; 167 pp. $90. 0-89236-7938.

A3.6 *Opera consultationis* generalia

1025 ᴱᵀ**Alertz, Ulrich; Lohrmann, Dietrich; Kranz, Horst** Konrad GRUTER von Werden: De machinis et rebus mechanicis: ein Maschinenbuch aus Italien für den König von Dänemark, 1393-1424. StT 428-429: Città del Vaticano 2006, Biblioteca Apostolica Vaticana 2 vols. 88-210-0786-3. Bibl.; Biblioteca apostolica vaticana. Mss. (Vat. lat. 5961).

1026 ᴱ**Benson, Hugh H.** A companion to PLATO. Blackwell companions to philosophy 36: Oxf 2006, Blackwell xv; 473 pp. £85/$150. 1405-11521-1.

1027 Brill's new Pauly: encyclopaedia of the ancient world, antiquity, 8: Lyd-Mine. ᴱ**Landfester, Manfred** Lei 2006, Brill lv pp; 944 col. €207.22. 90-04-12271-0;

1028 9: Mini-Obe. ᴱ**Landfester, Manfred** Lei 2006, Brill lvi pp; 942 col.. €207.22. 90-04-12272-9;

1029 Brill's new Pauly... classical tradition, 1: A-Del. ᴱ**Landfester, Manfred**, *al.*, Lei 2006, Brill liv pp; 1164 col.. €207.22. 90-04-14221-5.

1030 ᴱ**Chavalas, Mark W.** The ancient Near East: historical sources in translation. Malden, MA 2006, Blackwell xx; 445 pp. £20. 0-631-23-581-7. Bibl.

1031 **Coda, Piero; Filoramo, Giovanni** Dizionario del cristianesimo. T 2006, UTET 2 vols; x; 1174 pp. €200.

1032 Concise biographical companion to *Index Islamicus*: bio-bibliographical supplement to Index Islamicus, 1665-1980, vol. 2: H.-M. **Behn, Wolfgang**: HO 1/76/2: Lei 2006, Brill xxiii; 646 pp. 90-04-15037-4.

1033 Il cristianesimo: grande atlante, 1: dalle origini alle chiese contemporanee; 2: ordinamenti, gerarchie, pratiche; 3: le dottrine. ᴱ**Alberigo, Giuseppe; Ruggieri, Giuseppe; Rusconi, Roberto** Mi 2006, Garzanti 3 vols; xv; 471 + xiii; 473-935 + xiii; 937-1415 pp. 88-020-7-401-1/2-X/3-8.

1034 **Curnow, T.** The philosophers of the ancient world: an A-Z guide. L 2006, Duckworth xviii; 296 pp. £17. 978-07156-34974.

1035 ᴱ**Devitt, Michael; Hanley, Richard** The Blackwell guide to the philosophy of language. Blackwell philosophy guides 19: Oxf 2006, Blackwell x; 446 pp. 0-631-23142-0. Bibl. 411-440.

1036 ᴱ**Duranti, Alessandro** A companion to linguistic anthropology. Blackwell companions to anthropology 1: Oxf 2006, Blackwell xx; 625 pp. 1-405-14430-0. Bibl. 518-605.

1037 Encyclopedia of language and linguistics. ᴱ**Brown, Keith**: Amst ²2006, Elsevier 14 vols. 0-08-044299-4.

1038 ᴱ**Hanegraaff, Wouter J.** Dictionary of gnosis and western esotericism. 2005 ⇒21,1046. ᴿKeTh 57/1 (2006) 92-93 (*Kranenborg, Reender*); Parabola 31/1 (2006) 111-116 (*Smoley, Richard*); Studies in Interreligious Dialogue 16 (2006) 125-126 (*Kranenborg, Reender*); JThS 57 (2006) 689-691 (*Lane, Margaret*).

1039 **Harrauer, Christine; Hunger, Herbert** Lexikon der griechischen und römischen Mythologie mit Hinweisen auf das Fortwirken antiker Stoffe und Motive in der bildenden Kunst, Literatur und Musik des Abendlandes bis zur Gegenwart. Purkersdorf ⁹2006, Hollinek viii; 608 pp. 38511-92303. 198 ill. [Biblos 56/1,145–Ernst Gamillscheg].

1040 **Heckel, Waldemar** Who's who in the age of Alexander the Great: prosopography of ALEXANDER's empire. Oxf 2006, Blackwell xxii; 389 pp. £55. 14051-12107.

1041 ^E**Heinen, Heinz** Handwörterbuch der antiken Sklaverei, Lfg. 1. Forschungen zur antiken Sklaverei Beiheft 5: Stu 2006, Steiner 32 pp. €175. 978-35150-89197. CD-ROM.

1042 ^E**Herman, David; Jahn, Manfred; Ryan, Marie-L.** Routledge encyclopedia of narrative theory. L 2005 <2008>, Routledge xxix; 718 pp. €38. 978-04157-75120.

1043 **Hurvitz, Michell M.; Karesh, Sara E.** Encyclopedia of Judaism. NY 2006, Facts on File xxxvi; 602 pp. 08160-54576. Bibl. 576-582.

1044 ^E**Piccirillo, Michele** Registrum equitum SSmi Sepulchri D.N.J.C. (1561-1848): manoscritti dell'Archivio Storico della Custodia di Terra Santa a Gerusalemme. SBF.CMa 46: J 2006, Custodia di Terra Santa xx; 437 pp.

1045 **Rodriguez Carmona, A.** La religione ebraica: storia e teologia. 2005 ⇒21,1055. ^RConAss 8/1 (2006) 112-3 (*Testaferri, Francesco*).

1046 ^E**Schmitt, Hatto H.; Vogt, Ernst** Lexikon des Hellenismus. 2005 ⇒ 21,1056. ^RJSJ 37 (2006) 495-497 (*Van der Horst, Pieter W.*).

1047 ^E**Shipley, G.**, *al.*, The Cambridge dictionary of classical civilization. C 2006, CUP xliv; 966 pp. £95. 978-05214-83131.

1048 **Van der Horst, Pieter W.** Het vroege jodendom van A tot Z: een kleine encyclopedie over de eerste duizend jaar (ca. 350 v.Chr.-650 n.Chr.). Zoetermeer 2006, Meinema 181 pp. €18.50. 90-211-4096-9.

1049 ^E**Woodard, Roger D.** The Cambridge encyclopedia of the world's ancient languages. 2004 ⇒20,1002; 21,1060. ^RBSOAS 69 (2006) 199-200 (*Geller, M.J.*).

1050 **Younger, John G.** Sex in the ancient world from A to Z. The ancient world from A to Z: L 2005, Routledge xvii; 217 pp.

A3.8 *Opera consultationis* **archaeologica** et **geographica**

1051 ^E**Bienkowski, Piotr; Millard, Alan** Dictionary of the ancient Near East. 2000 ⇒16,679... 21,1061. ^RRA 100 (2006) 119-121 (*Charpin, Dominique*).

1052 Lexicon topographicum urbis Romae: suburbium, 3: G-L. ^E**La Regina, Adriano** 2005 ⇒21,1065. ^RRivAC 82 (2006) 445-448 (*Candido, Umberto*).

1053 **Nunn, Astrid** Alltag im alten Orient. Bildbände zur Archäologie, Sonderbände zur Antiken Welt: Mainz 2006, Von Zabern 115 pp. €25. 3-8053-3654-3.

1054 ^E**Rachet, G.** Dictionnaire des civilisations de l'Orient ancien. 1999 ⇒15,627. ^RRA 100 (2006) 118-119 (*Charpin, Dominique*).

A4.0 **Bibliographiae,** *computers* **biblicae**

1055 **Bauer, David R**. An annotated guide to biblical resources for ministry. 2003 ⇒19,929; 20,1012. ^RHeyJ 47 (2006) 99-101 (*Briggs, Richard S.*).

1056 *Bergant, Dianne; Senior, Donald* The bible in review. BiTod 44 (2006) 53-64, 121-132, 257-268, 322-332, 391-402.

1057 BibleWorks 7: software for biblical exegesis and research. Norfolk, Va. 2006, Bibleworks, LLC $349 [BTB 37,132—Crook, Zeba A].

1058 ^E**Brooke, George** The Society for Old Testament Study: Book List 2006. JSOT 30/5 (2006) 1-224.

1059 **BuBB**: Bulletin de bibliographie biblique. ^E*Naef, Thomas* Lausanne 2006, Institut des sciences bibliques de l'Université de Lausanne. 3 issues a year. BIBIL: version électronique.

1060 *Harrington, Daniel J.* Bringing the bible to life. America 194/9 (2006) 32-36.

1061 *Holter, Knut* Index to issues 1-19. BOTSA 20 (2006) 1-20;

1062 Sub-Saharan African doctoral dissertations in Old Testament studies, 1967-2000: some remarks to their chronology and geography. Biblical interpretation in African perspective. 2006 ⇒333. 99-116.

1063 **IRBS (IZBG)**: International review of biblical studies 52: 2005-2006. ^E*Lang, Bernhard* Lei 2007, Brill xii; 556 pp. €135/$201. 978-90041-55831.

1064 **JSNT** Booklist 2006. ^E**Oakes, Peter** JSNT 28/5 (2006) vi; 1-172.

1065 *Kapera, Zdzisław J.* A guide to Polish biblical research: review article. PJBR 5 (2006) 137-144.

1066 *Martin de Viviés, Pierre de* Choisir un logiciel biblique. CEv 136 (2006) 50-54.

1067 *Michaelson, Jay* Researching Judaism online: paths through the minefield. RStR 32 (2006) 226-228.

1068 *Mitchell, Matthew W.* Biblical studies on the internet. RStR 32 (2006) 216-218.

1069 *Noailly, Jean-M.* Présentation de la *Bibliographie des psaumes imprimés en vers français*. Les paraphrases bibliques. THR 415: 2006 ⇒726. 225-240.

1070 **NTAb:** New Testament Abstracts, 50. ^E*Harrington, Daniel J.; Matthews, Christopher R.* CM 2006, Weston Jesuit School of Theology. 3 issues a year.

1071 **Ostański, Piotr** Bibliografia biblistyki polskiej 1945-1999. Bibliographica 1: 2002 ⇒18,895; 19,961. ^RPJBR 5/2 (2006) 137-144 (*Kapera, Z.J.*). **P**.

1072 **OTA:** Old Testament Abstracts, 29. ^E*Begg, Christopher T.* Wsh 2006, Catholic Biblical Association. 3 issues a year.

1073 *Roig Lanzillotta, Lautaro* New Testament philology bulletin n° 37-38. FgNT 19 (2006) 135-178.

1074 *Sorg, T.* Zum Erscheinen einer neuen Kommentarreihe: 'Historisch-Theologische Auslegung (HTA)–Neues Testament'. ThBeitr 37 (2006) 334-338.

1075 **Sparks, Kenton L.** Ancient texts for the study of the Hebrew Bible: a guide to the background literature. 2005 ⇒21,1082. ^RCTJ 41 (2006) 360-361 (*Williams, Michael J.*); CBQ 68 (2006) 743-744 (*Chavalas, Mark W.*) JHScr 6 (2006)* = Perspectives on Hebrew Scriptures III,425-427 (*Smith, Mark S.*) [⇒593].

1076 *Spronk, Klaas; Wesselius, Jan-Wim* Bijbelprogramma's in alle soorten en maten. Theologisch debat 3/4 (2006) 40-47.

1077 *Szier-Kramarek, B.* Polska bibliografia biblijna za lata 2002-2004. Roczniki Teologiczne 53/1 (2006) 133-187.

1078 *Talstra, Eep; Dyk, Janet* The computer and biblical research: are there perspectives beyond the imitation of classical instruments?. ^FJENNER, K.: MPIL 14: 2006 ⇒75. 189-203.

1079   *Tov, Emanuel* The use of computers in biblical research. ᶠULRICH,
       E.: VT.S 101: 2006 ⇒160. 337-359.
1080   *Wansbrough, Henry* New Testament chronicle 2006. PaRe 2/3
       (2006) 79-81.
1081   **Watson, Duane F.** The rhetoric of the New Testament: a bibliog-
       raphic survey. Tools for biblical study 8: Lei 2006, Deo 182 pp. £25.
       90-5854-0286.
1082   **Weilenmann, Anne-Katharina** Fachspezifische Internetrecherche:
       für Bibliothekare, Informationsspezialisten und Wissenschaftler.
       Bibliothekspraxis 38: Mü 2006, Saur 205 pp. 35981-1723X.
1083   ZAW 118: Zeitschriften- und Bücherschau. ᴱ*Gertz, Jan C.; Van Oor-
       schot, Jürgen*: B 2006, De Gruyter 93-179, 271-326, 427-483.
1084   *Zwink, Eberhard* Collecting and cataloguing bibles. Lay bibles.
       BEThL 198: 2006 ⇒719. 329-341.

A4.2 *Bibliographiae* **theologicae**

1085   *Auwers, J.-M.* Nouveaux manuels de patrologie. RTL 37 (2006) 394-
       399.
1086   Bibliografia internationalis spiritualitatis, 38: bibliografia anni 2003.
       R 2006, Teresianum xxxii; 533 pp. 0084-7834.
1087   Bibliographia carmelitana annualis 2005. ᴱ*Panzer, Stephan* Carmelus
       53 (2006) 253-424.
1088   Elenchus bibliographicus. ᴱ**Auwers, J.-M.**, *al.*, EThL 82: Lv 2006,
       Peeters 874* pp. 0013-9513.
1089   *Elledge, C.D.* Contemporary studies on resurrection: an annotated
       bibliography. Resurrection: the origin. 2006 ⇒705. 233-240.
1090   Excerpta e dissertationibus in sacra theologia, 49. Pamplona 2006,
       Servizio de Publicaciones de la Universidad de Navarra 359 pp. 021-
       4-6827. Fac. de Teología Univ. de Navarra.
1091   **Frenschkowski, Marco** Literaturführer Theologie und Religionswis-
       senschaft: Bücher und Internetanschriften. 2004 ⇒20,1060. ᴿThR 71
       (2006) 258-260 (*Kern, Gabi*).
1092   ᴱ**Fumagalli, Aristide; Scanziani, Francesco** La Scuola Cattolica:
       indici generali 1973-2004. ScC 2006.
1093   *Meunier, Bernard* Bulletin de patrologie: manuels et monographies
       sur les IIe et IIIe siècles principalement. RSPhTh 90 (2006) 521-555.
1094   *Painchaud, L.; Poirier, P.-H.; Dritsas-Bizier, M.* La contribution
       québécoise et outaouaise à l'étude du christianisme ancien: 1940-
       2005. SR 35 (2006) 517-543.
1095   *Parrinello, R.M.*, *al.*, Tesi di dottorato in studi religiosi in Italia
       (2003-2007): Università di Torino, Roma, Bologna, Bari. ASEs 23
       (2006) 547-561.
1096   *Raab, Adalbert* Verzeichnis der Veröffentlichungen für den Zeitraum
       1. Januar 2004-31. Dezember 2005. WJT 6 (2006) 365-416.
1097   *Ritter, A.M.* Zwanzig Jahre Alte Kirche in Forschung und Darstel-
       lung, II: Methoden-, Periodisierungs- und Kriterienfragen. ThR 71
       (2006) 325-351.
1098   *Seeliger, H.R.* Neuerscheinungen und Entwicklungen im Bereich der
       Alten Kirchengeschichte, Patrologie und christlichen Archäologie.
       ThQ 186 (2006) 213-229.

1099 *Trevijano Etcheverría, R.* Bibliografía patrística hispano-luso-americana, XIV (2003-2004). Salm. 53 (2006) 97-156.

1100 *Van Oort, Johannes* Biblical interpretation in the patristic era, a 'Handbook of patristic exegesis' and some other recent books and related projects. VigChr 60 (2006) 80-103.

1101 *Vanysacker, D.* Bibliographie T. 101, n° 1: année 2006. RHE 101/1 (2006) 11*-150*;

1102 n° 2: année 2006. RHE 101/2 (2006) 9*-147*.

1103 *Wacker, Marie-Theres* Donne nelle religioni del mondo: bibliografia fondamentale. Conc(I) 42 (2006) 520-538; Conc(GB) 2006/3,117-131.

A4.3 *Bibliographiae* philologicae et generales

1104 Bibliographie annuelle du Moyen-Âge Tardif. 16 Turnhout 2006, Brepols 686 pp. 2-503-52086-5.

1105 Bibliographie de l'année 2004 et compléments d'années antérieures. ᴱ**Corsetti, Pierre-Paul**: AnPh: 75: P 2006, Société internationale de bibliographie classique lxiv; 1780 pp. 0184-6949.

1106 *Gauthier, Philippe, al.*, Bulletin épigraphique. REG 119 (2006) 609-764.

1107 **Jenkins, Fred W.** Classical studies: a guide to the reference literature. Westport, Conn. ²2006, Libraries Unlimited 424 pp. $60. 1591-5-81192. 2 ed.

1108 **Schäfer, Dorothea; Deissler, Johannes** Bibliographie zur antiken Sklaverei, 1: Bibliographie, II: Abkürzungsverzeichnis und Register. FASk.B 4: ³2003 <1971, 1983> ⇒19,991; 21,1109. ᴿSCI 25 (2006) 177-180 (*Fikhman, I.F.*).

A4.5 *Bibliographiae* orientalisticae et archaeologicae

1109 Annual Egyptological bibliography 53 (2001). ᴱ**Hovestreydt, Willem** Lei 2006, International Association of Egyptologists 285 pp. €100. 90-72147-18-9.

1110 *Elayi, J.* Syrie-Phénicie-Palestine: première partie: bibliographie. TEuph 32 (2006) 101-162.

1111 *Hengstl, Joachim* Juristische Literaturübersicht 1999-2001 (mit Nachträgen aus der vorausgegangenen Zeit). JJP 36 (2006) 189-326.

1112 *Klengel, Horst* Introduzione alle fonti per lo studio della storia vicino-orientale antico. Storia d'Europa. 2006 ⇒590. 515-532.

1113 **Michel, Cécile** Old Assyrian bibliography of cuneiform texts, bullae, seals, and the results of excavations at Assur, Kültepe/Kanis, Acemhöyük, Alisar and Bogazköy. UNHAII 97; Old Assyrian Archives 1: 2003 ⇒19,996; 20,1078. ᴿOLZ 101 (2006) 17-21 (*Pruszinszki, Regine*).

1114 *Michel, Cécile* (Orsay) Old Assyrian bibliography I. AfO 51 (2005-2006) 436-449.

1115 *Müller, Walter W.* Südarabien im Altertum: ausgewählte und kommentierte Bibliographie der Jahre 2003 und 2004. AfO 51 (2005-2006) 450-466.

1116   *Neumann, Hans* Keilschriftbibliographie 64: 2005 (mit Nachträgen aus früheren Jahren). Or. 75 (2006) 1*-100*.

1117   Archäologische Dissertationen und Habilitationen 2005. AA 1 (2006) 309-315.

1118   *Bellelli, Vincenzo, al.*, Bulletin archéologique. REG 119 (2006) 172-405.

II. Introductio

B1.1   *Introductio tota vel VT*—Whole Bible or OT

1119   **Andersson, Greger; Bengtsson, Claes** Bibelintro: en guide till Gamla och Nya testamentet. Libris guideserie till Bibeln: 2003 ⇒20, 1088. ᴿSEÅ 71 (2006) 231-234 (*Stenström, Hanna*).

1120   **Ausloos, Hans** Oud maar niet verouderd: een inleiding tot de studie van het Oude Testament. Lv 2006, Acco 248 pp. €28. 978-90334-62-559.

1121   **Barton, John; Bowden, Julia** The original story: God, Israel and the world. 2005 ⇒21,1116. ᴿRBLit (2006)* (*Hagelia, Hallvard*).

1122   **Berlinerblau, Jacques** The secular bible: why nonbelievers must take religion seriously. 2005 ⇒21,1118. ᴿJAAR 74 (2006) 551-554 (*Buckley, Jorunn J.*); RBLit (2006)* (*Sanders, Paul*).

1123   **Birch, Bruce C., al.**, A theological introduction to the Old Testament. ²2005 ⇒21,1119. ᴿRBLit (2006)* (*Reventlow, Henning Graf; Glazov, Gregory*).

1124   **Brettler, Marc Zvi** How to read the bible: translating the culture of the bible. 2005 ⇒21,1124. ᴿRBLit (2006)* (*Keith, Pierre*); JHScr 6 (2006)* = PHScr III,431-433 (*Jassen, Alex*) [⇒593].

1125   **Carvalho, Corrine L.** Encountering ancient voices: a guide to reading the Old Testament. Winona 2006, Saint Mary's viii; 480 pp.

1126   **Coogan, Michael** The Old Testament: a historical and literary introduction to the Hebrew scriptures. NY 2006, OUP xx; 572 pp. $55. 0-1951-39119. Bibl. 558-9. ᴿBTB 36 (2006) 192 (*Grizzard, Carol S.*).

1127   **Faley, Roland J.** From Genesis to Apocalypse: introducing the bible. 2005 ⇒21,1132. ᴿRBLit (2006)* (*Nicklas, Tobias*).

1128   ᴱ**Gertz, Jan C.** Grundinformation Altes Testament: eine Einführung in Literatur, Religion und Geschichte des Alten Testaments. UTB 2745: Gö 2006, Vandenhoeck & R. 556 pp. €34.90. 3-8252-2745-6.

1129   **Harbin, Michael A.** The promise and the blessing: a historical survey of the Old and New Testaments. 2005 ⇒21,1134. ᴿRBLit (2006)* (*Rothschild, Clare*).

1130   ᴱ**Hayes, John H.** Hebrew Bible history of interpretation. 2004 ⇒20, 1103. ᴿJHScr 6 (2006)* = PHScr III,333-5 (*Ryan, Stephen*) [⇒593].

1131   **Holdsworth, J.** SCM studyguide to the Old Testament. L 2006, SCM 239 pp. £15. 0-334-02985-6.

1132   **Holloway, Richard** How to read the bible. L 2006, Granta vii; 134 pp. 1-86207-893-9. Bibl. 128-130.

1133   ᴱ**Johnston, Philip** IVP introduction to the bible: story, themes and interpretation. Leicester 2006, Inter-Varsity xii; 292 pp. $26. 978-1-84474-154-0.

1134 *Kratz, Reinhard G.* The growth of the Old Testament. Oxford handbook of biblical studies. 2006 ⇒438. 459-488.

1135 **Liss, Hanna** Tanach: Lehrbuch der jüdischen Bibel. 2005 ⇒21, 1140. ^RFJB 33 (2006) 151153 (*Lehnardt, Andreas*).

1136 **Matthews, Victor Harold; Moyer, James C.** The Old Testament: text and context. ²2005 <1997> ⇒21,1141. ^RIThQ 71 (2006) 357-358 (*McCarthy, Carmel*); RBLit (2006)* (*Camp, Phillip*).

1137 **Nigosian, Solomon Alexander** From ancient writings to sacred texts: the Old Testament and Apocrypha. 2004 ⇒20,1108; 21,1144. ^RTJT 22 (2006) 81-82 (*Di Giovanni, Andrea K.*).

1138 **Rabin, Elliott** Understanding the Hebrew Bible: a reader's guide. Jersey City, NJ 2006, KTAV xv; 250 pp. 0-88125-856-3/71-7. Bibl. 233-238. ^RRBLit (2006)* (*Sanders, Paul*); JHScr 6 (2006)* = PHScr III,428-431 (*Bar, Shaul*) [⇒593].

1139 **Rofé, Alexander** Introduction to the literature of Hebrew Bible. J 2006, Carmel 501 pp. 965-407-614-4.

1140 **Rogerson, John; Davies, Philip R.** The Old Testament world. ²2005 ⇒21,1146. ^RRBLit (2006)* (*Brettler, Marc*).

1141 *Rogerson, John W.* Old Testament. Oxford handbook of biblical studies. 2006 ⇒438. 5-26.

1142 **Rogerson, John W.** An introduction to the bible. ²2005 <1999> ⇒ 21,1147. ^RRBLit (2006)* (*Keith, Pierre*).

1143 ^E**Römer, Thomas; Macchi, Jean-Daniel; Nihan, Christophe** Introduction à l'Ancien Testament. MoBi 49: 2004 ⇒20,1109; 21,1148. ^RTEuph 31 (2006) 170-173 (*Bauks, M.*).

1144 *Salvesen, Alison* The growth of the apocrypha. Oxford handbook of biblical studies. 2006 ⇒438. 489-517.

1145 **Sanders, James A.** Torah and canon. ²2005 <1972> ⇒21,1149. ^RBTB 36 (2006) 140-141 (*Bartusch, Mark W.*).

1146 **Schmitt, Hans-Christoph** Arbeitsbuch zum Alten Testament: Grundzüge der Geschichte Israels und der alttestamentlichen Schriften. UTB 2146: 2005 ⇒21,1152. ^RThLZ 131 (2006) 1049-1050 (*Conrad, Joachim*).

1147 **Ska, Jean-Louis** Il libro sigillato e il libro aperto. 2004 ⇒20,1111. ^RStPat 53 (2006) 776-777 (*Broccardo, Carlo*); Firmana 41/42 (2006) 299-305 (*Miola, Gabriele*).

1148 ^E**Zenger, Erich** Introduzione all'Antico Testamento. 2005 ⇒21, 1159. ^RScC 134 (2006) 726-728 (*Borgonovo, Gianantonio*); StPat 53 (2006) 747-751 (*Milani, Marcello*);

1149 Einleitung in das Alte Testament. Kohlhammer Studienbücher Theologie 1,1: Stu ⁶2006, Kohlhammer 598 pp. 978-31701-95264.

B1.2 'Invitations' to Bible or OT

1150 **Anderson, Bernhard W.** The unfolding drama of the bible. Mp ⁴2006, Fortress 116 pp. $13.

1151 **Bartholomew, Craig G.; Goheen, Michael W.** The drama of scripture: finding our place in the biblical story. 2004 ⇒20,1124; 21,1162. ^RTrinJ 27 (2006) 309-310 (*Anderson, Charles A.*); AUSS 44 (2006) 175-176 (*Dumitrescu, Cristian*).

1152 ^E**Bedouelle, Guy; Turcat, André** Les plus beaux textes de la bible. P 2006, Lethielleux 336 pp. €19.50. 22836-12454.

1152 ^E**Bedouelle, Guy; Turcat, André** Les plus beaux textes de la bible.
      P 2006, Lethielleux 336 pp. €19.50. 22836-12454.
1153 **Bock, Emil** †1959 Kings and prophets: Saul, David, Solomon, Eli-
      jah, Jonah, Isaiah, Jeremiah. E ^Z2006, Floris 368 pp. 08631-55731.
1154 **Catham, James O.** Creation to Revelation: a brief account of the
      biblical story. GR 2006, Eerdmans vi; 186 pp. $14. 0-8028-6322-1.
1155 **Cooper, Ted; Strauss, Mark L.; Walton, John H.** The essential bi-
      ble companion: key insights for reading God's word. GR 2006, Zon-
      dervan 150 pp. 0-310-26662-9.
1156 **Darden, Robert** Reluctant prophets and clueless disciples–intro-
      ducing the bible by telling its stories. Nv 2006, Abingdon 302 pp.
1157 **Dauxois, J.** Les plus belles histoires d'amour de la bible. P 2006, Re-
      naissance 307 pp. €20. 28561-69708.
1158 ^E**Davies, Philip R.** Yours faithfully: virtual letters from the bible.
      2004 ⇒20,1127; 21,1166. ^RBiCT 2/3 (2006)* (*Jobling, David*).
1159 **Denimal, Éric** Les grands personnages de la bible. P 2006, First 160
      pp. €2.90.
1160 *Elorza, José Luis* Biblia y pastoral: lectura existencial de la bíblia.
      Lumen 55 (2006) 81-200.
1161 **Flipo, Claude** Hommes et femmes du Nouveau Testament: cinquante
      portraits bibliques. P 2006, Seuil 248 pp. €20. 20208-48821. Ill. *Jé-
      rôme Nadal.*
1162 *Gelabert, Martín* ¡Ojalá que todo el pueblo profetizara!: la formación
      teológica de los laicos. RF 253 (2006) 143-155.
1163 **Hoppe, Leslie J.** Priests, prophets, and sages: catholic perspectives
      on the Old Testament. Cincinnati 2006, St. Anthony Messenger 132
      pp. $11 [BiTod 45,56—Dianne Bergant].
1164 ^E**Keuchen, Marion; Kuhlmann, Helga; Schroeter-Wittke, Harald**
      Die besten Nebenrollen: 50 Porträts biblischer Randfiguren. Lp
      2006, Evangelische 321 pp. €28. 3-374-02369-X.
1165 **Kreeft, Peter** You can understand the bible: a practical & illuminat-
      ing guide to each book of the bible. SF 2006, Ignatius 328 pp.
      £11.50. ^RFaith 38/2 (2006) 46-47 (*Preece, James*).
1166 **Kurz, Paul K.** Gotteserfahrungen: biblische Gestalten sprechen. Mü
      2006, Kösel 210 pp. €18. 3466-367115 [GuL 80,478–F. Steinmetz].
1167 **Leach, Ted** How does the bible shape my faith?: a study of biblical
      interpretation and faith development. Nv 2006, Abingdon 102 pp.
1168 **Ter Linden, Nico** Het land onder de regenboog: verhalen uit het Ou-
      de Testament. Amst 2006, Balans 239 pp. €22.50. 90-5018-799-4.
      Ill. *Ceseli J. Jitta.*
1169 **Trainor, Michael** Journeying: a beginner's guide to the bible. 2005
      ⇒21,1184. ^RACR 83 (2006) 381-382 (*Sleigh, Dennis*).
1170 **Zoche, Hermann-Josef** Bibel-Brevier für Manager. Gü 2006, Gü
      384 pp. 978-3-579-06427-7.

B1.3 *Pedagogia biblica*—**Bible teaching techniques**

1171 *Adam, Gottfried* Umgang mit der Bibel–zur didaktischen Erschlie-
      ßung biblischer Texte. WJT 6 (2006) 251-263.
1172 **Bagrowicz, J.; Jankowski, S.** 'Pan, Bóg twój, wychowuje ciebie'
      (Pwt 8,5): studia z pedagogiki biblijnej [Il Signore tuo Dio corregge

te' (Dtr 8,5): studi sulla pedagogia biblica]. 2005 ⇒21,1189. ᴿOrientamenti pedagogici 53 (2006) 413-415 (*Formella, Z.*). **P.**

1173 **Baltzer, Dieter** Alttestamentliche Fachdidaktik. ³2003 ⇒19,1067. ᴿZKTh 128 (2006) 135-136 (*Markl, Dominik*).

1174 *Bissoli, Cesare* Bibbia e/o catechismi. CredOg 26/3 (2006) 103-114;

1175 Bibbia e catechesi. La bibbia nella chiesa. 2006 ⇒749. 125-138.

1176 **Bissoli, Cesare** 'Va' e annuncia' (Mc 5,19): manuale di catechesi biblica. Dizionari e manuali: T 2006, Elledici 308 pp. €25.

1177 *Blasberg-Kuhnke, Martina* "Meine Augen haben das Heil gesehen": alte Menschen im Neuen Testament–bibeldidaktische Aspekte im Horizont der Postmoderne. ᶠUNTERGASSMAIR, F. 2006 ⇒161. 513-9.

1178 **Bracke, John M.; Tye, Karen B.** Teaching the bible in the church. 2003 ⇒19,1072. ᴿPSB 27 (2006) 266-268 (*Sandoval, Timothy J.*).

1179 *Brenner, Athalya* Recreating the biblical creation for western children: provisional reflections on some case studies. Creation and creativity. 2006 ⇒539. 11-34.

1180 *Brink, Birgitt; Sieben, Franz* Die Inszenierung der Fiktionalität biblischer Texte im Bibliodrama. "Der Leser begreife!". 2006 ⇒473. 268-275.

1181 *Brueggemann, Walter* A fresh performance amid a failed script. The word that redescribes. 2006 <2001> ⇒197. 45-58.

1182 *Buzzetti, Carlo* La ricerca scientifica e la formazione biblica in Italia. RivBib 54 (2006) 429-442.

1183 ᴱ**Büttner, Gerhard; Schreiner, Martin** 'Man hat immer ein Stück Gott in sich': mit Kindern biblische Texte deuten, 1: Altes Testament, 2: Neues Testament. Stu 2006 <2004>, Calwer 244 pp. €20.

1184 *Carpani, Roberta* Percorsi della cultura biblica e modelli di santità nel teatro e nella spettacolarità lombarda nell'età di Federico BORROMEO. Studia Borromaica 20 (2006) 351-391.

1185 **Catani, Stephanie; Stascheit, Wilfried** Wer ist Jesus? Hintergründe, Fakten, Meinungen: ein Projektbuch. Arbeitsmaterialien für die Sekundarstufen: 2004 ⇒20,1156. ᴿThRv 102 (2006) 253-254 (*Igelbrink, Björn*).

1186 **Ceausescu, Gilles-J.; Jouve, Franck; Lachat, Rodolphe** Jésus. P 2006, Chronique-Dargaud 160 pp. €24. Ill.

1187 *Chancey, M.A.* Textbook case. CCen 123/23 (2006) 12-13.

1188 *Cheon, S.* The Old Testament Apocrypha and its studies in Korea. Quest [Hong Kong] 5/1 (2006) 83-96.

1189 *Cox, Claude E.* Twenty years of teaching a bible study in a long-term care facility. RestQ 48/2 (2006) 103-112.

1190 Expedition Bibel. Linz ²2006, Katholisches Bibelwerk €45. 3853-96-047-2. Katholisches Bibelwerk der Diözese Linz; CD-ROM.

1191 ᴱ**Farmer, David A.** The pastor's bible study volume three: a New Interpreter's Bible study. Nv 2006, Abingdon xiv; 293 pp. 0-687-4933-0-7. With a CD-ROM; Bibl. 271-276.

1192 *Fischer, Friedrich* Was künstlerische Kreativität aufzudecken vermag: die Spannung zwischen Bibelillustration und Bibeltext in ihrer religionspädagogisch-didaktischen Relevanz. ᶠUNTERGASSMAIR, F. 2006 ⇒161. 565-575.

1193 *Fricke, Michael* Mit "schwierigen" Texten der Bibel umgehen: Analysen und Anregungen für Schule und Gemeinde. ZThG 11 (2006) 231-252.

1194   **Fricke, Michael** "Schwierige" Bibeltexte im Religionsunterricht: theoretische und empirische Elemente einer alttestamentlichen Bibeldidaktik für die Primarstufe. ARPäd 26: 2005 ⇒21,1220. [R]ThLZ 131 (2006) 937-938 (*Schwerin, Eckart*).

1195   **Geldner, Andreas; Trauthig, Michael; Wetzel, Christoph** Wer suchet, der findet: biblische Redewendungen neu entdeckt. Stu 2006, Belser 127 pp. €20. 37630-24766. Geleitwort von *Manfred Rommel*.

1196   *Ghiberti, Giuseppe* L'insegnamento della sacra scrittura in Italia: metodi, contenuti, problemi, prospettive. RivBib 54 (2006) 413-427.

1197   [E]**Grassi, Riccardo; Pollet, Enrico** Alla scoperta della bibbia, 1: l'Antico Testamento. 2005 ⇒21,1225. [R]VivH 17/1 (2006) 243-245 (*Bonaiuti, Renzo*).

1198   *Harrauer, Hermann; Gastgeber, Christian* Bibeltexte im Schulunterricht. Alles echt. 2006 ⇒469. 65-73.

1199   *Heinke, Sônia H.* A educação religiosa no âmbito familiar: responsabilidades e desafios. VTeol 13 (2006) 81-101.

1200   *Hennecke, Elisabeth* Die Bibel–das Buch der unbekannten Geschichten?. KatBl 131 [E]238-241.

1201   **Johannsen, Friedrich** Alttestamentliches Arbeitsbuch für Religionspädagogen. [3]2005 ⇒21,1231. [R]JETh 20 (2006) 189-190 (*Schröder, Sabine*).

1202   **Kalmbach, Sybille** Bibel dramatisch: erfahrbare Entwürfe für die Arbeit mit Jugendlichen und Erwachsenen. Kreativ kompakt: Neuk 2006, Aussaat 174 pp. 978-3-7615-5450-0.

1203   **Klöpper, Diana; Schiffner, Kerstin** Gütersloher Erzählbibel. 2004 ⇒20,1168. [R]FrRu 13 (2006) 145-146 (*Trutwin, Werner*).

1204   *Kohler-Spiegel, Helga* Im Leib (zu Hause) sein: Überlegungen aus religionspädagogischer Sicht. [F]SCHÜNGEL-STRAUMANN, H. 2006 ⇒153. 394-403.

1205   *Kuld, Lothar* Dekalog für Kinder?. KatBl 131 (2006) 394-398.

1206   **Lagarde, Claude; Lagarde, Jacqueline** Lascia partire il mio popolo: ovvero dall'esodo al battesimo. Catechesi: 2004 ⇒20,1169. [R]PaVi 51/2 (2006) 60-61 (*Mosetto, Francesco*).

1207   *Lawson, Kevin E.* A band of sisters: the impact of long-term small group participation: forty years in a women's prayer and bible study group. RelEd 101 (2006) 180-203.

1208   **Lehnen, Julia** Bibliolog im Religionsunterricht. Gotteswort und Menschenrede. 2006 ⇒371. 395-410.

1209   **Lehnen, Julia** Interaktionale Bibelauslegung im Religionsunterricht. Praktische Theologie heute 80: Stu 2006, Kohlhammer 400 pp. €29. 978-31701-93222.

1210   *Lesch, Karl J.* "Die Schrift nicht kennen heißt Christus nicht kennen": zur Bedeutung der Bibel für die christliche Bildung und Erziehung im Laufe der Geschichte der Kirche. [F]UNTERGASSMAIR, F. 2006 ⇒161. 521-533.

1211   *Magrini, Cheryl T.* Children's interpretations of biblical meal stories: ethnographic intertextual voicing as the practice of hospitable pedagogy. RelEd 101 (2006) 60-83.

1212   **Méier, Celito** A educação à luz de pedagogia de Jesus de Nazaré. Educação e Fé: São Paulo 2006, Paulinas 184 pp.

1213   *Morrissette, Anne* Le bibliodrame: du théâtre?. Scriptura(M) 8/1 (2006) 41-51.

1214 *Nagel, Günter* Ein Jesus-Roman als Denkschule. KatBl 131 (2006) 271-278.

1215 **Niehl, Franz W.** Bibel verstehen: Zugänge und Auslegungswege: Impulse für die Praxis der Bibelarbeit. Mü 2006, Kösel 224 pp. €18. 978-3-466-36731-3.

1216 *Oberthür, Rainer* "Glaub' an Wunder, denn erst dann können sie auch passieren!": ein Plädoyer für Wundergeschichten im Religionsunterricht. BiKi 61 (2006) 99-102.

1217 **Oliver, Gordon** Holy bible, human bible: questions pastoral practice must ask. L 2006, Darton, L. & T. xix, 171 pp. 0-232-52671-0. Bibl. 162-164.

1218 **Osmer, Richard R.** The teaching ministry of congregations. 2005 ⇒ 21,1248. ^RInterp. 60 (2006) 466-468 (*Vann, Jane Rogers*).

1219 **Pinar, William** Race, religion, and a curriculum of reparation: teacher education for a multicultural society. Ment. *Schreber, Daniel P.*: NY 2006, Palgrave M. xiv; 208 pp. 1-403-97072-6. Bibl. 191-203 [Gen 9,20-25].

1220 *Rinn, Dagfinn* Religious education and the presentation of Judaism in public schools in Norway. ^MILLMAN, K. 2006 ⇒72. 353-364.

1221 *Ritter, Werner H.* "Ein Aug', das alles sieht": religiöse Erziehung als Erziehung zum Untertan. Gottesmacht. 2006 ⇒572. 111-134.

1222 *Rogowski, Cyprian* Biblisches Lernen vor den Herausforderungen der Gegenwart. ^FUNTERGASSMAIR, F. 2006 ⇒161. 535-540.

1223 ^E**Roncace, Mark; Gray, Patrick** Teaching the bible: practical strategies for classroom instruction. SBL.Resources for Biblical Study 49: 2005 ⇒21,1255. ^RRBLit (2006)* (*Howell, David; Van Rensburg, Fika*).

1224 *Rosner, Christoph* Zwischen Marktwert und Selbstwert. KatBl 131 (2006) 426-430 [Exod 20,1-17].

1225 *Sánchez Navarro, Luis* La escritura y el *Compendio* del *Catecismo de la iglesia católica*. TeCa 99 (2006) 11-24.

1226 **Schippe, Cullen; Stetson, Chuck** The bible and its influence, student text. Bible Literacy Project: NY 2005, BLP 388 pp. $75. 978-09770-30200. ^RCCen 123/4 (2006) 34-37 (*Johnson, L.T.*).

1227 *Schmitz, Barbara* Wenn ein hörendes Herz spielt ... Bibliodrama als reziproker Prozess von (Text-)Lektüre und Erfahrung. "Der Leser begreife!". 2006 ⇒473. 231-248.

1228 *Schuegraf, Oliver* Telling God's stories again and again–reflection on remembrance and reconciliation. MoBe 47/3 (2006) 31-42.

1229 **Silva, Raimundo Aristide da** A vida de Jesus narrada aos jovens. Esperança Jovem: São Paulo 2006, Paulinas 111 pp.

1230 *Spiegel, Egon* Bibeldidaktik im Rahmen einer Korrelativen Symboldidaktik. ^FUNTERGASSMAIR, F. 2006 ⇒161. 541-552.

1231 **Steinkühler, Martina** Wie Feuer und Wind: das Alte Testament Kindern erzählt. Gö 2005, VAndenhoeck & R. 290 pp. €19. 35256-15868;

1232 Wie Brot und Wein: das Neue Testament Kindern erzählt. Gö 2005, Vandenhoeck & R. 303 pp. €19.90. 35256-15876.

1233 **Theissen, Gerd** Motivare alla bibbia: per una didattica aperta della bibbia. Introd. allo studio della bibbia, suppl. 22: 2005 ⇒21,1263. ^RSal. 68 (2006) 597-598 (*Vicent, Rafael*); RivBib 54 (2006) 488-492 (*Buzzetti, Carlo*); CivCatt 157/4 (2006) 616-617 (*Scaiola, D.*).

1234   *Theuer, Gabriele* Mit Präambel–Puzzle und Rollenspiel. KatBl 131 (2006) 422-425 [Exod 20,1-17].

1235   ^E**Theuer, Gabriele** Grundkurs Männer, Frauen und die Bibel: Werkbuch für die Bibelarbeit mit Erwachsenen: 1 = Kursteil 1/3. Stu 2003, Katholisches Bibelwerk 126 pp. 3-460-32618-2;

1236   2 = Kursteil 4/7. Stu 2003, Katholisches Bibelwerk 178 pp. 3-460-32618-2.

1237   *Troue, Frank* Auf der Suche nach "roten Fäden" für meinen Unterricht. KatBl 131 (2006) 263-266.

1238   *Weigand, Stefan* Hundert-Stimmen-Strom im Ohr: biblische Hörbücher. LS 57 (2006) 443-446.

1239   *Zilleßen, Dietrich* Gänge am Rande: die Performance religiöser Didaktik. Die besten Nebenrollen. 2006 ⇒1164. 34-48.

1240   *Zimmer, Michael* "... weil er weiß, dass sie wissen, und dass sie wissen, dass er weiß ..." (Umberto Eco): Religionsunterricht in Zeiten der "verlorenen Unschuld". "Der Leser begreife!". 2006 ⇒473. 221-230.

B2.1 Hermeneutica

1241   *Abel, Olivier* Elementi per un lessico disordinato dell'ermeneutica di Paul RICOEUR. Protest. 61 (2006) 303-316.

1242   **Adam, A.K.M.** Faithful interpretation: reading the bible in a postmodern world. Mp 2006, Fortress ix; 193 pp. $20. 978-0-8006-3787-3. Bibl. 165-188.

1243   *Adamczewski, B.* Hans-Georg GADAMER i hermeneutyczny problem aktualizacji tekstów biblijnych. Roczniki Teologiczne 53/1 (2006) 71-93. **P.**

1244   *Ariarajah, Seevaratnam W.* Intercultural hermeneutics–a promise for the future?. VFTW 29/1 (2006) 87-103.

1245   *Assel, Heinrich* Diaspora als Lesegemeinschaft: das amerikanisch-jüdische Netzwerk "textual reasoning". VF 51/1 (2006) 72-79.

1246   *Bailey, J.W.* Sacred book club: reading scripture across interfaith lines. CCen 123/18 (2006) 36-42.

1247   *Barton, John* Responses to Kabasele Mukenge and Craig Y.S. Ho. Congress volume Leiden 2004. VT.S 109: 2006 ⇒759. 441-448.

1248   *Baum, Armin D.* Evangelikales Schriftverständnis im Dialog: eine Antwort an Prof. Ingo Broer. JETh 20 (2006) 165-175.

1249   *Beuchot, Mauricio* Exposición sucinta de una hermenéutica analógica. Communio 39 (2006) 237-250.

1250   Biblische Hermeneutik. JBTh 12: 1997 ⇒14,216. ^RThR 71 (2006) 147-152 (*Reventlow, Henning Graf*).

1251   *Biffi, Giacomo* A proposito della sacra scrittura: avvertenze pastorali. DT(P) 109/45 (2006) 131-145.

1252   *Blanchard, Yves-Marie* Aux sources de l'herméneutique chrétienne. Ist. 51/3 (2006) 229-238.

1253   *Bong, Sharon A.* Post-colonialism. Blackwell companion to the bible. 2006 ⇒465. 497-514.

1254   *Boureux, Christophe* "La lecture est cet acte concret dans lequel s'achève la destinée du texte": quelques réflexions théologiques sur la lecture de la bible chez Paul RICOEUR. SémBib 123 (2006) 27-41.

1255 **Bretschneider, Arnd** Heilsgeschichtliche Schriftauslegung: die Bibel heilsgeschichtlich lesen, verstehen und anwenden. Dillenburg 2006, Christliche V. 64 pp. €5.90.

1256 *Brezzi, Francesca G.* Nominare diversamente Dio: "La preziosa dialettica di poetica e politica". Ment. *Ricoeur, Paul.* Protest. 61 (2006) 317-333.

1257 *Briggs, Richard S.* What does hermeneutics have to do with biblical interpretation?. Ment. *Gadamer, Hans-Georg; Ricoeur, Paul.* HeyJ 47 (2006) 55-74.

1258 *Butting, Klara* Die Wahrheit und das Hässliche—von Gott sprechen lernen—auch in der Nacht. JK 67/2 (2006) 39-45.

1259 *Camdessus, M.* The world of today and the word of God: a mutual challenge. BDV 78 (2006) 12-16.

1260 *Cardellini, Innocenzo* Per una criteriologia di lettura dell'Antico Testamento. Lat. 72/1 (2006) 21-32.

1261 *Charry, Ellen T.* Walking in the truth: on knowing God. But is it all true?. 2006 ⇒771. 144-169.

1262 *Chia, Philip* Local and global: biblical studies in a 'runaway world'. SiChSt 1 (2006) 83-106.

1263 *Clifford, Richard J.* La verdad de las escrituras. Mensaje 55/1 (2006) 16-18.

1264 *Clivaz, Claire* 'Asleep by grief' (Lk 22: 45): reading from the body at the crossroads of narratology and new historicism. BiCT 2/3 2006*.

1265 *Colzani, Gianni* La crisi della teologia contemporanea e la ricerca di un nuovo paradigma. Il teologo e la storia. 2006 ⇒526. 155-171.

1266 *Crook, Zeba A.* Method and models in New Testament interpretation: a critical engagement with Louise Lawrence's literary ethnography. RStR 32 (2006) 87-97.

1267 **David, Robert** Déli_ lÉcriture: paramètres théoriques et pratiques d'herméneutique du procès. Sciences bibliques 17: Montréal 2006, Médiaspaul 275 pp. €22.60. 28942-06976.

1268 *Delorme, Jean* Lire dans l'histoire lire dans le langage. Parole et récit évangéliques. LeDiv 209: 2006 <1992> ⇒208. 19-34.

1269 *Despotis, Sotirios* Das Evangelium als Hörgeschehen. OrthFor 20 (2006) 181-193.

1270 *Djaballah, Amar* L'herméneutique selon Hans-Georg GADAMER. ThEv(VS) 5/1 (2006) 31-68.

1271 **Djomhoué, Priscille** Un monde à découvrir: l'exégèse du Nouveau Testament: historique et nouvelles orientations. Yaoundé 2006, CLE 67 pp.

1272 *Dohmen, Christoph; Hieke, Thomas* Roter Faden durch die Bibel?. KatBl 131 (2006) 242-248.

1273 *Duplantier, Jean-Pierre* Notes: qu'est-ce qu'une lecture figurative?. SémBib 124 (2006) 21-37.

1274 *Eapen, J.* Bible and its role. BiBh 32 (2006) 84-99.

1275 *Ebach, Jürgen* Biblische Marginalistik oder: die Aufgabe, den Rand zu halten. Die besten Nebenrollen. 2006 ⇒1164. 12-21.

1276 *Esler, Philip* New Testament interpretation as interpersonal communion: the case for a socio-theological hermeneutics. ᶠMORGAN, R. 2006 ⇒115. 51-74.

1277 *Finamore, Rosanna* La dinamiciatà del comprendere e dell'interpretare. Il teologo e la storia. Ment. *Lonergan, B.* 2006 ⇒526. 99-121.

1278 *Fischer, Georg* Grundlagen biblischer Hermeneutik. Lesarten der Bibel. 2006 ⇒699. 247-253.
1279 *Fowl, Stephen E.* Further thoughts on theological interpretation. Reading scripture. 2006 ⇒332. 125-130.
1280 *Fricker, Denis* La crise d'Antioche et la gestion des conflits en église: exégèse et théologie pastorale. RevSR 80 (2006) 349-370.
1281 *Fumagalli, A.* Opening one's heart to the other: aspects of reading the bible in context. BDV 78 (2006) 4-7.
1282 **Gadamer, Hans-Georg** Hermenéutica de la modernidad: conversaciones con Silvio Vietta. ^T*Elizaincín-Arrarás, L.* 2004 ⇒20, 1240. ^REstFil 55 (2006) 539-540 (*Ortega, Joaquín Esteban*).
1283 *Garrone, Daniele; Heschel, Susannah; Malik, Jamal* Fundamentalismus in Christentum, Judentum und Islam. Gemeinsame Bibel–gemeinsame Sendung. VKHW 9: 2006 ⇒546. 124-129.
1284 *Gilbert, Paul* L'inventio della quaestio tra la cogitatio e l'intellectio. Il teologo e la storia. 2006 ⇒526. 197-216.
1285 *Gissel, Jon A.P.* Do contexts matter?. HIPHIL 3 (2006) 14 pp*.
1286 *Glebe-Møller, Jens* Bibelen–"en smuk fabel". Kritisk forum for praktisk teologi 26/105 (2006) 20-26.
1287 *Goldsworthy, Graeme L.* Biblical theology and hermeneutics. Southern Baptist Convention 10/2 (2006) 4-18.
1288 **Goldsworthy, Graeme** Gospel-centred hermeneutics: biblical-theological foundations and principles of evangelical biblical interpretation. Nottingham 2006, Apollos 341 pp. $29. 978-1-84474-145-8. Bibl. 318-332.
1289 *Green, Barbara* This old text: an analogy for biblical interpretation. BTB 36 (2006) 72-83.
1290 **Greisch, Jean** Entendre d'une autre oreille: les enjeux philosophiques de l'herméneutique biblique. Bible et philosophie: P 2006, Bayard 301 pp. €37. 22274-70291. ^RRICP 98 (2006) 213-6 (*Gramont, Jérôme de*); RThPh 137 (2006) 174-175 (*Schouwey, Jacques*); ASSR 51/4 (2006) 196-198 (*Lassave, Pierre*).
1291 *Grossi, Vittorino* La "Traditio Evangelii". Lat. 72 (2006) 65-97.
1292 *Hallbäck, Geert* Skriften alene med eksegeten. Kritisk forum for praktisk teologi 26/105 (2006) 27-41.
1293 *Harding, James* Caribbean biblical hermeneutics after the empire. Pacifica 19 (2006) 16-36.
1294 *Harries, J.* Biblical hermeneutics in relation to convictions of language use in Africa: pragamatics applied to interpretation in cross-cultural context. ERT 30/1 (2006) 49-59.
1295 *Hägglund, Bengt* Vorkantianische Hermeneutik. KuD 52 (2006) 165-181.
1296 *Helmer, Christine* Die liberale Theologie und ihr transdiskursives Potential. Gotteswort und Menschenrede. 2006 ⇒371. 377-393;
1297 Introduction: multivalence in biblical theology. The multivalence. SBL.Symposium 37: 2006 ⇒745. 1-10.
1298 *Heyward, Carter* A critical relational reading: a path wide open: toward a (critical) relationship with the christian bible. Engaging the bible. 2006 ⇒336. 105-125.
1299 **Holgate, David A.; Starr, Rachel** SCM studyguide to biblical hermeneutics. L 2006, SCM 216 pp. €15. 03340-40043. Bibl. 196-206.
1300 *Holmås, G.O.* En teologisk hermeneutikk i studiefaget det nye testamente i profesjonsutdannelsen?: et innspill til faglig-didaktisk nytenkning. TTK 77 (2006) 162-181.

1301 **Houtman, Cornelis** De Schrift wordt geschreven: op zoek naar een christelijke hermeneutiek van het Oude Testament. Zoetermeer 2006, Meinema 597 pp. €42.50. 90-2114-130-2.

1302 *Hunter, R.* The bible in pastoral practice: themes and challenges. Contact [Bolton, UK] 150 (2006) 4-7.

1303 *Hübner, Hans* 'Existentiale' Interpretation bei Rudolf BULTMANN und Martin HEIDEGGER. ZThK 103 (2006) 533-567.

1304 *Ivancic, M.K.* Imagining faith: the biblical imagination in theory and practice. TEd 41/2 (2006) 127-139.

1305 *Jaspard, Jean-Marie* Signification psychologique d'une lecture "fondamentaliste" de la bible. RTL 37 (2006) 200-216.

1306 **Jasper, David** A short introduction to hermeneutics. 2004 ⇒20, 1258; 21,1378. [R]AsbJ 61/1 (2006) 126-127 (*Wood, Charles M.*); BiCT 2/3 (2006)* (*Seesengood, Robert P.*).

1307 *Jenkins, P.* Liberating word: the power of the bible in the global south. CCen 123/14 (2006) 22-27.

1308 *Jervolino, Domenico* Pensiero biblico e traduzione in RICOEUR. Protest. 61 (2006) 335-350.

1309 *Johnson, Luke T.* Does a theology of the canonical gospels make sense?. [F]MORGAN, R. 2006 ⇒115. 93-108.

1310 *Jonker, Louis* From multiculturality to interculturality: can intercultural biblical hermeneutics be of any assistance?. Scriptura 91 (2006) 19-28.

1311 *Kabasele Mukenge, André* Lire la Bible dans le contexte africain: approche et perspectives. Congress volume Leiden 2004. VT.S 109: 2006 ⇒759. 401-418.

1312 *Kahl, Werner* Die Bibel unter neuen Blickwinkeln: exegetische Forschung im Umbruch. BiKi 61 (2006) 166-170.

1313 *Kannengiesser, Charles* Un avenir pour l'herméneutique biblique des Pères. Les Pères de l'église. 2006 ⇒810. 37-49.

1314 *Kennard, D.* Evangelical views on illumination of scripture and critique. JETS 49 (2006) 797-806.

1315 *Klun, B.* L'événement et l'héritage biblique: réflexions sur HEIDEGGER et LÉVINAS. BLE 107 (2006) 249-268.

1316 *Knoll, M.* The battle for the bible: the impasse over slavery. CCen 123/9 (2006) 20-25.

1317 *Kowalski, Beate* Intertextualität als exegetische Methode. ThGl 96 (2006) 354-361.

1318 **Körtner, Ulrich** Einführung in die theologische Hermeneutik. Einführung Theologie: Da:Wiss 2006, 192 pp. €25.90. 978353-4157402.

1319 *Krüger, J.S.* Religious fundamentalism: aspects of a comparative framework of understanding. VeE 27 (2006) 886-908.

1320 *Kuntzmann, Raymond* L'herméneutique biblique: d'une lecture de la bible à sa célébration. RevSR 80 (2006) 371-385.

1321 **Lacoste, Jean-Yves** Présence et parousie. Genève 2006, Ad Solem 337 pp. €30.

1322 *Lai, P.-C.* Sino-theology, the bible and the christian tradition. StWC 12/3 (2006) 266-281.

1323 **Lampe, Peter** Die Wirklichkeit als Bild: das Neue Testament als ein Grunddokument abendländischer Kultur im Lichte konstruktivistischer Wissenssoziologie. Neuk 2006, Neuk 246 pp. €24.90. 9783-78-87-16240.

1324 *Laughery, Gregory J.; Diepstra, George R.* Scripture, science and hermeneutics. EurJT 15/1 (2006) 35-49.

1325 *Lawrence, Frederick G.* Grace and friendship: postmodern political theology and God as conversational;

1326 The dialectic tradition/innovation and the possibility of method. Il teologo e la storia. 2006 ⇒526. 123-151/249-264.

1327 *Legrand, Lucien* Between incarnation and critical prophetism: word of God and cultures. BDV 78 (2006) 8-11.

1328 *Lévy, Emmanuelle* Le statut du texte biblique à la lumière de l'herméneutique de RICOEUR. RThPh 138 (2006) 355-368.

1329 *Lim, J.* The empowered reader and the elusive text. MissTod 8 (2006) 145-158.

1330 *Loader, James Alfred* Reading and controlling the text;

1331 *Lombaard, Christo J.S.* The relevance of Old Testament science in/for Africa: two false pieties and focussed scholarship. OTEs 19 (2006) 694-711/144-155.

1332 *Lose, David J.* The christian story as fantasy? Yes!: do not domesticate the gospel. WaW 26 (2006) 214-216.

1333 *MacArthur, J.* Perspicuity of scripture: the emergent approach. MSJ 17/1 (2006) 141-158.

1334 *Marino, Eugenio* L'*ermeneutica estetica* di GADAMER e la laicizzazione heideggeriana dell'*ermeneutica scritturistica*. SapDom 59 (2006) 29-62, 163-194.

1335 **Marshall, I. Howard**, *al.*, Beyond the bible: moving from scripture to theology. 2004 ⇒20,399; 21,438. ᴿSBET 24/1 (2006) 113-115 (*Macleod, Alasdair I.*); Theol. 109 (2006) 132-133 (*Goldingay, John*); Neotest. 40 (2006) 210-213 (*Stenschke, Christoph*); HBT 28 (2006) 57-58 (*Dearman, J. Andrew*).

1336 *Martin, Dale B.* Introduction: the myth of textual agency;

1337 Conclusion: the space of scripture, the risk of faith. Sex and the single Savior. 2006 ⇒270. 1-16/161-185.

1338 *Martin, François* La sémiotique: une théorie du texte. SémBib 122 (2006) 5-26.

1339 *Marty, François* La figure chez Paul BEAUCHAMP: le corps ou les figures prennent réalité. SémBib 124 (2006) 4-20.

1340 Menschenwürde. ᴱ**Baldermann, Ingo; Dassmann, Ernst** JBTh 15: 2001 ⇒17,235. ᴿThR 71 (2006) 155-57 (*Reventlow, Henning Graf*).

1341 *Meunier, Bernard* Le christianisme a-t-il une âme?. Théophilyon 11/2 (2006) 251-270.

1342 *Miegge, Mario* Ermeneutica e libertà. Ment. *Ricoeur, Paul* Protest. 61 (2006) 351-358.

1343 *Millet, Olivier* Fondamentalismes?. FV 105/1 (2006) 7-17.

1344 *Ming, C.K.* Postmodern interpretation among Chinese biblical scholars: three case studies. CGST Journal 41 (2006) 153-174. **C.**

1345 *Mootz, F.J.* Belief and interpretation: meditations on Pelikan's 'Interpreting the bible and the constitution'. JLR 21/2 (2005-6) 385-399.

1346 **Mosès, Stéphane** Eros und Gesetz: zehn Lektüren der Bibel. ᵀ*Sandherr, S; Schlachter, B.*: Makom 1: 2004 ⇒20,1290. ᴿThGl 96 (2006) 375-377 (*Micheel, Matthias*).

1347 *Mouton, Elna* Interpreting the New Testament in Africa: Bernard Lategan on the threshold of diverse theological discourses. ᶠLATEGAN, B. NT.S 124: 2006 ⇒94. 177-198.

1348 *Mura, Gaspare* Il panorama filosofico-teologico attuale e l'esigenza di un metodo generale. Il teologo e la storia. 2006 ⇒526. 173-196.

1349 *Müllner, Ilse* Zeit, Raum, Figuren, Blick: hermeneutische und methodische Grundlagen der Analyse biblischer Erzähltexte. PzB 15 (2006) 1-24.

1350 *Negel, Joachim* "Das fünfte Evangelium" oder Von der Schwierigkeit und der Möglichkeit, im Heiligen Land die Heilige Schrift zu lesen. Laetare Jerusalem. 2006 ⇒92. 355-367.

1351 *Neudorfer, Heinz-Werner; Schnabel, Eckhard J.* Die Interpretation des Neuen Testaments in Geschichte und Gegenwart. Das Studium des NT. TVG: 2006 ⇒451. 11-33.

1352 *Nißlmüller, Thomas* Der Lesekosmos im Horizont der Bibel-Lese: zur Bibellese als ästhetischer Erfahrung: Anmerkungen zur Lese-Heuristik nach Wolfgang Iser. IZThG 11 (2006) 264-284.

1353 *Oakman, Douglas E.* Biblical hermeneutics: MARCION's truth and a developmental perspective. Ancient Israel. 2006 ⇒724. 267-282.

1354 *O'Brien, Julia M.* Who needs the Old Testament?. ThRev 27/1 (2006) 16-33.

1355 **Oeming Manfred** Contemporary biblical hermeneutics: an introduction. [T]*Vette, Joachim F.*: Aldershot 2006, Ashgate x; 172 pp. £50/16. 07546-56594/608. Bibl. 149-161 [R]Neotest. 40 (2006) 431-434 (*Szesnat, Holger*).

1356 **Osborne, Grant R.** The hermeneutical spiral: a comprehensive introduction to biblical interpretation. DG [2]2006, InterVarsity 624 pp. 0-8308-2826-5. Bibl. 548-605.

1357 *Ossandón Widow, Juan Carlos* Raymond E. BROWN y el sentido literal de la Sagrada Escritura. AnnTh 20/2 (2006) 337-356.

1358 *Ouweneel, Willem J.* Theologische hermeneutiek en de postmoderne uitdaging. AcTh(B) 26/1 (2006) 95-111.

1359 *Paddison, Angus* Scriptural reading and revelation: a contribution to local hermeneutics. IJST 8 (2006) 433-448.

1360 *Padgett, Alan G.* The canonical sense of scripture: trinitarian or christocentric?. Dialog 45/1 (2006) 36-43.

1361 *Palumbieri, Sabino* Bibbia, parola scritta e Spirito, sempre. Sal. 68 (2006) 157-164.

1362 **Pani, Giancarlo** Paolo, AGOSTINO, LUTERO: alle origini del mondo moderno. 2005 ⇒21,1425. [R]Gr. 87 (2006) 215-216; RSF 61 2006) 808-810 (*Pintacuda, Fiorella De Michelis*).

1363 **Parmentier, Élisabeth** L'Écriture vive: interprétations chrétiennes de la bible. MoBi 50: 2004 ⇒20,1301; 21,1426. [R]RTL 37 (2006) 263-264 (*Di Pede, E.*).

1364 **Pelikan, Jaroslav** Interpreting the bible and the constitution. 2004 ⇒20,1303; 21,1427. [R]JR 86 (2006) 699-700 (*Grodzins, Dean*); JLR 21/1 (2005-2006) 101-142 (*Kalscheur, G.A.*).

1365 *Pentiuc, Eugen J.* Between Hebrew Bible and Old Testament: synchronic and diachronic modes of interpretation. SVTQ 50 (2006) 381-396.

1366 *Pieterse, Werner* Tekst en lezer. WeZ 35/4 (2006) 3-27;

1367 De kunst van het lezen. WeZ 35/4 (2006) 28-57;

1368 Werken met het woord. WeZ 35/4 (2006) 58-77.

1369 *Plant, S.* 'In the bible it is God who speaks': PEAKE and BONHOEFFER on reading scripture. EpRe 33/4 (2006) 7-22.

1370 *Poirier, John C.; Lewis, B. Scott* Pentecostal and postmodernist hermeneutics: a critique of three conceits. JPentec 15 (2006) 3-21.

1371 **Prieto, Christine** Christianisme et paganisme: la prédication de l'évangile dans le monde gréco-romain. EssBib 35: 2004 ⇒20,1310. ᴿRThPh 138 (2006) 275-276 (*Norelli, Enrico*).

1372 *Prior, Joseph G.* Biblical hermeneutics. IncW 1/1 (2006) 43-62.

1373 *Punt, J.* Queer theory intersecting with postcolonial theory in biblical interpretation. Council of Societies for the Study of Religion Bulletin [Houston, TX] 35/2 (2006) 30-34;

1374 Why not postcolonial biblical criticism in (South) Africa: stating the obvious or looking for the impossible?. Scriptura 91 (2006) 63-82;

1375 Using the bible in post-apartheid South Africa: its influence and impact amidst the gay debate. HTSTS 62 (2006) 885-907.

1376 **Ravasi, Gianfranco** Interpretare la bibbia: ciclo di conferenze tenute al Centro culturale S. Fedele di Milano. Conversazioni bibliche: Bo 2006, EDB 68 pp. €10.33. 88-10-70989-6.

1377 ᴱ**Reimer, Haroldo; Silva, Valmor da** Hermenêuticas bíblicas—contribuições ao I Congresso Brasileiro de Pesquisa Bíblica. Goiânia, GO 2006, Assoc. Brasileira de Pesquisa Bíblica 252 pp. 85-89732-48-7.

1378 *Reyes, G.* El giro hermenéutico contemporáneo: lectura de tendencias. Kairós [Guatemala City] 38 (2006) 41-59.

1379 **Ricoeur, Paul** L'herméneutique biblique. ᵀ*Amherdt, F.-X.* 2001 ⇒ 17,1032; 19,1296. ᴿRPL 104 (2006) 841-843 (*Berten, André*).

1380 *Ricoeur, Paul* Herméneutique: les finalités de l'exégèse biblique. Herméneutique de la bible. 2006 ⇒464. 7-41.

1381 *Rodier, Dany* Anne Fortin, lectrice des écritures: exploration de son herméneutique sémiotique. Scriptura(M) 8/2 (2006) 89-102.

1382 *Rohrbaugh, R.L.* Hermeneutics as cross-cultural encounter: obstacles to understanding. HTSTS 62 (2006) 559-576.

1383 *Rowland, C.; Bennett, Z.* 'Action is the life of all': the bible and practical theology. Contact [Bolton, UK] 150 (2006) 8-17.

1384 *Salvioli, Marco* Il tempo e le parole: RICOEUR e DERRIDA "a margine" della fenomenologia. DT(P) 109/43 (2006) 5-317.

1385 *Schneiders, Sandra M.* The gospels and the reader. Cambridge companion to the gospels. 2006 ⇒344. 97-118.

1386 **Scholz, Rüdiger** Ideologien des Verstehens: eine Diskurskritik der neutestamentlichen Hermeneutiken von Klaus Berger, E.lisabeth Schüssler Fiorenza, Peter Stuhlmacher und Hans Weder, Teil 1 und II. ᴰ*Wischmeyer, Oda* 2006, Diss. Erlangen-Nürnberg.

1387 *Schöttler, Heinz-Günther* Ein Lob des Zweifels: die genaue Wahrnehmung der Bibel als "provocatio ad salutem". BiLi 79 (2006) 4-13.

1388 *Segars, Nathan* What the Spirit says to the churches: a critical evaluation of certain liberationist hermeneutics. RestQ 48/2 (2006) 91-102.

1389 **Selby, Rosalind** The comical doctrine: an epistemology of New Testament hermeneutics. ᴰ*Torrance, Iain*: Milton Keynes 2006, Paternoster 282 pp. $40. 978-18422-72121. Diss. Aberdeen; Bibl. 257-73.

1390 **Simon, Josef** Ecriture sainte et philosophie critique. ᵀ*Launay, Marc de* 2005 ⇒21,1457. ᴿEeV 116/2 (2006) 22-23 (*Dubray, Jean*).

1391 *Smit, Peter-Ben* Biblische Hermeneutik im Spannungsfeld persönlicher und kirchlicher Identität. IKZ 96 (2006) 135-151;

1392 Wegweiser zu einer kontextuellen Exegese?: zu einem Nebeneffekt der kanonischen Hermeneutik von Brevard S. Childs. ThZ 62 (2006) 17-23.

1393 *Song, Y.M.* The principle of Reformed intertextual interpretation. HTSTS 62 (2006) 607-634.

1394 *Sonnet, Jean-Pierre* Inscrire le nouveau dans l'ancien: exégèse intra-biblique et herméneutique de l'innovation. NRTh 128 (2006) 3-17.

1395 *Spaccapelo, Natalino* Il "metodo in teologia": da TOMMASO d'Aquino a Bernard LONERGAN. Il teologo e la storia. 2006 ⇒526. 15-34.

1396 *Spangenberg, Izak J.J.* Reformation and counter-reformation or, what are Old Testament scholars doing at universities in South Africa?. OTEs 19 (2006) 982-992.

1397 **Stadelmann, Helge; Richter, Thomas** Bibelauslegung praktisch: in zehn Schritten den Text verstehen. Wu 2006, Brockhaus 191 pp. €14.90.

1398 *Steins, Georg* Die Bibel als "Ein Buch" lesen?: eine innerbiblische Lektüreanleitung. ᶠUNTERGASSMAIR, F. 2006 ⇒161. 69-78.

1399 **Stiver, Dan R.** Theology after RICOEUR: new directions in herme-neutical theology. 2001 ⇒17,1041; 18,1263. ᴿRExp 103 (2006) 436-438 (*English, Adam C.*).

1400 *Strübind, Kim* Gottes "Lebenslauf" oder: Heilsgeschichte als Gottesgeschichte: zwei Ansätze zu einer Relecture des Alten Testaments. ZThG 11 (2006) 166-192.

1401 *Sumney, Jerry* Disciples and the bible. LexTQ 41/3-4 (2006) 235-46.

1402 **Tapp, Christian** Der allwissende Interpret Donald Davidson in theologischer Perspektive. Pontes 23: W 2004, LIT 170 pp. 3825874931.

1403 *Tate, Andrew* Postmodernism. Blackwell companion to the bible. 2006 ⇒465. 515-533.

1404 *Tétaz, Jean-M.* Vérité et convocation: l'herméneutique biblique comme problème philosophique. Esprit 323 (2006) 138-155.

1405 *Thiselton, Anthony C.* Situating the explorations: 'thirty years of hermeneutics' (1996). Thiselton on hermeneutics. 2006 <1996> ⇒318. 3-16;

1406 Situating a theoretical framework: 'biblical studies and theoretical hermeneutics' (1998).17-32;

1407 Resituating hermeneutics in the twenty-first century: a programmatic reappraisal (new essay). 33-50;

1408 An initial application and a caveat: 'the supposed power of words in the biblical writings' (1974). 53-67;

1409 Speech-act theory as one tool among many: 'transforming texts' (1992). 69-74;

1410 Changing the world–illocutions, christology and 'directions of fit': 'christological texts in Paul' (1992). 75-98;

1411 More on promising: 'the paradigm of biblical promise as trustworthy, temporal, transformative speech-acts' (1999). 117-129;

1412 A retrospective reappraisal of work on speech-act theory (new essay). 131-149;

1413 Semantics serving hermeneutics: 'semantics and New Testament interpretation' (1977). 191-215;

1414 A retrospective reappraisal: conceptual grammar and inter-disciplinary research (new essay). 229-243;

1415 The hermeneutics of pastoral theology: ten strategies for reading texts in relation to varied reading-situations (excerpts, 1992, with new material). 349-384;

1416   A retrospective reappraisal: lexicography, exegesis and strategies of interpretation (new essay). 385-394;
1417   The bible and today's readers: 'the two horizons' and 'pre-understanding' (1980). 441-461;
1418   Entering a transforming world: 'the new hermeneutic' (1977). 463-488;
1419   Reader-response theory is not one thing: 'types of reader-response theory' (1992). 489-514;
1420   Some issues in historical perspective: 'language and meaning in religion' (1978). 525-535;
1421   The peril of uncritical appropriation: 'God as self-affirming illusion?: manipulation, truth and language' (1995). 537-553;
1422   The postmodern self and society: loss of hope and the possibility of refocused hope (extracts, 1995). 555-579;
1423   Two types of postmodernity: 'signs of the times: towards a theology for the year 2000 as a grammar of grace, truth and eschatology in contexts of so-called postmodernity' (2000). 581-606;
1424   'Postmodern' challenges to hermeneutics: '"behind" and "in front of" the text–language, reference and indeterminacy' (2001). 607-624;
1425   The bible and postmodernity: 'can a pre-modern bible address a postmodern world?' (2003). 643-661;
1426   A retrospective reappraisal: postmodernity, language and hermeneutics (new essay). 663-682;
1427   Scholarship and the church; 'academic freedom, religious tradition and the morality of christian scholarship. 2006 <1982> 685-700;
1428   Theology and credal traditions: 'knowledge, myth and corporate memory' (1981). 701-725;
1429   Time and grand narrative?: 'human being, relationality and time in Hebrews, 1 Corinthians and western traditions' (1997-98). 727-746;
1430   Dialogue, dialectic and temporal horizons: 'polyphonic voices and theological fiction' and 'temporal horizons in hermeneutics' (1999). 747-767;
1431   A retrospective reappraisal of part VII: the contributions of the five essays to hermeneutics, and the possibility of theological hermeneutics (new essay). Thiselton on hermeneutics. ⇒318. 793-807.
1432   **Thompson, Mark D.** A clear and present word: the clarity of scripture. New studies in biblical theology 21: Nottingham 2006, Apollos 196 pp. £13. 978-18447-41403. Bibl. 171-188.
1433   *Uríbarri Bilbao, Gabino* Exégesis científica y teología dogmática: materiales para un diálogo. EstB 64 (2006) 547-578.
1434   *Van Heerden, Willie* Finding Africa in the Old Testament. Let my people stay!. 2006 ⇒416. 149-176.
1435   *Vanhoozer, Kevin J.* Four theological faces of biblical interpretation. Reading scripture. 2006 ⇒332. 131-142.
1436   *Vermeylen, Jacques* À quoi servent les exégètes?: la lecture de la bible, entre servitude et service. RevSR 80 (2006) 309-329.
1437   *Verweyen, Hansjürgen* Glaubensverantwortung vor der historischen Vernunft: unbewältigte Fragen des 20. Jahrhunderts. FPRÖPPER, T. 2006 ⇒132. 275-295.
1438   *Wainwright, Elaine* 'Molti han posto mano... così ho deciso anch'io': una sola storia o molte storie?. Conc(I) 42 (2006) 235-44; Conc(GB) 2006/2,45-52.

1439 *Wallace, Mark I.* The rule of love and the testimony of the Spirit in contemporary biblical hermeneutics. But is it all true?. 2006 ⇒771. 66-85.

1440 *Watson, Francis* Authors, readers, hermeneutics. Reading scripture. 2006 ⇒332. 119-123.

1441 *Waweru, H.M.* Reading the bible contrapuntally: a theory and methodology for a contextual bible interpretation in Africa. SMT 94 (2006) 333-348.

1442 *Wenz, Armin* Die Wahrheitsfrage im Spannungsfeld von Schriftautorität und neuzeitlicher Hermeneutik. Lutherische Beiträge 11/1 (2006) 33-55.

1443 *West, Gerald* Contextuality. Blackwell companion to the bible. 2006 ⇒465. 399-413.

1444 **Williams, David M.** Receiving the bible in faith: historical and theological exegesis. 2004 ⇒20,1356. ᴿTrinJ 27 (2006) 326-328 (*Pennington, Jonathan T.*).

1445 *Williamson, P.S.* Biblical scholarship with a pastoral purpose. HPR 107/2 (2006) 8-13.

1446 *Wilson, D.N.* Postmodern epistemology and the christian apologetics of C. S. Lewis. VeE 27 (2006) 749-771.

1447 *Wit, Hans de* De Bijbel als product en tekst. Theologisch debat 3/2 (2006) 46-51.

1448 *Woerther, Frédérique* Rhétorique, dialectique et sophistique: ARISTOTE, Rhétorique I 1, 1355 b 14-21. MUSJ 59 (2006) 13-28.

1449 *Wolter, Michael* Verstehen über Grenzen hinweg nach dem Neuen Testament. MJTh 18 (2006) 53-81.

1450 Wrestling with scripture. BArR 32/2 (2006) 45-52, 76-77.

1451 **Yarchin, William** History of biblical interpretation: a reader. 2004 ⇒20,1362; 21,1496. ᴿThRv 102 (2006) 210-211 (*Sigismund, Marcus*); TJT 22 (2006) 87-89 (*Benckhuysen, Amanda W.*).

1452 *Young, F.* Beyond story: letting the bible speak. Contact [Bolton, UK] 150 (2006) 31-36.

1453 *Zimmer, Michael* "Wir sind, was wir erinnern" (Michael S. Roth): oder: warum und wozu braucht der Mensch die Vergangenheit?. "Der Leser begreife!". 2006 ⇒472. 276-289.

B2.4 *Analysis* **narrationis** *biblicae*

1454 *Alster, Baruch* Narrative surprise in biblical parallels. BiblInterp 14 (2006) 456-485 [Num 12-14; Deut 1-2; 2 Sam 6; 1 Chr 13; 15].

1455 *Bar-Efrat, Shimon* Die Erzählung in der Bibel. Lesarten der Bibel. 2006 ⇒699. 97-116.

1456 **Bar-Efrat, Shimon** Wie die Bibel erzählt: alttestamentliche Texte als literarische Kunstwerke verstehen. Gü 2006, Gü 318 pp. 3-57905-215-2.

1457 *Billon, Gérard, al.,* Se former à l'analyse narrative, 1. EeV 116/1 (2006) 12-18;

1458 Se former à l'analyse narrative, 2. EeV 116/2 (2006) 13-17 [Gen 22];

1459 Se former à l'analyse narrative, 3. EeV 116/3 (2006) 20-26;

1460 Se former à l'analyse narrative, 4. EeV 114 18-22;

1461 Se former à l'analyse narrative, 5: l'analyse narrative: pas évidente, 3. EeV 116/5 (2006) 19-21.

1462 *Dionne, Christian* Le point sur les théories de la gestion des personnages. Et vous. 2006 ⇒760. 11-51.
1463 *Gilbert, Muriel* Pour une critique psychanalytique de l'identité narrative. RThPh 138 (2006) 329-341.
1464 *Gillmayr-Bucher, Susanne* "Und es gab keinen Antwortenden": einseitige direkte Rede in biblischen Erzählungen. PzB 15 (2006) 47-60.
1465 *Gordon, Robert P.* Simplicity of the highest cunning: narrative art in the Old Testament. Hebrew Bible and ancient versions. MSSOTS: 2006 <1988> ⇒224. 22-32.
1466 **Kawashima, Robert S.** Biblical narrative and the death of the rhapsode. Indiana studies in biblical literature: 2004 ⇒20,1372. [R]JR 86 (2006) 674-675 (*Raphael, Rebecca*); HebStud 47 (2006) 439-443 (*Cook, John A.*); CBQ 68 (2006) 304-305 (*Culley, Robert C.*); RBLit (2006)* (*Cathey, Joseph*).
1467 **Köller, Wilhelm** Narrative Formen der Sprachreflexion: Interpretationen zu Geschichten über Sprache von der Antike bis zur Gegenwart. Studia linguistica Germanica 79: B 2006, De Gruyter x; 547 pp. 3-11-018925-9. Bibl. 522-534.
1468 **Lee, Han Young** From history to narrative hermeneutics. Studies in Biblical Literature 64: 2004 ⇒20,1373; 21,1515. [R]EThL 82 (2006) 483-485 (*Vandecasteele, P.*).
1469 *Li, Tarsee* ויהי as a discourse marker in Kings. AUSS 44 (2006) 221-239.
1470 **Merenlahti, Petri** Poetics for the gospels?: rethinking narrative criticism. Studies of the New Testament and its world: 2002 ⇒18,1315; 19,1358. [R]AThR 88 (2006) 650-653 (*Carroll, R. William*).
1471 *Miller, Cynthia L.* Silence as response in Biblical Hebrew narrative: strategies of speakers and narrators. JNSL 32/1 (2006) 23-43.
1472 *Mills, Mary E.* Reading the Old Testament as story: text and reader in dialogue. ScrB 36 (2006) 74-90.
1473 **Oviedo, Otilia** Narrativas biblicas para grupos. São Paulo 2006, Paulus 232 pp. 85-349-2523-2.
1474 *Polak, Frank H.* Linguistic and stylistic aspects of epic formulae in ancient Semitic poetry and biblical narrative. Biblical Hebrew. 2006 ⇒725. 285-304.
1475 **Resseguie, James L.** Narrative criticism of the New Testament: an introduction. 2005 ⇒21,1518. [R]RBLit (2006)* (*Spencer, Patrick E.*).
1476 **Revell, Ernest J.** The designation of the individual: expressive usage in biblical narrative. 1996 ⇒12,469... 14,884. [R]JHScr 6 (2006)* = PHScr III,335-339 (*Dempster, Stephen G.*) [⇒593].
1477 *Runge, Steven E.* Pragmatic effects of semantically redundant anchoring expressions in Biblical Hebrew narrative. JNSL 32/2 (2006) 85-102.
1478 **Schmitz, Barbara** Die Bedeutung von Fiktionalität und Narratologie für die Schriftauslegung. "Der Leser begreife!". 2006 ⇒472. 137-49.
1479 **Seybold, Klaus** Poetik der erzählenden Literatur im Alten Testament. Poetologische Studien zum AT 2: Stu 2006, Kohlhammer 331 pp. €39. 978-3-17-019696-4.
1480 *Van Aarde, Andries G.* Genre en plot georiënteerde narratief-kritiese eksegese van evangeliemateriaal: inleiding tot;
1481 Vertellersperspektiefanalise van Nuwe-Testamentiese tekste. HTSTS 62 (2006) 557-577/1111-1143.

1482 *Yamasaki, Gary* Point of view in a gospel story: what difference does it make?: Luke 19:1-10 as a test case. JBL 125 (2006) 89-105.

B3.1 *Interpretatio ecclesiastica* **Bible and Church**

1483 *Abajo, Florencio* La palabra de Dios en la vida de la iglesia católica. ResB 51 (2006) 55-59.
1484 *Aldana, Ricardo* 'The word of God is not chained' (2 Tim 2:9): the encyclical *Deus caritas est* as an exercise in biblical thinking. Com(US) 33 (2006) 491-504.
1485 *Anthonysamy, S.J.* Scripture as the soul of theology. LivWo 112 (2006) 155-167.
1486 *Aranda, Gonzalo* La enseñanza bíblica de la *Deus Caritas est*. ScrTh 38 (2006) 983-1004.
1487 *Askani, Hans-Christoph* Écriture et parole. Ist. 51 (2006) 303-314.
1488 *Balaguer, Vicente* La "economía"de la sagrada escritura en Dei Verbum. ScrTh 38 (2006) 893-939.
1489 *Beitia, Philippe* Justes et prophètes de l'Ancien Testament dans les martyrologes latins. BLE 107 (2006) 269-290.
1490 *Betori, Giuseppe* Bibbia e comunità cristiana dal Concilio a oggi. VP 89/1 (2006) 89-94;
1491 Una lettura pastorale della *Dei Verbum*. Orientamenti pastorali 54/9 (2006) 10-21.
1492 *Bieringer, Reimund* Annoncer la vie éternelle (1 Jn 1,2): l'interprétation de la bible dans les textes officiels de l'Église catholique romaine. RTL 37 (2006) 489-512.
1493 *Billon, Gérard* Lire la bible: héritages et ruptures en milieu catholique. Ist. 51 (2006) 239-256.
1494 *Bozzetti, Carlo* Diffusione e traduzione della bibbia. La bibbia nella chiesa. 2006 ⇒749. 39-57.
1495 *Breck, John* Lire la bible aujourd'hui: l'heritage de l'herméneutique orthodoxe. Ist. 51 (2006) 276-287.
1496 *Buzzetti, Carlo* Quando possiamo dire che un articolo è "molto biblico"?. [F]FABRIS, R. SRivBib 47: 2006 ⇒38. 369-376.
1497 *Cavadini, John C.* The use of scripture in the Catechism of the Catholic Church. L&S 2 (2006) 43-54.
1498 *Cifrak, Mario* Biblija u pastoralnom radu prema dokumentu Tumacenje Biblije u Crkvi. BoSm 76 (2006) 881-900. **Croatian**.
1499 **Concolino, Domenico** Teologia della parola: per una comprensione sinfonica della parola di Dio alla luce della costituzione dogmatica 'Dei Verbum'. Teologica Verbum 1: Soveria Mannelli 2006, Rubbettino 209 pp. [R]Lat. 72 (2006) 670-674 (*Deodato, Giuseppe*).
1500 *Contreras Molina, Francisco* Leer e interpretar la escritura en el mismo Espíritu en que fue escrita (DV 12). [F]Rodríguez Carmona, A. 2006 ⇒138. 173-199.
1501 *Di Palma, Gaetano* L'uso della bibbia in alcuni documenti di GIOVANNI PAOLO II. Asp. 53 (2006) 211-226.
1502 *Dulles, Avery* Vatican II on the interpretation of scripture. L&S 2 (2006) 17-26.
1503 **Ehrman, Bart D.** Misquoting Jesus: the story behind who changed the bible and why. 2005 ⇒21,1547. [R]JETS 49/2 (2006) 327-349 (*Wallace, D.B.*).

1504 **Ferrari, Pier Luigi** La Dei Verbum. Interpretare la Bibbia oggi 1,1:
2005 ⇒21,1550 [R]ConAss 8/1 (2006) 117-19 (*Testaferri, Francesco*).

1505 *François, Wim* Vernacular bible reading and censorship in early six-
teenth century: the position of the Louvain theologians. Lay bibles.
BEThL 198: 2006 ⇒719. 69-96.

1506 *Gargano, Innocenzo* La bibbia nella chiesa nel 40° della Dei Ver-
bum. La bibbia nella chiesa. 2006 ⇒749. 139-158.

1507 *González Luis, José* El Vaticano II y el desarrollo de los estudios
bíblicos. Nivaria Theologica 3 (2006) 87-99.

1508 *Hahn, Ferdinand* Exegese, Theologie und Kirche. Studien zum NT,
I. WUNT 191: 2006 <1977> ⇒230. 17-28.

1509 *Hercsik, Donath* La palabra de Dios en la iglesia y la teología post-
conciliares. SelTeol 45 (2006) 117-134 <Gr. 86 (2005) 135-162.

1510 The Jews in the New Testament. Scripture in Church (Dublin) 37/145
(2006) 117-127 Excerpts from the Pontifical Biblical Commission's
document: The Jewish people and their sacred scriptures in the chris-
tian bible ⇒18,1364.

1511 *Junco Garza, Carlos* Puntos controvertidos en la elaboración de la
Dei Verbum. EfMex 24 (2006) 303-320.

1512 *Kabasele Mukenge, André* Lire la bible à l'heure des églises du ré-
veil: acquis et prolongements du synode africain. Telema 125-126
(2006) 44-58.

1513 *Kirchschläger, Walter* Zum Heil aller Völker: Dei Verbum als
Grundlage für einen neuen Zugang zur Bibel. ThPQ 154 (2006) 173-
182.

1514 **Laplanche, François** La crise de l'origine: la science catholique des
évangiles et l'histoire au XXe siècle. P 2006, Michel 707 pp. €30. 2-
226-15894-4. Bibl. 657-697. [R]ASSR 51/2 (2006) 221-225 (*Lassave,
Pierre*); VS 160 (2006) 476-478 (*Burnet, Regis*); Gr. 87 (2006) 632-
633 (*Hercsik, Donath*);RTL 37 (2006) 553-559 (*Bogaert, Pierre-
Maurice*) [BCLF 680,14s].

1515 *Levada, William J.* Schriftauslegung als Herz der Theologie: vierzig
Jahre nach Dei Verbum. EuA 82 (2006) 60-68.

1516 *Levine, B.A.* Studying sacred scripture in two dimensions: reflections
on *Dei verbum* after forty years. BDV 79-80 (2006) 4-8.

1517 **Lubac, Henri de** Die Göttliche Offenbarung: Kommentar zum Vor-
wort und zum ersten Kapitel der dogmatischen Konstitution "Dei
Verbum" des Zweiten Vatikanischen Konzils. ThRom 26: 2001 ⇒
17,1112; 18,1354. [R]ThPQ 154 (2006) 195-196 (*Singer, Johannes*).

1518 *Lüning, Peter* Die Bibel als "Regula Fidei": zur Rolle der Kirche in
der Auslegung der Heiligen Schrift. Cath(M) 60 (2006) 228-242.

1519 **MacMullen, Ramsay** Voting about God in early Church councils.
NHv 2006, Yale Univ. Pr. ix; 170 pp. 03001-15962. Bibl. 155-66.

1520 *Malina, Bruce J.* Interfaith dialogue: challenging the received view.
Ancient Israel. 2006 ⇒724. 283-295 [The Jewish people and their
sacred scriptures in the christian bible ⇒18,1364].

1521 *Muñoz León, D.* Empleo de la sagrada escritura en la enciclica 'Re-
demptoris Mater' (1987) de JUAN PABLO II. EphMar 56/4 (2006)
385-406.

1522 *Orsatti, Mauro* Dio è amore: riflessioni bibliche sul tema dell'encicli-
ca di BENEDETTO XVI. RTLu 11 (2006) 241-256.

1523 *Osiek, Carolyn* Catholic or catholic?: biblical scholarship at the cen-
ter. JBL 125 (2006) 5-22.

1524 *Pacomio, Luciano* Bibbia nella chiesa dal Vaticano II ad oggi. La bibbia nella chiesa. 2006 ⇒749. 19-37.

1525 *Parmentier, Élisabeth* Que'est-ce que lire la bible?: héritages et ruptures en milieu protestant. Ist. 51 (2006) 257-275.

1526 **Pelikan, Jaroslav** À qui appartient la bible?: le livre des livres à travers les âges. [T]*Canal, Denis-Armand* 2005 ⇒21,1595. [R]MoBi horssérie (2006) 64 (*Pouthier, Jean-Luc*); EeV 156 (2006) 22-23 (*Roure, David*).

1527 *Penna, Romano* Vangelo e cultura: considerazioni su di un rapporto fecondo. La bibbia nella chiesa. 2006 ⇒749. 71-97.

1528 *Pié-Ninot, Salvador* "Por medio del Espíritu Santo la viva voz del evangelio resuena en la Iglesia" (DV 8). RET 66 (2006) 515-527.

1529 **Pock, Johann** Gemeinden zwischen Idealisierung und Planungszwang: biblische Gemeindetheologien in ihrer Bedeutung für gegenwärtige Gemeindeentwicklungen: eine kritische Analyse von Pastoralplänen und Leitlinien der Diözesen Deutschlands und Österreichs. Tübinger Perspektiven zur Pastoraltheologie und Religionspädagogik: B 2006, LIT 560 pp. €40. 9783-8258-89746.

1530 *Prades López, Javier* La formula gestis verbisque intrinsece inter se connexis y su recepción a los 40 años de la Dei Verbum. RET 66 (2006) 489-513.

1531 *Ratzinger, Josef* The Jewish people and their sacred scriptures in the christian bible–preface. Scripture in Church (Dublin) 36/141 (2006) 121-126.

1532 *Rush, Ormond Dei Verbum* forty years on: revelation, inspiration and the Spirit. ACR 83 (2006) 406-414.

1533 *Schatz, Klaus* Der "Fall Schierse" (1961): ein vorkonziliarer Konflikt mit tragischem Ausgang. ThPh 81 (2006) 247-256.

1534 *Scippa, Vincenzo* "Il tutto fece bello nel suo tempo ...". Asp. 53 (2006) 263-284 [Qoh 3,11].

1535 *Segalla, Giuseppe* In ascolto della parola: la bibbia nella chiesa. CredOg 26/1 (2006) 37-52.

1536 *Sesboüé, Bernard* Saint Paul au concile de Trente. RSR 94 (2006) 395-412.

1537 *Smith, Joseph J.* An introduction to the constitution on divine revelation. Joseph J. Smith, S.J.collection. Landas 20 (2006) 78-134.

1538 *Söding, Thomas* Die Seele der Theologie: ihre Einheit aus dem Geist der Heiligen Schrift in Dei Verbum und bei Joseph RATZINGER. IKaZ 35 (2006) 545-557.

1539 *Stare, Mira* Vecpomenskost Svetega pisma: razmerje med eksegezo in biblicno teologijo. Tretji dan. Krscanska revija za duhovnost in kulturo 35/9-10 (2006) 55-62. S.

1540 *Testaferri, Francesco* 'Piacque a Dio': la genesi di *Dei Verbum 2*. ConAss 8/1 (2006) 13-28.

1541 *Tremblay, Réal* La figure du bon Samaritain, porte d'entrée dans l'encyclique de BENOÎT XVI Deus caritas est. RTLu 11 (2006) 227-239.

1542 **Tromp, Sebastian** Konzilstagebuch mit Erläuterungen und Akten aus der Arbeit der Theologischen Kommission: II. Vatikanisches Konzil, Band I/1 (1960-1962). [E]*Teuffenbach, Alexandra von*: R 2006, E.P.U.G. 576 pp. 88-7839-057-7;

1543 Band I/2 (1960-1962). 577—965 pp. 88-7839-057-7.

1544 *Vanhoye, Albert* L'exégèse biblique et la foi. Actes du Colloque, fidelité à l'Ecriture. P 2006, Assoc. des amis de l'abbé Jean Carmignac 15-28 [AcBib 11/3,273].

1545 *Vide Rodríguez, Vicente* La relevancia de la palabra de Dios: la recepción del capítulo III de la Dei Verbum. RET 66 (2006) 529-558.

1546 *Visser, Piet* Under the sign of thau: the bible and the Dutch Radical Reformation. Lay bibles. BEThL 198: 2006 ⇒719. 97-116.

1547 *Voderholzer, Rudolf* Dogmatik im Geiste des Konzils: die Dynamisierung der Lehre von den Loci theologici durch die Offenbarungskonstitution "Dei Verbum". TThZ 115 (2006) 149-166.

1548 **Witherup, Ronald D.** Scripture: Dei Verbum. Rediscovering Vatican II: Mahwah, NJ 2006, Paulist xvi; 160 pp. $16. 978-08091-4428-0 [BiTod 45,130—Donald Senior].

1549 *Zardin, Danilo* Bibbia e apparati biblici nei conventi italiani del cinque-seicento: primi appunti. Libri, biblioteche e cultura degli ordini regolari nell'Italia moderna attraverso la documentazione della Congregazione dell'indice. Studi e Testi 434: Città del Vaticano 2006, Biblioteca Apostolica Vaticana. 63-103. 88210-08118.

B3.2 *Homiletica*—The Bible in preaching

1550 *Achtemeier, Paul J.* Between text & sermon: 1 Peter 1:13-21. Interp. 60 (2006) 306-308.

1551 *Adam, Gottfried* Predigt über Jeremia 15,10f. und 15-20. Amt und Gemeinde 57 (2006) 142-146.

1552 **Allen, Ronald J.; Williamson, Clark M.** Preaching the letters without dismissing the law: a lectionary commentary. LVL 2006, Westminster xxv; 268 pp. $30. 978-0-664-23001-2. Bibl. 261-262;

1553 Preaching the gospels without blaming the Jews: a lectionary commentary. 2004 ⇒20,1442; 21,1620. ᴿRExp 103 (2006) 641-642 (*Graves, Mike*).

1554 **Amherdt, François-Xavier** Prêcher l'Ancien Testament aujourd'hui: un défi herméneutique: à l'épreuve de la situation homilétique contemporaine aux Etats-Unis et à la lumière du document de la Commission Biblique Pontificale "Le peuple juif et ses Saintes Ecritures dans la Bible chrétienne". Théologie pratique en dialogue 29: FrS 2006, Academic iv; 710 pp. €58. 2-8271-1008-3.

1555 **Bacik, James J.; Anderson, Kevin E.** A light unto my path: creating effective homilies. Mahwah, NJ 2006, Paulist 181 pp. $16 [BiTod 46,340–Donald Senior].

1556 *Barr, George K.* Preaching the Old Testament. ET 118 (2006) 12-18.

1557 *Beale, Gregory K.* The unseen sources of suffering: from the biblical text to a sermon manuscript on Revelation 6:1-8. CTJ 41 (2006) 115-126.

1558 *Benjamin, Chris* What do you have to do with us, Son of the God Most High?: Mark 5:1-20. Preaching Mark's unsettling Messiah. 2006 ⇒352. 129-134.

1559 *Bieler, Martin* Predigt über Röm 8,19-22. IKaZ 35 (2006) 71-75.

1560 *Bland, David* Radical discipleship: Mark 8:31-38. Preaching Mark's unsettling Messiah. 2006 ⇒352. 150-156.

1561 *Blocher, Henri* De la prédication. Herméneutique de la bible. 2006 ⇒464. 59-79.

1562 *Bond, L. Susan* 1 Timothy 1:3-17. Interp. 60 (2006) 314-317.
1563 *Bonhoeffer, Dietrich* Botschaft der Versöhnung: Predigt zu 2. Korinther 5,20. ThBeitr 37 (2006) 225-229.
1564 *Bosse-Huber, Petra* Vom Licht, wo es am dunkelsten ist: Predigt zu Matthäus 4,12-17. ThBeitr 37 (2006) 1-5.
1565 *Braun, Reiner* "Gibt es Außerirdische?": Osterpredigt zu Johannes 20,24-31. ThBeitr 37 (2006) 57-61.
1566 *Brown, Sally* 2 Kings 23:1-20. Interp. 60 (2006) 68-70.
1567 *Brueggemann, Walter* A text that redescribes. <2002> 3-19;
1568 Proclamatory confrontations. <2003> 20-44;
1569 Patriotism for citizens of the penultimate superpower. The word that redescribes. 2006 <2003> ⇒197. 198-211.
1570 **Brueggemann, Walter** Inscribing the text: sermons and prayers of Walter Brueggemann. ᴱ*Florence, Anna Carter* 2004 ⇒20,1452; 21, 1628. ᴿRExp 103 (2006) 645-646 (*Galindo, Israel*).
1571 *Bruske, Wolf* Taufe als Zeichen der Umkehr: Predigt über 1. Petrus 3, 20-21. ZThG 11 (2006) 323-326.
1572 **Buttrick, David** Speaking Jesus: homiletic theology and the Sermon on the Mount. 2002 ⇒18,1395... 20,1455. ᴿHBT 28 (2006) 176-177 (*Lord, Jennifer L.*).
1573 *Byars, Ronald P.* Deuteronomy 6:1-15. Interp. 60 (2006) 195-196.
1574 **Clowney, Edmund P.** Preaching Christ in all of scripture. 2003 ⇒ 19,1456; 20,1460. ᴿKerux 21/2 (2006) 49-51 (*Vosteen, Peter*).
1575 *Craddock, Fred B.* Jesus deeply grieved: Mark 14:32-42;
1576 The new homiletic for latecomers: suggestions for preaching from Mark. Preaching Mark's unsettling Messiah. 2006 ⇒352. 8-13/14-29.
1577 *Creach, Jerome F.D.* Psalm 70. Interp. 60 (2006) 64-66.
1578 *Currie, Thomas* 1 Thessalonians 5:12-24. Interp. 60 (2006) 446-449.
1579 **Cuvillier, Elian** Parole pour chacun: femmes et hommes de la bible interprètes de nos vies. Lyon 2006, Olivétan 192 pp. €17.60. 29152-45649.
1580 **Davis, Ellen F.** Wondrous depth: preaching the Old Testament. 2005 ⇒21,1632. ᴿCTJ 41 (2006) 416-418 (*Hoezee, Scott*); OTEs 19 (2006) 770-771 (*Stassen, S.L.*); RBLit (2006)* (*Tomes, Roger*).
1581 *Davis, Mark* Matthew 27:57-66. Interp. 60 (2006) 76-77.
1582 **Davison, Lisa W.** Preaching the women of the bible. St. Louis 2006, Chalice 138 pp. $17. 0-827229-90-9. Bibl. 136-138 [BiTod 45, 127—Donald Senior].
1583 **De Klerk, Ben J.; Van Rensburg, Fika J.** Making a sermon: a guide for reformed exegesis and preaching applied to 1 Peter 2:11-12,18-25. 2005 ⇒21,1633. ᴿNeotest. 40 (2006) 189-190 (*Draper, Jonathan A.*);
1584 Preekgeboorte: 'n handleiding vir gereformeerde eksegese en prediking: toegepas op 1 Petrus 2:11-12, 18-25. Potchefstroom 2005, Potchefstroomse Teologiese Publikasies 145 pp.
1585 *Deeg, Alexander* Homiletische Zwillingsbrüder: Predigen lernen im Dialog mit dem Judentum. ThQ 186 (2006) 262-282.
1586 **Deeg, Alexander** Predigt und Derascha: homiletische Textlektüre in Dialog mit dem Judentum. APTLH 48: Gö 2006, Vandenhoeck & R. 608 pp. €78.90. 35256-23909.
1587 **Denison, Charles** The artist's way of preaching. LVL 2006, Westminster 116 pp. $17. 9780-66422-9870.

1588   **Deppe, Dean B.** Charting the future or a perspective on the present?:
       the paraenetic purpose of Mark 13. CTJ 41 (2006) 89-101.
1589   *Dunham, Robert E.* Acts 17:16-34. Interp. 60 (2006) 202-204.
1590   *Durand, François* Annoncer la résurrection–qu'enseigner aujourd'-
       hui à propos de la résurrection? Que prêcher aux funérailles?. Théo-
       philyon 11/2 (2006) 317-333.
1591   **Edwards, J. Kent** Effective first-person biblical preaching. 2005 ⇒
       21,1641. ᴿRExp 103 (2006) 642-645 (*Beach, Lee*).
1592   *Ferrari, Andrea* Spunti omiletici su Apocalisse 4-5. SdT 18/1 (2006)
       62-67.
1593   *Fitzmyer, Joseph A.* The importance of sound biblical interpretation
       for preaching. IncW 1/1 (2006) 19-42.
1594   *Fleck, Maik* Im Gespräch mit der jüdischen Urgemeinde: Jakobus-
       brief 2,1-13: Predigttext für den 15. Oktober 2006. JK 67/3 (2006)
       59-62.
1595   *Fleer, David* 'Who is Jesus?': Mark 4:35-41/Psalm 107:23-31.
       Preaching Mark's unsettling Messiah. 2006 ⇒352. 121-128.
1596   *Flesher, Leann Snow* Psalm 126. Interp. 60 (2006) 434-436.
1597   *Forrester, Margaret* Widows and war: 12th November 2006: Ruth 3:
       1-5, 4:13-17, Mark 12:38-44. ET 118 (2006) 30-32.
1598   *Frettlöh, Magdalene L.* Wer ich bin, entscheidet sich daran, zu wem
       ich gehöre: Predigt zu Psalm 139. JK 67/2 (2004) 66-69.
1599   *Frost, Mark* A window into the kingdom: Mark 2:13-17;
1600   *Furby, Spencer* Do you see what I see?: Mark 9:1-9. Preaching
       Mark's unsettling Messiah. 2006 ⇒352. 112-120/157-161.
1601   *Ganzevoort, R. Ruard* Spreken is zilver, horen is goud–over de preek
       als Woord van God. VeE 27 (2006) 509-533.
1602   ᴱ**Gibson, Scott M.** Preaching the Old Testament. GR 2006, Baker
       222 pp. 0-8010-6623-9. Foreword by *Haddon W. Robinson*; Bibl.
       199-218.
1603   *Globig, Christine* Unser Leben in Gott verborgen: Predigt über Kol
       3,1-4. ᴱHUBER, F.: VKHW 8: 2006 ⇒69. 263-269.
1604   **Gordis, Lisa M.** Opening scripture: bible reading and interpretive
       authority in Puritan New England. 2003 ⇒19,1466... 21,1646. ᴿChH
       75 (2006) 681-682 (*Winship, Michael P.*).
1605   *Grana, Joe* Developing a hermeneutic for biblical preaching. Stone-
       Campbell journal [Loveland, OH] 9 (2006) 29-40.
1606   ᴱ**Gregory, Andrew** The new proclamation commentary on the gos-
       pels. Mp 2006, Fortress xii; 211 pp. $35. 978-0-8006-3752-1. Bibl.
       209-211 [BiTod 45,197—Donald Senior].
1607   *Grözinger, E.* Predigerporträts und 26 Predigtkonzepte?: Überlegun-
       gen zur homiletischen Retrospektive in den Göttinger Predigtmedita-
       tionen. VeE 27 (2006) 548-560.
1608   *Haacker, Klaus* Mission–Wie denn? Warum denn?: Predigt über Apg
       16,9-15. ThBeitr 37 (2006) 169-172.
1609   *Henderson, Mark* A 'mitey' strange giving analysis: Mark 12:41-44.
       Preaching Mark's unsettling Messiah. 2006 ⇒352. 162-168.
1610   *Herbst, Michael* Taufe verändert!: Predigt zu Röm 6,1-11. ThBeitr
       37 (2006) 113-118.
1611   *Herzberg, Stephan* Glauben und Leben: eine Betrachtung zu Joh
       11,1-44. GuL 79 (2006) 44-55.
1612   *Hobohm, Jens* Das Zeichen im Wunder entdecken: Predigt über
       Johannes 6,1-15. ZThG 11 (2006) 317-322.

1613 *Hollenweger, Walter J.* Das Zungenreden im Lichte des "sola scriptura": I. Korinther 14: Predigttext für den 25. Juni 2006. JK 67/2 (2006) 62-65.

1614 *Holwerda, David E.* Suffering witnesses–to what end?: a sermon on Revelation 11:1-14. CTJ 41 (2006) 127-132.

1615 *Hooker, Paul K.* Isaiah 62:6-12. Interp. 60 (2006) 438-441.

1616 *Hulst, Mary S.* Strange comfort: a sermon on Mark 13. CTJ 41 (2006) 133-137.

1617 *Hutchens, Kenneth D.* Isaiah 45:14-23. Interp. 60 (2006) 198-200.

1618 *Janssen, Jan* Ende der Belehrung. zeitzeichen 7/5 (2006) 22-23.

1619 *Johnson, Samuel D.* Den Weißen das Land–den Afrikanern die Bibel?: Predigt über Matthäus 28,16-20. ZThG 11 (2006) 311-316.

1620 **Jonaitis, Dorothy** Unmasking apocalyptic texts: a guide to teaching and preaching. 2005 ⇒21,1657,4874. ᴿRBLit (2006)* *(Venter, P.)*.

1621 *Kaiser, Jürgen* Befreite Sklaven. zeitzeichen 7/3 (2006) 22-23.

1622 *Keddie, David A.* Sermon: Hebrews 9:11-14. ET 118 (2006) 28-29.

1623 *Keller, David* And they crucified him: Mark 15:1-41. Preaching Mark's unsettling Messiah. 2006 ⇒352. 169-174.

1624 *Kuhn, Karl* 2 Peter 3:1-13. Interp. 60 (2006) 310-312.

1625 *Lhermenault, Étienne* Pour la liberté de cultes!: prédication sur Jn 4,19-24 et Rm 11,33-12,2. FV 105/3 (2006) 69-76.

1626 *Lose, David J.* The need and the art of biblical preaching;

1627 'I believe, help my unbelief': BONHOEFFER on biblical preaching. WaW 26 (2006) 207-213/86-94, 96-97.

1628 *Love, Mark* Believe the good news: Mark 1:15. Preaching Mark's unsettling Messiah. 2006 ⇒352. 104-111.

1629 *Maier, Gerhard* Predigtvorbereitung und Verkündigung. Das Studium des NT. TVG: 2006 ⇒451. 489-496.

1630 *McCord Adams, Marilyn* Questioning and disputing authority: medieval methods for modern preaching. ET 117 (2006) 231-236.

1631 *Methuen, Charlotte* Außenseiter/innen gehen voran: I. Petrus 5,1-4: Predigttext für den 30. Juni 2006. JK 67/1 (2006) 62-64.

1632 *Moore-Keish, Martha L.* Luke 2:1-14. Interp. 60 (2006) 442-444.

1633 *Müller, Fritz-René* Hoffnung der Glaubenden: Predigt im Schlussgottesdienst, 11. August 2006. IKZ 96 (2006) 231-233.

1634 *Panzer, Lucie* Aufblühende Kräfte. zeitzeichen 7/2 (2006) 24-25.

1635 *Parmentier, Elisabeth* Prêcher avec la bible pour interlocutrice. RevSR 80 (2006) 463-479.

1636 *Pietz, Hans-W.* Predigt zu Jesaja 50,4-9. EvTh 66 (2006) 379-382.

1637 *Plantinga, Cornelius* A new name that no one knows .... CTJ 41 (2006) 103-107.

1638 *Ratzinger, Josef* Le signe de Cana. Com(F) 31 (2006) 11-17; Com(I) 205,9-13; Com(US) 33,682-686.

1639 *Reid, Robert S.* Finishing the story we find ourselves in: Mark 16:1-8. Preaching Mark's unsettling Messiah. 2006 ⇒352. 175-181.

1640 ᵀ**Righi, Davide** SEVERIANUS Gabalensis: In apostolos: testo, traduzione, introduzione e note. 2004 ⇒20,9691; 21,1686. ᴿVetChr 43 (2006) 324-325 *(Nigro, Giovanni)*.

1641 *Rogers, Jeffrey S.* Texts of terror and the essence of scripture: encountering the Jesus of John 8: a sermon on John 8:31-59. RExp 103 (2006) 205-212.

1642 *Rosenau, Thorsten* Richtung: Leben. zeitzeichen 7/4 (2006) 50-51.

1643 *Schottroff, Luise* Die geschlossene Tür: Matthäus 25,1-13: Predigt-
      text für den 26. November. JK 67/4 (2006) 66-68.
1644 *Schöttler, Heinz-G.* Predigt als Schriftauslegung oder: die Predigt
      entsteht in den Hörerinnen und Hörern. ThQ 186 (2006) 248-261;
1645 Die homiletische Inszenierung der Fiktionalität biblischer Texte.
      "Der Leser begreife!". 2006 ⇒472. 203-220.
1646 *Schreiner, Thomas R.* Preaching and biblical theology. Southern
      Baptist Convention 10/2 (2006) 20-29.
1647 *Sensing, Timothy R.* Wearing trifocals: re-appropriating the ancient
      pulpit for the twenty-first century pew. RestQ 48/1 (2006) 43-54.
1648 **Smend, Rudolf** Altes Testament christlich gepredigt. DAW 86: 2000
      ⇒16,1177. ᴿThR 71 (2006) 58-59 (*Reventlow, Henning Graf*).
1649 *Smith, Joseph J.* The word of God in the word of the church. Landas
      20 (2006) 1-21.
1650 *Taeger, Jens-W.* Predigt zu Offb 5,1-5. Johanneische Perspektiven.
      FRLANT 215: 2006 ⇒315. 211-215.
1651 *Tankersley, Pamela* Seek the shalom of the city. CTC bulletin 22/2
      (2006) 44-46.
1652 *Taylor, Jerry A.* Preaching to power: Mark 6:14-29. Preaching
      Mark's unsettling Messiah. 2006 ⇒352. 135-143.
1653 *Theißen, Gerd* Predigen in Bildern und Gleichnissen: Metapher,
      Symbol und Mythos als Poesie des Heiligen. EvTh 66 (2006) 341-56.
1654 *Thompson, Philip E.* Matthew 4:1-11. Interp. 60 (2006) 72-74.
1655 *Tkacz, Catherine Brown* 'Here am I, Lord'—preaching Jephthah's
      daughter as a type of Christ. DR 124 (2006) 21-32.
1656 *Verlinde, Marie-Joseph* L'anneau et la couronne, 4: viens, suis-moi:
      homélies pour chaque jour du temps ordinaire (semaines I à XI). P
      2006, Parole et S. 361 pp. €22. 28457-33690.
1657 *Vobbe, Joachim* Hoffnung, die in uns lebt: Predigt im Eröffnungsgot-
      tesdienst, 7. August 2006. IKZ 96 (2006) 222-225.
1658 **Wallace, James A.; Waznak, Robert; DeBona, Guerric** Lift up
      your hearts: homilies and reflections for the 'B' cycle. Mahwah, NJ
      2006, Paulist ix; 341 pp. $20;
1659 ...'C' cycle. Mahwah, NJ 2006, Paulist ix; 349 pp. $20 [BiTod 44,
      202—Donald Senior].
1660 *Wandel, Jürgen* Lust am Leben. zeitzeichen 7/1 (2006) 56-57.
1661 **Wengst, Klaus** Dem Text trauen: Predigten. Stu 2006, Kohlhammer
      198 pp. 3-17-019197-6.
1662 *Williams, Rowan* Predigt im Festgottesdienst, 9. August 2006. IKZ
      96 (2006) 228-230.
1663 **Wilson, David D.** A mirror for the church: preaching in the first five
      centuries. 2005 ⇒21,1714. ᴿRExp 103 (2006) 850-1 (*West, Danny*).
1664 *York, John* Only the blind can see: Mark 8:22-26. Preaching Mark's
      unsettling Messiah. 2006 ⇒352. 144-149.

B3.3 **Inerrantia, inspiratio**

1665 *Bartlett, David* Preaching the truth. But is it all true?. 2006 ⇒771.
      115-129.
1666 *Blocher, Henri* Inerrance et herméneutique. <1984> 149-171;
1667 L'analogie de la foi dans l'étude de l'Ecriture sainte. <1987> 173-92;
1668 L'autorité de l'Écriture et son interprétation. <1974> 121-139;

1669 Ecriture et parole de Dieu. <1967> 141-148;
1670 Ecriture sainte et réalité divine: brèves remarques. La bible au micro-scope. 2006 <1968> ⇒192. 193-196.
1671 *Chapman, Stephen B.* Reclaiming inspiration for the bible. Canon and biblical interpretation. 2006 ⇒693. 167-206.
1672 *Collins, Paul M.* Discovering the presence of Christ in the world: a response to Wolfgang Klausnitzer (2). Ment. *Bonhoeffer, Dietrich*: Ecclesiology 2/2 (2006) 173-177.
1673 *Cranmer, Frank; Heffer, Tom* Il diritto canonico della chiesa d'In-ghilterra: l'interpretazione delle scritture è veramente necessaria per la salvezza?. Daimon 6 (2006) 69-96.
1674 *Davis, Stephen T.* What do we mean when we say, 'the bible is true'?. But is it all true?. 2006 ⇒771. 86-103.
1675 *Deweese, C.W.* The lordship of Christ, biblical authority, and reli-gious liberty in the Baptist World Congresses, 1905-1955. PRSt 33 (2006) 67-88.
1676 **Edwards, Brian H.** Nothing but the truth: the inspiration, authority, and history of the bible explained. Darlington, UK ²2006 <1978>, Evangelical 512 pp.
1677 *Ennaifer, H.* Word of God in dialogue: for an innovative authenticity. BDV 79-80 (2006) 18-21.
1678 **Enns, Peter** Inspiration and incarnation: evangelicals and the prob-lem of the Old Testament. 2005 ⇒21,1722. [R]SBET 24 (2006) 221-222 (*Wilks, John*); RBLit (2006)* (*Green, Joel*); HBT 28 (2006) 63 (*Dearman, J. Andrew*); TrinJ 27 (2006) 1-62 (*Carson, D.A.*).
1679 *Farkasfalvy, Denis* How to renew the theology of biblical inspira-tion?. NV(Eng) 4 (2006) 231-253.
1680 *Fesko, J.V.* N.T. Wright on Prolegomena. Themelios 31/3 (2006) 6-31.
1681 *Fretheim, T.E.* The authority of the bible and churchly debates re-garding sexuality. WaW 26 (2006) 365-374.
1682 **Gaillardetz, Richard R.** By what authority?: a primer on scripture, the magisterium and the sense of the faithful. 2003 ⇒19,1545. [R]ACR 83 (2006) 248-249 (*Rush, Ormond*).
1683 *Gatiss, Lee* Biblical authority in recent evangelical books. ChM 120 (2006) 321-335.
1684 *Grieb, A.K.* 'J.I. Packer: Anglicans and the authority of scripture': a film review. AEH 75/1 (2006) 93-97.
1685 *Healy, Mary* Inspiration and incarnation: the christological analogy and the hermeneutics of faith. L&S 2 (2006) 27-41.
1686 *Houlden, James L.* The finger of God. Theol. 109 (2006) 273-281.
1687 *Keifert, Patrick R.* Biblical truth and theological education: a rhetori-cal strategy. But is it all true?. 2006 ⇒771. 130-143.
1688 *Klausnitzer, Wolfgang* Discovering the presence of Christ in the world: Dietrich BONHOEFFER's contribution to the discussion on the authority of the bible in the church. Ecclesiology 2/2 (2006) 155-166.
1689 *Kleinhans, K.A.* The word made words: a Lutheran perspective on the authority and use of the scriptures. WaW 26 (2006) 402-411.
1690 *Knuth, Hans C.* Allein die Schrift?. zeitzeichen 7/3 (2006) 17.
1691 **Lauster, Jörg** Prinzip und Methode: die Transformation des prote-stantischen Schriftprinzips durch die historische Kritik von SCHLEI-ERMACHER bis Gegenwart. HUTh 46: 2004 ⇒20,1585; 21,1733. [R]ZRGG 58 (2006) 272-273 (*Weidner, Daniel*).

1692 *Lewis, Jack P.* Silence of scripture in Reformation thought. RestQ 48/2 (2006) 73-90.
1693 *Logister, Wiel M.* De inspiratie van de Schrift. Coll. 36 (2006) 343-362.
1694 *Nicole, Roger* Biblical egalitarianism and the inerrancy of scripture. Priscilla Papers [Mp] 20/2 (2006) 4-9.
1695 *O'Day, G.R.* 'Today this word is fulfilled in your hearing': a scriptural hermeneutic of biblical authority. WaW 26 (2006) 357-364.
1696 *Ollenburger, Ben C.* Pursuing the truth of scripture: reflections on Wolterstorff's *Divine discourse*. But is it all true?. 2006 ⇒771. 44-65.
1697 *Padgett, Alan G.* 'I am the truth': an understanding of truth from christology for scripture. But is it all true?. 2006 ⇒771. 104-114.
1698 *Peng, Kuo-Wei* Inspiration, authority and hermeneutics. MTh 57/2 (2006) 23-54.
1699 **Pinnock, Clark H.** The Scripture principle: reclaiming the full authority of the bible. GR ²2006, Baker 288 pp. 0-8010-3155-9. Collab. *Barry L. Callen*.
1700 *Provan, I.* Literary competence and biblical authority. WaW 26 (2006) 375-382.
1701 *Rogerson, John W.* Historical criticism and the authority of the bible. Oxford handbook of biblical studies. 2006 ⇒438. 841-859.
1702 *Satta, Ronald* Inerrancy: the prevailing orthodox opinion of the nineteenth-century theological elite. Faith & Mission 24/1 (2006) 79-96.
1703 *Sparn, Walter* Discovering the presence of Christ in the world: a response to Wolfgang Klausnitzer (1). Ment. *Bonhoeffer, Dietrich*: Ecclesiology 2/2 (2006) 167-172.
1704 *Strübind, Kim* Was heißt heute "bibeltreu"?: Zugänge zum Buch der Bücher in unserer Zeit; zum Thema des Jubiläums-Symposions der GFTP. ZThG 11 (2006) 161-165.
1705 *Thiselton, Anthony C.* Can 'authority' remain viable in a postmodern climate?: 'biblical authority in the light of contemporary philosophical hermeneutics' (paper delivered 2002, new essay). Thiselton on hermeneutics. 2006 ⇒318. 625-642.
1706 *Wolsterstorff, Nicholas* True words. But is it all true?. 2006 ⇒771. 34-43.
1707 **Wright, Nicholas T.** Scripture and the authority of God. 2005 ⇒21, 1751. ᴿSEÅ 71 (2006) 278-280 (*Starr, James*); TrinJ 27 (2006) 1-62 (*Carson, D.A.*).

B3.4 Traditio

1708 *Aitken, Ellen B.* Tradition in the mouth of the hero: Jesus as an interpreter of scripture. ᶠKELBER, W. 2006 ⇒82. 97-103.
1709 **Armstrong, Karen** The great transformation: the beginning of our religious traditions. NY 2006, Knopf xviii; 469 pp. 0-375-41317-0. Bibl. 435-446. ᴿAugustinus 51 (2006) 350 (*Slva, Alvaro*).
1710 *Assmann, Jan* Form as a mnemonic device: cultural texts and cultural memory. ᶠKELBER, W. 2006 ⇒82. 67-82.
1711 *Carr, David M.* Mündlich-schriftliche Bildung und die Ursprünge antiker Literaturen. Lesarten der Bibel. 2006 ⇒699. 183-198.

1712 *Dirscherl, Erwin; Dohmen, Christoph* Die Heilige Schrift als "Anima Sacrae Theologiae ...": exegetische und systematische Reflexionen zum Verhältnis von Hl. Schrift, Tradition und Inspiration. [F]UNTER-GASSMAIR, F. 2006 ⇒161. 47-68.

1713 *Dunn, James D.G.* Living tradition. [F]WANSBROUGH, H.: LNTS 316: 2006 ⇒168. 275-289.

1714 *Foley, John M.* Memory in oral tradition. [F]KELBER, W. 2006 ⇒82. 83-96.

1715 *Gianotto, Claudio* La storia della tradizione delle "parole di Gesù". RivBib 54 (2006) 77-82.

1716 *Hall, C.A.* What evangelicals and liberals can learn from the church fathers. JETS 49 (2006) 81-95.

1717 *Stavrou, Michel* Écriture et tradition dans une perspective orthodoxe. Ist. 51 (2006) 288-302.

1718 *Vassiliadis, Petros* Tradition from a mission theology perspective. [F]GALITIS, G. 2006 ⇒49. 583-593.

1719 *Ware, Kallistos* The unity of scripture and tradition: an orthodox approach. [F]WANSBROUGH, H.: LNTS 316: 2006 ⇒168. 231-246.

1720 *Werbick, Jürgen* Schrift und Tradition als Thema des interkonfessionellen Dialogs heute. Gotteswort und Menschenrede. 2006 ⇒371. 369-376.

1721 **Williams, D.H.** Evangelicals and tradition: the formative influence of the early church. Evangelical Ressourcement: 2005 ⇒21,1758. [R]TrinJ 27 (2006) 328-329 (*Merrick, James R.A.*).

1722 [E]**Williams, D.H.** Tradition, scripture, and interpretation: a sourcebook of the ancient church. Evangelical Ressourcement: GR 2006, Baker 189 pp. $20. 0-8010-31648.

1723 *Zindler, Frank R.* The oracular origin of the Jesus oral tradition. JHiC 12/2 (2006) 69-74.

B3.5 **Canon**

1724 *Alexander, Loveday C.A.* God's frozen word: canonicity and the dilemmas of biblical studies today. ET 117 (2006) 237-242.

1725 [E]**Auwers, Jean-M.; De Jonge, Henk J.** The biblical canons. BEThL 163: 2003 ⇒19,302; 20,1608. [R]TS 67 (2006) 175-176 (*Harkins, Angela Kim*).

1726 *Barton, John* Two types of harmonization. [F]WANSBROUGH, H.: LNTS 316: 2006 ⇒168. 266-274.

1727 *Briggs, Richard S.* The theological function of repetition in the Old Testament canon. HBT 28 (2006) 95-112 [Deut 19,15].

1728 *Burge, G.M.* Jesus out of focus. ChrTo 50/6 (2006) 25-29.

1729 **Carr, David M.** Writing on the tablet of the heart: origins of scripture and literature. 2005 ⇒21,2015. [R]RRT 13 (2006) 221-224 (*Ortiz, Gaye W.*); JR 86 (2006) 156-158 (*Britt, Brian*); CBQ 68 (2006) 102-104 (*Gnuse, Robert*); Interp. 60 (2006) 458-460 (*Tuell, Steven*); JBL 125 (2006) 809-816 (*Sanders, James*); JThS 57 (2006) 164-165 (*Morgan, Teresa*).

1730 *Carter, Robert* The Antiochene biblical canon 400 A.D. OCP 72 (2006) 417-431.

1731 *Childs, Brevard S.* The canon in recent biblical studies: reflections on an era. Canon and biblical interpretation. Scripture and Hermeneutics: 2006 <2005> ⇒693. 33-57.

1732 *Desreumaux, Alain* Voyage dans la diversité chrétienne. MoBi 174 (2006) 28-32.

1733 **Dungan, David L.** CONSTANTINE's bible: politics and the making of the New Testament. Mp 2006, Fortress xii; 212 pp. $17. 978-93340-41054.

1734 **Dunn, James D.G.** Unity and diversity in the New Testament: an inquiry into the character of earliest christianity. L ³2006 <1976, 1990>, SCM lv; 520 pp. £25. 0-334-02998-8.

1735 *Evans, C. Stephen* Canonicity, apostolicity, and biblical authority: some Kierkegaardian reflections. Canon and biblical interpretation. Scripture and Hermeneutics: 2006 ⇒693. 146-166.

1736 *Farkasfalvy, Denis* The apostolic gospels in the early church: the concept of canon and the formation of the four gospels canon. Canon and biblical interpretation. Scripture and Hermeneutics: 2006 ⇒693. 111-122.

1737 *Fernandes, Leonardo A.* O canon biblico católico: significado teolôgico,momentos históricos e questões atuais. Coletânea 5 (2006) 236-261 [Ps 122].

1738 ᴱ**Finkelberg, Margalit; Stroumsa, Gedaliahu A.G.** HOMER, the bible, and beyond: literary and religious canons in the ancient world. Jerusalem Studies in Religion and Culture 2: 2003 ⇒19,1621. ᴿRBLit (2006)* (*Römer, Thomas; Nicklas, Tobias*).

1739 *Grabbe, Lester L.* The law, the prophets, and the rest: the state of the bible in pre-Maccabean times. DSD 13 (2006) 319-338.

1740 *Greschat, Katharina* Die Entstehung des neutestamentlichen Kanons: Fragestellungen und Themen der neueren Forschung. VF 51/1 (2006) 56-63.

1741 *Hahn, Scott W.* Canon, cult and covenant: the promise of liturgical hermeneutics. Canon and biblical interpretation. Scripture and Hermeneutics: 2006 ⇒693. 207-235.

1742 *Halpern, Baruch* Fallacies intentional and canonical: metalogical confusion about the authority of canonical texts. ᶠPECKHAM, B.: LHBOTS 455: 2006 ⇒126. 3-25.

1743 ᴱ**Helmer, Christine; Landmesser, Christof** One scripture or many?: canon from biblical, theological, and philosophical perspectives. 2004 ⇒20,361; 21,1776. ᴿJThS 57 (2006) 634-637 (*Barton, John*).

1744 *Janowski, Bernd* Canon et construction de sens: perspectives vétéro-testamentaires. ETR 81 (2006) 517-541.

1745 *Lemcio, Eugene E.* The gospels within the New Testament canon. Canon and biblical interpretation. Scripture and Hermeneutics: 2006 ⇒693. 123-145.

1746 **Levinson, Bernard M.** L'herméneutique de l'innovation: canon et exégèse dans l'Israël biblique. ᵀ*Sénéchal, V.; Sonnet, Jean-Pierre*: Le livre et le rouleau 24: Bru 2006, Lessius 104 pp. €14.50. 2-87299-14-6-8. Avant-propos *Jean-Louis Ska*; Bibl. [Deut 5,6-21; 7,10-11].

1747 **Lipka, Hilary B.** Sexual transgression in the Hebrew Bible. ᴰ*Brettler, Marc Z.*: HBM 7: Shf 2006, Phoenix xii; 285 pp. £60. 1-905048-343. Diss. Brandeis; Bibl.

1748 *Lips, Hermann von* Was bedeutet uns der Kanon?: neuere Diskussion zur theologischen Bedeutung des Kanons. VF 51/1 (2006) 41-56.

1749 **Lips, Hermann von** Der neutestamentliche Kanon: seine Geschichte und Bedeutung. Zürcher Grundrisse zur Bibel: 2004 ⇒20,1636; 21, 1784. ᴿCDios 219/1 (2006) 323-324 (*Gutiérrez, J.*).

1750   *McDonald, Lee M.* Canon. Oxford handbook of biblical studies. 2006
       ⇒438. 777-809.
1751   **Miller, John Wolf** How the bible came to be: exploring the narrative
       and message. 2004 ⇒20,1641; 21,1791. RAnnTh 20/1 (2006) 211-
       213 (*Tábet, M.*).
1752   *Mitchell, Margaret M.* The emergence of the written record. Cam-
       bridge history of christianity 1. 2006 ⇒558. 176-194.
1753   **Pérez Fernández, Miguel; Trebolle Barrera, Julio** Historia de la
       biblia. M 2006, Trotta 348 pp. 84-8164-683-0. Excurso de *José
       Manuel Sánchez Caro*; 1 CD-Rom.
1754   **Price, Robert M.** The pre-Nicene New Testament: fifty-four forma-
       tive texts. Salt Lake City 2006, Signature 1209 pp [SvTK 83,86—J.
       Duncan M. Derrett].
1755   *Rogness, M.; Miles, C.A.* A canon within the canon?. WaW 26
       (2006) 436-439.
1756   *Sanders, James A.* The canonical process. The Cambridge history of
       Judaism, 4. 2006 ⇒541. 230-243.
1757   **Schniedewind, William M.** How the bible became a book: the textu-
       alization of ancient Israel. 2004 ⇒20,1654; 21,1801. RTheol. 109
       (2006) 123-124 (*Rogerson, J.W.*);
1758   Comment la bible est devenue un livre: la révolution de l'écriture et
       du texte dans l'ancien Israël. T*Montabrut, Maurice; Montabrut,
       Simone*: P 2006, Bayard 268 pp. €24.80. 978-22274-74819.
1759   *Schröter, Jens* Jesus and the canon: the early Jesus traditions in the
       context of the origins of the New Testament canon. FKELBER, W.:
       2006 ⇒82. 104-122.
1760   *Segalla, Giuseppe* Canone biblico e teologia biblica: un rapporto ne-
       cessario... difficile. LASBF 56 (2006) 179-212.
1761   *Seitz, Christopher R.* The canonical approach and theological inter-
       pretation. Canon and biblical interpretation. Scripture and Hermeneu-
       tics: 2006 ⇒693. 58-110.
1762   *Söding, Thomas* Der biblische Kanon: Geschichte und Theologie.
       ZKTh 128 (2006) 407-430;
1763   Il canone biblico: storia e teologia. Rivisitare il compimento. Biblica
       3: 2006 ⇒780. 231-260.
1764   **Söding, Thomas** Einheit der Heiligen Schrift?: zur Theologie des
       biblischen Kanons. QD 211: 2005 ⇒21,1803. RTeol(Br) 31 (2006)
       276-284 (*Segalla, Giuseppe*); StPat 53 (2006) 249-255 (*Segalla,
       Giuseppe*); BiLi 79 (2006) 135-138 (*Nicklas, Tobias*); JETh 20
       (2006) 238-241 (*Stenschke, Christoph*).
1765   *Steins, Georg* Der Bibelkanon–Schlüssel zur Bibelauslegung: ein Pa-
       radigmenwechsel in der Exegese. PTh 95 (2006) 329-334.
1766   *Stramare, Tarcisio* La divisione dei libri canonici dell'A.T. presso gli
       ebrei e presso i cristiani: che cosa nasconde?. BeO 48 (2006) 169-80.
1767   *Stroumsa, Guy* La révolution herméneutique chrétienne et sa 'double
       hélice'. Le rire du Christ. 2006 <1998> ⇒312. 107-137.
1768   *Utzschneider, Helmut* Was ist alttestamentliche Literatur?: Kanon,
       Quelle und literarische Ästhetik als LesArts alttestamentlicher Litera-
       tur. Lesarten der Bibel. 2006 ⇒699. 65-83.
1769   *Van der Kooi, Cornelius* Kirche als Lesegemeinschaft: Schriftherme-
       neutik und Kanon. VF 51/1 (2006) 63-72.
1770   *Van der Toorn, Karel* From catalogue to canon?: an assessment of
       the library hypothesis as a contribution to the debate about the bibli-
       cal canon. BiOr 63 (2006) 5-15.

1771 *Venter, Pieter M.* Kanon: eehheid en diversiteit. HTSTS 62 (2006) 1369-1393.
1772 **Wansbrough, Henry** The story of the bible: how it came to us. L 2006, Darton, L. & T. 140 pp. €11/$12 [BiTod 44,395—D. Bergant].
1773 *Watson, Francis* Are there still four gospels?: a study in theological hermeneutics. Reading scripture. 2006 ⇒332. 95-116.
1774 **Wyrick, Jed** The ascension of authorship: attribution and canon formation in Jewish, Hellenistic, and christian traditions. 2004, ⇒20,1664; 21,1811. ^RRBLit (2006)* (*Kaler, Michael*).
1775 *Young, Frances* The gospels and the development of doctrine. Cambridge companion to the gospels. 2006 ⇒344. 203-223.

B4.1 *Interpretatio humanistica* The Bible—man; health, toil, age

1776 **Bentoglio, Gabriele** 'Mio padre era un arameo errante...': temi di teologia biblica sulla mobilità umana. Quaderni SIMI 4: Città del Vaticano 2006, Urbaniana Univ. Pr. 254 pp.
1777 *Cothenet, Édouard* Figures de parents dans la bible. EeV 116/162 (2006) 1-7.
1778 *Dormeyer, Detlev* Das Verständnis von Arbeit im Neuen Testament im Horizont der Naherwartung (Mt 20,1-16). Arbeit in der Antike. 2006 ⇒618. 98-113.
1779 **Dumm, Demetrius R.** So we do not lose heart: biblical wisdom for all our days. Latrobe, PA 2006, Archabbey 272 pp. $13 [BiTod 44, 398—Donald Senior].
1780 *Frymer-Kensky, Tikva* Constructing a theology of healing. Studies in bible. 2006 <1997> ⇒219. 381-392.
1781 *Gianto, Agustinus* How does the bible deal with infectious diseases?. StBob 4 (2006) 85-93.
1782 *Hainz, Josef* Der alte Mensch aus der Sicht des Neuen Testaments: Rollen und besondere Aufgaben des alten Menschen in der urchristlichen Überlieferung. NT und Kirche. 2006 ⇒232. 362-373.
1783 *Lang, Bernhard* Der arbeitende Mensch in der Bibel: eine kulturgeschichtliche Skizze. Arbeit im Mittelalter: Vorstellungen und Wirklichkeiten. ^E**Postel, Verena**: B 2006, Akademie. 35-56. 978-30500-40981.
1784 *Marschütz, Gerhard* Christliche Familie als zentrales Inkulturationssystem: Analysen–Reflexionen–Perspektiven. Inkulturation. 2006 ⇒ 543. 140-159.
1785 *Martin, Dale B.* Familiar idolatry and the christian case against marriage. Sex and the single Savior. 2006 ⇒270. 103-124.
1786 **Milani, Marcello** A immagine del Cristo 'paziente': sofferenza, malattia e salvezza nella scrittura. Padova 2006, Messagero 143 pp.
1787 *Osiek, Carolyn* The New Testament teaching on family matters. HTSTS 62 (2006) 819-843.
1788 *Pressler, Carolyn* The 'biblical view' of marriage. ^FSAKENFELD, K. 2006 ⇒142. 200-211.
1789 *West, Gerald O.; Zengele, Bongi* The medicine of God's word: what people living with HIV and AIDS want (and get) from the bible. JTSA 125 (2006) 51-63.

B4.2 *Femina, familia*; **Woman in the Bible** [⇒B4.1; H8.8s]

1790 *Beer, Mareike* Jezebel–von Queen zu Quisine: "eine feurig-scharfe Begegnung": 1 Könige 16 bis 2 Könige 9. Die besten Nebenrollen. 2006 ⇒1164. 134-138.

1791 **Bodi, Daniel; Donnet-Guez, Brigitte** The Michal affair: from Zimri-Lim to the rabbis. HBM 3: 2005 ⇒21,1836. [R]RHPhR 86 (2006) 295-296 (*Heintz, J.-G.*); CBQ 68 (2006) 723-724 (*Garber, Zev*).

1792 *Bowen, Nancy R.* Women, violence, and the bible. [F]SAKENFELD, K. 2006 ⇒142. 186-199.

1793 *Branch, Robin G.* Understudy to star: the courageous audacity of an Israelite slave girl. Stimulation from Leiden. BEAT 54: 2006 ⇒686. 257-267 [Exod 2].

1794 **Bühlmann, Walter** Frauen und Männer in Alten Testament: Band 1: Abraham, Sara, Mose, Mirjam, Gideon, Debora: Helen Schüngel-Straumann zum 65. Geburtstag gewidmet. Luzern 2004, Rex 127 pp. 3-7252-0769-0.

1795 *Calduch-Benages, Nuria* Muerte y mujeres en la Biblia hebrea. En el umbral. 2006 ⇒562. 37-84.

1796 *Chuecas Saldías, Ignacio* Prostitutas, reinas y extranjeras: mujeres en el ciclo salomónico (1 Reyes 1-11). TyV 47 (2006) 322-338.

1797 *Du Toit, Jaqueline S.* In the eyes of the beholder: tradition, text and gender identity. JSem 15 (2006) 259-277.

1798 *Du Toit, J.S.; Lamprecht, A.; Schmidt, N.F.* Challenging female embodiment: wisdom, law and the text. JSem 15 (2006) 251-277.

1799 **Dutcher-Walls, Patricia** Jezebel: portrait of a queen. Interfaces: 2004 ⇒20,1700; 21,1840. [R]IThQ 71 (2006) 181-182 (*Byrne, Máire*); RBLit (2006)* (*Schearing, Linda*).

1800 *Fischer, Irmtraud* Donne nell'Antico Testamento. Donne e bibbia. La Bibbia nella storia 21: 2006 ⇒484. 161-196.

1801 **Fischer, Irmtraud** Women who wrestled with God: biblical stories of Israel's beginnings. [T]*Maloney, Linda M.* 2005 ⇒21,1841. [R]RBLit (2006)* (*Brenner, Athalya*) JHScr 6 (2006)* = Perspectives on Hebrew Scriptures III,463-465 (*Benckhuysen, Amanda W.*) [⇒593];

1802 Gottesstreiterinnen: biblische Erzählungen über die Anfänge Israels. Stu [3]2006, Kohlhammer 208 pp. 978-3-17-019765-7.

1803 *Frymer-Kensky, Tikva* Sanctifying torah. Studies in bible. 2006 <1997> ⇒219. 195-207.

1804 *Hochmayr, Esther* Frauengestalten in Kinderbibeln: kritische Analyse und Vorschläge für den Unterricht. Schulfach Religion 25/1.2 (2006) 83-142.

1805 *Huffmon, Herbert B.* Jezebel—the 'corrosive' queen. [F]PECKHAM, B.: LHBOTS 455: 2006 ⇒126. 273-284.

1806 [E]**Kampling, Rainer** Sara lacht: eine Erzmutter und ihre Geschichte. 2004 ⇒20,595; 21,1847. [R]ThRv 102 (2006) 28-30 (*Grohmann, Marianne*).

1807 *Kohn, Risa L.* In and out of place: physical space and social location in the bible. [F]PECKHAM, B.: LHBOTS 455: 2006 ⇒126. 253-262 [Gen 34; 38].

1808 **Krämer-Birsens, Marianne; Mombauer, Sabine** Die Botschaft biblischer Frauen: Impulse für heute—ein Praxisbuch. Dü 2006, Patmos 127 pp. 3-491-70403-0.

1809 *Kritzinger, J.P.K.* Rahab, illa meretrix. APB 17 (2006) 22-36.

1810 **Lapsley, Jacqueline E.** Whispering the word: hearing women's stories in the OT. 2005 ⇒21,1848. [R]PSB 27 (2006) 272-273 (*Taylor, Marion A.*); RBLit (2006)* (*Bridgeman-Davis, Valerie*).

1811 *Mazzarolo, Isidoro* Alguns tópicos do lugar e da teologia da mulher antiga. AtT 10 (2006) 265-279.

1812 **McKinlay, Judith E.** Reframing her: biblical women in postcolonial focus. 2004 ⇒20,1720; 21,1851. [R]Pacifica 19/1 (2006) 110-12 (*Sinnott, Alice*); CBQ 68 (2006) 338-339 (*Appler, Deborah A.*).

1813 **Meyers, Carol** Households and holiness: the religious culture of Israelite women. Facets: 2005 ⇒21,1852. [R]RBLit (2006)* (*Schearing, Linda*).

1814 *Neufeld, Dietmar* Barrenness: trance as a protest strategy. Ancient Israel. 2006 ⇒724. 128-141.

1815 *Neufeldt, Elaine G.* Práticas e experiências religiosas de mulheres no Antigo Testamento: considerações metodológicas. EsTe 46 (2006) 79-93.

1816 *Patella, Michael* Seers' corner: women of mystery. BiTod 44 (2006) 94-97.

1817 **Pennachietti, Fabrizio A.** Three mirrors for two biblical ladies: Susanna and the Queen of Sheba in the eyes of Jews, Christians, and Muslims. Piscataway, NJ 2006, Gorgias 150 pp. $50. 1-59333-363-3. Bibl. 105-120 [1 Kgs 10,1-13].

1818 **Pruin, Dagmar** Geschichten und Geschichte: Isebel als literarische und historische Gestalt. OBO 222: FrS 2006, Academic xii; 398 pp. FS120. 3-7278-1570-6. Bibl. 364-395.

1819 *Rapp, Ursula* Saras Glück: sich vom Lachen überraschen lassen;
1820 Hanna: das Glück herbeiwünschen. Zum Leuchten bringen. 2006 ⇒ 446. 152-165/166-178 [1 Sam 1-2].

1821 *Reuter, Eleonore* Frauenstärke–was ist das?: starke Frauen in der Bibel und heute. Frauenstärke. FrauenBibelArbeit 7: 2001 ⇒389. 9-13.

1822 **Ritley, M.R.** God of our mothers: face to face with powerful women of the Old Testament. Harrisburg 2006, Morehouse 144 pp. $15 [BiTod 45,123—Dianne Bergant].

1823 *Schneider, Tammi J.* Sarah: the chosen mother. BiTod 44 (2006) 76-81.

1824 **Schneider, Tammi Joy** Sarah: mother of nations. 2004 ⇒20,1733; 21,1859. [R]HeyJ 47 (2006) 445-446 (*Hill, Robert C.*); HebStud 47 (2006) 395-398 (*Fuchs, Esther*).

1825 **Sellin, Christine P.** Fractured families and rebel maidservants: the biblical Hagar in seventeenth-century Dutch art and literature. NY 2006, Continuum xviii; 189 pp. $35.

1826 **Soelle, Dorothee; Kirchberger, Joe H.** Great women of the bible in art and literature. Mp 2006, Fortress 160 pp. $29. 9780-8006-35572. Abridged edition.

1827 **Solvang, Elna K.** A woman's place is in the house: royal women of Judah and their involvement in the house of David. JSOT.S 349: 2003 ⇒19,1754; 20,1736. [R]JSSt 51 (2006) 190-192 (*Osgood, Joy*).

1828 *Stander, Hendrik F.* The Greek Church fathers and Rahab. APB 17 (2006) 37-49.

1829 *Taylor, Marion* Bringing Miriam out of the shadows: Harriet Beecher Stowe and Phyllis Trible. [F]PECKHAM, B.: LHBOTS 455: 2006 ⇒126. 263-272.

1830 [E]**Taylor, Marion A.; Weir, Heather** Let her speak for herself: nineteenth-century women writing on women in Genesis. Waco, TX 2006, Baylor Univ. Pr. 495 pp. $45. 1-932-792-538. Bibl. 459-469.
1831 *Trible, Phyllis* Ominous beginnings for a promise of blessing. Hagar, Sarah. 2006 ⇒481. 33-69.
1832 **Yee, Gale A.** Poor banished children of Eve: woman as evil in the Hebrew Bible. 2003 ⇒19,1759... 21,1864. [R]BiCT 2/3 (2006)* (*Boer, Roland*).
1833 **Zolli, Eugenio** Da Eva a Maria. 2005 <1954> ⇒21,1866. [R]Asp. 53 (2006) 462-463 (*Ragozzino, Gino*).
1834 *Zucker, David J.* The mysterious disappearance of Sarah. Jdm 55/3-4 (2006) 30-39.

B4.4 *Exegesis litteraria*—The Bible itself as literature

1835 *Ballisager, Stine; Ljungcrantz, Ann L.* "At finde et punkt i evigheden": om forholdet mellem poesi og kristendom hos Karen Marie Edelfeldt og Simon Grotrian. Kritisk forum for praktisk teologi 25/103 (2006) 58-67.
1836 **Boyle, Nicholas** Sacred and secular scriptures: a catholic approach to literature. 2004 ⇒20,1751; 21,1912. [R]RRT 13 (2006) 224-226 (*Moberly, Walter*); Theol. 109 (2006) 69-70 (*Jasper, David*).
1837 *Briend, Jacques* D'incessants remaniements: aux origines du texte biblique. MoBi hors série (2006) 14-19.
1838 *Danneberg, L.* Von der Heiligen Schrift als Quelle des Wissens zur Ästhetik der Literatur (Jes 6,3; Jos 10,12-13). Das Buch der Bücher. 2006, ⇒441. 197-217.
1839 **Dorsey, David A.** The literary structure of the Old Testament: a commentary on Genesis-Malachi. 1999 <2004> ⇒15,1664... 21,1870. [R]Faith & Mission 23/2 (2006) 85-86 (*Lytle, Matt*).
1840 **Gabel, John B.**, *al.*, The bible as literature: an introduction. NY [5]2006, OUP 416 pp. $56. 01951-79071.
1841 *Gibert, Pierre* La tradition orale existe-t-elle?. MoBi hors série (2006) 46-49.
1842 *Gillmayr-Bucher, Susanne* Intertextuality: between literary theory and text analysis. Intertextuality. NTMon 16: 2006 ⇒778. 13-23.
1843 *Gowler, David B.* The *chreia*. The historical Jesus. 2006 ⇒334. 132-148.
1844 *Gruen, Erich S.* Novella. Oxford handbook of biblical studies. 2006 ⇒438. 420-431.
1845 *Hahn, Ferdinand* Zur Verschriftlichung mündlicher Tradition in der Bibel. Studien zum NT, I. WUNT 191: 2006 <1987> ⇒230. 373-84.
1846 *Hendel, Russell Jay* Biblical puns. JBQ 34 (2006) 190-197.
1847 *Honold, A.* Beispielgebend: die Bibel und ihre Erzählformen. Das Buch der Bücher. 2006 ⇒441. 395-414.
1848 *Kutzer, Mirja* Die Gegenwelt des Erfundenen: fiktionale Texte als Medium biblischer Verheißung. PzB 15 (2006) 25-46.
1849 **Kutzer, Mirja** In Wahrheit erfunden: Dichtung als Ort theologischer Erkenntnis. ratio fidei 30: Rg 2006, Pustet 366 pp. 978-37917-20104.
1850 *Le Boulluec, Alain* L'allégorie chez les stoïciens. Alexandrie antique et chrétienne. REAug.Antiquité 178: 2006 <1975> ⇒260. 325-55.

1851 *MacDonald, Dennis R.* Imitations of Greek epic in the gospels. The historical Jesus. 2006 ⇒334. 372-384.

1852 *Magonet, Jonathan* Die Bibel als Literatur: eine gute Geschichte. JK 67/2 (2006) 1-3.

1853 *Moyise, Steve* Intertextuality, historical criticism and deconstruction. Intertextuality. NTMon 16: 2006 ⇒778. 24-34.

1854 *Oswald, Wolfgang* Moderne Literarkritik und antike Rezeption biblischer Texte. Lesarten der Bibel. 2006 ⇒699. 199-214 [Exod 19; 32,35].

1855 *Phillips, Peter* Biblical studies and intertextuality: should the work of Genette and Eco broaden our horizons?. Intertextuality. NTMon 16: 2006 ⇒778. 35-45.

1856 *Pilch, John J.* Naming the nameless in the bible. BiTod 44 (2006) 315-320.

1857 [E]**Potok, Rena** Hills of spices: poetry from the bible. Ph 2006, Jewish Publication Society xxxiii; 256 pp. 0-8276-0826-8. Introd.*Andrea L. Weiss*; Bibl. xxxiii.

1858 **Pyper, Hugh S.** An unsuitable book: the bible as scandalous text. The bible in the modern world 7: 2005 ⇒21,1894. [R]RBLit (2006)* (*Thelle, Rannfrid*).

1859 *Stendahl, Krister* The bible as a classic and the bible as holy scripture. Presidential voices. SBL.Biblical Scholarship in North America 22: 2006 <1983> ⇒340. 209-215.

1860 **Strawn, Brent A.** What is stronger than a lion?: leonine image and metaphor in the Hebrew Bible and the ancient Near East. OBO 212: 2005 ⇒21,1899. [R]RBLit (2006)* (*Power, Bruce*).

1861 **Vriezen, Theodorus C.; Van der Woude, Adam S.** Ancient Israelite and early Jewish literature. [T]*Doyle, Brian* 2005 ⇒21,1904. [R]RBLit (2006)* (*West, James*); JThS 57 (2006) 610-611 (*Nicholson, Ernest*).

1862 *Wilder, Amos N.* Scholars, theologians, and ancient rhetoric. Presidential voices. SBL.Biblical Scholarship in North America 22: 2006 <1955> ⇒340. 83-93.

1863 *Wills, Lawrence M.* The Aesop tradition. The historical Jesus. 2006 ⇒334. 222-237.

B4.5 **Influxus biblicus in litteraturam profanam**, *generalia*

1864 [E]**Albert, Marie-Aude; Rolet, Serge** La figure de Judas Iscariote dans la culture russe. RESl 77/4 (2006) 531-662. 9 articles.

1865 *Amanecer, François* La poésie contemporaine au crible de saint Paul. Etudes (juillet-août 2006) 57-66.

1866 *Amehe, François K.* Le genre psalmique dans la littérature africaine. Les psaumes: de la liturgie à la littérature. 2006 ⇒369. 207-229.

1867 **Anlezark, Daniel** Water and fire: the myth of the flood in Anglo-Saxon England. Manchester 2006, Manchester Univ Pr. x; 398 pp. $75. 978-07190-63985.

1868 [E]**Ardissino, Erminia** Poemi biblici del seicento. Alessandria 2005, Dell'Orso 184 pp. 88769-48481.

1869 *Bodian, Miriam* The biblical 'Jewish republic' and the Dutch 'new Israel' in seventeenth-century Dutch thought. HPolS 1/2 (2006) 186-202.

1870 **Boyle, Nicholas** Sacred and secular scriptures: a catholic approach to literature. 2005 ⇒21,1912. [R]Worship 80 (2006) 184-186 (*Imbelli, Robert P.*).

1871 **Callahan, Allen D.** The talking book: African Americans and the bible. NHv 2006, Yale Univ. Pr. xiv; 287 pp. $30. 978-0-300-10936-8. Bibl. 247-273.

1872 *Carruthers, Jo* Literature. Blackwell companion to the bible. 2006 ⇒465. 253-267.

1873 *Delpech, François* Salomon et le jeune homme à la coupole de verre: remarques sur un conte sapiential morisque. RHR 223 (2006) 439-486.

1874 [E]**Exum, J. Cheryl** The bible in film—the bible and film. Lei 2006, Brill viii; 192 pp. €64. 9789004-151901 [<BiblInterp 14/1-2 (2006)].

1875 *Feinberg, Anat* Biblische Motive in der hebräischen Dichtung. FrRu 13 (2006) 104-110.

1876 *Feldman, Yael S.* 'The most exalted symbol for our time'?: rewriting 'Isaac' in Tel Aviv. HebStud 47 (2006) 253-273 [Gen 22].

1877 *Gillmayr-Bucher, Susanne* Biblische Texte in der Literatur. Lesarten der Bibel. 2006 ⇒699. 295-312.

1878 *Goeury, Julien* Paraphrastes ou réviseurs?: les poètes protestants face au psautier sous le régime de l'édit de Nantes (1598-1685). Les paraphrases bibliques. THR 415: 2006 ⇒726. 301-319.

1879 *Gold, Malcolm* The *Left behind* series as sacred text?. Reading religion. 2006 ⇒494. 34-49.

1880 **Grimaldi, Nicolas** Le livre de Judas. P 2006, P.U.F. 146 pp. €12.

1881 *Hale, F.* Rehabilitating Judas Iscariot in French literature. VeE 27 (2006) 561-575.

1882 **Hamlin, Hannibal** Psalm culture and early modern English literature. 2004 ⇒20,1781; 21,1922. [R]ScrB 36 (2006) 98-101 (*Mitchell, Peter*).

1883 *Heesch, Matthias* HÄNDEL und das Evangelium: Versuch einer geschichtlichen Einordnung und Skizze einer theologischen Interpretation des Textbuchs zum "Messias". KuD 52 (2006) 225-241.

1884 *Henky, Danièle* Les enfants de Noé ou la récriture d'un mythe en littérature de jeunesse. Graphè 15 (2006) 199-215.

1885 *His, Isabelle; Vignes, Jean* Les paraphrases de psaumes de Baïf, La Noue et d'Aubigné, mises en musique par Claude Le Jeune (1606): regards croisés du musicologue et du littéraire. Les paraphrases bibliques. THR 415: 2006 ⇒726. 377-414.

1886 **Hussherr, Cécile** L'ange et la bête: Caïn et Abel dans la littérature. 2005 ⇒21,1925. [R]SR 35 (2006) 159-161 (*Lavoie, Jean-Jacques*); RSR 94 (2006) 256-257 (*Gibert, Pierre*).
[E]**Knight, M.**, *al.*, Biblical religion and the novel. 2006 ⇒427.

1887 *Krieg, Matthias* Im Schatten Jesu: Judasbilder der Literatur. BiHe 42/165 (2006) 21-24.

1888 **Lammel, Annamaria; Nagy, Klona** La bible paysanne: contes et légendes. [T]*Dufeuilly, Joëlle*: P 2006, Bayard 472 pp. €34.

1889 *Langenhorst, Georg* "Wörter und Sätze–voller Zauber und Kraft": vom Einfluss der Bibel auf die Literatur. JK 67/2 (2006) 9-12.

1890 **Marchal, Bertrand** Salomé: entre vers et prose: Baudelaire, Mallarmé, Flaubert et Huysmans. 2005 ⇒21,1931. [R]RSPhTh 90 (2006) 403-408 (*Barnaud, Gilles*).

1891 **McDonnell, Kilian** Yahweh's other shoe. ColMn 2006, St John's Univ. viii; 116 pp. $15. 978-09740-99224.
1892 *Mertin, Andreas* Die Bibel in der Popularkultur. Gotteswort und Menschenrede. 2006 ⇒371. 341-355.
1893 *Neuwirth, A.* Hebräische Bibel und arabische Dichtung: Mahmud Darwishs palästinensische Lektüre der biblischen Bücher Genesis, Exodus und Hohelied. Das Buch der Bücher. 2006 ⇒441. 119-138.
1894 *Pfeiffer, H.* Salome in Fin de Siècle: Ästhetisierung des Sakralen, Sakralisierung des Ästhetischen. Das Buch der Bücher. 2006 ⇒441. 303-336.
1895 *Potestà, Gian Luca* Bibbia e cultura europea: i testi biblici come fonte del pensiero filosofico e teologico, della letteratura e dell'arte. AnScR 11 (2006) 99-105.
1896 *Rivas, Luis Heriberto* Las sagradas escrituras en el cine y la literatura después del Concilio Vaticano II. Teol. 43 (2006) 65-95.
1897 *Roling, Bernd* Zwischen epischer Theologie und theologischer Epik: die Versuchung Christi in der lateinischen Bibeldichtung von IUVENCUS bis Robert Clarke. FMSt 40 (2006) 327-382.
1898 *Schneider-Quindeau, Werner* Bibel und Film-Spuren, Entdeckungen und wechselseitige Blicke. Gotteswort und Menschenrede. 2006 ⇒ 371. 357-367.
1899 *Shemtov, Vered* The bible in contemporary Israeli literature: text and place in Zeruya Shalev's *Husband and wife* and Michal Govrin's *Snapshots*. HebStud 47 (2006) 363-384.
1900 *Van der Horst, Pieter W.* A new early christian poem on the sacrifice of Isaac (Pap. Bodmer 30). Jews and Christians. WUNT 196: 2006 <2002> ⇒321. 190-205.
1901 *Van Henten, Jan W.* Playing God in the movies: *Bruce Almighty* and the preposterous history of Genesis 1.26-27;
1902 *Vander Stichele, Caroline; Penner, Todd* Terminatrix: visualizing the end of creation in *The Animatrix*. Creation and creativity. 2006 ⇒ 539. 125-141/143-162.

B4.6 *Singuli auctores*—**Bible influence on individual authors**

1903 AZRIEL Y: **Azriel, Yakov** Threads from a coat of many colors: poems on Genesis. 2005 ⇒21,1946. ᴿJBQ 34 (2006) 198-100 (*Vogel, Dan*).
1904 BASTAIRE J: *Heyer, René* Les psaumes de Jean Bastaire: un dialogue en champ-contrechamp. Les psaumes: de la liturgie à la littérature. 2006 ⇒369. 271-282.
1905 BECKETT S: *Chautard, Paul* Les avatars de l'intertextualité biblique dans *Fin de partie* de Beckett. Les psaumes: de la liturgie à la littérature. 2006 ⇒369. 241-269.
1906 BERNANOS G: *Hiebel, Martine Patientia pauperum* ou les psaumes dans l'oeuvre de Georges Bernanos. Les psaumes: de la liturgie à la littérature. 2006 ⇒369. 231-239.
1907 BEZA T: ᴱ**Soulié, Marguerite; Beaudin, Jean-Dominique** Théodore de Bèze: Abraham sacrifiant: tragédie française. P 2006, Champion 120 pp. €23. 978-27453-15137 [Gen 22].
1908 BLATHMAC: *O'Cinnsealaigh, Benedict D.* The Blessed Virgin Mary in the poetry of the ancient Gaelic poet Blathmac: setting his Marian poems in historical context. Mar. 68 (2006) 437-461.

1909 BRONTË E: *Marsden, Simon* "Vain are the thousand creeds": Wuthering Heights, the bible and liberal Protestantism. JLT 20 (2006) 236-250.

1910 CANETTI E: **Schutti, Carolina** Die Bibel in Elias Canettis Blendung: eine Studie zur Intertextualität mit einem Verzeichnis der Bibelstellen. IBKW, Germanistische Reihe 70: Innsbruck 2006, Innsbruck Univ. Press 217 pp. 3-901064-33-8.

1911 CELAN P: **Lescow, Theodor** Das hadernde Wort: Paul Celans Todesfuge und Blasphemische Gedichte. Germanistik 30: Müns 2006, LIT 96 pp. 3-8258-8760-X.

1912 CHAUCER W: *Little, Katherine C.* Images, texts, and exegetics in Chaucer's *Second nun's tale*. JMEMS 36/1 (2006) 103-133.

1913 COURBES C DE: *Desmet, Marc* Les paraphrases d'un poète musicien: la bible dans les *Cantiques spirituels* de Charles de Courbes (1622). Les paraphrases bibliques. THR 415: 2006 ⇒726. 415-429.

1914 DADELSEN J: *Frank, Évelyne* De Dadelsen: "quelque parole fort brève" des écritures. RHPhR 86 (2006) 377-388.

1915 DANTE: *Reguzzoni, Giuseppe* 'Vinum non habent': le nozze di Cana come esempio di carità nel Purgatorio di Dante. Com(I) 205 (2006) 76-83.

1916 DIAMANT A: *Carruth, Shawn* Daily life in Anita Diamant's *The red tent*. BiTod 44 (2006) 82-87 [Gen 30,21].

1917 DRACONTIUS: *Stoehr-Monjou, Annick* La guérison chez DRACONTIUS: entre PLINE l'Ancien et la bible. Guérisons. 2006 ⇒815. 209-26.

1918 DYLAN B: **Gilmour, Michael J.** Tangled up in the bible: Bob Dylan and scripture. 2004 ⇒20,1809; 21,1963. ᴿBiCT 2/3 (2006)* *(Jobling, David)*.

1919 EZECHIEL T: *Van Ruiten, J.T.A.G.M.* A burning bush on the stage: the rewriting of Exodus 3:1-4:17 in Ezekiel Tragicus, Exagoge 90-131. The revelation of the name. 2006 ⇒796. 71-88.

1920 FEUCHTWANGER L: *Oberhänsli-Widmer, Gabrielle* Lion Feuchtwanger: Jud Süss (1925). KuI 21/1 (2006) 78-85.

1921 FLEG E: *Oberhänsli-Widmer, Gabrielle* Edmond Fleg: das Prophetenkind (L'Enfant prophète: 1926). KuI 21 (2006) 156-162.

1922 FOCQUEMBERGUES J DE: *Kirschléger, Inès* Une préface singulière au psautier huguenot: *Le voyage de Beth-el* de Jean de Focquembergues. Les paraphrases bibliques. THR 415: 2006 ⇒726. 321-342.

1923 FRAUENLOB: **Newman, Barbara** Frauenlob's Song of Songs: a medieval German poet and his masterpiece. University Park 2006, Pennsylvania State University Pr. xxi; 241 pp. Critical text *Karl Stackmann*; musical performance on CD by the Ensemble Sequentia, dir. *Barbara Thornton, Benjamin Bagby*.

1924 GOEBBELS J: *Czapla, Ralf G.* Erlösung im Zeichen des Hakenkreuzes: Bibel-Usurpationen in der Lyrik Joseph Goebbels' und Baldur von Schirachs. Gotteswort und Menschenrede. 2006 ⇒371. 283-326.

1925 GOTTFRIED V S: *Wolf, Gerhard* "daz der vil tugendhafte crist / wintschaffen alse ein ermel ist": Gott als Kontingenzformel im Tristan Gottfrieds von Straßburg. Gottesmacht. 2006 ⇒572. 89-109

1926 GOTTLOB J: *Czapla, Ralf G.* Johann Joachim Gottlob Am-Endes Christeis: zu Genese und Funktion biblischer Epik im 18. Jahrhundert. Gotteswort und Menschenrede. 2006 ⇒371. 153-174.

1927 GREIFFENBERG C VON: *Lieth, Vanessa von der* Die lyrische Verarbeitung von Gen 22 bei Catharina Regina von Greiffenberg. Isaaks Opferung. AKG 101: 2006 ⇒412. 641-657.

1928   HARTMANN VON A: *Scheuer, H.J.* Hermeneutik der Intransparenz:
       die Parabel vom Sämann und den viererlei Äckern (Mt 13,1-23) als
       Folie höfischen Erzählens bei Hartmann von Aue. Das Buch der Bü-
       cher. 2006 ⇒441. 337-359.
1929   HICKS E: *Fendrich, Herbert* Jesajas Tierfrieden als amerikanischer
       Traum: Edward Hicks, The Peaceable Kingdom (um 1840), Brook-
       lyn Museum. BiHe 42/166 (2006) 22-23.
1930   JOYCE J: *Jasper, David* 'Down through all christian minstrelsy': Gen-
       esis, James Joyce and contemporary vocabularies of creation studies.
       Creation and creativity. 2006 ⇒539. 35-43.
1931   KIRCHER A>: *Poulouin, Claudine* L'"Arca Noae" de Kircher (1675):
       relire le récit biblique après la critique. Graphè 15 (2006) 135-156.
1932   KOLAKOWSKI L: *Kolakowski, Leszek* Was sagt uns die kluge Eselin?:
       die Erzählung von Bileam und seiner Eselin nach Leszek Kolakows-
       ki. BiHe 42/166 (2006) 12-13.
1933   LA TOUR DU PIN P. DE: *Renaud-Chamska, Isabelle* Entre Exode et
       Genèse: "Le second jeu" de Patrice de La Tour du Pin sous le signe
       de Noé. Graphè 15 (2006) 157-176..
1934   LEMAIRE J: *Baude, Jeanne M.* Jean-Pierre Lemaire à l'intérieur de
       l'arche. Graphè 15 (2006) 233-244.
1935   LEOPARDI G: *Gatti, Roberto* Leopardi e Qohelet. Qohelet. 2006 ⇒
       779. 133-149.
1936   LÉRY J DE: *Legros, Philippe* L'utilisation des Psaumes dans *Histoire
       d'un voyage faict en Brésil* (1578) de Jean de Léry. Les psaumes: de
       la liturgie à la littérature. 2006 ⇒369. 175-194.
1937   LIDMAN S: **Sjöberg, Lina** Genesis och Jernet: ett möte mellan Sara
       Lidmans Jernbaneepos och bibelns berättelser. Malmö 2006, Gid-
       lunds 352 pp. SEK175. 9789178447275. Diss. Uppsala [Gen 16; 21].
1938   MAHFOUZ N: *Van Leeuwen, Richard* Creation and revelation in Na-
       guib Mahfouz's novel *Children of Gebalawi*. Creation and creativity.
       2006 ⇒539. 44-58.
1939   MAJAKOVSKIJ: *Witte, G.* Majakovskij–Jesus: Aneignungen des Erlö-
       sers in der russischen Avantgarde. Das Buch der Bücher. 2006 ⇒
       441. 287-302.
1940   MANN T: *Nabergoj, Irena* Avsenik Literarna interpretacija svetopi-
       semske zgodbe o Jožefu iz Egipta pri Thomasu Mannu [Literary in-
       terpretation of the biblical story about Joseph of Egypt by Thomas
       Mann]. Bogoslovni Vestnik 66 (2006) 239-260. **S.**
1941   MARTEL Y: *Besson, Anne* Incroyable fiction: "L'histoire de Pi" de
       Yann Martel (2001), relecture contemporaine de Noé et Robinson.
       Graphè 15 (2006) 217-231.
1942   MILTON J: *Brown, Dennis* Moral dilemma and tragic affect in Sam-
       son Agonistes. JLT 20/2 (2006) 91-106 [Judg 13-16];
1943   *Ifrah, Lionel* La connaissance de l'hébreu chez John Milton, poète
       biblique. Les églises et le talmud. 2006 ⇒789. 111-121.
1944   NAIDOO X: *Schneider, Michael* "Hast du gehört, Armageddon ist
       da": Rezeption biblischer Texte und Motive in ausgewählten Texten
       Xavier Naidoos. ZNT 9/17 (2006) 53-63.
1945   NONNOS P: [E]**Agosti, Gianfranco** Nonno di Panopoli: parafrasi del
       vangelo di San Giovanni: canto quinto. 2003 ⇒20,1817. [R]Adamanti-
       us 12 (2006) 611-614 (*Rotondo, Arianna*);
1946   [E]**Greco, Claudia** Nonno di Panopoli: parafrasi del vangelo di San
       Giovanni: canto tredicesimo. 2004 ⇒20,1818. [R]Adamantius 12
       (2006) 614-617 (*Rotondo, Arianna*).

1947 PASCAL B: *Grasset, Bernard* L'humanisme biblique des *Pensées* de Pascal. ScEs 58 (2006) 251-264.

1948 PETRARCA F: *Scippa, Vincenzo* I salmi penitenziali biblici a confronto con quelli di Francesco Petrarca. Giocare davanti a Dio. BTNap 28: 2006 ⇒839. 389-422.

1949 PONTANUS J: *Führer, Heidrun* Abrahams und Jephtes Menschenopfer in den jesuitischen Schuldramen von Jacob Pontanus und Jacob Balde: ne dubita: oboedire Deo nil affert mali. Isaaks Opferung. AKG 101: 2006 ⇒412. 659-691 [Gen 22,1-19; Judg 11].

1950 POPE A: *Miles, Johnny* Re-reading the power of satire: Isaiah's 'daughters of Zion', Pope's 'Belinda', and the rhetoric of rape. JSOT 31 (2006) 193-219.

1951 RACAN B DE: *Macé, Stéphane* Le psautier de Racan, laboratoire des formes et terrain polémique. Les paraphrases bibliques. THR 415: 2006 ⇒726. 359-374.

1952 ROMANOS M: *Koder, Johannes* Romanos der Melode: der Dichter himmlischer Bibelpredigten in Dokumenten seiner Zeit. Alles echt. 2006 ⇒469. 75-82.

1953 ROSTAND E: *Nédélec, Claudine* Cyrano de Bergerac et la fille de Noé. Graphè 15 (2006) 121-133.

1954 ROTH P: *Meyer, Annegret* "Magdalena am Grab": Patrick Roth als Leser des Vierten Evangeliums: eine Spurensuche aus exegetischem Interesse. MThZ 57 (2006) 209-215.

1955 SACHS N: *Lerousseau, Andrée* "Beryll voit dans la nuit" de Nelly Sachs ou le mystère de l'arche sans Noé. Graphè 15 (2006) 177-198.

1956 SHAKESPEARE W: *Lobsien, V.* Olejniczak Biblische Gerechtigkeit auf dem Theater?: Shakespeare und Matthäus 7,1-5. Das Buch der Bücher. 2006 ⇒441. 263-286.

1957 SHALEV Z: *Shalev, Zeruya* Literary protagonists read the bible. HebStud 47 (2006) 389-393.

1958 STEVENSON R: *Jack, Alison* The death of the Master: the gospel of John and R.L. Stevenson's The Master of Ballantrae. SJTh 59 (2006) 297-306.

1959 TOLKIEN J: *Schiffner, Kerstin* Moria–Ort des Schreckens und der Rettung: Beobachtungen zu I. Mose 22 und zum "Herrn der Ringe". JK 67/3 (2006) 18-22.

1960 YAKUBOVITSH R: *Hellerstein, Kathryn* Ruth speaks in Yiddish: the poetry of Rosa Yakubovitsh and Itsik Manger. Scrolls of love. 2006 ⇒411. 89-121.

B4.7 *Interpretatio* **materialistica, psychiatrica**

1961 **Davis, Frederick B.** The Jew and deicide: the origin of an archetype. 2003 ⇒19,1876; 20,1833. [R]JRH 30/1 (2006) 98-99 (*Hartney, Christopher*).

1962 *Doizy, Guillaume* De la caricature anticléricale à la farce biblique. ASSR 51/2 (2006) 63-91.

1963 **Drewermann, Eugen** Die zehn Gebote: zwischen Weisung und Weisheit: Gespräche mit *Richard Schneider*. Dü 2006, Patmos 179 pp. €18. 3-491-50110-5. [R]ActBib 43 (2006) 228-229 (*Boada, Josep*).

1964 *Heine, Susanne* Erkennen und Scham: Sigmund FREUDs biblisches Menschenbild. WJT 6 (2006) 233-249;

1965   Das Sokrates-Netzwerk Religionspsychologie. WJT 6 (2006) 313-14.
1966   *Mayes, Andrew D.H.* Psychology–Moses and monotheism: the future
       of FREUD's illusion. Ancient Israel. 2006 ⇒724. 296-308.
1967   *Rashkow, Ilona N.* Psychology. Blackwell companion to the bible.
       2006 ⇒465. 447-463.
1968   **Sibony, Daniel** Lectures bibliques: premières approches. P 2006,
       Jacob 366 pp. €25.50. 2-7381-1853-4.

B5 Methodus exegeticus

1969   **Aletti, Jean-Noël**, *al.*, Vocabulaire raisonné de l'exégese biblique:
       les mots, les approches, les auteurs. 2005 ⇒21,2003. [R]EstB 64
       (2006) 127-128 (*Granados, Carlos*); CoTh 76/3 (2006) 237-240
       (*Chrostowski, Waldemar*);
1970   Lessico ragionato dell'esegesi biblica: le parole, gli approcci, gli
       autori. Brescia 2006, Queriniana 156 pp. 88-399-2396-9:
1971   *Aletti, Jean-Noël* Approcci sincronici. Lessico ragionato. 71-115.
1972   **Armstrong, Karen** Le combat pour Dieu: une histoire du fondamen-
       talisme juif, chrétien et musulman (1492-2001). [T]*Trierweiler, Denis*:
       2005 ⇒21,2004. [R]RHPhR 86 (2006) 585-586 (*Dean, J.*).
1973   *Baum, Armin D.* Die redaktionsgeschichtliche Methode;
1974   Pseudepigraphie und literarische Fälschung. Das Studium des NT.
       TVG: 2006 ⇒451. 355-371/441-466.
1975   **Bazylinski, Stanislaw** A guide to biblical research: introductory
       notes. SubBi 28: R 2006, E.P.I.B. 169 pp. €15. 88-7653-630-2. Bibl.
       147-153.
1976   **Becker, Uwe** Exegese des Alten Testaments: ein Methoden- und Ar-
       beitsbuch. UTB 2664: 2005 ⇒21,2009. [R]ThQ 186 (2006) 162
       (*Groß, Walter*); JETh 20 (2006) 187-189 (*Weber, Beat*); OLZ 101
       (2006) 451-453 (*Schart, Aaron*); JETh 20 (2006) 187-189 (*Weber,
       Beat*).
1977   *Blum, Erhard* "Formgeschichte"–ein irreführender Begriff?. Lesarten
       der Bibel. 2006 ⇒699. 85-96.
1978   *Boettcher, R.J.* Relational diagrams in text analysis. LASBF 56
       (2006) 213-224.
       Carr, David M. Writing on the tablet of the heart: origins of
       scripture and literature. 2005 ⇒1729.
1979   **Chisholm, Robert B., Jr.** Interpreting the historical books: an exe-
       getical handbook. Handbooks for OT exegesis: GR 2006, Kregel 231
       pp. $20. 08254-27649.
1980   **Collins, John J.** The bible after Babel: historical criticism in a post-
       modern age. 2005 ⇒21,2018. [R]OTEs 19 (2006) 765-6 (*Cronjé, S.I.*);
       RBLit (2006)* (*Davies, Philip*); JHScr 6 (2006)* ([E]*Carr, David M.*).
1981   *Correa, Teófilo* Intertextualidad y exégesis intra-bíblica: dos caras de
       la misma moneda?: breve análisis de las presuposiciones metodológi-
       cas. DavarLogos 5/1 (2006) 1-13.
1982   **Correia, João Luiz, Jr.** Chave para análise de textos bíblicos: com
       exercícios de análise. Bíblia na mão do povo: São Paulo 2006, Pauli-
       nas 104 pp. 85-356-1748-5.
1983   *Dabhi, James B.* FITZMYER on the historical-critical method and the
       spiritual sense of scripture. VJTR 70 (2006) 565-578, 666-678.

1984 *Deneken, Michel* Un plaidoyer théologique pour la méthode historico-critique. RevSR 80 (2006) 387-402.

1985 **Donfried, Karl P.** Who owns the bible?: toward the recovery of a christian hermeneutic. NY 2006, Crossroad xv; 176 pp. $20. 0-8245-2390-3. Bibl.

1986 *Draper, Jonathan* Many voices, one script: the prophecies of George Khambule. [F]KELBER, W. 2006 ⇒82. 44-63.

1987 **Ebner, Martin; Heininger, Bernhard** Exegese des Neuen Testaments: ein Arbeitsbuch für Lehre und Praxis. UTB 2677: 2005 ⇒21, 2021. [R]ThRv 102 (2006) 133-135 (*Kowalski, Beate*).

1988 *Engelbrecht, Martin* Eine Verteidigung der 'Nekrophilie': wissenssoziologische Befunde und Gedanken zur Unhintergehbarkeit der historisch-kritischen Exegese. Prekäre Zeitgenossenschaft. 2006 ⇒432. 224-246.

1989 **Erickson, Richard J.** A beginner's guide to New Testament exegesis. 2005 ⇒21,2023. [R]RBLit (2006)* (*Judge, Peter*).

1990 *Floss, Johannes P.* Form, source, and redaction criticism. Oxford handbook of biblical studies. 2006 ⇒438. 591-614.

1991 **Gerdmar, Anders; Syreeni, Kari** Vägar till Nya testamentet: metoder, tekniker och verktyg för nytestamentlig exegetik. Lund 2006, Studentlitteratur 141 pp. SEK170. 978-91440-44866.

1992 *Gilbert, Maurice* I diversi libri della bibbia. Lessico ragionato. 2006 ⇒1970. 7-36.

1993 *Gitay, Yehoshua* Literary criticism versus public criticism: further thoughts on the matter of biblical scholarship. OTEs 19 (2006) 633-649.

1994 *Gordon, Robert P.* A warranted version of historical biblical criticism?: a response to Alvin Plantinga. Hebrew Bible and ancient versions. MSSOTS: 2006 <2003> ⇒224. 169-179.

1995 **Grelot, Pierre** The language of symbolism: biblical theology, semantics, and exegesis. [T]*Smith, Christopher R.* Peabody, MASS 2006, Hendrickson x; 238 pp. £12. 1-56563-989-8. [R]RBLit (2006)* (*Koester, Craig R.*).

1996 *Guinot, Jean N.* L'exégèse figurative de la bible chez les pères de l'église. SémBib 123 (2006) 5-26.

1997 *Hagner, Donald A.* The place of exegesis in the postmodern world. [F]ELLIS, E. 2006 ⇒36. 292-308.

1998 *Hahn, Eberhard* Neuere Ansätze der Schriftauslegung. Das Studium des NT. TVG: 2006 ⇒451. 399-416.

1999 *Hahn, Ferdinand* Probleme historischer Kritik. Studien zum NT, I. WUNT 191: 2006 <1972> ⇒230. 29-45.

2000 *Hardmeier, Christof; Hunziker-Rodewald, Regine* Texttheorie und Texterschließung: Grundlagen einer empirisch-textpragmatischen Exegese. Lesarten der Bibel. 2006 ⇒699. 13-44.

2001 *Harris, Harriet A.* Fundamentalism(s). Oxford handbook of biblical studies. 2006 ⇒438. 810-840.

2002 *Haubeck, Wilfrid* Traditionsgeschichte. Das Studium des NT. TVG: 2006 ⇒451. 245-257.

2003 *Hearon, Holly E.* The implications of orality for studies of the biblical text. [F]KELBER, W. 2006 ⇒82. 3-20.

2004 *Jonker, Louis* Reading with one eye closed?: or: what you miss when you do not read biblical texts multidimensionally. OTEs 19 (2006) 58-76.

2005 **Kennedy, George A.** Retórica y Nuevo Testamento: la interpretación del Nuevo Testamento mediante la crítica retórica. Sagrada Escritura: 2003 ⇒19,1906... 21,2036. ᴿEfMex 71 (2006) 267-270 (*Cepeda Salazar, Antonino*);

2006 Nuovo Testamento e critica retorica. ᴱ*Zoroddu, Donatella*: StBi 151: Brescia 2006, Paideia 213 pp. €18.30. 88394-07251. Bibl. 197-200.

2007 *King, Nicholas* Rules for reading the New Testament. ScrB 36/1 (2006) 12-23.

2008 *Krispenz, Jutta* Die doppelte Frage nach Heterogenität und Homogenität: die Literarkritik. Lesarten der Bibel. 2006 ⇒699. 215-232 [Gen 2-3].

2009 *Krüger, Thomas* Überlegungen zur Bedeutung der Traditionsgeschichte für das Verständnis alttestamentlicher Texte und zur Weiterentwicklung der traditionsgeschichtlichen Methode. Lesarten der Bibel. 2006 ⇒699. 233-245.

2010 **Lacocque, André** Guide des nouvelles lectures de la bible. P 2006, Bayard 368 pp.

2011 *Lapsley, Jacqueline* "Am I able to say just anything?": learning faithful exegesis from Balaam. Interp. 60 (2006) 22-31 [Num 22-24].

2012 **Leonardi, Giovanni** Per saper fare esegesi nella chiesa: guida per animatori biblici: numerose esemplificazioni metodologiche con annesso CD multimediale a colori. Leumann (Torino) 2006, Elle Di Ci 360 pp. 88-01-03502-0. 1 CD; Bibl.

2013 *L'Hour, Jean* La Bible: une histoire, des histoires: le questionnement historique en exégèse. La bible et l'histoire. CRB 65: 2006 ⇒776. 269-289.

2014 *Loba-Mkole, Jean-Claude* Rise of intercultural biblical exegesis in Africa. Hekima Review 35 (2006) 9-22.

2015 *Lombaard, C.* The Old Testament between diachrony and synchrony: two reasons for favoring the former. JSem 15 (2006) 18-31.

2016 *Lona, Horacio E.* Die historisch-kritische Exegese und ihre Vermittlung: eine Problemanzeige. ᶠUNTERGASSMAIR, F. 2006 ⇒161. 35-45.

2017 *Mayordomo, Moisés* Rezeptionsästhetische Analyse. Das Studium des NT. TVG: 2006 ⇒451. 417-439.

2018 *Meynet, Roland* Les caractéristiques essentielles de la rhétorique biblique. Etudes sur la traduction. 2006 ⇒274. 23-39.

2019 *Mitchell, Margaret M.* Rhetorical and new literary criticism. Oxford handbook of biblical studies. 2006 ⇒438. 615-633.

2020 *Muilenburg, James* Form criticism and beyond. Presidential voices. 2006 <1968> ⇒340. 119-137.

2021 *Nelson, Randy W.* The challenge of canonical criticsm to background studies. JBSt 6/2 (2006) 10-34*.

2022 *Neudorfer, Heinz-Werner* Literarische Analyse;

2023 Abfassung einer schriftlichen Exegese. Das Studium des NT. TVG: 2006 ⇒451. 259-271/467-487.

2024 *Niederwimmer, Kurt* Zur Lehre vom vierfachen Schriftsinn bei Johannes CASSIAN (Conl.XIV,8). WJT 6 (2006) 61-83.

2025 *Odasso, Giovanni* L'approccio al testo biblico: alcune questioni metodologiche e teologiche. Lat. 72/1 (2006) 33-48.

2026 **Reis, Pamela** Tamarkin Reading the lines: a fresh look at the Hebrew Bible. 2002 ⇒18,1798... 21,2054. ᴿBiCT 2/1 (2006)* (*Conrad, Edgar W.*).

2027 *Rhoads, David* Performance criticism: an emerging methodology in Second Testament studies–I-II. BTB 36 (2006) 118-133, 164-184.

2028 *Rowland, Christopher Wirkungsgeschichte*: central or peripheral to biblical exegesis?. ScrB 36 (2006) 1-11;

2029 Social, political, and ideological criticism. Oxford handbook of biblical studies. 2006 ⇒438. 655-671.

2030 *Schnabel, Eckhard J.* Form- und Gattungsanalyse;

2031 Rhetorische Analyse. Das Studium des NT. TVG: 2006 ⇒451. 313-336/337-353.

2032 *Seiler, Stefan* Intertextualität. Lesarten der Bibel. 2006 ⇒699. 275-293 [Num 6,22-27; Ps 67].

2033 *Ska, Jean Louis* Approccio diacronico o storico-critico. Lessico ragionato. 2006 ⇒1970. 39-69.

2034 *Steins, Georg* Kanonisch lesen. Lesarten der Bibel. 2006 ⇒699. 45-64.

2035 *Stenschke, Christoph* Soziologische Analyse. Das Studium des NT. TVG: 2006 ⇒451. 373-397.

2036 *Strube, Sonja A.* Den "garstig breiten Graben" überwinden: empirische Erforschung heutiger Alltagslektüren als Teil exegetischen Forschens: Plädoyer für ein erweitertes Selbstverständnis der Exegese. Gotteswort und Menschenrede. 2006 ⇒371. 327-340.

2037 *Van der Merwe, Christo H.J.* Biblical exegesis, cognitive linguistics and hypertext. Congress volume Leiden 2004. VT.S 109: 2006 ⇒ 759. 255-280.

2038 **Van Seters, John** The edited bible: the curious history of the "editor" in biblical criticism. WL 2006, Eisenbrauns xvi; 428 pp. $39.50. 1-57506-112-0.

2039 *Villiers, Gerda de* Oor eksegese en metodes: die reëls van die spel. OTEs 19 (2006) 823-830.

2040 *Vulpillières, Sylvie de* Lessico generale: termini stranieri. Lessico ragionato. 2006 ⇒1970. 117-138.

2041 *Wendland, P.O.* Is allegorizing a legitimate manner of biblical interpretation?. WLQ 103/3 (2006) 163-194.

2042 **Woods, Nicola** Describing discourse: a practical guide to discourse analysis. L 2006, Hodder A. xviii; 204 pp. 978-0-340-809-617. Bibl. 196-201.

2043 *Zabatiero, Julio P.T.* Novos rumos na pesquisa bíblica. EsTe 46 (2006) 22-33.

III. Critica Textus, Versiones

D1 Textual Criticism

2044 *Andavert, José Luis* Un texto bíblico común para todos los cristianos. ResB 51 (2006) 13-22.

2045 *Boud'hors, Anne* Réflexions supplémentaires sur les principaux témoins fayoumiques de la bible. ᶠFUNK, W.: BCNH.Etudes 7: 2006 ⇒ 48. 81-108.

2046 *Clarke, Kent D.* Paleography and philanthropy: Charles Lang Freer and his acquisition of the "Freer biblical manuscripts". The Freer biblical manuscripts. SBL.Text-Critical studies 6: 2006 ⇒419. 17-73.

2047 *Finkelberg, Margalit* Regional texts and the circulation of books: the case of Homer. GRBS 46/3 (2006) 231-248.
2048 *Finney, Timothy J.* Manuscript markup. The Freer biblical manuscripts. SBL.Text-Critical studies 6: 2006 ⇒419. 263-287.
2049 **Genette, Gérard** Palimpsestes: la littérature au second degré. Points. Essais 257: P 2003 <1982>, Seuil 573 pp. 978-20201-89057. Bibl.
2050 **Hurtado, Larry W.** The earliest christian artifacts: manuscripts and christian origins. GR 2006, Eerdmans xiv; 249 pp. $20/£12. 0-8028-2895-7. Bibl. 193-208.
2051 *Jenner, Konrad D.; Van Peursen, Wido; Talstra, Eep* CALAP: an interdisciplinary debate between textual criticism, textual history and computer-assisted linguistic analysis. Corpus linguistics. SSN 48: 2006 ⇒486. 13-44.
2052 **McKendrick, Scot** In a monastery library: preserving Codex Sinaiticus and the Greek written heritage. L 2006, British Library 48 pp. $13. 978-07123-49406.
2053 *Tyssens, Madeleine* Informatique et critique textuelle. BAB.L 17 (2006) 145-158.
2054 *Van der Kooij, Arie* Textual criticism. Oxford handbook of biblical studies. 2006 ⇒438. 579-590.
2055 **Wegner, Paul D.** A student's guide to textual criticism of the bible: its history, methods & results. DG 2006, InterVarsity 334 pp. $17. 0-8308-2731-5. Bibl.

D2.1 *Biblia Hebraica* **Hebrew text**

2056 *Albrektson, Bertil* Masoretic or mixed: on choosing a textual basis for a translation of the Hebrew Bible. ᴹILLMAN, K. 2006 ⇒72. 23-34.
2057 *Berlejung, Angelika* Quellen und Methoden. Grundinformation AT. UTB Medium-Format 2745: 2006 ⇒1128. 19-54.
2058 *Bordreuil, Pierre; Briquet-Chatonnet, Françoise* Sous l'empire perse: le moment décisif. MoBi hors série (2006) 32-35.
2059 **Dotan, Aron** The awakening of word lore: from the masora to the beginnings of Hebrew lexicography. Sources and Studies 7: 2005 ⇒ 21,2088. ᴿHebStud 47 (2006) 460-462 (*Rubin, Aaron D.*). **H.**
2060 **Dukan, Michèle** La Bible hébraïque: les codices copiés en Orient et dans la zone séfarade avant 1280. Bibliologia 22: Turnhout 2006, Brepols vii; 406 pp. €85. 25035-20634.
2061 *Elwolde, John* Language and translation of the Old Testament. Oxford handbook of biblical studies. 2006 ⇒438. 135-158.
2062 *Gelston, Anthony* Some difficulties encountered by ancient translators. ᶠSCHENKER, A. VT.S 110: 2006 ⇒147. 47-58.
2063 *Homma, Toshio* Der Aleppo Kodex und die Textüberlieferungen im Osten und im Westen: historische Überlegungen zu den masoretischen Textüberlieferungen in Bezug auf die Ben Ascher-Handschriften. AJBI 32 (2006) 15-91.
2064 **Macchi, Jean-Daniel; Römer, Thomas** Guide de la Bible hébraïque: la critique textuelle dans la Biblia Hebraica Stuttgartensia. Genève ²2006 <1994>, Labor et F. 78 pp. €8.38. 978-28309-07537.
2065 *Martin Contreras, E.* M1's Masoretic appendices: a new description. JNSL 32/1 (2006) 65-81.

2066 *Morgenstern, Matthias* Die hebräische Bibel als Medium der Kultur-revolution. Gotteswort und Menschenrede. Ment. *Oz, Amos* 2006 ⇒ 371. 259-282.
2067 *Norton, Gerard J.* Ancient versions and textual transmission of the Old Testament. Oxford handbook of biblical studies. 2006 ⇒438. 211-236.
2068 *Ortega-Monasterio, M. Teresa* Spanish Biblical Hebrew manuscripts (second part). HebStud 47 (2006) 67-82.
2069 ᴱ**Schenker, Adrian,** *al.*, Biblia Hebraica Quinta, 18: general introduction and Megilloth. 2004 ⇒20,1943; 21,2112. ᴿThLZ 131 (2006) 722-725 (*Kreuzer, Siegfried*); DSD 13 (2006) 362-364 (*Herbert, Edward D.*).
2070 *Seleznev, Michael* Syntactic parsing behind the Masoretic accentuation (1). B&B 3 (2006) 353-370.
2071 *Tov, Emanuel* The writing of early scrolls and the literary analysis of Hebrew scriptures. DSD 13 (2006) 339-347;
2072 Hebrew Scripture editions: philosophy and praxis. ᶠPᴜᴇᴄʜ, E.: StTDJ 61: 2006 ⇒133. 281-312.
2073 *Vladimirescu, Miahi* Transmiterea textelor biblice ebraice. StTeol 2/2 (2006) 60-77 .
2074 *Yaniv, Bracha* From Spain to the Balkans: textile torah scroll accessories in the Sephardi communities of the Balkans. Sef. 66 (2006) 407-442.

D2.2 Targum

2075 Bibliography of the Aramaic Bible. AramSt 4 (2006) 111-114.
2076 *Böhme, David-Christopher; Müller, Johannes; Neef, Heinz-Dieter* Hoseas Botschaft als Prophetie: Targum Jonathan zu Hosea 1-3. BN 131 (2006) 17-38.
2077 **Brady, Christian M.M.** The rabbinic targum of Lamentations: vindicating God. 2003 ⇒19,1986;20,1955. ᴿJSJ 37 (2006) 95-98 (*Martínez-Borobio, Emiliano*).
2078 *Brock, Sebastian P.* An early interpretation of *pasaḥ:'aggēn* in the Palestinian targum. Fire from heaven. 2006 <1982> ⇒195. XI.27-34.
2079 *Butts, Aaron Michael* Observations on the verbless clause in the language of Neophyti I. AramSt 4 (2006) 53-66.
2080 *Chilton, Bruce* Targum, Jesus, and the gospels. The historical Jesus. 2006 ⇒334. 238-255.
2081 **Clem, Eldon** Targum Onkelos and Jonathan (English). 2006, Oaktree Software Accordance Bible Software, Version 2.0;
2082 Targum Neofiti (English). 2006, Oaktree Software Accordance Bible Software, Version 1.1; http://www.accordancebible.com.
2083 *Cook, Edward M.* The "Kaufman effect" in the "Pseudo-Jonathan" Targum. AramSt 4 (2006) 123-132.
2084 *Díez Merino, Luis* Interpretación targúmica del salmo 50. ᶠSᴀɴᴍᴀʀ-ᴛíɴ, J.: AuOr.S 22: 2006 ⇒144. 195-205.
2085 **Dray, Carol A.** Translation and interpretation in the targum to the books of Kings. Studies in the Aramaic interpretation of Scripture 5: Lei 2006, Brill xii; 230 pp. €94/$127. 90-04-14698-9. Bibl. 193-198.
2086 *Fraade, Steven D.* Locating targum in the textual polysystem of rabbinic pedagogy. BIOSCS 39 (2006) 69-91.

2087 *Gordon, Robert P.* 'Converse translation' in the targums and beyond. <1999> 263-277;
2088 Alexander SPERBER and the study of the targums. <1994> 295-302;
2089 The targumists as eschatologists. <1978> 303-316;
2090 *Terra Sancta* and the territorial doctrine of the Targum to the Prophets. <1982> 317-326;
2091 Targum as midrash: contemporizing in the Targum to the Prophets. <1988> 327-337;
2092 Dialogue and disputation in the Targum to the Prophets. <1994> 338-346;
2093 The Ephraimite messiah and the Targum(s) to Zechariah 12.10. Hebrew Bible and ancient versions. MSSOTS: 2006 <2003> ⇒224. 347-356.
2094 *Himbaza, Innocent* La tradition du targum en Néhémie 8,1-8. ETR 81 (2006) 543-552.
2095 *Houtman, Alberdina* A shocking event: targumic references to the theophany on Mount Sinai. ᶠHOUTMAN, C. CBET 44: 2006 ⇒68. 193-205 [Exod 19,18].
2096 *Kalimi, Isaac* Targumic and midrashic exegesis in contradiction to the *peshat* of biblical text;
2097 *Kasher, Rimon* The Palestinian targums to Genesis 4:8: a new approach to an old controversy. Biblical interpretation in Judaism & christianity. LHBOTS 439: 2006 ⇒742. 13-32/33-43.
2098 *Kroeze, David J.D.; Van Staalduine-Sulman, Eveline* A giant among bibles: "Erfurt 1" or Cod. Or. Fol. 1210-1211 at the "Staatsbibliothek zu Berlin". AramSt 4 (2006) 193-205 [1 Sam 17,8].
2099 *Landy, Francis* The temple in the *Aqedah* (Genesis 22). Biblical interpretation in Judaism & christianity. LHBOTS 439: 2006 ⇒742. 220-237 [Gen 22,2; 2 Chr 3,1].
2100 ᵀ**Lenzi, Giovanni** Il targum Yonathan, 1: Isaia: traduzione a confronto con il testo masoretico. 2004 ⇒21,2129. ᴿLASBF 56 (2006) 672-674 (*Pazzini, Massimo*).
2101 *Lier, G.E.* The image of God in *Fragment Targum (Recension P, Ms 110)* and *Neofiti I*. JSem 15 (2006) 221-244 [Gen 1,26-27].
2102 *Magri, Annarita* Abramo il "Perata" e la variante targumica di Num. 24:24. Henoch 28/2 (2006) 125-129.
2103 *Mitchell, David C.* Messiah bar Ephraim in the Targums. AramSt 4 (2006) 221-241 [Exod 40,9-11].
2104 **Mortensen, Beverly P.** The priesthood in Targum Pseudo-Jonathan: renewing the profession. Studies in the Aramaic interpretation of Scripture 4: Lei 2006, Brill 932 pp. $363. 90-04-15200-8. Bibl. ᴿHBT 28 (2006) 170-171 (*Donelson, Lewis R.*); RBLit (2006)* (*McNamara, Martin*).
2105 *Ribera-Florit, Josep* Aproximación a una exégesis comparativa entre el Targum de los profetas y el Nuevo Testamento. EstB 64 (2006) 647-655;
2106 The Baylonian tradition of Targum Ezequiel. ᶠSANMARTÍN, J.: AuOr. S 22: 2006 ⇒144. 337-342.
2107 **Shepherd, David** Targum and translation: a reconsideration of the Qumran Aramaic version of Job. SSN 45: 2004 ⇒20,1968; 21,2133. ᴿRSR 94/1 (2006) 156-158 (*Paul, André*); ThLZ 131 (2006) 1277-1280 (*Konradt, Matthias*).

2108   *Shinan, Avigdor* The late midrashic, paytanic, and targumic litera-
       ture. The Cambridge history of Judaism, 4. 2006 ⇒541. 678-698.
2109   *Viesel, Eran* An examination of statements in RASHI's commentary
       concerning Targum Onkelos. Shnaton 16 (2006) 181-203. **H.**

D3.1 *Textus graecus*—**Greek NT**

2110   *Aland, Barbara* Welche Rolle spielen Textkritik und Textgeschichte
       für das Verständnis des Neuen Testaments?: frühe Leserperspektiven.
       NTS 52 (2006) 303-318;
2111   Sind Schreiber früher neutestamentlicher Handschriften Interpreten
       des Textes?. FS OSBURN, C.: TaS 4: 2006 ⇒ 124. 114-122.
2112   *Birdsall, J.N.* Textual transmission and versions of the New Testa-
       ment. Oxford handbook of biblical studies. 2006 ⇒438. 237-249.
2113   **Brodie, Thomas L.** The birthing of the New Testament: the inter-
       textual development of the NT writings. NT Mon 1: 2004 ⇒20,1975;
       21,2139. ᴿFurrow 57 (2006) 450-451 (*O'Connell, Séamus*); ThLZ
       131 (2006) 735-738 (*Heckel, Theo K.*); Bib. 87 (2006) 439-442 (*Ver-
       heyden, Joseph*); CBQ 68 (2006) 756-758 (*Chartrand-Burke, Tony*);
       RBLit (2006)* (*Daly-Denton, Margaret*); JThS 57 (2006) 232-234
       (*Morgan, Robert*).
2114   *Charlesworth, S.D.* Consensus standardization in the systematic
       approach to *nomina sacra* in second- and third-century gospel manu-
       scripts. Aeg. 86 (2006) 37-68;
2115   Public and private–second- and third-century gospel manuscripts.
       Buried History [Victoria, Australia] 42 (2006) 25-36.
2116   *Choat, Malcolm* Echo and quotation of the New Testament in
       papyrus letters to the end of the fourth century. NT manuscripts.
       2006 ⇒453. 267-292.
2117   **Comfort, Philip** Encountering the manuscripts: an introduction to
       New Testament paleography and textual criticism. 2005 ⇒21,2141.
       ᴿFaith & Mission 24/1 (2006) 106-107 (*Winstead, Melton*).
2118   *Cook, Johann* Intertextual readings in the Septuagint. ᶠLATEGAN, B.:
       NT.S 124: 2006 ⇒94. 119-134.
2119   *Ehrman, Bart D.* The text of the New Testament. <2000> 1-8;
2120   Methodological developments in the analysis and classification of
       New Testament documentary evidence. <2001> 9-32;
2121   The use of group profiles for the classification of New Testament
       documentary evidence. <1987> 33-56;
2122   A problem of textual circularity: the Alands on the classification of
       New Testament manuscripts. <1989> 57-70;
2123   The text of the gospels at the end of the second century. <1996> 71-
       99;
2124   Text as window: New Testament manuscripts and the social history
       of early christianity. <1995> 100-119;
2125   The use and significance of patristic evidence for textual criticism.
       <1994> 247-266;
2126   HERACLEON and the 'Western' textual tradition. <1994> 281-299;
2127   The Theodotians as corruptors of scripture. Studies in textual criti-
       cism. <1992> 300-306;
2128   Text and tradition: the role of New Testament manuscripts in early
       christian studies: text and interpretation: the exegetical significance
       of the 'original' text. <2000> 307-324;

2129   Text and tradition: the role of New Testament manuscripts in early
        christian studies: text and transmission: the historical significance of
        the 'altered' text. Studies in textual criticism. NTTS 33: 2006
        <2000> ⇒212. 325-342.
2130   **Ehrman, Bart D.** Whose word is it?: the story behind who changed
        the New Testament and why. L 2006, Continuum viii; 242 pp. £17.
        0-8264-9129-4. Bibl.
2131   *Elliott, J.K.* Changes to the exegesis of the Catholic Epistles in the
        light of the text in the *Editio Critica Maior.* ^FELLIS, E. 2006 ⇒36.
        324-339.
2132   *Epp, Eldon J.* The Jews and the Jewish community in Oxyrhynchus:
        socio-religious context for the New Testament papyri. NT manu-
        scripts. 2006 ⇒453. 13-52.
            Epp, Eldon J. Perspectives on NT textual criticism. 2005 ⇒213.
2133   *Foster, Paul* Recent developments and future directions in New
        Testament textual criticism: report on a conference at the University
        of Edinburgh, 27 April 2006. JSNT 29 (2006) 229-235.
2134   *Frenschkowski, Marco* Studien zur Geschichte der Bibliothek von
        Cäsarea. NT manuscripts. 2006 ⇒453. 53-104.
2135   *Griffin, Carl W.* Digital imaging: looking toward the future of manu-
        script research. CuBR 5 (2006) 58-72.
2136   *Harris, James R.* New Testament autographs. <1882> 17-71;
2137   The rate of progress in New Testament research. <1908> 83-97;
2138   The Book of Testimonies. <1910> 98-116;
2139   The first Tatian reading in the Greek New Testament. NT auto-
        graphs. 2006 <1922> ⇒234. 185-191 [Mt 17,25-27].
2140   *Haugh, Dennis* Was Codex Washingtonianus a copy or a new text?.
        The Freer biblical manuscripts. SBL.Text-Critical studies 6: 2006 ⇒
        419. 167-184.
2141   *Holmes, Michael W.* The text of the Epistles sixty years after: an
        assessment of Günther Zuntz's contribution to text-critical methodol-
        ogy and history. ^FOSBURN, C.: TaS 4: 2006 ⇒124. 89-113.
2142   *Howell, Justin R.* The characterization of Jesus in Codex W. JECS 14
        (2006) 47-75.
2143   *Hörster, Gerhard* Textkritik. Das Studium des NT. TVG: 2006 ⇒
        451. 35-50.
2144   *Hurtado, Larry W.* The New Testament in the second century: text,
        collections and canon. ^FOSBURN, C. TaS 4: 2006, ⇒124. 3-27;
2145   The staurogram in early christian manuscripts: the earliest visual
        reference to the crucified Jesus?. NT manuscripts. 2006 ⇒453. 207-
        226.
2146   ^E**Jaroš, Karl**, *al.*, Das Neue Testament nach den ältesten griechis-
        chen Handschriften: die handschriftliche griechische Überlieferung
        des Neuen Testaments vor Codex Sinaiticus und Codex Vaticanus.
        Ruhpolding 2006, Rutzen 5163 pp. €78. 3-938646-098. 1041 ill.;
        CD-ROM. ^RSNTU.A 31 (2006) 287-288 (*Jaroš, Karl*).
2147   *Jongkind, Dirk* 'The lilies of the field' reconsidered: Codex Sinaiticus
        and the Gospel of Thomas. NT 48 (2006) 209-216 [Mt 6,28];
2148   One codex, three scribes, and many books: struggles with space in
        Codex Sinaiticus. NT manuscripts. 2006 ⇒453. 121-135.
2149   *Kannaday, Wayne C.* 'Are your *intentions* honorable?': apologetic
        interests and the scribal revision of Jesus in the canonical gospels.
        TC 11* (2006).

2150 **Kannaday, Wayne C.** Apologetic discourse and the scribal tradition: evidence of the influence of apologetic interests on the text of the canonical gospels. SBL.Text-Critical Studies 5: 2004 ⇒20,1984; 21,2168. [R]WThJ 68 (2006) 152-155 (*Gurtner, Daniel M.*); ThLZ 131 (2006) 1000-1002 (*Schmid, Ulrich*); JR 86 (2006) 671-672 (*Knust, Jennifer W.*); JECS 14 (2006) 118-120 (*Childers, J.W.*).

2151 *Knust, Jennifer W.* Early christian re-writing and the history of the *Pericope adulterae*. JECS 14 (2006) 485-536 [John 7,53-8,11].

2152 *Krans, Jan* NA[27] in SESB 1.0: a first look. TC 11* (2006) 26 pp.

2153 *Kraus, Thomas J.; Nicklas, Tobias* The world of New Testament manuscripts: 'every manuscript tells a story'. NT manuscripts. 2006 ⇒453. 1-11.

2154 *Kurek-Chomycz, Dominika A.* Is there an "anti-Priscan" tendency in the manuscripts?: some textual problems with Prisca and Aquila. JBL 125 (2006) 107-128 [Rom 16,3; 1 Cor 16,19].

2155 **Lake, Kirsopp** Gospel texts and The Acts of Saint Thomas from Mount Athos. Analecta Gorgiana 5: Piscataway, NJ 2006 <c.1899>, Gorgias 54 pp. $38. 978-15933-34734.

2156 **Metzger, Bruce; Ehrman, Bart D.** The text of the New Testament: its transmission, corruption, and restoration. [4]2005 <1964> ⇒21, 2172. [R]WThJ 68 (2006) 368-369 (*Silva, Moisés*); JThS 57 (2006) 551-567 (*Parker, D.C.*).

2157 *Miller, J. David* The long and short of *lectio brevior potior*. BiTr 57 (2006) 11-16.

2158 *Morton, Andrew Q.* A gospel made to measure. JHiC 12/1 (2006) 63-67.

2159 New English translation/Novum Testamentum Graece. 2004 ⇒20, 1986. NET & Nestle-Aland 27. [R]BiTr 57 (2006) 159-160 (*Omanson, Roger L.*).

2160 *Nicklas, Tobias; Wasserman, Tommy* Theologische Linien im Codex Bodmer Miscellani?. NT manuscripts. 2006 ⇒453. 161-188.

2161 **Omanson, Roger L.** A textual guide to the Greek New Testament: an adaptation of Bruce M. Metzger's *Textual commentary* for the needs of translators. Stu 2006, Deutsche Bibelgesellschaft 553 pp. $38. 3438-06044-2. Bibl.

2162 **Perrier, Pierre** La transmission des évangiles. P 2006, Éditions du Jubilé 309 pp. 2-86679-422-2.

2163 [E]**Pierpont, William G.; Robinson, Maurice A.** The New Testament in the original Greek: Byzantine Textform 2005. 2005 ⇒21,2177. [R]Faith & Mission 24/1 (2006) 103-105 (*Brake, Donald L.*).

2164 *Porter, Stanley E.* Textual criticism in the light of diverse textual evidence for the Greek New Testament: an expanded proposal. NT manuscripts. 2006 ⇒453. 305-337;

2165 Language and translation of the New Testament. Oxford handbook of biblical studies. 2006 ⇒438. 184-210.

2166 *Royse, James R.* The corrections in the Freer gospels codex;

2167 *Schmid, Ulrich* Reassessing the paleography and codicology of the Freer gospel manuscript. The Freer biblical manuscripts. SBL.Text-Critical studies 6: 2006 ⇒419. 185-226/227-249.

2168 *Sexton, J.* NT text criticism and inerrancy. MSM 17/1 (2006) 51-59.

2169 **Timpanaro, S.** The genesis of Lachmann's method. [ET]*Most, G.W.* 2005 ⇒21,2180. [R]RBLit (2006)* (*Verheyden, Joseph*).

2170 *Tuckett, Christopher M.* Nomina sacra in Codex E. JThS 57 (2006) 487-499.
2171 *Utzschneider, Helmut* Flourishing bones–the Minor Prophets in the New Testament. Septuagint research. SBL.SCSt 53: 2006 ⇒755. 273-292.
2172 *Vocke, Harald* Auf der Suche nach dem wahren Wortlaut: Gedanken aus der Werkstatt eines Evangelien-Übersetzers. IKaZ 35 (2006) 84-94.
2173 *Wachtel, Klaus* Early variants in the Byzantine text of the gospels. ᶠOSBURN, C.: TaS 4: 2006 ⇒124. 28-47.
2174 *Wayment, Thomas A.* The scribal characteristics of the Freer Pauline codex. The Freer biblical manuscripts. 2006 ⇒419. 251-262.
2175 *Williams, Peter J.* On the representation of Sahidic within the apparatus of the Nestle-Aland *Novum Testamentum Graece.* JCoptS 8 (2006) 123-125.
2176 **Williams, Peter J.** Early Syriac translation technique and the textual criticism of the Greek gospels. Texts and Studies 3.2: 2004 ⇒20, 1999; 21,2185. ᴿASEs 23 (2006) 334-335 (*Nicklas, Tobias*); NT 48 (2006) 400-404 (*Baarda, T.*).

D3.2 *Versiones graecae*—**VT, Septuaginta etc.**

2177 *Aejmelaeus, Anneli* Von Sprache zur Theologie: methodologische Überlegungen zur Theologie der Septuaginta. The Septuagint and messianism. BEThL 195: 2006 ⇒753. 21-48.
2178 *Aussedat, Mathilde* Le regroupement des livres prophétiques dans la Septante d'après le témoignage des chaînes exégétiques. XII Congress IOSCS. SCSt 54: 2006 ⇒774. 169-185.
2179 La bible grecque et les pères de l'église. RICP 97 (2006) 145-156.
2180 *Boyd-Taylor, Cameron* Toward the analysis of translational norms: a sighting shot. BIOSCS 39 (2006) 27-46;
2181 In a mirror, dimly–reading the Septuagint as a document of its times. Septuagint research. SBL.SCSt 53: 2006 ⇒ 755. 15-31.
2182 *Cook, Johann* The translation of a translation: some methodological considerations on the translation of the Septuagint. XII Congress IOSCS. SCSt 54: 2006 ⇒774. 29-40.
2183 *Dafni, Evangelia G.* Genesis 1-11 und PLATOS Symposion: Überlegungen zum Austausch von hebräischem und griechischem Sprach- und Gedankengut in der Klassik und im Hellenismus;
2184 PLATOS Symposion und die Septuagintafassung von Genesis 2,23f: methodische Überlegungen zum Austausch von hebräischem und griechischem Sprach- und Gedankengut in der Klassik und im Hellenismus. OTEs 19 (2006) 584-632/1139-1161.
2185 **De Troyer, Kristin** Die Septuaginta und die Endgestalt des Alten Testaments. ᵀ*Robinson, Gesine S.*: UTB S (Small-Format) 2599: 2005 ⇒21,2192. ᴿEThL 82 (2006) 489-491 (*Crom, D. de*).
2186 *Den Hertog, Cornelis G.* Die griechische Übersetzung von Exodus 19:6 als Selbstzeugnis des frühhellenistischen Judentums. ᶠHOUT-MAN, C.: CBET 44: 2006 ⇒68. 181-191.
2187 **Dines, Jennifer M.** The Septuagint. ᴱ*Knibb, Michael A.* 2004 ⇒20, 2009; 21,2193. ᴿRRT 13 (2006) 244-245 (*Bury, Benjamin*); HeyJ 47

(2006) 626-628 (*Madigan, Patrick*); StPhiloA 18 (2006) 205-208 (*Boyd-Taylor, Cameron*).

2188 *Fabry, Heinz-J.* Messianism in the Septuagint. Septuagint research. SBL.SCSt 53: 2006 ⇒755. 193-205.

2189 *Farag, Lois* The Septuagint in the life of the early church. WaW 26 (2006) 392-401.

2190 *Feldman, Louis H.* The Septuagint: the first translation of the torah and its effects. Judaism and Hellenism reconsidered. JSJ.S 107: 2006 <1998> ⇒215. 53-69.

2191 *Gentry, Peter John* The Septuagint and the text of the Old Testament. BBR 16 (2006) 193-218.

2192 *Greenspoon, Leonard J.* The *Kaige* recension: the life, death, and postmortem existence of a modern–and ancient–phenomenon. XII Congress IOSCS. SCSt 54: 2006 ⇒774. 5-16.

2193 *Harl, Marguerite* La bible grecque et les pères de l'église. RICP 97 (2006) 145-156;

2194 'La bible est un corpus de textes voyageurs'. MoBi hors série (2006) 50-55.

2195 **Harl, Marguerite** La bible en Sorbonne ou la revanche d'ÉRASME. L'histoire à vif: 2004 ⇒20,2016; 21,2207. ᴿThLZ 131 (2006) 152-153 (*Riaud, Jean*); JSJ 37 (2006) 443-445 (*Vos, J. Cornelis de*); ASSR 51/2 (2006) 129-133 (*Lassave, Pierre*); BLE 106 (2006) 307-308 (*Molac, P.*); Ist. 51 (2006) 331-336 (*Couteau, E.*).

2196 **Hengel, Martin** The Septuagint as christian scripture: its prehistory and the problem of its canon. ᵀ*Biddle, Mark E.* Old Testament studies: 2002 ⇒18,1939...21,2209. ᴿHeyJ 47 (2006) 106-7 (*Madigan, Patrick*); Alpha Omega 9/1 (2006) 169-182 (*Kranz, Dirk K.*).

2197 *Jobes, Karen H.* When God spoke Greek: the place of the Greek Bible in evangelical scholarship. BBR 16 (2006) 219-236.

2198 *Joosten, Jan* L'agir humain *devant* Dieu: remarques sur une tournure remarquable de la Septante. RB 113 (2006) 5-17 [Exod 10,16].

2199 ᴱ**Joosten, Jan; Le Moigne, Philippe** L'apport de la Septante aux études sur l'antiquité. LeDiv 203: 2005 ⇒21,764. ᴿBrot. 162 (2006) 375-376 (*Silva, Isidro Ribeiro da*); RTL 37 (2006) 97-98 (*Auwers, Jean-Marie*); NRTh 128 (2006) 472-474 (*Luciani, D.*); CBQ 68 (2006) 788-789 (*Vall, Gregory*).

2200 *Knibb, Michael* Language, translation, versions, and text of the apocrypha. Oxford handbook of biblical studies. 2006 ⇒438. 159-183;

2201 The Septuagint and messianism: problems and issues. The Septuagint and messianism. BEThL 195: 2006 ⇒753. 3-19.

2202 *Kovelman, Arkady* Typology and pesher in the Letter of Aristeas. ᴹILLMAN, K. 2006 ⇒72. 153-181.

2203 **Kranz, Dirk K.** Ist die griechische Übersetzung der Heiligen Schrift der LXX inspiriert?: ein Antwort nach den Zeugnissen der Kirchenväter (2.-4. Jh.) vor dem Aufkommen der Diskussion um die 'hebraica veritas'. Studi e ricerche Ateneo Pontificio Regina Apostolorum 3: R 2005, Ateneo Pontificio Regina Apostolorum 264 pp. €12. 88891-74293.

2204 *Kraus, Wolfgang* Contemporary translations of the Septuagint: problems and perspectives;

2205 *Kraus, Wolfgang; Wooden, R. Glenn* Contemporary 'Septuagint' research: issues and challenges in the study of the Greek Jewish scriptures. Septuagint research. SBL.SCSt 53: 2006, ⇒755. 63-83/1-13.

2206   *Kreuzer, Siegfried* From 'Old Greek' to the recensions: who and what caused the change of the Hebrew reference text of the Septuagint?. Septuagint research. SBL.SCSt 53: 2006 ⇒755. 225-237.

2207   [E]**Kreuzer, Siegfried; Lesch, Jürgen P.** Im Brennpunkt: die Septuaginta: Studien zur Entstehung und Bedeutung der Griechischen Bibel. BWANT 161: 2004 ⇒20,2000. [R]CDios 219/1 (2006) 320-322 (*Gutiérrez, J.*); ThLZ 131 (2006) 15-17 (*Müller, Mogens*).

2208   **Léonas, Alexis** Recherches sur le langage de la Septante. Ment. *Theodorus, M.*: OBO 211: 2005 ⇒21,2215. [R]JSJ 37 (2006) 127-129 (*Van der Louw, Theo*).

2209   **Loader, William R.G.** The Septuagint, sexuality, and the New Testament: case studies on the impact of the LXX in PHILO and the New Testament. 2004 ⇒20,2025; 21,2216. [R]ThLZ 131 (2006) 171-172 (*Reinmuth, Eckart*); JSJ 37 (2006) 129-131 (*De Troyer, Kristin*).

2210   **McLay, Tim** The use of the Septuagint in New Testament research. 2003 ⇒19,2066... 21,2218. [R]NT 48 (2006) 101 (*Collins, Nina L.*).

2211   *Miller, James A.* "Let us sing to the Lord": the biblical odes in the Codex Alexandrinus (Dissertation abstract). BIOSCS 39 (2006) 135-136.

2212   **Muraoka, Takamitsu** A Greek-English lexicon of the Septuagint: chiefly of the pentateuch and twelve prophets. 2002 ⇒18,1944... 21, 2223. [R]BZ 50 (2006) 122-124 (*Rüsen-Weinhold, Ulrich*).

2213   *Muraoka, Takamitsu* On the syntax of verba jubendi in the Septuagint. [F]CIGNELLI, L.: SBFA 68: 2006 ⇒21. 69-80;

2214   What is new about the Septuagint vocabulary?. KIATS Theological Journal [Seoul] 2/2 (2006) 299-317.

2215   **O'Connell, Séamus** From most ancient sources: the nature and text-critical use of the Greek Old Testament text of the Complutensian Polyglot Bible. [D]*Bathélemy, D.*: OBO 215: FrS 2006, Academic xii; 178 pp. FS56. 3-7278-1536-1. Diss. 1995; Bibl. 170-178.

2216   *Passoni Dell'Acqua, Anna* Septuaginta—libri sacri della diaspora giudaica e dei cristiani: VI giornata di studio, I quattro libri dei Regni: storie di re e di profeti. Adamantius 12 (2006) 620-623;

2217   *Biblion* e BIBLIA: la scrittura nella Scrittura: osservazioni sul lessico del materiale scrittorio nella Bibbia greca. RivBib 54 (2006) 291-319;

2218   La scrittura nella Scrittura: il lessico del materiale scrittorio nella Bibbia greca. [F]FABRIS, R.: SRivBib 47: 2006 ⇒38. 327-336.

2219   *Pietersma, Albert* LXX and DTS: a new Archimedian point for Septuagint studies?. BIOSCS 39 (2006) 1-11;

2220   Exegesis in the Septuagint: possibilities and limits (the psalter as a case in point). Septuagint research. 2006 ⇒755. 33-45.

2221   *Preda, Constantin* Inspiraţia Septuagintei din perspectivă hermeneutică. StTeol 2/2 (2006) 37-59.

2222   **Rahlfs, Alfred** Verzeichnis der griechischen Handschriften des Alten Testaments, 1,1: die Überlieferung bis zum VIII. Jahrhundert. [E]*Fraenkel, Detlef* Septuaginta, Vetus Testamentum Graecum, Supplementum 1,1: 2004 ⇒20,2037. [R]ThLZ 131 (2006) 165-166 (*Hiebert, Robert J.V.*); JSJ 37 (2006) 483-485 (*Wright, Benjamin*).

2223   [E]**Rahlfs, Alfred** Septuaginta (Das Alte Testament Griechisch): id est Vetus Testamentum graece iuxta LXX interpretes: duo volumina in uno. Stu ²2006, Deutsche Bibelgesellschaft lxcii; 1184 + 941 pp. 978-3-438-05119-6.

2224 *Rizzi, Giovanni* Bibbia dei Settanta oggi: edizioni, traduzioni e studi. LASBF 56 (2006) 105-128.
2225 *Rösel, Martin* Towards a 'theology of the Septuagint'. Septuagint research. SBL.SCSt 53: 2006 ⇒755. 239-252.
2226 *Scanlin, Harold P.* Charles Thomson: Philadelphia patriot and bible translator. BIOSCS 39 (2006) 115-132.
2227 *Schenker, Adrian* La bibbia dei Settanta nelle chiese d'Oriente e d'Occidente. Nicolaus 33/2 (2006) 19-28.
2228 *Schorch, Stefan* The Septuagint and the vocalization of the Hebrew text of the torah. XII Congress IOSCS. SCSt 54: 2006 ⇒774. 41-54.
2229 *Seleznev, Michael* A Greek rhetorician and the LXX (what does στερέωμα mean?). B&B 3 (2006) 371-380 [Gen 1,6].
2230 *Smith, Jannes* A linguistic and exegetical commentary on the Hallelouia psalms of the Septuagint (Dissertation abstract). BIOSCS 39 (2006) 133-134 [Ps 104-105; 110-112].
2231 **Tilly, Michael** Einführung in die Septuaginta. 2005 ⇒21,2228. [R]ASEs 23 (2006) 331-332 (*Eynikel, Erik*).
2232 *Toury, Gideon* A handful of methodological issues in DTS: are they applicable to the study of the Septuagint as an assumed translation?. BIOSCS 39 (2006) 13-25.
2233 *Utzschneider, Helmut* Face to face with the text: considerations about the scientific point of view for a translation of the Septuagint. KIATS Theological Journal [Seoul] 2/2 (2006) 251-298.
2234 **Van der Louw, T.A.W.** Transformations in the Septuagint: towards an interaction of Septuagint studies and translation studies. [D]*Van der Kooij, Arie* 2006, Diss. Leiden [RTL 38,616].
2235 *Van der Louw, Theo* Approaches in translation studies and their use for the study of the Septuagint. XII Congress IOSCS. SCSt 54: 2006 ⇒774. 17-28.
2236 **Veltri, Giuseppe** Libraries, translations, and "canonic" texts: the Septuagint, AQUILA and Ben Sira in the Jewish and christian traditions. JSJ.S 109: Lei 2006, Brill xi; 278 pp. €105. 90-04-14993-7.
2237 **Wasserstein, Abraham; Wasserstein, David J.** The legend of the Septuagint: from classical antiquity to today. NY 2006, CUP xviii; 334 pp. $75. 0-521-85495-4.
2238 *Wright, Benjamin G.* The Letter of Aristeas and the reception history of the Septuagint. BIOSCS 39 (2006) 47-67;
2239 Translation as scripture: the Septuagint in Aristeas and PHILO. Septuagint research. SBL.SCSt 53: 2006, ⇒755. 47-61.

D4 Versiones orientales

2240 *Brock, Sebastian P.* The use of the Syriac versions in the liturgy. The Peshitta. MPIL 15: 2006 ⇒781. 3-25.
2241 **Brock, Sebastian P.** The bible in the Syriac tradition. Gorgias Handbooks 7: Piscataway, NJ [2]2006, Gorgias ix; 178 pp. $38. 1-59333-300-5. Bibl. 155-178.
2242 *Dirksen, Piet B.* In retrospect. [F]JENNER, K.: 2006 ⇒75. 25-37.
2243 *Gordon, Robert P.* The Syriac Old Testament: provenance, perspective and translation technique. Hebrew Bible and ancient versions. MSSOTS: 2006 <1998> ⇒224. 250-262.

2244 *Greenberg, Gillian* Translating and transmitting an inspired text?.
      [F]JENNER, K.: MPIL 14: 2006 ⇒75. 57-64.
2245 *Harkins, Angela K.* Theological attitudes toward the scriptural text:
      lessons from the Qumran and Syriac exegetical tradtion. TS 67
      (2006) 498-516.
2246 *Hayman, A. Peter* The biblical text in the *Disputation* of Sergius the
      Stylite against a Jew. The Peshitta. MPIL 15: 2006 ⇒781. 77-86.
2247 *Heal, Kristian* Reworking the biblical text in the dramatic dialogue
      poems on the Old Testament patriarch Joseph. The Peshitta. MPIL
      15: 2006 ⇒781. 87-98.
2248 *Hedrick, Charles W.* Vestiges of an ancient Coptic codex containing
      a Psalms *Testimonia* and a gospel homily. JCoptS 8 (2006) 1-41.
2249 *Joosten, Jan* The Old Testament in the New: the Syriac versions of
      the New Testament as a witness to the text of the Old Testament
      Peshitta. The Peshitta. MPIL 15: 2006 ⇒781. 99-106.
2250 *Juckel, Andrea* The 'Syriac Masora' and the New Testament Peshitta.
      The Peshitta. MPIL 15: 2006 ⇒781. 107-121.
2251 *Koster, Marinus D.* The enigma of the lectionary MS 10L1: change
      of Vorlage in biblical manuscripts;
2252 *Lane, David J.* Scripture in Syriac liturgy: the rogation of Niniveh.
      [F]JENNER, K.: MPIL 14: 2006 ⇒75. 77-96/97-115.
2253 *Lange, Christian* EPHREM, his school, and the *Yawnaya*: some re-
      marks on the early Syriac versions of the New Testament. The Pe-
      shitta. MPIL 15: 2006 ⇒781. 159-175.
2254 *Lenzi, Giovanni* Differenze teologiche tra la Vetus Syra e il Diatessa-
      ron. LASBF 56 (2006) 133-178.
2255 *Lund, Jerome* Observations on some biblical citations in EPHREM'S
      Commentary on Genesis. AramSt 4 (2006) 207-220 [Gen 5,32-9,16].
2256 *Petersen, William L.* Problems in the Syriac New Testament and how
      Syrian exegetes solved them. The Peshitta. 2006 ⇒781. 53-74.
2257 [E]**Schüssler, Karlheinz** Das sahidische Alte und Neue Testament:
      vollständiges Verzeichnis mit Standorten, Bd. 3: Lfg.1-2. Biblia Cop-
      tica 3/1-2: 2003 ⇒19,2095; 21,2246. [R]OrChr 90 (2006) 245-249
      (*Horn, Jürgen*);
2258 Band 3: Lfg.2-3: sa 521-540, 541-560. Biblia Coptica 3/2-3: 2003-04
      ⇒19, 2095; 20,2058. [R]ThLZ 131 (2006) 1043-5 (*Luisier, Philippe*);
2259 sa 561-585. Biblia Coptica 3/4: Wsb 2006, Harrassowitz vii; 196 pp.
      €59. 978-34470-55109.
2260 *Shemunkasho, Aho* New Testament quotations in the breviary of the
      Syrian Orthodox Church: example: the Annunciation (Luke 1:26-38).
      The Peshitta. MPIL 15: 2006 ⇒781. 351-363.
2261 *Stone, Michael E.; Young, Michael J.L.* A Persian-Armenian manu-
      script in the Leeds collection. <1979> [Mt, Lk, Jn in Persian];
2262 *Stone, Michael E.* Armenian printed bibles in the collection of the
      Trask Library, Andover Newton Theological School. Apocrypha,
      Pseudepigrapha, II. OLA 145: 2006 <1996> ⇒310. 561-67/569-572.
2263 *Stone, Michael E.; Cox, Claude E.* Guidelines for editions of Arme-
      nian biblical texts. Apocrypha, Pseudepigrapha, II. 2006 <1982>,
      OLA 145. 611-617.
2264 *Ter Haar Romeny, Bas* The Greek vs. the Peshitta in a West Syrian
      exegetical collection. The Peshitta. MPIL 15: 2006 ⇒781. 297-310.
2265 *Urbaniak-Walczak, Katarzyna* Zwei neutestamenliche Pergament-
      bruchstücke in sahidischem Dialekt aus Deir el-Naqlun (Faijum).
      [F]FUNK, W.: BCNH.Etudes 7: 2006 ⇒48. 993-1007.

2266 *Van der Meer, Michaël N.* Moses' laws: a note on the Peshitta version of Joshua 1:7 and related passages. [F]JENNER, K.: MPIL 14: 2006 ⇒75. 117-128.

2267 *Van Rompay, Lucas* Between the school and the monk's cell: the Syriac Old Testament commentary tradition;

2268 *Varghese, Baby* Peshitta New Testament quotations in the West Syrian anaphoras: some general observations. The Peshitta. MPIL 15: 2006 ⇒781. 27-51/379-389.

2269 [T]**Weinberg, Joanna** Azariah DE' ROSSI's Observation on the Syriac New Testament: a critique of the Vulgate by a sixteenth-century Jew. 2005 ⇒21,2249. [R]REJ 165 (2006) 588-589 (*Guetta, Alessandro*).

D5.0 Versiones latinae

2270 [E]**Alidori, Laura**, *al.*, Bibbie miniate della Biblioteca Medicea Laurenziana di Firenze, II. Biblioteche e Archivi 15: F 2006, SISMEL xxii; 358 pp. 48 pl. [RBen 118,154–P.-M. Bogaert].

2271 AVL 50. [E]**Gryson, R.; Steimer, B.** VL, Bericht des Instituts 39: FrB 2006, Herder 46 pp.

2272 *Bianchi, Vito* La bible de Charles le Chauve. MoBi hors série (2006) 28-31.

2273 *Bogaert, Pierre*-Maurice Bulletin de la Bible Latine VII: septième série. RBen 116 (2006) 133-163.

2274 *Denoël, Charlotte* Sur les traces d'un livre d'évangiles du XIe siècle provenant de la bibliothèque d'Antoine Loisel (Paris, BNF, Latin 17228). RMab 17 (2006) 35-52.

2275 *Dolbeau, F.* Deux notules de philologie biblique sur des versions préhiéronymiennes. RBen 116 (2006) 287-294.

2276 **Dubois, Lieve & Michel; Peeters, Pierre** La Bible de Lobbes: intégrale des initiales du manuscrit du moine Goderan 1084. Lobbes 2006, Cercle de Recherches Archéologiques de Lobbes 87 pp. [RBen 118,155–P.-M. Bogaert].

2277 *Dubovský, Peter* Poklady na slovenských farách: Frankfurtské vydanie vatableho úpravy Pagninovho latinského prekladu biblie [Treasuries in the Slovak parish houses: Frankfurt edition of Vatable's correction of Pagnino's Latin translation of the bible]. SBSl (2006) 108-144. **Slovak**;

2278 Poklady na slovenských farách: latinský text frankfurtského vydania biblie [Treasuries in the Slovak parish houses: the Latin text of the Frankfurt edition of the bible]. SBSl (2006) 145-160. **Slovak**.

2279 *Eskhult, Josef* Latin Bible versions in the age of Reformation and Post-Reformation: on the development of new Latin versions of the Old Testament in Hebrew and on the Vulgate as revised and evaluated among the Protestants. KHÅ 106 (2006) 31-67.

2280 The Fadden More psalter: a medieval manuscript discovered in county Tipperary, Ireland, 20 July 2006. Archeology 77, Autumn, suppl. 2006, Ireland Museum 15 pp Ill. [RBen 118,163–P.-M. Bogaert].

2281 *Hamel, Christopher de* Dates in the Giant Bible of Mainz. [F]MARROW, J.. 2006 ⇒105. 173-183.

2282 *Huglo, Michel* Recherches sur la psalmodie alternée à deux choeurs. RBen 116 (2006) 352-366 [Incl. description du Psautier de saint Germain (Paris, BNF, lat. 11947)].

2283   **Kleiber, Wolfgang** Otfrid von Weissenburg: Evangelienbuch, 1: Edition nach dem Wiener Codex 2687, 1. Teil: Text, 2. Teil: Einleitung und Apparat. Tụ 2004, Niemeyer 194 fol.; xiv; 314 pp. €98. 34-846-40510;

2284   Otfrid von Weissenburg: Evangelienbuch, 2: Edition der Heidelberger Handschrift *P (Codex Pal. Lat. 52)* und der Handschrift *D (Codex Discissus*: Bonn, Berlin/Krakau, Wolfenbüttel), 1. Teil: Texte (*P, D*). Tụ 2006, Niemeyer xii; 450 pp. €98. 34846-40520.

2285   *Larocca, N.* I copisti delle bibbie atlantiche più antiche: un caso di trascrizione simultanea?. Gazette du Livre Médiéval 48/1 (2006) 26-37 [RBen 118,154–P.-M. Bogaert].

2286   *Maltby, Robert* Gerunds, gerundives and their Greek equivalents in Latin Bible translations. Latin vulgaire–latin tardif. Sevilla 2006, Secretario de Publicaciones Universidad de Sevilla 425-442. Actes du VIIième Colloque... sur le latin vulgaire et tardif, Séville, 2-6 septembre 2003 [RBen 118,159–P.-M. Bogaert].

2287   *McIlwain Nihimura, Margot* The Grey Gospels: a Frankish curiosity in Cape Town. ᶠALEXANDER, J. 2006 ⇒3. 159-170.

2288   *Meyers, Jean* Les citations bibliques dans le *De miraculis*. Les miracles de saint Etienne: recherches sur le recueil pseudo-augustinien (BHL 7860-7861). ᴱ**Meyers, Jean:** Hagiologia 5: Turnhout 2006, Brepols 144-161 [RBen 118,158–P.-M. Bogaert].

2289   *Michel, Bénédicte* La bible historiale de Guiart des Moulins: édition critique de la Genèse. Perspectives médiévales 30 (2006) 132-135 [Scr. 60,220*—B. van der Abeele].

2290   *Mráz, Marián* Nález frankfurtského vydania Pagninovho prekladu na strednom Slovensku [Find of the Frankfurt edition of Pagnino's version of translation in the central part of Slovakia]. SBSl (2006) 107. **Slovak.**

2291   *Nees, Lawrence* The Jonathan Gospels (Bibliotheca Apostolica Vaticana, Cod. Pal. lat. 46). ᶠALEXANDER, J. 2006 ⇒3. 85-98.

2292   *Panczová, Helena* Predhovor k frankfurtskému vydaniu Vatableho úpravy Pagninovho latinského prekladu: preklad z latinského originálu [Preface to the Frankfurt edition of Vatable's correction of Pagnino's Latin translation: translation from the Latin original]. SBSl (2006) 161-169. **Slovak;**

2293   Obsah celého svätého písma, čiže kníh Starého a Nového zákona: preklad z latinského originálu [Content of the complete version of the holy scripture, i.e., of the Old and New Testament: translation from the Latin original]. SBSl (2006) 170-175. **Slovak.**

2294   *Préville, Agnès de; Boespflug, François* La bible de saint Louis. MoBi hors série (2006) 42-44.

2295   *Quispel, Gilles* A general introduction to the study of the Diatessaron of TATIAN. ᶠFUNK, W.: BCNH.Etudes 7: 2006 ⇒48. 787-795.

2296   Das Reichenauer Evangeliar: eine Handschrift zum Blättern: Bayerische Staaatsbibliothek, München, Clm 4454. Mü 2005, Haus der Bayerischen Geschichte 39272-33994. Projektleitung: *Josef Kirmeier; Claudia Fabian*; Text: *Béatrice Hernad*; Redaktion: *Evamaria Brockhoff*; CD-ROM [Scr. 62,96*–P. Hamblenne].

2297   **Rizzi, Giovanni** Edizioni della bibbia nel contesto di Propaganda Fide: uno studio sulle edizioni della bibbia presso la Biblioteca della Pontificia Università Urbaniana. Città del Vaticano 2006, Urbaniana University Press 3 vols; 1579 pp.

2298 **Schmid, Ulrich** Unum ex quattuor: eine Geschichte der lateinischen Tatianüberlieferung. VL.AGLB 37: 2005 ⇒21,2280. ᴿThLZ 131 (2006) 1041-1042 (*Haendler, Gert*); RBen 116 (2006) 156-158 (*Bogaert, Pierre-Maurice*).

2299 *Smith, Joseph J.* Liturgiam authenticam: the authority of the Vulgate and the Neo-Vulgate. Joseph J. Smith, S.J. collection. Landas 20 (2006) 310-319.

2300 *Sznajder, Lyliane* La parole et la voix dans la Vulgate. ᶠCASEVITZ, M. 2006 ⇒17. 329-338.

2301 *Šimončič, Jozef* Transliterácie a preklad rukopisných poznámok vo frankfurtskom vydaní [Transliteration and translation of the holograph annotations in the Frankfurt edition]. SBSl (2006) 176-178. **Slovak.**

2302 *Trebolle, Julio* The textcritical value of the Old Latin in postqumranic textual criticism (1 Kgs 18:26-29.36-37). ᶠPUECH, E.: StTDJ 61: 2006 ⇒133. 313-331.

D6 **Versiones modernae** .1 *romanicae,* **romance**

2303 **Alves, Herculano** A Bíblia de João Ferreira Annes d'Almeida. Barueri 2006, Sociedade Bíblica do Brasil 899 pp. 978-972-8780-27-2.

2304 *Bedouelle, Guy* ERASME, LEFÈVRE d'Etaples et la lecture de la bible en langue vulgaire. Lay bibles. BEThL 198: 2006 ⇒719. 55-67.

2305 ᴱ**Beretta, Piergiorgio** Genesi: ebraico, greco, latino, italiano. Bibbia Ebraica Interlineare 1: CinB 2006, San Paolo 16*; 349 pp. 88-215-5569-0. Testo ebraico della BHS, traduzione interlineare italiana; testo greco dei Settanta, ed. A. Rahlfs; testo latino della Vulgata Clementina; testo italiano della Nuovissima Versione della Bibbia.

2306 La Bible de Jérusalem. 2003 ⇒19,2123. CD-ROM; Version 5, Windows 95 et supérieur/Macintosh. ᴿEeV 116/1 (2006) 30-31 (*Martin de Viviés, Pierre de*).

2307 Bíblia sagrada: nova tradução na linguagem de hoje. 2005 ⇒21, 2289. ᴿREB 263 (2006) 740-744 (*Pereira, Ney Brasil*).

2308 Bíblia Sagrada. Brasilia ³2006, CNBB xiv; 1490 pp. 85-7677-011-3. Trad. da CNBB, com introd. e notas. ᴿREB 66 (2006) 995-996 (*Pereira, Ney Brasil*).

2309 *Bonilla Acosta, Plutarco* La biblia del Oso, una traducción a la altura de los tiempos. ResB 51 (2006) 45-54.

2310 *Casanellas i Bassols, Pere* La influència hebraica en la bíblia del segle XIV. RCatT 31 (2006) 347-358.

2311 ᴱ**Casanellas i Bassolo, Pere** Corpus Biblicum Catalanicum, 3: Èxode; Levític. 2004 ⇒20,2105; 21,2294. ᴿAST 78-79 (2005-2006) 642-644 (*Ferrer, Joan*).

2312 *Chambers, Bettye* Looking back, looking forward: reflections on French bible bibliography. Lay bibles. BEThL 198: 2006 ⇒719. 319-328.

2313 *Gibert, Pierre* La bible de Castellion. MoBi hors série (2006) 56-60.

2314 ᴱ**Gomez-Géraud, M.-C.** La bible nouvellement translatée par Sébastien Castellion (1555). 2005 ⇒21,2300. ᴿÉtudes (jan. 2006) 120-121 (*Goujon, Patrick*).

2315 *Knetsch, Freek R.J.* A French bible produced in the Netherlands: La Sainte Bible par David Martin, pasteur wallon à Utrecht (1707). Lay bibles. BEThL 198: 2006 ⇒719. 279-296.

2316 *Lassave, Pierre* Les tribulations d'une bible dans les médias: le dossier de presse de la 'Bible des écrivains'. ASSR 51/2 (2006) 9-35.

2317 **Lassave, Pierre** Bible: la traduction des alliances: enquête sur un événement littéraire. 2005 ⇒21,2301. La Bible des écrivains. ᴿASSR 51/2 (2006) 226-227 (*Gugelot, Frédéric*).

2318 *Rotaru, Călin* Proiectul sbir de traducere a Noului Testament și o serie de considerații asupra lui din perspectiva metodei *skopos*. StTeol 2/2 (2006) 100-126.

2319 ᴱᵀ**Sánchez Manzano, M. Asunción** Benito ARIAS MONTANO: prefacios a la Biblia Regia de Felipe II: estudio introductorio, edición traducción y notas. Humanistas Españoles 32: León 2006, Univ. de León cxxxiv; 320 pp. Bibl. cxxvii-cxxxiv.

2320 *Semen, Petre* Traducerea bibliei între responsabilitate și misiune. StTeol 2/2 (2006) 7-23.

2321 *Venard, Olivier-Thomas* 'La bible en ses traditions': the new project of the École biblique et archéologique de Jérusalem presented as a 'fourth-generation' enterprise. NV(Eng) 4 (2006) 142-159;

2322 The cultural backgrounds and challenges of *La Bible de Jérusalem*. ᶠWANSBROUGH, H.: LNTS 316: 2006 ⇒168. 111-134.

2323 *Yorke, Gosnell L.* Institution-based translator training in Lusophone Africa: the dawning of a new day. BiTr 57 (2006) 74-78.

2324 *Zobgo, Lynell* Training for Francophone translators in Africa. BiTr 57 (2006) 71-74.

D6.2 *Versiones anglicae*—English Bible Translations

2325 **Blair, George A.** The New Testament: an idiomatic translation. Lewiston 2006, Mellen 3 vols; ii; 238 + ii; 273 + ii; 196 pp. 0-7734-610-3-5/061-6/21-7.

2326 Break through: the bible for young adults: pray it; study it; live it. Winona, MN 2006, St Mary's Pr. 1908 pp. $19. Good News [BiTod 44,392—Dianne Bergant].

2327 *Cross, Nancy M.* An amateur questions the NAB. HPR 106/7 (2006) 45-49.

2328 *Decker, R.J.* Verbal-plenary inspiration and translation. Detroit Baptist Seminary Journal [Allen Park, MI] 11 (2006) 25-61.

2329 *Dickman Orth, Myra* The English Great Bible of 1539 and the French connection. ᶠALEXANDER, J.: 2006 ⇒3. 171-184.

2330 ᵀ**Henson, John** Good as new: a radical retelling of the scriptures. 2004 ⇒20,2117. ᴿDR 124 (2006) 154-156 (*Brumwell, Anselm*).

2331 Holy Bible: English Standard Version. 2001 ⇒17,1761; 19,2152. ᴿBiTr 57 (2006) 97-100 (*Omanson, Roger L.*).

2332 JPS Hebrew-English Tanakh: the traditional Hebrew text and the new JPS translation. Ph ²2006 <1985>, Jewish Publication Society 2039 pp.

2333 ᵀ**King, Nicholas** The New Testament, freshly translated. 2005 ⇒21, 2317. ᴿWay 45/1 (2006) 108-109 (*Hartley, Helen-Ann*); Studies 95 (2005) 112-115 (*Williams, Guy*).

2334 *McClymond, Michael J.* Through a gloss darkly: biblical annotations and theological interpretation in modern Catholic and Protestant English-language bibles. TS 67 (2006) 477-497.

2335 *Neuhaus, Richard* More on bible babel. First things 159 (2006) 61-4.

2336 **Norton, David** A textual history of the King James bible. 2005 ⇒21, 2323. ^RScrB 36/1 (2006) 40-43 (*O'Loughlin, Thomas*); JR 86 (2006) 155-156 (*Shuger, Deborah*); RHE 101 (2006) 840-843 (*Arblaster, Paul*).

2337 ^E**Norton, David** The New Cambridge Paragraph Bible: with the Apocrypha, King James Version. 2005 ⇒21,2324. ^RNT 48 (2006) 103-104 (*Elliott, J.K.*); RHE 101 (2006) 840-843 (*Arblaster, Paul*).

2338 **Ohlhausen, Sidney K.** The American Catholic Bible in the nineteenth century: a catalog of English language editions. Jefferson (N.C.) 2006, McFarland ix; 337 pp. 978-07864-24917. Bibl. 331-33.

2339 *Patella, Michael The Saint John's Bible*: biblical authority within the illuminated word. WaW 26 (2006) 383-391.

2340 *Rashkow, Ilona N.* The Renaissance. Blackwell companion to the bible. 2006 ⇒465. 54-68.

2341 ^E**Stein, David** The contemporary torah: a gender-sensitive adaptation of the JPS translation. Ph 2006, Jewish Publication Society 424 pp.

D6.3 *Versiones germanicae*—Deutsche Bibelübersetzungen

2342 **Bechtoldt, Hans-Joachim** Jüdische deutsche Bibelübersetzungen vom ausgehenden 18. bis zum Beginn des 20. Jahrhunderts. 2005 ⇒ 21,2332. ^ROLZ 101 (2006) 499-500 (*Kasemaa, Kalle*); OTEs 19 (2006) 337-338 (*Naudé, J.A.*).

2343 *Bertone, Ilaria* The possibility of a Verdeutschung of scripture. New perspectives on Martin Buber. 2006 ⇒583. 177-183.

2344 Bibel in gerechter Sprache. ^E**Bail, Ulrike**, *al.*,: Gü 2006, Gü 2400 pp. €25. 978-3579-055008. ^RZeitzeichen 7/10 (2006) 56-59 (*Bohle, Evamaria*); LS 57 (2006) 438-440 & ThQ 186 (2006) 343-345 (*Groß, Walter*).

2345 *Bohle, Evamaria* "... hat er, hat sie, hat Gott geschaffen": die "Bibel in gerechter Sprache" ist schon vor ihrem Erscheinen verrissen worden–zu Unrecht. zeitzeichen 7/10 (2006) 56-59.

2346 *Böckler, Annette M.* "Höre, o Israel, das Göttliche ist überall und wohnt in allem; die vielen sind eins": die inklusive Übersetzung jüdischer liturgischer Texte. Schlangenbrut 24/95 (2006) 17-20.

2347 *Egger, Wilhelm* Revision der Einheitsübersetzung: Auftrag, Leitlinien, Arbeitsweise. LS 57 (2006) 403-406.

2348 *Garhammer, Erich* Ein Gespräch mit Frank Crüsemann. Lebendige Seelsorge 57 (2006) 407-411.

2349 *Gerhards, Albert* Tradition versus Schrift?: die Übersetzerinstruktion 'Liturgiam authenticam' und die deutsche Einheitsübersetzung. StZ 224 (2006) 821-829.

2350 *Köhlmoos, Melanie* Ewig blüht der Mandelzweig: Anmerkungen zu den "Grundlagen" des Projekts "Die Bibel–übersetzt in gerechte Sprache". ThR 71 (2006) 247-257.

2351 ^E**Kuhlmann, Helga** Die Bibel—übersetzt in gerechte Sprache?: Grundlagen einer neuen Übersetzung. 2005 ⇒21,423. ^RThR 71 (2006) 247-257 (*Köhlmoos, Melanie*); Bijdr. 67 (2006) 92-93 (*Beentjes, P.C.*); ThZ 62 (2006) 550-551 (*Kellenberger, Edgar*).

2352 *Mette, Norbert* Die Bibel in "gerechter Sprache": eine neue deutsche Bibelübersetzung. Diak. 37 (2006) 434-438.

2353 *Metzler, Luise* Bibel in gerechter Sprache: ein Brief an die Schlangenbrut. Schlangenbrut 24/95 (2006) 13-16.
2354 *Schuhmann, Roland* Bemerkungen zu zwei gotischen Textstellen (Röm. 14,11 und Mt. 5,15). HSF 115 (2006) 301-307.
2355 *Staubach, Nikolaus* Gerhard Zerbolt von Zutphen und die Laienbibel. Lay bibles. BEThL 198: 2006 ⇒719. 3-26.
2356 *Theobald, M.* Eine Partnerschaft zerbricht: zum Austritt der EKD aus der 'Einheitsübersetzung'. Orien. 70/2 (2006) 18-23.
2357 *Urban, Hans Jörg* Die Einheitsübersetzung: darf sie an der Ekklesiologie scheitern?: ein Zwischenruf. ^FUNTERGASSMAIR, F. 2006 ⇒161. 421-427.
2358 *Van der Louw, Theo* Vertalen volgens de Duitse romantiek (Schleiermacher, Buber) en soorten letterlijkheid. KeTh 57/1 (2006) 59-79.
2359 *Wachinger, Lorenz* "Die Eröffnung deiner Reden leuchtet" (Ps 119, 130): die Schrift, verdeutscht von Martin Buber und Franz Rosenzweig. LS 57 (2006) 412-416.

D6.4 **Versiones nederlandicae** *et variae*

2360 *Aalderink, Mark; Verbraak, Gwendolyn Biblia sacra*: a bibliography of bibles printed in Belgium and the Netherlands. Lay bibles. BEThL 198: 2006 ⇒719. 299-317.
2361 *Baumgarten, Jean* Du Taytsh-Khumesh au Yiddish, et retour: les traductions de la bible en langue vulgaire (Moyen Âge–XVIIIe siècle). REJ 165 (2006) 191-227.
2362 *Broeyer, Frits G.M.* Bible for the living room: the Dutch Bible in the seventeenth century. Lay bibles. BEThL 198: 2006 ⇒719. 207-221.
2363 ^E**Buitenwerf, Rieuwerd; Van Henten, Jan W.; De Jong-Van den Berg, Nelleke** Ambacht en wetenschap: elf wetenschappers over Die Nieuwe Bijbelvertaling. Heerenveen 2006, NBG 187 pp. €15. 90-61-26-886-9.
2364 *Den Hollander, August* Die Zusammenarbeit zwischen Johannes Enschedé (Haarlem) und Christian von Mechel (Basel): ein Beispiel europäischer Buchkultur am Ende des 18. Jahrhunderts. Lay bibles. BEThL 198: 2006 ⇒719. 247-277.
2365 *Israel, Hephzibah* Cutchery Tamil versus pure Tamil: contesting language use in the translated bible in the early nineteenth-century Protestant Tamil community. Postcolonial biblical reader. 2006 ⇒479. 269-283.
2366 *Jian, Cao* The Chinese Mandarin Bible: exegesis and bible translating. BiTr 57 (2006) 122-138.
2367 Kodikologische Bemerkungen über die Handschriften der Goten. Scr. 60 (2006) 3-37.
2368 *Kurras, Paola C.* Aspetti del contatto linguistico nella traduzione della Bibbia lituana di Bretke. ^FGUSMANI, R. 2006 ⇒57. 487-505.
2369 **Lambrecht, Jan** 'Recht op de waarheid af': bijdragen over Paulus, de evangeliën en de Nieuwe Bijbelvertaling. 2005 ⇒21,2365. ^RAcTh(B) 26/2 (2006) 265-267 (*Roberts, J.H.*);
2370 Trouw en betrouwbaar: recente bijbelvertalingen. Averbode 2006, Altiora 295 pp. 90-317-2385-1.
2371 *Mojola, Aloo Osotsi* What are the outstanding problems and challenges that confront contemporary bible interpretation and translation in Africa?. MTh 57/2 (2006) 7-22.

2372 *Nakai, Junko H.* The impact of the bible on the evolution of modern Japan. BiTr 57 (2006) 115-122.

2373 *Naudé, Jacobus A.; Makutoane, T.J.* Reanimating orality: the case for a new bible translation in Southern Sotho. OTEs 19 (2006) 723-738.

2374 *Owens, Pamela Jean* Bible translation and language preservation: the politics of the nineteenth century Cherokee bible translation projects. BiTr 57 (2006) 1-10.

2375 *Pavlič, Matej* Med ohranjanjem in razumevanjem: zgodnji prevodi Svetega pisma. Tretji dan. Krscanska revija za duhovnost in kulturo 35/9-10 (2006) 63-70. **S.**

2376 ^E**Van Dorp, J.; Drieënhuizen, T.** Heilige tekst in onze taal: bijbelvertalen voor gereformeerd Nederland. Heerenveen 2006, NBG 176 pp. €7.50. 90-6126-9687.

2377 *Vander Stichele, Caroline* Der Herr?: das geht nicht mehr!: die Wiedergabe des Tetragramms in der neuen niederländischen Bibelübersetzung. ^FSCHÜNGEL-STRAUMANN, H. 2006 ⇒153. 318-327.

2378 *Višaticki, Karlo* Prijevod Knjige proroka Amosa u Šaricevu sarajevskom i madridskom izdanju. BoSm 76 (2006) 831-880. **Croatian**.

2379 *Wendland, Ernst R.* Theology and ministry in Africa through bible translation: 'how firm a foundation'?. BiTr 57 (2006) 206-216.

D7 *Problema vertentis*—**Bible translation techniques**

2380 **Baker, Mona** Translation and conflict: a narrative account. L 2006, Routledge xiv; 203 pp. £70/20.

2381 *Baroni, Marco; Bernardini, Silvia* A new approach to the study of translationese: machine-learning the difference between original and translated text. Journal of the Association for literary and linguistic computing 21 (2006) 259-274.

2382 *Clark, David J.* Section headings: purposes and problems. BiTr 57 (2006) 194-203.

2383 **Cronin, Michael** Translation and identity. L 2006, Routledge x; 166 pp. 0-415-36464-7. Bibl. 144-157.

2384 *Dufner, D.* With what language will we pray?. Worship 80/2 (2006) 140-161.

2385 **Eco, Umberto** Quasi dasselbe in anderen Worten. Mü 2006, Hanser 462 pp. €27.90.

2386 *Escobar, Samuel* La importancia de la traducción de la biblia para la misión de la iglesia. ResB 51 (2006) 5-12.

2387 *Evans, Barrie* 'Equivalence' in the presence of 'otherness'. BiTr 57 (2006) 138-153. Collab. *Alina Krajewska*.

2388 **Hill, Harriet** The bible at cultural crossroads: from translation to communication. Manchester 2006, St. Jerome xiv; 280 pp. £25. 190-06-50754.

2389 *King, Nicholas Traduttore traditore*?: the translator as interpreter (or worse). ^FWANSBROUGH, H.: LNTS 316: 2006 ⇒168. 135-155.

2390 *Leutzsch, Martin* Was heißt übersetzen?: Probleme und Lösungen beim Übersetzen der Bibel am Beispiel von Lk 2,1-20;

2391 Übersetzungs- und Revisionsarbeit: die Replik von Martin Leutzsch zum Beitrag von Tobias Nicklas. LS 57 (2006) 378-384/391-392.

2392   *Meynet, Roland* Traductions et interprétation de la bible. Etudes sur la traduction. 2006 <2005> ⇒274. 11-21.
2393   *Naudé, Jacobus A.* A socioconstructive approach to the training of bible translators. OTEs 19 (2006) 1225-1238.
2394   *Neuger, Christie C.* Image and imagination: why inclusive language matters. [F]SAKENFELD, K. 2006 ⇒142. 153-165.
2395   *Nicklas, Tobias* Nachbildung, Nachdichtung oder Neuschöpfung?: Theorie und Praxis des Übersetzens. LS 57 (2006) 385-390;
2396   Vielfalt und Verantwortung: Replik von Tobias Nicklas zum Beitrag von Martin Leutzsch. LS 57 (2006) 393-394.
2397   **Ricoeur, Paul** Sur la traduction. 2003 ⇒19,2226. [R]RThPh 138 (2006) 388-389 (*Schouwey, Jacques*).
2398   *Saracco, Lisa* Un'apologia della *hebraica veritas* nella Firenze di Cosimo I: il *Dialogo in defensione della lingua thoscana* di Santi Marmochino O.P.. RSLR 42 (2006) 215-246.
2399   *Schwankl, Otto* "Ob ich je mal die Sprache finde ...?": zur Bibelübersetzung von Fridolin Stier. LS 57 (2006) 395-402.
2400   **Seidman, Naomi** Faithful renderings: Jewish-Christian difference and the politics of translation. Ch 2006, University of Chicago Press viii; 333 pp. $55. 978-0-226-74506-0. Bibl. 281-317.
2401   *Siebenthal, Heinrich von* Linguistische Methodenschritte: Textanalyse und Übersetzung. Studium des NT. TVG: 2006 ⇒451. 51-100.
2402   *Trautman, D.W.* The relationship of the active participation of the assembly to liturgical translations. Worship 80/4 (2006) 290-309.
2403   *Van Steenbergen, Gerrit J.* World view theory and bible translation. OTEs 19 (2006) 216-236.
2404   *Weber, J.* The whole word for the whole world. ChrTo 50/9 (2006) 96-98.
2405   *Wendland, Ernst R.* Translator training in Africa: is there a better way of teaching and learning?. BiTr 57 (2006) 57-71.

D8   *Concordantiae, lexica specialia*—**Specialized dictionaries, synopses**

2406   Elberfelder Handkonkordanz zur Elberfelder Bibel: Wort- und Zahlenkonkordanz. Wu [8]2006, Brockhaus 443 pp. 978-34172-58059.
2407   **Lund, Jerome A**. The Old Syriac Gospel of the Distinct Evangelists: a key-word-in-context concordance. 2004 ⇒20,2213. [R]RBLit (2006)* (*Carbajosa, Ignacio*).
2408   **Odelain, Olivier; Séguineau, Raymond** Concordance thématique de la bible: les prophètes. 2005 ⇒21,2432. [R]ACr 94 (2006) 79-80 (*Gatti, Vincenzo*).
2409   **Sievers, Joseph** Synopsis of the Greek sources for the Hasmonean period: 1-2 Maccabees and Josephus, War 1 and Antiquities 12-14. SubBi 20: 2001 ⇒17,1859; 19,2240. [R]RB 113 (2006) 142-143 (*Nodet, Etienne*).
2410   Stuttgarter elektronische Studienbibel / Stuttgart electronic study bible. [E]**Hardmeier, C.; Talstra, W.** 2004 ⇒20,2218; 21,2434. [K]EeV 116/1 (2006) 31-32 (*Martin de Viviés, Pierre de*); BZ 50 (2006) 158 (*Baur, Wolfgang*); ThLZ 131 (2006) 719-721 (*Herren, Luc*).
2411   [E]**Tov, Emanuel** The parallel aligned Hebrew-Aramaic and Greek texts of Jewish scripture. 2005, Logos Bible Software ⇒21,2435. [R]CBQ 68 (2006) 319-321 (*Van Dyke Parunak, H.*).

IV. Exegesis generalis VT vel cum NT

D9 Commentaries on the whole Bible or OT

2412 Africa bible commentary: a one-volume commentary written by 70 African scholars. GR 2006, Zondervan 1616 pp. Foreword *John R. Stott; Robert K. Aboagye-Mensah.* [R]AnBru 11 (2006) 183-196 (*Frederiks, Martha Th.*).

2413 *Avioz, Michael* The Da'at Mikra commentary series: between tradition and criticism. JBQ 34 (2006) 226-236.

2414 [E]**Barton, John; Muddiman, John** The Oxford bible commentary. 2001 ⇒17,1860...20,2222. [R]HeyJ 47 (2006) 97-8 (*Edmonds, Peter*).

2415 [E]**Berlin, Adele; Brettler, Marc Zvi** The Jewish study bible. 2004 ⇒20,317; 21,2436. [R]RBLit (2006)* (*Oeming, Manfred*).

2416 **Delitzsch, F.; Keil, C.F.** Commentary on the Old Testament. E 2006 <1996>, Hendrickson CD-ROM.

2417 [E]**Guest, Deryn,** *al.,* The queer bible commentary. L 2006, SCM xviii; 859 pp. 978-0-334-04021-7. Bibl. 769-825.

2418 Matthew Henry's commentary on the whole bible. Digital Library: Peabody, MASS 2006, Hendrickson Premium edition CD-ROM.
  Nuovo commentario biblico. [E]**Levoratti, A.** 2006 ⇒455.

V. Libri historici VT

E1.1 Pentateuchus, Torah *Textus, commentarii*

2419 **Alter, Robert** The five books of Moses : a translation with commentary. 2004 ⇒20,2235. [R]JQR 96 (2006) 578-83 (*Lockshin, Martin I.*).

2420 **Friedman, Richard E.** The bible with sources revealed: a new view into the five books of Moses. 2003 ⇒19,2257. [R]RBLit (2006)* (*Levin, Christoph*).

2421 *Joosten, Jan* Le milieu producteur du pentateuque grec. REJ 165 (2006) 349-361.

2422 **Kolatch, Yonatan** Masters of the word: traditional Jewish Bible commentary from the first through tenth centuries, 1. Jersey City, NJ 2006, KTAV xviii; 454 pp. $35. 088125-936-5.

2423 [E]**Miller, Chaim** The Gutnick Edition Chumash: with Rashi's commentary, Targum Onkelos and haftaros with a commentary anthologized from classic rabbinic texts and the works of the Lubavitcher Rebbe. Brooklyn 2006, Kol Menachem lviii; 1562 pp. $60.

2424 [E]**Paul, Mart-J.; Van den Brink, G.; Bette, J.C.** Bijbelcommentaar: Leviticus; Numeri; Deuteronomium. Studiebijbel Oude Testament 2: 2005 ⇒21,2457. [R]JETh 20 (2006) 198-201 (*Hilbrands, Walter*).

2425 *Rendsburg, Gary* Aramaic-like features in the pentateuch. HebStud 47 (2006) 163-176.

2426 **Robinson, George** Essential Torah: a complete guide to the five books of Moses. NY 2006, Schocken xxiii; 593 pp. 0-8052-4186-8. Bibl. 579-593.

2427   TOB: le pentateuque: les cinq premiers livres de la loi. 2003 ⇒19,
       2267. ᴿRB 113 (2006) 133-134 (*Loza Vera, J.*).

E1.2 *Pentateuchus* Introductio: Fontes JEDP

2428   *Blum, Erhard* Die Feuersäule in Ex 13-14–eine Spur der "Endredak-
       tion"?. ᶠHOUTMAN, C.: CBET 44: 2006 ⇒68. 117-137.
2429   **Campbell, Antony; O'Brien, Mark** Rethinking the pentateuch: pro-
       legomena to the theology of ancient Israel. 2005 ⇒21, 2467. ᴿRRT
       13 (2006) 469-471 (*Moberly, Walter*); Bib. 87 (2006) 98-110 (*Ska,
       Jean-Louis*); RBLit (2006)* (*Römer, Thomas; Dozeman, Thomas*).
2430   *Carr, David M.* What is required to identify pre-priestly narrative
       connections between Genesis and Exodus?: some general reflections
       and specific cases. A farewell to the Yahwist?. SBL.Symposium 34:
       2006 ⇒722. 159-180.
2431   **Cassuto, Umberto** The documentary hypothesis and the composition
       of the pentateuch: eight lectures. ᵀ*Abrahams, Israel*: J 2006, Shalem
       xxix; 142 pp. 978-96570-52358. Introd. *Joshua Berma*; Bibl. 127-31.
2432   **García López, Félix** El pentateuco: introducción a la lectura de los
       cinco primeros libros de la biblia. 2003 ⇒19,2284...21,2476. ᴿFaith
       & Mission 23/2 (2006) 89-96 (*Cole, Bob*).
2433   *Gertz, Jan C.* Tora und Vordere Propheten. Grundinformation AT.
       UTB Medium-Format 2745: 2006 ⇒1128. 187-302.
2434   ᴱ**Gertz, Jan C.; Schmid, Konrad; Witte, Markus** Abschied vom
       Jahwisten: die Komposition des Hexateuch in der jüngsten Diskus-
       sion. BZAW 315: 2002 ⇒18,2189... 21,2477. ᴿThRv 102 (2006)
       460-461 (*Erbele-Kuester, Dorothea*).
2435   **Gmirkin, Russell E.** Berossus and Genesis, Manetho and Exodus:
       Hellenistic histories and the date of the pentateuch. LHBOTS 433;
       Copenhagen international series 15: NY 2006, Clark xii; 332 pp.
       $135. 0-567-02592-6. Bibl. 297-309.
2436   **Goldberg, Oskar** Die Wirklichkeit der Hebräer: Einleitung in das
       System des Pentateuch, erster Band: deutsche Texte zur hebräischen
       Ausgabe. ᴱ*Voigts, Manfred*: Jüdische Kultur 15: 2005 <1925> ⇒21,
       2478. ᴿZAR 12 (2006) 393-397 (*Otto, Eckart*).
2437   *Gordon, Robert P.* Compositeness, conflation and the pentateuch.
       Hebrew Bible and ancient versions. 2006 <1991> ⇒224. 47-56.
2438   *Ho, Craig Y.S.* The cross-textual method and the J stories in Genesis
       in the light of a Chinese philosophical text. Congress volume Leiden
       2004. VT.S 109: 2006 ⇒759. 419-439.
2439   **Kaefer, J.A.** Un pueblo libre y sin reyes: la función de Gn 49 y Dt
       33 en la composición del pentateuco. Assoc. Bíbl. Española 44:
       Estella 2006, Verbo Divino 346 pp. ᴿSalTer 94 (2006) 867-868
       (*Sanz Giménez-Rico, Enrique*).
2440   *Koorevaar, Hendrik* The torah as one, three or five books: an intro-
       duction to the macro-structural problem of the pentateuch. HIPHIL 3
       (2006) 19 pp*.
2441   *Levin, Christoph* Die Redaktion Rᴶᴾ in der Urgeschichte. ᶠSCHMITT,
       H.-C.: BZAW 370: 2006 ⇒151. 15-34;
2442   The Yahwist and the redactional link between Genesis and Exodus. A
       farewell to the Yahwist?. SBL.Symposium 34: 2006 ⇒722. 131-141.

2443 *Levinson, Bernard M.* The manumission of hermeneutics: the slave laws of the Pentateuch as a challenge to contemporary pentateuch theory. Congress volume Leiden 2004. VT.S 109: 2006 ⇒759. 281-324 [Exod 21,2-11; Lev 25,1-7; Deut 15,12-18].

2444 *Liss, Hanna* The imaginary sanctuary: the priestly code as an example of fictional literature in the Hebrew Bible. Judah and the Judeans. 2006 ⇒941. 663-689.

2445 *Olson, Dennis T.* Truth and the torah: reflections on rationality and the pentateuch. But is it all true?. 2006 ⇒771. 16-33.

2446 *Otto, Eckart* Das Ende der Toraoffenbarung: die Funktion der Kolophone Lev 26,46 und 27,34 sowie Num 36,13 in der Rechtshermeneutik des Pentateuch. ^FSCHMITT, H.-C.: BZAW 370: 2006 ⇒151. 191-201.

2447 *Paul, Mart-Jan* Der archimedische Punkt der Pentateuchkritik–zur josianischen Datierung des Deuteronomiums. Ment. *Wette, Wilhelm de; Wellhausen, Julius*: JETh 20 (2006) 115-137 [2 Kgs 22-23].

2448 *Römer, Thomas C.* Exodus 3-4 und die aktuelle Pentateuchdiskussion. ^FHOUTMAN, C.: CBET 44: 2006 ⇒68. 65-79;

2449 The elusive Yahwist: a short history of research. A farewell to the Yahwist?. SBL.Symposium 34: 2006 ⇒722. 9-27.

2450 *Schmid, Konrad* Persische Reichsautorisation und Tora. ThR 71 (2006) 494-506;

2451 Buchtechnische und sachliche Prolegomena zur Enneateuchfrage. ^FSCHMITT, H.-C.: BZAW 370: 2006 ⇒151. 1-14;

2452 The so-called Yahwist and the literary gap between Genesis and Exodus. A farewell to the Yahwist?. SBL.Symposium 34: 2006 ⇒722. 29-50.

2453 *Schmidt, Ludwig* Die Priesterschrift in der Josefsgeschichte (Gen 37; 39-50). ^FSCHMITT, H.-C.: BZAW 370: 2006 ⇒151. 111-123.

2454 *Schmidt, Werner H.* Eine Querverbindung–jahwistische Urgeschichte und Plagenerzählungen. ^FSCHMITT, H.-C.: BZAW 370: 2006 ⇒151. 35-40.

2455 Schrieb Mose den Pentateuch?: zur Entstehung der fünf Bücher Moses. WUB 41 (2006) 26.

2456 **Schuele, Andreas** Der Prolog der hebräischen Bibel: der literar- und theologiegeschichtliche Diskurs der Urgeschichte (Genesis 1-11). Z 2006, Theologischer 442 pp. 978-32901-73593.

2457 *Ska, Jean-Louis* Le pentateuque à l'heure de ses usagers. Bib. 87 (2006) 98-110.

2458 **Ska, Jean-Louis** Introduction to reading the pentateuch. ^T*Dominique, Pascale*: WL 2006, Eisenbrauns xvi; 285 pp. $29.50. 978-15-7506-122-1. Bibl. 235-266.

2459 **Sklar, Jay** Sin, impurity, sacrifice, atonement: the priestly conceptions. HBM 2: 2005 ⇒21,2497. ^RThLZ 131 (2006) 1051-1052 (*Reventlow, Henning Graf*); RBLit (2006)* (*Achenbach, Reinhard; Gane, Roy*).

2460 *Sommer, Benjamin D.* The source critic and the religious interpreter. Interp. 60 (2006) 9-20.

2461 *Van Seters, John* The report of the Yahwist's demise has been greatly exaggerated!. A farewell to the Yahwist?. SBL.Symposium 34: 2006 ⇒722. 143-157.

2462 **Van Wijk-Bos, Johanna W.H.** Making wise the simple: the torah in christian faith and practice. 2005 ⇒21,2500. ^RRBLit (2006)* (*Hogeterp, Albert*).

2463   *Wesselius, Jan-Wim* From stumbling blocks to cornerstones: the function of problematic episodes in the primary history and in Ezra-Nehemiah. [F]HOUTMAN, C.: CBET 44: 2006,⇒68. 37-63 [Ezra 2; 7-8; Neh 7];

2464   Alternation of divine names as literary device in Genesis and Exodus. Stimulation from Leiden. BEAT 54: 2006 ⇒686. 35-43.

2465   **Wright, Richard M.** Linguistic evidence for the pre-exilic date of the Yahwistic source. LHBOTS 419: 2005 ⇒21,2502. [R]CBQ 68 (2006) 750-51 (*Van Seters, John*); RBLit (2006)* (*Levin, Christoph*).

E1.3 *Pentateuchus*, **themata**

2466   *Ajah, Miracle* Tithing in Ugarit and the pentateuch–possible implications for Africa. Scriptura 91 (2006) 31-42.

2467   *Berge, Kare* Etnisitet og religiøs identitet i patriark- og Utferdsfortellingen: nyere forskning, etnisk teori, og etniske uttrykksformer i noen bibeltekster. DTT 69/3 (2006) 184-201.

2468   *Boda, Mark J.* Renewal in heart, word, and deed: repentance in the torah. Repentance. 2006 ⇒813. 3-24.

2469   *Collins, John J.* Messianism and exegetical tradition: the evidence of the LXX pentateuch. The Septuagint and messianism. BEThL 195: 2006 ⇒753. 129-149.

2470   *Dogniez, Cécile* Les noms de fêtes dans le pentateuque grec. JSJ 37 (2006) 344-366 [Exod 23,14-19; 34,18-26 Lev 23,1-44; Num 28-29; Deut 16,1-17].

2471   *Gerstenberger, Erhard S.* Hulda unter den Schriftgelehrten: Tora als Mitte von Prophetie. [F]SCHÜNGEL-STRAUMANN, H. 2006 ⇒153. 271-280.

2472   *Gestoso Singer, Graciela N.* Notes about children in the pentateuch. DavarLogos 5/1 (2006) 67-73.

2473   **Gillman, Neil** Traces of God: seeing God in Torah, history and everyday life. Woodstock, VT 2006, Jewish Lights xiv; 216 pp. 1-58-0-23249-3. Bibl. 213-214.

2474   *Goodman-Thau, Eveline* "Die Tora redet wie in menschlicher Sprache": männliche Rede und weibliche Antwort in der Bibel und in der jüdischen Tradition. [F]SCHÜNGEL-STRAUMANN, H. 2006 ⇒153. 226-236.

2475   *Horbury, William* Monarchy and messianism in the Greek pentateuch. The Septuagint and messianism. BEThL 195: 2006 ⇒753. 79-128.

2476   *Rösel, Martin* Jakob, Bileam und der Messias: messianische Erwartungen in Gen 49 und Num 22-24. The Septuagint and messianism. BEThL 195: 2006 ⇒753. 151-175.

2477   *Ziemer, Benjamin* Prophetenrede und Gottesrede im Pentateuch und der Ausgang der Schriftprophetie. [F]MEINHOLD, A.: ABIG 23: 2006 ⇒110. 441-466.

E1.4 **Genesis**; *textus, commentarii*

2478   **Berrigan, Daniel J.** Genesis: fair beginnings, then foul. Lanham 2006, Rowman & L. xx; 265 pp. 0-7425-3192-9. Bibl. 265.

2479 *Carden, Michael* Genesis/Bereshit. Queer bible commentary. 2006 ⇒2417. 21-60.

2480 **Cazeaux, Jacques** Le partage de minuit: essai sur la Genèse. LeDiv 208: P 2006, Cerf 651 pp. €44. 2-204-08049-7.

2481 **Collins, C. John** Genesis 1-4: a linguistic, literary, and theological commentary. Phillipsburg 2006, P & R 318 pp. $18.

2482 ^T**Dadon, Abigail H.** Genesi-Bereshit (Khumash). Mi 2006, Mamash 816 pp.

2483 **Fernández Tejero, Emilia** Las masoras del libro de Génesis: Códice M1 de la Universidad Complutense de Madrid. TECC 73: 2004 ⇒ 20,2316. ^RCBQ 68 (2006) 107-109 (*Althann, Robert*).

2484 *Hiebert, Robert J.V.* The hermeneutics of translation in the Septuagint of Genesis. Septuagint research. SBL.SCSt 53: 2006 ⇒755. 85-103.

2485 **Junkaala, Eero** Three conquests of Canaan: a comparative study of two Egyptian military campaigns and Joshua 10-12 in the light of recent archeological evidence. Åbo 2006, Åbo Akademis 403 pp. 951-765-3344. Diss. Åbo.

2486 **Kass, Leon R.** The beginning of wisdom: reading Genesis. Ch 2006 <2003>, Univ. of Chicago Pr. xv; 700 pp. $20. 0226-425673 [ThD 53,82–W. Charles Heiser].

2487 **Kessler, Martin; Deurloo, Karel A.** A commentary on Genesis: the book of beginnings. 2004 ⇒20,2320; 21,2522. ^RCBQ 68 (2006) 515-516 (*Baker, David W.*).

2488 **Longman, Tremper** How to read Genesis. 2005 ⇒21,2523. ^RRBLit (2006)* (*Heider, George*).

2489 ^E**Louth, Andrew** La biblia comentada por los padres le la iglesia: Antiguo Testamento, 1: Genesis 1-11. ^T*Merino Rodríguez, Marcelo* 2003 ⇒19,2324. ^RVyV 64 (2006) 370-71 (*Sanz Valdivieso, Rafael*).

2490 **Mathews, Kenneth A.** Genesis 11:27-50:26. NAC 1B: 2005 ⇒21, 2525. ^RCBQ 68 (2006) 307-308 (*MacDonald, Burton*).

2491 **Miller, William T.** The book of Genesis. NY 2006, Paulist xii; 280 pp. $20. 0-8091-4348-8. Bibl. 280.

2492 **Ruppert, Lothar** Genesis: ein kritischer und theologischer Kommentar, 3: 25,19-36,43. FzB 106: 2005 ⇒21,2529. ^RThLZ 131 (2006) 368-371 (*Seebaß, Horst*); CBQ 68 (2006) 525-527 (*Hieke, Thomas*).

2493 *Salvesen, Alison* The Genesis texts of JACOB of Edessa: a study in variety. ^FJENNER, K.: MPIL 14: 2006 ⇒75. 177-188.

2494 *Savasta, Carmelo* Gen 1-11 secondo la nostra ricostruzione. BeO 48 (2006) 65-128.

E1.5 *Genesis*, topics

2495 **Garr, W. Randall** In His own image and likeness: humanity, divinity, and monotheism. Culture and history of the Ancient Near East 15: 2003 ⇒19,2344. ^RRHPhR 86 (2006) 292-293 (*Heintz, J.-G.*).

2496 **Kaminski, Carol M.** From Noah to Israel: realization of the primaeval blessing after the Flood. JSOT.S 413: 2004 ⇒20,2333; 21,2542. ^RCBQ 68 (2006) 122-123 (*Carr, David M.*); L&S 2 (2006) 235-236.

2497 **Kim, Sang-Kee** Das Menschenbild in der biblischen Urgeschichte und in ihren altorientalischen Parallelen. ^D*Albertz, R.* 2006 Diss. Münster [ThLZ 132,489].

2498 *Schüle, Andreas* Die Würde des Bildes: eine Re-Lektüre der priester-
lichen Urgeschichte. EvTh 66 (2006) 440-454 [Gen 1,26-28; 5,1-3].
2499 **Schüle, Andreas K.** Der Prolog der hebräischen Bibel: literar- und
theologiegeschichtliche Studien zur Urgeschichte (Gen 1-11).
^D*Schmid, Konrad*: AThANT 86: Z 2006, Theologischer xiii; 442 pp.
€46. 978-3-290-17359-3. Diss.-Habil. Zürich; Bibl. 421-424.

E1.6 **Creatio,** *Genesis 1s*

2500 *Aizpurúa Donazar, Fidel* El gratuito don que es ser y respirar: el mi-
sterio de la creación: perspectivas bíblicas, evangelizadores y socia-
les. Lumen 55 (2006) 265-281.
2501 **Askani, Hans-Christoph** Schöpfung als Bekenntnis. HUTh 50: Tü
2006, Mohr S. xiii; 226 pp. 3-16-148916-0. Bibl. 209-214.
2502 **Bonhoeffer, Dietrich** Création et chute: exégèse théologique de Ge-
nèse 1 à 3. ^T*Revet, R.* Bible et philosophie: P 2006, Bayard 116 pp.
€14.50. 22274-76035.
2503 *Borghi, Ernesto* Essere immagine di Dio nel rapporto con l'altro ses-
so: lettura esegetico-ermeneutica di Genesi 1-2. Annali di studi reli-
giosi 7 (2006) 53-78 [Gen 1,26-31; 2,18-25].
2504 *Chinitz, Jacob* Creation and the limitations of the creator. JBQ 34
(2006) 126-129.
2505 *Croatto, José S.* Reading the pentateuch as a counter-text: a new
interpretation of Genesis 1:14-19. Congress volume Leiden 2004.
VT.S 109: 2006 ⇒759. 383-400 [Lev 23].
2506 *Danuser, H.* Mischmasch oder Synthese?: der 'Schöpfung' psychago-
gische Form. Das Buch der Bücher. 2006 ⇒441. 17-52.
2507 *DeClaissé-Walford, Nancy L.* Genesis 2: "It is not good for the
human to be alone". RExp 103 (2006) 343-358.
2508 *Dellazari, Romano* Façamos O *'Ādām*: o ser humano como outro e
outra. Teocomunicaçâo 36 (2006) 731-746.
2509 *Dohmen, Christoph* Jedes Tier soll seinen Namen haben: die Tiere in
Genesis 2,18-20. BiHe 42/166 (2006) 16.
2510 *Elbert, Paul* Genesis 1 and the Spirit: a narrative-rhetorical ancient
Near Eastern reading in light of modern science. JPentec 15 (2006)
23-72.
2511 **Fretheim, Terence** God and world in the Old Testament: a relational
theology of creation. 2005 ⇒21,2560. ^RInterp. 60 (2006) 454-456
(*Brown, William P.*); RBLit (2006)* (*Branch, Robin G.*); JThS 57
(2006) 621-23 (*Moberly, Walter*); JHScr 6 (2006)* = PHScr III,378-
380, 448-450 (*Middleton, J. Richard; Irwin, William H.*) [⇒593].
2512 **Gunkel, Hermann** Creation and chaos in the primeval era and the
eschaton: a religio-historical study of Genesis 1 and Revelation 12.
^T*Whitney, K. William, Jr.* GR 2006, Eerdmans xlii; 442 pp. $36. 0-
8028-2804-3. Bibl. 384-404.
2513 *Hepner, Gershon* Israelites should conquer Israel: the hidden polemic
of the first creation narrative. RB 113 (2006) 161-180 [2 Chr 26,23].
2514 *Hutzli, Jürg* Überlegungen zum Motiv der Ansammlung der Wasser
unterhalb des Himmels an einem Ort (Gen 1,9). ThZ 62 (2006) 10-
16.
2515 **Indermark, John** Great themes of the bible: creation: living in and
as God's creation. Biblical Studies: Nv 2006, Abingdon 86 pp.

2516 *Kartveit, Magnar* Skaping 1, Skaping 2, og Skaping 3. Ung teologi 39/4 (2006) 47-59.
2517 *Kawashima, Robert S.* A revisionist reading revisited: on the creation of Adam and then Eve. VT 56 (2006) 46-57 [Gen 2,7].
2518 **Kehl, Medard** Und Gott sah, dass es gut war: eine Theologie der Schöpfung. FrB 2006, Herder 432 pp. €25.60. 3-451-29273-4.
2519 *Kessler, Rainer* Die Frau als Gehilfin des Mannes?: Genesis 2,18.20 und das biblische Verständnis von 'Hilfe'. Gotteserdung. BWANT 170: 2006 <1987> ⇒249. 35-40.
2520 **Klaiber, Walter** Schöpfung: Urgeschichte und Gegenwart. 2005 ⇒ 21,2566. [R]JETh 20 (2006) 249-251 (*Raedel, Christoph*).
2521 *Klassen, Randy* 'Ezer and Exodus. Direction 35 (2006) 18-32 [Gen 2, 18].
2522 *Kofoed, Jens B.* Adam what are you?: the primeval history against the backdrop of Mesopotamian mythology. HIPHIL 3 (2006) 18 pp*.
2523 **Löning, Karl; Zenger, Erich** In principio Dio creò: teologie bibliche della creazione. Giornale di teologia 321: Brescia 2006, Queriniana 287 pp. €23. 88-399-0821-8. Bibl.
2524 *Padiha, Alyson A.* Alguns aspectos para a leitura do conceito de crição no Antigo Testamento. RCT 14/54 (2006) 63-76.
2525 *Popović, Anto* The seventh day of creation–Genesis 2:1-3: an exegetical-theological analysis of the seventh day (Gen 2:1-3) of creation (Gen 1:1-2:3). Anton. 81 (2006) 633-653.
2526 *Tloka, Jutta* Schöpfung predigen: das Sechstagewerk bei BASILIOS und Johannes CHRYSOSTOMOS. WJT 6 (2006) 125-141.
2527 *Van Meegen, Sven; Wahl, Otto* Einführung in die biblische Urgeschichte. Lebensdeutung aus der Genesis. 2006 ⇒423. 3-8.
2528 *Wahl, Otto* Die Schöpfung (Gen 1,1-2,4a);
2529 Der Schöpfungsauftrag (Gen 1,26-31). Lebensdeutung aus der Genesis. 2006 ⇒423. 9-11/12-18.
2530 **Wénin, André** Il sabato nella bibbia. StBi 52: Bo 2006, EDB 76 pp. 88-10-41002-5 [Gen 2,1-3].

Gen 1,26: imago Dei:

2531 *Bochenek, Krzystof* Człowiek jako Imago Dei w kontekście Commentum Super Genesim Stanisława z Zawady. Studia antyczne i mediewistyczne 4 [39] (2006) 207-225 [Gen 1,26-27]. **P**.
2532 **Bumazhnov, Dmitrij** Der Mensch als Gottes Bild im christlichen Ägypten: Studien zu Gen 1,26 in zwei koptischen Quellen des 4.-5. Jahrhundert. STAC 34: Tü 2006, Mohr S. ix; 262 pp. 3-16-148658-7.
2533 *Habel, Norman* 'Playing God or playing earth': an ecological reading of Genesis 1:26-28. [F]FRETHEIM, T. 2006 ⇒45. 33-41.
2534 *Marín i Torner, Joan Ramon* Creats a imatge de Déu?: estudi di Gn 1,26. Imatge de Déu. Scripta Biblica 7: 2006 ⇒463. 31-58.
2535 *McConnell, W.* In his image: a christian's place in creation. AJTh 20/1 (2006) 114-127 [Gen 1,28].
2536 **Middleton, J. Richard** The liberating image: the *Imago Dei* in Genesis 1. 2005 ⇒21,2571. [R]TrinJ 27 (2006) 339-340 (*Garrett, Steve*); Augustinus 51 (2006) 381-382 (*Silva, Alvaro*); Faith & Mission 24/1 (2006) 100-101 (*Lytle, Matt*) [Gen 1,26-28].
2537 *Niclós Albarracín, Josep-Vicent* 'Imatge' i 'semblança' en el judaisme, el cristianisme i l'Islam. Imatge de Déu. Scripta Biblica 7: 2006 ⇒463. 253-291 [Gen 1,26].

2538 **Pasquet, Colette** L'homme, l'image de Dieu, Seigneur de l'univers: l'interprétation de Gen 1,26 dans la tradition syriaque orientale. ^D*Yousif, Pierre* 2006, Diss. Institut catholique de Paris.

2539 *Soskice, Janet Martin Imago Dei* e differenza sessuale. Conc(I) 42/1 (2006) 51-59; Conc(E) 314,41-48; Conc(GB) 2006/1,35-41; Conc(D) 29-36 [Gen 1,26-27].

E1.7 *Genesis 1s*: **Bible and myth** [⇒M3.8]

2540 **Angel, Andrew R.** Chaos and the Son of Man: the Hebrew Chaoskampf tradition in the period 515 BCE to 200 CE. ^D*Travis, Stephen* LSTS 60: L 2006, Clark xiii, 261 pp. £65. 0-567-03098-9. Diss. Nottingham; Bibl. 213-245.

2541 *Blanco Pérez, Carlos* El concepto de "creación" en la teología menfita: aproximación preliminar a una hermenéutica comparativa entre la cosmogonía egipcia y el relato bíblico del Génesis. EstB 64 (2006) 3-18 [Gen 1].

2542 *Frymer-Kensky, Tikva Atrahasis*: an introduction. <1982> 5-18;

2543 The planting of man: a study in biblical imagery. <1987> 19-34;

2544 The *Atrahasis* epic and its significance for our understanding of Genesis 1-9. <2004> 51-66;

2545 Goddesses: biblical echoes. Studies in bible. 2006 <1994> ⇒219. 69-82.

2546 **Keel, Othmar; Schroer, Silvia** Schöpfung: Biblische Theologien im Kontext altorientalischer Religionen. 2002 ⇒18,2332... 20,2377. ^RThR 71 (2006) 11-13 (*Reventlow, Henning Graf*).

2547 *López-Ruiz, Carolina* Some oriental elements in HESIOD and the Orphic cosmogonies. JANER 6 (2006) 71-104.

2548 *Meiser, Martin* Neuzeitliche Mythosdiskussion und altkirchliche Schriftauslegung. NTS 52 (2006) 145-165.

2549 *Scubla, Lucien* The bible, "creation", and mimetic theory. Ment. *Girard, René*: Contagion 12-13 (2006) 13-19.

2550 ^{ET}**Talon, Philippe** The standard Babylonian creation myth: Enuma Elish. SAA Cuneiform texts 4: Helsinki 2006, The Neo-Assyrian Text Corpus Project xix; 138 pp. $34. 952-10-1328-1. Introduction, cuneiform text, transliteration.

2551 **Tsumura, David T.** Creation and destruction: a reappraisal of the chaoskampf theory in the Old Testament. ²2005 ⇒21,2604. ^RJHScr 6 (2006)* = PHScr III,445-447 (*Feuerherm, Karljürgen G.*) [⇒593].

2552 *Weeks, Noel K.* Cosmology in historical context. WThJ 68 (2006) 283-293.

2553 *Zanovello, Luciano* Enuma elish e bibbia ebraica. BeO 48 (2006) 205-222.

E1.8 *Gen 1s, Jos 10,13...*: **The Bible, the Church and science**

2554 *Bianchin, Matteo* Naturalismo e fenomenologia. Natura senza fine. 2006 ⇒612. 247-262.

2555 **Blackwell, Richard J.** Behind the scenes at GALILEO's trial: including the first English translation of Melchior Inchofer's *Tractatus syl-*

lepticus. ND 2006, Univ. of Notre Dame Pr. xiii; 245 pp. $35. 0268-022011 [ThD 53,54–W. Charles Heiser].

2556 *Boniolo, Giovanni* Naturalizziamo?: ma con saggezza. Natura senza fine. 2006 ⇒612. 99-117.

2557 *Caiazza, John C.* The Athens/Jerusalem template and the techno-secularism thesis—kicking the can down the road. Zygon 41 (2006) 235-248.

2558 **Chalker, William** Science and faith: understanding meaning, method, and truth. LVL 2006, Westminster 218 pp. $28. 9780664227531.

2559 **Copan, Paul; Craig, William Lane** Creation out of nothing: a biblical, philosophical, and scientific exploration. 2004 ⇒20,2389; 21, 2612. [R]HeyJ 47 (2006) 441-442 (*Wright, Terry J.*).

2560 *De Caro, Mario* Il naturalismo scientifico contemporaneo: caratteri e problemi. Natura senza fine. 2006 ⇒612. 85-95.

2561 *De Rosa, Giuseppe* La genèse de l'homme selon la bible. PrzPow 9 (2006) 15-27. **P.**

2562 *DeClaissé-Walford, Nancy L.* A word from.... Ment. *Elliott, Ralph H.* RExp 103 (2006) 295-300 [Gen 1-11].

2563 *Elliott, Ralph H.* A word about... controversy: science and religion. RExp 103 (2006) 301-304.

2564 **Gibbons, Ann** The first human: the race to discover our earliest ancestor. NY 2006, Doubleday xxiii; 306 pp. 0-385-51226-0. Bibl. 283-294.

2565 *Gualdo, Germano* La condanna e l'abiura di GALILEO nei documenti dell'archivio segreto Vaticano. ASRSP 129 (2006) 163-188.

2566 *Hanby, Michael* Reclaiming creation in a Darwinian world. ThTo 62/4 (2006) 476-483.

2567 **Howell, Kenneth J.** God's two books: Copernican cosmology and biblical interpretation in early modern science. 2002 ⇒18,2355... 21, 2618. [R]RHS 59/1 (2006) 163-165 (*Pantin, Isabelle*).

2568 *Jonas, Hans* Evoluzione e libertà. Natura senza fine. 2006 ⇒612. 335-354.

2569 **Kaufman, Gordon D.** In the beginning...creativity. 2003 ⇒19,2437. [R]RBLit (2006)* (*Berge, Kåre*).

2570 *Kessler, Hans* Schöpfung denken im Gespräch mit heutiger Naturwissenschaft: zu Anschlussfähigkeit und zum Überschuss schöpfungstheologischer Aussagen. [F]PRÖPPER, T. 2006 ⇒132. 197-331.

2571 *Klein, Andreas* Biblische Schöpfungsberichte und naturwissenschaftliche Theorien: Bemerkungen zu einer neu aufgeflammten alten Frage. WJT 6 (2006) 187-203.

2572 *La Vergata, Antonello* Darwinismo e naturalismo. Natura senza fine. 2006 ⇒612. 13-51.

2573 [E]**Lerner, Michel-Pierre** Tommaso Campanella: Apologia pro GALILEO. [T]*Ernst, Germana*: Pisa 2006, Normale lxxix; 231 pp. €35.

2574 [E]**Lindberg, David; Numbers, Ronald** When science and christianity meet. 2003 ⇒19,2439. [R]JIntH 37/1 (2006) 89 (*Osler, Margaret J.*).

2575 *Maldamé, Jean-Michel* Adam était-it un homo sapiens?. Croire aujourd'hui 206 (2006) 26-28.

2576 **Maldamé, Jean-Michel** Création et providence: bible, science et philosophie. Initiations: P 2006, Cerf 224 pp. [R]BLE 107 (2006) 447-448 (*Moschetta, J.-M.*).

2577 **Mayaud, Pierre-Noël** Le conflit entre l'astronomie nouvelle et l'écriture sainte aux XVIe et XVIIe siècles... autour de l'affaire GALILÉE.

2005 ⇒21,2621. [R]RSR 94 (2006) 249-251 (*Gibert, Pierre*); CivCatt 157/2 (2006) 606-608 (*Sánchez de Toca y Alameda, M.J.*).

2578 **McCalla, Arthur** The creationist debate: the encounter between the bible and the historical mind. NY 2006, Continuum xiv; 228 pp. $120/35. 0-82648-0020.

2579 [E]**McMullin, Ernan** The church and GALILEO. 2005 ⇒21,2622. [R]HZ 283 (2006) 198-200 (*Brandmüller, Walter*).

2580 *Michelini, Francesca* "Chaos sive natura"?: naturalismo e teologia in DARWIN e SPINOZA. Natura senza fine. 2006 ⇒612. 53-72.

2581 *Müller, Antônio* Os primeiros acontecimentos segundo a ciência e o Gênesis: releitura de Gn 1-3—a título de conclusão—I, II. Grande Sinal 60 (2006) 41-49, 161-170.

2582 **O'Leary, Don** Roman Catholicism and modern science: a history. NY 2006, Continuum xx; 342 pp. $35.

2583 *Orsucci, Andrea* La ripresa del "naturalismo" ottocentesco in alcune discussioni contemporanee. Natura senza fine. 2006 ⇒612. 73-83.

2584 **Polkinghorne, John C.** Science and creation: the search for understanding. Ph 2006, Templeton xx; 135 pp. $15. 15994-71000 [ThD 53,174–W. Charles Heiser].

2585 *Quitterer, Josef* Il naturalismo e la filosofia della mente contemporanea. Natura senza fine. 2006 ⇒612. 219-245.

2586 *Remmert, Volker R.* Picturing Jesuit Anti-Copernican consensus: astronomy and biblical exegesis in the engraved title-page of Clavius's *Opera mathematica* (1612). The Jesuits II: cultures, sciences, and the arts 1540-1773. [E]**O'Malley, John W.**, *al.*, Toronto 2006, Univ. of Toronto Pr. 291-313. 0-8020-3861-1.

2587 **Shea, William R.; Artigas, Mariano** Galileo in Rome: the rise and fall of a troublesome genius. Oxf 2006, OUP xi; 226 pp;

2588 GALILEO Galilei: Aufstieg und Fall eines Genies. [T]*Nicolai, Karl H.* Da:Wiss 2006, 236 pp. €30. 389678-559-1.

[E]**Watts, F.**, *al.*, Why the science and religion dialogue matters. 2006 ⇒580.

E1.9 *Peccatum originale*, **the sin of Eden**, *Genesis 2-3*

2589 **Abraham, Joseph** Eve: accused or acquitted?: an analysis of feminist readings of the creation narrative texts in Genesis 1-3. 2002 ⇒ 19,2448; 21,2630. [R]BBR 16/1 (2006) 150-152 (*Phillips, Elaine*).

2590 **Almond, Phillip C.** Adam and Eve in seventeenth-century thought. 1999 ⇒15,1870. [R]JRH 30/1 (2006) 153-154 (*Capern, Amanda*).

2591 *Barr, James* Is God a liar?: (Genesis 2-3)–and related matters. JThS 57 (2006) 1-22.

2592 *Biddle, Mark E.* Genesis 3: sin, shame and self-esteem. RExp 103 (2006) 359-370.

2593 *Boer, Roland T.* The fantasy of Genesis 1-3. BiblInterp 14 (2006) 309-331.

2594 *Buzzetti, Carlo* Immaginare il paradiso?. RCI 87 (2006) 653-665.

2595 *Cassel, J. David* Patristic and rabbinic interpretations of Genesis 3–a case study in contrasts. Studia patristica 39. 2006 ⇒833. 203-211.

2596 *Cooper, Adam G.* Marriage and the 'garments of skin' in IRENAEUS and the Greek Fathers. Com(US) 33 (2006) 216-238 [Gen 3,21].

2597 *Dieckmann, Detlef* "Viel vervielfachen werde ich deine Mühsal–und deine Schwangerschaft. Mit Mühe wirst du Kinder gebären": die Ambivalenz des Gebärens nach Gen 3,16. "Du hast mich aus meiner Mutter Leib gezogen". BThSt 75: 2006 ⇒374. 11-38.

2598 **Domning, Daryl P.; Hellwig, Monika K.** Original selfishness. Aldershot 2006, Ashgate 226 pp. £45/$90. 07546-53153.

2599 *Fischer, Martin* Männerparadies?: von Schöpfung und Fall und einer merkwürdigen Pointe. WJT 6 (2006) 173-186.

2600 *García-Jalón de la Lama, Santiago* Génesis 3, 1-6: era la serpiente la más astuta alimaña que Dios hizo. ScrTh 38 (2006) 425-444.

2601 *Gellman, Jerome I.* Gender and sexuality in the Garden of Eden. Theology and sexuality 12/3 (2006) 319-335.

2602 *Gnuse, Robert* An overlooked message: the critique of kings and affirmation of equality in the primeval history. BTB 36 (2006) 146-54.

2603 *Hamilton, James M.* The skull crushing seed of the woman: innerbiblical interpretation of Genesis 3:15. Southern Baptist Convention 10/2 (2006) 30-54.

2604 *Ho, Craig Y.S.* The supplementary combination of the two creation stories in Genesis 1-3. Stimulation from Leiden. BEAT 54: 2006 ⇒ 686. 13-21.

2605 *Keller, Christoph* Das Paradies (Gen 2,7-17). 19-24;

2606 Die Rippe (Gen 2,18-25). 25-29;

2607 Die Schlange (Gen 2,16f; 3,1-7a). 30-35;

2608 Das Feigenblatt (Gen 3,7). Lebensdeutung aus der Genesis. 2006 ⇒ 423. 36-40.

2609 **Kelly, Henry** Satan: a biography. C 2006, CUP 360 pp. £35. 05216-04028.

2610 *Kessler, Rainer* Das kollektive Schuldbekenntnis im Alten Testament. Gotteserdung. BWANT 170: 2006 <1996> ⇒249. 164-176 [1 Kgs 8,46; Ps 106,6; Ezek 18,20; Lam 5,7].

2611 *Kuhlmann, Helga* Die Schlange: Genesis 3. Die besten Nebenrollen. 2006 ⇒1164. 63-66.

2612 **LaCocque, André** The trial of innocence: Adam, Eve, and the Yahwist. Eugene, Or. 2006, Cascade xiii; 309 pp. $30. 978-1-59752-620-3. Bibl. 279-299.

2613 **Leahy, Frederick S.** Satan, besiegt und ausgestoßen: eine Studie in biblischer Dämonologie. Filderstadt 1998, Wartburg xiii; 209 pp. 3-9805973-2-9/34.

2614 **Lombardini, Pietro; Manicardi, Ermenegildo; Ska, Jean Louis** Il mistero del male: il diavolo: mito o realtà. Sussidi biblici 91: Reggio Emilia 2006, San Lorenzo 111 pp. Pres. *Alberto Begarelli*.

2615 *Macho, Thomas* Der Leibhaftige und seine Tiere. "Dies ist mein Leib". Jabboq 6: 2006 ⇒515. 255-263.

2616 *Meyers, Carol* A new image of Eve. BiTod 44 (2006) 69-75.

2617 **Nelson, Richard** From Eden to Babel: an adventure in bible study. St. Louis, Mo. 2006, Chalice xii; 148 pp. 978-0-8272-1039-4.

2618 *Ognibeni, Bruno* Il racconto biblico del primo uomo e della prima donna: suggerimenti interpretativi. Anthropotes 22 (2006) 361-382.

2619 *Olson, Dennis* Untying the knot?: masculinity, violence, and the creation-fall story of Genesis 2-4. ^FSAKENFELD, K. 2006 ⇒142. 73-86.

2620 *Peckhaus, Volker* Der Baum der Erkenntnis: Genesis 2 und 3. Die besten Nebenrollen. 2006 ⇒1164. 58-62.

2621 **Reuling, Hanneke** After Eden: church fathers and rabbis on Genesis 3:16-21. ^D*Rouwhorst, G.* Jewish and christian perspectives 10: Lei 2006, Brill vii; 371 pp. $179. 9004-14638-5. Diss. Utrecht; Bibl. 343-357.

2622 **Scafi, Alessandro** Mapping paradise: a history of heaven on earth. Ch 2006, Univ. of Chicago Pr. 400 pp. $55/£35. 978-07123-48778.

2623 *Titus, P. Joseph* The tree of life: a common symbol in the ancient world. ITS 43 (2006) 397-424 [Rev 22].

2624 *Wilder, William N.* Illumination and investiture: the royal significance of the tree of wisdom in Genesis 3. WThJ 68 (2006) 51-69.

2625 **Wray, T.J.; Mobley, Gregory** The birth of Satan: tracing the devil's biblical roots. 2005 ⇒21,2655. ^RRBLit (2006)* (*LaCocque, André*).

2626 *Ziemer, Benjamin* Die Umstände von Schwangerschaft und Geburt (Gen 3,16) im endkompositionellen Rahmen der Genesis. "Du hast mich aus meiner Mutter Leib gezogen". 2006 ⇒374. 167-188.

E2.1 Cain and Abel; *gigantes, longaevi; Genesis 4s*

2627 *Cohen, Leonardo* Who are the 'Sons of God'?: a Jesuit-Ethiopian controversy on Genesis 6:2. ^MCHERNETSOV, S. 2005 ⇒20. 43-49.

2628 *Culbertson, Philip* De-demonising Cain... and wondering why?. BiCT 2/3 2006*.

2629 *Soller, Moshe* Four homicides: how these were judged by the bible and a speculation as to the basis for judgment. JBQ 34 (2006) 247-251 [Gen 4,10; 34,7; 49,5-7; Num 25,11].

2630 *Swenson, Kristin M.* Care and keeping east of Eden: Gen 4:1-16 in light of Gen 2-3. Interp. 60 (2006) 373-384.

2631 *Van der Horst, Pieter W.* 'His days shall be one hundred and twenty years': Genesis 6:3 in early Judaism and ancient christianity. Jews and Christians. WUNT 196: 2006 <2003> ⇒321. 66-70.

2632 *Wahl, Otto* Kain und Abel (Gen 4,1-16). Lebensdeutung aus der Genesis. 2006 ⇒423. 41-47.

2633 **Wright, Archie T.** The origin of evil spirits: the reception of Genesis 6,1-4 in early Jewish literature. Ment. *Philo, A.*: WUNT 2/198: 2005 ⇒21,2664. ^RJSJ 37 (2006) 511-513 (*Sacchi, Paolo*); RHPhR 86 (2006) 399-400 (*Grappe, C.*).

E2.2 *Diluvium,* the Flood; *Gilgameš (Atraḥasis)*; Genesis 6...

2634 *Baumgart, Norbert C.* Das Ende der Welt erzählen: die biblische Fluterzählung in den alttestamentlichen Wissenschaften. Sintflut und Gedächtnis. 2006 ⇒683. 25-60.

2635 **Bosshard-Nepustil, Erich** Vor uns die Sintflut: Studien zu Text, Kontexten und Rezeption der Fluterzählung Genesis 6-9. BWANT 165: 2005 ⇒21,2675. ^REstAg 41/1 (2006) 127-8 (*Mielgo, C.*); JETh 20 (2006) 196-8 (*Hilbrands, Walter*); ThLZ 131 (2006) 1130-2 (*Höffken, Peter*); OLZ 101 (2006) 656-61 (*Witte, Markus*) [Isa 24-7].

2636 *D'Agostino, Franco* Il gran rifiuto di Gilgamesh (sesso, umorismo e pubblico nella Mesopotamia antica). ^FSANMARTÍN, J.: AuOr.S 22: 2006 ⇒144. 157-163.

2637 *DeClaissé-Walford, Nancy L.* God came down... and God scattered: acts of punishment or acts of grace?. RExp 103 (2006) 403-417 [Gen 11,1-9].

2638 *Frymer-Kensky, Tikva* Israel and the ancient Near East: new perspectives on the Flood. Studies in bible. 2006 <1979> ⇒219. 37-50.

2639 **George, Andrew R.** The Babylonian Gilgamesh Epic. 2003 ⇒19, 2511..: 21,2681. ᴿOLZ 101 (2006) 30-8 (*Oelsner, J.*); RA 100 (2006) 191 (*Charpin, Dominique*).

2640 *Gertz, Jan C.* Beobachtungen zum literarischen Charakter und zum geistesgeschichtlichen Ort der nichtpriesterlichen Sintfluterzählung. ᶠSCHMITT, H.-C.: BZAW 370: 2006 ⇒151. 41-57.

2641 *Gibert, Pierre* L'arche de Noé unique et multiple (Gn 6-9). Graphè 15 (2006) 15-24.

2642 *Heilmann, Regina; Wenskus, Otta* Darmok: Gilgamesch und HOMER in Star Trek: the next generation;

2643 *Henkelman, Wouter F.M.* The birth of Gilgameš (Ael. NA XII.21): a case-study in literary receptivity. ᶠHAIDER, P.: Oriens et Occidens 12: 2006 ⇒60. 789-806/807-856.

2644 *Karhashi, Fumi; López-Ruiz, Carolina* Love rejected: some notes on the Mesopotamian epic of Gilgamesh and the Greek myth of Hippolytus. JCS 58 (2006) 97-107.

2645 *Keller, Christoph* Die Sintflut (Gen 6,5-9,17). 48-53;

2646 Die Taube mit dem Ölzweig (Gen 8,1-12). 54-59;

2647 Der Turmbau zu Babel (Gen 11,1-9). Lebensdeutung aus der Genesis. 2006 ⇒423. 60-66.

2648 *Kessler, Rainer* "Die Erde war voller Gewalt" (Genesis 6,11.13): paradigmatische Gewaltverarbeitung in der biblischen Urgeschichte. Gotteserdung. BWANT 170: 2006 ⇒249. 41-54.

2649 *Khait, Ilya; Nurullin, Rim* Observations on an Old Babylonian Gilgamesh tablet from the Schøyen Collection. B&B 3 (2006) 529-534.

2650 L'arche de Noé. Graphè 15 (2006) 244 pp. €14. 2-951-4827-60. ᴿRHE 101 (2006) 1093-1094 (*Wénin, André*).

2651 *Margalit, Baruch* Epic poetry in the service of royal absolutism: the case of Gilgamesh. ᶠSANMARTÍN, J.: AuOr.S 22: 2006 ⇒144. 283-8.

2652 ᵀ**Maul, Stefan M.** Das Gilgamesch-Epos. 2005 ⇒21,2688. ᴿOLZ 101 (2006) 167-172 (*Hirsch, H.*); BiOr 63 (2006) 309-310 (*Foster, Benjamin R.*).

2653 *Muslow, Martin* Sintflut und Gedächtnis: Hermann von der Hardt und Nicolas-Antoine Boulanger. Sintflut und Gedächtnis. 2006 ⇒ 683. 131-161.

2654 **Pleins, J. David** When the great abyss opened: classic and contemporary readings of Noah's flood. 2003 ⇒19,2519; 20,2483. ᴿJAAR 74 (2006) 269-271 (*Bush, L. Russ, III*).

2655 *Ron, Zvi* Dodanim/Rodanim: three approaches. JBQ 34 (2006) 122-125 [Gen 10,4; 1 Chr 1,7].

2656 *Salani, Massimo* La torre di Babele: a difesa del pluralismo. Qol(I) 119 (2006) 15-18 [Gen 11,1-9].

2657 *Van der Kooij, Arie* The city of Babel and Assyrian imperialism: Genesis 11,1-9 interpreted in the light of Mesopotamian sources. Congress volume Leiden 2004. VT.S 109: 2006 ⇒759. 1-17.

2658 *Vermeylen, Jacques* D'une arche à l'autre: oui, mais quelle arche?. Graphè 15 (2006) 25-49 [Exod 1,22-2,10].

2659 *Villiers, Gerda de* The Epic of Gilgamesh and the Old Testament: parallels beyond the deluge. OTEs 19 (2006) 26-34 [Qoh 9,7-9].

2660 *Walker, Graham B.* Noah and the season of violence: theological reflections on Genesis 6:5-9:17 and the work of René Girard. RExp 103 (2006) 371-390.

2661 *Wenzel, H.* Noah und seine Söhne oder Die Neueinteilung der Welt nach der Sintflut. Das Buch der Bücher. 2006 ⇒441. 53-84.

2662 **Zając, Ewa** Potop w tradycji biblijnej oraz w literaturze judaizmu okresu drugiej świątyni [Le Déluge dans la tradition biblique et dans la littérature du judaïsme de la période du second temple]. ᴰ*Rubinkiewicz, R.* 2006, 304 pp. Diss. Lublin [RTL 38,616]. **P.**

E2.3 **Patriarchae, Abraham**; *Genesis 12s*

2663 **Arotia, Benjamin K.** La construction des personnages du cycle d'Abraham. ᴰ*Kuntzmann, R.* 2006, 395 pp. Diss. Strasbourg [RTL 38,613].

2664 *Bongiovanni, Secondo* Tra Abramo e Ulisse: nella terra-di-mezzo dell'identità occidentale. RdT 47 (2006) 541-560.

2665 *Eslinger, Lyle* Prehistory in the call to Abraham. BiblInterp 14 (2006) 189-208 [Gen 11-12].

2666 **Heither, Theresia; Reemts, Christiana** Biblische Gestalten bei den Kirchenvätern: Abraham. 2005 ⇒21,2713. ᴿZKTh 128 (2006) 346-348 (*Lies, Lothar*); TThZ 115 (2006) 350-351 (*Reiser, Marius*); ASEs 23 (2006) 335-336 (*Nicklas, Tobias*).

2667 **Jericke, Detlef** Abraham in Mamre: historische und exegetische Studien zur Region von Hebron und zu Genesis 11,27-19,38. Culture and history of the Ancient Near East 17: 2003 ⇒19,2555; 20,2506. ᴿBZ 50 (2006) 105-107 (*Fischer, Irmtraud*); Bib. 87 (2006) 111-113 (*Artus, Olivier*).

2668 *Kessler, Rainer* "Du sollst zu einem Vater vieler Völker werden": die Gestalt Abrahams in der Hebräischen Bibel. Gotteserdung. BWANT 170: 2006 ⇒249. 55-62.

2669 *Kochalunkal, Peter* Abraham: an icon of humanity. ThirdM 9/1 (2006) 76-98.

2670 **Kowalik, Krzysztof** Reinterpretacja tekstu o Abrahamie z Rdz 11, 27-25,18 w Septuagincie [La réinterprétation du texte sur Abraham de Gen 11,27-25,18 selon la Septante]. ᴰ*Chrostowski, W.* 2006, 460 pp. Diss.Warsaw–UKSW [RTL 38,614]. **P.**

2671 *Köckert, M.* Abraham: Ahnvater, Fremdling, Weiser: Lesarten der Bibel in Gen 12, Gen 20 und Qumran. Das Buch der Bücher. 2006 ⇒ 441. 139-169.

2672 **Krauss, Heinrich; Küchler, Max** Erzählungen der Bibel I-II: das Buch Genesis in literarischer Perspektive. 2003-2004 ⇒20,2510. ᴿJETh 20 (2006) 195-196 (*Klement, Herbert H.*).

2673 *Kugel, James* How Levi came to be a priest. The ladder of Jacob. 2006 ⇒259. 115-168.

2674 **Lowin, Shari L.** The making of a forefather: Abraham in Islamic and Jewish exegetical narratives. Islamic History and Civilization, Studies and Texts 65: Boston 2006, Brill xvi; 308 pp. €99. 978-90-04-15-226-7. Bibl. 281-291.

2675 *Peleg, Yitzhak* Was the ancestress of Israel in danger?: did Pharaoh touch (נגע) Sarai?. ZAW 118 (2006) 197-208 [Gen 12,10-20; 20].

2676 *Pesch, Rudolf* 'Abraham, unser Vater': die Rede vom Vater des Glaubens im Neuen Testament. [F]GALITIS, G. 2006 ⇒49. 497-518.

2677 *Rebic, Adalbert* Abraham naš otac u vjeri: provijest, vjera i teologija. BoSm 76 (2006) 513-529. **Croatian.**

2678 *Riecker, Siegbert* Ein theoretischer Ansatz zum Verständnis der Altarbaunotizen der Genesis. Bib. 87 (2006) 526-530 [Gen12,3; 21,33].

2679 **Rosenberg, David** Abraham: the first historical biography. NY 2006, Basic B. xvii; 342 pp. 0-465-07094-9. Bibl. 307-321.

2680 *Schwartz, Moshe* Shechem: a foreshadowing of the future and a metaphor. JBQ 34 (2006) 92-96 [Gen 12,6].

2681 *Stansell, Gary* Wealth: how Abraham became rich. Ancient Israel. 2006 ⇒724. 92-110.

2682 **Thayse, André** Vers de nouvelles alliances: la Genèse autrement. Religions et spiritualité: P 2006, L'Harmattan 294 pp. €25. 22960-01408.

2683 *Van den Eynde, S.* "May you become thousands of myriads! (Gen 24,60)": a gender analysis of blessing in Gen 11,24-25,7. Stimulation from Leiden. BEAT 54: 2006 ⇒686. 23-33.

2684 *Vuaran, Stefano* The figure of Abraham: an analysis based on the functional languages of Biblical Hebrew. Materia Giudaica 11/1-2 (2006) 405-414.

2685 *Wahl, Otto* Berufung Abrahams (Gen 12,1-9). Lebensdeutung aus der Genesis. 2006 ⇒423. 67-73.

2686 *Wheaton, Byron* Focus and structure in the Abraham narratives. TrinJ 27 (2006) 143-162.

E2.4 **Melchisedech**: *Genesis 14*

2687 *Cerbelaud, Dominique, al.*, Melchisédech prêtre du Dieu très-haut. CEv.S 136 (2006) 1-84.

2688 *Ingleby, Ewan* Reinventing Melchizedek: interpretations of traditional religious texts in the seminary context. Reading religion. 2006 ⇒494. 120-136.

2689 *Köckert, Matthias* Die Geschichte der Abrahamüberlieferung. Congress volume Leiden 2004. VT.S 109: 2006 ⇒759. 103-128.

2690 *Rousse-Lacordaire, Jérôme* Les traditions ésotériques: le roi, le prêtre, le centre. CEv.S 136 (2006) 69-76.

2691 **Tantlevskij, Igor R.** Melchizedek redivivus in Qumran. 2004 ⇒20, 2524. [R]JThS 57 (2006) 224-226 (*Fletcher-Louis, Crispin*). **P.**

2692 *Van de Water, Rick* Michael or Yhwh?: toward identifying Melchizedek in 11Q13. JSPE 16 (2006) 75-86.

2693 *Wahl, Otto* Abraham und Melchisedek (Gen 14,18-20). Lebensdeutung aus der Genesis. 2006 ⇒423. 74-80.

2694 **Ziemer, Benjamin** Abram—Abraham: kompositionsgeschichtliche Untersuchungen zu Genesis 14, 15 und 17. BZAW 350: 2005 ⇒21, 2731. [R]Afrika Yetu 10 (2006) 63-66 (*Orji, Chukwuemeka*); OLZ 101 (2006) 197-203 (*Wahl, Harald*).

E2.5 **The Covenant** (alliance, Bund): *Foedus, Genesis 15...*

2695 *Aries, Wolf D.* **Ahmed** Ismael: Genesis 16. Die besten Nebenrollen. 2006 ⇒1164. 67-69.

2696 *Beck, Milianus* The Sinai covenant: a paradigm of relationship. VJTR 70 (2006) 104-123.

2697 *Beckman, Gary M.* Hittite treaties and the development of cuneiform treaty tradition. Die deuteronomistischen Geschichtswerke. BZAW 365: 2006 ⇒492. 279-301.

2698 *Boulnois, Marie-Odile* 'Trois hommes et un Seigneur': lectures trinitaires de la théophanie de Mambré dans l'exégèse et l'iconographie. Studia patristica 39. 2006 ⇒833. 193-201 [Gen 18].

2699 *Cohen, Jeffrey M.* Abraham's hospitality. JBQ 34 (2006) 168-172 [Gen 18].

2700 *Crook, Zeba A.* Reciprocity: covenantal exchange as a test case. Ancient Israel. 2006 ⇒724. 78-91.

2701 *d'Alfonso, Lorenzo* Die hethitische Vertragstradition in Syrien (14.-12. Jhd. v. Chr.). Die deuteronomistischen Geschichtswerke. BZAW 365: 2006 ⇒492. 303-329.

2702 *Frymer-Kensky, Tikva* Covenant: a Jewish biblical perspective. Studies in bible. 2006 <2005> ⇒219. 133-156.

2703 *Grenzer, Matthias* Três visitantes (Gen 18,1-15). RCT 14/57 (2006) 61-77.

2704 *Jeremias, Jörg* Gen 20-22 als theologisches Programm. ᶠSCHMITT, H.-C.: BZAW 370: 2006 ⇒151. 59-73.

2705 *Keller, Christoph* Die Salzsäule (Gen 19,15-17,23-26);

2706 Hagar und Ismael (Gen 16; 21,9-21). Lebensdeutung aus der Genesis. 2006 ⇒423. 81-85/86-90.

2707 *King, Philip J.* Circumcision–who did it, who didn't and why. BArR 32/4 (2006) 48-55.

2708 *Kleine, Michael* Aliança com Abraao. Estudos bíblicos 90 (2006) 20-26.

2709 *Lehmann, Dagmar* Erfahrungen an den Rändern: Sicht-Weisen auf Lots Töchter Genesis 19. Die besten Nebenrollen. 2006 ⇒1164. 70-75.

2710 *Levine, Nachman* Sarah/Sodom: birth, destruction, and synchronic transaction. JSOT 31 (2006) 131-146 [Gen 13; 18-19].

2711 *Paseggi, Marcos R.* He who laughs last: some notes on laughter in Isaac's birth story. DavarLogos 5/1 (2006) 61-65 [Gen 17,17-19; 18, 12-15; 21,6].

2712 *Schmidt, L.* Genesis xv. VT 56 (2006) 251-267.

2713 *Schwantes, Milton* Abrão sabe o que importa: Gênesis 21,22-34. RCT 14/56 (2006) 61-72.

2714 **Serafini, Filippo** L'alleanza levitica: studio della *berît* di Dio con i sacerdoti leviti nell'Antico Testamento. ᴰ*Bovati, Pietro*: Assisi 2006, Cittadella 466 pp. €20. 88-308-0814-8. Diss. Pont. Ist. Biblico; Bibl. 414-448.

2715 *Steymans, Hans U.* Die literarische und historische Bedeutung der Thronfolgevereidigung Asarhaddons. Die deuteronomistischen Geschichtswerke. BZAW 365: 2006 ⇒492. 331-349.

2716 *Tadmor, Hayim* The promise to the patriarchs in the perspective of the exile and the restoration. Assyria, Babylonia and Judah. 2006 ⇒314. 313-321. **H.**

2717 *Van Pelt Campbell, George* Rushing ahead of God: an exposition of Genesis 16:1-16. BS 163 (2006) 276-291.

2718 **Weeks, Noel** Admonition and curse: the ancient Near Eastern treaty/covenant form as a problem in inter-cultural relationships. JSOT.S 407: 2004 ⇒20,2549; 21,2744. [R]JThS 57 (2006) 608-610 (*Nicholson, Ernest*).

2719 **Weinfeld, Moshe** Normative and sectarian Judaism in the second temple period. Library of Second Temple Studies 54: 2005 ⇒21, 2732. [R]RBLit (2006)* (*Van der Horst, Pieter W.*).

2720 *Wénin, André* Recherche sur la structure de Genèse 17. BZ 50 (2006) 196-211.

2721 *Wilcken, John* Biblical covenants and aboriginal religious traditions. ACR 83/1 (2006) 54-61.

2722 *Williamson, Paul R.* Covenant: the beginning of a biblical idea. RTR 65 (2006) 1-14.

E2.6 The ʿAqedâ, Isaac, Genesis 22...

2723 **Basiuk, Maciej** Ofiara Izaaka (Rdz 22,1-14) w zachodniej tradycji patrystycznej [Le sacrifice d'Isaac (Gn 22,1-14) dans la tradition patrologique occidentale). [D]*Tronina, A.* 2006, Diss. Lublin [RTL 38, 613]. **P.**

2724 *Baumann, Gerlinde; Baumann, Kirsten* Kamel und Offenbarung in Genesis 24. Die besten Nebenrollen. 2006 ⇒1164. 76-80.

2725 *Berthoud, Pierre* La mise à l'épreuve décisive d'Abraham (Genèse 22.1-19). ThEv(VS) 5/3 (2006) 209-232.

2726 *Birnbaum-Monheit, Michel* Akedath Jizchak (das Binden Jizchaks): oder: das Opfer des Opfers. ThZ 62 (2006) 521-529.

2727 *Eberhart, Christian A.* Abrahams Opfer (Genesis 22,1-19) im Neuen Testament: ein Beispiel innerbiblischer Rezeptionsgeschichte. Gotteswort und Menschenrede. 2006 ⇒371. 19-42;

2728 The term "sacrifice" and the problem of theological abstraction: a study of the reception history of Genesis 22:1-19. The multivalence. SBL.Symposium 37: 2006 ⇒745. 47-66.

2729 *Guibal, Francis* Le sacrifice en suspens. RThPh 138 (2006) 127-145 [Gen 22].

2730 *Hardmeier, Christof* Die Bindung Isaaks–ein Ver-Sehen (Gen 22): Wahrnehmungsfähigkeit und Offenheit zu Gott auf dem Prüfstand. Realitätssinn und Gottesbezug. BThSt 79: 2006 ⇒233. 1-88.

2731 *Hartenstein, Friedhelm* Die Verborgenheit des rettenden Gottes: exegetische und theologische Bemerkungen zu Genesis 22. Isaaks Opferung. AKG 101: 2006 ⇒412. 1-22.

2732 [E]**Heinen, Ulrich; Steiger, Johann A.** Isaaks Opferung (Gen 22) in den Konfessionen und Medien der frühen Neuzeit. AKG 101: B 2006, De Gruyter xv; 824 pp. €168. 978-311-019117-2.

2733 *Kampling, Rainer* Gottes und Abrahams Freiheit: Nachdenken über den Gang in das Land von Morija. [F]PRÖPPER, T. 2006 ⇒132. 529-533 [Gen 22,1-19].

2734 *Keller, Christoph* Die Opferung Isaaks (Gen 22). Lebensdeutung aus der Genesis. 2006 ⇒423. 91-94.

2735 **Kessler, Edward** Bound by the bible: Jews, christians and the sacrifice of Isaac. 2004 ⇒20,2557; 21,2758. [R]ThTo 62 (2006) 556, 558

(*Moberly, Walter*); JThS 56 (2005) 186-188 (*Swetnam, James*); CR&T 4/2 (2006) 229-240 (*Fuchs, S.*) [Gen 22,1-19].

2736 *Kim, Jae Gu* The existence and function of the Isaac-Rebekah cycle (Genesis 23:1-25:18). [F]PECKHAM, B.: LHBOTS 455: 2006 ⇒126. 38-47.

2737 *Sasson, Jack M.* The servant's tale: how Rebekah found a spouse. JNES 65 (2006) 241-265 [Gen 24].

2738 *Schorn, Ulrike* Gen 22–revisited. [F]SCHMITT, H.-C.: BZAW 370: 2006 ⇒151. 89-109.

2739 **Schweizer, Harald** Fantastische "Opferung Isaaks": Textanalyse in Theorie und Praxis (Beispiel Genesis 22). Lengerich, Westf 2006, Pabst S. xvii; 355 pp. €30. 3-89967-303-4. Bibl. 349-355.

2740 *Shamir, Moshe* Oedipus and Abraham. HebStud 47 (2006) 275-279 [Gen 22].

2741 **Teugels, Lieve M.** Bible and midrash: the story of 'The wooing of Rebekah' (Gen. 24). CBET 35: 2004 ⇒20,2567; 21,2767. [R]OLZ 101 (2006) 466-469 (*Domhardt, Yvonne*); RBLit (2006)* (*Green, Deborah*).

2742 *Vignolo, Roberto* Una sposa per Isacco (Gen 24): l'ordinario della promessa. RCI 87 (2006) 738-753.

E2.7 **Jacob** and Esau: ladder dream; *Jacob, somnium, Gen 25...*

2743 **Agyenta, Alfred** 'To see your face is like seeing the face of God': a narrative study of the story of the strife and reconciliation between Jacob and Esau (Gn 25-35). [D]*Vervenne, Marc* 2006, xliii; 355 pp. Diss. Leuven [TTh 46,78].

2744 *Bader, Gabriel* Genèse 28,10-22: un rêve pour se retrouver. LeD 67 (2006) 3-12.

2745 *Block, Herbert* Distinguishing Jacob and Israel. JBQ 34 (2006) 155-158.

2746 *Fanuli, Antonio* Il ciclo di Giacobbe: l'officina della tradizione. Riv-Bib 54 (2006) 83-89.

2747 *Hangartner, Li* Der Traum vom offenen Himmel. Fama 22 (2006) 7-8 [Gen 28].

2748 *Hurowitz, Victor A.B.* Babylon in Bethel–new light on Jacob's dream. Orientalism, assyriology and the Bible. HBM 10: 2006 ⇒626. 436-448 [Gen 28].

2749 *Keller, Christoph* Das Linsengericht (Gen 25,29-34). Lebensdeutung aus der Genesis. 2006 ⇒423. 95-99.

2750 *Keuchen, Marion* Ketura oder alles eine Frage der Reihenfolge: Genesis 25 und 1 Chronik 1. Die besten Nebenrollen. 2006 ⇒1164. 81-87.

2751 *Kugel, James* Jacob and the bible's ancient interpreters;

2752 The ladder of Jacob. The ladder of Jacob. 2006 ⇒259. 1-8/9-35 [Gen 28,10-22].

2753 *Maas, Jacques; Tromp, Nico* Tout gagné, rien perdu Jacob et Esaü, pain et brouet. SémBib 121 (2006) 47-54 [Gen 25,29-34].

2754 *Pury, Albert de* The Jacob story and the beginning of the formation of the Pentateuch. A farewell to the Yahwist?. SBL.Symposium 34: 2006,⇒722. 51-72.

2755 *Seibt, G.* Jaakobs Gott. Das Buch der Bücher. 2006 ⇒441. 85-100.

2756 *Sonego Mettner, Jacqueline* Jakobs Traum und die Frauen. Fama 22 (2006) 5-7 [Gen 28].
2757 *Tebes, Juan M.* 'You shall not abhor an Edomite, for he is your brother': the tradition of Esau and the Edomite genealogies from an anthropological perspective. JHScr 6 (2006)*.
2758 *Turner, Laurence A.* Disappointed expectations: a narrative critical reading of the Jacob story. ScrB 36 (2006) 54-63.
2759 **Walton, Kevin** Thou traveller unknown: the presence and absence of God in the Jacob narrative. 2003 ⇒19,2646; 20,2579. [R]BBR 16/1 (2006) 161-163 (*Phillips, Elaine*).
2760 *Wyler, Bea* Traumhaft. Fama 22 (2006) 3-4 [Gen 28].

E2.8 Jacob's wrestling, the Angels: *Gen 31-36 & 38*

2761 **Bader, Mary Anna** Sexual violation in the Hebrew Bible: a multi-methodological study of Genesis 34 and 2 Samuel 13. Studies in Biblical literature 87: NY 2006, Lang x; 206 pp. £45. 0-8204-7873-3.
2762 *Clark, Ron* The silence in Dinah's cry. LecDif 6/1 (2006)* [Gen 34].
2763 *Cook, Joan E.* Rape and its aftermath in Genesis 34. BiTod 44 (2006) 209-214.
2764 *Ekka, Hilarius* Reconciliation: Esau and Jacob. VJTR 70 (2006) 579-583 [Gen 33,1-11].
2765 *Faber, Karoline, al.*, "Kobajabok": Genesis 32,23-33 auf den Leib geschrieben: ein Werkstattbericht zu einem Videodrama-Projekt. "Dies ist mein Leib". Jabboq 6: 2006 ⇒515. 264-296.
2766 **Jennings, Theodore W.** Jacob's wound: homoerotic narrative in the literature of ancient Israel. 2005 ⇒21,2784. [R]CBQ 68 (2006) 735-737 (*Cotter, David W.*); RBLit (2006)* (*Brenner, Athalya*) [Gen 32, 25-33].
2767 *Keller, Christoph* Der Ringkampf mit Gott (Gen 32,23-33). Lebensdeutung aus der Genesis. 2006 ⇒423. 100-104.
2768 *Kotze, Z.* Laban's evil eye: a cognitive linguistic interpretation of אל יחר בעיני אדני in Gen 31:35. OTEs 19 (2006) 1215-1224.
2769 *Kugel, James* The rape of Dinah and Simeon and Levi's revenge. The ladder of Jacob. 2006 <1992> ⇒259. 36-80 [Gen 34];
2770 Reuben's sin with Bilhah. <1995> [Gen 35,22];
2771 Judah and the trial of Tamar. The ladder of Jacob. 2006 ⇒259. 81-114/169-185 [Gen 38].
2772 *Nutu, Ela* Angels in America and semiotic cocktails of sex, bible and politics. BiblInterp 14 (2006) 175-186 [Gen 32,22-32].
2773 **Parry, Robin A.** Old Testament story and Christian ethics: the rape of Dinah as a case study. 2004 ⇒21,2786. [R]CBQ 68 (2006) 740-741 (*Janzen, Waldemar*); RBLit (2006)* (*Shemesh, Yael*) [Gen 34].
2774 *Polaski, Sandra H.* Inside the red tent. St. Louis, Mo. 2006, Chalice xi; 100 pp. 0-8272-3028-1 [Gen 34].
2775 *Reiss, Moshe* The family relationship of Simeon and Dinah. JBQ 34 (2006) 119-121 [Gen 34].
2776 *Steinberg, Theodore Gid hanasheh* as forgetfulness. JBQ 34 (2006) 57-58 [Gen 32,33].
2777 *Surall, Matthias* Onan: Genesis 38. Die besten Nebenrollen. 2006 ⇒ 1164. 88-92.

2778 *Yoreh, Tzemah* How many sons did Jacob have according to E?.
ZAW 118 (2006) 264-268.

E2.9 **Joseph**; Jacob's blessings; *Genesis 37; 39-50*

2779 *Baricci, Erica* Le 'Storie de Giuseppe': un racconto aperto fino all'e-
tà moderna. Acme 59/3 (2006) 199-221.

2780 *Berman, Joshua* Identity politics and the burial of Jacob (Genesis 50:
1-14). CBQ 68 (2006) 11-31.

2781 *Combes, Alain* La réconciliation de Joseph et ses frères: un modèle
impossible?. ThEv(VS) 5/1 (2006) 71-76 [Gen 43,26-34].

2782 *Dorschky, Lilo* Potifars Frau: Genesis 39. Die besten Nebenrollen.
2006 ⇒1164. 93-99 [Gen 39].

2783 *Döhling, Jan-Dirk* Die Herrschaft erträumen, die Träume beherr-
schen: Herrschaft, Traum und Wirklichkeit in den Josefsträumen
(Gen 37,5-11) und der Israel-Josefsgeschichte. BZ 50 (2006) 1-30.

2784 **Guevara Llaguno, M. Junkal** Esplendor en la diáspora: la historia
de José (Gn 37-50) y sus relecturas en la literatura bíblica y parabíb-
lica. Biblioteca Midrásica 29: Estella 2006, Verbo Divino 360 pp.

2785 *Isaac, Jacqueline R.* Here comes this dreamer. [F]PECKHAM, B.:
LHBOTS 455: 2006 ⇒126. 237-249.

2786 *Kolarcik, Michael F.* Clothing and reconciliation: the Joseph narra-
tive (Gen 37-50). Afrika Yetu 10 (2006) 1-16.

2787 *Kosofsky, Leon* A significant insignificance: the meeting of Jacob and
Pharaoh. JBQ 34 (2006) 27-29 [Gen 47,7-10].

2788 **Lanckau, Jörg** Der Herr der Träume: eine Studie zur Funktion des
Traums in der Josefsgeschichte der Hebräischen Bibel. AThANT 85:
Z 2006, Theologischer 427 pp. €48. 978-32901-73821. Bibl. 387-
416.

2789 **Levenson, Alan T.** The story of Joseph: a journey of Jewish inter-
pretation. [E]*Raphael, Marc L.* 2004 ⇒20,2608. [R]RBLit (2006)* (*Ven-
ter, Piet*).

2790 *Pereira, Nancy C.* Do mais precioso desta terra: modelos de agricul-
tura em trânsito e em conflito no Gênesis 43. EsTe 46 (2006) 34-51.

2791 *Quincoces Lorén, Aaron* Gen. 37-50: topoi letterari ed elementi miti-
ci e folclorici nella storia di Giuseppe. Henoch 28/2 (2006) 131-137.

2792 *Sanz Giménez-Rico, Enrique* Palabra, providencia y misericordia en
la historia de José. EE 81 (2006) 3-36.

2793 *Shupak, Nili* A fresh look at the dreams of the official and of Pharaoh
in the story of Joseph (Genesis 40-41) in the light of Egyptian
dreams. JANES 30 (2006) 103-138.

2794 *Weimar, Peter* Erwägungen zur Entstehungsgeschichte von Gen 37;
2795 Gen 37–eine vielschichtige literarische Komposition. ZAW 118
(2006) 327-353/485-512;

2796 Gen 47,13-26–ein irritierender Abschnitt im Rahmen der Josefsge-
schichte. [F]SCHMITT, H.-C.: BZAW 370: 2006 ⇒151. 125-138.

2797 *Wénin, André* Joseph interprète des rêves en prison (Genèse 40):
quelques fonctions de la répétition dans le récit biblique. [F]GIBERT, P.:
2006 ⇒52. 259-273.

2798 **Wénin, André** Joseph ou l'invention de la fraternité: lecture narra-
tive et anthropologique de Genèse 37-50. Le livre et le rouleau 21:

2005 ⇒21,2815. ᴿThLZ 131 (2006) 731-733 (*Ruppert, Lothar*); CBQ 68 (2006) 747-748 (*Polan, Gregory J.*);
2799 La historia de José (Génesis 37-50). Cuadernos Bíblicos 130: Estella, Navarra 2006, Verbo Divino 56 pp;
2800 A história de José (Génesis 37-50). ᵀ*Lopes, Joaquim F.* Caderno Bíblico 93: Fátima 2006, Difusora Bíblica 64 pp.
2801 **Wilson, Lindsay** Joseph, wise and otherwise: the intersection of wisdom and covenant in Genesis 37-50. 2004 ⇒20,2625. ᴿCBQ 68 (2006) 749-750 (*Vogels, Walter*); RBLit (2006)* (*Biderman, Oren*).
2802 *Witte, Markus* Die Gebeine Josefs. ᶠSCHMITT, H.-C.: BZAW 370: 2006 ⇒151. 139-156.

E3.1 **Exodus event and theme**; *textus, commentarii*

2803 *Alpert, Rebecca* Exodus. Queer bible commentary. 2006 ⇒2417. 61-76.
2804 *Blum, Erhard* The literary connection between the books of Genesis and Exodus and the end of the book of Joshua. A farewell to the Yahwist?. SBL.Symposium 34: 2006 ⇒722. 89-106.
2805 ᴱᵀ**Carasik, Michael** The commentators' bible: the JPS Miqra'ot gedolot: Exodus. 2005 ⇒21,2820. ᴿJQR 96 (2006) 583-590 (*Lockshin, Martin I.*); RBLit (2006)* (*Berlin, Adele*).
2806 *DeSilva, D.A.; Adams, M.P.* Seven papyrus fragments of a Greek manuscript of Exodus. VT 56 (2006) 143-170 [Exod 10-12; 26; 30; 34-35].
2807 **Dohmen, Christoph** Exodus 19-40. HThK.AT: 2004 ⇒20,2631; 21,2826. ᴿZKTh 128 (2006) 131-132 (*Markl, Dominik*); Jud. 62 (2006) 360-366 (*Morgenstern, Matthias*); CBQ 68 (2006) 508-510 (*Langer, Gerhard*).
2808 *Erbele-Küster, Dorothea* Der Dienst der Frauen am Eingang des Zeltheiligtums (Exodus 38:8)–kultisch-religiöse Verortungen von Frauen in Exodus und Leviticus. ᶠHOUTMAN, C.: CBET 44: 2006 ⇒ 68. 265-281 [Lev 1,5].
2809 *Fischer, Irmtraud* Was kostet der Exodus?: monetäre Metaphern für die zentrale Rettungserfahrung Israels in einer Welt der Sklaverei. JBTh 21 (2006) 25-44.
2810 **García López, Félix** Exodo. Comentarios a la Nueva Biblia de Jerusalén: Bilbao 2006, Desclée de B. 239 pp.
2811 *Gertz, Jan C.* The transition between the books of Genesis and Exodus. A farewell to the Yahwist?. SBL.Symposium 34: 2006 ⇒722. 73-87.
2812 **Gire, Pierre** Maître ECKHART et la métaphysique de l'Exode. Paris 2006, Cerf 420 pp. €45. 22040-79847.
2813 ᴱ**Gómez Acebo, Isabel** Relectura del Exodo. Bilbao 2006, Desclée de B. 317 pp.
2814 *Hilbrands, Walter* Das Verhältnis der Engel zu Jahwe im Alten Testament, insbesondere im Buch Exodus. ᶠHOUTMAN, C.: CBET 44: 2006 ⇒68. 81-96.
2815 **Langston, Scott M.** Exodus through the centuries. Blackwell Bible Commentaries: Oxf 2006, Blackwell 294 pp. £50/25; $75/45. 0-631-25324-8. Bibl. 256-282 ᴿRRT 13 (2006) 474-476 (*Bury, Benjamin*); ThLZ 131 (2006) 1272-1275 (*Reventlow, Henning Graf*).

2816 *Mayes, Andrew D.H.* The Exodus as an ideology of the marginalised. [F]FREYNE, S. 2006 ⇒46. 48-69.

2817 **Meyers, Carol** Exodus. New Camb. Bible Commentary: 2005 ⇒21, 2833. [R]ScrB 36/1 (2006) 43-44 (*Corley, Jeremy*); HebStud 47 (2006) 447-9 (*Dozeman, Thomas B.*); RBLit (2006)* (*Dohmen, Christoph*); JHScr 6 (2006)* = PHScr III,472-473 (*Irwin, William H.*) [⇒593].

2818 **Oblath, Michael D.** The Exodus itinerary sites: their locations from the perspective of the biblical sources. Studies in biblical lit. 55: 2004 ⇒20,2644; 21,2836. [R]OLZ 101 (2006) 43-46 (*Jericke, Detlev*).

2819 **Ortega Monasterio, María Teresa** Las masoras del libro de Éxodo: Códice M1 de la Universidad Complutense de Madrid. TECC 67: 2002 ⇒18,2620. [R]RBLit (2006)* (*Botta, Alejandro F.*).

2820 *Perkins, Larry* ἐξαγωγή or ἔξοδος: what changed and why. BIOSCS 39 (2006) 105-114.

2821 **Propp, William H.C.** Exodus 19-40: a new translation with introduction and commentary. AncB 2A: NY 2006, Doubleday xxx; 865 pp. $50. 0-385-24693-5. Bibl. 39-97.

2822 *Talstra, Eep* Syntax and composition: the use of yiqtol in narrative sections in the book of Exodus.

2823 *Van Seters, John* The patriarchs and the Exodus: bridging the gap between two origin traditions. [F]HOUTMAN, C.: CBET 44: 2006 ⇒68. 225-236/1-15.

2824 *Vasholz, Robert I.* On the dating of the Exodus. Presbyterion 32 (2006) 111-113.

E3.2 **Moyses**—Pharaoh, Goshen—*Exodus 1*...

2825 **Assmann, Jan** La distinción mosaica o el precio del monoteísmo. M 2006, Akal 222 pp. 84-460-2233-8.

2826 *Boespflug, François* "Nur meinen Rücken darfst du sehen..": von den Schwierigkeiten, eine Vision darzustellen. WUB 41 (2006) 56-60.

2827 *Bourel, Dominique* Mosè tra FREUD e BUBER. Mondo della bibbia 17/2 (2006) 28-33;

2828 Politiker oder Prophet?: Mose zwischen FREUD und BUBER. WUB 41 (2006) 53-55.

2829 *Böckler, Annette M.* Nie mehr entstand in Israel ein Prophet wie Mosche: Mose in der jüdischen Überlieferung. WUB 41 (2006) 41-45.

2830 **Britt, Brian M.** Rewriting Moses: the narrative eclipse of the text. Gender, Culture, Theory 14; JSOT.S 402: 2004 ⇒20,2657; 21,2846. [R]Theol. 109 (2006) 290-291 (*Swindell, Anthony*); JR 86 (2006) 512-513 (*Weitzman, Steven*); BTB 36 (2006) 139-140 (*Eddinger, Terry W.*); BBR 16 (2006) 355-356 (*Sprinkle, Joe M.*); CBQ 68 (2006) 505-507 (*Carr, David M.*); RBLit (2006)* (*Savran, George*).

2831 *Cebulj, Christian* Ginster, Granatäpfel und Gottesberge: (k)ein fiktiver Aufstieg auf den Dschebel Musa. WUB 41 (2006) 29-33.

2832 *Dijkstra, Meindert* Moses, the man of God. [F]HOUTMAN, C.: CBET 44: 2006 ⇒68. 17-36 [Exod 4,2-4; Num 20,7-11; 2 Kgs 18,4].

2833 *Dozeman, Thomas B.* The commission of Moses and the book of Genesis. A farewell to the Yahwist?. SBL.Symposium 34: 2006 ⇒722. 107-129.

2834 *Dziadosz, Dariusz* Biblijny kontekst tradycji o narodzinach mojzesza (Wj 1,8-2,10). CoTh 76/2 (2006) 51-77 [Exod 1,8-2,10]. P.

2835 *Fabry, Heinz-Josef* "Dessen Stimme in der Versammlung der himmlischen Wesen gehört wird": Mose in der zwischentestamentlichen Literatur und im Neuen Testament. WUB 41 (2006) 36-40.

2836 **Ferrada Moreira, Andrés** Nacimiento de Moisés: historia y teología. ᴰ*Bretón, Santiago* 2006, 212 pp. Excerpt Diss. Gregoriana; Bibl. 183-200 [Exod 2,1-10].

2837 *Frevel, Christian* Von den Schwächen eines Helden–der andere Mose. WUB 41 (2006) 20-25.

2838 *Frymer-Kensky, Tikva* Moses and the cults: the question of religious leadership. Studies in bible. 2006 <1985> ⇒219. 295-305.

2839 **Gerhards, Meik** Die Aussetzungsgeschichte des Mose: literatur- und traditionsgeschichtliche Untersuchungen zu einem Schlüsseltext des nichtpriesterschriftlichen Tetrateuch. WMANT 109: Neuk 2006, Neuk x; 294 pp. €44.90. 37887-21375. Bibl. 278-94 [Ex 1,8-2,10].

2840 *Gosse, Bernard* La naissance de Moïse, les premiers nés et la sortie d'Egypte, les plaies d'Egypte et le retour de la création au chaos. RivBib 54 (2006) 357-364 [Exod 2,1-10].

2841 *Grenzer, Matthias* Em defesa da criança (Ex 1,15-2,10). RCT 14/55 (2006) 25-37 [Exod 1,15-20].

2842 *Hymes, David C.* Heroic leadership in the wilderness, part 1. AJPS 9/2 (2006) 295-318.

2843 *Jeanlin, Françoise* La 'tenebra luminosa' del Sinai: Mosè secondo i teologi bizantini. Mondo della bibbia 17/2 (2006) 24-27;

2844 Die "lichte Finsternis" des Sinai: Mose in der Theologie der frühen Kirchenväter. WUB 41 (2006) 50-51.

2845 *Leicht, Barbara* Die Familie des Mose. WUB 41 (2006) 16.

2846 *McGeough, Kevin* Birth bricks, potter's wheels, and Exodus 1,16. Bib. 87 (2006) 305-318 [Jer 18,3].

2847 **Otto, Eckart** Mose: Geschichte und Legende. Mü 2006, Beck 128 pp. €7.90. 3-406-53600-X. Bibl. 120-122;

2848 ᴱ**Otto, Eckart** Mosè, Egitto e Antico Testamento. Studi biblici 152: Brescia 2006, Paideia 183 pp. €18.30. 88394-0726X.

2849 *Praestholm, Benedicte* A write [!] of passage: 2 Mos 1,1-2,10 som legitimationsberetning. DTT 69/3 (2006) 202-218.

2850 *Römer, Thomas* Ein einzigartiger Vermittler: die Biografie des Mose nach den biblischen Texten. WUB 41 (2006) 12-18;

2851 Mosè il mediatore. Mondo della bibbia 17/2 (2006) 4-11.

2852 **Sabbah, Messod; Sabbah, Roger** Les secrets de l'Exode: l'origine égyptienne des hébreux. 2000 ⇒16,2227; 17,2345. ᴿAfrika Yetu 11 (2006) 78-80 (*Lusala lu ne Nkuka, Luc*).

2853 *Spronk, Klaas* The picture of Moses in the history of interpretation. ᶠHOUTMAN, C.: CBET 44: 2006 ⇒68. 253-264.

2854 *Stroumsa, Guy* Mosé le législateur et l'idée de religion civile dans la pensée patristique. Le rire du Christ. 2006 <2005> ⇒312. 183-206.

2855 *Waschke, Ernst-Joachim* Mose und David: ein überlieferungs- und religionsgeschichtliches Desiderat. ᶠSCHMITT, H.-C.: BZAW 370: 2006 ⇒151. 217-230.

2856 **Widmer, Michael** Moses, God, and the dynamics of intercessory prayer: a study of Exodus 32-34 and Numbers 13-14. FAT 2/8: 2004 ⇒20,2670; 21,2862. ᴿOTEs 19 (2006) 778-781 (*Weber, B.*).

2857 *Wtorek, Ryszard* Mojżesz między wiarą a nauką (I): o doświadczeniu pielgrzymowania do Ziemi Świętej [Moïse entre la foi et la science

(I): de l'expérience de pèlerinage à la Terre sainte]. PrzPow 4 (2006) 80-91. **P.**;

2858 Moïse entre la foi et la science (fin): de l'experience du pèlerinage à la Terre Sainte. PrzPow 5 (2006) 51-60. **P.**

E3.3 **Nomen divinum, Tetragrammaton**; *Exodus 3,14...***Plagues**

2859 *Assmann, Jan* Gottesbilder–Menschenbilder: anthropologische Konsequenzen des Monotheismus. Götterbilder-Gottesbilder-Weltbilder, II. FAT 2/18: 2006 ⇒636. 313-329.

2860 **Bader, Günter** Die Emergenz des Namens: Amnesie—Aphasie—Theologie. HUTh 51: Tü 2006, Mohr S. xii; 398 pp. €94. 3-16-1488-84-9. Bibl. 365-386.

2861 *Berner, Ulrich* "Wahr" oder "unwahr"–die Mosaische Unterscheidung: die Diskussion um den Monotheismus des Mose und die Thesen Jan Assmanns. WUB 41 (2006) 46-49.

2862 *Cox, Dorian G.* The hardening of pharaoh's heart in its literary and cultural contexts. BS 163 (2006) 292-311.

2863 *Davies, Oliver* Reading the burning bush: voice, world and holiness. MoTh 22 (2006) 439-448 [Exod 3].

2864 *Den Hertog, Cornelis G.* The 'Want-to-be' of the divine name: a psychoanalytic reading of Exodus 2.23-4.17. Journal of Lancanian Studies 4 (2006) 76-98 .

2865 **Diesel, Anja A.** "Ich bin Jahwe": der Aufstieg der Ich-bin-Jahwe-Aussage zum Schlüsselwort des alttestamentlichen Monotheismus. WMANT 110: Neuk 2006, Neuk xiii; 425 pp. €64.90. 3-7887-2138-3. Bibl. 391-415.

2866 *Esau, Ken* Divine deception in the Exodus event?. Direction 35 (2006) 4-17 [Exod 3].

2867 *Feldman, Louis H.* Did Jews reshape the tale of the Exodus?. Judaism and Hellenism reconsidered. JSJ.S 107: 2006 <1998> ⇒215. 129-133.

2868 **Ford, William A.** God, pharaoh and Moses: explaining the Lord's action in the Exodus plagues narrative. Milton Keynes 2006, Paternoster xx; 248 pp. £20.

2869 *Gericke, Jaco* Realism and non-realism in Old Testament theology: a formal-logical and religious-philosophical assessment;

2870 The quest for a philosophical YHWH (part 2): philosophical criticism as exegetical methodology. OTEs 19 (2006) 47-57/1178-1192;

2871 What is a god?: metathesic assumptions in Old Testament Yahwism(s). VeE 27 (2006) 856-868.

2872 **Kellenberger, Edgar** Die Verstockung Pharaos: exegetische und auslegungsgeschichtliche Untersuchung zu Exodus 1-15. BWANT 171: Stu 2006, Kohlhammer vi; 304 pp. €29. 3-17-019418-6. Bibl. 284-296.

2873 *Kessler, John* Persia's loyal Yahwists: power identity and ethnicity in Achaemenid Yehud. Judah and the Judeans. 2006 ⇒941. 91-121;

2874 Psychoanalytische Lektüre biblischer Texte—das Beispiel von Ex 4, 24-26. Gotteserdung. BWANT 170: 2006 <2001> ⇒249. 63-80.

2875 *Kreuzer, Siegfried* Zebaoth–der Thronende. VT 56 (2006) 347-362;

2876 Mose–Echnaton–Manetho und die 13 Jahre des Osarsiph: Beobachtungen zur "Mosaischen Unterscheidung" und zur "Entzifferung einer Gedächtnisspur". FHUBER, F.: VKHW 8: 2006 ⇒ 69. 25-37.

2877 *Mercier, Philippe* 'Il envoya signes et prodiges, au milieu de toi, Egypte': plaies ou signes et prodiges?. ᶠGIBERT, P. 2006 ⇒52. 68-78.

2878 *Pannell, Randall J.* I would be who I would be!: a proposal for reading Exodus 3:11-14. BBR 16 (2006) 351-353.

2879 *Robinson, Marilynne* No other gods. ThTo 63 (2006) 425-432.

2880 *Sauer, Ralph* "Nah ist und schwer zu fassen der Gott" (Hölderlin): verantwortliches Reden von Gott im Anschluss an Ex 3,7-17. ᶠUNTERGASSMAIR, F. 2006 ⇒161. 553-564.

2881 **Soler, Jean** L'invention du monothéisme: aux origines du Dieu unique, 3: sacrifices et interdits alimentaires dans la bible. P 2006, Hachette 240 pp. €7.51. 2-0127-932-15;

2882 L'invention du monothéisme, 1-3. 2002-2006 ⇒18,2674 ... 22,2881. ᴿEsprit (2006/10) 221-223 (*Schlegel, Jean-Louis*).

2883 *Steinberg, Theodore* End of exile?. JBQ 34 (2006) 131-132 [Exod 10,1-13,16].

2884 *Stern, Ephraim* The religious revolution in Persian-period Judah. Judah and the Judeans. 2006 ⇒941. 199-205.

2885 *Talstra, Eep* The name in Kings and Chronicles;

2886 *Tigchelaar, Eibert* Bare feet and holy ground: excursive remarks on Exodus 3:5 and its reception. The revelation of the name. 2006 ⇒796. 55-70/17-36 [Ps 67].

2887 *Usener, Knut* Der eine Gott und seine Folgen. ᶠHUBER, F.: VKHW 8: 2006 ⇒69. 63-80.

2888 *Van Bekkum, Wout J.* What's in the divine name?: Exodus 3 in biblical and rabbinic tradition;

2889 *Van Kooten, George H.* Moses/Musaeus/Mochos and his God Yahweh, Iao, and Sabaoth, seen from a Greco-Roman perspective. The revelation of the name. 2006 ⇒796. 3-15/107-138.

2890 *Zenger, Erich* Mose und die Entstehung des Monotheismus. Der Monotheismus. 2006 ⇒578. 15-38.

E3.4 *Pascha, sanguis, sacrificium*: **Passover, blood, sacrifice**, *Ex 11...*

2891 *Beentjes, Pancratius C.* 'Holy people': the biblical evidence. A holy people. 2006 ⇒565. 3-15 [Exod 19,6].

2892 Bellia, Giuseppe Per un buon uso del sacrificio: espiazione e sacrificio vicario. PSV 54 (2006) 99-134.

2893 **Brelich, Angelo** Presupposti del sacrificio umano. R 2006 <1966>, Riuniti 155 pp. Pres. *Marcello Massenzio.*

2894 *Briend, Jacques* La Pasqua, da Mosè a Gesù. Mondo della bibbia 17/2 (2006) 42-47;

2895 Vom Weidewechsel zum Tempelfest: die Pesachfeier von Mose bis Jesus. WUB 40 (2006) 18-21.

2896 *Cardellini, Innocenzo* Il sacrificio dell'Antico Israele: visione complessiva. PSV 54 (2006) 13-36.

2897 *Carmichael, Calum* The Passover *haggadah*. The historical Jesus. 2006 ⇒334. 343-356.

2898 **Dahm, Ulrike** Opferkult und Priestertum in Alt-Israel: ein kultur- und religionswissenschaftlicher Beitrag. BZAW 327: 2003 ⇒19, 2764 ... 21,2893. ᴿJSSt 51 (2006) 182-184 (*Rooke, Deborah*).

2899 **Eberhart, Christian** Studien zur Bedeutung der Opfer im Alten Testament: die Signifikanz von Blut- und Verbrennungsriten im kultischen Rahmen. WMANT 94: 2002 ⇒18,2689... 21,2896. [R]ThR 71 (2006) 379-380 (*Körting, Corinna*).

2900 *Finsterbusch, Karin* Vom Opfer zur Auslösung: Analyse ausgewählter Texte zum Thema Erstgeburt im Alten Testament. VT 56 (2006) 21-45 [Exod 13,1-16; 22,28-29; 34,19-20; Num 18,15-18; Deut 15, 19-23; Ezek 20,25-26].

2901 *Frymer-Kensky, Tikva* Revelation revealed: the doubt of torah. Studies in bible. 2006 <2002> ⇒219. 285-294 [Exodu 19].

2902 [E]**Georgoudi, Stella; Koch Piettre, Renée; Schmidt, Francis** La cuisine et l'autel: les sacrifices en questions dans les sociétés de la Méditerranée ancienne. BEHE.R 124: 2005 ⇒21,539. [R]EtCl 74 (2006) 158-159 (*Bonnet, Corinne*).

2903 **Gilders, William K.** Blood ritual in the Hebrew Bible: meaning and power. 2004 ⇒20,2712; 21,2899. [R]ThLZ 131 (2006) 161-163 (*Reventlow, Henning Graf*); CBQ 68 (2006) 512-513 (*Patrick, Dale*); JBL 125 (2006) 797-800 (*Tuzlak, Ayse*).

2904 **Girard, René** Il sacrificio. [E]*Antonello, Pierpaolo*: Mi 2004, Cortina 116 pp.

2905 *Gosse, Bernard* La mention du sanctuaire en Exode 15,17 en relation au Psaume 74 et au Psautier. RB 113 (2006) 188-200.

2906 **Heger, Paul** The three biblical altar laws: developments in the sacrificial cult in practice and theology: political and economic background. BZAW 279: 1999 ⇒15,2170; 17,2383. [R]JNES 65 (2006) 296-303 (*Pardee, Dennis*).

2907 *Lerner, Phillip* Redefining התלאה: an assurance of Israel's return to the land in Jethro's covenant. Bib. 87 (2006) 402-11 [Exod 18,1-12].

2908 *Lujic, Bozo* Odvajanje zakonodavstva od karizme u Izraelu: narativna analiza Izl 18,13-27. BoSm 76 (2006) 795-815 [Exod 18,13-27]. **Croatian**.

2909 **Marx, Alfred** Les systèmes sacrificiels de l'Ancien Testament: formes et fonctions du culte sacrificiel à Yhwh. VT.S 105: 2005 ⇒ 21,2905. [R]OLZ 101 (2006) 680-683 (*Reventlow, Henning Graf*).

2910 *Mishor, Mordechay* On the language and text of Exodus 18. Biblical Hebrew. 2006 ⇒725. 225-229.

2911 *Naiden, F.S.* Rejected sacrifice in Greek and Hebrew religion. JANER 6 (2006) 189-223.

2912 *Noort, Ed* Josua und Amalek: Exodus 17:8-16. [F]HOUTMAN, C.: CBET 44: 2006 ⇒68. 155-170.

2913 *Odasso, Giovanni* Il sacrificio di comunione. PSV 54 (2006) 57-77.

2914 **Prosic, Tamara** The development and symbolism of Passover until 70 CE. JSOT.S 414: 2004 ⇒20,2726; 21,2907. [R]CBQ 68 (2006) 313-315 (*Millar, William R.*); RBLit (2006)* (*Wagenaar, Jan*); JThS 57 (2006) 222-224 (*Bray, Jason*).

2915 **Riecker, Siegbert** Ein Priestervolk für alle Völker: der Segensauftrag Israels für alle Nationen in der Tora und den Vorderen Propheten. SBB 59: Stu 2006, Kath. Bibelwerk 438 pp. €52. 978-3-460-00591-4 [Gen 3,15; 9,27; 12,2-3; Exod 19; Deut 4,5-8; 28,1-30,10].

2916 *Scanu, Maria Pina* La Pasqua come sacrificio. PSV 54 (2006) 37-55.

2917 *Scurlock, JoAnn* The techniques of the sacrifice of animals in ancient Israel and ancient Mesopotamia: new insights through comparison. AUSS 44 (2006) 13-49, 241-264.

2918 *Steiner, Claire-Antoinette* Exode 12,29-42: une nuit de veille, d'âge en âge. LeD 67 (2006) 13-23.
2919 *Van der Kooij, Arie* A kingdom of priests: comment on Exodus 19:6. [F]HOUTMAN, C.: CBET 44: 2006 ⇒68. 171-179.
2920 *Vinel, Nicolas* L'A-Ω des Septante, version grecque d'Ex 17,12. RB 113 (2006) 201-210 [Deut 32,4].

E3.5 **Decalogus,** *Ex 20=Dt 5; Ex 21ss*; **Ancient Near Eastern Law**

2921 **Aaron, David H.** Etched in stone: the emergence of the Decalogue. L 2006, Clark xv; 352 pp. $40. 05670-29719. [R]RBLit (2006)* (*Achenbach, Reinhard*).
2922 *Baraniak, Marek* Jedno w dwu—dwa w jednym [L'un dans le deux— le deux dans l'un]. PrzPow 4 (2006) 16-28. P.;
2923 Początek dziesięciu słów dekalog: bez numerów [Le commencement de dix paroles: décalogue sans numéros]. PrzPow 3 (2006) 14-26. P.
2924 **Bisi, Marisa** I Dieci Comandamenti: meditazioni sul decalogo, via di libertà. R 2006, ADP 111 pp. 88-7357-397-5.
2925 [E]**Braaten, Carl E.; Seitz, Christopher R.** I am the Lord your God: christian reflections on the ten commandments. 2005 ⇒21,816. [R]NV(Eng) 4 (2006) 466-471 (*McAleer, G.J.*); TS 67 (2006) 690-692 (*Iozzio, Mary Jo*); SBET 24 (2006) 227-228 (*Alexander, Desi*).
2926 [E]**Frevel, Christian; Konkel, Michael; Schnocks, Johannes** Die Zehn Worte: der Dekalog als Testfall der Pentateuchkritik. QD 212: 2005 ⇒21,745. [R]ZKTh 128 (2006) 133-134 (*Markl, Dominik*).
2927 **Harrelson, Walter J.** The ten commandments for today. LVL 2006, Westminster 102 pp. $15. 06642-2931X.
2928 **Himbaza, Innocent** Le décalogue et l'histoire du texte: études des formes textuelles du décalogue et leurs implications dans l'histoire du texte de l'Ancien Testament. OBO 207: 2004 ⇒20,2737; 21,2918. [R]Bib. 87 (2006) 273-276 (*Sivan, Hagith*).
2929 *Kot, Tomasz* Biblijne korzenie Dekalogu [Les racines bibliques du Décalogue]. PrzPow 2 (2006) 14-26. P.
2930 *Kowalczyk, Dariusz* Po co nam dziesięć przykazań? [Le pourquoi des dix commandements]. PrzPow 1 (2006) 14-26. P.;
2931 Ne convoites pas et ne commets pas l'adultère. PrzPow 10 (2006) 28-39. P.
2932 *Langenhorst, Georg; Neumann, Michaela* Aktuelles zum Dekalog: ein Literaturbericht. KatBl 131 (2006) 431-435.
2933 *Römer, Thomas* Les deux 'décalogues' et la loi de Moïse. [F]GIBERT, P. 2006 ⇒52. 47-67.
2934 **Sivan, Hagith** Between woman, man and God: a new interpretation of the ten commandments. JSOT.S 401: 2004 ⇒20,2753. [R]Bib. 87 (2006) 542-554 (*Jackson, Bernard S.*).
2935 *Tagliacarne, Pierfelice* Einige Thesen zum Text der Zehn Gebote. KatBl 131 (2006) 399-406 [Exod 20,2-7; Deut 5,6-21].
2936 *Throntveit, Mark A.* The so-called 'ten commandments' and the relational, vocational decalogue. [F]FRETHEIM, T. 2006 ⇒45. 73-82.
2937 *Warning, Wilfried* Terminological patterns and the decalogue. ZAW 118 (2006) 513-522.

2938   *Anderlini, Gianpaolo* 'Io sono il Signore, tuo Dio': la prima delle di-
       eci parole. Qol(I) 119 (2006) 2-7 [Exod 20,2].
2939   *Ryan, Robin* The first commandment: a call to faithful friendship.
       BiTod 44 (2006) 306-312 [Exod 20,2-6].
2940   *Duff, Nancy J.* Locating God in all the wrong places : the second
       commandment and American politics. Interp. 60 (2006) 182-193
       [Exod 20,4].
2941   *Gire, Pierre* La représentation de l'autre: image et transcendance.
       FGIBERT, P. 2006 ⇒52. 233-244 [Exod 20,4].
2942   *Shanahan, Barbara* The second commandment: a good name. BiTod
       44 (2006) 375-380 [Exod 20,07].
2943   *Kot, Tomasz* Les esquisses sur le sabbat: afin que le dimanche ne soit
       pas une horreur pour le Seigneur. PrzPow 6 (2006) 40-49 [Exod
       20,08-11; Mt 5,37]. **P.**
2944   *Prudký, Martin* The two versions of the Sabbath-commandment:
       structural similarities. Stimulation from Leiden. BEAT 54: 2006 ⇒
       686. 239-255 [Exod 20,08-11; Deut 5,12-15].
2945   *Augustyn, Józef* Honore ton père et ta mère. PrzPow 7-8 (2006) 17-
       27 [Exod 20,12]. **P.**
2946   **Bailey, Wilma A.** "You shall not kill" or "You shall not murder"?:
       the assault on a biblical text. 2005 ⇒21,2944. RCBQ 68 (2006) 719-
       720 (*Hensell, Eugene*); RBLit (2006)* (*Cathey, Joseph; Kare,
       Berge; McEntire, Mark*) [Exod 20,13].
2947   *Hepner, Gershon* The Samaritan version of the tenth commandment.
       SJOT 20/1 (2006) 147-151 [Exod 20,17].
2948   *Lage, Francisco* Los dos últimos mandamientos del decálogo: 'no
       desearás'—'no codiciarás'. Moralia 29 (2006) 7-37 [Exod 20,17].

2949   **Anderson, Cheryl B.** Women, ideology, and violence: critical theory
       and the construction of gender in the book of the Covenant and the
       Deuteronomic law. JSOT.S 394: 2004 ⇒20,2784; 21,2952. RCBQ 68
       (2006) 716-717 (*Matthews, Victor H.*).
2950   *Matthews, Victor H.* The anthropology of slavery in the covenant
       code. Theory and method. 2006 <1994> ⇒644. 119-135.
2951   *Morrow, William A.* generic discrepancy in the covenant code. Theo-
       ry and method. 2006 <1994> ⇒644. 136-151.
2952   **Paul, Shalom M.** Studies in the book of the covenant in light of
       cuneiform and biblical law. Dove Studies in Bible: Eugene 2006
       <1970>, Wipf & S. xxiv; 149 pp. $21. 1-59752-479-4.
2953   **Van Seters, John** A law book for the diaspora: revision in the study
       of the covenant code. 2003 ⇒19,2807... 21,2966. RSEÅ 71 (2006)
       237-239 (*Norin, Stig*); BiOr 63 (2006) 343-347 (*Otto, Eckart*).
2954   *Wells, Bruce* The covenant code and Near Eastern legal traditions: a
       response to David P. Wright. Maarav 13 (2006) 85-118.
2955   *Westbrook, Raymond* What is the covenant code?. Theory and
       method. 2006 <1994> ⇒644. 15-36.
2956   *Wright, David P.* The laws of Hammurabi and the covenant code: a
       response to Bruce Wells. Maarav 13 (2006) 211-260.
2957   *Artus, Olivier* De la pluralité des 'logiques' de lecture et d'interpréta-
       tion des textes du pentateuque: l'exemple d'Ex 20,22-26. FGIBERT, P.
       2006 ⇒52. 35-46 [Exod 20,22-26].
2958   *Van Seters, John* The altar law of Ex 20,24-26 in critical debate.
       FSCHMITT, H.-C.: BZAW 370: 2006 ⇒151. 157-174.

2959 **Jackson, Bernard** Wisdom-laws: a study of the mishpatim of Exodus 21:1-22:16. Oxf 2006, OUP xv; 552 pp. $175. 978019-8269311.

2960 *Levinson, Bernard M.* The "effected object" in contractual legal language: the semantics of "if you purchase a Hebrew slave" (Exod. xxi 2). VT 56 (2006) 485-504.

2961 *Stackert, Jeffrey* Why does Deuteronomy legislate cities of refuge?: asylum in the covenant collection (Exodus 21:12-14) and Deuteronomy (19:1-13). JBL 125 (2006) 23-49.

2962 *Lee, Bernon P.* Diachrony and exegesis: reading Exodus 21:18-27. ᶠPECKHAM, B.: LHBOTS 455: 2006 ⇒126. 48-55.

2963 **Beck, Milianus** 'What is an eye for an eye, a tooth for a tooth...?: the meaning of the lex talionis in the Hebrew Bible in the light of Ex. 21,22-25 and related biblical texts. ᴰ*Vervenne, Marc* 2006, lxxiv; 342 pp. Diss. Leuven [RTL 38,613].

2964 *Kim, Yung Suk* Lex Talionis in Exod 21,22-25: its origin and context. JHScr 6 (2006)*.

2965 *Van Staalduine-Sulman, Eveline* Between legislative and linguistic parallels: Exodus 21:22-25 in its context. ᶠHOUTMAN, C.: CBET 44: 2006 ⇒68. 207-224.

2966 *Baker, David L.* Safekeeping, borrowing, and rental. JSOT 31 (2006) 27-42 [Exod 22,7-15].

2967 *Wagner, Volker* Welche Opferart wurde mit Ex 22,19 unter Strafe gestellt?. ZAW 118 (2006) 611-617.

2968 *Ben-Dov, Jonathan* The poor's curse: Exodus xxii 20-26 and curse literature in the ancient world. VT 56 (2006) 431-451.

2969 **Choi, Seog Yoon** Verhaltensanweisungen im Gericht—Struktur und Hintergründe von Ex 23,1-9. ᴰ*Kessler, R.* 2006, Diss. Marburg.

2970 *Frey, Mathilde* The Sabbath commandment in the book of the Covenant: ethics on behalf of the outcast. JAAS 9 (2006) 3-11 [Ex 23,12].

2971 *Freemon, Frank R.* An alternative translation for the rule against boiling a kid in its mother's milk. BiTr 57 (2006) 96-7 [Exod 23,19].

2972 *Young, Roger C.* Seder olam and the sabbaticals associated with the two destructions of Jerusalem. JBQ 34 (2006) 173-179, 252-259 [Exod 23,10-11].

2973 **Artus, Olivier** Les lois du pentateuque: points de repère pour une lecture exégétique et théologique. LeDiv 200: 2005 ⇒21,2967. ᴿNRTh 128 (2006) 100-101 (*Ska, Jean Louis*); ThLZ 131 (2006) 721-722 (*Riaud, Jean*).

2974 *Baker, David L.* Why care for the poor?: theological foundations of Old Testament laws on wealth and poverty. PIBA 29 (2006) 1-23.

2975 **Barmash, Pamela** Homicide in the biblical world. 2005 ⇒21,2968. ᴿZAR 12 (2006) 363-374 (*Jackson, Bernard S.*).

2976 *Behrends, Okko* Das staatliche Gesetz in biblischer und römischer Tradition: Sinn- und Gemeinschaftsstiftung durch Gehorsam fordernden Befehl oder positive Satzung im Rahmen einer immer schon bestehenden Rechtsordnung. Der biblische Gesetzesbegriff. AAWG.PH 278: 2006 ⇒695. 225-360.

2977 *Benovitz, Moshe* Your neighbor is like yourself: a broad generalization with regard to the torah. A holy people. 2006 ⇒565. 127-146.

2978 **Bianchi, Francesco** La donna del tuo popolo: la proibizione dei matrimoni misti nella bibbia e nel medio giudaismo. Studia Biblica 3: R 2005, Città N. 182 pp. €16. 88-311-3626-7. Bibl. 151-165. ᴿAlpha

Omega 9/1 (2006) 193-194 (*Furlong, Jude*); BeO 48 (2006) 253-254 (*Stramare, Tarcisio*); CivCatt 157/2 (2006) 616-618 (*Scaiola, D.*).
2979 **Dauvillier, Jean** Le Nouveau Testament et les droits de l'antiquité. ᴱ*Bruguière, Marie-Bernadette*: Etudes d'histoire du droit 9: 2005 ⇒ 21,2972. ᴿRHE 101 (2006) 1097-9 (*Basdevant-Gaudemet, Brigitte*).
2980 *Frymer-Kensky, Tikva* Patriarchal family relationships and Near Eastern law. Studies in bible. 2006 <1981> ⇒219. 225-237;
2981 Law and philosophy: the case of sex in the bible. <1989>;
2982 Pollution, purification, and purgation in biblical Israel. Studies in bible. 2006 <1983> ⇒219. 239-254/329-350.
2983 **Graf, Friedrich** Moses Vermächtnis: über göttliche und menschliche Gesetze. ³Mü 2006, Beck 97 pp. €12. 3-406-54221-2. Bibl. 97.
2984 *Greengus, Samuel* Some issues relating to the comparability of laws and the coherence of the legal tradition. Theory and method. 2006 <1994> ⇒644. 60-87.
2985 **Günzel, Angelika** Religionsgemeinschaften in Israel: rechtliche Grundstrukturen des Verhältnisses von Staat und Religion. ᴰ*Robbers, Gerhard*: JusEcc 77: Tü 2006, Mohr S. xxxvi; 342 pp. €64. 9783-16-14-87071. Diss. Trier 2004.
2986 **Hasel, Michael G.** Military practice and polemic: Israel's laws of warfare in Near Eastern perspective. 2005 ⇒21,2977. ᴿCBQ 68 (2006) 731-732 (*Morschauser, Scott*); JBL 125 (2006) 577-579 (*Wright, Jacob*).
2987 ᴱ**Hezser, Catherine** Rabbinic law in its Roman and Near Eastern context. TSAJ 97: 2003 ⇒19,681... 21,2979. Conf. Trinity College, Dublin 2002. ᴿJSSt 51 (2006) 214-218 (*Levine, Baruch*).
2988 *Jackson, Bernard S.* Homicide in the Hebrew Bible: a review essay. ZAR 12 (2006) 362-374.
2989 *Kerkovsky, Pavel* The biblical language of law. CV 48/1 (2006) 15-33.
2990 *Klein, Nikolaus* Vom Gesetz Gottes. Orien. 70 (2006) 49-50.
2991 **LeFebvre, Michael** Collections, codes, and Torah: the re-characterization of Israel's written law. LHBOTS 451: NY 2006 Clark xiii; 306 pp. 0-567-02882-8. Bibl. 268-289.
2992 *Levinson, Bernard M.* 'Du sollst nichts hinzufügen und nichts wegnehmen' (Dtn 13,1): Rechtsreform und Hermeneutik in der Hebräischen Bibel. ZThK 103 (2006) 157-183;
2993 The case for revision and interpolation within the biblical legal corpora. Theory and method. 2006 <1994> ⇒644. 37-59.
2994 **Loretz, Oswald** Götter—Ahnen—Könige als gerechte Richter: der 'Rechtfall' des Menschen vor Gott nach altorientalischen und biblischen Texten. AOAT 290: 2003 ⇒19,2871... 21,3012. ᴿThZ 62 (2006) 85-88 (*Witte, Markus*).
2995 *McConville, Gordon* Old Testament laws and canonical intentionality. Canon and biblical interpretation. Scripture and Hermeneutics: 2006 ⇒693. 259-281.
2996 *Moura, Ozeas C.* Leis mosaicas: plagiadas do Código de Hamurábi?. Hermenêutica 6 (2006) 19-26.
2997 *Otto, Eckart* Das Recht der Hebräischen Bibel im Kontext der antiken Rechtsgeschichte: Literaturbericht 1994-2004. ThR 71 (2006) 389-421;
2998 Völkerrecht in der Hebräischen Bibel und seine altorientalischen Wurzeln. ZAR 12 (2006) 29-51;

2999 Neue Literatur zur biblischen Rechtsgeschichte. ZAR 12 (2006) 72-106;

3000 Völkerrecht und Völkerordnung in der Tora der Hebräischen Bibel in achämenidischer Zeit. ᶠHAASE, R.: Philippika 13: 2006 ⇒58. 89-96;

3001 Aspects of legal reforms and reformulations in ancient cuneiform and Israelite law. Theory and method. 2006 <1994> ⇒644. 160-196.

3002 *Patrick, Dale* Who is the evolutionist?. Theory and method. 2006 <1994> ⇒644. 152-159.

3003 *Paul, Maarten J.* De blijvende relevantie van de oudtestamentische wetgeving. ThRef 49/1 (2006) 38-60.

3004 **Radkau, Joachim** Max WEBER: die Leidenschaft des Denkens. 2005 ⇒21,2992. ᴿZAR 12 (2006) 405-407 (*Otto, Eckart*).

3005 *Schwienhorst-Schönberger, Ludger* Präskriptive Texte. Lesarten der Bibel. 2006 ⇒699. 117-126.

3006 *Ska, Jean-Louis* Il diritto e la legge: una distinzione fondamentale nella bibbia. CivCatt 157/1 (2006) 468-479 [Exod 1,15-22; 2,1-10].

3007 *Smend, Rudolf* 'Gesetz' im Alten Testament. Der biblische Gesetzes-begriff. AAWG.PH 278: 2006 ⇒695. 17-41.

3008 **Sprinkle, Joe M.** Biblical law and its relevance: a christian under-standing and ethical application for today of the Mosaic regulations. Lanham 2006, University Press of America xvi; 235 pp. 0-7618-337-2-2. Bibl. 205-213.

3009 **Staszak, Martin** Die Asylstädte im Alten Testament: Realität und Fiktivität eines Rechtsinstituts. ÄAT 65: Wsb 2006, Harrassowitz 372 pp. €78. 3-447-05402-6. Bibl. 347-372. ᴿAKathKR 174 (2005) 669-673 (*Görg, Manfred*).

3010 *Vanhoomissen, Guy* Chi ha scritto la legge di Mosè?. Mondo della bibbia 17/2 (2006) 18-23.

3011 **Weinfeld, Moshe** The place of the law in the religion of ancient Israel. Ment. *Wellhausen, J.*: VT.S 100: 2004 ⇒20,2824; 21,2998. ᴿOLZ 101 (2006) 462-466 (*Schmidt, Ludwig*); JBL 125 (2006) 570-573 (*Miller, Patrick D.*).

3012 **Wells, Bruce** The law of testimony in the pentateuchal codes. ZAR.B 4: 2004 ⇒20,2825; 21,2999. ᴿJAOS 126 (2006) 458-459 (*Barmash, Pamela*).

3013 *Wenham, Gordon* Law in the Old Testament. Oxford handbook of biblical studies. 2006 ⇒438. 351-361.

3014 *Werman, Cana* Oral torah vs. written torah(s): competing claims to authority. Rabbinic perspectives. StTDJ 62: 2006 ⇒837. 175-197.

3015 **Wilson, Kevin A.** Conversations with scripture: the law. NY 2006, Morehouse xxi; 115 pp. 0-8192-2147-3. Bibl. 107-113.

3016 *Winiarski, C.E.* Adultery, idolatry, and the subject of monotheism. RL 38/3 (2006) 41-63.

3017 *Wright, Christopher J.H.* Response to Gordon McConville. Canon and biblical interpretation. Scripture and Hermeneutics: 2006 ⇒693. 282-290.

3018 *Allam, Schafik* Der eponyme richterliche Schreiber. ZÄS 133 (2006) 1-9.

3019 *Arikan, Yasemin* The blind in Hittite documents. AltOrF 33 (2006) 144-154.

3020 *Botta, Alejandro F.* The legal function and Egyptian background of the שׁליט clause: a reevaluation. Maarav 13 (2006) 193-209.

3021 *Buchholz, Matias* Außergerichtliche Streitbeendigungen in Petra im
      6. Jh. n. Chr.: der Papyrus Petra Inv. 83. [F]HAASE, R.: Philippika 13:
      2006 ⇒58. 133-147.
3022 *Buss, Martin J.* Legal science and legislation. Theory and method.
      2006 <1994> ⇒644. 88-90.
3023 *Campagno, Marcelo* Judicial practices, kinship and the state in "The
      Contendings of Horus and Seth". ZÄS 133 (2006) 20-33.
3024 *Démare-Lafont, S.* Prozeß (Procès): A: Mesopotamien. RLA 11/1-2.
      2006 ⇒963. 72-91.
3025 **Donbaz, Veysel; Parpola, Simo** Neo-Assyrian legal texts in Istan-
      bul. Studien zu den Assur-Texten (StAT) 2: 2001 ⇒17,2458; 19,
      2852. [R]BiOr 63 (2006) 111-122 (*Llop, Jaume*).
3026 *Elsen-Novák, Gabriele; Novák, Mirko* Der 'König der Gerechtig-
      keit': zur Ikonologie und Teleologie des 'Codex' Ḫammurapi.
      BaghM 37 (2006) 131-155.
3027 *Fitzgerald, John T.* Perjury in ancient religion and modern law: a
      comparative analysis of perjury in HOMER and United States law.
      [F]AUNE, D.: NT.S 122: 2006 ⇒4. 183-202.
3028 **Freydank, Helmut** Mittelassyrische Rechtsurkunden und Verwal-
      tungstexte, VII. Ausgrabungen der Deutschen Orient-Gesellschaft in
      Assur, E: Inschriften 7; Keilschrifttexte aus mittelassyrischer Zeit 5;
      WVDOG 111: Saarbrücken 2006, Saarbrücken 82 pp. 39308-43994.
3029 *García Castillo, Pablo* La justicia, la ley y los derechos humanos en
      el pensamiento griego y romano. Cart. 22 (2006) 351-378.
3030 *Haase, Richard* Die Rettung in einem Hungerjahr: Anmerkungen zu
      §172 der hethitischen Rechtssatzung. AltOrF 33 (2006) 160-163;
3031 Zum Schuldrecht der hethitischen Rechtssatzung;
3032 Welche Rechtsbeziehungen regelt der § 192 der hethitischen Rechts-
      satzung. ZAR 12 (2006) 1-12/13-14;
3033 Ein kühner Hirte?: Bemerkungen zu § 80 der hethitischen Rechtssat-
      zung. ZAR 12 (2006) 15-16.
3034 *Hengstl, Joachim* Rechtspraktiker im griechisch-römischen Ägypten.
      [F]HAASE, R.: Philippika 13: 2006 ⇒58. 115-132.
3035 *Hoffner, H.A., Jr.* Prozeß (Procès): B: Bei den Hethitern. RLA 11/1-
      2. 2006 ⇒963. 91-98.
3036 *Kaiser, Otto* Kodifizierung und Legitimierung des Rechts in der Anti-
      ke und im Alten Orient: Vorstellung der Beiträge des gleichnamigen
      Symposions. ZAR 12 (2006) 344-353.
3037 *Kaizer, Ted* Capital punishment at Hatra: gods, magistrates and laws
      in the Roman-Parthian period. Iraq 68 (2006) 139-153.
3038 *Lafont, Sophie* Ancient Near Eastern laws: continuity and pluralism.
      Theory and method. 2006 <1994> ⇒644. 91-118.
3039 *Lang, Martin* u4-ba, ina umi ullûti, inumišu–In illo tempore: zur Be-
      gründung und Legitimation von Recht aus dem Mythos. ZAR 12
      (2006) 17-28;
3040 ina ūmī ullûti, inūmīšu–'in jenen Tagen', 'am Tag, als': in illo tempo-
      re als Indikator für normative Ursprünglichkeit in altorientalischen li-
      terarischen Werken und in Rechtstexten. [F]MÜHLSTEIGER, J.: KStT
      51: 2006 ⇒118. 171-182.
3041 **Lupu, Eran** Greek sacred law: a collection of new documents
      (NGSL). RGRW 152: 2005 ⇒21,3014. [R]AfR 8 (2006) 345-46 (*Ren-
      berg, Gil H.*).

3042 *Maffi, Alberto* L'arbitrato nell'esperienza giuridica greca e romana. [F]HAASE, R.: Philippika 13: 2006 ⇒58. 109-114.

3043 *Michel, Cécile* Bigamie chez les Assyriens au début du IIe millénaire avant J.-C. RHDF 2 (2006) 155-176 .

3044 **Müller-Wollermann, Renate** Vergehen und Strafen: zur Sanktionierung abweichenden Verhaltens im alten Ägypten. PÄ 21: 2004 ⇒20, 2849; 21,3020. [R]ArOr 74 (2006) 215-222 (*Navrátilová, Hana*); BiOr 63 (2006) 39-43 (*Morschauser, Scott*).

3045 *Neumann, Hans* Schuld und Sühne: zu den religiös-weltanschaulichen Grundlagen und Implikationen altmesopotamischer Gesetzgebung und Rechtsprechung;

3046 *Pientka-Hinz, Rosel* Der rabi sikkatum in altbabylonischer Zeit. [F]HAASE, R.: Philippika 13: 2006 ⇒58. 27-43/53-70.

3047 *Roth, Martha T.* Elder abuse: LH §195. [F]LEICHTY, E. 2006 ⇒95. 349-356.

3048 *Sommerfeld, Walter* Der Beginn des offiziellen Richteramts im Alten Orient. [F]HAASE, R.: Philippika 13: 2006 ⇒58. 3-20.

3049 **Tetlow, Elisabeth M.** Women, crime, and punishment in ancient law and society, 1: the ancient Near East. 2004 ⇒20,2859. [R]CBQ 68 (2006) 529-531 (*Morrow, William*).

3050 **Viel, Dieter** The complete Code of Hammurabi. 2005 ⇒21,3032. [R]BiOr 63 (2006) 322-323 (*Richardson, M.E.J.*).

3051 *Westbrook, Raymond* Reflections on the law of homicide in the ancient world. Maarav 13 (2006) 145-174;

3052 Witchcraft and the law in the ancient Near East. [F]HAASE, R.: Philippika 13: 2006 ⇒58. 45-52.

3053 [E]**Westbrook, Raymond** A history of ancient Near Eastern law. HO 1/72: 2003 ⇒19,2897; 21,3034. [R]JSSt 51 (2006) 174-176 (*Eyre, Christopher*).

3054 [E]**Witte, Markus; Fögen, Marie Theres** Kodifizierung und Legitimierung des Rechts in der Antike und im Alten Orient. ZAR.B 5: 2005 ⇒21,699. [R]RivBib 54 (2006) 443-451 (*Prato, Gian Luigi*).

E3.6 **Cultus**, *Exodus 24-40*

3055 Das Fest: jenseits des Alltags. JBTh 18: 2003 ⇒20,341. [R]ThR 71 (2006) 160-163 (*Reventlow, Henning Graf*).

3056 **Binz, Stephen J.** The feasts of Judaism. New London, CT 2006, Twenty-third ix; 131 pp. $13 [BiTod 45,59—Donald Senior].

3057 *Braulik, Georg* 'Die Weisung und das Gebot' im Enneateuch. Studien zu den Methoden. SBAB 42: 2006 <2004> ⇒194. 111-135 [Exod 24,12].

3058 *Cardellini, Innocenzo* I leviti e il tempio: da servi in garanzia per debiti a operatori cultuali. StEeL 23 (2006) 121-139.

3059 *Day, John* Whatever happened to the ark of the covenant?. Temple and worship. LHBOTS 422: 2006 ⇒716. 250-270.

3060 *Dozeman, Thomas B.* The composition of Ex 32 within the context of the Enneateuch. [F]SCHMITT, H.-C.: BZAW 370: 2006 ⇒151. 175-189 [Deut 9,1-10,11].

3061 *Gesundheit, Shimon* Intertextualität und literarhistorische Analyse der Festkalender in Exodus und im Deuteronomium. Festtraditionen in Israel und im Alten Orient. 2006 ⇒698. 190-220 [Exod 23,14-19; 34,18-26; Deut 16,1-17].

3062 *Henrich, Sarah S.* Seen and unseen: the visibility of God in Exodus 25-40. ᶠFRETHEIM, T. 2006 ⇒45. 103-111.

3063 *Jonas, Gernot; Petzel, Paul* Warum Akazienbäume?. JK 67/1 (2006) 69 [Exod 26,15].

3064 **LaRocca-Pitts, Elizabeth C.** "Of wood and stone": the significance of Israelite cultic items in the bible and its early interpreters. HSM 61: 2001 ⇒17,2491... 21,3049. ᴿJNES 65 (2006) 51-55 (*Avner, Uzi*).

3065 *Lewis, Theodore J.* Covenant and blood rituals: understanding Exodus 24:3-8 in its ancient Near Eastern context. ᶠDEVER, W. 2006 ⇒ 32. 341-350.

3066 *Lipton, Diana* Early mourning?: petitionary versus posthumous ritual in Ezekiel xxiv. VT 56 (2006) 185-202 [Exod 24,15-24].

3067 *Ló, Rita de C.* Aliança no Êxodo. Estudos bíblicos 90 (2006) 27-34.

3068 **Lundqvist, Pekka** Sin at Sinai: early Judaism encounters Exodus 32. 2006, Diss. Åbo [StTh 61,83].

3069 *Nocquet, Dany* Pourquoi Aaron n'a-t-il pas été châtié après la fabrication du taurillon d'or?: essai sur les mentions d'Aaron en Exode 32,1-33,6. ETR 81 (2006) 229-254.

3070 **Park, Sejin** The festival of weeks and Sinai. ᴰ*VanderKam, James* 2006, 299 pp. Diss. Notre Dame [RTL 38,615].

3071 *Roukema, Riemer* The veil over Moses' face in patristic interpretation. ᶠHOUTMAN, C.: CBET 44: 2006 ⇒68. 237-52 [Exod 34,29-35].

3072 *Stein, Israel C.* Sacred space and holy time. JBQ 34 (2006) 244-246.

3073 *Taggar-Cohen, Ada* Reflections of Hittite and Emar practices in the Sinaitic tradition of Moses. Shnaton 16 (2006) 99-114 [Exod 24; 32-33]. **H.**

3074 *Van den Berg, Evert* Stem en tegenstem in Exodus 24 en 33. NedThT 107 (2006) 131-148.

3075 *Villeneuve, Estelle* Le feste del rinnovamento nell'Oriente antico. Mondo della bibbia 17/2 (2006) 36-41.

3076 **Wagenaar, Jan A.** Origin and transformation of the ancient Israelite festival calendar. ZAR.B 6: 2005 ⇒21,3065. ᴿOLZ 101 (2006) 683-689 (*Wagner, Volker*); ThLZ 131 (2006) 1260-1263 (*Reventlow, Henning Graf*); RBLit (2006)* (*Hieke, Thomas*); JHScr 6 (2006)* = PHScr III,411-413 (*Gilders, William K.*) [⇒593].

E3.7 **Leviticus**, *Jubilee*

3077 **Azcárraga Servert, María J. de** Las masoras del libro de Levítico: Códice M1 de la Univ. Complutense de Madrid. TECC 74: 2004 ⇒ 20,2889. ᴿCBQ 68 (2006) 97-98 (*Francisco, Edson de Faria*).

3078 **Barnard, Willem** Een winter met Leviticus. Zoetermeer 2006, Meinema 175 pp. €16.50. 90211-41248.

3079 **Buis, Pierre** O Levitico: a lei de santidade. ᵀ*Lopes, Joaquim F.*: Fátima 2006, Difusora Bíblica 68 pp.

3080 **Carmichael, Calum M.** Illuminating Leviticus: a study of its laws and institutions in the light of biblical narratives. Baltimore 2006, Johns Hopkins Univ. Pr. x; 209 pp. $55. 0801885000. Bibl. 169-200.

3081 **Deiana, Giovanni** Levitico. 2005 ⇒21,3075. ᴿDiv. 49/1 (2006) 117-118 (*Gherardini, Brunero*); ED 59 (2006) 250-251 (*Miccoli, Paolo*).

3082 **Gane, Roy** Cult and character: purification offerings, Day of Atonement, and theodicy. 2005 ⇒21,3077. [R]ThLZ 131 (2006) 1046-9 (*Reventlow, Henning Graf*); JBL 125 (2006) 573-6 (*Eberhart, Christian*); JHScr 6 (2006)*=PHScr III,454-7 (*Körting, Corinna*) [⇒593].

3083 **Kunin, Seth D.** We think what we eat: neo-structuralist analysis of Israelite food rules and other cultural and textual practices. JSOT.S 412: 2004 ⇒20,2896. [R]ThLZ 131 (2006) 990-992 (*Reventlow, Henning Graf*); RBLit (2006)* (*Brenner, Athalya*); JThS 57 (2006) 170-172 (*MacDonald, Nathan*).

3084 **León Azcárate, J.L. de** Levítico. Comentarios a la Nueva Biblia de Jerusalén: Bilbao 2006, Desclée de B. 337 pp.

3085 **Milgrom, Jacob** Leviticus: a book of ritual and ethics, a continental commentary. Continental commentaries: 2004 ⇒20,2899; 21,3085. [R]TJT 22 (2006) 78-79 (*Lee, Bernon P.*).

3086 *Stewart, David T.* Leviticus. Queer bible commentary. 2006 ⇒2417. 77-104.

3087 **Bergen, Wesley J.** Reading ritual: Leviticus in postmodern culture. JSOT.S 417: 2005 ⇒21,3095. [R]RBLit (2006)* (*Naef, Thomas*); JBL 125 (2006) 800-801 (*Tuzlak, Ayse*) [Lev 1-7].

3088 *Himbaza, Innocent* Textual witnesses and sacrificial terminology in Leviticus 1-7. [F]SCHENKER, A.: VT.S 110: 2006 ⇒147. 95-111.

3089 *Bergen, Wesley J.* Sacrificing for the team: Leviticus 4 and the Church of Monday Night Football. [F]PECKHAM, B.: LHBOTS 455: 2006 ⇒126. 64-79.

3090 **Kiuchi, Nobuyoshi** A study of ḥāṭā᾿ and ḥaṭṭā᾿t in Leviticus 4-5. FAT 2/2: 2003 ⇒19,2976; 20,2910. [R]RBLit (2006)* (*Achenbach, Reinhard*).

3091 *Cohen, Jeffrey Acharei mot* and the strange fire. JBQ 34 (2006) 51-54 [Lev 10,1-2].

3092 *Smyth-Florentin, Françoise* Le licite et l'illicite ou la scolopendre dans la marmite. Pierre Geoltrain. 2006 ⇒556. 357-364 [Lev 11,1-46].

3093 *Destro, Adriana; Pesce, Mauro* Sacrifice: the ritual for the leper in Leviticus 14. Ancient Israel. 2006 ⇒724. 66-77.

3094 *Rooke, Deborah W.* The Day of Atonement as a ritual of validation for the high priest. Temple and worship. LHBOTS 422: 2006 ⇒716. 342-364 [Lev 16; 1 Maccabees 10,21].

3095 *Warning, Wilfried* Terminological patterns and Leviticus 16. JAAS 9 (2006) 93-109.

3096 *Körting, Corinna* כי בענו אראה על־הכפרת—Gottes Gegenwart am Jom Kippur. Festtraditionen in Israel und im Alten Orient. 2006 ⇒698. 221-246 [Lev 16,2; 4; Num 15].

3097 *Lemardelé, Christophe* H, P[s] et le bouc pour Azazel. RB 113 (2006) 529-551 [Lev 17].

3098 *Baker, David L.* To glean or not to glean .... ET 117 (2006) 406-410 [Lev 19,9-10; 23,22; Deut 24,19-22].

3099 *Allbee, Richard A.* Asymmetrical continuity of love and law between the Old and New Testaments: explicating the implicit side of a hermeneutical bridge, Leviticus 19.11-18. JSOT 31 (2006) 147-166.

3100 *Wilson, Kevin A.* 'Do not hold back the wages of the laborer overnight': old solution, new problem. Sewanee Theological Review 49 (2006) 378-384 [Lev 19,13; Deut 24,14-15].

3101   *Vincent, Jean Marcel* 'Tu aimeras ton prochain comme toi-même'?:
        Lv 19,18b dans son contexte. ETR 81/1 (2006) 95-112.
3102   *Keim, Paul A.* And the third is like unto it. Direction 35 (2006) 82-86
        [Lev 19,33-34].
3103   *Burnside, Jonathan P.* Strange flesh: sex, semiotics and the construc-
        tion of deviancy in biblical law. JSOT 30 (2006) 387-420 [Lev 20].
3104   **Weyde, Karl William** The appointed festivals of YHWH: the festi-
        val calendar in Leviticus 23 and the sukkôt festival in other biblical
        texts. FAT 2/4: 2004 ⇒20,2927; 21,3103. ᴿBib. 87 (2006) 555-559
        (Nihan, Christophe).
3105   *Hepner, Gershon* The morrow of the Sabbath is the first day of the
        Festival of Unleavened Bread. ZAW 118 (2006) 389-404 [Lev
        23,15-17].
3106   *Eshel, Hanan; Baruchi, Yosi; Porat, Ro'i* Fragments of a Leviticus
        scroll (Aruglev) found in the Judean Desert in 2004. DSD 13 (2006)
        55-60 [Lev 23,38-44; 24,16-19].
3107   *Tishchenko, Serguei* To curse God?: some remarks on Jacob Mil-
        grom's interpretation of Lev 24:10-16,23. B&B 3 (2006) 545-550.
3108   *Lee, Bernon P.* Leviticus 24:15b-16: a crux revisited. BBR 16 (2006)
        345-349.
3109   *Eguiarte Bendímez, Enrique A.* El pergamino hebreo de la antigua si-
        nagoga de 'Agreda. Mayéutica 32 (2006) 291-302 [Lev 27,9-34].

E3.8 *Numeri*; **Numbers, Balaam**

3110   **Achenbach, Reinhard** Die Vollendung der Tora: Studien zur Re-
        daktionsgeschichte des Numeribuches im Kontext von Hexateuch
        und Pentateuch. ZAR.B 3: 2003 ⇒19,3006... 21,3108. ᴿRBLit
        (2006)* *(Nihan, Christophe)*.
3111   *Elwell, Sue L.* Numbers. Queer bible commentary. 2006 ⇒2417.
        105-121.
3112   **Hoffmeier, James Karl** Ancient Israel in Sinai: the evidence for the
        authenticity of the wilderness tradition. 2005 ⇒21,3112. ᴿArOr 74
        (2006) 486-488 *(Halton, Charles)*.
3113   **Knierim, Rolf P.; Coats, George W.** Numbers. FOTL 4: 2005 ⇒
        21,3113. ᴿEE 81 (2006) 203-205 *(Yebra Rovira, Carmen)*; BZ 50
        (2006) 107-110 *(Sals, Ulrike)*; ThLZ 131 (2006) 727-728 *(Schmidt,
        Ludwig)*; RBLit (2006)* *(Römer, Thomas)*.
3114   **Lee, Won W.** Punishment and forgiveness in Israel's migratory cam-
        paign. 2003 ⇒19,3012... 21,3114. ᴿJSSt 51 (2006) 185-7 *(Christen-
        sen, Duane L.)*.
3115   **Olson, Dennis T.** Numeri. Strumenti 24: T 2006, Claudiana 229 pp.
        €25. 88-7016-620-1..
3116   *Ravasi, Gianfranco* Il libro dei Numeri, un libro arido?;
3117   Il libro dei Numeri, un libro del deserto?. Numeri e Lettere ai Tessa-
        lonicesi. Conversazioni bibliche: 2006 ⇒288. 5-23/25-42.
3118   **Schmidt, Ludwig** Das vierte Buch Mose: Numeri, Kapitel 10,11-
        36,13. ATD 7/2: 2004 ⇒20,2939; 21,3119. ᴿOLZ 101 (2006) 190-
        194 *(Achenbach, Reinhard)*.
3119   *Seebass, Horst* "Holy" land in the Old Testament: Numbers and
        Joshua. VT 56 (2006) 92-104.

3120 **Seebass, Horst** Numeri 22,2ff. BK.AT 4/3/3: Neuk 2006, Neuk'er 161-240 pp. €18. 978-3-7887-2116-9.

3121 *Varó, Francisco* El libro de los Números: líneas abiertas en la investigación actual. ScrTh 38 (2006) 219-237.

3122 **Cartledge, Tony W.** Vows in the Hebrew Bible and the ANE. JSOT. S 147: 1992 ⇒8,2655... 12,2139. ᴿThR 71 (2006) 15-17 (*Reventlow, Henning Graf*) [Num 6; 15; 30].

3123 *Seebass, Horst* YHWH's name in the Aaronic Blessing (Num 6:22-27). The revelation of the name. 2006 ⇒796. 37-54.

3124 *Janzen, J. Gerald* What does the priestly blessing do?. ᶠPECKHAM, B.: LHBOTS 455: 2006 ⇒126. 26-37 [Num 6,24-26].

3125 *Harkam, Gerhard* Gottes Geist auf Mose und den Ältesten. Amt und Gemeinde 57 (2006) 127-132 [Num 11].

3126 *Simian-Yofre, Horacio* 'Non posso da solo portare il peso di tutto questo popolo' (Nm 11,14): Mosè e la condivisione del suo ministero. Euntes Ergo [Reggio Calabria] 7/3 (2006) 6-7 [AcBib 11/3,272].

3127 *Lokel, Philip* Moses and his Cushite wife: reading Numbers 12:1 with undergraduate students of Makerere University. OTEs 19 (2006) 538-547 = Let my people stay!. 2006 ⇒416. 191-201.

3128 *Römer, Thomas* Mose in Äthiopien: zur Herkunft der Num 12,1 zugrunde liegenden Tradition. ᶠSCHMITT, H.-C.: BZAW 370: 2006 ⇒ 151. 203-215.

3129 *Gorringe, Tim* Numbers 13-14. ET 117 (2006) 182-184.

3130 *Visser't Hooft, Gaspard* Nombres 13-14,10: croire, c'est relever des défis. LeD 70 (2006) 4-14.

3131 *O'Brien, Mark A.* Numbers 14:39: a load bearing text for lode bearing texts. ABR 54 (2006) 13-23.

3132 *Gorringe, Tim* Numbers 15. ET 117 (2006) 316-318.

3133 *Findlay, James* The priestly ideology of the Septuagint translator of Numbers 16-17. JSOT 30 (2006) 421-429.

3134 *Gilders, William K.* Why does Eleazar sprinkle the red cow blood?: making sense of a biblical ritual. JHScr 6 (2006)* [Num 19,1-10].

3135 *Toenges, Elke* Bileams Eselin (Numeri 22). Die besten Nebenrollen. 2006 ⇒1164. 100-106.

3136 *Akil, Teresa* Balaão, o obediente: a imagem de Balaão a partir de uma nova leitura de Nm 22,2-24,25. AtT 10 (2006) 249-264.

3137 *Rösel, Martin* Die Textüberlieferung des Buches Numeri am Beispiel der Bileamerzählung. ᶠSCHENKER, A.: VT.S 110: 2006 ⇒147. 207-226 [Num 22-24].

3138 *Blumenthal, Fred* Balaam and his talking donkey. JBQ 34 (2006) 83-85 [Num 22,21-35].

3139 *Tassin, Claude* Foi et violence: traditions juives sur Pinhas (Nb 25). Spiritus 182 (2006) 69-78.

3140 **Thon, Johannes** Pinhas ben Eleasar—der levitische Priester am Ende der Tora: traditions- und literargeschichtliche Untersuchung unter Einbeziehung historisch-geographischer Fragen. ABIG 20: Lp 2006, Evangelische 204 pp. €28. 3-374-02383-5. Bibl. 149-174 [Exod 32; Num 25; Josh 24].

3141 *Ahiamadu, Amadi* A functional equivalence translation of the Zelophehad narrative in Num. 27:1-11. Scriptura 93 (2006) 293-304.

3142 *Levin, Yigal* Numbers 34:2-12, the boundaries of the land of Canaan, and the empire of Necho. JANES 30 (2006) 55-76.

E3.9 **Liber Deuteronomii**

3143 *Berman, Joshua* Constitution, class, and the book of Deuteronomy.
      HPolS 1/5 (2006) 523-548.
3144 *Braulik, Georg* Zničenie národov a návrat do Zasl'úbenej zeme: her-
      meneutické pozorovania ku knihe Deuteronómium [The destruction
      of the nations and the return to the Promised Land: hermeneutical ob-
      servations on the book of Deuteronomy]. SBSl (2006) 19-37 **Slovak**;
3145 Beobachtungen zur vormasoretischen Vortragspraxis des Deuterono-
      miums. <2003>;
3146 Die sieben Säulen der Weisheit im Buch Deuteronomium. <2003>;
3147 Faszination und Unlust: Gerhard VON RADs Verhältnis zum Deutero-
      nomium. Studien zu den Methoden. SBAB 42: 2006 <2004> ⇒194.
      49-75/77-109/185-197.
3148 ᵀ**Cattani, Luigi** RASHI de Troyes: commento al Deuteronomio. Ge-
      nova 2006, Marietti xxxviii; 300 pp. 88-211-8463-3.
3149 *Guest, Deryn* Deuteronomy. Queer bible commentary. 2006 ⇒2417.
      122-143.
3150 **Kramer, Pedro** Origem e legislação do Deuteronômio—programa
      de uma sociedade sem empobrecidos e excluídos. Exegese: São Pau-
      lo 2006, Paulinas 191 pp. 85-356-1815-5.
3151 *Levinson, Bernard M.* The first constitution: rethinking the origins of
      rule of law and separation of powers in light of Deuteronomy. Car-
      dozo Law Review 27 (2006) 1853-1888.
3152 **MacDonald, Nathan** Deuteronomy and the meaning of "monothe-
      ism". FAT 2/1: 2003 ⇒19,3074... 21,3147. ᴿJHScr 6 (2006)* =
      PHScr III,385-387 (*Morrow, William S.*) [⇒593].
3153 *McCarthy, Carmel* A comparative study of the Masorah Magna and
      Parva of the book of Deuteronomy as attested in the Leningrad and
      Madrid M1 manuscripts. ᶠSCHENKER, A.: VT.S 110: 2006 ⇒147.
      177-191.
3154 *Moenikes, Ansgar* Das Tora-Buch aus dem Tempel: zu Inhalt, ge-
      schichtlichem Hintergrund und Theologie des sogenannten Ur-Deute-
      ronomium. ThGl 96 (2006) 40-55 [2 Kgs 22-23].
3155 **Otto, Eckart** Gottes Recht als Menschenrecht: rechts- und literatur-
      historische Studien zum Deuteronomium. ZAR.Beiheft 2: 2002 ⇒18,
      2914... 21,3153. ᴿBiOr 63 (2006) 142-144 (*Ausloos, Hans*).
3156 *Otto, Eckart* Das postdeuteronomistische Deuteronomium als inte-
      grierender Schlußstein der Tora. Die deuteronomistischen Ge-
      schichtswerke. BZAW 365: 2006 ⇒492. 71-102;
3157 ᴱ**Otto, Eckart; Achenbach, Reinhard** Das Deuteronomium zwi-
      schen Pentateuch und Deuteronomistischem Geschichtswerk.
      FRLANT 206: 2004 ⇒20,411; 21,456. ᴿThRv 102 (2006) 296-298
      (*Dahmen, Ulrich*).
3158 **Perlitt, Lothar** Deuteronomium. BK V/4 Lfg. 4: Neuk 2006, Neuk
      241-320 pp. 3-7887-2224-X. [2,10-4,10].
3159 **Rüterswörden, Udo** Das Buch Deuteronomium. NSK.AT 4: Stu
      2006, Kathol. Bibelwerk 204 pp. 978-3-460-07051-6.
3160 **Veijola, Timo** Das fünfte Buch Mose: Deuteronomium, Kapitel 1,1-
      16,17. ATD 8/1: 2004 ⇒20,2995; 21,3161. ᴿOLZ 101 (2006) 194-7
      (*Grünwaldt, Klaus*); ThRv 102 (2006) 299-301 (*Dahmen, Ulrich*).

3161 **Vogt, Peter T.** Deuteronomic theology and the significance of Torah: a reappraisal. [D]*McConville, J.G.*: WL 2006, Eisenbrauns xi; 242 pp. $37.50. 978-1-57506-107-8. Diss.

3162 *Weippert, Helga* 'Der Ort, den Jahwe erwählen wird, um dort seinen Namen wohnen zu lassen': die Geschichte einer alttestamentlichen Formel. Unter Olivenbäumen. 2006 <1980> ⇒324. 325-342.

3163 *Gertz, Jan C.* Kompositorische Funktion und literarhistorischer Ort von Deuteronomium 1-3. Die deuteronomistischen Geschichtswerke. Ment. *Noth, Martin*: BZAW 365: 2006 ⇒492. 103-123.

3164 *Braulik, Georg* Deuteronomium 1-4 als Sprechakt. Studien zu den Methoden. SBAB 42: 2006 <2002> ⇒194. 39-48.

3165 *MacDonald, N.* The literary criticism and rhetorical logic of Deuteronomy i-iv. VT 56 (2006) 203-224.

3166 *Joosten, Jan* The Hebrew and Syriac text of Deuteronomy 1:44. [F]JENNER, K.: MPIL 14: 2006 ⇒75. 65-69.

3167 *Veijola, Timo* King Og's iron bed (Deut 3:11)–once again. [F]ULRICH, E.: VT.S 101: 2006 ⇒160. 60-76.

3168 **Holter, Knut** Deuteronomy 4 and the second commandment. Studies in Biblical Literature 60: 2003 ⇒19,3092; 20,3005. [R]ZAR 12 (2006) 397-400 (*Otto, Eckart*).

3169 *Braulik, Georg* Literarkritik und archäologische Stratigraphie: zu S. Mittmanns Analyse von Deuteronomium 4,1-40. <1978>;

3170 Monotheismus im Deuteronomium: zu Syntax, Redeform und Gotteserkenntnis in 4,32-40. <2004> [Deut 4,32-40];

3171 Geschichtserinnerung und Gotteserkenntnis: zu zwei Kleinformen im Buch Deuteronomium. Studien zu den Methoden. SBAB 42: 2006 <2005> ⇒194. 11-37/137-163/165-183 [Deut 4,32-40]

3172 *McBride, S. Dean* The essence of orthodoxy: Deuteronomy 5:6-10 and Exodus 20:2-6. Interp. 60 (2006) 133-150.

3173 *Lang, Bernhard* The number ten and the iniquity of the fathers: a new interpretation of the decalogue. ZAW 118 (2006) 218-238 [Deut 5,6-21].

3174 *Almeida, Fábio P.M. de* Coisas de criança: uma leitura do terceiro mandamento. RCT 14/55 (2006) 61-82 [Deut 5,12-15].

3175 *Eder, Asher* The sabbath: to remember, to observe, to make. JBQ 34 (2006) 104-109 [Deut 5,15].

3176 *Rüterswörden, Udo* Die Liebe zu Gott im Deuteronomium. Die deuteronomistischen Geschichtswerke. BZAW 365: 2006 ⇒492. 229-238 [Deut 6,4].

3177 *Wilson, Ian* Merely a container?: the ark in Deuteronomy. [10,1-8];

3178 *Hagedorn, Anselm C.* Placing (a) God: central place theory in Deuteronomy 12 and at Delphi. Temple and worship. LHBOTS 422: 2006 ⇒716. 212-249/188-211.

3179 *Pakkala, Juha* Der literar- und religionsgeschichtliche Ort von Deuteronomium 13. Die deuteronomistischen Geschichtswerke. BZAW 365: 2006 ⇒492. 125-137.

3180 *Schaper, Joachim* Geld und Kult im Deuteronomium. JBTh 21 (2006) 45-54 [Deut 14,22-29].

3181 *Veijola, Timo* Der Festkalender des Deuteronomiums (Dtn 16,1-17). Festtraditionen in Israel und im Alten Orient. 2006 ⇒698. 174-189.

3182 *Pearce, Sarah J.K.* Speaking with the voice of God: the high court according to Greek Deuteronomy 17:8-13. [F]KNIBB, M.: JSJ.S 111: 2006 ⇒87. 237-247.

3183 *Orji, Chukwuemeka* Deut 17,14-20 on the Israelite kingship: insight
on text composition and location. Afrika Yetu 10 (2006) 17-26.

3184 *Nicholson, Ernest* "Do not dare to set a foreigner over you": the king
in Deuteronomy and "the great king". ZAW 118 (2006) 46-61 [Deut
17,15].

3185 *Petersen, David* The ambiguous role of Moses as prophet. ᶠHAYES,
J.: LHBOTS 446: 2006 ⇒64. 311-324 [Deut 18,15-22; 34,10-12].

3186 *Wagner, Volker* Die Systematik der deuteronomischen Normen-
sammlung im Bereich Dtn 19 bis 25. ZAR 12 (2006) 52-71.

3187 *Maier, Aren M.; Ackermann, Oren; Bruins, Hendrik J.* The ecologi-
cal consequence of a siege: a marginal note on Deuteronomy 20:19-
20. ᶠDEVER, W.: 2006 ⇒32. 239-243.

3188 *Avin, Dan M.* 'Teaching the stubborn and rebellious son': orthopha-
gy, adolescence, and Jewish education. Shofar 24/4 (2006) 110-129
[Deut 21,18-21].

3189 **Willis, Timothy M.** The elders of the city: a study of the elders-laws
in Deuteronomy. SBL.MS 55: 2001, ⇒17,2606... 20,2997. ᴿJNES 65
(2006) 303-304 (*Rollston, Christopher A.*) [Deut 21,18-21; 25,4-10;
21,1-9; 22,13-21; 19,1-13].

3190 *Muers, Rachel* Setting free the mother bird: on reading a strange text.
MoTh 22 (2006) 555-576 [Deut 22,6-7].

3191 *Cortez, Marc* The law on violent intervention: Deuteronomy 25.11-
12 revisited. JSOT 30 (2006) 431-447.

3192 *Elliott, John H.* Deuteronomy–shameful encroachment on shameful
parts: Deuteronomy 25:11-12 and biblical euphemism. Ancient Isra-
el. 2006 ⇒724. 161-176.

3193 *Cody, Aelred* "Little historical creed" or "little historical anamne-
sis"?. CBQ 68 (2006) 1-10 [Deut 26,1-11].

3194 *Radner, Karen* Assyrische ṭuppi adê als Vorbild für Deuteronomium
28,20-44?. Die deuteronomistischen Geschichtswerke. BZAW 365:
2006 ⇒492. 351-378.

3195 *Grisanti, Michael A.* Was Israel unable to respond to God?: a study
of Deuteronomy 29:2-4. BS 163 (2006) 176-196.

3196 *Coxhead, Steven R.* Deuteronomy 30:11-14 as a prophecy of the new
covenant in Christ. WThJ 68 (2006) 305-320 [Deut 30,11-14].

3197 *Heiser, Michael S.* Are Yahweh and El distinct deities in Deut. 32:8-
9 and Psalm 82?. HIPHIL 3 (2006) 9 pp*.

3198 *Štrba, Blažej* Did the Israelites realise *why* Moses had to die?. RB
113 (2006) 337-365 [Num 20,12-13; Deut 32,51].

3199 *Soller, Moshe* A latch and clasp connecting Deuteronomy 33:27-29
with Genesis 3:22-24: a proposed interpretation. JBQ 34 (2006) 12-
15.

E4.1 *Origo Israelis in Canaan: Deuteronomista*; **Liber Josue**

3200 **Dever, William G.** Who were the early Israelites and where did they
come from?. 2003 ⇒19,3135... 21,3198. ᴿNEA(BA) 68/1-2 (2006)
78-79 (*Miller, Robert D., II*); BiOr 63 (2006) 140-142 (*Achenbach,
Reinhard*); SEÅ 71 (2006) 234-237 (*Norin, Stig*); ThZ 62 (2006)
551-553 (*Zehnder, Markus*).

3201 *Killebrew, Ann E.* The emergence of ancient Israel: the social bound-
aries of a "mixed multitude" in Canaan;

3202 *Kletter, Raz* Can a proto-Israelite please stand up?: notes on the eth-nicity of Iron Age Israel and Judah. [F]MAZAR, A.: 2006 ⇒108. 555-572/573-586.

3203 *Maidman, Maynard P.* Abraham, Isaac and Jacob meet NEWTON, DARWIN and WELLHAUSEN. BArR 32/3 2006, 58-64.

3204 **Miller, Robert D., II** Chieftains of the highland clans: a history of Israel in the 12th and 11th centuries B.C. 2005 ⇒21,3213. [R]JJS 57 (2006) 340-341 (*Williamson, H.G.M.*); RExp 103 (2006) 629-631 (*Brisco, Brian C.*); NEA(BA) 69 (2006) 99 (*Dever, William G.*); RBLit (2006)* (*Edelman, Diana; Pitkanen, Pekka*).

3205 *Page, Hugh R.* Myth, meta-narrative, and historical reconstruction–rethinking the nature of scholarship on Israelite origins. [F]ULRICH, E.: VT.S 101: 2006 ⇒160. 1-20.

3206 *Ausloos, Hans* Deuteronomistic elements in Num 13-14: a critical assessment of John William COLENSO's (1814-1883) view on the Deuteronomist. OTEs 19 (2006) 558-572;

3207 John William COLENSO (1814-1883) and the deuteronomist. RB 113 (2006) 372-397.

3208 *Carr, David M.* Empirische Perspektiven auf das Deuteronomistische Geschichtswerk. Die deuteronomistischen Geschichtswerke. BZAW 365: 2006 ⇒492. 1-17.

3209 *Crenshaw, James L.* The Deuteronomist and the Writings. Prophets, sages. 2006 <1999> ⇒204. 125-131.

3210 *Davies, Philip R.* The origin of biblical Israel. [F]NA'AMAN, N.: 2006 ⇒120. 141-148.

3211 *Fretheim, Terence E.* Repentance in the Former Prophets. Repent-ance. 2006 ⇒813. 25-45.

3212 *Frevel, Christian* Wovon reden die Deuteronomisten?: Anmerkungen zu religionsgeschichtlichem Gehalt, Fiktionalität und literarischen Funktionen deuteronomistischer Kultnotizen. Die deuteronomisti-schen Geschichtswerke. BZAW 365: 2006 ⇒492. 249-277.

3213 *Gertz, Jan C.* Tora und Vordere Propheten. Grundinformation AT. UTB Medium-Format 2745: 2006 ⇒1128. 187-302.

3214 *Harvey, John* The structure of the deuteronomistic history. SJOT 20 (2006) 237-258.

3215 **Harvey, John E.** Retelling the torah: the Deuteronomistic historian's use of tetrateuchal narratives. JSOT.S 403: 2004 ⇒20,3058; 21, 3208. [R]CBQ 68 (2006) 114-116 (*Hoppe, Leslie J.*).

3216 **Kim, Uriah Y.** Decolonizing Josiah: toward a postcolonial reading of the Deuteronomistic History. The Bible in the Modern World 5: 2005 ⇒21,3210. [R]RBLit (2006)* (*Lipschits, Oded*) [2 Kgs 22-23].

3217 *Knoppers, Gary N.* Yhwh's rejection of the house built for his name: on the significance of anti-temple rhetoric in the Deuteronomic His-tory. [F]NA'AMAN, N. 2006 ⇒120. 221-238.

3218 **Mills, Mary E.** Joshua to Kings: history, story, theology. Ap-proaches to biblical studies: L 2006 <1999>, Clark x; 146 pp. $25. 0-567-04063-1. Bibl. 140-143.

3219 *Nel, Philip* Deuteronomistic ideology of land: from experience to ab-stract metaphor. OTEs 19 (2006) 171-182.

3220 *Pakkala, Juha* Die Entwicklung der Gotteskonzeptionen in den deu-teronomistischen Redaktionen von polytheistischen zu monotheisti-schen Vorstellungen;

3221   *Römer, Thomas* Entstehungsphasen des "deuteronomistischen Ge-
       schichtswerkes". Ment. *Noth, Martin* [Dt 1-3; 12]. Die deuteronomis-
       tischen Geschichtswerke. BZAW 365: 2006 ⇒492. 239-248/45-70.
3222   **Römer, Thomas** The so-called Deuteronomistic History: a sociologi-
       cal, historical and literary introduction. L 2006, Clark x; 202 pp.
       $100. 9780-5670-40220. ᴿZAR 12 (2006) 354-361 (*Otto, Eckart*);
       JBL 125 (2006) 805-809 (*Van Seters, John*).
3223   *Schmid, Konrad* Hatte WELLHAUSEN Recht?: das Problem der literar-
       historischen Anfänge des Deuteronomismus in den Königebüchern.
       Die deuteronomistischen Geschichtswerke. BZAW 365: 2006 ⇒492.
       19-43.
3224   *Trebolle, Julio* Samuel / Kings and Chronicles: book division and
       text composition. ᶠULRICH, E.: VT.S 101: 2006 ⇒160. 96-108.
3225   *Van Seters, John* The Deuteronomist–historian or redactor?: from
       Simon to the present. ᶠNA'AMAN, N. 2006 ⇒120. 359-375.

3226   **Auld, A. Graeme** Joshua: Jesus son of Naue in Codex Vaticanus.
       Septuagint commentary 1: 2005 ⇒21,3220. ᴿEThL 82 (2006) 495-97
       (*Hogeterp, A.L.A.*); JThS 57 (2006) 177-179 (*Salvesen, Alison G.*).
3227   *Auneau, Joseph* Le livre de Josué. EeV 159 (2006) 14-24.
3228   *Carden, Michael* Joshua. Queer bible commentary. 2006 ⇒2417.
       144-166.
3229   *De Troyer, Kristin* Reconstructing the OG of Joshua. Septuagint re-
       search. SBL.SCSt 53: 2006 ⇒755. 105-118.
3230   *Dray, Stephen* The book of Joshua. Evangel 24 (2006) 2-6.
3231   **Harstad, Adolph L.** Joshua. 2004 ⇒20,3071. ᴿCBQ 68 (2006) 513-
       515 (*Seibert, Eric A.*).
3232   **Hess, Richard S.** Giosuè. Chieti 2006, GBU 443 pp. ᴿSdT 18 (2006)
       219 (*Frediani, Agostino*).
3233   *Noort, Ed* Der reißende Wolf: Josua in Überlieferung und Geschich-
       te. Congress volume Leiden 2004. VT.S 109: 2006 ⇒759. 153-173.
3234   *Rofé, Alexander* Giosuè figlio di Nun nella storia della tradizione
       biblica. RstB 18 (2006) 53-90.
3235   *Spero, Shubert* Why the walls of Jericho came tumbling down. JBQ
       34 (2006) 86-91.
3236   **Van der Meer, Michaël N.** Formation and reformulation: the redac-
       tion of the book of Joshua in the light of the oldest textual witnesses.
       VT.S 102: 2004 ⇒20,3082; 21,3238. ᴿRSR 94/1 (2006) 154-156
       (*Paul, André*); ThLZ 131 (2006) 1138-1140 (*Görg, Manfred*); RBLit
       (2006)* (*De Troyer, Kristin*).
3237   *Van der Meer, Michaël N.* Provenance, profile, and purpose of the
       Greek Joshua. XII Congress IOSCS. SCSt 54: 2006 ⇒774. 55-80.

3238   *Frymer-Kensky, Tikva* Reading Rahab. Studies in bible. 2006
       <1997> ⇒219. 209-221 [Josh 2].
3239   *Sherwood, Aaron* A leader's misleading and a prostitute's profession:
       a re-examination of Joshua 2. JSOT 31 (2006) 43-61 [Josh 2].
3240   *Wright, Steven* Salvation and the house of a harlot: Joshua 2. Kerux
       21/2 (2006) 37-44.
3241   *Wittke, Bettina* Rahab: Josua 2 und 6. Die besten Nebenrollen. 2006
       ⇒1164. 107-109.
3242   *Thigpen, J. Michael* Lord of all the earth: Yahweh and Baal in Joshua
       3. TrinJ 27 (2006) 245-254.

3243 *Den Braber, Marieke* Jericho in Ugarit?: een veroverde stad in Josua en het Keret-epos. ITBT 14/1 (2006) 15-17 [Josh 5,13-6,26].
3244 *Gordon, Robert P.* Gibeonite ruse and Israelite curse in Johsua 9. Hebrew Bible and ancient versions. 2006 <2003> ⇒224. 80-97..
3245 *Fleishman, Joseph* A daughter's demand and a father's compliance: the legal background to Achsah's claim and Caleb's agreement (Joshua 15,16-19; Judges 1,12-15). ZAW 118 (2006) 354-373.
3246 *Seebass, Horst* Versuch zu Josua xviii 1-10. VT 56 (2006) 370-385 [Num 26,52-56].
3247 *Römer, Thomas* Das doppelte Ende des Josuabuches: einige Anmerkungen zur aktuellen Diskussion um "deuteronomistisches Geschichtswerk" und "Hexateuch". ZAW 118 (2006) 523-48 [Josh 23].
3248 *Becker, Uwe* Endredaktionelle Kontextvernetzungen des Josua-Buches. Die deuteronomistischen Geschichtswerke. BZAW 365: 2006 ⇒492. 139-161 [Josh 24].

E4.2 *Liber Judicum*: **Richter, Judges**

3249 *Auneau, Joseph* Le livre des Juges. EeV 160 (2006) 15-25.
3250 *Fernández Marcos, Natalio* The genuine text of Judges. [F]SCHENKER, A.: VT.S 110: 2006 ⇒147. 33-45.
3251 **Gass, Erasmus** Die Ortsnamen des Richterbuchs in historischer und redaktioneller Perspektive. ADPV 35: 2005 ⇒21,3255. [R]WO 36 (2006) 255-258 (*Neef, Heinz-Dieter*); BiOr 63 (2006) 573-575 (*Vos, J. Cornelis de*).
3252 *Guest, Deryn* Judges. Queer bible commentary. 2006 ⇒2417. 167-189.
3253 **Guillaume, Philippe** Waiting for Josiah: the Judges. JSOT.S 385: 2004 ⇒20,3095; 21,3256. [R]OTEs 19 (2006) 354-56 (*Nel, Philip J.*).
3254 **Gunn, David M.** Judges. Blackwell Bible Commentaries: 2005 ⇒ 21,3257. [R]OTEs 19 (2006) 356-358 (*Nel, P.J.*); BiCT 2/1 (2006)* (*Heard, R. Christopher*); JThS 57 (2006) 180-183 (*Guest, Deryn*).
3255 **Jost, Renate** Gender, Sexualität und Macht in der Anthropologie des Richterbuches. [D]*Utzschneider, H.*: BWANT 164: Stu 2006, Kohlhammer 390 pp. €40. 3-17-018556-X. Diss.-Habil. Neuendettelsau; Bibl. 331-352;
3256 Frauenmacht und Männerliebe: egalitäre Utopien aus der Frühzeit Israels. Stu 2006, Kohlhammer 191 pp. €19.80. 9783-17019-5110. Abbreviation of Diss.-Habil.
3257 **Lanoir, Corinne** Femmes fatales, filles rebelles: figures féminines dans le livre des Juges. 2005 ⇒21,3262. [R]RTL 37 (2006) 257-258 (*Wénin, André*).
3258 **Mobley, Gregory** The empty men: the heroic tradition of ancient Israel. AncB Reference LIbrary: 2005 ⇒21,3265. [R]CBQ 68 (2006) 521-523 (*O'Connor, M.*); RBLit (2006)* (*Guillaume, Philippe*).
3259 *Thomas, Mathew* A theology of power relations in the book of Judges. BiBh 32 (2006) 65-83.
3260 *Wong, Gregory T.K.* Narratives and their contexts: a critique of Greger Andersson with respect to narrative autonomy. SJOT 20 (2006) 216-230.
3261 **Wong, Gregory T.K.** Compositional strategy of the book of Judges: an inductive, rhetorical study. VT.S 111: Lei 2006, Brill xx; 287 pp. 90-04-15086-2. Bibl. 259-270.

3262 **Rake, Mareike** 'Juda wird aufsteigen!'—Untersuchungen zum ersten Kapitel der Richterbuches. [D]*Smend, R.*: BZAW 367: B 2006, De Gruyter x; 184 pp. €68. 3-11-019072-9. Diss. Göttingen; Bibl. 159-173.

3263 **Álvarez Barredo, Miguel** La iniciativa de Dios: estudio literario y teológico de Jueces 1-8. 2000 ⇒16,2686... 19,3219. [R]RCatT 31 (2006) 458-461 (*Cervera, Jordi*).

3264 **Scherer, Andreas** Überlieferungen von Religion und Krieg: exegetische und religionsgeschichtliche Untersuchungen zu Richter 3-8 und verwandten Texten. WMANT 105: 2005 ⇒21,3269. [R]ThLZ 131 (2006) 728-731 (*Pietsch, Michael*); JETh 20 (2006) 201-202 (*Bluedorn, Wolfgang*)..

3265 *Noël, Damien* Libres considérations sur le cadre rédactionnel de Jg 3,7-16,31. [F]GIBERT, P. 2006 ⇒52. 97-116.

3266 *Wong, Gregory T.K.* Ehud and Johab: separated at birth?. VT 56 (2006) 399-412 [Judg 3,15-22; 2 Sam 3,27; 20,8-10].

3267 *Assis, Elie* Man, woman and God in Judg 4. SJOT 20 (2006) 110-24.

3268 *Bakon, Shimon* Deborah: judge, prophetess and poet. JBQ 34 (2006) 110-118 [Judg 4-5].

3269 *Fritz, Volkmar* The complex of traditions in Judges 4 and 5 and the religion of pre-state Israel. [F]MAZAR, A. 2006 ⇒108. 689-698.

3270 *Aigner, Maria-Elisabeth* "Ein-Griff" ... Gewalt und Geschlechterkonstruktionen in der bibliodramatischen Annäherung zu Ri 4,17-23. Prekäre Zeitgenossenschaft. 2006 ⇒432. 67-80.

3271 *Angel, Hayyim* The positive and negative traits of Gideon as reflected in his sons Jotham and Abimelech. JBQ 34 (2006) 159-67 [Judg 6-7].

3272 *Sharon, Diane M.* Echoes of Gideon's ephod: an intertextual reading. JANES 30 (2006) 89-102 [Judg 8,27].

3273 *Tatu, Silviu* Jotham's fable and the *crux interpretum* in Judges ix. VT 56 (2006) 105-124.

3274 **Álvarez Barredo, Miguel** La iniciativa de Dios: estudio literario y teológico de Jueces 9-21. 2004 ⇒20,3115; 21,3284. [R]CDios 219/1 (2006) 319-320 (*Gutiérrez, J.*); RCatT 31 (2006) 461-464 (*Cervera, Jordi*).

3275 *Rossi, Luiz A.S.* O triunfo da ironia na parábola de Joatao (Juizes 9,7-15). Estudos bíblicos 92 (2006) 19-26.

3276 *Ska, Jean-Louis* L'apologo di Iotam (Gdc 9,8-15a): critica o rifiuto della monarchia?. RstB 18 (2006) 91-103.

3277 **Sjöberg, Mikael** Wrestling with textual violence: the Jephthah narrative in antiquity and modernity. The Bible in the Modern World 4: Shf 2006, Sheffield Phoenix x; 251 pp. £50. 978-1-905048-14-4. Bibl. 226-244 [Judg 10,6-12,7].

3278 *DeMaris, Richard E.; Leeb, Carolyn S.* Judges–(dis)honor and ritual enactment: the Jephthah story: Judges 10:16-12:1. Ancient Israel. 2006, ⇒724. 177-190 {Judges}10,16 - 12,01.

3279 *Köller, Kirsten* Eine frag-würdige Geschichte: die Opferung von Jiftachs Tochter: Richter 11. Die besten Nebenrollen. 2006 ⇒1164. 110-116.

3280 **Miller, Barbara** Tell it on the mountain: the daughter of Jephthah in Judges 11. 2005 ⇒21,3287. [R]CBQ 68 (2006) 739-740 (*Glancy, Jennifer A.*).

3281 *Bauks, Michaela* La fille sans nom, la fille de Jephté. ETR 81/1 (2006) 81-93 [Judg 11,29-40].

3282 *Rooke, Deborah W.* Sex and death, or, the death of sex: three versions of Jephthah's daughter (Judges 11:29-40). ᶠKNIBB, M.: JSJ.S 111: 2006 ⇒87. 249-271.

3283 *Egger-Wenzel, Renate* Jiftachs Tochter (Ri 11,29-40)—die Töchter von Schilo (Ri 21,19-25): Ursprung und Ausführung einer kultischen Feier durch Frauen?. BN 129 (2006) 5-16.

3284 *Böhler, Dieter* Che cosa ci fa Sansone nella bibbia?. CivCatt 157/2 (2006) 219-229 [Judg 13-16].

3285 **Galpaz-Feller, Pnina** Samson: the hero and the man: the story of Samson (Judges 13-16). Bible in history 7: Bern 2006, Lang xii; 334 pp. €57.20. 0-8204-8041-X. Bibl. 285-322.

3286 **Grossman, David** Löwenhonig: der Mythos von Samson. ᵀ*Loos, Vera; Nir-Bleimling, Naomi*: B 2006, Berlin V. 125 pp. €16. ᴿOrien. 70 (2006) 177-179 (*Lorenz-Lindemann, Karin*) [Judg 13-16].

3287 **Houtman, Cornelis; Spronk, Klaas** Ein Held des Glaubens?: rezeptionsgeschichtliche Studien zu den Simson-Erzählungen. CBET 39: 2004 ⇒20,3123. ᴿThLZ 131 (2006) 163-165 (*Bartelmus, Rüdiger*) [Judg 13-16].

3288 *Lorenz-Lindemann, Karin* Das Rätsel Simson–ein Segensfluch. Orien. 70 (2006) 177-179 [Judg 13-16].

3289 **Mobley, Gregory** Samson and the liminal hero in the ancient Near East. LHBOTS 453: NY 2006, Clark x; 134 pp. 978-0-567-02842-6. Bibl. 116-124 [Judg 13-16].

3290 *Morgenstern, Mira* Samson and the politics of riddling. HPolS 1/5 (2006) 253-285 [Judg 13-16].

3291 **Vogels, Walter** Samson: sexe, violence et religion: Juges 13-16. Ecritures 10: Ottawa 2006, Novalis 144 pp. €20. 978-28950-75943.

3292 *Eynikel, Erik* The riddle of Samson: Judges 14. Stimulation from Leiden. BEAT 54: 2006 ⇒686. 45-54.

3293 *Sonnet, Jean-Pierre* La morte di Sansone: Dio benedice l'attentato suicida?: sulla necessità di leggere meglio. CrSt 27 (2006) 17-29 [Judg 16].

3294 *Galpaz-Feller, Pnina* 'Let my soul die with the Philistines' (Judges 16.30). JSOT 30 (2006) 315-325.

3295 **Bray, Jason S.** Sacred Dan: religious tradition and cultic practice in Judges 17-18. LHBOTS 449: NY 2006, Clark xii; 169 pp. 0-567-02-712-0. Bibl. 151-160.

3296 *Reis, Pamela T.* The Levite's concubine: new light on a dark story. SJOT 20/1 (2006) 125-146 [Judg 19].

3297 *Ignatius, Peter* Judges 19:1-30: gang rape, murder and dismemberment: a reader-response approach. VJTR 70 (2006) 417-432.

3298 *Himbaza, Innocent* Israël et les nations dans les relectures de Juges 19,22-25: débats sur l'homosexualité. BN 131 (2006) 5-16.

E4.3 **Liber Ruth**, '*V Rotuli*', the Five Scrolls

3299 *Aschkenasy, Nehama* The book of Ruth as comedy: classical and modern perspectives. Scrolls of love. 2006 ⇒411. 31-44.

3300 *Béré, Paul* Auditor in fabula–la bible dans son contexte oral: le cas du livre Ruth. OTEs 19 (2006) 1089-1105.

3301 **Canopi, Anna Maria** Bajo las alas del Dios de Israel. 2005 ⇒21, 3308. ᴿSalTer 94 (2006) 981 (*Sánchez, Marta*).

3302 **Chisholm, Robert B.** A workbook for intermediate Hebrew: grammar, exegesis, and commentary on Jonah and Ruth. GR 2006, Kregel 306 pp. 0-8254-2390-2. Bibl.

3303 *Davis, Ellen F.* 'All that you say, I will do': a sermon on the book of Ruth. Scrolls of love. 2006 ⇒411. 3-19.

3304 [E]**Gesche, Bonifatia** VL 4/5. Ruth. 2005 ⇒21,3315. [R]REAug 62 (2006) 218-219 (*Milhau, Marc*); ThLZ 131 (2006) 1018-19 (*Haendler, Gert*); RBen 116 (2006) 148-149 (*Bogaert, Pierre-Maurice*).

3305 **Goodman-Thau, Eveline** Liebe und Erlösung: das Buch Ruth. Forum Jüdische Kulturphilosophie: Studien zu Religion und Moderne 4: Müns 2006, LIT 144 pp. 3-8258-9729-X.

3306 *Hawkins, Peter S.* Ruth and the gentiles. Scrolls of love. 2006 ⇒411. 75-85.

3307 *Jordaan, P.J.* An interdisciplinary approach: reading Ruth as therapeutic narrative. ThViat(S) 30 (2006) 1-24.

3308 *Kates, Judith A.* Transfigured night: midrashic readings of the book of Ruth. Scrolls of love. 2006 ⇒411. 47-58.

3309 *Kusmirek, Anna* "Moja córko, czyz nie powinnnam ci poszukac spokojnego miejsca, w którym byllabys2 szczes2liwa?" (Rt 3,1) specyfika retoryki bohaterek ksiegi Rut. CoTh 76/2 (2006) 105-129. **P.**

3310 **LaCocque, André** Le livre de Ruth. CAT 17: 2004 ⇒20,3147; 21,3318. [R]ETR 81 (2006) 120-122 (*Vincent, Jean Marcel*); RevSR 80/1 (2006) 101-102 (*Bons, Eberhard*);

3311 Ruth: a continental commentary. 2004 ⇒20, 3148; 21,3319. [R]CBQ 68 (2006) 123-125 (*Moore, Michael S.*).

3312 *LaCocque, André* Subverting the biblical world: sociology and politics in the book of Ruth. Scrolls of love. 2006 ⇒411. 20-30.

3313 *Lapsley, Jacqueline* Seeing the older woman: Naomi in high definition. [F]SAKENFELD, K. 2006 ⇒142. 102-113.

3314 *Lee, Eunny P.* Ruth the Moabite: identity, kinship, and otherness. [F]SAKENFELD, K. 2006 ⇒142. 89-101.

3315 *Leneman, Helen* Ruth and Boaz love duets as examples of musical midrash. LecDif 6/1 (2006)*.

3316 *Matthews, Victor H.* The determination of social identity in the story of Ruth. BTB 36 (2006) 49-54.

3317 *Mosala, Itumeleng J.* The sign of Orpah: reading Ruth through native eyes. Postcolonial biblical reader. 2006 <1999> ⇒479. 159-170.

3318 *Polen, Nehemia* Dark ladies and redemptive compassion: Ruth and the messianic lineage in Judaism. Scrolls of love. 2006 ⇒411. 59-74.

3319 [E]**Quast, Udo** Ruth. Septuaginta: Vetus Testamentum Graecum 4.3: Gö 2006, Vandenhoeck & R. 208 pp. €74.90. 3-525-53448-5.

3320 [T]**Reggi, R.** Megillot: Rut, Cantico dei cantici, Qoèlet, Lamentazioni, Ester. Bo 2006, EDB 96 pp. €10. 88108-20207.

3321 **Rosenberg, Stephen Gabriel** Esther Ruth Jonah deciphered. 2004 ⇒20,3155. [R]JBQ 34 (2006) 59-60 (*Chesterman, Harvey A.*).

3322 **Scaiola, Donatella** Rut, Giudita, Ester. Dabar: Padova 2006, Messagero 190 pp. €10.50.

3323 *Semeraro, Michael D.* Rut, altra donna: le conseguenze e il prezzo dell'amore. RCI 87 (2006) 678-689.

3324 *Stanek, Teresa* The theological message of the book of Ruth in the light of the Masoretic Text. Stimulation from Leiden. BEAT 54: 2006 ⇒686. 151-160.

3325 *Valério, Paulo* 'Teu povo será meu povo, teu Deus será meu Deus' (Rt 1,16): a amizade fraterna: caminho de superação dos limites das religiões e das culturas no livro de Rute. AtT 10 (2006) 220-245.
3326 **Vance, Donald R.** A Hebrew reader for Ruth. 2003 ⇒19,3260; 20, 3158. ᴿHebStud 47 (2006) 452-454 (*Parker, Tom*).
3327 *West, Mona* Ruth. Queer bible commentary. 2006 ⇒2417. 190-194.

3328 *Stanton, Milda; Venter, Pieter M.* Die juridiese problematiek van grondbesit in die boek Rut. HTSTS 62 (2006) 235-251 [Ruth 1,21; 4,3-5].
3329 *Keita, Schadrac; Dyk, Janet W.* The scene at the threshing floor: suggestive readings and intercultural considerations on Ruth 3. BiTr 57 (2006) 17-32.
3330 *Reinhold, Björn* Ruth 3: a new creation?. JAAS 9 (2006) 111-117.
3331 *Pa, Anna M.S.* Reading Ruth 3:1-5 from an Asian woman's perspective. ᶠSAKENFELD, K. 2006 ⇒142. 47-59.
3332 *Danet, Anne-Laure* Ruth 4,13-22: l'intégration à double sens. LeD 68 (2006) 3-12.

E4.4 1-2 Samuel

Auld, A.G. Samuel at the threshold 2004 ⇒178.
3333 *Auneau, Joseph* Les livres de Samuel. EeV 161 (2006) 16-26.
3334 **Bakke, Kai Tore** The narrative of the Kings: a synchronic reading of Samuel and Kings. 2006, Diss. Oslo [StTh 61,85].
3335 *Barnhart, Joe E.* Acknowledged fabrications in 1 and 2 Samuel and 1 Kings 1-2: clues to the wider story's composition. SJOT 20 (2006) 231-236.
3336 **Campbell, Antony F.** 1 Samuel. FOTL 7: 2003 ⇒19,3270... 21, 3336. ᴿJSSt 51 (2006) 187-190 (*Hall, Sarah*); BS 163 (2006) 366-368 (*Chisholm, Robert B., Jr.*);
3337 2 Samuel. FOTL 8: 2005 ⇒21,3337. ᴿGr. 87 (2006) 173-4 (*Conroy, Charles*); CBQ 68 (2006) 99-100 (*Willis, John T.*); JAOS 126 (2006) 588-9 (*Adam, Klaus P.*); JThS 57 (2006) 185-87 (*Jones, Gwilym H.*).
3338 ᴱ**Dietrich, Walter** David und Saul im Widerstreit: Diachronie und Synchronie im Wettstreit: Beiträge zur Auslegung des ersten Samuelbuches. OBO 206: 2004 ⇒20,338; 21,375. ᴿThLZ 131 (2006) 357-361 (*Adam, Klaus-P.*); BZ 50 (2006) 302-305 (*Gillmayr-Bucher, Susanne*); ThRv 102 (2006) 218-220 (*Schäfer-Lichtenberger, Christa*); RSR 94 (2006) 234-235 (*Gibert, Pierre*); RivBib 54 (2006) 369-375 (*Bianchi, Francesco*); CoTh 77/1 (2007) 189-95 (*Warzecha, Julian*).
3339 **Heller, Roy L.** Power, politics, and prophecy: the character of Samuel and the Deuteronomic evaluation of prophecy. LHBOTS 440: L 2006, Clark xiv; 169 pp. 978-0-567-02762-7. Bibl. 151-158.
3340 *Hugo, Philippe* Le Grec ancien des livres des Règnes: une histoire et un bilan de recherche. ᶠSCHENKER, A..: VT.S 110: 2006 ⇒147. 113-141.
3341 **Lefebvre, Philippe** Livres de Samuel et récits de résurrection: le messie ressuscité "selon les écritures". LeDiv 196: 2004 ⇒20,3172; 21,3341. ᴿBZ 50 (2006) 305-307 (*Schnocks, Johannes*).
3342 **Mazzinghi, Luca** 1-2 Samuele. Dabar: Padova 2006, Messaggero 248 pp. €12.50. ᴿCredOg 26/3 (2006) 141-42 (*Cappelletto, Gianni*).

3343 *Stone, Ken* 1 and 2 Samuel. Queer bible commentary. 2006 ⇒2417. 195-221.
3344 *Vroon-van Vugt, Miranda* Conferentie over de verhouding tussen verhaal en geschiedschrijving in Samuel. TTh 46 (2006) 183.
3345 *Wahle, Silke E.* "Raum" und "Zeit" im Kontext biblischer Frauenge-schichte(n): Überlegungen zur Geschichte Michals in den Samuelbü-chern. [F]SCHÜNGEL-STRAUMANN, H. 2006 ⇒153. 281-294.
3346 **Weiss, Andrea L.** Figurative language in biblical prose narrative: metaphor in the book of Samuel. VT.S 107: Lei 2006, Brill xii; 252 pp. €95. 90-04-14837-X. Bibl. 225-235.

3347 *Farisani, Elelwani B.; Farisani, Dorothy M.* Will the abuse ever end?: a bible study on Hannah's discrimination and harassment. Jour-nal of constructive theology 12/1 (2006) 67-80 [1 Sam 1-2].
3348 **Frolov, Serge** The turn of the cycle: 1 Samuel 1-8 in synchronic and diachronic perspectives. BZAW 342: 2004 ⇒20,3180; 21,3346. [R]ThLZ 131 (2006) 160-161 (*Adam, Klaus-Peter*); RBLit (2006)* (*Arnold, Bill*).
3349 *Fidler, Ruth* A wife's vow–the husband's woe?: the case of Hannah and Elkanah (I Samuel 1,21.23). ZAW 118 (2006) 374-388.
3350 *Harvey, John E.* Eli failing Aaron. [F]PECKHAM, B.: LHBOTS 455: 2006 ⇒126. 56-63 [1 Sam 2-3].
3351 *Abela, Anthony* Hannah expresses her strong feelings about her rival and about the Lord in her hymn of praise (1Sam 2,1-2). MTh 57/1 (2006) 77-99.
3352 *Beck, Martin* Messiaserwartung in den Geschichtsbüchern?: Bemer-kungen zur Funktion des Hannaliedes (I Sam 2,1-10) in seinen diver-sen literarischen Kontexten (vgl. Ex 15; Dtn 32; II Sam 22). [F]SCHMITT, H.-C.: BZAW 370: 2006 ⇒151. 231-251.
3353 (a) *Hossfeld, Frank-L.* Die Aufwertung Hannas durch ihren Lobge-sang: 1 Sam 2,1-10. [F]SCHÜNGEL-STRAUMANN, H. 2006 ⇒153. 246-258.
(b) *Marttila, Marko* The Song of Hannah and its relationship to the psalter. UF 38 (2006) 499-524 [1 Sam 2,1-10].
3354 *Parry, Donald W.* "How many vessels?": an examination of MT 1 Sam 2:14/4QSam[a] 1 Sam 2:16. [F]ULRICH, E.: VT.S 101: 2006 ⇒160. 84-95.
3355 *Auld, Graeme* Exegetical notes on 1 Samuel 2:18-20,26: 'Now Samuel continued to grow'. ET 118 (2006) 87-88.
3356 *Frolov, Serge* Man of God and the Deuteronomist: anti-deuterono-mistic polemics in 1 Sam 2,27-36. SJOT 20/1 (2006) 58-76.
3357 *Bodner, Keith* Ark-eology: shifting emphases in 'ark narrative' scholarship. CuBR 4 (2006) 169-197.

E4.5 *1 Sam 7...Initia potestatis regiae*, **Origins of kingship**

3358 *Amit, Yairah* The delicate balance in the image of Saul and its place in the deuteronomistic history;
3359 *Bartelmus, Rüdiger* HANDEL and Jennens' oratorio "Saul": a late musical and dramatic rehabilitation of the figure of Saul. Saul in story and tradition. FAT 47: 2006 ⇒381. 71-79/284-307.

3360 **Cazeaux, Jacques** Saül, David, Salomon: la royauté et le destin d'Israël. LeDiv 193: 2003 ⇒19,3285; 20,3186. ᴿSR 35 (2006) 153-154 (*Vogels, Walter*).

3361 **Czövek, Tamás** Three seasons of charismatic leadership: a literary-critical and theological interpretation of the narrative of Saul, David and Solomon. Regnum studies in mission: Milton Keynes 2006, Paternoster xxiv; 272 pp. 978-1-87034-548-4.

3362 **Dion, Marie-France** A l'origine du concept d'élection divine. Sciences bibliques 18: Montréal 2006, Médiaspaul 227 pp.

3363 **Dziadosz, Dariusz** Monarcha odrzucony przez Boga i lud: proces redakcji biblijnych tradycji o Saulu. Przemysl 2006, Wydawnictwo Archidiecezji Przemyskiej 582 pp. 83-88522-13-2. Bibl. 529-570. **P.**

3364 *Epstein, Marc M.* Seeing Saul. Saul in story and tradition. FAT 47: 2006 ⇒381. 334-345.

3365 *Gordon, Robert P.* Who made the kingmaker?: reflections on Samuel and the institution of the monarchy. Hebrew Bible and ancient versions. MSSOTS: 2006 <1994> ⇒224. 57-69.

3366 **Hamilton, Mark W.** The body royal: the social poetics of kingship in ancient Israel. BiblInterp 78: 2005 ⇒21,3355. ᴿRBLit (2006)* (*Saur, Markus*).

3367 **Ignatius, Peter** King Saul: a villain or a hero?: revisiting the character of Saul. 2006, Diss. Jesuit School of Theology at Berkeley.

3368 *Kreuzer, Siegfried* Saul-not always-at war: a new perspective on the rise of kingship in Israel. Saul in story and tradition. FAT 47: 2006 ⇒381. 39-58.

3369 **Launderville, Dale** Piety and politics: the dynamics of royal authority in Homeric Greece, biblical Israel, and Old Babylonian Mesopotamia. 2003 ⇒19,3292... 21,3357. ᴿZAR 12 (2006) 402-405 (*Otto, Eckart*).

3370 *Leuchter, Mark* Samuel, Saul, and the Deuteronomistic categories of history. ᶠPECKHAM, B.: LHBOTS 455: 2006 ⇒126. 101-110.

3371 *Liss, Hanna* The innocent king: Saul in rabbinic exegesis;

3372 *McKenzie, Steven L.* Saul in the deuteronomistic history;

3373 *Meier, Samuel A.* The sword: from Saul to David;

3374 *Mobley, Gregory* Glimpses of the heroic Saul. Saul in story and tradition. FAT 47: 2006 ⇒381. 245-260/59-70/156-174/80-87.

3375 **Müller, Reinhard** Königtum und Gottesherrschaft: Untersuchungen zur alttestamentlichen Monarchiekritik. FAT II/3: 2004 ⇒20,3192; 21,3359. ᴿZAR 12 (2006) 216-224 (*Arneth, Martin*).

3376 *Nicholson, Sarah* Catching the poetic eye: Saul reconceived in modern literature. Saul in story and tradition. FAT 47: 2006 ⇒381. 308-333.

3377 *Roshwald, Mordecai* Les racines bibliques de la démocratie. PrzPow 5 (2006) 21-38. **P.**

3378 *Saleh, Walid A.* "What if you refuse, when ordered to fight?": King Saul (Ṭalut) in the Qur'an and post-quranic literature. Saul in story and tradition. FAT 47: 2006 ⇒381. 261-283.

3379 **Wagner, David** Geist und Tora: Studien zur göttlichen Legitimation und Delegitimation von Herrschaft im Alten Testament anhand der Erzählungen über König Saul. ABIG 15: 2005 ⇒21,3361. ᴿZAR 12 (2006) 225-229 (*Otto, Eckart*).

3380 *White, Marsha C.* Saul and Jonathan in 1 Samuel 1 and 14;

3381 *Hamilton, Mark W.* The creation of Saul's royal body: reflections on 1 Samuel 8-10. Saul in story and tradition. FAT 47: 2006 ⇒381. 119-138/139-155.

3382 **Vette, Joachim** Samuel und Saul: ein Beitrag zur narrativen Poetik des Samuel-Buches. Beiträge zum Verstehen der Bibel 13: 2005 ⇒ 21,3366. ᴿRBLit (2006)* (*Klein, Ralph*) [1 Sam 8-12].

3383 *Otto, Eckart* Tora und Charisma: Legitimation und Delegitimation des Königtums in 1 Samuel 8-2 Samuel 1 im Spiegel neuerer Literatur. ZAR 12 (2006) 225-244.

3384 *Fischer, Alexander A.* Die Saul-Überlieferung im deuteronomistischen Samuelbuch (am Beispiel von I Samuel 9-10). Die deuteronomistischen Geschichtswerke. BZAW 365: 2006 ⇒492. 163-181..

3385 *Nihan, Christophe* Saul among the prophets (1 Sam 10:10-12 and 19:18-24): the reworking of Saul's figure in the context of the debate on "charismatic prophecy" in the Persian era. Saul in story and tradition. FAT 47: 2006 ⇒381. 88-118.

E4.6 *1 Sam 16...2 Sam: Accessio Davidis.* **David's Rise**

3386 **Ackerman, Susan** When heroes love: the ambiguity of eros in the stories of Gilgamesh and David. 2005 ⇒21,3375. ᴿBiCT 2/2 (2006)* (*Heacock, Anthony*); CBQ 68 (2006) 293-294 (*Miscall, Peter D.*); RBLit (2006)* (*Römer, Thomas*); JAOS 125 (2005) [2006] 539-543 (*Foster, Benjamin R.*); JThS 57 (2006) 611-614 (*Guest, Deryn*).

3387 **Bodner, Keith** David observed: a king in the eyes of his court. HBM 5: 2005 ⇒21,3377. ᴿRRT 13 (2006) 466-469 (*Kim, Uriah Y.*); BTB 36 (2006) 192-193 (*Grizzard, Carol S.*); CBQ 68 (2006) 503-504 (*Miscall, Peter D.*); RBLit (2006)* (*McKenzie, Steven*).

3388 *Bosworth, David A.* Evaluating King David: old problems and recent scholarship. CBQ 68 (2006) 191-210.

3389 *Coogan, Michael D.* Assessing David and Solomon from the hypothetical to the improbable to the absurd. BArR 32/4 (2006) 56-60.

3390 **Dietrich, Walter** David, der Herrscher mit der Harfe. Biblische Gestalten 14: Lp 2006, Evangelische 381 pp. €16.80. 3-374-02399-1. Bibl. 358-381 ᴿUF 38 (2006) 802-807 (*Zwickel, Wolfgang*).

3391 **Eschelbach, Michael A.** Has Joab foiled David?: a literary study of the importance of Joab's character in relation to David. Studies in biblical literature 76: 2005 ⇒21,3378. ᴿOLZ 101 (2006) 661-664 (*Adam, Klaus-Peter*).

3392 **Finkelstein, Israel; Silberman Neil A.** David and Solomon: in search of the bible's sacred kings and the roots of the western tradition. NY 2006, Free 342 pp. $26. 0-7432-43625. Bibl. 297-323. ᴿSJOT 20 (2006) 286-313 (*Thompson, Thomas L.*);

3393 David und Salomon: Archäologen entschlüsseln einen Mythos. ᵀ*Seuß, R.*: Mü 2006, Beck 298 pp. €24.90. 978-34065-46761. ᴿUF 38 (2006) 798-802 (*Zwickel, Wolfgang*).

3394 Les rois sacrés de la bible: à la recherche de David et Salomon. ᵀ*Ghirardi, Patrice*: P 2006, Bayard 322 pp. €24.

3395 *Hodge, Joel* "Dead or banished": a comparative reading of the stories of King Oedipus and King David. Ment. *Girard, René*: SJOT 20 (2006) 189-215.

3396 **Isser, Stanley Jerome** The sword of Goliath: David in heroic literature. Studies in Biblical Literature 6: 2003 ⇒19,3321; 20,3217. [R]JAOS 125 (2005) 427-428 (*Holm, Tawny*).

3397 **Kunz, Andreas** Die Frauen und der König David: Studien zur Figuration von Frauen in den Daviderzählungen. ABIG 8: 2004 ⇒20, 3224. [R]ThLZ 131 (2006) 361-363 (*Bietenhard, Sophia*).

3398 *Mayes, Andrew D.H.* Biography in the ancient world: the story of the rise of David. The limits of ancient biography. 2006 ⇒881. 1-12.

3399 **McKenzie, Steven L.** Le roi David: le roman d'une vie. [T]*Smyth, Françoise*: Genève 2006, Labor et F. 218 pp. €22.

3400 **Nardelli, J.F.** Le motif de la paire d'amis héroïques à prolongements homophiles: perspectives odysséennes et proche-orientales. 2004 ⇒ 20,3230. [R]EM 74 (2006) 176-178 (*López Salvá, Mercedes*); EtCl 74 (2006) 87-88 (*Payen, P.*).

3401 **Pinsky, Robert** The life of David. 2005 ⇒21,3384. [R]Parabola 31/1 (2006) 122-125 (*Kay, Alan Abraham*).

3402 [E]**Pury, Albert de** Die sogenannte Thronfolgegeschichte Davids: neue Einsichten und Anfragen. OBO 176: 2000 ⇒16,2748. [R]BiOr 63 (2006) 350-353 (*Hentschel, Georg*).

3403 **Rudnig, Thilo A.** Davids Thron: redaktionskritische Studien zur Geschichte von der Thronnachfolge Davids. BZAW 358: B 2006, De Gruyter xi; 444 pp. €98. 3-11-018848-1. Diss.-Habil. Münster; Bibl. 388-428.

3404 *Schäfer-Lichtenberger, Christa* Die Aufstiegsgeschichte Davids. Stimulation from Leiden. BEAT 54: 2006 ⇒686. 55-66.

3405 *Scheffler, Eben* The politics of (the deuteronomistic) David and Jesus. OTEs 19 (2006) 950-967.

3406 **Short, John Randall** The story of David's rise as political apology: a reconsideration. 2006, Diss. Harvard [HThR 100,114].

3407 *Sonnet, Jean-Pierre* 'Que ne suis-je mort à ta place!': de la cohérence narrative du cycle de David (1 S 16 - 1 R 2). [F]GIBERT, P. 2006 ⇒52. 274-295.

3408 *Wagner, Andreas* Annäherungen an den israelitischen Hofstil. Der ägyptische Hof. 2006 ⇒904. 217-230.

3409 *Beck, John A.* David and Goliath, a story of place: the narrative-geographical shaping of 1 Samuel 17. WThJ 68 (2006) 321-330.

3410 *Berginer, Vladimir M.; Cohen, Chaim* The nature of Goliath's visual disorder and the actual role of his personal bodyguard: nś' hṣnh (I Sam 17:7,41). ANESt 43 (2006) 27-44.

3411 *Isbell, Charles D.* A biblical midrash on David and Goliath. SJOT 20 (2006) 259-263 [1 Sam 17].

3412 *Läufer, Erich* Beweist eine Tonscherbe Goliats Existenz?: ein neuer Fund zur biblischen Geschichte. HL 138/2 (2006) 14 [1 Sam 17].

3413 *Gordon, Robert P.* David's rise and Saul's demise: narrative analogy in 1 Samuel 24-26. Hebrew Bible and ancient versions. MSSOTS: 2006 <1980> ⇒224. 5-21.

3414 **Ramond, Sophie** David, l'insensé et la femme sage: une analyse de la caractérisation des personnages en 1 Samuel 24-26. ConBib 43: Bru 2006, Lumen V. 80 pp. €10. 978-2873-24285-5.

3415 *Gordon, Robert P.* Word-play and verse-order in 1 Samuel xxiv 5-8. Hebrew Bible and ancient versions. MSSOTS: 2006 <1990> ⇒224. 33-37.

3416   **Emmerich, Karin** Machtverhältnisse in einer Dreiecksbeziehung: die Erzählung von Abigajil, Nabal und David in 1 Samuel 25: eine literaturwissenschaftliche Untersuchung. ^D*Seidl, Theodor* 2006, Diss. Würzburg [ThRv 103/2,xii].

3417   *Geoghegan, Jeffrey C.* Israelite sheepshearing and David's rise to power. Bib. 87 (2006) 55-63 [Gen 31; 38; 1 Sam 25; 2 Sam 13].

3418   *Reuter, Eleonore* Wer sich auf Tote einlässt, bezahlt mit dem Leben: Saul bei der Totenbeschwörerin von En Dor. BiKi 61 (2006) 16-20 [1 Sam 28,3-25].

3419   *Aejmelaeus, Anneli* David's return to Ziklag: a problem of textual history in 1 Samuel 30:1. XII Congress IOSCS. SCSt 54: 2006 ⇒ 774. 95-104.

3420   *Reis, Pamela T.* Killing the messenger: David's policy or politics?. JSOT 31 (2006) 167-191 [2 Sam 1; 4].

3421   **Costacurta, Bruna** Lo scettro e la spada: Davide diventa re (2Sam 2-12). CSB 53: Bo 2006, EDB 241 pp. €20. 88-10-41004-1. Bibl. 229-237.

3422   *Gordon, Robert P.* Covenant and apology in 2 Samuel 3. Hebrew Bible and ancient versions. MSSOTS: 2006 <1990> ⇒224. 38-46.

3423   *Hill, Andrew E.* On David's "taking" and "leaving" concubines (2 Samuel 5:13; 15:16). JBL 125 (2006) 129-139.

3424   *Rosenstock, Bruce* David's play: fertility rituals and the glory of God in 2 Samuel 6. JSOT 31 (2006) 63-80.

3425   *Sachs, Gerardo G.* David dances—Michal scoffs. JBQ 34 (2006) 260-263 [2 Sam 6].

3426   **Avioz, Michael** Nathan's oracle (2 Samuel 7) and its interpreters. Bible in history 5: 2005 ⇒21,3412. ^RJHScr 6 (2006)* = PHScr III, 460-462 (*Bergen, David*) [⇒593]

3427   **Pietsch, Michael** "Dieser ist der Sproß Davids...": Studien zur Rezeptionsgeschichte der Nathanverheißung im alttestamentlichen, zwischentestamentlichen und neutestamentlichen Schrifttum. WMANT 100: 2003 ⇒19,3374; 20,3271. ^ROLZ 101 (2006) 186-190 (*Dietrich, Walter*) [2 Sam 7].

3428   *Schenker, Adrian* Die Verheissung Natans in 2 Sam 7 in der Septuaginta: wie erklären sich die Differenzen zwischen Massoretischem Text und LXX, und was bedeuten sie für die messianische Würde des davidischen Hauses in der LXX?. The Septuagint and messianism. BEThL 195: 2006 ⇒753. 177-192.

3429   *McCord Adams, Marilyn* House-building: 2 Samuel 7:1-14a (proper 11[16]). ET 117 (2006) 378-380.

3430   *Glardon, Thérèse* Handicap et royauté: le fabuleux destin de Mefibosheth. Ḥokhma 90 (2006) 26-49 [2 Sam 9,1-13].

3431   *Esler, Philip F.* 2 Samuel–David and the Ammonite war: a narrative and social-scientific interpretation of 2 Samuel 10-12. Ancient Israel. 2006 ⇒724. 191-207.

3432   *Avioz, Michael* The analogies between the David-Bathsheba affair and the Naboth narrative. JNSL 32/2 (2006) 115-128 [2 Sam 11-12; 1 Kgs 21].

3433   *Davidson, Richard M.* Did King David rape Bathsheba?: a case study in narrative theology. JATS 17/2 (2006) 81-95 [2 Sam 11-12].

3434   *Gutmann, Hans-Martin; Kasch, Christine; Reinfeld, Philipp* Batseba "... aber unsere Liebe nicht": Videodrama zu 2 Samuel 11 und 12. Die besten Nebenrollen. 2006 ⇒1164. 117-124.

3435 **Suchanek-Seitz, Barbara** So tut man nicht in Israel: Kommunikation und Interaktion zwischen Frauen und Männern in der Erzählung von der Thronnachfolge Davids. *DKessler, R.*: Exegese in unserer Zeit 17: B 2006, Lit 172 pp. 3-8258-9475-4. Diss. Marburg [2 Sam 11,1-12,25; 13,1-22; 1 Kgs 1-2].

3436 *Carrière, Jean-Marie* Le péché de David (2 S 12 - Ps 51). *FGIBERT, P.* 2006 ⇒52. 296-310.

3437 *Andrade, William C. de* A parábola do pobre e sua única ovelha (2Sm 12,1-4). Estudos bíblicos 92 (2006) 27-36.

3438 *Adam, Klaus-Peter* Motivik, Figuren und Konzeption der Erzählung vom Absalomaufstand. Die deuteronomistischen Geschichtswerke. BZAW 365: 2006 ⇒492. 183-211 [2 Sam 13].

3439 *Beuscher, Bernd* Tatort remixed: MENSCH HORST versus KÖNIG DAVID: 2 Samuel 16. Die besten Nebenrollen. 2006 ⇒1164. 125-128.

3440 *Hutton, Jeremy M.* The left bank of the Jordan and the rites of passage: an anthropological interpretation of 2 Samuel xix. VT 56 (2006) 470-484.

3441 *Gordon, Robert P.* The variable wisdom of Abel: the MT and versions at 2 Samuel xx 18-19. Hebrew Bible and ancient versions. MSSOTS: 2006 <1993> ⇒224. 242-249.

3442 *Weiler, Lucia* RISPÁ simplesmente RISPÁ. EsTe 46 (2006) 71-78 [2 Sam 21,8-11].

3443 *Adams, Mary Theotokos* David, Jerusalem, and the threshing floor of Araunah the Jebusite: a proposed reading of 2 Samuel 24. IncW 1/1 (2006) 107-116.

E4.7 *Libri Regum*: **Solomon, Temple: 1 Kings...**

3444 *Auneau, Joseph* Les livres des Rois. EeV 163 (2006) 16-26.

3445 *Avioz, Michael* The book of Kings in recent research (part II). CuBR 5 (2006) 11-57.

3446 **Beach, Eleanor F.** The Jezebel letters: religion and politics in ninth-century Israel. 2005 ⇒21,3429. *RRBLit* (2006)* (*Pruin, Dagmar; Becking, Bob*).

3447 **Fritz, Volkmar** 1 & 2 Kings: a continental commentary. *THagedorn, Anselm*: Continental commentaries: 2003 ⇒19,3393... 21,3431. *RRExp* 103 (2006) 421-423 (*Mariottini, Claude F.*).
     EGrabbe, L. Good kings and bad kings 2005 ⇒734.

3448 **Hens-Piazza, Gina** 1-2 Kings. Abingdon OT Comm.: Nv 2006, Abingdon 407 pp. $36. 978-0887-490219. Bibl. 405-407.

3449 *Klingbeil, Gerald A.* "Momentaufnahmen" of Israelite religion: the importance of the communal meal in narrative texts in I/II Regum and their ritual dimension. ZAW 118 (2006) 22-45.

3450 **Konkel, August H.** 1 & 2 Kings. GR 2006, Zondervan 704 pp. 978-0-310-21129-7.

3451 **Leithart, Peter J.** 1 & 2 Kings. Brazos Theological Commentary on the Bible 2: GR 2006, Brazos 304 pp. $30. 978-1-587-43125-8. Bibl. 281-286.

3452 *Parker, Simon B.* Ancient Northwest Semitic epigraphy and the "Deuteronomistic" tradition in Kings. Die deuteronomistischen Geschichtswerke. BZAW 365: 2006 ⇒492. 213-227.

3453 **Schenker, Adrian** Älteste Textgeschichte der Königsbücher: die he-
bräische Vorlage der ursprünglichen Septuaginta als älteste Textform
der Königsbücher. OBO 199: 2004 ⇒20,3297; 21,3439. [R]RivBib 54
(2006) 377-378 (*Cardellini, Innocenzo*).

3454 *Schenker, Adrian* Die Textgeschichte der Königsbücher und ihre
Konsequenzen für die Textgeschichte der Hebräischen Bibel, illus-
triert am Beispiel von 2 Kön 23:1-3. Congress volume Leiden 2004.
VT.S 109: 2006 ⇒759. 65-79.

3455 **Schmidt, Uta** Zentrale Randfiguren: Strukturen und Darstellung von
Frauen in den Erzählungen der Königebücher. 2003 ⇒19,3400.
[R]ThLZ 131 (2006) 26-28 (*Labahn, Antje*).

3456 *Stavrakopoulou, Francesca* Ancestral advocacy and dynastic dynam-
ics in the books of Kings. [F]WANSBROUGH, H.: LNTS 316: 2006 ⇒
168. 10-24.

3457 *Stone, Ken* 1 and 2 Kings. Queer bible commentary. 2006 ⇒2417.
222-250.

3458 **Tetley, M. Christine** The reconstructed chronology of the divided
kingdom. 2005 ⇒21,3441. [R]CBQ 68 (2006) 131-133 (*Galil, Ger-
shon*); RB 113 (2006) 304-306 (*Schenker, Adrian*).

3459 *Van Keulen, Percy S.F.* Points of agreement between the targum and
peshitta versions of Kings against the MT: a sounding. Corpus lin-
guistics. SSN 48: 2006 ⇒486. 205-235 Replies by *Bas ter Haar Ro-
meny* (237-243) and *Donald M. Walter* (245-250).

3460 **Walsh, Jerome T.** Ahab: the construction of a king. ColMn 2006,
Liturgical xv; 125 pp. $15. 0-8146-5176-3.

3461 *Weippert, Helga* Die 'deuteronomistischen' Beurteilungen der Köni-
ge von Israel und Juda und das Problem der Redaktion der Königsbü-
cher. Unter Olivenbäumen. AOAT 327: 2006 <1972> ⇒324. 291-
324.

3462 **Brueggemann, Walter** Solomon: Israel's ironic icon of human
achievement. 2005 ⇒21,3448. [R]ThTo 63 (2006) 394, 396-397
(*Johnstone, William*).

3463 *Chuecas Saldías, Ignacio* Prostitutas, reinas y extranjeras: mujeres en
el ciclo salomónico (1 Reyes 1-11). TyV 47 (2006) 322-338.

3464 *Gruhl, Reinhard* Zwischen Weisheit und Wollust: Salomo in
scharfsinnigen Inschriften des 17. Jahrhunderts. Gotteswort und Men-
schenrede. 2006 ⇒371. 123-152.

3465 *Hendel, Ronald* The archaeology of memory: King Solomon, chro-
nology, and biblical representation. [F]DEVER, W. 2006 ⇒32. 219-30.

3466 Holter, Knut Interpreting Solomon in colonial and post-colonial Afri-
ca. OTEs 19 (2006) 851-862.

3467 **Kunz-Lübcke, Andreas** Salomo: von der Weisheit eines Frauenlieb-
habers. Biblische Gestalten 8: 2004 ⇒20,3311. [R]ThLZ 131 (2006)
835-838 (*Särkiö, Pekka*).

3468 *Niemann, H.M.* Choosing brides for the crown-prince: matrimonial
politics in the Davidic dynasty. VT 56 (2006) 225-238.

3469 *Pola, Thomas* Zwangsarbeit unter Salomo?. Arbeit in der Antike.
2006 ⇒618. 27-38.

3470 *Power, Bruce A.* 'All the king's horses...': narrative subversion in the
story of Solomon's golden age. [F]PECKHAM, B.: LHBOTS 455: 2006
⇒126. 111-123.

3471 **Särkiö, Pekka** Kuningasajalta: kirjoituksia Salomosta ja rautakauden piirtokirjoituksista. Suomen Eksegeettisen Seuran Julkaisuja 90: Helsinki 2006, Suomen Eksegeettisen Seuran Julkaisuja 253 pp. 951-92-17-45-2. Bibl. 234-253.

3472 **Seibert, Eric A.** Subversive scribes and the Solomonic narrative: a rereading of 1 Kings 1-11. LHBOTS 436: NY 2006, Clark xiv; 209 pp. $130. 0-567-02771-6. Bibl. 188-200.

3473 **Van Keulen, Percy S.F.** Two versions of the Solomon narrative: an inquiry into the relationship between MT 1 Kgs. 2-11 and LXX 3 Reg. 2-11. VT.S 104: 2005 ⇒21,3489. [R]JThS 57 (2006) 568-571 (*Salvesen, Alison G.; Law, T. Michael*).

3474 **Barker, Margaret** Temple theology: an introduction. 2004 ⇒20, 3316; 21,3465. [R]HeyJ 47 (2006) 458-459 (*Madigan, Patrick*).

3475 **Beale, Gregory K.** The temple and the church's mission: a biblical theology of the dwelling place of God. New Studies in Biblical Theology 17: 2004 ⇒20,3317; 21,3467. [R]Miss. 34/1 (2006) 81-83 (*Dollar, Harold Ellis*).

3476 **Bedford, Peter Ross** Temple restoration in early Achaemenid Judah. JSJ.S 65: 2001 ⇒17,2873... 20,3318. [R]JAOS 126 (2006) 89-102 (*Fried, Lisbeth S.*).

3477 *Brooke, George J.* The ten temples in the Dead Sea scrolls. Temple and worship. LHBOTS 422: 2006, ⇒716. 417-434.

3478 **Chyutin, Michael** Architecture and utopia in the temple era. [T]*Flantz, Richard*: LSTS 58: L 2006, Clark x; 265 pp. £90/$180. 0-567-03054-7. Bibl. 249-253.

3479 **Decharneux, Baudouin** Du Temple à l'homme. Paroles retrouvées: 2005 ⇒21,3469. [R]Neotest. 40 (2006) 187-189 (*Loubser, J.A.*).

3480 *Dogniez, Cécile* La reconstruction du Temple selon la Septante de Zacharie. Congress volume Leiden 2004. VT.S 109: 2006 ⇒759. 45-64.

3481 *Finkelstein, Israel; Silberman, Neil A.* Temple and dynasty: Hezekiah, the remaking of Judah and the rise of the pan-Israelite ideology. JSOT 30 (2006) 259-285.

3482 *Goldenberg, Robert* The destruction of the Jerusalem temple: its meaning and its consequences. The Cambridge history of Judaism, 4. 2006 ⇒541. 191-205.

3483 *Goodman, Martin* The temple in first century CE Judaism. Temple and worship. LHBOTS 422: 2006 ⇒716. 459-468.

3484 [E]**Hahn, Johannes** Zerstörungen des Jerusalemer Tempels: Geschehen—Wahrnehmung—Bewältigung. WUNT 147: 2002 ⇒18,559... 21,755. [R]Zion 71 (2006) 103-105 (*Schwartz, Daniel R.*).

3485 *Hayward, C.T.R.* Understandings of the temple service in the Septuagint pentateuch. Temple and worship. LHBOTS 422: 2006 ⇒716. 385-400.

3486 *Horbury, William* Der Tempel bei VERGIL und im herodianischen Judentum. Herodian Judaism. WUNT 193: 2006 <1999> ⇒240. 59-79.

3487 *Hurowitz, Victor A.B.* YHWH's exalted house–aspects of the design and symbolism of Solomon's temple. Temple and worship. LHBOTS 422: 2006 ⇒716. 63-110.

3488 *Japhet, Sara* 'History' and 'literature' in the Persian period: the restoration of the temple;

3489 The temple in the restoration period: reality and ideology. From the
      rivers of Babylon. 2006 ⇒246. 152-168/183-232.
3490 **Keel, Othmar; Knauf, Ernst Axel; Staubli, Thomas** Salomons
      Tempel. Bibel+Orient Museum: 2004 ⇒20,3323; 21,3476. ᴿZRGG
      58 (2006) 186-187 (*Herr, Bertram*).
3491 **Klawans, Jonathan** Purity, sacrifice, and the temple: symbolism and
      supersessionism in the study of ancient Judaism. NY 2006, OUP x;
      372 pp. 01951-62633. Bibl. 323-350. ᴿJJS 57 (2006) 345-346 (*Bond,
      Helen K.*); ThLZ 131 (2006) 1257-1258 (*Avemarie, Friedrich*); JBL
      125 (2006) 801-803 (*Tuzlak, Ayse*).
3492 *Knibb, Michael A.* Temple and cult in apocryphal and pseudepi-
      graphical writings from before the common era. Temple and worship.
      LHBOTS 422: 2006 ⇒716. 401-416.
3493 *Kratz, Reinhard G.* The second temple of Jeb and of Jerusalem.
      Judah and the Judeans. 2006 ⇒941. 247-264.
3494 *Mettinger, Tryggve N.D.* A conversation with my critics: cultic image
      or aniconism in the first temple?. ᶠNA'AMAN, N. 2006 ⇒120. 273-96.
3495 *Na'aman, Nadav* The Temple library of Jerusalem and the composi-
      tion of the book of Kings. Congress volume Leiden 2004. VT.S 109:
      2006 ⇒759. 129-152.
3496 *Nevins, Arthur J.* When was Solomon's temple burned down?: reas-
      sessing the evidence. JSOT 31 (2006) 3-25.
3497 *Patella, Michael* Seers' corner: the Jerusalem temple and crusading
      knights. BiTod 44 (2006) 231-234.
3498 *Reidinger, Erwin* Der Tempel in Jerusalem. BN 128 (2006) 81-104.
3499 *Rowland, Christopher* The temple in the New Testament. Temple
      and worship. LHBOTS 422: 2006 ⇒716. 469-483.
3500 *Simmons, Michael Bland* The emperor Julian's order to rebuild the
      temple in Jerusalem: a connection with oracles?. Ment. *Porphyrius*:
      ANESt 43 (2006) 68-117.
3501 *Smith, Mark S.* In Solomon's temple (1 Kings 6-7): between text and
      archaeology. ᶠDEVER, W. 2006 ⇒32. 275-282.
3502 **Stevens, Marty E.** Temples, tithes, and taxes: the temple and the
      economic life of ancient Israel. Peabody, Mass. 2006, Hendrickson
      209 pp. $25. 978-1-565-63934-8. Bibl. 175-197.
3503 *Tadmor, Hayim* 'The appointed time has not yet arrived': the recon-
      struction of the temple during the restoration period. Assyria, Baby-
      lonia and Judah. 2006 <1999> ⇒314. 305-312. **H.**
3504 *Weippert, Helga* Der Ausschließlichkeitsanspruch des salomonischen
      Tempels. Unter Olivenbäumen. AOAT 327: 2006 <1993> ⇒324.
      343-367.

3505 *Cushman, Beverly W.* The politics of the royal harem and the case of
      Bat-Sheba. JSOT 30 (2006) 327-343 [1 Kgs 1-2].
3506 *Bosman, Hendrik J.; Sikkel, Constantijn J.* Worked examples from 1
      Kings 2:1-9: word level analysis. 271-276;
3507 *Dijk, Janet W.* 1 Kings 2:1-9: some results of a structured hierarchi-
      cal approach. 277-309;
3508 Lexical correspondence and translation equivalents: building an elec-
      tronic concordance. 311-326 [1 Kgs 2,1-9];
3509 *Van Keulen, Percy S.F.* Exegetical and text-historical differences
      from the MT in the peshitta version of 1 Kings 2:1-9. 333-343;
3510 Textual features of the peshitta of 1 Kings 2:1-9. 253-269;

3511 *Van Peursen, Wido* Nominal clauses in the peshiṭta of 1 Kings 2:1-9. 327-332;

3512 Epilogue: the peshiṭta of 1 Kings 2:1-9 from a linguistic and a text-historical perspective. Corpus linguistics. SSN 48: 2006 ⇒486. 345-358.

3513 *Avioz, Michael* Reconsidering the composition of the story of Solomon's dream at Gibeon (1 Kings 3:4-15). JBSt 6/2 (2006) 1-6*.

3514 **Poier, Nicola** L'arco scenico: il luogo dell'alleanza mediana. Bolzano 2006, Brennero 53 pp. 88-87817-12-X. Pres. *Carlo Maria Martini* [1 Kgs 3,16-28].

3515 *Weippert, Helga* Die Kesselwagen Salomos. Unter Olivenbäumen. AOAT 327: 2006 <1992> ⇒324. 71-114 [1 Kgs 7,27-39].

3516 *Bergen, David A.* The heart of the (Deuteronomic) matter: Solomon and the book of the law. SR 35 (2006) 213-230 [1 Kgs 8].

3517 *McCormick, C. Mark* From box to throne: the development of the ark in DtrH and P. Saul in story and tradition. FAT 47: 2006 ⇒381. 175-186 [1 Kgs 8].

3518 *O'Kennedy, D.F.* Twee weergawes van die gebed van Salomo (1 Kon. 8 en 2 Kron. 6): 'n vergelykende studie. AcTh(B) 26/2 (2006) 155-177.

3519 *Schenker, Adrian* The ark as sign of God's absent presence in Solomon's temple: 1 Kings 8.6-8 in the Hebrew and Greek bibles. ᶠWANSBROUGH, H.: LNTS 316: 2006 ⇒168. 1-9.

3520 *Lemaire, André* Salomon et la fille de Pharaon: un problème d'interprétation historique. ᶠMAZAR, A. 2006 ⇒108. 699-710 [1 Kgs 9,16].

3521 *Fritz, Volkmar* Solomon and Gezer. ᶠDEVER, W. 2006 ⇒32. 303-307 [1 Kgs 9,19-24].

3522 *Min Chun, S.* Whose cloak did Ahijah seize and tear?: a note on 1 Kings xi 29-30. VT 56 (2006) 268-274.

3523 *Leuchter, Mark* Jeroboam the Ephratite. JBL 125 (2006) 51-72 [1 Kgs 11,29-39].

3524 *Weippert, Helga* Die Ätiologie des Nordreiches und seines Königshauses (1Kön 11,29-40). Unter Olivenbäumen. AOAT 327: 2006 <1983> ⇒324. 369-402.

3525 *Organ, Barbara E.* 'The man who would be king': irony in the story of Rehoboam. ᶠPECKHAM, B. LHBOTS 455: 2006 ⇒126. 124-132 [1 Kgs 12,1-24; 14,21-31].

3526 *Gordon, Robert P.* The second Septuagint account of Jeroboam: history or midrash. <1975>;

3527 Source study in 1 Kings xii 24a-nα. Hebrew Bible and ancient versions. MSSOTS: 2006 <1976> ⇒224. 213-232/233-241.

3528 *Shalom-Guy, Hava* Jeroboam's reform and the episode of the golden calf. Shnaton 16 (2006) 15-27 [Exod 32; Kgs 12,26-32]. **H**.

3529 *Thon, Johannes* Das Grab des "Lügenpropheten" im Dienste der Wahrheit (1 Kön 13,11-32; 2 Kön 23,15-18). ᶠMEINHOLD, A.: ABIG 23: 2006 ⇒110. 467-475.

3530 *Moenikes, Ansgar* Omris Königtum: Beispiel einer der JHWH-Religion fremden Ideologie: 1 Könige 16. Die besten Nebenrollen. 2006 ⇒1164. 129-133.

3531 *Abadie, Philippe* La 'légende noire' du roi Achab. ᶠGIBERT, P. 2006 ⇒52. 117-135 [1 Kgs 16,30-33].

E4.8 *1 Regum 17-22: Elias*, **Elijah**

3532 **Albertz, Rainer** Elia: ein feuriger Kämpfer für Gott. Biblische Gestalten 13: Lp 2006, Evangelische 231 pp. €14.80. 3-374-02351-7. Bibl. 225-229.

3533 **Caspi, Mishael M., Neu-Sokol, Gerda** By the soft lyres: the search for the prophet Elijah. IKU 272: B 2006, Klaus Schwarz xvi; 415 pp. 978-38799-73378.

3534 *Glover, Neil* Elijah versus the narrative of Elijah: the contest between the prophet and the word. JSOT 30 (2006) 449-462.

3535 **Healy, Kilian** Elie, prophète de feu. P 2006, Parole et S. 219 pp. €18. 2-84573-3585 [Sedes Sapientiae 24/3,114–Bazelaire, T.-M. de].

3536 **Landesmann, Peter** Die Himmelfahrt des Elija: Entstehen und Weiterleben einer Legende sowie ihre Darstellung in der frühchristlichen Kunst. 2004 ⇒20,3355. [R]ThLZ 131 (2006) 425-427 (*Thümmel, Hans Georg*).

3537 *Souza, Elias B. de* Some theological reflections on the Elijah-Elisha narrative. Hermenêutica 6 (2006) 65-79.

3538 *Wuckelt, Agnes* Die Witwe von Sarepta: 1 Könige 17. Die besten Nebenrollen. 2006 ⇒1164. 139-141.

3539 **Hugo, Philippe** Les deux visages d'Élie: Texte massorétique et Septante dans l'histoire la plus ancienne du texte de 1 Rois 17-18. 3540 [D]*Schenker, Adrian*: OBO 217: Gö 2006, Vandenhoeck & R. xxii; 389 pp. 3-525-53013-7. Diss. FrS; Bibl. 351-378. [R]RSO 79 (2006) 205-217 (*Catastini, Alessandro*).

3541 *Sauer, Georg* Elia und die Baalsverehrung. WJT 6 (2006) 35-44 [1 Kgs 18].

3542 *Epp-Tiessen, Dan* 1 Kings 19: the renewal of Elijah. Direction 35 (2006) 33-43.

Yebra Rovira, Carmen Dios y Elías, su profeta, en 1 Reyes 19. EstB 64 (2006) 447-471.

3543 *Thiel, Winfried* Der Vertrag zwischen Israel und Aram-Damaskus und die prophetische Redaktion (1 Kön 20,31-34.35-43). [F]MEINHOLD, A.: ABIG 23: 2006 ⇒110. 477-489.

3544 **Cronauer, Patrick T.** The stories about Naboth the Jezreelite: a source, composition, and redaction investigation of 1 Kings 21 and passages in 2 Kings 9. LHBOTS 424; JSOT.S 424: 2005 ⇒21,3509. [R]CBQ 68 (2006) 726-727 (*Person, Raymond F., Jr.*).

3545 *Mette, Norbert* Naboth: 1 Könige 21. Die besten Nebenrollen. 2006 ⇒1164. 142-146.

3546 *Weinrich, Michael* Micha ben Jimla: 1 Könige 22. Die besten Nebenrollen. 2006 ⇒1164. 147-151.

3547 *Weippert, Helga* Ahab el campeador?: redaktionsgeschichtliche Untersuchungen zu 1Kön 22. Unter Olivenbäumen. AOAT 327: 2006 <1988> ⇒324. 403-422.

E4.9 **2 Reg 1**... *Elisaeus, Elisha*... Ezechias, Josias

3548 **Himbaza, Innocent** Le roi Manassé: héritage et conflict du pardon. Essais bibliques 40: Genève 2006, Labor et F. 148 pp. FS29. 2-8309-1210-1. Bibl. 125-137.

3549 *Na'aman, Nadav* The king leading cult reforms in his kingdom: Josiah and other kings in the ancient Neart East. ZAR 12 (2006) 131-168.

3550 *Tadmor, Hayim* Hezekiah's *urbi*. Assyria, Babylonia and Judah. 2006, ⇒314. 275-282. **H.**

3551 *Zevit, Ziony* Implicit population figures and historical sense: what happened to 200,150 Judahites in 701 BCE?. ^FDEVER, W. 2006 ⇒ 32. 357-366.

3552 *Köckert, Matthias* "Gibt es keinen Gott in Israel?": zum literarischen, historischen und religionsgeschichtlichen Ort von II Reg 1. ^FSCHMITT, H.-C.: BZAW 370: 2006 ⇒151. 253-271.

3553 *Piquer Otero, Andrés* Flies, idols and oracles: on a collection of variants to MT in 2Kgs 1. Stimulation from Leiden. BEAT 54: 2006 ⇒686. 81-88.

3554 *McCord Adams, Marilyn* Consenting adults!: 2 Kings 2:1-15 [Last Sunday after Epiphany]. ET 117 (2006) 156-157.

3555 *Schmitt, Armin* "Elija stieg zum Himmel hinauf": der verklärte Tod des Elija nach 2 Kön 2,1-18. BiKi 61 (2006) 27-33.

3556 *Wénin, André* La cohérence narrative de 2 Rois 3: une réponse à Jesús Asurmendi. BiblInterp 14 (2006) 444-455.

3557 *Schmidt, Uta* Zwei Frauen in der Hungersnot in Samaria: 2 Könige 6. Die besten Nebenrollen. 2006 ⇒1164. 152-159.

3558 *Bauer, Uwe F.W.* Eine Geschichte von Elisa und seinen Schülern, die aus dem Rahmen fällt (II Kön 6,1-7). ThZ 62 (2006) 1-9.

3559 *Beal, Lissa M.W.* Evaluating Jehu: narrative control of approval and disapproval in 2 Kings 9-10. ^FPECKHAM, B.: LHBOTS 455: 2006 ⇒ 126. 214-225.

3560 *Hasegawa, Shuichi* Historical reality vs. theological message: deuteronomist's insertions in 2 Kgs 9:27-28. AJBI 32 (2006) 5-14.

3561 *Lipschits, Oded* On cash-boxes and finding or not finding books: Jehoash's and Josiah's decisions to repair the temple. ^FNA'AMAN, N. 2006 ⇒120. 239-254 [2 Kgs 12,10-16; 22,8-10].

3562 *Karner, Gerhard* 'Ein Siegespfeil von Jahwe': eine neuassyrische Parallele zu 2Kön 13,14-20. WZKM 96 (2006) 159-195.

3563 *Dion, Paul-E.* Ahaz and other willing servants of Assyria. ^FPECKHAM, B.: LHBOTS 455: 2006 ⇒126. 133-145 [2 Kgs 16,7-8].

3564 **Bostock, David** A portrayal of trust: the theme of faith in the Hezekiah narratives. Paternoster Biblical Monograph: Milton Keynes 2006, Paternoster xx; 251 pp. £20. 1-84227-314-0. Diss. Durham; Foreword *R.W.L. Moberly* [2 Kgs 18-20].

3565 *Arneth, Martin* Die Hiskiareform in 2 Reg 18,3-8. ZAR 12 (2006) 169-215.

3566 **Dubovský, Peter** Hezekiah and the Assyrian spies: reconstruction of the Neo-Assyrian intelligence services and its significance for 2 Kings 18-19. ^D*Machinist, Peter*: BibOr 49: R 2006, E.P.I.B. xvii; 308 pp. 88-7653-352-4. Diss. Harvard; Bibl. 280-305.

3567 *Yun, Il-Sung A.* Different readings of the Taharqa passage in 2 Kings 19 and the chronology of the 25th Egyptian dynasty. ^FPECKHAM, B.: LHBOTS 455: 2006 ⇒126. 169-181 [2 Kgs 19,9].

3568 *Strawn, Brent A.* HERODOTUS' *Histories* 2.141 and the deliverance of Jerusalem: on parallels, sources and histories of ancient Israel. ^FHAYES, J.: LHBOTS 446: 2006 ⇒64. 210-238 [2 Kgs 19,35].

3569 *Butting, Klara* Hulda–eine Prophetin im Zeitalter des Kanons: 2 Könige 22 und 23. Die besten Nebenrollen. 2006 ⇒1164. 160-164.

3570 *Latvus, Kari* Decolonizing Yahweh: a postcolonial reading of 2 Kings 24-25. Postcolonial biblical reader. 2006 ⇒479. 186-192.

3571 *Dyk, Janet; Van Keulen, Percy* Of words and phrases: Syriac versions of 2 Kings 24:14. ᶠJENNER, K.: MPIL 14: 2006 ⇒75. 39-56.

3572 *Pakkala, Juha* Zedekiah's fate and the dynastic succession. JBL 125 (2006) 443-452 [2 Kgs 25,27-30].

E5.2 *Chronicorum libri*—The books of Chronicles

3573 *Amit, Yairah* The role of prophecy and prophets in the Chronicler's world. Prophets, prophecy. LHBOTS 427: 2006 ⇒728. 80-101.

3574 **Bae, Hee-Sook** Vereinte Suche nach JHWH—die hiskianische und josianische Reform in der Chronik. BZAW 355: 2005 ⇒21,3552. ᴿBijdr. 67 (2006) 342 (*Beentjes, P.C.*).

3575 *Beentjes, Pancratius C.* Israel's earlier history as presented in the book of Chronicles. History and identity. DCLY 2006: 2006 ⇒704. 57-75.

3576 **Beentjes, Pancratius C.** 2 Kronieken. Verklaring van de Hebreeuwse Bijbel: Kampen 2006, Kok 499 pp. €49.90. 978-90435-12966.

3577 **Ben Zvi, Ehud** History, literature and theology in the book of Chronicles. Bible World: L 2006, Equinox xi; 316 pp. £16/$27. 978-1845-5-30709/16. Bibl. 289-302.

3578 *Boer, Roland* 1 and 2 Chronicles. Queer bible commentary. 2006 ⇒ 2417. 251-267.

3579 *Gard, Daniel L.* The Chronicler's David: saint and sinner. CTQ 70/3-4 (2006) 233-252.

3580 *Geyser, Ananda; Breytenbach, Andries* 1 en 2 Kronieke as 'n magsteks. HTSTS 62 (2006) 473-500.

3581 **Japhet, Sara** 1-2 Chronik. ᵀ*Mach, D.*: HThK.AT: 2002-2003 ⇒18, 3299; 20,3395. ᴿThLZ 131 (2006) 23-26 (*Willi, Thomas*).

3582 *Japhet, Sara* The supposed common authorship of Chronicles and Ezra-Nehemiah investigated anew. 1-37;

3583 Conquest and settlement in Chronicles. 38-52;

3584 The historical reliability of Chronicles: the history of the problem and its place in biblical research. 117-136;

3585 The relationship between Chronicles and Ezra-Nehemiah. 169-182;

3586 Exile and restoration in the book of Chronicles. 331-341;

3587 Chronicles: a history. From the rivers of Babylon. 2006 ⇒246. 399-415.

3588 **Jarick, John** 1 Chronicles. Readings: 2005 ⇒21,3560. ᴿHeyJ 47 (2006) 105 (*Briggs, Richard S.*).

3589 *Jarick, John* The temple of David in the book of Chronicles. Temple and worship. LHBOTS 422: 2006 ⇒716. 365-381.

3590 **Kalimi, Isaac** An ancient Israelite historian: studies in the Chronicler, his time, place and setting. SSN 46: 2005 ⇒21,3562. ᴿCBQ 68 (2006) 119-20 (*Redditt, Paul L.*); JSJ 37 (2006) 462-4 (*Beyerle, Stefan*); RBLit (2006)* (*Ristau, Ken*); JHScr 6 (2006)* (*Ben Zvi, Ehud; Hubbard, Robert L., Jr.; Klein, Ralph W.; Throntveit, Mark A.*);

3591 The reshaping of ancient Israelite history in Chronicles. 2005 ⇒21, 3561. ᴿCBQ 68 (2006) 120-121 (*Redditt, Paul L.*); BS 163 (2006)

368-369 (*Merrill, Eugene H.*); BBR 16/1 (2006) 155-156 (*Hawkins, Ralph K.*); TJT 22 (2006) 76-78 (*Mitchell, Christine*); AUSS 44 (2006) 183-184 (*Li, Tarsee*); RExp 103 (2006) 834-836 (*Nogalski, James D.*); RBLit (2006)* (*Boda, Mark*).

3592 *Klein, Ralph W.* The God of the Chronicler. [F]FRETHEIM, T. 2006 ⇒ 45. 120-127.

3593 **Klein, Ralph W.** 1 Chronicles: a commentary. Hermeneia: Mp 2006, Fortress xxi; 561 pp. $55. 978-08006-60857. [R]JHScr 6 (2006)* = PHScr III,434-436 (*McKenzie, Steven L.*) [⇒593].

3594 **Knoppers, Gary N.** 1 Chronicles 1-9, 10-29. AncB 12-13: 2004 ⇒ 20,3400; 21,3564. [R]HeyJ 47 (2006) 451-452 (*Briggs, Richard S.*); ETR 81 (2006) 269-272 (*Vincent, Jean Marcel*); NRTh 128 (2006) 482-484 (*Ska, Jean-Louis*); Interp. 60 (2006) 326-328 (*Tuell, Steven S.*); RExp 103 (2006) 836-839 (*Biddle, Mark E.*); IThQ 71 (2006) 355-357 (*McNamara, Martin*); Bib. 87 (2006) 559-562 (*Beentjes, Pancratius C.*); JThS 57 (2006) 187-191 (*Johnstone, William*);

3595 1 Chronicles 10-29. AncB 13: 2004 ⇒ 20,3400; 21,3564. [R]RBLit (2006)* (*Cathey, Joseph; Klein, Ralph*).

3596 *Knoppers, Gary N.* Israel's first king and "the kingdom of YHWH in the hands of the sons of David": the place of the Saulide monarchy in the Chronicler's historiography. Saul in story and tradition. FAT 47: 2006 ⇒381. 187-213.

3597 **McKenzie, Steven L.** 1-2 Chronicles. Abingdon OT Comm.: 2004 ⇒20,3403. [R]JBSt 6/2 (2006) 35-37* (*Woodruff, Kevin W.*).

3598 *Phillips, David* The reception of Peshitta Chronicles: some elements for investigation. The Peshitta. MPIL 15: 2006 ⇒781. 259-295.

3599 *Stafford, John K.* Temple? What temple?: eschatology in the book of Chronicles. Perichoresis 4 (2006) 31-52.

3600 *Japhet, Sara* The Israelite legal and social reality as reflected in Chronicles: a case study. From the rivers of Babylon. 2006 ⇒246. 233-244 [1 Chr 2,34-41].

3601 *Willi, Thomas* "Da kleidete sich der Geist in Amasaj...": prophetischer Geist in 1 Chr 12,17-19?. [F]MEINHOLD, A.: ABIG 23: 2006 ⇒ 110. 537-551.

3602 *Balzaretti, Claudio* L'angelo del censimento (1Cr 21,15-16). RivBib 54 (2006) 29-44 [Num 22,22-35; Josh 5,13-15].

3603 *Jonker, Louis* The Cushites in the Chronicler's version of Asa's reign: a secondary audience in Chronicles?. OTEs 19 (2006) 863-881 [1 Kgs 9,15-24; 2 Chr 13,23-16,14].

3604 *Eitan, Amir* The character and times of Ahaz in the book of Chronicles as a test of the creditability of the Chronicler–an exercise in dynamic reading. Shnaton 16 (2006) 43-69 [2 Chr 28]. **H**.

3605 *Japhet, Sara* The distribution of the priestly gifts according to a document of the second temple period. From the rivers of Babylon. 2006 ⇒246. 289-306 [2 Chr 31,4-19].

3606 *Ben Zvi, Ehud* Observations on Josiah's account in Chronicles and implications for reconstructing the worldview of the chronicler. [F]NA-'AMAN, N. 2006 ⇒120. 89-106 [2 Chr 34-35].

3607 *Mitchell, Christine* The ironic death of Josiah in 2 Chronicles. CBQ 68 (2006) 421-435 [2 Chr 34-35].

3608 *Ben Zvi, Ehud* Revisiting 'boiling in fire' in 2 Chronicles 35:13 and related passover questions: text, exegetical needs and concerns, and general implications. Biblical interpretation in Judaism & christianity. LHBOTS 439: 2006 ⇒742. 238-250.

3609 *Passoni Dell'Acqua, Anna* La Preghiera di Manasse un esempio di fantasia linguistica per cantare la misericordia di Dio. ^FCIGNELLI, L.: SBFA 68: 2006 ⇒21. 117-156.

E5.4 *Esdrae libri*—Ezra, Nehemiah

3610 *Berquist, Jon L.* Constructions of identity in postcolonial Yehud. Judah and the Judeans. 2006 ⇒941. 53-66.
3611 *Cross, Frank M.* A reconstruction of the Judean restoration. Presidential voices. SBL.Biblical Scholarship in North America 22: 2006 <1974> ⇒340. 153-168.
3612 ^T**DeGregorio, Scott** BEDE: On Ezra and Nehemiah. Translated texts for historians 47: Liverpool 2006, Liverpool University Pr. xliv; 260 pp. 1-84631-001-6. Bibl. 235- 248.
3613 *Eskenazi, Tamara C.* The missions of Ezra and Nehemiah. Judah and the Judeans. 2006 ⇒941. 509-529.
3614 *Japhet, Sara* Periodization between history and ideology II: chronology and ideology in Ezra-Nehemiah. Judah and the Judeans. 2006 ⇒ 941. 491-508;
3615 = From the rivers of Babylon. 2006 ⇒246. 416-431.
3616 Sheshbazzar and Zerubbabel against the background of the historical and religious tendencies of Ezra-Nehemiah, parts 1-2. From the rivers of Babylon. 2006 ⇒246. 53-84, 85-95;
3617 People and land in the restoration period. 96-116;
3618 Law and 'the law' in Ezra-Nehemiah. 137-151;
3619 Composition and chronology in the book of Ezra-Nehemiah. 245-67;
3620 The concept of the 'remnant' in the restoration period: on the vocabulary of self-definition. From the rivers of Babylon. 2006 ⇒ 246. 432-449.
3621 *Marcus, David* How BHQ differs from BHS in the book of Ezra-Nehemiah. ^FSCHENKER, A.: VT.S 110: 2006 ⇒147. 169-176.
3622 ^E**Marcus, David** Ezra and Nehemiah. BHQ 20: Stu 2006, Deutsche Bibelgesellschaft xxxii; 83, 52* pp. $62/€46. 3-438-05280-6. Bibl. 49*-52*.
3623 **Min, Kyung-jin** The levitical authorship of Ezra-Nehemiah. JSOT.S 409: 2004 ⇒20,3437; 21,3591. ^RHebStud 47 (2006) 454-457 (*Klingbeil, Gerald A.*); RBLit (2006)* (*Grabbe, Lester*).
3624 **Schaper, Joachim** Priester und Leviten im achämenidischen Juda: Studien zur Kult- und Sozialgeschichte Israels in persischer Zeit. FAT 31: 2000 ⇒16,2971... 21,3594. ^RJAOS 126 (2006) 89-102 (*Fried, Lisbeth S.*).
3625 *Stanley, Ron L.* Ezra–Nehemiah. Queer bible commentary. 2006 ⇒ 2417. 268-277.
3626 *Usue, Emmanuel* Theological perspectives on the concept of 'Yahweh's people' in Ezra and Nehemiah during the early post-exile period (539-350 BC)–part II. OTEs 19 (2006) 205-215.

3627 *Gesche, Bonifatia* Esdras. BVLI 50 (2006) 9-10.

3628   *Grabbe, Lester L.* The "Persian documents" in the book of Ezra: are they authentic?. Judah and the Judeans. 2006 ⇒941. 531-570.

3629   **Hawley, Charles A.** A critical examination of the Peshitta version of the book of Ezra. Piscataway (N.J.) 2006 <1922>, Gorgias x; 69 pp. 1-59333-399-4. Fascimile ed.; Bibl. xi.

3630   *Marrazza, Massimiliano* L'aramaico del libro di Ezra. Materia Giudaica 11/1-2 (2006) 379-390.

3631   *Steiner, Richard C.* Bishlam's archival search report in Nehemiah's archive: multiple introductions and reverse chronological order as clues to the origin of the Aramaic letters in Ezra 4-6. JBL 125 (2006) 641-685.

3632   *Fried, Lisbeth S.* The *'am hā'āreṣ*_in Ezra 4:4 and Persian imperial administration. Judah and the Judeans. 2006 ⇒941. 123-145.

3633   *Berman, Joshua* The narratorial voice of the scribes of Samaria: Ezra iv 8-vi 18 reconsidered. VT 56 (2006) 313-326.

3634   *Grätz, Sebastian* Die Aramäische Chronik des Esrabuches und die Rolle der Ältesten in Esr 5-6. ZAW 118 (2006) 405-422.

3635   **Pakkala, Juha** Ezra the scribe: the development of Ezra 7-10 and Nehemia 8. BZAW 347: 2004 ⇒20,3454. [R]OLZ 101 (2006) 183-186 (*Grätz, Sebastian*); Bib. 87 (2006) 294-297 (*Schweitzer, Steven*).

3636   *Pakkala, Juha* The original independence of the Ezra story in Ezra 7-10 and Neh 8. BN 129 (2006) 17-24.

3637   **Grätz, Sebastian** Das Edikt des Artaxerxes: eine Untersuchung zum religionspolitischen und historischen Umfeld von Esra 7,12-26. BZAW 337: 2004 ⇒20,3457; 21,3604. [R]OLZ 101 (2006) 180-183 (*Willi, Thomas*); Bib. 87 (2006) 130-133 (*Klein, Ralph W.*); RBLit (2006)* (*Siedlecki, Armin*).

3638   *Duggan, Michael W.* Ezra 9:6-15: a penitential prayer within its literary setting. Seeking the favor of God, 1. Early judaism and its literature 21: 2006 ⇒700. 165-180.

3639   Iran: Haft Tappeh: auf Nehemias Spuren. WUB 41 (2006) 61.

3640   *Albertz, Rainer* Purity strategies and political interests in the policy of Nehemiah. [F]DEVER, W. 2006 ⇒32. 199-206.

3641   *Dray, Stephen* Nehemiah: an applied overview. Evangel 24 (2006) 66-70.

3642   *Edelman, Diana* Seeing double: Tobiah the Ammonite as an encrypted character. RB 113 (2006) 570-584.

3643   *Farisani, Elewani B.* The third return of the Babylonian exiles to Palestine. OTEs 19 2006, 1162-1177.

3644   *Fistill, Ulrich* Zwischen Tradition und Innovation: in der Schule Nehemias. Brixner theologisches Forum 117/3 (2006) 63-67.

3645   *Pinto, Roberto* Nehemías: tres principios de un liderazgo transformador eficaz. DavarLogos 5/2 (2006) 107-115.

3646   **Wright, Jacob L.** Rebuilding identity: the Nehemiah-Memoir and its earliest readers. BZAW 348: 2005 ⇒21,3615. [R]RBLit (2006)* (*Eskenazi, Tamara*).

3647   *Schunck, Klaus-Dietrich* Waren die Propheten Gegner Nehemias?. [F]MEINHOLD, A.: ABIG 23: 2006 ⇒110. 531-535 [Neh 6,1-14].

3648   *Fistill, Ulrich* Eine Geschichte mit Gott: Erinnerung und Identifizierung in Neh 9. Brixner theologisches Forum 117/1-2 (2006) 39-42.

3649   *Oeming, Manfred* "See, we are serving today" (Nehemiah 9:36): Nehemiah 9 as a theological interpretation of the Persian period. Judah and the Judeans. 2006 ⇒941. 571-588.
3650   *Vermeylen, Jacques* The gracious God, sinners and foreigners: how Nehemiah 9 interprets the history of Israel. History and identity. DCLY 2006: 2006 ⇒704. 77-114.

3651   *Dobroruka, Vicente* Chemically-induced visions in the fourth book of Ezra in light of comparative Persian material. JSQ 13 (2006) 1-26.
3652   *Sánchez Caro, José Manuel* Inspiración y canon en 4 Esd 14,1-50: intento de revisión. EstB 64 (2006) 671-697.
3653   *Stone, Michael E.* The concept of the Messiah in IV Ezra. <1968>;
3654   On reading an apocalypse. Apocrypha, Pseudepigrapha, I. OLA 144: 2006 <1991> ⇒310. 321-338/339-352.
3655   *Wooden, R. Glenn* Interlinearity in 2 Esdras: a test case. Septuagint research. SBL.SCSt 53: 2006 ⇒755. 119-144.
3656   *Geoltrain, Pierre* Remarques sur la diversité des pratiques discursives apocryphes; l'exemple de 5 Esdras;
3657   Le vol des ancêtres ou comment procéder à une captation d'héritage. Pierre Geoltrain. 2006 ⇒556. 35-43/13-24.
3658   S*tone, Michael E.* A new edition and translation of the *Questions of Ezra.* <1995>;
3659   An introduction to the Esdras writings. <2002>;
3660   Two new discoveries concerning uncanonical Ezra books. Apocrypha, Pseudepigrapha, I. OLA 144: 2006 <1978> ⇒310. 375-398/ 305-320/367-374.

E5.5 Libri Tobiae, Judith, Esther

3661   **Líndez, José Vílchez** Tobias e Judite. São Paulo 2006, Paulinas 556 pp. 85-356-1508-3.
3662   *Lundager Jensen, Hans J.* Family, fertility and foul smell: Tobit and Judith. Studies in the book of Tobit. LSTS 55: 2006 ⇒357. 129-139.
       Scaiola, D. Rut, Giudita, Ester 2006 ⇒3322.

3663   *Auwers, Jean-Marie* Tobit. BVLI 50 (2006) 10-11;
3664   Traduire le livre de Tobie pour la liturgie. RTL 37 (2006) 179-199.
3665   *Barker, Margaret* The archangel Raphael in the book of Tobit. Studies in the book of Tobit. LSTS 55: 2006 ⇒357. 118-128.
3666   *Bauckham, Richard* Tobit as a parable for the exiles of northern Israel. Studies in the book of Tobit. LSTS 55: 2006⇒357. 140-164.
3667   *Bredin, Mark* The significance of Jonah in Vaticanus (B) Tobit 14:4 and 8. Studies in the book of Tobit. LSTS 55: 2006 ⇒357. 43-58.
3668   **Charland, P.** Le jeune Tobias et son ange. Notre temps: Montréal 2006, Médiaspaul 142 pp. €13.25. 28942-06887.
3669   *Christian, Mark A.* Reading Tobit backwards and forwards: in search of "lost Halakhah". Henoch 28/1 (2006) 63-95 [Tobit 6,13].
3670   *Ego, Beate* "Euren Kindern werde auferlegt, Gerechtigkeit und Barmherzigkeit zu tun" (Tob 14,11)–Belehrung und Unterweisung in der Tobiterzählung. ᶠUNTERGASSMAIR, F. 2006 ⇒161. 119-130;
3671   Textual variants as a result of enculturation: the banishment of the demon in Tobit. Septuagint research. SBL.SCSt 53: 2006 ⇒755. 371-378.

3672 **Fitzmyer, Joseph A.** Tobit. Commentaries on Early Jewish Literature: 2003 ⇒19,3610... 21,3632. ᴿRivBib 54 (2006) 99-102 (*Dalla Vecchia, Flavio*).

3673 *Gathercole, Simon* Tobit in Spain: some preliminary comments on the relations between the Old Latin witnesses;

3674 *Goldman, Shalom* Tobit and the Jewish literary tradition. Studies in the book of Tobit. LSTS 55: 2006 ⇒357. 5-11/90-98.

3675 **Hallermayer, Michael** Text und Überlieferung des Buches Tobit. ᴰ*Schmitt, Armin* 2006, Diss. Regensburg [ThRv 103/2,x].

3676 *Hart, Trevor* Tobit in the art of the Florentine Renaissance. Studies in the book of Tobit. LSTS 55: 2006 ⇒357. 72-89.

3677 *Heltzer, M.* Neo-Assyrian administrative terms in Greek in the book of Tobit. NABU 2 (2006) 49-50.

3678 *MacDonald, Nathan* 'Bread on the grave of the righteous' (Tob. 4.17);

3679 Food and drink in Tobit and other 'diaspora novellas'. Studies in the book of Tobit. LSTS 55: 2006 ⇒357. 99-103/165-178.

3680 *Nardi, C.* Tobia come Antigone: il pietoso ufficio della sepoltura implicita resistenza a un potere inumano. VivH 17/2 (2005) 385-407 [Wisd 1,12-15; 2,21-24; 3,1-9].

3681 *Pitkänen, Pekka* Family life and ethnicity in early Israel and in Tobit;

3682 *Pyper, Hugh* 'Sarah is the hero': KIERKEGAARD's reading of Tobit in *Fear and trembling*. Studies in the book of Tobit. LSTS 55: 2006 ⇒ 357. 104-117/59-71.

3683 ᴱ**Wagner, Christian J.** Polyglotte Tobit-Synopse: griechisch-lateinisch-syrisch-hebräisch-aramäisch: mit einem Index zu den Tobit-Fragmenten vom Toten Meer. MSU 28; AAWG.PH 3,258: 2003 ⇒ 19,3621. ᴿDSD 13 (2006) 256-258 (*Lange, Armin*).

3684 *Weeks, Stuart* Some neglected texts of Tobit: the third Greek version. Studies in the book of Tobit. LSTS 55: 2006 ⇒357. 12-42.

3685 ᴱ**Weeks, Stuart; Gathercole, Simon J.; Stuckenbruck, Loren T.** The book of Tobit: texts from the principal ancient and medieval traditions, with synopsis, concordances, and annotated texts in Aramaic, Hebrew, Greek, Latin, and Syriac. FoSub 3: 2004 ⇒20,3485; 21,3651. ᴿJSJ 37 (2006) 509-510 (*Tigchelaar, Eibert*); DSD 13 (2006) 258-262 (*Lange, Armin*); JSSt 51 (2006) 410-412 (*Auwers, Jean-Marie*).

3686 *Weigl, Michael* Die rettende Macht der Barmherzigkeit: Achikar im Buch Tobit. BZ 50 (2006) 212-243;

3687 "Inkulturation" im Buch Tobit: Gemeinde im Ghetto?. Inkulturation. 2006 ⇒543. 39-62.

3688 ᴱ**Xeravits, Géza G.; Zsengeller, József** The book of Tobit text, tradition, theology. JSJ.S 98: 2005 ⇒21,3654. ᴿCBQ 68 (2006) 368-369 (*Di Lella, Alexander A.*).

3689 *Batsch, Christophe* Temps de la guerre et respect du sabbat dans *Judith*. Le temps et les temps. JSJ.S 112: 2006 ⇒408. 125-135.

3690 *Bogaert, Pierre-Maurice* Judith (et autres travaux). BVLI 50 (2006) 11-12.

3691 *deSilva, David A.* Judith the heroine?: lies, seduction, and murder in cultural perspective. BTB 36 (2006) 55-61.

3692 *Dube, Musa W.* Rahab says hello to Judith: a decolonizing feminist reading. Postcolonial biblical reader. 2006 <2003> ⇒479. 142-158 [Josh 2].

3693 **Efthimiadis-Keith, Helen** The enemy is within: a Jungian psycho-analytic approach to the book of Judith. BiblInterp 67: 2004 ⇒20, 3490; 21,3658. ^ROTEs 19 (2006) 348-354 (*Steenkamp, Yolande*).

3694 *Graham, Helen R.* A god who crushes wars: reading the book of Judith as an anti-war document. Scripture and the quest. 2006 ⇒785. 112-123.

3695 **Jiménez Hernández, Emiliano** Judit: prodigio de belleza. Beber de la Roca: M 2006, San Pablo 189 pp. 84-285-2748-2.

3696 **Mosis, Rudolf** Welterfahrung und Gottesglaube: drei Erzählungen aus dem Alten Testament. 2004 ⇒20,3162; 21,3661. [Jona; Judit] ^RCBQ 68 (2006) 523-525 (*Moore, Michael S.*) [1 Sam 4-6].

3697 *Navarro Puerto, Mercedes* Reinterpreting the past: Judith 5. History and identity. DCLY 2006: 2006 ⇒704. 115-140.

3698 *Osterkamp, E.* Judith: Schicksale einer starken Frau vom Barock zur Biedermeierzeit. Das Buch der Bücher. 2006 ⇒441. 171-195.

3699 **Rakel, Claudia** Judit—über Schönheit, Macht und Widerstand im Krieg: eine feministisch-intertextuelle Lektüre. BZAW 334: 2003 ⇒ 19,3626... 21,3663. ^RThRv 102 (2006) 130-132 (*Müllner, Ilse*).

3700 *Shemesh, Yael* 'Yet he committed no act of sin with me, to defile and shame me' (Judith 13:16)–the narrative of Judith as a corrective to the narrative of Yael and Sisera. Shnaton 16 (2006) 159-177 [Judg 4,17-22]. **H**.

3701 *Van Rompay, Lucas* No evil word about her: the two Syriac versions of the book of Judith. ^FJENNER, K.: MPIL 14: 2006 ⇒75. 205-230.

3702 *Vollmer, Ulrike* Auf Leinwand gebannt: Judith im (Miss-)verständnis von Malerei und Film. BiblInterp 14 (2006) 76-93.

3703 *Arzt, Silvia* "Nach einer Zeit tat es dem König leid": Bibelarbeit zu Ester 1 im Religionsunterricht. BiHe 42/167 (2006) 28-29.

3704 **Bechtel, Carol M.** Ester. ^E*Carosio, Francesca*: Strumenti Commentari 27: T 2005, Claudiana 184 pp. 88-7016-5914/639-2. Bibl. 171-4.

3705 *Bohlen, Reinhold* Als das Buch Ester entstand: was wir historisch über die Diaspora wissen. BiHe 42/167 (2006) 17-18.

3706 *Breitmaier, Isa* Mehr als eine Übersetzung!: das griechische Ester-buch. BiHe 42/167 (2006) 19-20.

3707 *Burns, Joshua E.* The special Purim and the reception of the book of Esther in the Hellenistic and early Roman eras. JSJ 37 (2006) 1-34.

3708 **Candido, Dionisio** I testi del libro di Ester: il caso dell'introitus TM 1,1-22—LXX A1-17; 1,1-22—Ta A1,18; 1,1-21. AnBib 160: 2005 ⇒21,3675. ^RRivBib 54 (2006) 238-240 (*Schenker, Adrian*); RTL 37 (2006) 561-562 (*Vialle, C.*); CivCatt 157/3 (2006) 316-317 (*Scaiola, D.*); JThS 57 (2006) 573-574 (*Elliott, J.K.*).

3709 *Chalupa, Petr* Ein gott-loses Buch in der Bibel?: das hebräische Es-terbuch. BiHe 42/167 (2006) 4-8.

3710 ^E**Crawford, Sidnie White; Greenspoon, Leonard Jay** The book of Esther in modern research. JSOT.S 380: 2003 ⇒19,585... 21,3679. ^RJJS 57 (2006) 173-174 (*Carruthers, Jo*).

3711 **Day, Linda** Esther. 2005 ⇒21,3680. ^RRBLit (2006)* (*Wahl, Harald; LaCocque, André*); JHScr 6 (2006)* = PHScr III,419-422 (*Klingbeil, Gerald A.*) [⇒593].

3712 *Duguid, Iain* But did they live happily ever after?: the eschatology of the book of Esther. WThJ 68 (2006) 85-98.

3713 *Ego, Beate* Die biblische Prophetie und das Esterbuch–ein Experi-
ment. [F]MEINHOLD, A.: ABIG 23: 2006 ⇒110. 513-30 [Num 24,5-7].

3714 **Fox, Michael V.** Character and ideology in the book of Esther. [2]2001
<1991> ⇒17,3047; 19,3649. [R]JJS 57 (2006) 174-5 (*Carruthers, Jo*).

3715 *Haelewyck, Jean-Claude* Hester. BVLI 50 (2006) 12-14;

3716 The relevance of the Old Latin version for the Septuagint, with spe-
cial emphasis on the book of Esther. JThS 57 (2006) 439-473.

3717 [E]**Haelewyck, Jean-Claude** VL 7/3. Hester: fascicule 1-2. 2003-2004
⇒19,3653; 20,3516. [R]JThS 57 (2006) 571-573 (*Elliott, J.K.*);

3718 VL 7/3. Hester: fascicule 3: Est 2,7-4,7. FrB 2006, Herder 161-240
pp. 3-451-00293-0.

3719 **Harvey, Charles D.** Finding morality in the diaspora?: moral ambi-
guity and transformed morality in the books of Esther. BZAW 328:
2003 ⇒19,3656... 21,3683. [R]Adamantius 12 (2006) 533-539 (*Passo-
ni Dell'Acqua, Anna*).

3720 **Horowitz, Elliott** Reckless rites: Purim and the legacy of Jewish vio-
lence. Princeton 2006, Princeton Uni. Pr. xiv; 340 pp. $35.

3721 **Kahana, Hanna** Esther: juxtaposition of the Septuagint translation
with the Hebrew text. CBET 40: 2005 ⇒21,3687. [R]JSJ 37 (2006)
461-462 (*Van der Louw, Theo*).

3722 *Kessler, Rainer* Die Juden als Kindes- und Frauenmörder?: zu Ester
8,11. Gotteserdung. BWANT 170: 2006 <1990> ⇒249. 221-227.

3723 *Klapheck, Elisa* Hadassa-Ischtar-Ester: wie das Fremde in der Ester-
Rolle jüdisch wird. BiHe 42/167 (2006) 23-25.

3724 *Marböck, Johannes* Das Gebet der Ester: zur Bedeutung des Gebetes
im griechischen Esterbuch. Weisheit und Frömmigkeit. ÖBS 29:
2006 ⇒269. 237-255 [Esther 14].

3725 *Mills, Mary E.* Household and table: diasporic boundaries in Daniel
and Esther. CBQ 68 (2006) 408-420.

Rosenberg, S. Esther Ruth Jonah deciphered 2004 ⇒3321.

3726 *Sæbø, Magne* Some reflections on the use of paseq in the book of Es-
ther. [F]SCHENKER, A.: VT.S 110: 2006 ⇒147. 227-238.

3727 *Seifert, Elke* Wein, Weib-Widerstand: eine Bibelarbeit zu Ester 1,1-
22. BiHe 42/167 (2006) i-iv.

3728 *Silverstein, Adam* The book of Esther and the *Enūma elish*. BSOAS
69 (2006) 209-223.

3729 *Vaijda, Sarah* Si *Esther* m'était conté.... Pierre Geoltrain. 2006 ⇒
556. 307-313.

3730 *Vialle, Catherine* La reine Esther: caractérisation du personnage
d'Esther dans le Texte Massorétique. Et vous. 2006 ⇒760. 229-244.

3731 *Wacker, Marie-Theres* "... ein großes Blutbad": Ester 8-9 und die
Frage nach der Gewalt im Esterbuch. BiHe 42/167 (2006) 14-16.

3732 *West, Mona* Esther. Queer bible commentary. 2006 ⇒2417. 278-285.

3733 *Zwick, Reinhold* Mit "Esther" für Versöhnung streiten: zu Amos Gi-
tais filmischer Aktualisierung der biblischen Erzählung. BiblInterp
14 (2006) 54-75.

E5.8 *Machabaeorum libri*, **1-2[3-4] Maccabees**

3734 *Badurina-Stipcevic, Vesna* Knjige o Makabejcima u hrvatskogla-
goljskoj književnosti: *Prva knjiga o Makabejcima* u hrvatskogla-
golskim brevijarima [The books of the Maccabees in the Croatian

Glagolitic literature: the first book of the Maccabees in the Croatian Glagolitic breviaries]. Slovo 54-55 (2006) 5-126. **Croatian.**

3735 *Berthelot, Katell* L'idéologie maccabéenne: entre idéologie de la résistance armée et idéologie du martyre. REJ 165 (2006) 99-122.

3736 *Habicht, Christian* Hellenism and Judaism in the age of Judas Maccabaeus.. Hellenistic monarchies. 2006 <1975> ⇒229. 91-105.

3737 **Nodet, Étienne** La crise maccabéenne: historiographie juive et traditions bibliques. Josèphe et son temps 6: 2005 ⇒21,3708. ^RRSR 94 (2006) 236-237 (*Gibert, Pierre*); ThLZ 131 (2006) 981-982 (*Riaud, Jean*).

3738 *Parker, Victor L.* Judas Maccabaeus' campaigns against Timothy. Bib. 87 (2006) 457-476]1 Macc 5,6-8; 2 Macc 8,30-33; 10,24-38].

3739 *Prévot, Françoise* Le modèle des Maccabées dans la pastorale gauloise au Ve siècle. RHEF 92 (2006) 319-342.

3740 *Rudin, A.J.* Festival of lights: the triumph of religious freedom. America 195/20 (2006) 18-19.

3741 *Aguilar, Mario I.* Maccabees–symbolic wars and age sets: the anthropology of war in 1 Maccabees. Ancient Israel. 2006 ⇒724. 240-253.

3742 *Doran, Robert* Emending 1 Macc 7,16. Bib. 87 (2006) 261-2 [Ps 78].

3743 *Egger-Wenzel, Renate* The testament of Mattathias to his sons in 1 Macc 2:49-70: a keyword composition with the aim of justification. History and identity. DCLY 2006: 2006 ⇒704. 141-149.

3744 *Parks Ricker, Sara* Widening the possibilities for ancient biblical interpreters: 1 Maccabees and 'scripture'. Scriptura(M) 8/2 (2006) 23-36.

3745 **Rappaport, Uriel** Sefer Maqabim A: the first book of Maccabees: 2004 ⇒20,3540; 21,3717. ^RZion 71 (2006) 373-378 (*Shatzman, Israel*). **H.**

3746 *Habicht, Christian* Royal documents in 2 Maccabees. Hellenistic monarchies. 2006 <1976> ⇒229. 106-123 [2 Macc 9,18-27; 11,16-38].

3747 **Pizzolato, Luigi F.; Somenzi, Chiara** I sete fratelli Maccabei nella chiesa antica d'Occidente. SPMed 25: 2005 ⇒21,3723. ^RRivAC 82 (2006) 511-517 (*Musotto, Emanuela*) [2 Macc 7].

3748 *Schaper, Joachim* Translating 2 Maccabees for NETS. XII Congress IOSCS. SCSt 54: 2006 ⇒774. 225-232.

3749 **Schwartz, D.R.** Sefer Maqabim B: the second book of Maccabees. 2004 ⇒20,3543. ^RZion 71 (2006) 378-382 (*Shatzman, Israel*). **H.**

3750 *Corley, Jeremy* The review of history in Eleazar's prayer in 3 Macc 6:1-15. History and identity. DCLY 2006: 2006 ⇒704. 201-229.

3751 **Croy, N. Clayton** 3 Maccabees. Lei 2006, Brill xxii; 143 pp. €86. 90-04-14775-6. Bibl. 123-128.

3752 **Johnson, Sara Raup** Historical fictions and Hellenistic Jewish identity: Third Maccabees in its cultural context. 2004 ⇒20,3547. ^RCBQ 68 (2006) 118-119 (*Cousland, J.R.C.*); JSJ 37 (2006) 459-460 (*Tromp, Johannes*); Adamantius 12 (2006) 524-530 (*Passoni Dell' Acqua, Anna*).

3753 *DeSilva, David A.* The Sinaiticus text of 4 Maccabees. CBQ 68 (2006) 47-62;

3754 The perfection of 'love for offspring': Greek representations of maternal affection and the achievement of the heroine of 4 Maccabees. NTS 52 (2006) 251-268.

3755 **DeSilva, David A.** 4 Maccabees: introduction and commentary on the Greek text in Codex Sinaiticus. Septuagint Commentary: Lei 2006, Brill 347 pp. $153. 978-90041-47768.

3756 *Gemünden, Petra von* Der Affekt der ἐπιθυμία und der νόμος: Affektkontrolle und soziale Identitätsbildung im 4. Makkabäerbuch mit einem Ausblick auf den Römerbrief. [F]BURCHARD, C.: NTOA 57: 2006 ⇒13. 55-74 [Rom 7].

3757 [ET]**Scarpat, Giuseppe** Quarto libro dei Maccabei. Biblica 9: Brescia 2006, Paideia 446 pp. €43.80. 88394-07146. Nota storica di *Giulio Firpo*. [R]Iren. 79 (2006) 445; CivCatt 157/4 (2006) 408-410 (*Prato, G.L.*).

VI. Libri didactici VT

E6.1 *Poesis metrica*, **Biblical** and Semitic **versification**

3758 *Barco, Javier del; Seijas de los Rios-Zarzosa, M. Guadalupe* The syntax of parallelism in Isaiah and the Minor Prophets: a comparative study. JNSL 32/1 (2006) 113-130.

3759 *Blocher, Henri* La poésie dans la bible. La bible au microscope. 2006 <1997> ⇒192. 199-209.

3760 *Desnitsky, Andrei S.* Thread and tracery, or prose and poetry in the bible. BiTr 57 (2006) 85-92.

3761 *Langenhorst, Georg* "Psalmen als Gedichte" (A. Stadler): religionspädagogische Chancen biblischer und literarischer Psalmen. rhs 49 (2006) 371-376.

3762 **Lunn, Nicholas P.** Word-order variation in Biblical Hebrew poetry: differentiating pragmatic poetics. Paternoster Biblical monographs: Milton Keynes 2006, Paternoster xxii; 373 pp. £25. 978-1-84227-42-3-1. Bibl. 281-289.

3763 *Rupert, Christopher T.* Hebrew poetry: patterned for pemanence. [F]PECKHAM, B.: LHBOTS 455: 2006 ⇒126. 80-97.

3764 **Van der Lugt, Pieter** Cantos and strophes in Biblical Hebrew poetry: with special reference to the first book of the Psalter. OTS 53: Lei 2006, Brill xvii; 581 pp. 90-04-14839-6. Bibl. 575-581.

3765 *Van Rensburg, F.I.J.* Psalmberyming in Afrikaans. VeE 27 (2006) 1077-1094.

3766 *Weber, Beat* Entwurf einer Poetologie der Psalmen. Lesarten der Bibel. 2006⇒699. 127-154.

E6.2 **Psalmi, textus**

3767 *Ausloos, Hans* למנצח in the psalm headings and its equivalent in LXX. XII Congress IOSCS. SCSt 54: 2006 ⇒774. 131-139.

3768 **Barthélemy, Dominique** Critique textuelle de l'Ancien Testament, tome 4: Psaumes. [E]*Ryan, Stephen D.; Schenker, Adrian*: OBO 50/4: 2005 ⇒21,3752. [R]RBLit (2006)* (*Martone, Corrado*).

3769   **Brown, Michelle P.** The Luttrell psalter: a fascimile. L 2006, British
       Library vi; 57 pp. $750. Commentary; num. ill.; 600+ pp.
3770   *Brucker, Ralph* Observations on the *Wirkungsgeschichte* of the Sep-
       tuagint Psalms in ancient Judaism and early christianity. Septuagint
       research. SBL.SCSt 53: 2006 ⇒755. 355-369.
3771   **Carbajosa Perez, Ignacio** Las características de la versión Siríaca
       de los Salmos (Sal 90-150 de la Peshitta). ᴰ*Pisano, Stephen*: AnBib
       162: R 2006, E.P.I.B. 468 pp. €30. 88-7653-162-9. Diss. Pont. Ist.
       Biblico; Bibl. 413-428.
3772   ᴱ**Flint, Peter W.; Miller, Patrick D., Jr.** The book of Psalms: com-
       position and reception. VT.S 99; FIOTL 4: 2005 ⇒21,390. ᴿThZ 62
       (2006) 82-83 (*Leuenberger, Martin*); JThS 57 (2006) 192-93 (*Hunt-
       er, Alastair G.*); JHScr 6 (2006)* = PHScr III,342-346 (*Williams,
       Tyler F.*) [⇒593].
3773   ᴱ**Geddes, Jane** The St Albans Psalter: a book for Christina of Mark-
       yate. L 2006, British Library 136 pp. $50. 0-7123-0677-3. 89 ill.
3774   ᴱ**Grunewald, Eckhard; Jürgens, Henning P.; Luth, Jan R.** Der
       Genfer Psalter und seine Rezeption in Deutschland, der Schweiz und
       den Niederlanden: 16.-18. Jahrhundert. Frühe Neuzeit 97: 2004 ⇒
       20,3577. ᴿThLZ 131 (2006) 191-193 (*Szabó, András*).
3775   *Norton, Gerard J.* A diplomatic edition of the Psalter?. ᶠSᴄʜᴇɴᴋᴇʀ,
       A. VT.S 110: 2006 ⇒147. 193-205.
3776   Die Psalmen. Stu 2006, Kathol. Bibelwerk 316 min.. €19.90. 3460-3-
       2935-1. Der vollständige Text in der ökumenisch verantworteten Ein-
       heitsübersetzung gesprochen von *Günter Rohkämper-Hegel*—CD.
3777   The Saint John's Bible, 4: Psalms. ColMn 2006, Liturgical 80 pp.
       $60. Handwritten and illuminated by Donald Jackson. 08146-9056-4.
3778   *Smith, Jannes* The meaning and function of ἀλληλουϊά in the Old
       Greek psalter. XII Congress IOSCS. SCSt 54: 2006 ⇒774. 141-151.
3779   *Sollamo, Raija* The place of the enclitic personal pronouns in the Old
       Greek psalter. XII Congress IOSCS. SCSt 54: 2006 ⇒774. 153-160.
3780   *Stone, Michael E.* An Armenian psalter in the library of Northwestern
       University Evanston, Illinois. Apocrypha, Pseudepigrapha, II. OLA
       145: 2006 <1974> ⇒310. 545-557.
3781   *Taylor, David G.K.* The psalm headings in the West Syrian tradition.
       The Peshitta. MPIL 15: 2006 ⇒781. 365-378.
3782   *Van Rooy, Harry F.* The text of the psalms in the shorter Syriac com-
       mentary of ATHANASIUS. ᶠJᴇɴɴᴇʀ, K.: MPIL 14: 2006 ⇒75. 165-75.
3783   **Vidas, Marina** The Christina psalter: a study of the images and texts
       in a French early thirteenth-century illuminated manuscript. K 2006,
       Museum Tusculanum Pr. 154 pp. $45. Num. ill.
3784   **Westphal, Stefanie** Der Wolfenbütteler Psalter: Cod. Guelf.81.17
       Aug. 2°: eine ornamentgeschichtliche Studie. ᴰ*Kinder, Ulrich; Mül-
       ler-Wille, Michael*: Wolfenbütteler Mittelalter-Studien 19: Wsb 2006,
       Harrassowitz 259 pp. €98. 978-34470-54737. Diss. Kiel.

E6.3 Psalmi, introductio

3785   *Auwers, J.-M.* "Psalmodiez intelligemment" (Ps 46,8 LXX): publica-
       tions récentes sur le Psautier. RTL 37 (2006) 60-78.
3786   **Bullock, C. Hassell** Encountering the book of Psalms: a literary and
       theological introduction. 2004 ⇒20,3598. ᴿRExp 103 (2006) 833-
       834 (*Tillman, William M., Jr.*).

3787 *Crenshaw, James L.* The book of Psalms and its interpreters. Prophets, sages. 2006 <2004> ⇒204. 106-124.
3788 *deClaissé-Walford, Nancy L.* Reading backwards from the beginning: my life with the psalter. LexTQ 41/2 (2006) 119-130 [Ps 1-2].
3789 *Hecht, Anneliese* Glaube, der durch die Zeiten trägt: Grundinformationen zu den Psalmen. BiHe 42/168 (2006) 6-8.
3790 *Klingbeil, Martin G.* Off the beaten track: an evangelical reading of the Psalms without GUNKEL. BBR 16 (2006) 25-39.
3791 *Kreuzer, Siegfried* Eigenart, Bedeutung und Theologie der Psalmen. Amt und Gemeinde 57 (2006) 106-116.
3792 *Lipsyc, Sonia S.* Les psaumes du roi David au coeur de la tradition juive à la lumière de quelques enseignements talmudiques. Les psaumes: de la liturgie à la littérature. 2006 ⇒369. 83-106.
3793 **Mailhiot, Gilles-Dominique** El libro de los Salmos: rezar a Dios con palabras de Dios. [T]*Martín-Peralta, Carlos Martín*: Sicar: 2005 ⇒21, 3786. [R]AnáMnesis 16/1 (2006) 30-31 (*Chico, Gabriel*).
3794 **Martilla, Marko** Collective reinterpretation in the psalms: a study of the redaction history of the psalter. [D]*Veijola, Timo*: FAT 2/13: Tü 2006, Mohr S. 274 pp. €59. 3-16-148838-5. Diss. Helsinki 2004. Bibl. 241-257. [R]OTEs 19 (2006) 776-778 (*Weber, B.*).
3795 **Ponessa, Joseph; Manhardt, Laurie W.** David and the psalms. "Come and see" catholic bible study: Steubenville 2006, Emmaus Road iv; 202 pp. $20 [HPR 107/5,77—Kenneth Baker].
3796 *Pyper, Hugh S.* The bible as a children's book: the metrical psalms and *The Gammage Cup*. The recycled bible. SBL. Semeia Studies 51: 2006 ⇒351. 143-159.
3797 *Renaud, Bernard* Les psaumes: état de la recherche. Les psaumes: de la liturgie à la littérature. 2006 ⇒369. 9-32.

E6.4 Psalmi, commentarii

3798 **Aparicio Rodríguez, Angel** Salmos 42-72. Comentarios a la nueva Bíblia de Jerusalén 13B: Bilbao 2006, Desclée de B. 312 pp. 83330-21095.
3799 [T]**Berlanga Fernández, Immaculada** Juan CRISÓSTOMO: Comentarios a los salmos 1: introducción, traducción y notas. Biblioteca de patrística 68: M 2006, Ciudad N. 473 pp. 84971-50945. [Ps 4-12; 41; 43-49];
3800 2: introducción, traducción y notas. Biblioteca de patrística 69: M 2006, Ciudad N. 526 pp. 84-9715-095-3. [Ps 108-117; 119-150];
3801 Comentarios a los salmos 1 y 2. [R]Revista Católica 106 (2006) 343; Burg. 47 (2006) 584-586 (*Sánchez, Manuel Diego*).
3802 [T]**Caruso, Antonio** Flavio Magno Aurelio CASSIODORO: Spaccati di vita, 1: I salmi di Gesù. Tradizione e Vita 15: 2005 ⇒21,3797. [R]StPat 53 (2006) 288-289 (*Corsato, Celestino*);
3803 2: I salmi penitenziali. Tradizione e Vita: R 2006, Vivere In 161 pp.
3804 **Eaton, John H.** The Psalms: a historical and spiritual commentary 2003 ⇒19,3753...21,3755. [R]HeyJ 47 (2006) 446-7 (*Hill, Robert C.*).
3805 [E]**Fioramonti, Stanislao** INNOCENTIUS PP. III, 1160-1216: opere spurie e dubbie: commento ai sette salmi penitenziali = Commentarium in septem psalmos poenitentiales. Segni (RM) 2006, Ed. del Verbo

Incarnato 523 pp. Saggio ermeneutico preliminare del *Arturo A. Ruiz Freites*; Testo latino con introd.e trad. in italiano; Bibl. 53-54.

3806 **Goldingay, John E.** Psalms. Baker Commentary on the OT: Wisdom and Psalms: GR 2006, Baker 2 vols; 639+752 pp. $45+45. 978-0-8010-2703-1/4-8. Vol. 1: Psalms 1-41; vol. 2: Psalms 42-89.

3807 [E]**Gori, Franco** AUGUSTINUS: Enarrationes in Psalmos 141-150. CSEL 95/5; Sancti Augustini Opera: 2005 ⇒21,3800. [R]Orph. 27/1-2 (2006) 214-215 (*Corsaro, Francesco*).

3808 [ET]**Hill, Robert C.** THEODORE of Mopsuestia: Commentary on Psalms 1-81. WGRW 5: Atlanta, GA 2006, Society of Biblical Literature xxxviii; 1137 pp. 1-58983-060-1. Bibl. 1125-1128.

3809 **Hossfeld, Frank-Lothar; Zenger, Erich** Psalms 2: a commentary on Psalms 51-100. [T]*Maloney, Linda M.*: Hermeneia: 2005 ⇒21, 3805. [R]CTJ 41 (2006) 143-145 (*Ellens, J. Harold*); RBLit (2006)* (*Kraus, Thomas*).

3810 *Kamionkowski, S. Tamar* Psalms. Queer bible commentary. 2006 ⇒ 2417. 304-324.

3811 [T]**Orazzo, Antonio** ILARIO di Poitiers: commento ai salmi/1 (1-91); 2 (118); 3 (119-150). CTePa 185-187: 2005 ⇒21,3810. [R]Gr. 87 (2006) 623-624 (*Ladaria, Luis F.*); VetChr 43 (2006) 322-324 (*Laghezza, Angela*).

3812 **Pennington, M. Basil** Psalms: a spiritual commentary. Woodstock, VT 2006, Skylight P. 147 pp. $20 [BiTod 45,193—Dianne Bergant].

3813 [T]**Pradié, Pascal** BRUNO de Cologne, LUDOLPHE et DENYS le Chartreux: le commentaire des psaumes des montées, une échelle de vie intérieure. Spiritualité cartusienne: P 2006, Beauchesne 256 pp. €36. 27010-14972. [R]Carmel(T) 121 (2006) 123-24 (*Pasquet, Yves-Marie*).

3814 *Risse, Siegfried* Die Psalmenerklärung des Reynerus Snoy GOUDA-NUS und ihre Übersetzung (1566) von Nikolaus Hug Landenburger. AMRhKG 58 (2006) 299-318.

3815 **Schaefer, Konrad** Salmos, Cantar de los Cantares, Lamentaciones. Biblioteca bíblica básica: Estella 2006, Verbo Divino 336 pp. €12.79. 978-84-8169-241-9 [Qol 43,97-101].

3816 **Terrien, Samuel** The Psalms: strophic structure and theological commentary. 2003 ⇒19,3765...21,3815. [R]BS 163 (2006) 246-8 (*Chisholm, Robert B., Jr.*); JQR 96 (2006) 437-440 (*Nasuti, Harry P.*).

3817 **Vesco, Jean-Luc** Le psautier de David traduit et commenté. LeDiv 210-211: P 2006, Cerf 2 vols; 831; 587 pp. €62+52. 2204-08121-3/52-3.

3818 **Waltner, James H.** Psalms. Believers Church Bible Commentary: Scottdale, PA 2006, Herald 834 pp. $35. 0-8361-9337-7.

3819 **Weber, Beat** Werkbuch Psalmen, 1-2. 2003 ⇒19,3767; 20,3625. [R]TEuph 31 (2006) 179-181 (*Gosse, B.*).

E6.5 Psalmi, themata

3820 *Adamo, David T.* The imprecatory psalms in an African context. Biblical interpretation in African perspective. 2006 ⇒333. 139-153.

3821 *Aejmelaeus, Anneli* Faith, hope and interpretation: a lexical and syntactical study of the semantic field of hope in the Greek psalter. [F]ULRICH, E.: VT.S 101: 2006 ⇒160. 360-376.

3822 **Alonso Schökel, Luis** I salmi della fiducia. Bo 2006, Dehoniane 114 pp. €8.

3823 *Anderson, Gary Alan* King David and the psalms of imprecation. ProEc 15 (2006) 267-280.

3824 **Auffret, Pierre** Qu'elle soit vue chez tes serviteurs, ton oeuvre!: étude structurelle de dix-sept psaumes. Lyon 2006, Profac 331 pp. 2-85317-110-8. Bibl. 317-330.

3825 **Ballhorn, Egbert** Zum Telos des Psalters: der Textzusammenhang des vierten und fünften Psalmenbuches (Ps 90-150). BBB 138: 2004 ⇒20,3633. ᴿBZ 50 (2006) 114-116 (*Janowski, Bernd*); JETh 20 (2006) 202-204 (*Weber, Beat*).

3826 **Basson, Alec** Divine metaphors in selected Hebrew psalms of lamentation. ᴰ*Kruger, Paul*: FAT 2/15: Tü 2006, Mohr S. xii; 280 pp. €54. 3-16-148854-7. Diss. Stellenbosch; Bibl. 247-268. ᴿOTEs 19 (2006) 761-763 (*Weber, B.*).

3827 **Bautch, Richard J.** Developments in genre between post-exilic penitential prayers and the Psalms of communal lament. Academia biblica 7: 2003 ⇒19,3775...21,3820. ᴿJAOS 125 (2005) 547-48 (*McCollum, Adam C.*); [Ezra 9,6-15; Neh 9,06-37; Isa 63,7- 64,11].

3828 *Benun, Ronald* Evil and the disruption of order: a structural analysis of the acrostics in the first book of Psalms. JHScr 6 (2006)* {Ps 9-10; 25; 34; 37].

3829 **Bester, Dörthe** 'Mein Herz ist wie Wachs' (Ps. 22,15): Studien zu den Köperbildern in den Individualpsalmen am Beispiel von Psalm 22 und verwandten Texten. ᴰ*Janowski, B.* 2006, Diss. Tübingen [ThLZ 132,490].

3830 *Bons, Eberhard* Le Psautier de la Septante est-il influencé par des idées eschatologiques et messianiques?. The Septuagint and messianism. BEThL 195: 2006 ⇒753. 217-238 [Ps 23; 72].

3831 **Brown, William P.** Seeing the Psalms: a theology of metaphor. 2002 ⇒18,3504... 21,3828. ᴿBiblInterp 14 (2006) 296-299 (*Gillingham, Susan*).

3832 *Brüning, Christian* "Gott möge ihnen einen Blitz ins Gesäß jagen!": zu den Feindpassagen in den Psalmen. EuA 82/2 (2006) 128-138.

3833 *Burnett, Joel S.* Forty-two songs for Elohim: an ancient Near Eastern organizing principle in the shaping of the elohistic psalter. JSOT 31 (2006) 81-101 [Ps 42-83].

3834 *Ceresko, Anthony R.* Endings and Beginnings: alphabetic thinking and the shaping of Psalms 106 and 150. CBQ 68 (2006) 32-46.

3835 **Cortese, Enzo** La preghiera del re: formazione, redazione e teologia dei "Salmi di Davide". RivBib.S 43: 2004 ⇒20,3640; 21,3837. ᴿRivBib 54 (2006) 98-99 (*Lorenzin, Tiziano*); Gr. 87 (2006) 391-392 (*Bretón, Santiago*); CivCatt 157/1 (2006) 206-207 (*Scaiola, D.*).

3836 **Couffignal, Robert** Les psaumes de l'hôte de Yahvé. CRBi 68: P 2006, Gabalda 163 pp. 2-85021-177-X. Bibl. 156-159.

3837 *Dellazari, Romano* Iaweh, todo meu ser estremece!: pecado como agente de deintegração das relações nos salmos penitenciais;

3838 Ó Deus, cria em min um coração puro': recriação e regeneração da criação nos salmos penitenciais. Teocomunicação 36 (2006) 113-177/469-512.

3839 **Firth, David G.** Surrendering retribution in the psalms: responses to violence in individual complaints. Paternoster Biblical Monographs: 2005 ⇒21,3846. ᴿRBLit (2006)* (*Russell, Brian*).

3840 *Gillingham, Susan* The Zion tradition and the editing of the Hebrew psalter. Temple and worship. LHBOTS 422: 2006 ⇒716. 308-341.

3841 Power and powerlessness in the psalms. [F]WANSBROUGH, H.: LNTS 316: 2006 ⇒168. 25-49.

3842 *Gosse, Bernard* L'appel de la sagesse de Proverbes 1 et la constitution finale du psautier. RB 113 (2006) 552-569.

3843 **Grant, Jamie A.** The king as exemplar: the function of Deuteronomy's kingship law in the shaping of the book of Psalms. SBL.Academia Biblica 17: 2004 ⇒20,3651; 21,3854. [R]BiOr 63 (2006) 575-579 (*Holman, Jan*); Bib. 87 (2006) 421-424 (*McCann, J. Clinton*); JAOS 125 (2005) [2006] 433-434 (*Nogalski, James D.*); JNES 67 (2008) 305-307 (*Sparks, Kent*) [Deut 17,14-20].

3844 *Groenewald, Alphonso* Mythology, poetry and theology. HTSTS 62 (2006) 909-924.

3845 *Grund, Alexandra* "Aus Gott geboren": zu Geburt und Identität in der Bildsprache der Psalmen. "Du hast mich aus meiner Mutter Leib gezogen". BThSt 75: 2006 ⇒374. 99-120.

3846 *Helberg, J.L.* De verhouding tussen Psalm 1 (en 2) en die ander psalms oor vyande. In die Skriflig 40 (2006) 1-17;

3847 Die messiaanse aard van psalms: hoe dit 'n Nuwe-Testamentiese lees, vertaling en omdigting van die psalms raak. In die Skriflig 40 (2006) 575-596 [Ps 1-2].

3848 *Hossfeld, Frank-Lothar* Das Erzählen der Ruhmestaten und Wunder Gottes in den Psalmen. rhs 49 (2006) 338-343;

3849 Festtraditionen im Psalter. Festtraditionen in Israel und im Alten Orient. 2006 ⇒698. 157-173.

3850 **Jacobson, Rolf A.** 'Many are saying': the function of direct discourse in the Hebrew Psalter. JSOT.S 397: 2004 ⇒20,3656; 21,3858. [R]JThS 57 (2006) 196-200 (*Weyde, Karl W.*).

3851 *Janowski, Bernd* Die Kostbarkeit des Lebens: zur Theologie und Semantik eines Psalmenmotivs. JBTh 21 (2006) 55-71 [Ps 30; 116].

3852 **Janowski, Bernd** Konfliktgespräche mit Gott: eine Anthropologie der Psalmen. Neuk [2]2006 <2003>, Neuk xvi; 444 pp. 37887-2224X.

3853 *Johnston, Philip S.* Ordeals in the Psalms?. Temple and worship. LHBOTS 422: 2006 ⇒716. 271-291.

3854 *Kirschléger, Inès* "Mon âme a soif de toi": l'eau et la soif dans les Psaumes d'après la version poétique de Clément MAROT et THÉODORE DE BÈZE. FV 105/4 (2006) 9-26.

3855 **Körting, Corinna** Zion in den Psalmen. FAT 48: Tü 2006, Mohr S. ix; 267 pp. €89. 3-16-148880-6. Diss.-Habil. Göttingen; Bibl. 231-251. [R]OTEs 19 (2006) 773-775 (*Weber, B.*).

3856 **Leuenberger, Martin** Konzeptionen des Königtums Gottes im Psalter: Untersuchungen zu Komposition und Redaktion der theokratischen Bücher IV-V im Psalter. AThANT 83: 2004 ⇒20,3662. [R]ThLZ 131 (2006) 838-840 (*Rösel, Martin*); ThRv 102 (2006) 213-216 (*Schnocks, Johannnes*); RBLit (2006)* (*Botha, Philippus J.*).

3857 **Mascarenhas, Theodore** The missionary function of Israel in Psalms 67, 96, and 117. 2005 ⇒21,3872. [R]CBQ 68 (2006) 518-519 (*Brown, William P.*).

3858 **Mello, A.** L'amore di Dio nei salmi. Sympathetika: Magnano 2005, Qiqajon 97 pp. €7. 88822-71811.

3859 *Mello, Alberto* L'ordine dei salmi. LASBF 56 (2006) 47-70.

3860   *Mitchell, David C.* 'God will redeem my soul from Sheol': the Psalms of the Sons of Korah. JSOT 30 (2006) 365-384 [Num 16];

3861   Lord, remember David: G.H. Wilson and the message of the Psalter. VT 56 (2006) 526-548.

3862   *Pietersma, Albert* Messianism and the Greek psalter: in search of the Messiah. The Septuagint and messianism. BEThL 195: 2006 ⇒753. 49-75.

3863   *Pradié, Pascal* Le thème de la montagne dans les commentaires psalmiques des chartreux BRUNO, LUDOLPHE et DENYS. RICP 99 (2006) 143-150.

3864   *Raja, R.J.* "Peoples with the people": universalism in the Psalms. ITS 43 (2006) 325-340.

3865   *Riede, Peter* "Der Gerechte wird wachsen wie eine Zeder auf dem Libanon" (Ps 92,13)–Pflanzenmetaphorik in den Psalmen. Pflanzen und Pflanzensprache. 2006 ⇒766. 39-64.

3866   **Saur, Markus** Die Königspsalmen: Studien zur Entstehung und Theologie. BZAW 340: 2004 ⇒20,3681; 21,3889. ᴿBib. 87 (2006) 276-279 (*Tate, Marvin E.*).

3867   *Schaefer, Konrad* Jésed (amor gratuito y lealtad con base en la alianza) en los Salmos. Qol 41 (2006) 57-63.

3868   *Schelling, Piet* Over ziekte en gezondheid in de Psalmen. ITBT 14/7 (2006) 7-9.

3869   *Steins, Georg* Die Psalmen Salomos–ein Oratorium über die Barmherzigkeit Gottes und die Rettung Jerusalems. Laetare Jerusalem. 2006 ⇒92. 121-141.

3870   **Süssenbach, Claudia** Der elohistische Psalter: Untersuchungen zu Komposition und Theologie von Ps 42-93. FAT 2/7: 2005 ⇒21, 3907. ᴿThZ 62 (2006) 463-465 (*Weber, Beat*); JThS 57 (2006) 575-580 (*Gillingham, Susan*).

3871   **Tomes, Roger** 'I have written to the King, my Lord': secular analogies for the Psalms. HBM 1: 2005 ⇒21,3908. ᴿCBQ 68 (2006) 531-533 (*Cook, Stephen L.*).

3872   **Vos, Cas J.A.** Theopoetry of the Psalms. L 2006, Clark 423 pp. 0-567-03078-4. Bibl. 369-392.

3873   **Vos, Christiane de** Klage als Gotteslob aus der Tiefe: der Mensch vor Gott in den individuellen Klagepsalmen. FAT 2/11: 2005 ⇒21, 3912. ᴿOTEs 19 (2006) 772-773 (*Weber, B.*) [Ps 38; 56; 88].

3874   *Weeks, Stuart* Wisdom Psalms. Temple and worship. LHBOTS 422: 2006 ⇒716. 292-307.

3875   *Wenham, Gordon* Towards a canonical reading of the psalms. Canon and biblical interpretation. Scripture and Hermeneutics: 2006 ⇒693. 333-351.

3876   *Wyckoff, Chris* Have we come full circle yet?: closure, psycholinguists, and problems of recognition with the inclusio. JSOT 30 (2006) 475-505.

3877   *Zenger, Erich* Geld als Lebensmittel?: über die Wertung des Reichtums im Psalter (Psalmen 15.49.112). JBTh 21 (2006) 73-96.

E6.6   *Psalmi: oratio, liturgia*—**Psalms as prayer**

3878   **Arminjean, Blaise** Remembering your deeds: the Psalms and the Spiritual Exercises. ᵀ*Brennan, Francis C.*: Studies on Jesuit Topics

30: St. Louis 2006, Institute of Jesuit Sources ix; 267 pp. $28. 1-880-8-10611 [ThD 53,52–W. Charles Heiser].

3879 *Arnold, Jochen* Kirchenlied und jüdisch-christlicher Dialog am Beispiel ausgewählter Psalmlieder. "... dass er euch auch erwählet hat". 2006 ⇒511. 173-201.

3880 **Arocena, Félix María** Psalterium liturgicum: psalterium crescit cum psallente ecclesia, II: psalmi in missalis romani lectionario. 2005 ⇒ 21,3921. [R]Phase 46 (2006) 468-469 *(Aldazábal, J.)*.

3881 *Ballhorn, Egbert* Psalter–Haus des Lebens: als Lesende/r unterwegs im Psalmenbuch. BiHe 42/168 (2006) 9-11 [Ps 1].

3882 BENEDIKT XVI; JOHANNES PAUL II Die Psalmen: das Abendgebet der Kirche. Augsburg 2006, Sankt Ulrich 352 pp. €19. 39364-84872.

3883 *Blecker, Iris Maria* Mit Psalmen unterwegs in der Liturgie: Anregungen für die Verwendung von Psalmen im Gottesdienst. BiHe 42/168 (2006) 17-20.

3884 **Bourgeault, Cynthia** Chanting the psalms: a practical guide with instructional CD. Boston 2006, New Seeds 265 pp. $19.

3885 *Braulik, Georg* Der Wochenpsalter des "Benediktinischen Antiphonale": Beobachtungen zur Bauweise und Thematik seiner Stundenliturgie. Laetare Jerusalem. 2006 ⇒92. 566-594.

3886 **Brueggemann, Walter** Spirituality of the Psalms. Facets: 2002 ⇒ 18,3562; 19,3848. [R]VeE 27 (2006) 913-16 *(Lombaard, Christo J.S.)*.

3887 *Bruners, Wilhelm* Der morgendliche Gang über die Psalmbrücke: mit Psalmen im Rhythmus des Tages unterwegs. BiHe 42/168 (2006) 4-5.

3888 *Chevallier, Marjolaine* Les psaumes dans la spiritualité réformée. Les psaumes: de la liturgie à la littérature. 2006 ⇒369. 143-173.

3889 *DeClaissé-Walford, Nancy L.* Reading backwards from the beginning: my life with the Psalter. VeE 27 (2006) 455-467 = LexTQ 41/2 (2006) 119-130.

3890 **Firth, David** Hear, O Lord: a spirituality of the Psalms. Calver 2005, Cliff College P. 144 pp. £10. 978-18983-62371. [R]VeE 27 (2006) 918-921 *(Lombaard, Christo J.S.)*.

3891 *Fischer, Georg* Wenn Geschichte zum Gebet wird: zur Aufnahme des Auszugs aus Ägypten in den Asaf-Psalmen (Ps 77; 78; 81). [F]HAIDER, P.: Oriens et Occidens 12: 2006 ⇒60. 473-483.

3892 **Garralda, Jaime** Palabras para hablar con Dios: los salmos. M 2006, DDB 187 pp.

3893 *Harmon, Kathleen* The role of the psalms in shaping faith: part 2: how praying the psalms transformed Israel's faith;

3894 part 3: the dialogue between "you" and "I";

3895 part 4: the psalms as the prayer of Jesus. Liturgical ministry 15 (2006) 58-61/122-125/179-182.

3896 **Hilber, John W.** Cultic prophecy in the Psalms. BZAW 352: 2005 ⇒21,3856. [R]OTEs 19 (2006) 358-361 *(Weber, B.)*.

3897 *Kessler, Rainer* Der antwortende Gott. Gotteserdung. BWANT 170: 2006 <1991> ⇒249. 177-190.

3898 **Kizhakkeyil, Sebastian** The Psalms: the prayer book of the bible. 2005 ⇒21,3947. [R]JJSS 6 (2006) 108-109 *(Sebastian, C.D.)*.

3899 *Kränkl, Emmeram* Aus den Psalmen leben: Gespräch mit Abt Emmeram Kränkl OSB. EuA 82 (2006) 199-201.

3900 *Lacassagne, Claude-L.* Une traduction métrique des Psaumes dans l'Angleterre du XVIIe siècle. Les psaumes: de la liturgie à la littérature. 2006 ⇒369. 195-206.

3901 *Masini, Mario* "Lectio divina", salmi e orazioni sui salmi. RivLi 93 (2006) 49-65.
3902 **Merrill, Nan C.** Psalms for praying: an invitation to wholeness. NY 2006, Continuum 320 pp. $18.
3903 *Metzger, Marcel* Les psaumes dans la liturgie chrétienne. Les psaumes: de la liturgie à la littérature. 2006 ⇒369. 107-122.
3904 **O'Driscoll, Herbert** Finer than gold, sweeter than honey: the Psalms for our living. Toronto 2006, Path 309 pp. 1-551-26449-8.
3905 *Petey-Girard, Bruno* Les oraisons méditatives catholiques sur les pénitentiaux: la paraphrase au service de la vie spirituelle. Les paraphrases bibliques. THR 415: 2006 ⇒726. 289-300.
3906 *Polster, Martin* Gib mir Wurzeln, lass mich wachsen: im Psalmenbuch unterwegs mit Kindern. BiHe 42/168 (2006) 26-27.
3907 **Ravasi, Gianfranco** I salmi: introduzione, testo e commento. Parola di Dio 54: CinB 2006, San Paolo 640 pp. €28. 88-215-5578-X. Bibl. 629-631. [R]SapDom 59 (2006) 491-492 (*Miele, Michele*).
3908 *Reemts, Christiana* Christus begegnen: das Psalmengebet bei den Vätern der Kirche. EuA 82 (2006) 139-149.
3909 *Rieger, Michael* Wo ist nun dein Gott?: Psalmen in der Hospizseelsorge. BiHe 42/168 (2006) 22-23.
3910 *Sauter, Gerhard* "Was ist der Mensch, dass du seiner gedenkst?" (Ps 8,5): Selbstwahrnehmung in Psalmengebeten. EvTh 66 (2006) 317-9.
3911 *Schaefer, Konrad* El trasfondo litúrgico de los salmos. Qol 42 (2006) 3-35.
3912 *Schneider-Flume, Gunda* Leben in Gottes Geschichte: Psalmen als Gebete des christlichen Glaubens. EuA 82 (2006) 164-174.
3913 **Sire, James W.** Learning to pray through the psalms. DG 2006, InterVarsity 299 pp. $15 [BiTod 45,57—Dianne Bergant].
3914 [E]**Spreafico, Ambrogio**, *al.*, Gesang der Psalmen. Wü 2006, Echter 424 pp. 978-34290-27360. Gemeinschaft Sant'Egidio.
3915 **Stuhlmueller, Carroll** The spirituality of the Psalms. [E]*Dempsey, Carol J.; Lenchak, Timothy A.* 2002 ⇒18,3593; 19,3881. [R]VeE 27 (2006) 910-913 (*Lombaard, Christo J.S.*).
3916 **Swenson, Kristin M.** Living through pain: Psalms & the search for wholeness. 2005 ⇒21,3963. [R]PSB 27/1 (2006) 67-68 (*Evans, Abigail Rian*).
3917 **Waaijman, Kees** Mystiek in de psalmen. 2004 ⇒20,3691. [R]VeE 27 (2006) 916-918 (*Lombaard, Christo J.S.*).

E6.7 *Psalmi: versiculi*—**Psalms by number and verse**

3918 **Gumpert, Gregor** Lust an der Tora: Lektüren des 1. Psalms im 20. Jahrhundert. Ex Oriente Lux 3: 2004 ⇒20,3755. [R]ZRGG 58 (2006) 273-275 (*Bormann, Lukas*).
3919 *Janowski, Bernd* Freude an der Tora: Psalm 1 als Tor zum Psalter. EuA 82/2 (2006) 150-163.
3920 **Poffet, Jean-Michel** Heureux l'homme: la sagesse chrétienne à l'école du psaume I. 2003 ⇒19,3890; 20,3758. [R]RB 113 (2006) 151-152 (*Devillers, Luc*).
3921 *Weber, Beat* Psalm 1 and its function as a directive into the psalter and towards a biblical theology. OTEs 19 (2006) 237-260;

3922 Der Beitrag von Psalm 1 zu einer "Theologie der Schrift". JETh 20 (2006) 83-113.
3923 *Polan, Gregory J.* The reign of God and his anointed one. BiTod 44 (2006) 337-342 [Ps 2].
3924 *Sabottka, Liudger* Ps 2,12: "Küsst den Sohn!'"?. Bib. 87 (2006) 96-7.
3925 *Tadiello, Roberto* Studio sintattico del salmo 3. BeO 48 (2006) 193-203.
3926 *Goldingay, John* Psalm 4: ambiguity and resolution. TynB 57 (2006) 161-172.
3927 *Coetzee, Johan H.* 'Yet thou hast made him little less than God': reading Psalm 8 from bodily perspective. OTEs 19 (2006) 1124-1138.
3928 *Maré, Leonard P.* Psalm 8: God's glory and humanity's reflected glory. OTEs 19 (2006) 926-938.
3929 *Solé, M. Claustre* El salm 8, un himne a la sobirania de Jahvè, delegada en l'home. Imatge de Déu. Scripta Biblica 7: 2006 ⇒463. 81-109.
3930 *Whitekettle, Richard* Taming the shrew, shrike, and shrimp: the form and function of zoological classification in Psalm 8. JBL 125 (2006) 749-795.
3931 **Sager, Dirk** Polyphonie des Elends: Psalm 9/10 im konzeptionellen Diskurs und literarischen Kontext. [D]*Kessler, R.*: FAT 2/21: Tü 2006, Mohr S. x; 294 pp. $92. 978-3-16-149088-0. Diss. Marburg; Bibl. 263-275.
3932 *Auffret, Pierre* C'est l'homme droit que regardera sa face: étude structurelle du Psaume 11. JANES 30 (2006) 1-7.
3933 (a) **Liess, Kathrin** Der Weg des Lebens: Psalm 16 und das Lebens- und Todesverständnis der Individualpsalmen. FAT 2/5: 2004 ⇒20,3777; 21,3983. [R]BZ 50 (2006) 116-118 (*Schnocks, Johannes*); ETR 81 (2006) 267-269 (*Vincent, Jean Marcel*).
(b) *Loretz, Oswald* Die postmortale (himmlische) Theoxenie der npš 'Seele, Totenseele' in ugaritisch-biblischer Sicht nach Psalm 16,10-11: die Ablösung der ugaritisch-kanaanäischen rāpi'ūma / Rōphe'îm / Rephaîm durch npš 'Seele (eines Toten), Totengeist' im Judentum. UF 38 (2006) 445-497.
3934 *Shnider, Steven* Psalm xviii: theophany, epiphany, empowerment. VT 56 (2006) 386-398,
3935 *Blocher, Henri* L'Écriture après l'Ecriture: l'éloge de la loi (Psaume 19). La bible au microscope. 2006 <1976> ⇒192. 59-65.
3936 *Coote, Robert B.* Heavenly law and order. From biblical interpretation to human transformation: reopening the past to actualize new possibilities for the future– essays honoring Herman C.WAETJEN. Salem, OR 2006, Chora S. 79-99. 09776-13003 [Ps 19].
3937 **Grund, Alexandra** *'Die Himmel erzählen die Herrlichkeit Gottes'*: Psalm 19 im Kontext der nachexilischen Toraweisheit. WMANT 103: 2003 ⇒20,3781. [R]ThRv 102 (2006) 212-213 (*Schnocks, Johannes*).
3938 *Auwers, Jean-M.* Une tente dans ou pour le soleil?: Ps 18(19),5 dans la LXX e le TM. The Septuagint and messianism. BEThL 195: 2006 ⇒753. 195-202.
3939 *Arnold, Matthieu* Le psaume 22 chez LUTHER. Les psaumes: de la liturgie à la littérature. 2006 ⇒369. 123-142.
3940 *Bauks, Michaela* 'Auf die Hörner der Einhörner hin...': Hinweise auf eine messianische Relecture des Ps 21 (LXX)?. The Septuagint and messianism. BEThL 195: 2006 ⇒753. 203-215.

3941 **Bauks, Michaela** Die Feinde des Psalmisten und die Freunde Ijobs: Untersuchungen zur Freund-Klage im Alten Testament am Beispiel von Ps 22. SBS 203: 2004 ⇒20,3784; 21,3992. [R]ThZ 62 (2006) 462-463 (*Leuenberger, Martin*); CBQ 68 (2006) 720-722 (*Gerstenberger, Erhard S.*).

3942 *Grohmann, Marianne* "Du hast mich aus meiner Mutter Leib gezogen": Geburt in Psalm 22. "Du hast mich aus meiner Mutter Leib gezogen". BThSt 75: 2006 ⇒374. 73-97.

3943 *Claassens, L. Juliana M.* Rupturing God-language: the metaphor of God as midwife in Psalm 22. [F]SAKENFELD, K. 2006 ⇒142. 166-175 [Ps 22,9-10].

3944 *Bons, Eberhard* Le psaume 23 "Le Seigneur est mon berger". Les psaumes: de la liturgie à la littérature. 2006 ⇒369. 33-49.

3945 *Clines, David J.A.* The Lord is my shepherd in East and South East Asia. SiChSt 1 (2006) 37-54 [Ps 23].

3946 *Lopez Rosas, Ricardo* Desviaciones ilícitas desde el Salmo 23. Qol 41 (2006) 53-56.

3947 **Rogal, Samuel J.** "The Lord is my shepherd" (Psalm 23): how poets, mystics, and hymnodists have delved its deeper meanings. Lewiston, NY 2006, Mellen 163 pp. 978-0-7734-5480-4. Bibl. 149-155.

3948 *Zenger, Erich* Der Psalter als biblisches Buch: alte und neue Wege der Psalmenauslegung am Beispiel von Psalm 23. rhs 49 (2006) 324-337.

3949 *Goulder, Michael* David and Yahweh in Psalms 23 and 24. JSOT 30 (2006) 463-473.

3950 *Porcher, Marie-Jo* Le psaume 25: ordre et désordre. Les psaumes: de la liturgie à la littérature. 2006 ⇒369.

3951 *Auffret, Pierre* Dans les assemblées je bénirai YHWH: nouvelle étude structurelle du Psaume XXVI. VT 56 (2006) 303-312.

3952 *Loader, James A.* Die theologische Aussagekraft einer Psalmüberschrift. Amt und Gemeinde 57 (2006) 117-126 [Ps 30].

3953 *Basson, Alec* "Friends becoming foes": a case of social rejection in Psalm 31. VeE 27 (2006) 398-415.

3954 *Jost, Lynn* Psalm 33, America, and empire. Direction 35 (2006) 70-81 {Psalms}033.

3955 *Ceresko, Anthony R.* Endings and beginnings: "alphabetic thinking" and the shape of psalms 106, and of the psalter. Scripture and the quest. 2006 ⇒785. 75-90 [Ps 34; 106; 150].

3956 *Borbone, Pier G.* Peshitta psalm 34:6 from Syria to China. [F]JENNER, K.: MPIL 14: 2006 ⇒75. 1-10.

3957 *Amphoux, Christian-B.; Dorival, Gilles* 'Des oreilles, tu m'as creusées' ou 'un corps, tu m'as ajusté'?: à propos du psaume 39 (40 TM),7. [F]CASEVITZ, M. 2006 ⇒17. 315-327.

3958 *Oeming, Manfred* Glauben angesichts der Abwesenheit Gottes: Psalm 42 als ein Beispiel für 'negative' Theologie. [F]AGUS, A. 2006 ⇒1. 101-112.

3959 **Schaper, Joachim** "Wie der Hirsch lechzt nach frischem Wasser...": Studien zu Ps 42/43 in Religionsgeschichte, Theologie und kirchlicher Praxis. BThSt 63: 2004 ⇒20,3805. [R]ThZ 62 (2006) 83-85 (*Weber, Beat*).

3960 *Ausloos, Hans* Psalm 45, messianism and the Septuagint. The Septuagint and messianism. BEThL 195: 2006 ⇒753. 239-251.

3961   *Mora, Carlos Elías* Comparación de los conceptos "monte" y "lados del norte" en el Salmo 48:1-3 con el Antiguo Cercano Oriente: estudio de caso. DayarLogos 5/1 (2006) 31-41.

3962   *Auffret, Pierre* Étude structurelle du Psaume 51. RivBib 54 (2006) 5-28;

3963   A l'ombre de tes ailes je crie de joie: nouvelle étude structurelle du psaume 63. BZ 50 (2006) 90-98.

3964   *Blocher, Henri* Psalm 67: God, our God. La bible au microscope. 2006 <1995>, ⇒192. 211-215.

3965   *Botha, Phil J.* Psalm 67 in its literary and ideological context. Stimulation from Leiden. BEAT 54: 2006 ⇒686. 161-175.

3966   **Groenewald, Alphonso** Psalm 69: its structure, redaction and composition. ATM 18: 2003 ⇒19,3961. ᴿThLZ 131 (2006) 1132-1135 (*Miller, Patrick D.*); Bib. 87 (2006) 122-126 (*Bons, Eberhard*).

3967   *Groenewald, Alphonso* "Indeed-the zeal for your house has consumed me!": possible historical background to Psalm 69:10AB. Stimulation from Leiden. BEAT 54: 2006 ⇒686. 177-185.

3968   **Obinwa, Ignatius M.C.** Yahweh my refuge: a critical analysis of Psalm 71. EHS.T 839: Fra 2006, Lang 221 pp. 3-631-55903-8. Bibl. 211-221.

3969   **Arneth, Martin** 'Sonne der Gerechtigkeit': Studien zur Solarisierung der Jahwe-Religion im Lichte von Psalm 72. ZAR.B 1: 2000 ⇒ 16,3276... 18,3663. ᴿOLZ 101 (2006) 491-496 (*Hartenstein, Friedhelm*).

3970   *Cortese, Enzo* Il Salmo 72: autorità e dilatazione messianca. RstB 18 (2006) 105-115.

3971   *Salvador, Roberta L.* The royal king. BiTod 44 (2006) 343-7 [Ps 72].

3972   *Clayton, J. Nathan* An examination of holy space in Psalm 73: is wisdom's path infused with an eschatologically oriented hope?. TrinJ 27 (2006) 117-142.

3973   *Baumann, G.* Psalm 74: myth as the source of hope in times of devastation. VeE 27 2006, 416-430 {Psalms}074.

3974   *Poovathinkal, Mathew* Wrestling with the faith: communicative context and function of Psalm 77. BiBh 32 (2006) 3-41.

3975   *Weber, Beat* "Es sahen dich die Wasser–sie bebten ..." (Ps 77:17b): die Funktion mytho-poetischer Sprache im Kontext von Psalm 77. OTEs 19 (2006) 261-280.

3976   *Leuchter, Mark* The reference to Shiloh in Psalm 78. HUCA 77 (2006) 1-31

3977   *Witte, Markus* From Exodus to David–history and historiography in Psalm 78. History and identity. DCLY 2006: 2006 ⇒704. 21-42.

3978   *Auffret, Pierre* Fais luire ta face et nous serons sauvés: nouvelle étude structurelle du psaume 80. OTEs 19 (2006) 1052-1063.

3979   *Engelhard, Eliane* Les traductions en vers du psaume 84 entre 1542 et 1562. Les paraphrases bibliques. THR 415: 2006 ⇒726. 265-287.

3980   *Giudici, Maria Pia* A alegria de viver: meditando o salmo 84/83. Grande Sinal 60/1 (2006) 67-73.

3981   *Maier, Christl M.* "Zion wird man Mutter nennen": die Zionstradition in Psalm 87 und ihre Rezeption in der Septuaginta. ZAW 118 (2006) 582-596.

3982   **Steymans, Hans Ulrich** Psalm 89 und der Davidbund: eine strukturale und redaktionsgeschichtliche Untersuchung. ÖBS 27: 2005 ⇒ 21,4058. ᴿZAR 12 (2006) 408-412 (*Arneth, Martin*).

3983 *Delattre, Alain* Un extrait du Psaume 90 en copte: édition de P.Duk. inv. 448. BasPap 43 (2006) 59-61 [Ps 90,6-14].

3984 *Gerhards, Albert* "Wer heimlich seine Wohnestatt ..."–Psalm 91 in der Liturgie. rhs 49 (2006) 344-348.

3985 *Schützeichel, Heribert* Im Schutz des Höchsten (Psalm 91). TThZ 115 (2006) 60-76.

3986 *Ten Brinke, J.J.; Peels, Hendrik G.D.* "Onder zijn vleugelen": Psalm 91 over de ervaring van onheil en heil. ThRef 49/3 (2006) 209-227.

3987 *Böckler, Annette Mirjam* Psalm-Lied für den Schabbattag (Psalm 92): ein Psalm im jüdischen Leben. BiHe 42/168 (2006) 14-16.

3988 *Foster, Robert L.* A plea for new songs: a missional/theological reflection on Psalm 96. CThMi 33 (2006) 285-290.

3989 *Ortlund, E.N.* An intertextual reading of the theophany of Psalm 97. SJOT 20 (2006) 273-285.

3990 *Auffret, Pierre* Un père envers des fils: nouvelle étude structurelle du psaume 103. Theoforum 37 (2006) 25-43.

3991 *Gregory, Bradley C.* The legal background of the metaphor for forgiveness in Psalm ciii 12. VT 56 (2006) 549-551.

3992 *Brown, William P.* Joy and the art of cosmic maintenance: an ecology of play in Psalm 104. †FRETHEIM, T. 2006 ⇒45. 23-32.

3993 **Pereira, Ney Brasil** Salmo 105: o salmo do puro louvor. Contemplar os salmos: São Paulo 2006, Paulinas 64 pp.

3994 *Passaro, Amgelo* Theological hermeneutics and historical motifs in Pss 105-106. History and identity. DCLY 2006: 2006 ⇒704. 43-55.

3995 *Auffret, Pierre* Qui est sage?: qu'il regarde cela!: nouvelle étude structurelle du psaume 107. BN 129 (2006) 25-52.

3996 *Barré, Michael L.* Journey in faith and understanding. BiTod 44 (2006) 348-352 [Ps 110].

3997 *Bruyn, J.J. de; Human, D.J.* 'n Kontekstuele uitleg van Psalm 110 binne sy historiese raamwerk. In die Skriflig 40 (2006) 465-482.

3998 (a) *Cordes, Ariane* Spricht Ps 109 LXX von einem Messias oder nicht?. The Septuagint and messianism. BEThL 195: 2006 ⇒753. 253-260.
(b) *Loretz, Oswald* Der Thron des Königs 'zur Rechten' der Gottheit beim Siegesmahl nach Psalm 110,1-2: jüdische Umformung altorientalischer Königs- und Kultbildideologie. UF 38 (2006) 415-436.

3999 *Prinsloo, Gert T.M.* Šeôl → Yerûšālayim ← Šāmayim: spatial orientation in the Egyptian Hallel (Psalms 113-118). OTEs 19 (2006) 739-760.

4000 *Antista, Aurelio* "Gli idoli sono argento e oro": Salmo 115. Horeb 15/1 (2006) 30-35.

4001 **Auffret, Pierre** Mais tu élargiras mon coeur: nouvelle étude structurelle du psaume 119. BZAW 359: B 2006, De Gruyter xxiv; 372 pp. €118. 3-11-018889-9.

4002 *Staudigel, Helgalinde* Anmerkungen zu Ps 120. ZAW 118 (2006) 269-270.

4003 *Zenger, Erich* Zion–Ort des Segens: Beobachtungen zur Theologie des Wallfahrtspsalters Ps 120-134. Laetare Jerusalem. 2006 ⇒92. 64-103.

4004 *Kraus, Thomas J.* "Der Herr wird Deinen Eingang und Deinen Ausgang bewahren": über Herkunft und Fortleben von LXX Psalm CXX 8a. VT 56 (2006) 58-75.

4005 *Maré, Leonard P.* Psalm 121: Yahweh's protection against mythological powers. OTEs 19 (2006) 712-722.
4006 *Fernandes, Leonardo A.* O Sl 122: um exemplo do oração para quem busca Deus e o bem de 'sua casa'. Coletânea 5 (2006) 57-89.
4007 *Schwienhorst-Schönberger, Ludger* "Zum Haus des Herrn wollen wir gehen": Psalm 122–ursprüngliche Bedeutung und geistiger Sinn. Laetare Jerusalem. 2006 ⇒92. 104-120.
4008 *Weippert, Helga* "Deine Kinder seien wie die Schößlinge von Ölbäumen rund um deinen Tisch!": zur Bildsprache in Psalm 128,3. Unter Olivenbäumen. AOAT 327: 2006 <2001> ⇒324. 239-252.
4009 *Browne, Gerald M.* An Old Nubian translation of Psalm 129. Beiträge zur Sudanforschung 9 (2006) 25-27.
4010 **Weber, Martin** 'Aus Tiefen rufe ich dich': die Theologie von Psalm 130 und ihre Rezeption in der Musik. ABIG 13: 2003 ⇒19,4007. ^{R}ThLZ 131 (2006) 269-271 (*Weber, Beat*) {Psalms}130.
4011 *Zenger, Erich* "Wie das Kind bei mir ...": das weibliche Gottesbild von Ps 131. ^{F}SCHÜNGEL-STRAUMANN, H. 2006 ⇒153. 177-195.
4012 *Knowles, Melody D.* A woman at prayer: a critical note on Psalm 131:2b. JBL 125 (2006) 385-389.
4013 *Morrison, Craig* A covenant forever. BiTod 44 (2006) 353-358 [Ps 132].
4014 *Belin, Christian* Comment se tenir sur un fleuve?: paraphrase et exégèse du *Super flumina Babylonis* au XVIIe siècle. Les paraphrases bibliques. THR 415: 2006 ⇒726. 343-357 [Ps 136].
4015 *Zenger, Erich* Lieder der Gotteserinnerung: Psalm 137 im Kontext seiner Nachbarpsalmen. ^{F}MUSSNER, F.: SBS 209: 2006 ⇒117. 25-50.
4016 *Risse, Siegfried* "Wohl dem, der deine kleinen Kinder packt und sie am Felsen zerschmettert": zur Auslegungsgeschichte von Ps 137,9. BiblInterp 14 (2006) 364-384.
4017 *Schiemenz, Günter P.* 'In der Kirche der Heiligen freue sich Israel' 1: die Umdeutung eines Psalm-Zitats in Sveticxoveli im Context der georgischen Geschichte. Georgica 29 (2006) 89-105 [Ps 149,1-2].
4018 *Dafni, Evangelia G.* Psalm 150 according to the Septuagint: integrating translation and tradition criticism into modern Septuagint exegesis. VeE 27 (2006) 431-454.

E7.1 Job, *textus, commentarii*

4019 *Althann, Robert* Reflections on the text of the book of Job. ^{F}SCHENKER, A.. VT.S 110: 2006 ⇒147. 7-13.
4020 *Balda, Monica* La version arabo-chrétienne de l'histoire de Job: itinéraire d'un récit. RSLR 42 (2006) 311-339.
4021 **Balentine, Samuel E.** Job. Macon, GA 2006, Smyth & H. xviii; 750 pp. $65. 978-15731-20678.
4022 *Cimosa, Mario* La data probabile della traduzione greca (LXX) del libro di Giobbe. SacDo 51/6 (2006) 17-35.
4023 **Clines, David J.A.** Job 21-37. WBC 18A: Waco, Tex. 2006, Word xxiv; 503-1038 pp. 978-0-8499-0217-8.
4024 ^{ET}**Cox, Claude E.** Armenian Job: reconstructed Greek text, critical edition of the Armenian, with English translation. Hebrew University

Armenian studies 8: Lv 2006, Peeters xviii; 445 pp. 978-90-429-172-6-2. Bibl. 441-445.

4025 ᴱᵀGómez Aranda, Mariano El comentario de Abraham IBN EZRA al libro de Job: edición crítica, traducción y estudio introductorio. 2004 ⇒20,3875; 21,4102. ᴿRBLit (2006)* (Elliott, Mark); JThS 57 (2006) 291-293 (Niessen, Friedrich).

4026 Hagedorn, Ursula & Dieter Die älteren griechischen Katenen zum Buch Hiob, Band IV: Register, Nachträge und Anhänge. PTS 59: 2004 ⇒20,3878. ᴿAdamantius 12 (2006) 485-7 (Zamagni, Claudio).

4027 ᵀKaiser, Otto Das Buch HIOB: übersetzt und eingeleitet. Stu 2006, Radius 119 pp. €16. 38717-33636.

4028 ᴱSimonetti, Manlio; Conti, Marco Job. ACCS.OT 6: DG 2006, InterVarsity xxviii; 253 pp. $40. 0-8308-1476-0. Bibl. 244-245.

4029 ᴱSteinhauser, Kenneth B. Anonymi in Iob commentarius. CSEL 96: W 2006, Verl. d. Österr. Akad. d. Wiss. 421 pp. €65. 3-7001-3608-0.

4030 Stone, Ken Job. Queer bible commentary. 2006 ⇒2417. 286-303.

4031 Terrien, Samuel Job. Commentaire de l'Ancien Testament 13: 2005 ⇒21,4111. ᴿMoBi 169 (2006) 69 (Boyer, Frédéric).

4032 Van Hecke, Pierre Job 12-14: a functional-grammatical and cognitive-semantic approach. ᴰVan Wolde, E.J.: Tilburg 2006, Van Hecke, Pierre x; 462 pp. 90-9020-301X. Diss. Tilburg.

4033 ᴱᵀVan Rompay, Lucas An ascetic reading of the book of Job: fragments from a Syriac commentary attributed to JOHN the Solitary (Ms. London, British LIbrary, Add. 18814, f. 91r-95r). Le Muséon 119 (2006) 1-24.

4034 Woo, Sang Huyck Etudes sur le système verbal dans la Septante de Job. 2006, Diss. Strasbourg [RTL 38,616].

E7.2 Job: themata, Topics... Versiculi, Verse numbers

4035 Ballentine, Samuel E. 'Ask the animals, and they will teach you'. ᶠFRETHEIM, T. 2006 ⇒45. 3-11.

4036 Bentué, Antonio Las tentaciones de Job. Santiago 2006, Tiberiades 122 pp [TyV 48,112s—Sergio Armstrong Cox].

4037 Bizer, Christoph; Löffler, Ulrich Ein gut unterrichteter Hiob. JRPäd 22 (2006) 174-181.

4038 Bombaci, Nunzio Dalla familiarità con Dio alla derelizione: la vicenda di Giobbe nella lettura di Martin BUBER e María Zambano. Studium [Roma] 102 (2006) 557-572.

4039 Canfield, Craig Response to Fred Johnson's 'A phonological, existential analysis of the book of Job'. JRHe 45 (2006) 619-627.

4040 Chéreau, Georgette Job et le mystère de Dieu: un chemin d'espérance. P 2006, Lethielleux 302 pp. €20. 2-283-61243-9.

4041 Claassens, Juliana M. A dialogue of voices: Job, SOCRATES and the quest for understanding. OTEs 19 (2006) 1106-1123.

4042 Cooper, Alan M. The suffering servant and Job: a view from the sixteenth century. "As those who are taught". SBL.Symposium 27: 2006 ⇒765. 189-200.

4043 Cox, Claude E. The historical, social, and literary context of Old Greek Job. XII Congress IOSCS. SCSt 54: 2006 ⇒774. 105-116.

4044 Dafni, Evangelia G. voῦς in der Septuaginta des Hiobbuches: zur Frage nach der Rezeption der Homerepik im hellenistischen Judentum. JSJ 37 (2006) 35-54.

4045 **David, Pascal** Job ou l'authentique théodicée. 2005 ⇒21,4122. ^REeV 116/2 (2006) 21-22 (*Dubray, Jean*).

4046 *Dick, Michael B.* The neo-Assyrian royal lion hunt and Yahweh's answer to Job. JBL 125 (2006) 243-270.

4047 *Ehrlich, Bernard* The book of Job as a book of morality. JBQ 34 (2006) 30-38.

4048 *Esterbauer, Reinhold* Wenn es einem die Sprache verschlägt: zum Verhältnis von Gewalt und Verstummen. Prekäre Zeitgenossenschaft. 2006 ⇒432. 23-38.

4049 **Fokkelman, Johannes Petrus** Major poems of the Hebrew Bible: at the interface of hermeneutics and structural analysis, 4: Job 15-42. SSN 47: 2004 ⇒20,3895; 21,4126. ^RCBQ 68 (2006) 109-110 (*Ceresko, Anthony R.*).

4050 *Gangale, Giuseppe* Giobbe e is suoi figli: un'immagine dell'autentica sollecitudine paterna. CiVi 61 (2006) 341-354.

4051 *Greenstein, Edward L.* Truth or theodicy?: speaking truth to power in the book of Job. PSB 27 (2006) 238-258.

4052 **Greschat, Katharina** Die Moralia in Job GREGORs des Großen: ein christologisch-ekklesiologischer Kommentar. STAC 31: 2005 ⇒21, 4129. ^RJAC 48-49 (2005-2006) 208-209 (*Straw, Carole*).

4053 *Hurley, Declan* Les interrogations dans le livre de Job. RICP 97 (2006) 173-181.

4054 **Iwanski, Dariusz** The dynamics of Job's intercession. ^D*Gilbert, Maurice*: AnBib 161: R 2006, E.P.I.B. xviii; 391 pp. €15. 88-7653-161-0. Diss. Gregoriana; Bibl. 371-391.

4055 *Jacobson, Diane L.* God's natural order: Genesis or Job?. ^FFRET-HEIM, T. 2006 ⇒45. 49-56.

4056 **Kaiser, Gerhard; Mathys, Hans-Peter** Das Buch Hiob: Dichtung als Theologie. BThSt 81: Neuk 2006, Neuk xii; 145 pp. €19.90. 3-7887-2184-7. Bibl. 131-147.

4057 *Ki, Wing-Chi* Gift theory and the book of Job. TS 67 (2006) 723-749.

4058 **Klinger, Bernhard** πάθει μάθος: im und durch das Leiden lernen: das Buch Ijob als Drama gelesen. ^D*Schwienhorst-Schönberger, Ludger* 2006, Diss. Passau [ThRv 103/2,x].

4059 *Langenhorst, Georg* "Sieben Tage und sieben Nächte" (Hiob 2,13): gelingender und scheiternder Trost im Buch Hiob. LS 57 (2006) 7-12.

4060 *Linafelt, Tod* The wizard of Uz: Job, Dorothy, and the limits of the sublime. BiblInterp 14 (2006) 94-109.

4061 *Lo, Alison* Device of progression in the prologue to Job. BN 130 (2006) 31-43.

4062 **Mack, Hananel** Job and the book of Job in rabbinic literature. Ramat-Gan 2004, Bar-Ilan Univ. Pr. 293 pp.

4063 *Magdalene, F. Rachel* Job's wife as hero: a feminist-forensic reading of the book of Job. BiblInterp 14 (2006) 209-258.

4064 **Mathewson, Dan** Death and survival in the book of Job: desymbolization and traumatic experience. LHBOTS 450: NY 2006, Clark vii; 202 pp. 0-567-02692-2. Bibl. 171-183.

4065 **Mies, Françoise** L'espérance de Job. BEThL 193: Lv 2006, Peeters xxiv, 653 pp. €87. 90-429-1698-2. Préf. *M. Gilbert*; Ill.; Bibl. 595-632.

4066 **Muller, Marion** Job: le mal de justice: quelle justice peut venir à bout du mal?: réponse de Job, des amis et de Dieu. 2006, 314 pp. Diss. Strasbourg [RTL 38,615].

4067 *Niccacci, Alviero* The meaning of the book of Job. Holy Land (Spring 2006) 29-39.

4068 *Oeming, Manfred* Von der theologischen Unverzichtbarkeit des Tun-Ergehen-Zusammenhangs: Manfred Oemings Replik auf Georg Langenhorsts Beitrag. LS 57 (2006) 13-14.

4069 *Palmer, Gesine* Some thoughts on surrender: BUBER and the book of Job. New perspectives on Martin Buber. 2006 ⇒583. 185-202.

4070 *Pernkopf, Elisabeth* Ich will dich fragen ... Simone WEIL im Gespräch mit Hiob. LecDif 6/2 (2006)*.

4071 *Pinker, Aron* The core-story of the prologue-epilogue of the book of Job. JHScr 6 (2006)*.

4072 *Schindler, Audrey* One who has borne most: the cri de coeur of Job's wife. ABR 54 (2006) 24-36.

4073 *Schnocks, Johannes* The hope for resurrection in the book of Job. The Septuagint and messianism. BEThL 195: 2006 ⇒753. 291-299.

4074 *Schroer, Silvia* A feminist reading of the book of Job. ThD 53 (2006) 239-242 <BiKi 50 (2004) 73-77.

4075 *Schwienhorst-Schönberger, Ludger* Das Buch Ijob: ein Weg durch das Leid. Wo war Gott?. 2006 ⇒554. 5-28.

4076 *Sicre Díaz, José L.* Job, la rebelión ante el sufrimiento. FRODRÍGUEZ CARMONA, A.. 2006 ⇒138. 371-390.

4077 *Simundson, Daniel J.* What Job wanted and what God gave. FFRETHEIM, T. 2006 ⇒45. 163-169.

4078 *Stordalen, Terje* Dialogue and dialogism in the book of Job. SJOT 20/1 (2006) 18-37;

4079 Tsunami and theology–the social tsunami in Scandinavia and the book of Job. StTh 60 (2006) 3-20.

4080 **Ticciati, Susannah** Job and the disruption of identity: reading beyond BARTH. NY 2006, Clark 203 pp. $80.

4081 **Tshikendwa, G.M.M.** De l'absurdité de la souffrance à l'espérance: une lecture du livre de Job en temps de VIH-SIDA. Bible et pastorale: Kinshasa 2005, Médiaspaul 254 pp. 27114-02264.

4082 *Van der Lugt, Pieter* Speech-cycles in the book of Job: a response to James E. Patrick. VT 56 (2006) 554-557.

4083 *Vette, Joachim F.* Hiobs Fluch und Gottes Antwort: Bedrohung und Erhaltung der Schöpfung als thematische Klammer. CV 48/1 (2006) 4-14.

4084 **Vicchio, Stephen J.** Job in the ancient world: the image of the biblical Job in history. Eugene, OR 2006, Cascade 3 vols; xi; 254 + x; 254 + 247 pp. $27+27+26.

4085 *Wieser, Friedrich E.* "Die Pfeile des Allmächtigen stecken in mir ...": das Buch Ijob und der christliche Seelsorger. ZThG 11 (2006) 140-160.

4086 **Wilson, Leslie S.** The book of Job: Judaism in the 2nd century BCE: an intellectual reading. Lanham 2006, University Press of America 279 pp. 0-7618-3462-1. Bibl. 273-276.

4087 *White, Wade* A devil in the making: isomorphism and exegesis in OG Job 1:8b. Septuagint research. SBL.SCSt 53: 2006 ⇒755. 145-156.

4088 *Seow, C.L.* Job's wife. FSAKENFELD, K. 2006 ⇒142. 141-150 [2,9].

4089 *Robinson, Douglas F.* A strophic analysis of Job 4-5. FPECKHAM, B.: LHBOTS 455: 2006 ⇒126. 320-331.

4090 *Kessler, Rainer* Die Welt aus den Fugen: Natur und Gesellschaft im Hiobbuch. Gotteserdung. BWANT 170: 2006 <2004> ⇒249. 207-220 [Job 4,3-6; 38-41].

4091 *Frevel, Christian* Die Entstehung des Menschen: Anmerkungen zum Vergleich der Menschwerdung mit der Käseherstellung in Ijob 10,10. BN 130 (2006) 45-57.

4092 *Crenshaw, James L.* Flirting with the language of prayer: Job 14:13-17. Prophets, sages. 2006 <1999> ⇒204. 6-13.

4093 **D'Souza, Ignatius** The question of Job's hope in the face of God and the function of Job 19:10 in its context: an exegetical-theological study of Job 19:7-12. ᴰ*Rizzi, G.* 2006, Diss. Urbaniana [RTL 38, 613].

4094 *Petrich, Lademir R.; Raymann, Acir* Réstia na escuridão: uma análise de Jó 19.23-27. IgLu 65/2 (2006) 13-29.

4095 *Kessler, Rainer* 'Ich weiß, dass mein Erlöser lebet': sozialgeschichtlicher Hintergrund und theologische Bedeutung der Löser-Vorstellung in Hiob 19,25. Gotteserdung. BWANT 170: 2006 <1992> ⇒249. 191-206.

4096 *Trudinger, Paul* 'I know that my redeemer liveth': a note on Job 19:25 & 26. DR 124 (2006) 223-227.

4097 **Lo, Alison** Job 28 as rhetoric: an analysis of Job 28 in the context of Job 22-31. VT.S 97: 2003 ⇒19,4120... 21,4169. ᴿRBLit (2006)* (*Perdue, Leo*).

4098 *Van Wolde, Ellen* Towards an 'integrated approach' in biblical studies, illustrated with a dialogue between Job 28 and Job 38. Congress volume Leiden 2004. VT.S 109: 2006 ⇒759. 355-380;

4099 Ancient wisdoms, present insights: a study of Job 28 and Job 38. SEÅ 71 (2006) 55-74.

4100 *Folliet, Georges* La double tradition patristique du verset Job 28,28: '*pietas / timor*' Domini est sapientia. SE 45 (2006) 159-189.

4101 *Crenshaw, James L.* A good man's code of ethics: Job 31. Prophets, sages. 2006 <1998> ⇒204. 42-45.

4102 *Almendra, Luísa Maria Varela* Um debate sobre o conhecimento de Deus: composição e interpretação de Jb 32-37. Did(L) 36/1 (2006) 67-83.

4103 *Lynch, Matthew J.* Bursting at the seams: phonetic rhetoric in the speeches of Elihu. JSOT 30 (2006) 345-364 [Job 32-37].

4104 *Flores, Randolf C.* "..." (NAB): Elihu's critique of power and wealth: an exegesis of Job 36:16-21. Scripture and the quest. 2006 ⇒785. 91-111.

4105 *Báez, Silvio José* La risposta di Dio nel libro di Giobbe: dialogo e visione. RVS 60 (2006) 8-23 [Job 38-42].

4106 *Brüning, Christian* Tiere im Ijobbuch: "Lustig schlägt die Straußenhenne die Flügel!" (Ijob 39,13). BiHe 42/166 (2006) 10-11 [Job 38, 39-39,30].

4107 *Oeming, Manfred* "Ihr habt nicht recht zu mir geredet" (Hiob 42,7): eine neue Auslegung des Hiob-Buches als Trostbuch;

4108 *Langenhorst, Georg* "Die richtige Übersetzung ..."?: Georg Langenhorsts Replik auf "Ihr habt nicht recht zu mir geredet". LS 57 (2006) 2-6/15-16 [Job 42,7].

E7.3 *Canticum Canticorum,* **Song of Songs, Hohelied,** *textus, comm.*

4109 **Barbiero, Gianni** Cantico dei Cantici. 2004 ⇒20,3955; 21,4180.
[R]Asp. 53 (2006) 459-460 (*Di Palma, Gaetano*); Bib. 87 (2006) 279-283 (*Morla Asensio, Victor*).

4110 [T]**Bemporad, G.** Cantico dei cantici. Il pelicano rosso 37: Brescia 2006, Morcelliana 63 pp. €8. 88372-20707. Introd. *D. Garrone.*

4111 [T]**Bloch, Ariel; Bloch, Chana** The Song of Songs: the world's first great love poem. NY 2006, Modern Library xviii; 249 pp. $15.

4112 *Byassee, Jason* "Roomy hearts" in a "more spacious world": ORIGEN of Alexandria and Ellen Davis on the Song of Songs. AThR 88 (2006) 537-555.

4113 [T]**Deutz, Helmut; Deutz, Ilse** RUPERT von Deutz: Commentaria in Canticum Canticorum. FC 70/1-2: 2005 ⇒21,4184. [R]ThLZ 131 (2006) 876-878 (*Haendler, Gert*).

4114 *Dirksen, Piet B.* Septuagint and Peshitta in the apparatus to Canticles in Biblia Hebraica Quinta. [F]SCHENKER, A.: VT.S 110: 2006 ⇒147. 15-31.

4115 **Ena, Jean Emmanuel de** Sens et interprétations du Cantique des Cantiques: sens textuel, sens directionnels et cadre du texte. LeDiv 194: 2004 ⇒20,3958; 21,4186. [R]ScEs 58 (2006) 95-96 (*Vogels, Walter*).

4116 **Exum, J. Cheryl** Song of Songs: a commentary. OTL: 2005 ⇒21, 4187. [R]HBT 28 (2006) 164-165 (*Burnett, Joel S.*); JJS 57 (2006) 343-345 (*Carr, D.M.*); ThLZ 131 (2006) 1271-1272 (*Bartelmus, Rüdiger*); JAOS 126 (2006) 587-588 (*Holm, Tawny L.*); CBQ 68 (2006) 728-729 (*Lavoie, Jean-Jacques*); RBLit (2006)* (*Uehlinger, Christoph; McEntire, Mark; Brenner, Athalya*).

4117 [T]**Falchini, C.** RUPERTO di Deutz: commento al Cantico dei cantici; De incarnatione Domini. Padri occidentali: 2005 ⇒21,4188. [R]RVS 60 (2006) 115-116 (*Fornara, Roberto*).

4118 **Hess, Richard S.** Song of Songs. 2005 ⇒21,4191. [R]RBLit (2006)* (*Brenner, Athalya*); JThS 57 (2006) 580-582 (*Dell, Katharine J.*); JHScr 6 (2006)* = PHScr III,391-395 (*Pfenniger, Jennifer*) [⇒593].

4119 **Jenson, Robert W.** Song of Songs. 2005 ⇒21,4192. [R]OTEs 19 (2006) 363-365 (*Maré, L.P.*).

4120 *King, Christopher* Song of Songs. Queer bible commentary. 2006 ⇒ 2417. 356-370.

4121 **Luzárraga Fradua, Jesús** Cantar de los Cantares: sendas del amor. Nueva Biblia Española: 2005 ⇒21,4194. [R]Gr. 87 (2006) 214; EstB 64 (2006) 257-262 (*Sánchez Caro, José Manuel*).

4122 **Mitchell, Christopher W.** The Song of Songs. 2003 ⇒20,3965; 21, 4196. [R]CBQ 68 (2006) 519-521 (*Frolov, Serge*).

4123 [E]**Norris, Richard A.** The Song of songs: interpreted by early christian and medieval commentators. 2003 ⇒19,4142... 21,4198. [R]HeyJ 47 (2006) 448-449 (*Casiday, A.M.C.*).

4124 **Parmentier, Roger** Le prophète Jonas et le Cantique des Cantiques actualisés. P 2006, L'Harmattan 49 pp. €9. 978-27475-99986.

4125 *Rendsburg, Gary A.* Israelian Hebrew in the Song of Songs. Biblical Hebrew. 2006 ⇒725. 315-323.

4126 [E]**Rosenbaum, Hans-Udo** NILUS von Ancyra, Schriften, 1: Kommentar zum Hohenlied. PTS 57: 2004 ⇒20,3971; 21,4200. [R]Adamantius

12 (2006) 306-327 (*Barbàra, Maria Antonietta*); RHE 101 (2006) 197-201 (*Guérard, Marie-Gabrielle*).

Schaefer, K. Salmos, Cantar de los Cantares 2006 ⇒3815.

4127 ᴱᵀ**Schepers, Kees** Bedudinghe op Cantica Canticorum: vertaling en bewerkig van 'Glossa tripartita super Cantica': teksthistorische studies en kritische editie, 1: teksthistorische studies, 2: kritische editie. Miscellanea Neerlandica 34-35: Lv 2006, Peeters 2 vols; xiii; 441 + 351 pp. 90-429-1057-7/792-6.

4128 *Schulz-Flügel, E.* Der Canticum-Text RUFINs und der Text O. BVLI 50 (2006) 14-15.

4129 **Simini, Roberta** Amore divino e amore umano: un commento al Cantico dei Cantici. Studi e ricerche sulle tradizioni spirituali: R 2006, Simmetria 181 pp. €18. 88876-1538.

4130 **Simoens, Yves** Il libro della pienezza: il Cantico dei Cantici: una lettura antropologica e teologica. 2005 ⇒21,4203. ᴿFirmana 41/42 (2006) 297-299 (*Miola, Gabriele*); RivBib 54 (2006) 451-456 (*Barbiero, Gianni*).

4131 **Stoop-van Paridon, P.W.T.** The Song of Songs: a philological analysis of the Hebrew book שִׁיר הַשִּׁירִים. ANESt.S 17: 2005 ⇒21,4204. ᴿRTL 37 (2006) 562-564 (*Auwers, J.-M.*); Bijdr. 67 (2006) 343-344 (*Kruijf, Theo de*).

4132 **Zakovitch, Yair** Das Hohelied. HThK.AT: 2004 ⇒20,3977; 21, 4207. ᴿFrRu 13 (2006) 134-136 (*Fischer, Irmtraud*); ThLZ 131 (2006) 840-843 (*Bartelmus, Rüdiger*).

E7.4 **Canticum,** *themata, versiculi*

4133 *Aster, Sarah* "Shir haschirim": welche Bedeutsamkeit messen evangelische Theologen dem Hohelied Salomos (AT) bei?. Schulfach Religion 25/3-4 (2006) 167-196.

4134 *Auwers, Jean-Marie* Anciens et modernes face au Cantique des cantiques: un impossible dialogue?. Congress volume Leiden 2004. VT. S 109: 2006 ⇒759. 235-253;

4135 Le traducteur grec a-t-il allégorisé ou érotisé le Cantique des cantiques?. XII Congress IOSCS. SCSt 54: 2006 ⇒774. 161-168.

4136 *Barbiero, Gianni* La ricerca nel Cantico dei Cantici. Horeb 15/1 (2006) 14-22.

4137 *Black, Fiona C.* Writing lies: autobiography, textuality, and the Song of Songs. The recycled bible. SBL. Semeia Studies 51: 2006 ⇒351. 161-183.

4138 *Bloch, Chana* Translating eros. Scrolls of love. 2006 ⇒411. 151-61.

4139 *Brettler, Mark* Unresolved and unresolvable problems in interpreting the Song. Scrolls of love. 2006 ⇒411. 185-198.

4140 *Burrows, Mark S.* The body of the text and the text of the body: monastic reading and allegorical sub/versions of desire. Scrolls of love. Ment. *Bernardus Clairvaux* 2006 ⇒411. 244-254.

4141 *Carr, David M.* For the love of Christ: generic and unique elements in christian theological readings of the Song of Songs. The multivalence. SBL.Symposium 37: 2006 ⇒745. 11-35.

4142 *Ceresko, Anthony R.* Die Deutung des Hoheliedes bei FRANZ VON SALES: wie ein Heiliger 'die Lektionen der Liebe' lernte. JbSalSt 37 (2006) 71-92.

4143 *Costa, Giuseppe* L'amore nel Cantico dei Cantici: un linguaggio umano-sapienziale, come paradigma del linguaggio amoroso di Dio. Itin(M) 14 (2006) 21-39.

4144 *Davis, Ellen F.* Reading the Song iconographically. Scrolls of love. 2006 ⇒411. 172-184.

4145 *Dezzuto, Carlo* Il Cantico dei Cantici nel XII secolo: una presenza davvero significativa. StMon 48/1 (2006) 59-99.

4146 *Fassler, Margot* The female voice: HILDEGARD of Bingen and the Song of Songs. Scrolls of love. 2006 ⇒411. 255-267.

4147 *Fischer, Stefan* Der Lebensanfang als Schlüssel zu personaler und sozialer Identität in Hoheslied. "Du hast mich aus meiner Mutter Leib gezogen". BThSt 75: 2006 ⇒374. 55-71.

4148 *Fontaine, Carole R.* Song? songs? *whose* song?: reflections of a radical reader. Scrolls of love. 2006 ⇒411. 294-305.

4149 *Green, Arthur* Intradivine romance: the Song of Songs in the Zohar. Scrolls of love. 2006 ⇒411. 214-227.

4150 *Gugliemetti, Rossana E.* L'esposizione sul Cantico dei Cantici del Ms. Paris, BNF Lat. 2673. Acme 59/2 (2006) 93-136.

4151 ^E**Hagedorn, Anselm C.** Perspectives on the Song of Songs. BZAW 346: 2005 ⇒21,401. ^ROLZ 101 (2006) 671-77 (*Bartelmus, Rüdiger*).

4152 *Hamilton, James M., Jr.* The messianic music of the Song of Songs: a non-allegorical interpretation. WThJ 68 (2006) 331-345.

4153 **Hastetter, Michaela** 'Horch! Mein Geliebter!': die Wiederentdeckung der geistlichen Schriftauslegung in den Hoheliedvertonungen des 20. Jahrhunderts. ^D*Wollbold, Andreas* 2006, Diss. München [ThRv 103/2,ix].

4154 *Jericke, Detlef* 'Wüste' im Hohenlied (Cant). JNSL 32/1 (2006) 45-64.

4155 *Kates, Judith A.* Entering the Holy of Holies: rabbinic midrash and the language of intimacy. Scrolls of love. 2006 ⇒411. 201-213.

4156 **King, J. Christopher** ORIGEN on the Song of Songs as the spirit of scripture: the bridegroom's perfect marriage-song. 2005 ⇒21,4233. ^RRSR 94 (2006) 605-606 (*Sesboüé, Bernard*).

4157 *Lotter, G.A.* Hooglied: hedendaagse paradigma vir romantiese verhoudings. VeE 27 (2006) 70-89.

4158 *Matter, E. Ann* The love song of the millennium: medieval christian apocalyptic and the Song of Songs. Scrolls of love. 2006 ⇒411. 228-243.

4159 *Nissinen, Martti* Die Heilige Hochzeit und das Hohelied. LecDif 6/1 (2006)*.

4160 *Osherow, Jacqueline* Honey and milk underneath your tongue: chanting a promised land. Scrolls of love. 2006 ⇒411. 306-314.

4161 *Patmore, H.* "The plain and the literal sense": on contemporary assumptions about the Song of Songs. VT 56 (2006) 239-250.

4162 *Pertile, Lino* The harlot and the giant: DANTE and the Song of Songs. Scrolls of love. 2006 ⇒411. 268-280.

4163 *Pilch, John J.* Solomon's, the best of all songs. BiTod 44 (2006) 384-389.

4164 **Semeraro, Michael D.** Cantico dei Cantici: l'amore non s'improvvisa. Lettura pastorale della bibbia, bibbia e spiritualità 26: Bo 2006, Dehoniane 464 pp. €34. 978-88-10-21120-5. Pref. *Luigi Accattoli*.

4165 *Smelik, Klaas A.D.* From Egypt with love: oudegyptische liefdesliederen als spiegel voor het Hooglied. ITBT 14/3 (2006) 7-9.

4166   *Stahlberg, Lesleigh C.* 'Where has your beloved gone?': the Song of
       Songs in contemporary Israeli poetry. Scrolls of love. 2006 ⇒411.
       315-329.
4167   **Stancari, Pino** Il Cantico dei cantici: per una teologia dell'evangelo.
       Dabar 11: Mi 2006, Marietti 123 pp.
4168   *Van Voorst, Anne* Kalmoes en kaneel: laat de geuren stromen. ITBT
       14/3 (2006) 13-15.
4169   *Viviers, H.* Huwelik of nie–wat van Hooglied?. VeE 27 (2006) 90-
       106.
4170   *Walsh, Carey E.* In the absence of love. Scrolls of love. 2006 ⇒411.
       283-293.

4171   *Dumont, Charles* I canti dell'anima. VitaCon 42 (2006) 96-97;
4172   VitaCon 42 (2006) 210-211 [Cant 1,1-4].
4173   *LaCocque, André* 'I am black and beautiful'. Scrolls of love. 2006 ⇒
       411. 162-171 [Cant 1,5].
4174   *Dobbs-Allsop, F.W.* 'I am black and beautiful': the song, Cixous, and
       écriture féminine. ᶠSAKENFELD, K. 2006 ⇒142. 128-40 [Cant 1,5-8].
4175   *Dumont, Charles* I canti dell'anima [Cant 1,17; 2,2-3];
4176   I canti dell'anima [Cant 2,4-7]. VitaCon 42 (2006) 546-547/658-659.
4177   *Barbàra, Maria A.* Interpretazioni patristiche del Cantico dei cantici
       2,7. VetChr 43 (2006) 53-65.
4178   *Bauer, Johannes B.* Die drei hebräischen Learearten in Hld 4,8. BZ 50
       (2006) 260-264 [Cant 4,8].
4179   *Eidelkind, Yakov* Two notes on Song 4:12. B&B 3 (2006) 217-236.
4180   *Hess, Richard S.* Single-word cola in the Song of Songs?. JAAS 9
       (2006) 119-128 [Cant 5,6].

E7.5   *Libri sapientiales*—**Wisdom literature**

4181   **Adrom, F.** Die Lehre des Amenemhet. BAeg 19: Turnhout 2006,
       Brepols 99 pp. 978-25035-21008.
4182   *Alster, Bendt* One cannot slaughter a pig and have it: a summary of
       Sumerian proverbs in the Schøyen collection. Or. 75 (2006) 91-95;
4183   The Tigris roiled: BM 38283 studies in bilingual Proverbs II. Or. 75
       (2006) 380-389.
4184   ᵀ**Alster, Bendt** Wisdom of ancient Sumer. 2005 ⇒21,4258. ᴿArOr
       74 (2006) 482-486 (*Hruška, Blahoslav*).
4185   **Backes, Burkhard** Das altägyptische "Zweiwegebuch": Studien zu
       den Sargtext-Sprüchen 1029-1130. ÄA 69: 2005 ⇒21,4259. ᴿBiOr
       63 (2006) 498-502 (*Meyer-Dietrich, Erika*); LASBF 56 (2006) 631-2
       (*Niccacci, Alviero*); JAOS 126 (2006) 594-596 (*Quack, Joachim F.*).
4186   *Bautch, Richard J.* 'May your eyes be open and your ears attentive':
       a study of penance and penitence in the Writings. Repentance. 2006
       ⇒813. 67-85.
4187   *Branick, Vincent P.* Wisdom, pessimism, and 'mirth': reflections on
       the contribution of biblical wisdom literature to business ethics. JRE
       34 (2006) 69-87.
4188   **Calduch Benages, Nuria; Pahk, Johan Yeong-Sik** La preghiera dei
       saggi: la preghiera nel pentateuco sapienziale. 2004 ⇒20,4002.
       ᴿVivH 17/1 (2006) 229-230 (*Mazzinghi, Luca*); PaVi 51/1 (2006)
       59-60 (*Mazzinghi, Luca*).

4189 *Crenshaw, James L.* Wisdom and the sage: on knowing and not knowing. Prophets, sages. 2006 <1994> ⇒204. 14-19;
4190 Unresolved issues in wisdom literature. <2000>;
4191 Beginnings, endings, and life necessities in biblical wisdom. Prophets, sages. 2006 ⇒204. 46-52/95-103.
4192 *Day, Linda* Wisdom and the feminine in the Hebrew Bible. ᶠSAKEN-FELD, K. 2006 ⇒142. 114-127.
4193 *Dell, Katharine J.* Wisdom. Oxford handbook of biblical studies. 2006 ⇒438. 409-419.
4194 *Edelman, Diana* The iconography of wisdom. ᶠNA'AMAN, N. 2006 ⇒ 120. 149-153.
4195 *Fabry, Hans-J.* Die Messianologie der Weisheitsliteratur in der Septuaginta. The Septuagint and messianism. BEThL 195: 2006 ⇒753. 263-289.
4196 **Fischer, Irmtraud** Gotteslehrerinnen: weise Frauen und Frau Weisheit im Alten Testament. Stu 2006, Kohlhammer 221 pp. €19.80. 978-3-17-018939-3.
4197 *Forti, Tova* Bee's honey–from realia to metaphor in biblical wisdom literature. VT 56 (2006) 327-341.
4198 *Gilbert, Maurice* "La vostra sovranità viene dal Signore" (Sap 6,3): ambivalenza del potere politico nella tradizione sapienzale. RstB 18 (2006) 117-132.
4199 *Gordon, Robert P.* A house divided: wisdom in Old Testament narrative traditions. Hebrew Bible and ancient versions. MSSOTS: 2006 <1995> ⇒224. 70-79.
       ᶠGROTTANELLI, C. Il saggio Ahiqar 2005 ⇒56.
4200 *Hess, Richard S.* Writing about writing: abecedaries and evidence for literacy in ancient Israel. VT 56 (2006) 342-346.
4201 *Horbury, William* The books of Solomon in ancient mysticism. Herodian Judaism. WUNT 193: 2006 <2003> ⇒240. 47-58.
4202 **Hunter, Alastair G.** The wisdom literature. L 2006, SCM ix; 291 pp. 978-0-334-04015-6. Bibl. 271-272.
4203 *Longman, Tremper, III* Reading wisdom canonically. Canon and biblical interpretation. Scripture and Hermeneutics: 2006 ⇒693. 352-373.
4204 *Marböck, Johannes* Vom rechten Umgang mit Erfahrungen: Orientierungen aus der Weisheit Israels. ThPQ 154 (2006) 135-146;
4205 Zwischen Erfahrung, Systematik und Erkenntnis: zu Eigenart und Bedeutung der alttestamentlichen Weisheitsliteratur. Weisheit und Frömmigkeit. ÖBS 29: 2006 ⇒269. 201-214.
4206 *Millard, Alan* Authors, books, and readers in the ancient world. Oxford handbook of biblical studies. 2006 ⇒438. 544-564.
4207 *Müllner, Ilse* Schreibe auf die Tafel deines Herzens (Spr 3,3): Aspekte des Lernens in der biblischen Weisheitsliteratur. Biblisches Forum* 1 (2006).
4208 **Müllner, Ilse** Das hörende Herz: Weisheit in der hebräischen Bibel. Stu 2006, Kohlhammer 159 pp. €16.80. 978-3-17-018287-5.
4209 *O'Dowd, Ryan P.* Wisdom as canonical imagination: pleasant words for Tremper Longman. Canon and biblical interpretation. Scripture and Hermeneutics: 2006 ⇒693. 374-392.
4210 *Rollston, Christopher A.* Scribal education in ancient Israel: the Old Hebrew epigraphic evidence. BASOR 344 (2006) 47-74.

4211 **Sinnott, Alice M.** The personification of wisdom. MSSOTS: 2005 ⇒21,4291. ᴿScrB 36 (2006) 96-98 (*Corley, Jeremy*); L&S 2 (2006) 237-238.

4212 **Treier, Daniel J.** Virtue and the voice of God: toward theology as wisdom. GR 2006, Eerdmans xvi; 278 pp. 978-0-8028-3074-6. [Prov 3,12-18].

4213 ᴱ**Ucko, Peter; Champion, Timothy** The wisdom of ancient Egypt: changing visions through the ages. L 2003, UCL xv; 225 pp. $47.50.

4214 **Wilke, Alexa F.** Kronerben der Weisheit: Gott, König und Frommer in der didaktischen Literatur Ägyptens und Israels. ᴰ*Spieckermann, Hermann*: FAT 2/20: Tü 2006, Mohr S. x; 334 pp. €59. 316-14897-0-5. Diss. Göttingen; Bibl. 301-313.

4215 *Witte, Markus* Schriften (Ketubim). Grundinformation AT. UTB Medium-Format 2745: 2006 ⇒1128. 404-508.

E7.6 **Proverbiorum liber**, *themata, versiculi*

4216 *Bodi, Daniel* Une locution proverbiale à Mari, El-Amarna et dans la bible. JA 294/1 (2006) 39-52 [Ps 139,8; Amos 9,2-3].

4217 **Cantera Ortiz de Urbina, Jesús** Libro de los Proverbios del Antiguo Testamento. M 2006, Akal 124 pp.

4218 *Cook, Johann* Exegesis in the Septuagint of Proverbs. Stimulation from Leiden. BEAT 54: 2006 ⇒686. 187-198.

4219 *Crenshaw, James L.* A proverb in the mouth of a fool. Prophets, sages. 2006 <2005> ⇒204. 53-60.

4220 **Dell, Katharine J.** The book of Proverbs in social and theological context. NY 2006, CUP x; 225 pp. $85. 978-0-521-63305-5. Bibl. 201-220.

4221 *Durand, Jean-Marie* Dictons et proverbes à l'époque amorrite. JA 294/1 (2006) 3-38.

4222 *Fox, Michael V.* Editing Proverbs: the challenge of the Oxford Hebrew Bible. JNSL 32/1 (2006) 1-22.

4223 *Green, Yosef* Prolegomena to the book of Proverbs. JBQ 34 (2006) 218-225.

4224 **Jafetz, Jaim** [Meir Hacohen, Israel] Comentarios al libro de Proverbios. ᵀ*Jojmá, Alef*: Barc ²2006, Obelisco 175 pp. 84-9777-223-7.

4225 *Kallanchira, Joseph* Unearthing biblical wisdom in African proverbs. VSVD 47/1 (2006) 69-80.

4226 *Kimilike, Lechion P.* Using African proverbial folklore to understand the holistic poverty eradication framework in the book of Proverbs. OTEs 19 (2006) 405-417;

4227 = Let my people stay!. 2006 ⇒416. 35-49;

4228 'The poor are not us!': an exploration into the transforming possibilities of Old Testament and African proverbs on poverty. OTEs 19 (2006) 418-428;

4229 = Let my people stay!. 2006 ⇒416. 51-63.

4230 *Lawrie, Douglas* Of proverbs, metaphors and platitudes. JNSL 32/2 (2006) 55-83.

4231 *Loader, James A.* Metaphorical and literal readings of aphorisms in the book of Proverbs. HTSTS 62 (2006) 1177-1199.

4232 **Longman, Tremper, III** Proverbs. Baker Commentary on the OT: GR 2006, Baker 608 pp. $40. 0-8010-2692-X. Bibl. 579-593 [BiTod 45,123—Dianne Bergant].

4233 *Marböck, Johannes* Erfahrungen mit dem Menschsein: am Beispiel der Spruchliteratur des Alten Testaments. Weisheit und Frömmigkeit. ÖBS 29: 2006 ⇒269. 215-226.

4234 *Masenya, Madipoane* Challenging poverty through proverbs: an African transformational hermeneutic. OTEs 19 (2006) 393-404.

4235 *Miller, Cynthia L.* Translating proverbs by topics. BiTr 57 (2006) 170-194.

4236 *Rogers, Jessie; Kareithi, Samuel* "The shame of men is at their backs...": the gender implications of discrepancy between proverbial wisdom and law. JSem 15 (2006) 385-405.

4237 *Rothstein, David* More on the book of Proverbs and legal exegesis at Qumran. BN 128 (2006) 31-42 [Deut 23,10-17].

4238 **Sandoval, Timothy J.** The discourse of wealth and poverty in the book of Proverbs. BiblInterp 77: Lei 2006, Brill xvi; 234 pp. $124. 90-04-14492-7. Bibl. 215-222. ᴿRBLit (2006)* (*Loader, James*).

4239 *Stuart, Elizabeth* Proverbs. Queer bible commentary. 2006 ⇒2417. 325-337.

4240 *Tardieu, Michel* ARISTOTE et la sagesse des nations. JA 294/1 (2006) 67-79.

4241 ᴱᵀ**Thomson, Robert W.** HAMAM: commentary on the book of Proverbs. Hebrew University Armenian Studies 5: 2005 ⇒21,4332. ᴿOCP 72 (2006) 216-220 (*Bais, M.*); RBLit (2006)* (*Terian, Abraham*).

4242 *Unseth, Peter* Analyzing and using receptor language proverb forms in translation: part 1: analysis; part 2: application. BiTr 57 (2006) 79-85, 161-170.

4243 *Van Heerden, Willie* 'It's on the old mat that one weaves the new one': the dialogue between African proverbs and biblical texts. OTEs 19 (2006) 429-440;

4244 = Let my people stay!. 2006 ⇒416. 65-77.

4245 *Waard, Jan de* Lexical ignorance and the ancient versions of Proverbs. ᶠSCHENKER, A.: VT.S 110: 2006 ⇒147. 261-268.

4246 **Waltke, Bruce** The book of Proverbs: chapters 1-15. NICOT: 2004 ⇒20,4067; 21,4335. ᴿJThS 57 (2006) 200-203 (*Dell, Katharine J.*); JHScr 6 (2006)* = PHScr III,388-391 (*Carasik, Michael*) [⇒593];

4247 The book of Proverbs. NICOT: 2004-2005 ⇒20,4067...21,4336. ᴿWThJ 68 (2006) 147-151 (*Enns, Peter*); BZ 50 (2006) 309-313 (*Scoralick, Ruth*); Gr. 87 (2006) 393-394 (*Calduch Benages, Núria*); Faith & Mission 23/2 (2006) 95-97 (*Rooker, Mark F.*); ThLZ 131 (2006) 1140-1144 (*Krispenz, Jutta*); JAOS 126 (2006) 118-120 (*Snell, Daniel C.*).

4248 *Loader, James A.* Auslegung und Intention in Proverbien 1. WJT 6 (2006) 13-33.

4249 *Müllner, Ilse* Lehrerin und Gegenstand zugleich: didaktische Aspekte der personifizierten Weiheit in Spr 1-9. ᶠSCHÜNGEL-STRAUMANN, H. 2006 ⇒153. 215-225.

4250 **Pinto, Sebastiano** "Ascolta figlio": autorità e antropologia dell'insegnamento in Proverbi 1-9. ᴰ*Calduch-Benages, Nuria*: Studia biblica 4: R 2006, Città N. 383 pp. €30. 88-311-3627-5. Diss. Gregoriana; Bibl. 337-353. ᴿRivista di science religiose 20 (2006) 447-449 (*Lorusso, Giacomo*); Ang. 83 (2006) 890-892 (*Jurič, Stipe*); Lat. 72 (2006) 679-681 (*Ancona, Giovanni*).

4251   **Signoretto, Martino** Metafora e didattica in Proverbi 1-9. Studi e ricerche: Assisi 2006, Cittadella 288 pp. €17. 88-308-0839-3. Bibl. 263-279.

4252   *Krecidlo, Janusz* Portrayal of the wise man in the book of Proverbs 1,1-7. PJBR 5 (2006) 29-48.

4253   *Meynet, Roland* 'Pour comprendre proverbe et énigme' (Pr 1,1-7; 10,1-5; 26,1-12). Etudes. 2006 <1995> ⇒274. 127-52.

4254   *Gosse, Bernard* Le livre des Proverbes, la sagesse, la loi et le psautier. ETR 81 (2006) 387-393 [Ps 1; 19; 119; Prov 1,20-23].

4255   *Kessler, Rainer* Die Ameise–anarchisch oder Staaten bildend?: Sprüche 6. Die besten Nebenrollen. 2006 ⇒1164. 168-172.

4256   *Pinto, Sebastiano* La formica e il pigro: la sapienza e la stoltezza a confronto in Proverbi 6. Rivista di science religiose 20 (2006) 237-259.

4257   *Polidori, Valerio* Nella ktisis coloniale: la chiave ermeneutica di Pr 8,22. BeO 48 (2006) 3-9.

4258   *Lenzi, Alan* Proverbs 8:22-31: three perspectives on its composition. JBL 125 (2006) 687-714.

4259   *Weeks, Stuart* The context and meaning of Proverbs 8:30a. JBL 125 (2006) 433-442.

4260   *Van Deventer, H.J.M.* Spreuke 9: struktuur en funksie. In die Skriflig 40 (2006) 285-298.

4261   *Schwantes, Milton* Repetições e paralelismos: observações em um debate hermêutico, exemplificado em Provérbios 10,1. REB 66 (2006) 673-679.

4262   **Witek, Bernard** Dio e i suoi figli: analisi retorica della prima raccolta salomonica (Pr 10,1-22,16). TGr.T 117: 2005 ⇒21,4359. [R]CBQ 68 (2006) 321-322 (*Morrison, Craig E.*).

4263   **Nguyen, Dinh A.N.** 'Figlio mio, se il tuo cuore è saggio': studio esegetico-teologico del discorso paterno in Pro 23,15-28. [D]*Calduch Benages, Nuria*: AnGr 299: R 2006, E.P.U.G. 396 pp. €34. 978-88783-90751. Diss. Gregoriana; Bibl. 341-369.

4264   *Wendland, Ernst* Communicating the beauty of a wise and 'worthy wife' (Prov 31:10-31): from Hebrew acrostic hymn to a Tonga traditional praise poem. OTEs 19 (2006) 1239-1274.

E7.7 *Ecclesiastes*—**Qohelet**; *textus, themata, versiculi*

4265   *Antic, Radia* Cain, Abel, Seth, and the meaning of human life as portrayed in the books of Genesis and Ecclesiastes. AUSS 44 (2006) 203-211 [Gen 4].

4266   [T]**Boira Sales, José** San JERÓNIMO: comentario al Eclesiastés. 2004 ⇒20,4088; 21,4373. [R]EstJos 60/1 (2006) 127-128 (*Diego Sánchez, Manuel*).

4267   *Crenshaw, James L.* Qoheleth's quantitative language;

4268   Qoheleth's understanding of intellectual inquiry. Prophets, sages. 2006 <1998> ⇒204. 83-94/29-41.

4269   **Delkurt, Holger** "Der Mensch ist dem Vieh gleich, das vertilgt wird": Tod und Hoffnung gegen den Tod in Ps 49 und bei Kohelet. BThSt 50: 2005 ⇒21,4376. [R]OLZ 101 (2006) 47-49 (*Scherer, Andreas*).

4270 *Della Rocca, Roberto* Caducità e felicità dell'uomo in Qohelet. Qohelet. 2006 ⇒779. 153-157.
4271 *Ferrer, Véronique* Réformes de l'Ecclésiaste, entres rimes et raisons. Les paraphrases bibliques. THR 415: 2006 ⇒726. 191-205.
4272 *Garrone, Daniele* Qohelet nell'esegesi cristiana. Qohelet. 2006 ⇒ 779. 37-46.
4273 *Gentry, Peter John* The role of the "Three" in the text history of the Septuagint, 2: aspects of interdependence of the Old Greek and the Three in Ecclesiastes. AramSt 4 (2006) 153-192.
4274 **Ingram, Doug** Ambiguity in Ecclesiastes. LHBOTS 431: NY 2006, Clark xii; 299 pp. $155. 0-567-02711-2;
4275 Ecclesiastes: a peculiarly postmodern piece. 2004 ⇒20,4098. [R]SBET 24/1 (2006) 102-103 (*Tidball, Derek*).
4276 **Johnston, Robert K.** Useless beauty: Ecclesiastes through the lens of contemporary film. 2004 ⇒20,4099; 21,4380. [R]RRT 13 (2006) 49-51 (*Fout, Jason A.*).
4277 **Koh, Y.V.** Royal autobiography in the book of Qoheleth. BZAW 369: B 2006, De Gruyter xvi; 234 pp. 3-11-019228-4. Bibl. 209-226.
4278 *Koosed, Jennifer L.* Ecclesiastes/Qohelet. Queer bible commentary. 2006 ⇒2417. 338-355.
4279 **Koosed, Jennifer L.** (Per)Mutations of Qohelet: reading the body in the book. LHBOTS 429: NY 2006, Clark viii; 140 pp. $95. 0-567-02632-9. Bibl. 124-133.
4280 *Laras, Giuseppe* La lettura di Qohelet tra *targum* e *midrash*. Qohelet. 2006 ⇒779. 19-24.
4281 **Lee, Eunny P.** The vitality of enjoyment in Qohelet's theological rhetoric. BZAW 353: 2005, ⇒21,4385. [R]Bijdr. 67 (2006) 229 (*Beentjes, P.C.*); PSB 27 (2006) 270-272 (*Gowan, Donald E.*).
4282 *Levine, Baruch A.* The appeal to personal experience in the wisdom of Qoheleth. [F]PECKHAM, B.: LHBOTS 455: 2006 ⇒126. 332-345.
4283 **Limburg, James** Encountering Ecclesiastes: a book for our times. GR 2006, Eerdmans 155 pp. $14. 0-8028-3047-1. Bibl. 139-141.
4284 **Lohfink, Norbert** Qoheleth: a continental commentary. [T]McEvenue, Sean: Continental commentaries: 2003 ⇒19,4292... 21,4386. [R]HeyJ 47 (2006) 624-626 (*McNamara, Martin*).
4285 *Lyons, William J.* "Outing" Qoheleth: on the search for homosexuality in the wisdom tradition. Theology and sexuality 12/2 (2006) 181-201.
4286 *Mazzarella, Eugenio* 'ogni notte il rigore del labirinto': Qohelet o l'incapacità della polvere. Qohelet. 2006 ⇒779. 117-131.
4287 *Mazzinghi, Luca* Il fondamento dell'etica del Qohelet;
4288 *Melchiorre, Virgilio* Il conflitto trascendentale in Qohelet. Qohelet. 2006 ⇒779. 159-176/107-116.
4289 **Melchiorre, Virgilio** Qohelet o della serenità del vivere. Il pellicano rosso 47: Brescia 2006, Morcelliana 144 pp. €13. 88372-21304.
4290 **Mills, Mary E.** Reading Ecclesiastes: a literary and cultural exegesis. 2003 ⇒19,4300... 21,4391. [R]HeyJ 47 (2006) 449-451 (*McNamara, Martin*).
4291 [T]**Murray, Campion; Karris, Robert J.** Works of BONAVENTURE, 7: commentary on Ecclesiastes. 2005 ⇒21,4392. [R]CBQ 68 (2006) 297-298 (*Saleska, Timothy E.*).
4292 *Neto, Nelson de Aguiar Menezes* Lendo o livro de Eclesiastes: entrevista com Coélet. Grande Sinal 60 (2006) 305-315.

4293   *Piotti, Franco* Osservazioni sul metodo di ricerca di Qohelet. BeO 48 (2006) 129-168.

4294   **Ravasi, Gianfranco** Qohelet e le sette malattie dell'esistenza. Sympathetika: Magnano 2005, Qiqajon 67 pp. €7. 88822-71722.

4295   **Reinert, Andreas** Die Salomofiktion: Studien zu Komposition und Struktur des Koheletbuches. [D]*Janowski, B.* 2006, Diss. Tübingen.

4296   *Rodríguez Arribas, Josefina* Les significations de עת et de זמן dans le commentaire de *Qohélet* d'Abraham IBN EZRA. REJ 165 (2006) 435-444.

4297   **Schoors, Antoon** The Preacher sought to find pleasing words: a study of the language of Qoheleth, part II: vocabulary. OLA 143: 2004 ⇒ 20,4118. [R]Theoforum 37 (2006) 85-86 (*Vogels, Walter*); RBLit (2006)* (*Rogland, Max*).

4298   **Schwienhorst-Schönberger, Ludger** Kohelet. HThK.AT: 2004 ⇒ 20,4119; 21,4400. [R]ThRv 102 (2006) 216-218 (*Schellenberg, Annette*); ThLZ 131 (2006) 1275-1277 (*Van Hecke, Pierre*); Bib. 87 (2006) 127-130 (*Schoors, Antoon*).

4299   **Shields, Martin A.** The end of wisdom: a reappraisal of the historical and canonical function of Ecclesiastes. WL 2006, Eisenbrauns xiii; 250 pp. $37.50. 1-57506-102-3.

4300   *Spieckermann, Hermann; Welker, Michael* Der Wert Gottes und der Wert des Besitzes für den Menschen nach Kohelet. JBTh 21 (2006) 97-107.

4301   *Stefani, Piero* Qohelet: un tempo senza sabato. Qohelet. 2006 ⇒779. 99-106.

4302   **Walton, Timothy L.** Experimenting with Qohelet: a text-linguistic approach to reading Qohelet as discourse. [D]*Talstra, E.*: ACEBT.S 5: Maastricht 2006, Shaker xvi; 216 pp. 90423-02763. Diss. Amsterdam, V.U.

4303   *Willmes, Bernd* Gottesfurcht und religiöses Verhalten nach Kohelet. Pastoralblatt für die Diözesen Aachen, Berlin, Essen etc. 58 (2006) 309-315.

4304   *Lavoie, Jean-Jacques Habēl habālim hakol hābel*: histoire de l'interprétation d'une formule célèbre et enjeux culturels. ScEs 58 (2006) 219-249 [Qoh 1,2].

4305   *Giostra, Alessandro* "Accomodar i pronunciati delle sacre lettere": l'interpretazione di Ecclesiaste 1,4-6 tra i primi sosteniori della teoria copernicana. StPat 53/2 (2006) 391-424.

4306   *Fidler, Ruth* Qoheleth in 'The house of God': text and intertext in Qoh 4:17-5:6 (Eng. 5:1-7). HebStud 47 (2006) 7-21.

4307   *Limburg, James W.* What does Ecclesiastes say about God?. [F]FRETHEIM, T. 2006 ⇒45. 128-135 [Qoh 5,18-20].

4308   *Goldman, Yohanan A.P.* Le texte massorétique de Qohélet, témoin d'un compromis théologique entre les 'disciples des sages' (Qoh 7,23-24; 8,1; 7,19). [F]SCHENKER, A.: VT.S 110: 2006 ⇒147. 69-93.

4309   *Jones, Scott C.* Qohelet's courtly wisdom: Ecclesiastes 8:1-9. CBQ 68 (2006) 211-228.

4310   *Weißflog, Kay* Worum geht es in Kohelet 8,10?. BN 131 (2006) 39-45 [Deut 28,26].

4311   *Crenshaw, James L.* From the mundane to the sublime (reflections on Qoheleth 11:1-8). [F]PECKHAM, B.: LHBOTS 455: 2006 ⇒126. 301-319. See too Crenshaw, Prophets, sages 61-72 ⇒204.

4312   *Carasik, Michael* Transcending the boundary of death: Ecclesiastes
         through a Nabokovian lens. BiblInterp 14 (2006) 425-443 [Qoh 12].
4313   *Pahk, J.S.Y.* The role and significance of *dbry ḥpṣ* (Qoh 12:10a) for
         understanding Qohelet. Congress volume Leiden 2004. VT.S 109:
         2006 ⇒759. 325-353.

E7.8 *Liber Sapientiae*—Wisdom of Solomon

4314   [E]**Bellia, Giuseppe; Passaro, Angelo** Il libro della Sapienza: tradizio-
         ne, redazione, teologia. 2004 ⇒20,655; 21,4437. [R]RivBib 54 (2006)
         231-234 (*Bianchi, Francesco*); Adamantius 12 (2006) 531-533 (*Ro-
         sa, Pietro*).
4315   *Gilbert, Maurice* The origins according to the Wisdom of Solomon.
         History and identity. DCLY 2006: 2006 ⇒704. 171-185.
4316   [E]**Hübner, Hans** La Sapienza di Salomone: tre saggi di teologia bibli-
         ca. StBi 144: 2004 ⇒20,4151. [R]Anton. 81 (2006) 574-576 (*Nobile,
         Marco*).
4317   **Neher, Martin** Wesen und Wirken der Weisheit in der Sapientia Sa-
         lomonis. BZAW 333: 2004 ⇒20,4156; 21,4445. [R]Bib. 87 (2006)
         562-567 (*Mazzinghi, Luca*).

4318   *Brandscheidt, Renate* "Die Weisheit ist ein menschenliebender
         Geist" (Weish 1,6): literarische Gestalt und theologische Aussage
         von Weisheit 1,1-15. TThZ 115 (2006) 1-25.
4319   *Mazzinghi, Luca* Morte e immortalità nel libro della Sapienza: alcune
         considerazioni su Sap 1,12-15; 2,21-24; 3,1-9. VivH 17/2 (2005)
         267-286.
4320   *Tait, Michael* Crudités à la anglaise: on the translation of indelicacy
         in the book of Wisdom. [F]WANSBROUGH, H.: LNTS 316: 2006 ⇒168.
         74-88 [Wisd 2,9].
4321   *Lietaert Peerbolte, Bert J.* The hermeneutics of Exodus in the book
         of Wisdom. [F]HOUTMAN, C.: CBET 44: 2006 ⇒68. 97-116 [Exod 7-
         14; Wisd 11-19].

E7.9 *Ecclesiasticus, Siracides*; Wisdom of Jesus Sirach

4322   **Auwers, Jean-Marie** Concordance du Siracide (Grec II et Sacra Pa-
         rallela). CRB 58: 2005 ⇒21,4458. [R]BZ 50 (2006) 313-314 (*Rapp,
         Ursula*).
         [F]BARTH, H. ... das Buch Jesus Sirach 2005 ⇒5.
4323   *Beentjes, Pancratius C.* Prophets and prophecy in the book of Ben
         Sira. Prophets, prophecy. LHBOTS 427: 2006 ⇒728. 135-150;
4324   Some misplaced words in the Hebrew Manuscripts C. of the book of
         Ben Sira. "Happy the one". 2006 <1986> ⇒186. 349-354;
4325   Hermeneutics in the book of Ben Sira: some observations on the
         Hebrew Ms. C. "Happy the one". 2006 <1988> ⇒186. 333-347.
4326   Relations between Ben Sira and the book of Isaiah: some methodol-
         ogical observations. "Happy the one". 2006 <1989> ⇒186. 201-206;
4327   The book of Ben Sira in Hebrew: preliminary remarks towards a new
         text edition and synopsis. <1992> 283-291;

4328   A closer look at the newly discovered sixth Hebrew manuscript (Ms F) of Ben Sira.<1993> 361-374;
4329   Reading the Hebrew Ben Sira manuscripts synoptically: a new hypothesis. <1997> 301-315;
4330   The concept of 'brother' in the book of Ben Sira: a semantical and exegetical investigation. <1999> 249-263;
4331   Canon and scripture in the book of Ben Sira (Jesus Sirach, Ecclesiasticus). <2000> 169-186;
4332   God's mercy: 'racham' (pi.), 'rachum', and 'rachamim' in the book of Ben Sira.<2002> 231-247;
4333   Theodicy in Wisdom of Ben Sira. <2003> 265-279;
4334   In search of parallels: Ben Sira and the book of Kings. "Happy the one". CBET 43: 2006 <2005> ⇒186. 187-199.
4335   *Corley, Jeremy* Seeds of messianism in Hebrew Ben Sira and Greek Sirach. The Septuagint and messianism. BEThL 195: 2006 ⇒753. 301-312.
4336   *Féghali, P.* Le texte syriaque de Ben Sirach [!], fidèle témoin de l'hébreu. ParOr 31 (2006) 47-55.
4337   *Gilbert, Maurice* La sapienza e il culto secondo Ben Sira. Rivista di science religiose 20 (2006) 23-40.
4338   **Goering, Gregory W.** To whom has wisdom's root been revealed?: Ben Sira and the election of Israel. 2006, Diss. Harvard [HThR 100,106].
4339   **Harrington, Daniel J.** Jesus Ben Sira of Jerusalem: a biblical guide to living wisely. 2005 ⇒21,4470. [R]RBLit (2006)* (*Reiterer, Friedrich V.; Sauer, Georg*).
4340   **Kaiser, Otto** Weisheit für das Leben: das Buch Jesus Sirach. 2005 ⇒21,4471. [R]RivBib 54 (2006) 456-459 (*Milani, Marcello*).
4341   *Kaiser, Otto* Erziehung und Bildung in der Weisheit des Jesus Sirach. "Schaffe mir Kinder ...". ABIG 21: 2006 ⇒756. 223-251.
4342   *Labendz, J.R.* The book of Ben Sira in rabbinic literature. AJS Review 30/2 (2006) 347-392.
4343   *Linder, Agnes* Ricerche sul linguaggio di Ben Sira. RivBib 54 (2006) 385-411.
4344   *Marböck, Johannes* Ein Weiser an einer Wende: Jesus Sirach–Buch, Person und Botschaft: Versuch einer Gesamtschau. 65-78;
4345   Structure and redaction history of the book of Ben Sira. 32-45;
4346   Text und Übersetzung: Horizonte einer Auslegung im Prolog zum griechischen Sirach. 47-63;
4347   Ein Weiser an einer Wende: Jesus Sirach–Buch, Person und Botschaft: Versuch einer Gesamtschau. 65-78;
4348   Kohelet und Sirach: eine vielschichtige Beziehung. 79-103;
4349   Apokalyptische Traditionen im Sirachbuch?. 137-153;
4350   Gerechtigkeit Gottes und Leben nach dem Sirachbuch: ein Antwortversuch in seinem Kontext. 173-197;
4351   Sirach/Sirachbuch. Weisheit und Frömmigkeit. ÖBS 29: 2006 <2000> ⇒269. 15-29.
4352   **Milani, Marcello** La correlazione tra morte e vita in Ben Sira: dimensione antropologica, cosmica e teologica dell'antitesi. [D]*Jüngling, Hans-Winfried*: R 2006, 142 pp. Estr. Diss. Pont. Ist. Biblico 1995.
4353   **Pudelko, Jolanta J.** Wierny przyjaciel lekarstwem tycia (Syr 6,16): koncepcja przyjaźni w Księdze Syracydesa [L'ami fidèle un remède de la vie (Syr 6,16): la conception de l'amitié selon le livre de Sira-

cide]. ^D*Chrostowski, W.* 2006, 344 pp. Diss. Warsaw–UKSW [RTL 38,615]. **P.**

4354 *Stokes, A.* Life and after life in the book of Ben Sira. Koinonia [Princeton, NJ] 18 (2006) 73-91.

4355 **Thiele, Walter** Sirach (Ecclesiasticus): 8-9. Lief.: Sir 20,1-23,6; 23, 7-24,47. BVLI 11/2: 2001-2005 ⇒21,4487. ^RRTL 37 (2006) 417-418 (*Bogaert, Pierre-Maurice*).

4356 **Turkiel, Jan** Przewodniki po Księdze Syracha–αὐτός, ὁ, οἱ, σύ, τίς, τίνι (Syr 1-10) [Les guides sur le livre de Siracide–αὐτός, ὁ, οἱ, σύ, τίς, τίνι (Syr 1-10)]. Słupsk 2006, Pomorskiej Akademii Pedagogiczne 177 pp. Diss.-Habil. Warsaw–UKSW [RTL 38,615]. **P.**

4357 **Van Peursen, W.Th.** The verbal system in the Hebrew text of Ben Sira. SStLL 41: 2004 ⇒20,4192; 21,4488. ^RJSSt 51 (2006) 397-409 (*Elwolde, J.F.*).

4358 *Veijola, Timo* Law and wisdom: the deuteronomistic heritage in Ben Sira's teaching of the law. ^MILLMAN, K. 2006 ⇒72. 429-448.

4359 **Veltri, Giuseppe** Libraries, translations, and "canonic" texts: the Septuagint, Aquila and Ben Sira in the Jewish and christian traditions. JSJ.S 109: Lei 2006, Brill xi; 278 pp. €105. 90-04-14993-7.

4360 *Wright, Benjamin G., III* Eschatology without a messiah in the Wisdom of Ben Sira. The Septuagint and messianism. BEThL 195: 2006 ⇒753. 313-323.

4361 *Xeravits, Géza G.* The book of Ben Sira': third conference on the deuterocanonical books. Henoch 28/2 (2006) 187-189. Papa, Hungary, 2006.

4362 *Krecidło, Janusz* Portret medrca w Ksiedze Przysłów 1,1-7. CoTh 76/1 (2006) 5-25 [Sir 1,1-7]. **P.**

4363 *Beentjes, Pancratius C.* "Full wisdom is from the Lord": Sir 1,1-10 and its place in Israel's wisdom literature; 19-34;

4364 'Sei den Waisen wie ein Vater und den Witwen wie eine Gatte': ein kleiner Komentar zu Ben Sira 4,1-10. <1998> 35-48;

4365 Ben Sira 5,1-8: a literary and rhetorical analysis. <1992> 49-60;

4366 'Ein Mensch ohne Freund ist wie eine linke Hand ohne die Rechte': Prolegomena zur Kommentierung der Freundschaftsperikope Sir 6,5-17. "Happy the one". CBET 43: 2006 <1996> ⇒186. 61-75.

4367 *Crenshaw, James L.* The primacy of listening in Ben Sira's pedagogy. Prophets, sages. 2006 <1997> ⇒204. 20-28 [Sir 6,18-37].

4368 *Turkiel, Jan* Sirach' critique of the ruler (Sir 9:17-10:26): Autos, ho, hoi, sy–as the guides through the text. PJBR 5 (2006) 121-132.

4369 *Beentjes, Pancratius C.* 'How can a jug be friends with a kettle?': a note on the structure of Ben Sira chapter 13. "Happy the one". CBET 43: 2006 <1992> ⇒186. 77-85.

4370 *Van Peursen, Wido* Clause hierarchy and discourse structure in the Syriac text of Sirach 14:20-27. ^FJENNER, K.: MPIL 14: 2006 ⇒75. 135-148..

4371 **Kaundinya, Simone** Ein Beitrag zur Anthropologie des Buches Jesus Sirach dargestellt an Sir 16,24-17,24. ^D*Berg, Werner* 2006, Diss. Bochum [ThRv 103/2,iv].

4372 *Marböck, Johannes* Einladung ins Erbarmen Gottes: Sir 17,30-18,14 als Beitrag zur Rede von Gott im Sirachbuch. ^FSCHÜNGEL-STRAUMANN, H. 2006 ⇒153. 196-205.

4373 *Beentjes, Pancratius C.* 'Full wisdom is fear of the Lord': Ben Sira
      19,20-20,31: context, composition and concept. "Happy the one".
      CBET 43: 2006 <1989> ⇒186. 87-106.
4374 *Marböck, Johannes* Gefährdung und Bewährung: Kontexte zur
      Freundschaftsperikope Sir 22,19-26. Weisheit und Frömmigkeit.
      ÖBS 29: 2006 ⇒269. 105-120.
4375 *Beentjes, Pancratius C.* Some major topics in Ben Sira research.
      <2005> 3-16 [Sir 24,30-34; 26,20-21; 38,34-39,3; 44,1-50,24];
4376 Prophets and prophecy in the book of Ben Sira. 207-229 [Sir 24,30-
      34; 26,20-21; 38,34-39,3; 44,1-50,24];
4377 The Hebrew texts of Ben Sira 32[35].16-33[36].2. "Happy the one".
      CBET 43: 2006 <1999> ⇒186. 317-331.
4378 **Palmisano, Maria Carmela** "Salvaci, Dio dell'universo!": studio
      dell'eucologia di Sir 36H,1-17. *DGilbert, Maurice*: AnBib 163: R
      2006, E.P.I.B. 468 pp. €33. 88-7653-163-7. Diss. Pont. Ist. Biblico;
      Bibl. 371-411.
4379 *Beentjes, Pancratius C.* Ben Sira 36,26d according to Ms. C: a new
      proposal. "Happy the one". CBET 43: 2006 <1994> ⇒186. 355-359;
4380 Een gedurfde visie op de geneeskunst. ITBT 14/7 (2006) 10-13 [Sir
      38,1-15];
4381 Tränen, Trauer, Totenklage: eine Studie über Ben Sira 38,16-23.
      "Happy the one". CBET 43: 2006 <2003> ⇒186. 107-114.
4382 *Vos, J. Cornelis de* 'Wer Weiheit lernt, braucht viel Zeit': Arbeit und
      Muße in Sirach 38,24-39,11. Arbeit in der Antike. 2006 ⇒618. 39-
      56.
4383 *Beentjes, Pancratius C.* Scripture and scribe: Ben Sira 38:34c-39:11.
      "Happy the one". CBET 43: 2006 <2001> ⇒186. 115-122.
4384 **Piwowar, Andrzej** La vergogna come criterio della fame perpetua:
      studio esegetico-teologico di Sir 40,1-42,14. *DGilbert, Maurice*:
      Katowice 2006, 506 pp. Diss. Gregoriana.
4385 *Beentjes, Pancratius C.* The reliability of text editions in Ben Sira
      41,14-16: a case study in repercussions on structure and interpreta-
      tion. "Happy the one". CBET 43: 2006 <1988> ⇒186. 293-299.
4386 *Rapp, Ursula* Ablehnung als Empathie des Lesens: zum Problem der
      Geschlechterrollenkonzeptionen bei Jesus Sirach. Prekäre Zeitgenos-
      senschaft. 2006 ⇒432. 95-114 [Sir 42,9-14].
4387 *Di Lella, Alexander A.* Ben Sira's praise of the ancestors of old (Sir
      44-49); the history of Israel as parenetic apologetics. History and
      identity. DCLY 2006: 2006 ⇒704. 151-170.
4388 *Carbonaro, Paul* Redécouvrir la version latine de l'Eloge des pères
      (Eccl 44-50). EstB 64 (2006) 143-161.
4389 *Beentjes, Pancratius C.* The 'praise of the famous' and its prologue:
      some observations on Ben Sira 44:1-15 and the question on Enoch in
      44:16. "Happy the one". CBET 43: 2006 <1984> ⇒186. 123-133;
4390 'The countries marvelled at you': King Solomon in Ben Sira 47:12-
      22. "Happy the one". CBET 43: 2006 <1984> ⇒186. 135-144;
4391 Hezekiah and Isaiah: a study on Ben Sira 48,15-25. "Happy the one".
      CBET 43: 2006 <1989> ⇒186. 145-158.
4392 *Marböck, Johannes* Jesaja in Sirach 48,15-25: zum Prophetenver-
      ständnis in der späten Weisheit. Weisheit und Frömmigkeit. ÖBS 29:
      2006 ⇒269. 121-135.
4393 *Beentjes, Pancratius C.* 'Sweet is his memory, like honey to the pal-
      ate': King Josiah in Ben Sira 49,1-4. "Happy the one". CBET 43:
      2006 <1990> ⇒186. 159-165.

4394 *Marböck, Johannes* Der Hohepriester Simon in Sir 50: ein Beitrag zur Bedeutung von Priestertum und Kult im Sirachbuch. Weisheit und Frömmigkeit. ÖBS 29: 2006 ⇒269. 155-168.

VII. Libri prophetici VT

E8.1 Prophetismus

4395 **Andersson, Greger** Profeterna: en guide till Gamla testamentets profetiska böcker. Libris guideserie till Bibeln: 2003 ⇒20,4211. ^RSEÅ 71 (2006) 239-241 (*Scheuer, Blaženka*).

4396 *Assis, Elie* Why Edom?: on the hostility towards Jacob's brother in prophetic sources. VT 56 (2006) 1-20.

4397 *Barstad, Hans M.* Sic dicit dominus: Mari prophetic texts and the Hebrew Bible. ^FNA'AMAN, N. 2006 ⇒120. 21-52.

4398 *Barton, John* The prophets and the cult. Temple and worship. LHBOTS 422: 2006 ⇒716. 111-122.

4399 **Baumann, Gerlinde** Love and violence: marriage as metaphor for the relationship between YHWH and Israel in the prophetic books. ^T*Maloney, Linda M.* 2003 ⇒19,4406... 21,4514. ^RAThR 88 (2006) 433-434 (*Bauer-Levesque, Angela*).

4400 *Becker, Uwe* Die Entstehung der Schriftprophetie. ^FMEINHOLD, A.: ABIG 23: 2006 ⇒110. 3-20 [Jer 36].

4401 *Ben Zvi, Ehud* Utopias, multiple utopias, and why utopias at all?: the social role of utopian visions in prophetic books within their historical context. Utopia. SESJ 92: 2006 ⇒349. 55-85.

4402 *Brueggemann, Walter* The prophetic word of God and history. Like fire in the bones. 2006 <1994> ⇒198. 74-85.

4403 *Buss, Martin J.* The place of Israelite prophecy in human history. ^FHAYES, J.: LHBOTS 446: 2006 ⇒64. 325-341.

4404 **Chapman, Cynthia R.** The gendered language of warfare in the Israelite-Assyrian encounter. HSM 62: 2004 ⇒20,9197; 21,4518. ^RBiCT 2/3 (2006)* (*Mitchell, Christine*); RBLit (2006)* (*Gruber, Mayer*).

4405 **Cook, Joan E.** Hear, O heavens, and listen, O Earth: an introduction to the prophets. ColMn 2006, Liturgical xi; 323 pp. $25. 0-8146-518-1-X.

4406 *Crenshaw, James L.* Transmitting prophecy across generations. Prophets, sages. 2006 <2000> ⇒204. 167-172;

4407 — Theodicy in prophetic literature. Prophets, sages. 2006 <2003> ⇒ 204. 183-194.

4408 *Dempsey, Carol J.* 'Turn back, O people': repentance in the Latter Prophets. Repentance. 2006 ⇒813. 47-66.

4409 *Dempster, Stephen G.* The prophets, the canon and a canonical approach: no empty word. Canon and biblical interpretation. Scripture and Hermeneutics: 2006 ⇒693. 293-329.

4410 **Faria, Jacir de Freitas** Profetas e profetisas na bíblia: história e teologia profética na denúncia, solução, esperança, perdão e nova aliança. Bíblia em comunidade: São Paulo 2006, Paulinas 150 pp. 85-356-1863-5.

4411   *Floyd, Michael H.* The production of prophetic books in the early second temple period. Prophets, prophecy. LHBOTS 427: 2006 ⇒ 728. 276-297.

4412   *Frahm, E.* Prophetie. RLA 11/1-2. 2006 ⇒963. 7-11.

4413   **Gärtner, Judith** Jesaja 66 und Sacharja 14 als Summe der Prophetie: eine traditions- und redaktionsgeschichtliche Untersuchung zum Abschluss des Jesaja- und des Zwölfprophetenbuches. [D]*Jeremias, Jörg*: WMANT 114: Neuk 2006, Neuk xiii; 364 pp. $78. 3-7887-21-91-X. Diss. Marburg.

4414   *Gibert, Pierre* The function of imprecation in Israel's eighth-century prophets. Direction 35 (2006) 44-58.

4415   *Gordon, Robert P.* A story of two paradigm shifts <1995>;

4416   From Mari to Moses: prophecy at Mari and in ancient Israel <1993>;

4417   Where have all the prophets gone?: the 'disappearing' Israelite prophet against the background of ancient Near Eastern prophecy. <1995>;

4418   Present trends and future directions. Hebrew Bible and ancient versions. MSSOTS: 2006 <1995> ⇒224. 101-119/120-131/132-148/149-153.

4419   *Grabbe, Lester L.* Prophecy: Joseph Smith and the *Gestalt* of the Israelite prophet. Ancient Israel. 2006 ⇒724. 111-127.

4420   **Hayes, Katherine Murphey** "The earth mourns": prophetic metaphor and oral aesthetic. Academia Biblica 8: 2002 ⇒18,4145; 20,4241. [R]JSSt 51 (2006) 389-391 (*Moughtin-Mumby, Sharon*).

4421   *Herrmann, Wolfram* Die Entstehung der Schriftprophetie als Problem. [F]MEINHOLD, A.: ABIG 23: 2006 ⇒110. 21-36.

4422   **Hutton, Rodney R.** Fortress introduction to the prophets. 2004 ⇒ 20,4246; 21,4530. [R]AThR 88 (2006) 275-276 (*Heskett, Randall*).

4423   **Jensen, Joseph** Ethical dimensions of the prophets. ColMn 2006, Liturgical 203 pp. $25. 08146-59837. Bibl. 181-190 [BiTod 45,192 —Dianne Bergant].

4424   *Jeremias, Jörg* The essence of OT prophecy. ThD 53 (2006) 41-49;

4425   Das Wesen der alttestamentlichen Prophetie. ThLZ 131 (2006) 3-14.

4426   *Kakkanattu, Joy P. Anāwim*: the prophets in defence of the poor in the Old Testament. ThirdM 9/1 (2006) 17-28.

4427   *Kelle, Brad E.* Ancient Israelite prophets and Greek political orators: analogies for the prophets and their implications for historical reconstruction. [F]HAYES, J.: LHBOTS 446: 2006 ⇒64. 37-56.

4428   *Kessler, Rainer* Mirjam und die Prophetie der Perserzeit. Gotteserdung. BWANT 170: 2006 <1996> ⇒249. 81-88 [Mic 6,4].

4429   *Kipper, Balduino* A mensagem social dos profetas: a evolução econômico-social em Israel e a pregação dos profetas. RCB (2006) 191-257.

4430   *Kizhakkeyil, Sebastian* Literary prophets of the bible. JJSS 6 (2006) 44-63.

4431   **Kratz, Reinhard G.** I profeti di Israele. Brescia 2006, Queriniana 159 pp. €21.50. 88-399-2956-8.

4432   *Krüger, Thomas* Erwägungen zur prophetischen Kultkritik. [F]MEINHOLD, A.: ABIG 23: 2006 ⇒110. 37-55.

4433   **Lange, Armin** Vom prophetischen Wort zur prophetischen Tradition: Studien zur Traditions- und Redaktionsgeschichte innerprophetischer Konflikte in der Hebräischen Bibel. FAT 34: 2002 ⇒18,4149 ... 21,4535. [R]ZAR 12 (2006) 307-311 (*Otto, Eckart*).

4434 *Lange, Armin* Literary prophecy and oracle collection: a comparison between Judah and Greece in Persian times. Prophets, prophecy. LHBOTS 427: 2006 ⇒728. 248-275.

4435 **Lehnart, Bernhard** Prophet und König im Nordreich Israel: Studien zur sogenannten vorklassischen Prophetie im Nordreich Israel. VT.S 96: 2003 ⇒19,4449...21,4537. [R]Bib. 87 (2006) 114-118 (*Vermeylen, Jacques*).

4436 *Lima, Maria de Lourdes Corrêa* O fenômeno profético na Bíblia Hebraica: tipologia e sociologia dos assim chamados profetas 'escritores'. AtT 10 (2006) 361-385.

4437 *Liwak, Rüdiger* Herrschaft zur Überwindung der Krise: politische Prophetie in Ägypten und Israel. [F]MEINHOLD, A.: ABIG 23: 2006 ⇒ 110. 57-83

4438 *Lux, Rüdiger* Die Kinder auf der Gasse: ein Kindheitsmotiv in der prophetischen Gerichts- und Heilsverkündigung. "Schaffe mir Kinder ...". ABIG 21: 2006 ⇒756. 197-221.

4439 **Moberly, Robert** Prophecy and discernment. Cambridge studies in christian doctrine 14: C 2006, CUP xvi; 281 pp. $80. 0-521-85992-1. Bibl. 255-266. [R]HBT 28 (2006) 183-184 (*Dearman, J. Andrew*).

4440 *Munnich, Olivier* Le messianisme à la lumière des livres prophétiques de la Bible grecque. The Septuagint and messianism. BEThL 195: 2006 ⇒753. 327-355.

4441 *Neujahr, Matthew* Royal ideology and utopian futures in the Akkadian *ex eventu* prophecies. Utopia. SESJ 92: 2006 ⇒349. 41-54.

4442 *Nissinen, Martti* The dubious image of prophecy. Prophets, prophecy. LHBOTS 427: 2006 ⇒728. 26-41.

4443 **Nissinen, Martti** Prophets and prophecy in the ancient Near East. Writings from the ancient world 12: 2003 ⇒19,4464... 21,4545. [R]RB 113 (2006) 138-139 (*Gonçalves, Francolino J.*).

4444 *Nitsche, Stefan A.* Prophetische Texte als dramatische Texte lesen: zur Frage nach den Textgestaltungsprinzipien in der prophetischen Literatur des Alten Testaments. Lesarten der Bibel. 2006 ⇒699. 155-181.

4445 Prophetie und Charisma. JBTh 14: 1999 ⇒15,3529. [R]ThR 71 (2006) 153-155 (*Reventlow, Henning Graf*).

4446 *Rooke, Deborah W.* Prophecy. Oxford handbook of biblical studies. 2006 ⇒438. 385-396.

4447 **Rubenstein, Richard E.** Thus saith the Lord: the revolutionary moral vision of Isaiah and Jeremiah. Orlando 2006, Harcourt xii; 258 pp. 978-0-15-101219-0. Bibl. 241-250.

4448 *Ruprecht, Reinhilde* Von den Propheten lernen: haben Sie eine biblische Leitgeschichte?. zeitzeichen 7/2 (2006) 15.

4449 *Sasson, Jack M.* Mari and the holy grail. Orientalism, assyriology and the Bible. HBM 10: 2006 ⇒626. 186-198;

4450 Utopian and dystopian images in Mari prophetic texts. Utopia. SESJ 92: 2006 ⇒349. 27-40.

4451 *Schmid, Konrad* Hintere Propheten (Nebiim). Grundinformation AT. UTB Medium-Format 2745: 2006 ⇒1128. 303-401.

4452 **Sobakin, Raymond** La figure de 'l'Homme de Dieu' dans la Bible hébraïque. [D]*Agius, J.* 2006, Diss. Angelicum [RTL 38,616].

4453 *Solà i Simon, Teresa* L'home 'imatge de Déu': raons d'una absència en els profetes. Imatge de Déu. Scripta Biblica 7: 2006 <2005> ⇒ 463. 59-79.

4454 **Solà, Teresa** Jahvè, espòs d'Israel: poderosa metàfora profètica. Barc 2006, Claret xlvii; 231 pp. 84-8297-882-9. Bibl. xiii-xxxv [R]RCatT 31 (2006) 457-458 (*Raurell, Frederic*).

4455 *Strola, Germana* Critica profetica ai sacrifici. PSV 54 (2006) 79-97.

4456 **Sweeney, Marvin Alan** The prophetic literature. Interpreting biblical texts: 2005 ⇒21,4560. [R]PIBA 29 (2006) 110-112 (*O'Leary, Anthony*); CBQ 68 (2006) 528-529 (*Lessing, Reed*); RBLit (2006)* (*Cathey, Joseph; Vermeylen, Jacques*); JHScr 6 (2006)* = PHScr III,413-416 (*Wood, Joyce R.*) [⇒593].

4457 [E]**Terra, Joao E.M.** Os profetas. RCB (2006) 7-261.

4458 **Tiemeyer, Lena-Sofia** Priestly rites and prophetic rage: post-exilic prophetic critique of the priesthood. [D]*Williamson, H.G.M.*: FAT 2/ 19: Tü 2006, Mohr S. xvii; 318 pp. €59. 3-16-149059-2. Diss. Oxford; Bibl. 291-300.

4459 **Wagner, Andreas** Prophetie als Theologie: die so spricht Jahwe-Formeln und das Grundverständnis alttestamentlicher Prophetie. FRLANT 207: 2004 ⇒20,4293. [R]ThLZ 131 (2006) 28-30 (*Beyerle, Stefan*); ETR 81 (2006) 437-439 (*Vincent, Jean Marcel*); RBLit (2006)* (*Hüllstrung, Wolfgang*).

E8.2 **Proto-Isaias**, *textus, commentarii*

4460 **Blenkinsopp, Joseph** Opening the sealed book: interpretations of the book of Isaiah in late antiquity. GR 2006, Eerdmans 312 pp. $28. 97-80-8028-40219. Bibl. 294-297.

4461 **Goldingay, John** Isaiah. NIBC 13: 2001 ⇒17,3757; 19,4504. [R]HebStud 47 (2006) 450-452 (*Broyles, Craig C.*).

4462 **Höffken, Peter** Jesaja: der Stand der theologischen Diskussion. 2004 ⇒20,4308; 21,4578. [R]BZ 50 (2006) 110-114 (*Jüngling, Hans-Winfried*); JETh 20 (2006) 205-207 (*Klement, Herbert H.*).

4463 **Kizhakkeyil, Sebastian** Isaiah: an exegetical study. Bangalore 2006, ATC xvii; 380 pp. Rs225.

4464 *Koch, Timothy* Isaiah. Queer bible commentary. 2006 ⇒2417. 371-385.

4465 *Marks, Frederick W.* Isaiah the prophet. HPR 106/10 (2006) 18-23.

4466 *McGinnis, Claire M.; Tull, Patricia K.* Remembering the former things: the history of interpretation and critical scholarship. "As those who are taught". SBL.Symposium 27: 2006 ⇒765. 1-27.

4467 **Ramis Darder, Francesc** Isaías 1-39. Comentarios a la Nueva Bíblia de Jerusalén 19A: Bilbao 2006, Desclée de B. 330 pp.

4468 **Ravasi, Gianfranco** Il tempio e la strada: meditando Isaia. Mi 2006, Ancora 174 pp. €15.

4469 *Stone, Michael E.* The Old Armenian version of Isaiah: towards the choice of the base text for an edition. Apocrypha, Pseudepigrapha, II. OLA 145: 2006 <1973> ⇒310. 591-609.

4470 *Ter Haar Romeny, Bas* The Peshitta of Isaiah: evidence from the Syriac fathers. [F]JENNER, K.: MPIL 14: 2006 ⇒75. 149-164.

4471 *Van der Kooij, Arie* Die erste Übersetzung des Jesajabuchs: das Buch Jesaja in der Septuaginta. BiKi 61 (2006) 223-226;

4472 The text of Isaiah and its early witnesses in Hebrew. [F]SCHENKER, A.: VT.S 110: 2006 ⇒147. 143-152;

4473 MS 9a1 of the Peshitta of Isaiah: some comments. [F]JENNER, K.: MPIL 14: 2006 ⇒75. 71-76;

4474 Interpretation of the book of Isaiah in the Septuagint and in other ancient versions. "As those who are taught". SBL.Symposium 27: 2006 ⇒765. 49-68 [Isaiah 3,18-23; 25,1-3; 26,1-2; 26,5-6].

4475 **Watts, John D.W.** Isaiah 1-33. WBC 24: Waco, Tex. [2]2005 <1984>, Word Books cxxi; 500 pp. 07852-50107.

4476 **Williamson, Hugh G.M.** A critical and exegetical commentary on Isaiah 1-27, vol. 1: Isaiah 1-5. ICC: L 2006, Clark xxx; 410 pp. £55. 0-567-04451-3.

E8.3 Isaias 1-39, *themata, versiculi*

4477 **Barton, John** Jesaja–Prophet in Jerusalem: eine Einführung zu Themen in Jesaja 1-39. [ET]*Bultmann, Christoph*: Gö 2006, Ruprecht 136 pp. €14.90. 978-3-7675-7079-5.

4478 *Berges, Ulrich* Das Jesajabuch als literarische Kathedrale: ein Rundgang durch die Jahrhunderte. BiKi 61 (2006) 190-197.

4479 *Beuken, Willem A.M.* Der Prophet Jesaja und seine Zeit: Überlegungen zu einer historischen Rückfrage. BiKi 61 (2006) 198-202.

4480 *Cassel, J. David* Patristic interpretation of Isaiah. "As those who are taught". Ment. *Cyrillus Alexandrinus*: SBL.Symposium 27: 2006 ⇒ 765. 145-169.

4481 **Childs, Brevard S.** The struggle to understand Isaiah as christian scripture. 2004 ⇒20,4322; 21,4592. [R]Interp. 60 (2006) 80-82 (*Mays, James Luther*); CBQ 68 (2006) 104-105 (*Polan, Gregory J.*); AThR 88 (2006) 442-444 (*Heskett, Randall*); AsbJ 61/2 (2006) 123-124 (*Oswalt, John N.*); Faith & Mission 24/1 (2006) 101-103 (*Rooker, Mark F.*); Bib. 87 (2006) 429-434 (*Becker, Joachim*); RB 113 (2006) 301-303 (*Gonçalves, Francolino*).

4482 *Gordon, Robert P.* The legacy of LOWTH: Robert Lowth and the book of Isaiah in particular. Hebrew Bible and ancient versions. MSSOTS: 2006 <2001> ⇒224. 278-292.

4483 **Janthial, Dominique** L'oracle de Nathan et l'unité du livre d'Isaïe. BZAW 343: 2004 ⇒20,4327; 21,4596. [R]TEuph 31 (2006) 160-163 (*Gosse, B.*); Bib. 87 (2006) 425-429 (*Kim, Hyun Chul Paul*).

4484 *Kim, Chang-Hoon* Prophetic preaching as social preaching. ERT 30 (2006) 141-151.

4485 *Koenen, Klaus* Wölfe wohnen bei Lämmern: Jesajas Bilder vom Frieden zwischen Völkern und Geschöpfen. BiKi 61 (2006) 212-217.

4486 *Kratz, Reinhard G.* Israel in the book of Isaiah. JSOT 31 (2006) 103-128;

4487 Israel im Jesajabuch. [F]MEINHOLD, A.: ABIG 23: 2006 ⇒110. 85-103.

4488 *Martens, Elmer A.* Impulses to global mission in Isaiah. Direction 35 (2006) 59-69.

4489 *Melugin, Roy F.* Form criticism, rhetorical criticism, and beyond in Isaiah. "As those who are taught". SBL.Symposium 27: 2006 ⇒765. 263-278.

4490 *Oswalt, John N.* The nations in Isaiah: friend or foe: servant or partner. BBR 16 (2006) 41-51.

4491 *Plantinga Pauw, Amy* "Becoming a part of Israel": John CALVIN's exegesis of Isaiah. "As those who are taught". SBL.Symposium 27: 2006 ⇒765. 201-221.

4492 *Reimer, Haroldo* A tradição de Isaías. Estudos bíblicos 89 (2006) 9-18.

4493 *Roberts, J.J.M.* Isaiah's Egyptian and Nubian oracles. ᶠHAYES, J.: LHBOTS 446: 2006 ⇒64. 201-209.

4494 *Sals, Ulrike* GottesFrauenBilder: Frauenbilder und weibliche Gottesbilder im Jesajabuch. BiKi 61 (2006) 218-222.

4495 *Schaper, Joachim* Messianism in the Septuagint of Isaiah and messianic intertextuality in the Greek Bible. The Septuagint and messianism. BEThL 195: 2006 ⇒753. 371-380.

4496 *Seitz, C.R.* Fixity and potential in Isaiah. The multivalence. SBL. Symposium 37: 2006 ⇒745. 37-45.

4497 *Stansell, Gary* The poet's prophet: Bishop Robert LOWTH's eighteenth-century commentary on Isaiah;

4498 *Sweeney, Marvin A.* On the road to DUHM: Isaiah in nineteenth-century critical scholarship. "As those who are taught". SBL.Symposium 27: 2006 ⇒765. 223-242/243-261.

4499 (a) *Sylva, Dennis* The Isaian oracles against the nations. BiTod 44 (2006) 215-219.
(b) *Tull, Patricia K.* One book, many voices: conceiving of Isaiah's polyphonic message. "As those who are taught". SBL.Symposium 27: 2006 ⇒765. 279-314.

4500 **Van Wieringen, Archibald L.H.M.** The reader-oriented unity of the book Isaiah. Amsterdamse cahiers voor exegese.S 6: Vught 2006, Skandalon ix; 306 pp. 90-76564-40-X. Bibl. 235-269.

4501 *Baer, David A.* "It's all about us!": nationalistic exegesis in the Greek Isaiah (chapters 1-12). "As those who are taught". SBL.Symposium 27: 2006 ⇒765. 29-47.

4502 *Harris, Robert A.* Structure and composition in Isaiah 1-12: a twelfth-century Northern French rabbinic perspective. "As those who are taught". SBL.Symposium 27: 2006 ⇒765. 171-187.

4503 *Brock, Sebastian P.* An unknown Syriac version of Isaiah 1:1-2:21. ᶠJENNER, K.: MPIL 14: 2006 ⇒75. 11-23.

4504 *Kessler, Rainer* 'Söhne habe ich großgezogen und emporgebracht...': Gott als Mutter in Jes 1,2. Gotteserdung. BWANT 170: 2006 <1997> ⇒249. 89-97.

4505 *Rüterswörden, Udo* Ochs und Esel in Jes 1,2-3. ᶠMEINHOLD, A.: ABIG 23: 2006 ⇒110. 105-113.

4506 **Gray, Mark** Rhetoric and social justice in Isaiah. ᴰLewis, J. LHBOTS 432: NY 2006, Clark x; 306 pp. $110. 0-567-02761-9. Diss. Belfast. ᴿRBLit (2006)* (*Marlow, Hilary*) [Isa 1,16-17; 58,6-10].

4507 *Williamson, Hugh G.* A productive textual error in Isaiah 2:18-19. ᶠNA'AMAN, N.: 2006 ⇒120. 377-388.

4508 *Van der Kooij, Arie* The Septuagint of Isaiah and the Hebrew text of Isaiah 2:22 and 36:7. ᶠULRICH, E.: VT.S 101: 2006 ⇒160. 377-386.

4509 *Roberts, J.J.M.* The visual elements in Isaiah's vision in light of Judaean and Near Eastern sources. ᶠPECKHAM, B.: LHBOTS 455: 2006 ⇒126. 197-213 [Isa 6].

4510 *Williamson, Hugh G.M.* Temple and worship in Isaiah 6. Temple and worship. LHBOTS 422: 2006 ⇒716. 123-144.

4511 **Wagner, Thomas** Gottes Herrschaft: eine Analyse der Denkschrift (Jes 6,1-9,6). [D]*Kreuzer, Siegfried*: VT.S 108: Lei 2006, Brill xiii; 340 pp. €125. 90-04-14912-0. Diss. Wuppertal; Bibl. 301-323.

4512 *Blocher, Henri* Le prophète et le roi (Esaïe 7.1-14). <1978>;

4513 Le signe pour la maison de David (Esaïe 7.14). La bible au microscope. 2006 <2003> ⇒192. 217-221/223-241.

4514 *Radermakers, J.* La mère de l'Emmanuel: "Le Seigneur lui-même vous donnera un signe" (Is 7,14). NRTh 128 (2006) 529-545 [Mt 1, 23].

4515 *Blocher, Henri* Dieu-avec, Dieu-contre (Esaïe 8). La bible au microscope. 2006 <2005> ⇒192. 243-249.

4516 *Waschke, Ernst-Joachim* Die Tafel des Propheten: Überlegungen zu Jes 8,1-17. [F]MEINHOLD, A.: ABIG 23: 2006 ⇒110. 115-128.

4517 *Blocher, Henri* Le refuge et le scandale (Esaïe 8.5-20) <1978>;

4518 Un fils nous est donné (Esaïe 8.23-9.6). La bible au microscope. 2006 <1978> ⇒192. 251-256/257-261.

4519 *Ortkemper, Franz-Josef* Adventliche Jesajatexte neu gelesen: gewachsene Texte für Krisenzeiten. BiKi 61 (2006) 203-207 [Isa 8,23-9,6; 11,1-9].

4520 *Hardmeier, Christof* Geschichtsdivinatorik und literatursoziologische Aspekte der Schriftprophetie am Beispiel von Jesaja 9-10. [F]MEINHOLD, A.: ABIG 23: 2006 ⇒110. 129-151.

4521 *Blocher, Henri* Le grand retour (Esaïe 11 et 12) <1978>;

4522 La paix du Messie (Esaïe 11.1-9). La bible au microscope. 2006 <1978> ⇒192. 269-273/263-268.

4523 **Emen Umorem, Gerald** The salvation of the remnant in Isaiah 11: 11-12: an exegesis of a prophecy of hope and its relevance today. [D]*Agius, J.* 2006, Diss. Angelicum [RTL 38,614].

4524 *Eshel, Esther* Isaiah 11:15: a new interpretation based on the Genesis Apocryphon. DSD 13 (2006) 38-45.

4525 *Gosse, Bernard* 2 Chroniques 20, le livre d'Isaïe et les Psaumes et cantiques bibliques. OTEs 19 (2006) 650-670 [Isa 12,2-3].

4526 *Olyan, Saul M.* Was the "King of Babylon" buried before his corpse was exposed?: some thoughts on Isa 14,19. ZAW 118 (2006) 423-26.

4527 *Beuken, Willem A.M.* Must Philistia carry on wailing?: the enduring message of a prophetic oracle addressed to a hostile nation (Isa. 14.28-32). [F]WANSBROUGH, H.: LNTS 316: 2006 ⇒168. 50-60.

4528 *Reiterer, Friedrich V.* Wer ist der angekündigte Regent?: ein früher Baustein der Messiasvorstellung in Jes 16,4c-5d. BN 130 (2006) 5-16.

4529 **Lavik, Marta H.** A people tall and smooth-skinned: the rhetoric of Isaiah 18. VT.S 112: Lei 2006, Brill xvii; 274 pp. €112/$146. 978-90-04-15434-6. Diss. Oslo; Bibl. 239-256.

4530 **Lessing, Robert R**. Interpreting discontinuity: Isaiah's Tyre oracle. 2004 ⇒20,4362; 21,4629. [R]ThLZ 131 (2006) 363-365 (*Höffken, Peter*); CBQ 68 (2006) 305-307 (*Boadt, Lawrence*) [Isa 23].

4531 *Leuchter, Mark* Tyre's "70 years" in Isaiah 23,15-18. Bib. 87 (2006) 412-417.

4532 **Hibbard, J. Todd** Intertextuality in Isaiah 24-27: the reuse and evocation of earlier texts and traditions. [D]*Benkinsopp, Joseph*: FAT 2/16: Tü 2006, Mohr S. viii; 248 pp. 3-16-149027-4. Diss. Notre Dame; Bibl. 219-229.

4533 **Nitsche, Stefan Ark** Jesaja 24-27: ein dramatischer Text: die Frage nach den Genres prophetischer Literatur des Alten Testaments und die Textgraphik der großen Jesajarolle aus Qumran. [D]*Utzschneider, H.*: BWANT 166: Stu 2006, Kohlhammer 304 pp. €29.80. 3-17-018-672-8. Diss.-Habil. Neuendettelsau; Bibl. 290-304.

4534 *Fernandes, Natan* A glória de יהוה: regozijo dos salvos no final. Hermenêutíca 6 (2006) 27-37 [Isa 24,14-16].

4535 *Hosch, Harold E.* A textlinguistic analysis of Isaiah 25. HebStud 47 (2006) 49-65.

4536 *O'Kane, Martin* Concealment and disclosure in Isaiah 28-33. RB 113 (2006) 481-505.

4537 *Blenkinsopp, Joseph* Who is the teacher in Isa 30:20 who will no longer remain hidden?. [F]FREYNE, S. 2006 ⇒46. 9-23.

4538 *Tiemeyer, Lena-Sofia* Exegetical notes on Isaiah 33:14-16: despite and nonetheless. ET 118 (2006) 132-133.

4539 *Hagelia, Hallvard* The holy road as a bridge: the role of chapter 35 in the book of Isaiah. SJOT 20/1 (2006) 38-57.

4540 **Barré, Michael L.** The Lord has saved me: a study of the Psalm of Hezekiah (Isaiah 38:9-20). CBQ.MS 39: 2005 ⇒21,4636. [R]ITS 43 (2006) 101-103 (*Legrand, Lucien*); CBQ 68 (2006) 502-503 (*Cox, Claude E.*); RBLit (2006)* (*Hjelm, Ingrid*).

4541 *Blenkinsopp, Joseph* Hezekiah and the Babylonian delegation: a critical reading of Isaiah 39:1-8. [F]NA'AMAN, N. 2006 ⇒120. 107-122.

E8.4 **Deutero-Isaias 40-52**: *commentarii, themata, versiculi*

4542 **Adams, Jim W.** The performative nature and function of Isaiah 40-55. [D]*Goldingay, John*: LHBOTS 448: NY 2006, Clark xvi, 259 pp. $130. 0-567-02582-9. Diss. Fuller; Bibl. 217-243.

4543 **Bass, Debra M.** God comforts Israel: the audience and message of Isaiah 40-55. Lanham 2006, University Press of America vi; 142 pp. 0-7618-3348-X. Bibl. 133-139.

4544 **Bellavance, Eric** YHWH contre Marduk: une analyse postcoloniale du thème de la création dans les chapitres 40-48 du livre d'Isaïe. [D]*David, R.* 2006, Diss. Montréal [RTL 38,613].

4545 **Blenkinsopp, Joseph** Isaiah 40 - 55. AncB 19A: 2002 ⇒18,4254... 21,4638. [R]JSSt 51 (2006) 192-194 (*Thompson, M.E.W.*).

4546 **Dille, Sarah J.** Mixing metaphors: God as mother and father in Deutero-Isaiah. JSOT.S 398; Gender, Culture, Theory 13: 2004 ⇒20, 4375; 21,4640. [R]RRT 13 (2006) 123-124 (*Brummitt, Mark*); CBQ 68 (2006) 105-106 (*Hensell, Eugene*).

4547 *Elliott, Mark W.* The voice of the fathers on Isaiah 40-66. Gotteswort und Menschenrede. 2006 ⇒371. 67-84.

4548 *Gaiser, Frederick J.* 'I will carry and will save': the carrying God of Isaiah 40-66. [F]FRETHEIM, T. 2006 ⇒45. 94-102.

4549 *Garmus, Ludovico* Criação e história em Is 40-55. Estudos bíblicos 89 (2006) 33-43.

4550 **Goldingay, John** The message of Isaiah 40-55. 2005 ⇒21,4641. [R]RBLit (2006)* (*Vermeylen, Jacques*).

4551 **Goldingay, John E.; Payne, David F.** A critical and exegetical commentary on Isaiah 40-55. L 2006, Clark 2 vols; l; 368 + viii; 381 pp. $201. 0-567-04461-0/3072-5.

4552   **Hanson, Paul D.** Isaia 40-66. [E]*Rivarossa, Dario*: Strumenti Commentari 29: T 2006, Claudiana 288 pp. 978-88-7016-642-2. Bibl. 273-275.

4553   *Häusl, Maria* "Mit wem wollt ihr mich vergleichen?": Gottesbilder und Geschlechterperspektive in Jes 40-55. [F]KLINGER, E., 2. 2006 ⇒ 86. 127-138.

4554   **Hermisson, Hans-Jürgen** Deuterojesaja, 2. Teilbd: Jesaja 45,8-49, 13. BK.AT 11/2 2003 ⇒19,4578. [R]ThLZ 131 (2006) 21-23 (*Höffken, Peter*).

4555   *Kaminsky, Joel; Stewart, Anne* God of all the world: universalism and developing monotheism in Isaiah 40-66. HThR 99 (2006) 139-163.

4556   **Kim, Hyun Chul Paul** Ambiguity, tension, and multiplicity in Deutero-Isaiah. Studies in Biblical Literature 52: 2003 ⇒19,4579... 21, 4647. [R]Bib. 87 (2006) 118-122 (*Becker, Joachim*).

4557   **Nurmela, Risto** The mouth of the Lord has spoken: inner-biblical allusions in Second and Third Isaiah. Lanham 2006, University Press of America 170 pp. $28/£19. 0-7618-3476-1. Bibl. 143-156.

4558   *Siqueira, Tércio M.* Segundo Isaías: o anúncio da permanente esperança. Estudos bíblicos 89 (2006) 19-24.

4559   **Williamson, Hugh G.M.** The book called Isaiah: Deutero-Isaiah's role in composition and redaction. Oxf 2005, OUP xvii; 336 pp. 01992-81076. Bibl. 267-287.

4560   *Zabatiero, Júlio P.* A boa-nova em Isaías 40-66: um evangelho antes do evangelho. Estudos bíblicos 89 (2006) 25-32.

4561   **Klein, Peter** Jesaja 40,1-11 als Prolog: ein Beitrag zur Komposition Deuterojesajas. [D]*Loader, J.A.* 2006, Diss. Wien [ThLZ 132,490].

4562   *Landy, Francis* The ghostly prelude to Deutero-Isaiah. BiblInterp 14 (2006) 332-363 [Isa 40,1-11].

4563   *Berges, Ulrich* "Ich gebe Jerusalem einen Freudenboten": synchrone und diachrone Beobachtungen zu Jes 41,27. Bib. 87 (2006) 319-337.

4564   *Gosse, Bernard* L'élu (bḥyr) en Isaïe 42,1-4 + 5-9, dans les traditions du livre d'Isaïe, du psautier et du livre des Proverbes. BN 128 (2006) 19-26.

4565   *Ramis Darder, Francesc* El gozo de la conversión: sentido metafórico de los motivos exodales en Is 43,16-21. EstB 64 (2006) 429-446.

4566   *Häusl, Maria* "Ich aber vergesse dich nicht": Gottesbilder in Jes 49, 14-50,3. [F]SCHÜNGEL-STRAUMANN, H. 2006 ⇒153. 237-245.

4567   *Blocher, Henri* Glorious Zion, our mother: readings in Isaiah (conspectus, or abridged). La bible au microscope. 2006 <2002> ⇒192. 275-292 [Isa 49,14-23; 54; 65-66].

4568   *Greenwood, Kyle R.* A case of metathesis in Isaiah lii 5b?. VT 56 (2006) 138-141.

4569   **Borghino, Angelo** La "nuòva alleanza" in Is 54: analisi esegetico-teologica. TGr.T 118: 2005 ⇒21,4664. [R]CBQ 68 (2006) 298-300 (*Laberge, Léo*).

4570   *Höffken, Peter* Eine Bemerkung zu Jes 55,1-5: zu buchinternen Bezügen des Abschnitts. ZAW 118 (2006) 239-249 [Isa 11,12; 55,1-5; 60].

4571   *Marques, Maria A.; Nakanose, Shigeyuki* O Senhor terá compaixão: uma leitura de Isaías 55,1-11. Estudos bíblicos 89 (2006) 60-69.

E8.5 *Isaiae 53ss. Carmina Servi YHWH*: **Servant Songs**

4572 *Chisholm, Robert B., Jr.* The christological fulfillment of Isaiah's servant songs. BS 163 (2006) 387-404.
4573 *Christian, Mark A.* The servants in the Songs. Sewanee Theological Review 49 (2006) 365-376.
4574 *Dafni, Evangelia G.* Die sogenannten *'Ebed-Jahwe*-Lieder in der Septuaginta. XII Congress IOSCS. SCSt 54: 2006 ⇒774. 187-200.
4575 *Frizzo, Antônio Carlos* Uma análise literária de Is 52,13-53,12 (o quarto canto do servo de IHWH). AtT 10 (2006) 118-130.
4576 **Kowalski, Thomas** Les oracles du Serviteur souffrant et leur interprétation. École cathédrale 49: 2003 ⇒19,4604. ᴿREJ 165 (2006) 297-299 (*Couteau, Elisabeth*).
4577 *Werlitz, Jürgen* Vom Gottesknecht der Lieder zum Gottesknecht des Buches: oder: warum die Vorstellung von Deuterojesaja in die Krise gekommen ist .... BiKi 61 (2006) 208-211.

4578 *Silva, Valmor da* Eis meu servo: leitura do primeiro canto do Servo do Senhor, segundo Is 42,1-7. Estudos bíblicos 89 (2006) 44-59.
4579 *Rathinam, Selva* Suffering, resistance and freedom: a postcolonial Dalit study of Isaiah 52:13-53:12. VJTR 70 (2006) 61-73.
4580 ᴱ**Stuhlmacher, Peter; Janowski, Bernd** The suffering servant: Isaiah 53 in Jewish and christian sources. ᵀ*Bailey, Daniel P.* 2004 ⇒20, 436; 21,490. ᴿEE 81 (2006) 199-200 (*Sanz Giménez-Rico, Enrique*); Theol. 109 (2006) 126-127 (*France, Dick*); BS 163 (2006) 248-249 (*Chisholm, Robert B., Jr.*); Faith & Mission 24/1 (2006) 109-111 (*Rooker, Mark F.*).
4581 *Witherington, Ben, III* Isaiah 53:1-12 (Septuagint). The historical Jesus. 2006 ⇒334. 400-404.
4582 *Abela, Anthony* When tradition prevails over good parsing: reconsidering the translation of Is 53,11B. Stimulation from Leiden. BEAT 54: 2006 ⇒686. 89-104.
4583 *Höffken, Peter* Überlegungen zu den literarischen Bezügen von Jes 55,6-13. BZ 50 (2006) 251-259.

E8.6 [Trito]**Isaias 56-66**

4584 **Blenkinsopp, Joseph** Isaiah 56-66. AncB 19B: 2003 ⇒19,4615... 21,4679. ᴿBS 163 (2006) 118-120 (*Chisholm, Robert B., Jr.*); IThQ 71 (2006) 353-355 (*Maher, Michael*).
4585 *Flynn, Shawn W.* "A house of prayer for all peoples": the unique place of the foreigner in the temple theology of Trito-Isaiah. Theoforum 37 (2006) 5-24.
4586 *Middlemas, Jill* Divine reversal and the role of the temple in Trito-Isaiah. Temple and worship. LHBOTS 422: 2006 ⇒716. 164-187.
4587 *Peri, Chiara* 'Seduti nei sepolcri...mangiano carne di maiale': operatori di culti illeciti nel libro di Isaia. StEeL 23 (2006) 107-119.
4588 **Zapff, Burkard M.** Jesaja 56-66. NEB.AT 37: Wü 2006, Echter 343-444 pp. €17.40. 3-429-02338-6.

4589 *Paganini, Simone* Der Übergang von Deutero- zu Trito-Jesaja: zu Jes
      56,9. Stimulation from Leiden. BEAT 54: 2006 ⇒686. 105-111;
4590 Osservazioni su Is 56,9. RivBib 54 (2006) 202-206.
4591 *Blenkinsopp, Joseph* Who is the Ṣaddiq of Isaiah 57:1-2?. ᶠULRICH,
      E.: VT.S 101: 2006 ⇒160. 109-120.
4592 *Flynn, Shawn W.* Where is YHWH in Isaiah 57,14-15?. Bib. 87
      (2006) 358-370.
4593 *Bautch, Richard J.* Lament regained in Trito-Isaiah's penitential
      prayer. Seeking the favor of God, 1. Early judaism and its literature
      21: 2006 ⇒700. 83-99 [Isa 63-64].
4594 *Gärtner, Judith* "...why do you let us stray from your paths..." (Isa
      63:17): the concept of guilt in the communal lament Isa 63:7-64:11.
      Seeking the favor of God, 1. Early judaism and its literature 21: 2006
      ⇒700. 145-163.
4595 *Niskanen, Paul* Yhwh as father, redeemer, and potter in Isaiah 63:7-
      64:11. CBQ 68 (2006) 397-407.
4596 *Obara, Elzbieta* Dalla vigna al grappolo: la metafora di Is 65,8 e la
      sua istanza comunicativa. RivBib 54 (2006) 129-157.
4597 *Gardner, Anne E.* Isaiah 66:1-4: condemnation of temple and sacri-
      fice or contrast between the arrogant and the humble?. RB 113
      (2006) 506-528.

E8.7 Jeremias

4598 *Bauer-Levesque, Angela* Jeremiah. Queer bible commentary. 2006 ⇒
      2417. 386-393.
4599 *Bogaert, Pierre-M.* Qui exerce la royauté dans le livre de Jérémie (et
      Baruch 1-5)?: du trône de David au trône de Dieu dans sa ville. The
      Septuagint and messianism. BEThL 195: 2006 ⇒753. 381-415.
4600 *Brueggemann, Walter* The God of 'all flesh'. ᶠFRETHEIM, T. 2006 ⇒
      45. 85-93;
4601 Jeremiah: portrait of the prophet. Like fire in the bones. 2006
      <1983> ⇒198. 3-17;
4602 A second reading of Jeremiah after the dismantling. <1985> 99-115;
4603 Prophets and historymakers. <1986> 189-198;
4604 Recent scholarship: intense criticism, thin interpretation. <1988> 29-
      40;
4605 Prophetic ministry: a sustainable alternative community <1989> 142-
      167;
4606 Why prophets won't leave well enough alone: an interview with
      Walter Brueggemann. <1993> 199-212;
4607 The book of Jeremiah: meditation upon the abyss. <2000> 18-28;
4608 Theology in Jeremiah: *creatio in extremis*. <2000> 41-55;
4609 Next steps in Jeremiah studies. <2001> 56-71;
4610 An ending that does not end. Like fire in the bones. 2006 <2001> ⇒
      198. 86-98.
4611 *Brummitt, Mark* Of broken pots and dirty laundry: the Jeremiah *Lehr-
      stücke*. Ment. *Brecht, B.*: BiCT 2/1 (2006)*.
4612 **Carroll, Robert P.** Jeremiah. Shf 2006, Sheffield Phoenix 2 vols; ix;
      874 pp. 1-905048-63-7/4-5. Bibl. 4-32.
4613 *Crenshaw, James L.* A living tradition: the book of Jeremiah in cur-
      rent research. Prophets, sages. 2006 <1983> ⇒204. 137-146.

4614 **Di Pede, Elena** De Jérusalem à l'Egypte ou le refus de l'alliance (Jr 32-45). ConBib 45: Bru 2006, LumenVitae 80 pp. €10. 978-28732-4-2947.

4615 *Dubbink, Joep* Jeremia, profeet en persoon. ITBT 14/1 (2006) 7-9.

4616 *Fischer, Georg* "Warum ist mein Schmerz anhaltend und meine Wunde unheilbar?": zur Klage bei Jeremia und den Psalmen. Der Mensch in seiner Klage: Anmerkungen aus Theologie und Psychiatrie. ^E**Hinterhuber, Hartmann; Scheuer, Manfred; Van Heyster, Paul** Innsbruck 2006, Tyrolia. 150-159. 3-7022-2785-7.

4617 *Gosse, B.* Le prophète et le livre de Jérémie selon le Psautier et divers passages bibliques. TEuph 32 (2006) 61-97 [Ps 6; 40; 79].

4618 *Grabbe, Lester L.* "The lying pen of the scribes"?: Jeremiah and history. ^FNa'AMAN, N. 2006 ⇒120. 189-204.

4619 **Greenberg, Gillian** Translation technique in the Peshitta to Jeremiah. MPIL 13: 2002 ⇒18,4324; 20,4450. ^RBiOr 63 (2006) 144-148 (*Gzella, Holger*).

4620 **Job, John B.** Jeremiah's kings: a study of the monarchy in Jeremiah. ^D*Clements, Ronald*: Aldershot 2006, Ashgate xiii; 233 pp. £50. 978-0-7546-5505-3. Diss. Sheffield; Bibl. 203-218.

4621 **Joo, Samantha** Provocation and punishment: the anger of God in the book of Jeremiah and deuteronomistic theology. BZAW 361: B 2006, De Gruyter xiv; 320 pp. €82.24. 311-018-9941. Bibl. 307-320.

4622 *Katz, Ben Zion* Retroversion in medieval Jewish biblical exegesis: a study in the book of Jeremiah. JBQ 34 (2006) 237-243.

4623 ^E**Kessler, Martin** Reading the book of Jeremiah: a search for coherence. 2004 ⇒20,376; 21,4703. ^RJHScr 6 (2006)* = PHScr III,355-358 (*Sharp, Carolyn J.*) [⇒593].

4624 **Leuchter, Mark** Josiah's reform and Jeremiah's scroll: historical calamity and prophetic response. HBM 6: Shf 2006, Sheffield P. x; 206 pp. £50. 1-905048-31-9. Diss. Toronto 2003; Bibl. 183-194. ^RRBLit (2006)* (*Noll, K.L.*) [2 Kgs 22-23].

4625 *Levin, Christoph* The 'word of Yahweh': a theological concept in the book of Jeremiah. Prophets, prophecy. LHBOTS 427: 2006 ⇒728. 42-62.

4626 **Lundbom, Jack R.** Jeremiah 37—52. AncB 21C: 2004 ⇒20,4461; 21,4708. ^RBZ 50 (2006) 307-9 (*Fischer, Georg*); CBQ 68 (2006) 516-8 (*Boadt, Lawrence*); JThS 57 (2006) 588-591 (*Bultmann, Christoph*);

4627 Jeremiah. AncB 21A-C: 2004 ⇒15,3786... 21,4708. ^RBib. 87 (2006) 434-438 (*Schmid, Konrad*).

4628 *Malcolm, Lois* The God of 'all flesh'. ^FFRETHEIM, T. 2006 ⇒45. 136-144.

4629 *Menken, Maarten* Jeremia in het Nieuwe Testament. ITBT 14/1 (2006) 12-14.

4630 *Michael, Tony S.L.* Bisectioning of Greek Jeremiah: a problem to be revisited?. BIOSCS 39 (2006) 93-104.

4631 *O'Connor, Kathleen M.* Jeremiah's two visions of the future. Utopia. SESJ 92: 2006 ⇒349. 86-104.

4632 *Otto, Eckart* Der Pentateuch im Jeremiabuch: Überlegungen zur Pentateuchrezeption im Jeremiabuch anhand neuerer Jeremia-Literatur. ZAR 12 (2006) 245-306.

4633 *Pietersma, Albert* Greek Jeremiah and the land of Azazel. ^FULRICH, E.: VT.S 101: 2006 ⇒160. 402-413 [Lev 16].

4634   *Ramis Darder, Francesc* La referència a l'Èxode en la profecia de
       Jeremías i Ezequiel. Comunicació 115-6 (2006) 27-46 [Ezek 20; 23].
4635   *Schmid, Konrad* L'accession de Nabuchodonosor à l'hégémonie
       mondiale et la fin de la dynastie davidique: exégèse intrabiblique et
       construction de l'histoire universelle dans le livre de Jérémie. ETR
       81 (2006) 211-227.
4636   *Schmidt, Werner H.* Zukunftsgewissheit und Lebensbewahrung: zur
       Struktur von Jeremias Botschaft. ^FMEINHOLD, A.: ABIG 23: 2006 ⇒
       110. 153-164.
4637   **Stulman, Louis** Jeremiah. Abingdon OT Comm.: 2005 ⇒21,4715.
       ^RCBQ 68 (2006) 130-131 (*Lessing, Reed*); JHScr 6 (2006)* =
       PHScr III,347-350 (*Becking, Bob*) [⇒593].
4638   *Van Midden, Piet* Jeremia voor kinderen?. ITBT 14/1 (2006) 10-11.
4639   *Walter, Donald M.* Manuscript relations for the Peshitta text of Jere-
       miah. ^FJENNER, K.: MPIL 14: 2006 ⇒75. 231-253.
4640   *Weippert, Helga* Der Beitrag außerbiblischer Prophetentexte zum
       Verständnis der Prosareden des Jeremiabuches. Unter Olivenbäumen.
       AOAT 327: 2006 <1981> ⇒324. 423-446.
4641   *Weis, Richard D.* The textual situation in the book of Jeremiah.
       ^FSCHENKER, A.: VT.S 110: 2006 ⇒147. 269-293.

4642   *Blocher, Henri* L'Écriture après l'Ecriture: la vocation prophétique
       (Jérémie 1.4-19). La bible au microscope. 2006 <1976> ⇒192. 67-
       73 [2 Thess 2,13-3,8].
4643   *Hardmeier, Christof* Zeitverständnis und Geschichtssinn in der He-
       bräischen Bibel: Geschichtstheologie und Gegenwartserhellung bei
       Jeremia. Realitätssinn und Gottesbezug. <1998> [Jer 2-6];
4644   Wahrhaftigkeit und Fehlorientierung bei Jeremia: Jer 5,1 und die
       divinatorische Expertise Jer 2-6* im Kontext der zeitgenössischen
       Kontroversen um die politische Zukunft Jerusalems. Realitätssinn
       und Gottesbezug. BThSt 79: 2006 <2001> ⇒233. 89-124/125-154.
4645   *Pujol, Françoise* Jérémie 2,4-13: Dieu en procès.... LeD 70 (2006)
       14-26.
4646   **Malemo Kihuo, Floribert** Le Seigneur contre les dires d'Israël: l'a-
       mour de Dieu au-delà des accusations: lecture rhétorique, exégétique
       et théologique du Rîb en Jérémie 2,20-37. ^D*Agius, J.* 2006, 213 pp.
       Diss. Angelicum [RTL 38,615].
4647   **Shields, Mary E.** Circumscribing the prostitute: the rhetorics of in-
       tertextuality, metaphor and gender in Jeremiah 3.1-4.4. JSOT.S 387:
       2004 ⇒20,4494; 21,4724. ^RCBQ 68 (2006) 527-528 (*O'Connor,
       Kathleen M.*); RBLit (2006)* (*Stulman, Louis*); JThS 57 (2006) 582-
       585 (*Guest, Deryn*).
4648   *Maier, Christl M.* Ist Versöhnung möglich?: Jeremia 3,1-5 als Bei-
       spiel innerbiblischer Auslegung. ^FSCHÜNGEL-STRAUMANN, H. 2006
       ⇒153. 295-305.
4649   *Wessels, W.* Zion, beautiful city of God–Zion theology in the book of
       Jeremiah. VeE 27 (2006) 729-748 [Jer 3,14-18; 30,18-22; 31,2-6; 31,
       10-14].
4650   *Brueggemann, Walter* A world available for peace: images of hope
       from Jeremiah and Isaiah. Like fire in the bones. 2006 <1988> ⇒
       198. 168-179 [Isa 52,7-9; Jer 6,13-15].
4651   *Avioz, Michael* A rhetorical analysis of Jeremiah 7:1-15. TynB 57
       (2006) 173-189.

4652 *Vonach, Andreas* Der Ausdruck מלכת השמים in Jer 7,18-MT und Jer 44,17.18.19.25-MT und die unterschiedlichen Übersetzungen in der LXX. PzB 15 (2006) 61-73.

4653 *Brueggemann, Walter* 'Is there no balm in Gilead?': the hope and despair of Jeremiah. Like fire in the bones. 2006 <1985> ⇒198. 180-188 [Jer 8,18-9,3].

4654 *Reid, Garnett* 'Thus you will say to them': a cross-cultural confessional polemic in Jeremiah 10.11. JSOT 31 (2006) 221-238.

4655 *Gosse, Bernard* Le prophète Jérémie en Jer 11,18-12,6 dans le cadre du livre de Jérémie et en rapport avec le psautier. ZAW 118 (2006) 549-557 [Ps 44,22-24].

4656 *Crenshaw, James L.* Deceitful minds and theological dogma: Jer 17:5-11. Prophets, sages. 2006 <2005> ⇒204. 73-82;

4657 = Utopia. SESJ 92: 2006 ⇒349. 105-121.

4658 *Holmgren, Patrick C.* The elusive presence: Jeremiah 20:4-11. CThMi 33 (2006) 366-371.

4659 *Heckl, Raik* "Jhwh ist unsere Gerechtigkeit" (Jer 23,5f.): überlieferungsgeschichtliche Erwägungen zu Jer 21-24. FMEINHOLD, A.: ABIG 23: 2006 ⇒110. 181-198.

4660 *Avioz, Michael* The historical setting of Jeremiah 21:1-10: AUSS 44 (2006) 213-219.

4661 *Kilpp, Nelson* Jeremias diante do tribunal. EsTe 46 (2006) 52-70 [Jer 21,20-23].

4662 *Vonach, Andreas* Auch Übersetzer sind Literaten: Jer 23,33-40 als lebendiges Zeugnis des Diaspora-Judentums im hellenistischen Alexandrien. FHAIDER, P.: Oriens et Occidens 12: 2006 ⇒60. 549-560.

4663 **Osuji, Anthony** Where is the truth?: narrative exegesis and the question of true and false prophecy in Jer. 26-29 (MT). DWénin, André 2006, xiv; 523 pp. Diss. LvN [EThL 83,242].

4664 *Osuji, Anthony* True and false prophecy in Jer 26-29 (MT): thematic and lexical landmarks. EThL 82 (2006) 437-452.

4665 *Yates, Gary* New Exodus and no Exodus in Jeremiah 26-45: promise and warning to the exiles in Babylon. TynB 57 (2006) 1-22.

4666 *Anbar, Moshé* To put one's neck under the yoke. FNA'AMAN, N. 2006 ⇒120. 17-19 [Jer 27,8].

4667 *Weippert, Helga* Fern von Jersualem: die Exilsethik von Jer 29,5-7. Unter Olivenbäumen. AOAT 327: 2006 <1993> ⇒324. 461-471.

4668 **Becking, Bob** Between fear and freedom: essays on the interpretation of Jeremiah 30-31. OTS 51: 2004 ⇒20,4509. RJThS 57 (2006) 585-588 (*Bultmann, Christoph*).

4669 **Ritter, Christine** Rachels Klage im antiken Judentum und frühen Christentum: eine auslegungsgeschichtliche Studie. AGJU 52: 2003 ⇒19,4689; 20,4511. RJSJ 37 (2006) 485-487 (*Börner-Klein, Dagmar*); Jud. 62 (2006) 372-373 (*Deines, Roland*) [Jer 31,15-17].

4670 *Herrera Chávez, Gaby* Imágenes femeninas en Jr 31,15-22. EstB 64 (2006) 419-428.

4671 *Becking, Bob* The return of the deity: iconic or aniconic?. FNA'AMAN, N. 2006 ⇒120. 53-62 [Jer 31,21-22].

4672 **Balan Rajedran, Joseph R.** New covenant: a legal bond or a renewed relationship?: an exegetico-theological study of Jer. 31:31-34. DAgius, J. 2006, Diss. Rome, Angelicum [RTL 38,613].

4673 *Caero Bustillos, Bernardeth C.* Grammatik und Bedeutung: die Rolle des weqatál in Jer 31,31-34. KUSATU 6 (2006) 33-60.

4674 *Nieto, Gustavo* El quiebre de estructura propuesto por Jeremías 31, 31-34. IncW 1/1 (2006) 63-87 [Heb 13].

4675 *Otto, Eckart* Old and new covenant: a post-exilic discourse between the pentateuch and the book of Jeremiah: also a study of quotations and allusions in the Hebrew Bible. OTEs 19 (2006) 939-949 [Jer 31,31-34].

4676 *Rossi, Luiz A.S.* Proposta de renovaçao da aliança em Jr 31,31-34: "Nós ainda estamos no exílio". Estudos bíblicos 90 (2006) 35-41.

4677 **Schenker, Adrian** Das Neue am neuen Bund und das Alte am alten: Jer 31 in der hebräischen und griechischen Bibel, von der Textgeschichte zu Theologie, Synagoge und Kirche. FRLANT 212: Gö 2006, Vandenhoeck & R. 108 pp. €40. 3-525-53076-5. Bibl. 97-101 [Jer 31,31-37].

4678 *Adeyemi, Femi* What is the new covenant "law" in Jeremiah 31:33?. BS 163 (2006) 312-321 {Jeremiah}31,33.

4679 *Swanson, Dennis M.* Expansion of Jerusalem in Jer 31:38-40: never, already, or not yet?. MSJ 17 (2006) 17-34.

4680 **Shead, Andrew G.** The open book and the sealed book: Jeremiah 32 in its Hebrew and Greek recensions. JSOT.S 347: 2002 ⇒18,4384... 21,4748. [R]JThS 57 (2006) 203-208 (*Dines, Jennifer*).

4681 *Talstra, Eep* Jeremia 32: een oefening in bijbelse theologie. ITBT 14/1 (2006) 4-6.

4682 **Di Pede, Elena** Au-delà du refus: l'espoir: recherches sur la cohérence narrative de Jr 32-45 (TM). BZAW 357: 2005 ⇒21,4749. [R]RHPhR 86 (2006) 297 (*Heintz, J.-G.*).

4683 *Di Pede, Elena* Jérémie et les rois de Juda, Sédécias et Joaqim. VT 56 (2006) 452-469 [Jer 32,3-5; 34,2-6; 36,1-32; 37,15-21; 38,1-28].

4684 *Wanke, Gunther* Jeremias Gebet nach dem Ackerkauf (Jer 32,16-25) und der Pentateuch: eine Problemanzeige. [F]SCHMITT, H.-C.: BZAW 370: 2006 ⇒151. 273-277.

4685 *Brummitt, Mark* Exegetical notes on Jeremiah 33:14-16: "Behold the days are coming ...". ET 118 (2006) 80.

4686 *Di Pede, Elena* Un oracle pour les Récabites (Jr 35,18-19 TM) ou à leur propos (42,18-19 LXX)?. SJOT 20/1 (2006) 96-109.

4687 *Brueggemann, Walter* Hauting book–haunted people. Like fire in the bones. 2006 <1991> ⇒198. 132-140 [Jer 36].

4688 *Ottermann, Mônica* Defender a vida em meio a fracassos e catástrofes–um introdução a Jeremias 37-45;

4689 *Nakanose, Shigeyuki* Nao vos enganeis—Jeremias 37,1-10;

4690 *Baptista, Roberto N.* Jeremias profetiza com gestos de esperança— Jeremias 37,11-16;

4691 *Vásquez Gutiérrez, Carlos Mario* Uma broa a cada dia!–Jeremias 37, 17-21;

4692 *Kaefer, José Ademar* A paixao do profeta—Jeremias 38,1-6. Estudos bíblicos 91 (2006) 9-16/17-21/22-26/27-33/34-38.

4693 *Hentschel, Georg* Die Stellung der Beamten zu Jeremia. [F]MEINHOLD, A.: ABIG 23: 2006 ⇒110. 165-179 [Jer 38,1-6; 36-38].

4694 *Suaiden, Silvana* A cisterna de morte e o movimento dos sem poder—Jeremias 38,7-13. Estudos bíblicos 91 (2006) 39-43.

4695 *Siqueira, Tércio M.* Jeremias: entreguista ou realista?–Jeremias 38, 14-28. Estudos bíblicos 91 (2006) 44-52.

4696 *Peterlevitz, Luciano R.* A esperança de um poder que nao faça sofrer –Jeremias 39,11-18. Estudos bíblicos 91 (2006) 57-61.

4697 *Silva, Célio* Uma nova oportunidade após a catástrofe?–Jeremias 40,
      1-12. Estudos bíblicos 91 (2006) 62-65.
4698 *Stauder, Eduardo Paulo* A memória da derrota anuncia esperança—
      Jeremias 40,13-41,10. Estudos bíblicos 91 (2006) 66-72.
4699 *Santana, Aparecido N.* A dura decisao do resto de Israel–libertaçao
      dos prisioneiros—Jeremias 41,11-18;
4700 *Galleazzo, Vinicius* A defesa profética da permanêcia na terra–Jere-
      mias 42. Estudos bíblicos 91 (2006) 73-77/78-82.
4701 *Sant'Anna, Elcio* Para onde a gente vai?–profecia e contraprofecia
      em Jeremias 43,1-8. Estudos bíblicos 91 (2006) 83-87.
4702 *Custódio, Maria Aparecida C.* Morte, cativeiro e espada no Egito–
      Jeremias 43,8-13. Estudos bíblicos 91 (2006) 88-91.
4703 *Smargiasse, Marcelo E.C.* Um ensaio em Jeremias 44;
4704 *Schwantes, Milton* "E te darei a tua vida para lucro"–observaçoes em
      Jeremias 45. Estudos bíblicos 91 (2006) 92-97/98-102.
4705 *Weippert, Helga* Schöpfung und Heil in Jer 45. Unter Olivenbäumen.
      AOAT 327: 2006 <1989> ⇒324. 447-459.
4706 *Avioz, Michael* The narrative of Jehoiachin's release from prison–its
      literary context and theological significance. Shnaton 16 (2006) 29-
      41 [Jer 52,31-34; 2 Kgs 25,27-30].

E8.8 **Lamentations,** *Threni*; **Baruch**; *Ep. Jer.*

4707 [T]**Assan-Dhôte, Isabelle; Moatti-Fine, Jacqueline** Baruch, Lamenta-
      tions, Lettre de Jérémie. La bible d'Alexandrie 25/2: 2005 ⇒21,
      4757. [R]LTP 62/1 (2006) 144-145 (*Poirier, Paul-Hubert*); RB 113
      (2006) 308-309 (*Schenker, Adrian*); RBLit (2006)* (*Himbaza,
      Innocent*).
4708 **Bail, Ulrike** "Die verzogene Sehnsucht hinkt an ihren Ort": literari-
      sche Überlebensstrategien nach der Zerstörung Jerusalems im AT.
      2004 ⇒20,4528. [R]RBLit (2006)* (*Becking, Bob*) [Mic 3-4].
4709 **Berlin, Adele** Lamentations.: a commentary. OTL: 2002 ⇒18,4396
      ... 21,4761. [R]HBT 28 (2006) 61-62 (*Floyd, Michael H.*).
4710 **Boase, Elizabeth** The fulfilment of doom?: the dialogic interaction
      between the book of Lamentations and the pre-exilic/early exilic pro-
      phetic literature. LHBOTS 437: NY 2006, Clark x; 268 pp. $145. 0-
      567-02672-8. Bibl. 245-252.
4711 *Guest, Deryn* Lamentations. Queer bible commentary. 2006 ⇒2417.
      394-411.
4712 **Morla Asensio, Víctor** Lamentaciones. Nueva Biblia Española—Po-
      esía: 2004 ⇒20,4538; 21,4773. [R]Bib. 87 (2006) 567-570 (*Berges,
      Ulrich*).
4713 **Morrow, William S.** Protest against God: the eclipse of a biblical
      tradition. HBM 4: Shf 2006, Sheffield Phoenix xii; 250 pp. 978-1-90-
      5048-20-5. Bibl. 219-231.
4714 **Orlandini, Guerrino** Il pianto di Dio: dal lamento sulla città distrut-
      ta allo spettacolo del Calvario. Sussidi biblici 90: Reggio Emilia
      2006, San Lorenzo 157 pp. 88-8071-169-5. Pres. *Daniele Gianotti*.
4715 *Parry, Robin* Prolegomena to christian theological interpretations of
      Lamentations. Canon and biblical interpretation. Scripture and Her-
      meneutics: 2006 ⇒693. 393-418.
      Schaefer, K. Salmos...Lamentaciones 2006 ⇒3815.

4716 **Diller, Carmen** Zwischen JHWH-Tag und neuer Hoffnung: eine Exegese von Klagelieder 1. *DIrsigler, Hubert* 2006, Diss. Freiburg/B [ThRv 103/2,vi].

4717 *Schäfer, Rolf* Der ursprüngliche Text und die poetische Struktur des ersten Klageliedes (Klgl 1): Textkritik und Strukturanalyse im Zwiegespräch. FSCHENKER, A.: VT.S 110: 2006 ⇒147. 239-259.

4718 *Labahn, Antje* Fire from above: metaphors and images of God's actions in Lamentations 2.1-9. JSOT 31 (2006) 239-256.

4719 *Middlemas, Jill* Did Second Isaiah write Lamentations iii?. VT 56 (2006) 505-525.

4720 *Tiemeyer, Lena-Sofia* The question of indirect touch: Lam 4,14; Ezek 44,19 and Hag 2,12-13. Bib. 87 (2006) 64-74.

4721 *Asurmendi, Jesús M.* Baruch: causes, effects and remedies for a disaster. History and identity. DCLY 2006: 2006 ⇒704. 187-200.

4722 ESulavik, **Athanasius A.** GULIELMI de Luxi: Postilla super Baruch, postilla super Ionam. CChr.CM 219: Turnhout 2006, Brepols xcii; 178 pp. €125. 978-2-503-05191-8. Bibl. lxxxi-xc.

4723 *Van Veldhuizen, Piet* Stomme beelden: over de Brief van Jeremia. ITBT 14/1 (2006) 15-17.

E8.9 **Ezekiel**: *textus, commentarii; themata, versiculi*

4724 San JERÓNIMO: obras completas: edición bilingüe, Va: comentario a Ezequiel (libros I-VIII). 2005 ⇒21,4793. RStudium 46 (2006) 332-333 (*López, L.*);

4725 Vb: comentario a Ezequiel (libros IX-XIV) y comentario a Daniel. M 2006, BAC 694 pp. 84-7914-8373. Ed. bilingües; Orden de San Jerónimo.

4726 **Allen, Leslie C.** Ezechiel. 1994 ⇒6,3932... 12,3531. RThR 71 (2006) 168-169 (*Pohlmann, Karl-Friedrich*).

4727 **Blenkinsopp, Joseph** Ezechiele. TFrache, Stefano: Strumenti 25: Commentari: T 2006, Claudiana 352 pp. €29. 88-7016-4438.

4728 **Block, Daniel I.** The book of Ezekiel. NIC: 1997-1998 ⇒13,3709... 16,4017. RThR 71 (2006) 70-72 (*Pohlmann, Karl-Friedrich*).

4729 **Brownlee, William H.** Ezechiel 1-19. 1986 ⇒2,2777... 6,3936. RThR 71 (2006) 167-168 (*Pohlmann, Karl-Friedrich*).

4730 ECook, **Stephen L.; Patton, Corrine L.** Ezekiel's hierarchical world: wrestling with a tiered reality. Symposium series 31: 2004 ⇒ 20,329; 21,4797. RCBQ 68 (2006) 356-357 (*Hillmer, Mark*).

4731 **Davis, Ellen F.** Swallowing the scroll: textuality and the dynamics of discourse in Ezekiel's prophecy. JSOT.S 78: 1989 ⇒5,3692... 7, 3306. RThR 71 (2006) 73-75 (*Pohlmann, Karl-Friedrich*).

4732 **Durlesser, James** The metaphorical narratives in the book of Ezekiel. Lewiston 2006, Mellen iv; 266 pp. 0-7734-5867-0. Bibl. 251-59.

4733 **Fechter, Friedrich** Bewältigung der Katastrophe: Untersuchungen zu ausgewählten Fremdvölkersprüchen im Ezechielbuch. BZAW 208: 1992 ⇒8,3885... 10,3590. RThR 71 (2006) 272-274 (*Pohlmann, Karl-Friedrich*).

4734 **Feist, Udo** Ezechiel. BWANT 138: 1995 ⇒11/1,2407; 12,3535. RThR 71 (2006) 87-90 (*Pohlmann, Karl-Friedrich*).

4735 **Fuhs, Hans Ferdinand** Ezechiel. 1988 ⇒4,3824... 6,3938. ^RThR 71 (2006) 165-167 (*Pohlmann, Karl-Friedrich*).

4736 **Galambush, Julie** Jerusalem in the book of Ezekiel. SBL.DS 130: 1992 ⇒8,3876... 11/1,2421. ^RThR 71 (2006) 75-76 (*Pohlmann, Karl-Friedrich*).

4737 **Garscha, Jörg** Studien zum Ezechielbuch. EHS.T 23: 1974 ⇒56, 2526; 58-59,4117. ^RThR 71 (2006) 181-183 (*Pohlmann, Karl-F.*).

4738 **Greenberg, Moshe** Ezekiel 1-20; 21-37. AncB 22, 22A: 1983-1997 ⇒64,3618... 15,3904. ^RThR 71 (2006) 68-69 (*Pohlmann, Karl-F.*).

4739 **Halperin, David J.** Seeking Ezekiel: text and psychology. 1993 ⇒9, 3735...12,3545. ^RThR 71 (2006) 302-3 (*Pohlmann, Karl-Friedrich*).

4740 *Hauspie, Katrin* Proposition complétive avec τοῦ et l'infinitif dans la Septante d'Ezéchiel. ^FCIGNELLI, L.: SBFA 68: 2006 ⇒21. 163-182;

4741 'Εv with dative indicating instrument in the Septuagint of Ezekiel. XII Congress IOSCS. SCSt 54: 2006 ⇒774. 201-224;

4742 THEODORET and messianic verses in the Septuagint version of Ezekiel. Septuagint and messianism. BEThL 195: 2006 ⇒753. 503-511.

4743 *Hervella Vázquez, José* Ezequiel en la historia del arte, en la literatura y en la emblemática. ResB 52 (2006) 41-53.

4744 *Hornsby, Teresa* Ezekiel. Queer bible commentary. 2006 ⇒2417. 412-426.

4745 **Hummel, Horace D.** Ezekiel 1-20. 2005 ⇒21,4814. ^RBS 163 (2006) 372-373 (*Merrill, Eugene H.*).

4746 **Joyce, Paul** Divine initiative and human response in Ezekiel. JSOT.S 51: 1989 ⇒5,3694... 9,3749. ^RThR 71 (2006) 295-297 (*Pohlmann, Karl-Friedrich*).

4747 **Kamionkowski, S. Tamar** Gender reversal and cosmic chaos: a study on the book of Ezekiel. JSOT.S 368: 2003 ⇒19,4738... 21, 4842. ^RBiblInterp 14 (2006) 299-301 (*Shields, Mary E.*).

4748 **Krüger, Thomas** Geschichtskonzepte im Ezechielbuch. 1986 ⇒2, 2783...8,3867. ^RThR 71 (2006) 174-78 (*Pohlmann, Karl-Friedrich*).

4749 **Kutsko, John F.** Between heaven and earth: divine presence and absence in the book of Ezekiel. 2000 ⇒16,4032... 19,4742. ^RThR 71 (2006) 79-81 (*Pohlmann, Karl-Friedrich*).

4750 **Lapsley, Jacqueline E.** Can these bones live?: the problem of the moral self in the book of Ezekiel. BZAW 301: 2000 ⇒16,4034... 20, 4573. ^RThR 71 (2006) 81-82 (*Pohlmann, Karl-Friedrich*).

4751 *Lund, Jerome A.* Syntactic features of the Syrohexapla of Ezekiel. AramSt 4 (2006) 67-81.

4752 *Lust, Johan* The Ezekiel text. ^FSCHENKER, A.: VT.S 110: 2006 ⇒ 147. 153-167;

4753 Messianism in LXX-Ezekiel: towards a synthesis. The Septuagint and messianism. BEThL 195: 2006 ⇒753. 417-430.

4754 **Manning, Gary T.** Echoes of a prophet: the use of Ezekiel in the gospel of John and in literature of the second temple period. JSNT.S 270: 2004 ⇒20,4575; 21,4821. ^RJThS 57 (2006) 650-653 (*Menken, Maarten J.J.*).

4755 **Mein, Andrew** Ezekiel and the ethics of exile. Oxford Theological Monographs: 2001 ⇒17,3990... 20,4576. ^RThR 71 (2006) 299-300 (*Pohlmann, Karl-Friedrich*).

4756 **Ohnesorge, Stefan** Jahwe gestaltet sein Volk neu. FzB 64: 1991 ⇒ 7,3318... 10,3584. ^RThR 71 (2006) 292-294 (*Pohlmann, Karl-F.*).

4757 *Pakala, James C.* A librarian's comments on commentaries: 21 (Ezekiel). Presbyterion 32 (2006) 46-49.

4758 **Pohlmann, Karl-Friedrich** Das Buch des Propheten Hesekiel (Eze-chiel). ATD 22/1-2: 2001 ⇒12,3539... 20,4587. ᴿThR 71 (2006) 183-187 (*Pohlmann, Karl-Friedrich*).

4759 *Pohlmann, Karl-Friedrich* Forschung am Ezechielbuch 1969-2004 (II). ThR 71 (2006) 164-191;

4760 (III). ThR 71 (2006) 265-309.

4761 **Premstaller, Volkmar** Fremdvölkersprüche des Ezechielbuches. FzB 104: 2005 ⇒21,4824. ᴿThLZ 131 (2006) 992-993 (*Höffken, Peter*).

4762 **Renz, Thomas** The rhetorical function of the book of Ezekiel. VT.S 76: 1999 ⇒15,3926; 17,3992. ᴿThR 71 (2006) 76-79 (*Pohlmann, Karl-Friedrich*).

4763 **Robson, James E.** Word and spirit in Ezekiel. LHBOTS 447: L 2006, Clark xiii; 311 pp. $140. 0-567-02622-1. Diss. Middlesex; Bibl. 277-292.

4764 **Rooker, Mark F.** Biblical Hebrew in transition: the language of the book of Ezekiel. JSOT.S 90: 1990 ⇒6,3950... 9,3754. ᴿThR 71 (2006) 269-270 (*Pohlmann, Karl-Friedrich*).

4765 *Schaper, Joachim* The death of the prophet: the transition from the spoken to the written word of God in the book of Ezekiel. Prophets, prophecy. LHBOTS 427: 2006 ⇒728. 63-79.

4766 **Schöpflin, Karin** Theologie als Biographie im Ezechielbuch: ein Beitrag zur Konzeption alttestamentlicher Prophetie. FAT 36: 2002 ⇒18,4438; 21,4827. ᴿThR 71 (2006) 187-190 (*Pohlmann, Karl-Friedrich*).

4767 *Schöpflin, Karin* Ezechiel–das Buch eines Visionärs und Theologen. BN 130 (2006) 17-29.

4768 **Schwagmeier, Peter** Untersuchungen zu Textgeschichte und Ent-stehung des Ezechielbuches in masoretischer und griechischer Über-lieferung. 2004 ⇒20,4590. ᴿThR 71 (2006) 266-268 (*Pohlmann, Karl-Friedrich*).

4769 *Simian-Yofre, Horacio* Un libro profético particular. ResB 52 (2006) 5-13.

4770 **Stevenson, Kalinda Rose** Vision of transformation: the territorial rhetoric of Ezekiel 40-48. SBL.DS 154: 1996 ⇒12,3585... 16,4070. ᴿThR 71 (2006) 276-277 (*Pohlmann, Karl-Friedrich*).

4771 **Stiebert, Johanna** The exile and the prophet's wife: historic events and marginal perspectives. 2005 ⇒21,4830. ᴿRBLit (2006)* (*Hage-dorn, Anselm*).

4772 ᴱ**Talmon, Shemaryahu; Goshen-Gottstein, Moshe Henry** The book of Ezekiel. 2004 ⇒20,4594; 21,4831. ᴿJJS 57 (2006) 176-177 (*Williamson, H.G.M.*); DSD 13 (2006) 367-371 (*Van der Kooij, Arie*); JThS 57 (2006) 591-594 (*Van Rooy, H.F.*).

4773 *Winkle, Ross E.* Iridescence in Ezekiel. AUSS 44 (2006) 51-77.

4774 **Zimmerli, Walther** Ezechiel. BK.AT 13/1-2: 1979 <1969> ⇒60, 4957...3,3605. ᴿThR 71 (2006) 164-65 (*Pohlmann, Karl-Friedrich*).

4775 *Nielsen, Kirsten* Ezekiels kaldelsesvision som prolog: fra kompleksi-tet og foranderlighed til orden og stabilitet. DTT 69 (2006) 14-28 [Ezek 1].

4776 *Pilch, John J.* Ezekiel–an altered state of consciousness experience: the call of Ezekiel: Ezekiel 1-3. Ancient Israel. 2006 ⇒724. 208-222.

4777 *Ego, Beate* Reduktion, Amplifikation, Interpretation, Neukontextualisierung: intertextuelle Aspekte der Rezeption der Ezechielschen Thronwagenvision im antiken Judentum. Das Ezechielbuch in der Johannesoffenbarung. BThSt 76: 2006 ⇒466. 31-60 [Ezek 1; 10].

4778 *Tsai, Meishi* Ezekiel's inaugural vision: a literary and theological analysis. SiChSt 2 (2006) 53-76 [Ezek 1,3-3,27].

4779 *Schöpflin, Karin* The destructive and creative word of the prophet in the book of Ezekiel. Stimulation from Leiden. BEAT 54: 2006 ⇒ 686. 113-118 [Ezek 11,1-13; 37,1-10].

4780 *Dus, Ramón Alfredo* Ezequiel 12-24: diálogo y profecía. ResB 52 (2006) 15-24.

4781 **Nay, Reto** Jahve im Dialog: kommunikationsanalytische Untersuchung der Ältestenperikope Ez 14,1-11 unter Berücksichtigung des dialogischen Rahmens in Ez 8-11 und Ez 20. AnBib 141: 1999 ⇒15, 3938...17,4005. [R]ThR 71 (2006) 287-90 (*Pohlmann, Karl-F.*).

4782 **Day, Peggy L.** A prostitute unlike women: whoring as metaphoric vehicle for foreign alliances. [F]HAYES, J.: LHBOTS 446: 2006 ⇒64. 167-173 [Ezek 16,31-34].

4783 **Dus, Ramón Alfredo** Las parábolas del reino de Judá: lingüística textual y comunicación (Ez 17; 19 y 21). 2003 ⇒19,4771... 21,4844. [R]ETR 81 (2006) 116-117 (*Vincent, Jean Marcel*).

4784 **Alaribe, Gilbert Nwadinobi** Ezekiel 18 and the ethics of responsibility: a study in biblical interpretations and christian ethics. ATSAT 77: St. Ottilien 2006, EOS 307 pp. 3-8306-7225-X. Bibl. 283-307.

4785 **Matties, Gordon H.** Ezekiel 18 and the rhetoric of moral discourse. SBL.DS 126: 1990 ⇒6,3965... 10,3587. [R]ThR 71 (2006) 297-298 (*Pohlmann, Karl-Friedrich*).

4786 **Sedlmeier, Franz** Studien zu Komposition und Theologie von Ezechiel 20. SBB 21: 1990 ⇒6,3966... 10,3589. [R]ThR 71 (2006) 290-292 (*Pohlmann, Karl-Friedrich*).

4787 **Luyinda, Lazarus** Idolatry as a threat to the election: Ezekiel 20:1-44. [D]*Spreafico, Ambrogio*: 2006, Diss. Urbaniana [RTL 38,614].

4788 **Kessler, Rainer** "Gesetze, die nicht gut waren" (Ez 20,25)–eine Polemik gegen das Deuteronomium. Gotteserdung. BWANT 170: 2006 <2004> ⇒249. 98-107 [Ezek 20,25-26].

4789 *Joyce, Paul M.* Ezek. 20.32-38: a problem text for the theology of Ezekiel. Stimulation from Leiden. BEAT 54: 2006 ⇒686. 119-123.

4790 *Nobile, Marco* La redazione finale di Ezechiele in rapporto allo schema tripartito. LASBF 56 (2006) 29-46 [Ezek 21,33-37; 35,1-36,15].

4791 **Corral, Martin Alonso** Ezekiel's oracles against Tyre: historical reality and motivations. BibOr 46: 2002 ⇒18,4452... 20,4610. [R]ThR 71 (2006) 274-275 (*Pohlmann, Karl-Friedrich*) [Ezek 26,1-28,19].

4792 *Kustár, Zoltán* Ez 28,11-19: Entstehung und Botschaft: Nachzeichnen eines komplexen traditionsgeschichtlichen Prozesses. [F]MEINHOLD, A.: ABIG 23: 2006 ⇒110. 199-227 [Gen 2-3].

4793 **Minj, Sudhir K.** Egypt: the Lower Kingdom: an exegetical study of the oracle of judgment against Egypt in Ezekiel 29,1-16. [D]*Jüngling, Hans-Winfried*: EHS.T 828: Fra 2006, Lang 234 pp. $48. 08204-98-084. Diss. St. Georgen; Sum. Sevartham 31,87-98.

4794 **Wilmes, Bernd** Die sogenannte Hirtenallegorie Ez 34. BET 19: 1984 ⇒65,3255; 1,3662. [R]ThR 71 (2006) 294-295 (*Pohlmann, Karl-F.*).

4795 *Lust, Johan* Edom-Adam in Ezekiel, in MT and in LXX. ^FULRICH,
     E.: VT.S 101: 2006 ⇒160. 387-401 [Ezek 34,31; 35,1-15; 36,1-38].
4796 *Granados, Carlos* Nueva vida y nueva creación: Ez 36,16-38 y los
     orácolos de salvación en Ezequiel. ResB 52 (2006) 25-32.
4797 *Sweeney, Marvin A.* The royal oracle in Ezekiel 37:15-28: Ezekiel's
     reflection on Josiah's reform. ^FHAYES, J.: LHBOTS 446: 2006 ⇒64.
     239-253.
4798 **Fitzpatrick, Paul E.** The disarmament of God: Ezekiel 38-39 in its
     mythic context. CBQ.MS 37: 2004 ⇒20,4614; 21,4861. ^RThLZ 131
     (2006) 725-727 (*Liwak, Rüdiger*).
4799 *Galambush, Julie* Necessary enemies: Nebuchadnezzar, Yhwh, and
     Gog in Ezekiel 38-39. ^FHAYES, J.: LHBOTS 446: 2006 ⇒64. 254-
     267.
4800 *Hullinger, Jerry M.* The divine presence, uncleanness, and Ezekiel's
     millennial sacrifices. BS 163 (2006) 405-422 [Ezek 40-48].
4801 *Hunt, Alice W.* Ezekiel spinning the wheels of history. ^FHAYES, J.:
     LHBOTS 446: 2006 ⇒64. 280-290 [Ezek 40-48].
4802 *Joyce, Paul M.* Temple and worship in Ezekiel 40-48. Temple and
     worship. LHBOTS 422: 2006 ⇒716. 145-163.
4803 **Konkel, Michael** Architektonik des Heiligen: Studien zur zweiten
     Tempelvision Ezechiels (Ez 40-48). BBB 129: 2001 ⇒17,4014... 19,
     4787. ^RThR 71 (2006) 284-287 (*Pohlmann, Karl-Friedrich*).
4804 *Lamelas Míguez, Julio* La visión del templo y la gloria de Dios (Ez
     40-48). ResB 52 (2006) 33-40.
4805 *Liss, Hanna* 'Describe the temple to the House of Israel': preliminary
     remarks on the temple vision in the book of Ezekiel and the question
     of fictionality in priestly literatures. Utopia. SESJ 92: 2006 ⇒349.
     122-143 [Ezek 40-48].
4806 **Rudnig, Thilo Alexander** Heilig und profan: redaktionskritische
     Studien zu Ez 40-48. BZAW 287: 2000 ⇒16,4069... 19,4788. ^RThR
     71 (2006) 279-284 (*Pohlmann, Karl-Friedrich*).
4807 **Tuell, Steven** The law of the temple in Ezekiel 40-48. HSM 49: 1992
     ⇒8,3893... 13,3743. ^RThR 71 (2006) 277-279 (*Pohlmann, Karl-F.*).
4808 *Young, Rodger C.* Ezekiel 40:1 as a corrective for seven wrong ideas
     in biblical interpretation. AUSS 44 (2006) 265-283.
4809 *Brodsky, Harold* The Utopian map in Ezekiel (48:1-35). JBQ 34
     (2006) 20-26.

E9.1 Apocalyptica VT

4810 **Beyerle, Stefan** Die Gottesvorstellungen in der antik-jüdischen Apo-
     kalyptik. JSJ.S 103: 2005 ⇒21,4868. ^RJSJ 37 (2006) 414-416 (*Oege-
     ma, Gerbern S.*); RBLit (2006)* (*Krispenz, Jutta*).
4811 *Block, Daniel Isaac* Preaching Old Testament apocalyptic to a New
     Testament church. CTJ 41 (2006) 17-52.
4812 ^E**Brokoff, J.; Schipper, B.U.** Apokalyptik in Antike und Aufklärung.
     2004 ⇒20,459. ^RCDios 219/1 (2006) 322-323 (*Gutiérrez, J.*).
4813 *Collins, Ádela Y.* Apocalypticism and New Testament theology.
     ^FMORGAN, R. 2006 ⇒115. 31-50.
4814 *Davies, Philip* Apocalyptic. Oxford handbook of biblical studies.
     2006 ⇒438. 397-408.

4815 *DiTommaso, Lorenzo* History and apocalyptic eschatology: a reply to J.Y. Jindo. VT 56 (2006) 413-418.
4816 *Flannery-Dailey, Frances* Lessons on early Jewish apocalypticism and mysticism from dream literature. ᴹQUISPEL, G.. SBL.Symposium 10: 2006 ⇒134. 231-247.
4817 **Konopniewska, Sylwia** Wizja czasów ostatecznych w apokryfach Starego Testamentu: żydowskie spekulacje apokaliptyczne między II wiekiem przed Chr. a II wiekiem po Chr. [La vision des temps derniers dans les apocryphes de l'Ancien Testament: les spéculations apocalyptiques juives entre le IIème siècle av. Ch. et le IIème siècle ap. Ch.]. ᴰ*Rakocy, W.* 2006, 543 pp. Diss. Lublin [RTL 38,614] **P.**
4818 *Levoratti, Armando J.* La teología apocalíptica. ᶠORTÍZ VALDIVIESO, P. 2006 ⇒123. 283-298.
4819 *Nel, Marius* View of time in ancient cultures, and the origin of apocalypticism in Jewish thought in the centuries before Christ. Stimulation from Leiden. BEAT 54: 2006 ⇒686. 207-217.

E9.2 **Daniel**: *textus, commentarii: themata, versiculi*

San JERÓNIMO: obras Vb comentario... a Daniel. 2006 ⇒4725.
4820 ᴱᵀ**Alobaidi, Joseph** The book of Daniel: the commentary of R. SAADIA Gaon. Bible in History 6: Bern 2006, Lang xiv; 681 pp. €78.60. 3-03910-811-5.
4821 **Aranda Pérez, Gonzalo** Daniel. Comentarios a la nueva Bíblia de Jerusalén 22: Bilbao 2006, Desclée de B. 180 pp. 84330-20757.
4822 ᵀ**Borrelli, Daniela** TEODORETO di Cirro: Commento a Daniele. CTePa 188: R 2006, Città N. 312 pp. 88-311-3188-5. Bibl. 45-47.
4823 ᴱ**Delgado, Mariano; Koch, Klaus; Marsch, Edgar** Europa, Tausendjähriges Reich und Neue Welt: zwei Jahrtausende Geschichte und Utopie in der Rezeption des Danielbuches. Studien zur christlichen Religions- und Kulturgeschichte 1: 2003 ⇒19,4803. ᴿThRv 102 (2006) 125-129 (*Albertz, Rainer*).
4824 **DiTommaso, Lorenzo** The book of Daniel and the apocryphal Daniel literature. SVTP 20: 2005 ⇒21,4891. ᴿThLZ 131 (2006) 1125-1127 (*Koch, Klaus*); JThS 57 (2006) 208-211 (*Brooke, George J.*).
4825 ᵀ**Henze, Matthias** Apokalypsen und Testamente: Syrische Danielapokalypse. JSHRZ 1,4: Gü 2006, Gü viii; 84 pp. €79. 978-35790-52-42-7.
4826 ᴱᵀ**Hill, Robert C.** THEODORET of Cyrus: commentary on Daniel. WGRW 7: Atlanta, GA 2006, Society of Biblical Literature xxxiv; 340 pp. $40. 1-58983-104-7. Bibl. 331-333.
4827 *Kraft, Robert A.* Daniel outside the traditional Jewish canon: in the footsteps of M.R. James. ᶠULRICH, E.: VT.S 101: 2006 ⇒160. 121-133.
4828 *Millar, Fergus* The background to the Maccabean revolution: reflections on Martin Hengel's 'Judaism and Hellenism'. <1978>;
4829 Hellenistic history in a Near Eastern perspective: the book of Daniel. Rome, the Greek world, 3. 2006 <1997> ⇒275. 67-90/51-66.
4830 *Mills, Mary E.* Household and table: diasporic boundaries in Daniel and Esther. CBQ 68 (2006) 408-420.
4831 *Munnich, Olivier* Michel et Gabriel: gloses dans le texte biblique de *Daniel*?. ᶠCASEVITZ, M.: 2006 ⇒17. 299-313.

4832   *Nel, Marius* Contribution of the Dead Sea scrolls to textual criticism and understanding of the canonical book of Daniel. NGTT 47 (2006) 609-619;

4833   Vyandigheid in apokaliptiese literatuur–die Daniëlboek. In die Skriflig 40 (2006) 299-316 [Ps 1].

4834   *Pakala, James C.* A librarian's comments on commentaries: 22 (Daniel). Presbyterion 32 (2006) 106-110.

4835   *Röcke, W.* Die Danielprophetie als Reflexionsmodus revolutionärer Phantasien im Spätmittelalter. Das Buch der Bücher. 2006 ⇒441. 197-217.

4836   *West, Mona* Daniel. Queer bible commentary. 2006 ⇒2417. 427-31.

4837   *Chia, Philip* On naming the subject: postcolonial reading of Daniel 1. Postcolonial biblical reader. 2006 <1997> ⇒479. 171-185.

4838   *Nel, Marius* 'n Semiotiese ontleding van Daniël 1. HTSTS 62 (2006) 501-519.

4839   *Venter, P.M.* A study of space in Daniel 1. OTEs 19 (2006) 993-1004.

4840   *Van Deventer, H.J.M.* Tampering with texts and translations: the case of Daniel 1 and 7. Stimulation from Leiden. BEAT 54: 2006 ⇒686. 199-205.

4841   **Kirkpatrick, Shane** Competing for honor: a social-scientific reading of Daniel 1-6. BiblInterp 74: 2005 ⇒21,4896. ᴿJThS 57 (2006) 595-596 (*Hagedorn, Anselm C.*).

4842   *Botha, Phil J.* The reception of Daniel chapter 2 in the commentary ascribed to Ephrem the Syrian church father. APB 17 (2006) 119-143.

4843   *Gianto, Agustinus* Notes from a reading of Daniel 2. ᶠSCHENKER, A.: VT.S 110: 2006 ⇒147. 59-68.

4844   *Nel, Marius* Semiotiese ontleding van Daniël 2. HTSTS 62 (2006) 1041-1056.

4845   *Silva, Rafael R. da* Sonhos e višoes em meio a perseguições e resistências: uma leitura de Daniel 2-7. Espaços 14 (2006) 175-188.

4846   *Plonz, Sabine* Vom Bel zu Babel: populäre Götzenkritik: Stücke zu Daniel 2 bzw. Daniel 14. Die besten Nebenrollen. 2006 ⇒1164. 178-182.

4847   *Sulzbach, Carla* Nebuchadnezzar in Eden?: Daniel 4 and Ezekiel 28. Stimulation from Leiden. BEAT 54: 2006 ⇒686. 125-136.

4848   *Pace, Sharon* Diaspora dangers, diaspora dreams. ᶠULRICH, E.: VT.S 101: 2006 ⇒160. 21-59 [Dan 4,28-33].

4849   *Block, Daniel Isaac* When nightmares cease: a message of hope from Daniel 7. CTJ 41 (2006) 108-114.

4850   *Nel, Marius* Daniel 7, mythology and the creation combat myths. OTEs 19 (2006) 156-170.

4851   *Van der Kooij, Arie* The four kingdoms in Peshitta Daniel 7 in the light of the early history of interpretation. The Peshitta. MPIL 15: 2006 ⇒781. 123-129.

4852   *Blasius, Andreas* ANTIOCHUS IV Epiphanes and the Ptolemaic triad: the three uprooted horns in Dan 7:8, 20 and 24 reconsidered. JSJ 37 (2006) 521-547.

4853   *Shepherd, Michael B.* Daniel 7:13 and the New Testament Son of Man. WThJ 68 (2006) 99-111.

4854 *Spangenberg, Izak J.J.* The Septuagint translation of Daniel 9: does it reflect a messianic interpretation?. The Septuagint and messianism. BEThL 195: 2006 ⇒753. 431-442.

4855 **Acha, Agnes** An exegetical and theological study of Daniel chapter 12 in the light of its biblical and extra-biblical background. ᴰ*Conroy, Charles* R 2006, 116 pp. Extr. Diss.Gregoriana; Bibl. 95-112.

4856 *Elledge, C.D.* Resurrection of the dead: exploring our earliest evidence today. Resurrection: the origin. 2006 ⇒705. 22-52 [Dan 12; 2 Macc 7].

4857 **Clanton, Dan W.** The good, the bold, and the beautiful: the story of Susanna and its Renaissance interpretations. JSOT.S 433; LHBOTS 433: NY 2006, Clark vi; 213 pp. £60. 0-567-02991-3. Bibl. 191-205. ᴿRBLit (2006)* (*Kim, Heerak C.*) [Dan 13].

E9.3 *Prophetae Minores*, **Dōdekaprophetōn...Hosea, Joel**

4858 *Ausín Olmos, Santiago* Optimismo, desencanto y esperanza en los profetas de la época persa: análisis de algunos textos de Ageo, Zacarías y Malaquías. EstB 64 (2006) 393-417.

4859 **Baker, David W.** Joel, Obadiah, Malachi. GR 2006, Zondervan 341 pp. 978-0-310-20723-8.

4860 *Beck, Martin* Das Dodekapropheton als Anthologie. ZAW 118 (2006) 558-583.

4861 **Beck, Martin** Der "Tag YHWH's" im Dodekapropheton: Studien im Spannungsfeld von Traditions- und Redaktionsgeschichte. BZAW 356: 2005 ⇒21,4953. ᴿRHPhR 86 (2006) 298-299 (*Heintz, J.-G.*); Afrika Yetu 11 (2006) 66-70 (*Orji, Chukwuemeka*).

4862 *Ben Zvi, Ehud* De-historicizing and historicizing tendencies in the twelve prophetic books: a case study of the heuristic value of a historically anchored systemic approach to the corpus of prophetic literature. ᶠHAYES, J.: LHBOTS 446: 2006 ⇒64. 37-56.

4863 *Boda, Mark J.* From dystopia to myopia: utopian (re)visions in Haggai and Zechariah 1-8. Utopia. SESJ 92: 2006 ⇒349. 210-248.

4864 **Botta, Alejandro F.** Los doce Profetas Menores. Mp 2006, Augsburg vii; 160 pp. $15. 0-8066-8072-5. Bibl. 155-157.

4865 *Brooke, George J.* The twelve minor prophets and the Dead Sea scrolls. Congress volume Leiden 2004. VT.S 109: 2006 ⇒759. 19-43.

4866 *Carden, Michael* The book of the Twelve Minor Prophets. Queer bible commentary. 2006 ⇒2417. 432-484.

4867 *Choat, Malcolm* The unidentified text in the Freer minor prophets codex. The Freer biblical manuscripts. SBL.Text-Critical studies 6: 2006 ⇒419. 87-121.

4868 *Crenshaw, James L.* Theodicy in the book of the Twelve. Prophets, sages. 2006 <2003> ⇒204. 173-182.

4869 **Fred, Stig** Varför säger Herren så?: profeterna, kontexterna, retoriken: en jämförelse mellan Amos och Malaki [Why does the Lord say thus?: prophets, contexts, rhetorics: a comparison between Amos and Malachi]. 2003 ⇒20,4675. ᴿSEÅ 71 (2006) 242-43 (*Eriksson, Lars-Olov*).

4870 ᵀHill, Robert C. THEODORE of Mopsuestia: commentary on the Twelve Prophets. FaCh 103: 2004 ⇒20,4676; 21,4956. ᴿLTP 62/1 /2006) 168-169 (*Pelletier, Vincent*).

4871 *Kessler, Rainer* Nahum-Habakuk als Zweiprophetenschrift: eine Skizze. Gotteserdung. BWANT 170: 2006 <2002> ⇒249. 137-145.

4872 **Kizhakkeyil, Sebastian** The Twelve Minor Prophets, an exegetical study. Bangalore 2006, ATC. [R]JJSS 6 (2006) 237-8 (*Regan, Dennis*).

4873 *O'Brien, Julia M.* Once and future gender: gender and the future in the Twelve. Utopia. SESJ 92: 2006 ⇒349. 144-159.

4874 *O'Kennedy, D.F.* Die boek van die Twaalf: 'n kort oorsig. NGTT 47 (2006) 620-632.

4875 **Perlitt, Lothar** Die Propheten Nahum, Habakuk, Zephanja. ATD 25/1: 2004 ⇒20,4684; 21,4966. [R]ETR 81 (2006) 441-442 (*Vincent, Jean Marcel*).

4876 **Savoca, Gaetano** Abdia—Naum—Abacuc—Sofonia: nuova versione, introduzione e commento. Libri biblici, Primo Testamento 18: Mi 2006, Paoline 230 pp. €25. [R]StPat 53 (2006) 777-779 (*Lorenzin, Tiziano*).

4877 *Scaiola, Donatella* I Dodici Profeti Minori: problemi di metodo e di interpretazione. RivBib 54 (2006) 65-75.

4878 *Schwesig, Paul-Gerhard* Sieben Stimmen und ein Chor: die Tag-Jhwhs-Dichtungen im Zwölfprophetenbuch. [F]MEINHOLD, A.: ABIG 23: 2006 ⇒110. 229-240.

4879 **Schwesig, Paul-Gerhard** Die Rolle der Tag-JHWHs-Dichtungen im Dodekapropheton. BZAW 366: B 2006, De Gruyter ix; 347 pp. €98. 3-11-019017-6. Diss. Halle-Wittenberg; Bibl. 313-342.

4880 *Scoralick, Ruth* "Wie könnte ich dich preisgeben, Efraim?" (Hos 11, 8): zur Rede vom Erbarmen Gottes im Zwölfprophetenbuch. "Deine Bilder". 2006 ⇒429. 55-67 [Hos 11; Mal 3,6].

4881 **Simundson, Daniel J.** Hosea, Joel, Amos, Obadiah, Jonah, Micah. 2005 ⇒21,4971. [R]TJT 22 (2006) 84 (*Lee, Bryana Boyeon*); CBQ 68 (2006) 318-319 (*Linville, James R.*); JHScr 6 (2006)* = PHScr III, 340-342 (*Evans, Paul*) [⇒593].

4882 *Wöhrle, Jakob* The formation and intention of the Haggai-Zechariah corpus. JHScr 6 (2006)*.

4883 **Wöhrle, Jakob** Die frühen Sammlungen des Zwölfprophetenbuches: Entstehung und Komposition. [D]*Albertz, Rainer*: BZAW 360: B 2006, De Gruyter xii; 499 pp. €118. 3-11-018996-8. Diss. Münster; Bibl. 469-492.

4884 **Ben Zvi, Ehud** Hosea. FOTL 21A/1: 2005 ⇒21,4978. [R]JAOS 126 (2006) 589-592 (*Hutton, Jeremy M.*); CBQ 68 (2006) 722-723 (*Lessing, Reed*); RBLit (2006)* (*Braaten, Laurie*); JHScr 6 (2006)* = PHScr III,439-444 (*Hoffman, Yair*) [⇒593].

4885 *Davies, Philip R.* The wilderness years: utopia and dystopia in the book of Hosea. Utopia. SESJ 92: 2006 ⇒349. 160-174.

4886 *Haddox, Susan E.* (E)Masculinity in Hosea's political rhetoric. [F]HAYES, J.: LHBOTS 446: 2006 ⇒64. 174-200.

4887 **Hong, Seong-Hyuk** The metaphor of illness and healing in Hosea and its significance in the socio-economic context of eighth-century Israel and Judah. Studies in biblical literature 95: NY 2006, Lang xv; 193 pp. 0-8204-8155-6. Bibl. 173-188.

4888 [T]**Messina, Marco T.** GIROLAMO: Commento a Osea. CTePa 190: R 2006, Città N. 326 pp. 88-311-3190-7. Bibl. 36-39.

4889 *Pohlig, James N.* Patterns in conceptual metaphors, image metaphors, and similes in Hosea. JSem 15 (2006) 465-498.

4890 *Puykunnel, Shaji J.* The shepherd and the beast: pastoral imagery for Yahweh in the book of Hosea. MissTod 8 (2006) 227-236.

4891 *Rosengren, Allan* En retorisk laesning af Hoseas' bog. DTT 69/2 (2006) 98-117.

4892 **Rudnig-Zelt, Susanne** Hoseastudien: redaktionskritische Untersuchungen zur Genese des Hoseabuches. FRLANT 213: Gö 2006, Vandenhoeck & R. 311 pp. €62.90. 3-525-53077-3. Bibl. 279-304.

4893 *Schmitt, Hans-Christoph* Monolatrie Jahwes bei Hosea, in der vorexilischen Weisheit und in Kuntillet Ajrud. [F]MEINHOLD, A.: ABIG 23: 2006 ⇒110. 241-263.

4894 **Sevilla Jiménez, C.** El desierto en la profeta Oseas. Estella 2006, Verbo Divino 286 pp.

4895 *Wecker, Rose* Gefährliche Einsichten: aus dem Tagebuch der Gomer: Hosea 1. Die besten Nebenrollen. 2006 ⇒1164. 173-177.

4896 *Bowman, Craig* Reading the twelve as one: Hosea 1-3 as an introduction to Book of the Twelve (the minor prophets). Stone-Campbell journal [Loveland, OH] 9 (2006) 41-59.

4897 *Niccacci, Alviero* Osea 1-3: composizione e senso. LASBF 56 (2006) 71-104.

4898 **Kelle, Brad E.** Hosea 2: metaphor and rhetoric in historical perspective. SBL.Academia Biblica 20: 2005 ⇒21,4993. [R]RBLit (2006)* *(Cathey, Joseph; Hagedorn, Anselm)*.

4899 [E]**Bons, Eberhard** "Car c'est l'amour qui me plait, non le sacrifice..." : recherches sur Osée 6:6 et son interprétation juive et chrétienne. JSJ. S 88: 2004 ⇒20,322. [R]RevSR 80 (2006) 273-275 *(Siffer, Nathalie)*.

4900 *Dabhi, James B.* ...כִּי אֵל אָנֹכִי וְלֹא־אִישׁ...'...because God that I am and not a human...' (Hos. 11,9b): an exegetical study of Hos. 11,1-9. BiBh 32 (2006) 103-123.

4901 **Kakkanattu, Joy P.** God's enduring love in the book of Hosea: a synchronic and diachronic analysis of Hosea 11:1-11. FAT 2/14: Tü 2006, Mohr S. xv; 222 pp. €49. 3-16-148886-5. Bibl. 195-211. [R]JDh 31 (2006) 379-382 *(Kalluveettil, Paul)*.

4902 *Levin, Adina* A new context for Jacob in Genesis and Hosea 12. [F]PECKHAM, B.: LHBOTS 455: 2006 ⇒126. 226-236 [Gen 32,25-32].

4903 *Chalmers, R. Scott* Who is the real El?: a reconstruction of the prophet's polemic in Hosea 12:5a. CBQ 68 (2006) 611-630.

4904 *Irvine, Stuart A.* Relating prophets and history: an example from Hosea 13. [F]HAYES, J.: LHBOTS 446: 2006 ⇒64. 158-166 [Hos 13,15].

4905 *Braaten, Laurie J.* Earth community in Joel 1-2: a call to identify with the rest of creation. HBT 28 (2006) 113-129.

4906 *Crenshaw, James L.* Who knows what YHWH will do?: the character of God in the book of Joel. <1995>;

4907 Freeing the imagination: the conclusion to the book of Joel. <1997>;

4908 Joel's silence and interpreters' readiness to indict the innocent. Prophets, sages. 2006 <1998> ⇒204. 147-152/153-162/163-166.

4909 **Müller, Anna K.** Zwischen Tradition und Auslegung—die Möglichkeit der Rettung am Tag JHWHs nach dem Joelbuch. [D]*Jeremias, J.* 2006, Diss. Marburg [ThLZ 132,488].

E9.4 Amos

4910 *Brettler, Marc Z.* Redaction, history, and redaction-history of Amos in recent scholarship. ᶠHAYES, J.: LHBOTS 446: 2006 ⇒64. 103-12.

4911 *Davies, Philip R.* Amos, man and book. ᶠHAYES, J.: LHBOTS 446: 2006 ⇒64. 113-131.

4912 *Kizhakkeyil, Sebastian* Amos (עמוס). JJSS 6 (2006) 192-212.

4913 **Lang, Martin** Gott und Gewalt in der Amosschrift. FzB 102: 2004 ⇒20,4731. ᴿThLZ 131 (2006) 265-267 (*Schart, Aaron*).

4914 *McConville, J. Gordon* 'How can Jacob stand? He is so small!' (Amos 7:2): the prophetic word and the re-imagining of Israel. ᶠHAYES, J.: LHBOTS 446: 2006 ⇒64. 132-151.

4915 *Schart, Aaron* The Jewish and the christian Greek versions of Amos. Septuagint research. SBL.SCSt 53: 2006 ⇒755. 157-177.

4916 **Simian-Yofre, Horacio** Amos. Primo Testamento 15: 2002 ⇒18, 4568... 20,4735. ᴿRevBib 68 (2006) 119-121 (*Nannini, Damián*).

4917 *Snyman, S.D.* Eretz and Adama in Amos. Stimulation from Leiden. BEAT 54: 2006 ⇒686. 137-146.

4918 *Tucker, Gene M.* Amos the prophet and Amos the book: historical framework. ᶠHAYES, J.: LHBOTS 446: 2006 ⇒64. 85-102.

4919 *Weippert, Helga* Amos: seine Bilder und ihr Milieu. Unter Olivenbäumen. AOAT 327: 2006 <1985> ⇒324. 213-237.

4920 *Witaszek, Gabriel* Działalność Amosa wzorem opisowym funkcji prorockiej: formy prawdziwego profetyzmu. CoTh 76/3 (2006) 5-18. **P.**

4921 **Steiner, Richard C.** Stockmen from Tekoa, sycomores from Sheba: a study of Amos' occupations. CBQ.MS 36: 2003 ⇒19,4935... 21, 5028. ᴿRB 113 (2006) 136-137 (*Gonçalves, Francolino J.*) [Amos 1,1; 7,14-15].

4922 *Lemański, Janusz* Ius gentium i jego rola w wyroczni przeciw Izraelowi (Am 1,3-2,16) [Ius gentium and its role in the oracle against Israel (Amos 1,3-2,16)]. STV 44/1 (2006) 71-95. **P.**

4923 *Tebes, Juan M.* La terminología diplomática en los orácolos de Amós contra Tiro y Edom (Am 1,9-12). AuOr 24 (2006) 243-253.

4924 *Strauss, Hans* Alttestamentliche Weisheit zur Aktualisierung profetischer Überlieferung: Anmerkungen zu Am 3,3-8. ᶠMEINHOLD, A.: ABIG 23: 2006 ⇒110. 265-268.

4925 *Dafni, Evangelia G.* Παντοκράτωρ in Septuaginta-Amos 4,13: zur Theologie der Sprache der Septuaginta. Septuagint and messianism. BEThL 195: 2006 ⇒753. 443-454.

4926 *Protus, Kemdirim* Justice in the text of Amos 5:7, 10-12 and its implications in the context of African church. ThirdM 9/1 (2006) 6-16.

4927 *Ravasco, Andrea* Invettiva "sociale" o cultuale?: una rilettura di Amos 6,1-7. Ricerche teologiche 17 (2006) 493-502.

4928 **Riede, Peter** Vom Erbarmen zum Gericht: die Visionen des Amosbuches (Am 7-9*) und ihr literatur- und traditionsgeschichtlicher Zusammenhang. ᴰ*Janowski, B.* 2006, Diss. Tübingen.

4929 *Tiemeyer, Lena-Sofia* God's hidden compassion. TynB 57 (2006) 191-213 [Amos 7,1-8,3].

4930 *Sweeney, Marvin A.* The dystopianization of utopian prophetic literature: the case of Amos 9:11-15. Utopia. SESJ 92: 2006 ⇒349. 175-185.

4931 *Warning, Wilfried* Terminological patterns and Amos 9:11-15. DavarLogos 5/2 (2006) 117-134.

E9.5 Jonas

4932 **Alexandre, Jean** Jonas ou l'oiseau du malheur: variations bibliques sur un thème narratif. Sémantiques: 2003 ⇒19,4952; 20,4750. ᴿETR 81 (2006) 117-119 (*Vincent, Jean Marcel*).

4933 *Angel, Hayyim* 'I am a Hebrew!': Jonah's conflict with God's mercy toward even the most worthy of pagans. JBQ 34 (2006) 3-11.

4934 **Balancin, Euclides M.; Storniolo, Ivo** Como ler o livro de Jonas: Deus não conhece fronteiras. São Paulo ³2006, Paulus 35 pp.

4935 **Bochet, Marc** Jonas palimpseste: réécritures littéraires d'une figure biblique. Le livre et le rouleau 27: Bru 2006, Lessius 189 pp. €19.50. 978-2-87299-152-5. Bibl. 173-178.

4936 *Burrichter, Rita* Gott wird handgreiflich. KatBl 131 (2006) 259-262.

4937 *Bünker, Michael* Jona, der ausbleibende Untergang und die Karikatur eines Propheten. Ment. *Bonhoeffer, D.* Amt und Gemeinde 57 (2006) 133-141.

        Chisholm, R. A workbook for intermediate Hebrew: grammar, exegesis, and commentary on Jonah and Ruth 2006 ⇒3302.

4938 *De Troyer, Kristin* The Freer twelve minor prophets codex–a case study: the Old Greek text of Jonah, its revisions, and its corrections. The Freer biblical manuscripts. SBL.Text-Critical studies 6: 2006 ⇒ 419. 75-85.

4939 *Fortune, Colin* The *Book of Jonah* as a comic novella. ScrB 36 (2006) 64-73.

4940 **Gerhards, Meik** Studien zum Jonabuch. BThSt 78: Neuk 2006, Neuk viii; 229 pp. €22.90. 3-7887-2181-2. Bibl. 217-229.

4941 **Green, Barbara** Jonah's journeys. Interfaces: 2005 ⇒21,5045. ᴿRBLit (2006)* (*Le Roux, J.H.*).

4942 **Kamp, Albert** Inner worlds: a cognitive linguistic approach to the book of Jonah. ᵀ*Orton, David*: BiblInterp 68: 2004 ⇒20,4759. ᴿRBLit (2006)* (*Ben Zvi, Ehud*).

4943 *Kessler, Rainer* Jona in der Schule. Gotteserdung. BWANT 170: 2006 <1997> ⇒249. 108-115.

        Mosis, R. Welterfahrung und Gottesglaube 2004 ⇒3696.

4944 *Mulzer, Martin* Andromeda und Jona in Jafo. ZDPV 122 (2006) 46-60.

4945 **Niccacci, Alviero; Tadiello, Roberto; Pazzini, Massimo** Il libro di Giona: analisi del testo ebraico e del racconto. SBFA 65: 2004 ⇒20, 4767. ᴿCDios 219 (2006) 563-564 (*Gutiérrez, J.*).

4946 *Oberthür, Rainer* Mit Jona Fäden durch die Bibel knüpfen. KatBl 131 (2006) 255-258.

4947 **Parmentier, Roger** Le prophète Jonas et le Cantique des Cantiques actualisés. P 2006, L'Harmattan 49 pp. €9. 978-27475-99986.

4948 *Perrin, Louis* Lecture du livre de Jonas. SémBib 122 (2006) 27-38.

4949 **Perry, T. Anthony** The honeymoon is over: Jonah's argument with God. Peabody 2006, Hendrickson xxxvii; 231 pp. $20. 15656-36724. ᴿJHScr 6 (2006)* = PHScr III,436-438 (*Green, Barbara*)]⇒593].

4950 **Raab-Straube, Albrecht** Jona: Stationen einer bewegten Lebensgeschichte. Altenberge ²2002, Oros-Verlag 178 pp. 3-89375-206-4.

4951 *Rauh, Helene; Rauh, Manfred; Schöttler, Heinz-Günther* Die Entde-
ckung der Fiktionalität mit Kindern: Kinderbibeltage zum Buch Jona.
"Der Leser begreife!". 2006 ⇒472. 250-267.
     Rosenberg, S. Esther Ruth Jonah deciphered 2004 ⇒3321.
4952 *Schmitz, Barbara* "Ein-Blick" in die Werkstatt der Fiktionalität: das
Buch Jona–oder: Von einem, der auszog, das Fürchten zu lernen, und
dabei Gott kennen lernte. "Der Leser begreife!". 2006 ⇒472. 150-79.
4953 *Setiawidi, Agustinus* Satirical message of Jonah. Stimulation from
Leiden. BEAT 54: 2006 ⇒686. 147-150.
4954 ᴱ**Sgargi, Giorgio** Giona. Biblia, AT 35: 2004 ⇒20,4771. ᴿRivBib
54 (2006) 112-113 (*Rizzi, Giovanni*).
     ᴱ**Sulavik, A.** GULIELMI de Luxi: Postilla super Ionam 2006 ⇒4722.
4955 **Tucker, W. Dennis** Jonah: a handbook on the Hebrew text. Waco,
Tex. 2006, Baylor Univ. Pr. xiv; 117 pp. $20. 1-932792-66-X. Bibl.
109-114.

4956 *Levin, Christoph* Jona 1: Bekehrung zum Judentum und ihre Folgen.
ᶠMEINHOLD, A.: ABIG 23: 2006 ⇒110. 283-299.
4957 *Tse, Mary W.* The interpretation of the book of Jonah, chapter one.
Jian Dao 25 (2006) 3-28. **C**.
4958 *Schüle, Andreas* "Meinst du, dass dir Zorn zusteht?": der theologi-
sche Diskurs des Jonaschlusses (Jona 3,6-4,11). ThLZ 131 (2006)
675-687.
4959 *Green, Barbara* Profound anger as an optic for reading the prophet
Jonah. Studies in Spirituality 16 (2006) 1-20 [Jonah 4].
4960 *Guillaume, Philippe* The end of Jonah is the beginning of wisdom.
Bib. 87 (2006) 243-250 [Jonah 4,11].

E9.6 *Micheas*, **Micah**

4961 *Jacobs, Mignon R.* Bridging the times: trends in Miicah studies since
1985. CuBR 4 (2006) 293-329.
4962 *Kessler, Rainer* Zwischen Tempel und Tora: das Michabuch im Dis-
kurs der Perserzeit. <2000>;
4963 Das Buch Micha als Mitte des Zwölfprophetenbuchs: Einzeltext, re-
daktionelle Intention und kontextuelle Lektüre. Gotteserdung.
BWANT 170: 2006 <2002> ⇒249. 116-128/129-136.
4964 *Paluku, Jean-Marie Vianney Thaliwatheka* Justice and fidelity in Mi-
cah's prophecy: a concern for the poor and the powerless in Africa.
Hekima Review 35 (2006) 46-60.

4965 *Smith-Christopher, Daniel L.* Are the refashioned weapons in Micah
4:1-4 a sign of peace or conquest?: shifting the contextual borders of
a 'utopian' prophetic motif. Utopia. SESJ 92: 2006 ⇒349. 186-209.
4966 *Cacciari, Antonio* Una nota su ὀλιγοστός (Mi 5,1 LXX). ᶠCIGNELLI,
L.: SBFA 68: 2006 ⇒21. 157-162.
4967 *Chaney, Marvin L.* Micah–models matter: political economy and Mi-
cah 6:9-15. Ancient Israel. 2006 ⇒724. 145-160.

E9.7 *Abdias, Sophonias...*Obadiah, Zephaniah, Nahum

4968 *Guibert, Gaëll* Une analyse de linguistique textuelle du texte d'Abdias. SémBib 121 (2006) 33-46.
4969 *Jeremias, Jörg* Zur Theologie Obadjas: die Auslegung von Jer 49,7-16 durch Obadja. [F]MEINHOLD, A.: ABIG 23: 2006 ⇒110. 269-282.
4970 *Pazzini, M.* Il libro di Abdia secondo la versione siriaca (Peshitto). [F]PENNACHIETTI, F. 2006 ⇒127. 573-577.

4971 *Branch, Robin G.* Mutual joy: God and the people rejoice (Zephaniah 3:14-20). JSem 15 (2006) 67-91.
4972 *Kessler, Rainer* 'Ich rette das Hinkende, und das Versprengte sammle ich': zur Herdenmetaphorik in Zef 3. Gotteserdung. BWANT 170: 2006 <1996> ⇒249. 146-152.
4973 **Sweeney, Marvin A.** Zephaniah. Hermeneia: 2003 ⇒19,5018... 21,5089. [R]JAOS 125 (2005) 130-131 (*Floyd, Michael H.*).

4974 **Baumann, Gerlinde** Gottes Gewalt im Wandel: traditionsgeschichtliche und intertextuelle Studien zu Nahum 1,2-8. WMANT 107: 2005 ⇒21,5090. [R]RBLit (2006)* (*Christensen, Duane*).
4975 *Berlejung, Angelika* Erinnerungen an Assyrien in Nahum 2,4-3,19. [F]MEINHOLD, A.: ABIG 23: 2006 ⇒110. 323-356.
4976 **Fabry, Heinz Josef** Nahum. HThK.AT: FrB 2006, Herder 232 pp. €50. 3-451-26850-7.
4977 *Hagedorn, Anselm C.* Nahum–ethnicity and stereotypes: anthropological insights into Nahum's literary history. Ancient Israel. 2006 ⇒724. 223-239.
4978 **Lanner, Laurel** "Who will lament her?": the feminine and the fantastic in the book of Nahum. Playing the texts 11; LHBOTS 434: L 2006, Clark x; 270 pp. 0-567-02602-7. Bibl. 249-261.
4979 **O'Brien, Julia M.** Nahum. Readings: 2002 ⇒18,4632; 19,5027. [R]BBR 16/1 (2006) 159-160 (*Phillips, Elaine*).
4980 *Pazzini, Massimo* "I volti di tutti sono diventati neri": nota filologica a Naum 2,11 (2,10) siriaco. LASBF 56 (2006) 129-132.
4981 *Pinker, Aron* Nahum 1: acrostic and authorship. JBQ 34 (2006) 97-103;
4982 A tragic bacchanalia in Nah 1:10. RB 113 (2006) 366-371.
4983 *Scherer, Andreas* Lyrik im Dienst der Prophetie: Beobachtungen zur Eigenart des Nahumbuches. [F]MEINHOLD, A.: ABIG 23: 2006 ⇒110. 301-321 [Nah 1,1-8; 2,4-11; 3,2-3].
4984 *Wessels, Willie* Nahum 2: a call to witness a display of Yahweh's power. JSem 15 (2006) 544-563.

E9.8 *Habacuc,* Habakkuk

4985 *Álvarez Barredo, Miguel* Hab 2,1-4: una respuesta divina a la violencia del hombre. VyV 64 (2006) 301-320;
4986 La sátira de los "ayes": Hab 2,6b-20: una ironía sobre el proceder del hombre calculador. Cart. 22 (2006) 251-294.
4987 *Barré, Michael L.* Yahweh gears up for battle: Habakkuk 3,9a. Bib. 87 (2006) 75-84.

4988 *Blocher, Henri* La bible au microscope: Habaqquq: notes au fil du texte et de ses difficultés. La bible au microscope. 2006 <1970> ⇒ 192. 293-302.

E9.9 *Aggaeus*, **Haggai**—*Zacharias*, **Zechariah**—*Malachias*, **Malachi**

4989 *Assis, Elie* Haggai: structure and meaning. Bib. 87 (2006) 531-541.
4990 *Kessler, John* Haggai, Zerubbabel, and the political status of Yehud: the signet ring in Haggai 2:23. Prophets, prophecy. LHBOTS 427: 2006 ⇒728. 102-119.
4991 **Meadowcroft, Tim** Haggai. Readings: Shf 2006, Phoenix xii; 259 pp. $25. 9781-905048-595.
4992 **Taylor, Richard; Clendenen, E. Ray** Haggai, Malachi. NAC 21A: 2004 ⇒20,4817; 21,5111. ^RBS 163 (2006) 373-4 (*Merrill, Eugene*).
4993 *Wendland, Ernst R.* The structure, style, sense, and significance of Haggai's prophecy concerning the 'house of the LORD'–with special reference to bible interpretation and translation in Africa (part II). OTEs 19 (2006) 281-306.

4994 **Curtis, Byron G.** Up the steep and stony road: the book of Zechariah in social location trajectory analysis. SBL Academia Biblica 25: Lei 2006, Brill xiii; 328 pp. $45. 978-90-04-15112-3. Bibl. 281-304.
4995 *Floyd, Michael H.* Was prophetic hope born of disappointment?: the case of Zechariah. Utopia. SESJ 92: 2006 ⇒349. 268-296.
4996 *Henze, Matthias* Invoking the prophets in Zechariah and Ben Sira. Prophets, prophecy. LHBOTS 427: 2006 ⇒728. 120-34 [Sir 24; 36].
4997 ^T**Hill, Robert C.** DIDYMUS the Blind: commentary on Zechariah. FaCh 111: Wsh 2006, Cath. Univ. of America Pr. xi; 372 pp. $40. 08132-0111X [ThD 53,65–W. Charles Heiser].
4998 *Vincent, Jean Marcel* L'apport de la recherche historique et ses limites pour la compréhension des visions nocturnes de Zacharie. Bib. 87 (2006) 22-41.

4999 *Ahearne-Kroll, Patricia* LXX/OG Zechariah 1-6 and the portrayal of Joshua centuries after the restoration of the temple. Septuagint research. SBL.SCSt 53: 2006 ⇒755. 179-192.
5000 **Pola, Thomas** Das Priestertum bei Sacharja: historische und traditionsgeschichtliche Untersuchungen zur frühnachexilischen Herrschererwartung. FAT 35: 2003 ⇒19,5068... 21,5125. ^RETR 81 (2006) 119-120 (*Vincent, Jean Marcel*); JSSt 51 (2006) 194-196 (*Hagedorn, Anselm C.*) [Zech 1-8].
5001 **Delkurt, Holger** Schuld und Sühne in Sacharjas Nachtgesichten. ^FMEINHOLD, A.: ABIG 23: 2006 ⇒110. 357-371 [Zech 1,3-6; 1,8-15; 3,1-7; 5,1-11].
5002 *Tiemeyer, Lena-Sofia* A busy night at the heavenly court. SEÅ 71 (2006) 187-207 [Zech 1,7-13; 6,1-8].
5003 *Lux, Rüdiger* "...damit ihr erkennt, dass Jhwh Zebaot mich gesandt hat": Erwägungen zur Berufung und Sendung des Propheten Sacharja. ^FMEINHOLD, A.; ABIG 23: 2006 ⇒110. 373-388 [Zech 2,10-13].
5004 *Blocher, Henri* Zacharie 3: Josué et le grand jour des expiations. La bible au microscope. 2006 <1979> ⇒192. 303-311.

5005 *Becking, Bob* Zerubbabel, Zechariah 3-4, and post-exilic history. [F]HAYES, J.: LHBOTS 446: 2006 ⇒64. 268-279.

5006 *Körting, Corinna* Sach 5,5-11—die Unrechtmäßigkeit wird an ihren Ort verwiesen. Bib. 87 (2006) 477-492.

5007 *Runions, Erin* Inherited crypts of the wife/mother: Ang Lee's hulk meets Zechariah 5:5-11 in contemporary apocalyptic discourse. BiblInterp 14 (2006) 127-142.

5008 *Zakovitch, Yair* A garden of Eden in the squares of Jerusalem: Zachariah 8:4-6. Gr. 87 (2006) 301-311.

5009 *Boda, Mark J.* Freeing the burden of prophecy: *maśśāʾ* and the legitimacy of prophecy in Zech 9-14. Bib. 87 (2006) 338-357.

5010 **Hübenthal, Sandra** Transformation und Aktualisierung: zur Rezeption von Sach 9-14 im Neuen Testament. [D]*Beutler, Johannes*: SBB 57: Stu 2006, Kath. Bibelwerk 403 pp. 3-460-00571-8. Diss. St. Georgen; Bibl. 373-391.

5011 *Schweitzer, Steven J.* Visions of the future as critique of the present: utopian and dystopian images of the future in Second Zechariah. Utopia. SESJ 92: 2006 ⇒349. 249-267 [Zech 9-14].

5012 *Hausmann, Jutta* Jerusalem und die Völker: Beobachtungen zu Sacharja 14. [F]MEINHOLD, A.: ABIG 23: 2006 ⇒110. 389-399.

5013 **Hieke, Thomas** Kult und Ethos: die Verschmelzung von rechtem Gottesdienst und gerechtem Handeln im Lesevorgang der Maleachischrift. Stu 2006, Kathol. Bibelwerk 96 pp. 34600-30844. Bibl. 88-93.

5014 *Kessler, Rainer* Die Theologie der Gabe bei Maleachi. Gotteserdung. BWANT 170: 2006 <2004> ⇒249. 153-163.

5015 *Koch, Klaus* "Vom Aufgang der Sonne bis zu ihrem Untergang ist mein Name groß unter den Völkern": Maleachis Beitrag zum Verhältnis von Monotheismus und Polytheismus. [F]MEINHOLD, A..: ABIG 23: 2006 ⇒110. 401-413.

5016 **Meinhold, Arndt** Maleachi. BK XIV/8: Neuk 2006, Neuk'er xxvi; 500 pp. 978-3-7887-21985.

5017 *Scoralick, Ruth* Priester als "Boten" Gottes (Mal 2,7)?: zum Priester- und Prophetenbild des Zwölfprophetenbuches. [F]MEINHOLD, A..: ABIG 23: 2006 ⇒110. 415-430.

5018 *Snyman, S.D.* Wie en wat word veroordeel–en waarom?: nogeens Maleagi 2:10-16. In die Skriflig 40 (2006) 19-33.

5019 *Solà, Teresa* Monogàmia i divorci en Malaquies 2,10-16. RCatT 31 (2006) 245-268.

5020 *Malone, Andrew S.* Is the Messiah announced in Malachi 3:1?. TynB 57 (2006) 215-228.

5021 *Snyman, S.D.* Once again: investigating the identity of the three figures mentioned in Malachi 3:1. VeE 27 (2006) 1031-1044.

5022 **Lauber, Stephan** "Euch aber wird aufgehen die Sonne der Gerechtigkeit" (vgl. Mal 3,20): eine Exegese von Mal 3,13-21. [D]*Irsigler, Hubert*: ATSAT 78: St. Ottilien 2006, EOS-Verl. x; 547 pp. €38. 3-8306-7234-9. Diss. Freiburg; Bibl. 490-526.

VIII. NT Exegesis generalis

F1.1 New Testament introduction

5023 NIntB: New Testament survey. Nv 2006, Abingdon xiii; 399 pp. £22. 0-687-05434-6.

5024 *Baum, Armin Daniel* Der Verfasser und seine Adressaten: Einleitungsfragen. Das Studium des NT. TVG: 2006 ⇒451. 215-243.

5025 **Blomberg, Craig L.** From Pentecost to Patmos: Acts to Revelation: an introduction and survey. DG 2006, InterVarsity xiv; 577 pp. 978-1-8447-052-9.
    [E]**Borghi, E.,** *al.*, La fede...introduzione NT 2006 ⇒701.

5026 **Broer, Ingo** Einleitung in das Neue Testament, 2: die Briefliteratur, die Offenbarung des Johannes und die Bildung des Kanons. NEB Erg. Bd. z. N.T. 2/2: 2001 ⇒17,4237... 19,5105. [R]BZ 50 (2006) 265-267 (*Reichardt, Michael*).

5027 **Charpentier, Étienne** Führer durch das Neue Testament. Dü 2006, Patmos 206 pp. 978-3-491-70400-8.

5028 **Conzelmann, Hans G.; Lindemann, Andreas** Arbeitsbuch zum Neuen Testament. UTB.W; UTB 52: [14]2004 ⇒20,4851. [R]SNTU.A 31 (2006) 243-256 (*Fuchs, Albert*).

5029 *Court, John M.* The growth of the New Testament. Oxford handbook of biblical studies. 2006 ⇒438. 518-543.

5030 **Cousar, Charles B.** An introduction to the New Testament: witnesses to God's new work. LVL 2006, Westminster xv; 215 pp. $30. 978-0-664-22413-4. Bibl. 199-201.

5031 *Debergé, Pierre* La costituzione del Nuovo Testamento: punti di riferimento storici, letterari e teologici. Guida di lettura del NT. 2006 ⇒ 5033. 9-88.

5032 [E]**Debergé, Pierre; Nieuviarts, Jacques** Guida di lettura del Nuovo Testamento. Lettura pastorale della bibbia: Bo 2006, EDB 528 pp. €58. 88-10-20162-0.

5033 *Dschulnigg, Peter* Wann sind die katholischen Briefe und die Offenbarung des Johannes entstanden?. SNTU.A 31 (2006) 127-151.

5034 *Hahn, Ferdinand* Einleitung zu den Studien zum Neuen Testament I/II. Studien zum NT, I. WUNT 191: 2006 ⇒230. 1-13.

5035 **Holladay, Carl R.** A critical introduction to the New Testament: interpreting the message and meaning of Jesus Christ. 2005 ⇒21,5146. [R]RBLit (2006)* (*Van der Watt, Jan*); JBL 125 (2006) 599-604 (*Bassler, Jouette M.*).

5036 **Kelly, Joseph F.** An introduction to the New Testament for catholics. ColMn 2006, Liturgical xiv; 276 pp. $30. 978-0-8146-5216-9. Bibl. 265-269.

5037 [E]**Marguerat, Daniel** Introduzione al Nuovo Testamento. [T]*Frache, Stefano* 2004 ⇒20,4860; 21,5148. [R]Ecclesia 20 (2006) 411-412 (*Izquierdo, Antonio*).

5038 **Metzger, Bruce M.** The New Testament: its background, growth, & content. [3]2003 <1965> ⇒19,5133. [R]NT 48 (2006) 384-85 (*Rodgers, Peter R.*).

5039   *Morgan, Robert* New Testament. Oxford handbook of biblical studies. 2006 ⇒438. 27-49.
5040   *Nieuviarts, Jacques* Il Nuovo Testamento: storia del testo e delle sue letture. Guida di lettura del NT. 2006 ⇒5033. 89-151.
5041   **Piñero, Antonio** Guía para entender el Nuevo Testamento. M 2006, Trotta 565 pp. [R]RCatT 31 (2006) 464-468 (*Bermejo, Fernando*).
5042   **Piñero, Antonio; Peláez del Rosal, Jesús** The study of the New Testament: a comprehensive introduction. [T]*Orton, David E.; Ellingworth, Paul* 2003 ⇒19,5134... 21,5150. [R]FgNT 35-36 (2005) 180-183 (*Stenschke, Christoph*).
5043   *Sandmel, Samuel* Parallelomania. Presidential voices. SBL.Biblical Scholarship in North America 22: 2006 <1961> ⇒340. 107-118.
5044   **Schreiber, Stefan** Begleiter durch das Neue Testament. Dü 2006, Patmos 335 pp. €23.40. 3-491-70391-3.
5045   **Simoens, Yves** Entrare nell'alleanza: un'introduzione al Nuovo Testamento. 2003 ⇒19,5141. [R]Eccl(R) 20/1 (2006) 132-133 (*Izquierdo, Antonio*).
5046   **Vouga, François** Il cristianesimo delle origini: scritti, protagonisti, dibattiti. Strumenti, Biblica 7: 2001 ⇒17,4261... 20,4868. [R]PaVi 49/5 (2006) 58-60 (*Dozzi, Dino*).

F1.2 *Origo Evangeliorum,* **the origin of the Gospels**

5047   *Alexander, Loveday* What is a gospel?. Cambridge companion to the gospels. 2006 ⇒344. 13-33.
5048   *Burridge, Richard A.* Gospels. Oxford handbook of biblical studies. 2006 ⇒438. 432-444;
5049   Reading the gospels as biography. The limits of ancient biography. 2006 ⇒881. 31-49.
5050   **Burridge, Richard A.** What are the gospels?: a comparison with Graeco-Roman biography. Biblical resource: [2]2004 <1992> ⇒20, 4873; 21,5162. [R]RBLit (2006)* (*Reddish, Mitchell; Poplutz, Uta*).
5051   *Byrskog, Samuel* Performing the past: gospel genre and identity formation in the context of ancient history writing. [F]ELLIS, E. 2006 ⇒ 36. 28-44.
5052   *Clifford, Richard J.* Did it happen?: is it true?. America 194/1 (2006) 17-19.
5053   *Edwards, Mark* Gospel and genre: some reservations. The limits of ancient biography. 2006 ⇒881. 51-62.
5054   *Hays, Richard B.* The canonical matrix of the gospels. Cambridge companion to the gospels. 2006 ⇒344. 53-75.
5055   **Kirchschläger, Walter** Aktuelle Fragen an die 'Vier Evangelisten'. Klagenfurt 2006, Hermagoras 278 pp.
5056   *Marchadour, Alain* Les évangiles: survol d'un siècle de recherches. Etudes (Sept. 2006) 209-219.
5057   *Petersen, Silke* Die Evangelienüberschriften und die Entstehung des neutestamentlichen Kanons. ZNW 97 (2006) 250-274.
5058   *Reichardt, Michael* "Jesus-Tradition" oder "Jesus-Erinnerung"?: 2 Tim 2,12; Offb 3,5; 2 Clem 3,2 und Ign, Sm 10,2 im Rahmen der Frage nach Mündlichkeit und Schriftlichkeit der Jesusüberlieferung;
5059   *Schwankl, Otto* Recordati sunt: "Erinnerungsarbeit" in den Evangelien. [F]MUSSNER, F.: SBS 209: 2006 ⇒117. 95-113/53-94.

5060 *Watson, Francis* The fourfold gospel. Cambridge companion to the gospels. 2006 ⇒344. 34-52.
5061 **Wilkens, Wilhelm** Die Komposition der vier Evangelien. ATEdition: Müns 2006, LIT vi; 141 pp. €10.90. 3-89781-1065.

F1.3 **Historicitas**, *chronologia* **Evangeliorum**

5062 **Bauckham, Richard** Jesus and the eyewitnesses: the gospels as eyewitness testimony. GR 2006, Eerdmans xiii; 538 pp. €26.84. 0-8028-3162-1.
5063 *Clasen, Norbert* Wissenschaft bestätigt Zuverlässigkeit der Evangelien. Una Voce-Korrespondenz 36 (2006) 109-111.
5064 *Di Napoli, Giovanni* Cronologia dei vangeli e cronologia liturgica. RPLi 44 (2006) 3-11.
5065 *Focant, Camille* La chute de Jérusalem et la datation des évangiles. Marc, un évangile étonnant. BEThL 194: 2006 <1988> ⇒218. 1-20.
5066 **Moloney, Francis J.** The living voice of the gospels. Peabody, MA ²2006 <1986>, Hendrickson x; 344 pp. $20. 978-15985-60657 [BiTod 45,394—Donald Senior].

F1.4 *Jesus historicus*—**The human Jesus**

5067 **Akenson, Donald H.** Saint Saul: clé pour le Jésus de l'histoire. [T]*Michaud, Jean-Paul* 2004 ⇒20,4897. [R]SR 35 (2006) 330-331 (*Piovanelli, Pierluigi*).
5068 *Amphoux, Christian-B.* Trois questions sur la vie de Jésus. FV 105/2 (2006) 7-46.
5069 *Angelini, Giuseppe* Il racconto-base di Gesù: esigenza superata?: la funzione regolativa della narrazione elementare dell'evento, in vista dell'appello alla fede nella contemporaneità. Fede, ragione, narrazione. 2006 ⇒682. 15-45.
5070 **Augias, Corrado; Pesce, Mauro** Inchiesta su Gesù: chi era l'uomo che ha cambiato il mondo?. Mi ¹²2006, Mondadori 263 pp. €17. 978-88-04-56001-2. Bibl. 247-248. [R]CivCatt 157/3755 (2006) 456-466 (*De Rosa, G.*); DBM 24 (2006) 274-277 (*Demetriades, Nikos*).
5071 *Bahat, Dan* Jesus and the Herodian temple mount. Jesus and archaeology. 2006 ⇒362. 300-308.
5072 **Baigent, Michael** The Jesus papers: exposing the greatest cover-up in history. SF 2006, HarperSanFrancisco xiv; 321 pp. 0-06-082713-0. Bibl. 287-296.
5073 *Bartchy, S. Scott* Gesù storico e capovolgimento dell'onore a tavola. Il nuovo Gesù storico. 2006 ⇒788. 286-293.
5074 *Baum, Armin D.* Die Authentizität der synoptischen Worte Jesu. Das Studium des NT. TVG: 2006 ⇒451. 291-311.
5075 **Beavis, Mary Ann** Jesus and utopia: looking for the kingdom of God in the Roman world. Mp 2006, Fortress viii; 168 pp. $22. 0-8006-35-62-0. Bibl. 141-153.
5076 **Berger, Klaus** Jesus. 2004 ⇒20,4903; 21,5186. [R]ThGl 96 (2006) 111-113 (*Gerwing, Manfred*); NOrd 60 (2006) 154-155 (*Hartmann, Stefan*);

5077   Gesù. [E]*Fabris, Rinaldo*; [T]*Bologna, Anna* Brescia 2006, Queriniana
       672 pp. €46. 88-399-2856-1. [R]StPat 53 (2006) 779-780 (*Segalla,
       Giuseppe*).
5078   *Bird, Michael F.* Is there really a 'third quest' for the historical
       Jesus?. SBET 24 (2006) 195-219;
5079   Jesus and the revolutionaries: did Jesus call Israel to repent of nation-
       alistic ambitions?. Colloquium 38 (2006) 127-139;
5080   The peril of modernizing Jesus and the crisis of not contemporizing
       the Christ. EvQ 78 (2006) 291-312;
5081   The criterion of Greek language and context: a response to Stanley E.
       Porter. JSHJ 4 (2006) 55-67;
5082   Who comes from the East and the West?: Luke 13.28-29/Matt 8.11-
       12 and the historical Jesus. NTS 52 (2006) 441-457.
5083   **Bird, Michael F.** Jesus and the origins of the Gentile mission. [D]*Stre-
       lan, Rick*: LNTS 331: L 2006, Clark xi; 212 pp. £70. 978-05670-447-
       30. Diss. Queensland; Bibl. 178-191.
5084   **Blomberg, Craig L.** Contagious holiness: Jesus' meals with sinners.
       New Studies in Biblical Theology 19: 2005 ⇒21,5190. [R]RBLit
       (2006)* (*Crossley, James*).
5085   **Bloom, Harold** Jesus and Yahweh: the names divine. 2005 ⇒21,
       5191. [R]Commonweal 133/5 (2006) 24-27 (*Miles, J.*).
5086   **Borg, Marcus J.** Jesus: uncovering the life, teachings, and relevance
       of a religious revolutionary. NY 2006, HarperSanFrancisco viii; 343
       pp. 978-00605-94459.
5087   **Boyer, Chrystian** Jésus contre le temple?: analyse socio-historique
       des textes. Héritage et projet 68: 2005 ⇒21,5197. [R]ScEs 58 (2006)
       302-303 (*Michaud, Jean-Paul*).
5088   *Brambilla, Franco G.* I molti racconti *e* l'unico Gesù: la *memoria Ie-
       su* principio di unità e diversità delle narrazioni evangeliche. Fede,
       ragione, narrazione. 2006 ⇒682. 47-93.
5089   **Bravo, Arturo** El estilo pedagógico de Jesús Maestro. Bogotá 2006,
       CELAM 142 pp. 9789-58625-6481.
5090   *Buekens, A.* Jérusalem, toi qui tues les prophètes. Spiritus 183 (2006)
       162-171.
5091   *Cardenas Pallares, José* Jesús y una comunidad que se hunde. Qol
       40 (2006) 103-107.
5092   **Carl, Alfred** Jesus für Anfänger: Erfahrungen und Deutungen—von
       damals für heute: zu den Jesus-Bildern der Evangelien. Mü [2]2006,
       Deutscher Katecheten-Verein 152 pp. €9.80. 978-388207-3522.
5093   **Catchpole, David** Jesus people: the historical Jesus and the begin-
       nings of community. L 2006, DLT xiii; 325 pp. £15. 0-232-5266-72.
5094   [E]**Chapa, Juan** 50 preguntas sobre Jesús. Libros de Bolsillo Rialp
       197: M 2006, Rialp 170 pp. 84-321-3595-X.
5095   *Charlesworth, James H.* Jesus research and archaeology: a new per-
       spective. Jesus and archaeology. 2006 ⇒362. 11-63;
5096   Conclusion: the historical Jesus and biblical archaeology: reflections
       on new methodologies and perspectives. Jesus and archaeology. 2006
       ⇒362. 692-695.
5097   *Chilton, Bruce* Recovering Jesus' Mamzerut. Jesus and archaeology.
       2006 ⇒362. 84-110.
5098   *Codrignani, Giancarla* Il celibato di Gesù. Qol(I) 119 (2006)
       <2005> 18-20.

5099 *Craffert, Pieter F.* Multiple realities and historiography: rethinking historical Jesus research. [F]LATEGAN, B.: NT.S 124: 2006 ⇒94. 87-116.

5100 *Crossan, J.D.; Hoffmann, R.J.* The unmarried Jesus. CSER Review [Amherst, NY] 1/1 (2006) 5-10.

5101 **Crossan, John Dominic; Reed, Jonathan L.** Jesús desenterrado. [T]*Lozoya, Teófilo de* Barc 2006, Crítica 360 pp. 84843-28694.

5102 **Denton, Donald L.** Historiography and hermeneutics in Jesus studies: an examination of the work of John Dominic Crossan and Ben F. Meyer. JSNT.S 262; JSHS.S: 2004 ⇒20,4928; 21,5212. [R]Neotest. 40 (2006) 193-195 (*Craffert, Pieter F.*); BiCT 2/1 (2006)* (*Aichele, George*).

5103 *Destro, Adriana; Pesce, Mauro* Continuità o discontinuità tra Gesù e i gruppi dei suoi seguaci nelle pratiche culturali di contatto con il soprannaturale?. IX simposio paolino. Turchia 20: 2006 ⇒772. 21-43;

5104 Continuity or discontinuity between Jesus and groups of his followers?: practices of contact with the supernatural. Comienzos del cristianismo. 2006 ⇒740. 53-70.

5105 *Dewey, Arthur J.* The family of Jesus: family feud or 'dynasty 2'. Forum 2/1 (1999) 79-97.

5106 **Dickson, John** The Christ files: how historians know what they know about Jesus. DG 2006, Intervarsity 108 pp. £6. 978-19211-37549.

5107 *Duling, Dennis C.* Movimento di Gesù e analisi delle reti sociali. Il nuovo Gesù storico. 2006 ⇒788. 180-202.

5108 **Dunn, James D.G.** Jesus remembered. Christianity in the making 1: 2003 ⇒19,5206... 21,5216. [R]SvTK 82 (2006) 42-43 (*Holmberg, Bengt*); TrinJ 27 (2006) 187-197 (*Ingolfsland, Dennis*); TJT 22 (2006) 75-76 (*Webb, Robert L.*); CBQ 68 (2006) 326-327 (*Strange, James F.*);

5109 The new perspective on Jesus: what the quest for the historical Jesus missed. 2005 ⇒21,5217. [R]CBQ 68 (2006) 141-142 (*Gowler, David B.*); BTB 36 (2006) 134-135 (*Weeden, Theodore J., Sr.*); Theol. 109 (2006) 363-364 (*Pumpelly, Chad Allen*); CoTh 76/3 (2006) 228-230 (*Kręcidło, Janusz*);

5110 Gli albori del cristianesimo, I: la memoria di Gesù, 1: fede e Gesù storico, 2: la missione di Gesù, 3: l'acme della missione di Gesù. [T]*Ronchi, F.* Introduzione allo studio della bibbia, suppl. 29-31: Brescia 2006, Paideia 3 vols; 1070 pp. €35.90+39.60+26.80. 88-394-07-24-3/7-8/31-3;

5111 Redescubrir a Jesús de Nazaret: lo que la investigación sobre el Jesús histórico ha olvidado. BEB minor 10: S 2006, Sígueme 110 pp.

5112 **Ebner, Martin** Jesus von Nazaret in seiner Zeit: sozialgeschichtliche Zugänge. SBS 196: 2003 ⇒19,5208... 21,5219. [R]BiKi 61 (2006) 176-177 (*Kosch, Daniel*).

5113 **Edwards, James R.** Is Jesus the only savior?. 2005 ⇒21,5220. [R]PSB 27/1 (2006) 68-69 (*Gillespie, Thomas W.*).

5114 *Elizondo, Virgilio* Un Dieu d'incroyables surprises, Jésus de Galilée. P 2006, Bayard 236 pp. €20.

5115 *Eshel, Esther* Jesus the exorcist in light of epigraphic sources. Jesus and archaeology. 2006 ⇒362. 178-185.

5116 *Evans, Craig A.* Assessing progress in the third quest of the historical Jesus. JSHJ 4 (2006) 35-54;

5117 In appreciation of the Dominical and Thomistic traditions: the contribution of J.D. Crossan and N.T. Wright to Jesus research. The resurrection of Jesus. 2006 ⇒476. 48-57, 191-195;

5118 The life and teaching of Jesus and the rise of christianity. Oxford handbook of biblical studies. 2006 ⇒438. 301-316.

5119 **Filgueiras, Tarcisio S.** Ensaio sobre Jesus: revelando o homem. São Paulo 2006, Livro Pronto 257 pp. 85-98627-07-0.

5120 *Fiorenza, Elisabeth Schüssler* Il vero Gesù?: domande femministe agli studiosi di scienze sociali riguardo alla loro ricerca su Gesù. Il nuovo Gesù storico. 2006 ⇒788. 33-44.

5121 *Foster, Paul* Educating Jesus: the search for a plausible context. JSHJ 4 (2006) 7-33.

5122 *Fowl, Stephen E.* The gospels and the 'historical Jesus'. Cambridge companion to the gospels. 2006 ⇒344. 76-96.

5123 *Frey, Jörg* Die Apokalyptik als Herausforderung der neutestamentlichen Wissenschaft: zum Problem: Jesus und die Apokalyptik. Apokalyptik als Herausforderung. WUNT 2/214: 2006 ⇒348. 23-94.

5124 *Freyne, Seán* Archaeology and the historical Jesus. Jesus and archaeology. 2006 ⇒362. 64-83.

5125 **Freyne, Seán** Jesus, a Jewish Galilean: a new reading of the Jesus-story. 2004 ⇒20,4941; 21,5228. [R]BTB 36 (2006) 40 (*Oakman, Douglas E.*); Interp. 60 (2006) 88-90 (*Powell, Mark Allan*); JR 86 (2006) 107-108 (*Snyder, Graydon F.*); Theol. 109 (2006) 129-130 (*Moxnes, Halvor*); IThQ 71 (2006) 358-360 (*Kowalski, Beate*).

5126 *Galvão, H.N.* Testemunho de fé e história de Jesus. Did(L) 36/2 (2006) 135-150.

5127 **García, José Miguel** La vita di Gesù nel testo aramaico dei vangeli. 2005 ⇒21,5233. [R]PaVi 51/5 (2006) 58-60 (*Crimella, Matteo*).

5128 *Gibson, Shimon* Is the Talpiot tomb really the family tomb of Jesus?. NEA 69/3-4 (2006) 118-124.

5129 **Gregg, Brian Han** The historical Jesus and the final judgment sayings in Q. [D]*Aune, D.*: WUNT 2/207: Tü 2006, Mohr S. xiv; 346 pp. 3-16-148750-8. Diss. Notre Dame; Bibl. 291-313.

5130 *Grelot, Pierre* La vie affective de Jésus. EeV 116/147 (2006) 17-20.

5131 *Hahn, Ferdinand* Methodologische Überlegungen zur Rückfrage nach Jesus. Studien zum NT, I. WUNT 191: 2006 <1974> ⇒230. 185-251.

5132 *Hanges, James* SOCRATES and Jesus: comparing founder-figures in the classroom. Comparing religions. SHR 113: 2006 ⇒529. 143-173.

5133 *Hanson, Kenneth C.* Gesù e il banditismo sociale. Il nuovo Gesù storico. 2006 ⇒788. 165-179.

5134 **Harpur, Tom** Le Christ païen: retrouver la lumière perdue. [T]*Bellefeuille, Elise de; Saint-Germain, Michel* 2005 ⇒21,5243. [R]SR 35 (2006) 328-329 (*Piovanelli, Pierluigi*).

5135 *Harrington, Daniel J.* Jesus: what's fact? What's fiction?. St. Anthony Messenger [Cincinnati, OH] 114/1 (2006) 13-16.

5136 *Hasitschka, Martin* Der Exklusivitätsanspruch Jesu und der religiöse Pluralismus seiner Zeit. Religionen–Miteinander. theologische trends 15: 2006 ⇒842. 31-43.

5137 **Herrero, Antonio** El evangelio divertido. Mèxico [2]2006, San Pablo 334 pp.

5138 **Herzog, William R., II** Prophet and teacher: an introduction to the historical Jesus. 2005 ⇒21,5245. [R]CBQ 68 (2006) 332-334 (*Carter, Warren*); RBLit (2006)* (*Miller, David*).

5139 The historical Jesus goes to church. 2004 ⇒20,437; 21,404. By members of the Jesus Seminar. ᴿAThR 88 (2006) 279-280, 282 (*Bloomquist, L. Gregory*).

5140 **Houlden, J.L.** Jesus: a question of identity. NY 2006, Continuum vii; 136 pp. $15.

5141 *Jackson, Glenna S.* The gospel according to an apostate (at least, according to some of my students). Forum 7 (2006) 83-95.

5142 *John, V.J.* Spirituality of Jesus and the hope for a new world: some observations from the gospels. BTF 38/2 (2006) 45-58.

5143 *Jossa, Giorgio* Resta ancora qualcosa delle vite di Gesù della teologia liberale?. ᶠFABRIS, R.: SRivBib 47: 2006 ⇒38. 337-344.

5144 **Jossa, Giorgio** Gesù messia?: un dilemma storico. Frecce 23: R 2006, Carocci 144 pp. €16.30. ᴿATT 12 (2006) 452-456 (*Ghiberti, Giuseppe*); Anton. 81 (2006) 561-565 (*Kopiec, Maksym A.*); Sap-Dom 59 (2006) 501-504 (*Birtolo, Pietro*).

5145 **Kazen, Thomas** Jesus and purity halakhah: was Jesus indifferent to impurity?. CB.NT 38: 2002 ⇒18,4784... 21,5256. ᴿDSD 13 (2006) 377-380 (*Avemarie, Friedrich*).

5146 *Kirchschläger, Walter* Nur von Galiläa nach Jerusalem?: zur Geotheologie der Evangelien. WUB 42 (2006) 57-62.

5147 *Kloppenborg, John S.* HOLTZMANN's Life of Jesus according to the 'A' source. Ment. *Strauß, David F.; Baur, Ferdinand C.*: JSHJ 4 (2006) 75-108, 203-223.

5148 *Koester, Helmut* Jesus the victim. Presidential voices. SBL.Biblical Scholarship in North America 22: 2006 <1991> ⇒340. 267-280.

5149 *Latorre i Castillo, Jordi* El conflicte en la vida de Jesús i de la primera comunitat cristiana. QVC 223 (2006) 84-102.

5150 **Laughlin, P.A.** Putting the historical Jesus in his place, part 1: a New Thought christian perspective. Fourth R [Santa Rosa, CA] 19/1 (2006) 11-13, 17-18;

5151 part 2: a spiral dynamics perspective. Fourth R 19/3 (2006) 9-15, 20.

5152 *Lichtenberger, Achim* Jesus and the theater in Jerusalem. Jesus and archaeology. 2006 ⇒362. 283-299.

5153 **Lozano, Juan M** Un retrato de Jesús. M 2006, Nueva Utopía 179 pp.

5154 *Lupieri, Edmondo* La figura di Gesù di fronte al potere politico, a partire dai testi evangelici. RstB 18 (2006) 165-181.

5155 *Lüdemann, G.* The life of Jesus: a brief assessment. CSER Review [Amherst, NY] 1/1 (2006) 11-14.

5156 *Lyons, William J.* The hermeneutics of *fictional black* and *factual red*: the Markan Simon of Cyrene and the quest for the historical Jesus. JSHJ 4 (2006) 139-154 [Mark 15,21].

5157 *Mages, D.* The openness of the kingdom: the gospel of the imminent fulfillment of the Davidic promises. JRadRef 13/1 (2006) 30-41.

5158 *Maggioni, Bruno* Raccontare la storia di Gesù: semplici appunti. La figura di Gesù. Disputatio 17: 2006 ⇒337. 239-244.

5159 *Malina, Bruce J.* Scienze sociali e ricerca sul Gesù storico. Il nuovo Gesù storico. 2006 ⇒788. 17-32.

5160 **Marsh, Clive; Moyise, Steve** Jesus and the gospels. L ²2006, Clark 157 pp. £15. 0-567-04073-9. Bibl. 139-146.

5161 *Martin, Dale B.* Sex and the single Savior. Sex and the single Savior. 2006 <2002> ⇒270. 91-102.

5162 **Martínez Camino, Juan A.** Jesús de Nazaret: la verdad de su historia. M 2006, Edicel 191 pp. 84932-72876.

5163 **Martínez Fresneda, Francisco** Jesús de Nazaret. 2005 ⇒21,5279. [R]Augustinus 51 (2006) 379-380 (*Williamson, Henry B.*).

5164 **McKnight, Scot** The story of the Christ. GR 2006, Baker 186 pp. $13 [BiTod 45,62—Donald Senior].

5165 *McLoughlin, D.* Women and children first?: Jesus' teaching on family. PaRe 2/4 (2006) 52-57.

5166 **Meier, John P.** Un certain juif Jésus: les données de l'histoire, 1-3. [T]*Degorce, Jean-Bernard; Ehlinger, Charles; Lucas, Noël* 2005 ⇒ 21,5289. [R]SR 35 (2006) 332-335 (*Piovanelli, Pierluigi*); RHPhR 86 (2006) 412-416 (*Grappe, C.*); RTL 37 (2006) 545-553 (*Focant, Camille*); FgNT 35-36 (2005) 169-175 (*Amphoux, Christian.B.*);

5167 Un ebreo marginale: ripensare il Gesù storico, 1: le radici del problema e della persona. [T]*De Santis, Luca*: BTCon 117: Brescia [2]2006 <2001>, Queriniana 466 pp. €38.73. 978-88399-04171.

5168 *Metogo, Éloi Messi* L'oblio dell'umanità di Gesù. Conc(I) 42/1 (2006) 28-35; Conc(E) 314,23-28; Conc(GB) 2006/1,17-22; Conc(D) 42,12-17.

5169 *Meyers, Eric M.* The Jesus tomb controversy: an overview. NEA 69/3-4 (2006) 116-118.

5170 **Milongo, Léonard** Jésus et les siens: contribution à la recherche du Jésus de l'histoire. [D]*Schlosser, Jacques* 2006, 318 pp. Diss. Strasbourg [RTL 38,619].

5171 **Miranda, Americo** I sentimenti di Gesù: i *verba affectuum* dei vangeli nel loro contesto lessicale. CSB 49: Bo 2006, EDB 152 pp. €13. 88-10-41001-7. Bibl. 127-141.

5172 **Montes Peral, Luis Ángel** Jesús orante: la oración trinitaria de Jesús, modelo perfecto de oración cristiana. S 2006, Univ. Pontificia 150 pp. 84729-97308.

5173 **Moxnes, Halvor** Putting Jesus in his place: a radical vision of household and kingdom. 2003 ⇒19,5272... 21,5298. [R]CBQ 68 (2006) 156-157 (*Good, Deirdre*).

5174 *Moxnes, Halvor* Jesus som europeer?: Jesus-forskningen og Europas problemer i det 19. århundre. DTT 69/1 (2006) 62-78.

5175 **Murphy, Frederick James** An introduction to Jesus and the gospels. 2005 ⇒21,5300. [R]HBT 28 (2006) 178-180 (*Branch, Robin G.*); RBLit (2006)* (*Green, Joel; Kealy, Sean*).

5176 **Murphy-O'Connor, Jerome** Jésus et Paul: vies parallèles. [T]*Barrios, Dominique*: LiBi 144: P 2006, Cerf 154 pp. €25. 2-204-07929-4. [R]Brot. 162 (2006) 479-480 (*Silva, Isidro Ribeiro da*); VS 160 (2006) 467-468 (*Cothenet, Edouard*).

5177 *Nelson, P.G.* Christian morality: Jesus' teaching on the law. Themelios 32/1 (2006) 4-17.

5178 *Nicklas, T.* Zur Problematik der so genannten "Agrapha": eine Thesenreihe. RB 113 (2006) 78-93.

5179 *Oliver, G.* Jesus and pastoral care: strangers or friends?. Contact [Bolton, UK] 150 (2006) 26-30.

5180 **Onuki, Takashi** Jesus: Geschichte und Gegenwart. BThSt 82: Neuk 2006, Neuk xii; 276 pp. €25. 3-7887-2185-5. Bibl. 269-274.

5181 *Pahl, Michael* Is Jesus lost?: evangelicals and the search for the historical Jesus. Themelios 31/2 (2006) 6-19.

5182 *Painter, John* BULTMANN, archaeology, and the historical Jesus. Jesus and archaeology. 2006 ⇒362. 619-638.

5183 *Patterson, D.W.* Teaching like Jesus. WLQ 103/3 (2006) 195-210 [John 19,28].

5184 *Pilch, John J.* Stati modificati di coscienza nei sinottici. Il nuovo Gesù storico. 2002 ⇒788. 45-56.

5185 *Pixner, Bargil* Mount Zion, Jesus, and archaeology. Jesus and archaeology. 2006 ⇒362. 309-322.

5186 *Poirier, John C.* Seeing what is there in spite of ourselves: George Tyrrell, John Dominic Crossan, and Robert Frost on faces in deep wells. JSHJ 4 (2006) 127-138.

5187 *Porro, Carlo* Il mistero della vita nascosta di Gesù. RCI 87 (2006) 300-311.

5188 *Porter, Stanley E.* The criterion of Greek language and its context: a further response. JSHJ 4 (2006) 69-74.

5189 *Poucouta, Paulin* La ricerca sul Gesù storico in Africa. Conc(I) 42 (2006) 592-604; Conc(E) 317,555-566; Conc(D) 42,423-432.

5190 **Puig, Armand** Jesús: una biografia. BA 2006, Edhasa 662 pp.

5191 *Puig i Tàrrech, Armand* La família de Jesús 'segons la carn'. RCatT 31 (2006) 297-335;

5192 Jesús: un perfil biogràfic. Perfils 50: 2004 ⇒20,5010. [R]ScrTh 38/1 (2006) 167-189 (*Chapa, J.*);

5193 Jesús: una biografia. [T]*Salas Mezquita, David*: Imago mundi 83: 2005 ⇒21,5313. [R]ScrTh 38/1 (2006) 167-189 (*Chapa, J.*).

5194 **Quesnel, Michel** Jesus—o homem e o filho de Deus. 2005 ⇒21, 5315. [R]Brot. 163 (2006) 305-306 (*Lopes, F. Pires*).

5195 **Ramphou, Steliou** Το μυστικό του Ιησού. Athens 2006, Armos 540 pp. [R]DBM 24 (2006) 253-259 (*Basileiales, Petros*).

5196 *Rau, Eckhard* Arm und Reich im Spiegel des Wirkens Jesu. [F]HAUFE, G.: GThF 11: 2006 ⇒63. 249-268.

5197 **Reed, J.** El Jesús de Galilea. Biblioteca EstB, minor 7: S 2006, Sígueme 166 pp. 84-301-1582-X. [R]EstB 64 (2006) 131-132 (*Bernabé, Carmen*).

5198 *Reed, Jonathan L.* Archaeological contributions to the study of Jesus and the gospels. The historical Jesus. 2006 ⇒334. 259-267.

5199 *Riesner, Rainer* Rückfrage nach Jesus, Teil 3: umfassende Gesamtdarstellungen. ThBeitr 37 (2006) 42-49;

5200 Teil 4: kurze Darstellungen. ThBeitr 37 (2006) 326-333.

5201 *Rohrbaugh, Richard* Etnocentrismo e questioni storiche: la questione della coscienza messianica di Gesù. Il nuovo Gesù storico. 2006 ⇒ 788. 272-293.

5202 *Rollston, Christopher A.* Inscribed ossuaries: personal names, statistics, and laboratory tests. NEA 69/3-4 (2006) 125-129.

5203 *Saldanha, Julian* The story of Jesus in Asia. VJTR 70 (2006) 373-78.

5204 **Sanders, E.P.** The historical figure of Jesus. 1993 ⇒9,4197... 11/2, 2194. [R]RExp 103 (2006) 234-236 (*Fredriksen, Paula*);

5205 La figura histórica de Jesús. [T]*Tosaus, José P.*: Estella [3]2005, Verbo Divino 329 pp.

5206 *Scham, Sandra* Trial by statistics. NEA 69/3-4 (2006) 124-125.

5207 *Schlosser, Jacques* La recherche historique sur Jésus: menace et/ou chance pour la foi?. RevSR 80 (2006) 331-348;

5208 Le débat de KÄSEMANN et BULTMANN à propos du Jésus de l'histoire. À la recherche de la parole. LeDiv 207: 2006 <1999> ⇒296. 25-47.

5209 *Schmidt, Daryl D.* Historical trends in the Jesus tradition: assessing the extant evidence. Forum 7 (2004) 3-43;
5210 Remembering Jesus: assessing the oral evidence. Forum 7 (2004) 71-82.
5211 **Schouten, Jan P.** Jezus als goeroe: het beeld van Jezus Christus onder hindoes en christenen in India. Budel 2006, Damon 267 pp. €19.90. 97890-5573-7826.
5212 *Schröter, Jens* Jesus im frühen Christentum: zur neueren Diskussion über kanonisch und apokryph gewordene Jesusüberlieferungen. VF 51 (2006) 25-41;
5213 New horizons in a historical Jesus research?: hermeneutical considerations concerning the so-called "Third Quest" of the historical Jesus. ^FLATEGAN, B.: NT.S 124: 2006 ⇒94. 71-85;
5214 Jesus aus Galiläa: die Herkunft Jesu und ihre Bedeutung für das Verständnis seiner Wirksamkeit. Comienzos del cristianismo. 2006 ⇒ 740. 23-42.
5215 **Schröter, Jens** Jesus von Nazaret: Jude aus Galiläa, Retter der Welt. Biblische Gestalten 15: Lp 2006, Evangelische 383 pp. €19. 3-374-02409-2. Bibl. 363-371.
5216 *Segalla, Giuseppe* La narrazione necessaria per una vera storia di Gesù: l'apporto della 'terza ricerca'. La figura di Gesù. Disputatio 17: 2006 ⇒337. 117-154.
5217 **Söding, Thomas** Der Gottessohn aus Nazareth: das Menschsein Jesu im Neuen Testament. FrB 2006, Herder 383 pp. €24.90. 3-451-2893-9-3. ^RHlL 138/2 (2006) 25-26 (*Läufer, Erich*).
5218 *Stevens, C.* The Jesus of history: the need for a new methodology. Priest [Huntington, IN] 62/8 (2006) 34-40.
5219 *Tabor, James D.* Testing a hypothesis. NEA 69/3-4 (2006) 132-137.
5220 **Tabor, James T.** The Jesus dynasty: the hidden history of Jesus, his royal family, and the birth of christianity. NY 2006, Simon & S. x; 363 pp. $27. 978-07432-8723-4.
5221 *Taussig, Hal* Transfiguring Jesus: spiritual dimensions of contemporary historical Jesus portraits. Forum 4/2 (2001) 211-228.
5222 **Thatcher, Tom** Jesus the riddler: the power of ambiguity in the gospels. LVL 2006, Westminster xxvii; 188 pp. $25. 0664-22640X.
5223 **Theissen, Gerard** La sombra del Galileo: las investigaciones históricas sobre Jesús traducidas a un relato. 2004 ⇒20,5034. ^RThX 56 (2006) 373-375 (*Reyes Fonseca, José Orlando*).
5224 *Theissen, Gerd* La dimensione politica dell'attività di Gesù. Il nuovo Gesù storico. 2002 ⇒788. 150-164.
5225 *Troughton, G.M.* Jesus and the ideal of the manly man in New Zealand after World War One. JRH 30/1 (2006) 45-60.
5226 *Tuckett, Christopher* Does the 'historical Jesus' belong within a 'New Testament theology'?. ^FMORGAN, R. 2006 ⇒115. 231-247.
5227 *Van Aarde, Andries* Gesù, figlio senza padre;
5228 *Verdoodt, Albert* Gesù e Paolo: la lezione dei modelli delle scienze sociali. Il nuovo Gesù storico. 2006 ⇒788. 133-149/294-302.
5229 **Vidal, Senén** Jésus el Galileo. Presencia teológica 148: Sdr 2006, Sal Terrae 255 pp. 84-293-1640-X. ^RTheoforum 37 (2006) 98-9 (*Laberge, Léo*); SalTer 94 (2006) 971-2 (*Martín-Moreno, Juan Manuel*).
5230 *Vignolo, Roberto* Raccontare Gesù secondo i quattro vangeli. La figura di Gesù. Disputatio 17: 2006 ⇒337. 155-195.

5231 **Walker, Peter** Jesús y su mundo. Conocer la Historia: M 2006, San Pablo 192 pp. 84285-30041.

5232 *Weeden, Theodore J., Sr.* Two Jesuses, Jesus of Jerusalem and Jesus of Nazareth: provocative parallels and imaginative imitation. Forum 6/2 (2003) 137-341;

5233 Theories of tradition: a critique of Kenneth Bailey. Forum 7 (2004) 45-69.

5234 *Wells, Paul* Jésus-Christ et l'eschatologie. RRef 57/237 (2006) 69-80.

5235 *West, Jim* Jesus the reformer. JBSt 6/2 (2006) 7-9*.

5236 *Whitters, Mark F.* Jesus in the footsteps of Jeremiah. CBQ 68 (2006) 229-247 [Mt 2,17-18; 27,9-10; 28,16-20].

5237 **Wilckens, Ulrich** Theologie des Neuen Testaments, 1: Geschichte der urchristlichen Theologie, 1: Geschichte des Wirkens Jesu in Galiläa. 2002 ⇒18,4888... 21,5359. [R]OrdKor 47/1 (2006) 110-111 (*Giesen, Heinz*).

5238 *Wills, G.* What Jesus did. American Scholar [Washington] 75/2 (2006) 52-60.

5239 **Wills, Garry** What Jesus meant. NY 2006, Viking 176 pp. $25. 978-06700-34963. [R]New York Times Book Review March 12 (2006) 28 (*Meacham, J.*).

5240 **Wörther, Matthias** Betrugssache Jesus: Michael Baigents und andere Verschwörungstheorien auf dem Prüfstand. Wü 2006, Echter 157 pp. €10. 3-429-02821-3.

5241 *Young, Frances M.* Prelude, Jesus Christ, foundation of christianity. Cambridge history of christianity 1. 2006 ⇒558. 1-34.

5242 **Zahl, Paul F.M.** The first christian: universal truth in the teachings of Jesus. 2003 ⇒19,5330; 20,5044. [R]ThirdM 9/4 (2006) 124-125 (*Mattam, J.*).

F1.5 *Jesus et Israel*—Jesus the Jew

5243 **Alonso Ávila, Ángeles** Sentir la historia: un acercamiento al judío Jesús. Graeco-Romanae Religionis Electa: 2002 ⇒18,4896; 19,5333. [R]CDios 219 (2006) 841-842 (*Gutiérrez, Jesús*).

5244 *Cromhout, Markus* J.D. Crossan's construct of Jesus' "Jewishness": a critical assessment. APB 17 (2006) 155-178.

5245 *Dunn, James D.G.* Did Jesus attend the synagogue?. Jesus and archaeology. 2006 ⇒362. 206-222.

5246 **Freyne, S.** Gesù ebreo di Galilea. CinB 2006, San Paolo 269 pp. [R]ConAss 8/1 (2006) 119-121 (*Testaferri, Francesco*).

5247 *Hobson, Theo* Geza Vermes: the eminent Jewish historian talks about the most famous Jew of all. Theol. 109 (2006) 119-122.

5248 *Idinopulos, Thomas A.* Christianity's emergence from Judaism: the plus and minus of Joseph Klausner's comparative analysis. Comparing religions. SHR 113: 2006 ⇒529. 175-180.

5249 *Jaffé, Dan* Jésus et les évangiles sous la plume des historiens juifs. MoBi 170 (2006) 22-27.

5250 *Lenzen, Verena* Jüdische Jesusbilder. Laetare Jerusalem. 2006 ⇒92. 464-476.

5251 *Levine, Amy-Jill* Misusing Jesus. CCen 123/26 (2006) 20-25.

5252   **Levine, Amy-Jill** The misunderstood Jews: the church and the scandal of the Jewish Jesus. SF 2006, HarperSanFrancisco 256 pp. $25. 00607-89662. [R]America 195/20 (2006) 24-5 (*Harrington, Daniel J.*).
5253   *Levinson, Nathan P.* Nichts anderes als Jude–Jesus aus der Sicht eines heutigen Juden. Widerstand und Eigensinn. 2006 ⇒548. 33-65;
5254   Jeschua-Jesus. Widerstand und Eigensinn. 2006 ⇒548. 21-32.
5255   *Manns, F.* Lecture juive du Nouveau Testament: deux exemples. Did(L) 36/2 (2006) 53-70.
5256   *Marguerat, Daniel* Jésus: un juif marginal... et plus encore!. MoBi 170 (2006) 16-21.
5257   **Moore, Daniel F.** Jesus, an emerging Jewish mosaic: post-Holocaust perspectives. [D]*O'Donnell, John; O'Collins, Gerald* 2006, 85 pp. Excerpt Diss. Gregoriana; Bibl. 65-84.
5258   **Rosik, Mariusz** Gesù e il giudaismo passando oltre il confine. n.p. 2006, n.p. 134 pp.
5259   **Sacchi, Paolo** Gesù e la sua gente. 2003 ⇒19,5351; 20,5059. [R]PaVi 51/3 (2006) 61-62 (*Marenco, Maria R.*).
5260   *Sadan, T.* Jesus of Nazareth in Zionist thought: 1881-1945. Mishkan [J] 49 (2006) 59-64.
5261   **Sanders, E.P.** A verdadeira história de Jesus. 2004 ⇒20,5061. [R]Brot. 162 (2006) 376-377 (*Lopes, F. Pires*).
5262   *Schlosser, Jacques* Le Dieu de Jésus et la levée des frontières. À la recherche de la parole. LeDiv 207: 2006 ⇒296. 157-178.
5263   *Stefani, Piero* Una terza via per incontrare Gesù ebreo. Ment. *De Benedetti, P.*: Hum(B) 61/1 (2006) 98-106.
5264   *Stegemann, Ekkehard W.* Gesù nel giudaismo del suo tempo. Il nuovo Gesù storico. 2006 ⇒788. 303-315.
5265   **Testaferri, F.** Ripensare Gesù: l'interpretazione ebraica contemporanea di Gesù. Assisi 2006, Cittadella 224 pp. Pref. *Carmelo Dotolo.*
5266   **Varo, Francisco** Rabí Jesús de Nazaret. 2005 ⇒21,5399. [R]ActBib 43 (2006) 42-43;
5267   Rabí Jesús de Nazaret. Estudios y Ensayos 78: M [2]2006, BAC 230 pp. 84-7914-786-5.
5268   *Wengst, Klaus* Il Gesù dei vangeli e i ḥasidim della letteratura rabbinica. Il nuovo Gesù storico. 2006 ⇒788. 316-326.
5269   *Zarras, Constantine T.* The theory of the Galilean 'Hasid': the limits of application. [F]GALITIS, G. 2006 ⇒49. 595-615. **G.**

F1.6   *Jesus in Ecclesia*—**The Church Jesus**

5270   **Baum, Hermann** Die Verfremdung Jesu und die Begründung kirchlicher Macht. Dü 2006, Patmos 240 pp. €18. 3-491-72503-8.
5271   **Delhez, Charles; Vermeylen, Jacques** Le Jésus des chrétiens. Que penser de? 67: Namur 2006, Fidélité 128 pp. €8.
5272   *Moingt, J.* La figure de Jésus. Did(L) 36/2 (2006) 13-29.
5273   *Royannais, Patrick* Qui est Jésus?. EeV 161 (2006) 1-10.
5274   **Sanneh, Lamin** Whose religion is christianity?: the gospel beyond the West. 2003 ⇒20,5074. [R]BiTr 57 (2006) 102-103 (*Thomas, Margaret Orr*).
5275   **Verhoef, Maria; Vleugels, Gie** De leer van de twaalf. Heerenveen 2006, Protestantse Pers 185 pp. €17.50. 978-9085-250111]KeTh 58, 178—Riemer Roukema].

5276 **Vermes, Geza** As várias faces de Jesus. Rio de Janeiro 2006, Record 316 pp. 85-01-07038-6.

5277 *Aziza, Claude* Jésus, Pierre, Paul et les autres...: le monde juif selon Hollywood. MoBi 170 (2006) 38-43.

5278 *Bach, Alice* Film. Blackwell companion to the bible. 2006 ⇒465. 268-285.

5279 *Barton, John* If Mark the evangelist could see Mel Gibson's *The Passion of the Christ*. Preaching Mark's unsettling Messiah. 2006 ⇒352. 72-87 [Mark 15,39].

5280 *Baugh, Lloyd* L'invenzione filmica di Gesù: tra i vangeli canonici, gli apocrifi ed altre fonti. Fede, ragione, narrazione. 2006 ⇒682. 95-128.

5281 [E]**Beal, Timothy Kandler; Linafelt, Tod** <Mel Gibson's bible: religion, popular culture, and The passion of the Christ. Ch 2006, University of Chicago Press xii; 208 pp. 0-226-03975-7/6-5.

5282 *Bieringer, R.; Pollefeyt, D.* Wie zeggen de films dat Ik ben?: Jezusfilms als actuele uitdagingen tot geloofscommunicatie rond Jezus' leven, lijden en sterven. Coll. 36 (2006) 31-64.

5283 *Blanton, Ward* Biblical scholarship in the age of bio-power: Albert SCHWEITZER and the degenerate physiology of the historical Jesus. BiCT 2/1* (2006).

5284 **Bloom, Harold** Jesús y Yahvé: los nombres divinos. M 2006, Taurus 242 pp.

5285 **Bock, Darrell** Die Sakrileg-Verschwörung: Fakten und Hintergründe zum Roman von Dan Brown. Gießen 2006, Brunnen 160 pp. €13. [R]JETh 20 (2006) 241-243 (*Scharfenberg, Roland*).

5286 **Borrmans, Maurice** Jésus et les musulmans d'aujourd'hui. CJJC 69: 2005 ⇒21,5418. [R]Chemins de Dialogue 27 (2006) 242-243 (*Michel, Roger*).

5287 *Bourlot, Alberto* Dalla parola sacra all'immagine cinematografica: le 'trasmutazioni' della violenza nella Passione. Annali di studi religiosi 7 (2006) 53-78.

5288 *Breslin, J.B.* How to/not to novelize Jesus. America 194/14 (2006) 30-32.

5289 **Brown, Dan** Il codice da Vinci. [T]*Valla, R.* 2003 ⇒19,5379; 21, 5434. [R]CivCatt 157/2 (2006) 473-479 (*O'Collins, Gerald*);

5290 Da Vinci code. [T]*Roche, Daniel* 2003 ⇒19,5378; 20,5115. [R]VS 763 (2006) 161-164 (*Barrios-Delgado, Dominique*); EpRe 33/3 (2006) 62-72 (*Phillips, P.*).

5291 *Brüggemann, Tirza* Pilatus als filmheld: the making of Pilatus. ITBT 14/3 (2006) 24-27.

5292 **Cattaneo, Arturo; Introvigne, Massimo** La frode del Codice da Vinci: giochi di prestigio ai danni del cristianesimo. Leumann 2006, Elledici 174 pp. 88-01-03549-7.

5293 **Chevallier, Simone** Celle qui aima Jésus. Vevey 2006 <c.1950>, Xenia 249 pp. Préf. *Franz Weber*.

5294 **Chilton, Bruce** Rabbi Jesus: an intimate biography. 2000 ⇒16,4604 ... 19,5382. [R]STV 44/1 (2006) 235-238 (*Skierkowski, Marek*).

5295 *Clapp, R.* Dan Brown's truthiness: the appeal of *The Da Vinci Code*. CCen 123/10 (2006) 22-23, 25.

5296 *Dalla Torre, Paola The Passion* e *The Da Vinci Code*: relativismo e tradizionalismo nella società all'alba del XXI secolo. Studium 102 (2006) 461-471.

5297 *Diefenbach, Manfred* Simon von Zyrene–ein Farbiger?. GuL 79 (2006) 132-139.

5298 **Edelmann, Eric** Jesús hablaba arameo: en busca de la enseñanza original. [T]*Sunyer i Tatxer, Albiol* Estudios y Documentos: Barc 2006, Obelisco 383 pp. 84-9777-273-3. [R]ActBib 43 (2006) 189-191.

5299 **Egan, Joe** Brave heart of Jesus: Mel Gibson's postmodern way of the cross. 2004 ⇒20,5129. [R]NBl 87 (2006) 96-97 (*Sonek, Krzysztof P.*).

5300 **Evans, Michael** Fads & the media: The Passion & popular culture. Ph 2006, Mason Crest 112 pp. $23.

5301 **Figuera López, Mª Pilar** ¿Acarició Jesús de Nazaret?. Estella 2006, Verbo Divino 324 pp.

5302 [E]**Garber, Zev** Mel Gibson's *Passion*: the film, the controversy, and its implications. West Lafayette, IN 2006, Purdue Univ.Pr. 184 pp. $15.

5303 **Gibran, Kahlil**† Gesù il figlio dell'uomo: le sue parole e i suoi atti come narrati e ricordati da coloro che lo conobbero. [ET]*Scognamiglio, E.* Dimensione dello spirito 83: CinB 2006, San Paolo 415 pp. €18. Ediz.bilingue [RAMi 75,539—Salvatore Spera].

5304 *Gnerre, Corrado* Les mensonges du 'Code da Vinci'... et ce qui se cache derrière ce roman. CM(F) 51 (2006) 427-439.

5305 *Hoornaert, Eduardo* Os desafios de Dan Brown. REB 66 (2006) 929-937.

5306 *Hurth, Elisabeth* Fragwürdige Geheimnisse: wie aktuelle Romane das Leben Jesu darstellen. HerKorr 60 (2006) 240-245.

5307 **Komoszewski, J. Ed; Sawyer, M. James; Wallace, Daniel B.** Reinventing Jesus: what the *Da Vinci code* and other novel speculations don't tell you. GR 2006, Kregel 347 pp. $17.

5308 *Kozlovic, Anton Karl* The holy cinema: christianity, the bible and popular films. Colloquium 38 (2006) 182-205.

5309 *Kudiyiruppil, John* Decoding Da Vinci code. ETJ 10/2 (2006) 126-133.

5310 *Mahoney, William F.* A married Jesus?. Ment. *Brown, Dan* HPR 106/8 (2006) 29-32, 42-44.

5311 *McCarthy, John P.* A birth for all seasons: a new film on Jesus. America 195/19 (2006) 29-30.

5312 *McCarthy, Paul* The life and death of Christ on screen. Japan Mission Journal 60/1 (2006) 8-15.

5313 *Mehnert, Frank* Mel Gibsons Film "Die Passion Christi": Begegnung mit einem Kunstwerk. GuL 79 (2006) 117-131.

5314 [E]**Meilwes, Karl-Heinz; Losert, Harald** Erlösung durch Leid?–der Film "The Passion of Christ" im Spiegel der Theologie Karl RAHNERs: Tagung aus Anlass seines 100. Geburtstags. Hildesheim Oktober 2004. KEB zum Thema Religion 3: Hildesheim 2005, Kath. Erwachsenenbildung in der Diözese Hildesheim 60 pp. 39222-08096.

5315 *Miller, E.J.* Jewish-christian-muslim tensions: Gibson's *The passion of the Christ* film as prism. Spirituality [Dublin] 12 (2006) 331-336.

5316 *Neff, D.* Stepping out of the wings. ChrTo 50/12 (2006) 32-33. Film: The Nativity Story (2006).

5317 *Reinhartz, Adele* History and pseudo-history in the Jesus film genre. BiblInterp 14 (2006) 1-17.
5318 **Reinhartz, Adele** Scripture on the silver screen. 2003 ⇒19,5394. [R]SR 35 (2006) 173-175 (*Murrell, N. Samuel*).
5319 **Rice, Anne** Christ the Lord: out of Egypt. NY 2006, Knopf 322 pp. $26. 0-37541-2018. [R]America 194/14 (2006) 32 (*Breslin, John B.*).
5320 *Rime, Jacques* Controverse autour de 'La vie de Jésus' du pasteur Berguer. Ment. *Journet, Charles*: NV 81/2 (2006) 37-45.
5321 **Rousse-Lacordaire, Jérôme** Jésus dans la tradition maçonnique: rituels et symbolismes du Christ dans la francmaçonnerie française. CJJC 87: 2003 ⇒19,5395. [R]RTL 37 (2006) 91-93 (*Brito, E.*).
5322 **Schick, Alexander** Das wahre Sakrileg: die verborgenen Hintergründe des Da-Vinci-Codes. Mü 2006, Droemer 160 pp. €8. 3426779552.
5323 *Sesboüé, Bernard* L'affaire 'Da Vinci Code'. Études (juillet-août 2006) 79-86.
5324 **Sesboüé, Bernard** Il Codice da Vinci spiegato ai suoi lettori. [T]*Crespi, Pietro*: Saggi Queriniana 87: Brescia 2006, Queriniana 83 pp. €6.30. 88-399-0987-7;
5325 El código Da Vinci explicado a sus lectores. ST Breve 57: Sdr 2006, Sal Terrae 92 pp. 84-293-1654-X.
5326 **Shea, M.; Sri, E.** Ell engaño Da Vinci. M 2006, Palabra 137 pp.
5327 **Teklak, Ceslaw** Le ricerche marxiste su Gesù di Nazareth. SPAA 39: 2005 ⇒21,5429. [R]Anton. 81 (2006) 197-198 (*Oviedo, Lluis*).
5328 *Vander Stichele, Caroline; Penner, Todd* Passion for (the) real?: The Passion of the Christ and its critics. BiblInterp 14 (2006) 18-36.
5329 **Verlinde, Marie-Joseph** Les impostures antichrétiennes: des Apocryphes au Da Vinci Code. P 2006, Presses de la Renaissance 444 pp. €26.
5330 **Wangerin, Walter, Jr.** Jesus: a novel. GR 2006, Zondervan 391 pp. $22. 03102-66734. [R]America 194/14 (2006) 30-2 (*Breslin, John B.*).
5331 **Welborn, Amy** Descodificando a *Da Vinci*: los hechos reales ocultos en *El Código Da Vinci*. M [9]2006, Palabra 141 pp.
5332 *Wörther, Matthias* Folie über Folie: biblische Motivik im Film. KatBl 131 (2006) 267-270.
5333 *Zambarbieri, Annibale* La *Vita di Gesù* narrata da scrittori 'laici' dell'ottocento e del novecento: postille a un racconto infinito. Fede, ragione, narrazione. 2006 ⇒682. 129-185.
5334 *Zwick, Reinhold* Magdalena, Superman & Co: zur Konjunktur religiöser Sujets im neueren Mainstream-Kino. HerKorr Spezial (2006) 45-51.

F2.2 *Unitas VT-NT*: **The Unity of OT-NT**

5335 *Backhaus, Knut* Der Ochse, an dem Gott (nichts) liegt: Deuteronomium 25 und 1 Korinther 9. Die besten Nebenrollen. 2006 ⇒1164. 263-265.
5336 *Beale, G.K.* Did Jesus and the apostles preach the right doctrine from the wrong texts? revisiting the debate seventeen years later in the light of Peter Enns' book *Inspiration and incarnation*. Themelios 32/1 (2006) 18-43.
5337 **Belli, Filippo**, *al.*, Vetus in novo: el recurso a la Escritura en el Nuevo Testamento. Ensayos 290: M 2006, Encuentro 271 pp. 84-7490-8-08-6.

5338 *Charlesworth, James H.* Towards a taxonomy of discerning influence(s) between two texts. ^FBURCHARD, C.: NTOA 57: 2006 ⇒13. 41-54.

5339 *Cifrak, Mario* "Dom moltive za sve narode" (Iz 56,7): analiza masoretskog teksta i Septuaginte kao hermeneutskog preduvjeta novozavjetne recepecije Iz 56,7. BoSm 76 (2006) 29-46 [Isa 56,7; Mt 21,13; Mk 11,17; Lk 19,46]. **Croatian.**

5340 *Granados García, Carlos* Cumplimiento y exégesis figurativa en P. Beauchamp. EstB 64/1 (2006) 19-29.

5341 *Guida, Annalisa* Il germoglio di Iesse ed il 'soffio delle sue labbra' (Is 11,4): sviluppi di un'intertestualità influente tra II secolo a.C. e I secolo d.C. Gesù e i messia di Israele. 2006 ⇒739. 175-188.

5342 *Hahn, Ferdinand* Genesis 15,6 im Neuen Testament. Studien zum NT, II. WUNT 192: 2006 <1971> ⇒231. 169-186.

5343 *Hieke, Thomas* Psalmen und Passion Jesu: Psalmen-Schatz für das Neue Testament. BiHe 42/168 (2006) 12-13 [Ps 22];

5344 "Er verschlingt den Tod für immer" (Jes 25,8a): eine unerfüllte Verheißung im Alten und Neuen Testament. BZ 50 (2006) 31-50 [1 Cor 15,54; Rev 21,4].

5345 *Jinbachian, Manuel M.* The bible the apostles used: reflections from a bible translator. ^FCHARLESWORTH, J. 2006 ⇒19. 455-470.

5346 *Jódar Estrella, Carlos* Is 6,9-10 en el Nuevo Testamento. Vetus in Novo. 2006 ⇒5337. 102-129.

5347 *Kampling, Rainer* "... von wem redet der Prophet solches?": Jesajatraditionen im Neuen Testament. BiKi 61 (2006) 231-234.

5348 *Karabidopoulos, Ioannis D.* The Septuagint: the holy scripture of the authors of the New Testament. ^FGALITIS, G. 2006 ⇒49. 327-340. **G.**

5349 *Kessler, Rainer* Das eigentümlich Christliche vor dem Hintergrund des Alten Testaments. Gotteserdung. BWANT 170: 2006 <2002> ⇒249. 1-13.

5350 **Kirsch, Anne** Das Verhältnis von Altem und Neuem Testament im Spiegel romanischer Kirchenportale Frankreichs: das Südportal von Saint-Pierre in Moissac; das Westportal von Saint-Trophime in Arles; das Westportal von Sainte-Madeleine in Vézelay. SBB 56: Stu 2006, Kath. Bibelwerk xii; 431 pp. 978-3-460-00561-7.

5351 *Koet, Bart J.* Trustworthy dreams?: about dreams and references to scripture in 2 Maccabees 14-15, JOSEPHUS' *Antiquitates Judaicae* 11. 302-347, and in the New Testament. Dreams and scripture. CBET 42: 2006 <2003> ⇒254. 25-50.

5352 *Köstenberger, Andreas J.* The use of scripture in the Pastoral and General epistles and the book of Revelation;

5353 Hearing the Old Testament in the New: a response. Hearing the OT. 2006 ⇒777. 230-254/255-294.

5354 **Lang, Judith** They looked at God: the great prophets and their relation to Christ. L 2005, New City 208 pp. £10. 09042-87955.

5355 *Le Roux, Magdel* Celebrating the feasts of the Old Testament in christian contexts. HTSTS 62 (2006) 1001-1028.

5356 *Matjaz, Maksimilijan* Vetus in novo: novozavezna molitev psalmov. Tretji dan. Krscanska revija za duhovnost in kulturo 35/9-10 (2006) 75-83. **S.**

5357 *McLay, R. Timothy* Biblical texts and the scriptures for the New Testament church. Hearing the OT. 2006 ⇒777. 38-58.

5358   EMenken, Maarten J.J.; Moyise, Steve The Psalms in the New
       Testament. 2004 ⇒20,3627; 21,5477. RJThS 57 (2006) 193-196
       (Stanley, Christopher D.).
5359   Moore, Susan H. For the mind's eye only: puritans, images and 'the
       golden mines of scripture'. SJTh 59 (2006) 281-296.
5360   Osten-Sacken, Peter von der Treue zur Tora im Neuen Testament:
       Paulus und Matthäus. ZThG 11 (2006) 193-205.
5361   Pérez Fernández, Miguel Las fuentes rabínicas y el Nuevo Testamen-
       to (actualizaciones del AT en los Evangelios). EstB 64 (2006) 369-
       389 [Mk 1].
5362   Porter, Stanley E. Further comments on the use of the Old Testament
       in the New Testament. Intertextuality. NTMon 16: 2006 ⇒778. 98-
       110.
5363   Sals, Ulrike Die Biographie der "Hure Babylon": Studien zur Inter-
       textualität der Babylon-Texte in der Bibel. FAT 2/6: 2004 ⇒20,
       5229; 21,5484. RThLZ 131 (2006) 715-717 (Karrer, Martin) [Rev
       17-19].
5364   Sánchez Navarro, Luis Jesús y las escrituras: el testimonio de los si-
       nópticos. Vetus in Novo. 2006 ⇒5337. 71-101.
5365   Stamps, Dennis L. The use of the Old Testament in the New Testa-
       ment as a rhetorical device: a methodological proposal. Hearing the
       OT. 2006 ⇒777. 9-37.
5366   Witmer, Stephen E. Approaches to scripture in the fourth gospel and
       the Qumran pesharim. NT 48 (2006) 313-328 [John 6,31-58].

F2.5 Commentarii—Commentaries on the whole NT

5367   Boring, M. Eugene; Craddock, Fred B. The people's New Testa-
       ment commentary. 2004 ⇒20,5239; 21,5488. RCBQ 68 (2006) 133-
       134 (Gale, Aaron M.); HBT 28 (2006) 161-163 (Branch, Robin G.).
5368   EBray, Gerald Lewis James, 1-2 Peter, 1-3 John, Jude. Ancient
       Christian Commentary on Scripture, NT 11: 2000 ⇒16,4650; 18,
       5003. ROrthFor 20 (2006) 249-250 (Nikolakopoulos, Konstantin).
5369   ELevoratti, Armando J. I vangeli. 2005 ⇒21,432. RCivCatt 157/4
       (2006) 206-208 (Scaiola, D.).
5370   Witherington, Ben, III Letters and homilies for Hellenized chris-
       tians, 1: a socio-rhetorical commentary on Titus, 1-2 Timothy and 1-
       3 John. DG 2006, IVP 623 pp. £22/$35. 08308-29318 [BiTod 45,
       397—Donald Senior].

IX. Evangelia

F2.6 Evangelia Synoptica: textus, synopses, commentarii

5371   Meynet, Roland Una nuova introduzione ai vangeli sinottici. Retori-
       ca biblica 9: Bo ²2006, EDB 350 pp. €31. 88102-51024. Bibl. 331-8.
5372   Poppi, Angelico Nuova sinossi dei quattro vangeli: greco-italiano.
       Padova 2006, Messaggero 378 pp. €25. 88-250-1588-7.

F2.7 *Problema synopticum*: **The Synoptic Problem**

5373   **Amsler, Fréderic** L'évangile inconnu: la source des paroles de Jésus. Genève 2006, Labor et F. 126 pp.
5374   *Álvarez Cineira, David* La localización geográfica de Q: Galilea, Jerusalén, Antioquía. EE 81 (2006) 493-533.
5375   *Babut, Jean-Marc* La bible de la Source. ETR 81 (2006) 369-386.
5376   *Baum, Armin D.* Der synoptische Vergleich. Das Studium des NT. TVG: 2006 ⇒451. 273-290.
5377   *Cromhout, M.* "We are Judean"!: the sayings gospel Q's redactional approach to the law. VeE 27 (2006) 794-820.
5378   **Derrenbacker, R.A., Jr.** Ancient compositional practices and the synoptic problem. 2005 ⇒21,5505. ᴿSNTU.A 31 (2006) 257-269 (*Fuchs, Albert*).
5379   **Fleddermann, Harry T.** Q: a reconstruction and commentary. Biblical Tools and Studies 1: 2005 ⇒21,5507. ᴿSNTU.A 31 (2006) 179-201 (*Fuchs, Albert*).
5380   *Foley, John M.* The riddle of Q: oral ancestors, textual precedent, or ideological creation?. Oral performance. SBL.Semeia studies 60: 2006 ⇒417. 123-140.
5381   *Friedrichsen, Timothy A.* "To one who has ...": Mk 4,25 (Mt 25,29; Lk 19,26): a note on the independence of Mk 4,25 from Q 19,26 and on the sayings cluster of Mk 4,21-25. EThL 82 (2006) 165-173.
5382   *Fuchs, Albert* Zum Stand der Synoptischen Frage–S. Hultgren;
5383   Zum Stand der Synoptischen Frage–H.T. Fleddermann;
5384   Zum Stand der Synoptischen Frage–H. Klein: Fortschritt in kleinen Schritten. SNTU.A 31 (2006) 153-178/179-201/203-241;
5385   Zum Stand der Synoptischen Frage–A. Lindemann;
5386   Zum Stand der Synoptischen Frage–R.A. Derrenbacker;
5387   Zum Stand der Synoptischen Frage–E.-M. Becker. SNTU.A 31 (2006) 243-256/257-269/271-276;
5388   Die Agreements der Blindenheilung: Mk 10,46-52 par Mt 20,29-34/ 9,27-31 par Lk 18,35-43. ᶠUNTERGASSMAIR, F. 2006 ⇒161. 145-154.
5389   **Goodacre, Mark** The case against Q: studies in Markan priority and the synoptic problem. 2002 ⇒18,5028... 21,5517. ᴿSJTh 59 (2006) 362-364 (*Williams, P.J.*).
5390   ᴱ**Goodacre, Mark; Perrin, Nicholas** Questioning Q: a multidimensional critique. 2004 ⇒20,5290; 21,5519. ᴿTheol. 109 (2006) 49-50 (*Casey, Maurice*); BTB 36 (2006) 42-43 (*Kloppenborg, John S.*).
5391   *Herzog, William R.* The work of James C. Scott and Q: a response. Oral performance. SBL.Semeia studies 60: 2006 ⇒417. 211-216.
5392   *Hieke, Thomas* Q 7,22–a compendium of Isaian eschatology. EThL 82 (2006) 175-188.
5393   ᴱ**Hoffmann, Paul; Heil, Christoph** Die Spruchquelle Q: griechisch und deutsch. 2002 ⇒18,5033... 20,5297. ᴿOrdKor 47 (2006) 492-493 (*Giesen, Heinz*).
5394   *Horsley, Richard A.* Moral economy and renewal movement in Q. Oral performance. SBL.Semeia studies 60: 2006 ⇒417. 143-157.
5395   **Hultgren, Stephen** Narrative elements in the double tradition: a study of their place within the framework of the gospel narrative. BZNW 113: 2002 ⇒18,5034... 21,5522. ᴿSNTU.A 31 (2006) 153-178 (*Fuchs, Albert*).

5396   *Ingolfsland, Dennis* Jesus remembered: James Dunn and the synoptic problem. TrinJ 27 (2006) 187-197.

5397   *Johnson-DeBaufre, Melanie* Communities resisting fragmentation: Q and the work of James C. Scott. Oral performance. SBL.Semeia studies 60: 2006 ⇒417. 193-207.

5398   *Kelber, Werner H.* The verbal art in Q and Thomas: a question of epistemology. Oral performance. SBL.Semeia studies 60: 2006 ⇒ 417. 25-42.

5399   **Lapierre, F.** L'évangile de Jérusalem. P 2006, L'Harmattan 269 pp. €24. 22960-09328.

5400   *Miquel, Esther* Del movimiento de Jesús al grupo Q: un estudio sobre la localización social de la moral. Comienzos del cristianismo. 2006 ⇒740. 93-115.

5401   *Moreland, Milton* The Jesus movement in the villages of Roman Galilee: archaeology, Q, and modern anthropological theory. Oral performance. SBL.Semeia studies 60: 2006, ⇒417. 159-180.

5402   **Mournet, Terence C.** Oral tradition and literary dependency: variability and stability in the synoptic tradition and Q. WUNT 2/195: 2005 ⇒21,5528. [R]ThLZ 131 (2006) 379-382 (*Baum, Armin D.*).

5403   *Neville, David* The demise of the two-document hypothesis?: Dunn and Burkett on gospel sources. Pacifica 19 (2006) 78-92.

5404   *Penner, Todd C.* "In the beginning": post-critical reflections on early christian textual transmission and modern textual transgression. PRSt 33 (2006) 415-434.

5405   **Powell, Evan** The myth of the lost gospel. Las Vegas 2006, Symposium 176 pp. $16.

5406   *Rau, Eckhard* Q-Forschung und Jesusforschung: Versuch eines Brückenschlags. EThL 82 (2006) 373-403.

5407   *Robbins, Vernon K.* Oral performance in Q: epistemology, political conflict, and contextual register. Oral performance. SBL.Semeia studies 60: 2006 ⇒417. 109-122.

5408   *Sato, Migaku* Ist Q noch 'eine Art von Prophetenbuch'?: zum Thema 'Q an der Kreuzung von Prophetie und Weisheit'. AJBI 32 (2006) 93-126.

5409   *Schlosser, Jacques* L'utilisation des écritures dans la source Q. À la recherche de la parole. LeDiv 207: 2006 <1996> ⇒296. 275-294;

5410   La création dans la tradition des logia. À la recherche de la parole. LeDiv 207: 2006 <1998> ⇒296. 321-354.

5411   **Smith, Daniel A.** The post-mortem vindication of Jesus in the sayings gospel Q. LNTS 338: L 2006, Clark xiii; 206 pp. 978-0-567-04-474-7. Bibl. 173-192.

5412   **Valentasis, Richard** The new Q: a fresh translation with commentary. L 2005, Continuum x; 238 pp. £17. 05670-25616.

5413   **Williams, Matthew C.** Two gospels from one: a comprehensive text-critical analysis of the synoptic gospels. GR 2006, Kregel 256 pp. $22. 0-8254-3940-X.

5414   *Zeichmann, Chris* Fear and loathing in a lost gospel: a response to some radical uses of the sayings gospel Q with a focus on its formative stratum. JHiC 12/2 (2006) 37-49.

5415   **Ziegler, Herbert; Gruber, Elmar R.** Das Ur-Evangelium: Was Jesus wirklich sagte: die Entdeckung und Neuübersetzung der authentischen Worte Jesu. Mü [4]2004, Langen Müller 206 pp. 3-7844-2747-2.

F2.8 *Synoptica*: **themata**

5416 *Bösen, Willibald* Bin etwa ich es?: die synoptischen Judasüberliefe-
      rungen. BiHe 42/165 (2006) 6-10.
5417 *Flusser, David* The synagogue and the church in the synoptic gos-
      pels. Jesus' last week. Jewish and Christian Perspectives 11: 2006 ⇒
      346. 17-40.
5418 **Gathercole, Simon J.** The preexistent Son: recovering the christolo-
      gies of Matthew, Mark, and Luke. GR 2006, Eerdmans xi; 344 pp.
      $32/£19. 0-8028-2901-5. Bibl. 298-325.
5419 **Hartley, Donald E.** The wisdom background and parabolic implica-
      tions of Isaiah 6:9-10 in the synoptics. Studies in Biblical literature
      100: NY 2006, Lang xxvii; 400 pp. 0-8204-8665-5. Bibl. 329-366.
5420 *Kozyra, Józef* Nowe przykazanie miłości. CoTh 76/4 (2006) 29-45.
      P.
5421 **Kusz, Tomasz** Uzdrowienia z trądu w tradycji synoptycznej [La gué-
      rison de la lèpre dans la tradition synoptique]. ᴰ*Szymik, S.* 2006, 278
      pp Diss. Lublin [RTL 38,619]. **P.**
5422 *Manicardi, Ermenegildo* Modelli di compimento delle scritture: l'im-
      peto *kerygmatico* di Marco e le riletture *midrashiche* di Matteo. Rivi-
      sitare il compimento. Biblica 3: 2006 ⇒780. 3-40.
5423 **Montes Peral, Luis Ángel** Tras las huellas de Jesús: seguimiento y
      discipulado en Jesús, los evangelios y el 'evangelio de dichos Q'. Te-
      ología 95: M 2006, BAC 564 pp. 84791-48675.
5424 *Philip, Abraham* Understanding of pluralism and its missiological
      implications: a synoptic perspective. BiBh 32 (2006) 299-308.
5425 **Powery, Emerson B.** Jesus reads scripture: the function of Jesus' use
      of scripture in the synoptic gospels. BiblInterp 63: 2003 ⇒19,5502.
      ᴿJThS 57 (2006) 637-638 (*Harvey, A.-E.*).
5426 **Rondez, Pascale** Alltägliche Weisheit?: Untersuchung zum Erfah-
      rungsbezug von Weisheitslogien in der Q-Tradition. ᴰ*Weder, Hans*:
      AThANT 87: Z 2006, Theologischer xi; 210 pp. 978-3-290-17413-2.
      Diss. Zürich; Bibl. 193-207.
5427 *Sicre Díaz, José Luis* Los evangelistas, los profetas y Jesús: el uso
      que los evangelistas hacen de los relatos de los profetas (Moisés, Sa-
      muel, Elías y Eliseo), para presentar la figura de Jesús. Revista católi-
      ca 106 (2006) 190-204.
5428 **Stanley, Alan P.** Did Jesus teach salvation by works?: the role of
      works in salvation in the synoptic gospels. ETS Mon. Ser. 4: Eugene,
      Oreg. 2006, Pickwick xx; 415 pp. $42. 15975-26800. Diss. Dallas
      Sem.
5429 *Stansell, Gary* Doni, tributi e offerte. Il nuovo Gesù storico. 2006 ⇒
      788. 240-253.
5430 **Vermes, Geza** O autêntico evangelho de Jesus. Rio de Janeiro 2006,
      Record 488 pp. 85-01-07039-4.
5431 **Wahlen, Clinton** Jesus and the impurity of spirits in the synoptic
      gospels. WUNT 2/185: 2004 ⇒20,5347; 21,5584. ᴿThLZ 131
      (2006) 384-386 (*Meiser, Martin*).

F3.1 **Matthaei evangelium**: *textus, commentarii*

5432 **Allison, Dale C.** Matthew: a shorter commentary. 2004 ⇒20,5350. [R]RBLit (2006)* (*Sweeney, James*);

5433 Studies in Matthew: interpretation past and present. 2005 ⇒21,5587. [R]RBLit (2006)* (*Stanton, Graham*); JBL 125 (2006) 816-819 (*Huizenga, Leroy A.*).

5434 *Barton, Stephen C.* The gospel according to Matthew. Cambridge companion to the gospels. 2006 ⇒344. 121-138.

5435 [E]**Bendinelli, Guido** Commento a Matteo, Series/2. [T]*Scognamilio, Rosario*: Opere di Origene 11/6: R 2006, Città N. 339 pp. 88-311-95-24-7. Note di commento di *Maria I. Danieli.*

5436 *Bohache, Thomas* Matthew. Queer bible commentary. 2006 ⇒2417. 487-516.

5437 *Bosson, Nathalie* Le Codex Schøyen (évangile de Matthieu): études pour servir à l'identification d'un nouveau dialecte de Moyenne-Egypte. [F]FUNK, W.: BCNH.Etudes 7: 2006 ⇒48. 19-79.

5438 [E]**Bourguet, Daniel** L'évangile médité par les Pères: Matthieu. Lyon 2006, Olivétan 243 pp. €22.

5439 *Brock, Sebastian* A fragment of the Harklean version of St Matthew's Gospel in the monastery of Mar Musa. CCO 3 (2006) 337-342 [Mt 22].

5440 *Butts, Aaron M.* A Sahidic fragment of Matthew 17:20-18:22 P. Duk.inv. 241. JCoptS 8 (2006) 43-48.

5441 *Cothenet, Édouard* Leggere il vangelo di Matteo. Guida di lettura del NT. 2006 ⇒5033. 153-207.

5442 **Fiedler, Peter** Das Matthäusevangelium. TKNT 1: Stu 2006, Kohlhammer 440 pp. €35. 3-17-018792-9.

5443 [F]FRANKEMÖLLE, H. 'Dies ist das Buch...': das Matthäusevangelium: Interpretation—Rezeption—Rezeptionsgeschichte. [E]*Kampling, Rainer* 2004 ⇒20,42; 21,5599. [R]CDios 219/1 (2006) 324-325 (*Gutiérrez, J.*); FrRu 13 (2006) 58-60 (*Maisch, Ingrid*).

5444 **Gamba, Giuseppe G.** Vangelo di san Matteo: la proclamazione del regno dei cieli: la fase della 'semina' (Mt 4,17-13,52). BSRel 195: Roma 2006, LAS 573 pp. €35. 88-213-0605-4. Bibl. 563-564.

5445 **Hare, Douglas** Matteo. Strumenti 26: T 2006, Claudiana 373 pp. €33.

5446 **Harrington, Daniel J.** Il vangelo di Matteo. [T]*Vischioni, G.* Sacra Pagina 1: 2005 ⇒21,5602. [R]Itin(M) 14 (2006) 274-275 (*Costa, Giuseppe*); CivCatt 157/1 (2006) 103-104 (*Scaiola, D.*).

5447 **Hauerwas, Stanley** Matthew. Brazos Theological Comm. on the Bible: GR 2006, Brazos 267 pp. $30. 9781-58743-0954. Bibl. 251-254.

5448 [E]**Levine, Amy-Jill** A feminist companion to Matthew. FCNT 1: 2001 <2004> ⇒17,4709; 19,5520. [R]RBLit (2006)* (*Denzey, Nicola*).

5449 **Luz, Ulrich** Studies in Matthew. [T]*Selle, Rosemary* 2005 ⇒21,252. [R]ScrB 36/1 (2006) 45-47 (*Boxall, Ian*); RHPhR 86 (2006) 421-422 (*Grappe, C.*); LASBF 56 (2006) 637-638 (*Manns, Frédéric*); RBLit (2006)* (*Rothschild, Clare; McIver, Robert*); JBL 125 (2006) 819-821 (*Huizenga, Leroy A.*); JThS 57 (2006) 641-643 (*Foster, Paul*);

5450 Matteo vol. 1. Commentario Paideia, NT 1/1: Brescia 2006, Paideia 626 pp. €63.70;

5451 Matthew 21-28: a commentary. [T]*Crouch, James E.*; [E]*Köster, Helmut* Hermeneia: 2005 ⇒21,5615. [R]RBLit (2006)* (*Krentz, Edgar*).

5452 **Müller, Mogens** Kommentar til Matthaeusevangeliet. Dansk komm. NT 3: 2000 ⇒20,5366. [R]SEÅ 71 (2006) 246-7 (*Eriksson, LarsOlov*).

5453 **Nolland, John** The gospel of Matthew. International Greek Testament Commentary: 2005 ⇒21,5620. [R]SNTU.A 31 (2006) 277-278 (*Fuchs, Albert*); RBLit (2006)* (*Sweeney, James*).

5454 **Parmentier, Roger** L'évangile selon Matthieu actualisé et réécrit: l'évangile autrement. P 2006, L'Harmattan 146 pp. €13.30. 978-274-75-99139.

5455 **Paul, Dagmar J.** "Untypische" Texte im Matthäusevangelium: Studien zu Charakter, Funktion und Bedeutung einer Textgruppe des matthäischen Sonderguts. NTA 50: 2005 ⇒21,5624. [R]RBLit (2006)* (*Repschinski, Boris*).

5456 *Prior, J. Bruce* The use and nonuse of nomina sacra in the Freer gospel of Matthew;

5457 *Racine, Jean-F.* The text of Matthew in the Freer gospels: a quantitative and qualitative appraisal. The Freer biblical manuscripts. SBL. Text-Critical studies 6: 2006 ⇒419. 147-166/123-146.

5458 **Racine, Jean-François** The text of Matthew in the writings of BASIL of Caesarea. SBL.New Testament in the Greek Fathers 5: 2004 ⇒20, 5370; 21,5627. [R]ThLZ 131 (2006) 32 (*Strutwolf, Holger*); LTP 62/1 (2006) 153-154 (*Poirier, Paul-Hubert*).

5459 **Rodríguez Carmona, A.** Evangelio de Mateo. Comentarios a la Nueva Biblia de Jerusalén 1A: Bilbao 2006, DDB 245 pp. 84-330-2058-7. Bibl. 245.

5460 [E]**Simonetti, Manlio** Matteo 14-28. La Bibbia commentata dai Padri: Nuovo Testamento, 1/2: R 2006, Città Nuova 379 pp. €38. 88-311-9379-1;

5461 La biblia comentada por los padres le la iglesia: Nuevo Testamento, 1b: evangelio según San Mateo (14-28). [T]*Merino Rodríguez, Marcelo*: M 2006, Ciudad N. 416 pp.

5462 **Witherington, Ben, III** Matthew. Smyth & Helwys Bible Comm.: Macon, GA 2006, Smyth & H. xxii; 568 pp. $60. 978-15731-20760 [BiTod 45,267—Donald Senior].

F3.2 **Themata** *de Matthaeo*

5463 *Adamczyk, Dariusz* Realizm zapowiadanego królestwa Bożego w świetle ewangelii według Świętego Mateusza [The reality of the kingdom of God in the light of St Matthew's gospel]. STV 44/2 (2006) 155-169. **P.**

5464 *Aguirre Monasterio, Rafael* Tradiciones propias de Mateo y la primera generación. Comienzos del cristianismo. 2006 ⇒740. 117-129.

5465 *Aranda Pérez, Gonzalo* El concepto de 'escrituras' en el evangelio de Mateo y en la literatura apocalíptica. [F]RODRÍGUEZ CARMONA, A. 2006 ⇒138. 135-157.

5466 **Baby, Parambi** The discipleship of the women in the gospel according to Matthew: an exegetical theological study of Matt 27:51b-56, 57-61 and 28:1-10. TGr.T 94: 2003 ⇒19,5536; 20,5384. [R]CBQ 68 (2006) 753-754 (*Hearon, Holly E.*).

5467 **Barnet, John A.** Not the righteous but sinners: M.M. BAKHTIN's theory of aesthetics and the problem of reader-character interaction in

Matthew's gospel. JSNT.S 246: 2003 ⇒19,5537... 21,5643.
[R]BiblInterp 14 (2006) 410-412 (*Lawrence, Louise*).

5468 *Baxter, Wayne* Healing and the "Son of David": Matthew's warrant.
NT 48 (2006) 36-50 [Ezek 34].

5469 **Blickenstaff, Marianne** 'While the bridegroom is with them': marriage, family, gender and violence in the gospel of Matthew. JSNT.S 292: 2005 ⇒21,5649. [R]CBQ 68 (2006) 533-534 (*Reid, Barbara E.*); RBLit (2006)* (*Wainwright, Elaine*).

5470 **Branden, Robert C.** Satanic conflict and the plot of Matthew. Studies in Biblical literature 89: NY 2006, Lang xii; 171 pp. €56.20. 0-8204-7916-0. Bibl. 155-171.

5471 **Byrne, Brendan J.** Lifting the burden: reading Matthew's gospel in the church today. 2004 ⇒20,5391; 21,5651. [R]Pacifica 19 (2006) 215-217 (*Moloney, Francis J.*).

5472 *Byrskog, Samuel* A new quest for the *Sitz im Leben*: social memory, the Jesus tradition and the gospel of Matthew. NTS 52 (2006) 319-336.

5473 **Catic, Ivica** Gerusalemme nel vangelo di Matteo. [D]*Grilli, Massimo* 2006, Diss. Rome, Gregoriana [RTL 38,617].

5474 **Chae, Young S.** Jesus as the eschatological Davidic shepherd: studies in the Old Testament, second temple Judaism, and in the gospel of Matthew. [D]*Schnabel, Eckhard J.*: WUNT 2/216: Tü 2006, Mohr S. x; 446 pp. €74. 316-148876-8. Diss. Trinity Evangelical; Bibl. 397-417.

5475 *Combrink, H.J. Bernard* The challenge of overflowing righteousness: to learn to live the story of the gospel of Matthew. Identity, ethics. BZNW 141: 2006 ⇒795. 23-48.

5476 **Costin, Teodor** Il perdono di Dio nel vangelo di Matteo: uno studio esegetico-teologico. [D]*Stock, Klemens*: TGr.T 133: R 2006, E.P.U.G. 250 pp. 88-7839-062-3. Diss. Gregoriana [Bibl. 229-241].

5477 *Derickson, Gary W.* Matthew's chiastic structure and its dispensational implications. BS 163 (2006) 423-437.

5478 **Di Bianco, Nicola** 'Perché parli loro in parabole?' (Mt 13,10): una lettura narrativa del vangelo secondo Matteo. Salerno 2006, Valsele 363 pp. €16.

5479 *Franco, Ettore* Discepoli e apostoli: alla sequela di Gesù. RdT 47 (2006) 165-193.

5480 **Gale, Aaron M.** Redefining ancient borders: the Jewish scribal framework of Matthew's gospel. 2005 ⇒21,5672. [R]RBLit (2006)* (*Sim, David*) [Sepphoris].

5481 **Garrow, Alan J.P.** The gospel of Matthew's dependence on the *Didache*. JSNT.S 254: 2004 ⇒20,5403; 21,5674. [R]ThLZ 131 (2006) 997-999 (*Schröter, Jens*).

5482 **Ham, Clay Alan** The coming king and the rejected shepherd: Matthew's reading of Zechariah's messianic hope. NTMon 4: 2005 ⇒21, 5677. [R]CBQ 68 (2006) 145-146 (*Leske, Adrian M.*); RBLit (2006)* (*Boda, Mark*); JThS 57 (2006) 246-249 (*Tuckett, C.M.*).

5483 **Hannan, Margaret** The nature and demands of the sovereign rule of God in the gospel of Matthew. [D]*Lattke, Michael*: LNTS 308: L 2006, Clark xiv, 263 pp. £60. 0-567-04174-3. Diss. Queensland; Bibl. 233-242.

5484 **Inch, Morris A.** Matthew in the messianic tradition. Lanham 2006, University Press of America 110 pp. 9780-7618-3525-7. Bibl. 105-7.

5485 *Ingelaere, Jean-Claude* Le temps dans l'évangile de Matthieu. Le temps et les temps. JSJ.S 112: 2006 ⇒408. 183-197.
5486 *Knowles, Michael P.* Scripture, history, messiah: scriptural fulfillment and the fullness of time in Matthew's gospel. Hearing the OT. 2006 ⇒777. 59-82.
5487 *Krentz, E.* 'Make disciples'–Matthew on evangelism. CThMi 33 (2006) 23-41.
5488 **Lawrence, Louise Joy** An ethnography of the gospel of Matthew: a critical assessment of the use of the honour and shame model in New Testament studies. WUNT 165: 2003 ⇒19,5552. ᴿBTB 36 (2006) 189-190 (*Green, Barbara*); RStR 32/2 (2006) 87-97 (*Crook, Z.A.*).
5489 *Loubser, J.A.* Memory and oral aesthetics in Matthew. Neotest. 40 (2006) 61-86.
5490 *Lupieri, Edmondo* La comunità di Matteo e il gruppo dei 'fratelli' di Gesù. Comienzos del cristianismo. 2006 ⇒740. 171-180.
5491 **Maggi, Alberto** Gesu ebreo: (per parte di madre): il Cristo di Matteo. Assisi 2006, Cittadella 270 pp. 88308-08407. Pref. *Enzo Bianchi.*
5492 *Menken, Maarten J.J.* Messianic interpretation of Greek Old Testament passages in Matthew's fulfilment quotations. The Septuagint and messianism. BEThL 195: 2006 ⇒753. 457-486.
5493 **Menken, Maarten J.J.** Matthew's bible: the Old Testament text of the evangelist. BEThL 173: 2004 ⇒20,241. ᴿKeTh 57 (2006) 187-188 (*Kooijman, A.C.*); NT 48 (2006) 306-307 (*Doble, P.*).
5494 **Meruzzi, Mauro** Lo sposo, le nozze e gli invitati: aspetti nuziali della teologia di Matteo. ᴰ*Grilli, Massimo*: R 2006, 108 pp. Extr. Diss. Gregoriana; Bibl. 87-104.
5495 *Moffitt, David M.* Righteous bloodshed, Matthew's passion narrative, and the temple's destruction: Lamentations as a Matthean intertext. JBL 125 (2006) 299-320 [Mt 23; 27].
5496 *Mora, Vinzenz* Jerusalem in Mt 24-28. Laetare Jerusalem. 2006 ⇒92. 150-174.
5497 **Novakovic, Lidija** Messiah, the healer of the sick: a study of Jesus as the son of David in the gospel of Matthew. WUNT 2/170: 2003 ⇒ 19,5563. ᴿRBLit (2006)* (*Cousland, J.R.C.*).
5498 *Park, Jeongsoo* Sündenvergebung im Matthäusevangelium: ihre theologische und soziale Dimension. EvTh 66 (2006) 210-227.
5499 *Paya, Christophe* Chronique matthéenne VII. ETR 81 (2006) 553-571.
5500 *Pokornÿ, Petr* Die matthäische Theologie–eine bewusste Rückkehr zur Lehre Jesu?. ᶠHAUFE, G.: GThF 11: 2006 ⇒63. 213-223.
5501 *Reinbold, Wolfgang* Das Matthäusevangelium, die Pharisäer und die Tora. BZ 50 (2006) 51-73;
5502 Matthäus und das Gesetz: zwei neue Studien. BZ 50 (2006) 244-250.
5503 *Repschinski, Boris* Re-imagining the presence of God: the temple and the messiah in the gospel of Matthew. ABR 54 (2006) 37-49.
5504 **Robuschi, Riccardo** La legge nuova e antica di Gesù: linee di teologia morale e biblica nel vangelo di Matteo. Interpretare la Bibbia oggi 2/4: Brescia 2006, Queriniana 176 pp. €10.80. 88-399-2463-9.
5505 **Sánchez Montes, José** 'Yo estoy con vosotros' (Mt 28,20b): '... estar con...': como formula de presencia divina en el evangelio de Mateo a la luz del Antiguo Testamento. ᴰ*Grilli, Massimo*: R 2006, 214 pp. Extr. Diss. Gregoriana; Bibl. 171-201.

5506 **Sánchez Navarro, Luis** "Venid a mí" (Mt 11,28-30): el discipulado, fundamento de la ética en Mateo. Studia Theologica Matritensia 4: 2004 ⇒20,5437; 21,5713. [R]VivH 17/1 (2006) 230-231 (*Belli, Filippo*); Sal. 68 (2006) 189-190 (*Vicent, Rafael*); CBQ 68 (2006) 347-348 (*Swetnam, James*).

5507 **Ska, Jean Louis** Cosas nuevas y viejas (Mt 13,52): páginas escogidas del evangelio de Mateo. El mundo de la biblia 6: Estella (Navarra) 2006, Verbo Divino 238 pp. 84-8169-702-8. Bibl. 231-234.

5508 **Slee, Michelle** The church in Antioch in the first century CE.: communion and conflict. JSNT.S 244: 2003, ⇒19,5569... 21,5719. [R]SvTK 82 (2006) 88-9 (*Zetterholm, Magnus*) [Acts 15; Gal 2,11-14].

5509 *Talbott, Rick* Imagining the Matthean eunuch community: kyriarchy on the chopping block. JFSR 22/1 (2006) 21-43 [Mt 19,11-12].

5510 *Tassin, Claude* Sui passi di Gesù: vangelo di Matteo: la Galilea delle nazioni. Il Mondo della Bibbia 17/1 (2006) 46-47.

5511 *Van Egmond, Richard* The Messianic 'Son of David' in Matthew. JGRChJ 3 (2006) 41-71.

5512 *Weren, Wim* The macrostructure of Matthew's gospel: a new proposal. Bib. 87 (2006) 171-200.

5513 **Westerholm, Stephen** Understanding Matthew: the early christian worldview of the first gospel. GR 2006, Baker 160 pp. $17. 0-8010-2738-3 [BiTod 44,268—Donald Senior].

5514 **Yieh, John Yueh-Han** One teacher: Jesus' teaching role in Matthew's gospel report. BZNW 124: 2004 ⇒20,5447; 21,5729. [R]SiChSt 2 (2006) 213-219 (*Wong, Eric Kun Chun*).

F3.3 *Mt 1s (Lc 1s⇒F7.5) Infantia Jesu*—**Infancy Gospels**

5515 *Anand, S.* Born of a virgin: a response to Jane Schaberg. ITS 43 (2006) 9-34, 161-193.

5516 **Aus, Roger David** Matthew 1-2 and the virginal conception: in light of Palestinian and Hellenistic Judaic traditions on the birth of Israel's first redeemer, Moses. 2004 ⇒20,5448. [R]RBLit (2006)* (*Meeks, Wayne*).

5517 **Boff, Leonardo** Giuseppe di Nazaret uomo giusto, carpentiere. Assisi 2006, Cittadella 240 pp. €15.90. 88308-08598. Pref. *P. Coelho.*

5518 *Brossier, François* Les évangiles de l'enfance. LV(L) 55/4 (2006) 19-28.

5519 *Chilton, Bruce* Recovering Jesus' *mamzerut.* [M]ILLMAN, K. 2006 ⇒ 72. 81-105.

5520 **Davidsen, Ole** Kristi fødsel: tekster og tolkninger år to tusind [The birth of Christ: texts and interpretations year two thousand]. 2000 ⇒ 18,5160. [R]SEÅ 71 (2006) 247-252 (*Olsson, Birger*).

5521 *Dawes, Gregory W.* Why historicity still matters: Raymond BROWN and the infancy narratives. Pacifica 19 (2006) 156-176.

5522 *Gibert, Pierre Et incarnatus est* ou la genèse d'un Dieu. LV(L) 55/4 (2006) 5-18.

5523 *Granados, José* Through Mary's memory to Jesus' mystery. Com(US) 33/1 (2006) 11-42.

5524 *Largo Domínguez, P.* La concepción virginal de Jesús, ¿creación ex nihilo?. EphMar 56/1-2 (2006) 41-69.

5525 **Manns, Frédéric** Que sait-on de Marie et de la nativité?. P 2006,
      Bayard 159 pp. 2-227-47658-3.
5526 *Miller, L.* Holy Family values. Newsweek (December 18 2006) 52-8.
5527 **Miller, Robert J.** Born divine: the births of Jesus and other sons of
      God. 2003 ⇒21,5738. [R]CBQ 68 (2006) 341-342 (*Paffenroth, Kim*).
5528 **Orsatti, Mauro** Natividad, una bella noticia: meditaciones sobre los
      evangelios de la infancia. M 2006, San Pablo 186 pp.
5529 *Schaberg, Jane* A cancelled father: historicity and the New Testa-
      ment. Forum 2/1 (1999) 57-78.
5530 **Schaberg, Jane** The illegitimacy of Jesus: a feminist theological in-
      terpretation of the infancy narratives. Shf [2]2006 <1995>, Sheffield
      Phoenix viii; 318 pp.
5531 **Schmithals, Walter** Weihnachten: seine Bedeutung für das ganze
      Jahr. Gö 2006, Vandenhoeck & R. 154 pp. 978-3-525-63372-4.
5532 *Stramare, Tarcisio* I vangeli dell'infanzia e della vita nascosta di Ge-
      sù e il mistero in essi contenuto. Scrutate le scritture. 2006 ⇒311.
      57-72.
5533 *Talbert, Charles H.* Miraculous conceptions and births in Mediterra-
      nean antiquity. The historical Jesus. 2006 ⇒334. 79-86.
5534 *Tatum, W. Barnes* The historical quest for the baby Jesus: Matthew
      1-2. Forum 2/1 (1999) 7-23.
5535 *Viljoen, F.P.* The Matthean community according to the beginning of
      his gospel. AcTh(B) 26/2 (2006) 242-262.
5536 *Zeller, Dieter* Religionsgeschichtliche Erwägungen zum 'Sohn Got-
      tes' in den Kindheitsgeschichten. N.T. und Hellenistische Umwelt.
      BBB 150: 2006 <1993> ⇒331. 83-94.

5537 *Carotta, Sandro* Cinque donne alla culla di Gesù. Monastica 47/4
      (2006) 4-18 [Mt 1,1-17].
5538 *Hohnjec, Nikola* Abraham u evandeljima Isusova djetinjstva: Abra-
      ham u rodoslovljima (Mt 1,1-2.17; Lk 3,34) i Zaharijinu hvalospjevu
      (Lk 1,73). BoSm 76 (2006) 531-544. **Croatian.**
5539 *Johnson, Marshall D.* Genealogies of Jesus. Forum 2/1 (1999) 41-55
      [Mt 1,1-17; Lk 3,23-38].
5540 *Maggioni, Bruno* Genealogia di Gesù: giustizia e fraternità. Servizio
      Migranti 16/1 (2006) 21-28 [Mt 1,1-17].
5541 *Buccellati, Giorgio* The prophetic dimension of Joseph. Com(US)
      33/1 (2006) 43-99 [Mt 1,16-19].
5542 *Norelli, Enrico* Les formes les plus anciennes des énoncés sur la nais-
      sance de Jésus par une vierge. [Mt 1,18-25];
5543 *Perrot, Charles* La paternité de Joseph selon Matthieu 1,18-25. Ma-
      rie et la sainte famille. 2006 ⇒762. 25-44/7-24.
5544 *Llamas, Román* José, solo ante el misterio. EstJos 60/1 (2006) 7-37
      [Mt 1,19-20].
5545 *Hegedus, Tim* The Magi and the star of Matthew 2:1-12 in early
      christian tradition. Studia patristica 39. 2006 ⇒833. 213-217.
5546 *Mobbs, Frank* The meaning of the visit of the Magi. NBl 87 (2006)
      593-604 [Mt 2,1-12].
5547 **Roberts, Paul W.** Journey of the Magi: travels in search of the birth
      of Jesus. L 2006, Tauris P. xviii; 398 pp. 978-1-84511-242-4. [Mt
      2,1-12].
5548 *Tronina, Antoni* Pochodzenie legendy o trzech królach [provenienza
      della legenda sui tre re]. Vox Patrum 26 (2006) 673-681 [Mt 2,1-12].
      P.

5549 *Martínez, A.E.* Jesus, the immigrant child: a diasporic reading of Matthew 2:1-23. Apuntes [Dallas] 23/3 (2006) 84-114.
5550 *Van Vessum, Lonneke* Terugkomen op terugroepen. ITBT 14/3 (2006) 17-18 [Hos 11,1; Mt 2,15].

F3.4 *Mt 3...Baptismus Jesu*, **Beginnings of the Public Life**

5551 *Chilton, Bruce* John the purifier. Forum 2/1 (1999) 125-139.
5552 *Dettwiler, Andreas* La signification du baptême de Jean et sa réception plurielle. PosLuth 54 (2006) 25-37.
5553 **Gibson, Shimon** The cave of John the Baptist: the first archaeological evidence of the truth of the gospel story. 2004 ⇒20,5482; 21, 5776. [R]POC 56 (2006) 416-417 (*Merceron, R.*).
5554 *Hecht, Anneliese* Betanien–die Taufstelle Jesu am Jordan: Be-Geisternder Beginn des öffentlichen Wirkens Jesu. WUB 42 (2006) 11-15.
5555 *Ibba, Giovanni* John the Baptist and the purity laws of Leviticus 11-16. Henoch 28/2 (2006) 79-89.
5556 *Martin, George* Jesus proclaims the kingdom and calls all to conversion. BiTod 44 (2006) 151-156.
5557 *Pazdan, Mary Margaret* Jesus is baptized in the Jordan. BiTod 44 (2006) 137-143.
5558 **Ryu, Ho-Seung** Jesus und Johannes der Täufer im Matthäusevangelium: eine sozio-rhetorische Untersuchung zur Darstellung Jesu und Johannes des Täufers im Matthäusevangelium. [D]*Theißen, Gerd*: EHS. T 818: Fra 2006, Lang 242 pp. 36315-4698X. Diss. Heidelberg.
5559 *Shafer, Grant R.* John the Baptist, Jesus, and forgiveness of sins. ProcGLM 26 (2006) 51-67.
5560 *Webb, Robert L.* John's baptizing activity: in the context of first-century Judaism. Forum 2/1 (1999) 99-123.

5561 *Downing, F. Gerald* Psalms and the Baptist. JSNT 29 (2006) 131-137 [Ps 1-2; Mt 3; Lk 3].
5562 *Colli, Gelci A.* A imagem profética de Jesus: o papel de João Batista a partir da exegese de Mt 3.1-12. VTeol 13 (2006) 103-125.
5563 **Kelhoffer, James A.** The diet of John the Baptist: "locusts and wild honey" in synoptic and patristic interpretation. WUNT 176: 2005 ⇒ 21,5791. [R]ThLZ 131 (2006) 1057-59 (*Böcher, Otto*); NT 48 (2006) 389-391 (*Wilkinson, J.*); RBLit (2006)* (*Nicklas, Tobias*) [Mt 3,4].
5564 *Pérez Fernández, Miguel* La voz del cielo y el vuelo de la paloma. [F]RODRÍGUEZ CARMONA, A.. 2006 ⇒138. 271-283 [Mt 3,13-17].
5565 *Markschies, Christoph* Die neutestamentliche Versuchungsgeschichte in der Auslegung der Kirchenväter. ThZ 62 (2006) 193-206 [Mt 4,1-11; Mark 1,12-13; Luke 4,1-13].
5566 *Vojnovic, Tadej* Abraham–otac po tijelu i po vjeri (Mt 3,9; Lk 3,8; Mt 8,11; Lk 13,28). BoSm 76 (2006) 545-550. **[Croatian]**.
5567 *Ehling, Kay* Warum ließ Herodes Antipas Johannes den Täufer verhaften?: oder: wenn ein Prophet politisch gefährlich wird. BN 131 (2006) 63-64 [Mt 14,3-12].

F3.5 **Mt 5...Sermon on the Mount** [...plain, Lk 6,17]

5568 ^E**Becker, Hans-Jürgen; Ruzer, Serge** The Sermon on the Mount and its Jewish setting. CRB 60: 2005 ⇒21,350. ^RJR 86 (2006) 669-671 (*Betz, Hans Dieter*).

5569 *Frymer-Kensky, Tikva* Jesus and the law. Studies in bible. 2006 <1986> ⇒219. 119-132.

5570 *Hainz, Josef* Jesus–der "Träumer". NT und Kirche. 2006 ⇒232. 277-281.

5571 *Myre, André* Pas simple, l'évangile... le *Sermon sur la montagne*. Cahiers de l'Atelier 511 (2006) 81-89.

5572 *Stramare, Tarcisio* Il significato e la portata della 'legge evangelica'. Scrutate le scritture. 2006 ⇒311. 153-170.

5573 **Talbert, Charles H.** Reading the Sermon on the Mount: character formation and decision making in Matthew 5-7. GR 2006, Baker 181 pp. $18. 08010-3163X. ^RKerux 21/3 (2006) 63-71 (*Dennison, James T., Jr.*).

5574 **Tremolada, Pierantonio** La regola di vita della comunità de Gesù: un commento al Discorso della montagna (Mt 5-7). Uomini e parola 2: 2005 ⇒21,5817. ^RPaVi 51/4 (2006) 62-63 (*Pellegrini, Rita*).

5575 *Zeller, Dieter* Jesus als vollmächtiger Lehrer (Mt 5-7) und der hellenistische Gesetzgeber. N.T. und Hellenistische Umwelt. BBB 150: 2006 <1988> ⇒331. 95-107.

5576 *Viljoen, Francois P.* Jesus' teaching on the Torah in the Sermon on the Mount. Neotest. 40 (2006) 135-155 [Mt 5].

5577 **Deines, Roland** Die Gerechtigkeit der Tora im Reich des Messias: Mt 5,13-20 als Schlüsseltext der matthäischen Theologie. WUNT 2/177: 2004 ⇒20,5515; 21,5819. ^RTrinJ 27 (2006) 314-317 (*Schnabel, Eckhard*); ThLZ 131 (2006) 1150-1152 (*Hagner, Donald A.*).

5578 *Hahn, Ferdinand* Mt 5,17–Anmerkungen zum Erfüllungsgedanken bei Matthäus. Studien zum NT, I. WUNT 191: 2006 <1983> ⇒230. 433-446.

5579 *Konradt, Matthias* Die vollkommene Erfüllung der Tora und der Konflikt mit den Pharisäern im Matthäusevangelium. ^FBURCHARD, C.. NTOA 57: 2006 ⇒13. 129-152 [Mt 5,17-48].

5580 *Bastašič, Gorazd* Kristusov učenec pred zahtevo po večji pravičnosti (Mt 5,20). Tretji dan. Krscanska revija za duhovnost in kulturo 35/9-10 (2006) 88-93. S.

5581 *Derrett, J. Duncan M.* Ἔνοχος (Mt 5,21-22) and the jurisprudence of heaven. FgNT 19 (2006) 89-97.

5582 *Gemünden, Petra von* Anger and aggression as dealt with in classical antiquity and in the Sermon on the Mount. Ment. *Seneca; Plutarch*: AJBI 32 (2006) 157-196 [Mt 5,21-26; 5,38-48].

5583 *Thom, Johan C.* Dyads, triads and other compositional beasts in the sermon on the mount (Matthew 5-7). ^FLATEGAN, B.: NT.S 124: 2006 ⇒94. 291-308 [Mt 5,21-26].

5584 *Bottini, G. Claudio; Piccirillo, Michele* 'Se stai per presentare la tua offerta all'altare...' (Mt 5,23-24): la testimonianza di un'iscrizione palestinese. LASBF 56 (2006) 547-552.

5585 *Kot, Tomasz* Que votre langage soit: 'Oui? oui': 'Non? non'... (Mt 5, 37). PrzPow 5 (2006) 14-20. P.

5586 **Davis, James F.** Lex talionis in early Judaism and the exhortation of Jesus in Matthew 5.38-42. JSNT.S 281: 2005 ⇒21,5826. ᴿRBLit (2006)* (*Bryan, Steven*).

5587 *Stassen, Glen* Jesus' way of transforming initiatives and just peacemaking theory. ᶠWINK, W.: 2006 ⇒172. 129-142 [Mt 5,38-48].

5588 *Hall, W.D.* The economy of the gift: Paul RICOEUR's poetic redescription of reality. JLT 20/2 (2006) 189-204 [Mt 5,44].

5589 *Manicardi, Ermenegildo* La scelta dei veri beni nel discorso del monte: studio redazionale di Mt 6,19-34. ᶠFABRIS, R.: SRivBib 47: 2006 ⇒38. 41-56.

5590 *Whitters, Mark F.* 'The eye is the lamp of the body': its meaning in the Sermon on the Mount. IThQ 71 (2006) 77-88 [Mt 6,22].

5591 *Galloway, Lincoln E.* "Consider the lilies of the field...": a sociorhetorical analysis of Matthew 6:25-34. The multivalence. SBL.Symposium 37: 2006 ⇒745. 67-82.

5592 *Schlumberger, Sophie; Schaechtelin, Pierre-André* Matthieu 6,25-34: d'une vie inquiète à une vie en quête. LeD 68 (2006) 13-25.

5593 *Derrett, J. Duncan M.* Morality not to be codified (Matthew 6,34). BeO 48 (2006) 181-190.

5594 *Dobbeler, Stephanie von* Wahre und falsche Christen oder: an der Frage der Orthopraxie scheiden sich die Geister: zur Sichtweise des Matthäus. BZ 50 (2006) 174-195 [Mt 7,15-23].

5595 *Badiola Sáenz de Ugarte, José A.* "Hagamos de la tierra cielo": la voluntad de Dios, padre de Jesús, como criterio último del discipulado mateano: estudio de Mt 7,21-23. ScrVict 53/1-2 (2006) 5-42.

5596 *Nausner, Bernhard* Schritte zu einer Hermeneutik des Hörens und Tuns: Gedanken zu Matthäus 7,21-29. ThFPr 32/1-2 (2006) 87-97.

F3.6 **Mt 5,3-11** (Lc 6,20-22) **Beatitudines**; *Divorce*

5597 *Abreu, A.* Justice, earth, and heaven: according to the beatitudes. Crux 42/2 (2006) 34-42.

5598 *Chuecas Saldías, Ignacio* ¡Felices aquellos siervos!: Lucas 12,37: las bienaventuranzas en el evangelio como reflejo de la propuesta de felicidad de Jesús. TyV 47 (2006) 153-189.

5599 **Finze-Michaelsen, Holger** Das andere Glück: die Seligpreisungen Jesu in der Bergpredigt. Gö 2006, Vandenhoeck & R. 197 pp. €19.90. 3-525-60426-2.

5600 **Howell, James C.** The Beatitudes for today. For today: LVL 2006, Westminster ix; 124 pp. $15. 0-664-22932-8. Bibl.

5601 *Rapp, Ursula* Das Glück in die Welt rufen: die "Seligpreisungen" der Bibel als Glückssprache. Zum Leuchten bringen. 2006 ⇒446. 21-42.

5602 **Verrengia, Giacomo** Seguire Gesù sulla via delle beatitudini. N 2006, Laurenziana 143 pp.

5603 *Thompson, M.* 'Blessed are the poor': what did Jesus mean by these words?. Friends Quarterly [Ashford, UK] 35/2 (2006) 58-63 [Mt 5,3].

5604 **Talbot, Michel** "Heureux les doux, car ils héritont la terre": (Mt 5,4[5]). EtB 46: 2002 ⇒18,5245... 21,5851. ᴿLTP 62/1 (2006) 135-136 (*Cazelais, Serge*) [Isa 61; Mt 5,4-5; 11,29; 21,5; 1 Pet 3,4].

5605 *Tassin, Claude* 'Heureux les doux': un programme. Spiritus 184 (2006) 320-330 [Mt 5,5].

5606　*Żywica, Zdzisław* Kwestia listu rozwodowego w interpretacji Jezusa (Mt 5,31-32). CoTh 76/3 (2006) 19-32.

5607　*Estrada, Bernardo* Le beatitudini e il Padre nostro: chiarimento strutturale e contenuto. [F]FABRIS, R.: SRivBib 47: 2006 ⇒38. 29-39 [Mt 6,9-13].

5608　**Dingemans, Louis** Jésus face au divorce. 2004 ⇒20,5542; 21,5857. [R]INTAMS.R 12 (2006) 114-115 (*Clerck, Paul de*).

5609　*Martin, Dale B.* The hermeneutics of divorce. Sex and the single Savior. 2006 ⇒270. 125-147.

5610　*McGinn, Thomas A.J.* The law of Roman divorce in the time of Christ. The historical Jesus. 2006 ⇒334. 309-322.

5611　*Stramare, Tarcisio* L'indissolubilità del matrimonio ammette qualche eccezione?. Scrutate le scritture. 2006 ⇒311. 7-50 [Mt 5,22; 19,9].

F3.7 *Mt 6,9-13 (Lc 11,2-4)* **Oratio Jesu**, *Pater Noster*, **Lord's Prayer**; Mt 8

5612　*Bertuzzi, Roberta* Il *Pater Noster* nei rituali catari. StMed 47/1 (2006) 29-70.

5613　**Carl, William J., III** The Lord's Prayer for today. LVL 2006, WJK 101 pp. $15. 06642-29573.

5614　*Castellano Cervera, Jesús* Il "padre nostro": sintesi della preghiera della chiesa culmine della liturgia delle ore. RivLi 93 (2006) 105-11.

5615　**Gafney, Leo** A guide to the Our Father today. Mahwah, NJ 2006, Paulist viii; 143 pp. $15 [BiTod 45,128—Donald Senior].

5616　**Gerhardsson, Birger** Fader vår i Nya testamentet. 2003 ⇒19,5678; 20,5548. [R]SEÅ 71 (2006) 252-253 (*Starr, James*).

5617　*Kraus, Thomas J.* Manuscripts with the Lord's prayer–they are more than simply witnesses to that text itself. NT manuscripts. 2006 ⇒453. 227-266.

5618　*Meynet, Roland* La composition du Notre Père. Etudes sur la traduction. 2006 <2002> ⇒274. 153-179.

5619　**O'Collins, Gerald** The Lord's prayer . L 2006, Darton, L. & T. xiv; 132 pp. 978-0-232-52684-4. Bibl. 130.

5620　**Philonenko, Marc** Il Padre nostro: dalla preghiera di Gesù alla preghiera dei discepoli. [T]*Milana, Fabio*: Einaudi tascabili.Religione 1117: T 2003, Einaudi 155 pp. 88-06-16548-8. Bibl. 127-138.

5621　*Pitre, Brant* The Lord's Prayer and the new Exodus. L&S 2 (2006) 69-96.

5622　*Seelemeijer, Bart* Geef mij maar een tarwebrood: een beste bede uit een boekje met goud op snee. ITBT 14/7 (2006) 18-21.

5623　**Stevenson, Kenneth W.** The Lord's Prayer: a text in tradition. 2004 ⇒20,5559; 21,5868. [R]SvTK 82 (2006) 87-88 (*Olsson, Birger*).

5624　**Uguccioni, C.** Lasciarsi amare da Dio: conversazioni sul Padre nostro. Mi 2006, Paoline 178 pp. €15.

5625　*Wainwright, Geoffrey* Whose is the kingdom, the power, and the glory?: the Lord's Prayer as an act of trinitarian worship. EO 23/2 (2006) 221-248.

5626　*Scrofani, Giorgio* "Non diventate come loro!": la preghiera dei non ebrei in Mt 6,7-8 e il "Padre nostro". ASEs 23 (2006) 309-330.

5627	*Grumett, David* Give us this day our supersubstantial bread. StLi 36 (2006) 201-211 [Mt 6,11; Luke 11,3].

5628	*Heinen, Heinz* Göttliche Sitometrie: Beobachtungen zur Brotbitte des Vaterunsers. Vom hellenistischen Osten. Hist.E 191: 2006 <1990> ⇒235. 407-414 [Mt 6,11].

5629	*Sakvarelidze, Nino* ORIGENES und MAXIMOS der Bekenner über die Brotbitte des Vaterunsergebetes. OrthFor 20/1 (2006) 19-33 [Mt 6,11]

5630	*O'Collins, Gerald* Forgive us as we forgive. Church 22/4 (2006) 5-8 [Mt 6,12].

5631	*Gebara, Joseph Camille* Le Père soumet-il ses fils à la tentation?: la sixième demande du 'Notre Père'. Al-Machriq 80 (2006) 439-468 [Mt 6,13].

5632	*Stramare, Tarcisio* Non ci indurre in tentazione (Mt 6,13; Lc 11,4). Scrutate le scritture. 2006 ⇒311. 51-55.

5633	*Grasso, Santi* Miracoli e discepolato in Matteo 8-9. SacDo 51/6 (2006) 75-94;

5634	Il ciclo dei miracoli (Mt 8-9): spettro dei problemi comunitari. Riv-Bib 54 (2006) 159-183.

5635	**Ikundu, John** The healing of the leper in Mt 8:1-4: a search for a missionary awareness. ᴰ*Gieniusz, A.* 2006, Diss Rome, Urbaniana [RTL 38,619].

5636	*Saddington, D.B.* The centurion in Matthew 8:5-13: consideration of the proposal of Theodore W. Jennings, Jr., and Tat-Siong Benny Liew. JBL 125 (2006) 140-142.

5637	*Shaffer, J.R.* A harmonization of Matt 8:5-13 and Luke 7:1-10. MSJ 17/1 (2006) 35-50.

F4.1 *Mt 9-12: Miracula Jesu*—The Gospel miracles

5638	*Amphoux, Christian-B.* La guérison dans les évangiles: image de la prédication. Guérisons. 2006 ⇒815. 163-173.

5639	**Ansaldi, Jean** Grande langue!: un pouvoir de vie ou de mort. Poliez-le-Grand 2006, Du Moulin 87 pp. 28846-90220.

5640	*Beinert, Wolfgang* ¿Qué es un milagro?. SelTeol 45 (2006) 219-229 < StZ 145 (2004) 651-664.

5641	*Dagron, Gilbert* Vérité du miracle. RSLR 42 (2006) 475-494.

5642	*Ebner, Martin* Jesus–ein umstrittener Exorzist: die Dämonenaustreibungen Jesu im Widerstreit der Meinungen. BiKi 61 (2006) 73-77.

5643	*Eltrop, Bettina* Wunder–Geschichten von Gottes Kraft: einem neuen Verständnis der neutestamentlichen Wundertexte auf der Spur .... BiKi 61 (2006) 62-66.

5644	*Evans, Craig A.* Jesus' exorcisms and proclamation of the Kingdom of God in the light of the Testaments. ᶠCHARLESWORTH, J. 2006 ⇒ 19. 210-233.

5645	*Garmus, Ludovico* Estende a mão! (Mc 3,5). Grande Sinal 60/1 (2006) 21-28.

5646	*Guillet, J.* Le Christ médecin. Christus 210 (2006) 148-154.

5647	**Hacking, Keith J.** Signs and wonders then and now: miracle-working, commissioning and discipleship. Leicester 2006, Inter-Varsity 301 pp. 978-1-84474-149-6. Bibl. 262-283.

5648 *Harrison, Peter* Miracles, early modern science, and rational religion. ChH 75 (2006) 493-510.

5649 *Hensell, E.* The miracles of Jesus. RfR 65/2 (2006) 202-205.

5650 *Höfler, Anne* Erfahrungen mit Handauflegen und Gebet;

5651 *Kollmann, Bernd* Glaube-Kritik-Deutung: gängige Deutungsmuster von Wundergeschichten in der Bibelwissenschaft. BiKi 61 (2006) 106-107/88-93;

5652 Images of hope: towards an understanding of New Testament miracle stories. Wonders never cease. LNTS 288: 2006 ⇒758. 244-264.

5653 *Lietaert Peerbolte, Bert J.* Images of hope: towards an understanding of New Testament miracle stories. Wonders never cease. LNTS 288: 2006 ⇒758. 244-264.

5654 **Maillot, Alphonse** Ces miracles qui nous dérangent: pour ne pas se tromper de signe. Poliez-le-Grand ²2006 <1986>, Du Moulin 94 pp. 28846-90212.

5655 *Metternich, Ulrike* Aufstehen und Heilsein: die Entdeckung der dynamis in den synoptischen Wundererzählungen. BiKi 61 (2006) 67-72.

5656 *Sauer, Hanjo* Der Begriff des Wunders in der Fundamentaltheologie: Überlegungen zu einer kritischen Wundertheorie. F KLINGER, E., 1. 2006 ⇒86. 475-495.

5657 **Scharfenberg, Roland** Wenn Gott nicht heilt: theologische Schlaglichter auf ein seelsorgerliches Problem. Nürnberg 2005, VTR 488 pp. €29.80. Diss. Leuven.

5658 *Shelton, James B.* "Not like it used to be?": Jesus, miracles, and today. JPentec 14 (2006) 219-227.

5659 *Smith, James A.* Outside in: diabolical portraits. The recycled bible. SBL. Semeia Studies 51: 2006 ⇒351. 101-141.

5660 **Sorensen, Eric** Possession and exorcism in the New Testament and early christianity. WUNT 2/157: 2002 ⇒18,5294... 21,5891. R BZ 50 (2006) 144-146 (*Trunk, Dieter*).

5661 *Strecker, Christian* Gesù e gli indemoniati: il rapporto con l'alterità nel Nuovo Testamento esemplificato con gli esorcismi di Gesù. Il nuovo Gesù storico. 2006 ⇒788. 75-89.

5662 *Wilhelm, Dorothee* "Normal" werden–war's das?: Kritik biblischer Heilungsgeschichten. BiKi 61 (2006) 103-105.

5663 *Dulaey, Martine* Les paralytiques des évangiles dans l'interprétation patristique: du texte à l'image. REAug 52 (2006) 287-328 [Mt 9,1-8; John 5,1-14].

5664 *Alesso, Fabián P.* 'Vayan y aprendan': lectura de Mt 9,9-13 en clave comunicativa. RevBib 68 (2006) 35-71, 133-173.

5665 *Mancini, Roberto* Dal sacrificio alla misericordia: la parola inaudita di Gesù. PSV 54 (2006) 239-257 [Mt 9,12-13].

5666 **Fedrigotti, Lanfranco M.** An exegetical study of the nuptial symbolism in Matthew 9:15: Jesus of Nazareth, the bridegroom who is present and who will depart. D *Stock, Klemens*: Lewiston, N.Y 2006, Mellen v; 492 pp. 978-0-7734-5811-6. Diss. Pont. Ist. Biblico; Bibl. 417-461.

5667 **LeMarquand, Grant** An issue of relevance: a comparative study of the story of the bleeding woman (Mk 5:25-34; Mt 9:20-22; Lk 8:43-48) in North Atlantic and African contexts. Bible and theology in Africa 5: 2004 ⇒20,5595; 21,5899. R AThR 88 (2006) 460-462 (*Jobling, David*).

5668 *Love, Stuart L.* Gesù guarisce l'emorroissa. Il nuovo Gesù storico. 2006 ⇒788. 119-132 [Mt 9,20-22].

5669 *Rabali, T.C.* Kinship ties in Matthew's missionary discourse: a window on how the christian faith has and will always affect national and family ties. Scriptura 91 (2006) 83-95 [Mt 10].

5670 *Bauer, Dieter* Judas: der dunkle Apostel. Apostel. entdecken: 2006 ⇒338. 46-57 [Mt 10,4].

5671 *Schlosser, Jacques* Le logion de Mt 10,28 par. Lc 12,4-5 (Q12,4-5). À la recherche de la parole. LeDiv 207: 2006 <1992> ⇒296. 219-31.

5672 **Di Paolo, Roberto** Il servo di Dio porta il diritto alle nazioni: analisi retorica di Matteo 11-12. TGr.T 128: 2005 ⇒21,5905. [R]CivCatt 157/ 2 (2006) 298-299 (*Scaiola, D.*).

5673 **Back, Sven-Olav** Han som kom: till frågan om Jesu messianska anspråk. Studier i exegetik och judaistik utgivna av Teologiska fakulteten vid Åbo Akademi 1: Åbo 2006, Teologiska fakulteten, Åbo Akademi 172 pp. 952-12-1766-9. Bibl. 145-160 [Mt 11,2-6].

5674 *Bedenbender, Andreas* "Am Ort und im Schatten des Todes": die neutestamentlichen Ortsangaben Kapernaum, Bethsaida und Chorazin als poetische Verweise auf das Römische Reich. TeKo 29/4 (2006) 3-31 [Mt 11,21-23; Luke 10,13-15].

5675 *Barnet, John* Making the tree good: interpreting Mt 12:33 in the context of the eucharistic meal. [F]GALITIS, G. 2006 ⇒49. 115-128.

5676 *Binni, Walther* Dal messia samaritano al segno di Giona. SacDo 51/6 (2006) 95-128 [Mt 12,39-42; Luke 11,29-32].

F4.3 Mt 13...*Parabolae Jesu*—The Parables

5677 **Banschbach Eggen, Renate** Gleichnis und Allegorie: zur Kritik der Gleichnisauslegung seit Adolf JÜLICHER. Doktoravhandlinger ved NTNU: Trondheim 2006, Norwegian University of Science and Technology 352 pp. 82-471-7740-4. Diss.

5678 **Dunnam, Maxie** Twelve parables of Jesus–bible study for christian living. Nv 2006, Abingdon 143 pp.

5679 *Fideles, Andréa Paniago* A riqueza da personagem criança: o universo infantil nas parábolas. Estudos bíblicos 92 (2006) 51-54.

5680 **Funk, Robert W.** Funk on parables. [E]*Scott, Bernard B.*: Santa Rosa, CA 2006, Polebridge 220 pp. 978-0-944344-99-6. Bibl.

5681 **Hedrick, Charles W.** Many things in parables: Jesus and his modern critics. 2004 ⇒20,5614; 21,5917. [R]Interp. 60 (2006) 104 (*Carroll, John T.*).

5682 **Hultgren, A.J.** Le parabole di Gesù. 2004 ⇒20,5615. [R]RivBib 54 (2006) 244-248 (*Estrada, Bernardo*).

5683 *Koskenniemi, Erkki* The function of the miracle stories in PHILOSTRATUS' *Vita Apollonii Tyanensis*. Wonders never cease. LNTS 288: 2006 ⇒758. 70-83.

5684 **Lamberigts, Sylvester** De kracht van verhalen: parabels van Jezus. Averbodes Bijbelgidsen: Averbode 2006, Altiora 128 pp. €15. 90-317-2770-7.

5685 [E]**Longenecker, Richard N.** The challenge of Jesus' parables. 2000 ⇒16,4929...21,5923. [R]HTSTS 62 (2006) 139-54 (*Reinstorf, Dieter*).

5686 **Moore, James** Jesus parables of the lost and found. E 2006, Alban 104 pp.

5687 **Münch, Christian** Die Gleichnisse Jesu im Matthäusevangelium: eine Studie zu ihrer Form und Funktion. WMANT 104: 2004 ⇒20, 5619; 21,5925. ᴿThLZ 131 (2006) 1002-1003 (*Erlemann, Kurt*).

5688 *Porton, Gary G.* The parable in the Hebrew Bible and rabbinic literature. The historical Jesus. 2006 ⇒334. 206-221.

5689 *Riemer, Ulrike* Miracle stories and their narrative intent in the context of the ruler cult of classical antiquity. Wonders never cease. LNTS 288: 2006 ⇒758. 32-47.

5690 *Scalabrini, Patrizio R.* La drammatica della rivelazione di Dio nelle parabole di Gesù. Fede, ragione, narrazione. 2006 ⇒682. 187-213.

5691 **Schottroff, Luise** The parables of Jesus. ᵀ*Maloney, Linda*: Mp 2006, Fortress 288 pp. $18. 9780-8006-36999. ᴿCBQ 68 (2006) 781-782 (*Perkins, Pheme*).

5692 *Schottroff, Luise* Ich schnitt mir eine Pfeife und spielte darauf–mitten in den Trümmern: Glück in Gleichnissen. Zum Leuchten bringen. 2006 ⇒446. 99-107.

5693 **Smith, Dennis; Williams, Michael** The parables of Jesus. Nv 2006, Abingdon 175 pp.

5694 **Stern, Frank** A rabbi looks at Jesus' parables. Lanham 2006, Rowman & L. viii; 293 pp. 0-7425-4271-8. Bibl. 283-286 ᴿRBLit (2006)* (*Himbaza, Innocent*).

5695 *Thiselton, Anthony C.* A retrospective reappraisal: reader-response hermeneutics and parable worlds (new essay);

5696 Parables, 'world' and eventful speech: 'the parables as language-events: some comments on Fuchs's hemeneutics in the light of linguistic philosophy' (1970);

5697 The varied hermeneutical dynamics of parables and reader-response theory (excerpts, 1985). Thiselton on hermeneutics. 2006 ⇒318. 515-521/417-440/397-416.

5698 **Tokarnia, Alice M.** A sabedoria de Jesus: a trilha das parábolas. Petrópolis 2006, Vozes 111 pp.

5699 *Vasconcellos, Pedro L.* Leitura das parábolas: uma proposta. Estudos bíblicos 92 (2006) 9-18.

5700 *Benzi, Guido* Il "profeta disprezzato": rivelazione di Dio e durezza di cuore nel discorso in parabole di Mt 13. ᶠFABRIS, R.: SRivBib 47: 2006 ⇒38. 57-66.

5701 **Ewherido, Anthony Ovayero** Matthew's gospel and Judaism in the late first century C.E.: the evidence from Matthew's chapter on parables (Matthew 13:1-52). Studies in Biblical literature 91: NY 2006, Lang xv; 277 pp. 0-8204-7938-1. Bibl. 255-273.

5702 *Mell, Ulrich* "Unkraut vergeht nicht!": Bemerkungen zum Gleichnis Mt 13,24-30. Pflanzen und Pflanzensprache. 2006 ⇒766. 107-133.

5703 *Schröder, R.* Zum Gleichnis vom Unkraut unter dem Weizen (Mt 13, 24-30). Das Buch der Bücher. 2006 ⇒441. 415-433.

5704 *Linden, W.M.* The pearl, the treasure, the fool, and the cross': a response. Fourth R [Santa Rosa, CA] 19/3 (2006) 16-17, 20 [Mt 13,44-46].

5705 *Syiemlieh, B.J.* Portrait of a christian scribe (Matthew 13:52). AJTh 20/1 (2006) 57-66.

5706 *Cardinal, Pierre* La décapitation de Jean le Baptiste dans l'évangile selon Matthieu: quand le meurtrier s'exprime par la bouche d'une jeune fille. Scriptura(M) 8/2 (2006) 11-22 [Mt 14,1-12].

5707   *Ottapurackal, Joseph* The rise of a church leader: Matthean charac-
terization of Peter (special reference to Mt 14:30). ETJ 10/2 (2006)
134-151.

F4.5 **Mt 16...***Primatus promissus*—**The promise to Peter**

5708   *Agua, Agustín del* Los fundamentos bíblicos del primado en la exége-
sis actual del NT: a modo de stado de la cuestión. [F]RODRÍGUEZ CAR-
MONA, A. 2006 ⇒138. 71-113;
5709   = Qol 40 (2006) 3-52.
5710   *Baur, Wolfgang* Der Weg zum Weltenlehrer: Texte aus den Kon-
zilien der Neuzeit. WUB Sonderheft (2006) 72-73.
5711   *Bremer, Thomas* Der Patriarch des Westens: das Papsttum aus der
Sicht der Orthodoxie. WUB Sonderheft (2006) 75-77.
5712   **Cipriani, Settimio** La figura di Pietro nel Nuovo Testamento. Mi
2006, Áncora 200 pp. €14.50.
5713   *Demelas, Fabrizio* Pietro nel racconto evangelico della Passione.
RTLu 11 (2006) 103-121.
5714   *Ebner, Martin* "Zurück zu den Ursprüngen!": Widerstand gegen die
Macht eines Einzelnen: neutestamentliche Fundamente eines Petrus-
amtes. WUB Sonderheft (2006) 15-21.
5715   *Feulner, Hans-Jürgen* Zwischen Himmel und Erde: päpstliche Litur-
gie im Wandel der Zeit. WUB Sonderheft (2006) 79-86.
5716   **Gnilka, Joachim** Pedro y Roma: la figura de Pedro en los dos prime-
ros siglos de la iglesia. [T]*Martínez de Lapera, Víctor Abelardo* 2003
⇒19,5743. [R]Eccl(R) 20/1 (2006) 133-134 (*Izquierdo, Antonio*);
5717   Pedro e Roma: a figura de Pedro nos dois primeiros séculos. [T]*Valéri-
o, Paulo F.*: São Paulo 2006, Paulinas 311 pp. 85-356-1690-X.
5718   *Goodacre, Mark* The rock on rocky ground: Matthew, Mark and Pe-
ter as *skandalon*. [F]WANSBROUGH, H.: LNTS 316: 2006 ⇒168. 61-
73.
5719   **Kasper, Walter** The petrine ministry: catholics and orthodox in dia-
logue. NY 2006, Newman vi; 257 pp. $25. 0-8091-4334-8.
5720   *Klausnitzer, Wolfgang* Warum gerade Petrus?: Grundstrukturen eines
Papsttums in der frühen Kirche. WUB Sonderheft (2006) 31-36.
5721   **Mazzeo, Michele** Pietro: roccia della chiesa. 2004 ⇒20,5646; 21,
5959. [R]Laur. 47 (2006) 587-590 (*Maranesi, Pietro*).
5722   *Radlbeck-Ossmann, Regina* Von Petrus zu Benedikt: Meilensteine in
der Geschichte des Papsttums. WUB Sonderheft (2006) 38-50.
5723   *Romaniuk, Kazimierz* Szymon Piotr w ewangelii św. Marka i według
listów św. Pawła [Simon Pierre dans l'évangile de saint Marc et
d'après les lettres de saint Paul]. AtK 147 (2006) 546-555. **P**.
5724   *Sattler, Dorothea* Vom Antichrist zum Zeichen der Einheit: evangeli-
sche Wandlungen im Verständnis des Petrusdienstes. WUB Sonder-
heft (2006) 59-65.
5725   **Schmidt, Joël** Saint Pierre. 2005 ⇒21,5960. [R]Carmel(T) 119 (2006)
121-122 (*Morgain, Stéphane-Marie*).
5726   *Schneider, Theodor* Als wärs von Gott direkt ... Lehramt und Unfehl-
barkeit der Kirche. WUB Sonderheft (2006) 67-71.
5727   *Wolf, Hubert* Konzil und/oder Papst?: Bemerkungen zu einem
Grundproblem der Kirchengeschichte. WUB Sonderheft (2006) 53-7.

5728 **Hengel, Martin** Der unterschätzte Petrus: zwei Studien. Tü 2006, Mohr S. x; 261 pp. €24. 3-16-148895-4 [Mt 16,17-19].

5729 *Luz, Ulrich* Du bist Petrus–und auf diesen Felsen will ich das Papsttum gründen?: Erwägungen eines evangelischen Neutestamentlers zu den biblischen Grundlagen des Papsttums. WUB Sonderheft (2006) 23-29 [Mt 16,17-19].

5730 *Finley, Thomas J.* "Upon this rock": Matthew 16,18 and the Aramaic evidence. AramSt 4 (2006) 133-151.

5731 *Farci, Mario* Pietro il nuovo Abramo. RdT 47 (2006) 731-751 [Gen 12,1-3; Mt 16,18-19].

5732 *Heckl, Raik* "Wenn ihr nicht umkehrt und werdet wie die Kinder": das Kind als Zeichen für den Neuanfang–die Intertextualität zwischen Mt 18,1-5 und dem Alten Testament. "Du hast mich aus meiner Mutter Leib gezogen". BThSt 75: 2006 ⇒374. 121-143 [Num 14,30-31; Dt 1,35-39].

5733 *Meynet, Roland* 'Et il les guérit là' (Mt 19-20). Etudes sur la traduction. 2006 ⇒274. 103-126.

5734 *Instone-Brewer, D.* The scandal of equality in Jesus' ethical teaching. Priscilla Papers [Mp] 20/2 (2006) 17-22 [Mt 19,1-12].

5735 *Bartolomé, Juan* 'Eunocos a causa del reino' (Mt 19,12): el celibato en cuestión. Sal. 68 (2006) 251-287.

5736 *Göring-Eckardt, Katrin* Mehr Gerechtigkeit. zeitzeichen 7/5 (2006) 21 [Mt 19,16-30].

5737 *Nicolosi, Anika* Cammello o gomena?: in margine ad un paradosso evangelico (Mt 19,24; Mc 10,25; Lc 18,25). Adamantius 12 (2006) 302-305.

5738 *Gregg, L.* Model faith for christian service: Matthew 19:28-20:14. Journal of the Grace Evangelical Society 19/36 (2006) 23-34.

F4.8 **Mt 20**...*Regnum eschatologicum*—**Kingdom eschatology**

5739 *Paya, Christophe* Désirs humains, service et volonté de Dieu: une exégèse de Matthieu 20.20-28. ThEv(VS) 5/3 (2006) 233-249.

5740 *Benzi, Guido* 'Venuto per servire' (Mt 20,28 e Mc 10,45): il Servo e il suo sacrificio. PSV 54 (2006) 153-165.

5741 **Wilson, Alistair I.** When will these things happen?: a study of Jesus as judge in Matthew 21-25. 2004 ⇒20,5673; 21,5982. [R]Neotest. 40 (2006) 439-443 (*Nel, Marius*); RBLit (2006)* (*Subramanian, J. Samuel*).

5742 *Grappe, Christian* Jésus, le temps et *les temps*: à la lumière de son intervention au Temple. Le temps et les temps. JSJ.S 112: 2006 ⇒408. 169-182 [Mt 21,12-13].

5743 *Moore, J.F.* A midrashic approach to Genesis 6 and Matthew 21: a case study for the use of midrashic dialogue in the classroom. Council of Societies for the Study of Religion Bulletin [Houston, TX] 35/3 (2006) 60-62 [Mt 21,18-22].

5744 *De Zan, Renato* La parabola dei vignaioli omicidi a livello del Gesù storico: contributo alla ricerca dello studio preredazionale. [F]FABRIS, R.: SRivBib 47: 2006 ⇒38. 77-89 [Mt 21,33-41; Mk 12,1-9; Lk 20,9-16].

5745 **Mabiala, Antonio** Donnez à César ce qui est à César et à Dieu ce qui est à Dieu: une mise en garde pour ne pas défendre les droits des plus faibles. ^D*Viejo, J.M.*: 2006, Diss. Rome, Angelicum [RTL 38,619] [Mt 22,21].

5746 **Sullivan, Kevin** Sexuality and gender of angels. ^MQUISPEL, G.: SBL. Symposium 10: 2006 ⇒134. 211-228 [Mt 22,23-33].

5747 *Ruzer, Serge* The double love precept in the New Testament and the *Community Rule.* Jesus' last week. Jewish and Christian Perspectives 11: 2006 ⇒346. 81-106 [Mt 22,34-40].

5748 **Anderson, Amy S.** The textual tradition of the gospels: family 1 in Matthew 22,54-23,25. NTTS 32: 2004 ⇒20,5688. ^RThLŽ 131 (2006) 30-31 (*Strutwolf, Holger*); JThS 57 (2006) 235-246 (*Birdsall, J. Neville*).

5749 *Baarda, Tjitze* The reading 'who wished to enter' in Coptic tradition: Matt 23.13, Luke 11.52, and 'Thomas' 39. NTS 52 (2006) 583-591.

5750 *Hahn, Ferdinand* Die eschatologische Rede Matthäus 24 und 25. Studien zum NT, I. WUNT 191: 2006 <1988> ⇒230. 475-492.

5751 *Mundhenk, Norm* Heaven and earth. BiTr 57 (2006) 92-5 [Mt 24,35].

5752 *Böttrich, Christfried* Das Gleichnis vom Dieb in der Nacht: Parusie-erwartung und Paränese. HAUFE, G. 2006 ⇒63. 31-57 [Mt 24,43-44; Lk 12,39-40; 1 Thess 5,1-11; 2 Pet 3,8-13; Rev 3,3; 16,5].

5753 *Suh, Joong Suk* Das Weltgericht und die matthäische Gemeinde. NT 48 (2006) 217-233 [Mt 25,14-30].

5754 *Gutiérrez, Gustavo* Donde está el pobre, está Jesucristo. Páginas 197 (2006) 6-22 [Mt 25,31-46].

F5.1 *Redemptio*, **Mt 26**, *Ultima coena*; **The Eucharist** [⇒H7.4]

5755 **Álvarez Tejerina, Ernestina & Pedro** Te ruego que me dispenses: los ausentes del banquete eucarístico. M 2006, Narcea 137 pp.

5756 *Black, Fiona C.* A miserable feast: dishing up the biblical body in The cook, the thief, his wife and her lover. BiblInterp 14 (2006) 110-126 [Ps 51].

5757 **Buela, Carlos Miguel** Pane di vita eterna e calice dell'eterna salvezza. Segni (RM) 2006, Ed. del Verbo Incarnato 238 pp. 88892-31475.

5758 *Caban, Peter* Jüdisches Pascha und das letzte Abendmah [!] von Christi. FolTh 17 (2006) 17-25.

5759 **Cabaud, Judith** La tradition hébraïque dans l'eucharistie: Eugenio ZOLLI et la liturgie du sacrifice. P 2006, De Guibert 142 pp.

5760 *Derrett, John D.M.* On the first eucharist. SvTK 82 (2006) 184-187 [Exod 24,5-11; Isa 53].

5761 *Greehy, J.J.* The blessed eucharist in the scriptures. Scripture in Church (Dublin) 36/141 (2006) 115-121.

5762 *Hofius, Otfried* Gemeinschaft am Tisch des Herrn: das Zeugnis des Neuen Testaments. DBM 34 (2006) 107-122. **G.**

5763 *Horbury, William Cena pura* and Lord's Supper. Herodian Judaism. WUNT 193: 2006 <2005> ⇒240. 104-140.

5764 **Kereszty, Roch A.** Wedding feast of the Lamb: eucharistic theology from a historical, biblical, and systematic perspective. 2004 ⇒20, 5767; 21,6031. ^RRThom 106 (2006) 673-674 (*Perrier, Emmanuel*).

5765 *Klaiber, Walter* Wer ist zum Abendmahl eingeladen?: neutestament-liche und freikirchliche Perspektiven. ThFPr 32/1-2 (2006) 4-22.

5766 *La Verdiere, Eugene A.* Proclaiming the death of the Lord. Emmanuel 112 (2006) 437-446 [Lk 24,13-35; Acts 2,42-47; 1 Cor 11,17-34].

5767 **Levering, Matthew** Sacrifice and community: Jewish offering and christian eucharist. 2005 ⇒21,6035. ᴿNBl 87 (2006) 541-542 (*Ounsworth, Richard J.*); RThom 106 (2006) 670-673 (*Perrier, Emanuel*).

5768 **Léon-Dufour, Xavier** Condividere il pane eucaristico secondo il Nuovo Testamento. Leumann (To) 2005, Elledici 296 pp. €25. ᴿCivCatt 157/3 (2006) 205-206 (*Scaiola, D.*);

5769 Il pane della vita. Bo 2006, EDB 136 pp.

5770 *Lieber, Andrea* Jewish and christian heavenly meal traditions. ᴹQUISPEL, G.: Ment. *Philo Alexandrinus*: SBL.Symposium 10: 2006 ⇒ 134. 313-339 [Exod 24,11; Luke 24].

5771 *Llamas Martínez, Román* La eucaristía en el Nuevo Testamento. REsp 65 (2006) 41-76.

5772 *Lüling, Günter* The last passover of Jesus and its reinterpretation. JHiC 12/1 (2006) 91-110.

5773 *Marchesi, G.* Eucaristia e croce. CivCatt 157/3739 (2006) 9-22.

5774 **Meiser, Martin** Judas Iskariot: einer von uns. Biblische Gestalten 10: 2004 ⇒20,5706. ᴿThRv 102 (2006) 209-210 (*Dieckmann, Bernhard*).

5775 *Pilch, John* 'After they had sung a hymn...'. BiTod 44 (2006) 185-9.

5776 *Raddatz, Alfred; Mühlen, Reinhard* Eine lutherische Pyxis in Form der Bundeslade 1728 in Wien. WJT 6 (2006) 113-124.

5777 **Schmitz, Bertram** Vom Tempelkult zur Eucharistiefeier: die Transformation eines Zentralsymbols aus religionswissenschaftlicher Sicht. ᴰ*Antes, Peter* Studien zur Orientalischen Kirchengeschichte 38: B 2006, Lit xviii; 382 pp. €34.90. 978-38258-93620. Diss.-Habil. Hannover.

5778 **Schröter, Jens** Das Abendmahl: frühchristliche Deutungen und Impulse für die Gegenwart. SBS 210: Stu 2006, Katholisches Bibelwerk 224 pp. 3-460-03104-2. Bibl. 207-218.

5779 *Theobald, Michael* Brot und Wein. ThQ 186 (2006) 66-69.

5780 *Wallraff, Martin* Eucharistie oder Herrenmahl?: Liturgiewissenschaft und Kirchengeschichte im Gespräch. VF 51/2 (2006) 55-63.

5781 *Yeary, Clifford M.* Jesus gives us the eucharist. BiTod 44 (2006) 163-169.

5782 *Zeller, Dieter* Gedächtnis des Leidens: Eucharistie und antike Kulttheorie. N.T. und Hellenistische Umwelt. BBB 150: 2006 <1995> ⇒ 331. 189-197.

5783 *Krieser, Matthias* Die Irrelevanz der synoptischen Frage für die Auslegung: eine Erwiderung an Jorg Christian Salzmann. LuThK 30 (2006) 136-142 [Mt 26,6-13].

5784 *Salzmann, Jorg C.* Zur Relevanz der synoptischen Frage für die Auslegung–am Beispiel der Salbung in Bethanien: ein Werkstattbericht. LuThK 30 (2006) 1-17 [Mt 26,6-13].

5785 *Wildfeuer, Michael* Treue zum Testament des Herrn: "für viele" oder "für alle"?. Una Voce-Korrespondenz 36 (2006) 17-40 [Mt 26,28; Mark 14,24; Luke 22,20].

F5.3 **Mt 26,30...//***Passio Christi***; Passion narrative**

5786 **Aitken, Ellen Bradshaw** Jesus' death in early christian memory: the poetics of the passion. NTOA 53: 2004 ⇒20,5817; 21,6060. ᴿLTP

62/1 (2006) 145-146 (*Painchaud, Louis*); L&S 2 (2006) 239-240 [1 Cor 15,3-5; 1 Pet 2,22-25].

5787 *Álvarez Valdés, Ariel* ¿Por qué mataron a Jesús?. Eccl(R) 20 (2006) 211-217.

5788 *Banchini, Francesca* Giuda Iscariota: tra condanna e assoluzione: testimonianze letterarie ed epigrafiche dei primi tre secoli di cristianesimo. VivH 16/1 (2006) 143-155.

5789 **Binz, Stephen J.** Los relatos de la pasión y resurrección de Jesus. ColMn 2006, Liturgical 114 pp.

5790 **Borg, Marcus J.; Crossan, John D.** The last week: a day-by-day acccount of Jesus' final week in Jerusalem. NY 2006, HarperSanFrancisco xii; 220 pp. $22. 978-006-0845-391. [R]CBQ 68 (2006) 754-6 (*Cunningham, Philip A.*); CCen 123/8 (2006) 34-6 (*Powell, M.A.*).

5791 **Bovon, François** The last days of Jesus. [T]*Hennessy, Kristin*: LVL 2006, Westminster x; 101 pp. $18. 0-664-23007-5. Bibl. 89-95 [R]HBT 28 (2006) 168-169 (*Dearman, J. Andrew*).

5792 **Brown, Raymond** La mort du Messie: encyclopédie de la passion du Christ: de Gethsémané au tombeau: un commentaire des récits de la passion dans les quatre évangiles. [T]*Mignon, Jacques* 2005 ⇒21, 6066. [R]EeV 116/6 (2006) 23-25 (*Cothenet, Édouard*); RevSR 80/1 (2006) 102-105 (*Morgen, Michèle*).

5793 **Dauzat, Pierre-Emmanuel** Judas: de l'évangile à l'Holocauste. P 2006, Bayard 352 pp. €21.80. 2-227-47163-8.

5794 **Delumeau, J.; Billon, G.** Gesù et la sua passione. Padova 2006, EMP 143 pp. [R]Lat. 72 (2006) 714-715 (*Pulcinelli, Giuseppe*).

5795 *Dewey, Arthur J.* The death of Jesus: the fact of fiction & the fiction of fact. Forum 4/2 (2001) 229-245.

5796 *Evans, Craig A.* Excavating Caiaphas, Pilate, and Simon of Cyrene: assessing the literary and archaeological evidence. Jesus and archaeology. 2006 ⇒362. 323-340.

5797 *Hahn, Ferdinand* Der Tod Jesu nach dem Zeugnis des Neuen Testaments. Studien zum NT, II. WUNT 192: 2006 <1998> ⇒231. 29-44.

5798 **Klauck, Hans-Josef** Was wir von Judas wissen: die ernüchternden Fakten. BiHe 42/165 (2006) 17-18.

5799 **Klauck, Hans-Josef** Judas, un disciple de Jésus: exégèse et répercussions historiques. [T]*Hoffmann, Joseph*: LeDiv 212: P 2006, Cerf 204 pp. €20. 978-2204-08192-4. Bibl. 183-195.

5800 **Lambiasi, Francesco** Fu crocifisso: perché?: sette domande sulla morte di Gesù. 2005 ⇒21,6081. [R]Hum(B) 61 (2006) 333-334 (*Colombi, Giulio*).

5801 *Langer, Gerhard* Der ewige Judas. BiHe 42/165 (2006) 16.

5802 **Leloup, Jean-Yves** Un homme trahi: le roman de Judas. P 2006, Michel 248 pp. €17. 2-226-17239-4;

5803 Judas and Jesus: two faces of a single revelation. [T]*Rowe, Joseph*: Rochester (Vt.) 2006, Inner Traditions xi; 173 pp. 9781-5947-71668.

5804 *Légasse, Simon* La passion de Jésus selon David FLUSSER. BLE 107 (2006) 291-296.

5805 **Lémann, Agostino; Lémann, Giuseppe**† L'assemblea che condannò il messia: storia del sinedrio che decretò la pena di morte di Gesù. F 2006, L.E.F. 130 pp. €8. Orig. francese 1877.

5806 *Marcus, Joel* Crucifixion as parodic exaltation. JBL 125 (2006) 73-87.

5807 *Martin, J.* Why did Judas do it?. America 194/19 (2006) 12-15.

5808 *Marucci, Corrado* Diritto ebraico e condanna a morte di Gesù. [F]MÜHLSTEIGER, J.: KStT 51: 2006 ⇒118. 183-199.
5809 *Maslen, Matthew; Mitchell, Piers D.* Medical theories on the cause of death in crucifixion. Journal of the Royal Society of Medicine 99/4 (2006) 185-188.
5810 **McKnight, Scot** Jesus and his death: historiography, the historical Jesus, and atonement theory. 2005 ⇒21,6086. [R]RBLit (2006)* (*Evans, Craig*).
5811 *Millar, Fergus* Reflections on the trial of Jesus. Rome, the Greek world, 3. 2006 <1990> ⇒275. 139-163.
5812 **Reinbold, Wolfgang** Der Prozess Jesu. BTSP 28: Gö 2006, Vandenhoeck & R. 203 pp. €19.90. 3-525-61591-4.
5813 **Saari, A.M.H.** The many deaths of Judas Iscariot: a meditation on suicide. L 2006, Routledge 164 pp. 0-415-39239-X/403. Bibl. 161-2.
5814 *Schiffman, Lawrence H.* Biblical exegesis in the passion narratives and the Dead Sea scrolls. Biblical interpretation in Judaism & christianity. LHBOTS 439: 2006 ⇒742. 117-130.
5815 **Sloyan, Gerard S.** Por que Jesus morreu?. São Paulo 2006, Paulinas 135 pp. 85-356-1680-2;
5816 Jesus on trial: a study of the gospels. Mp [2]2006 <1973>, Fortress 159 pp. $18. 0-8006-3829-8. [R]RBLit (2006)* (*Green, Joel*).
5817 **Starowieyski, Marek** Judasz: historia, legenda, mity. Poznán 2006, Wojciecha 74 pp. [R]AtK 147 (2006) 606-608 (*Karasiński, Waldemar*). **P.**
5818 *Tkacz, Catherine Brown* ἀνεβόησεν φωνῇ μεγάλῃ: Susanna and the synoptic passion narratives. Gr. 87 (2006) 449-486 [Dan 13].
5819 **Vermes, Geza** Die Passion: die wahre Geschichte der letzten Tage im Leben Jesu. Da 2006, Primus 160 pp. €19.90. 3-89678-291-6. [R]ActBib 43 (2006) 195-196 (*Boada, Josep*).
5820 **Vos, Johan** De betekenis van de dood van Jezus: tussen seculiere exegese en christelijke dogmatiek. 2005 ⇒21,6099. [R]KeTh 57/1 (2006) 88-90 (*Van Keulen, Dirk*).
5821 *Welch, John W.* Miracles, maleficium, and maiestas in the trial of Jesus. Jesus and archaeology. 2006 ⇒362. 349-383.
5822 *Wieland, Wolfgang* Jeder ist Judas. BiHe 42/165 (2006) 26-27.
5823 *Culy, Martin M.* Would Jesus exaggerate?: rethinking Matthew 26.38 //Mark 14.34. BiTr 57 (2006) 105-109.
5824 *Scheffler, Eben* Jesus' non-violence at his arrest: the synoptics and John's gospel compared. APB 17 (2006) 312-326 [Mt 26,47-65; Mark 14,43-52; Luke 22,47-53; John 18,1-12].
5825 *Klassen, William* Judas and Jesus: a message on a drinking vessel of the second temple period. Jesus and archaeology. 2006 ⇒362. 503-520 [Mt 26,50].
5826 *Turnage, Marc* Jesus and Caiaphas: an intertextual-literary evaluation. Jesus' last week. 2006 ⇒ 346. 139-168 [Mt 26,59-66].
5827 *Burkhalter, Carmen* Matthieu 26,69-75: non, non et non!!!. LeD 67 (2006) 24-33.
5828 *Schneider, Christina* Das Ende des Judas: Mt 27,3-10. BiHe 42/165 (2006) 11.
5829 *Groves, Richard* "His blood be on us": Matthew 27:15-26. RExp 103 (2006) 223-230.
5830 *Callon, Callie* Pilate the villain: an alternative reading of Matthew's portrayal of Pilate. BTB 36 (2006) 62-72 [Mt 27,24].

5831 **Keller, Zsolt** Der Blutruf (Mt 27,25): eine schweizerische Wirkungs-geschichte 1900-1950. Gö 2006, Vandenhoeck & R. 200 pp. €25. 3-525-55328-5. Vorwort *Max Küchler*.

5832 **Rigato, Maria-Luisa** Il titolo della croce di Gesù: confronto tra i vangeli e la tavoletta-reliquia della Basilica Eleniana a Roma. TGr.T 100: 2003 ⇒19,5852... 21,6101. [R]RHE 101 (2006) 699-703 (*Faivre, Alexandre*) [Mt 27,37].

5833 *Allison, Dale C.* THALLUS on the crucifixion. The historical Jesus. 2006 ⇒334. 405-406 [Mt 27,45].

5834 **Bigaouette, Francine** Le cri de déréliction de Jésus en croix: densité existentielle et salvifique. 2004 ⇒20,5865; 21,6104. [R]RHPhR 86 (2006) 259-260 (*Parmentier, E.*); RThom 106 (2006) 637-639 (*Antoniotti, Louise-Marie*) [Mt 27,46].

5835 **Scaglioni, Germano** E la terra tremò: i prodigi alla morte di Gesù in Matteo 27,51b-53. [D]*Biguzzi, G.*: Studi e ricerche, sez. biblica: Assisi 2006, Cittadella 301 pp. €18. 88-308-0849-0. Diss. Urbaniana.

F5.6 Mt 28//: Resurrectio

5836 *Baraniak, Marek* Wierzę w pusty grób [Je crois en un tombeau vide]. PrzPow 4 (2006) 16-28. P.

5837 *Barbaglio, Giuseppe* Gesù risuscitato, 'primula' di partecipata risurrezione. Conc(I) 42 (2006) 754-764; Conc(D) 42,541-550; Conc(GB) 5,56-64.

5838 *Becker, Klaus M.* Entsorgung der Osterbotschaft: Bemerkungen zu einem literarischen Genus der Verkündigung des Glaubens. Theologisches 36/5-6 (2006) 167-180.

5839 **Bermejo, Luis M.** Jesus raised. Anand 2005, Gujarat Sahita Prakash xv i; 236 pp.

5840 **Bösen, Willibald** Auferweckt gemäß der Schrift: das biblische Fundament des Osterglaubens. FrB 2006, Herder 256 pp. 3451-28714-5.

5841 **Cantalamessa, Raniero** La Pascua de nuestra salvación: las tradiciones pascuales de la biblia y de la iglesia primitiva. [T]*Cervera Barranco, Pablo*: Pensar y creer 1: M 2006, San Pablo 270 pp. €13. 84-285-2859-4.

5842 *Charlesworth, James H.* Where does the concept of resurrection appear and how do we know that?. Resurrection: the origin. 2006 ⇒705. 1-21.

5843 *Craig, William L.* Wright and Crossan on the historicity of the resurrection of Jesus;

5844 *Crossan, John D.* Bodily-resurrection faith. The resurrection of Jesus. 2006 ⇒476. 139-148, 212-213/171-186, 216-217.

5845 **Durrwell, François-Xavier** Christ notre Pâque. 2001 ⇒17,5094. [R]StMor 44 (2006) 213-232 (*Tremblay, Réal*).

5846 *Geivett, R. Douglas* The epistemology of resurrection belief. The resurrection of Jesus. 2006 ⇒476. 93-105, 204-205.

5847 *Goizueta, R.S.* From Calvary to Galilee. America 194/14 (2006) 10-15.

5848 *Habermas, Gary R.* Mapping the recent trend toward the bodily resurrection: appearances of Jesus in light of other prominent critical positions. The resurrection of Jesus. 2006 ⇒476. 78-92, 199-204.

5849	**Habermas, Gary R.; Licona, Michael R.** The case for the resurrection of Jesus. 2004 ⇒20,5873. ᴿBS 163 (2006) 251-252 (*Kreider, Glenn R.*).

5850	*Habermas, Gary R.* Experiences of the risen Jesus: the foundational historical issue in the early proclamation of the resurrection. Dialog 45/3 (2006) 288-297.

5851	*Hahn, Ferdinand* Die Verkündigung Jesu und das Osterzeugnis der Jünger. Studien zum NT, II. WUNT 192: 2006 <1995> ⇒231. 19-27.

5852	*Hainz, Josef* "Osterglaube" ohne "Auferstehung"?. ᶠUNTERGASSMAIR, F. 2006 ⇒161. 281-293;

5853	= NT und Kirche. 2006 ⇒232. 296-308.

5854	*Hempelmann, Heinzpeter* "Wirklich auferstanden!": zur Relevanz der historischen Rückfrage für das christliche Osterzeugnis. ThBeitr 37 (2006) 62-79.

5855	*Hengel, Martin* Ist der Osterglaube noch zu retten?. Studien zur Christologie. WUNT 201: 2006 <1973> ⇒237. 52-73.

5856	*Largo Domínguez, P.* El cuerpo glorioso de Cristo resucitado: un arco de posiciones en los últimos 50 años. Burg. 47 (2006) 375-441.

5857	**Leclerc, Eloi** 'Id a Galilea' al encuentro del Cristo pascual. Sdr 2006, Sal Terrae 96 pp.

5858	**Manzi, Franco** Memoria del Risorto e testimonianza della chiesa. Assisi 2006, Cittadella 454 pp. €34.60. 88-308-0835-0. Pres. *card. Dionigi Tettamanzi*; Bibl. 409-448. ᴿStPat 53 (2006) 785-787 (*Segalla, Giuseppe*); Lat. 72 (2006) 675-678 (*Ancona, Giovanni*).

5859	**Müller, J.** Opstanding. Wellington 2006, Lux Verbi 128 pp. 0-7963-0409-2. ᴿVeE 27 (2006) 772-774 (*Van der Merwe, D.G.*).

5860	*Ortkemper, Franz-Josef* Tod, wo ist dein Stachel?: Fragen um die Auferstehung Jesu. WUB 40 (2006) 42-49.

5861	**Palau, Begonya** Les aparicions de Jesús ressuscitat a les dones (Mt 28,8-10) i als onze (Mt 28,16-20) com a textos complementaris. CStP 84: Barc 2006, Facultat de Teologia de Catalunya 330 pp. 84-93514-4-0-3. Diss. Cataluña; Bibl. 293-305.

5862	*Parappally, Jacob* The significance of Jesus' resurrection for humans and the world. JPJRS 9/2 (2006) 102-116.

5863	*Peters, Ted* The future of the resurrection. The resurrection of Jesus. 2006 ⇒476. 149-169, 213-216.

5864	*Pragasam, A.* The resurrection of Jesus in contemporary theology. VJTR 70 (2006) 249-259.

5865	*Puech, Émile* Jesus and resurrection faith in light of Jewish texts. Jesus and archaeology. 2006 ⇒362. 639-659.

5866	*Schlosser, Jacques* Vision, extase e apparition du Ressuscité. À la recherche de la parole. LeDiv 207: 2006 <2001> ⇒296. 505-536.

5867	*Schutte, P.J.W.* The resurrection of Jesus: what's left to say?. HTSTS 62 (2006) 1513-1526.

5868	*Segal, Alan F.* The resurrection: faith or history?. The resurrection of Jesus. 2006 ⇒476. 121-138, 210-212.

5869	*Sibilio, Vito* La resurrezione di Gesù nei racconti dei quattro vangeli. Ter. 57 (2006) 3-66.

5870	*Smith, Joseph J.* Resurrection faith today;

5871	The resurrection and the empty tomb;

5872	The resurrection appearances and the origin of the Easter faith. Joseph J. Smith, S.J.collection. Landas 20 (2006) 135-172/173-199/200-242.

5873 *Stewart, Robert B.* Introduction. The resurrection of Jesus. 2006 ⇒ 476. 1-15, 187-191;

5874 The hermeneutics of resurrection: how N.T. Wright and John Dominic Crossan read the resurrection narratives. The resurrection of Jesus. 2006 ⇒476. 58-77, 195-199.

5875 **Torres Queiruga, Andrés** La risurrezione senza miracolo. ᵀ*Sudati, Ferdinando*: Molfetta 2006, La Meridiana 92 pp.

5876 *Van den Brom, Luco J.* Opstanding in voortgaand debat. KeTh 57/3 (2006) 197-215.

5877 *Willis, W. Waite, Jr.* A theology of resurrection: its meaning for Jesus, us, and God. Resurrection: the origin. 2006 ⇒705. 187-217.

5878 **Wright, Nicholas T.** The resurrection of the Son of God. Christian origins and the question of God 3: 2003 ⇒19,5890... 21,6160. ᴿNT 48 (2006) 97-98 (*Rodgers, Peter R.*);

5879 Risurrezione. ᴱ*Comba, Aldo*: Strumenti, Pensiero cristiano 28: T 2006, Claudiana 976 pp. €65.

5880 *Wright, N.T.; Crossan, John D.* The resurrection: historical event or theological explanation?: a dialogue. The resurrection of Jesus. 2006 ⇒476. 16-47, 191.

5881 *Zeller, Dieter* Hellenistische Vorgaben für den Glauben an die Auferstehung Jesu?. N.T. und Hellenistische Umwelt. BBB 150: 2006 <1998> ⇒331. 11-27;

5882 Erscheinungen Verstorbener im griechisch-römischen Bereich. N.T. und Hellenistische Umwelt. BBB 150: 2006 <2002> ⇒331. 29-43.

5883 *Faber, Richard* Der Hahn: ein Beitrag zur politisch-theologischen Heraldik der Bibel und ihrer Fortschreibungen: Matthäus 26. Die besten Nebenrollen. 2006 ⇒1164. 186-192.

5884 *Muñoz León, Domingo* El pastor resucitado al frente de su rebaño en Galilea (Mt 26,31-32; 28,7; Mc 14,27-28; 16,7; cf. Lc 24,6-7). ᶠRODRÍGUEZ CARMONA, A.. 2006 ⇒138. 249-269.

5885 *Bednorz, Lars* Legendenwahn oder thanatologischer Tabubruch?: Joseph von Arimathäa: Matthäus 27, Markus 15, Lukas 23 und Johannes 19. Die besten Nebenrollen. 2006 ⇒1164. 193-197.

5886 *Levine, Amy J.* "To all the gentiles": a Jewish perspective on the Great Commission. RExp 103 (2006) 139-158 [Mt 28,16-20].

5887 **Mugarra Ahurwendeire, Athanasius** The will of the risen Lord: an exegetical-theological analysis of Matthew 28:16-20. R 2006, n.p. 670 pp. Diss. Lateranum; Bibl. 629-660.

5888 *Patte, Daniel* Reading Matthew 28:16-20 with others: how it deconstructs our Western concept of mission. HTSTS 62 (2006) 521-557.

5889 *Shore, Mary H.* Preaching mission: call and promise in Matthew 28:16-20. WaW 26 (2006) 322-328.

5890 *Sparks, Kenton L.* Gospel as conquest: Mosaic typology in Matthew 28:16-20. CBQ 68 (2006) 651-663.

5891 *Van Aarde, Andries G.* Hoe om in te kom en hoe om binne te bly: die "groot sendingopdrag" aan die kerk vandag volgens Matteus 28:16-20. HTSTS 62 (2006) 103-122.

5892 *Sternberger, Jean-Pierre* Le doute selon Mt 28,17. ETR 81 (2006) 429-434.

5893 *Van der Horst, Pieter W.* Once more: the translation of οἱ δέ in Matthew 28:17. Jews and Christians. WUNT 196: 2006 <1986> ⇒321. 161-163.

5894 *Smith, Susan* Catholic sisters and mission: what about Matthew 28: 19-20?. Sedos Bulletin 38/1-2 (2006) 240-246.

F6.1 Evangelium Marci—*Textus, commentarii*

5895 *Althaus-Reid, Marcella* Mark. Queer bible commentary. 2006 ⇒ 2417. 517-525.
5896 **Bacq, Philippe; Ribadeau Dumas, Odile** Un goût d'évangile: Marc: un récit en pastorale. Bru 2006, Lumen Vitae 338 pp. €27.
5897 **Becker, Eve-Marie** Das Markus-Evangelium im Rahmen antiker Historiographie. WUNT 194: Tü 2006, Mohr S. xvi; 516 pp. €129. 3-16-148913-6. Diss.-Habil. Erlangen-Nürnberg; Bibl. 425-488 [R]SNTU.A 31 (2006) 271-276 (*Fuchs, Albert*).
5898 **Boring, M. Eugene** Mark: a commentary. LVL 2006, Westminster ix; 482 pp. $50. 978-0-664-22107-2. Bibl. xv-xxxvii.
5899 **Burkett, Delbert R.** Rethinking the gospel sources: from proto-Mark to Mark. 2004 ⇒20,5905; 21,6174. [R]CBQ 68 (2006) 134-135 (*Longstaff, Thomas R.W.*); Theol. 109 (2006) 128-129 (*Rodd, C.S.*).
5900 *Byrne, Brendan* The scariest gospel. America 194/19 (2006) 16-18.
5901 **Cardona Ramírez, Hernán** Jesús de Nazareth en el evangelio de San Marcos: comentarios bíblicos al ciclo litúrgico B (resultado de investigación). Medellín 2006, Universidad Pontificia Bolivariana 320 pp. 958-696-463-9. Bibl. 319-320.
5902 **Carlson, Stephen C.** The gospel hoax: Morton Smith's invention of Secret Mark. Ment. *Clemens Alexandrinus* 2005 ⇒21,6177. [R]HThR 99 (2006) 291-327 (*Brown, Scott G.*).
5903 **Crossley, James G.** The date of Mark's gospel: insight from the law in earliest christianity. JSNT.S 266: 2004 ⇒20,5906; 21,6183. [R]RBLit (2006)* (*Du Toit, David; Painter, John*); JThS 57 (2006) 647-650 (*Instone-Brewer, David*) [Mk 7,1-23].
5904 **Donahue, John R.; Harrington, Daniel J.** Il vangelo di Marco. Sacra pagina 2: Leumann (To) 2006, Elledici 435 pp. €32.
5905 *Dormeyer, Detlev* Der gegenwärtige Stand der Forschung zum Markus-Evangelium und die Frage nach der historischen und gegenwärtigen Kontext-Plausibilität. [F]LATEGAN, B.: NT.S 124: 2006 ⇒94. 309-323.
5906 **Dormeyer, Detlev** Das Markusevangelium. 2005 ⇒21,6188. [R]ThLZ 131 (2006) 995-997 (*Guttenberger, Gudrun*); ThRv 102 (2006) 384-386 (*Pellegrini, Silvia*).
5907 *Ehrman, Bart D.* The text of Mark in the hands of the orthodox. Studies in textual criticism. NTTS 33: 2006 <1991> ⇒212. 142-155.
5908 *Escaffre, Bernadette* Leggere il vangelo di Marco. Guida di lettura del NT. 2006 ⇒5033. 209-263.
5909 *Focant, Camille* L'évangile selon Marc. Comm. biblique: NT: 2004 ⇒20,5915; 21,6192. [R]Bib. 87 (2006) 133-136 (*Heil, John Paul*); CBQ 68 (2006) 328-330 (*Okoye, James C.*); ScEs 58 (2006) 83-85 (*Gourgues, Michel*).
5910 **Gauger, Hans-Martin** Vom Lesen und Wundern: das Markus-Evangelium. 2005 ⇒21,6194. [R]ThRv 102 (2006) 462-464 (*Dormeyer, Detlev*).
5911 **Graffy, Adrian** Take and read: the gospel of Mark. 2005 ⇒21,6195. [R]ScrB 36 (2006) 105-106 (*Boxall, Ian*).

5912 *Green, Joel B.* The gospel according to Mark. Cambridge companion to the gospels. 2006 ⇒344. 139-157.

5913 **Grün, Anselm** Gesù via alla libertà: il vangelo di Marco. Commento spirituale ai vangeli: 2005 ⇒21,6197. ᴿCredOg 26/1 (2006) 179-180 (*Dal Lago, Luigi*);

5914 Jesús, camino hacia la libertad: el evangelio de Marcos. ᵀ*Lozano de Castro, Carmen*: Estella (Navarra) 2006, Verbo Divino 140 pp. 84-8169-158-5.

5915 *Harrington, Daniel J.* What's new in Markan studies?. WaW 26 (2006) 61-68.

5916 **Hartman, Lars** Markusevangeliet 1:1-8:26. Kommentar till Nya testamentet 2a: Sto 2004, EFS 285 pp. SEK315. 978-91708-51063;

5917 Markusevangeliet 8:27-16:20. Kommentar till Nya testamentet 2b: Sto 2005, EFS 326 pp. SEK315. 978-91708-51162.

5918 ᴱ**Hatina, Thomas R.** Biblical interpretation in early christian gospels: the gospel of Mark. LNTS 304: NY 2006, Clark xii; 204 pp. $130. 05670-80676.

5919 **Humphrey, Hugh M.** The gospel of Mark: an indexed bibliography, 1980-2005. Lewiston, N.Y. 2006, Mellen xiv; 334 pp. 07734-5553-1.

5920 *Joynes, Christine E.* The reception history of Mark's gospel. ScrB 36/1 (2006) 24-32.

5921 **Lambiasi, Francesco** Mi presenti Gesù?: intervista a Marco, primo narratore del vangelo. Bo 2006, EDB 63 pp.

5922 *Lobo, Augustine* Background of the author of the second gospel: the current debate. VJTR 70 (2006) 85-103.

5923 *McKenna, Megan* Reading the gospel of Mark in the shadow of the cross. EAPR 43 (2006) 129-138.

5924 **McKenna, Megan** On your Mark: reading Mark in the shadow of the cross. Maryknoll, NY 2006, Orbis viii; 232 pp. $20. 1-57075-63-4-1. Bibl. 230-232.

5925 *Mitchell, Margaret M.; Duncan, Patricia A.* Chicago's "Archaic Mark" (MS 2427): a reintroduction to its enigmas and a fresh collation of its readings. NT 48 (2006) 1-35.

5926 **Moloney, Francis** The gospel of Mark: a commentary. 2002 ⇒18, 5544... 21,6208. ᴿRBLit (2006)* (*Omerzu, Heike*);

5927 The gospel of Mark: a commentary. Peabody, Mass. 2006 <2002>, Hendrickson xviii; 398 pp. 978-1-56563-682-8;

5928 Mark: storyteller, interpreter, evangelist. 2004 ⇒20,5924; 21,6209. ᴿNT 48 (2006) 385-386 (*Rodgers, Peter R.*); RBLit (2006)* (*Campbell, William; Omerzu, Heike*).

5929 *Moloney, Francis J.* The Markan story. WaW 26 (2006) 5-13.

5930 **Mullins, Michael** The gospel of Mark: a commentary. 2005 ⇒21, 6210. ᴿFurrow 57 (2006) 448-449 (*Hogan, Martin*).

5931 **Navarro Puerto, Mercedes** Quand la bible raconte: clés pour une lecture narrative, 2: textes de l'évangile selon Marc. ᵀ*Escaffre, B.; Rigo, B.*: ConBib 41-42: Bru 2006, Lumen V. 77+80 pp. €10. 2-873-24-263-6/744;

5932 Marcos. Guías de lectura del Nuevo Testamento 1: Estella (Navarra) 2006, Verbo Divino 612 pp. 84-8169-365-0. Bibl. 597-604.

5933 **Nieuviarts, J.** L'évangile de Marc. Prier 7 jours avec la bible: P 2006, Bayard 184 pp. €12.80. 2-227-476240.

5934 **Osculati, Roberto** L'evangelo di Marco. Mi 2005, IPL 206 pp. ⇒ 21,6213. ᴿOrph. 27 (2006) 262-265 (*Corsaro, Francesco*).

5935 **Parmentier, Roger** L'évangile selon Marc actualisé. P 2006, L'Harmattan 98 pp. €10.45. 978-22960-00032.

5936 **Rodríguez Carmona, A.** Evangelio de Marcos. Comentarios a la nueva Biblia de Jerusalén 1B: Bilbao 2006, DDB 155 pp. 84-330-20-59-5. Bibl. 155.

5937 **Roskam, Hendrika Nicoline** The purpose of the gospel of Mark in its historical and social context. NT.S 114: 2004 ⇒20,5928; 21,6218. [R]RBLit (2006)* (*Crook, Zeba*).·

5938 **Sabin, Marie N.** The gospel according to Mark. New Collegeville Bible Commentary NT 2: ColMn 2006, Liturgical 172 pp. $7. 978-0-8146-2861-4 [BiTod 44,263—Donald Senior].

5939 **Schönborn, Christoph von** Pensées sur l'évangile de Marc. P 2006, Parole et S. 202 pp. €19.

5940 *Schroeder, E.H.* A second look at the gospel of Mark–midway in the year of Mark. CThMi 33 (2006) 291-299.

5941 **Speyr, Adrienne von** Saint Marc: points de méditation pour une communauté. Magny-les-Hameaux 2006, Soceval 747 pp. 29032-42-895.

5942 **Stock, Klemens** La liturgia de la palabra: comentarios a los evangelios dominicales y festivos: ciclo B (Marcos). Caminos 15: 2005 ⇒21, 9798. [R]EstTrin 40 (2006) 494-495 (*De Miguel, José Maria*);

5943 Marco: commento contestuale al secondo vangelo. Bibbia e Preghiera 47: R [2]2006 <2003>, ADP 355 pp. [AcBib 11/2,149].

5944 *Tichý, Ladislav* Verfasser und Entstehungsort des Markusevangeliums. AUPO 7 (2006) 129-140.

5945 **Van Cangh, Jean-Marie; Toumpsin, Alphonse** L'évangile de Marc: un original hébreu?. Langues et cultures anciennes 4: 2005 ⇒ 21,6225. [R]RB 113 (2006) 284-286 (*Leroy, Marc*); CBQ 68 (2006) 556-557 (*Puech, Emile*); RBLit (2006)* (*Raquel, Sylvie*).

5946 *Verhelst, Stéphane* Notes: les capitules du Codex Vaticanus et les péricopes liturgiques de Jérusalem: le cas de l'évangile selon Saint Marc. QLP 87 (2006) 220-225 ⇒21,6228.

5947 **Ward, Richard F.** The end is performance: performance criticism and the gospel of Mark. Preaching Mark's unsettling Messiah. 2006 ⇒352. 88-101.

5948 *Webb, G.* BAKHTIN's poetics and the gospels: genre-memory and its possible application to the gospel of Mark. Council of Societies for the Study of Religion Bulletin [Houston, TX] 35/2 (2006) 38-42.

F6.2 *Evangelium Marci*, **Themata**

5949 *Aichele, George* The possibility of error: Minority Report and the gospel of Mark. BiblInterp 14 (2006) 143-157.

5950 **Aichele, George** The phantom Messiah: postmodern fantasy and the gospel of Mark. L 2006, Clark 257 pp. 0-567-02581-0. Bibl. 235-44.

5951 *Alegre, Xavier* El reino de Dios y las parábolas en Marcos. RLT 23 (2006) 3-29.

5952 *Aquino, Frederick D.* Mark and becoming fully human. Preaching Mark's unsettling Messiah. 2006 ⇒352. 59-71.

5953 *Beavis, Mary Ann* Women listening to the gospel of Mark. BiTod 44 (2006) 24-29.

5954 *Bequette, John* BEDE's Advent homily on the gospel of Mark: an exercise in rhetorical theology. ABenR 57 (2006) 249-66 [Mk 1,4-8].

5955 **Berard, Wayne-Daniel** When christians were Jews (that is now): recovering the lost Jewishness of christianity with the gospel of Mark. CM 2006, Cowley xx; 248 pp. $17.

5956 *Bird, Michael F.* The Markan community, myth or maze?: Bauckham's *The gospel for all christians* revisited. JThS 57 (2006) 474-86.

5957 *Black, Carl C.* A servant of surprise: Juel interpreted. WaW 26 (2006) 47-60.

5958 *Blatherwick, David* Mark's gospel in personal faith. Mark gospel of action. 2006 ⇒488. 53-61.

5959 **Bolt, Peter G.** The cross from a distance: atonement in Mark's gospel. 2004 ⇒20,5942. RTheol. 109 (2006) 45-46 (*Blomberg, Craig L*); RBLit (2006)* (*Maloney, Elliott*);

5960 Jesus' defeat of death: persuading Mark's early readers. MSSNTS 125: 2003 ⇒19,5939... 21,6239. RJR 86 (2006) 459-460 (*Sorensen, Eric*); RBLit (2006)* (*Campbell, William*).

5961 *Boyce, James L.* Hearing the good news: the message of the kingdom in Mark. WaW 26 (2006) 30-37.

5962 *Breytenbach, Cilliers* Die Vorschriften des Mose im Markusevangelium: Erwägungen zur Komposition von Mk 7,9-13; 10,2-9 und 12,18-27. ZNW 97 (2006) 23-43;

5963 Identity and rules of conduct in Mark: following the suffering, expecting the coming Son of Man. Identity, ethics. BZNW 141: 2006 ⇒795. 49-75.

5964 *Broadhead, Edwin K.* Reconfiguring Jesus: the Son of Man in Markan perspective. Biblical interpretation... Mark. LNTS 304: 2006 ⇒ 5918. 18-30.

5965 *Brossier, François* Sui passi di Gesù: vangelo di Marco: di fronte alle nazioni pagane. Il Mondo della Bibbia 17/1 (2006) 48-49.

5966 *Burdon, Christopher* Mark and the formation of community. Mark gospel of action. 2006 ⇒488. 176-187.

5967 *Burridge, R.A.* Imitating Mark's Jesus: imagination, scripture, and inclusion in biblical ethics today. Sewanee Theological Review 50 (2006) 11-31.

5968 *Campbell, William S.* 'Why did you abandon me?': abandonment christology in Mark's gospel. Trial and death of Jesus. 2006 ⇒473. 99-117.

5969 **Castro Sánchez, Secundino** El sorprendente Jesús de Marcos: el evangelio de Marcos por dentro. 2005 ⇒21,6245. RSalTer 94/1 (2006) 69-70 (*Marcos, Juan Antonio*); EstJos 60/1 (2006) 122-125 (*Llamas, Román*); REsp 65 (2006) 351-374 (*Marcos, Juan A.*).

5970 **Costa, Giuseppe** "A due a due": vocazione e missione nel vangelo di Marco. R 2006, Rogate 247 pp. 88-8075-312-6. Bibl. 245-247.

5971 *Cotes, Mary* Following Jesus with the women in Mark. Mark gospel of action. 2006 ⇒488. 79-97.

5972 *Couto, António* Dizer Jesus no evangelho de Marcos. Igreja e Missão 59/1 (2006) 3-60.

5973 **Danove, Paul L.** The rhetoric of the characterization of God, Jesus, and Jesus' disciples in the gospel of Mark. JSNT.S 290: 2005 ⇒21, 6250. RCBQ 68 (2006) 758-759 (*Beck, Robert R.*); JThS 57 (2006) 251-253 (*Bond, Helen K.*).

5974 *Dewey, Joanna* Women in the gospel of Mark. WaW 26 (2006) 22-9.

5975 **Du Toit, David S.** Der abwesende Herr: Strategien im Markusevangelium zur Bewältigung der Abwesenheit des Auferstandenen. [D]*Breytenbach, Cilliers*: WMANT 111: Neuk 2006, Neuk xiv; 487 pp. €69. 90. 3-7887-2141-3. Diss.-Habil. Humboldt; Bibl. 451-478.

5976 *Edwards, James R.* The Servant of the Lord and the gospel of Mark. Biblical interpretation... Mark. LNTS 304: 2006 ⇒5918. 49-63.

5977 *Estévez López, Elisa* Memoria e identidad colectiva en los relatos terapéuticos de Marcos. EstB 64 (2006) 497-516.

5978 *Evans, Craig A.* The beginning of the good news and the fulfillment of scripture in the gospel of Mark. Hearing the OT. 2006 ⇒777. 83-103.

5979 **Fabre, Jean-Philippe** Comment Jésus pétrit Pierre: étude narrative du personnage de Pierre dans l'*Evangile de Marc*. Cahiers de l'Ecole cathédrale: P 2006, Parole et S. 134 pp. Préf. *Jean-Noël Aletti*.

5980 *Fenton, John* A time for fasting?. Mark gospel of action. 2006 ⇒ 488. 62-67.

5981 *Focant, Camille* Le rapport à la loi dans l'évangile de Marc. <1997>;

5982 L'incompréhension des disciples dans le deuxième évangile: tradition et rédaction. <1975>;

5983 Le rôle des personnages secondaires en Marc: l'exemple des guérisons et des exorcismes. <2003>;

5984 La construction du personnage de Simon-Pierre dans le second évangile. Marc, un évangile étonnant. [= Et vous. 2006 ⇒760. 53-76.] BEThL 194: 2006 ⇒218. 31-54/ 55-81/83-94/95-113;

5985 L'apport de Jean Delorme aux études sur l'évangile de Marc. Théophilyon 11/2 (2006) 337-351.

5986 *Fortin, Anne* La bible comme lettre d'amour volée. SémBib 121 (2006) 1-32.

5987 *Francis, Leslie J.* Mark and psychological type. Mark gospel of action. 2006 ⇒488. 98-108.

5988 *Freyne, Sean* Mark's gospel and ancient biography. The limits of ancient biography. 2006 ⇒881. 63-75.

5989 **Gilfillan Upton, Bridget** Hearing Mark's endings: listening to ancient popular texts through speech act theory. BiblInterp 79: Lei 2006, Brill xviii; 240 pp. €95. 90-04-14791-8. Bibl. 201-217.

5990 *Gourgues, Michel* Exégèse et culture: explorations de Marc sur un arrière-fond culturel de pluralisme religieux. Theoforum 37 (2006) 171-195.

5991 **Górniak, Lucjan Mariusz** Gesù, il tempio e la comunità dei credenti nel vangelo di Marco: la problematica del tempio in Mc 11,1-16,8. [D]*Grilli, Massimo*: R 2006, 115 pp. Extr. Diss. Gregoriana; Bibl. 93-109.

5992 *Guijarro Oporto, Santiago* La composición del evangelio de Marcos. Salm. 53 (2006) 5-33.

5993 **Guttenberger, Gudrun** Die Gottesvorstellung im Markusevangelium. BZNW 123: 2004 ⇒20,5956; 21,6256. [R]ThLZ 131 (2006) 843-846 (*Becker, Eve-Marie*).

5994 *Hahn, Ferdinand* Einige Überlegungen zu gegenwärtigen Aufgaben der Markusinterpretation. <1985>;

5995 Das Verständnis des Glaubens im Markusevangelium. Studien zum NT, I. WUNT 191: 2006 <1982> ⇒230. 385-407/409-431.

5996 **Haręzga, Stanisław** Jezus i jego uczniowie: model chrześcijańskiej formacji w ewangelii według św. Marka [Jésus et ses disciples: le modèle de la formation chrétienne dans l'évangile selon saint Marc]. Lublin 2006, RW KUL 461 pp. Diss.-Habil. Lublin [RTL 38,618]. P.

5997 *Harris, Geoffrey* Mark and mission. Mark gospel of action. 2006 ⇒ 488. 129-142.

5998 **Hatina, Thomas R.** In search of a context: the function of scripture in Mark's narrative. JSNT.S 232: 2002 ⇒18,5585... 20,5958. [R]BiblInterp 14 (2006) 412-415 (*Malbon, Elizabeth Struthers*).

5999 **Henderson, Suzanne Watts** Christology and discipleship in the gospel of Mark. [D]*Marcus, Joel*: MSSNTS 135: C 2006, CUP xv; 287 pp. $90. 0-521-85906-9. Diss. Duke; Bibl. 262-273. [R]ScrB 36 (2006) 103-105 (*King, Nicholas*).

6000 *Hengel, Martin* The messianic secret in Mark. [F]FREYNE, S. 2006 ⇒ 46. 24-47.

6001 *Hoffman, Kathryn V.; Hoffman, Mark G.* Question marks and turning points: following the gospel of Mark to surprising places. WaW 26 (2006) 69-76.

6002 *Horsley, Richard A.* A prophet like Moses and Elijah: popular memory and cultural patterns in Mark. [F]KELBER, W. 2006 ⇒82. 166-190.

6003 *Huat, T.K.* Exorcism and empire in Mark. Trinity Theological Journal [Singapore] 14 (2006) 34-47.

6004 **Humphrey, Hugh M.** From 'Q' to 'secret' Mark: a composition hisitory of the earliest narrative theology. NY 2006, Clark v; 170 pp. $30. 0-567-02512-8.

6005 **Incigneri, Brian J.** The gospel to the Romans: the setting and rhetoric of Mark's gospel. BiblInterp 65: 2003 ⇒19,5961... 21,6262. [R]RBLit (2006)* (*Crook, Zeba*).

6006 **Jochum-Bortfeld, Carsten** Die Verachteten stehen auf: Widersprüche und Gegenentwürfe des Markusevangeliums zu den Menschenbildern seiner Zeit. [D]*Wick, Peter*: 2006, Diss.-Habil. Bochum [ThRv 103/2,xiii].

6007 *Kapongo, Lilian* Mc 15,40-41: 'Alcune donne lo seguivano e lo servivano': vita religiosa alla luce del discepolato femminile nel vangelo secondo Marco. Clar. 46 (2006) 167-205.

6008 **King, Nicholas** The strangest gospel: a study of Mark. Buxhall 2006, Mayhew. £9. 978-1-84417-696-0.

6009 **Klumbies, Paul-Gerhard** Der Mythos bei Markus. BZNW 108: 2001 ⇒17,5200... 19,5966. [R]JThS 57 (2006) 643-7 (*Black, Clifton*).

6010 *Liew, Tat-siong B.* Tyranny, boundary, and might: colonial mimicry in Mark's gospel. Postcolonial biblical reader. 2006 <1999> ⇒479. 206-223.

6011 **Lobo, Augustine** The title 'Son of God' in Mark 1,1-15: a study of its origin and meaning in the light of modern scholarly discussion. [D]*Denaux, A.* 2006, Diss. Leuven [EThL 83,241].

6012 *Lohfink, Gerhard* Jesus und die Figur der Zwölf. Seminarium 46/1-2 (2006) 75-91.

6013 **Malbon, Elizabeth Struthers** In the company of Jesus: characters in Mark's Gospel. 2000 ⇒16,5182... 18,5603. [R]RExp 103 (2006) 627-629 (*Skinner, Christopher W.*).

6014 *Marchegiani, Patrizia* Meraviglia e scandalo nel vangelo di Marco. RTLu 11 (2006) 277-290.

6015 *Marcos, J.A.* El sorprendente Jesús de Marcos: el evangelio de Marcos por dentro. REsp 65 (2006) 351-374.

6016 *Mazich, Edward* Discipleship and the cross in the gospel of Mark. BiTod 44 (2006) 18-23.
6017 *Miller, Susan* Mark in ecological consciousness. Mark gospel of action. 2006 ⇒488. 154-163.
6018 *Moore, Stephen D.* Mark and empire. ᶠFREYNE, S. 2006 ⇒46. 70-90;
6019 Mark and empire: 'zealot' and 'postcolonial' readings. Postcolonial biblical reader. 2006 <2004> ⇒479. 193-205.
6020 **Morales Ríos, Jorge H.** El Espíritu Santo en San Marcos: texto y contexto. ᴰ*Stock, Klemens*: R 2006, Antonianum 378 pp. €25. 887-257-0689. Diss. Pont. Ist. Biblico; Bibl. 329-62. ᴿAnton. 81 (2006) 191-197 (*Orlando, Luigi*); AnnTh 20 (2006) 434-436 (*Estrada, B.*).
6021 *Naluparayil, J.* Politics of Jesus. Jeevadhara 36 (2006) 435-444.
6022 *Parker, Andrew* On the road with Mark. Mark gospel of action. 2006 ⇒488. 45-52.
6023 **Patella, Michael** Lord of the cosmos: Mithras, Paul, and the gospel of Mark. NY 2006, Clark x; 134 pp. $30. 0567025322. Bibl. 123-26.
6024 *Perkins, Larry* Kingdom, messianic authority and the re-constituting of God's people–tracing the function of Exodus material in Mark's narrative. Biblical interpretation... Mark. 2006 ⇒5918. 100-115.
6025 *Perroni, Marinella* 'Vangelo del discepolo'. Presbyteri 40 (2006) 216-220.
6026 *Porter, Stanley E.* The use of authoritative citations in Mark's gospel and ancient biography: a study of P.Oxy 1176;
6027 *Proctor, Mark* 'After three days he will rise': the (dis)appropriation of Hosea 6.2 in the Markan passion predictions. Biblical interpretation... Mark. LNTS 304: 2006 ⇒5918. 116-130/131-150.
6028 **Purnell, Puck** Through Mark's eyes: a portrait of Jesus based on the gospel of Mark. Nv 2006, Abingdon 144 pp.
6029 **Reichardt, Michael** Endgericht durch den Menschensohn?: zur eschatologischen Funktion des Menschensohnes im Markusevangelium. ᴰ*Hoppe, Rudolf* 2006, Diss.-Habil. Bonn [ThRv 103/2,xiii].
6030 *Riches, John; Miller, Susan* Popular readings of Mark. Mark gospel of action. 2006 ⇒488. 109-125.
6031 *Robbins, Vernon K.* Interfaces of orality and literature in the gospel of Mark. ᶠKELBER, W. 2006 ⇒82. 125-146.
6032 *Sandnes, Karl Olav* Markus–en allegorisk biografi?. DTT 69/4 (2006) 275-297.
6033 **Santos Martin, Lorenzo de** El uso de la mano de Jesús en el evangelio de Marcos. ᴰ*Stock, Klemens* 2006, Diss. Rome, Gregoriana [RTL 38,618].
6034 *Shiner, Whitney* Memory technology and the composition of Mark. ᶠKELBER, W. 2006 ⇒82. 147-165.
6035 *Soeting, Adriaan* Jezus en de onreine geesten: demonologie in Marcus en Zacharia. ITBT 14/7 (2006) 18-20.
6036 *Stegemann, Wolfgang* Aus Mythos wird Geschichte: die mythische Erzählung des Markusevangeliums und die historische Jesusforschung. Comienzos del cristianismo. 2006 ⇒740. 43-52.
6037 *Svartvik, Jesper* The Markan interpretation of the pentateuchal food laws. Biblical interpretation... Mark. LNTS 304: 2006 ⇒5918. 169-181 [Mk 7,1-23].
6038 *Sweetland, Dennis* The structure and main themes of Mark's gospel. BiTod 44 (2006) 5-11.

6039 **Thatwisai, Joseph L.** La suite du Christ selon saint Marc à la lumi-
ère des annonces de la Passion: étude exégétique et théologique de
Marc 8,34-9,1 ; 9,33-50 et 10,35-45. [D]*Baudoz, Jean-François*: Lille
2006, Atelier national de reproduction des thèses 351 pp. 2-7295-63-
38-5. Diss. Institut catholique de Paris; Bibl. 316-341.

6040 *Tronier, Henrik* Markus–en allegorisk komposition om Jesu vej: rep-
lik til Karl Olav Sandnes. DTT 69/4 (2006) 298-306.

6041 *Van Oyen, Geert* The meaning of the death of Jesus in the gospel of
Mark: a real reader perspective. Trial and death of Jesus. 2006 ⇒
473. 49-68;

6042 Markan miracle stories in historical Jesus research: redaction criti-
cism and narrative analysis. Wonders never cease. LNTS 288: 2006
⇒758. 87-99.

6043 **Van Oyen, Geert** Marcus mee maken. Lv 2006, Acco 286 pp. €21.
80. 90-334-61188.

6044 *Vincent, John* Losing life, gaining life. Mark gospel of action. 2006
⇒488. 68-78.

6045 **Vironda, Marco** Gesù nel vangelo di Marco: narratologia e cristolo-
gia. SRivBib 41: 2003 ⇒19,6002. [R]Eccl(R) 20/1 (2006) 130-131 (*Iz-
quierdo, Antonio*); Teol(Br) 31/1 (2006) 132-34 (*Vignolo, Roberto*).

6046 *Voelz, James W.* Ecclesial reading of the gospel of Mark. [F]ELLIS, E.
2006 ⇒36. 45-54.

6047 *Watson, D.F.* 'The messianic secret': demythologizing a non-existent
Markan theme. JTh 110 (2006) 33-44.

6048 **Weihs, Alexander** Die Deutung des Todes Jesu im Markusevange-
lium: eine exegetische Studie zu den Leidens- und Auferstehungsan-
sagen. FzB 99: 2003 ⇒19,6004... 21,6295. [R]BZ 50 (2006) 271-273
(*Frey, Jörg*); BiLi 79 (2006) 73-75 (*Bruners, Wilhelm*) [Mk 8,31;
9,31; 10,33-34].

6049 *Wiarda, Timothy* Story-sensitive exegesis and Old Testament allu-
sions in Mark. JETS 49 (2006) 489-504.

6050 *Williams, Joel F.* Does Mark's gospel have an outline?. JETS 49
(2006) 505-525.

F6.3 Evangelii Marci versiculi

6051 Zabatiero, J.P.T. Construindo a identidade messiânica de Jesus: uma
leitura sócio-semiótica de Marcos 1,1-3,35. PerTeol 38/104 (2006)
65-87.

6052 *Hooker, Morna D.* This is the good news: the challenge of Mark's
beginning. Preaching Mark's unsettling Messiah. 2006 ⇒352. 30-44
[Mk 1,1-13].

6053 *Delorme, Jean* Ouverture et orientation du livret de Marc (1,1-15).
Parole et récit évangéliques. LeDiv 209: 2006 ⇒208. 35-119.

6054 *Shepherd, Tom* The narrative role of John and Jesus in Mark 1.1-15.
Biblical interpretation... Mark. LNTS 304: 2006 ⇒5918. 151-168.

6055 *Focant, Camille* Fonction intertextuelle et limites du prologue de
Marc. Marc, un évangile étonnant. BEThL 194: 2006 ⇒218. 115-
126 [Mk 1,2-13].

6056 *Torres M., José S.* La presentación de Juan Bautista en el evangelio
de Marcos: ejercicio exegético en torno a Mc 1,4-9. [F]ORTÍZ VALDIVI-
ESO, P. 2006 ⇒123. 63-83.

6057 *Foster, Paul* The diet of John the Baptist: "locusts and wild honey".
      ET 117 (2006) 243-244 [Mt 3,4; Mk 1,6].
6058 *DeMaris, Richard E.* Battesimo di Gesù e teoria del rito. Il nuovo
      Gesù storico. 2006 ⇒788. 57-74 [Mk 1,9-11].
6059 *Maloney, Elliott* Jesus at the River Jordan and Markan symbolism.
      BiTod 44 (2006) 12-17 [Mk 1,10-11].
6060 *Hatina, Thomas R.* Embedded scripture texts and the plurality of
      meaning: the announcement of the 'voice from heaven' in Mark 1.11
      as a case study. Biblical interpretation... Mark. LNTS 304: 2006 ⇒
      5918. 81-99.
6061 *Pola, T.* Die Versuchungsgeschichte bei Markus (Mk 1,12f) und die
      alttestamentliche 'Fundtradition'. ThBeitr 37 (2006) 313-325.
6062 *Heil, John Paul* Jesus with the wild animals in Mark 1:13. CBQ 68
      (2006) 63-78.
6063 *Kurianal, James* "The kingdom of God *has come*": an analysis of the
      summary statement in Mk 1:14-15. ITS 43 (2006) 375-395.
6064 *Delorme, Jean* Prises de parole et parler vrai dans un récit de Marc
      (01,21-28). Parole et récit évangéliques. LeDiv 209: 2006 <1995> ⇒
      208. 121-148.
6065 *Medeiros, T.* Jesus e o sábado: a função de um conflito em Marcos
      (1,21-31; 2,24-3,6; 6,2-6). Did(L) 36/2 (2006) 107-134.
6066 *Bolowich, Markus* Vom Aufbrechen und Weitergehen (Mk 1,29-39).
      BiLi 79 (2006) 127-128.
6067 *Miller, Susan* The healing of Simon's mother-in-law: Mark 1:29-39.
      ET 117 (2006) 152-153.
6068 *Ehrman, Bart* A leper in the hands of an angry Jesus. Studies in tex-
      tual criticism. NTTS 33: 2006 <2003> ⇒212. 120-41 [Mk 1,39-45].
6069 *Manus, Chris U.; Bateye, Bolaji O.* The plight of HIV and AIDS per-
      sons in West Africa: a contextual re-reading of Mk 1:40-45 and
      parallels. AJTh 20/1 (2006) 155-169.
6070 *Webb, Robert L.* Jesus heals a leper: Mark 1.40-45 and Egerton Gos-
      pel 35-47. JSHJ 4 (2006) 177-202.
6071 *Wenell, Karen* Mark 1:40-45–cleansing a leper. ET 117 (2006) 153-
      154.
6072 *Díaz Mateos, Manuel* ¿De quién somos discípulos?. Páginas 199
      (2006) 6-17 [Mk 2,1-3,6].
6073 *Focant, Camille* Les implications du nouveau dans le permis (Mc 2,
      1-3,6). Marc, un évangile étonnant. BEThL 194: 2006 <1995> ⇒
      218. 127-147.
6074 *Guijarro, Santiago* Los primeros discípulos de Jesús en Galilea. Co-
      mienzos del cristianismo. 2006 ⇒740. 71-91 [Mk 2,1-3,6].
6075 *Bedenbender, Andreas* Die Heilung des Gelähmten (Mk 2,1-12).
      TeKo 29/4 (2006) 32-54;
6076 Die Heilung des Gelähmten, wie sie sich wirklich zugetragen hat: er-
      zählt von einem, der es wissen muß. TeKo 29/4 (2006) 59-64.
6077 *Peterson, Dwight N.* Translating παραλυτικὸς in Mark 2:1-12: a pro-
      posal. BBR 16 (2006) 261-272.
6078 *Riches, John* Mark 2:1-12. ET 117 (2006) 154.
6079 **Mariadasan, Ubald** Crossing the boundaries: an exegetical and the-
      ological study on Jesus' call of Levi and his meal in Mark 2:13-17.
      ᴰ*Taylor, J.* 2006, 155 pp. Diss. Rome, Angelicum [RTL 38,619].
6080 *Hahn, Ferdinand* Die Bildworte vom neuen Flicken und vom jungen
      Wein (Mk 2,21f. parr.). Studien zum NT, I. WUNT 191: 2006
      <1971> ⇒230. 253-272.

6081 *Lee, Sug-Ho* An exegetical-theological consideration of the hardening of the Jewish religious leaders' hearts in Mark 3:1-6. VeE 27 (2006) 596-613.

6082 *Lohmayer, Jürgen* Logik der Forschung–Logik des Glaubens: objektive Erkenntnis in Mk 3,1-6. ᶠKLINGER, E., 1. 2006 ⇒86. 553-573.

6083 *Kerber, Daniel* Lectura pragmalingüística de Marcos 3,13-19. Rev-Bib 68 (2006) 175-190.

6084 *Guijarro, Santiago* Politica dell'esorcismo. Il nuovo Gesù storico. 2006 ⇒788. 90-103 [Mk 3,22-27].

6085 *Busch, Austin* Questioning and conviction: double-voiced discourse in Mark 3:22-30. JBL 125 (2006) 477-505.

6086 *Ferreira, Joel Antônio* A parábola da semente e suas duas alegorias: um anúncio subversivo. Estudos bíblicos 92 (2006) 37-50 [Mk 4].

6087 *Hahn, Ferdinand* Das Gleichnis von der ausgestreuten Saat und seine Deutung (Mk 4,3-8.14-20). Studien zum NT, I. WUNT 191: 2006 <1979> ⇒230. 327-336.

6088 *Focant, Camille* La recontextualisation d'Is 6,9-10 en Mc 4,10-12 ou un exemple de non-citation. Marc, un évangile étonnant. BEThL 194: 2006 <1997> ⇒218. 149-181.

6089 *Risberg, Sten-Bertil* Guds rikes hemlighet. SEÅ 71 (2006) 145-158 [Mk 4,10-12].

6090 **Stühlmeyer, T**. Veränderungen des Textverständnisses durch Bibliodrama: eine empirische Studie zu Mk 4,35-41. PaThSt 36: 2004 ⇒ 20,6030. ᴿThLZ 131 (2006) 718-719 (*Müller, Peter*); ZKTh 128 (2006) 302-303 (*Kowalski, Beate*).

6091 *Jones, Russell, al.*, Contextual bible study notes for July lectionary readings. ET 117 (2006) 373-377 [Mk 5-6; John 6,1-20].

6092 **Aus, Roger D.** My name Is "Legion": Palestinian Judaic traditions in Mark 5:1-20 and other gospel texts. Studies in Judaism: 2003 ⇒21, 6319. ᴿJBL 125 (2006) 821-823 (*Crossley, James G.*).

6093 *Lewis, J.* Farewell Gerasenes: a bible study on Mark 5:1-20. ERT 30 (2006) 264-270.

6094 **Newheart, Michael Willett** "My name is legion": the story and soul of the Gerasene demoniac. Interfaces: 2004 ⇒20,6035; 21,6321. ᴿRBLit (2006)* (*Telford, William*) [Mk 5,1-20].

6095 *Morandini, Simone* La parola rinnova la creazione. RSEc 24 (2006) 347-356 [Mk 6-7].

6096 *Delorme, Jean* Jésus mésestimé et impuissant dans sa patrie (Mc 6,1-6). Parole et récit évangéliques. LeDiv 209: 2006 <1999> ⇒208. 149-173.

6097 *Cummins, S. Anthony* Integrated scripture, embedded empire: the ironic interplay of 'King' Herod, John and Jesus in Mark 6.1-44. Biblical interpretation... Mark. LNTS 304: 2006 ⇒5918. 31-48.

6098 *Focant, Camille* La fonction narrative des doublets dans la section des pains Mc 6,6b-8,26. Marc, un évangile étonnant. BEThL 194: 2006 <1992> ⇒218. 205-229.

6099 *Delorme, Jean* La tête de Jean Baptiste ou la parole pervertie: lecture d'un récit (Mc 6,14-29). Parole et récit évangéliques. LeDiv 209: 2006 <1997> ⇒208. 175-198.

6100 *Focant, Camille* La tête du prophète sur un plat ou l'anti-repas d'alliance (Mc 6,14-29). Marc, un évangile étonnant. BEThL 194: 2006 <2001> ⇒218. 183-203.

6101   *Janes, Regina* Why the daughter of Herodias must dance (Mark 6.14-29). JSNT 28 (2006) 443-467.
6102   *Kraemer, Ross S.* Implicating Herodias and her daughter in the death of John the Baptizer: a (christian) theological strategy?. Ment. *Josephus, Flavius*: JBL 125 (2006) 321-349 [Mt 14,1-12; Mk 6,14-29].
6103   *Smith, Abraham* Tyranny exposed: Mark's typological characterization of Herod Antipas (Mark 6:14-29). BiblInterp 14 (2006) 259-93.
6104   *Joynes, Christine E.* John the Baptist's death. Mark gospel of action. 2006 ⇒488. 143-153 [Mk 6,17-29].
6105   *Gusso, Antonio R.* A prefiguração da morte de Cristo no relato de Mc 6.21-29. VTeol 13 (2006) 49-58.
6106   *Kiel, M.* The apocalyptic significance of Mark's first feeding narrative (6:34-44). Koinonia [Princeton, NJ] 18 (2006) 93-113.
6107   *Delorme, Jean* Déconstruire le texte, construire la lecture: un sommaire en Marc (6,53-56). Parole et récit évangéliques. LeDiv 209: 2006 <2000> ⇒208. 199-219.
6108   *Riches, John* Readings from Mark chapters 7-9. ET 117 (2006) 457-461.
6109   *Hatina, Thomas R.* Did Jesus quote Isaiah 29:13 against the Pharisees?: an unpopular appraisal. BBR 16 (2006) 79-94 [Mk 7,5-7].
6110   **Alonso, Pablo V.** The woman who changed Jesus: crossing boundaries in Mk 7,24-30. ᴰ*Denaux, A.* 2006, lxxiii; 345 pp. Diss. Leuven.
6111   *Kittredge, C.B.* Not worthy so much as to gather up the crumbs under thy table: reflection on the sources and history of the prayer of humble access. Sewanee Theological Review 50 (2006) 80-92 [Mk 7,24-30].
6112   *Pongutá H., Silvestre* ¿Una migaja para una mujer pagana?: una lectura de Mc 7,24-30. ᶠOʀᴛíᴢ Vᴀʟᴅɪᴠɪᴇꜱᴏ, P. 2006 ⇒123. 85-117.
6113   *Skinner, Matthew L.* "She departed to her house": another dimension of the Syrophoenician mother's faith in Mark 7:24-30. WaW 26 (2006) 14-21.
6114   *Focant, Camille* Mc 7,24-31 par. Mt 15,21-29: critique des sources et/ou étude narrative. Marc, un évangile étonnant. BEThL 194: 2006 <1993> ⇒218. 231-267.
6115   *Fabris, Rinaldo* Gesù risana un sordomuto nella regione della Decapoli (Mc 7,31-37). RSEc 24 (2006) 287-293.
6116   *Kleemann, Jürg* Therapia dell'incubo: un tentativo. RSEc 24 (2006) 377-385 [Mk 7,31-37].
6117   *Delorme, Jean* Pas de signe pour cette génération (Mc 8:11): une sémiotique implicite dans le second évangile. Parole et récit évangéliques. LeDiv 209: 2006 <2002> ⇒208. 221-243 [Mk 8,11-13].
6118   *Derrett, John D.M.* Passing the baskets round: a clue to Mark 8:14-21. JHiC 12/2 (2006) 75-81.
6119   **Larsen, Kevin W.** Seeing and understanding Jesus: a literary and theological commentary on Mark 8:22-9:13. 2005 ⇒21,6336. ᴿCBQ 68 (2006) 337-338 (*Kuhn, Karl A.*).
6120   **Traore, Côme** L'aveugle de Bethsaïde (Mc 8,22-26): les disciples [!] entre *sequela* et incompréhension. R 2006, 319 pp. Diss. Lateranum; Bibl. 289-314.
6121   *Mendes, S.G.* A normatividade de Mc 8,35 segundo a teologia narrativa. PerTeol 38/104 (2006) 69-110.
6122   *Dumm, Demetrius R.* The Transfiguration of Jesus. BiTod 44 (2006) 157-162 [Mk 9,2-8].

6123 *Zeller, Dieter* Die Verwandlung Jesu (Mk 9,2-8): ein motivgeschicht-licher Versuch. N.T. und Hellenistische Umwelt. BBB 150: 2006 ⇒ 331. 109-122.

6124 *Foster, Paul* Mark 9:2-9–the transfiguration. ET 117 (2006) 154-55.

6125 *Gatta, J.* The transfiguration of Christ and cosmos: a focal point of literary imagination. Sewanee Theological Review 49 (2006) 484-506 [Mark 9,2-9].

6126 *Delorme, Jean* Dualité, dissection critique et signification: Mc 9,14-29. Parole et récit évangéliques. LeDiv 209: 2006 <1992> ⇒208. 245-259.

6127 **Kadankavil, James M.** From the crowd to discipleship: an exegeti-co-theological study of 'The healing of the boy with an unclean spirit' (Mark 9.14-29) with particular reference to the gospel accord-ing to Mark. ᴰ*Taylor, Richard* 2006, Diss. Rome, Angelicum [RTL 38,619].

6128 *Schlosser, Jacques* L'exorciste étranger (Mc 9,38-40). À la recherche de la parole. LeDiv 207: 2006 <1982> ⇒296. 49-60.

6129 *Jack, Alison* Mark 9:38-50. ET 117 (2006) 504-505.

6130 *Perroni, Marinella* 'In principio...'. Presbyteri 40 (2006) 693-697 [Mk 10,1-10].

6131 *Borghi, Ernesto* "Perché l'uomo non separi quello che Dio congiun-se": linee di lettura di Mc 10,1-12. ᶠFABRIS, R.: SRivBib 47: 2006 ⇒ 38. 67-75.

6132 *Riches, John* Mark 10:2-16. ET 117 (2006) 505-506.

6133 *Delorme, Jean* Royaume de Dieu, royaume d'enfance (Mc 10,13-16). Parole et récit évangéliques. 2006 <1991> ⇒208. 261-276.

6134 *Joy, C.I.D.* Mark 10:17-27 in the light of the issues of poor and their representation: a postcolonial reading. BTF 38/1 (2006) 157-171.

6135 *Foster, Paul* Mark 10:17-31: being richer with nothing. ET 117 (2006) 506-507.

6136 *Hartman, Lars* "Was soll ich tun, damit ich das ewige Leben erbe?": ein heidenchristlicher Leser vor einigen ethischen Sätzen des Mar-kusevangeliums. ᶠHAUFE, G.: GThF 11: 2006 ⇒63. 75-90 [Mk 10, 17-31].

6137 *Lindemann, Andreas* Eigentum und Reich Gottes: die Erzählung 'Je-sus und der Reiche' im Neuen Testament und bei CLEMENS Alexan-drinus. ZEE 50 (2006) 89-109 [Mt 19,16-22; Mk 10,17-31; Lk 18, 18-30].

6138 *McCord Adams, Marilyn* Diagnostic discipleship: Mark 10:17-31 proper 23 [28]. ET 117 (2006) 509-510.

6139 *Stanley, Alan P.* The rich young ruler and salvation. BS 163 (2006) 46-62 [Mk 10,17-31].

6140 **Kaminouchi, Alberto de Mingo** "But it is not so among you": ech-oes of power in Mark 10.32-45. JSNT.S 249: 2003 ⇒19,6061... 21, 6352. ᴿBZ 50 (2006) 269-271 (*Ebner, Martin*); RBLit (2006)* (*Campbell, William*).

6141 *Derrett, John Duncan M.* Armour-bearers of Christ (Mark 10:33-40)?. ET 117 (2006) 452-453 [1 Sam 31,4-6].

6142 *Wenell, Karen* Mark 10:35-45: visions of true grandeur. ET 117 (2006) 507-508.

6143 *Barrios T., Hernando* El servicio del Hijo del Hombre: entregar la vi-da: una contribución a la traducción de Mc 10,45. ᶠORTÍZ VALDIVIE-SO, P. 2006 ⇒123. 119-157.

6144 **Kujur, Kishor K.** Bartimaeus followed him on the way (Mk 10,46b-52): a paradigm for discipleship in Mark. [D]*De Santis, L.* 2006, Diss. Rome, Angelicum [RTL 38,609].

6145 **Lomeli Ochoa, J.T.** El relato del ciego Bartimeo en clave comunicativa: análisis narrativo y pragmáticio de Mc 10,46-52. [D]*Grilli, Massimo*: 2006, Diss. Rome, Gregoriana [RTL 38,619].

6146 *Miller, Susan* Mark 10:46-52. ET 117 (2006) 508.

6147 *Nauerth, Thomas* Wer kann gerettet werden? (Mk 10,26): eine soteriologische Frage und ihre narrative Auflösung in Mk 10,46-52. [F]UN-TERGASSMAIR, F. 2006 ⇒161. 87-92.

6148 *Focant, Camille* Vers une maison de prière pour toutes les nations (Mc 11-15). Marc, un évangile étonnant. BEThL 194: 2006 <2003> ⇒218. 269-291.

6149 *Bivin, David* Evidence of an editor's hand in two instances of Mark's account of Jesus' last week. Jesus' last week. Jewish and Christian Perspectives 11: 2006 ⇒346. 211-224 [Mk 11,11-25; 12,34].

6150 *Wedderburn, Alexander* Jesus' action in the temple: a key or a puzzle?. ZNW 97 (2006) 1-22 [Isa 56,7; Jer 7,11; Mk 11,12ss; 11,20s].

6151 *Runacher, Caroline* Du figuier infécond: vers une communauté de prière (Mc 11,12-25). VS 160 (2006) 391-397.

6152 *Focant, Camille* La contestation de Jésus au temple, un jugement?. Marc, un évangile étonnant. BEThL 194: 2006 <2004> ⇒218. 293-304 [Mk 11,15-19].

6153 *Stewart, William* Crown of thorns: ancient prophecy and the (post)-modern spectacle. BiCT 2/1 (2006) [Mk 11,15-19].

6154 *Hahn, Ferdinand* Jesu Wort vom bergeversetzenden Glauben. Studien zum NT, I. WUNT 191: 2006 <1985> ⇒230. 305-325 [Mk 11,22-25].

6155 **Peguero Pérez, Javier** La figura de Dios en los diálogos de Jesús con las autoridades en el templo: lectura de Mc 11,27-12,23 a partir de su instancia comunicativa. TGr.T 113: 2004 ⇒20,6081; 21,6360. [R]ThX 56/1 (2006) 207-210 (*Torres Muñoz, José Santos*).

6156 **Kloppenborg, John** The tenants in the vineyard: ideology, economics, and agrarian conflict in Jewish Palestine. WUNT 195: Tü 2006, Mohr S. xxix; 651 pp. $191. 3-16-148908-X. Bibl. 587-618 [Isa 5,1-7; Mt 21,33-46; Mk 12,1-12; Lk 20,9-19].

6157 **Weihs, Alexander** Jesus und das Schicksal der Propheten: das Winzergleichnis (Mk 12,1-12) im Horizont des Markusevangeliums. BThSt 61: 2003 ⇒19,6075. [R]OrdKor 47/1 (2006) 112-113 (*Giesen, Heinz*); ZKTh 128 (2006) 293-294 (*Huber, Konrad*).

6158 *Cadwallader, Alan H.* In Go(l)d we trust: literary and economic currency exchange in the debate over Cesar's coin (Mark 12:13-17). BiblInterp 14 (2006) 486-507.

6159 *Lémonon, Jean-Pierre* L'affaire du denier de César. MoBi 172 (2006) 32-37 [Mk 12,13-17].

6160 *Mays, James Luther* "Is this not why you are wrong?": exegetical reflections on Mark 12:18-27. Interp. 60 (2006) 32-46.

6161 **Keerankeri, George** The love commandment in Mark: an exegetico-theological study of Mk 12,28-34. AnBib 150: 2003 ⇒19,6078; 21, 6367. [R]VJTR 70 (2006) 549-51 [= Neotest. 39,452-4] (*Nel, Marius*).

6162 *Hamilton, Roddy* Children's ministry in November. ET 118 (2006) 37-38 [Mk 12,28-34; 12,38-44; 13,1-8; John 18,33-37].

6163 *Hartman, Lars* Loving 'with your whole heart'–giving 'her whole living': an attempt at reading Mark 12:41-44 in its literary context. [F]GALITIS, G. 2006 ⇒49. 261-274.

6164 *Kim, Seong Hee* Rupturing the empire: reading the poor widow as a postcolonial female subject (Mark 12:41-44). LecDif 6/1 (2006)*.

6165 *Mpevo Mpolo, Aimé* L'offrande de la veuve pauvre en Marc 12,41-44. Theoforum 37 (2006) 259-286 [Luke 21,1-4].

6166 *Ao, I.L.* The Markan community in the midst of catastrophe: the emergence of the new face of the church. BTF 38/2 (2006) 154-170 [Mk 13].

6167 *Becker, Eve-Marie* Markus 13 re-visited. Apokalyptik als Herausforderung. WUNT 2/214: 2006 ⇒348. 95-124.

6168 *Hahn, Ferdinand* Die Rede von der Parusie des Menschensohnes Markus 13. Studien zum NT, I. WUNT 191: 2006 <1975> ⇒230. 447-473.

6169 *Myers, Ched* Mark 13 in a different imperial context. Mark gospel of action. 2006 ⇒488. 164-175.

6170 *Schlosser, Jacques* La parole de Jésus sur la fin du Temple. À la recherche de la parole. LeDiv 207: 2006 <1990> ⇒296. 101-118 [Mk 13,1-2; 14,58].

6171 *Kilgallen, John* Exegetical notes on Mark 13:1-8. ET 118 (2006) 33-34.

6172 *Perkins, Larry* "Let the reader understand": a contextual interpretation of Mark 13:14. BBR 16 (2006) 95-104.

6173 **Villota Herrero, Salvador** Palabras sin ocaso: función interpretativa de Mc 13, 28-37 en el discurso escatológico de Marcos. Estella (Navarra) 2006, Verbo Divino 425 pp. 84-8169-698-6. Bibl. 377-399.

F6.8 **Passio secundum Marcum**, 14,1...[⇒F5.3]

6174 *Ahearne-Kroll, Stephen P.* Challenging the divine: LXX Psalm 21 in the passion narrative of the gospel of Mark. Trial and death of Jesus. 2006 ⇒473. 119-148.

6175 *Dart, J.* Unfinished gospel? Mark's enigmatic ending. CCen 123/6 (2006) 28-30, 32.

6176 *Dowd, Sharyn; Malbon, Elizabeth S.* The significance of Jesus' death in Mark: narrative context and authorial audience. JBL 125 (2006) 271-297 = The trial and death of Jesus. 2006 ⇒473. 1-31.

6177 *Evans, Craig A.* Zechariah in the Markan passion narrative. Biblical interpretation... Mark. LNTS 304: 2006 ⇒5918. 64-80.

6178 *Focant, Camille* L'ultime prière du pourquoi: relecture du Ps 22(21) dans le récit de la Passion de Marc. <1999>;

6179 Vérité historique et vérité narrative: le récit de la passion en Marc. Marc, un évangile étonnant. BEThL 194: 2006 <2000> ⇒218. 321-339/305-320.

6180 *Guijarro Oporto, Santiago* Marcos y el relato de la pasión. [F]RODRÍGUEZ CARMONA, A. 2006 ⇒138. 219-235.

6181 *Herlong, T.* The passion according to Mark: a meditation. Emmanuel 112/2 (2006) 144-151.

6182 *Kammler, Hans-C.* Das Verständnis der Passion Jesu im Markusevangelium. ZThK 103 (2006) 461-491.

6183   *McWhirter, Jocelyn* Messianic exegesis in Mark's passion narrative;
6184   *O'Brien, Kelli S.* Innocence and guilt: apologetic, martyr stories, and allusion in the Markan trial narratives. Trial and death of Jesus. 2006 ⇒473. 69-97/205-228.

6185   *Focant, Camille* Finale suspendue et prolepses de l'au-delà du récit: l'exemple de Marc. Marc, un évangile étonnant. BEThL 194: 2006 <2005> ⇒218. 359-370 [Mk 13; 14; 16].
6186   *Delorme, Jean* Sémiotique et lecture des évangiles: à propos de Mc 14,1-11. Parole et récit évangéliques. LeDiv 209: 2006 <1992> ⇒ 208. 277-298.
6187   *Balz, Heinrich* Nicht allezeit und nicht überall: zu Markus 14,3-9. ZMiss 32/1-2 (2006) 5-8.
6188   *Hornsby, Teresa J.* Anointing traditions. The historical Jesus. 2006 ⇒334. 339-342 [Mk 14,3-9].
6189   *Miller, Susan* The woman who anoints Jesus (Mk 14.3-9): a prophetic sign of the new creation. Feminist Theology 14 (2006) 221-236.
6190   *Stock, Klemens* Jesus feiert das Paschamahl mit seinen Jüngern (Mk 14,12-25): die eucharistische Rede Jesu (John 6) und die Feier des Herrenmahls in Korinth (1Kor 11,17-33). Eucharistie–Quelle und Höhepunkt des ganzen christlichen Lebens. ᴱ**Stumpf, G.** Landsberg/Lech 2006, Initiativkreis. 23-56 [AcBib 11/3,272].
6191   *Delorme, Jean* Le dernier repas de Jésus dans le texte (Mc 14,16-25). Parole et récit évangéliques. LeDiv 209: 2006 <1999> ⇒208. 299-315.
6192   *Ahearne-Kroll, Steven* Abandonment and suffering. Septuagint research. SBL.SCSt 53: 2006 ⇒755. 293-309 [Ps 41; Mk 14,18].
6193   *Notley, R. Steven* The eschatological thinking of the Dead Sea sect and the order of blessings in the christian eucharist. Jesus' last week. 2006 ⇒346. 121-138 [Mk 14,22-24].
6194   *Ossom-Batsa, George* Bread for the broken: pragmatic meaning of Mark 14:22-25. Neotest. 40 (2006) 235-258.
6195   *Wohlmuth, Josef* Eucharistie als Feier des Bundes: ein Versuch, das markinische Kelchwort zu verstehen. ᶠMUSSNER, F.: SBS 209: 2006 ⇒117. 115-131 [Ex 24; Mk 14,23-24; Heb 9,15-22].
6196   *Smit, Peter-Ben* Neuer Wein oder Wein aufs Neue–eine Notiz zu Mk 14,25. BN 129 (2006) 61-70 [Mt 26,29; Luke 22,16-18].
6197   *Pramann, Susanne* Ein Jüngling von nackter Gestalt: Markus 14. Die besten Nebenrollen. 2006 ⇒1164. 198-204 [Mark 14,51-52].
6198   *Sánchez Mielgo, G.* ¿Por qué fue condenado Jesús ante el Sanedrin?: relato e historia. EsVe 36 (2006) 5-54 [Mk 14,53-65].
6199   *Vines, Michael* The 'trial scene' chronotope in Mark and the Jewish novel. Trial and death of Jesus. 2006 ⇒473. 189-203 [Mk 14,53-65].
6200   *Shepherd, Tom* The irony of power in the trial of Jesus and the denial by Peter–Mark 14:53-72. Trial and death of Jesus. 2006 ⇒473. 229-245.
6201   *Collins, Adela Y.* The charge of blasphemy in Mark 14:64. Trial and death of Jesus. 2006 <2004> ⇒473. 149-170.
6202   *Gibson, Jeffrey B.* The function of the charge of blasphemy in Mark 14:64. Trial and death of Jesus. 2006 <2004> ⇒473. 171-187.
6203   *Martin, William J.* Peter's fall. HPR 106/11-12 (2006) 58-60 [Mk 14,66-72].

6204 *Rius Camps, Josep* 'τὸ ῥῆμα ὃ εἶπεν ΙΗΝ': ¿un error del copista del Còdex Bezae o la lliçò original de Mc 14,72?. RCatT 31 (2006) 429-438.

6205 *Goodacre, Mark* Scripturalization in Mark's crucifixion narrative. Trial and death of Jesus. 2006 ⇒473. 33-47 [Mk 15].

6206 *Rius-Camps, Josep* El hebreo José, figura de Jesús y del joven que lo substituyó en la parte final del evangelio de Marcos. EstB 64 (2006) 657-669 [Gen 37; 39; 41; Mk 15-16].

6207 *Brock, Darrell L.* The function of scripture in Mark 15.1-39. Biblical interpretation... Mark. LNTS 304: 2006 ⇒5918. 8-17.

6208 *Foster, Paul* God's true son (Mark 15:1-39). ET 117 (2006) 245-246.

6209 *Keith, Chris* The role of the cross in the composition of the Markan crucifixion narrative. Stone-Campbell journal [Loveland, OH] 9 (2006) 61-75 [Mk 15,20-41].

6210 *Fredrickson, David E.* Nature's lament for Jesus. WaW 26 (2006) 38-46 [Mk 15,33; 15,38].

6211 Mazzucco, Clementina Εἰς τί; 'perché?' (Mc 15,34). ᶠCIGNELLI, L.: SBFA 68: 2006 ⇒21. 205-216.

6212 *Kapongo, Lilian* Mc 15,40-41: "Alcune donne lo seguivano e lo servivano": vita religiosa alla luce del discepolato femminile nel vangelo secondo Marco. Clar. 46 (2006) 167-205.

6213 *Álvarez Valdés, Ariel* ¿Come fue el entierro de Jesús?. Qol 42 (2006) 81-89 [Mk 15,42-47].

6214 *Miller, Susan* The empty tomb: Mark 16:1-8. ET 117 (2006) 246-48.

6215 *Rossé, Gerard* Questioni attorno alla tomba aperta e vuota (Mc 16,1-8). ᶠFABRIS, R.: SRivBib 47: 2006 ⇒38. 91-106.

6216 **Waterman, Mark M.W.** The empty tomb tradition in Mark: text, history and theological struggles. Theology, History, and Biblical Studies Series 1: LA 2006, Agathos xiv; 255 pp. $150. 978-19337-40003 [Mk 16,1-8].

6217 *Denyer, Nicholas* Mark 16:8 and PLATO, *Protagoras* 328D. TynB 57 (2006) 149-150.

6218 *Focant, Camille* Un silence qui fait parler (Mc 16,8). Marc, un évangile étonnant. BEThL 194: 2006 <2002> ⇒218. 341-358.

6219 *Hooker, Morna D.* Believe and follow: the challenge of Mark's ending. Preaching Mark's unsettling Messiah. 2006 ⇒352. 45-58 [Mk 16,8].

6220 *Iverson, Kelly R.* A further word on final γάρ (Mark 16:8). CBQ 68 (2006) 79-94.

6221 *Lundbom, Jack R.* Closure in Mark's gospel. Seminary Ridge Review [Gettysburg, PA] 9/1 (2006) 33-41 [Mk 16,8].

6222 *Bridges, Carl B.* The canonical status of the longer ending of Mark. Stone-Campbell journal [Loveland, OH] 9 (2006) 231-242 [Mk 16,9-20].

6223 *Focant, Camille* La canonicité de la finale longue (Mc 16,9-20): vers la reconaissance d'un double texte canonique?. Marc, un évangile étonnant. BEThL 194: 2006 <2003> ⇒218. 371-381.

X. Opus Lucanum

F7.1 *Opus Lucanum*—Luke-Acts

6224 **Anderson, Kevin Lee** "But God raised him from the dead": the theology of Jesus' resurrection in Luke-Acts. Paternoster Biblical Mon.: Milton Keynes 2006, Paternoster xviii, 353 pp. £20. 978-18422-733-95. Bibl. 293-323.

6225 **Bohnet, Jörg M.** Der Auferstandene als der Erhöhte und seine beiden sichtbaren Himmelfahrten im lukanischen Doppelwerk. *ᴰBerger, Klaus* 2006, Diss. Heidelberg.

6226 **Borgman, Paul** The way according to Luke: hearing the whole story of Luke-Acts. GR 2006, Eerdmans xii; 404 pp. $21. 978-0-8028-2936-8. Bibl. 392-399 ᴿPIBA 29 (2006) 97-99 (*Hogan, Martin*); RBLit (2006)* (*Steyn, Gert J.*).

6227 **Bovon, François** Luc le théologien. MoBi 5: Genève ³2006, Labor et F. 631 pp. FS65. 2-8309-1200-4. Bibl. 519-581;

6228 Luke the theologian: fifty-five years of research (1950-2005). Waco, Tex. ²2006, Baylor University Press xiv; 681 pp. $35. 1-932792-18-X. Bibl. Luke-Acts, 1980-2005, 567-622.

6229 **Chen, Diane G.** God as Father in Luke-Acts. Studies in Biblical literature 92: NY 2006, Lang xvii; 294 pp. 08204-7942X. Bibl. 245-63.

6230 *Denaux, Adelbert* Style and stylistcs [!], with special reference to Luke. FgNT 19 (2006) 31-51.

6231 *Doble, Peter* Luke 24.26, 44–songs of God's servant: David and his psalms in Luke-Acts. JSNT 28 (2006) 267-283.

6232 *Dormeyer, Detlev* Lc 19,11-27: la parábola de las minas en el marco de las biografías didácticas de Pedro el pobre y Pablo el rico en los Hechos de los Apóstoles. Riqueza y solidaridad. 2006 ⇒410. 243-262.

6233 *Elbert, Paul* Possible literary links between Luke-Acts and Pauline letters regarding spirit-language. Intertextuality. NTMon 16: 2006 ⇒ 778. 226-254.

6234 *Fay, Ron C.* The narrative function of the temple in Luke-Acts. TrinJ 27 (2006) 255-270.

6235 *Flichy, Odile* Leggere l'opera di Luca. Guida di lettura del NT. 2006 ⇒5033. 265-318.

6236 **Fuller, Michael E.** The restoration of Israel: Israel's re-gathering and the fate of the nations in early Jewish literature and Luke-Acts. ᴰStuckenbruck, Loren: BZNW 138: B 2006, De Gruyter xi, 332 pp. €98/$132.30. 3-11-018896-1. Diss.; Bibl. 274-309.

6237 *Gilbert, Gary* Luke-Acts and negotiation of authority and identity in the Roman world. The multivalence. SBL.Symposium 37: 2006 ⇒ 745. 83-104.

6238 **Gregory, Andrew** The reception of Luke and Acts in the period before IRENAEUS: looking for Luke in the second century. WUNT 2/169: 2003 ⇒19,6134... 21,6422. ᴿBijdr. 67 (2006) 230-231 (*Koet, Bart J.*); SJTh 59 (2006) 121-124 (*Marshall, I. Howard*).

6239 *Grilli, Massimo* Consideraciones conclusivas: el modelo lucano del uso de los bienes. Riqueza y solidaridad. 2006 ⇒410. 289-300.

6240	**Hagene, Sylvia** Zeiten der Wiederherstellung: Studien zur lukanischen Geschichtstheologie als Soteriologie. NTA 42: 2003 ⇒19, 6135... 21,6423. [R]RThPh 137 (2006) 90-92 (*Clivaz, Claire*) [Acts 3].

6241	*Heen, E.M.* Radical patronage in Luke-Acts. CThMi 33 (2006) 445-458.

6242	*Heininger, Bernhard* Die Option für die Armen: soziale Verteilungsmodelle im lukanischen Doppelwerk. [F]UNTERGASSMAIR, F.: 2006 ⇒ 161. 195-203.

6243	**Holmås, Geir Otto** Prayer and vindication: the theme of prayer within the context of the legitimating and edifying objective of the Lukan narrative. 2006, Diss. Oslo: Norwegian Lutheran School of Theology [StTh 61,85].

6244	*Jáuregui, José A.* La oración en la obra de san Lucas. [F]RODRÍGUEZ CARMONA, A. 2006 ⇒138. 237-248.

6245	**Klutz, Todd E.** The exorcism stories in Luke-Acts: a sociostylistic reading. MSSNTS 129: 2004 ⇒20,6144; 21,6434. [R]Neotest. 40 (2006) 426-427 (*Viljoen, Francois*).

6246	*Koet, Bart J.* Why does Jesus not dream?: divine communication in Luke-Acts. <1999>;

6247	Isaiah in Luke-Acts. <2005>;

6248	Purity and impurity of the body in Luke-Acts. Dreams and scripture. CBET 42: 2006 <2000> ⇒254. 11-24/51-79/81-95.

6249	*Lázaro Barceló, Ricardo* Los pobres en la obra de Lucas: estado de la cuestión. EstB 64 (2006) 527-534.

6250	[E]**Levine, Amy-Jill** A feminist companion to Luke. FCNT 2: 2002 ⇒18,5732... 21,6438. [R]BiCT 2/1 (2006)* (*Bower, Deborah*).

6251	**Litwak, Kenneth Duncan** Echoes of scripture in Luke-Acts: telling the history of God's people intertextually. JSNT.S 282: 2005 ⇒21, 6439. [R]CBQ 68 (2006) 152-153 (*Bock, Darrell L.*); RBLit (2006)* (*Koet, Bart*).

6252	*MacDonald, Dennis R.* A categorization of antetextuality in the gospels and Acts: a case for Luke's imitation of PLATO and XENOPHON to depict Paul as a christian SOCRATES. Intertextuality. NTMon 16: 2006 ⇒778. 211-225.

6253	*Marucci, Corrado* Σώζειν e termini connessi nella doppia opera lucana. Pagani e cristiani alla ricera della salvezza (secoli I-III). SEAug 96: R 2006, Institutum Patristicum Augustinianum. 317-327. XXXIV incontro di studiosi dell'antichità cristiana, Roma, 5-7 maggio 2005.

6254	**Mathieu, Yvan** La figure de Pierre dans l'oeuvre de Luc (évangile et Actes des Apôtres): une approche synchronique. EtB 52: 2004 ⇒20, 6154; 21,6443. [R]ThLZ 131 (2006) 1060-1062 (*Jeska, Joachim*); RThom 106 (2006) 631-633 (*Antoniotti, Louise-Marie*); JThS 57 (2006) 654-655 (*Barrett, C.K.*).

6255	**Mbilizi, Etienne L.** D'Israël aux nations: l'horizon de la rencontre avec le Sauveur dans l'oeuvre de Luc. [D]*Beutler, Johannes*: EHS.T 831: Fra 2006, Lang 386 pp. €52.80. 3-631-55091-X. Diss. Gregoriana; Bibl. 363-379.

6256	**Mittelstaedt, Alexander** Lukas als Historiker: zur Datierung des lukanischen Doppelwerkes. TANZ 43: Tü 2006, Francke 271 pp. €59. 3-7720-8140-1. Bibl. 261-271. [R]NT 48 (2006) 386-389 (*Stenschke, Christoph*).

6257	*Moessner, David P.* 'Listening posts' along the way: 'synchronisms' as metaleptic prompts to the 'continuity of the narrative' in POLYBIUS'

Histories and in Luke's Gospel-Acts: a tribute to David E. Aune. [F]AUNE, D.: NT.S 122: 2006 ⇒4. 129-150.

6258   *Moreira, Gilvander L.* Todo dia é dia de mulher–não só 08 de Março: mulheres na obra lucana: protagonistas, sim-submissas, não!. REB 66 (2006) 418-427.

6259   **Nave, Guy D.** The role and function of repentance in Luke Acts. Academia biblica 4: 2002 ⇒18,5770... 21,6447. [R]NT 48 (2006) 88-90 (*Lambert, David*).

6260   *Navone, John* The way and the journey in Luke-Acts. BiTod 44 (2006) 98-105.

6261   **Neagoe, Alexandru** The trial of the gospel: an apologetic reading of Luke's trial narratives. MSSNTS 116: 2002 ⇒18,5771; 19,6155. [R]NT 48 (2006) 86-88 (*Stenschke, Christoph*).

6262   **Orth, Burkhard** Lehrkunst im frühen Christentum: die Bildungsdimension didaktischer Prinzipien in der hellenistisch-römischen Literatur und im lukanischen Doppelwerk. 2002 ⇒18,5773. [R]Bijdr. 67 (2006) 93-94 (*Koet, Bart J.*).

6263   **Parsons, Mikeal C.** Body and character in Luke and Acts: the subversion of physiognomy in early christianity. GR 2006, Baker 191 pp. $22. 9780-8010-28854. Bibl. 159-70 [BiTod 45,129–D. Senior].

6264   *Paschke, Boris A.* The mystery of the vanishing sources: how New Testament scholars superficially and uncritically identified the ancient background of Luke 8:43-48, Acts 5:15, and Acts 19:12. BN 129 (2006) 71-87.

6265   *Plümacher, Eckhard* Stichwort: Lukas, Historiker. ZNT 9/18 (2006) 2-8.

6266   *Porter, Stanley E.* Scripture justifies mission: the use of the Old Testament in Luke-Acts. Hearing the OT. 2006 ⇒777. 104-126.

6267   *Read-Heimerdinger, Jenny* Luke's use of ὡς and ὡσεί: comparison and correspondence as a means to convey his message. [F]CIGNELLI, L.: SBFA 68: 2006 ⇒21. 251-274.

6268   *Rius-Camps, Josep* Codex Bezae Cantabrigiensis (D05): intercambios consonánticos en la obra de Lucas (Lc y Hch). CCO 3 (2006) 243-267.

6269   **Rothschild, Clare K.** Luke-Acts and the rhetoric of history: an investigation of early christian historiography. WUNT 2/175: 2004 ⇒ 20,6167. [R]ThLZ 131 (2006) 1005-1008 (*Schröter, Jens*); ThRv 102 (2006) 466-467 (*Backhaus, Knut*).

6270   *Ruzer, Serge* 'Son of God' and 'Son of David': Luke's attempt to biblicize a problematic notion. B&B 3 (2006) 321-352.

6271   *Sandiyagu, Virginia R.* ἕτερος and ἄλλος in Luke. NT 48 (2006) 105-130.

6272   **Schiffner, Kerstin** Lukas liest Exodus: Studien zur Aufnahme ersttestamentlicher Befreiungsgeschichte im lukanischen Werk als Schrift-Lektüre. [D]*Balz, Horst* 2000, Diss. Bochum [ThRv 103/2,iv].

6273   *Schlosser, Jacques* La constitution d'une histoire du salut dans le christianisme primitif. À la recherche de la parole. LeDiv 207: 2006 <1989> ⇒296. 485-504.

6274   *Soto Varela, Carme* Presencia y relevancia de las mujeres ricas en la obra de Lucas. ResB 49 (2006) 31-40.

6275   *Tremolada, Pierantonio* 'Bisogna che si compiano tutte le cose scritte su di me nella legge di Mosè, nei profeti e nei salmi' (*Lc* 24,44): il compimento 'canonico-cristologico' delle scritture in *Lc-At.* Rivisitare il compimento. Biblica 3: 2006 ⇒780. 41-73.

6276 **Tyson, Joseph B.** MARCION and Luke-Acts: a defining struggle. Columbia 2006, Univ. of South Carolina Pr. xiv; 192 pp. $40. 978-1-57-003-650-7. Bibl. 167-180.

6277 *Urbán, Angel* Bezae Codex Cantabrigiensis (D): intercambios vocálicos en los textos griegos de Lucas y Hechos. CCO 3 (2006) 269-316.

6278 *Williams, M.C.* La veracidad histórica de Lucas-Hechos. Kairós [Guatemala City] 39 (2006) 23-35.

F7.3 *Evangelium Lucae*—Textus, commentarii

6279 *Barnard, Jody A.* Is verbal aspect a prominence indicator?: an evaluation of Stanley Porter's proposal with special reference to the gospel of Luke. FgNT 19 (2006) 3-29.

6280 **Bassin, François** L'évangile selon Luc. Vaux-sur-Seine 2006, Edifac 333 pp. €23. 29044-07413.

6281 **Bovon, François** Luca, 1: introduzione: commento a 1,1-9,50. [E]*Ianovitz, Oscar*: Comm. Paideia, NT 3/1: 2005 ⇒21,6470. [R]CivCatt 157/3 (2006) 444-445 (*Scaiola, D.*).

6282 [E]**Brodie, Thomas L.** Proto-Luke: the oldest gospel account: a Christ-centred synthesis of Old Testament history modelled especially on the Elijah-Elishah narrative. Bible as Dialogue, NT 3A: Limerick 2006, Dominican Biblical Institute 59 pp. $14. 09334-62093.

6283 *Brossier, François* Sui passi di Gesù: vangelo di Luca: un grande racconto di viaggio. Il Mondo della Bibbia 17/1 (2006) 50-51.

6284 **Debergé, P.** L'évangile de Luc. Prier 7 jours avec la bible: P 2006, Bayard 183 pp. €12.80. 2-227-476295.

6285 *Ehrman, Bart D.* Christ in early christian tradition: texts disputed and apocryphal: lecture one: Christ come in the flesh; Ment. MARCION; TERTULLIAN;

6286 Christ in early christian tradition: texts disputed and apocryphal: Christ as divine man;

6287 Christ in early christian tradition: texts disputed and apocryphal: Christ against the Jews. Studies in textual criticism. NTTS 33: 2006 ⇒212. 343-360/361-376/377-394.

6288 **Gargano, Innocenzo** Lectio divina su il vangelo di Luca, 4: le donne la missione e il regno di Dio (cc. 8-11). Conversazioni bibliche: Bo 2006, Dehoniane 162 pp. €11.50. 978-88-10-70995-5.

6289 *Goss, Robert E.* Luke. Queer bible commentary. 2006 ⇒2417. 526-547.

6290 **Gueuret, Agnès** Le pas du temps: oratio selon Luc. P 2006, Corridor bleu 184 pp. €16. 2-914033-206.

6291 *Head, Peter M.* A newly discovered manuscript of Luke's gospel (De Hamel MS 386; Gregory-Aland 0312). NT manuscripts. 2006 ⇒453. 105-120.

6292 **Heer, Jos de** Lucas/Acta, 1: de oorsprongen van het geloof [Luke 1-4]. Zoetermeer 2006, Meinema 358 pp. €35. 90-211-4095-0;

6293 Lucas/Acta, 2: het verhaal van Jezus [Luke 5-13]. Zoetermeer 2006, Meinema 393 pp. €35. 978-90211-41282.

6294 *Henrich, S.* Embedded in the first century, alive for our own: recent research on Luke's gospel. CThMi 33 (2006) 481-486.

6295 *Hensell, E.* Scripture scope: reading the gospel of Luke. RfR 65/4 (2006) 423-426.
6296 ᴱ**Just, Arthur A., Jr.** Luca: la bibbia commentata dai padri, NT 3. ᵀ*Petri, Sara; Taponecco, Giovanna:* R 2006, Città Nuova 583 pp. 88-311-9380-5. Bibl. 553-560;
6297 La biblia comentada por los padres de la iglesia: Nuevo Testamento, 3: el evangelio según san Lucas. ᴱ*Merino Rodríguez, M.:* M 2006, Ciudad N. 560 pp. 84-9715-103-8.
6298 **Kealy, Seán** The interpretation of the gospel of Luke, 1: From apostolic times through the nineteenth century, 2: In the twentieth century. Studies in the Bible and Early Christianity: 2005 ⇒21,6478. ᴿPIBA 29 (2006) 99-101 (*Mangan, Céline*).
6299 **Klein, Hans** Das Lukasevangelium. KEK 1/3: Gö 2006, Vandenhoeck & R. 743 pp. €89. 3-525-51500-6. ᴿSNTU.A 31 (2006) 203-241 (*Fuchs, Albert*); OrdKor 47 (2006) 488-489 (*Giesen, Heinz*).
6300 **Löning, Karl** Das Geschichtswerk des Lukas, 2: der Weg Jesu. UB 456: Stu 2006, Kohlhammer 272 pp. €22. 978-317-0131224.
6301 *Mentano, Guido* Aspetto verbale e uso del participio nel vangelo di Luca. Orph. 27/1-2 (2006) 63-91.
6302 **Meynet, Roland** L'évangile de Luc. Rhétorique sémitique 1: 2005 ⇒ 21,6485. ᴿCBQ 68 (2006) 155-156 (*Davids, Peter H.*).
6303 **Patella, Michael F.** The gospel according to Luke. New Collegeville Bible Comm.NT 3: 2005 ⇒21,6489. ᴿRBLit (2006)* (*Green, Joel*).
6304 **Radl, Walter** Das Evangelium nach Lukas:·Kommentar, Bd. 1. Kap. 1,1-9,50. 2003 ⇒19,6192... 21,6491. ᴿBZ 50 (2006) 128-131 (*Klein, Hans*); StBob (2006/1) 164-165 (*Sieg, Franciszek*).
6305 *Squires, John T.* The gospel according to Luke. Cambridge companion to the gospels. 2006 ⇒344. 158-181.
6306 **Stock, Klemens** La liturgia de la palabra: comentarios a los evangelios dominicales y festivos—ciclo C (Lucas). M 2006, San Pablo 488 pp. 84-285-2982-5.
6307 *Urbán, Ángel* Variantes propias y significativas en un manuscrito greco-árabe inédito del evangelio de Lucas (BnF Suppl. grec. 911, s. XI). ᶠCIGNELLI, L.: SBFA 68: 2006 ⇒21. 217-250.
6308 **Vaz, Eurides Divino** O evangelho de Lucas: o ministério em Jerusalém, a paixao, morte e ressurreiçao de Jesus. Comentário Pastoral 3: n.p. 2006, n.p. 159 pp. 85-905663-5-8.

F7.4 *Lucae themata*—**Luke's Gospel, topics**

6309 **Barlet, Louis; Guillermain, Chantal** Le beau Christ de Luc. LiBi 145: P 2006, Cerf 229 pp. €22. 22040-80500.
6310 **Bianco, Enzo** Meditare con Luca: materiali per la lectio divina. Leumann 2006, ElleDiCi 128 pp. €6.50.
6311 *Bottini, Giovanni C.* The role of Mary in the history of salvation: reflections on the gospel of Luke. JJSS 6 (2006) 172-184.
6312 **Brambilla, Franco G.** Chi è Gesù?: alla ricerca del volto. Spiritualità biblica: 2004 ⇒20,6195. ᴿLASBF 56 (2006) 642-644 (*Chrupcała, Lesław D.*).
6313 **Dagron, Alain** A l'épreuve des évangiles: lecture des dimanches: année C. P 2006, Bayard 256 pp. €20.50.

6314 *Dillmann, Rainer* La problemática pobre-rico en el contexto del reino de Dios y en la relación de viaje. Riqueza y solidaridad. 2006 ⇒410. 115-131.

6315 *Elvey, Anne* Touching (on) death: on 'being toward' the other in the gospel of Luke. BiCT 2/2 (2006)*.

6316 *Fischer, Bettina* BAKHTIN's carnival and the gospel of Luke. Neotest. 40 (2006) 35-60;

6317 The chronotope and its discursive function in the gospel of Luke. [F]LATEGAN, B.: NT.S 124: 2006 ⇒94. 325-337.

6318 **Grün, Anselm** Tú eres una bendición. [T]*Lozano Gotor, José Manuel*: ST Breve 54: Sdr 2006, Sal Terrae 119 pp. 84-293-1636-1.

6319 **Karris, Robert J.** Eating your way through Luke's gospel. ColMn 2006, Liturgical 110 pp. $10. 08146-2121X [BiTod 44,200-D. Senior].

6320 **Kim-Rauchholz, Mihamm** Das Motiv der μετάνοια bei Lukas. [D]*Eckstein, H.-J.* 2006, Diss. Tübingen [ThRv 103/2,xi] [Amos 7-9].

6321 *Klinghardt, Matthias* "Gesetz" bei MARKION und Lukas. [F]BURCHARD, C.: NTOA 57: 2006 ⇒13. 99-128.

6322 **McComiskey, Douglas S.** Lukan theology in the light of the gospel's literary structure. 2004 ⇒21,6539. [R]CBQ 68 (2006) 548-549 (*O'Toole, Robert F.*); RBLit (2006)* (*Steyn, Gert*).

6323 **Méndez-Moratalla, Fernando** The paradigm of conversion in Luke. JSNT.S 252: 2004 ⇒20,6211. [R]HeyJ 47 (2006) 628-629 (*Hill, Robert C.*); JThS 57 (2006) 256-258 (*Beck, Brian E.*).

6324 *Müller, Christoph G.* Kalbfleisch und gebratener Fisch: Anmerkungen zur lukanischen Speisekarte. ThGl 96 (2006) 250-261.

6325 *Navone, John* Luke's banquet theme. BiTod 44 (2006) 235-242.

6326 *Neumann, Nils* Wenn Lukas liest ... Ansätze hellenistischer Allegorese im dritten Evangelium. BZ 50 (2006) 161-173 [Lk 20,17; 20,37].

6327 **O'Loughlin, Thomas** Liturgical resources for Luke's year: Sundays in ordinary time in Year C. Dublin 2006, Columba 306 pp.

6328 *Oberlinner, Lorenz* Das Jesusbild des Lukasevangeliums—eine soteriologische Alternative?. [F]UNTERGASSMAIR, F.: 2006 ⇒161. 167-182.

6329 **O'Toole, Robert F.** Luke's presentation of Jesus: a christology. SubBi 25: 2004 ⇒20,6214. [R]CBQ 68 (2006) 772-773 (*Tannehill, Robert C.*).

6330 *Panier, Louis* Jean-Baptiste et Jésus dans l'évangile de Luc: deux foyers pour une ellipse: approche sémiotique. Et vous. 2006 ⇒760. 77-103.

6331 **Petracca, Vincenzo** Gott oder das Geld: die Besitzethik des Lukas. TANZ 39: 2003 ⇒19,6226. [R]ThLZ 131 (2006) 172-75 (*Bendemann, Reinhard von*).

6332 *Racine, Jean-François* La construction du personnage de Jésus selon l'évangile de Luc: une création collective. Et vous. 2006 ⇒760. 127-141.

6333 *Rius-Camps, Josep* L'home i la dona, 'afaiçonats segons la imatge de Déu', en el primer volum de l'obra de Lluc. Imatge de Déu. Scripta Biblica 7: 2006 ⇒463. 127-137.

6334 **Robertson, A.T.** Word pictures in the New Testament: Luke. [E]*Perschbacher, Wesley J.* 2005 <1930> ⇒21,6545. [R]Faith & Mission 23/3 (2006) 89-93 (*Robinson, Maurice A.*).

6335 *Rocha, Alessandro Rodrigues* A memória comunitária como elemento atualizador de esperança escatológica na fé cristã: uma leitura da memória de Jesus no evangelho de Lucas. AtT 10 (2006) 389-400.

6336 *Roschke, R.W.* Healing in Luke, Madagascar, and elsewhere. CThMi 33 (2006) 459-471.

6337 *Roth, S.J.* Jesus the pray-er. CThMi 33 (2006) 488-500.

6338 **Rowe, Christopher Kavin** Early narrative christology: the Lord in the gospel of Luke. ᴰ*Hays, Richard*: BZAW 139: B 2006, De Gruyter viii; 277 pp. €84. 3-11-018995-X. Diss. Duke; Bibl. 241-262.

6339 *Scheffler, Eben* Compassionate action: living according to Luke's gospel. Identity, ethics. BZNW 141: 2006 ⇒795. 77-106;

6340 "Lord, shall we strike with the sword?": of (non-)violence in Luke's gospel. APB 17 (2006) 295-311.

6341 **Stock, Klemens** La liturgia de la palabra: comentarios a los evangelios dominicales y festivos: ciclo C (Lucas). Caminos 21: M 2006, San Pablo 488 pp. 84-2852-982-5.

6342 **Thaijsa, S.D.** Call to compassion—the Lukan perspective. Bangalore 2006, Dharmaram 379 pp. Rs250. 81-86861-85-8. Diss. ᴿVJTR 70 (2006) 795-796 (*Mattam, Joseph*).

6343 *Thiselton, Anthony C.* More on christology: christology in Luke, speech-act theory, and the problem of dualism in christology' (1994). Thiselton on hermeneutics. 2006 ⇒318. 99-116.

6344 *Tiede, D.L.* Telling the prophetic truth: Advent–Epiphany according to St. Luke. CThMi 33 (2006) 472-480.

6345 **Vallet, O.** L'évangile des païens. Espaces libres: P 2006, Albin Michel 326 pp. €8. 22261-72866.

6346 **Weissenrieder, Annette** Images of illness in the gospel of Luke: insights of ancient medical texts. WUNT 2/164: 2003 ⇒19,6232. ᴿThLZ 131 (2006) 40-41 (*Strecker, Christian*); BZ 50 (2006) 131-133 (*Bendemann, Reinhard von*).

F7.5 *Infantia, cantica*—**Magnificat, Benedictus: Luc. 1-3**

6347 *Dillmann, Rainer* El relato lucano de la infancia como actualización y contextualización de la piedad prejudía de los pobres y su significado pragmático. Riqueza y solidaridad. 2006 ⇒410. 9-31.

6348 **Hornik, Heidi J.; Parsons, Mikeal C.** Illuminating Luke: the Infancy Narrative in Italian Renaissance painting. 2003 ⇒19,6233... 21, 6560 . ᴿTheol. 109 (2006) 71-72 (*Need, Stephen W.*); HeyJ 47 (2006) 319-320 (*Swanson, R.N.*).

6349 **Jung, Chang-Wook** The original language of the Lukan infancy narrative. JSNT.S 67: 2004 ⇒20,6224. ᴿCBQ 68 (2006) 546-548 (*Clabeaux, John*); RBLit (2006)* (*Steyn, Gert*).

6350 *Kilgallen, John J.* Christmas biblical reflections. BiTod 44 (2006) 366-374.

6351 *McGaughy, Lane C.* Infancy narratives and Hellenistic lives: Luke 1-2. Forum 2/1 (1999) 25-39.

6352 *McKnight, S.* The Mary we never knew. ChrTo 50/12 (2006) 26-30.

6353 **Wrembek, Christoph** Quirinius, die Steuer und der Stern: warum Weihnachten wirklich in Betlehem war. Kevelaer 2006, Topos P. 304 pp. €13.90.

6354 *Burger, Christoph* Martin LUTHER en Thomas MÜNTZER leggen Lucas 1 uit: verzen uit het boek Jeremia sturen de interpretatie. ITBT 14/1 (2006) 18-20 [Jer 9,23-24; 23,29; 1,8-10; 1,18-19].

6355 *Dillmann, Rainer* Im Schatten zweier Frauen–Zacharias: Lukas 1. Die besten Nebenrollen. 2006 ⇒1164. 208-212.
6356 *Schroeter-Wittke, Harald* Theophilos: Lukas 1 und Apostelgeschichte 1. Die besten Nebenrollen. 2006 ⇒1164. 205-207.
6357 *Litwak, Kenneth D.* περὶ τῶν πεπληροφορημένων ἐν ἡμῖν πραγμάτων: concerning the things fulfilled or accomplished?. RB 113 (2006) 37-52 [Lk 1,1].
6358 *Adams, Sean A.* Luke's preface and its relationship to Greek historiography: a response to Loveday Alexander. JGRChJ 3 (2006) 177-191 [Lk 1,1-4].
6359 *Marucci, Corrado* Salvare ciò che era perduto: introduzione al vangelo di Luca. CivCatt 157/3 (2006) 367-379 [Lk 1,1-4].
6360 *Rovira, Germán* Dios te salve, llena de gracia (Luc 1,28/42). EphMar 56/1 (2006) 71-79.
6361 *Brock, Sebastian P.* The lost Old Syriac at Luke 1:35 and the earliest Syriac terms for the incarnation. Fire from heaven. 2006 <1989> ⇒ 195. X.118-131;
6362 Passover, Annunciation and epiclesis: some remarks on the term *aggen* in the Syriac versions of Lk. 1:35. Fire from heaven. 2006 <1982> ⇒195. XII.1-11.
6363 *Stramare, Tarcisio* La visita di Maria SS. a S. Elisabetta (Lc 1,39-56): proclamazione dell'incarnazione. Scrutate le scritture. 2006 ⇒ 311. 73-83.
6364 *Van den Eynde, Sabine* Are Jael (Judg 5:24) and Mary (Luke 1:42) blessed *above* or *among* women?. XII Congress IOSCS. SCSt 54: 2006 ⇒774. 81-94.
6365 *Wilson, Brittany E.* Pugnacious precursors and the bearer of peace: Jael, Judith, and Mary in Luke 1:42. CBQ 68 (2006) 436-456 [Judg 5,24; Judith 13,18].
6366 **Wüthrich, Serge** Le Magnificat, témoin d'un pacte socio-politique de Luc-Actes. Christianismes anciens 2: 2003 ⇒19,6253... 21,6580. [R]RTL 37 (2006) 102-103 (*Focant, C.*) [Lk 1,46-55].
6367 *Gradl, Hans-Georg* Eine Miniatur des Evangeliums: der Lobgesang des Zacharias. EuA 82 (2006) 195-198 [Lk 1,67-79].
6368 *Dillon, Richard J.* The Benedictus in micro- and macrocontext. CBQ 68 (2006) 457-480 [Lk 1,68-79].
6369 *Décoppet, Alain* Quand Jésus est-il né?. Ḥokhma 90 (2006) 63-67 [Lk 2,2].
6370 *Marucci, Corrado* "Pace agli uomini di buona volontà"?: la traduzione di εὐδοκία in Lc 2,14, 2: storia dell'interpretazione. RdT 47 (2006) 21-43.
6371 *Koet, Bart J.* Holy place and Hannah's prayer: a comparison of *Liber Antiquitatum Biblicarum* 50-51 and Luke 2:22-39 à propos 1 Samuel 1-2. Dreams and scripture. CBET 42: 2006 <1998> ⇒254. 123-144;
6372 Simeons Worte (Lk 2,29-32.34c35) und Israels Geschick. Dreams and scripture. CBET 42: 2006 <1992> ⇒254. 99-122.
6373 **Serra, Aristide M.** "Una spada trafiggerà la tua vita" (Lc 2,35a): quale spada?: bibbia e tradizione giudaico-cristiana a confronto. 2003 ⇒19,6263... 21,6593. [R]LASBF 56 (2006) 640-642 (*Chrupcała, Lesław D.*).
6374 *Heininger, Bernhard* Die fromme Witwe: Hanna und das lukanische Frauenideal (Lk 2,36-38). [F]KLINGER, E., 2. 2006 ⇒86. 139-168.

6375 *Vakayil, Prema* Decoding the prophetess (Lk 2:36-38). ITS 43 (2006) 341-355.
6376 *Díez Merino, L.* 'He aquí que tu padre y yo te buscábamos angustiados...' (Lc 2,48). EstMar 72 (2006) 17-51 [Lk 2,41-52].
6377 *Hamilton, David G.* The big picture according to Luke (Luke 3:1-6) (Advent 2). ET 118 (2006) 81-82.
6378 *Höcht-Stöhr, Jutta* Compassion-Weltleidenschaft Gottes: Lukas 3,1-14. JK 67/4 (2006) 68-71.
6379 *Ball, Helen; Jones, Russell* Contextual bible study notes on Luke 3:7-18 (gospel reading for the third Sunday of Advent). ET 118 (2006) 83-84.
6380 *Popović, Anto* Isus i Abraham u kontekstu Lukine genealogije (Lk 3, 23-38). BoSm 76 (2006) 551-572. **Croatian**.

F7.6 **Evangelium Lucae 4,1...**

6381 **Broccardo, Carlo** La fede emarginata: analisi narrativa di Luca 4-9. ^D*Aletti, Jean-Noël*: Studi e ricerche: Assisi 2006, Cittadella 358 pp. €18. 8830808296. Diss. Pont. Inst. Biblicum; Bibl. 325-39. ^RCredOg 26/1 (2006) 180-181; ATT 12 (2006) 457-460 (*Ghiberti, Giuseppe*).
6382 *Schlosser, Jacques* Les tentations de Jésus et la cause de Dieu (Q 4,1-3). À la recherche de la parole. LeDiv 207: 2006 <2002> ⇒296. 295-319.
6383 *Kilgallen, John J.* Jesus tempted in the desert (Luke 4,1-12). ChiSt 45 (2006) 228-233.
6384 *Segura, H.* La misión como liberación integral: Jesús, model sin igual. Kairós [Guatemala City] 38 (2006) 23-40 [Lk 4,14-30].
6385 *Riches, John* Contextual bible study notes on Luke 4:16-22. ET 118 (2006) 137-138.
6386 **Agbor, Joseph O.** The rejection of Jesus in Nazareth (Luke 4:16-30). ^D*Gieniusz, Andrzej*: 2006, Diss. Rome, Urbaniana [RTL 38, 617].
6387 *Langner, Córdula* Lc 4,16-30: Jesús proclama el año de gracia del Señor. Riqueza y solidaridad. 2006 ⇒410. 33-59.
6388 **Vaz, Eurides D.** Como Jesus se relacionava no evangelho Lucas?: um estudo teologico-biblico de Lc 4,16-30. Goiânia 2006, n.p. 75 pp. Bibl. 73-75.
6389 *Kerr, Fergus* Rage against Jesus (Luke 4:21-30). ET 118 (2006) 139-140.
6390 *Eltrop, Bettina* Die Berufung der Menschenfänger: Lukas 5,1-11. Apostel. entdecken: 2006 ⇒338. 24-31.
6391 *Bailey, Jon N.* Looking for Luke's fingerprints: identifying evidence of redactional activity in "the healing of the paralytic" (Luke 5:17-26). RestQ 48/3 (2006) 143-156.
6392 *Dewey, Joanna* Response to Kelber, Horsley, and Draper. [Lk 6];
6393 *Draper, Jonathan A.* Jesus' "covenantal discourse" on the plain (Luke 6:12-7:17) as oral performance: pointers to "Q" as multiple oral performance. Oral performance. SBL.Semeia studies 60: 2006 ⇒417. 101-107/71-98.
6394 *Maleparampil, Joseph* Bienaventuranzas y lamentaciones en Lc 6,20-26: el reto de la buena nueva de Jesús a los pobres y a los ricos. Riqueza y solidaridad. 2006 ⇒410. 61-83.

6395 *Horsley, Richard A.* Performance and tradition: the covenant speech in Q. Oral performance. SBL.Semeia studies 60: 2006 ⇒417. 43-70 [Lk 6,20-49].

6396 *Meynet, Roland* Composite ou composé?. Etudes sur la traduction. 2006 ⇒274. 41-54 [Lk 6,27-28; 1,57-66; 15].

6397 **Muhindo Tulirwagho, Richard** L'amour des ennemis: utopie ou réalité vitale?: étude exégético-théologique de Lc 6,27-36 et Rm 12, 14.17-21. ᴰ*Garuti, P.* 2006, Diss. Rome, Angelicum [RTL 38,620].

6398 *Thachuparamban, Johny* A critique on the position and wording of the golden rule in Q (Q 6,31). BiBh 32 (2006) 185-209.

6399 **Kanyali Mughanda, Albert** Résurrection du Jeune Homme de Naïn et/ou la consolation d'une veuve mère affligée: étude d'eségèse moderne et patristique orientale de Lc 7,11-17. ᴰ*Marucci, Corrado*: 2006, 282 pp. Diss. Rome, Pont. Ist. Orientale [RTL 38,619].

6400 *Mendonça, José Tolentino* A construção de Jesus: uma leitura narrativa de Lc 7,36-50. Did(L) 36/1 (2006) 85-93.

6401 **Mendonça, José Tolentino** A construçao de Jesus: uma leitura narrativa de Lc 7,36-50. Fundamenta 26: 2004 ⇒20,6253; 21,6618. ᴿHumTeo 27/1 (2006) 149-150 (*Carvalho, José Carlos*).

6402 **Mullen, J. Patrick** Dining with Pharisees. Interfaces: 2004 ⇒20, 6254; 21,6619. ᴿFurrow 57 (2006) 253-254 (*O'Connell, Séamus*) [Lk 7,36-50].

6403 *VanTil, Kent A.* Three anointings and one offering: the sinful woman in Luke 7.36-50. JPentec 15 (2006) 73-82.

6404 *Meynet, Roland* Marie au centre de l'attention (Lc 8). Etudes sur la traduction. 2006 <2003> ⇒274. 69-82.

6405 *Phipps, W.E.* Itinerating wives and Mary Magdalene. CThMi 33 (2006) 394-396 [Lk 8,1-3].

6406 **Houngbedji, Roger** L'église-famille en Afrique selon Luc 8,19-21. ᴰ*Schenker, Adrian* 2006, Diss. Fribourg [RTL 38,619].

6407 *Weissenrieder, Annette* La piaga dell'impurità?: l'ipotesi patologica antica del 'flusso di sangue' in *Lc.* 8,43-48. Il nuovo Gesù storico. 2006 ⇒788. 104-118.

6408 *Huning, Ralf* Lc 9,1-6 y 10,1-12: de la pobreza de los predicadores y la riqueza de los marginados: las recomendaciones de Jesús al enviar a los discípulos. Riqueza y solidaridad. 2006 ⇒410. 85-113.

6409 *Martin, Thomas W.* What makes glory glorious?: reading Luke's account of the transfiguration over against triumphalism. JSNT 29 (2006) 3-26 [Lk 9,28-36].

F7.7 *Iter hierosolymitanum—Lc 9,51...*—**Jerusalem journey**

6410 **Noël, Filip** The travel narrative in the gospel of Luke: interpretation of Lk 9,51-19,28. CBRA 5: 2004 ⇒20,6257; 21,6622. ᴿSNTU.A 31 (2006) 278-279 (*Fuchs, Albert*); CBQ 68 (2006) 343-344 (*Perry, Gregory R.*); JThS 57 (2006) 254-256 (*Gregory, Andrew*).

6411 **Abuh, John** Christian discipleship in Luke 9:57-62. ᴰ**Taylor, Richard** 2006, Diss. Rome, Angelicum [RTL 38,617].

6412 *Garuti, Paolo* Gesù e i bravi ragazzi: il mashal evangelico di Lc 9, 59-60 (//Mt 8,21-22) e la pompa funeraria dell'aristocrazia romana. SacDo 51/6 (2006) 36-74.

6413   *Humphrey, Edith M.* To rejoice or not to rejoice?: rhetoric and the fall of Satan in Luke 10:17-24 and Rev 12:1-17. The reality of apocalypse. SBL Symposium 39: 2006 ⇒691. 113-125.

6414   *Borges de Meneses, Ramiro Délio* Na parábola do bom samaritano: o sentido da fruiçao pela humanizaçao. Ment. *Lévinas, Emmanuel*: Mayéutica 32 (2006) 393-401 [Lk 10,25-37].

6415   *Kazen, Thomas* The Good Samaritan and a presumptive corpse. SEÅ 71 (2006) 131-144 [Lk 10,25-37].

6416   *Mihoc, Vasile* The parable of the Good Samaritan (Luke 10:25-37) in a context of scripture discussion. [F]GALITIS, G. 2006 ⇒49. 395-411.

6417   *Sando, Svein* Medynk og nestekjaerlighetsbudet: en lesning av en artikkel av Z. Bauman i lys av "Den barmhjertige samaritan"–og omvendt. TTK 77 (2006) 20-39 [Lk 10,25-37].

6418   *Keerankeri, George* Inheriting eternal life: the love commandments in Luke. VJTR 70 (2006) 183-197 [Lk 10,25-42].

6419   *Pilarz, Krzysztof J.* 'Kto jest moim bliźnim?' (Łk 10,29): refleksja semantyczna ['Qui est mon prochain?' (Luc 10,29): réflexion sémantique]. AtK 146 (2006) 269-279. **P**.

6420   *Esler, Philip F.* Gesù e la riduzione di conflittualità tra gruppi. Il nuovo Gesù storico. 2006 ⇒788. 254-271 [Lk 10,29-37].

6421   *Monléon, Albert-Marie de* Commentaire de la parabole du Bon Samaritain. Com(F) 31/2 (2006) 91-103 [Lk 10,29-37].

6422   *Castillo Ch., Ana L.* La escucha de la palabra: análisis pragmalingüistico de Lc 10,38-42. Qol 42 (2006) 53-79.

6423   *Grumett, David* Action and/or contemplation?: allegory and liturgy in the reception of Luke 10,38-42. SJTh 59 (2006) 125-139.

6424   *Kalloch, Christina* "Streitfall" Kindertheologie: Kinder als Exeget/innen?. [F]UNTERGASSMAIR, F. 2006 ⇒161. 505-511 [Lk 10,38-42].

6425   *Trautmann, Maria* "Die ideale Frau, würd' ich sagen, ist die: ein bißchen Martha und auch ein bißchen Marie": Überlegungen zur Marta-Maria-Erzählung in Lk 10,38-42. [F]UNTERGASSMAIR, F. 2006 ⇒161. 183-193.

6426   *Kirk, Alan* Going public with the hidden transcript in Q 11: Beelzebul accusation and the woes. Oral performance. SBL.Semeia studies 60: 2006 ⇒417. 181-191.

6427   *Schlosser, Jacques* Q 11,23 et la christologie. À la recherche de la parole. LeDiv 207: 2006 <1998> ⇒296. 265-273.

6428   *Millet, Martine* Luc 11,27-28: une salutation incarnée. LeD 68 (2006) 26-37.

6429   *Hahn, Ferdinand* Die Worte vom Licht Lk 11,33-36. Studien zum NT, I. WUNT 191: 2006 <1973> ⇒230. 273-304.

6430   *Mora Rivera, Jaime* El buen uso de las riquezas: Lc 12,13-21. Riqueza y solidaridad. 2006 ⇒410. 133-162.

6431   *Oliphant, Rachael; Babie, Paul* Can the gospel of Luke speak to a contemporary understanding of private property?: the parable of the rich fool. Colloquium 38 (2006) 3-26 [Lk 12,16-21].

6432   *Seiler, Friedemann* Auseinandersetzung mit dem reichen Kornbauern: Erfahrungen aus meinem Ruhestand. DtPfrBl 106/9 (2006) 468-471 [Lk 12,16-21].

6433   *Chuecas Saldías, Ignacio* ¡Felices aquellos siervos!: Lucas 12,37. TyV 47 (2006) 153-189.

6434   *Sutter Rehmann, Luzia* Glück in schwierigen Zeiten: Untersuchung von kairos in Lk 13. Zum Leuchten bringen. 2006 ⇒446. 109-132.

6435   *Parsons, Mikeal C.* "Whom Satan has bound for behold these ten and eight years": the symbolic value of the length of the bent woman's illness (Luke 13:10-17) according to P45. JHiC 12/2 (2006) 87-92.

6436   *Hahn, Ferdinand* Das Gleichnis von der Einladung zum Festmahl. Studien zum NT, I. WUNT 191: 2006 <1970> ⇒230. 337-370 [Lk 14,16-24].

6437   **Bailey, Kenneth E.** Il figlio prodigo: parabola di un amore crocifisso: i racconti di Luca 15 riletti con gli occhi del Medio Oriente. CinB 2006, San Paolo 183 pp. 88-215-5738-3. Bibl. 181-183.

6438   *Dognin, Paul-Dominique* La parabole de la miséricorde. VS 762 (2006) 9-18 [Lk 15].

6439   *Eastman, Susan* The foolish father and the economics of grace. ET 117 (2006) 402-405 [Sir 33,20-24; Lk 15].

6440   *Adewale, Olubiyi A.* Conflict resolution in the parable of the Prodigal Son as a paradigm for resolving conflicts in Africa. BiBh 32 (2006) 135-153 [Lk 15,11-32].

6441   **Bailey, Kenneth E.** Der ganz andere Vater: die biblische Geschichte vom verlorenen Sohn aus nahöstlicher Perspektive in Szene gesetzt. Schwarzenfeld 2006, Neufeld 189 pp. €14.90. 3-937896-236. [Lk 15, 11-32].

6442   *Bracchi, Remo* Divise fra loro la vita: rivisitazione della parabola del Figlio prodigo sul testo originale. Sal. 68 (2006) 631-656 [Lk 15,11-32].

6443   **Luneau, René** L'enfant prodigue. 2005 ⇒21,6663. [R]EeV 143 (2006) 27 (*Cothenet, Edouard*); ASSR 51/4 (2006) 221-222 (*Bosselut, Clémence*) [Lk 15,11-32];

6444   Il figlio prodigo. Brescia 2006, Queriniana 156 pp. €13. 88-399-290-4-5 [Lk 15,11-32].

6445   *Meynet, Roland* La parabole du fils prodigue revisitée. Etudes sur la traduction. 2006 ⇒274. 55-67 [Lk 15,11-32].

6446   **Pavía, Antonio** El Hijo pródigo: el que busca a Dios, lo encuentra. Beber de la roca: M 2006, San Pablo 213 pp. [R]VyV 64 (2006) 637-638 [Lk 15,11-32].

6447   *Reimer, Haroldo* Diálogo e feminino: duas ausências: anotaçoes sobre Lucas 15,11-32. Estudos bíblicos 92 (2006) 55-59.

6448   *Wojciechowski, Michał* Błąd porządnegi syna: przypowieść o synu marnotrawnym (Łk 15,11-32) [Erreur du bon fils: parabole du fils prodigue (Lc 15,11-32)]. AtK 146/1 (2006) 77-81. **P**.

6449   *Reimer, Ivoni R.* Lucas 16,1-8: um elogio à prudência econômica transgressora. Estudos bíblicos 92 (2006) 60-70.

6450   *Grilli, Massimo* El uso justo del 'dinero injusto': lectura de Lc 16,1-13 en clave comunicativa. Riqueza y solidaridad. 2006 ⇒410. 163-177.

6451   *Loba-Mkole, Jean-Claude* Ethics of a business manager: intercultural exegesis of Luke 16:1-18. Hekima Review 36 (2006) 51-70.

6452   *Morschauser, Scott N.* 'Dives' and divorce: on the composition and concerns of Luke 16:14-31. JHiC 12/1 (2006) 68-90.

6453   *Breytenbach, Cilliers* "Was die Menschen für großartig halten, das ist in den Augen Gottes ein Greuel" (Lk 16,15c). JBTh 21 (2006) 131-144.

6454   *Cairus, Aecio E.* The rich man and Lazarus: an apocryphal interpolation?. JAAS 9 (2006) 35-45 [Lk 16,19-31].

6455 *Dondici, Gerardo* Lázaro y el rico: Lc 16,19-31. Riqueza y solidaridad. 2006 ⇒410. 179-194.
6456 **Koroma, Bob J.H.** A warning to the callous rich in the parable of the rich (Luke 16:19-31). [D]*Biguzzi, G.* 2006, Diss. Rome, Urbaniana [RTL 38,619].
6457 *Rocha, Alessandro R.* Parábola: palavra encenada: exercício interdisciplinar de leitura da bíblia a partir de Lucas 16,19-31. Estudos bíblicos 92 (2006) 71-82.
6458 **Sievers, Kai Detlev** Die Parabel vom reichen Mann und armen Lazarus im Spiegel bildlicher Überlieferung. 2005 ⇒21,6673. [R]ZKG 117 (2006) 111-112 (*Lange, Günter*) [Lk 16,19-31].
6459 *Van der Horst, Pieter W.* Abraham's bosom, the place where he belonged: a short note on ἀπενεχθῆναι in Luke 16.22. NTS 52 (2006) 142-144;
6460 = Jews and christians. WUNT 196: 2006 ⇒321. 164-166.
6461 *Burton, William L.* A hard saying of Jesus. BiTod 44 (2006) 220-224 [Lk 17,1-2].
6462 *Schlosser, Jacques* Lc 17,2 et la source des logia. À la recherche de la parole. LeDiv 207: 2006 <1983> ⇒296. 207-217.
6463 *Smith, Mahlon H.* Missing the Son of Man: the oral logic of Luke 17: 22. Forum 7 (2004) 97-115 [Lk 17,22].
6464 *Schlosser, Jacques* Les jours de Noé et de Lot: à propos de Lc 17,26-30. À la recherche de la parole. LeDiv 207: 2006 <1973> ⇒296. 181-206.
6465 *Stramare, Tarcisio* Opportet sempre orare et non deficere (Lc 18,1): espressione di comando o segreto di successo?. Scrutate le scritture. 2006 ⇒311. 101-114.
6466 *Richerd, Joël* Prier jusqu'à la fin: exégèse de Luc 18.1-8. ThEv(VS) 5/2 (2006) 167-189.
6467 *Kilgallen, John J.* Luke 18,11–pharisees and Lucan irony. RB 113 (2006) 53-64.
6468 *Landgrave Gándara, Daniel* Los pobres y el proyecto de Jesús: Lc 18,18-30. Riqueza y solidaridad. 2006 ⇒410. 195-217.
6469 *Štrba, Blažej* Warum steht in Lk 18,38 ἐβόησεν?. BN 128 (2006) 43-59 [Josh 6].
6470 *Langner, Córdula* Lc 19,1-10: Zaqueo, imagen de esperanza para los ricos. Riqueza y solidaridad. 2006 ⇒410. 219-242 [Lk 19,1-10].
6471 *Meurer, Hermann-J.* Christliche Gotteserfahrung: Versuch einer Phänomenologie am Beispiel von Lk 19,1-10. TThZ 115 (2006) 181-99.
6472 *Westhelle, V.* Exposing Zacchaeus. CCen 123/22 (2006) 27-31 [Lk 19,1-10].
6473 *Elvey, A.F.* Earth as intertext: 'The stones would shout out' (Luke 19: 40). Council of Societies for the Study of Religion Bulletin [Houston, TX] 35/2 (2006) 27-30.
6474 *Mielcarek, K.* Łukaszowe opowiadanie o oczyszczeniu świąyni (Łk 19,45 n.): narracja na usługach retoryki. Roczniki Teologiczne 53/1 (2006) 59-69. **P**.
6475 *Buth, Randall; Kvasnica, Brian* Temple authorities and tithe evasion: the linguistic background and impact of the parable of *The vineyard, the tenants and the son*. Jesus' last week. Jewish and Christian Perspectives 11: 2006 ⇒346. 53-80 [Lk 20,9-19];
6476 Appendix: Critical notes on the VTS. Jesus' last week. Jewish and Christian Perspectives 11: 2006 ⇒346. 259-317 [Lk 20,9-19].

6477 *Langner, Córdula* Lc 21,1-4: el óbolo de la viuda pobre. Riqueza y solidaridad. 2006 ⇒410. 263-278.

6478 *Notley, R. Steven* Learn the lesson of the fig tree. Jesus' last week. Jewish and Christian Perspectives 11: 2006 ⇒346. 107-120 [Lk 21,29-31].

F7.8 Passio—Lc 22...

6479 **Ahn, Yong-Sung** The reign of God and Rome in Luke's passion narrative: an East Asian global perspective. BiblInterp 80: Lei 2006, Brill x; 244 pp. $134. 90-04-15013-7. Bibl. 225-240. [R]RBLit (2006)* (*Bock, Darrell L.*).

6480 *Merkel, Helmut* Anmerkungen zur lukanischen Passions- und Ostergeschichte. [F]UNTERGASSMAIR, F. 2006 ⇒161. 155-166.

6481 **Scaer, Peter J.** The Lukan passion and the praiseworthy death. New Testament Monographs 10: 2005 ⇒21,6686. [R]CBQ 68 (2006) 779-780 (*Doran, Robert*); RBLit (2006)* (*Brawley, Robert*).

6482 *Hughes, Tomaz* "Este cálice é a nova aliança no meu sangue, derramado por vocês". Estudos bíblicos 90 (2006) 42-49 [Lk 22].

6483 *Theobald, Michael* Paschamahl und Eucharistiefeier: zur heilsgeschichtlichen Relevanz der Abendmahlsszenerie bei Lukas (Lk 22, 14-38). [F]MUSSNER, F.: SBS 209: 2006 ⇒117. 133-180.

6484 **Haarmann, Michael** 'Dies tut zu meinem Gedenken!': Gedenken beim Passa- und Abendmahl: ein Beitrag zur Theologie des Abendmahls im Rahmen des jüdisch-christlichen Dialogs. 2004 ⇒20,6307. [R]FrRu 13 (2006) 56-58 (*Thoma, Clemens*) [Lk 22,19].

6485 *Billings, Bradly S.* The disputed words in the Lukan institution narrative (Luke 22:19b-20): a sociological answer to a textual problem. JBL 125 (2006) 507-526.

6486 **Billings, Bradly S.** Do this in remembrance of me: the disputed words in the Lukan institution narrative (Luke 22:19b-20): an historico-exegetical, theological and sociological analysis. LNTS 314: L 2006, Clark xviii; 211 pp. $195. 05670-42340.

6487 *Ehrman, Bart D.* The cup, the bread, and the salvific effect of Jesus' death in Luke-Acts. Studies in textual criticism. NTTS 33: 2006 <1991> ⇒212. 156-177 [Lk 22,19-20].

6488 *Manns, Frédéric* Quelques variantes du Codex Bezae de Luc 22. [F]CIGNELLI, L.: SBFA 68: 2006 ⇒21. 275-292 [Lk 22,19-20; 22,43-44].

6489 *Montagnini, Felice* Luke 22:24-38: an ecclesiological issue. [F]GALITIS, G. 2006 ⇒49. 413-423.

6490 *Schlosser, Jacques* La genèse de Lc 22,25-27. À la recherche de la parole. LeDiv 207: 2006 <1982> ⇒296. 61-80.

6491 *Ehrman, Bart D.; Plunkett, Mark A.* The angel and the agony: the textual problem of Luke 22:43-44. Studies in textual criticism. NTTS 33: 2006 <1983> ⇒212. 178-195.

6492 *Seip, Jörg* Einer wurde erlöst: die beiden Schächer am Kreuz: Lukas 23. Die besten Nebenrollen. 2006 ⇒1164. 213-218.

6493 *Decloux, Simon* Ne pleurez pas sur moi ... méditation théologique à partir de Lc 23,28. Telema 124/1 (2006) 44-55.

6494 *Fernández Ramos, Felipe* Jesús, María y las hijas de Jerusalén: 'volviéndose Jesús a ellas, les dijo: 'Hijas de Jerusalén, no lloréis por mí;

llorad más bien por vosotras y por vuestros hijos... Porque si con el
leño verde hacen esto, ¿qué harán con el seco?' (Lc 23,18[sic].31).
EstMar 72 (2006) 53-81.

6495   *Whitlark, Jason A.; Parsons, Mikeal C.* The 'seven' last words: a
numerical motivation for the insertion of Luke 23.34a. NTS 52
(2006) 188-204.

6496   *Vignolo, Roberto* Alla scuola dei ladroni: una lettura di Luca 23,39-
43. RCI 87 (2006) 271-284.

6497   *Lessard, Sylvie P.* Les femmes témoins de la crucifixion (Lc 23,49):
critique de la rédaction. Theoforum 37 (2006) 223-248.

6498   *Safrai, Chana* The kingdom of heaven and the study of torah. Jesus'
last week. Jewish and Christian Perspectives 11: 2006 ⇒346. 169-
189 [Lk 23,51].

6499   *Buth, Randall* A Hebraic approach to Luke and the resurrection
accounts: still needing to re-do Dalman and Moulton. [F]CIGNELLI, L.:
SBFA 68: 2006 ⇒21. 293-316 [Lk 24].

6500   *Mejía Montoya, Francisco* El camino de Emaús: un itinerario de ini-
ciación cristiana. Medellín 32 (2006) 421-445 [Lk 24].

6501   *Mawrie, B.* A catechesis of accompaniment: the Emmausian method
of faith formation (Lk 24:13-32). MissTod 8 (2006) 64-76.

6502   *Barnhart, Joe E.* What happened on the way to Emmaus?. JHiC 12/2
(2006) 82-86 [Lk 24,13-35].

6503   **Chenu, Bruno** I discepoli di Emmaus. 2005 ⇒21,6704. [R]LASBF 56
(2006) 639-640 (*Chrupcała, Lesław D.*) [Lk 24,13-35];

6504   Los discípulos de Emaús. [T]*Ballester, Carolina* Espiritualidad: M
2006, Narcea 154 pp. 84-277-1502-1 [Lk 24,13-35].

6505   *Coyle, Kathleen* The road to Emmaus (Luke 24:13-35). EAPR 43
(2006) 393-396 [Lk 24,13-35].

6506   *Ernst, Josef* Besinnung auf die Wurzeln. [F]UNTERGASSMAIR, F. 2006
⇒161. 635-640 [Lk 24,13-35].

6507   *Infantino, Giorgio* La 'strada' verso Emmaus (*Lc* 24,13-35): una ri-
lettura pedagogica. Itin. 14/2 (2006) 101-113.

6508   *Nicholas, Richard A.* The breaking of the bread in the Emmaus
account. HPR 106/10 (2006) 30-47 [Lk 24,13-35].

6509   *Pérez Herrero, Francisco* Los discípulos de Emaús y el Resucitado
(Lc 24,13-35): explicación e implicación de une relato pascual. Burg.
47 (2006) 11-33 [Lk 24,13-35].

6510   *Thurston, A.* The journey to Emmaus: parable as paradigm. Scripture
in Church (Dublin) 36/142 (2006) 123-128 [Lk 24,13-35].

6511   *McCord Adams, Marilyn* The resurrection of the body: Luke 24:36-
49. ET 117 (2006) 251-252 [Lk 24,36-49].

6512   *Pérez Herrero, Francisco* La aparición del Resucitado a la comuni-
dad reunida (Lc 24,36-53). [F]RODRÍGUEZ CARMONA, A. 2006 ⇒138.
285-299.

F8.1 *Actus Apostolorum*, **Acts**—*text, commentary, topics*

6513   *Alexander, Loveday* The ecclesiology of *Acts*: centre and periphery.
DBM 34 (2006) 55-75. G.;

6514   'This is that': the authority of scripture in the Acts of the Apostles.
[F]ELLIS, E. 2006 ⇒36. 55-72.

6515 **Barbi, Augusto** Atti degli Apostoli (capitoli 1-14). Dabar: Padova 2003, Messagero 335 pp. €12.50. 978-88250-11517.

6516 [E]**Blickenstaff, Marianne; Levine, Amy-Jill** A feminist companion to the Acts of the Apostles. The feminist companion to the NT 9: 2004 ⇒20,6329; 21,6727. [R]BiCT 2/1 (2006)* (*Bower, Deborah*).

6517 *Blümer, Wilhelm* Apostelgeschichte. BVLI 50 (2006) 18-20.

6518 *Bohachę, Thomas, al.*, Acts of the Apostles. Queer bible commentary. 2006 ⇒2417. 566-581.

6519 **Bonnah, George K.A.** The Holy Spirit as a narrative factor in the Acts of the Apostles. [D]*Theobald, Michael* 2006, Diss. Tübingen [ThRv 103/2,xi].

6520 *Cifrak, Mario* Bog slave je/i Bog Abrahamov: Abraham u Djelima apostolskim. BoSm 76 (2006) 617-632. **Croatian.**

6521 **Cornils, Anja** Vom Geist Gottes erzählen: Analysen zur Apostelgeschichte. TANZ 44: Tü 2006, Francke viii; 283 pp. €68. 3-7720-815-6-8. Bibl. 271-283.

6522 Dans le souffle de l'Esprit: guide pour une lecture communautaire des Actes des Apôtres. Rixensart 2006, Casa de la Biblia 2 vols; 136 + 102 pp.

6523 **Dibelius, Martin** The book of Acts: form, style, and theology. [E]*Hanson, Kenneth C.* 2004 ⇒20,6336; 21,6734. [R]RBLit (2006)* (*Hood, Renate*).

6524 *Eisen, Ute E.* Wie historisch ist die Apostelgeschichte?: eine Einführung zur Kontroverse. ZNT 9/18 (2006) 37.

6525 **Eisen, Ute E.** Die Poetik der Apostelgeschichte: eine narratologische Studie. NTOA 58: Gö 2006, Vandenhoeck & R. 294 pp. €54. 978-3-525-53961-3. Bibl. 227-264.

6526 *Enuwosa, Joseph; Udoisang, Friday* Africa and Africans in the Acts of the Apostles. Biblical interpretation in African perspective. 2006 ⇒333. 117-136.

6527 [E]**Gallagher, Robert L.; Hertig, Paul** Mission in Acts: ancient narratives in contemporary context. ASMS 34: 2004 ⇒20,354. [R]IRM 95 (2006) 201-203 (*Nottingham, William J.*).

6528 **González, J.L.** Hechos. Conozca su biblia: Mp 2006, Augsburg 179 pp. 08066-80709.

6529 *Hahn, Ferdinand* Das Problem alter christologischer Überlieferungen in der Apostelgeschichte. Studien zum NT, II. WUNT 192: 2006 <1979> ⇒231. 113-138;

6530 Zum Problem der antiochenischen Quelle in der Apostelgeschichte. Studien zum NT, II. WUNT 192: 2006 <1984> ⇒231. 139-154.

6531 *Hamilton, James M.* Rushing wind and organ music: toward Luke's theology of the Spirit in Acts. RTR 65 (2006) 15-33.

6532 **Holzbach, Mathis-Christian** PLUTARCH: Galba-Otho und die Apostelgeschichte—ein Gattungsvergleich. Religion und Biographie 14: B 2006, LIT 321 pp. €30. 3-8258-9603-X.

6533 *Howell, J.* Invigorating Acts. CCen 123/18 (2006) 44-45.

6534 **Innocenti, Ennio; Ramelli, Ilaria** Gesù a Roma. R [3]2006, Sacra Fraternitas Aurigarum in Urbe 537 pp. Ill.

6535 *Joy, C.I.* David Transitions and trajectories in the early christian community in the context of pluralism and mission in Acts: a postcolonial reading. BiBh 32 (2006) 326-341.

6536 **Kaumba Mufwata, Albert** Jusqu'aux extrémités de la terre: la référence aux prophètes comme fondement de l'ouverture universaliste aux chapitres 2 et 13 des Actes des Apôtres. CRB 67: P 2006, Gabalda iv; 274 pp. €45. 2-85021-176-1. Préf. *Michel Gourgues*; Bibl. 211-245.

6537 **Kauppi, Lynn A.** Foreign but familiar gods: Greco-Roman read religion in Acts. ᴰ*Rhoads, David*: LNTS 277: L 2006, Clark xvii; 165 pp. £65. 05670-80978. Diss.

6538 *Marguerat, Daniel* L'autorità politica fra potere e promessa negli Atti degli apostoli. RstB 18 (2006) 223-234;

6539 Wie historisch ist die Apostelgeschichte?. ZNT 9/18 (2006) 44-51.

6540 **Marguerat, Daniel** La première histoire du christianisme: les Actes des Apôtres. LeDiv 180: ²2003 <1999> ⇒19,6425. ᴿETR 81 (2006) 273-274 (*Gloor, Daniel*); ThLZ 131 (2006) 856-58 (*Schröter, Jens*).

6541 *Marguerat, Daniel* Les trois courages des apôtres Pierre et Paul. Christus 53/212 (2006) 445-453.

6542 ᴱ**Martin, Francis** Acts. ACCS.NT 5: DG 2006, InterVarsity xxvi; 368 pp. $40. 0-8308-1490-6. Bibl. 344-354.

6543 *Maxwell, K.R.* The role of the audience in ancient narrative: Acts as a case study. RestQ 48 (2006) 171-180.

6544 *Molthagen, Joachim* Ein Geschichtswerk als Teil des Wortes Gottes im Neuen Testament: Beobachtungen an der Apostelgeschichte. ZThG 11 (2006) 206-221.

6545 *Niccum, Curt* The Ethiopic version and the "western" text of Acts in Le Texte Occidental des Actes des Apôtres. ᶠOSBURN, C.: TaS 4: 2006 ⇒124. 69-88.

6546 *Omerzu, Heike* Das Imperium schlägt zurück: die Apologetik der Apostelgeschichte auf dem Prüfstand. ZNT 9/18 (2006) 26-36.

6547 **Öhler, Markus** Barnabas: die historische Person und ihre Rezeption in der Apostelgeschichte. WUNT 156: 2003 ⇒19,6439... 21,6773. ᴿBZ 50 (2006) 125-126 (*Kollmann, Bernd*) [1 Cor 9,6; Gal 2,1-14];

6548 Barnabas: der Mann in der Mitte. Biblische Gestalten 12: 2005 ⇒21, 6774. ᴿBiKi 61 (2006) 180-181 (*Repschinski, Boris*).

6549 **Padilla, Osvaldo** The speeches of opponents in the Acts of the Apostles: their function and contribution to Lukan historiography. ᴰ*Clarke, A.* 2006, 335 pp. Diss. Aberdeen [RTL 38,620].

6550 *Pahl, Michael W.* The 'gospel' and the 'word': exploring some early christian patterns. JSNT 29 (2006) 211-227.

6551 **Pelikan, Jaroslav Jan** Acts. 2005 ⇒21,6776. ᴿCTJ 41 (2006) 358-359 (*Weaver, John B.*); Logos 47 (2006) 333-340 (*Jillions, John*).

6552 ᴱ**Penner, Todd C.; Vander Stichele, Caroline** Contextualizing Acts: Lukan narrative and Greco-Roman discourse. SBL.Symposium 20: 2003 ⇒19,628... 21,6777. ᴿThLZ 131 (2006) 280-282 (*Backhaus, Knut*).

6553 *Perego, Giacomo* I due volti di un unico annuncio: Pietro e Paolo negli Atti degli apostoli. ᶠFABRIS, R.: SRivBib 47: 2006 ⇒38. 197-207.

6554 *Pervo, Richard I.* My happy home: the role of Jerusalem in Acts 1-7. Forum 3/1 (2000) 31-55;

6555 Dating Acts. Forum 5/1 (2002) 53-72.

6556 Direct speech in Acts and the question of genre. JSNT 28 (2006) 285-307.

6557 **Pervo, Richard I.** Dating Acts: between the evangelists and the Apologists. Santa Rosa, CA 2006, Polebridge 513 pp. $47.50. 09443-44-739.

6558 **Pesch, Rudolf** Atti degli Apostoli. [2]2005 <1992> ⇒21,6779. [R]SapDom 59 (2006) 112-113 (*Miele, Michele*).

6559 *Phillips, Thomas E.* The genre of Acts: moving toward a consensus?. CuBR 4 (2006) 365-396.
      [E]**Phillips, T.** Acts and ethics. 2005 ⇒460.

6560 *Read-Heimerdinger, Jenny* The tracking of participants with the third person pronoun: a study of the text of Acts. RCatT 31 (2006) 439-55.

6561 **Read-Heimerdinger, Jenny** The Bezan text of Acts: a contribution of discourse analysis to textual criticism. JSNT.S 236: 2002 ⇒18, 6003... 20,6383. [R]BBR 16/1 (2006) 176-177 (*Walton, Steve*).

6562 *Read-Heimerdinger, Jenny; Rius-Camps, Josep* The variant readings of the Western Text of the Acts of the Apostles (XVIII) (Acts 13:1-12). FgNT 19 (2006) 99-112.

6563 *Richard, Pablo* Atti degli apostoli. Nuovo commentario biblico. 2006 ⇒455. 5-124.

6564 *Riesner, Rainer* Die historische Zuverlässigkeit der Apostelgeschichte. ZNT 9/18 (2006) 38-43.

6565 **Rius-Camps, Josep; Read-Heimerdinger, Jenny** The message of Acts in Codex Bezae: a comparison with the Alexandrian tradition, 1: Acts 1.1-5.42: Jerusalem. JSNT.S 257: 2004 ⇒20,6388; 21,6788. [R]TyV 47 (2006) 394-396 (*Bentuë, Antonio*); NT 48 (2006) 391-393 (*Chilton, Bruce*);

6566 2: Acts 6.1-12.25: from Judaea and Samaria to the church in Antioch. LNTS: L 2006, Clark xiii; 400 pp. £65. 0-5670-40127.

6567 **Robinson, Anthony B.; Wall, Robert B.** Called to be church: the book of Acts for a new day. GR 2006, Eerdmans xii; 298 pp. $20. 0-8028-6065-6. Bibl. 283. [R]Miss. 34 (2006) 545-547 (*Kuhn, Wagner*).

6568 *Scaer, Peter J.* Resurrection as justification in the book of Acts. CTQ 70/3-4 (2006) 219-231.

6569 **Sicre Díaz, José Luis** Hasta los confines de la tierra, 2: el macedonio. Estella (Navarra) 2006, Verbo Divino 488 pp.

6570 *Smith, Dennis E.* Was there a Jerusalem church?: christian origins according to Acts and Paul. Forum 3/1 (2000) 57-74;

6571 The Acts of the Apostles and the rewriting of christian history: on the critical study of Acts. Forum 5/1 (2002) 7-32.

6572 *Steyn, Gert J.* Driven by conviction and attitude!: ethics in the Acts of the Apostles. Identity, ethics. BZNW 141: 2006 ⇒795. 135-163.

6573 *Stone, Michael E.* Two leaves of Acts in the Perkins Library, Duke University. Apocrypha, Pseudepigrapha, II. OLA 145: 2006 <1979> ⇒310. 559-560 [Acts 19,14-26; 27,44-28,21].

6574 *Taylor, Justin* The Acts of the Apostles as biography. The limits of ancient biography. 2006 ⇒881. 77-88.

6575 **Thompson, Richard P.** Keeping the church in its place: the church as narrative character in Acts. NY 2006, Clark x; 294 pp. $35. 978-05670-26545. Bibl. 249-280 [BiTod 45,335—Donald Senior].

6576 *Trobisch, David* Die narrative Welt der Apostelgeschichte. ZNT 9/18 (2006) 9-14.

6577 *Twelftree, Graham H.* Prayer and the coming of the spirit in Acts. ET 117 (2006) 271-276.

6578 *Tyson, Joseph B.* The date of Acts: a reconsideration. Forum 5/1 (2002 33-51.

6579 *Van der Horst, Pieter W.* PHILO's *In Flaccum* and the book of Acts. Jews and Christians. WUNT 196: 2006 <2004> ⇒321. 98-107.

6580   *Varickasseril, Jose* Shepherding through teaching: pastoral reflec-
       tions on the Acts of the Apostles. MissTod 8 (2006) 214-226.
6581   *Walker, William O., Jr.* Acts and the Pauline letters. Forum 5/1
       (2002) 105-115.
6582   *Warrington, Keith* Acts and the healing narratives: why?. JPentec 14
       (2006) 189-217.
6583   **Weaver, John B.** Plots of epiphany: prison-escape in Acts of the A-
       postles. BZNW 131: 2004 ⇒20,6407. ᴿJR 86 (2006) 460-461 (*Per-
       vo, Richard I.*).
6584   **Willimon, William H.** Atti degli Apostoli. ᴱ*Comba, Fernanda Jour-
       dan*: Strumenti—Commentari 13: 2003 ⇒19,6475...21,6807. ᴿGr. 87
       (2006) 846-847 (*Farahian, Edmond*).
6585   *Zeigan, Holger* Die Wachstumsnotizen der Acta: ein Vorschlag zur
       Gliederung des lukanischen Werks. BN 131 (2006) 65-78.
6586   **Zmijewski, Josef** Atti degli Apostoli. ᵀ*Re, G.*: Il Nuovo Testamento
       commentato: Brescia 2006, Morcelliana 1307 pp. €85. 88-372-2043-
       X. Bibl. 1199-1224.

F8.3   *Ecclesia primaeva Actuum*—**Die Urgemeinde**

6587   *Bernabé Ubieta, Carmen* Asociaciones y familias en el mundo del
       cristianismo primitivo. EstB 64 (2006) 99-125.
6588   **Borragán Maia, Vicente** En los orígenes del cristianismo: así vivian
       nuestros primeros hermanos. 2005 ⇒21,6809. ᴿRRT 13 (2006) 631-
       634 (*Leal Lobón, Manuel*).
6589   **Gamble, Harry Y.** Libri e lettori nella chiesa antica: storia dei primi
       testi cristiani. Introduzione allo studio della Bibbia.Supplementi 26:
       Brescia 2006, Paideia 332 pp. €31.40. 88-394-0715-4.
6590   **Goulder, Michael D.** Le due missioni: Pietro e Paolo. ᴱ*Ronchi, Ser-
       gio*: Piccola biblioteca teologica 72: T 2006, Claudiana 224 pp. €19.
       50. 88-7016-484-5.
6591   **Humphries, Mark** Early christianity. Classical foundations: L 2006,
       Routledge xii; 276 pp. 978-0-415-20538-2/99.
6592   **Pesch, Rudolf** Gott ist gegenwärtig: die Versammlung des Volkes
       Gottes in Synagoge und Kirche. Augsburg 2006, Sankt Ulrich 171
       pp. 3-936484-68-6.
6593   *Runesson, Anders* Kvinnligt ledarskap i den tidiga kyrkan: nagra
       exempel och en tolkningsram. SvTK 82 (2006) 173-183.
6594   *Stegemann, Wolfgang* The emergence of God's new people: the be-
       ginnings of christianity reconsidered. HTSTS 62 (2006) 23-40.
6595   *Stenschke, Christoph W.* Zu den Zahlenangaben in Apostelgeschichte
       2 und 4, den Orten der Zusammenkünfte der Urgemeinde und ihrem
       materiellen Auskommen. JETh 20 (2006) 177-183.
6596   *Tammaro, Biancamarta* I "Piccoli gruppi" nelle religioni dell'ellenis-
       mo e nel cristianesimo delle origini. Studi e ricerche di intertestamen-
       taria. 2006 ⇒316. 39-51.

F8.5   **Ascensio, Pentecostes; ministerium Petri**—*Act 1...*

6597   *Myllykoski, Matti* Being there: the function of the supernatural in
       Acts 1-12. Wonders never cease. LNTS 288: 2006 ⇒758. 146-179.

6598	**Playoust, Catherine Anne** Lifted up from the earth: the ascension of Jesus and the heavenly ascents of early christians. 2006, Diss. Harvard [HThR 100,113].

6599	*Scholtus, Silvia* Problemas eclesiásticos: respuesta bíblica según Hechos 1-15. DavarLogos 5/2 (2006) 135-149.

6600	*Kosch, Daniel* Apostel–Kontinuität im Übergang: Apostelgeschichte 1. Apostel. entdecken: 2006 ⇒338. 110-121.

6601	*Lenz, Matthias* Matthias–im Schatten des "Verräters": Apostelgeschichte 1. Die besten Nebenrollen. 2006 ⇒1164. 227-231 [Acts 1].

6602	**Estrada, Nelson P.** From followers to leaders: the apostles in the ritual of status transformation in Acts 1-2. JSNT.S 255: 2004 ⇒20, 6459; 21,6832. [R]CBQ 68 (2006) 327-328 (*Paffenroth, Kim*).

6603	**Faure, Patrick** Pentecôte et parousie Ac 1,6-3,26: l'église et le mystère d'Israël entre les textes alexandrin et occidental des Actes des Apôtres. EtB 50: 2003 ⇒19,6498... 21,6836. [R]ThLZ 131 (2006) 38-40 (*Jeska, Joachim*); Gr. 87 (2006) 397-399 (*Farahian, Edmond*); RThom 106 (2006) 635-636 (*Ponsot, Hervé*); CBQ 68 (2006) 760-761 (*Vining, Peggy A.*).

6604	*White, L. Michael* The Pentecost event: Lukan redaction and themes in Acts 2. Forum 3/1 (2000) 75-103.

6605	*Strelan, Rick* 'We hear them telling in our own tongues the mighty works of God' (Acts 2:11). Neotest. 40 (2006) 295-319.

6606	*Puosi, Eric E.* A systematic approach to the christology of Peter's address to the crowd (Acts 2:14-36). NBl 87 (2006) 253-267.

6607	**Caldwell, Mark** Spirit-baptism in Acts: 2:37-39 as a paradigm. [D]*Schatzmann, S.* 2006, 208 pp. Diss. Fort Worth [RTL 38,617].

6608	*Stancil, Theron* A text-critical evaluation of Acts 2:42. Faith & Mission 23/3 (2006) 17-36.

6609	*Dormeyer, Detlev* La comunidad de bienes en Hch 2,42-47; 4,32-37. Riqueza y solidaridad. 2006 ⇒410. 279-288.

6610	*Susaimanickam, J.* By the name of Jesus Christ: reflections on Acts 4:8-12. ITS 43 (2006) 309-324.

6611	*Mundhenk, Norm* The invisible man (Acts 4,9-10). BiTr 57 (2006) 203-206.

6612	*Gradl, Hans-Georg* Alles liegt in deiner Hand: ein Gebet der ersten Christen. EuA 82 (2006) 436-439 [Acts 4,23-31].

6613	*Hills, Julian V.* Equal justice under the (new) law: the story of Ananias and Sapphira in Acts 5. Forum 3/1 (2000) 105-120 [Acts 5,1-11].

6614	*Ntumba, Valentine K.* La mort d'Ananie et de Saphire: le Dieu de la bible cautionne-t-il la mort d'un être humain?: de la nécéssité de mieux lire Ac 5,1-11. Ter. 57 (2006) 115-134.

6615	**Penner, Todd** In praise of christian origins: Stephen and the Hellenists in Lukan apologetic historiography. Emory studies in early christianity 10: 2004 ⇒20,6478; 21,6861. [R]HeyJ 47 (2006) 629-631 (*Madigan, Patrick*); JR 86 (2006) 456-457 (*Pervo, Richard I.*); CBQ 68 (2006) 773-775 (*Alexander, Loveday*); RBLit (2006)* (*Matthews, Shelly*) [Acts 6,1-8,3].

6616	*Wiest, Stephen R.* The story of Stephen in Acts 6:1-8:4: history typologized or typology historicized?. Forum 3/1 2000, 121-153.

6617	*Gooley, A.* Deacons and the servant myth. PaRe 2/6 (2006) 3-7 [Acts 6,1-7].

6618 *Kea, Perry V.* The Septuagint as a source for Acts 6:8-8:1. Forum 5/1 (2002) 95-104.

6619 *Sayles, Guy* "Do not hold this sin against us": an expository reflection on Acts 6:9-7:60. RExp 103 (2006) 213-222.

6620 *Wischmeyer, Oda* Stephen's speech before the sanhedrin against the background of the summaries of the history of Israel (Acts 7). History and identity. DCLY 2006: 2006 ⇒704. 341-358.

6621 **Burns, Dan G.** Evoking Israel's history in Acts 7:2-53 and 13:16-41: the hermeneutics of Luke's retelling the story of God's people. 2006, Diss. Westminster Theol. Sem. [WThJ 68,361].

6622 *Klein, Hans* Wie wird aus Kaiwan ein Romfan?: eine textkritische Miszelle zu Apg 7,42f. ZNW 97 (2006) 139-140.

6623 *Oegema, Gerbern S.* 'The coming of the Righteous One' in 1 Enoch, Qumran, and the New Testament. The bible and the Dead Sea scrolls, III. 2006 ⇒706. 381-395 [Acts 7,52].

6624 **Matthews, Christopher R.** Philip, apostle and evangelist: configurations of a tradition. NT.S 105: 2002 ⇒18,6060; 20,6486. [R]BiblInterp 14 (2006) 415-418 (*Spencer, F. Scott*) [Acts 8].

6625 *Schäfer, Heinrich* Mir zu Füßen...! oder: von der zauberhaften Macht des Prophetischen: Apostelgeschichte 8. Die besten Nebenrollen. 2006 ⇒1164. 232-236.

6626 *Spencer, F. Scott* A waiter, a magician, and a fisherman, and a eunuch: the pieces and puzzles of Acts 8. Forum 3/1 (2000) 155-178.

6627 **Haar, Stephen** Simon Magus: the first gnostic?. BZNW 119: 2003 ⇒19,6519... 21,6868. [R]BZ 50 (2006) 133-135 (*Becker, Michael*) [Acts 8,9-24].

6628 *Filippini, Roberto* At 8,26-40: "Ma la sua posterità chi potrà mai descriverla?": l'episodio dell'eunuco, un caso singolare di evangelizzazione. [F]FABRIS, R.: SRivBib 47: 2006 ⇒38. 209-224 [Lk 24,13-33].

6629 *Pervo, Richard I.* Converting Paul: the call of the apostle in early christian literature. Forum 7 (2004) 127-158 [Acts 9].

6630 *Røsæg, Nils A.* The blinding of Paul: observations to a theme. SEÅ 71 (2006) 159-185 [Acts 9; 22; 26].

6631 *Van der Horst, Pieter W.* The Hellenistic background of Acts 9:1: 'snorting threat and murder'. Jews and Christians. WUNT 196: 2006 <1970> ⇒321. 167-175.

6632 *Diefenbach, Manfred* Das 'Sehen des Herrn' vor Damaskus: semantischer Zugang zu Apg 9,22 und 26. NTS 52 (2006) 409-418.

6633 *Tiede, D.L.* The conversion of the church. CThMi 33 (2006) 42-51 [Acts 10,1-11,18].

6634 *Tyson, Joseph B.* Guess who's coming to dinner: Peter and Cornelius in Acts 10:1-11:18. Forum 3/1 (2000) 179-196.

6635 *Matson, David Lertis; Brown, Warren S.* Tuning the faith: the Cornelius story in resonance perspective. PRSt 33 (2006) 449-465 [Acts 10,1-11,18; 15,1-21].

6636 *Downs, David J.* Paul's collection and the book of Acts revisited. NTS 52 (2006) 50-70 [Acts 11,27-30; 24,17].

6637 *MacDonald, Dennis R.* Luke's emulation of HOMER: Acts 12:1-17 and Illiad 24. Forum 3/12 (2006) 197-205.

F8.7 Act 13...*Itinera Pauli*; **Paul's journeys**

6638 *Alexander, Loveday C.A.* The Pauline itinerary and the archive of THEOPHANES. ^FAUNE, D.: NT.S 122: 2006 ⇒4. 151-165.

6639 *Bonneau, Guy* Les collaborateurs de Paul dans le deuxième et troisième voyages missionnaires des Actes des Apôtres. Et vous. 2006 ⇒ 760. 189-201.

6640 *McDonough, Sean M.* Small change: Saul to Paul, again. JBL 125 (2006) 390-391 [Acts 13].

6641 *Bendemann, Reinhard von* Barnabas, der Zypriot: Apostelgeschichte 13-15. Die besten Nebenrollen. 2006 ⇒1164. 237-241.

6642 *Baum, Armin D.* Paulinismen in den Missionsreden des lukanischen Paulus: zur inhaltlichen Authentizität der oratio recta in der Apostelgeschichte. EThL 82 (2006) 405-436 [Acts. 13; 14,15-17; 17,22-31; 28,25-28].

6643 *Mowery, Robert L.* Paul and Caristanius at Pisidian Antioch. Bib. 87 (2006) 223-242 [Acts 13,13-52].

6644 *Kuberski, Jürgen* Ein folgenschweres Missverständnis: was wir von der Mission in Lystra lernen können (Apg 14,8-20). em 22/4 (2006) 131-135.

6645 *Fontana, Raniero* Per un confronto interreligioso: quale universalismo biblico?: osservazioni a margine di Atti 15. Un futuro per l'uomo 6/2 (2006) 47-58.

6646 **Neubrand, Maria** Israel, die Völker und die Kirche: eine exegetische Studie zu Apg 15. ^D*Mayer, Bernhard*: SBB 55: Stu 2006, Kath. Bibelwerk 282 pp. €48. 3-460-00551-3. Diss.-Habil. Eichstätt.

6647 *Read-Heimerdinger, Jenny* Who is 'Simeon' in James' speech to the Jerusalem meeting (Acts 15.14)?. EstB 64 (2006) 631-645.

6648 *Witulski, Thomas* Apologetische Erzählstrategien in der Apostelgeschichte–ein neuer Blick auf Acts 15:36-19:40. NT 48 (2006) 329-352.

6649 *Koet, Bart J.* Im Schatten des Aeneas: Paulus in Troas (Apg 16,8-10). Dreams and scripture. CBET 42: 2006 <2005> ⇒254. 147-171.

6650 *Evans, Craig A.* Paul the exorcist and healer. Paul and his theology. Pauline studies 3: 2006 ⇒462. 363-379 [Acts 16,16-18; 19,11-20; 20,7-12; 28,7-10].

6651 *Green, E.* El anuncio del evangelio ante el poder imperial en Tesalónica. Kairós [Guatemala City] 39 (2006) 9-21 [Acts 17,1-10].

6652 *Hardin, Justin K.* Decrees and drachmas at Thessalonica: an illegal assembly in Jason's (Acts 17.1-10a). NTS 52 (2006) 29-49.

6653 *Saim, Mirela* Saint Paul's "conflict of convictions": a discourse of rhetorical controversy in the context of early christianity–the speech on Areopagus. Arc 34 (2006) 89-105 [Acts 17,16-34].

6654 **Sánchez Cañizares, Javier** La revelación de Dios en la creación: las referencias patrísticas a Hch 17,16-34. Diss., Ser. Theologica 19: R 2006, Pont. Univ. Sanctae Crucis 434 pp. 88833-31591.

6655 *Tiede, D.L.* The God who made the world. CThMi 33 (2006) 52-62 [Acts 17,16-34].

6656 *Weiser, Alfons* Über SOKRATES hinaus: die Areopagrede des Paulus in Athen. WUB 39 (2006) 40-42, 44-47 [Acts 17,16-34].

6657   *Lestang, François* A la louange du dieu inconnu: analyse rhétorique de Ac 17.22-31. NTS 52 (2006) 394-408.

6658   *Weiser, Alfons* Der Areopag: redet Paulus auf dem Hügel oder vor dem Rat?. WUB 39 (2006) 43 [Acts 17,34].

6659   *Koet, Bart J.* As close to the synagogue as can be: Paul in Corinth (Acts 18,1-18). Dreams and scripture. CBET 42: 2006 <1996> ⇒ 254. 173-193.

6660   *Still, Todd D.* Did Paul loathe manual labor?: revisiting the work of Ronald F. Hock on the apostle's tentmaking and social class. JBL 125 (2006) 781-795 [Acts 18,3].

6661   *Winter, Bruce W.* Rehabilitating Gallio and his judgement in Acts 18:14-15. TynB 57 (2006) 291-308.

6662   *Koet, Bart J.* Why did Paul shave his hair (Acts 18,18)?: Nazirate and temple in the book of Acts. Dreams and scripture. CBET 42: 2006 <1996> ⇒254. 195-208.

6663   **Shauf, Scott** Theology as history, history as theology: Paul in Ephesus in Acts 19. BZNW 133: 2005 ⇒21,6904. [R]ThRv 102 (2006) 467-469 (*Backhaus, Knut*).

6664   *Price, Robert M.* Paulus absconditus: Paul versus John in Ephesian tradition. Forum 5/1 (2002) 87-94 [Acts 19-20].

6665   *Böhme, H.* Apostelgeschichte 19,23-20,1: Artemis Ephesia, christliche Idolen-Kritik und Wiederkehr der Göttin. Das Buch der Bücher. 2006 ⇒441. 361-394.

6666   *Schinkel, Dirk* "Und sie wußten nicht, warum sie zusammengekommen waren"–Gruppen und Gruppeninteressen in der Demetriosepisode (Apg 19,23-40). Vereine. STAC 25: 2006 ⇒741. 95-112.

6667   *Keener, Craig S.* Paul's 'friends' the Asiarchs (Acts 19.31). JGRChJ 3 (2006) 134-141.

6668   *Berthold, Christoph* Eutychos: Apostelgeschichte 20. Die besten Nebenrollen. 2006 ⇒1164. 257-262 [Acts 20,9-12].

6669   *Riddle, J.T.* Are the daughters of Philip among the prophets of Acts?. JBMW 11/1 (2006) 20-29 [Acts 21,9].

6670   *Shea, Christine* Pieces of epic in the shipwreck in Acts 27. Forum 5/1 (2002) 73-86.

6671   *Butticaz, Simon* La figure de Paul en fondateur de colonie (Ac 27-28). Et vous. 2006 ⇒760. 173-188.

6672   *Pellegrino, Carmelo* Il naufragio di S. Paolo a Malta e la propagazione del cristianesimo in Europa (At 27-28). The cult of St. Paul. 2006 ⇒688. 133-154.

6673   *Despotes, Soterios* Paul's journey to Rome and his shipwreck near Melite [Malta]. [F]GALITIS, G. 2006 ⇒49. 189-201 [Acts 27,1-28,10]. G.

6674   **Reynier, Chantal** Paul de Tarse en Méditerranée: recherches autour de la navigation dans l'antiquité (Ac 27-28,16). LeDiv 206: P 2006, Cerf 288 pp. €28. 2-204-07930-8. [R]RTL 37 (2006) 569-571 (*Gérard, J.-P.*).

6675   *Buhagiar, Mario* St Paul's shipwreck and early christianity in Malta. The cult of St. Paul. 2006 ⇒688. 155-160 [Acts 28,1].

6676   *Fiorini, Stanley; Vella, Horatio C.R.* New XIIth century evidence for the Pauline tradition and christianity in the Maltese islands. The cult of St. Paul. 2006 ⇒688. 161-172 [Acts 28,1].

6677   *Bauckham, Richard* The estate of Publius on Malta (Acts 28:7). [F]EL-LIS, E. 2006 ⇒36. 73-87.

XI. Johannes

G1.1 *Corpus johanneum*: **John and his community**

6678 *Acerbi, Antonio* Contributo allo studio della comunità giovannea. AnScR 11 (2006) 9-56.
6679 *Attridge, Harold W.* Johannine christianity. Cambridge history of christianity 1. 2006 ⇒558. 125-143.
6680 **Augenstein, Jörg** Das Liebesgebot im Johannesevangelium und in den Johannesbriefen. BWANT 134: 1993 ⇒9,5489... 12,5305. ᴿThR 71 (2006) 315-318 (*Haldimann, Konrad; Weder, Hans*).
6681 *Becker, Jürgen* Das Verhältnis des johanneischen Kreises zum Paulinismus: Anregungen zur Belebung einer Diskussion. Paulus und Johannes. WUNT 198: 2006 ⇒6. 473-495.
6682 *Blanchard, Yves-Marie* Les écrits johanniques: une communauté témoigne de sa foi. CEv 138 (2006) 3-56; EeV 153,10-15; 154,11-16; 155,14-21; 156,12-20; 157,9-18.
6683 *Brown, Raymond E.* 'Other sheep not of this fold': the Johannine perspective on christian diversity in the late first century. Presidential voices. SBL.Biblical Scholarship in North America 22: 2006 <1977> ⇒340. 189-208.
6684 **Brown, Tricia Gates** Spirit in the writings of John: Johannine pneumatology in social-scientific perspectives. JSNT.S 253: 2003 ⇒19, 6575... 21,6918. ᴿHeyJ 47 (2006) 108-109 (*Madigan, Patrick*); BBR 16/1 (2006) 168-169 (*Hamilton, James M., Jr.*); CoTh 76/3 (2006) 223-227 (*Kręcidło, Janusz*).
6685 *Caba, José* La iniciativa del Padre en la historia de la salvación según la teología joanea. Gr. 87 (2006) 239-261.
6686 **Fernández Ramos, Felipe** Diccionario del mundo joánico: Evangelio-Cartas-Apocalipsis. 2004 ⇒20,6539; 21,6920. ᴿCDios 219/1 (2006) 326-328 (*Gutiérrez, J.*).
6687 **Hill, Charles E.** The Johannine corpus in the early church. 2004 ⇒ 20,6544; 21,6931. ᴿTS 67 (2006) 180-181 (*Nicklas, Tobias*); WThJ 68 (2006) 372-374 (*Armstrong, Jonathan J.*);
6688 The Johannine corpus in the early church. Oxf 2006 <2004>, OUP 531 pp. $96. 01992-91446. Ill.
6689 *Horn, Friedrich W.* Johannesapokalypse und johanneischer Kreis: zu Jens-Wilhelm Taegers Methode des motivgeschichtlichen Vergleichs innerhalb des Corpus Johanneum. Johanneische Perspektiven. FRLANT 215: 2006 ⇒315. 219-240.
6690 **Kinlaw, Pamela E.** The Christ is Jesus: metamorphosis, possession, and Johannine christology. Academia biblica 18: 2005 ⇒21,6932. ᴿCBQ 68 (2006) 767-769 (*O'Grady, John F.*).
6691 ᴱ**Levine, Amy-Jill; Blickenstaff, Marianne** A feminist companion to John, 1-2. FCNT 4-5: 2003 ⇒19,372; 21,6935. ᴿBiCT 2/3 (2006)* (*Petterson, Christina*);
6692 ᴱ**Levine, Amy-Jill** A feminist companion to John, 1. FCNT 4: 2003 ⇒19,372... 21,6935. ᴿRBLit (2006)* (*D'Angelo, Mary R.*).
6693 **Lupo, Angela Maria** La sete, l'acqua, lo spirito: studio esegetico e teologico sulla connessione die termini negli scritti giovannei. AnGr

289: 2003 ⇒19,6583; 21,6936. [R]ATG 69 (2006 309-310 (*Contreras Molina, F.*) [John 7,37-39; 4; 19,28-30; Rev 7,14-17; 21-22].

6694 *Marcato, Giorgio* Aggiornamenti sulla 'Questione Giovannea': da M. Hengel-J. Frey all'ultimo R.E. Brown. Ang. 83/1 (2006) 5-19.

6695 *Marchadour, Alain* Leggere l'opera di Giovanni. Guida di lettura del NT. 2006 ⇒5033. 319-383.

6696 **Marino, Marcello** Custodire la parola: tra ascolto e prassi. 2005 ⇒ 21,6937. [R]StPat 53 (2006) 783-784 (*Segalla, Giuseppe*).

6697 **Müller, Ulrich B.** Die Menschwerdung des Gottesohnes. SBS 140: 1990 ⇒6,7440; 8,7469. [R]ThR 71 (2006) 196-198 (*Haldimann, Konrad; Weder, Hans*).

6698 *Pastorelli, David* Les deux sens du terme 'Paraclet' dans le corpus johannique selon ORIGÈNE, *Traité des Principes* II,7,3-4: une polémique anti-montaniste. Adamantius 12 (2006) 239-262.

6699 **Pastorelli, David** Le Paraclet dans le corpus johannique. BZNW 142: B 2006, De Gruyter xii; 343 pp. €98. 3-11-019045-1. Bibl. 304-326.

6700 **Rensberger, David** Overcoming the world: politics and community in the gospel of John. 1989 ⇒5,5356... 8,5629. [R]ThR 71 (2006) 98-100 (*Haldimann, Konrad; Weder, Hans*).

6701 *Schnelle, Udo* Johanneische Ethik. [F]HAUFE, G.: GThF 11: 2006 ⇒ 63. 309-327.

6702 **Scholtissek, Klaus** In ihm sein und bleiben: die Sprache der Immanenz in den Johanneischen Schriften. 2000 ⇒16,5757... 21,6944. [R]Theoforum 37 (2006) 93-95 (*Laberge, Léo*) [John 13,31-14,31; 06; 15-17; 10].

6703 *Sommer, Michael S.* A better class of enemy: opposition and dependence in the Johannine writings. Intertextuality. NTMon 16: 2006 ⇒ 778. 264-283.

6704 *Taeger, Jens-W.* 'Gesiegt! O himmlische Musik des Wortes!': zur Entfaltung des Siegesmotivs in den johanneischen Schriften. Johanneische Perspektiven. FRLANT 215: 2006 <1994> ⇒315. 81-104.

6705 *Tan, Yak-hwee* The Johannine community: caught in "two worlds". New currents through John. Resources for biblical study 54: 2006 ⇒ 439. 167-179.

6706 **Thomas, John Christopher** The spirit of the New Testament. 2005 ⇒21,6947. [R]Theol. 109 (2006) 365-366 (*Smalley, Stephen*); ThLZ 131 (2006) 1160-1161 (*Horn, Friedrich Wilhelm*); JThS 57 (2006) 679-681 (*Gooder, Paula*).

G1.2 **Evangelium Johannis**: *textus, commentarii*

6707 *Alcázar, Luis del* In Evangelium Joannis (Sequitur). ATG 69 (2006) 161-235.

6708 **Edwards, Mark** John. Blackwell Bible Commentaries: 2004 ⇒20, 6560; 21,6956. [R]ThGl 96 (2006) 216-218 (*Kowalski, Beat*).

6709 *Ehrman, Bart D.* HERACLEON, ORIGEN, and the text of the fourth gospel. Studies in textual criticism. NTTS 33: 2006 <1993> ⇒212. 267-280.

6710 [E]**Elowsky, Joel C.** John 1-10. ACCS.NT 4a: DG 2006, InterVarsity xxvii; 421 pp. €27.48. 0-8308-1489-2. Bibl. 395-408.

6711 **Ghezzi, Enrico** Come abbiamo ascoltato Giovanni: studio esegetico-pastorale sul quarto vangelo. Pontecchio Marconi 2006, Digraf 1343 pp. €45.

6712 *Goss, Robert E.* John. Queer bible commentary. 2006 ⇒2417. 548-565.

6713 **Hylen, Susan; O'Day, Gail R.** John. LVL 2006, Westminster x, 205 pp. $25. 0-664-25260-5. Bibl. 205.

6714 ᵀ**Kalantzis, George** THEODORE of Mopsuestia: commentary on the gospel of John. Early christian studies 7: 2004 ⇒20,6565. ᴿThQ 186 (2006) 73-75 (*Thome, Felix; Vogt, Hermann J.*).

6715 **Keener, Craig S.** The gospel of John, a commentary. 2003 ⇒19, 6608... 21,6958. ᴿHeyJ 47 (2006) 459-461 (*McNamara, Martin*); LTP 62/1 (2006) 140-141 (*Kodar, Jonathan von*); Interp. 60 (2006) 330-332 (*Anderson, Paul N.*); Theoforum 37 (2006) 88-93 (*Laberge, Léo*); SEÅ 71 (2006) 253-255 (*Syreeni, Kari*); VJTR 70 (2006) 710-714 (*Mlakuzhyil, George*).

6716 **Köstenberger, Andreas J.** John. Exeg. Comm. on the NT: 2004 ⇒ 20,6568; 21,6959. ᴿCBQ 68 (2006) 149-150 (*Koester, Craig R.*); SEBT 24 (2006) 255-256 (*Cook, Peter*); BBR 16 (2006) 368-369 (*Hamilton, James M., Jr.*).

6717 **Kruse, Colin G.** The gospel according to John: an introduction and commentary. TNTC: 2003 ⇒19,6609... 21,6960. ᴿKerux 21/1 (2006) 50-53 (*Dennison, James T., Jr.*).

6718 **Lewis, Scott M.** The gospel according to John and the Johannine letters. New Collegeville Bible Commentary NT 4: 2005 ⇒21,6961. ᴿRBLit (2006)* (*Anderson, Paul*).

6719 **Lincoln, Andrew T.** The gospel according to Saint John. Black's NT Commentaries 4: 2005 ⇒21,6962. ᴿRBLit (2006)* (*Keener, Craig*).

6720 **López Rosas, Ricardo; Richard Guzmán, Pablo** Evangelio y Apocalipsis de san Juan. Biblioteca bíblica básica: Estella 2006, Verbo Divino 408 pp. €12.79. 978-84-8169-707-0. ᴿQol 42 (2006) 109-112 (*Noguez de Herrera, Maria E.*).

6721 **Maahs, Kenneth H.** The John you never knew: decoding the fourth gospel. Fra 2006, Lang xi; 190 pp. 0-8204-8198-X. Bibl. 183-188.

6722 **MacArthur, John** John 1-12. MacArthur NT Comm.: Ch 2006, Moody 486 pp.

6723 **Moloney, Francis** El evangelio de Juan. ᵀ*Pérez Escobar, José* 2005 ⇒21,6963. ᴿATG 69 (2006 313-314 (*Contreras Molina, F.*);

6724 The gospel of John: text and context. BiblInterp 72: 2005 ⇒21,6964. ᴿRBLit (2006)* (*Anderson, Paul*).

6725 *Moloney, Francis J.* What came first–scripture or canon?: the gospel of John as a test case. Sal. 68 (2006) 7-20.

6726 **Mullins, Michael** The gospel of John: a commentary. 2003 ⇒19, 6611... 21,6965. ᴿPacifica 19 (2006) 217-219 (*Doyle, B. Rod*).

6727 *Parker, David C.* Manuscripts of John's gospel with Hermeneiai. ᶠOSBURN, C.: TaS 4: 2006 ⇒124. 48-68.

6728 *Parker, David C.; Burton, Philip* Johannes. BVLI 50 (2006) 15-18.

6729 *Pastorelli, David* La formule johannique ταῦτα λελάληκα ὑμῖν (Jn 14,25; 15,11; 16,1.4.6.25.33): un exemple de parfait transitif. FgNT 19 (2006) 75-88.

6730 ᵀ**Philippe, M.-D.** THOMAS d'Aquin: commentaire sur l'évangile de saint Jean, 2: la passion, la mort et la résurrection du Christ. P 2006, Cerf 526 pp. €85. 2-204-07977-4.

6731 **Prigent, Pierre** Heureux celui qui croit: lecture de l'évangile selon Jean. Lyon 2006, Olivétan 312 pp. €24.50. 29152-45967.
6732 *Veerkamp, Ton* Der Abschied des Messias: eine Auslegung des Johannesevangeliums, 1. Teil: Johannes 1,1-10,21. TeKo 29/1-3 (2006) 1-160.

G1.3 **Introductio** *in Evangelium Johannis*

6733 *Anderson, Paul N.* Aspects of historicity in the gospel of John: implications for investigations of Jesus and archaeology. Jesus and archaeology. 2006 ⇒362. 587-618.
6734 **Ashton, John** Understanding the fourth gospel. 1991 ⇒7,4764... 11/1,3987. [R]ThR 71 (2006) 214-218 (*Haldimann, Konrad; Weder, Hans*).
6735 *Bartlett, David* Interpreting and preaching the gospel of John. Interp. 60 (2006) 48-63.
6736 **Carter, Warren** John: storyteller, interpreter, evangelist. Peabody 2006, Hendrickson xvi; 264 pp. $20. 1565-63523X. Bibl. 227-245.
6737 **Casalegno, Alberto** "Perche contemplino la mia gloria" (Gv 17,24): introduzione alla teologia del vangelo di Giovanni. Intellectus fidei 7: CinB 2006, San Paolo 437 pp. €24. 88-215-5675-1. Bibl. 299-402.
6738 *Culpepper, Richard Alan* Looking downstream: where will the new currents take us?. New currents through John. Resources for biblical study 54: 2006 ⇒439. 199-209.
6739 *Haldimann, Konrad; Weder, Hans* Aus der Literatur zum Johannesevangelium 1985-1994, dritter Teil: Theologische Akzentuierungen (I). ThR 71 (2006) 91-113;
6740 (II). ThR 71 (2006) 192-218;
6741 (III). ThR 71 (2006) 310-324.
6742 *Hensell, E.* Reading the gospel of John. RfR 65/3 (2006) 319-322.
6743 **Keefer, Kyle** The branches of the gospel of John: the reception of the fourth gospel in the early church. LNTS 332: L 2006., Clark 118 pp. £50. 0-567-02861-5. Bibl. 105-111.
6744 **Klink, Edward W.** The sheep of the fold: the audience and origin of the gospel of John. MSSNTS 141: C 2006, CUP xvi; 316 pp. 978-0-521-87582-0.
6745 *Kraus, Matthew* New Jewish directions in the study of the fourth gospel. New currents through John. Resources for biblical study 54: 2006 ⇒439. 141-166.
6746 *Lozada, Francisco* Social location and Johannine scholarship: looking ahead. New currents through John. Resources for biblical study 54: 2006 ⇒439. 183-197.
6747 'Mirarán al que traspasaron': evangelio de Juan. Palabra-Misión 8: BA 2006, Claretiana 208 pp. Equipo Bíblico Claretiano.
6748 *Morgen, Michèle* Sui passi di Gesù: vangelo di Giovanni: la fede in Samaria. Il Mondo della Bibbia 17/1 (2006) 52-54.
6749 *Müller, Ulrich B.* Die Heimat des Johannesevangeliums. ZNW 97 (2006) 44-63.
6750 *Rese, Martin* KÄSEMANNs Johannesdeutung—ihre Vor- und Nachgeschichte. EThL 82 (2006) 1-33.
6751 *Schreiber, Stefan* Kannte Johannes die Synoptiker?: zur aktuellen Diskussion. VF 51/1 (2006) 7-24.

6752 **Sloyan, Gerard Stephen** What are they saying about John?. NY
²2006, Paulist viii; 172 pp. 0-8091-4337-2.

6753 *Thatcher, Tom* The new current through John: the old "new look"
and the new critical orthodoxy. New currents through John.
Resources for biblical study 54: 2006 ⇒439. 1-26.

6754 *Thompson, Marianne M.* The gospel according to John. Cambridge
companion to the gospels. 2006 ⇒344. 182-200.

6755 **Waetjen, Herman C.** The gospel of the beloved disciple: a work in
two editions. 2005, ⇒21,6999. ᴿRBLit (2006)* (*Painter, John*).

6756 *Wahlde, Urban C. von* Archaeology and John's gospel. Jesus and ar-
chaeology. 2006,⇒362. 523-586.

6757 *Weidner, D.* Geist, Wort, Liebe: das Johannesevangelium um 1800.
Das Buch der Bücher. 2006 ⇒441. 435-470.

6758 *Wenham, David* Paradigms and possibilities in the study of John's
gospel. Challenging perspectives. WUNT 2/219: 2006 ⇒761. 1-13.

6759 **Wiles, Maurice** The spiritual gospel: interpretation of the fourth gos-
pel in the early church. C 2006 <1960>, CUP 192 pp.

G1.4 *Themata de evangelio Johannis*—**John's Gospel, topics**

6760 **Anderson, Paul N.** The fourth gospel and the quest for Jesus: mod-
ern foundations reconsidered. LNTS 321: L 2006, Clark xx; 226 pp.
$120. 0-567-04394-0. Bibl. 200-214.

6761 *Araújo, Serafim F. de* A Eucaristia: a refeição eucarística no evange-
lho de são João. REB 66 (2006) 143-150.

6762 *Attridge, Harold W.* The cubist principle in Johannine imagery: John
and the reading of images in contemporary Platonism. Imagery in the
gospel of John. WUNT 200: 2006 ⇒730. 47-60.

6763 *Azar, Michael* The scriptural king. SVTQ 50 (2006) 255-275 [Phil 4,
10-20].

6764 *Álvarez Valdés, Ariel* ¿Porqué san Juan no cuenta los exorcismos de
Jesús?. Qol 40 (2006) 93-101.

6765 *Barrett, Charles K.* Authority in St John's gospel. ᶠGALITIS, G. 2006
⇒49. 129-143.

6766 *Bauckham, Richard* Messianism according to the gospel of John.
Challenging perspectives. WUNT 2/219: 2006 ⇒761. 34-68.

6767 *Becker, Jürgen* Endzeitlicher Geist und gottesdienstliche Gestaltung
im johanneischen Kreis. ᶠHAUFE, G.: GThF 11: 2006 ⇒63. 11-30 [1
Cor 2].

6768 **Beirne, Margaret M.** Women and men in the fourth gospel: a genu-
ine discipleship of equals. JSNT.S 242: 2003 ⇒19,6640; 20,6608.
ᴿRB 113 (2006) 146-149 (*Devillers, Luc*); Neotest. 40 (2006) 185-
187 (*Nortjé-Meyer, Lilly*).

6769 *Bergmeier, Roland* Die Bedeutung der Synoptiker für das johannei-
sche Zeugnisthema: mit einem Anhang zum Perfekt-Gebrauch im
vierten Evangelium. NTS 52 (2006) 458-483 [John 19,35].

6770 *Bernabé Ubieta, Carmen* El discipulado de iguales en la tradición del
discípulo amado. ResB 49 (2006) 41-49.

6771 **Beutler, Johannes** L'Ebraismo e gli Ebrei nel vangelo di Giovanni.
SubBi 29: R 2006, E.P.I.B. 172 pp. €20. 88-7653-631-0;

6772 Judaism and the Jews in the gospel of John. SubBi 30: R 2006, E.P.
I.B. 172 pp. 88-7653-633-7.

6773   *Bieringer, Reimund* John with new eyes: always greater. BiTod 44 (2006) 174-178;

6774   *Greater* than our ancestor Jacob?'. BiTod 44 (2006) 301-305.

6775   **Binni, Walther** La chiesa nel quarto vangelo. CSB 50: Bo 2006, Dehoniane 250 pp. €20. 88104-07504.

6776   **Bittner, W.J.** Jesu Zeichen im Johannesevangelium. WUNT 2/26: 1987 ⇒3,5274... 12,5382. [R]ThR 71 (2006) 107-110 (*Haldimann, Konrad; Weder, Hans*).

6777   *Blanchard, Yves-Marie* 'Je vous appelle amis': amour et trahison selon saint Jean. Christus 53/209 (2006) 48-57;

6778   *Quand* Saint Jean raconte Dieu...: la christologie johannique à l'heure de l'exégèse narrative. Bible et théologie. 2006 ⇒449. 37-55.

6779   **Boismard, Marie-Émile** Moïse ou Jésus: essai de christologie johannique. BEThL 84: 1988 ⇒4,5474... 10,5297. [R]ThR 71 (2006) 105-107 (*Haldimann, Konrad; Weder, Hans*).

6780   **Bouthors, Jean-François** Nouvelles de Jean. P 2006, Sigier 107 pp. €13.

6781   **Brant, Jo-Ann** A. Dialogue and drama: elements of Greek tragedy in the fourth gospel. 2004 ⇒20,6619; 21,7015. [R]ThLZ 131 (2006) 733-735 (*Poplutz, Uta*); SR 35 (2006) 150-151 (*Neufeld, Dietmar*); CTJ 41 (2006) 353-354 (*Brouwer, Wayne*); JBL 125 (2006) 604-607 (*Sylva, Dennis*).

6782   *Breck, John* Chiasmus in the gospel of John. [F]GALITIS, G. 2006 ⇒49. 145-159.

6783   **Bro Larsen, Kasper** Recognizing the stranger: anagnorisis in the gospel of John. [D]*Ole, D.* 2006, 231 pp. Diss. Aarhus [StTh 61,82].

6784   *Burge, Gary* Revelation and discipleship in St. John's gospel. Challenging perspectives. WUNT 2/219: 2006 ⇒761. 235-254.

6785   *Busse, Ulrich* Metaphorik und Rhetorik im Johannesevangelium: das Bildfeld vom König. Imagery in the gospel of John. WUNT 200: 2006 ⇒730. 279-317.

6786   *Carbajosa, Ignacio* El uso del salmo 69 en el evangelio de Juan. Vetus in Novo. 2006 ⇒5337. 130-154.

6787   *Casalegno, Alberto* Le opinioni degli anonimi circa l'identità messianica di Gesù nel *Vangelo di Giovanni*. Gesù e i messia di Israele. 2006 ⇒739. 159-173.

6788   **Chennattu, Rekha M.** Johannine discipleship as a covenant relationship. [D]*Moloney, Francis J.*: Peabody, MASS 2006, Hendrickson xxiv; 256 pp. $30. 1-56563-668-6. Diss. Catholic Univ. of America; Foreword by *Francis J. Moloney*; Bibl. 213-239. [R]CTJ 41 (2006) 354-356 (*Brouwer, Wayne*).

6789   **Cho, Sukmin** Jesus as prophet in the fourth gospel. [D]*Nolland, John*: <NTMon 15: Shf 2006, Sheffield Phoenix xx; 361 pp. $95. 978-1-905048-42-7. Diss. Bristol; Bibl. 288-330.

6790   *Clark-Soles, Jaime* "I will raise (whom?) up on the last day": anthropology as a feature of Johannine eschatology. New currents through John. Resources for biblical study 54: 2006 ⇒439. 29-53.

6791   **Clark-Soles, Jaime** Scripture cannot be broken: the social function of the use of scripture in the fourth gospel. 2003 ⇒19,6662. [R]CBQ 68 (2006) 139-140 (*Smith, D. Moody*).

6792   *Coloe, Mary L.* Witness and friend: symbolism associated with John the baptiser. Imagery in the gospel of John. WUNT 200: 2006 ⇒730. 319-332.

6793 **Cothenet, Édouard** La chaîne des témoins dans l'évangile de Jean: de Jean-Baptiste au disciple bien-aimé. LiBi 142: 2005 ⇒21,7022. ᴿRevSR 80 (2006) 565-566 (*Schlosser, Jacques*).

6794 **Couproe, H.C.** In other words... research in thoughts of reconciliation in John's gospel: a narrative analysis. ᴰ*Boer, M.C. de* 2006 Diss. Amsterdam, V.U. [RTL 38,618].

6795 *Cowan, C.* The Father and Son in the fourth gospel: Johannine subordination revisited. JETS 49 (2006) 115-135.

6796 *Dinger, Rainer* "Der Jünger, den Jesus liebte": Annäherungen an das Geheimnis des vierten Evangeliums: Johannes 13. 19. 20 und 21. Die besten Nebenrollen. 2006 ⇒1164. 223-226.

6797 **Dunderberg, Ismo** The Beloved Disciple in conflict?: revisiting the gospels of John and Thomas. NY 2006, OUP xiii; 249 pp. £45. 0-19-928496-2. Bibl. 209-225.

6798 *Ellens, J. Harold* The unique Son of Man in John. ProcGLM 26 (2006) 69-78.

6799 *Ensor, Peter W.* The Johannine sayings of Jesus and the question of authenticity. Challenging perspectives. WUNT 2/219: 2006 ⇒761. 14-33.

6800 *Estrada, Bernardo* La verità in san Giovanni. RTLu 11 (2006) 37-57.

6801 *Fierens, Béatrice* Les gestes de Jésus: magiques ou révélateurs?. LV(L) 55/2 (2006) 5-14.

6802 *Figura, Michael* Die Stunde Jesu im Johannesevangelium. IKaZ 35 (2006) 9-15 [John 2,4].

6803 **Franck, Eskil** Revelation taught: the Paraclete in the gospel of John. CB.NT 14: 1985 ⇒1,5363... 5,5589. ᴿThR 71 (2006) 318-321 (*Haldimann, Konrad; Weder, Hans*).

6804 *Frey, Jörg* Zu Hintergrund und Funktion des johanneischen Dualismus. Paulus und Johannes. WUNT 198: 2006 ⇒6. 3-73.

6805 ᴱ**Frey, Jörg; Schnelle, Udo** Kontexte des Johannesevangeliums: das vierte Evangelium in religions- und traditionsgeschichtlicher Perspektive. WUNT 175: 2004 ⇒20,674; 21,7032. ᴿTThZ 115 (2006) 77-78 (*Schwindt, Rainer*); Sal. 68 (2006) 187-188 (*Vicent, Rafael*); BBR 16 (2006) 358-360 (*Köstenberger, Andreas J.*).

6806 **Fuglseth, Kåre Sigvald** Johannine sectarianism in perspective: a sociological, historical, and comparative analysis of temple and social relationships in the gospel of John, PHILO and Qumran. NT.S 118: 2005 ⇒21,7033. ᴿJSJ 37 (2006) 434-437 (*Siegert, Folker*); RBLit (2006)* (*Coloe, Mary*).

6807 **García Moreno, Antonio** Gesù Nazareno il Re dei Giudei. Città del Vaticano 2006, Libreria Editrice Vaticana 509 pp. 88-209-7870-9. Pres. *Ignace de la Potterie.*

6808 **Gerhard, John J.** The miraculous parallelisms of John: a golden mold of symmetric patterns. Tangerine, FL 2006, Orlando Truth 168 pp. 978-0-9787811-0-1.

6809 *Ghiberti, Giuseppe* 'La scrittura–la parola di Dio– non può essere annullata' (*Gv* 10,35): la scrittura sacra nel vangelo giovanneo. Rivisitare il compimento. Biblica 3: 2006 ⇒780. 75-90.

6810 *Gregory, Andrew* The third gospel?: the relationship of John and Luke reconsidered. Challenging perspectives. WUNT 2/219: 2006 ⇒ 761. 109-134 [Luke 24; John 20,3-10].

6811 **Grünenfelder, Regula** Erde und Licht: mit dem Johannesevangelium auf den Spuren unserer Lebenswünsche. WerkstattBibel 7: Stu 2004, Kathol. Bibelwerk 96 pp. 3-460-08507-X.

6812 *Hahn, Ferdinand* Sehen und Glauben im Johannesevangelium. Studien zum NT, I. WUNT 191: 2006 <1972> ⇒230. 521-537;

6813 Das Glaubensverständnis im Johannesevangelium. Studien zum NT, I. WUNT 191: 2006 <1985> ⇒230. 539-557.

6814 *Hainz, Josef* "Zur Krisis kam ich in die Welt" (Joh 9,39): zur Eschatologie im Johannesevangelium. NT und Kirche. 2006 ⇒232. 249-261.

6815 **Hanson, Anthony Tyrell** The prophetic gospel: a study of John and the Old Testament. 1991 ⇒7,4725... 11/1,4004. ᴿThR 71 (2006) 104-105 (*Haldimann, Konrad; Weder, Hans*).

6816 **Hartenstein, Judith** Charakterisierung im Dialog: die Darstellung von Maria Magdalena, Petrus, Thomas und der Mutter Jesu im Johannesevangelium vor dem Hintergrund anderer frühchristlicher Traditionen. ᴰ*Standhartinger, A.* 2006, Diss.-Habil. Marburg [ThLZ 132,488].

6817 **Hasitschka, Martin** Befreiung von Sünde nach dem Johannesevangelium. IThS 27: 1989 ⇒5,5437... 10,5304. ᴿThR 71 (2006) 203-205 (*Haldimann, Konrad; Weder, Hans*).

6818 **Henry, Michel** Palabras de Cristo. 2004 ⇒20,6655. ᴿRRT 13 (2006) 616-619 (*Garrido Luceño, José María*).

6819 *Hill, Charles* The fourth gospel in the second century: the myth of orthodox johannophobia. Challenging perspectives. WUNT 2/219: 2006 ⇒761. 135-169.

6820 *Hirsch-Luipold, Rainer* Klartext in Bildern: ἀληθίνος κτλ., παροιμία-παρρησία, σημεῖον als Signalwörter für eine bildhafte Darstellungsform im Johannesevangelium. Imagery in the gospel of John. WUNT 200: 2006 ⇒730. 61-102.

6821 *Howard, James M.* The significance of minor characters in the gospel of John. BS 163 (2006) 63-78.

6822 *Huerta i Vallès, Concepció* Veure Déu en Jesús. Imatge de Déu. Scripta Biblica 7: 2006 ⇒463. 139-174.

6823 *Hübner, Hans* Gottes und des Menschen Zeit: der Evangelist Johannes—der Dichter HÖLDERLIN–der Philosoph HEIDEGGER. ᶠMUSSNER, F.: SBS 209: 2006 ⇒117. 337-367.

6824 **Hübner, Hans** Evangelium secundum Iohannem. Vetus Testamentum in Novo 1/2: 2003 ⇒19,6697... 21,7052. ᴿThLZ 131 (2006) 846-848 (*Schmid, Ulrich*).

6825 *Janzen, J. Gerald* '(Not) of my own accord': listening to scriptural echoes in a Johannine idiom. Encounter 67/2 (2006) 137-160 [Num 16].

6826 *Jean Baptiste, Frère* La femme dans l'évangile de saint Jean (1). Aletheia 30 (2006) 75-90.

6827 *Jiménez de Zitzmann, Maria L.* La madre de Jesús en el cuarto evangelio. ᶠORTÍZ VALDIVIESO, P. 2006 ⇒123. 201-214.

6828 *John, V.J.* Plurality and mission in the fourth gospel: some reflections. BiBh 32 (2006) 309-325.

6829 *Johnson, Brian D.* "Salvation is from the Jews": Judaism in the gospel of John. New currents through John. 2006 ⇒439. 83-99.

6830 **Kierspel, Lars** The Jews and the world in the fourth gospel: parallelism, function, and context. ᴰ*Seifrid, Mark A.*: WUNT 2/220: Tü 2006, Mohr S. xii; 283 pp. €55. 978-3-16-149069-9. Diss. Southern Baptist Theological Seminary; Bibl. 224-251.

6831 *Kim, Dongsoo* Johannine root of Pentecostalism: Johannine self-understanding as an archetype of Pentecostal self-understanding. AJPS 9/1 (2006) 5-16.

6832 **Knöppler, Thomas** Die theologia crucis des Johannesevangeliums. WMANT 69: 1994 ⇒10,5306. [R]ThR 71 (2006) 211-214 (*Haldimann, Konrad; Weder, Hans*).

6833 (a) *Koester, Craig R.* What does it mean to be human?: imagery and the human condition in John's gospel. Imagery in the gospel of John. WUNT 200: 2006 ⇒730. 403-420.
(b) **Kohler, Herbert** Kreuz und Menschwerdung im Johannesevangelium. AThANT 72: 1987 ⇒3,5318. [R]ThR 71 (2006) 209-211 (*Haldimann, Konrad; Weder, Hans*).

6834 *Köstenberger, Andreas J.* The destruction of the second temple and the composition of the fourth gospel. Challenging perspectives. WUNT 2/219: 2006 ⇒761. 69-108.

6835 **Krecidło, Janusz** Duch Swiety i Jezus w Ewangelii Swietego Jana: funkcja pneumatologii w chrystologicznej strukturze czwartej Ewangelii. Biblica Paulina 2: Czestochowa 2006, Swiety Pawe 427 pp. 83-7424-235-3. Bibl. 379-398. **P**.

6836 *Kwong, Ivan S.* Miracles and belief: Jesus' own people in the gospel of John. Jian Dao 25 (2006) 53-69. **C**.

6837 **Kysar, Robert** Voyages with John: charting the fourth gospel. 2005 ⇒21,7065. [R]RBLit (2006)* (*Thatcher, Tom*).

6838 *Lacome, Marie-Anne* La joie dans l'évangile selon saint Jean. Carmel(T) 119 (2006) 23-32.

6839 **Larsson, Tord** God in the fourth gospel: a hermeneutical study of the history of interpretations. CB.NT 35: 2001 ⇒17,5838... 19,6712. [R]SEÅ 71 (2006) 255-260 (*Larsson, Edwin*).

6840 *Lawrence, Louise J.* Tracing tricksters: creation and creativity in John's gospel. Creation and creativity. 2006 ⇒539. 163-183.

6841 *Legrand, Lucien* A Johannine mission model. ITS 43 (2006) 253-65.

6842 **Leinhäupl-Wilke, Andreas** Rettendes Wissen im Johannesevangelium: ein Zugang über die narrativen Rahmenteile (Joh 1,19-2,12-20,1-21,25). NTA 45: 2003 ⇒19,6716... 21,7072. [R]RB 113 (2006) 309-310 (*Devillers, Luc*).

6843 *Létourneau, Pierre* La caractérisation de Jésus dans l'évangile de Jean: stratégie narrative et acte de lecture. Et vous. 2006 ⇒760. 143-172.

6844 *Lierman, John* The Mosaic pattern of John's christology. Challenging perspectives. WUNT 2/219: 2006 ⇒761. 210-234.

6845 **Lincoln, Andrew T.** Truth on trial: the lawsuit motif in the fourth gospel. 2000 ⇒16,5875; 17,5842. [R]NRTh 128 (2006) 108-109 (*Simoens, Yves*); BBR 16 (2006) 369-371 (*Hamilton, James M., Jr.*).

6846 **Ling, Timothy J.M.** The Judaean poor and the fourth gospel. MSSNTS 136: C 2006, CUP xvii; 245 pp. £50. 0-521-85722-8. Bibl. 217-235.

6847 **Lumbreras Artigas, Bernardino** 'Creyendo': el camino del creer en el evangelio de Juan. Barc 2006, Fac. de Teol.ogia de Catalunya 79 pp.

6848 **Marchadour, Alain** Les personnages dans l'évangile de Jean: miroir pour une christologie narrative. LiBi 139: 2004 ⇒20,6690; 21,7083. [R]RB 113 (2006) 149-151 (*Devillers, Luc*).

6849   *Marcheselli, Maurizio* Morte e 'immortalità' nel vangelo secondo Giovanni. VivH 17/2 (2006) 287-306.

6850   **Martín-Moreno, Juan Manuel** Personajes del cuarto evangelio. Biblioteca de Teología Comillas 7: 2002 ⇒18,6260... 20,6693. [R]RB 113 (2006) 143-144 (*Devillers, Luc*).

6851   **McWhirter, Jocelyn** The bridegroom Messiah and the people of God: marriage in the fourth gospel. MSSNTS 138: C 2006, CUP xv; 175 pp. $91. 0-521-86425-9. Bibl. 148-161.

6852   *Meiser, Martin* Der "Sohn des Verderbens": Judas im Johannesevangelium. BiHe 42/165 (2006) 12-14.

6853   *Miller, Paul* 'They saw his glory and spoke of him': the gospel of John and the Old Testament. Hearing the OT. 2006 ⇒777. 127-151.

6854   *Mlakuzhyil, George* Listen to the spirit: the gospel of John: Jesus, the coworker/son of God (Jn 5-10). VJTR 70 (2006) 212-229;

6855   Listen to the Spirit: the Gospel of John: love in John's gospel. VJTR 70 (2006) 863-876.

6856   *Motyer, Steve* Narrative theology in John 1-5. Challenging perspectives. WUNT 2/219: 2006 ⇒761. 194-209.

6857   **Munima Mashie, Godefroid** La figure de Jean-Baptiste dans le récit johannique. [D]*Sevrin, J.-M.* 2006, 293 pp. Diss. LvN [RTL 37,598-9].

6858   **Neyrey, Jerome H.** An ideology of revolt: John's christology in social-science perspective. 1988 ⇒4,5509... 9,5509. [R]ThR 71 (2006) 100-103 (*Haldimann, Konrad; Weder, Hans*).

6859   *Nicklas, Tobias* Was es heißt, "Kinder Gottes zu werden" (Joh 1, 12b): der 1. Johannesbrief für Leser des Johannesevangeliums. BiLi 79 (2006) 58-61 [1 John 1,1-4].

6860   *Nielsen, Jesper T.* The secondness of the fourth gospel: a Peircean reading. StTh 60 (2006) 123-144.

6861   **Penz, Isolde** Der Sehnsucht eine Erfüllung finden: die Sehnsucht des Menschen nach dem Einssein mit dem Göttlichen in Mythos, Gnosis, Logos und bei Johannes. [D]*Woschitz, Karl M.* 2006, Diss. Graz [ThRv 103/2,vii].

6862   **Pesch, Rudolf** Antisemitismus in der Bibel?: das Johannesevangelium auf dem Prüfstand. 2005 ⇒21,7117. [R]ThQ 186 (2006) 237-238 (*Theobald, Michael*).

6863   *Petersen, Silke* Die Ich-bin-Worte als Metaphern am Beispiel der Lichtmetaphorik. Imagery in the gospel of John. WUNT 200: 2006 ⇒730. 121-138 [John 8,12].

6864   *Petterson, Christina* The spirits of Greenland and the friend of the Emperor. BiCT 2/2 (2006)*. Christology of John in *Musa W. Dube.*

6865   **Philippe, Marie-Dominique** Suivre l'Agneau, lumière du monde, 3. 2005 ⇒21,7120. [R]EeV 156 (2006) 23-24 (*Jay, Pierre*).

6866   **Pippert, Rebecca Manley** Looking at the life of Jesus. 2003 ⇒19, 6755. Bible discussion guide based on John's gospel. [R]Mission 8/1 (2006) 84-85 (*Pushparajan, A.*).

6867   *Poplutz, Uta* Paroimia und Parabole: Gleichniskonzepte bei Johannes und Markus. Imagery in the gospel of John. WUNT 200: 2006 ⇒ 730. 103-120.

6868   **Redford, John** Bad, mad or God?: proving the divinity of Christ from St John's gospel. 2004 ⇒20,6720. [R]HeyJ 47 (2006) 631-633 (*Madigan, Patrick*); ScrB 36 (2006) 106-108 (*King, Nicholas*); Faith 38/2 (2006) 45 (*Galbraith, Michael John*).

6869   *Reed, David* Rethinking John's social setting: hidden transcript, anti-language, and the negotiation of the empire. BTB 36 (2006) 93-106.

6870   **Reinhartz, Adele** Befriending the beloved disciple: a Jewish reading of the gospel of John. 2001 ⇒17,5874... 21,7130. [R]RExp 103 (2006) 256-257 (*Culpepper, R. Alan*);

6871   Freundschaft mit dem Geliebten Jünger: eine jüdische Lektüre des Johannesevangeliums. [T]*Kobel, Esther* 2005 ⇒21,7131. [R]ThRv 102 (2006) 386-388 (*Meyer, Annegret*).

6872   **Rodriguez Ruiz, Miguel** Der Missionsgedanke des Johannesevangeliums: ein Beitrag zur johanneischen Soteriologie. fzb 55: 1987 ⇒3, 5329... 7,4840. [R]ThR 71 (2006) 313-315 (*Haldimann, Konrad; Weder, Hans*).

6873   *Roukema, Riemer* Jesus and the divine name in the gospel of John. The revelation of the name. 2006 ⇒796. 207-223.

6874   **Ruschmann, Susanne** Maria von Magdala im Johannesevangelium: Jüngerin—Zeugin—Lebensbotin. NTA 40: 2002 ⇒18,6287... 21, 7138. [R]RB 113 (2006) 144-146 (*Devillers, Luc*) [John 19,25; 20].

6875   **Sadananda, Daniel R.** The Johannine exegesis of God: an exploration into the Johannine understanding of God. BZNW 121: 2004 ⇒ 20,6727; 21,7139. [R]ThLZ 131 (2006) 1008-1010 (*Labahn, Michael*).

6876   *Salazar, Merle* The mother of Jesus in the gospel of John. EAPR 43 (2006) 271-286.

6877   *Salier, Bill* Jesus, the emperor, and the gospel according to John. Challenging perspectives. WUNT 2/219: 2006 ⇒761. 284-301.

6878   *Schapdick, Stefan* Autorität ohne Inhalt: zum Mosebild des Johannesevangeliums. ZNW 97 (2006) 177-206.

6879   *Schlosser, Jacques* Les logia johanniques relatifs au Père. À la recherche de la parole. LeDiv 207: 2006 <1995> ⇒296. 81-99.

6880   **Schlund, Christine** 'Kein Knochen soll gebrochen werden': Studien zu Bedeutung und Funktion des Pesachfests in Texten des frühen Judentums und im Johannesevangelium. Ment. *Melito Sardis*: WMANT 107: 2005 ⇒21,7143. [R]ThLZ 131 (2006) 382-383 (*Bergmeier, Roland*) [Exod 12; 1 Cor 5,7].

6881   *Sevrin, J.-M.* L'intrigue du quatrième évangile, ou la christologie mise en récit. RTL 37 (2006) 473-488.

6882   *Sheppard, Beth M.* Another look: Johannine "subordinationist christology" and the Roman family. New currents through John. Resources for biblical study 54: 2006 ⇒439. 101-119.

6883   *Siegert, Volker* Les *Chants de sacrifice du sabbat* et l'*évangile selon Jean* comme témoins de la mystique juive à l'époque du second temple. [M]CAQUOT, A.: Coll. REJ 40: 2006, ⇒16. 123-139.

6884   *Standaert, Benoît* 'Là où je suis, là aussi sera mon serviteur' (Jn 12,26): servir le Christ dans Jean: perspectives oecuméniques dans le quatrième évangile. [F]GALITIS, G.: 2006 ⇒49. 543-563.

6885   *Stibbe, Mark* Telling the father's story: the gospel of John as narrative theology. Challenging perspectives. WUNT 2/219: 2006 ⇒761. 170-93.

6886   **Stimpfle, Alois** Blinde sehen: die Eschatologie im traditionsgeschichtlichen Prozess des Johannesevangeliums. BZNW 57: 1990 ⇒ 6,5753... 9,5516. [R]ThR 71 (2006) 310-313 (*Haldimann, Konrad; Weder, Hans*).

6887   **Straub, Esther** Kritische Theologie ohne ein Wort vom Kreuz: zum Verhältnis von Joh 1-12 und 13-20. FRLANT 203: 2003 ⇒19,6773; 21,7153. [R]OrdKor 47/1 (2006) 113-114, 491-492 (*Giesen, Heinz*).

6888 **Thatcher, Tom** Why John wrote a gospel: Jesus, memory, history. LVL 2006, Westminster xviii; 193 pp. $25. 0-664-22905-0. Bibl. 183-187.

6889 *Theobald, Michael* Das Johannesevangelium–Zeugnis eines synagogalen "Judenchristentums"?. Paulus und Johannes. WUNT 198: 2006 ⇒6. 107-158.

6890 **Theobald, Michael** Herrenworte im Johannesevangelium. Herders Biblische Studien 34: 2002 ⇒18,6300... 21,7155. ᴿBZ 50 (2006) 273-276 (*Niemand, Christoph*).

6891 *Thompson, Marianne M.* "Every picture tells a story": imagery for God in the gospel of John. Imagery in the gospel of John. WUNT 200: 2006 ⇒730. 259-277.

6892 **Thompson, Marianne Meye** The humanity of Jesus in the fourth gospel. 1988 ⇒4,5523... 10,5312. ᴿThR 71 (2006) 201-203 (*Haldimann, Konrad; Weder, Hans*).

6893 **Tobler, Eva** Vom Missverstehen zum Glauben: ein theologisch-literarischer Versuch zum vierten Evangelium und zu Zeugnissen seiner Wirkung. EHS.T 395: 1990 ⇒6,5756; 7,4848. ᴿThR 71 (2006) 95-97 (*Haldimann, Konrad; Weder, Hans*).

6894 *Tolmie, D. Francois* The (not so) good shepherd: the use of shepherd imagery in the characterisation of Peter in the fourth gospel. Imagery in the gospel of John. WUNT 200: 2006 ⇒730. 353-367.

6895 **Um, Stephen T.** Theme of temple christology in John's gospel. LNTS 312: L 2006, Clark xv; 226 pp. 0-567-04224-3. Bibl. 191-207 [John 4,1-42].

6896 *Van der Watt, Jan G.* Ethics and ethos in the gospel according to John. ZNW 97 (2006) 147-176;

6897 Radical social redefinition and radical love: ethics and ethos in the gospel according to John. Identity, ethics. BZNW 141: 2006 ⇒795. 107-133;

6898 Ethics alive in imagery. Imagery in the gospel of John. WUNT 200: 2006 ⇒730. 421-448.

6899 *Vanier, Jean; Young, Frances* Towards transformational reading of scripture. Canon and biblical interpretation. Scripture and Hermeneutics: 2006 ⇒693. 236-254.

6900 **Voorwinde, Stephen** Jesus' emotions in the fourth gospel: human or divine?. LNTS 284: 2005 ⇒21,7176. ᴿStPat 53 (2006) 752-756 (*Segalla, Giuseppe*); CBQ 68 (2006) 557-559 (*Coloe, Mary L.*).

6901 *Voorwinde, Stephen* The assurance of salvation and the love of Jesus in the gospel of John. VR 71 (2006) 28-44.

6902 *Watson, Francis* The gospel of John and New Testament theology. ᶠMORGAN, R. 2006 ⇒115. 248-262.

6903 *Weidemann, Hans-Ulrich* "Welches Zeichen tust du?": die Wundergeschichten des Johannesevangeliums. BiKi 61 (2006) 78-82.

6904 **Welck, Christian** Erzählte Zeichen: die Wundergeschichten des Johannesevangeliums literarisch untersucht: mit einem Ausblick auf Joh 21. WUNT 2/69: 1994 ⇒10,5283... 20,6750. ᴿBiKi 61 (2006) 113-114 (*Weidemann, Hans-Ulrich*).

6905 *Williams, Catrin H.* The testimony of Isaiah and Johannine christology. "As those who are taught". SBL.Symposium 27: 2006 ⇒765. 107-124 [Isa 40,3; 53,1; John 1,23; 12,37-41].

6906 *Williams, M.C.* Teología de evangelización y misión en el evangelio de Juan. Kairós [Guatemala City] 38 (2006) 9-21.

6907 *Witherington, Ben* The last man standing: who was the beloved disciple of the fourth gospel?. BArR 32/2 (2006) 24, 76.

6908 *Wright, William M.* The theology of disclosure and biblical exegesis. Thom. 70 (2006) 395-419.

6909 **Zemanek, Josef** Psalmentheologie im Johannesevangelium: ein Beitrag zur Einheit der biblischen Offenbarung und zur intertextuellen Interpretation des Alten und des Neuen Testaments. ^{D}*Weigl, M.* 2006 400 pp. Diss. Wien [RTL 38,621].

6910 *Zimmermann, Ruben* Imagery in John: opening up paths into the tangled thicket of John's figurative world. Imagery in the gospel of John. WUNT 200: 2006 ⇒730. 1-43.

6911 **Zimmermann, Ruben** Christologie der Bilder im Johannesevangelium: die Christopoetik des vierten Evangeliums unter besonderer Berücksichtigung von Joh 10. WUNT 171: 2004 ⇒20,6753; 21,7183. ^{R}TS 67 (2006) 669-670 (*Liderbach, Daniel*); ThGl 96 (2006) 214-216 (*Kowalski, Beat*); TThZ 115 (2006) 177-179 (*Schwindt, Rainer*).

6912 **Zingg, Edith** Das Reden von Gott als "Vater" im Johannes-Evangelium. Herder's Biblical Studies 48: FrB 2006, Herder vi; [2], 377 pp. €60. 3-451-28950-4. Bibl. 329-359.

G1.5 Johannis Prologus 1,1...

6913 **Denker, Jochen** Das Wort wurde messianischer Mensch: die Theologie Karl BARTHs und die Theologie des Johannesprologs. 2002 ⇒ 18,6321. ^{R}ThLZ 131 (2006) 83-85 (*Krötke, Wolf*).

6914 **Harris, Elizabeth** Prologue and gospel: the theology of the fourth evangelist. JSNT.S 107: 1994 ⇒10,5339... 13,5775. ^{R}ThR 71 (2006) 198-200 (*Haldimann, Konrad; Weder, Hans*).

6915 **Hofrichter, Peter Leander** Logoslied, Gnosis und Neues Testament. 2003 ⇒19,6800. ^{R}ThZ 62 (2006) 559-560 (*Veenhof, Jan*).

6916 **Theobald, Michael** Die Fleischwerdung des Logos: Studien zum Verhältnis des Johannesprologs zum Corpus des Evangeliums und zu 1 Joh. NTA 20: 1988 ⇒4,5536... 9,5545. ^{R}ThR 71 (2006) 192-196 (*Haldimann, Konrad; Weder, Hans*).

6917 *Mlakuzhyil, George* Listen to the spirit: the gospel of John: introducing Jesus and his witnesses in Jn 1. VJTR 70 (2006) 49-60.

6918 **Kenney, Garrett C.** John 1:1 as prooftext: Trinitarian or Unitarian?. 1999 ⇒15,5942. ^{R}StBob 2 (2006) 256-258 (*Górka, Bogusław*).

6919 *Taeger, Jens-W.* Exegesen zum Johannesevangelium: 2. Weihnachtstag: Johannes 1,1-5(6-8)9-14. Johanneische Perspektiven. FRLANT 215: 2006 <1990> ⇒315. 177-180.

6920 *Grasso, Santi* "In principio era la comunicazione": polisemantica del termine logos nel quarto vangelo (Gv 1,1). ^{F}FABRIS, R.: SRivBib 47: 2006 ⇒38. 109-121 [John 1,1-18].

6921 *Harris, James R.* The origin of the Prologue to St John's gospel. NT autographs. 2006 <1917> ⇒234. 117-184 [John 1,1-18].

6922 **Phillips, Peter M.** The prologue of the fourth gospel: a sequential reading. LNTS 294: NY 2006, Clark xvi; 258 pp. $130 [BiTod 44, 331—Donald Senior] [John 1,1-18].

6923 *Van Wolde, Ellen J.* Crossing border: speaking about the beginning in Genesis 1 and John 1. ^{F}FREYNE, S. 2006 ⇒46. 91-111 [John 1,1-18].

6924 **Uhrig, Christian** 'Und das Wort ist Fleisch geworden': zur Rezeption von Joh 1,14a und zur Theologie der Fleischwerdung in der griechischen vornizänischen Patristik. MBTh 63: 2004 ⇒20,6767; 21,7198. [R]ZKG 117 (2006) 96-97 (*Dassmann, Ernst*); ThLZ 131 (2006) 868-871 (*Noorman, Rolf*); JThS 57 (2006) 709-711 (*Edwards, M.J.*).

6925 *Hahn, Ferdinand* Beobachtungen zu Joh 1,18.34. Studien zum NT, I. WUNT 191: 2006 <1976> ⇒230. 495-500.

6926 *Nielsen, Jesper T.* The lamb of God: the cognitive structure of a Johannine metaphor. Imagery in the gospel of John. WUNT 200: 2006 ⇒730. 217-256 [John 1,29].

6927 *Hahn, Ferdinand* Die Jüngerberufung Joh 1,35-51. Studien zum NT, I. WUNT 191: 2006 <1974> ⇒230. 501-519.

6928 *Tovey, Derek* Stone of witness and stone of revelation: an exploration of inter-textual resonance in John 1:35-51. Colloquium 38 (2006) 41-58.

6929 *Leicht, Barbara D.* Andreas: von unterschiedlichen Glaubenswegen. Apostel. entdecken: 2006 ⇒338. 34-43 [John 1,40].

6930 *Ellens, J. Harold* Exegesis of second temple texts in a fourth gospel Son of Man logion. Biblical interpretation in Judaism & christianity. LHBOTS 439: 2006 ⇒742. 131-149 [John 1,51].

6931 *Dolna, Bernhard* Die Hochzeit zu Kana—eine jüdische Hochzeit?. IKaZ 35 (2006) 16-27; Com(I) 205,42-53; Com(F) 31,39-51 [John 2,1-11].

6932 *Fossati, Matteo; Vignolo, Roberto* Cana: il principio dei segni. Com(I) 205 (2006) 31-41 [John 2,1-11].

6933 *García-Moreno, Antonio* Caná, misterio de luz. EstB 64 (2006) 51-84 [John 2,1-11].

6934 *Gourgues, Michel* 'Il manifesta sa gloire': entrecroisements de l'immanent et du transcendant en Jean 2,1-11. Com(F) 31 (2006) 19-30; Com(I) 205, 14-23.

6935 *Henrici, Peter* Das Wunder bei der Hochzeit. IKaZ 35 (2006) 1-6; Com(US) 33/1, 5-10 [John 2,1-11].

6936 *Hotze, Gerhard* Gast oder Bräutigam?: zur Rolle Jesu in der Kana-Perikope (Joh 2,1-11). [F]UNTERGASSMAIR, F. 2006 ⇒161. 205-218.

6937 *Kasiłowski, Piotr* Wesele w Kanie Galilejskiej (J 2,1-11) [The wedding at Cana (John 2,1-11)]. StBob 2 (2006) 123-48 [John 2,1-11]. **P**.

6938 *Neller, Kenneth V.* Water into wine (John 2:1-11): foreshadow of the atonement. [F]OSBURN, C.: TaS 4: 2006 ⇒124. 196-211.

6939 *Ognibeni, Bruno* Les noces du sixième jour (Jn 2,1-11). NV 81/4 (2006) 51-60.

6940 *Petrosino, Silvano* Evviva gli sposi, gli sposi vivano. Com(I) 205 (2006) 54-63 [John 2,1-11].

6941 *Rebic, Adalbert* L'eau changée en vin. Com(F) 31 (2006) 31-38; Com(I) 205, 24-30 [John 2,1-11].

6942 *Witherington, Ben* Was the wedding at Cana Jesus' nuptials?. BArR 32/5 (2006) 22 [John 2,1-11].

6943 *Zaborowski, Holger* 'Was er euch sagt, das tut!': eine Meditation zur Hochzeit von Kana. IKaZ 35 (2006) 28-33; Com(US) 33/1, 170-175 [John 2,1-11].

6944 *Halpern, Baruch* The miraculous wine of Cana in its Galilean ceramic context. [F]DEVER, W. 2006 ⇒32. 215-218 [John 2,1-11; 4,46-54].

6945 *Kulandaisamy, Denis S.* The first 'sign' of Jesus at the wedding at Cana: an exegetical study on the function and meaning of John 2.1-12. Mar. 68 (2006) 17-116.
6946 *Witherup, Ronald* The wedding at Cana. BiTod 44 (2006) 144-150 [John 2,1-12].
6947 *Stramare, Tarcisio* La risposta di Gesù a Maria alle nozze di Cana (Gv 2,4): il test della ragionevolezza. Scrutate le scritture. 2006 ⇒ 311. 85-99.
6948 *Barus, Armand* John 2:12-25: a narrative reading. New currents through John. Resources for biblical study 54: 2006 ⇒439. 123-140.
6949 *Niño S., Francisco* El incidente de Jesús en el templo: una lectura comparada de los relatos de Juan y los sinópticos. [F]ORTÍZ VALDIVIESO, P. 2006 ⇒123. 159-199 [Mt 21,12-13; John 2,13-22].
6950 *Taeger, Jens-W.* Exegesen zum Johannesevangelium: 10. Sonntag nach Trinitatis: Johannes 2,13-22. Johanneische Perspektiven. FRLANT 215: 2006 <1992> ⇒315. 180-183.
6951 *Kowalski, Beate* Die Tempelreinigung Jesu nach Joh 2,13-25. MThZ 57 (2006) 194-208.

G1.6 Jn 3ss... Nicodemus, Samaritana

6952 *Orji, Chukwuemeka* Dualistic grammar and double meaning in John 3. Afrika Yetu 11 (2006) 1-20.
6953 *Renz, Gabi* Nicodemus: an ambiguous disciple?: a narrative sensitive investigation. Challenging perspectives. WUNT 2/219: 2006 ⇒761. 255-283 [John 3; 7,50-52; 19,38-42].
6954 *Taeger, Jens-W.* Exegesen zum Johannesevangelium: Trinitatis: Johannes 3,1-8(9-15). Johanneische Perspektiven. FRLANT 215: 2006 <1990> ⇒315. 183-185.
6955 *Harris, James R.* Nicodemus. NT autographs. 2006 <1932> ⇒234. 217-231 [John 3,1-21].
6956 *McCord Adams, Marilyn* Healing Judgment: Numbers 21:4-9 and John 3:14-21. ET 117 (2006) 196-197.
6957 *Taeger, Jens-W.* Exegesen zum Johannesevangelium: Heiligabend: Johannes 3,16-21. Johanneische Perspektiven. FRLANT 215: 2006 <1992> ⇒315. 186-189.
6958 *Hahn, Ferdinand* Die Worte von Gottes Herrschaft und Reich in Joh 3.3.5. Studien zum NT, I. WUNT 191: 2006 <2000> ⇒230. 559-61.
6959 **Barsotti, Divo** Gesù e la Samaritana. F 2006, Fiorentina 112 pp. €9. [John 4].
6960 *Davidson, J.A.* The well women of scripture revisited. JATS 17/1 (2006) 209-228 [John 4].
6961 *Meinberg, Pia* Wie gut, dass du mich kennst: Überlegungen zu Johannes 4. Die besten Nebenrollen. 2006 ⇒1164. 219-222.
6962 [E]**Wit, Hans de**, *al.*, Through the eyes of another: intercultural reading of the bible. 2004 ⇒20,443. [R]Neotest. 40 (2006) 195-196 (*Draper, Jonathan A.*) [John 4].
6963 *Irudaya, Raj* Significance of Jesus' mission with the marginalized Samaritan woman: a feminist reading of John 4,1-42. BiBh 32 (2006) 154-182;
6964 The Samaritan mission of Jesus to the marginalized: a Dalit reading of John 4:1-42. VJTR 70 (2006) 646-665.

6965 *Pilch, John J.* The Samaritan woman. BiTod 44 (2006) 251-256 [John 4,1-42].

6966 **Van Veldhuizen, Piet** Geef mij te drinken—Johannes 4,4-42 als waterputverhaal. 2004 ⇒20,6807. [R]RBLit (2006)* (*Roukema, Riemer*).

6967 *Hahn, Ferdinand* Die Worte vom lebendigen Wasser im Johannesevangelium: Eigenart und Vorgeschichte von Joh 4,10.13f; 6,35; 7, 37-39. Studien zum NT, I. WUNT 191: 2006 <1977> ⇒230. 563-86.

6968 *Nilsen, Tina D.* The true and the false: the structure of John 4,16-26. BN 128 (2006) 61-64.

6969 *Lobo, Joseph* In search of true worship: a cross-textual reading of Jn 4:19-26 and Vacana 821:25. VJTR 70 (2006) 827-844.

6970 *Mongrain, Kevin* Worship in spirit and truth: Louis-Marie Chauvet's sacramental reading of John 4:21-24. The multivalence. SBL.Symposium 37: 2006 ⇒745. 125-144.

6971 *Van Aarde, Andries G.* Die narratiewe blikhoek in die mikrovertelling oor die genesing van die koninklike se seun deur Jesus in Johannes 4:43-54. HTSTS 62 (2006) 1439-1451.

6972 *Taeger, Jens-W.* Exegesen zum Johannesevangelium: Sonntag nach Epiphanias: Johannes 4,46-54. Johanneische Perspektiven. FRLANT 215: 2006 <1992> ⇒315. 189-192.

6973 *Cebulj, Christian* Texte, Teiche, Theorien: zum Stellenwert archäologischer Befunde für die Exegese von Joh 5. Texte, Fakten. NTOA 59; StUNU 59: 2006 ⇒940. 143-159.

6974 *Scholtissek, Klaus* Mündiger Glaube: zur Architektur und Pragmatik johanneischer Begegnungsgeschichten: Joh 5 und Joh 9. Paulus und Johannes. WUNT 198: 2006 ⇒6. 75-105.

6975 *Huie-Jolly, Mary* Maori 'Jews' and a resistant reading of John 5.10-47. Postcolonial biblical reader. 2006 <2002> ⇒479. 224-237.

G1.7 **Panis Vitae**—*Jn 6...*

6976 *Burroughs, Presian R.* Stop grumbling and start eating: gospel meal meets scriptural spice in the bread of life discourse. HBT 28 (2006) 73-94 [John 6].

6977 *O'Mahony, K.J.* Opening John 6 for preachers. Scripture in Church (Dublin) 36/143 (2006) 112-128.

6978 *Pippin, Tina* Feasting with/on Jesus: John 6 in conversation with vampire studies. The recycled bible. SBL. Semeia Studies 51: 2006 ⇒351. 87-100.

6979 *Siegert, Folker* Vom Restaurieren übermalter Bilder: worum geht es in der "Brotrede" Joh 6?. Imagery in the gospel of John. WUNT 200: 2006 ⇒730. 195-215.

6980 **Stare, Mira** Durch ihn leben: die Lebensthematik in Joh 6. NTA 49: 2004 ⇒20,6818; 21,7247. [R]SNTU.A 31 (2006) 280-282 (*Frey, Jörg*); ThPh 81 (2006) 449-450 (*Diefenbach, M.*); Bib. 87 (2006) 136-139 (*Moloney, Francis J.*); RB 113 (2006) 467-471 (*Devillers, Luc*); RBLit (2006)* (*Labahn, Michael*).

6981 *Mlakuzhyil, George* Listen to the spirit: the gospel of John: new meaning of the eucharist in John's gospel (Jn 6; 13; 21). VJTR 70 (2006) 613-622.

6982 *Taeger, Jens-W.* Exegesen zum Johannesevangelium: Sonntag nach Trinitatis: Johannes 6,1-15. Johanneische Perspektiven. FRLANT 215: 2006 <1990> ⇒315. 192-194.

6983 *Bande García, José Antonio* El anuncio de un nuevo alimento (Jn 6, 24b-34). StOv 33-34 (2006) 11-29.

6984 *McCord Adams, Marilyn* Intense encounters, living bread: John 6:24-35 (proper 13 [18]). ET 117 (2006) 419-420.

6985 *Riches, John* Signs and loaves (John 6:24-35). ET 117 (2006) 415-6.

6986 *Maritz, Petrus; Van Belle, Gilbert* The imagery of eating and drinking in John 6:35. Imagery in the gospel of John. WUNT 200: 2006 ⇒730. 333-352.

6987 *McCorkindale, Donald* Children's ministry: Jesus the bread of life: 'I am the bread of life, John 6:35. ET 117 (2006) 421-422.

6988 *Foster, Paul* Jesus, the real presence of God (John 6:35, 41-51). ET 117 (2006) 416-117.

6989 **Léon-Dufour, Xavier** Le pain de la vie. Parole de Dieu: 2005 ⇒21, 7243. [R]Spiritus 182 (2006) 119 (*Guillaume, Jean-Marie*); CEv 136 (2006) 57 (*Baudoz, Jean-François*) [John 6,35-48].

6990 *Witmer, Stephen* Overlooked evidence for citation and redaction in John 6,45a. ZNW 97 (2006) 134-138 [Isa 54,13].

6991 *Miller, Susan* Life, incarnation and the eucharist (John 6:51-58). ET 117 (2006) 417.

6992 *Wenell, Karen* Harsh sayings, words of life (John 6:56-69). ET 117 (2006) 417-418.

6993 **Devillers, Luc** La saga de Siloé: Jésus et la fête des Tentes (Jean 7,1-10,21). LiBi 143: 2005 ⇒21,7255. [R]RThom 106 (2006) 633-634 (*Antoniotti, Louise-Marie*); RB 113 (2006) 286-292 (*Gourgues, Michel*); CBQ 68 (2006) 759-760 (*Hylen, Susan E.*); RBLit (2006)* (*Brankaer, Johanna*).

6994 *Rigato, Maria-Luisa* Rilettura del formulario giovanneo attinente all'evento della risurrezione di Gesù: l'espressione "non era ancora spirito" (Gv 7,39). [F]FABRIS, R.: SRivBib 47: 2006 ⇒38. 123-139.

6995 *Ehrman, Bart D.* Jesus and the adulteress. Studies in textual criticism. NTTS 33: 2006 <1988> ⇒212. 196-220 [John 7,53-8,11].

6996 *Birdsall, Neville* The Pericope Adulterae in Georgian. Studia patristica 39. 2006 ⇒833. 185-192 [John 8,1-11].

6997 *Greiner, Dominique; Lefrançois, Matthieu* La peine et le pardon: Jésus et la femme adultère. LV(L) 55/3 (2006) 91-101 [John 8,1-11].

6998 *Anderlini, Gianpaolo* Vero Dio e vero uomo: sul chinarsi di Gesù. Qol(I) 119 (2006) 9-10 [John 8,6-7].

6999 *Janzen, J. Gerald* 'I am the light of the world' (John 8:12): connotation and context. Encounter 67/2 (2006) 115-135.

7000 *Rico, Christophe* Jn 8,25: les aléas d'une transmission textuelle. RB 113 (2006) 398-435.

7001 *Dugandzic, Ivan* Isus veci od Abrahama (Iv 8,30-58): mjesto i uloga Abrahama u Ivanovu evandelju. BoSm 76 (2006) 573-94. **Croatian.**

7002 *Amouretti, Isabelle, al.,* Guérison d'un aveugle né: évangile de Jean, chapitre 9. SémBib 121 (2006) 55-59.

7003 *Marcheselli, Maurizio* Peccato e peccatori in Gv 9. [F]FABRIS, R.: SRivBib 47: 2006 ⇒38. 141-154.

7004 *Hériard-Dubreuil, Elisabeth* L'évangile de l'aveugle-né. Guérisons. 2006 ⇒815. 149-162 [John 9,1-41].

7005 *Kool, Jacqueline* Ik ben het: een beschouwing naar aanleiding van Johannes 9:1-41. ITBT 14/7 (2006) 4-6.

7006 *Poirier, John C.* 'Day' and 'night' and the sabbath controversy of John 9. FgNT 19 (2006) 113-120 [John 9,3-4].

7007   *Hahn, Ferdinand* Die Hirtenrede in Joh 10. Studien zum NT, I.
       WUNT 191: 2006 <1977> ⇒230. 587-602.

7008   *Zumstein, Jean* Das hermeneutische Problem der johanneischen Me-
       taphern am Beispiel der Hirtenrede (Joh 10). Paulus und Johannes.
       WUNT 198: 2006 ⇒6. 159-175.

7009   (a) *Estes, Douglas C.* The shepherd's door: an incarnational reading
       of John 10:1-5. Faith & Mission 24/1 (2006) 3-23.
       (b) *Kügler, Joachim* Willenlose Schafe?: zur Ambivalenz des Bildes
       vom Guten Hirten. Gottesmacht. 2006 ⇒572. 9-34 [John 10,1-18].

7010   *Taeger, Jens-W.* Exegesen zum Johannesevangelium: Misericordias
       Domini: Johannes 10,11-16(27-30). Johanneische Perspektiven.
       FRLANT 215: 2006 <1990> ⇒315. 195-197.

7011   *Blocher, Henri* L'Écriture après l'Ecriture: Jésus en cause (Jean 10.
       22-39). La bible au microscope. 2006 <1976> ⇒192. 75-81.

7012   **Marchadour, Alain** Lazare. LeDiv 132: 1988 ⇒4,5592... 7,4931.
       [R]ThR 71 (2006) 93-5 (*Haldimann, Konrad; Weder, Hans*) [John 11].

7013   **North, Wendy E.** The Lazarus story within the Johannine tradition.
       JSNT.S 212: 2001 ⇒17,6004; 18,6395. [R]HeyJ 47 (2006) 114-115
       (*Hill, Robert C.*) [John 11].

7014   *Mlakuzhyil, George* Listen to the spirit: the gospel of John: Jesus, the
       loving life-giver (Jn 11-12). VJTR 70 (2006) 288-303. 12.

7015   **Esler, Philip F.; Piper, Ronald A.** Lazarus, Mary and Martha: a so-
       cial-scientific and theological reading of John. L 2006., SCM vi; 201
       pp. $22. 0-334-04016-7. Bibl. 178-191 [John 11,1-44].

7016   **Marchadour, Alain** Lazzaro. Itinerari biblici: Brescia 2006, Queri-
       niana 138 pp. €10.50. 88-399-2903-7 [John 11,1-46].

7017   *Beutler, Johannes* Unterwegs von der Trauer zur Hoffnung und zum
       Glauben: Jesu Gespräch mit Marta in Joh 11:20-27. Gr. 87 (2006)
       312-323.

7018   *D'Almeida, Bernardo* Il piano per uccidere Gesù (Gv 11,47-53): un
       conflitto per l'unità. Anton. 81 (2006) 43-61;

7019   Plano para matar Jesus (Jo 11,47-53): um conflito pela unidade. Itin.
       52/184 (2006) 17-39.

7020   **Dennis, John A.** Jesus' death and the gathering of true Israel: the Jo-
       hannine appropriation of restoration theology in the light of John 11.
       47-52. [D]*Bieringer, Reimund*: WUNT 2/217: Tü 2006, Mohr S. x; 418
       pp. €70. 3-16-148821-0. Diss. Leuven; Bibl. 355-384.

7021   *Ahoua, Raymond* The soteriological meaning of Caiaphas' prophecy
       concerning Jesus' death (Jn 11:49B-50) in the light of two African
       myths. African Christian Studies [Nairobi] 22/1 (2006) 52-78.

7022   *Wenell, Karen* "No, it is for this reason": John 12:20-33. ET 117
       (2006) 245.

7023   **Kühschelm, Roman** Verstockung, Gericht und Heil... Untersuchung
       ... Joh 12,35-50. BBB 76: 1990 ⇒6,5856... 10,5404. [R]ThR 71 (2006)
       110-113 (*Haldimann, Konrad; Weder, Hans*).

G1.8 Jn 13... Sermo sacerdotalis et Passio

7024   *Dennis, John* Jesus' death in John's gospel: a survey of research from
       BULTMANN to the present with special reference to the Johannine
       hyper-texts. CuBR 4 (2006) 331-363.

7025 *Hahn, Ferdinand* Der Prozeß Jesu nach dem Johannesevangelium: eine redaktionsgeschichtliche Untersuchung. Studien zum NT, I. WUNT 191: 2006 <1970> ⇒230. 603-688.

7026 **Schleritt, Frank** Der vorjohanneische Passionsbericht. ᴰ*Lohse, E.* 2006, Diss. Göttingen [Judg 1].

7027 *Söding, Thomas* Kreuzerhöhung: zur Deutung des Todes Jesu nach Johannes. ZThK 103 (2006) 2-25.

7028 *Van Belle, Gilbert* Het lijden en de dood van de Zoon van God volgens Johannes. Coll. 36 (2006) 115-147.

7029 *Zürn, Peter* "Es ist vollbracht!": ein Gespräch über die Passionsgeschichte im Johannesevangelium. BiHe 42/165 (2006) 28-29.

7030 *Aletti, Jean-Noël* Jn 13–les problèmes de composition et leur importance. Bib. 87 (2006) 263-272.

7031 *Coloe, Mary L.* Sources in the shadows: John 13 and the Johannine community. New currents through John. 2006 ⇒439. 69-82.

7032 *Perroni, Marinella* È possibile una convergenza tra sincronia e diacronia?: il caso di Gv 13. RdT 47 (2006) 585-599.

7033 *Philippe, Marie-Dominique* Commentaire de l'évangile de saint Jean: le lavement des pieds et le commandement nouveau. Aletheia 30 (2006) 159-181 [John 13].

7034 **Thomas, John Christopher** Footwashing in John 13 and the Johannine community. JSNT.S 61: 1991 ⇒7,4943... 13,5879. ᴿThR 71 (2006) 206-209 (*Haldimann, Konrad; Weder, Hans*).

7035 **Parsenios, George** Departure and consolation: the Johannine farewell discourses in light of Greco-Roman literature. NT.S 117: 2005 ⇒21,7299. ᴿThLZ 131 (2006) 1004-5 (*Frey, Jörg*). [John 13-17].

7036 **Stube, John C.** A Graeco-Roman rhetorical reading of the farewell discourse. LNTS 309: L 2006, Clark viii; 245 pp. £65 [John 13-17].

7037 *Stimpfle, Alois* Teilhabe in Hingabe: zur "Fremdheit" der johanneischen Fußwaschung (Joh 13,1-17). ᶠUNTERGASSMAIR, F. 2006 ⇒161. 219-229.

7038 ᴱ**Dal Covolo, Enrico; Maritano, Mario** Commento a Giovanni: lettura origeniana. BSRel 198: R 2006, LAS 166 pp. €11. 88213-06267 [John 13,2-33].

7039 **Weidemann, Hans-Ulrich** Der Tod Jesu im Johannesevangelium: die erste Abschiedsrede (Joh 13,31-14,31) als Schlüsseltext für den johanneischen Passions- und Osterbericht (Joh 18-20). BZNW 122: 2004 ⇒20,6874; 21,7302. ᴿThPh 81 (2006) 450-452 (*Diefenbach, M.*); ThLZ 131 (2006) 1290-1293 (*Labahn, Michael*).

7040 **Kellum, L. Scott** The unity of the farewell discourse: the literary integrity of John 13:31-16:33. JSNT.S 256: 2004 ⇒20,6875; 21,7303. ᴿFaith & Mission 23/3 (2006) 79-84 (*McDill, Matthew*); Neotest. 40 (2006) 424-426 (*Tolmie, D. Francois*); Bib. 87 (2006) 284-286 (*Burge, Gary M.*)

7041 *Zumstein, Jean* Le noyau du credo revisité par un dissident. La Chair et le Souffle 1/1 (2006) 83-96 [John 13,31-16,33].

7042 *Ntumba Kapambu, Valentin* L'amour fraternel: testament, don, statut et signe d'identité: une lecture de Jn 13,34-35. Telema 127 (2006) 53-65.

7043 *Cothenet, Édouard* Les discours d'adieu de Jésus et la prière sacerdotale. EeV 116/148-152 (2006) 14-21, 14-20, 16-24, 17-20, 17-22 [John 14-17].

7044 *Neyrey, Jerome H.* Worship in the fourth gospel: a cultural inter-
pretation of John 14-17. BTB 36 (2006) 107-117, 155-163.
7045 *Bidzogo, George Roger* Jesus, the way to the Father in John 14:1-14:
a link with the African situation today. Hekima Review 35 (2006) 33-
45.
7046 *Isley, W.L.* Jesus the true and living way. Doon Theological Journal
[Dehradun, India] 3/2 (2006) 127-142 [John 14,6].
7047 *Köpf, Ulrich* Auslegung von Johannes 14,23. CistC 113/1 (2006) 9-
13.
7048 *Sánchez Mielgo, Gerardo* La iglesia alrededor de la palabra: eclesio-
logía joánica. TE 50 (2006) 193-230 [John 15-17].
7049 *Riches, John; Miller, Susan; Wenell, Karen* Contextual bible study
notes for May lectionary readings. ET 117 (2006) 286-290 [John
15,1-8; 17,6-19].
7050 *Zumstein, Jean* Bildersprache und Relektüre am Beispiel von Joh 15,
1-17. Imagery in the gospel of John. WUNT 200: 2006 ⇒730. 139-
156.
7051 *McCord Adams, Marilyn* God's friends!?!: John 15:9-17. ET 117
(2006) 291-292.
7052 *Kerber, Daniel* Elección y separación del mundo. RevBib 68 (2006)
73-99 [John 15,18-16,4].
7053 *Giurisato, Giorgio* Lo "Spirito di verità": struttura e messagio di Gv
15,26-16,15. ᶠFABRIS, R.: SRivBib 47: 2006 ⇒38. 155-172.
7054 *Schirrmacher, Thomas* Biblische Texte und Themen zur Mission: Je-
sus und sein Missionar, der Heilige Geist (Joh 16,5-15). em 22/3
(2006) 99-100.
7055 *Castellano Cernera, Jesús* La prière eucharistique de Jésus: approche
liturgique du chapitre 17 de saint Jean. AETSC 11/18 (2006) 91-102.
7056 *Janzen, J. Gerald* The scope of Jesus's high priestly prayer in John
17. Encounter 67/1 (2006) 1-26.
7057 *Wong, C.H.* The structure of John 17. VeE 27 (2006) 374-392.
7058 *Endo, M.* Interpretation of John 17:3. Exegetica [Tokyo] 17 (2006)
11-18. **J.**
7059 *Wahlde, Urban C. von* Judas, the son of perdition, and the fulfillment
of scripture in John 17:12. ᶠAUNE, D.: NT.S 122: 2006 ⇒4. 167-181
[Prov 24,22].
7060 *Cornwell, M.* Behold the lamb of God. Emmanuel 112/2 (2006) 139-
143, 152-156 [John 18-19].
7061 *Stare, Mira* "Es ist vollendet" (Joh 19,30): Zeitaspekt in der johanne-
ischen Passionsgeschichte. PzB 15 (2006) 77-92 [John 18-19].
7062 *Anderson, Paul N.* Gradations of symbolization in the Johannine pas-
sion narrative: control measures for theologizing speculation gone
awry. Imagery in the gospel of John. WUNT 200: 2006 ⇒730. 157-
194 [John 18-19; 6].
7063 *Mlakuzhyl, George* Listen to the Spirit: the gospel of John: revelation
of Jesus in the paschal mystery (Jn 18-20). VJTR 70 (2006) 448-460.
7064 *Karakolis, Christos* 'Across the Kidron Brook, where there was a
garden' (Jn 18:1): two Old Testament allusions and the theme of the
heavenly king in the Johannine passion narrative. ᶠGALITIS, G. 2006
⇒49. 341-354 [2 Sam 15,23]. **G.**
7065 **Mardaga, Hellen** De gevangenneming van Jezus in het vierde evan-
gelie: een onderzoek naar bronne, redactie en theologie van Joh. 18,
1-12. ᴰ*García Martinez, F.* 2006, xliv; 265 pp. Diss. Leuven.

7066 *Riches, John* Contextual Bible study notes on John 18:33-37. ET 118 (2006) 35-36.

7067 *Zeller, Dieter* Jesus und die Philosophen vor dem Richter (zu Joh 19, 8-11). N.T. und Hellenistische Umwelt. BBB 150: 2006 <1993> ⇒ 331. 123-127.

7068 *Pemberton, Elizabeth G.* The seamless garment: a note on John 19: 23-24. ABR 54 (2006) 50-55.

7069 *Wilson, Andrew* Stabat Maria: Marian fragments and the limits of masculinity. The recycled bible. SBL. Semeia Studies 51: 2006 ⇒ 351. 27-44 [John 19,25].

7070 *Leyrier, D.* John 19:28–'I am thirsty' and the fulfillment of scripture. WLQ 103/2 (2006) 119-121.

7071 *Manns, F.* Zacharie 12,10 relu en Jean 19,37. LASBF 56 (2006) 301-310.

7072 *Redalié, Yann* Gv 20 e l'incredulità di s. Tommaso. [F]FABRIS, R.: SRivBib 47: 2006 ⇒38. 173-181.

7073 *Schuman, Niek* Houd mij (niet) vast. ITBT 14/3 (2006) 4-6 [Cant 3; John 20].

7074 *Tidball, D.* Completing the circle: the resurrection according to John. ERT 30 (2006) 169-183 [John 20].

7075 *Marin, Marcello* La Maddalena e il Risorto: esegesi patristica di Gv 20 (1-2.11-18). L'apostola. 2006 ⇒764. 49-80.

7076 *Taschl-Erber, Andrea* Erkenntnisschritte und Glaubenswege in Joh 20,1-18: die narrative Metaphorik des Raums. PzB 15 (2006) 93-117.

7077 *Schöttler, Heinz-Günther* "Ein-Blick" in die Werkstatt der Fiktionalität: Maria Magdalena–oder: eine Rolle zwischen Suchen und Finden (Joh 20,11-18). "Der Leser begreife!". 2006 ⇒472. 180-201.

7078 **Nancy, Jean-Luc** Noli me tangere: essai sur la levée du corps. 2003 ⇒20,6902. [R]ScEs 58 (2006) 100-104 (*Gourgues, Michel*) [John 20,17].

7079 *Schneiders, Sandra M.* The raising of the new temple: John 20.19-23 and Johannine ecclesiology. NTS 52 (2006) 337-355.

7080 *Blocher, Henri* L'Écriture après l'Écriture: la mission du témoin (Jean 20.19-29). La bible au microscope. 2006 <1976> ⇒192. 83-9.

7081 **Pamplaniyil, Joseph T.** Crossing the abysses: an exegetical study of John 20:19-29 in the light of the Johannine notion of discipleship. [D]*Bieringer, R.* 2006, xcix; 415 pp. Diss. Leuven [EThL 83,241].

7082 *Schenke, Gesa* Das Erscheinen Jesu vor den Jüngern und der ungläubige Thomas: Johannes 20,19-31. [F]FUNK, W.: BCNH.Etudes 7: 2006 ⇒48. 893-904.

7083 *Ettl, Claudio* Thomas: der zweifelnde Apostel?. Apostel. entdecken: 2006 ⇒338. 98-107 [John 20,21-29].

7084 *Devillers, L.* Thomas, appelé Didyme–pour une nouvelle approche du prétendu jumeau. RB 113 (2006) 65-77 [John 20,24-29].

7085 *Harstine, Stanley* Un-doubting Thomas: recognition scenes in the ancient world. PRSt 33 (2006) 435-447 [John 20,24-29].

7086 *Ioannides, Thomas A.* Apostle Thomas and the resurrection of Christ (from the first disbelief to the last confession). [F]GALITIS, G. 2006 ⇒ 49. 309-326 [John 20,24-29]. G.

7087 **Most, Glenn W.** Doubting Thomas. 2005 ⇒21,7333. [R]JRS 96 (2006) 298-300 (*North, Wendy E.S.*) [John 20,24-29].

7088 *Durousseau, C.H.* On John 20:28: what did Thomas say in Hebrew?. JRadRef 13/2 (2006) 20-42.
7089 *Martin, Michael* A note on the two endings of John. Bib. 87 (2006) 523-525 [John 20,30-31; 21,25].
7090 *Claussen, Carsten* The role of John 21: discipleship in retrospect and redefinition. New currents through John. 2006 ⇒439. 55-68.
7091 *Jack, Alison* "The intolerable wrestle with words and meanings": John 21, T.S. ELIOT and the sense of an ending. ET 117 (2006) 496-501.
7092 *Mlakuzhyil, George* Listen to the Spirit: the gospel of John: the caring risen Lord and the disciples (Jn 21). VJTR 70 (2006) 528-537.
7093 *Segalla, Giuseppe* Un epilogo necessario (*Gv* 21). Teol(Br) 31 (2006) 514-533.
7094 **Marcheselli, Maurizio** "Avete qualcosa da mangiare?": un pasto, il risorto, la comunità. Biblioteca di teologia dell'evangelizzazione 2: Bo 2006, Dehoniane 294 pp. €30. 978-88-10-45002-4 [John 21; 1, 19-2,12].
7095 *Hasitschka, Martin* "Danach offenbarte sich Jesus den Jüngern noch einmal" (Joh 21,1): Erfüllung von Verheißungen des irdischen Jesus und nachösterliche Antwort auf offene Fragen in Joh 21. [F]UNTERGASSMAIR, F. 2006 ⇒161. 231-243 [John 6].
7096 *Culpepper, Richard A.* Designs for the church in the imagery of John 21:1-14. Imagery in the gospel of John. WUNT 200: 2006 ⇒730. 369-402.
7097 *Labahn, Michael* Fishing for meaning: the miraculous catch of fish in John 21. Wonders never cease. LNTS 288: 2006 ⇒758. 125-145 [John 21,1-14].
7098 *Orsatti, Mauro* "Mi ami tu più di ...": una proposta per Gv 21,15b. [F]FABRIS, R.: SRivBib 47: 2006 ⇒38. 183-193.
7099 **Gangemi, Attilio** I racconti post-pasquali nel vangelo di san Giovanni, 4/1: Pietro il pastore (Gv 21,15-19). Documenti e Studi di Synaxis 8: 2003 ⇒19,6953; 20,6918. [R]Alpha Omega 9/1 (2006) 183-184 (*Izquierdo, Antonio*).
7100 *Wieland, Wolfgang* Petrus–der Apostelfürst: Johannes 21,15-23. Apostel. entdecken: 2006 ⇒338. 60-71.

G2.1 Epistulae Johannis

7101 *Countryman, L. William* The Johannine letters. Queer bible commentary. 2006 ⇒2417. 737-746.
7102 **Kruse, Colin G.** The letters of John. 2000 ⇒16,6052... 18,6453. [R]RExp 103 (2006) 839-840 (*Jones, Peter R.*).
   Lewis, S. The gospel...John & Johannine letters 2005 ⇒6718.
7103 *Malzoni, Claudio V.* Le lettere di Giovanni. Nuovo commentario biblico. 2006 ⇒455. 728-733.
7104 **Morgen, Michèle** Les épîtres de Jean. Commentaire biblique: NT 19: 2005 ⇒21,7345. [R]EstB 64 (2006) 128-131 (*Sánchez Navarro, Luis*); CEv 138 (2006) 66 (*Cothenet, Edouard*); ScEs 58 (2006) 88-93 (*Gourgues, Michel*).
7105 *Nicklas, Tobias* Was macht die Johannesbriefe eigentlich zu "katholischen Briefen"?. BiLi 79 (2006) 129-132.

7106 **Painter, John** 1, 2, and 3 John. Sacra Pagina 18: 2002 ⇒18,6455... 21,7346. ᴿRExp 103 (2006) 426-428 (*Jones, Peter Rhea*).
7107 *Rensberger, David* Conflict and community in the Johannine Letters. Interp. 60 (2006) 278-291.
7108 *Van der Merwe, Dirk G.* 'A matter of having fellowship': ethics in the Johannine epistles. Identity, ethics. BZNW 141: 2006 ⇒795. 535-63.

7109 *Caneday, Ardel B.* Persevering in Christ and tests of eternal life;
7110 *Joslin, Barry C.* Getting up to speed: an essential introduction to 1 John;
7111 *Kruse, Colin G.* Sin and perfection in 1 John. Southern Baptist Convention 10/3 (2006) 40-56/4-26/58-66.
7112 *Malzoni, Claudio V.* Prima lettera di Giovanni. Nuovo commentario biblico. 2006 ⇒455. 734-756.
7113 **Manini, Filippo** Prima lettera di Giovanni: testo strutturato. Sussidi biblici 92: Reggio Emilia 2006, San Lorenzo 109 pp. 88-8071-172-5. Bibl. 17.
7114 **Oniszczuk, Jacek** La giustizia dei figli: composizione e interpretazione della prima lettera di Giovanni. ᴰ*Meynet, Roland* 2006, 83 pp. Excerpt Diss. Rome, Gregoriana; Bibl. 71-77.
7115 **Schmid, Hans-Jörg** Gegner im 1. Johannesbrief?: zur Konstruktion und Selbstreferenz im johanneischen Sinnsystem. BWANT 159: 2002 ⇒18,6462.. 21,7365. ᴿThZ 62 (2006) 557-8 (*Raguse, Harmut*).
7116 *Tan, Randall K.J.* A linguistic overview of 1 John. Southern Baptist Convention 10/3 (2006) 68-80.
7117 *Van der Merwe, C.H.J.* "Having fellowship with God" according to 1 John: dealing with the intermediation and environment through which and in which it is constituted. The spirit that moves. AcTh(B).S 8: 2006 ⇒510.165-192.
7118 *Van der Merwe, D.G.* Eschatology in the first epistle of John: κοινωνια in the familia Dei. VeE 27 (2006) 1045-1076.

7119 *Riches, John* 1 John 1:1-2:2. ET 117 (2006) 248-249. - 02,02.
7120 *Kim, S.-H.* Complex parallelism in 1 John 1:5-2:2. Chongshin Theological Journal [Seoul] 11/1 (2006) 46-67.
7121 *Dronsz, Gesine* Wer ist hier der Antichrist?: 1 Johannes 2. Die besten Nebenrollen. 2006 ⇒1164. 292-298.
7122 **Scarano, Angelo** Storia dell'interpretazione ed esegesi di 1 Gv 3,18-22. AnBib 157: 2005 ⇒21,7364. ᴿCivCatt 157/1 (2006) 311-313 (*Scaiola, D.*).
7123 *Ehrman, Bart D.* 1 John 4:3 and the orthodox corruption of scripture. Studies in textual criticism. NTTS 33: 2006 <1989> ⇒212. 221-246.
7124 **López Barrio, Mario** El tema del ágape en la primera carta de san Juan: estudio de 1 Jn 4,7-21: una perspectiva antropológico-social. TGr.T 114: 2004 ⇒20,6936; 21,7359. ᴿEE 81 (2006) 197-198 (*Castro, Secundino*).
7125 *Gusa, Alexsandar* "Frygt findes ikke i kaerligheden" (1 Joh 4,18). DTT 69/2 (2006) 118-143.

7126 Novum Testamentum Graecum: editio critica maior, 4: die Katholischen Briefe, Lfg. 4: der zweite und dritte Johannesbrief; der Judasbrief, Teil 1: Text, Teil 2: Begleitende Materialien. ᴱ**Aland, Barbara**, *al.* 2005 ⇒21,7370. ᴿThLZ 131 (2006) 1156-1159 (*Elliott, J.K.*).

7127   *Pollhill, John B.* The setting of 2 John and 3 John. Southern Baptist
       Convention 10/3 (2006) 28-39.
7128   *Abela, Anthony* Translating οὗτος in 2 John 7. MTh 57/2 (2006) 55-
       61.
7129   *Malzoni, Claudio V.* Seconda lettera di Giovanni. Nuovo commenta-
       rio biblico. 2006 ⇒455. 757-759.

7130   *Clark, David J.* Discourse structure in 3 John. BiTr 57 (2006) 109-
       115.
7131   *Malzoni, Claudio V.* Terza lettera di Giovanni. Nuovo commentario
       biblico. 2006 ⇒455. 760-762.
7132   *Taeger, Jens-W.* Der konservative Rebell: zum Widerstand des Dio-
       trephes gegen den Presbyter. Johanneische Perspektiven. FRLANT
       215: 2006 <1987> ⇒315. 59-79.

G2.3 *Apocalypsis Johannis*—Revelation: text, commentaries

7133   ^E**Barr, David L.** Reading the book of Revelation: a resource for stu-
       dents. Resources for biblical study 44: 2003 ⇒19,6979... 21,7373.
       ^RPSB 27/1 (2006) 70-71 (*Metzger, Bruce M.*).
7134   **Bauckham, Richard** La théologie de l'Apocalypse. ^T*Lassus, Alain-
       Marie de*: Théologies: P 2006, Cerf 200 pp. €26. 2-204-08120-5.
7135   **Biguzzi, Giancarlo** L'Apocalisse e i suoi enigmi. StBi 143: 2004
       ⇒20,6951; 21,7375. ^RCoTh 76/3 (2006) 230-237 (*Kotecki, Dariusz*);
7136   Apocalisse. I libri biblici.NT 20: 2005 ⇒21,7376. ^RStPat 53 (2006)
       787-789 (*Lorenzin, Tiziano*); Protest. 61 (2006) 380-381 (*Noffke,
       Eric*); LASBF 56 (2006) 669-672 (*Chrupcała, Lesław D.*).
7137   **Boxall, Ian** The Revelation of St. John. BNTC 18: L 2006, Continu-
       um xvi; 347 pp. £20/$30. 1-56563-202-8. Bibl. 321-331.
7138   **Corsani, Bruno** L'Apocalisse: guida alla lettura dell'ultimo libro
       della bibbia. ²2004 ⇒20,6953. ^REccl(R) 20 (2006) 268-269 (*Peña
       Hurtado, Bernadita*).
7139   **Cory, Catherine A.** The book of Revelation. New Collegeville Bible
       Commentary 12: ColMn 2006, Liturgical 101 pp. $7. 08146-28850
       [BiTod 44,263—Donald Senior].
7140   *Crislip, Andrew* A fragment of Revelation in the Beinecke Library.
       JCoptS 8 (2006) 49-54.
7141   **Doglio, Claudio** Apocalisse di Giovanni. 2005 ⇒21,7379. ^RCredOg
       26/1 (2006) 177-178 (*Cappelletto, Gianni*); CivCatt 157/1 (2006)
       625-627 (*Scaiola, D.*).
7142   **Farmer, Ronald L.** Revelation. 2005 ⇒21,7383. ^RCBQ 68 (2006)
       539-540 (*Yieh, John*); RBLit (2006)* (*Du Rand, Jan*).
7143   *Foulkes, Ricardo* Apocalisse. Nuovo commentario biblico. 2006 ⇒
       455. 771-840.
7144   *Gryson, Roger* Le commentaire de TYCONIUS sur l'Apocalypse.
       BVLI 50 (2006) 23-31.
7145   ^E**Gryson, Roger** Commentaria minora in Apocalypsin Johannis.
       CChr.SM 107: 2003 ⇒19,6989; 21,7387. ^RGn. 78 (2006) 561-563
       (*Edwards, Mark J.*).
7146   **Hernández, Juan** Scribal habits and theological influences in the
       Apocalypse: the singular readings of Sinaiticus, Alexandrinus, and

EPHRAEM. ᴰ*Holladay, Carl*: WUNT 2/218: Tü 2006, Mohr S. xv; 241 pp. €54. 3-16-149112-2. Diss. Emory; Bibl. 219-227.

7147 **Kovacs, Judith; Rowland, Christopher** Revelation: the Apocalypse of Jesus Christ. Blackwell Bible Commentaries: 2004 ⇒20,6961; 21, 7389. ᴿThGl 96 (2006) 216-218 (*Kowalski, Beat*); BiCT 2/1 (2006)* (*Petterson, Christina*).

7148 **López Rosas, Ricardo; Richard Guzmán, Pablo** Evangelio y Apocalipsis de san Juan. Biblioteca bíblica básica: Estella 2006, Verbo Divino 408 pp. €12.79. 978-84-8169-707-0. ᴿQol 42 (2006) 109-112 (*Noguez de Herrera, Maria E.*).

7149 **Lupieri, Edmondo F.** A commentary on the Apocalypse of John. ᵀ*Kamesar, Adam; Johnson, Maria Poggi*: Italian texts and studies on religion and society: GR 2006, Eerdmans xxx; 395 pp. $36. 978-0-8028-6073-6.

7150 **Meldau, Volker** Die Wende aller Zeiten: eine Auslegung der Offenbarung des Johannes aus katholisch-apostolischer Sicht. Marburg 2006 <1998>, Tectum 370 pp. 3-8288-8990-5.

7151 *Niccacci, Alviero* Il titolo divino ὁ ὢν καὶ ὁ ἦν καὶ ὁ ἐρχόμενος: forma, origine e conseguenze per il sistema verbale dell'Apocalisse. ᶠCIGNELLI, L.: SBFA 68: 2006 ⇒21. 337-356.

7152 *Pippin, Tina; Clark, J. Michael* Revelation/Apocalypse. Queer bible commentary. 2006 ⇒2417. 753-768.

7153 **Prévost, Jean Pierre** Pour lire l'Apocalypse. Ottawa ²2006 <1991>, Novalis 140 pp. €19. 22040-81752.

7154 *Prévost, Jean-Pierre* Leggere l'Apocalisse di Giovanni. Guida di lettura del NT. 2006 ⇒5033. 447-498.

7155 **Smalley, Stephen S.** The Revelation to John: a commentary on the Greek text of the Apocalypse. 2005 ⇒21,7397. ᴿRBLit (2006)* (*Smith, Chris*).

7156 **Stock, Klemens** La última palabra es de Dios: el Apocalipsis como buena noticia. Sicar 3: 2005 ⇒21,7398. ᴿRevAg 47 (2006) 151-152 (*Gutiérrez, J.*); Theologica 41/1 (2006) 201-203 (*Hipólito, Isaías*); SalTer 94 (2006) 870-872 (*Yebra Rovira, Carmen*); VyV 64 (2006) 638-640 (*Sanz Valdivieso, Rafael*).

G2.4 Apocalypsis, themata—Revelation, topics

7157 *Abir, A. Peter* Comedy in the context of tragedy: a structural study of the book of Revelation. ITS 43 (2006) 357-374.

7158 *Almansa Rodríguez, Ángel* Testigos en el libro del Apocalipsis. MisEx(M) 212/213 (2006) 332-350.

7159 *Alvarez Valdès, Ariel* Apocalypse: les prophéties sont accomplies. Choisir 562 (2006) 9-12.

7160 *Arcari, Luca* Il simbolismo della donna nella letteratura apocalittica. Donne e bibbia. La Bibbia nella storia 21: 2006 ⇒484. 277-304.

7161 **Attinger, Daniel** Apocalypse de Jean: à la rencontre du Christ dévoilé. 2005 ⇒21,7404. ᴿPOC 56/1-2 (2006) 210-11 (*Merceron, Roger*).

7162 *Aune, David E.* The Apocalypse of John and Palestinian Jewish apocalyptic. Neotest. 40 (2006) 1-33;

7163 Apocalypse renewed: an intertextual reading of the Apocalypse of John;

7164 *Barr, David L.* Beyond genre: the expectations of Apocalypse;

7165   The lamb who looks like a dragon?: characterizing Jesus in John's Apocalypse. The reality of apocalypse. SBL Symposium 39: 2006 ⇒ 691. 43-70/71-89/205-220.

7166   **Barsotti, Divo** Meditazione sull'Apocalisse. CinB 2006, San Paolo 357 pp.

7167   *Beale, Gregory K.* The purpose of symbolism in the book of Revelation. CTJ 41 (2006) 53-66.

7168   *Becker, Michael; Öhler, Markus* "Und die Wahrheit wird offenbar gemacht": zur Herausforderung der Theologie durch die Apokalyptik. Apokalyptik als Herausforderung. WUNT 2/214: 2006 ⇒348. 3-20.

7169   *Berends, Bill* Sealed to salvation: assurance in the book of Revelation. VR 71 (2006) 45-56.

7170   *Binni, Walther* Alcune recenti tendenze interpretative dell'Apocalisse. SdT 18/1 (2006) 26-35.

7171   **Blount, Brian K.** Can I get a witness?: reading Revelation through African American culture. 2005 ⇒21,7426. ᴿThTo 62 (2006) 545-546 (*Koester, Craig R.*).

7172   *Buchhold, Jacques* Le ciel. ThEv(VS) 5/2 (2006) 117-142.

7173   *Campanile, Domitilla* ADRIANO, POLEMONE e l'Apocalisse. RSO 79 (2006) 171-183.

7174   *Campbell, Gordon* Chiavi di lettura dell'Apocalisse;

7175   I temi dell'Apocalisse. SdT 18/1 (2006) 2-6/7-25.

7176   *Campbell, W.G.* Apocalypse johannique et persévérance des saints. RRef 57/236 (2006) 43-55.

7177   *Carey, Greg* Symptoms of resistance in the book of Revelation. The reality of apocalypse. SBL Symposium 39: 2006 ⇒691. 169-180.

7178   *Carson, Marion* Fine madness: psychosis, faith, communities and the rehabilitation of the christian apocalypse. ET 117 (2006) 360-365.

7179   *Chow, Simon* A superb teacher: the characteristics of the author of the book of Revelation. ThLi 29 (2006) 79-103.

7180   *Collins, Adela Y.* Satan's throne: revelations from Revelation. BArR 32/3 (2006) 26-39.

7181   *Cowan, Martyn* New world, new temple, new worship: the book of Revelation in the theology and practice of christian worship, part 2;

7182   part 3. ChM 120 (2006) 159-176/247-265.

7183   *De Chirico, Leonardo* Usi e abusi dell'Apocalisse. SdT 18/1 (2006) 36-41.

7184   *Den Dulk, Matthijs* The promises to the conquerors in the book of Revelation. Bib. 87 (2006) 516-522 [Rev 2-3; 21,7].

7185   *DeVilliers, Pieter G.* The heavenly joy of the faithful in Revelation;

7186   Perverse joy in the book of Revelation: a perspective on religious experience. APB 17 (2006) 206-226/227-242;

7187   Wilhelm Bousset's commentary on Revelation and hermeneutical perspectives on the Revelation of John. ᶠLATEGAN, B.: NT.S 124: 2006 ⇒94. 365-389.

7188   *Doglio, Claudio* 'L'agnello immolato': il sacrificio di Cristo secondo l'Apocalisse. PSV 54 (2006) 137-152;

7189   Contestazione del potere nella prospettiva dell'Apocalisse. RstB 18 (2006) 253-279.

7190   Il libro dolce-amaro: l'Apocalisse assimila e metabolizza l'Antico Testamento. Rivisitare il compimento. 2006 ⇒780. 183-230.

7191 **Doglio, Claudio** Il primogenito dei morti: la risurrezione di Cristo e dei cristiani nell'Apocalisse di Giovanni. RivBib.S 45: 2005 ⇒21, 7444. [R]RivBib 54 (2006) 102-106 (*Marino, Marcello*); Gr. 87 (2006) 399-400 (*López, Javier*).

7192 *Du Rand, Jan A.* The ethical response of an alternative community in a critical situation: marturia and martyrdom in the Apocalypse of John. Identity, ethics. BZNW 141: 2006 ⇒795. 565-593.

7193 *Fee, Gordon D.* Preaching apocalyptic?: You've got to be kidding!. CTJ 41 (2006) 7-16.

7194 *Fekkes, Jan. III* Isaiah and the book of Revelation: John the prophet as a fourth Isaiah?. "As those who are taught". SBL.Symposium 27: 2006 ⇒765. 125-143.

7195 **Frilingos, Christopher A.** Spectacles of empire: monsters, martyrs, and the book of Revelation. Divinations: 2004 ⇒20,6998; 21,7452. [R]CBQ 68 (2006) 143-145 (*Barr, David L.*); IJCT 13 (2006) 303-305 (*Meeks, Wayne A.*); RBLit (2006)* (*Royalty, Robert*).

7196 *Gieschen, Charles A.* Baptismal praxis and mystical experience in the book of Revelation. [M]QUISPEL, G.: SBL.Symposium 10: 2006 ⇒134. 341-354.

7197 **Guerra Suárez, Luis María** El caballo blanco en el Apocalipsis (Ap 6,1-2/9,11-16) y la presencia de Cristo resucitado en la historia: investigación teológico-bíblica. 2004 ⇒20,7001; 21,7462. [R]Comp. 51 (2006) 297-299 (*Fernández Lago, José*); RevBib 68 (2006) 241-244 (*Alvarez Valdés, Ariel*).

7198 *Hahn, Ferdinand* Zum Aufbau der Johannesoffenbarung. Studien zum NT, II. WUNT 192: 2006 <1979> ⇒231. 531-540;

7199 Liturgische Elemente in den Rahmenstücken der Johannesoffenbarung. <1986> 541-555;

7200 Das Geistverständnis in der Johannesoffenbarung <2005> 595-601;

7201 Die Schöpfungsthematik in der Johannesoffenbarung <1997>;

7202 Die Offenbarung des Johannes als Geschichtsdeutung und Trostbuch. Studien zum NT, II. 2006 <2005> ⇒231. 603-611/625-640.

7203 *Hengel, Martin* Die Throngemeinschaft des Lammes mit Gott in der Johannesapokalypse. Studien zur Christologie. WUNT 201: 2006 <1993> ⇒237. 368-385.

7204 **Herghelegiu, Monica-Elena** Siehe, er kommt mit den Wolken!: Studien zur Christologie der Johannesoffenbarung. EHS.T 785: 2004 ⇒ 20,7003; 21,7469. [R]ZKTh 128 (2006) 289-291 (*Huber, Konrad*).

7205 **Herms, Ronald** An apocalypse for the church and for the world: the narrative function of universal language in the book of Revelation. [D]*Stuckenbruck, Loren T.*: BZNW 143: B 2006, De Gruyter xv; 299 pp. €82.23. 3-11-019312-4. Diss. Durham; Bibl. 262-272.

7206 *Hieke, Thomas* Der Seher Johannes als neuer Ezechiel: die Offenbarung des Johannes vom Ezechielbuch her gelesen. Das Ezechielbuch in der Johannesoffenbarung. BThSt 76: 2006 ⇒466. 1-30.

7207 *Hitchcock, Mark* A critique of the preterist view of "soon" and "near" in Revelation. BS 163 (2006) 467-478.

7208 **Hoffmann, Matthias R.** The destroyer and the lamb: the relationship between angelomorphic and lamb christology in the book of Revelation [i.e. Revelation]. WUNT 2/203: 2005 ⇒21,7470. [R]ZKTh 128 (2006) 458-461 (*Huber, Konrad*).

7209 *Jackson, J.A.; Redmon, Allen H.* "And they sang a new song": reading John's Revelation from the position of the lamb. Ment. *Girard, René*: Contagion 12-13 (2006) 99-114.

7210 **Jauhiainen, Marko** The use of Zechariah in Revelation. WUNT 2/
199: 2005 ⇒21,7473. [R]RHPhR 86 (2006) 439-440 (*Grappe, C.*);
RBLit (2006)* (*Moyise, Stephen*).

7211 **Jochum-Bortfeld, Carsten** Die zwölf Stämme in der Offenbarung
des Johannes: zum Verhältnis von Ekklesiologie und Ethik. 2000 ⇒
20,7008. [R]ThRv 102 (2006) 301-303 (*Gradl, Hans-Georg*).

7212 **Johns, Loren L.** The lamb christology of the Apocalypse of John: an
investigation into its origins and rhetorical force. WUNT 2/167: 2003
⇒19,7052... 21,7475. [R]ZKTh 128 (2006) 291-292 (*Huber, Konrad*);
RBLit (2006)* (*Royalty, Robert*) [Rev 5].

7213 **Jung, Franz; Kreuzer, Maria C.** Zwischen Schrecken und Trost:
Bilder der Apokalypse aus mittelalterlichen Handschriften: Begleit-
buch zu einer Ausstellung von Faksimiles aus der Sammlung Ratho-
fer in der Bibliothek des Priesterseminars Speyer. Köln 2006, Koino-
nia 75 pp. 3-936835-411. 60 ill.

7214 *Karrer, Martin* Von der Apokalypse zu Ezechiel: der Ezechieltext
der Apokalypse. Das Ezechielbuch in der Johannesoffenbarung.
BThSt 76: 2006 ⇒466. 84-120;

7215 Die Apokalypse–eine fulminante Streitschrift unter Einfluss des jo-
hanneischen Gemeindeverbandes: Jens-W. Taegers Beitrag zur Er-
forschung der Apk und der joh Theologieentwicklung. Johanneische
Perspektiven. FRLANT 215: 2006 ⇒315. 17-26.

7216 **Kirsch, Jonathan** A history of the end of the world: how the most
controversial book in the bible changed the course of Western civili-
zation. SF 2006, HarperSanFrancisco 340 pp. 0-06-081698-8. Bibl.
323-330; Ill.

7217 [E]**Kitterick, David** The Trinity Apocalypse (Trinity College Cam-
bridge, Ms. R.16.2): commentary on the facsimile edition. 2005 ⇒
21,7481. [R]Scr. 60/1 (2006) 123*-124* (*Dubois, A.*).

7218 *Klauck, Hans-J.* Die Johannesoffenbarung und die kleinasiatische
Archäologie. Texte, Fakten. NTOA 59; StUNU 59: 2006 ⇒940.
197-229.

7219 *Kowalski, Beate* Eschatological signs and their function in the Reve-
lation of John. Wonders never cease. LNTS 288: 2006 ⇒758. 200-
218.

7220 **Kowalski, Beate** Die Rezeption des Propheten Ezechiel in der Of-
fenbarung des Johannes. SBB 52: 2004 ⇒20,7011; 21,7486. [R]ThLZ
131 (2006) 273-275 (*Böcker, Otto*); RBLit (2006)* (*Jauhiainen,
Marko; Paulien, Jon*).

7221 *Köhn, Andreas* Ernst LOHMEYER und die Apokalyptik. [F]HAUFE, G.:
GThF 11: 2006 ⇒63. 149-167.

7222 *Körtner, Ulrich H.J.* Enthüllung der Wirklichkeit: Hermeneutik und
Kritik apokalyptischen Daseinsverständnisses aus systematisch theo-
logischer Sicht. Apokalyptik als Herausforderung. WUNT 2/214:
2006 ⇒348. 383-402.

7223 **Kreilkamp, Hermes Donald** Come, Lord Jesus: a guide to Revela-
tion as sacred reading. Morogoro, Tanzania 2006, Salvatorianum 127
pp. $9. 9987-645-19-4.

7224 *Lafitte, Serge* L'Apocalypse de Jean. Le Monde des Religions 16
(2006) 22-25.

7225 **Lewis, Scott** What are they saying about New Testament apocalyp-
tic?. 2004 ⇒20,7014. [R]AThR 88 (2006) 131-32 (*Spatafora, Andrea*).

7226 *Lichtenwalter, Larry L.* El motivo de la creación en el Apocalipsis. Theologika 21/1 (2006) 2-27.
7227 *Linton, Gregory L.* Reading the Apocalypse as apocalypse: the limits of genre. The reality of apocalypse. 2006 ⇒691. 9-41.
7228 *López, Javier* La acción de engañar en el Apocalipsis de Juan. Gr. 87 (2006) 5-24.
7229 **Malina, Bruce J.** Die Offenbarung des Johannes: Sternvisionen und Himmelsreisen. 2002 ⇒18,6538... 20,7020. [R]ThRv 102 (2006) 221-222 (*Gradl, Hans-Georg*).
7230 **Mayo, Philip L.** 'Those who call themselves Jews': the church and Judaism in the Apocalypse of John. PTMS 60: Eugene, OR 2006, Pickwick x; 212 pp. $24. 978-15975-25588. Diss.
7231 **Mazzanti, Giorgio** Ultimo avvento. 2005 ⇒21,7500. [R]Gr. 87 (2006) 627-628 (*De Bertolis, Ottavio*).
7232 *McDermott, J.* It's the end of the world (and I feel fine). America 195/18 (2006) 18-21.
7233 *Mengelle, Ervens* Apocalipsis y templo: claves exegéticas y hermenéutica. IncW 1/1 (2006) 91-105 [Heb 13].
7234 *Mitescu, A.* Appunti sul lessico liturgico dell'*Apocalisse di Giovanni di Patmos*, 1: la *haggadah* cristiana. Ter. 57 (2006) 215-237.
7235 **Morgan, Nigel** The Douce Apocalypse: picturing the end of the world in the Middle Ages. Oxf 2006, Bodleian 115 pp. $45. 73 ill.
7236 *Nicklas, Tobias* Biblisches Bestiarium und Heil der Welt: die Tierwelt der Apokalypse. BiHe 42/166 (2006) 26-27.
7237 *Noë, J.* An exegetical basis for a preterist-idealist understanding of the book of Revelation. JETS 49 (2006) 767-796.
7238 *O'Banion, Patrick J.* The pastoral use of the book of Revelation in late Tudor England. JEH 57 (2006) 693-710.
7239 *Öhler, Markus* Die vier Reiter (Apk 6,1-8): die Apokalypse des Johannes und ihre Rezeption. WJT 6 (2006) 85-98.
7240 *Pagels, Elaine H.* The social history of Satan, part three: John of Patmos and IGNATIUS of Antioch: contrasting visions of 'God's people'. HThR 99 (2006) 487-505.
7241 **Pattemore, Stephen** The people of God in the Apocalypse: discourse, structure, and exegesis. MSSNTS 128: 2004 ⇒20,7033; 21, 7519. [R]BS 163 (2006) 375-376 (*Fantin, Joseph D.*); Faith & Mission 23/3 (2006) 85-87 (*Owens, Mark D.*).
7242 *Paulien, Jon* Elusive allusions in the Apocalypse: two decades of research into John's use of the Old Testament. Intertextuality. NTMon 16: 2006 ⇒778. 61-68.
7243 **Peters, Olutola K.** The mandate of the church in the Apocalypse of John. Studies in biblical literature 77: 2005 ⇒21,7522. [R]RBLit (2006)* (*Witetschek, Stephan*).
7244 *Pippin, Tina* Warrior women of the Apocalypse: the role of the female in some apocalyptic films. BiblInterp 14 (2006) 158-174.
7245 **Pollard, Leslie N.** The function of *loipos* in contexts of judgment and salvation in the book of Revelation. [D]*Paulien, Jon* 2006, Diss. Andrews [AUSS 44,262].
7246 *Puig i Tarrech, Armand* Més enllà de la imatge: la relació cel-terra en el llibre de l'Apocalipsi. Imatge de Déu. Scripta Biblica 7: 2006 ⇒463. 219-252.
7247 *Reynolds, E.* The Trinity in the book of Revelation. JATS 17/1 (2006) 55-72;

7248   The true and the false in the ecclesiology of Revelation. JATS 17/2
       (2006) 18-35.
7249   **Rochette, Joël** Il nous a déliés de nos péchés: lecture revigorante de
       l'Apocalypse de saint Jean. ConBib 44: Bru 2006, Lumen Vitae 80
       pp. €10. 978-28732-42923.
7250   *Rossing, B.* End game. CCen 123/23 (2006) 22-25.
7251   *Rowland, Christopher* Visionary experience in ancient Judaism and
       christianity. ^MQUISPEL, G.: SBL.Symposium 10: 2006 ⇒134. 41-56.
7252   *Ruiz, Jean-P.* Betwixt and between on the Lord's Day: liturgy and the
       Apocalypse. The reality of apocalypse. 2006 ⇒691. 221-241;
7253   The Apocalypse and the sacramental imagination. NewTR 19/3
       (2006) 75-78.
7254   *Savarimuthu, Stanislas* The "slaughtered and standing" lamb in the
       book of Revelation. ITS 43 (2006) 471-494.
7255   *Sänger, Dieter* Destruktive Apokalyptik?: eine Erinnerung in escha-
       tologischer und ethischer Perspektive. ^FHAUFE, G.: GThF 11: 2006
       ⇒63. 285-307.
7256   ^T**Suggit, John** OECUMENIUS: commentary on the Apocalypse. FaCh
       112: Wsh 2006, Catholic University of America Press xii; 216 pp.
       978-08132-01122. Bibl. xi-xii.
7257   *Taeger, Jens-W.* Einige neuere Veröffentlichungen zur Apokalypse
       des Johannes. <1984>;
7258   Begründetes Schweigen: Paulus und paulinische Tradition in der Jo-
       hannesapokalypse. <1998>;
7259   Eine fulminante Streitschrift: Bemerkungen zur Apokalypse des Jo-
       hannes. Johanneische Perspektiven. FRLANT 215: 2006 <1994> ⇒
       315. 29-58/121-138/105-120.
7260   **Thót, Franz** Der himmlische Kult: Wirklichkeitskonstruktion und
       Sinnbildung in der Johannesoffenbarung. ^D*Schnelle, Udo*: ABIG 22:
       Lp 2006, Evangelische xii; 613 pp. €58. 978-3374-024278. Diss.
       Halle-Wittenberg.
7261   *Ulfo, Nazzareno* L'Apocalisse riconsegnata alla chiesa: risvolti pasto-
       rali di una riappropriazione. SdT 18/1 (2006) 42-56.
7262   *Vanni, Ugo* La morale dell'Apocalisse: un primo orientamento.
       SacDo 51/6 (2006) 129-147.
7263   **Waddell, Robert C.** The Spirit of the book of Revelation. JPentec.S
       30: Blandford Forum, UK 2006, Deo xii; 226 pp. $25. 90-5854-030-
       8. Bibl. 197-214.
7264   *Witetschek, Stephan* Der Lieblingspsalm des Sehers: die Verwendung
       von Ps 2 in der Johannesapokalypse. The Septuagint and messianism.
       BEThL 195: 2006 ⇒753. 487-502.
7265   *Zeller, Dieter* Der Untergang der Gestirne in jüdisch-christlicher und
       stoischer Sicht. N.T. und Hellenistische Umwelt. BBB 150: 2006
       <1999> ⇒331. 231-239.

G2.5 *Apocalypsis*, **Revelation 1,1...**

7266   *Hahn, Ferdinand* Die Sendschreiben der Johannesapokalypse: ein
       Beitrag zur Bestimmung prophetischer Redeformen. Studien zum
       NT, II. WUNT 192: 2006 <1971> ⇒231. 557-594 [Rev 1-3].
7267   *Taeger, Jens-W.* Offenbarung 1.1-3: johanneische Autorisierung ei-
       ner Aufklärungsschrift. Johanneische Perspektiven. FRLANT 215:
       2006 <2003> ⇒315. 157-173.

7268 *Philonenko, Marc* Celui qui est, qui était et qui vient (*Apocalypse de Jean* 1,4). Le temps et les temps. JSJ.S 112: 2006 ⇒408. 199-207.

7269 *Frey, Jörg* The relevance of the Roman imperial cult for the book of Revelation: exegetical and hermeneutical reflections on the relation between the seven letters and the visionary main part of the book. [F]AUNE, D.: NT.S 122: 2006 ⇒4. 231-255 [Rev 1,4-3,22].

7270 *Taeger, Jens-W.* Exegesen zur Johannesoffenbarung: Himmelfahrt: Offenbarung 1,4-8. Johanneische Perspektiven. FRLANT 215: 2006 <1993> ⇒315. 199-202.

7271 *Smidt, Kobus de* Revelation 1:5a-d: a prolegomenon to a theology of Iesu Christu in the book of Revelation. APB 17 (2006) 179-205.

7272 *Stakkos, Stergios* The ministry of John the Evangelist in Patmos (Rev. 1:9-11). [F]GALITIS, G. 2006 ⇒49. 525-542. **G**.

7273 *Taeger, Jens-W.* Exegesen zur Johannesoffenbarung: Letzter Sonntag nach Epiphanias: Offenbarung 1,9-18. Johanneische Perspektiven. FRLANT 215: 2006 <1993> ⇒315. 202-205.

7274 *Friesen, Steven J.* Sarcasm in Revelation 2-3: churches, christians, true Jews, and satanic synagogues. The reality of apocalypse. SBL Symposium 39: 2006 ⇒691. 127-144.

7275 *Wahlen, Clinton* Heaven's view of the church in Revelation 2 and 3. JAAS 9 (2006) 145-156.

7276 *Puthussery, J.* Revelation's challenge to the church in India. ThirdM 9/2 (2006) 45-64 [Rev 2,1-3,22].

7277 *Stowasser, Martin* "Dies spricht für dich, dass du die Werke der Nikolaiten hasst" (Offb 2,6)–ein frühes Zeugnis für den Konflikt um Anpassung oder Widerstand?. Inkulturation. 2006 ⇒543. 203-227 [Rev 2,1-7; 2,12-17].

7278 *Graves, D.E.* Local references in the Letter to Smyrna (Rv 2:8-11), part 4: religious background. BiSp 19/3 (2006) 88-96.

7279 *Taeger, Jens-W.* Exegesen zur Johannesoffenbarung: Vorletzter Sonntag im Kirchenjahr: Offenbarung 2,8-11. Johanneische Perspektiven. FRLANT 215: 2006 <1993> ⇒315. 205-208.

7280 *Duff, Paul* "The synagogue of Satan": crisis mongering and the Apocalypse of John. The reality of apocalypse. SBL Symposium 39: 2006 ⇒691. 147-168 [Rev 2,9; 3,9].

7281 *Armenteros, Víctor M.* Cruzando el Valle de Licos: reflexiones sobre bioética y Laodicea. DavarLogos 5/2 (2006) 197-209 [Rev 3,14-22].

7282 *Howe, F.R.* Does Christ occupy David's throne now?. Journal of the Grace Evangelical Society 19/36 (2006) 65-70 [Rev 3,21].

7283 *Azfal, Cameron C.* Wheels of time in the Apocalypse of Jesus Christ. [M]QUISPEL, G.: SBL.Symposium 10: 2006 ⇒134. 195-209 [Rev 4].

7284 *Lassus, Alain-Marie de* La mer de cristal dans l'Apocalypse. Aletheia 30 (2006) 91-113 [Rev 4,6; 15,2].

7285 *Taeger, Jens-W.* Hell oder dunkel?: zur neueren Debatte um die Auslegung des ersten apokalyptischen Reiters. Johanneische Perspektiven. FRLANT 215: 2006 <1999> ⇒315. 139-156 [Rev 6,2; 19].

7286 *Avila, Elizabeth Maria da Costa* Ap 6,9-17: a abertura do quinto e sexto selos. AtT 10 (2006) 401-414.

7287 *Carneiro, Marcel da Silva* 'Os 144 mil assinalados'; uma proposta exegética a partir de Ap 7,1-8. AtT 10 (2006) 280-291.

7288 *Yates, Richard S.* The identity of the tribulation saints. [Rev 7,9-17];

7289 The function of the tribulation saints. BS 163 (2006) 79-93/215-233 [Rev 7,9-17];

7290 The rewards of the tribulation saints. BS 163 (2006) 322-334 [Rev 7, 15-17].

7291 *Stefanovic, Ranko* The angel at the altar (Revelation 8:3-5): a case study on intercalations in Revelation. AUSS 44 (2006) 79-94.

7292 *Ruiz, Jean-P.* Hearing and seeing but not saying: a rhetoric of authority in Revelation 10:4 and 2 Corinthians 12:4. The reality of apocalypse. SBL Symposium 39: 2006 ⇒691. 91-111.

7293 *Mitescu, A.* Appunti sul lessico liturgico dell'*Apocalisse di Giovanni di Patmos*, 2: le *middot* del tempio e del regno di Dio. Ter. 57 (2006) 567-598 [Rev 11].

7294 *Dalrymple, Rob* The use of καί in Revelation 11,1 and the implications for the identification of the temple, the altar, and the worshippers. Bib. 87 (2006) 387-394.

7295 **Siew, Antoninus King Wai** The war between the two beasts and the two witnesses: a chiastic reading of Revelation 11.1-14,5. LNTS 283: E 2006, Clark xiv; 331 pp. 0-567-03021-0. Bib. 286-313.

7296 *Tavo, Felise* The outer court and holy city in Rev 11:1-2: arguing for a positive appraisal. ABR 54 (2006) 56-72. ·

7297 *Bachmann, Michael* Ausmessung von Tempel und Stadt: Apk 11,1f und 21,15ff auf dem Hintergrund des Buches Ezechiel. Das Ezechielbuch in der Johannesoffenbarung. BThSt 76: 2006 ⇒466. 61-83.

7298 **Koch, Michael** Drachenkampf und Sonnenfrau: zur Funktion des Mythischen in der Johannesapokalypse am Beispiel von Kapitel 12. WUNT 2/184: 2004 ⇒20,7069. [R]CrSt 27 (2006) 653-658 (*Biguzzi, Giancarlo*).

7299 *Omerzu, Heike* Die Himmelsfrau in Apk 12: ein polemischer Reflex des römischen Kaiserkults. Apokalyptik als Herausforderung. WUNT 2/214: 2006 ⇒348. 167-194.

7300 *Paulien, J.* The end of historicism?: reflections on the Adventist approach to biblical apocalyptic–part two. JATS 17/1 (2006) 180-208 [Rev 12].

7301 *Van Henten, Jan W.* Dragon myth and imperial ideology in Revelation 12-13. The reality of apocalypse. 2006 ⇒691. 181-203.

7302 *Valdez, Adylson* El número 666 y las doce tribus de Israel. RevBib 68/3-4 (2006) 191-214. Versions in English, Français, Italiano, Português in RevBib 68/3-4, Supplemento [Rev 13,17-18].

7303 *Gumerlock, Francis X.* Nero antichrist: patristic evidence for the use of Nero's naming in calculating the number of the beast (Rev 13:18). WThJ 68 (2006) 347-360.

7304 **Vaipil, John** The lamb and the 144,000 in Rev 14,1-5. [D]*Biguzzi, G.* 2006, Diss. Rome, Urbaniana [RTL 38,621].

7305 *Sals, Ulrike* Mit dem Buch vor der Nase das Leben sehen: Johannes und Jorge in Babylon: Offenbarung 17. Die besten Nebenrollen. 2006 ⇒1164. 299-304.

7306 *Biguzzi, Giancarlo* Is the Babylon of Revelation Rome or Jerusalem?. Bib. 87 (2006) 371-386 [Rev 17-18].

7307 *Fiorenza, Elisabeth S.* Babylon the Great: a rhetorical-political reading of Revelation 17-18. The reality of apocalypse. SBL Symposium 39: 2006 ⇒691. 243-269.

7308 *Sals, Ulrike* "in WIRKLICHKEIT geht es nicht so krass zu: in wirklichkeit ist es schlimmer". TeKo 29/4 (2006) 55-58 [Rev 18,11-13].

7309 *Jehle, Frank* Der göttliche Krieger in Apokalypse 19. [F]SCHÜNGEL-STRAUMANN, H.. 2006 ⇒153. 328-334.

G2.7 **Millenniarismus**, *Apc 20...*

7310 [E]**Brindle, Wayne A.; Hindson, Ed; Lahaye, Tim** The popular bible prophecy commentary. Eugene, OR 2006, Harvest 557 pp. $25.

7311 *Delumeau, Jean* Antéchrist, an mil et millénarisme. Le Monde des Religions 16 (2006) 26-29.

7312 **Efird, James M.** Left behind?: what the bible really says about the end times. Macon, GA 2006, Smyth & H. 100 pp. $12 [BiTod 45,392 —Donald Senior].

7313 **Flesher, LeAnn S.** Left behind?: the facts behind the fiction. Valley Forge, PA 2006, Judson 163 pp. 0-8170-1490-X.

7314 *Hahn, Ferdinand* Das neue Jerusalem: die Darstellung der Heilsvollendung im Rahmen der Schlußvision der Johannesoffenbarung. Studien zum NT, II. WUNT 192: 2006 <2000> ⇒231. 613-623.

7315 **Kline, Meredith G.** God, heaven, and Har Magedon: a covenantal tale of cosmos and telos. Eugene, Oregon 2006, Wipf & S. 293 pp. $31. 1-59752-478-6. [R]Kerux 21/3 (2006) 11-51 (*Sanborn, Scott F.*).

7316 *Merlin, Benoît* Les apôtres de l'Apocalypse. Le Monde des Religions 16 (2006) 30-33.

7317 *Nicolaïdou-Kyrianidou, Vana* La cité des frères: la polis parfaite de PLATON et la Jérusalem du christianisme. Parenté et société. 2006 ⇒ 920. 237-269.

7318 *Poythress, Vern S.* Millennio. SdT 18/1 (2006) 68-70.

7319 *Tincq, Henri* Les monothéismes face à la *fin des temps*. Le Monde des Religions 16 (2006) 34-35.

7320 **Bauer, Thomas J.** Das tausendjährige Messiasreich der Johannesoffenbarung: eine literarkritische Studie zu Offb 19,11-21,8. [D]*Prostmeier, Ferdinand R.* 2006, Diss. Giessen [ThRv 103/2,vii].

7321 *Powell, Charles E.* Progression versus recapitulation in Revelation 20:1-6. BS 163 (2006) 94-109.

7322 *Yates, Richard Shalom* The resurrection of the tribulation saints. BS 163 (2006) 453-466 [Rev 20,4-6; 7,15-17].

7323 *Contreras Molina, Francisco* Jerusalén, ciudad abierta a todos los pueblos. EstB 64 (2006) 319-336 [Rev 21,1-22,5].

7324 **Mathewson, David** A new heaven and a new earth: the meaning and function of the Old Testament in Revelation 21.1-22.5. JSNT.S 238: 2003 ⇒19,7138... 21,7620. [R]HBT 28 (2006) 69 (*Dearman, J. Andrew*).

7325 *Schellenberg, Ryan S.* Seeing the world whole: intertextuality and the New Jerusalem (Revelation 21-22). PRSt 33 (2006) 467-476 [Rev 21,1-22,5].

7326 *Painchaud, Louis* Identité chrétienne et pureté rituelle dans l'*Apocalypse* de Jean de Patmos: l'emploi du terme *koinon* en Ap 21,27. LTP 62 (2006) 345-357.

7327 *Pokorný, Petr* 'The grace of the Lord Jesus be with all'. [F]GALITIS, G. 2006 ⇒49. 519-524 [Rev 22,21].

XII. Paulus

G3.1 Pauli biographia

7328 *Becker, Eve-Marie* Die Person des Paulus. Paulus: Leben.... UTB 2767: 2006 ⇒491. 107-119.

7329 [E]**Becker, Eve-Marie; Pilhofer, Peter** Biographie und Persönlichkeit des Paulus. WUNT 187: 2005 ⇒21,349. [R]JETh 20 (2006) 228-233 (*White, Joel R.*).

7330 *Broer, Ingo* Neues zur Pauluschronologie?. BZ 50 (2006) 99-104.

7331 **Cate, Robert L.** One untimely born: the life and ministry of the Apostle Paul. Macon, GA 2006, Mercer University Press xv; 168 pp. 0-86554-995-8. Bibl. 157-165.

7332 **Chilton, Bruce** Rabbi Paul: an intellectual biography. 2004 ⇒20, 7108; 21,7635. [R]ThLZ 131 (2006) 33-34 (*Vogel, Manuel*); AThR 88 (2006) 257-258 (*Kittredge, Cynthia Briggs*); RHPhR 86 (2006) 431-433 (*Grappe, C.*).

7333 **Crossan, John Dominic; Reed, Jonathan L.** In search of Paul: how Jesus's apostle opposed Rome's empire with God's kingdom. 2004 ⇒20,7111; 21,7636. [R]ThLZ 131 (2006) 738-740 (*Schröter, Jens*).

7334 *Dewey, Arthur J.* The masks of Paul. Forum 7 (2004) 159-175.

7335 **Dunn, James D.G.** The new perspective on Paul: collected essays. WUNT 185: 2005 ⇒21,7638. [R]JThS 57 (2006) 675-677 (*Instone-Brewer, David*).

7336 *Ebel, Eva* Das Leben des Paulus;

7337 *Frey, Jörg* Das Judentum des Paulus. Paulus: Leben.... UTB 2767: 2006 ⇒491. 83-96/5-43.

7338 *Gielen, Marlis* Paulus–Gefangener in Ephesus? Teil 1. BN 131 (2006) 79-103.

7339 **Lona, Horacio E.** Kleine Hinführung zu Paulus. FrB 2006, Herder 149 pp. €9.90. 34512-90855.

7340 **Murphy-O'Connor, Jerome** Paul: his story. 2004 ⇒20,7123; 21, 7648. [R]ScrB 36/1 (2006) 48-50 (*Boxall, Ian*); MillSt 58 (2006) 142-144 (*Mangan, Céline*); JThS 57 (2006) 673-675 (*Fowl, Stephen*); Jésus et Paul: vies parallèles 2006 ⇒5176.

7341 **Schäfer, Ruth** Paulus bis zum Apostelkonzil: ein Beitrag zur Einleitung in den Galaterbrief, zur Geschichte der Jesusbewegung und zur Pauluschronologie. WUNT 2/179: 2004 ⇒20,7128; 21,7653. [R]BZ 50 (2006) 99-104 (*Broer, Ingo*); FgNT 19 (2006) 131-134 (*Stenschke, Christoph*).

7342 **Schnelle, Udo** Paulus: Leben und Denken. De Gruyter Lehrbuch: 2003 ⇒19,7173...21,7655. [R]ThLZ 131 (2006) 36-8 (*Vogel, Manuel*).

7343 **Stourton, Edward** Paul of Tarsus: a visionary life. 2005 ⇒21,7659. [R]First Things 163 (2006) 51-53 (*Oakes, Edward T.*).

7344 **Tatum, Gregory** New chapters in the life of Paul: the relative chronology of his career. CBQ.MS 41: Wsh 2006, Catholic Biblical Association of America ix; 145 pp. $9. 0-915170-39-6. Bibl. 131-140.

7345 *Trudinger, P.* St. Paul, the Damascus Road, 'my gospel', and Jesus. FaF 59/2 (2006) 102-107.

7346 **Van Bruggen, Jakob** Paul: pioneer for Israel's Messiah. [T]*Van der Maas, E M.* 2005 ⇒21,7661. [R]SEBT 24 (2006) 244-246 (*Darko, Daniel*).

7347 *Verdoodt, Albert* Gesù e Paolo: la lezione dei modelli delle scienze sociali. Il nuovo Gesù storico. 2002 ⇒788. 294-302.

7348 **Vidal, César** Pablo, el judío de Tarso. M [2]2006, Algaba 408 pp.

7349 **Vouga, François** Moi, Paul!. 2005 ⇒21,7846. [R]RHPhR 86 (2006) 430-431 (*Grappe, C.*).

7350 **Wick, Peter** Paulus. UTB basics 2858: Gö 2006, Vandenhoeck & R. 219 pp. €13.30. 3-525-03614-3. Beitrag *Jens-Christian Maschmeier*.

G3.2 Corpus paulinum; *generalia, technica epistularis*

7351 *Bae, Hyunju* Paul, Roman empire, and ekklesia. CTC bulletin 22/2 (2006) 5-14.

7352 *Brady, Dean* Paul and religious experience. [F]CHARLESWORTH, J. 2006 ⇒19. 471-490.

7353 *Brodie, Thomas L.* The triple intertextuality of the epistles: an introduction. Intertextuality. NTMon 16: 2006 ⇒778. 71-89.

7354 **Buchegger, Jürg** Erneuerung des Menschen: exegetische Studien zu Paulus. TANZ 40: 2003 ⇒19,7188... 21,7668. [R]ThLZ 131 (2006) 1055-1057 (*Aejmelaeus, Lars*).

7355 **Burnet, Régis** Épîtres et lettres Ier-IIième siècle: de Paul de Tarse à POLYCARPE de Smyrne. LeDiv 192: 2003 ⇒19,7190; 21,7669. [R]CBQ 68 (2006) 324-326 (*Porter, Stanley E.*).

7356 *Costa, Giuseppe* L'originalità del saluto cristiano: la formula di saluto nel prescritto delle lettere neotestamentarie. Itin(M) 14 (2006) 111-157.

7357 *Cuvillier, Élian* Leggere le lettere di Paolo. Guida di lettura del NT. 2006 ⇒5033. 385-445.

7358 **Debanné, Marc J.** Enthymemes in the letters of Paul. LNTS 303: L 2006, Clark 291 pp. £70. 05670-30563.

7359 [E]**Dettwiler, Andreas; Kaestli, Jean-Daniel; Marguerat, Daniel L.** Paul, une théologie en construction. MoBi 51: 2004 ⇒20,337; 21,7671. [R]RevSR 80/1 (2006) 106-108 (*Morgen, Michèle*); RHPhR 86 (2006) 428-429 (*Grappe, C.*); RBLit (2006)* (*Mitchell, Matthew*).

7360 [E]**Dunn, James D.G.** The Cambridge companion to St. Paul. 2003 ⇒ 19,336... 21,7672. [R]HeyJ 47 (2006) 295-297 (*Turner, Geoffrey*).

7361 **Eckstein, Peter** Gemeinde, Brief und Heilsbotschaft: ein phänomenologischer Vergleich zwischen Paulus und EPIKUR. Herders Biblische Studien 42: 2004 ⇒20,7146. [R]ThLZ 131 (2006) 166-168 (*Poplutz, Uta*).

7362 **Fabris, Rinaldo; Romanello, Stefano** Introduzione alla lettura di Paolo. R 2006, Borla 278 pp. €25.

7363 *Finkelde, Dominik* Paulus im Widerstreit. StZ 224 (2006) 636-638.

7364 *Forte, Anthony J.* Greek particles in Paul: some problems and possible solutions. [F]CIGNELLI, L.: SBFA 68: 2006 ⇒21. 317-330.

7365 **Freed, Edwin D.** The apostle Paul and his letters. 2005 ⇒21,7677. [R]CBQ 68 (2006) 142-43 (*Koperski, Veronica*); RBLit (2006)* (*Watson, Duane*).

7366   *Geoltrain, Pierre* Paul et le destin du paulinisme. Pierre Geoltrain. 2006 ⇒556. 67-82.
7367   **Gericke, Paul** Prince of preachers: the apostle Paul. Lanham 2006, University Press of America 80 pp. 0-7618-3391-9. Bibl. 81.
7368   *Gieschen, Charles A.* Listening to intertextual relationships in Paul's epistles with Richard Hays. CTQ 70/1 (2006) 17-32.
7369   *Glory, François* Le christianisme est-il porteur de violence? Paul a-t-il été trahi?. Spiritus 184 (2006) 294-309.
7370   **Gonzales, L. Justo** Three months with Paul. Nv 2006, Abingdon 172 pp.
7371   **Gorman, Michael J.** Apostle of the crucified Lord: a theological introduction to Paul and his letters. 2004 ⇒20,7150; 21,7679. ᴿSJTh 59 (2006) 469-471 (*Branick,Vincent P.*).
7372   *Guillaumier, Paul* The rise of the Pauline tradition in the early church. The cult of St. Paul. 2006 ⇒688. 13-30.
7373   **Hebeche, L.** O escândalo de Cristo: ensaio sobre HEIDEGGER e São Paulo. Ijuí, RS 2005, Unijuí 432 pp.
7374   *Heininger, Bernhard* Die religiöse Umwelt des Paulus;
7375   Die Rezeption des Paulus im 1. Jahrhundert: Deutero- und Tritopaulinen sowie das Paulusbild der Apostelgeschichte. Paulus: Leben.... UTB 2767: 2006 ⇒491. 44-82/309-340.
7376   *Holland, Glenn S.* 'Frightening you with letters': traces of performance in the letters of Paul. ProcGLM 26 (2006) 1-21.
7377   **Horrell, David G.** An introduction to the study of Paul. L ²2006, Clark xii; 164 pp. 0-567-04083-6. Bibl. 147-153.
7378   *Kabamba, Emmanuel N.* Pauline qualities of a preacher of the word of God and the African context. Hekima Review 35 (2006) 61-68.
7379   **Kizhakkeyil, Sebastian** The Pauline epistles: an exegetical study. Mumbai 2006, St Pauls 276 pp. Rs100. 81-7109-7782. ᴿJJSS 6 (2006) 238-240 (*Sebastian, C.D.*).
7380   **Klauck, Hans-Josef** Ancient letters and the New Testament: a guide to context and exegesis. Waco, Tex. 2006, Baylor xviii; 504 pp. $40. 978-1-932792-40-9. Collab. *Bailey, Daniel P.*; Bibl. xix-xxviii.
7381   *Kritzer, Ruth Elisabeth; Arzt-Grabner, Peter* Adverbien, Konjunktionen und Negationen in den Paulusbriefen und ihre oft unterschätzte Bedeutung. BN 128 (2006) 65-80.
7382   *Lampe, Peter* Psychologische Einsichten QUINTILIANs in der Institutio Oratoria. NTS 52 (2006) 533-554;
7383   Rhetorische Analyse paulinischer Texte–quo vadit?: methodische Überlegungen. ᶠBURCHARD, C.: NTOA 57: 2006 ⇒13. 170-190.
7384   ᴱ**Levine, Amy-Jill; Blickenstaff, Marianne** A feminist companion to Paul. The feminist companion to the NT 6: 2004 ⇒20,389; 21, 430. ᴿNeotest. 40 (2006) 205-208 (*Nortjé-Meyer, Lilly*); JThS 57 (2006) 271-274 (*McLarty, Jane*).
7385   *Levoratti, Armando J.* Paolo e le lettere paoline. Nuovo commentario biblico. 2006 ⇒455. 125-161.
7386   *Lieu, Judith M.* Letters. Oxford handbook of biblical studies. 2006 ⇒ 438. 445-456.
7387   *Lindemann, Andreas* Die Rezeption des Paulus im 2. Jahrhundert. Paulus: Leben.... UTB 2767: 2006 ⇒491. 341-357.
7388   'Llamados a la libertad': cartas de Pablo. Palabra-Misión 9: BA 2006, Claretiana 224 pp. Equipo Bíblico Claretiano.

7389 ^E**Maggioni, Bruno; Manzi, Franco** Le lettere di Paolo. 2005 ⇒21, 7687. ^RRivBib 54 (2006) 470-473 (*Fabris, Rinaldo*); CivCatt 157/2 (2006) 514-516 (*Scaiola, D.*).

7390 **Malina, Bruce J.; Pilch, John J.** Social-science commentary on the letters of Paul. Mp 2006, Fortress x; 419 pp. $27. 0-8006-3640-6. Bibl. 411-417.

7391 *Merz, Annette* The fictitious self-exposition of Paul: how might intertextual theory suggest a reformulation of the hermeneutics of pseudepigraphy?. Intertextuality. NTMon 16: 2006 ⇒778. 113-132.

7392 *Muddiman, John* Deutero-Paulinism, pseudonymity and the canon. ^FMORGAN, R. 2006 ⇒115. 158-166.

7393 *Norelli, Enrico* Scrivere per governare: modi della comunicazione e rapporti di potere nel cristianesimo antico. RiSCr 3/1 (2006) 5-30.

7394 *Pani, Giancarlo* Le modificazioni dell'identità cristiana tra medioevo ed età moderna in rapporto all'epistolario paolino. ASEs 23 (2006) 257-282.

7395 **Polaski, Sandra Hack** A feminist introduction to Paul. 2005 ⇒21, 7694. ^RCBQ 68 (2006) 344-341 (*Thimmes, Pamela*); RBLit (2006)* (*Hearon, Holly*).

7396 *Røsaeg, Nils A.* Paulus' omverden og vår verden: noen teser og deres forklaringspotensial. Ment. *Crossan, John D.*: TTK 77 (2006) 117-142.

7397 ^E**Sampley, J. Paul** Paul in the Greco-Roman world: a handbook. 2003 ⇒19,406; 21,473. ^RTheol. 109 (2006) 293-294 (*Campbell, William S.*); ThLZ 131 (2006) 1011-1013 (*Schröter, Jens*).

7398 **Scott, Ian W.** Implicit epistemology in the letters of Paul: story, experience and the spirit. WUNT 2/205: Tü 2006, Mohr S. xvii; 341 pp. €59. 3-16-148779-6. Bibl. 289-309.

7399 *Seesengood, Robert P.* Contending for the faith in Paul's absence: combat sports and gladiators in the disputed Pauline epistles. LexTQ 41/2 (2006) 87-118.

7400 *Sellin, Gerhard* Ästhetische Aspekte der Sprache in den Briefen des Paulus. Paulus und Johannes. WUNT 198: 2006,⇒6. 411-426.

7401 **Stanley, Christopher D.** Arguing with scripture: the rhetoric of quotations in the letters of Paul. 2004 ⇒20,7174; 21,7703. ^RJThS 57 (2006) 267-271 (*Hooker, Morna D.*).

7402 **Stirewalt, M. Luther, Jr.** Paul, the letter writer. 2003 ⇒19,7225; 20,7175. ^RBS 163 (2006) 121-123 (*Fantin, Joseph D.*); CBQ 68 (2006) 348-350 (*Aune, David E.*).

7403 ^E**Ströher, J.**, *al.*, Deuteropaulinas: um corpo estranho no corpo paulino?. RIBLA 55: Petrópolis 2006, Vozes 136 pp.

7404 *Tauer, Johann* Zur Bedeutung der Intentio Auctoris in der Paulusexegese des PELAGIUS. Aug(L) 56 (2006) 261-297.

7405 *Tsang, Sam S.* Are we 'misreading' Paul?: oral phenomenon and implications on exegesis of Paul's letters. Jian Dao 26 (2006) 25-54.

7406 *Underwood, Doug* The problem with Paul: seeds of the culture wars and the dilemma for journalists. Journal of Media and Religion 5 (2006) 71-90.

7407 *Voting* records: Paul seminar sessions 2004-2005. Forum 7 (2004) 238-243.

7408 *Wilder, Terry L.* Pseudonymity, the New Testament, and deception: an inquiry into intention and reception. 2004 ⇒20,7180. ^RFaith & Mission 24/1 (2006) 99 (*Lanier, David E.*). .

7409 *Wilk, Florian* The letters of Paul as witnesses to and for the Septuagint text. Septuagint research. SBL.SCSt 53: 2006 ⇒755. 253-271.

7410 *Wischmeyer, Wolfgang* Die Rezeption des Paulus in der Geschichte der Kirche. Paulus: Leben.... UTB 2767: 2006 ⇒491. 358-368.

G3.3 Pauli theologia

7411 *Aageson, James W.* Written also for our sake: Paul's use of scripture in the four major epistles, with a study of 1 Corinthians 10. Hearing the OT. 2006 ⇒777. 152-181.

7412 *Adeyemi, Femi* The new covenant law and the law of Christ. BS 163 (2006) 438-452 [Jer 31,31-34; 1 Cor 9,21; Gal 6,2].

7413 **Adeyemi, Femi** The new covenant: torah in Jeremiah and the law of Christ in Paul. Studies in biblical literature 94: NY 2006, Lang xix, 328 pp. 0-8204-8137-8. Foreword by *Roy B. Zuck*; Bibl. 295-325.

7414 **Alkier, Stefan** Wunder und Wirklichkeit in den Briefen des Apostels Paulus: ein Beitrag zu einem Wunderverständnis jenseits von Entmythologisierung und Rehistorisierung. WUNT 134: 2001 ⇒17,6342... 19,7236. [R]BiKi 61 (2006) 112-113 (*Feininger, Bernd*).

7415 *Aranda, Antonio* Imagen de Dios en Cristo–hijos de Dios en Cristo: una relectura de la doctrina antropológica paulina. ScrTh 38 (2006) 599-615 [Rom 8; Gal 3,26-27; 4,4-7; Eph 1,4-5].

7416 **Ashworth, Timothy** Paul's necessary sin: the experience of liberation. Aldershot 2006, Ashgate xxv; 245 pp. 978-0-7546-5499-5.

7417 **Badiou, Alain** Paulus: die Begründung des Universalismus. [T]*Jatho, Heinz* 2002 ⇒18,6719; 20,7194. [R]PhR 53 (2006) 303-314 (*Finkelde, Dominik*); ZNT 9/18 (2006) 15-25 (*Gignac, Alain*).

7418 *Barbaglio, Giuseppe* Il problema del rapporto Gesù-Paolo. [F]FABRIS, R.: SRivBib 47: 2006 ⇒38. 345-354.

7419 **Barbaglio, Giuseppe** La teología de San Pablo. [T]*Torres, F.*: Ágape 42: S 2006, Trinitario 487 pp. 84964-88047;

7420 Gesù di Nazaret e Paolo di Tarso: confronto storico. La Bibbia nella storia 11b: Bo 2006, Dehoniane 312 pp. 88104-02723. 978-88-10-40272-6.

7421 **Barrett, C.K.** St. Paul: an introduction to this thought. Outstanding Christian Thinkers: L 2005 <1994>, Continuum xii; 180 pp. $14. [R]RBLit (2006)* (*Nicklas, Tobias*).

7422 *Bird, Michael F.* Justification as forensic declaration and covenant membership: a *via media* between Reformed and revisionist readings of Paul. TynB 57 (2006) 109-130.

7423 *Block, Daniel* Preaching Old Testament law·to New Testament christians. HIPHIL 3 (2006) 24 pp*.

7424 *Blomberg, Craig L.* Neither hierarchicalist nor egalitarian: gender roles in Paul. Paul and his theology. Pauline studies 3: 2006 ⇒462. 283-326 [1 Cor 11,2-16; 14,33-38; Eph 5,21-33; Col 3,18-19; 1 Tim 2,8-15].

7425 **Boers, Hendrikus** Christ in the letters of Paul: in place of a christology. BZNW 140: B 2006, De Gruyter xii; 361 pp. 3-11-018992-5. Bibl. 355-361.

7426 **Bond, Gilbert I.** Paul and the religious experience of reconciliation: diasporic community and Creole consciousness. 2005 ⇒21,7727. [R]RBLit (2006)* (*Hutson, Christopher*).

7427 *Borgen, Peder* Crucified for his own sins–crucified for our sins: observations on a Pauline perspective. [F]AUNE, D.: NT.S 122: 2006 ⇒4. 17-35.

7428 *Bormann, Lukas* Erfahrung und Rhetorik des Todes bei Paulus und ihr alttestamentlicher Hintergrund. Prekäre Zeitgenossenschaft. 2006 ⇒432. 193-209 [Rom 15,30-32; 1 Cor 15,30-32; 2 Cor 1,8; 11,32-33; 1 Thess 2,1-2].

7429 *Borrell, Agustí* Abraham and his offspring in the Pauline writings. History and identity. DCLY 2006: 2006 ⇒704. 359-368.

7430 **Brändl, Martin** Der Agon bei Paulus: Herkunft und Profil paulinischer Agonmetaphorik. [D]*Stuhlmacher, Peter*: WUNT 2/222: Tü 2006, Mohr S. xiii; 523 pp. €79. 978-3-16-149129-0. Diss. Tübingen; Bibl. 423-455.

7431 **Brondos, David A.** Paul on the cross: reconstructing the apostle's story of redemption. Mp 2006, Fortress xiii; 241 pp. $20. 9780-8006-37880. Bibl. 197-224.

7432 **Burke, Trevor J.** Adopted into God's family: exploring a Pauline metaphor. New Studies in Biblical Theology 22: DG 2006, InterVarsity 233 pp. $22. 978-08308-26230.

7433 **Callan, Terrance D.** Dying and rising with Christ: the theology of Paul the Apostle. NY 2006, Paulist vi; 187 pp. 0-8091-4395-X. Bibl. 185-187.

7434 **Calvert-Koyzis, Nancy** Paul, monotheism and the people of God: the significance of Abraham traditions for early Judaism and christianity. JSNT.S 273: 2004 ⇒20,7204; 21,7734. [R]CBQ 68 (2006) 136-137 (*LaHurd, Carol Schersten*); JThS 57 (2006) 660-662 (*MacDonald, Nathan*).

7435 *Chancey, M.A.* Paul and the law: E.P. Sanders's retrieval of Judaism. CCen 123/12 (2006) 20-23.

7436 *Chapman, Honora H.* Paul, JOSEPHUS, and the Judean nationalistic and imperialistic policy of forced circumcision. 'Ilu 11 (2006) 131-155.

7437 **Crossan, John D.; Reed, J.L.** En busca de Pablo: el imperio de Roma y el reino de Dios frente a frente en una nueva vfsión de las palabras y el mundo del apóstol de Jesús. Ágora 20: Estella 2006, EVD 562 pp.

7438 *Danker, Frederick W.* Accountant Paul. [F]ELLIS, E. 2006 ⇒36. 259-274.

7439 *Davis, D. Mark* The centrality of wonder in Paul's soteriology. Interp. 60 (2006) 404-418.

7440 *De Virgilio, Giuseppe* L'uso teologico di kalein-klesis in Paolo. [F]FABRIS, R.: SRivBib 47: 2006 ⇒38. 237-249.

7441 *Denaux, Adelbert* De verrijzenis van Jezus Christus in de brieven van Paulus. Coll. 36 (2006) 5-30.

7442 *Donaldson, Terence L.* Jewish Christianity, Israel's stumbling and the Sonderweg reading of Paul. JSNT 29 (2006) 27-54 [Rom 11,11-15].

7443 *Donfried, Karl Paul* Rethinking Paul: on the way towards a revised paradigm. Bib. 87 (2006) 582-594.

7444 **Dunn, James D.G.** The theology of Paul the apostle. 1998 ⇒14, 5800... 21,7753. [R]VJTR 70 (2006) 877-878 (*Gispert-Sauch, G.*).

7445 *Duranti, Gian Carlo* 'Fulgore' del peccato originale nella 'gloria di Cristo' secondo Paolo di Tarso. CiVi 61/1 (2006) 5-14.

7446   **Elias, Jacob W.** Remember the future: the pastoral theology of Paul the apostle. Scottdale 2006, Herald 539 pp. $16. 0-8361-9323-7.

7447   *Feldmeier, Reinhard* 'Der das Nichtseiende ruft, daß es sei': Gott bei Paulus. Götterbilder-Gottesbilder-Weltbilder, II. FAT 2/18: 2006 ⇒ 636. 135-149.

7448   *Foster, Paul* Travelling with Paul and undermining Rome. ET 117 (2006) 189-191.

7449   *Gabriel, Andrew K.* Pauline pneumatology and the question of trinitarian presuppositions. Paul and his theology. Pauline studies 3: 2006 ⇒462. 347-362.

7450   **Gaffin, Richard** By faith, not by sight: Paul and the order of salvation. Oakhill School of Theology: Milton Keynes 2006, Paternoster 128 pp. $11.50. 18422-7418X.

7451   *Gignac, Alain* Neue Wege der Auslegung: die Paulus-Interpretation von Alain Badiou und Giorgio Agamben. ZNT 9/18 (2006) 15-25.

7452   **Griffith-Jones, Robin** The gospel according to Paul: the creative genius who brought Jesus to the world. 2004 ⇒20,7239; 21,7773. [R]RBLit (2006)* (*Tucker, J. Brian*).

7453   *Haacker, Kaus* Merits and limits of the 'new perspective on the apostle Paul'. [F]ELLIS, E.. 2006 ⇒36. 275-289.

7454   *Hahn, Ferdinand* Die *Interpretatio Christiana* des Alten Testaments bei Paulus. <1998> 157-167;

7455   Taufe und Rechtfertigung: ein Beitrag zur paulinischen Theologie in ihrer Vor- und Nachgeschichte. <1976> 241-270;

7456   Gibt es eine Entwicklung in den Aussagen über die Rechtfertigung bei Paulus?. <1993> 271-297;

7457   Die Schöpfungsmittlerschaft Christi bei Paulus und in den Deuteropaulinen. <1982> 391-408;

7458   Die Einheit der Kirche nach dem Zeugnis des Apostels Paulus. Studien zum NT, II. WUNT 192: 2006 <1996> ⇒231. 457-469.

7459   **Harink, Douglas** Paul among the postliberals: Pauline theology beyond christianity and modernity. 2003 ⇒19,7265... 21,7778. [R]HeyJ 47 (2006) 456-7 (*Turner, Geoffrey*); SR 35 (2006) 589-91 (*Richards, Bill; Schwietzer, Don*).

7460   **Harrison, James R.** Paul's language of grace in its Graeco-Roman context. WUNT 2/172: 2003 ⇒19,7266. [R]ThLZ 131 (2006) 1154-1156 (*Schnelle, Udo*).

7461   *Hay, David M.* Paul's understanding of faith as participation. Paul and his theology. Pauline studies 3: 2006 ⇒462. 45-76.

7462   **Hays, Richard B.** The conversion of the imagination: Paul as interpreter of Israel's scripture. 2005 ⇒21,223. [R]RRT 13 (2006) 472-474 (*Barram, Michael*); ScrB 36 (2006) 109-110 (*King, Nicholas*); CTJ 41 (2006) 356-357 (*Brouwer, Wayne*); RBLit (2006)* (*Menken, Maarten; Moyise, Stephen*).

7463   *Härle, Wilfried* Rethinking Paul and LUTHER. LuthQ 20 (2006) 303-317;

7464   Paulus und LUTHER: ein kritischer Blick auf die "New Perspective". ZThK 103 (2006) 362-393.

7465   **Häußer, Detlef** Christusbekenntnis und Jesusüberlieferung bei Paulus. [D]*Riesner, R.*: WUNT 2/210: Tü 2006, Mohr S. xiv; 416 pp. €74. 3-16-148962-4. Diss. Dortmund; Bibl. 365-397.

7466   *Heininger, Bernhard* Paulus unter Griechen: die Lehre von Jesus Christus in der griechischen Welt. WUB 39 (2006) 54-57.

7467 *Hofius, Otfried* "Werke des Gesetzes": Untersuchungen zu der pauli-nischen Rede von den ἔργα νόμου. Paulus und Johannes. WUNT 198: 2006 ⇒6. 271-310.

7468 *Jacobs, Andrew S.* A Jew's Jew: Paul and the early christian problem of Jewish origins. JR 86 (2006) 258-286.

7469 *Keck, Leander E.* Paul in New Testament theology: some preliminary remarks. ᶠMORGAN, R. 2006 ⇒115. 109-122.

7470 *Keesmaat, Sylvia C.* In the face of the empire: Paul's use of scripture in the shorter epistles. Hearing the OT. 2006 ⇒777. 182-212.

7471 **Kim, Jung Hoon** The significance of clothing imagery in the Pauline corpus. JSNT.S 268: 2004 ⇒20,7250; 21,7795. ᴿCBQ 68 (2006) 147-149 (*Gundry, Robert H.*).

7472 *Kim, Yung Suk* 'In Christ' as a hermeneutical key for diversity. JBSt 6/1 (2006) 34-54*.

7473 *Kraus, Thomas J.* Analysis of the Pauline understanding of 'gods' and 'idols'. ET 117 (2006) 250.

7474 *Kruse, Colin G.* Paul, the law and the spirit. Paul and his theology. Pauline studies 3: 2006 ⇒462. 109-130.

7475 *Laato, Antti* Paul's theology of 'righteousness through faith' in the context of Tanak and Jewish interpretive traditions. ᴹILLMAN, K. 2006 ⇒72. 195-224.

7476 *Manzi, Franco* 'Sia benedetto Dio, Padre misericordioso!': la rivela-zione della paternità di Dio nelle lettere di Paolo. RCI 87 (2006) 66-78;

7477 An overview of Paul's christology. ThD 53 (2006) 243-250 <RCI 87 (2006) 66-78.

7478 *Martin, Troy W.* Paul's pneumatological statements and ancient medi-cal texts. ᶠAUNE, D.: NT.S 122: 2006 ⇒4. 105-126 [Phil 2,6-11].

7479 *Núñez Regodón, Jacinto* La tradición de Jesús en Pablo. Comienzos del cristianismo. 2006 ⇒740. 131-142.

7480 **Park, E.C.** Either Jew or gentile: Paul's unfolding theology of inclu-sivity. 2003 ⇒19,7293... 21,7807. ᴿMiss. 34/1 (2006) 99-101 (*Snook, Stewart*).

7481 *Perrin, Nicholas* Some reflections on hermeneutics and method: a reply to Guy Waters. WThJ 68 (2006) 139-146.

7482 **Peterson, Erik** Ausgewählte Schriften, 7: der erste Brief an die Ko-rinther und Paulus-Studien. ᴱ*Weidemann, Hans-Ulrich*: Wü 2006, Echter xcvi; 468 pp. €58. 3-429-02835-3.

7483 *Peterson, Erik* Paulus, der Apostel der Ausnahme, und seine Theolo-gie. Ausgewählte Schriften 7. 2006 ⇒7482. 3-22.

7484 **Philip, Finny** The origins of Pauline pneumatology: the eschatologi-cal bestowal of the Spirit upon gentiles in Judaism and in the early development of Paul's theology. WUNT 2/194: 2005 ⇒21,7808. ᴿRHPhR 86 (2006) 434 (*Grappe, C.*).

7485 **Poplutz, Uta** Athlet des Evangeliums: eine motivgeschichtliche Stu-die zur Wettkampfmetaphorik bei Paulus. Herders biblische Studien 43: 2004 ⇒20,7273. ᴿBZ 50 (2006) 277-279 (*Dautzenberg, Ger-hard*); SNTU.A 31 (2006) 282-283 (*Pichler, Josef*); FgNT 35-36 (2005) 178-180 (*Stenschke, Christoph*).

7486 *Porter, Stanley E.* Is there a center to Paul's theology?: an introduc-tion to the study of Paul and his theology;

7487 Paul's concept of reconciliation, twice more. Paul and his theology. Pauline studies 3: 2006 ⇒462. 1-19/131-152.

7488 *Pretorius, Mark* The theological centre of Pauline theology as it relates to the Holy Spirit. HTSTS 62 (2006) 253-262.
7489 *Punt, Jeremy* A politics of difference in the New Testament: identity and the others in Paul. ^FLATEGAN, B.: NT.S 124: 2006 ⇒94. 199-225.
7490 **Reinmuth, Eckart** Paulus: Gott neu denken. Biblische Gestalten 9: 2004 ⇒20,7276; 21,7815. ^RThLZ 131 (2006) 34-6 (*Vogel, Manuel*).
7491 *Reuver, Arie de* De verzoening, voltrokken en verkondigd. ThRef 49/3 (2006) 228-242.
7492 *Riaux, Jean-François* Paul de Tarse ou comment 'viser l'homme au vif même de son existence'?: l'homme, son corps et questions corollaires. EeV 116/6 (2006) 17-22.
7493 *Romanello, Stefano* Paolo e la legge: prolegomeni a una riflessione organica. RivBib 54 (2006) 321-356;
7494 'Cristo "fine" della legge' (*Rm* 10,4): ragioni di una comprensione dialettica delle scritture d'Israele in Paolo. Rivisitare il compimento. Biblica 3: 2006 ⇒780. 91-120.
7495 **Sandnes, Karl O.** Belly and body in the Pauline epistles. MSSNTS 120: 2002 ⇒18,6790... 21,7820. ^RBZ 50 (2006) 136-138 (*Bieberstein, Sabine*).
7496 *Serna, Eduardo de la* La justificación por la fe: una mirada teológica del trabajo paulino. RevBib 68 (2006) 101-115.
7497 *Söding, Thomas* Rettung durch Rechtfertigung: die exegetische Diskussion der paulinischen Soteriologie im Kontext der Ökumene. Von Gott angenommen. ÖR.B 78: 2006 ⇒532. 299-330.
7498 *Starnitzke, D.* Ist der menschliche Wille nach Paulus frei?. GlLern 21/2 (2006) 112-123.
7499 *Steichele, Hanneliese* Paulus–ein Lehrmeister in Sachen Menschlichkeit. KatBl 131 (2006) 14-17.
7500 *Steinmann, Andrew E.; Eschelbach, Michael A.* Walk this way: a theme from Proverbs reflected and extended in Paul's letters. CTQ 70/1 (2006) 43-62.
7501 *Tan, Randall K.J.* Color outside the lines: rethinking how to interpret Paul's letters. Paul and his theology. Pauline studies 3: 2006 ⇒462. 153-187 [Rom 1].
7502 *Theißen, Gerd* Das Kreuz als Sühne und Ärgernis: zwei Deutungen des Todes Jesu bei Paulus. Paulus und Johannes. WUNT 198: 2006 ⇒6. 427-455.
7503 *Thiselton, Anthony C.* Justification by grace as legal fiction?: 'language-games and 'seeing as': a fresh approach to justification by faith in Paul and James' (1980). Thiselton on hermeneutics. 2006 <1980> ⇒318. 153-163.
7504 **VanLandingham, Chris** Judgment & justification in early Judaism and the Apostle Paul. Peabody, Mass. 2006, Hendrickson xvi; 384 pp. $30. 978-1-56563-398-8. Bibl. 337-354.
7505 **Venema, Cornelis** Getting the gospel right: assessing the Reformation and new perspectives on Paul. E 2006, Banner of Truth 92 pp. 0-85151-927-X;
7506 The gospel of free acceptance in Christ: an assessment of the Reformation and "new perspectives" on Paul. E 2006, Banner of Truth xiii; 337 pp. 978-0-85151-939-5. Bibl. 309-324.
7507 **Vickers, Brian** Jesus' blood and righteousness: Paul's theology of imputation. Wheaton 2006, Crossway 254 pp. $15. 978158-1347548.

7508 *Voss, Florian* Der Lohn der guten Tat: zur theologischen Bestimmung der Beziehung zwischen Matthäus und Paulus. ZThK 103 (2006) 319-343 [Mt 6,1-18].

7509 *Waters, Guy* Rejoinder to Nicholas Perrin, "A reformed perspective on the new perspective". WThJ 68 (2006) 133-138.

7510 **Waters, Guy** The end of Deuteronomy in the epistles of Paul. WUNT 2/221: Tü 2006, Mohr S. ix; 302 pp. 978-3-16-148891-7. Bibl. 255-278.

7511 **Watson, Francis** Paul and the hermeneutics of faith. 2004 ⇒20, 7303; 21,7849. [R]CBQ 68 (2006) 559-560 (*Crawford, Barry S.*); JBL 125 (2006) 610-614 (*Eastman, Susan*); JSNT 28 (2006) 337-351 (*Campbell, Douglas A.*); JSNT 28 (2006) 353-362 (*Stanley, Christopher D.* [Resp. 363-373]; SJTh 59 (2006) 427-438 (*Martyn, J. Louis*); SJTh 59 (2006) 439-460 (*Engberg-Pedersen, Troels*),

7512 **Weill, Bernard** Plénitude et finitude chez Paul: une herméneutique de l'accomplissement. [D]*Quesnel, M.* 2006, 285+139 pp. Diss. Paris, Institut Catholique [RICP 101,233-7].

7513 *Wessels, G. Francois* The historical Jesus and the letters of Paul: revisiting Bernard C. Lategan's thesis. [F]LATEGAN, B.: NT.S 124: 2006 ⇒94. 27-51.

7514 *Westerholm, Stephen* Justification by faith is the answer–what is the question?. CTQ 70/3-4 (2006) 197-217.

7515 **Westerholm, Stephen** Perspectives old and new on Paul: the "Lutheran" Paul and his critics. 2004 ⇒20,7307; 21,7852. [R]AUSS 44 (2006) 189-192 (*Ranzolin, Leo, Jr.*).

7516 **Wills, Garry** What Paul meant. NY 2006, Penguin 193 pp. $14. 0-6-70-03793-1 [BiTod 46,136–Donald Senior].

7517 *Wischmeyer, Oda* Themen paulinischer Theologie. Paulus: Leben.... UTB 2767: 2006 ⇒491. 275-304.

7518 **Woyke, Johannes** Götter, "Götzen", Götterbilder: Aspekte einer paulinischen "Theologie der Religionen". BZNW 132: 2005 ⇒21, 7855. [R]ZRGG 58 (2006) 79-80 (*Horn, Friedrich W.*).

7519 **Wright, Nicholas T.** Paul: in fresh perspective. 2005 ⇒21,7856. [R]RBLit (2006)* (*Anderson, Valerie N.; Kim, Seyoon*).

7520 *Wright, N.T.* 4QMMT and Paul: justification, 'works,' and eschatology. [F]ELLIS, E. 2006 ⇒36. 104-132.

7521 *Yazigi, Paul* L'homme charnel, psychique et spirituel: combat spirituel et charnel selon l'exégèse de l'apôtre Paul et de Saint Jean CHRYSOSTOME. IX simposio paolino. Turchia 20: 2006 ⇒772. 87-104.

7522 **Zizek, Slavoj** Die Puppe und der Zwerg: das Christentum zwischen Perversion und Subversion. 2003 ⇒20,7314. [R]PhR 53 (2006) 319-331 (*Finkelde, Dominik*).

G3.4 *Pauli stylus et modus operandi*—**Paul's image**

7523 **Ben-Chorin, Schalom** Werke, 5: Paulus: der Völkerapostel in jüdischer Sicht. [E]*Lenzen, Verena; Ben-Chorin, Avital* Gü 2006, Gü xxii; 185 pp. 3-579-05345-0.

7524 **Min, Nam Hyun** 'Banditore, apostolo e maestro' (1Tm 2,7; 2Tm 1,11): tratti tipici della dimensione magisteriale nella figura di Paolo. [D]*Vanni, Ugo*: R 2006, 100 pp. Extr. Diss. Gregoriana; Bibl. 65-92.

7525 *Wojciechowski, Michael* Paul and PLUTARCH on boasting. JGRChJ 3 (2006) 99-109.

G3.5 **Apostolus Gentium** [⇒G4.6, Israel et Lex/Jews & Law]

7526 **Badiou, Alain** Saint Paul: the foundation of universalism. 2005 ⇒ 21,7861. [R]ThTo 63 (2006) 397-398 (*Morse, Christopher*).
7527 *Baslez, Marie-Françoise* De la mission paulinienne aux premiers siècles de la vie ecclésiale: une évolution régressive. Mission de l'Église 80/1 (2006) 22-24.
7528 **Ben-Chorin, Schalom** Paulus: der Völkerapostel aus jüdischer Sicht. [E]*Lenzen, Verena*: Schalom Ben-Chorin Werke 5: Gü 2006, Gü 208 pp.
7529 *Bunine, Alexis* Paul: "Apôtre des Gentils" ou ... "des juifs d'abord, puis des Grecs"?. EThL 82 (2006) 35-68 [Gal 1,16].
7530 **Campbell, William S.** Paul and the creation of christian identity. LNTS 322: L 2006, Clark xiv; 203 pp. £65. 0-567-04434-3. Bibl. 176-196.
7531 *Cosgrove, Charles H.* Did Paul value ethnicity?. CBQ 68 (2006) 268-290 [Gal 3,28].
7532 *Donaldson, Terence L.* 'The field God has assigned': geography and mission in Paul. Religious rivalries. 2006 ⇒670. 109-137.
7533 *Ebel, Eva* Das Missionswerk des Paulus. Paulus: Leben.... UTB 2767: 2006 ⇒491. 97-106.
7534 *Hultgren, Arland J.* The scriptural foundations for Paul's mission to the gentiles. Paul and his theology. Pauline studies 3: 2006 ⇒462. 21-44.
7535 *Krentz, E.* Necessity is laid on me: the birth of mission in Paul. CThMi 33 (2006) 5-21.
7536 *Lindemann, Andreas* Paulus–Pharisäer und Apostel. Paulus und Johannes. WUNT 198: 2006 ⇒6. 311-351.
7537 **Peerbolte, Bert J.L.** Paolo il missionario: alle origini della missione cristiana. Studi sulla bibbia e il suo ambiente 10: San Paolo 2006, CinB 399 pp. €35.
7538 *Ryšková, Mireia* Einige Aspekte der Missionstätigkeit des Apostels Paulus. AUPO 7 (2006) 97-118.
7539 *Sacchi, Alessandro* Dimensione politica e sociale della missione paolina. Ad Gentes 10/1 (2006) 66-81.
7540 *Wengst, Klaus* Eiferer für Gott und Apostel der Völker: Paulus im Umbruch der Zeiten. KuI 21 (2006) 99-108.
7541 **Yun Man Yong, Paul** I collaboratori di Paolo nella sua missione. [D]*Biguzzi, G.* 2006, Diss. Rome, Urbaniana [RTL 38,621].

G3.6 *Pauli fundamentum* **philosophicum** [⇒G4.3] *et* **morale**

7542 **Barram, Michael** Mission and moral reflection in Paul. Studies in biblical literature 75: NY 2006, Lang 212 pp. 0-8204-7430-4. Bibl. 181-203.
7543 **Blischke, Folker** Die Begründung und die Durchsetzung der Ethik bei Paulus. [D]*Schnelle, U.* 2006, Diss. Halle-Wittenberg [ThLZ 132, 485].

7544 **Borghi, Ernesto** Giustizia e amore nelle lettere di Paolo: dall'esegesi alla cultura contemporanea. 2004 ⇒20,7342; 21,7882. [R]PaVi 51/1 (2006) 61-62 (*Bentoglio, Gabriele*).

7545 **Bosman, Philip** Conscience in PHILO and Paul: a conceptual history of the Synoida word group. WUNT 2/166: 2003 ⇒19,7352... 21, 7883. [R]NT 48 (2006) 295-297 (*Stenschke, Christoph*).

7546 *Cobb, Donald* L'identité chrétienne dans un monde païen: le regard de l'apôtre Paul. RRef 57/4 (2006) 45-61.

7547 *De Virgilio, Giuseppe* La novità della morale cristiana. PaVi 51/6 (2006) 41-47.

7548 *Finkelde, Dominik* Streit um Paulus: Annäherungen an die Lektüren von Alain Badiou, Giorgio Agamben und Slavoj Žižek. PhR 53 (2006) 303-331.

7549 *Gerber, Christine* Der fröhliche Geber: Gütertausch und Unterhaltsverzicht in Metaphern der Paulusbriefe. JBTh 21 (2006) 111-129.

7550 *Gielen, Marlis* "Der Leib aber ist nicht für die Unzucht ..." (1Kor 6,13): Möglichkeiten und Grenzen heutiger Rezeption sexualethischer Aussagen des Paulus aus exegetischer Perspektive. SaThZ 10 (2006) 222-248 [Rom 1,26-27; 1 Cor 6,9-7,9].

7551 **Horrell, David G.** Solidarity and difference: a contemporary reading of Paul's ethics. 2005 ⇒21,7891. [R]CR&T 4/1 (2006) 9-12 [Resp. 12-16] (*Houlden, Leslie*).

7552 *Klein, Hans* Gottes Wille im Corpus Paulinum als Ansatzpunkt paulinischer Ethik. [F]HAUFE, G.: GThF 11: 2006 ⇒63. 133-148.

7553 **Mayordomo, Moisés** Argumentiert Paulus logisch?: eine Analyse vor dem Hintergrund antiker Logik. WUNT 188: 2005 ⇒21,7895. [R]JETh 20 (2006) 218-222 (*White, Joel R.*); AcTh(B) 26/2 (2006) 271-273 (*Stenschke, Christoph*); FZPhTh 53 (2006) 804-808 (*Groneberg, Michael*); JAC 48-49 (2005-2006) 181-182 (*Mueller-Jourdan, Pascal*).

7554 *Milbank, John* Paul against biopolitics. Logos 47 (2006) 9-50.

7555 **Pani, Giancarlo** Paolo, AGOSTINO, LUTERO: alle origini del mondo moderno. 2005 ⇒21,1425. [R]Gr. 87 (2006) 215-216; RSF 61 2006) 808-810 (*Pintacuda, Fiorella De Michelis*).

7556 *Rosen, Klaus* Paulus und die Brüder SENECA. WUB 39 (2006) 28-29.

7557 *Sellin, Gerhard* Leiblichkeit als Grundkategorie paulinischer Ethik. [F]HAUFE, G. GThF 11: 2006 ⇒63. 329-338.

7558 **Vegge, Tor** Paulus und das antike Schulwesen: Schule und Bildung des Paulus. [D]*Hellholm, David*: BZNW 134: B 2006, De Gruyter xvi; 575 pp. €148. 3-11-018345-5. Diss. Oslo; Bibl. 521-552.

7559 **Zakopoulos, Athenagoras Ch.** PLATO and Saint Paul on man: a psychological, philosophical and theological study. 2002 ⇒18,6857 ... 20,7366. [R]SEÅ 71 (2006) 264-266 (*Caragounis, Chrys C.*).

7560 *Zeller, Dieter* Selbstbezogenheit und Selbstdarstellung in den Paulusbriefen <1996>;

7561 Konkrete Ethik im hellenistischen Kontext. N.T. und Hellenistische Umwelt. BBB 150: 2006 <2001> ⇒331. 201-213/215-228.

G3.7 *Pauli* communitates *et* spiritualitas

7562 *Ascough, Richard S.* Voluntary associations and the formation of Pauline christian communities: overcoming the objections. Vereine. STAC 25: 2006 ⇒741. 149-183.

7563 **Ascough, Richard S.** Paul's Macedonian associations: the social context of Philippians and 1 Thessalonians. WUNT 2/161: 2003 ⇒ 19,7372... 21,7899. [R]NT 48 (2006) 91-94 (*Stenschke, Christoph*); JSNT 28 (2006) 376-378 (*Oakes, Peter*).

7564 **Ascough, Richard S.; Cotton, Charles A.** Passionate visionary: leadership lessons from the apostle Paul. Peabody, MA 2005, Hendrickson 204 pp. $17 [BiTod 46,130–Donald Senior].

7565 *Bae, Hyunju* The Holy Spirit and Paul's spirituality. CTC bulletin 22/2 (2006) 15-23.

7566 *Bieberstein, Sabine* Der nicht geheilte Paulus: oder: wenn Gottes Kraft in Schwachheit mächtig ist. BiKi 61 (2006) 83-87.

7567 **Carson, Donald** La prière renouvelée. 2005 ⇒21,7904. [R]ThEv(VS) 5 (2006) 301-307 (*Huser, Thierry*).

7568 **Cosgrove, Charles H.; Yeo, Khiok-Khng; Weiss, Herold** Crosscultural Paul: journeys to others, journeys to ourselves. 2005 ⇒21, 7905. [R]Pacifica 19 (2006) 213-215 (*Kitchen, Merrill*); ScrB 36 (2006) 110-112 (*Fortune, Colin*); RBLit (2006)* (*Koperski, Veronica; Grindheim, Sigurd*).

7569 *Debergé, Pierre* I cristiani nel mondo: alcune riflessioni partendo dalle lettere e dalla vita di Paolo. Monastica 47/4 (2006) 19-29.

7570 **Dickson, John P.** Mission-commitment in ancient Judaism and in the Pauline communities: the shape, extent and background of early christian mission. WUNT 2/159: 2003 ⇒19,7379; 20,7377. [R]EurJT 15/2 (2006) 125-134 (*Stenschke, Christoph W.*).

7571 *Durand, Xavier* L'universel et le personnel: Saint Paul, un témoin engagé. Cahiers de l'Atelier 510 (2006) 100-107.

7572 *Fornara, Roberto* '*Non sono più io che vivo*': San Paolo, guida verso l'interiorità. RVS 60 (2006) 449-471.

7573 **Freed, Edwin D.** The morality of Paul's converts. 2005 ⇒21,7910. [R]CBQ 68 (2006) 330-331 (*Eastman, Susan G.*).

7574 **Gerber, Christine** Paulus und seine Kinder: Studien zur Beziehungsmetaphorik der paulinischen Briefe. BZNW 136: 2005 ⇒21,7911. [R]CBQ 68 (2006) 763-764 (*Horn, Cornelia B.*).

7575 **Konradt, Matthias** Gericht und Gemeinde: eine Studie zur Bedeutung und Funktion von Gerichtsaussagen im Rahmen der paulinischen Ekklesiologie und Ethik im 1 Thess und 1 Kor. BZNW 117: 2003 ⇒19,7388... 21,7916. [R]BBR 16 (2006) 366-368 (*Schnabel, Eckhard*).

7576 *Kuhn, Heinz-Wolfgang* "Gemeinde Gottes" in den Qumrantexten und bei Paulus unter Berücksichtigung des Toraverständnisses. [F]BURCHARD, C.: NTOA 57: 2006 ⇒13. 153-169.

7577 **Lehmeier, Karin** Oikos und Oikonomia: antike Konzepte der Haushaltsführung und der Bau der Gemeinde bei Paulus. MThSt 92: Marburg 2006, Elwert xviii; 432 pp. €32. 3-7708-1290-5.

7578 *Lugo Rodríguez, Raúl* De movimento a institución: las iglesias cristianas primitivas, parte II. Qol 40 (2006) 53-73.

7579 *Martin, Dale B.* Community-shaped scripture. Sex and the single Savior. 2006 ⇒270. 149-160 [Gal 3-4].

7580 **Meech, John L.** Paul in Israel's story: self and community at the cross. NY 2006, OUP viii; 182 pp $55. 978-0-19-530694-1. Bibl. 167-174.

7581 **Militello, Cettina; Murphy-O'Connor, Jerome; Rigato, Maria Luisa** Paolo e le donne. Assisi 2006, Cittadella 185 pp. €11.70. 88-3-08-0848-2.

7582 *Murphy-O'Connor, Jerome* The land of Abraham's children: why is the land holy to Jews, christians and muslims?. DoLi 56/6 (2006) 51-59.

7583 *O'Mahony, K.J.* The ears of Saint Paul. DoLi 56/4 (2006) 13-21.

7584 **Pieri, Fabrizio** Pablo e IGNACIO: testigos y maestros del discernimiento espiritual. 2005 ⇒21,7920. [R]SalTer 94 (2006) 779-781 (*García de Castro, José*).

7585 **Pink, A.W.** Gleanings from Paul: the prayers of the apostle. E 2006, Banner of Truth 490 pp.

7586 **Plummer, Robert L.** Paul's understanding of the church's mission: did the apostle Paul expect early christian communities to evangelize?. Milton Keynes 2006, Paternoster xviii; 190 pp. £20. 18422-73-337. Diss. Southern Baptist Theol. Sem.

7587 **Schluep, Christoph** Der Ort des Christus: soteriologische Metaphern bei Paulus als Lebensregeln. 2005 ⇒21,7922. [R]ASEs 23 (2006) 332-334 (*Nicklas, Tobias*).

7588 *Tassin, Claude* La vocación de Pablo según Pablo. Seminarios 52 (2006) 485-494.

7589 **Thompson, James W.** Pastoral ministry according to Paul: a biblical vision. GR 2006, Baker 174 pp. $18. 9780-8010-31090.

7590 *Verlaguet, Waltraud* La mystique de Paul–le Paul des mystiques. FV 105/4 (2006) 52-70.

7591 **Winter, Bruce** Roman wives, Roman widows: the appearance of new women and the Pauline communities. 2003 ⇒19,7400... 21, 7925. [R]CR&T 4/1 (2006) 17-20 [Resp. 20-24] (*Bond, Helen*).

G3.8 *Pauli receptio*, **history of research**

7592 *Aletti, Jean-Noël* Questions d'actualité sur saint Paul. Études (Mai 2006) 637-645.

7593 **Ehrensperger, Kathy** That we may be mutually encouraged: feminism and the new perspective in Pauline studies. Biblical studies: 2004 ⇒20,7406; 21,7928. [R]JThS 57 (2006) 274-277 (*McLarty, Jane*).

7594 *Grindheim, Sigurd* Paulus og jødedommen: et overblikk over nyere forskning. TTK 77 (2006) 102-116.

7595 *Havemann, Daniel* Ein "krankhaft gereiztes Temperament": die psychologische Untersuchung des Damaskuserlebnisses und die Frage nach Charakter und Persönlichkeit des Apostels Paulus im 19. Jahrhundert. [F]HAUFE, G.: GThF 11: 2006 ⇒63. 91-100.

7596 **Holland, Thomas A.** Contours of Pauline theology: a radical new survey of the influences on Paul's biblical writings. 2004 ⇒20,7407; 21,7931. [R]CBQ 68 (2006) 146-147 (*Evans, Craig A.*).

7597 *Segal, Alan F.* Paul et ses exégètes juifs contemporains. RSR 94 (2006) 413-441.

G3.9 **Cultus S. Pauli**–*The Cult of St. Paul*

7598 *Azzopardi, John* Juan Benegas de Cordoba: l'eremita che trasferì la Grotta di San Paolo all'Ordine Gerosolimitano;

7599 *Baroffio, Giacomo* Vas electionis: appunti sul culto di San Paolo nella liturgia latina. The cult of St. Paul. 2006, ⇒688. 173-190/31-54.
7600 *Blondy, Alain* The Pauline cult and the Counter-Reformation;
7601 *De'Giovanni-Centelles, Guglielmo* Elementi mediterranei dell'iconografia di San Paolo. The cult of St. Paul. 2006 ⇒688. 83-88/55-66.
7602 *Filippi, Giorgio* Die Ergebnisse der neuen Ausgrabungen am Grab des Apostels Paulus: Reliquienkult und Eucharistie im Presbyterium der Paulsbasilika. MDAI.R 112 (2005-2006) 277-292;
7603 La tomba di San Paolo alla luce delle recenti ricerche;
7604 *Freller, Thomas* St Paul's Grotto, Malta, and its antidotic earth in the awareness of early modern Europe;
7605 *Meinardus, Otto F.A.* The cult of St Paul in the eastern churches;
7606 *Serracino-Inglott, Peter* Three sidelights on a paradox: the cult of St Paul in Post-Reformation English culture. The cult of St. Paul. 2006 ⇒688. 3-12/191-218/67-82/89-97.
7607 *Zammit, Winston L.* Grand Master Aloph de Wignacourt's foundation for St Paul's Grotto, 1619. The cult of St. Paul. 2006 ⇒688. 219-35.

G4.1 **Ad Romanos** *Textus, commentarii*

7608 **Abraha, Tedros** La lettera ai Romani: testo e commentari della versione etiopica. ÄthF 57: 2001 ⇒17,6490... 20,7416. [R]OrChr 90 (2006) 253-257 (*Kropp, Manfred*).
7609 **Agamben, Giorgio** Die Zeit, die bleibt—ein Kommentar zum Römerbrief. [T]*Giuriato, Davide*: Fra 2006, Suhrkamp 234 pp. [R]PhR 53 (2006) 314-9 (*Finkelde, Dominik*); ZNT 9/18 (2006) 15-25 (*Gignac, Alain*).
7610 [E]**Bray, Gerald** Romani. [E]*Rizzi, Marco; Pizzi, Bianca M.* La Bibbia commentata dai Padri: Nuovo Testamento, 6: R 2006, Città Nuova 591 pp. €62. 88-311-9384-3. Bibl. 561-566.
7611 **Byrskog, Samuel** Romarbrevet 1-8. Kommentar till Nya Testamentet 6a: Sto 2006, EFS 245 pp. SEK366. 978-91708-51124.
7612 *De Virgilio, Giuseppe* Bibliografia ragionata;
7613 *Doglio, Claudio* I cristiani di Roma, destinatari della lettera. PaVi 51/1 (2006) 42-44/10-16.
7614 **Dumbrell, William J.** Romans: a new commentary. 2005 ⇒21,7938. [R]WThJ 68 (2006) 375-378 (*Coxhead, Steven R.*).
7615 *Fernández, Victor M.* Lettera ai Romani. Nuovo commentario biblico. 2006 ⇒455. 162-231.
7616 **Haacker, Klaus** Der Brief des Paulus an die Römer. ThHK 6: Lp ³2006, Evangelische xxxi; 371 pp. €38. 978-3374-02455-1. Bibl. xv-xxxi.
7617 *Hanks, Thomas* Romans. Queer bible commentary. 2006 ⇒2417. 582-605.
7618 *Holmes, Michael W.* The text of P46: evidence of the earliest "commentary" on Romans?. NT manuscripts. 2006 ⇒453. 189-206.
7619 **Karris, Robert J.** Galatians and Romans. New Collegeville Bible Comm. NT 6: 2005 ⇒21,7941. [R]RBLit (2006)* (*Reasoner, Mark*).
7620 **Keck, Leander E.** Romans. 2005 ⇒21,7942. [R]RBLit (2006)* (*Miller, James; Grindheim, Sigurd; Dunn, James*).
7621 **Légasse, Simon** L'epistola di Paolo ai Romani. 2004 ⇒20,7425. [R]RivBib 54 (2006) 249-252 (*Romanello, Stefano*); PaVi 51/5 (2006) 57-58 (*Doglio, Claudio*).

7622 [E]**Marcheselli, Maurizio** Navigating Romans through cultures: challenging readings by charting a new course. 2004 ⇒20,444. [R]RBLit (2006)* (*Loubser, Johannes*).

7623 **Nouis, Antoine** L'aujourd'hui du salut: lecture actualisée de l'épître aux Romains. LiBi: Lyon 2006, Olivétan 320 pp. €24.50.

7624 *Penna, Romano* I protagonisti della storia della salvezza: Adamo, Abramo, Gesù, il credente. PaVi 51/2 (2006) 36-42;

7625 Come leggere la lettera ai Romani. PaVi 51/1 (2006) 4-9.

7626 **Penna, Romano** Lettera ai Romani I, Rm 1-5. Scritti delle origini cristiane 6: 2004 ⇒20,7429; 21,7950. [R]ThLZ 131 (2006) 744-747 (*Zeller, Dieter*); ATT 12 (2006) 456-457 (*Ghiberti, Giuseppe*); Bib. 87 (2006) 286-289 (*Pascuzzi, Maria*);

7627 Lettera ai Romani II, Rm 6-11. Scritti delle origini cristiane 6: Bo 2006, EDB 408 pp. €30. 88-10-20626-6.

7628 **Reasoner, Mark** Romans in full circle: a history of interpretation. 2005 ⇒21,7952. [R]Adamantius 12 (2006) 514-516 (*Scheck, Thomas P.*); CBQ 68 (2006) 346-347 (*Smiga, George M.*); RBLit (2006)* (*Maloney, Elliott*); JECS 14 (2006) 379-381 (*Scheck, Thomas P.*).

7629 [T]**Stroobant de Saint-Eloy, Jean-Eric** THOMAS d'Aquin: commentaire de l'épître aux Romains: suivi de lettre à Bernard Ayglier. 1999 ⇒15,6596...17,6506. [R]NBl 87 (2006) 660-661 (*Nichols, Aidan*).

7630 *Wischmeyer, Oda* Römerbrief. Paulus: Leben.... UTB 2767: 2006 ⇒ 491. 241-274.

7631 **Witherington, Ben, III** Paul's letter to the Romans: a socio-rhetorical commentary. 2004 ⇒20,7433; 21,7957. [R]VeE 27 (2006) 394-396 (*Du Toit, Andrie*).

G4.2 *Ad Romans: themata*, topics

7632 *Álvarez Cineira, David* Los primeros pasos del cristianismo in Roma. EstB 64 (2006) 201-236.

7633 *Barnett, Paul W.* Romans and the origin of Paul's christology. [F]ELLIS, E. 2006 ⇒36. 90-103.

7634 *Bendemann, Reinhard von* "Zorn" und "Zorn Gottes" im Römerbrief. Paulus und Johannes. WUNT 198: 2006 ⇒6. 179-215.

7635 *Bull, Klaus-Michael* "Wir werden alle vor den Richterstuhl Gottes gestellt werden" (Röm 14,10): zur Funktion des Motivs vom Endgericht in den Argumentationen des Römerbriefes. Apokalyptik als Herausforderung. WUNT 2/214: 2006 ⇒348. 125-143 [Rom 2,1-16; 14,7-12].

7636 **Campbell, Douglas Atchison** The quest for Paul's gospel: a suggested strategy. JSNT.S 274: 2005 ⇒21,7962. [R]CBQ 68 (2006) 137-139 (*Grieb, A. Katherine*) [Gal 3].

7637 *Du Toit, Andrie B.* Shaping a christian lifestyle in the Roman capital. Identity, ethics. BZNW 141: 2006 ⇒795. 167-197.

7638 *Dupont, Anthony* Die Christusfigur des PELAGIUS: Rekonstruktion der Christologie im Kommentar von Pelagius zum Römerbrief des Paulus. Aug(L) 56 (2006) 321-372.

7639 **Esler, Philip Francis** Conflict and identity in Romans: the social setting of Paul's letter. 2003 ⇒19,7434... 21,7968. [R]JR 86 (2006) 455-456 (*Reasoner, Mark*); BiblInterp 14 (2006) 540-543 (*Campbell, William S.*).

7640 **Haacker, Klaus** The theology of Paul's letter to the Romans. New Testament theology: 2003 ⇒19,7439... 21,7975. [R]Theol. 109 (2006) 46-47 (*Morgan, Robert*); ETR 81 (2006) 125-126 (*Gloor, Daniel*).

7641 *Janssen, Claudia* "Ich ermutige euch, Geschwister ...": zum Brief an die Gemeinde in Rom. Schlangenbrut 24/95 (2006) 5-8.

7642 *Kangas, R.* The mingled spirit–the key to the christian life. Affirmation & Critique [Anaheim, CA] 11/2 (2006) 3-15.

7643 *Lohse, Eduard* Doxologien im Römerbrief des Apostels Paulus. [F]MUSSNER, F.: SBS 209: 2006 ⇒117. 255-263.

7644 *Maffeis, Angelo* Karl BARTH e la lettera ai Romani: il Dio 'totalmente altro'. PaVi 51/4 (2006) 48-50;

7645 Karl BARTH e la lettera ai Romani: la giustizia di Dio e la fede. PaVi 51/5 (2006) 47-49.

7646 *Muddiman, John* Making sense of Romans. [F]WANSBROUGH, H.: LNTS 316: 2006 ⇒168. 89-101.

7647 *Penna, Romano* Giustificazione per fede e partecipazione alla vita di Cristo: sguardo sintetico su Rm 1-8. PaVi 51/4 (2006) 39-45;

7648 Le due giustizie: la retributiva et l'evangelica. PaVi 51/1 (2006) 36-41.

7649 *Theißen, Gerd* Gesetz und Ich: Beobachtungen zur persönlichen Dimension des Römerbriefs. [F]BURCHARD, C.: NTOA 57: 2006 ⇒13. 286-303.

7650 **Wagner, J. Ross** Heralds of the good news: Isaiah and Paul "in concert" in the letter to the Romans. NT.S 101: 2002 ⇒18,6956... 21, 7993. [R]RBLit (2006)* (*Stanley, Christopher; Litwak, Kenneth*); CBQ 69 (2007) 600-601 (*Getty, Mary Ann*); JThS 57 (2006) 258-261 (*Moyise, Steve*).

7651 *Wagner, J. Ross* Moses and Isaiah in concert: Paul's reading of Isaiah and Deuteronomy in the letter to the Romans. "As those who are taught". SBL.Symposium 27: 2006 ⇒765. 87-105 [Rom 10,19-21; 11,8; 15,9-12].

7652 *Yee, Tet-Lim N.* God promises, speech act and the gospel: a prolegomenon to the understanding of Romans. SiChSt 2 (2006) 173-204. **C.**

G4.3 *Naturalis cognitio Dei*, **Rom 1-4**

7653 *Aletti, Jean-Noël* Rétribution et jugement de Dieu en Rm 1-3: enjeux du problème et proposition d'interprétation. Did(L) 36/1 (2006) 47-63..

7654 **Gathercole, Simon J.** Where is boasting?: early Jewish soteriology and Paul's response in Romans 1-5. 2002 ⇒18,6961... 21,7995. [R]JSJ 37 (2006) 437-438 (*Abegg, Martin G., Jr.*).

7655 *Gignac, Alain* Espaces géographiques et théologiques en Rm 1:1-15 et 15:14-33: regard narratologique sur la "topologie" paulinienne. BiblInterp 14 (2006) 385-409.

7656 *Narvaja, José L.* "Jesuschristo, predestinado Hijo de Dios": algunas notas sobre la cristología de los Padres a partir de los comentarios a Romanos 1,4. Strom. 62/3-4 (2006) 269-299.

7657 *Haacker, Klaus* Evangelho sem vergonha. VoxScr 14/1 (2006) 7-17 [Rom 1,8-17].

7658 *Pitta, Antonio* 'Non me vergogno del vangelo' (Rm 1,16-17): la tesi principale. PaVi 51/1 (2006) 17-22.

7659 *Seifrid, Mark A.* Paul's use of Habakkuk 2:4 in Romans 1:17: reflections on Israel's exile in Romans. ^FELLIS, E.: 2006 ⇒36. 133-149.

7660 *Frid, Bo* How does Romans 2.1 connect to 1.18-32?. SEÅ 71 (2006) 109-130.

7661 *Romanello, Stefano* L'ira di Di si rivela contro ogni empietà (Rm 1, 18-3,8). PaVi 51/1 (2006) 23-29.

7662 **Spitaler, Peter** Universale Sünde von Juden und Heiden?: eine Untersuchung zu Römer 1,18-3,20. FzB 109: Wü 2006, Echter viii; 223 pp. €25. 3-429-02798-5. Diss. München; Bibl. 189-201.

7663 *Martin, Dale B.* The rhetoric of biblical scholarship: a primer for critical reading of historical criticism. [Rom 1,18-27];

7664 Heterosexism and the interpretation of Romans 1:18-32. Sex and the single Savior. 2006 <1995> ⇒270. 17-35/51-64

7665 *Kuhn, K.A.* Natural and unnatural relations between text and context: a canonical reading of Romans 1:26-27. CThMi 33 (2006) 313-329.

7666 *Bergmeier, Roland* Gesetzeserfüllung ohne Gesetz und Beschneidung. ^FBURCHARD, C.: NTOA 57: 2006 ⇒13. 26-40 [Rom 2].

7667 *Wischmeyer, Oda* Römer 2.1-24 als Teil der Gerichtsrede des Paulus gegen die Menschheit. NTS 52 (2006) 356-376.

7668 *Moyise, Steve* Paul and scripture in dispute: Romans 2:24 as testcase. PIBA 29 (2006) 78-96.

7669 *Giesen, Heinz* Gottes Treue angesichts menschlicher Untreue (Röm 3,1-9): zugleich ein Beitrag zu Röm 1,17. SNTU.A 31 (2006) 61-88 [Rom 3,1-9; 1,17].

7670 *Casarin, Giuseppe* 'Tutti sono sotto il peccato!' (Rm 3,9-20). PaVi 51/1 (2006) 30-35.

7671 *Bowsher, Herbert* To whom does the law speak?: Romans 3:19 and the works of the law debate. WThJ 68 (2006) 295-303.

7672 *Manzi, Franco* Cristo è strumento di espiazione nel suo sangue (Rm 3,21-26). PaVi 51/2 (2006) 4-10.

7673 *Stramare, Tarcisio* La vetta della teologia paolina (Rm 3,24-26). Scrutate le scritture. 2006 ⇒311. 115-143.

7674 *Schreiber, Stefan* Das Weihegeschenk Gottes: eine Deutung des Todes Jesu in Röm 3,25. ZNW 97 (2006) 88-110.

7675 *Baena B., Gustavo* La fórmula de expiación: Rm 3,25-26aα. ^FORTÍZ VALDIVIESO, P. 2006 ⇒123. 215-246.

7676 *Girolami, Maurizio* L'uomo è giustificato per la fede (Rm 3,27-31). PaVi 51/2 (2006) 11-16.

7677 *Mazzinghi, Luca* Paolo rilegge le scritture: 'Abramo credette al Signore' (Gn 15,6). PaVi 51/2 (2006) 44-46 [Rom 4].

7678 *Roura, Jean Louis* Paul: exégète et théologien dans Romains 4,1-12. RevSR 80 (2006) 83-97.

7679 *De Virgilio, Giuseppe* L'esempio di Abramo, nostra padre nella fede (Rm 4,1-25). PaVi 51/2 (2006) 17-22.

7680 *Palmer, D.* Romans 4:1-25: justification as orthodoxy. Caribbean Journal of Evangelical Theology [Kingston, Jamaica] 10 (2006) 121-143.

7681 *Vugdelija, Marijan* Svedocanstvo Pisma za Abrahamovo opravdanje vjerom (Rim 4,1-25). BoSm 76 (2006) 633-694. **Croatian**.

7682 *Lowe, Bruce A.* Oh διὰ!: how is Romans 4:25 to be understood?. JThS 57 (2006) 149-157 [Isaiah 53].

G4.4 *Redemptio cosmica*: **Rom 5-8**

7683   *Byrne, Brendan* Musing on evolution and Paul: a clarification. ACR
       83 (2006) 474-477.
7684   *Penna, Romano* Dal peccato alla vita in Cristo. PaVi 51/3 (2006) 42-
       48.

7685   *Ricoeur, Paul* Equivalence et surabondance: les deux logiques. Esprit
       323 (2006) 167-173 [Rom 5].
7686   *Vanni, Ugo* La situazione di grazia del cristiano (Rm 5,1-11). PaVi
       51/2 (2006) 23-29.
7687   *Frankemölle, Hubert* Jesus Christus als "Zugang" zur Gnade Gottes
       (Röm 5,2): der paulinische Beitrag zur biblischen Gedächtniskultur.
       ᶠMussner, F.: SBS 209: 2006 ⇒117. 181-201.
7688   *Vickers, Brian* Grammar and theology in the interpretation of Rom
       5:12. TrinJ 27 (2006) 271-288.
7689   *Hellholm, David* Universalität und Partikularität: die amplifikatori-
       sche Struktur von Römer 5,12-21. Paulus und Johannes. WUNT 198:
       2006 ⇒6. 217-269.
7690   *Pitta, Antonio* Cristo e Adamo (Rm 5,12-21). PaVi 51/2 (2006) 30-5.
7691   *Hahn, Ferdinand* Das Verständnis der Taufe nach Römer 6. Studien
       zum NT, II. WUNT 192: 2006 <1980> ⇒231. 223-239.
7692   **Sabou, Sorin** Between horror and hope: Paul's metaphorical lan-
       guage of death in Romans 6:1-11. 2005 ⇒21,8027. ᴿCBQ 68 (2006)
       778-779 (*Sumney, Jerry L.*); RBLit (2006)* (*Miller, James*).
7693   *Zeller, Dieter* Die Mysterienkulte und die paulinische Soteriologie
       (Röm 6,1-11): eine Fallstudie zum Synkretismus im Neuen Testa-
       ment. N.T. und Hellenistische Umwelt. BBB 150: 2006 <1991> ⇒
       331. 173-187.
7694   *Mazzi, Rita T.* Battesimo e unione mistica con Cristo (Rm 6,1-14);
7695   *Benzi, Guido* Liberati e fatti servi di Cristo (Rm 6,15-23). PaVi 51/3
       (2006) 4-11/12-18.
7696   *Parker, Barry F.* Romans 7 and the split between Judaism and chris-
       tianity. JGRChJ 3 (2006) 110-133.
7697   *Gieniusz, Andrzej* Graziati da Dio, affrancati dalla legge: allo sbara-
       glio? (Rm 7,1-6). PaVi 51/3 (2006) 19-25.
7698   *Spitaler, Peter* Analogical reasoning in Romans 7:2-4: a woman and
       the believers in Rome. JBL 125 (2006) 715-747.
7699   *Romanello, Stefano* La legge e il peccato (Rm 7,7-13). PaVi 51/3
       (2006) 26-33.
7700   *Byrskog, Samuel* Anthropologie als Heilsgeschichte: Römerbrief
       7,14-20. ᶠUntergassmair, F. 2006 ⇒161. 245-252.
7701   *Romanello, Stefano* Il conflitto interiore dell'"Io" (Rm 7,14-25).
       PaVi 51/3 (2006) 34-41.
7702   *Fay, Ron C.* Was Paul a trinitarian?: a look at Romans 8. Paul and his
       theology. Pauline studies 3: 2006 ⇒462. 327-345.
7703   *Pitta, Antonio* Lo Spirito di Cristo e i credenti (Rom 8,1-11). PaVi
       51/4 (2006) 11-17.
7704   **Bertone, John A.** "The law of the Spirit": experience of the Spirit
       and displacement of the law in Romans 8:1-16. Studies in Biblical lit-
       erature 86: 2005 ⇒21,8038. ᴿRBLit (2006)* (*Miller, James*).

7705 *Fee, Gordon D.* The spirit and resurrection in Paul: text and meaning in Romans 8:11. ^FOSBURN, C. TaS 4: 2006 ⇒124. 142-153.

7706 *Marangan, Antonio* Abbiamo ricevuto uno spirito di figli che grida: 'Abba' (Rom 8,12-17). PaVi 51/4 (2006) 18-23.

7707 *Yates, Ken* "Sons of God" and the road to grace (Romans 8:12-17). Journal of the Grace Evangelical Society 19/37 (2006) 23-32.

7708 *Paddison, Angus* Bible study notes for June lectionary readings. ET 117 (2006) 327-330 [Rom 8,12-17; 8,22-27; 2 Cor 5; 6,1-13].

7709 *Gieniusz, Andrzej* Le attuali sofferenze non minacciano la gloria futura (Rom 8,18-30). PaVi 51/4 (2006) 24-30.

7710 *Theobald, Michael* Das Seufzen der Kreatur–Sprache der Hoffnung?: eine Auslegung von Röm 8,18-30. BiLi 79 (2006) 160-168.

7711 **Hahne, Harry A.** The corruption and redemption of creation: nature in Romans 8.19-22 and Jewish apocalyptic literature. LNTS 336: L 2006, Clark vi; 265 pp. $140.

7712 *Braaten, Laurie J.* All creation groans: Romans 8:22 in light of the biblical sources. HBT 28 (2006) 131-159.

7713 *Bénétreau, Samuel* Romains 8.26-27: deux intercessions. ThEv(VS) 5/2 (2006) 143-146.

7714 *Gignilliat, Mark S.* Working together with whom?: text-critical, contextual, and theological analysis of συνεργεῖ in Romans 8,28. Bib. 87 (2006) 511-515.

7715 *Shields, B.E.* An oral reading of Romans 8:31-34. VeE 27 (2006) 664-675.

7716 *Doglio, Claudio* Niente ci può separare dall'amore! (Rom 8,31-39). PaVi 51/4 (2006) 31-38.

7717 *Voorwinde, Stephen* Eternal security and the saving love of God: an exposition of Romans 8:31-39. VR 71 (2006) 5-27.

G4.6 *Israel et Lex*; **The Law and the Jews,** *Rom 9-11*

7718 **Bell, Richard H.** The irrevocable call of God: an inquiry into Paul's theology of Israel. WUNT 184: 2005 ⇒21,8048. ^RTrinJ 27 (2006) 323-324 (*Brown, Paul J.*); NT 48 (2006) 394-397 (*Stenschke, Christoph*) [Gal 3-4; 1 Thess 2,13-16].

7719 *Blom, Sara* Fler och fler–numerär upptrappning i Rom 9-11. SEÅ 71 (2006) 97-107.

7720 ^E**Carson, Donald A.; O'Brien, Peter T.; Seifrid, Mark A.** Justification and variegated nomism, 2: the paradoxes of Paul. WUNT 2/181: 2004 ⇒20,327; 21,8050. ^RLuThK 30/1 (2006) 50-51 (*Stolle, Volker*); TrinJ 27 (2006) 319-323 (*Dunn, James D.G.*).

7721 *Cook, Michael J.* Paul's argument in Romans 9-11. RExp 103 (2006) 91-111.

7722 *De Virgilio, Giuseppe* La comunità di Roma di fronte alla legge ebraica. PaVi 51/4 (2006) 4-10.

7723 **Grindheim, Sigurd** The crux of election: Paul's critique of the Jewish confidence in the election of Israel. WUNT 2/202: 2005 ⇒21, 8054. ^RRHPhR 86 (2006) 436-437 (*Grappe, C.*).

7724 *Hahn, Ferdinand* Das Gesetzesverständnis im Römer- und Galaterbrief. Studien zum NT, II. WUNT 192: 2006 <1976> ⇒231. 187-221.

7725 **Jennings, Theodore W.** Reading DERRIDA/thinking Paul: on justice. Cultural memory in the present: Stanford 2006, Stanford Univ. Pr. 219 pp. $55/20. ᴿNZSTh 48 (2006) 242-244 (*Finkelde, Dominik*).

7726 **Kuula, Kari** The law, the covenant and God's plan, 2: Paul's treatment of the law and Israel in Romans. SESJ 85: 2003 ⇒19,7516... 21,8055. ᴿCBQ 68 (2006) 151-152 (*Reasoner, Mark*).

7727 *Müller, Karlheinz* Von der Last kanonischer Erinnerungen: das Dilemma des Paulus angesichts der Frage nach Israels Rettung in Röm 9-11. ᶠMUSSNER, F.: SBS 209: 2006 ⇒117. 203-253.

7728 *Paddison, Angus* Karl BARTH's theological exegesis of Romans 9-11 in the light of Jewish-Christian understanding. JSNT 28 (2006) 469-488.

7729 *Sänger, Dieter* Verwerfung und Annahme: die Geschichte Israels nach Röm 9-11. Paulus und Johannes. WUNT 198: 2006 ⇒6. 381-410.

7730 *Spencer, Franklin S.* Metaphor, mystery and the salvation of Israel in Romans 9-11: Paul's appeal to humility and doxology. RExp 103 (2006) 113-138.

7731 *Vidovic, Marinko* Abraham u Rim 9-11: Božja dosljednost u ponudi i modalitetima spasavanja svega covjecanstva. BoSm 76 (2006) 695-732. **Croatian**.

7732 *Abasciano, Brian J.* Corporate election in Romans 9: a reply to Thomas Schreiner. JETS 49 (2006) 351-371.

7733 *Belli, Filippo* Las escrituras en Rm 9. Vetus in Novo. 2006 ⇒5337. 155-181.

7734 *Schreiner, Thomas R.* Corporate and individual election in Romans 9: a response to Brian Abasciano. JETS 49 (2006) 373-386.

7735 *Rossi de Gasperis, Francesco* I nostri fratelli ebrei (Rm 9,1-5). PaVi 51/5 (2006) 4-9.

7736 **Abasciano, Brian J.** Paul's use of the Old Testament in Romans 9.1-9 : an intertextual and theological exegesis. JSNT.S 301; LNTS 301: 2005 ⇒21,8059. ᴿRBLit (2006)* (*Moyise, Stephen*).

7737 *Penna, Romano* Rm 9,5b: chi è il 'Dio benedetto nei secoli'?: l'importanza di una punteggiatura. IX simposio paolino. Turchia 20: 2006 ⇒772. 9-19.

7738 *Stegemann, Ekkehard W.* Alle von Israel, Israel und der Rest: Paradoxie als argumentativ-rhetorische Strategie in Römer 9,6. ThZ 62 (2006) 125-157.

7739 *Harrison, James R.* Paul, theologian of electing grace. Paul and his theology. Pauline studies 3: 2006 ⇒462. 77-108 [Rom 9,6-13].

7740 *Sembrano, Lucio* Dio non è infedele o ingiusto verso is Giudei: una teodicea con la bibbia alla mano (Rm 9,6-29). PaVi 51/5 (2006) 10-16.

7741 *Gadenz, Pablo T.* 'The Lord will accomplish his word': Paul's argumentation and use of scripture in Romans 9:24-29. L&S 2 (2006) 141-158.

7742 *Marcheselli, Maurizio* Secondo le scritture: 'Cristo è il fine della legge' (Rm 9,30-10,21). PaVi 51/5 (2006) 17-24.

7743 *Mazzinghi, Luca* Paolo rilegge le scritture: la pietra d'inciampo (rilettura del profeta Isaia). PaVi 51/4 (2006) 46-8 [Isa 28,16; Rom 9,33].

7744 *Ito, Akio* The written Torah and the oral gospel: Romans 10:5-13 in the dynamic tension between orality and literacy. NT 48 (2006) 234-260 [Lev 18,5; Deut 30,12-14].

7745 *Mazzinghi, Luca* Paolo rilegge le scritture: una catena di testi biblici: Rm 10,15-21. PaVi 51/5 (2006) 45-47.

7746 *Litwak, Kenneth D.* One or two views of Judaism: Paul in Acts 28 and Romans 11 on Jewish unbelief. TynB 57 (2006) 229-249 [Acts 28,16-31].

7747 *Fanin, Luciano* Il misterioso progetto di Dio su Israele (Rm 11,1-10);

7748 *Carbone, Sandro* Olivo buono e olivastro: la misericordia di Dio (Rm 11,11-24). PaVi 51/5 (2006) 25-31/32-39.

7749 *Zeigan, Holger* Die Wurzel des Ölbaums (Röm 11,18): eine alternative Perspektive. PzB 15 (2006) 119-132.

7750 *Müller, Karlheinz* Ein notwendiger Abschied: kein "Sonderweg" für Israel nach Röm 11,25-27. [F]KLINGER, E., 2. 2006 ⇒86. 244-262.

7751 *Thyen, Hartwig* Das Mysterium Israel (Röm 11,25-32). [F]BURCHARD, C.: NTOA 57: 2006 ⇒13. 304-318.

7752 *Hahn, Ferdinand* Zum Verständnis von Römer 11,26a: '... und so wird ganz Israel gerettet werden'. Studien zum NT, II. WUNT 192: 2006 <1982> ⇒231. 379-390.

7753 *Rakocy, W.* '[...] and thus all Israel will be saved' (Rom 11:26): the question about the moment in the history of salvation. Roczniki Teologiczne 53/1 (2006) 5-24.

7754 *Van der Horst, Pieter W.* 'Only then will all Israel be saved': a short note on the meaning of καὶ οὕτως in Romans 11:26. Jews and Christians. WUNT 196: 2006 <2000> ⇒321. 176-180.

7755 *Sievers, Joseph* How irrevocable?: interpreting Romans 11:29 from the church fathers to the Second Vatican Council. Gr. 87 (2006) 748-761.

7756 *Miller, Robert W.* The text of Rom. 11:31. Faith & Mission 23/3 (2006) 37-53.

G4.8 **Rom 12...**

7757 **Peng, Kuo-We** Hate the evil, hold fast to the good: structuring Romans 12.1-15.1. LNTS 300: L 2006, Clark x; 233 pp. $130. 0-567-0-3045-8. Diss. Sheffield 1997; Bibl. 215-226.

7758 *Thorsteinsson, Runar M.* Paul and Roman Stoicism: Romans 12 and contemporary Stoic ethics. JSNT 29 (2006) 139-161.

7759 *Kiuchi, Nobuyoshi* Living like the Azazel-goat in Romans 12:1b. TynB 57 (2006) 251-261 [Lev 16,8; 16,10; 16,26].

7760 **Warria-Wyss, Dan** Torah norms in the epistle to the Romans: an exegetical investigation of Romans 12,1-15,6 against the background of Paul's nomos-logic in relation to the Jewish heritage with its distinctive and universal ethics within Graeco-Roman contexts. [D]*Stegemann, E.W.* 2006, Diss. Basel [ThLZ 132,484].

7761 *Benzi, Guido* Il nuovo culto del cristiano (Rm 12,1-2). PaVi 51/6 (2006) 4-9.

7762 *Combs, W.W.* Romans 12:1-2 and the doctrine of sanctification. Detroit Baptist Seminary Journal [Allen Park, MI] 11 (2006) 3-24.

7763 *Gieniusz, Andrzej* La vita come sacrificio (Rm 12,1-8): alle radici del nonconformismo cristiano. PSV 54 (2006) 193-215.

7764 **Kavishe, Felician** The basics, nature and function of Paul's moral teaching as evidenced in Romans 12:1-8. [D]*Gieniusz, A.* 2006, Diss. Rome, Urbaniana [RTL 38,619].

7765   *Vanhoye, Albert* The problematic reception of πίστις in Romans 12.
       3,6. ᶠWANSBROUGH, H.: LNTS 316: 2006 ⇒168. 102-110.
7766   *Manus, Ukachukwu C.* Re-reading Rom 12,3-21 with the African cul-
       tural eyes. Biblical interpretation in African perspective. 2006 ⇒333.
       191-210.
7767   *Parisi, Serafino* L'amore è segno di una comunità viva (Rm 12,3-21).
       PaVi 51/6 (2006) 10-17.
7768   *Berding, Kenneth* Romans 12.4-8: one sentence or two?. NTS 52
       (2006) 433-439.
7769   *Bormann, Lukas* "Jedermann sei untertan der Obrigkeit" (Röm 13,1):
       politische Theologie bei Paulus?. Gottesmacht. 2006 ⇒572. 35-56.
7770   *George, R.T.* 'Be subject to the governing authorities': reading Ro-
       mans 13:1-7 in the matrix of Roman patronage. Doon Theological
       Journal [Dehradun, India] 3/2 (2006) 105-126.
7771   *Hurley, Robert* Ironie dramatique dans la mise en intrigue de l'em-
       pire en Romains 13,1-7. SR 35 (2006) 39-63.
7772   *Penna, Romano* La dimensione politica dell'ethos cristiano secondo
       Rm 13,1-7 nel suo contesto. RstB 18 (2006) 183-210.
7773   *Sacchi, Alessandro* Pieno compimento della legge è l'amore (Rm 13,
       8-14). PaVi 51/6 (2006) 18-25.
7774   *Pagnamenta, Raoul* Romains 13,13-14: un présent éclairé par l'ave-
       nir. LeD 67 (2006) 34-44.
7775   *Lohse, Eduard* Schwache und Starke–exegetische Erwägungen zum
       14. Kapitel des Römerbriefs–. ᶠGALITIS, G. 2006 ⇒49. 365-375.
7776   *Sembrano, Lucio* 'Non questione di cibo o di bevanda, ma giustizia,
       pace e gioia nello Spirito Santo' (Rm 14,1-15,13). PaVi 51/6 (2006)
       26-32.
7777   *Fredrickson, David E.* A piece of scripture on part of the bible: lis-
       tening to Romans 15:1-6. WaW 26 (2006) 412-418.
7778   *Schaller, Berndt* Christus, "der Diener der Beschneidung ..., auf ihn
       werden die Völker hoffen": zu Charakter und Funktion der Schriftzi-
       tate in Röm 15,7-13. ᶠBURCHARD, C.: NTOA 57: 2006 ⇒13. 261-85.
7779   *Mosetto, Francesco* La 'liturgia' dell'apostolo (Rm 15,14-33). PaVi
       51/6 (2006) 33-40.
7780   *Downs, David J.* 'The offering of the gentiles' in Romans 15.16.
       JSNT 29 (2006) 173-186.
7781   *Reasoner, Mark* Chapter 16 in Paul's letter to the Romans: dis-
       pensable tagalong or valuable envelope?. Priscilla Papers [Mp] 20/4
       (2006) 11-16.
7782   *Luongo, Gennaro* Personaggi di Romani 16,1-23 nella tradizione agi-
       ografica. IX simposio paolino. Turchia 20: 2006 ⇒772. 125-142.
7783   *Epp, Eldon J.* Minor textual variants in Romans 16:7. ᶠOSBURN, C.:
       TaS 4: 2006 ⇒124. 123-141.
7784   **Pederson, Rena** The lost apostle: searching for the truth about Junia.
       SF 2006, Jossey-Bass ix; 278 pp. 978-0-7879-8443-4. Bibl. 257-262
       [Rom 16,7].

       G5.1 **Epistulae ad Corinthios I** (vel I-II), *textus, commentarii*

7785   ᴱ**Adams, Edward; Horrell, David G.** Christianity at Corinth: the
       quest for the Pauline church. 2004 ⇒20,306; 21,8078. ᴿBS 163

(2006) 252-254 (*Waters, Larry J.*); Theol. 109 (2006) 201-202 (*Campbell, William S.*); JSNT 29 (2006) 235-238 (*Økland, Jorunn*).

7786 **Arzt-Grabner, Peter**, al., 1. Korinter. PKNT 2: Gö 2006, Vandenhoeck & R. 575 pp. €99. 978-35255-10018. Bibl. 9-26.

7787 *Foulkes, Irene* Prima lettera ai Corinzi. Nuovo commentario biblico. 2006 ⇒455. 232-300.

7788 *Hearon, Holly E.* 1 and 2 Corinthians. Queer bible commentary. 2006 ⇒2417. 606-623.

7789 **Jacon, Christophe** La sagesse du discours: analyse rhétorique et épistolaire de 1 Corinthiens. Actes et recherches: Genève 2006, Labor et F. 353 pp. €25. 978-2-8309-1211-1. Bibl. 321-347.

7790 **Keener, Craig S.** 1-2 Corinthians. New Cambridge Bible Commentary: 2005 ⇒21,8082. [R]ScrB 36/1 (2006) 50-52 (*Boxall, Ian*); CBQ 68 (2006) 764-766 (*Furnish, Victor P.*); RBLit (2006)* (*Horn, Friedrich*).

7791 *Kloha, Jeff* Epistula ad Corinthios I. BVLI 50 (2006) 20-23.

7792 [TE]**Kovacs, Judith L.** 1 Corinthians: interpreted by early christian commentators. The church's bible: 2005 ⇒21,8084. [R]VJTR 70 (2006) 153-154 (*Gispert-Sauch, G.*); ASEs 23 (2006) 337 (*Nicklas, Tobias*); LASBF 56 (2006) 652-654 (*Chrupcała, Lesław D.*); RBLit (2006)* (*Roukema, Riemer*).

7793 **Marangon, Antonio** Prima lettera ai Corinzi. Dabar-Logos-Parola: 2005 ⇒21,8087. [R]Ang. 83 (2006) 892-893 (*Marcato, Giorgio*).

7794 **Merklein, Helmut; Gielen, Marlis** Der erste Brief an die Korinther, 3: Kapitel 11,2-16,24. ÖTBK 7/3: 2005 ⇒21,8088. [R]ThLZ 131 (2006) 742-744 (*Zeller, Dieter*).

7795 *Murphy-O'Connor, Jerome* Corinthe au temps de saint Paul: l'archéologie éclaire les textes. Initiation biblique: [3]2004 <1983, 1992> ⇒ 20,7570. [R]ScEs 58 (2006) 203-205 (*Gourgues, Michel*); ScEs 58 (2006) 203-205 (*Gourgues, Michel*).

7796 **Pascuzzi, Maria A.** First and Second Corinthians. New Collegeville Bible Commentary.NT 7: 2005 ⇒21,8090. [R]RBLit (2006)* (*Bieringer, Reimund*).

7797 *Peterson, Erik* Der erste Brief an die Korinther (1926 und 1928/29). Ausgewählte Schriften 7. 2006 ⇒7482. 23-409.

7798 **Schnabel, Eckhard J.** Der erste Brief des Paulus an die Korinther. Historisch-Theologische Auslegung, NT: Wu 2006, Brockhaus 1134 pp. €50. 978-3417-29724-9.

7799 [E]**Schowalter, Daniel N.; Friesen, Steven J.** Urban religion in Roman Corinth: interdisciplinary approaches. HThS 53: 2005 ⇒21, 8093. [R]TrinJ 27 (2006) 324-325 (*Tucker, J. Brian*); ZNT 9/18 (2006) 66-67 (*Zangenberg, Jürgen*); CBQ 68 (2006) 583-585 (*Ascough, Richard S.*); JBL 125 (2006) 614-617 (*DeMaris, Richard E.*); JBSt 6/2 (2006) 38-54* (*Tucker, J. Brian*).

7800 [E]**Swanson, Reuben J.** New Testament Greek manuscripts: variant readings arranged in horizontal lines against Codex Vaticanus: 1 Corinthians. 2003 ⇒19,7567. [R]RBLit (2006)* (*Zamagni, Claudio*).

7801 **Thiselton, Anthony C.** First Corinthians: a shorter exegetical and pastoral commentary. GR 2006, Eerdmans xvi; 325 pp. £18. 0-8028-2682-2. Bibl. 304-311.

7802 *Wischmeyer, Oda* 1. Korintherbrief. Paulus: Leben.... UTB 2767: 2006 ⇒491. 138-163.

G5.2   *1 & 1-2 ad Corinthios*—**themata, topics**

7803   **Ackerman, David A.** Lo, I tell you a mystery: cross, resurrection, and paraenesis in the rhetoric of 1 Corinthians. PTMS 52: Eugene, OR 2006, Pickwick x; 171 pp. €21. [R]RBLit (2006)* (*Licona, Michael*).

7804   *Adams, Edward; Økland, Jorunn; Oakes, Peter* Recent books on Corinth. JSNT 29 (2006) 235-243.

7805   *Battaglia, Gregorio* Sapienza della croce e fraternità. Horeb 15/1 (2006) 43-50.

7806   **Chester, Stephen J.** Conversion at Corinth: perspectives on conversion in Paul's theology and the Corinthian church. SNTW: 2003 ⇒ 19,7576... 21,8098. [R]BBR 16 (2006) 371-373 (*Schnabel, Eckhard*).

7807   *Ciampa, Roy E.; Rosner, Brian S.* The structure and argument of 1 Corinthians: a biblical/Jewish approach. NTS 52 (2006) 205-218.

7808   **Coutsoumpos, Panayotis** Community, conflict, and the eucharist in Roman Corinth: the social setting of Paul's letter. Lanham 2006, University Press of America iv; 158 pp. $26. 07618-34052. Bibl. 145-58.

7809   **Crocker, Cornelia Cyss** Reading 1 Corinthians in the twenty-first century. 2004 ⇒20,7580; 21,8100. [R]Theol. 109 (2006) 47-48 (*Court, John M.*); CBQ 68 (2006) 536-537 (*Pascuzzi, Maria*).

7810   **De Virgilio, Giuseppe P.** Forme e contesti di solidarietà nelle lettere ai Corinzi: significati ed aspetti teologici della prassi paolina. [D]*Valentini, A.* 2006, Diss. Rome, Gregoriana [RTL 38,618].

7811   **Dutch, Robert S.** The educated elite in 1 Corinthians: education and community conflict in Graeco-Roman context. JSNT.S 217: 2005 ⇒ 21,8101. [R]JSNT 29 (2006) 238-241 (*Adams, Edward*); CBQ 68 (2006) 537-539 (*Welborn, L.L.*).

7812   **Ebel, Eva** Die Attraktivität früher christlicher Gemeinden: die Gemeinde von Korinth im Spiegel griechisch-römischer Vereine. WUNT 2/178: 2004 ⇒20,7583; 21,8102. [R]BBR 16/1 (2006) 169-71 (*Schnabel, Eckhard, J.*); NT 48 (2006) 94-96 (*Stenschke, Christoph*).

7813   *Finney, Mark* Conflict and honour in the ancient world: some thoughts on the social problems behind 1 Corinthians. PIBA 29 (2006) 24-56.

7814   *Gil Arbiol, Carlos* Conflictos entre el espacio doméstico y público de la ἐκκλησία en Corinto. EstB 64 (2006) 517-526;

7815   La construcción de la ἐκκλησία a través de los comportamientos sexuales y las instituciones familiares en 1 Cor. Comienzos del cristianismo. 2006 ⇒740. 143-159.

7816   **Hall, David R.** The unity of the Corinthian correspondence. JSNT.S 251: 2003 ⇒19,7583... 21,8107. [R]CBQ 68 (2006) 331-332 (*Asher, Jeffrey R.*).

7817   **Hogeterp, Albert L.A.** Paul and God's temple: a historical interpretation of cultic imagery in the Corinthian correspondence. Biblical tools and studies 2: Lv 2006, Peeters €65. 90-429-1722-9. Diss. Groningen; Bibl. 391-427.

7818   *Johnson, Lee A.* Paul's epistolary presence in Corinth: a new look at Robert W. Funk's apostolic parousia. CBQ 68 (2006) 481-501.

7819   *Levison, John R.* The spirit and the temple in Paul's letters to the Corinthians. Paul and his theology. Pauline studies 3: 2006 ⇒462. 189-215.

7820 *Lips, Hermann von* Heiligkeit und Liebe: Kriterien christlicher Ethik am Beispiel des 1. Korintherbriefes. [F]HAUFE, G.: GThF 11: 2006 ⇒ 63. 169-180.

7821 *Mininger, M.A.* Method and assumptions for studying the body in Paul. Koinonia [Princeton, NJ] 18 (2006) 115-123.

7822 *Pester, J.* Life and fellowship, death and division: partaking of the tree of life and the tree of the knowledge of good and evil in First Corinthians. Affirmation & Critique [Anaheim, CA] 11/1 (2006) 26-41;

7823 The operation of the mingled spirit in First Corinthians: producing and sustaining the fellowship of the body of Christ according to the demonstration, teaching, and pattern of Paul. Affirmation & Critique [Anaheim, CA] 11/2 (2006) 31-50.

7824 *Reed, Robert S.* Ad herennium argument strategies in 1 Corinthians. JGRChJ 3 (2006) 192-222.

7825 *Thiselton, Anthony C.* The significance of recent research on 1 Corinthians for hermeneutical appropriation of this epistle today. Neotest. 40 (2006) 320-352;

7826 Reception history or *Wirkungsgeschichte*?: 'The Holy Spirit in 1 Corinthians: exegesis and reception history in the patristic era' (2004). Thiselton on hermeneutics. 2006 ⇒318. 287-304.

7827 *Wolter, Michael* 'Let no one seek his own, but each one the other's' (1 Corinthians 10,25): Pauline ethics according to 1 Corinthians. Identity, ethics. BZNW 141: 2006 ⇒795. 199-217.

G5.3 **1 Cor 1-7**: *sapientia crucis... abusus matrimonii*

7828 *Olajubu, Oyeronke* Celibacy and the bible in Africa. Biblical interpretation in African perspective. 2006 ⇒333. 211-222.

7829 *Papadimitriou, Kyriakoula* Pauline conversion of ancient Greek terms: the meaning of wisdom in apostle Paul. [F]GALITIS, G. 2006 ⇒ 49. 471-490. **G**.

7830 *Tarocchi, Stefano* Sapienza e Nuovo Testamento. VivH 16 (2006) 287-301.

7831 *Mallofret Lancha, Manuel* El mensaje de la cruz: síntesis teológica de 1 Cor 1-4 y Flp 2,5-11. Isidorianum 15/1 (2006) 137-192.

7832 **Welborn, Laurence L.** Paul, the fool of Christ: a study of 1 Corinthians 1-4 in the comic-philosophic tradition. JSNT.S 293: 2005 ⇒ 21,8126. [R]JThS 57 (2006) 277-279 (*Thiselton, Anthony C.*).

7833 **Kammler, Hans-Christian** Kreuz und Weisheit: eine exegetische Untersuchung zu 1 Kor 1,10-3,4. WUNT 159: 2003 ⇒19,7609... 21, 8128. [R]BZ 50 (2006) 138-140 (*Konradt, Matthias*); NT 48 (2006) 304-306 (*Schnabel, Eckhard J.*).

7834 **Fraizy, François** Paul inséparablement pasteur et théologien: le mode d'argumentation de l'apôtre en 1 Cor 1,10-4,21. [D]*Baumert, Norbert* 2006, Diss. St. Georgen [ThRv 103/2,vi].

7835 **Poggemeyer, Joseph** The dialectic of knowing God in the cross and the creation: an exegetico-theological study of 1 Corinthians 1,18-25 and Romans 1,18-23. TGr.T 127: 2005 ⇒21,8131. [R]CBQ 68 (2006) 775-776 (*Pascuzzi, Maria*).

7836 *Blocher, Henri* L'Écriture après l'Ecriture: la sagesse révélée (1 Corinthiens 2.6-16). La bible au microscope. 2006 <1976> ⇒192. 99-106.

7837 *Herms, Ronald* 'Being saved without honor': a conceptual link between 1 Corinthians 3 and 1 Enoch 50?. JSNT 29 (2006) 187-210.
7838 *Becker, Jürgen* Die Gemeinde als Tempel Gottes und die Tora. [F]BURCHARD, C.: NTOA 57: 2006 ⇒13. 9-25 [1 Cor 3,16-17].
7839 **Pellegrino, Carmelo** Paolo, servo di Cristo e padre dei Corinzi: analisi retorico-letteraria di 1Cor 4. [D]*Brodeur, Scott*: TGr.T 139: R 2006, E.P.U.G. 404 pp. 88-7839-079-8. Diss. Rome, Gregoriana; Bibl. 357-392.
7840 *Arzt-Grabner, Peter* 1 Cor. 4:6–a scribal gloss?. BN 130 (2006) 59-78.
7841 *Wanamaker, Charles A.* The power of the absent father: a socio-rhetorical analysis of 1 Corinthians 4:14-5:13. [F]LATEGAN, B.: NT.S 124: 2006 ⇒94. 339-364.
7842 *Hartog, Paul* 'Not even among the pagans' (1 Cor 5:1): Paul and SENECA on incest. [F]Aune, D.:. NT.S 122: 2006 ⇒4. 51-64.
7843 *Biguzzi, Giancarlo* "In interitum carnis" (1Cor 5,5). [F]FABRIS, R.: SRivBib 47: 2006 ⇒38. 251-259.
7844 *Thiselton, Anthony C.* Descriptive, evaluative, and persuasive meanings: 'the meaning of σάρξ in 1 Corinthians 5.5: a fresh approach in the light of logical and semantic factors' (1973). Thiselton on hermeneutics. 2006 <1973> ⇒318. 165-182.
7845 *Jepsen, G.R.* Dale Martin's '*arsenokoités* and *malakos*' tried and found wanting. CThMi 33 (2006) 397-405 [1 Cor 6,9-10].
7846 *Martin, Dale B.* Paul without passion: on Paul's rejection of desire in sex and marriage. Sex and the single Savior. 2006 <1997> ⇒270. 65-76 [1 Cor 7].
7847 *Caragounis, Chrys C.* What did Paul mean?: the debate on 1 Cor 7,1-7. EThL 82 (2006) 189-199.
7848 **Ntawuyankira, Joseph** Le mariage dans 1 Co 7,1-40. [D]*Gieniusz, A.* 2006, Diss. Rome, Urbaniana [RTL 38,620].
7849 *Arzt-Grabner, Peter; Kritzer, Ruth E.* Bräutigam und Braut oder Vater und Tochter?: Literarisches und Dokumentarisches zu 1 Kor 7,36-38. BN 129 (2006) 89-102.

G5.4 *Idolothyta... Eucharistia*: **1 Cor 8-11**

7850 **Fotopoulos, John** Food offered to idols in Roman Corinth: a social-rhetorical reconsideration of 1 Corinthians 8:1-11:1. WUNT 2/151: 2003 ⇒19,7632... 21,8148. [R]ThLZ 131 (2006) 168-170 (*Koch, Dietrich-Alex*); BS 163 (2006) 124-126 (*Fantin, Joseph D.*).
7851 *Fotopoulos, John* The misidentification of Lerna Fountain at Corinth: implications for interpretations of the Corinthian idol-food issue (1 Cor 8:1-11,1). [F]AUNE, D.: NT.S 122: 2006 ⇒4. 37-50.
7852 **Gäckle, Volker** Die Starken und die Schwachen in Korinth und Rom. zur Herkunft und Funktion der Antithese in 1Kor 8,1-11,1 und Röm 14,1-15,13. WUNT 2/200: 2005 ⇒21,8150. [R]JETh 20 (2006) 216-8 (*Baumert, Manfred*); RHPhR 86 (2006) 437-438 (*Grappe, C.*).
7853 *Hahn, Ferdinand* Das Herrenmahl bei Paulus. Studien zum NT, II. WUNT 192: 2006 <1998> ⇒231. 323-333.
7854 *Rouwhorst, Gerard* Table community in early christianity. A holy people. 2006 ⇒565. 69-84.

7855 **Smith, Dennis E.** From symposium to eucharist: the banquet in the early christian world. 2002 ⇒18,7125... 21,8155. ᴿJQR 96 (2006) 263-267 (*Lieber, Andrea*).

7856 **Coutsoumpos, Panayotis** Paul and the Lord's Supper: a socio-historical investigation. Studies in Biblical literature 84: 2005 ⇒21, 8159. ᴿRBLit (2006)* (*Heyman, George*) [1 Cor 8,10-20].

7857 *Sisson, Russell B.* Abductive logic and rhetorical structure in 1 Corinthians 9. ProcGLM 26 (2006) 93-100.

7858 *Gräßer, Erich* Noch einmal: "Kümmert sich Gott etwa um die Ochsen?". ZNW 97 (2006) 275-279.

7859 *Verbruggen, J.L.* Of muzzles and oxen: Deuteronomy 25:4 and 1 Corinthians 9:9. JETS 49 (2006) 699-711.

7860 *Hahn, Ferdinand* Teilhabe am Heil und Gefahr des Abfalls: eine Auslegung von 1 Kor 10,1-22. Studien zum NT, II. WUNT 192: 2006 <1981> ⇒231. 335-357.

7861 *Wet, B.W. de* 'n Christosentriese koinonia-dinamiek agter Paulus se hantering van sekere problematiek in 1 Korintiërs. VeE 27 (2006) 821-835 [1 Cor 10,14-22].

7862 *Böhm, Martina* 1 Kor 11,2-16: Beobachtungen zur paulinischen Schriftrezeption und Schriftargumentation im 1. Korintherbrief. ZNW 97 (2006) 207-234.

7863 *Payne, P.B.* Wild hair and gender equality in 1 Corinthians 11:2-16. Priscilla Papers [Mp] 20/3 (2006) 9-15, 18.

7864 **Økland, Jorunn** Women in their place: Paul and the Corinthian discourse of gender and sanctuary space. JSNT.S 269: 2004 ⇒20,7667; 21,8174. ᴿJSNT 29 (2006) 241-243 (*Oakes, Peter*); CBQ 68 (2006) 549-551 (*Osiek, Carolyn*) [1 Cor 11,2-16; 14,33-36].

7865 *Johnson, A.F.* A meta-study of the debate over the meaning of 'head' (*kephalē*) in Paul's writings. Priscilla Papers [Mp] 20/4 (2006) 21-29 [1 Cor 11,3].

7866 *Kroeger, C.C.* Toward an understanding of ancient conceptions of 'head'. Priscilla Papers [Mp] 20/3 (2006) 4-8.

7867 *Romerowski, Sylvain* L'"exousia" sur la tête en 1 Corinthiens 11.10. ThEv(VS) 5/2 (2006) 147-166 .

7868 *Kirchschläger, Walter* Über die Zulassung zur Herrenmahlfeier: neutestamentliche Erwägungen. ThZ 62 (2006) 107-124 [Mt 22,11-14; Acts 2,42-46; 1 Cor 11,17-34].

7869 *Legrand, Hervé* Communion eucharistique et communion ecclésiale: une lecture de la première lettre aux Corinthiens. StCan 40/1 (2006) 5-30 [1 Cor 11,17-34].

7870 *Surburg, M.P.* The situation at the Corinthian Lord's Supper in light of 1 Corinthians 11:21: a reconsideration. ConJ 32 (2006) 17-37.

7871 *Hengel, Martin* Das Mahl in der Nacht, 'in der Jesus ausgeliefert wurde' (1 Kor 11,23). Studien zur Christologie. WUNT 201: 2006 <2004> ⇒237. 451-495 [1 Cor 11,23-25].

G5.5 1 Cor 12s... Glossolalia, charismata

7872 *Ghiberti, Giuseppe* I "santi profeti" (Lc 1,70; At 3,21; 2Pt 3,2): la santità nella mediazione della parola di Dio. ᶠFABRIS, R.: SRivBib 47: 2006 ⇒38. 225-234.

7873 *Hahn, Ferdinand* Wirken und Reden urchristlicher Propheten. ^FGALI-
TIS, G. 2006 ⇒49. 245-259.

7874 *Hanges, James C.* Interpreting glossolalia and the comparison of
comparisons. Comparing religions. SHR 113: 2006 ⇒529. 181-218.

7875 *Price, Robert M.* Concerning pneumatics: ecclesiastical authority vs.
spiritual power in 1 Corinthians 12-14. JHiC 12/1 (2006) 132-139.

7876 *Rodríguez Ruiz, Miguel* El ministerio apostólico en relación con los
demás ministerios y carismas según el Nuevo Testamento, especial-
mente las cartas paulinas. ^FRODRÍGUEZ CARMONA, A. 2006 ⇒138.
302-320.

7877 *Thiselton, Anthony C.* 'Meanings and Greek translation relating to
'spiritual gifts' in 1 Corinthians 12-14: some proposals in the light of
philosophy of language, speech-act theory and exegesis' (paper de-
livered 2000, new essay). Thiselton on hermeneutics. 2006 ⇒318.
335-347.

7878 *Vanhoye, Albert* L'utilité des χαρίσματα selon 1 Cor 12-14. ^FGALITIS,
G. 2006 ⇒49. 573-582.

7879 *Goede, H.; Van Rensburg, F.J.* Paulus se liggaam-metafoor in 1 Ko-
rintiërs 12 in literêr-historiese konteks. HTSTS 62 (2006) 1423-37.

7880 **Lee, Michelle V.** Paul, the Stoics, and the body of Christ. ^D*Attridge,
Harold*: MSSNTS 137: C 2006, CUP xiii; 224 pp. $90. 0-521-8645-
4-2. Diss. Notre Dame; Bibl. 201-214 [1 Cor 12].

7881 **Fraile Yecora, Pedro** La perfección en la caridad. 2006, 420 pp.
Diss. Salamanca [RTL 38,618] [1 Cor 13].

7882 *Thiselton, Anthony C.* Exegesis, lexicography and theology: '"love,
the essential and lasting criterion", 1 Corinthians 13:1-7' (2000).
Thiselton on hermeneutics. 2006 <2000> ⇒318. 305-334.

7883 **Choi, Sung-Bok** Glossolalie und christliche Existenz: das Glossolali-
enverständnis des Paulus im Ersten Korintherbrief (1Kor 14): eine
religionstheologische Orientierung des christlichen Glaubens. ^D*Lin-
demann, Andreas* 2006, Diss. Bethel [ThRv 103/2,iv].

7884 *Thiselton, Anthony C.* Greek lexicography and the context of argu-
ment: 'the "interpretation" of tongues: a new suggestion in the light
of Greek usage in PHILO and JOSEPHUS' (1979). Thiselton on herme-
neutics. 2006 <1979> ⇒318. 247-265 [1 Cor 14,13].

7885 *Ebojo, E.B.* Should women be silent in the churches?: women's audi-
ble voices in the textual variants of 1 Corinthians 14:34-35. Trinity
Theological Journal [Singapore] 14 (2006) 1-33.

7886 *Stettler, Christian* The "Command of the Lord" in 1 Cor 14,37–a say-
ing of Jesus?. Bib. 87 (2006) 42-51 [Mt 7,21-23].

G5.6 **Resurrectio**; *1 Cor 15*...[⇒F5.6]

7887 *Boers, Hendrikus* The meaning of Christ's resurrection in Paul. Res-
urrection: the origin. 2006 ⇒705. 104-137 [Dan 12; 2 Macc 7].

7888 *Charlesworth, James* Prolegomenous reflections towards a taxonomy
of resurrection texts (1QHa, 1En, 4Q521, Paul, Luke, the fourth gos-
pel, and Psalm 30). ^FCHARLESWORTH, J. 2006 ⇒19. 237-264.

7889 *Hengel, Martin* Das Begräbnis Jesu bei Paulus und die leibliche Auf-
erstehung aus dem Grabe. Studien zur Christologie. WUNT 201:
2006 <2001> ⇒237. 386-450.

7890	*Nowell, Irene* The communion of saints. BiTod 44 (2006) 106-110.
7891	*Perkins, J.* Fictive *Scheintod* and christian resurrection. RelT 13 (2006) 396-418.
7892	**Setzer, Claudia** Resurrection of the body in early Judaism and early christianity: doctrine, community, and self-definition. 2004 ⇒20, 7697; 21,8202. [R]CBQ 68 (2006) 158-160 (*Chilton, Bruce*); JECS 14 (2006) 235-236 (*Johnson, Aaron P.*).
7893	*Trottmann, Christian* Vision béatifique et résurrection de la chair: quelques remarques historiques et doctrinales. Théophilyon 11/2 (2006) 293-316.

7894	*Moltmann, Jürgen* Ancestor respect and the hope of resurrection. SiChSt 1 (2006) 13-27 [Rom 14,9; 1 Cor 7,14; 1 Pet 3,18].
7895	**Janssen, Claudia** Anders ist die Schönheit der Körper: Paulus und die Auferstehung in 1 Kor 15. 2005 ⇒21,8204. [R]ThLZ 131 (2006) 850-853 (*Lindemann, Andreas*).
7896	*Novo, Alfonso* El testimonio sobre la resurrección de Cristo en 1Cor 15. Comp. 51 (2006) 7-25.
7897	**Schneider, Sebastian** Auferstehen: eine Deutung von 1 Kor 15. FzB 105: 2005 ⇒21,8206. [R]ThLZ 131 (2006) 848-850 (*Lindemann, Andreas*).
7898	*Sim, David C.* The appearances of the risen Christ to Paul: identifying their implications and complications. ABR 54 (2006) 1-12 [1 Cor 15; Gal 1].
7899	*MacGregor, Kirk R.* 1 Corinthians 15:3b-6a,7 and the bodily resurrection of Jesus. JETS 49 (2006) 225-234.
7900	*Buttigieg, Charles* First Christ, then those of Christ ...so that God may be all in all: the text of 1 Cor 15:20-28 and its context. MTh 57/1 (2006) 17-27.
7901	**Hull, Michael F.** Baptism on account of the dead (1 Cor 15:29): an act of faith in the resurrection. Academia biblica 22: 2005 ⇒21, 8210. [R]RBLit (2006)* (*Garland, David; Nicklas, Tobias*).
7902	*Patrick, James E.* Living rewards for dead apostles: 'Baptised for the dead' in 1 Corinthians 15.29. NTS 52 (2006) 71-85.
7903	*Williams, Guy* An apocalyptic and magical interpretation of Paul's beast fight in Ephesus (1 Corinthians 15:32). Ment. ORIGENES. JThS 57 (2006) 42-56.
7904	*Strube, Sonja* "Anders ist der Glanz des Mondes"–meditative Laien-Bibellektüre als exegetischer Erkenntnisgewinn: zwei Exegesen zu 1 Kor 15,35-44. [F]UNTERGASSMAIR, F. 2006 ⇒161. 93-107.
7905	*Jones, P.* Paul confronts paganism in the church: a case study of First Corinthians 15:45. JETS 49 (2006) 713-737.
7906	*Lambrecht, Jan* Paul as διάκονος: the line of thought in 1 Corinthians 16:21-24. [F]GALITIS, G. 2006 ⇒49. 355-363.

G5.9 **Secunda epistula ad Corinthios**

7907	*Becker, Eve-Marie* 2. Korintherbrief. Paulus: Leben.... UTB 2767: 2006 ⇒491. 164-191.
7908	*De la Serna, Eduardo* Seconda lettera ai Corinzi. Nuovo commentario biblico. 2006 ⇒455. 301-356.

7909 *Galanis, Ioannis L.* The theological character of diakonia in the second epistle to the Corinthians. [F]GALITIS, G. 2006 ⇒49. 229-244.

7910 **Gargano, Innocenzo** Lectio divina sulla Seconda Lettera ai Corinti. Conversazioni bibliche: Bo 2006, EDB 164 pp. 88-10-70993-4.

7911 **Goulder, Michael D.** Paul and the competing mission in Corinth. Library of Pauline Studies: 2001 ⇒17,6728... 21,8213. [R]JBSt 6/1 (2006) 22-33* (*Hartog, Paul*).

7912 **Gräßer, Erich** Der zweite Brief an die Korinther, 2: Kapitel 8,1-13, 13. ÖTBK 8/2; GTBS 514: 2005 ⇒21,8214. [R]ThLZ 131 (2006) 376-378 (*Heckel, Theo K.*).

7913 **Harris, Murray J.** The second epistle to the Corinthians: a commentary on the Greek text. NIGTC: 2005 ⇒21,8216. [R]BBR 16/1 (2006) 173-176 (*Blomberg, Craig L.*); Interp.. 60 (2006) 334-336 (*Peterson, Brian*); TrinJ 27 (2006) 167-168 (*Fay, Ron C.*); BBR 16 (2006) 373-374 (*Davids, Peter H.*); LASBF 56 (2006) 654-657 (*Chrupcała, Lesław D.*).

7914 **Hughes, R. Kent** 2 Corinthians: power in weakness. Wheaton, IL 2006, Crossway 270 pp. $25. 158134-7634. [R]BS 163 (2006) 377-378 (*Waters, Larry J.*).

7915 **Long, Fredrick J.** Ancient rhetoric and Paul's apology: the compositional unity of 2 Corinthians. MSSNTS 131: 2004 ⇒20,7712; 21, 8218. [R]Neotest. 40 (2006) 208-210 (*Van der Merwe, Dirk*).

7916 *Lorusso, Giacomo* La 2ª ai Corinzi e l'autenticità della missione. Rivista di science religiose 20 (2006) 329-340 [Prov 6].

7917 *Loubser, J.A.* Ethos and ethics in 2 Corinthians: Paul's higher ethical reasoning in preparation for his third visit to a congregation that were about to become his enemies. Identity, ethics. BZNW 141: 2006 ⇒ 795. 219-240.

7918 [T]**Mondin, Battista** Seconda Lettera ai Corinzi; Lettera ai Galati. S. TOMMASO d'Aquino, Commento al Corpus Paulinum 3: Bo 2006, Studio Domenicano 923 pp. €140. 88-7094-564-2.

7919 **Pitta, Antonio** La seconda lettera ai Corinzi. Commenti biblici: R 2006, Borla 629 pp. €56. 978-88263-16104.

7920 *Schmeller, Thomas* Écrire aujourd'hui un commentaire (sur 2 Co): qu'est-ce que cela signife?. RevSR 80 (2006) 243-252.

7921 **Stegman, Thomas** The character of Jesus: the linchpin to Paul's argument in 2 Corinthians. AnBib 158: 2005 ⇒21,8225. [R]ThLZ 131 (2006) 1286-1288 (*Schmeller, Thomas*); Bib. 87 (2006) 570-573 (*Aletti, Jean-Noël*); RBLit (2006)* (*Verbrugge, Verlyn*); JThS 57 (2006) 261-262 (*Gooder, Paula*).

7922 [T]**Stroobant de Saint-Eloy, Jean-Eric** THOMAS d'Aquin: commentaire de la deuxième épître aux Corinthiens. 2005 ⇒21,8226. [R]EeV 144 (2006) 23 (*Cothenet, Edouard*); CTom 133 (2006) 166-67 (*Cellada, Gregorio*); RThPh 137 (2006) 66-67 (*Borel, Jean*).

7923 *Anne-Etienne* La vie de l'apôtre Paul traversée par le mystère pascal: une lecture de 2 Corinthiens 1-5. FV 105/4 (2006) 43-52.

7924 *Hahn, Ferdinand* Das Ja des Paulus und das Ja Gottes: Bemerkungen zu 2Kor 1,12-2,1. <1973>;

7925 Ist das textkritische Problem von 2 Kor 1,17 lösbar?. Studien zum NT, II. WUNT 192: 2006 <1986> ⇒231. 359-369/371-378.

7926 **Kuschnerus, Bernd** Die Gemeinde als Brief Christi: die kommunikative Funktion der Metapher bei Paulus am Beispiel von 2 Kor 2-5.

FRLANT 197: 2002 ⇒18,7228; 19,7704. ᴿBZ 50 (2006) 140-142 (*Schmeller, Thomas*).

7927 **Back, Frances** Verwandlung durch Offenbarung bei Paulus: eine religionsgeschichtlich-exegetische Untersuchung zu 2 Kor 2,14-4,6. WUNT 2/153: 2002 ⇒18,7229... 20,7717. ᴿBZ 50 (2006) 281-283 (*Dautzenberg, Gerhard*); SEÅ 71 (2006) 260-261 (*Mika, Åsa*).

7928 **Schröter, Jens** Der versöhnte Versöhner: Paulus als unentbehrlicher Mittler im Heilsvorgang zwischen Gott und Gemeinde nach 2 Kor 2,14-7,4. TANZ 10: 1993 ⇒9,6151... 14,6166. ᴿNeues Testament und Kirche 156-173 ⇒232 (*Hainz, Josef*).

7929 **Aus, Roger D.** Imagery of triumph and rebellion in 2 Corinthians 2: 14-17 and elsewhere in the epistle: an example of the combination of Greco-Roman and Judaic traditions in the Apostle Paul. 2005 ⇒21, 8230. ᴿCBQ 68 (2006) 751-752 (*Albl, Martin C.*); RBLit (2006)* (*Long, Fredrick J.*); JBL 125 (2006) 823-824 (*Crossley, James G.*).

7930 *McDermott, John M.* II Cor. 3: the old and new covenants. Gr. 87 (2006) 25-63.

7931 *Renouard, C.* 2 Corinthiens 3,1-18: un nouveau visage, un nouveau regard. LeD 68 (2006) 38-48.

7932 *Quesnel, Michel* Le voile ne résiste pas au souffle de l'esprit: 2 Co 3,17a. RB 113 (2006) 457-466.

7933 *Benware, Wilbur A.* Second Corinthians 3.18 and cognitive grammar: *apo doxēs eis doxan*. BiTr 57 (2006) 44-50.

7934 **Lindgård, Fredrik** Paul's line of thought in 2 Corinthians 4:16-5:10. WUNT 2/189: 2005 ⇒21,8236. ᴿThLZ 131 (2006) 378-379 (*Vogel, Manuel*); BZ 50 (2006) 283-286 (*Dautzenberg, Gerhard*); JThS 57 (2006) 263-264 (*Gooder, Paula*).

7935 **Vogel, Manuel** Commentatio mortis: 2Kor 5,1-10 auf dem Hintergrund antiker ars moriendi. FRLANT 214: Gö 2006, Vandenhoeck & R. 408 pp. €84. 3-525-53078-1. Bibl. 383-397.

7936 *Jacon, Christophe* 2 Corinthiens 5,1-21: le temps de la tente. LeD 70 (2006) 27-37.

7937 *Hanhart, Karel* Aangekleed of uitgekleed?: 2 Korintiërs 5:3 in de 26e editie van Nestle-Aland. ITBT 14/3 (2006) 19-21.

7938 *Hengel, Martin* Der Kreuzestod Jesu Christi als Gottes souveräne Erlösungstat: Exegese über 2. Korinther 5,11-21. Studien zur Christologie. WUNT 201: 2006 <1967> ⇒237. 1-26.

7939 *Hahn, Ferdinand* 'Siehe, jetzt ist der Tag des Heils': Neuschöpfung und Versöhnung nach 2. Korinther 5,14-6,2. Studien zum NT, II. WUNT 192: 2006 <1973> ⇒231. 313-322.

7940 *Hofius, Otfried* Das Wort von der Versöhnung und das Gesetz. ᶠBURCHARD, C.: NTOA 57: 2006 ⇒13. 75-86 [2 Cor 5,18-21].

7941 *Grelot, P.* Comment traduire 2 Co 5,21?. RB 113 (2006) 94-99.

7942 *Rabens, Volker* Coming out: "bible-based" identity formation in 2 Corinthians 6:14-7:1. Gotteswort und Menschenrede. 2006 ⇒371. 43-66 [Isa 52,11].

7943 *Schmeller, Thomas* Der ursprüngliche Kontext von 2 Kor 6.14-7.1: zur Frage der Einheitlichkeit des 2. Korintherbriefs. NTS 52 (2006) 216-238.

7944 *Eckert, Jost* Von der Armut Christi und dem Reichtum der Glaubenden (2 Kor 8,9). ᶠUNTERGASSMAIR, F. 2006 ⇒161. 253-262.

7945 *Caner, D.* Towards a miraculous economy: christian gifts and material 'blessings' in late antiquity. JECS 14 (2006) 329-377 [2 Cor 9,5-12].

7946   *Brink, Laurie* A general's exhortation to his troops: Paul's military rhetoric in 2 Cor 10:1-11. BZ 50 (2006) 74-89.
7947   *Pitta, Antonio* Il "discorso del pazzo" o periautologia immoderata?: analisi retorico-letteraria di 2 Cor 11,1-12,18. Bib. 87 (2006) 493-510.
7948   *Duling, Dennis C.* 2 Corinthians 11:22: historical context, rhetoric, and ethnic identity. [F]*Aune, D.*: NT.S 122: 2006 ⇒4. 65-89.
7949   *Kea, Perry V.* Second Corinthians 11:22-33 and related texts. Forum 7 (2004) 211-228 {Phil 3,1-11].
7950   *Bunine, Alexis* La date de la première visite de Paul à Jérusalem. Ment. *Campbell, D.*; *Saulnier, C.*: RB 113 (2006) 436-456, 601-622 [2 Cor 11,32-33].

G6.1 Ad Galatas

7951   **Asano, Atsuhiro** Community-identity construction in Galatians: exegetical, social-anthropological and socio-historical studies. JSNT.S 285: 2005 ⇒21,8253. [R]BBR 16 (2006) 374-6 (*Gombis, Timothy G.*).
7952   **Barnes, Peter** A study commentary on Galatians. Webster, NY 2006, Evangelical 364 pp. $30.
7953   *Breytenbach, Cilliers* "Not according to human criteria": Bernard Lategan's reading of Galatians in a crumbling Apartheid state. [F]LATEGAN, B.: NT.S 124: 2006 ⇒94. 53-67.
7954   *Buchhold, Jacques* Église, islam et société: une lecture théologico-politique de l'épître aux Galates. ThEv(VS) 5/1 (2006) 19-30.
7955   **Buscemi, Alfio Marcello** Lettera ai Galati: commentario esegetico. ASBF 63: 2004 ⇒20,7740. [R]CDios 219 (2006) 839-841 (*Gutiérrez, Jesús*); Bib. 87 (2006) 290-293 (*Romanello, Stefano*); RBLit (2006)* (*West, James*).
7956   *Cheng, Patrick S.* Galatians. Queer bible commentary. 2006 ⇒2417. 624-629.
7957   [T]**Cooper, Stephen Andrew** Marius VICTORINUS' Commentary on Galatians: introduction, translation, and notes. 2005 ⇒21,8257. [R]JThS 57 (2006) 728-729 (*Meredith, Anthony*).
7958   *Ebner, Martin* Nachdem die Worte des Briefes verklungen waren...: ein narrativer Versuch zur Erstrezeption des Galaterbriefes. [F]UNTERGASSMAIR, F. 2006 ⇒161. 109-116.
7959   *Frey, Jörg* Galaterbrief. Paulus: Leben.... UTB 2767: 2006 ⇒491. 192-216.
7960   *Hoehner, Harold W.* Did Paul write Galatians?. [F]ELLIS, E. 2006 ⇒ 36. 150-169.
7961   *Just, A.A.* The faith of Christ: a Lutheran appropriation of Richard Hays's proposal. CTQ 70/1 (2006) 3-15.
       Karris, R. Galatians and Romans 2005 ⇒7619.
7962   *Leppä, Heiki* Reading Galatians with and without the book of Acts. Intertextuality. NTMon 16: 2006,⇒778. 255-263.
7963   *Mell, Ulrich* Der Galaterbrief als urchristlicher Gemeindeleitungsbrief. Paulus und Johannes. WUNT 198: 2006 ⇒6. 353-380.
7964   *Meynet, Roland* Solidarité humaine dans l'épître aux Galates. Etudes sur la traduction. 2006 <1998> ⇒274. 83-102.
       [T]**Mondin, B.** Aquinas: Seconda ai Corinzi; Galati 2006 ⇒7918.

7965 ^E**Plumer, Eric** AUGUSTINE's commentary on Galatians. Oxf 2006, OUP xvii; 294 pp.

7966 ^{ET}**Raspanti, Giacomo** S. HIERONYMI presbyteri ... Commentarii in Epistulam Pauli apostoli ad Galatas. CChr.SL 77A: Turnhout 2006, Brepols clxxx; 315 pp. 2-503-00773-2. Bibl. clxviii-clxxviii.

7967 *Söding, Thomas* Die Rechtfertigungstheologie des Galaterbriefes im Streit der Interpretationen. ThLZ 131 (2006) 1003-1020.

7968 *Tamez, Elsa* Lettera ai Galati. Nuovo commentario biblico. 2006 ⇒ 455. 357-385.

7969 *Tolmie, D. Francois* Liberty–love–the spirit: ethics and ethos according to the letter to the Galatians. Identity, ethics. BZNW 141: 2006 ⇒795. 241-255.

7970 *Vanhoye, Albert* La fede nella lettera ai Galati. ^FORTÍZ VALDIVIESO, P. 2006 ⇒123. 247-268.

7971 **Wiley, Tatha** Paul and the Gentile women: reframing Galatians. 2005 ⇒21,8286. ^RCBQ 68 (2006) 352-353 (*Kittredge, Cynthia B.*).

7972 *Yeo, Khiok-Khng* On Confucian *xin* and Pauline *pistis*. SiChSt 2 (2006) 25-51;

7973 Musing with CONFUCIUS (the *Analects*) and Paul (Galatians) on a 'theological-cultural' Chinese journey. AJTh 20/2 (2006) 385-398.

7974 *Díaz Rodelas, Juan Miguel* Pablo en Jerusalén: los datos de Gálatas. EstB 64 (2006) 485-495 [Gal 1].

7975 *Gignac, Alain* Une approche narratologique de *Galates*: état de la question et hypothèse générale de travail. ScEs 58 (2006) 5-22 [Gal 1-2];

7976 La gestion des personnages en Galates 1-2: pour que les narrataires s'identifient au héros 'Paul'. Et vous. 2006 ⇒760. 203-228.

7977 *Ortkemper, Franz-Josef* Paulus–Apostel durch Offenbarung: Galater 1,1-24. Apostel. entdecken: 2006 ⇒338. 74-83.

7978 *Artuso, Vicente* Desafios na evangelização dos Gálatas: estudo exegético-teológico de Gl 1,6-10. AtT 10 (2006) 105-117.

7979 *Schmidt, Daryl D.* Paul on Paul: Galatians 1:13-24. Forum 7 (2004) 177-194.

7980 *Müller, Christoph G.* Titus: Galater 2 und 2 Korinther. Die besten Nebenrollen. 2006 ⇒1164. 277-284.

7981 *Dabhi, James B.* Was Paul right?: reconstructing the issue narrated by Paul in Gal 2,1-10. BiBh 32 (2006) 225-244.

7982 **Zeigan, Holger** Aposteltreffen in Jerusalem: eine forschungsgeschichtliche Studie zu Galater 2,1-10 und den möglichen lukanischen Parallelen. ABIG 18: 2005 ⇒21,8297. ^RNeotest. 40 (2006) 222-226 (*Stenschke, Christoph*); ThLZ 131 (2006) 862-864 (*Wehnert, Jürgen*); EstAg 41 (2006) 343 (*Cineira, D.A.*); JETh 20 (2006) 222-226 (*Stenschke, Christoph*).

7983 **Mendoza Magallón, Pedro** "Estar crucificado juntamente con Cristo": el nuevo status del creyente en Cristo: estudio exegético-teológico de Gal 2,15-21 y Roma 6.5-11. TGr.T 122: 2005 ⇒21,8302. ^RRivBib 54 (2006) 110-111 (*Estrada, Bernardo*).

7984 *Hunn, Debbie* Πίστις Χριστοῦ in Galatians 2:16: clarification from 3:1-6. TynB 57 (2006) 23-33.

7985 *Shauf, Scott* Galatians 2.20 in context. NTS 52 (2006) 86-101.

7986 *Esler, Philip F.* Paul's contestation of Israel's (ethnic) memory of Abraham in Galatians 3. BTB 36 (2006) 23-34.

7987 **Wakefield, Andrew H.** Where to live: the hermeneutical significance of Paul's citations from scripture in Galatians 3:1-14. Academia biblica 14: 2003 ⇒19,7761... 21,8309. ᴿThLZ 131 (2006) 286-287 (*Lührmann, Dieter*).

7988 **Rastoin, Marc** Tarse et Jérusalem: la double culture de l'Apôtre Paul en Galates 3,6-4,7. AnBib 152: 2003 ⇒19,7762... 21,8310. ᴿETR 81 (2006) 126-127 (*Gloor, Daniel*); ZKTh 128 (2006) 298-9 (*Kowalski, Beate*).

7989 *O'Brien, Kelli S.* The curse of the law (Galatians 3.13): crucifixion, persecution, and Deuteronomy 21.22-23. JSNT 29 (2006) 55-76.

7990 *Sänger, Dieter* "Das Gesetz ist unser παιδαγωγὸς geworden bis zu Christus (Gal 3,24). ᶠBURCHARD, C.: NTOA 57: 2006 ⇒13. 236-260.

7991 *Smith, Michael J.* The role of the pedagogue in Galatians. BS 163 (2006) 197-214 [Gal 3,24-25].

7992 *Saldanha, Assis* "The faith of Christ": the objective basis of the unity between Jew and Greek. ITS 43 (2006) 425-469 [Gal 3,26-29].

7993 *Castleman, R.F.* The last word: gender, grace and a Greek conjunction. Themelios 32/1 (2006) 57-59 [Gal 3,28].

7994 *Downing, F.G.* The nature(s) of christian women and men. Theol. 108 (2006) 178-184 [Gal 3,28].

7995 *Martin, Dale B.* The queer history of Galatians 3:28 'no male or female'. Sex and the single Savior. 2006 ⇒270. 77-90.

7996 *Beltrán Flores, Agustín* Análisis de Gál 4,1-7: elaboración de un método exegético pastoral. Qol 41 (2006) 83-116.

7997 *Punt, Jeremy* Revealing rereading: part 1: Pauline allegory in Galatians 4:21-5:1. Neotest. 40 (2006) 87-100;

7998 Revealing rereading: part 2: Paul and the wives of the father of faith in Galatians 4:21-5:1. Neotest. 40 (2006) 101-118.

7999 *Di Mattei, Steven* Paul's allegory of the two covenants (Gal 4.21-31) in light of first-century Hellenistic rhetoric and Jewish hermeneutics. NTS 52 (2006) 102-122 [Gen 16-17; Isa 54,1].

8000 *Russell, Letty M.* Twists and turns in Paul's allegory. Hagar, Sarah. 2006 ⇒481. 71-97 [Gal 4,21-31].

8001 *Eastman, Susan G.* 'Cast out the slave woman and her son': the dynamics of exclusion and inclusion in Galatians 4.30. JSNT 28 (2006) 309-336 [Gen 21,10].

8002 **Schewe, Susanne** Die Galater zurückgewinnen: paulinische Strategien in Galater 5 und 6. FRLANT 208: 2005 ⇒21,8323. ᴿThRv 102 (2006) 469-470 (*Dautzenberg, Gerhard*).

8003 *Mageto, P.* Toward an ethic of shared responsibility in Galatians 5:13-15. ERT 30 (2006) 86-94.

8004 *Loubser, G.M.H.* The ethic of the free: a walk according to the Spirit!: a perspective from Galatians. VeE 27 (2006) 614-640 [Gal 5,13-24].

8005 *Wilson, Todd A.* The law of Christ and the law of Moses: reflections on a recent trend in interpretation. CuBR 5 (2006) 123-144 [Gal 6,2].

8006 *Barrier, J.W.* Paul and his master: defining and applying a postcolonial definition to Galatians 6:17. Council of Societies for the Study of Religion Bulletin [Houston, TX] 35/2 (2006) 34-38.

G6.2 **Ad Ephesios**

8007 *Beißer, Friedrich* Wann und von wem könnte der Epheserbrief verfasst worden sein?. KuD 52 (2006) 151-164.

8008 *Campbell, William S.* Unity and diversity in the church: transformed identities and the peace of Christ in Ephesians. IBSt 27/1 (2006) 4-23.

8009 **Darko, Daniel** Ethics in Ephesians: a social-scientific story of tension between differentiation and integration in the paranesis of Ephesians. ^{D}*Adams, Edward* 2006, Diss. King's College, London [RTL 38,618].

8010 *Dunning, Benjamin H.* Strangers and aliens no longer: negotiating identity and difference in Ephesians. HThR 99 (2006) 1-16.

8011 *Gosnell, Peter W.* Honor and shame rhetoric as a unifying motif in Ephesians. BBR 16 (2006) 105-128.

8012 *Goss, Robert E.* Ephesians. Queer bible commentary. 2006 ⇒2417. 630-638.

8013 **Hoehner, Harold W.** Ephesians: an exegetical commentary. 2002 ⇒ 18,7349... 21,8333. ^{R}BBR 16/1 (2006) 179-181 (*Wolfe, B. Paul*).

8014 *Klingbeil, Gerald A.* Metaphors and pragmatics: an introduction to the hermeneutics of metaphors in the epistle to the Ephesians. BBR 16 (2006) 273-293;

8015 Exclusivism versus inclusivism: citizenship in the pentateuch and its metaphorical usage in Ephesians. JAAS 9 (2006) 129-144.

8016 **Leclerc, Eloi** Le Père immense: une lecture de la lettre de saint Paul aux Ephésiens. P 2006, Desclée de B. 130 pp. €16. 22200-57064.

8017 *Malan, Francois S.* Unity of love in the body of Christ: identity, ethics and ethos in Ephesians. Identity, ethics. BZNW 141: 2006 ⇒ 795. 257-287.

8018 *Marks, E.* The mingled spirit in Ephesians–the secret of experiencing Christ for the building up and reality of the body of Christ. Affirmation & Critique [Anaheim, CA] 11/2 (2006) 16-30.

8019 **Martin, Aldo** La tipologia adamica nella lettera agli Efesini. AnBib 159: 2005 ⇒21,8337. ^{R}ScC 134 (2006) 729-731 (*Scanziani, Francesco*).

8020 **Mazur, Roman** La retorica della lettera agli Efesini. ^{D}*Buscemi, A.M.* J 2006, 451 pp. Diss. SBF [LASBF 56,711-718].

8021 **Neri, Umberto** Il mistero di Cristo e l'unità della chiesa suo corpo: catechesi biblica sulla lettera agli Efesini. Sussidi biblici 93: Reggio Emilia 2006, San Lorenzo 160 pp. 88-8071-170-9.

8022 *Quiroga, Raúl* El cuerpo come metáfora de la unidad doctrinal por los dones. DavarLogos 5/2 (2006) 161-181.

8023 **Reynier, Chantal** L'épître aux Éphésiens. Commentaire biblique: NT 10: 2004 ⇒20,7811. ^{R}EeV 116/5 (2006) 22-23 (*Trimaille, Michel*); ScEs 58 (2006) 85-88 (*Gourgues, Michel*).

8024 *Sánchez Bosch, Jordi* Lettera agli Efesini. Nuovo commentario biblico. 2006 ⇒455. 386-418.

8025 **Yee, Tet-Lim N.** Jews, gentiles and ethnic reconciliation: Paul's Jewish identity and Ephesians. MSSNTS 130: 2005 ⇒21,8352. ^{R}SiChSt 1 (2006) 199-202 (*Chia, Samuel*); JR 86 (2006) 461-463 (*Arnold, Clinton E.*); JSNT 28 (2006) 375-376 (*Shkul, Minna A.I.*);

RBLit (2006)* (*Park, Eung C.*); JThS 57 (2006) 662-667 (*Lincoln, Andrew T.*).

8026 **Yoder Neufeld, Thomas R.** Ephesians. Believers Church Bible Comm. 2002 ⇒18,7353. ^RRExp 103 (2006) 424-425 (*Kuhl, Roland*).

8027 *Bovone, Maria R.* 1QS XI,2b-22: una berakah alle origini di Ef 1,3-10. ^FFABRIS, R.: SRivBib 47: 2006 ⇒38. 261-277.

8028 *Hoppe, Rudolf* Erinnerung an Paulus: Überlegungen zur Eulogie des Epheserbriefes (Eph 1,3-14). ^FMUSSNER, F.: SBS 209: 2006 ⇒117. 281-299.

8029 *Marenco, Mariarita* Alle radici di Ef 1,3-14: una b^erakāh proveniente da Qumran (1QS XI,2b-22). ATT 12/1 (2006) 23-43.

8030 *Martin, A.V.* The Ephesian moment: the possiblities of cultural reconciliation in a cosmopolitan environment. DoLi 55/8-9 (2006) 24-77 [Eph 2,13-14].

8031 *Kreitzer, Larry J.* The messianic man of peace as temple builder: Solomonic imagery in Ephesians 2.13-22. Temple & worship. LHBOTS 422: 2006 ⇒716. 484-512.

8032 *Joosten, Jan* Grammar and theology in Ephesians 2:15. ^FCIGNELLI, L.: SBFA 68: 2006 ⇒21. 331-336.

8033 *Pereyra, Roberto* Metáforas de la unidad corporativa de la iglesia: un estudio de Éfe 2:18-22. Theologika 21/1 (2006) 28-52.

8034 *Gentry, Peter J.* Speaking the truth in love (Eph 4:15): life in the new covenant community. Southern Baptist Convention 10/2 (2006) 70-87 [Eph 4,1-6,20].

8035 *Jolivet, Ira J.* The ethical instructions in Ephesians as the unwritten statutes and ordinances of God's new temple in Ezekiel. RestQ 48/4 (2006) 193-210 [Ezek 40-48; Eph 4,1-6,20].

8036 *Enuwosa, Joseph* Unity in Ephesians 4:1-6 in African context. Biblical interpretation in African perspective. 2006 ⇒333. 175-189.

8037 *Rode, Daniel* Unidad y crecimiento eclesiológicos causados por la acción del Espíritu Santo según Efesios 4:1-6. DavarLogos 5/1 (2006) 53-59.

8038 *Toni, Roberto* Nel figlio la vita nuova (Ef 4,1-6). Horeb 15/2 (2006) 28-34.

8039 *Rode, Daniel* Unidad y crecimiento eclesiológicos preservados por la iglesia según Efesios 4:7-16. DavarLogos 5/2 (2006) 151-160.

8040 *Moreno García, Abdón* El regalo de los ministerios para edificar el cuerpo de Cristo (Ef 4,12-13). Salm. 53 (2006) 487-518.

8041 *Helton, Stanley N.* Ephesians 5:21: a longer translation note. RestQ 48 (2006) 33-41.

8042 *Pénicaud, Anne* Le couple, chemin d'alliance: une lecture d'Éphésiens 5,21-33. SémBib 124 (2006) 38-60.

8043 *Romerowski, Sylvain* La soumission de l'épouse au mari en Éphésiens 5: un cas particulier de soumission mutuelle?. RRef 57/5 (2006) 31-77 [Eph 5,21-33].

8044 **Veigas, Jacintha** The Ephesian Haustafel: a rhetorical-critical study of Ephesians 5,21-33. ^D*Garuti, P.* 2006, Diss. Rome, Angelicum [RTL 38,621].

8045 *Haag, Ernst* Die Waffenrüstung Gottes nach Jesaja 59: zur Vorgeschichte einer neutestamentlichen Paränese. TThZ 115 (2006) 26-49 [Wisd 5; Eph 6].

G6.3 **Ad Philippenses**

8046 **Aletti, Jean-Noël** Saint Paul épître aux Philippiens. EtB 55: 2005 ⇒ 21,8380. ᴿRivBib 54 (2006) 467-470 (*Pitta, Antonio*).

8047 *Bailey, J.A.* Perspective from prison: reading Philippians. Trinity Seminary Review [Columbus, OH] 27/2 (2006) 83-97.

8048 **Bianchi, Enzo** Vivere è Cristo: esercizi spirituali sulla lettera di Paolo ai Filippesi. CinB 2006, San Paolo 136 pp. €11.

8049 *Bormann, Lukas* Philipperbrief. Paulus: Leben.... UTB 2767: 2006 ⇒491. 217-232;

8050 Triple intertextuality in Philippians. Intertextuality. NTMon 16: 2006 ⇒778. 90-97.

8051 **Eckey, Wilfried** Die Briefe des Paulus an die Philipper und an Philemon: ein Kommentar. Neuk 2006, Neuk xix; 241 pp. €19.90. 3-7887-2145-6.

8052 *Filipič, Mirjana* Odnosnost veselja v Pismu Filipljanom [Relationality of joy in Philippians]. Bogoslovni Vestnik 66 (2006) 311-320. S.

8053 **Fowl, Stephen E.** Philippians. Two Horizons NT Comm.: 2005 ⇒ 21,8384. ᴿCBQ 68 (2006) 762-763 (*Oakes, Peter*).

8054 **Gargano, Innocenzo** Lettera ai Filippesi. Conversazioni bibliche: Bo 2006, EDB 160 pp. 88-10-70992-6.

8055 *Giesen, Heinz* Eschatology in Philippians. Paul and his theology. Pauline studies 3: 2006 ⇒462. 217-282.

8056 *Granados R., Juan M.* La función de la περιαυτολογία en la composición de la carta a los Filipenses. ᶠORTÍZ VALDIVIESO, P. 2006 ⇒ 123. 269-281.

8057 *Gräbe, Petrus J.* '...as citizens of heaven live in a manner worthy of the gospel of Christ...'. Identity, ethics. BZNW 141: 2006 ⇒795. 289-302.

8058 **Grün, Anselm** La vostra gioia sia piena: il messaggio di Paolo ai cristiani di Filippi. Brescia 2006, Queriniana 92 pp. €8. 88-399-2905-3;

8059 Vuestra alegría será perfecta: el mensaje de Pablo a los cristianos de Filipos. ST Breve 55: Sdr 2006, Sal Terrae 127 pp. 84-293-1653-1.

8060 *Marchal, Joseph A.* Imperial intersections and initial inquiries: toward a feminist, postcolonial analysis of Philippians. JFSR 22/2 (2006) 5-32;

8061 With friends like these...: a feminist rhetorical reconsideration of scholarship and the letter to the Philippians. JSNT 29 (2006) 77-106.

8062 **Marchal, Joseph A.** Hierarchy, unity, and imitation: a feminist rhetorical analysis of power dynamics in Paul's letter to the Philippians. SBL.Academia Biblica 24: Atlanta, GA 2006, Society of Biblical Literature viii; 261 pp. $40. 1-58983-243-4. Bibl. 217-247.

8063 *O'Kelly, Michele* The christology of the letter to the Philippians. MillSt 57 (2006) 55-79.

8064 *Ortiz, Pedro* Lettera ai Filippesi. Nuovo commentario biblico. 2006 ⇒455. 419-443.

8065 *Schlosser, Jacques* La figure de Dieu dans l'épître aux Philippiens. À la recherche de la parole. LeDiv 207: 2006 <1995> ⇒296. 537-560.

8066 **Silva, Moisés** Philippians. Baker Exegetical Comm. on NT: ²2005 ⇒ 21,8392. ᴿFaith & Mission 23/3 (2006) 87-89 (*Winstead, Melton*).

8067 **Smith, James A.** Marks of an apostle: deconstruction, Philippians, and problematizing Pauline theology. SBL.Semeia Studies 53: 2005 ⇒21,8393. ᴿRBLit (2006)* (*Marchal, Joseph; Koperski, Veronica*).

8068   *Tanis, Justin* Philippians. Queer bible commentary. 2006 ⇒2417.
       639-655.
8069   **Thurston, Bonnie Bowman; Ryan, Judith M.** Philippians and Phil-
       emon. Sacra Pagina 10: 2005 ⇒21,8395. [R]Way 45/3 (2006) 118-120
       (*Edmonds, Peter*); TJT 22 (2006) 85-86 (*Reid, Duncan*); RBLit
       (2006)* (*Punt, Jeremy*).
8070   *Vollenweider, Samuel* Politische Theologie im Philipperbrief?. Pau-
       lus und Johannes. WUNT 198: 2006 ⇒6. 457-469.
8071   **Wilk, Janusz** "Teologia kontaktu" na podstawie Listu sw. Pawła do
       Filipian i Dziejów Apostolskich 16. Studia i materiały Wydziału Teo-
       logicznego Universytetu Slaskiego w Katowicach 31: Katowice
       2006, Ksiegarnia sw. Jacka 227 pp. 83-7030-526-1. Bibl. 194-223
       [Acts 16]. P.

8072   *Holloway, Paul A.* Thanks for the memories: on the translation of
       Phil 1.3. NTS 52 (2006) 419-432.
8073   *Bittasi, Stefano* "... per scegliere ciò che conta di più" (Fil 1,10): il
       criterio cristologico dello scegliere nella lettera di san Paolo ai Filip-
       pesi. RdT 47 (2006) 831-849 [Phil 1,9-11].
8074   *Reumann, John* The (Greek) Old Testament in Philippians: 1:19 as
       parade example–allusion, echo, proverb?. [F]ELLIS, E. 2006 ⇒36. 189-
       200 [Job 13,16].
8075   **Williams, Demetrius** Enemies of the cross of Christ: a rhetorical
       analysis of the terminology of the cross and conflict in Philippians.
       JSNT.S 223: 2002 ⇒18,7397; 21,8401. [R]BiblInterp 14 (2006) 418-
       420 (*Oakes, Peter*) [Phil 2-3].
8076   *Heriban, Jozef* Zmýsl'ajte tak ako v Kristovi Ježišovi (*Flp* 2,5): otáz-
       ka interpretácie Pavlovho odporúčania vo *Flp* 2,5 v súvise s kristolo-
       gickým hymnom *Flp* 2,6-11 [Have the same mind among yourselves,
       which is in Christ Jesus (Phil 2,5)]. SBSl (2006) 58-78. **Slovak.**
8077   **Carbone, Clementina** La dimensione cristologica dell'obbedienza
       (Fil 2,5-11). Ravagnese (RC) 2006, Città del sole 101 pp. €12. 9788-
       87351-1083.
8078   *Jowers, D.W.* The meaning of μορφή in Philippians 2:6-7. JETS 49
       (2006) 739-766.
8079   *Penna, Romano* Dalla forma di Dio alla forma di schiavo: due cate-
       gorie culturali sullo sfondo di Fil 2,6-7. [F]FABRIS, R.: SRivBib 47:
       2006 ⇒38. 279-287.
8080   **Hellerman, Joseph H.** Reconstructing honor in Roman Philippi:
       Carmen Christi as cursus pudorum. MSSNTS 132: 2005 ⇒21,8404.
       [R]JRS 96 (2006) 314-315 (*Oakes, Peter*) [Phil 2,6-11].
8081   *Schwindt, Rainer* Zu Tradition und Theologie des Philipperhymnus.
       SNTU.A 31 (2006) 1-60 [Phil 2,6-11].
8082   *Tsui, Teresa Kuo-Yu* "Kenosis" in the letter of Paul to the Philip-
       pians: the way of the suffering Philippian community to salvation.
       LouvSt 31 (2006) 306-321 [Phil 2,6-11].
8083   *Lietaert Peerbolte, Bert J.* The name above all names (Philippians 2:
       9). The revelation of the name. 2006 ⇒796. 187-206 [Isa 45,23].
8084   **Bianchini, Francesco** L'elogio di sé in Cristo: l'utilizzo della periau-
       tologhia nel contesto di Filippesi 3,1-4,1. [D]*Aletti, Jean-Noël*: AnBib
       164: R 2006., E.P.I.B. 322 pp. 88-7653-164-5. Diss. Pont. Istituto
       Biblico; Bibl. 281-298.

8085 *Hoover, Roy W.* Loss and gain in the economy of heaven: Paul's polemic in Philippians 3:1B-11. Forum 7 (2004) 195-209.
8086 *Smith, Dennis E.* What DID Paul consider rubbish?: reconsidering Philippians 3:1B-11. Forum 7 (2004) 229-238.
8087 *Snyman, Andries* A rhetorical analysis of Philippians 3:1-11. Neotest. 40 (2006) 259-283.
8088 *Vosteen, Peter* Sharing Christ: Philippians 3:1-11. Kerux 21/2 (2006) 3-10.
8089 *Baldanza, Giuseppe* Il culto per mezzo dello Spirito (Fil 3,3). RivBib 54 (2006) 45-64.
8090 *Romanello, Stefano* La "conformazione" al mistero pasquale di Cristo quale elemento fondante l'identità del credente Paolo: Fil 3,7-11. ᶠFABRIS, R.: SRivBib 47: 2006 ⇒38. 289-302.
8091 *Snyman, Andreas H.* A rhetorical analysis of Philippians 3:12-21. APB 17 (2006) 327-348.
8092 *Smit, Peter-Ben* That's very sweet of you, my child, but no thanks: a note on Philippians 4:10-20 and Paul's parental authority. LecDif 6/1 (2006)*.
8093 *Barnet, John A.* Paul's reception of the gift from Philippi. SVTQ 50 (2006) 225-253 [Phil 4,15-19].
8094 *Baldanza, Giuseppe* La portata teologica di ὀσμή εὐωδίας in Fil 4,18. Laur. 47 (2006) 161-185.

G6.4 Ad Colossenses

8095 **Adamczewski, Bartosz** List do Filemona, List do Kolosan. Nowy komentarz biblijny.NT 12: Czestochowa 2006, Swietego Pawla 414 pp. 83-7424-199-3. Bibl. 365-379. **P.**
8096 **Bevere, Allan R.** Sharing in the inheritance: identity and the moral life in Colossians. JSNT.S 226: 2003 ⇒19,7853; 20,7846. ᴿBBR 16/1 (2006) 163-164 (*Paige, Terence*).
8097 *Bohache, Thomas* Colossians. Queer bible commentary. 2006 ⇒ 2417. 656-668.
8098 **Bugg, Laura Elizabeth** Baptism, bodies, and bonds: the rhetoric of empire in Colossians. 2006, Diss. Harvard [HThR 100,106].
8099 *Fee, Gordon D.* Old Testament intertextuality in Colossians: reflections on Pauline christology and Gentile inclusion in God's story. ᶠELLIS, E. 2006 ⇒36. 201-221.
8100 *Henderson, Suzanne W.* Taking liberties with the text: the Colossians household code as hermeneutical paradigm. Interp. 60 (2006) 420-432.
8101 *Mora Paz, César* Lettera ai Colossesi. Nuovo commentario biblico. 2006 ⇒455. 444-475.
8102 **Najib, Ibrahim** La dimensione cristologica della lettera ai Colossesi. ᴰPenna, Romano 2006, 269 pp. Diss. Rome, Lateranum [RTL 38, 620].
8103 **Smith, Ian K.** Heavenly perspective: a study of the apostle Paul's response to a Jewish mystical movement at Colossae. ᴰGardner, Iain: LNTS 326: L 2006, Clark xxi; 254 pp. £65. 0-567-03107-1. Diss. Sydney; Bibl. 209-233.
8104 *Sumney, Jerry* "I fill up what is lacking in the afflictions of Christ": Paul's vicarious suffering in Colossians. CBQ 68 (2006) 664-680.

8105   **Thompson, Marianne M.** Colossians and Philemon. Two Horizons
       NT Comm.: 2005 ⇒21,8418. [R]RBLit (2006)* (*Verbrugge, Verlyn*).
8106   **Walsh, Brian J.; Keesmaat, Sylvia C.** Colossians remixed: subvert-
       ing the empire. 2004 ⇒20,7852; 21,8419. [R]SR 35 (2006) 370-371
       (*MacDonald, Margaret*); TrinJ 27 (2006) 165-166 (*Beach, Lee*).
8107   *Witherington, Ben; Wessels, G. Francois* Do everything in the name
       of the Lord: ethics and ethos in Colossians. Identity, ethics. BZNW
       141: 2006 ⇒795. 303-333.

8108   *Slater, Thomas B.* Translating ἅγιος in Col 1,2 and Eph 1,1. Bib. 87
       (2006) 52-54.
8109   *Rajakoba, Herizo* Colossiens 1,12-20: c'est en Christ que tient ce
       monde!. LeD 70 (2006) 38-48.
8110   *Borrell, Agustí* Crist, imatge de Déu, i els creients, imatges del Crist,
       en la carta als Colossencs. Imatge de Déu. Scripta Biblica 7: 2006 ⇒
       463. 175-190 [Col 1,15].
8111   **Pizzuto, Vincent A.** A cosmic leap of faith: an authorial, structural,
       and theological investigation of the cosmic christology in Col. 1:15-
       20. CBET 41: Lv 2006, Peeters xiv; 291 pp. €40. 90-429-1651-6.
       Bibl. 271-291.
8112   *Sang-Won, Son* Τὸ σῶμα τοῦ Χριστοῦ in Colossians 2:17. [F]ELLIS, E.:
       2006 ⇒36. 222-238.

G6.6 Ad Thessalonicenses

8113   *Clark, David J.* Structural similarities in 1 and 2 Thessalonians: com-
       parative discourse anatomy. Intertextuality. NTMon 16: 2006 ⇒778.
       196-207.
8114   *Gregory, Andrew* A theological approach to Thessalonians. ET 117
       (2006) 411-412.
8115   *Jennings, Theodore* 1 and 2 Thessalonians. Queer bible commentary.
       2006 ⇒2417. 669-683.
8116   **Malherbe, Abraham Johannes** The letters to the Thessalonians: a
       new translation with introduction and commentary. AncB 32 B: 2000
       ⇒16,7006... 21,8433. [R]BZ 50 (2006) 286-288 (*Hoppe, Rudolf*).
8117   **Phillips, John** Exploring 1 and 2 Thessalonians. 2005 ⇒21,8435.
       [R]Faith & Mission 24/1 (2006) 108-109 (*Sexton, Michael B.*).
8118   *Villiers, Pieter G.R. de* 'A life worthy of God': identity and ethics in
       the Thessalonian correspondence. Identity, ethics. BZNW 141: 2006
       ⇒795. 335-355.
8119   **Witherington, Ben, III** 1 and 2 Thessalonians: a socio-rhetorical
       commentary. GR 2006, Eerdmans xxxi; 286 pp. €30/£18/$52. 0-802-
       8-2836-1. Bibl. xix-xxxi.

8120   *Ebel, Eva* 1. Thessalonicherbrief. Paulus: Leben.... UTB 2767: 2006
       ⇒491. 126-137.
8121   **Gargano, Innocenzo** Prima Tessalonicesi: arco d'ingresso al Nuovo
       Testamento. Conversazioni bibliche: Bo 2006, Dehoniane 144 pp.
       €11. 88-10-70991-8.
8122   *Hoppe, Rudolf* La première épître aux Thessaloniciens dans le cadre
       de la théologie paulinienne: réflexions sur la théologie paulinienne de
       l'élection. RevSR 80 (2006) 67-82.

8123 *Luz, Ulrich* Albert SCHWEITZER als Interpret des ersten Thessalonicherbriefes. [F]HAUFE, G.: GThF 11: 2006 ⇒63. 181-193.

8124 *Maleparampil, Joseph* The "Church of Thessalonians" (1 Thess 1,1) and Paul's early insights into the nature of a local church. ETJ 10/1 (2006) 6-16.

8125 *Míguez, Néstor O.* Prima lettera ai Tessalonicesi. Nuovo commentario biblico. 2006 ⇒455. 476-504.

8126 *Ravasi, Gianfranco* La Prima lettera ai Tessalonicesi: un testo arduo?. Numeri e Lettere ai Tessalonicesi. Conversazioni bibliche: 2006 ⇒288. 43-61.

8127 **Vidal, Senén** El primer escrito cristiano: texto bilingüe y comentario de 1 Tesalonicenses. S 2006, Sígueme 126 pp.

8128 *Kim, Seyoon* The structure and function of 1 Thessalonians 1-3. [F]ELLIS, E. 2006 ⇒36. 170-188.

8129 *Mazzarolo, Isidoro* A graça e a paz em tempos de dor e perseguição: χάρις ὑμιν καὶ εἰρήνη, exegese de 1Ts 1,1-10. AtT 10 (2006) 35-60.

8130 *Nebe, Gottfried* Die Kritik am εἴδωλα-Kult in 1 Thessalonicher 1,9-10 im Rahmen der paulinischen Missonstätigkeit und Soteriologie: zugleich ein Beitrag zum Verständnis von "Tora-Gesetz" und "Natur-Gesetz". [F]BURCHARD, C.: NTOA 57: 2006 ⇒13. 191-221.

8131 *Coulot, Claude* Paul à Thessalonique (1 Th 2.1-12). NTS 52 (2006) 377-393.

8132 **Dąbrowski, Karol** Ideał głosiciela ewangelii w świetle 1 Tes 2,1-12 [L'idéal du prédicateur de l'évangile à la lumière de 1 Thes 2,1-12]. [D]*Mickiewicz, F.* 2006, Diss. Warwaw–UKSW [RTL 38,618]. P.

8133 *Mchami, R.E.K.* Paul's use of the instructions of the Mosaic Law in his paraenesis: 1 Thessalonians 4:1-8. ATJ 29/2 (2006) 74-90.

8134 *Witmer, Stephen E.* θεοδίδακτοί in 1 Thessalonians 4.9: a Pauline neologism. NTS 52 (2006) 239-250.

8135 *Holtz, Traugott* Tröstliche Gewissheit im Dreiklang von Bekenntnis, Herrenwort und überliefertem Wissen: zu 1 Thessalonicher 4,13-18. [F]HAUFE, G.: GThF 11: 2006 ⇒63. 121-132.

8136 *Cook, John G.* Pagan philosophers and 1 Thessalonians. NTS 52 (2006) 514-532 [1 Thess 4,15-17].

8137 *Hoppe, Rudolf* Tag des Herr–Dieb in der Nacht: zur paulinischen Metaphernverwendung in 1 Thess 5,1-11. [F]UNTERGASSMAIR, F. 2006 ⇒161. 263-280.

8138 *Chia, Samuel P.* The authorship of 2 Thessalonians: is pseudonymity a better alternative?. Jian Dao 26 (2006) 1-24.

8139 *Gilchrist, J. Michael* Intertextuality and the pseudonymity of 2 Thessalonians. Intertextuality. NTMon 16: 2006 ⇒778. 152-175.

8140 *Leppä, Outi* 2 Thessalonians among the Pauline letters: tracing the literary links between 2 Thessalonians and other Pauline epistles. Intertextuality. NTMon 16: 2006 ⇒778. 176-195.

8141 *Metzger, Paul* Eine apokalyptische Paulusschule?: zum Ort des Zweiten Thessalonicherbriefs. Apokalyptik als Herausforderung. WUNT 2/214: 2006 ⇒348. 145-166.

8142 *Míguez, Néstor O.* Seconda lettera ai Tessalonicesi. Nuovo commentario biblico. 2006 ⇒455. 505-518.

8143 *Ravasi, Gianfranco* La seconda lettera ai Tessalonicesi: un testo oscuro?. Numeri e Lettere ai Tessalonicesi. Conversazioni bibliche: 2006 ⇒288. 63-85.

8144   *Roose, Hanna* 2 Thessalonians as pseudepigraphic 'reading instruc-
        tion' for 1 Thessalonians: methodological implications and exempla-
        ry illustration of an intertextual concept. Intertextuality. NTMon 16:
        2006 ⇒778. 133-151.

8145   **Metzger, Paul** Katechon: II Thess 2,1-12 im Horizont apokalypti-
        schen Denkens. BZNW 135: 2005 ⇒21,8459. [R]ThZ 62 (2006) 468-
        469 (*Kannenberg, Michael*); CBQ 68 (2006) 340-341 (*Klauck,
        Hans-Josef*); JThS 57 (2006) 667-669 (*Court, John M.*).

8146   *Weima, Jeffrey A.* The slaying of Satan's superman and the sure sal-
        vation of the saints: Paul's apocalyptic word of comfort (2 Thes-
        salonians 2:1-17). CTJ 41 (2006) 67-88.

8147   *Roose, Hanna* 'A letter as by us': intentional ambiguity in 2 Thessa-
        lonians 2.2. JSNT 29 (2006) 107-124.

8148   *Leutert, Dieter* "Der es jetzt noch aufhält": die "imperiale Logik" und
        die Bibel. Spes christiana 17 (2006) 181-190 [2 Thess 2,6-7].

8149   *Załęski, Jan* Działalność niegodziwca i zwycięstwo nad nim Chrystu-
        sa W 2 Tes 2,8-12 [Die Aktivität des Gesetzlosen und der Christus-
        sieg über ihn in 2 Thes 2,8-12]. STV 44/2 (2006) 37-54. **P**.

8150   *Blocher, Henri* L'Écriture après l'Ecriture: la tradition apostolique (2
        Thessaloniciens 2.13-3.8). La bible au microscope. 2006 <1976> ⇒
        192. 107-113.

G7.0 Epistulae pastorales

8151   *Casalini, Nello* Tradizione e innovazione nelle Lettere Pastorali.
        LASBF 56 (2006) 225-300 [1 Tim 2,5-6; 6,13; 2 Tim 1,9-10; 2,11-
        13; Titus 2,11-14; 3,3-7].

8152   *De Virgilio, Giuseppe* Le Lettere Pastorali: profili etico-morali in di-
        alogo con l'ambiente ellenistico. BeO 48 (2006) 223-248.

8153   *Elengabeka, Elvis* La référence aux psaumes dans les épîtres pasto-
        rales. Les psaumes: de la liturgie à la littérature. 2006 ⇒369. 67-81.

8154   *Fuchs, Rüdiger* Bisher unbeachtet: zum unterschiedlichen Gebrauch
        von "agathos", "kalos" und "kalos" in den Schreiben an Timotheus
        und Titus. EurJT 15/1 (2006) 15-33.

8155   *Goss, Robert E.; Krause, Deborah* The Pastoral Letters: 1 and 2
        Timothy, and Titus. Queer bible commentary. 2006 ⇒2417. 684-92.

8156   *Gryziec, Piotr R.* "Zdrowa nauka" w Listach Pasterkich. CoTh 76/4
        (2006) 5-28 [1 Tim 1,10; 6,3; 2 Tim 1,13; 4,3; Titus 1,9; 2,1-8]. **P**.

8157   *Hock, Andreas* Equipping the successors of the apostles: a compara-
        tive study of the ethical catalogues in Paul's Pastoral Letters (1 Tim
        1:9-10; 6:4-5; 2 Tim 3:2-4; Ti 3:3). EstB 64 (2006) 85-98.

8158   **Iovino, Paolo** Lettere a Timoteo; lettera a Tito. I libri biblici, NT 15:
        2005 ⇒21,8472. [R]LASBF 56 (2006) 658-662 (*Casalini, Nello*).

8159   **Keegan, Terence** First and Second Timothy, Titus, Philemon. New
        Collegeville Bible Commentary NT 9: ColMn 2006, Liturgical 80 pp.
        $7. 978-0-8146-2868-3 [BiTod 44,263—Donald Senior].

8160   *Krause, Deborah* www.recycled.commentary: reading and writing
        the pastoral epistles as hypertexts. The recycled bible. SBL. Semeia
        Studies 51: 2006 ⇒351. 11-25.

8161   *Marshall, I. Howard* Some recent commentaries on the Pastoral
        Epistles. ET 117 (2006) 140-143.

8162 *Martin, Seán* Introduzione alle lettere pastorali. Nuovo commentario biblico. 2006 ⇒455. 519-522.

8163 **Merz, Annette** Die fiktive Selbstauslegung des Paulus: intertextuelle Studien zur Intention und Rezeption der Pastoralbriefe. NTOA 52; StUNT 52: 2004 ⇒20,7887; 21,8475. [R]EstAg 41/1 (2006) 136-137 (*Cineira, D.A.*).

8164 *Orsatti, Mauro* La figura emergente dell'"episcopo", maestro e padre, nelle lettere pastorali (1-2 Timoteo e Tito). RTLu 11 (2006) 359-379.

8165 *Redalié, Yann* Un mutato atteggiamento verso il potere politico nelle Pastorali? (1Tm 2,1s e Tt 3,1s). RstB 18 (2006) 235-251.

8166 **Richards, William A.** Difference and distance in post-Pauline christianity: an epistolary analysis of the Pastorals. Studies in Biblical Literature 44: 2002 ⇒18,7466... 21,8479. [R]SR 35 (2006) 605-606 (*Muir, Steven C.*).

8167 *Riesner, Rainer* Once more: Luke-Acts and the Pastoral Epistles. [F]ELLIS, E. 2006 ⇒36. 239-258.

8168 *Schlosser, Jacques* Le ministère de l'episcopè d'après les épîtres pastorales. À la recherche de la parole. LeDiv 207: 2006 ⇒296. 561-96.

8169 *Söding, Thomas* Der Rat an Timotheus: geistliche Schriftlesung im Licht der Pastoralbriefe. Pastoralblatt für die Diözesen Aachen, Berlin, Essen etc. 58 (2006) 355-362 [1 Tim 4,12-14].

8170 *Standhartinger, Angela* Eusebeia in den Pastoralbriefen: ein Beitrag zum Einfluss römischen Denkens auf das entstehende Christentum. NT 48 (2006) 51-82.

8171 **Stepp, Perry Leon** Leadership succession in the world of the Pauline circle. NTMon 5: 2005 ⇒21,8480. [R]Neotest. 40 (2006) 216-20 (*Williams, Richmond P.B.*); CBQ 68 (2006) 554-555 (*Karris, Robert J.*); RBLit (2006)* (*Clark, Ronald*).

8172 **Towner, Philip H.** The letters to Timothy and Titus. NICNT: GR 2006, Eerdmans xviii; 886 pp. $52. 0802-825-133 [BiTod 44,401— Donald Senior]. [R]PIBA 29 (2006) 112-115 (*Byrne, Patrick*).

8173 **Wieland, George M.** The significance of salvation: a study of salvation language in the Pastoral Epistles. Milton Keynes 2006, Pater Noster 344 pp. $39.

G7.2 1-2 ad Timotheum, ad Titum

8174 *Martin, Seán* Prima lettera a Timoteo. Nuovo commentario biblico. 2006 ⇒455. 523-546.

8175 **Támez, Elsa** Luchas de poder en los orígenes del cristianismo: un estudio de la primera carta a Timoteo. 2005 ⇒21,8488. [R]EE 81 (2006) 623-625 (*Yebra Rovira, Carmen*).

8176 *Támez Luna, Elsa* Visibilidad, exclusión y control de las mujeres en la primera carta a Timoteo. ResB 49 (2006) 23-30.

8177 *Villiers, Pieter G.R. de* Heroes at home: Identity, ethos, and ethics in 1 Timothy within the context of the Pastoral Epistles. Identity, ethics. BZNW 141: 2006 ⇒795. 357-386.

8178 *Cukrowski, Kenneth L.* An exegetical note on the ellipsis in 1 Timothy 2:9. [F]OSBURN, C.: TaS 4: 2006 ⇒124. 232-238.

8179 *Huttar, D.K.* Causal *gar* in 1 Timothy 2:13: a response to Linda L. Belleville. JBMW 11/1 (2006) 30-33.

8180   *Merkle, Benjamin L.* Paul's arguments from creation in 1 Corinthians 11:8-9 and 1 Timothy 2:13-14: an apparent inconsistency answered. JETS 49 (2006) 527-548.
8181   *Clark, Ronald R.* Family management or involvement?: Paul's use of προϊστημι in 1 Timothy 3 as a requirement for church leadership Stone-Campbell journal [Loveland, OH] 9 (2006) 243-252.
8182   *Bruning, Bernard* Die avaritia in 1 Timotheus 6,10. Ment. AUGUSTINUS Hippo.Aug(L) 56 (2006) 469-485.

8183   *Martin, Seán* Seconda lettera a Timoteo. Nuovo commentario biblico. 2006 ⇒455. 547-561.
8184   **Smith, Craig A.** Timothy's task, Paul's prospect: a new reading of 2 Timothy. New Testament monographs 12: Shf 2006, Sheffield Phoenix xii; 267 pp. 978-1-905048-29-8. Bibl. 238-251.
8185   *Tsuji, Manabu* Der zweite Timotheus als letzter Gefangenschaftsbrief. Kwansei-Gakuin-Daigaku 11 (2006) 1-11.

8186   *Bürki, Hans* Ranimer la flamme: commentaire de 2 Timothée 1,6-7. Hokhma 90 (2006 <1994>) 68-74.
8187   *Blocher, Henri* 2 Timothée 3.14-4.5: l'Écriture inspirée utile. La bible au microscope. 2006 <1992> ⇒192. 115-119.
8188   *Van Houwelingen, Pieter H.* Paulus–eenzaam maar niet alleen: een integrale exegese van 2 Timoteus 4,9-22. ThRef 49 (2006) 144-161.

8189   ᴱ**Bucchi, Federica** S. Hieronymi Presbyeri: Commentarii in epistulas Pauli Apostoli ad Titum et ad Philemonem. CChr.SL 77C, Pars I, Opera exegetica; S. Hieronymi Presb. Opera 1.8: 2003 ⇒19,14754... 21,8500. ᴿREAug 62 (2006) 222-224 (*Laurence, Patrick*).
8190   *Martin, Seán* Lettera a Tito. Nuovo commentario biblico. 2006 ⇒ 455. 562-571.
8191   *Thiselton, Anthony C.* Does the bible call all Cretans liars?: 'the logical role of the liar paradox in Titus 1:12, 13: a dissent from the commentaries in the light of philosophical and logical analysis' (1994). Thiselton on hermeneutics. 2006 <1994> ⇒318. 217-228.

8192   *Smith, Kevin; Song, Arthur* Some christological implications in Titus 2:13. Neotest. 40 (2006) 284-294.
8193   *Herzer, Jens* "Das ist gut und nützlich für die Menschen" (Tit 3,8): die Menschenfreundlichkeit Gottes als Paradigma christlicher Ethik. ᶠHAUFE, G.: GThF 11: 2006 ⇒63. 101-120 [Titus 3,1-8].
8194   *Adinolfi, Marco* Φιλανθρωπία: un confronto dei testi della grecità extrabiblica e biblica con Tt 3,4-7. IX simposio paolino. Turchia 20: 2006 ⇒772. 45-53.

G7.3 Ad Philemonem

Adamczewski, B. List do Filemona... 2006 ⇒8095.
8195   *Bormann, Lukas* Philemonbrief. Paulus: Leben.... UTB 2767: 2006 ⇒491. 233-240.
       ᴱ**Bucchi, F.** S. Hieronymi... ad Philemonem 2003 ⇒8189.
8196   *Du Plessis, Isak J.* How christians can survive in a hostile social-economic environment: Paul's mind concerning difficult social condi-

tions in the letter to Philemon. Identity, ethics. BZNW 141: 2006 ⇒ 795. 387-413.

Eckey, W. Die Briefe... Philipper...Philemon 2006 ⇒8051.

8197 **Kieffer, René** Filemonbrevet, Judasbrevet, och Andra Petrusbrevet. KNT(U) 18: 2001 ⇒17,6978... 20,7918. ^RSvTK 82 (2006) 189-190 (*Holmstrand, Jonas*).

8198 *Lyons, Kirk D.* Paul's confrontation with class: the letter to Philemon as counter-hegemonic discourse. CrossCur 56/1 (2006) 116-132.

8199 *Mahecha, G.* De dos males, el menor: un aceramiento irreverente a la carta de Filemón. Vida y Pensamiento [San José, Costa Rica] 26/2 (2006) 65-78.

8200 *Míguez, Néstor O.* Lettera a Filemone. Nuovo commentario biblico. 2006 ⇒455. 572-578.

8201 *Moore, Stephen J.* Philemon. Queer bible commentary. 2006 ⇒2417. 693-695.

8202 **Nordling, John G.** Philemon. Concordia commentary: 2004 ⇒20, 7919. ^RConJ 32 (2006) 74-78 (*Myers, L.W.*).

8203 *Reinmuth, Eckart* "Ich schreibe dir als Paulus": Rollenwechsel, Redefreiheit und Ironie im Philemonbrief. ^FHAUFE, G.: GThF 11: 2006 ⇒ 63. 269-283.

8204 **Reinmuth, Eckart** Der Brief des Paulus an Philemon. ThHK 11/2: Lp 2006, Evangelische 63 pp. $33. 3-374-02352-5.

Thompson, M. Colossians and Philemon 2005 ⇒8105.

Thurston, B., *al.*, Philippians and Philemon 2005 ⇒8069.

8205 *Vanhoozer, Kevin J.* Imprisoned or free? text, status, and theological interpretation in the master/slave discourse of Philemon. Reading scripture. 2006 ⇒332. 51-93.

8206 **Weiß, Alexander** Sklave der Stadt: Untersuchungen zur öffentlichen Sklaverei in den Städten des Römischen Reiches. Hist.Einzelschriften 173: 2004 ⇒20,7920. ^RAt. 94/1 (2006) 321-327 (*Bricchi, Anna*).

G8 Epistula ad Hebraeos

8207 *Aitken, Ellen B.* Wily, wise, and worldly: instruction and the formation of character in the epistle to the Hebrews. ^FCHARLESWORTH, J. 2006 ⇒19. 296-307.

8208 **Andrews, Edgar** A glorious high throne: Hebrews simply explained. Welwyn: Darlington 2003, Evangelical 542 pp. £13.

8209 **Attridge, Harold** La lettera agli Ebrei. 1999 ⇒15,7123... 18,7495. ^RScC 134 (2006) 683-94 (*Manzi, Franco*).

8210 **Backhaus, Knut** Zermürbung und Zuversicht: Otto Kuss als Ausleger des Hebräerbriefs. ThGl 96 (2006) 171-190.

8211 ^TBaer, Chrysostom THOMAS Aquinas: Commentary on the epistle to the Hebrews. South Bend, Indiana 2006, St. Augustine's xiv; 334 pp. 1-587-31126-7/75. Pref. *Ralph McInerny*; Bibl. 312-321.

8212 **Bateman, Herbert W., IV** Four views on the warning passages in Hebrews. GR 2006, Kregel 480 pp. $30.

8213 *DeSilva, David* The invention and argumentative function of priestly discourse in the epistle to the Hebrews. BBR 16 (2006) 295-323.

8214 **Fuhrmann, Sebastian** Vergeben und Vergessen: Christologie und Neuer Bund im Hebräerbrief. ^DBreytenbach, Cilliers: 2006, Diss. Humboldt [ThRv 103/2,iii] [Jer 31,31-34].

8215 **Gäbel, Georg** Die Kulttheologie des Hebräerbriefes: eine exege-
tisch-religionsgeschichtliche Studie. *DHaacker, Klaus*: WUNT 2/212:
Tü 2006, Mohr S. xv; 598 pp. €79. 3-16-148892-X. Diss. Wuppertal;
Bibl. 491-553.

8216 *E*Gelardini, Gabriella** Hebrews: contemporary methods–new in-
sights. BiblInterp 75: 2005 ⇒21,395. *R*JBL 125 (2006) 608-610
(*Gray, Patrick*).

8217 *Güting, Eberhard* The methodological contribution of Günther Zuntz
to the text of Hebrews. NT 48 (2006) 359-378.

8218 *Hanks, Thomas* Hebrews. Queer bible commentary. 2006 ⇒2417.
696-715.

8219 **Harrington, Daniel J.** What are they saying about the letter to the
Hebrews?. 2005 ⇒21,8542. *R*BTB 36 (2006) 137-138 (*Schenck,
Kenneth*);

8220 The letter to the Hebrews. New Collegeville Bible Commentary NT
11: ColMn 2006, Liturgical 64 pp. $7. 978-0-8146-2870-6 [BiTod
44,263—Donald Senior].

8221 *E*Heen, Erik M.; Krey, Philip D.W.** Hebrews. ACCS.NT 10: 2005
⇒21,8543. *R*RBLit (2006)* (*Guthrie, George H.*).

8222 *Huerta Román, María Pilar* La carta a los Hebreos: una lectura des-
de Sor Isabel. REsp 65 (2006) 77-99.

8223 **Johnson, Luke T.** Hebrews: a commentary. NTLi: LVL 2006, West-
minster xxviii; 402 pp. $50. 978-0-664-22118-8. Bibl. xvii-xxviii.

8224 *Karrer, Martin* The epistle to the Hebrews and the Septuagint. Sep-
tuagint research. SBL.SCSt 53: 2006 ⇒755. 335-353.

8225 *Klauck, Hans-Josef* Moving in and moving out: ethics and ethos in
Hebrews. Identity, ethics. BZNW 141: 2006 ⇒795. 417-443.

8226 **Koester, Craig R.** Hebrews: AncB 36: 2001 ⇒17,6985... 21,8550.
*R*ScC 134 (2006) 694-706 (*Manzi, Franco*).

8227 **Lewicki, Tomasz** "Weist nicht ab den Sprechenden!": Wort Gottes
und Paraklese im Hebräerbrief. PaThSt 41: 2004 ⇒20,7944; 21,
8552. *R*ThLZ 131 (2006) 170-171 (*März, Claus-Peter*); RBLit
(2006)* (*Attridge, Harold W.*); JThS 57 (2006) 279-281 (*Elling-
worth, Paul*).

8228 **Lincoln, Andrew T.** Hebrews: a guide. L 2006, Clark x; 129 pp.
$25. 0-567-04032-1. Bibl. vii-x.

     *E*Maggioni, B., al.*, Le lettere di Paolo 2005 ⇒7389.

8229 *Manzi, Franco* Compimento cristologico dei sacrifici anticotestamen-
tari: la lettera agli Ebrei. PSV 54 (2006) 181-192;

8230 "Un discorso ricco e difficile da esporre": osservazioni su quattro
commentari alla lettera agli Ebrei. ScC 134 (2006) 671-723;

8231 Il compimento cristologico dell'Antico Testamento nella lettera agli
Ebrei. *F*FABRIS, R.: SRivBib 47: 2006 ⇒38. 303-312;

8232 'Dio, dopo aver parlato mediante i profeti, parlò mediante il Figlio'
(*Eb* 1,1): il compimento cristologico dell'Antico Testamento nella
lettera agli Ebrei. Rivisitare il compimento. Biblica 3: 2006 ⇒780.
121-182.

8233 **Marchaselli-Casale, Cesare** Lettera agli Ebrei. I libri biblici.NT 16:
2005 ⇒21,8558. *R*Teol(Br) 31/1 (2006) 130-31 & RivBib 54 (2006)
207-30 & ScC 134 (2006) 706-723 (*Manzi, Franco*); Bib. 87 (2006)
573-7 (*Swetnam, James*); LASBF 56 (2006) 662-9 (*Casalini, Nello*).

8234 **McKnight, Edgar; Church, Christopher** Hebrews-James. 2004 ⇒
20,7929; 21,8570. *R*Interp. 60 (2006) 322-324 (*Donelson, Lewis R.*).

8235 *Nardoni, Enrique* Lettera agli Ebrei. Nuovo commentario biblico. 2006 ⇒455. 579-644.

8236 *Plenc, Daniel O.* Homilia a los Hebreos: antecedente de la predicación cristocéntrica. DavarLogos 5/2 (2006) 183-195.

8237 **Portalatin, Antonio** Temporal oppositions as hermeneutical categories in the epistle to the Hebrews. *DBeutler, Johannes*: EHS.T 833: Fra 2006, Lang xviii; 295 pp. $58. Diss. Pont. Ist. Biblico.

8238 **Rascher, Angela B.** Christologie und Schriftauslegung im Hebräerbrief. *DLampe, P.* 2006, Diss. Heidelberg [ThLZ 132,487].

8239 **Salevao, Lutisone** Legitimation in the letter to the Hebrews: the construction and maintenance of a symbolic universe. JSNT.S 219: 2002 ⇒18,7527...21,8578. *RBiblInterp* 14 (2006) 537-9 (*Young, Norman*).

8240 *Steyn, Gert J.* Torah quotations common to PHILO, Hebrews, CLEMENS Romanus and JUSTIN Martyr: what is the common denominator?. *FLATEGAN, B.*: NT.S 124: 2006 ⇒94. 135-151 [Gen 21,12; 22, 17; 28,15; Num 12,7].

8241 **Strobel, August** La lettera agli Ebrei. 1997 ⇒13,6744; 15,7127. *RScC* 134 (2006) 675-683 (*Manzi, Franco*).

8242 *Thompson, James W.* The epistle to the Hebrews in the works of CLEMENT of Alexandria. *FOSBURN, C.*: TaS 4: 2006 ⇒124. 239-254.

8243 **Urso, Filippo** "Imparò l'obbedienza dalle cose che patì" (Eb 5,8): il valore educativo della sofferenza in Gesù e nei cristiani nella lettera agli Ebrei. TGr.T 119: 2005 ⇒21,8586. *RSal.* 68 (2006) 397-398 (*Vicent, Rafael*); CBQ 68 (2006) 350-352 (*Bode, Edward L.*).

8244 *Vanhoye, Albert* Sacerdozio e santificazione nella lettera agli Ebrei. Euntes Ergo [Reggio Calabria] 7/2 (2006) 13-15 [AcBib 11/3,273];

8245 Novità del sacerdozio di Cristo. Atti del 23° Congresso Eucharistico Nazionale, vol. III. Bo 2006. 97-112. Bologna, 20-28 sett. 1997 [AcBib 11/3,273].

8246 *Batten, J.* The two trees in Hebrews 1-2. Affirmation & Critique [Anaheim, CA] 11/1 (2006) 73-77.

8247 *Cervera, Jordi* Jesús, 'empremta' de Déu (He 1,3). Imatge de Déu. Scripta Biblica 7: 2006 ⇒463. 191-218.

8248 *Guthrie, George H.; Quinn, Russell D.* A discourse analysis of the use of Psalm 8:4-6 in Hebrews 2:5-9. JETS 49 (2006) 235-246.

8249 *DeYoung, Kevin* Divine impassibility and the passion of Christ in the book of Hebrews. WThJ 68 (2006) 41-50 [Heb 2,5-18].

8250 *Schroeter-Wittke, Harald* Lebendig und kräftig und schärfer (Hebräer 4,12): die Losung des Evangelischen Kirchentags 2007 in Köln. JK 67/1 (2006) 59.

8251 **Jesús Soto, Randy de** Teología del Pontífice Jesucristo: análisis retórico y semántico de Hebreos 4,15; 7,26 y 9,14. Estudios de Filología Neotestamentaria 8: Córdoba 2006, El Almendro 290 pp. 978-84-8005-095-1. Bibl. 253-290.

8252 *Gordon, Robert P.* Better promises: two passages in Hebrews against the background of the Old Testament cultus. Hebrew Bible and ancient versions. MSSOTS: 2006 <1991> ⇒224. 197-207 [Heb 6; 9].

8253 *Cobb, Donald* 'Tomber dans les mains du Dieu vivant!': Hébreux 10. 26-31 et 6.4-12. RRef 57/236 (2006) 27-41.

8254 *Filho, José Adriano* Hebreus e as escrituras: o uso de Jeremias 31, 31-34 em Hebreus 8,1-13. Estudos bíblicos 90 (2006) 50-59.

8255 *Cortez, Felix H.* From the holy to the most holy place: the period of Hebrews 9:6-10 and the Day of Atonement as a mataphor of transition. JBL 125 (2006) 527-547.

8256 *Pizarro, Juan Carlos* Acceso al santuario celestial por la sangre de Cristo. DavarLogos 5/1 (2006) 43-51 [Heb 9,11-12].
8257 **Telscher, Guido** Opfer aus Barmherzigkeit: bibeltheologische Verortung der Vorstellung einer priesterlichen Sühne Jesu Christi (Hebr. 9,11-28). ᴰ*Oberlinner, Lorenz* 2006, Diss. Freiburg/B [ThRv 103/2, vi].
8258 *Geiger, S.H.* Hebrews 10:14–τοὺς ἁγιαζομένους...: justification or sanctification?. WLQ 103/4 (2006) 281-286.
8259 *Tanner, James P.* For whom does Hebrews 10:26-31 teach a "punishment worse than death"?. Journal of the Grace Evangelical Society 19/37 (2006) 57-77.
8260 *Baugh, S.M.* The cloud of witnesses in Hebrews 11. WThJ 68 (2006) 113-132.
8261 *Hartley, Donald E.* Heb 11:6—a reassessment of the translation 'God exists'. TrinJ 27 (2006) 289-307.
8262 *Lujic, Bozo* Abraham unutar "oblaka svjedoka" vjere (Heb 11,8-19). BoSm 76 (2006) 733-754. **Croatian**.
8263 *Gräßer, Erich* "Gedenkt an eure Lehrer!" (Hebr 13,7a): Erinnerung als Glaubenshilfe. ᶠMUSSNER, F.: SBS 209: 2006 ⇒117. 301-316 [Heb 13].
8264 *Swetnam, James* A liturgical approach to Hebrews 13. IncW 1/1 (2006) 3-17;
8265 = L&S 2 (2006) 159-173.
8266 *Steyn, Gert* The occurrence of Psalm 118(117):6 in Hebrews 13:6: possible liturgical origins?. Neotest. 40 (2006) 119-134.
8267 *Gräßer, Erich* Existenz zwischen Himmel und Erde: exegetische und hermeneutische Erwägungen zu Hebr 13,13.14. ᶠHAUFE, G.: GThF 11: 2006 ⇒63. 59-74.

G9.1 **1 Petri** (vel I-II)

8268 'Come piedras vivas': otras cartas. Palabra-Misión 10: BA 2006, Claretiana 208 pp. Equipo Bíblico Claretiano.
8269 *Augello, Armando* La speranza nella Prima Lettera di Pietro. Vivar(C) 14 (2006) 133-171.
8270 **Bianchi, Enzo** Una vida diferente: ejercicios espirituales sobre la primera carta de Pedro. ᵀ*Vázquez López, Lourdes*: Beber de la roca: M 2006, San Pablo 183 pp. ᴿVyV 64 (2006) 640-641.
8271 *Bird, Jennifer* Reading the readers ideologically: prolegomena to a study of 1 Peter. BiCT 2/3 (2006)*.
8272 **Bosetti, Elena** Prima lettera di Pietro. n.p. 2006, n.p. 285 pp. €10. 89-7000-335-5.
8273 *Cervantes Gabarrón, José* Prima lettera di Pietro. Nuovo commentario biblico. 2006 ⇒455. 670-715.
8274 *Chatelion Counet, Patrick* Pseudepigraphy and the Petrine school: Spirit and tradition in 1 and 2 Peter and Jude. HTSTS 62 (2006) 403-424.
8275 **Dryden, J. de Waal** Theology and ethics in 1 Peter: paraenetic strategies for christian character formation. ᴰ*Stanton, Graham* WUNT 2/209: Tü 2006, Mohr S. xi; 226 pp. 3-16-148910-1. Diss. Cambridge; Bibl. 199-213.

8276 *Dubis, Mark* Research on 1 Peter: a survey of scholarly literature since 1985. CuBR 4 (2006) 199-239.
8277 *Evang, Martin* Gewalt und Gewaltlosigkeit in der Strategie des 1. Petrusbriefs. ZNT 9/17 (2006) 21-30.
8278 *Frattallone, Raimondo* Pietro testimone e maestro: una scelta per il convegno di Verona 2006. RivLi 93 (2006) 279-290.
8279 *Gorsline, Robin H.* 1 and 2 Peter. Queer bible commentary. 2006 ⇒ 2417. 724-736.
8280 *Green, Joel B.* Narrating the gospel in 1 and 2 Peter. Interp. 60 (2006) 262-277.
8281 **Hartin, Patrick J.** James, First Peter, Jude, Second Peter. New Collegeville Bible Commentary NT 10: ColMn 2006, Liturgical 76 pp. $7. 978-0-8146-2869-0 [BiTod 44,263—Donald Senior].
8282 **Howe, Bonnie** Because you bear this name: conceptual metaphor and the moral meaning of 1 Peter. BiblInterp 81: Lei 2006, Brill xix; 402 pp. 90-04-15095-1. Bibl. 371-379.
8283 **Jobes, Karen** 1 Peter. Baker Comm. on the NT: 2005 ⇒21,8637. [R]CBQ 68 (2006) 334-5 (*Green, Joel*) RBLit (2006)* (*Elliott, John*).
8284 *Jobes, Karen H.* The Septuagint textual tradition in 1 Peter. Septuagint research. SBL.SCSt 53: 2006 ⇒755. 311-333.
8285 *Manzi, Franco* 'Tamquam lapides vivi': memoria e testimonianza di Cristo nella *Prima Lettera di Pietro*. EL 120 (2006) 333-345.
8286 *Marconi, Gilberto* I cristiani di fronte al potere politico al tempo del NT: l'esempio di 1Pt. RstB 18 (2006) 211-222.
8287 *Scalabrini, Patrizio Rota* Le ragioni della speranza: la speranza cristiana nella prima lettera di Pietro. RCI 87 (2006) 373-384.
8288 *Schlosser, Jacques* Ancien Testament et christologie dans la *Prima Petri*. <1980> 357-385;
8289 Le thème exodial dans la *Prima Petri*. <1991> 387-403;
8290 'Aimez la fraternité' (1 P 2,17): à propos de l'ecclésiologie de la première lettre de Pierre. <1997> 463-481;
8291 La première lettre de Pierre et la tradition évangélique. <2001> 405-427;
8292 La résurrection de Jésus d'après la *Prima Petri*. <2002> 445-462;
8293 La première lettre de Pierre et les Actes des apôtres. À la recherche de la parole. LeDiv 207: 2006 <2003> ⇒296. 429-444.
8294 [E]**Schmitz, Franz-Jürgen** Das Verhältnis der koptischen zur griechischen Überlieferung des NT: Jakobusbrief u. Petrusbriefe. ANTT 33: 2003 ⇒19,8034...21,8624. [R]OrChr 90 (2006) 242-5 (*Horn, Jürgen*).
8295 **Seland, Torrey** Strangers in the light: Philonic perspectives on christian identity in 1 Peter. BiblInterp 76: 2005 ⇒21,301. [R]RBLit (2006)* (*Van Rensburg, Fika*).
8296 **Thomas, Kenneth J.; Thomas, Margaret O.** Structure and orality in 1 Peter: a guide for translators. UBS Mon. 10: NY 2006, UBS xiv; 219 pp. $16.
8297 *Tracy, Steven* Domestic violence in the church and redemptive suffering in 1 Peter. CTJ 41 (2006) 279-296.
8298 *Van Rensburg, Fika J.* A code of conduct for children of God who suffer unjustly: identity, ethos and ethics in 1 Peter. Identity, ethics. BZNW 141: 2006 ⇒795. 473-509.
8299 *Wolff, Christian* Himmlisches Erbe und Herrlichkeitskranz: zu Hintergrund und Bedeutung von zwei Metaphern eschatologischer Hoffnung im Ersten Petrusbrief. [F]HAUFE, G.: 2006 ⇒63. 339-353.

8300   *Xavier, A. Aloysius* Peter and Paul: contrast and convergence. ITS 43 (2006) 35-44.

8301   *Di Palma, Gaetano* "La vostra speranza sia fissa in Dio": aspetti della testimonianza nella prima lettera di Pietro. Asp. 53 (2006) 349-376 [1 Pet 1; 3].

8302   *Bosetti, Elena* La parola della rigenerazione nalla prima lettera di Pietro. ᶠFABRIS, R.: 2006 ⇒38. 313-324 [1 Pet 1,3; 1,22-23].

8303   *Lorusso, Giacomo* Le 'verità sulle quali gli angeli desiderano fissare lo sguardo' (1Pt 1,12): una possibile interpretazione. Nicolaus 33/1 (2006) 75-90.

8304   *Manzi, Franco* "Tamquam lapides vivi": memoria e testimonianza di Cristo nella prima lettera di Pietro. EL 120 (2006) 333-345 [1 Pet 2,4-6].

8305   *Barkhuizen, Jan H.* Betekenis en funksie van 1 Petrus 2:21b-25. APB 17 (2006) 86-99.

8306   *Wehn, Beate* "... wenn ihr recht tut und euch vor keinem Schrecken fürchtet": Innenansichten einer Randgruppe: 1 Petrus 3. Die besten Nebenrollen. 2006 ⇒1164. 285-291.

8307   *Assaël, Jacqueline* Remarques syntaxiques et sémantiques pour une interprétation de I Pierre 3,18-20. PosLuth 54 (2006) 393-411.

8308   *Pierce, Chad* Reexamining Christ's proclamation to the spirits in prison: punishment traditions in the Book of Watchers and their influence on 1 Peter 3:18-22. Henoch 28/2 (2006) 27-42.

8309   *Brown, Jeannine K.* Just a busybody?: a look at the Greco-Roman topos of meddling for defining ἀλλοτριεπίσκοπος in 1 Peter 4:15. JBL 125 (2006) 549-568.

8310   *Paschke, Boris A.* The Roman *ad bestias* execution as a possible historical background for 1 Peter 5.8. JSNT 28 (2006) 489-503.

G9.2 2 Petri

8311   *Cervantes Gabarrón, José* Seconda lettera di Pietro. Nuovo commentario biblico. 2006 ⇒455. 716-727.

8312   **Davids, Peter H.** The letters of 2 Peter and Jude. GR 2006, Eerdmans xxxii; 348 pp. $34. 978-0-8028-3726-4. Bibl. xxi-xxxii.
       Kieffer, R. Filemonbrevet...Andra Petrusbrevet 2001 ⇒8197.

8313   *Viljoen, Francois P.* Faithful christian living amidst scoffers of the judgment day: ethics and ethos in Jude and 2 Peter. Identity, ethics. BZNW 141: 2006 ⇒795. 511-533.

8314   *Blocher, Henri* L'Écriture après l'Ecriture: la sûre parole prophétique (2 Pierre 1.12-21). La bible au microscope. 2006 <1976> ⇒192. 107-113.

8315   *Callan, Terrance* A note on 2 Peter 1:19-20. JBL 125 (2006) 143-50.

8316   *Jones, David W.* The apostate angels of 2 Pet. 2:4 and Jude 6. Faith & Mission 23/2 (2006) 19-30.

G9.4 Epistula Jacobi..data on both apostles James

8317   *Borghi, Ernesto* La sagesse de la vie selon l'épître de Jacques: lignes de lecture. NTS 52 (2006) 123-141.

8318 *Botha, J.E.* Soteriology under construction: the case of James. APB 17 (2006) 100-118.

8319 *Bowe, Barbara E.* Friendship with God. BiTod 44 (2006) 286-290.

8320 *Countryman, L. William* James. Queer bible commentary. 2006 ⇒ 2417. 716-723.

8321 **De Luca, Elisabetta** L'epistola di Giacomo e la tradizione extra-canonica delle parole di Gesù. ᴰ*Pesce, Mauro* 2006, Diss. Bologna [ASEs 23,554s—M. Pesce].

8322 *Derrett, John D.M.* The epistle of James and the Dhammapada commentary. SvTK 82 (2006) 36-39.

8323 *Dugan, Mary T.* Humility that comes from wisdom. BiTod 44 (2006) 291-294.

8324 **Fabris, Rinaldo** Lettera di Giacomo. 2004 ⇒20,8054; 21,8681. ᴿRivBib 54 (2006) 252-254 (*Marconi, Gilberto*).

8325 *García Araya, Alfonso* El profetismo en la carta de Santiago. Isidorianum 15/2 (2006) 9-65.

8326 *Gianotto, Claudio* Pietro, Giacomo, fratello del Signore, e il problema della successione di Gesù. Comienzos del cristianismo. 2006 ⇒ 740. 161-170.

8327 **Hartin, Patrick J.** James. Sacra pagina 14: 2003 ⇒19,8060... 21, 8686. ᴿZKTh 128 (2006) 295-296 (*Kowalski, Beate*);

8328 James of Jerusalem: heir to Jesus of Nazareth. 2004 ⇒20,8057; 21, 8687. ᴿPacifica 19/1 (2006) 96-97 (*Huie-Jolly, Mary R.*).

8329 *Hartin, Patrick J.* James of Jerusalem in the early christian church. BiTod 44 (2006) 273-278;

8330 The letter of James: its vision, ethics, and ethos. Identity, ethics. BZNW 141: 2006 ⇒795. 445-471.

8331 **Johnson, Luke Timothy** Brother of Jesus, friend of God: studies in the letter of James. 2004 ⇒20,217; 21,8691. ᴿSJTh 59 (2006) 480-482 (*Lockett, Darian*).

8332 **Keenan, John P.** The wisdom of James: parallels with Mahayana Buddhism. 2005 ⇒21,8692. ᴿJR 86 (2006) 149-150 (*Kiblinger, Kristin Beise*).

8333 **Kot, Tomasz** La lettre de Jacques: la foi, chemin de la vie. ᵀ*Meynet, Roland*: Rhétorique Sémitique 2: P 2006, Lethielleux 281 pp. €26. 2-283-61246-2. Préface de *Jos Vercruysse*; Bibl. 261-267. ᴿRThom 106 (2006) 636-637 (*Ponsot, Hervé*).

8334 *Levoratti, Armando J.* Lettera di Giacomo. Nuovo commentario biblico. 2006 ⇒455. 645-669.

McKnight, E., *al.*, Hebrews-James 2004 ⇒8234.

8335 *Myllykoski, Matti* James the Just in history and tradition: perspectives of past and present scholarship (part I). CuBR 5 (2006) 73-122.

8336 *Orlando, Luigi* La lettera di Giacomo: liturgia e medio giudaismo. Anton. 81 (2006) 431-461.

8337 *Painter, John* James as the first Catholic Epistle. Interp. 60 (2006) 245-259.

8338 *Perrin, Louis* Une lecture de l'épître de Saint Jacques. SémBib 123 (2006) 43-59.

ᴱ**Schmitz, F.** Das Verhältnis der koptischen zur griechischen Überlieferung des NT: Jakobusbrief 2003 ⇒8294.

8339 *Taylor, Mark E.; Guthrie, George H.* The structure of James. CBQ 68 (2006) 681-705.

8340   *Whitters, Mark F.* The letter of James and the season of Advent: common themes. WaW 26 (2006) 429-435.
8341   *Wischmeyer, Oda* Beobachtungen zu Kommunikation, Gliederung und Gattung des Jakobusbriefes. ^FBURCHARD, C.: NTOA 57: 2006 ⇒13. 319-327.
8342   **Wypadlo, Adrian** Viel vermag das inständige Gebet eines Gerechten (Jak 5,16): die Weisung zum Gebet im Jakobusbrief. FzB 110: Wü 2006, Echter x; 438 pp. 3-429-02803-5. Bibl. 387-430.
8343   *Zovkic, Mato* Abraham–prijatelj Božji covjek vjere i Djela prema Jakovljevoj poslanici. BoSm 76 (2006) 755-779. **Croatian**.

8344   *Wolmarans, Johannes L.P.* Misogyny as a meme: the legacy of James 1:12-18. APB 17 (2006) 349-361.
8345   *Poirier, John C.* Symbols of wisdom in James 1:17. Ment. PHILO. JThS 57 (2006) 57-75.
8346   *McCord Adams, Marilyn* Faith and works or, how James is a Lutheran!. ET 117 (2006) 462-464 [Jas 2,1-17].
8347   *Clabeaux, John* Faith and works in James and Paul. BiTod 44 (2006) 279-285 [Jas 2,20-24].
8348   *Fletcher, Rosemary J.* Are there any links between the epistle of James and Buddhism?: an examination of James 3:6. ET 117 (2006) 366-370.
8349   *Byron, John* Living in the shadow of Cain: echoes of a developing tradition in James 5:1-6. NT 48 (2006) 261-274 [Gen 4].
8350   *Richardson, Kurt A.* Job as exemplar in the epistle of James. Hearing the OT. 2006 ⇒777. 213-229 [Jas 5,11].
8351   **Kaiser, Sigurd** Krankenheilung: Untersuchungen zu Form, Sprache, traditionsgeschichtlichem Hintergrund und Aussage von Jak 5,13-18. WMANT 112: Neuk 2006, Neuk x; 310 pp. 3-7887-2142-1. Bibl. 280-304.
8352   *Lenchak, Timothy A.* What's biblical about... anointing the sick?. BiTod 44 (2006) 111-113 [Jas 5,14].

G9.6 Epistula Judae

8353   *Brosend, William* The letter of Jude: a rhetoric of excess or an excess of rhetoric?. Interp. 60 (2006) 292-305.
8354   *Cervantes Gabarrón, José* Lettera di Giuda. Nuovo commentario biblico. 2006 ⇒455. 763-770.
       Chatelion Counet, P. Pseudepigraphy...Jude ⇒8274.
8355   *Countryman, L. William* Jude. Queer bible commentary. 2006 ⇒ 2417. 747-752.
       Davids, P. The letters of 2 Peter and Jude 2006 ⇒8312.
8356   *Hahn, Ferdinand* Randbemerkungen zum Judasbrief. Studien zum NT, II. WUNT 192: 2006 <1981> ⇒231. 643-652.
       Kieffer, R. Filemonbrevet, Judasbrevet 2001 ⇒8197.
       Viljoen, F. ...ethics and ethos in Jude...2 Peter 2006 ⇒8313.
8357   *Wasserman, Tommy* P78 (P.Oxy. XXXIV 2684): the epistle of Jude on an amulet?. NT manuscripts. 2006 ⇒453. 137-160.
8358   **Wasserman, Tommy** The epistle of Jude: its text and transmission. ^D*Übelacker, W.* CB.NT 43: Sto 2006, Almqvist & W. xv; 368; xvi pp. €55. 978-91-22-02159-0. Diss. Lund; Bibl. 340-359.

8359 *Spitaler, Peter* Doubt or dispute (Jude 9 and 22-23): rereading a special New Testament meaning through the lense of internal evidence. Bib. 87 (2006) 201-222.

XIII. Theologia Biblica

H1.1 Biblical Theology [OT] God

8360 *Aḥituv, Shmuel* Did God really have a wife?. BArR 32/5 (2006) 62-66.

8361 *Alkier, Stefan* Ist der eine Gott gewalttätig?: eine Einführung zur Kontroverse. ZNT 9/17 (2006) 41.

8362 *Andersen, Øyvind B.* Gud og meninga med livet. Ung teologi 39/3 (2006) 17-26.

8363 *Assmann, Jan* Ist der eine Gott gewalttätig?. ZNT 9/17 (2006) 42-47.

8364 **Barbaglio, Giuseppe** Amore e violenza: il Dio bifronte. Villa Verucchio (RN) 2006, Pazzini 80 pp.

8365 *Birch, Bruce C.* Creation and the moral development of God in Genesis 1-11. [F]FRETHEIM, T. 2006 ⇒45. 12-22..

8366 *Brueggemann, Walter* A shattered transcendence: exile and restoration. Like fire in the bones. 2006 <1995> ⇒198. 116-131 [Deut 4, 23-31; Isa 54,7-10; Jer 31,35-37].

8367 *Burnett, Joel S.* Where is God?: divine absence in Israelite religion. PRSt 33 (2006) 395-414.

8368 *Candido, Dionisio* "Io pongo oggi davanti a te la vita o la morte" (Dt 30,15-20). Horeb 15/2 (2006) 19-27.

8369 **Crenshaw, James L.** Defending God: biblical responses to the problem of evil. 2005 ⇒21,8725. [R]Interp. 60 (2006) 462-64 (*Penchansky, David*); RBLit (2006)* (*Latvus, Kari*); JBL 125 (2006) 584-6 (*Bellinger, W.H., Jr.*); JThS 57 (2006) 616-8 (*Dell, Katharine J.*).

8370 *Davies, Graham I.* "God" in the Old Testament theology. Congress volume Leiden 2004. VT.S 109: 2006 ⇒759. 175-194.

8371 *De Benedetti, Paolo* Dal Dio di Giobbe al Dio di Qohelet. Qohelet. 2006 ⇒779. 15-17.

8372 *Dietz, Walter R.* Biblische und systematisch-theologische Aspekte zur Rede von Gottes Zorn und Erbarmen. "Deine Bilder". 2006 ⇒ 429. 31-54.

8373 *Dirscherl, Erwin; Dohmen, Christoph* "Ich bin der ich bin": Möglichkeiten und Grenzen der Gott-Rede. "Deine Bilder". 2006 ⇒429. 141-173.

8374 *Domenichini, Elisa* Quando Dio tace e si nasconde: alcuni aspetti autolimitativi di Dio. Studi Fatti Ricerche 114 (2006) 9-11.

8375 *Donahue, J.R.* Living between memory and longing. America 195/19 (2006) 26-28.

8376 **Duquoc, Christian** Dieu partagé: le doute et l'histoire. Théologies: P 2006, Cerf 318 pp. €32. 22040-80748.

8377 **Eberhardt, Gönke D.** JHWH und die Unterwelt: Spuren einer Kompetenzausweitung JHWHs im Alten Testament. [D]*Janowski, B.* 2006, Diss. Tübingen [ThLZ 132,490].

8378 *Eslinger, L.* The enigmatic plurals like "one of us" (Genesis i 26, iii 22, and xi 7) in hyperchronic perspective. VT 56 (2006) 171-184.

8379 *Ferrari Schiefer, Valeria* Nie nennen wir dich zu Ende: Ansätze zu einer inklusiven Gottesrede. ^FSCHÜNGEL-STRAUMANN, H. 2006 ⇒ 153. 27-39.

8380 *Fidler, Ruth* Informative dialogue and argumentative dialogue–two patterns in divine-human discourse. Shnaton 16 (2006) 115-142.

8381 **Fornara, Roberto** La visione contradetta: la dialettica fra visibilità e non-visibilità divina nella Bibbia ebraica. AnBib 155: 2004 ⇒20, 8134; 21,8728. ^RETR 81 (2006) 264-265 (*Vincent, Jean Marcel*).

8382 *Franz, Albert* Gottesbild und Gottesbegriff: theologische Reflexionen zu Antonio de CORREGGIOS "Die heilige Nacht". ^FSCHÜNGEL-STRAU-MANN, H. 2006 ⇒153. 17-26.

8383 **Freedmann, Amelia** God as an absent character in Biblical Hebrew narrative: a literary-theoretical study. Studies in Bibl. Lit. 82: 2005 ⇒21,8730. ^RRBLit (2006)* (*Amit, Yairah; Brueggemann, Walter*).

8384 *Frettlöh, Magdalene L.* Ist Gott randständig?–oder: wer außer Gott kann schon mit Gott zu Rande kommen!. Die besten Nebenrollen. 2006 ⇒1164. 22-33.

8385 **Gavrilyuk, Paul L.** The suffering of the impassible God: the dialectics of patristic thought. 2004 ⇒20,8176. ^RVigChr 60 (2006) 233-238 (*Sarot, Marcel*).

8386 *Golding, Thomas A.* The imagery of shepherding in the bible. BS 163 (2006) 18-28, 158-175.

8387 *Gordon, Robert P.* 'Comparativism' and the God of Israel. Hebrew Bible and ancient versions. MSSOTS: 2006 <2005> ⇒224. 180-196.

8388 *Groenewald, Alphonso* Die Beeld van die 'verborge gesig' van God: 'en moet asseblief nie u aangesig vir u kneg verberg nie!' (Ps 69:18a). OTEs 19 (2006) 831-850.

8389 *Groß, Walter* Keine Gerechtigkeit Gottes ohne Zorn Gottes–Zorn Gottes in der christlichen Bibel. "Deine Bilder". 2006 ⇒429. 13-29.

8390 *Grund, Alexandra* Der gebärende Gott: zur Geburtsmetaphorik in Israels Gottesrede. Stimulation from Leiden. BEAT 54: 2006 ⇒686. 305-318.

8391 *Josuttis, Manfred* Notizen zur Leiblichkeit der Gotteserkenntnis. "Dies ist mein Leib". Jabboq 6: 2006 ⇒515. 91-102.

8392 *Kawashima, Robert S.* The priestly tent of meeting and the problem of divine transcendence: an 'archaeology' of the sacred. JR 86 (2006) 226-257.

8393 *Kruck, Günter* "Kein Ding ist, wo das Wort gebricht"–zur Konsistenz metaphorischer Gottesrede. "Deine Bilder". 2006 ⇒429. 125-140.

8394 *Lefebvre, Philippe* Connaître Dieu: que disent les premières pages des livres de l'Ancien Testament?. MSR 63/2 (2006) 19-32 [Gen 1-3].

8395 *Lier, G.E.* A comparative analysis of the concept of God in the Hebrew scriptures. JSem 15 (2006) 1-17.

8396 *Marx, Alfred* Le Dieu de l'Ancien Testament: esquisse d'une approche canonique. RevSR 80 (2006) 253-269.

8397 *Mazor, Yair* What you see is not what you get: when unity masquerades as disarray. SJOT 20 (2006) 264-272 [Gen 4; Ps 23].

8398 *Mendl, Hans* Kinder, Gott und das Leid. Wo war Gott?. 2006 ⇒554. 61-105.

8399 *Miggelbrink, Ralf* Die Barmherzigkeit Gottes. "Deine Bilder". 2006 ⇒429. 69-85.

8400 **Miggelbrink, Ralf** L'ira di Dio: il significato de una provocante tradizione biblica. ^T*Danna, C.*: GDT 309: Brescia 2005, Queriniana 235 pp. €19. 88399-08099. ^RCivCatt 157/1 (2006) 418-420 (*Scaiola, D.*).

8401 *Miller, Patrick D.* The omniscience of God and human freedom. ^FFRETHEIM, T. 2006 ⇒45. 145-153.

8402 *Mußner, Franz* JHWH, der nicht einleuchtende Gott Israels: einige Überlegungen. TThZ 115 (2006) 50-59.

8403 *Ngalula, Josée* Visages bibliques de Dieu, métaphores et réalité: implications éthiques. Mission de l'Église 80/1 (2006) 5-11.

8404 *Parker, Simon B.* Divine intercession in Judah?. VT 56 (2006) 76-91 [Job 16,19-21; 33,3-24] [Khirbet el-Kom].

8405 **Robinson, John A.T.** Thou who art: the concept of the personality of God. NY 2006, Continuum xi; 375 pp. $40. Diss. Cambridge, 1946; Introd. *Rowan Williams.*

8406 *Rosito, Massimiliano G.* Nelle sacre scritture un progetto unico di globalizzazione. CiVi 61 (2006) 113-116.

8407 **Roy, Steven C.** How much does God foreknow?: a comprehensive biblical study. DG 2006, InterVarsity 312 pp. $22.

8408 *Schwienhorst-Schönberger, Ludger* Metaphorisch wahr—Offenheit und Eindeutigkeit alttestamentlicher Gottesrede. "Deine Bilder". 2006 ⇒429. 115-124.

8409 **Ska, Jean-Louis** I volti insoliti di Dio: meditazioni bibliche. Collana biblica: Bo 2006, EDB 142 pp. €10.50. 88-10-22128-1.

8410 **Smith, Mark S.** The memoirs of God: history, memory, and the experience of the divine in ancient Israel. 2004 ⇒20,8166; 21,8773. ^RCBQ 68 (2006) 129-130 (*Brettler, Marc Z.*); HeyJ 47 (2006) 442-444 (*Madigan, Patrick*); Interp. 60 (2006) 206-208 (*Washington, Harold C.*);

8411 O memorial de Deus—história, memória e a experiência do divino no antigo Israel. São Paulo 2006, Paulus 264 pp. 85-349-2517-8.

8412 *Sonnet, Jean-Pierre* Du personnnage de Dieu comme être de parole. Bible et théologie. 2006 ⇒449. 15-36.

8413 *Steichele, Hanneliese* Ein Glaube, der Beine macht: biblische Aspekte zum Thema Reisen. AnzSS 115/5 (2006) 5-10.

8414 *Sticher, Claudia* "Die Lampe der Frevler erlischt"–ein rettender, kein strafender Gott". "Deine Bilder". 2006 ⇒429. 87-102 [Ps 27].

8415 *Stinglhammer, Hermann* "Die beste aller Welten?": kann man angesichts von Katastrophen noch an einen guten Schöpfer glauben?. Wo war Gott?. 2006 ⇒554. 29-59.

8416 *Stroumsa, Guy G.* To see or not to see: on the early history of the Visio Beatifica. Wege mystischer Gotteserfahrung. 2006 ⇒859. 67-80.

8417 *Vermeylen, Jacques* "Le fou dit dans son coeur: 'pas de Dieu!'": comment le Premier Testament parle-t-il de l'incroyance?. MSR 63/3 (2006) 7-20.

8418 **Ware, Bruce** God's greater glory: the exalted God of scripture and the christian faith. 2004 ⇒20,8172. ^RFaith & Mission 23/2 (2006) 105-107 (*Lenow, Evan C.*).

8419 *Wood, Joyce R.* When gods were men. ^FPECKHAM, B.: LHBOTS 455: 2006 ⇒126. 285-298.

H1.4 *Femininum in Deo*—God as father and mother

8420 **Böckler, Annette** Gott als Vater im Alten Testament: traditionsgeschichtliche Untersuchungen zur Entstehung und Entwicklung eines Gottesbildes, Jes 63,16. 2000 ⇒16,7298... 21,8783. ᴿThZ 62 (2006) 80-81 (*Ritter, Christine*).

8421 *Groenewald, A.* Teologie kroniek: godsbeelde van die Ou Testament: Jahwe–liefdevolle vader en moeder. VeE 27 (2006) 534-547.

8422 *Mulloor, Augustine* 'When we cry, 'Abba, Father...': biblical revelation of God's fatherhood. Jeevadhara 36 (2006) 152-164.

8423 *Strauss, Sybrand A.* Alles uit sy Vaderhand. AcTh(B) 26/1 (2006) 1-15.

8424 *Wiederkehr, Dietrich* Deus Pater Omnipotens-Mutter Geist: Pfingstgebete und -lieder im Gendervergleich. ᶠSCHÜNGEL-STRAUMANN, H. 2006 ⇒153. 370-384.

H1.7 **Revelatio**

8425 **Batnitzky, Leora** Leo STRAUSS and Emmanuel LEVINAS: philosophy and the politics of revelation. C 2006, CUP xxii; 280 pp. £48. 05218-6156X.

8426 **Cañizares, J.S.** La revelación de Dios en la creación: las referencias patrísticas a Hech 17,16-34. Diss., ser. theologica 19: R 2006, Univ. della Santa Croce 434 pp. €25. 88833-31591.

8427 *Ciglia, Francesco P.* O milagre da revelaçao: uma abordagem ao diálogo entre ROSENZWEIG e AGOSTINHO. RPF 62/2-4 (2006) 457-480.

8428 *Dennison, William D.* Natural and special revelation: a reassessment. Kerux 21/2 (2006) 13-34.

8429 *Di Pilato, Vincenzo* Gesù Cristo, la rivelazione e le religioni: podromi di una ricerca. Rivista di science religiose 20 (2006) 141-155.

8430 *Du Toit, D.A.* Waarheid en betekenisgelaagdheid. VeE 27 (2006) 488-508.

8431 *Fuhs, Hans F.* Vom Gemeinschaftsmahl zur Gottesschau: zur theologischen Dimension altbundlicher Mahlgemeinschaften. ThGl 96 (2006) 233-249.

8432 **Kaplan, Grant** Answering the Enlightenment: the catholic recovery of historical revelation. NY 2006, Crossroad 230 pp. 978-08245-236-40. Diss. Boston College.

8433 **Martin, Francis** Sacred scripture: the disclosure of the word. Naples, Fla. 2006, Sapientia xix; 286 pp. $27. 978-19325-89306.

8434 **Niebuhr, H. Richard** The meaning of revelation. Library of Christian Ethics: LVL 2006 <1941>, Westminster 104 pp. $20. 06642-29-980. Introd. *Douglas Ottati*.

8435 **Pizzuto, Pietro** La teologia della rivelazione di Jean DANIÉLOU: influsso su Dei Verbum e valore attuale. TGr.T 96: 2003 ⇒19,8187; 21,8794. ᴿZKTh 128 (2006) 464-467 (*Neufeld, Karl H.*).

8436 **Saldanha, Peter Paul** Revelation as 'self-communication of God': a study of the influences of Karl BARTH and Karl RAHNER on the concept of revelation in the documents of the Second Vatican Council. 2005 ⇒21,8796. ᴿITS 43 (2006) 237-240 (*Francis, B. Joseph*).

8437 *Schmied-Kowarzik, Wolfdietrich* Cohen und ROSENZWEIG zu Vernunft und Offenbarung. RPF 62/2-4 (2006) 511-533.

8438 *Suda, Max J.* Selbstoffenbarung Gottes in der Bibel?. WJT 6 (2006) 217-231.

8439 **Theobald, Christoph** La rivelazione. Bo 2006, EDB 231 pp.

8440 *Wright, William M., IV* The theology of disclosure and biblical exegesis. Thom. 70 (2006) 395-419 [John 2,17; 15,25; 19,28-30; Ps 69].

8441 **Żaborowski, Zygmunt** Dramatyczne przedkładanie treści biblijnych Objawienia w świetle interpretacji integralnej [La proclamation dramatique des sujets bibliques de la révélation à la lumière de l'interprétation intégrale]. ᴰ*Lach, J.* 2006, Diss. Warsaw–UKSW [RTL 38,616]. P.

H1.8 Theologia fundamentalis

8442 **Bongardt, Michael** Einführung in die Theologie der Offenbarung. 2005 ⇒21,8805. ᴿÖR 55 (2006) 267-268 (*Hailer, Martin*); ActBib 43 (2006) 31-32 (*Boada, J.*).

8443 **Caviglia, Giovanni** Gesù Cristo via, verità e vita: linee di teologia fondamentale. 2005 ⇒21,8806. ᴿItin(M) 14 (2006) 272-274 (*Pizzuto, Pietro*).

8444 **Fischer, Ralph** Macht der Glaube heil?: der christliche Glaube als Heilsmacht im Anschluss an Eugen Biser und Eugen Drewermann. Bamberger Theologische Studien 30: Fra 2006, Lang 490 pp. €69.60. 3-631-54767-6. Einl. *Eugen Biser*; Diss.

8445 *Gallagher, Michael P.* Rifondazione metodologica della teologia fondamentale. Il teologo e la storia. 2006 ⇒526. 265-274.

8446 *Hahn, Ferdinand* Exegese und Fundamentaltheologie: die Rückfrage nach Jesus in ihrem Verhältnis zu Kerygma und Heiliger Schrift: ein Beitrag zu Grundfragen der Theologie aus evangelischer Sicht. Studien zum NT, I. WUNT 191: 2006 <1975> ⇒230. 47-67.

8447 **Hercsik, Donath** Elementi di teologia fondamentale: concetti, contenuti, metodi. Bo 2006, EDB 244 pp. €30.

8448 **Hofmann, Peter** Die Bibel ist die erste Theologie: ein fundamentaltheologischer Ansatz. Pd 2006, Schöning 462 pp. €59. 3-506-71369-8. ᴿGr. 87 (2006) 401-403 (*Hercsik, Donath*); ActBib 43 (2006) 208-209 (*Boada, Josep*).

8449 **Hübner, Hans** Evangelische Fundamentaltheologie: Theologie der Bibel. 2005 ⇒21,8809. ᴿGr. 87 (2006) 175-176 (*O'Collins, Gerald*); RBLit (2006)* (*West, James*).

8450 **Larcher, Gerhard** Annäherungsversuche von Kunst und Glaube: ein fundamentaltheologisches Skizzenbuch. Grazer fundamentaltheologische Schriftenreihe 2: Müns 2006, LIT 120 pp. 3-8258-9183-6.

8451 *Pauw, C.J.* Menslike behoeftes as sistematies-teologiese kernbegrip. VeE 27 (2006) 964-985.

8452 *Schärtl, Thomas* Metaphysical aspects of the concept of resurrection. Conc(GB) 5 (2006) 65-77.

8453 **Webster, John** Holy scripture: a dogmatic sketch. Current issues in theology: 2003 ⇒19,8199... 21,8819. ᴿTrinJ 27 (2006) 1-62 (*Carson, D.A.*).

H2.1 Anthropologia theologica—VT & NT

8454 **Abbattista, Irene Gentile** Il volto della cecità nella bibbia. T 2006, Morea 120 pp.

8455 *Adogbo, Michael P.* A comparative study of pollution in African and biblical traditions. AJTh 20/1 (2006) 103-113.

8456 *Anderson, Ross J.* The virtues of hard work and self-reliance rooted in biblical rather than Latter-Day Saint worldviews. TrinJ 27 (2006) 63-75.

8457 *Arens, Werner* Jugend–nicht nur eine bestimmte Lebenszeit, sondern auch eine bestimmte Haltung dem Leben gegenüber. [F]UNTERGASS-MAIR, F. 2006 ⇒161. 617-621.

8458 **Arterbury, Andrew E.** Entertaining angels: early christian hospitality in its Mediterranean setting. NTMon 8: 2005 ⇒21,8822. [R]RBLit (2006)* *(Blomberg, Craig)*.

8459 *Assmann, Jan* Der Mensch vor Gott: Grundlage einer religiösen Anthropologie in Aharon Agus, *The Binding of Issac and Messiah.* [F]AGUS, A.. 2006 ⇒1. 1-14.

8460 *Bail, Ulrike* Hautritzen als Körperinszenierung der Trauer und des Verlustes im Alten Testament. "Dies ist mein Leib". Jabboq 6: 2006 ⇒515. 54-80.

8461 **Bakke, O.M.** When children became people: the birth of childhood in early christianity. [T]McNeil, Brian 2005 ⇒21,8826. [R]Interp. 60 (2006) 338-340 *(Wall, John)*; Theol. 109 (2006) 367-368 *(Francis, James)*; JECS 14 (2006) 539-541 *(Horn, Cornelia B.)*.

8462 *Barton, John* The fall and human depravity. The multivalence. SBL. Symposium 37: 2006 ⇒745. 105-111.

8463 *Bateman, P.W.; Bennett, N.C.* The biology of human sexuality: evolution, ecology and physiology. VeE 27 (2006) 245-264.

8464 **Beck, James R.; Demarest, Bruce** The human person in theology and psychology: a biblical anthropology for the twenty-first century. 2005 ⇒21,8831. [R]Faith & Mission 24/1 (2006) 114-115 *(Hammett, John S.)*.

8465 *Beck, J.R.* Collaboration between biblical studies and counseling: five crucial questions. JPsC 25/2 (2006) 101-110.

8466 *Bemporad, Jack* Alcuni cenni sulla presenza e sul silenzio di Dio nel pensiero ebraico. Nuova Umanità 28/1 (2006) 99-105.

8467 *Bentoglio, Gabriele* 'Il Signore protegge lo straniero' (Sal 146,9): riflessioni di teologia biblica. CredOg 26/4 (2006) 19-29.

8468 *Beuscher, Bernd* Leibeigenschaften;

8469 *Bieler, Andrea* Real bodies at the meal. "Dies ist mein Leib". Jabboq 6: 2006 ⇒515. 247-254/81-90.

8470 **Bilezikian, Gilbert G.** Beyond sex roles: what the bible says about a woman's place in church and family. GR [3]2006, Baker 270 pp. 978-0-8010-3153-3.

8471 **Bockmuehl, Markus** Seeing the word: refocusing New Testament study. Studies in theological interpretation: GR 2006, Baker 297 pp. $22. 0-8010-2761-6. Bibl. 233-273 [BiTod 45,125–Donald Senior].

8472 **Braund, Susanna; Most, Glenn W.** Ancient anger: perspectives from HOMER to GALEN. YCS 32: 2003 ⇒19,8214. [R]REA 108 (2006) 749-751 *(Cusset, Christophe)*.

8473 *Brown, Terry* Personhood as a tool to reflect upon *Koinonia*. AThR 88 (2006) 163-179.
8474 *Butting, Klara* Gottes Segen für Lesben und Schwule: biblische Reflexionen. Diak. 37 (2006) 333-339.
8475 **Carasik, Michael** Theologies of the mind in biblical Israel. Studies in biblical literature 85: NY 2006, Lang vi; 263 pp. €62. 0-8204-784-8-2. Bibl. 235-248. [R]ZAR 12 (2006) 387-391 (*Otto, Eckart*).
8476 **Carson, Donald** Jusques à quand?: réflexions sur le mal et la souffrance. 2005 ⇒21,8849. [R]ThEv(VS) 5 (2006) 307-315 (*Huser, Thierry*).
8477 *Castellano Cervera, Jesús* Dio e l'uomo nella tradizione cristiana. Nuova Umanità 28 (2006) 771-781.
8478 *Chamard-Bois, Pierre* Discerner le corps. LV.F 61 (2006) 411-421.
8479 **Chang, Paul K.W.** Metatheology: a comparative approach of synthetic theology to the ancient Near East, the Old Testament and the language of the New Testament. Bloomington, IN 2005, Author House 160 pp. $29.
8480 *Chimelli, Claire* L'interdit de la torture: une réflexion biblique. Choisir 564 (2006) 17-21.
8481 [E]**Ciardella, Piero; Gronchi, Maurizio** I sentimenti. Scritture 2: Mi 2006, Paoline 129 pp. €7.50.
8482 **Cipriani, Settimio** Uomini e donne nella bibbia: Antico Testamento. 2005 ⇒21,8851. [R]PaVi 51/4 (2006) 60-62 (*Rolla, Armando*).
8483 *Clivaz, Claire* La sueur de sang comme trait du personnage de Jésus (Lc 22,44): narratologie, personnage et corporéité. Et vous. 2006 ⇒ 760. 105-126.
8484 *Coetzer, W.* Pastorale implikasies van die liggaam/denke verbintenis. VeE 27 (2006) 775-793.
8485 *Cook, Johann* Homoseksualiteit: 'n tekst(e)uele perspektief. Scriptura 93 (2006) 411-418.
8486 *Costa, Paolo* Natura e identità umana. Natura senza fine. 2006 ⇒ 612. 119-150.
8487 *Crenshaw, James L.* The sojourner has come to play the judge: theodicy on trial. Prophets, sages. 2006 <1998> ⇒204. 195-200 [Gen 18, 25; 19,9].
8488 *Dreyer, Y.* Prejudice, homophobia and the christian faith community. VeE 27 (2006) 155-173.
8489 *Duplantier, Jean-Pierre* Si l'homme souffrant nous parlait en vérité!: détours par la bible. SémBib 122 (2006) 39-55.
8490 *Ebach, Jürgen* Biblische Abschiede: eine Szenenfolge. FrRu 13 (2006) 199-206 [Gen 13,5-11; 24; Ruth 1,7-18; 2 Sam 19; 2 Kgs 2];
8491 Der Golem: ein leibhaftiger Mensch? oder Was wir wissen dürfen, tun können und unterlassen sollen. "Dies ist mein Leib". Jabboq 6: 2006 ⇒515. 230-246.
8492 **Ellens, J. Harold** Sex in the bible: a new consideration. Westport, Conn. 2006, Praeger xxiii; 183 pp. $45. 0-275-98767-1. Bibl. 169-172.
8493 **Elliott, Matthew A.** Faithful feelings: rethinking emotion in the New Testament. GR 2006, Kregel 301 pp. $20. 08254-25425.
8494 **Elorza, José Luis** Drama y esperanza, II: un Dios desconcertante y fiable: los profetas de Israel; III: el ser humano interrogado por la realidad. Vitoria-Gasteiz 2006, Frontera 408 + 336 pp. 84609-40055.

8495 *Erbele-Küster, Dorothea* "Kann denn ein Männliches gebären?" (Jer 30,6): noch mehr gender trouble im Alten Testament. "Du hast mich aus meiner Mutter Leib gezogen". BThSt 75: 2006 ⇒374. 39-54 [Jer 30,6; 31,22].

8496 *Farisani, Elelwani B.* The use of Galatians 3:28 in promoting gender equality. Journal of constructive theology 12/1 (2006) 53-65.

8497 *Feintuch, Yossi* The folly of impetuous speech: four biblical incidents. JBQ 34 (2006) 16-19.

8498 *Festorazzi, Franco* La speranza non delude (Rm 5,5). Orientamenti Pastorali 2 (2006) 29-35.

8499 **Fidler, Ruth** 'Dreams speak falsely'?: dream theophanies in the bible: their place in ancient Israelite faith and traditions. J 2005, Magnes viii; 456 pp. ᴿRBLit (2006)* (*Avioz, Michael*); JHScr 6 (2006)* = PHScr III,353-55, 364-369 (*Bar, Shaul; Noegel, Scott*) [⇒593]. **H.**

8500 *Fischer, Irmtraud* Israel's senses for the sensual God. ThD 53 (2006) 137-142 <'Israels wache Sinne für seinen sinnlichen Gott', BiLi 78 (2005) 234-240.

8501 **Flannery-Dailey, Frances** Dreamers, scribes, and priests: Jewish dreams in the Hellenistic and Roman eras. JSJ.S 90: 2004 ⇒20,8238; 21,8864. ᴿBib. 87 (2006) 447-451 (*Bar, Shaul*).

8502 *Först, Johannes* Eschatologische Praxis an der Grenze: ein pastoraltheologisches Plädoyer für einen alttestamentlich motivierten Umgang mit dem Tod. Prekäre Zeitgenossenschaft. 2006 ⇒432. 210-23.

8503 **Francis, James M.M.** Adults as children: images of childhood in the ancient world and the New Testament. Religions and Discourse 17: Bern 2006, Lang 346 pp. €57.20/£40. 30391-00203.

8504 *Frettlöh, Magdalene L.* "Gott ist im Fleische ...": die Inkarnation Gottes in ihrer leibeigenen Dimension beim Wort genommen. "Dies ist mein Leib". Jabboq 6: 2006 ⇒515. 186-229.

8505 *Frevel, Christian* Wie Tau aus dem Schoss des Morgenrots: zur Würde des Menschen nach dem Alten Testament. IKaZ 35 (2006) 120-131; Com(I) 206,8-20.

8506 *Frymer-Kensky, Tikva* The image: religious anthropology in Judaism and christianity. Studies in bible. 2006 <2000> ⇒219. 91-107.

8507 *Greeff, C.J.; Boshoff, W.S.* Tsāra'ath in die Hebreeuse Bybel: vertalingsvoorstelle om die stigma wat aan melaatsheid kleef te besweer. OTEs 19 (2006) 1193-1214.

8508 *Groenewald, A.* Drink met vreugde uit die liefdesfontein!–'n Ou-Testamentiese perspektief op menslike seksualiteit. VeE 27 (2006) 42-69.

8509 **Haag, Herbert**, *al.*, Great couples of the bible. Mp 2006, Fortress 191 pp. $29. Num. ill. [BiTod 45,122—Dianne Bergant].

8510 *Haffner, D.W.* Sexuality and scripture: what *else* does the bible have to say?. Reflections [New Haven, CT] 92/1 (2006) 32-35.

8511 *Hartenstein, Friedhelm* Gott als Horizont des Menschen: nachprophetische Anthropologie in Psalm 51 und 139. ᶠMEINHOLD, A.: ABIG 23: 2006 ⇒110. 491-512.

8512 **Heckel, Ulrich** Der Segen im Neuen Testament: Begriff, Formeln, Gesten: mit einem praktisch-theologischen Ausblick. WUNT 150: 2002 ⇒18,7776... 21,8873. ᴿSvTK 82 (2006) 136-137 (*Larsson, Göran*); CBQ 68 (2006) 543-545 (*Morton, Russell*).

8513 *Heine, S.* Erkennen und Scham: Sigmund FREUDs biblisches Menschenbild. VeE 27 (2006) 869-885.

8514 *Heß, Ruth* "... darin ist nicht männlich und weiblich": eine heilsöko-
nomische Reise mit dem Geschlechtskörper. "Dies ist mein Leib".
Jabboq 6: 2006 ⇒515. 144-185.

8515 *Hossfeld, F.-L.* Glaube und Alter. ThG 49 (2006) 267-276.

8516 *Hödl, Hans G.* Inkulturation: ein Begriff im Spannungsfeld von The-
ologie, Religions- und Kulturwissenschaft. Inkulturation. 2006 ⇒
543. 15-38.

8517 *Isbell, Charles David* Sleep from the eyes, slumber from the eyelids.
JBQ 34 (2006) 39-46.

8518 *Janowski, Bernd* "Du hast meine Füße auf weiten Raum gestellt"
(Psalm 31,9): Gott, Mensch und Raum im Alten Testament. Mensch
und Raum. Colloquium Rauricum 9: 2006 ⇒879. 35-70.

8519 **Johnson, William S.** A time to embrace: same-gender relationships
in religion, law, and politics. GR 2006, Eerdmans 340 pp. $25/£15.
978-08028-29665.

8520 *Jonker, Louis* Ou-Testamentiese tekste in die gesprek oor homosek-
sualiteit. Scriptura 93 (2006) 401-410 [Gen 19,5; Lev 18,22; 20,13].

8521 *Kajon, Irene* La relazione tra Dio e l'umanità nella tradizione ebrai-
ca. Nuova Umanità 28 (2006) 783-792.

8522 *Kaplan, Drew* In your lying down and in your rising up: a biblical
sleep ethic. JBQ 34 (2006) 47-50.

8523 *Kazen, Thomas* Standing helpless at the roar and surging of the sea:
reading biblical texts in the shadow of the wave. StTh 60 (2006) 21-
41 [Luke 8,22-25; 13,1-5; 21].

8524 *Keerankeri, George* The passion and death of Jesus and the problem
of human suffering. VJTR 70 (2006) 726-745.

8525 *Kessler, Rainer* Männertränen. Gotteserdung. BWANT 170: 2006
<1994> ⇒249. 30-34.

8526 *Klieber, Rupert* Inkulturation–eine historische und theologische He-
rausforderung. Inkulturation. 2006 ⇒543. 9-14.

8527 *Klopper, Frances* "Of all things upon earth that bleed and grow, the
herb most bruised is woman" (Euripides): Israelite women as object
of carnal knowledge. JSem 15 (2006) 337-348.

8528 **Köstenberger, Andreas J.; Jones, David W.** God, marriage, and
family: rebuilding the biblical foundation. 2004 ⇒20,8269. [R]WThJ
68 (2006) 184-186 (*Tarwater, John*); JISt 18 (2006) 201-203 (*Paler-
mo, George B.*).

8529 *Kunz-Lübcke, Andreas* Wahrnehmung von Adoleszenz in der Hebräi-
schen Bibel und in den Nachbarkulturen Israels. "Schaffe mir Kinder
...". ABIG 21: 2006 ⇒756. 165-195.

8530 **Lau, Dieter** Wie sprach Gott: 'Es werde Licht'?: antike Vorstel-
lungen von der Gottessprache. 2003 ⇒19,8286. [R]PLA 59 (2006)
277-279 (*Piston, Rudolf*); VetChr 43 (2006) 317-318 (*Berrino, Nico-
letta F.*).

8531 **Lawrence, Louise J.** Reading with anthropology: exhibiting aspects
of New Testament religion. 2005 ⇒21,8892. [R]CBQ 68 (2006) 769-
770 (*Green, Joel B.*); RBLit (2006)* (*Watson, David*).

8532 *Le Roux, J.H.* Die lyf se troos. Ment. AUGUSTINUS Hippo. VeE 27
(2006) 26-41.

8533 *Lefebvre, Philippe* 'C'est Rachel qui pleure et ne veut pas être conso-
lée' (Jr 31,15). FZPhTh 53 (2006) 437-439.

8534 *Leone, Salvino* Le radici teologiche dell'hospitalitas. VM 60 (2006)
65-82.

8535 **Loader, William R.G.** Sexuality and the Jesus tradition. 2005 ⇒21, 8897. ᴿRRT 13 (2006) 216-218 (*Kilmer, Julie J.*); BTB 36 (2006) 41-42 (*Crook, Zeba*); LASBF 56 (2006) 645-648 (*Chrupcała, Lesław D.*).

8536 *Loprieno, Antonio* Epilog. Mensch und Raum. Colloquium Rauricum 9: 2006 ⇒879. 217-221.

8537 *Loughlin, Gerard* The body. Blackwell companion to the bible. 2006 ⇒465. 381-395.

8538 *Lux, Rüdiger; Kunz-Lübcke, Andreas* Das "Kind" in der alttestamentlichen Wissenschaft: Skizzen zu einem Desiderat der Forschung. "Schaffe mir Kinder ...". ABIG 21: 2006 ⇒756. 11-17.

8539 **Makunga, Lendo** Mémoire et oubli dans l'Ancien Testament. 2006, 434 pp. Diss. Strasbourg [RTL 38,614].

8540 *Mayordomo-Marín, Moisés* Construction of masculinity in antiquity and early christianity. LecDif 6/2 2006*.

8541 **McWilliams, Warren** Where is the God of justice?: biblical perspectives on suffering. 2005 ⇒21,8910. ᴿRBLit (2006)* (*Nir, Rivka*).

8542 *Metternich, Ulrike* "Glück, mehr als ich umarmen kann": Dorothee Sölle und die Verteilung des Glücks;

8543 Glück ist etwas, was länger anhält: Interview mit Schwester Michaela Bank. Zum Leuchten bringen. 2006 ⇒446. 44-57/138-145;

8544 "Irgendwie hat es auch immer in mein Leben hineingepasst, von Anfang an": Interview mit Ingrid Schmidt. Zum Leuchten bringen. 2006 ⇒446. 146-151.

8545 *Meyer-Drawe, Käte* Protokolle des Leibes. "Dies ist mein Leib". Jabboq 6: 2006 ⇒515. 19-29.

8546 *Mies, Françoise* Le corps souffrant dans l'Ancien Testament. RivBib 54 (2006) 257-290.

8547 *Miggelbrink, Ralf* Verbum Caro: Inkarnation als Schlüsselbegriff christlicher Weltdeutung. TThZ 115 (2006) 200-215.

8548 *Mlinar, Anton* Etika, humor in Sveto pismo [Ethics, humor, and the bible]. Bogoslovni Vestnik 66 (2006) 371-393. **S**.

8549 *Muema, Peter* Hunger: a survey of the bible and the African world. African Christian Studies 22/2 (2006) 39-67.

8550 **Näf, Beat** Traum und Traumdeutung im Altertum. 2004 ⇒20,8290. ᴿThLZ 131 (2006) 291-293 (*Volp, Ulrich*); Gn. 78 (2006) 611-615 (*Corbeill, Anthony*).

8551 **Neumann-Gorsolke, Ute** Herrschen in den Grenzen der Schöpfung: ein Beitrag zur alttestamentlichen Anthropologie am Beispiel von Psalm 8, Genesis 1 und verwandten Texten. WMANT 101: 2004 ⇒ 20,8291; 21,8914. ᴿThR 71 (2006) 21-3 (*Reventlow, Henning Graf*).

8552 *Norin, Stig* Who owns the stage?: control and filiation in dialogues between women and men in the Hebrew Bible. ᴹILLMAN, K.: 2006 ⇒72. 285-313.

8553 *Nutu, Ela* Red herrings in bullet-time: the matrix, the bible, and the postcommunist I. The recycled bible. 2006 ⇒351. 69-85.

8554 *Ohler, Annemarie* Der Mann in der Bibel: ein alter Zugang zu biblischen Erzählungen, neu erprobt. ᶠSCHÜNGEL-STRAUMANN, H. 2006 ⇒153. 306-317.

8555 **Olyan, Saul M.** Biblical mourning: ritual and social dimensions. 2004 ⇒20,8293; 21,8918. ᴿBTB 36 (2006) 42 (*DeMaris, Richard E.*); JSSt 51 (2006) 392-393 (*Davies, Douglas J.*).

8556   *Pansa, Battista A.* Il deserto e la città: linee per una riflessione biblica sulla mobilità umana. Un futuro per l'uomo 6/2 (2006) 9-36.

8557   *Patterson, Richard D.* The biblical imagery of feet as a vehicle for truth. BS 163 (2006) 29-45.

8558   **Pelletier, A.-M.** Le signe de la femme. Epiphanie: P 2006, Cerf 249 pp. €25. 2204-073962 [Eph 5,21-23].

8559   *Pesce, Mauro* L'inevitabile rapporto fra religioni e potere: prospettive socio-antropologiche. RstB 18 (2006) 17-42.

8560   **Pérez Camilo, Daniel** Pastoral de los derechos humanos: fundamentación bíblica y espiritual. 2004 ⇒20,8296. [R]EfMex 71 (2006) 276-279 (*Gómez Tagle López, Erick*).

8561   **Philip, Tarja S.** Menstruation and childbirth in the bible: fertility and impurity. Studies in Biblical literature 88: NY 2006, Lang xiv; 153 pp. €52.10. 0-8204-7908-X. Bibl. 133-144.

8562   *Potgieter, J.* Permanente homoseksuele verhoudings van liefde en trou. VeE 27 (2006) 174-185.

8563   *Ragies Gunda, Masiiwa* Leviticus 18:22, Africa and the West: towards cultural convergence on homosexuality. Prekäre Zeitgenossenschaft. 2006 ⇒432. 115-133 [Lev 18,22].

8564   **Raharimanantsoa, Mamy** Mort et espérance selon la Bible Hébraïque. [D]*Norin, Stig*: CB.OT 53: Sto 2006, Almqvist & W. xx; 513 pp. SEK469. 91-22-02142-6. Diss. Uppsala; Bibl. 455-492. [R]SEÅ 71 (2006) 243-245 (*Nurmela, Risto*).

8565   *Rantrud, Jan* Mennesket blant annet: om mennesker, medskapninger og verden i de bibelske skapelsesberetningene og noen rabbinske tolkninger. Ung teologi 39/4 (2006) 61-67.

8566   *Rapp, Ursula; Metternich, Ulrike* Die Kunst, dem Glück die Macht zu geben: Glück im Leben von vier Frauen. Zum Leuchten bringen. 2006 ⇒446. 134-137.

8567   **Reinmuth, Eckart** Anthropologie im Neuen Testament. UTB 2768: Tü 2006, Francke viii; 338 pp. €24.90. 3-7720-8151-7.

8568   *Rosell Nebreda, Sergio* Una evaluación de los modelos antropológico-culturales aplicados al estudio del Nuevo Testamento. EstB 64 (2006) 535-546.

8569   *Rossé, Gérard* Presenza e silenzio di Dio nella tradizione cristiana. Nuova Umanità 28/1 (2006) 93-98.

8570   *Sadler, Rodney S., Jr.* Can a Cushite change his skin?: Cushites, "racial othering," and the Hebrew Bible. Interp. 60 (2006) 386-403.

8571   *Sanz Giménez-Rico, Enrique* Dos ancianos, una revelación: Moisés y Job, centenarios repletos de bendición. SalTer 94 (2006) 189-198.

8572   *Sayler, Gwen* Adam and Eve/Adam and Steve?: a challenge to the hermeneutical 'complementarity' argument. CThMi 33 (2006) 406-414 [Gen 1-2].

8573   **Schipper, J.** Disability studies and the Hebrew Bible. NY 2006, Clark 158 pp [2 Sam 9].

8574   *Schöttler, Heinz-Günther* "Die göttlichen Worte wachsen, indem sie gelesen werden" (GREGOR der Große): Rezeptionsästhetik und Schriftauslegung. "Der Leser begreife!". 2006 ⇒472. 13-33;

8575   Von der Offenheit der Heiligen Schriften: eine kanon-theologische Beobachtung mit homiletischen Anmerkungen. "Der Leser begreife!". 2006 ⇒472. 34-64.

8576   *Schreiner, Thomas T.* A New Testament perspective on homosexuality. Themelios 31/3 (2006) 62-75.

8577 *Schwienhorst-Schönberger, Ludger* "Für alles gibt es eine Stunde" (Koh 3,1): das Verständnis der Zeit im Alten Testament. ThPQ 154 (2006) 356-364 [Gen 1; Qoh 3,1-9].

8578 **Simian-Yofre, Horacio** Sofferenza dell'uomo e silenzio di Dio: nell' Antico Testamento e nella letteratura del Vicino Oriente Antico. 2005 ⇒21,8944. [R]CivCatt 157/4 (2006) 411-413 (*Scaiola, D.*).

8579 **Simoens, Yves** Il corpo sofferente: dall'uno all'altro Testamento. CSB 54: Bo 2006, Dehoniane 268 pp. €24. 978-88-10-41005-9. Bibl. 247-254 [Ps 66; 102; John 9-10; 19; 1 Cor 15];

8580 Le corps souffrant: de l'un à l'autre Testament. P 2006, Éditions facultées jésuites de Paris 228 pp. €22. 2-84847-012-7. Bibl. 219-225.

8581 *Snyman, S.D.* Help Leviticus 18:22 en 20:13 die (NG) Kerk in die debat oor homoseksualiteit?. OTEs 19 (2006) 968-981.

8582 *Stadler, Michael* "Der Geist gibt Zeugnis unserem Geist ...": wie kann man die Bibel im Geist lesen?: neutestamentliche Anthropologie und pneumatische Schriftrezeption. ZThG 11 (2006) 285-310.

8583 *Stare, Mira* Berühren und sich berühren lassen: theologische und christologische Erfahrung in der Bibel. ZGDP 24/1 (2006) 2-5.

8584 *Stefani, Piero* L'orecchio forato e l'ascolto obbediente. RSEc 24 (2006) 295-300 [Deut 15,13-17].

8585 **Stendebach, Franz Josef** Wege der Menschen: Versuche zu einer Anthropologie des Alten Testaments. 2001 ⇒19,8340. [R]ThR 71 (2006) 13-15 (*Reventlow, Henning Graf*).

8586 *Steyn, G.J.* Identiteit en seksualiteit in die Nuwe Testament. VeE 27 (2006) 131-154.

8587 *Sundermeier, Theo* Schmerz–Akzeptanz und Überwindung: eine religionsgeschichtlich-theologische Perspektive. Primäre und sekundäre Religion. BZAW 364: 2006 ⇒489. 281-291.

8588 *Sutter Rehmann, Luzia* Weithin leuchtende Menschen: Glanz und Licht als Metaphern des Glücks;

8589 Glückelchen–Reflexion über Herkunft und Werdegang eines fremden Wortes. Zum Leuchten bringen. 2006 ⇒446. 59-78/180-199.

8590 *Tepedino, Ana Maria L.; Costa, Paulo César* Saúde no trabalho: abordagem bíblico-teológica: espiritualidade e saúde. AtT 10 (2006) 342-360.

8591 *Thraede, Klaus* Körperliches Leiden als Christuszeugnis der ältesten Martyriumsberichte. "Dies ist mein Leib". Jabboq 6: 2006 ⇒515. 30-53.

8592 *Trublet, Jacques* La conception hébraïque du corps. Choisir 559/560 (2006) 21-23.

8593 *Urso, Filippo* La sofferenza educatrice in Gesù e i cristiani in Eb 5,8 e 12,4-11. Camillianum 6 (2006) 587-620.

8594 **Van der Linden, Eewout** De appel van Adam en Eva: liefde en seksualiteit in bijbelse en buitenbijbelse verhalen. Zoetermeer 2006, Meinema 432 pp. €29.90. 90-211-4097-7.

8595 *Van Wyngaard, A.* Towards a theology of HIV/AIDS. VeE 27 (2006) 265-290.

8596 *Vassas, Claudine* Questions anthropologiques autour de l'interdit du porc dans le judaïsme et de son élection par le christianisme. De la domestication au tabou. 2006 ⇒649. 227-232.

8597 *Veldsman, D.P.* Die saamspeel van hand, oog en passie: gedagtes oor erotiek en estetika. VeE 27 (2006) 199-225.

8598 **Volp, Ulrich** Die Würde des Menschen: ein Beitrag zur Anthropologie in der alten Kirche. SVigChr 81: Lei 2006, Brill 466 pp. 978-90-04-15448-3.

8599 *Vos, C.J.A.* Maar my voete wil nou sing. VeE 27 (2006) 237-244.

8600 *Wagner, Andreas* Gefühl, Emotion und Affekt in der Sprachanalyse des Hebräischen. KUSATU 7 (2006) 7-47;

8601 Gefühle, in Sprache geronnen: die historische Relativität von Gefühlen am Beispiel von 'Hass'. KUSATU 7 (2006) 49-73;

8602 *Eifern* und *eifersüchtig sein*: zur sprachlichen Konzeptualisierung von Emotionen im Deutschen und Hebräischen;

8603 Sprachliche codierte Anthropopathismen im Alten Testament: eine erste Annäherung. KUSATU 7 (2006) 75-100/101-111.

8604 **Wagner, Andreas** Emotionen, Gefühle und Sprache im Alten Testament: vier Studien. Waltrop 2006, Spenner 126 pp. 3-89991-067-2. Bibl. 113-123.

8605 *Warrington, Keith* Healing and suffering in the bible. IRM 95 (2006) 154-164.

8606 *Weinrich, Michael* Auferstehung des Leibes: von den Grenzen beim diesseitigen Umgang mit dem Jenseits. "Dies ist mein Leib". Jabboq 6: 2006 ⇒515. 103-143.

8607 *Weippert, Helga* Altisraelitische Welterfahrung: die Erfahrung von Raum und Zeit nach dem Alten Testament. Unter Olivenbäumen. AOAT 327: 2006 <1998> ⇒324. 179-197.

8608 **Wright, Nicholas T**. Evil and the justice of God. DG 2006, InterVarsity 176 pp. $18. 0-8308-3398-6;

8609 Simply christian: why christianity makes sense. SF 2006, HarperSanFrancisco 240 pp. $23.

H2.8 œcologia VT & NT—*saecularitas*

8610 *Botica, Aurelian* "When heaven is shut up": ancient Near Eastern backgrounds to the concept of natural calamity. Perichoresis 4 (2006) 95-115.

8611 *Frymer-Kensky, Tikva* The end of the world and the limits of biblical ecology. Studies in bible. 2006 <2001> ⇒219. 315-328;

8612 Ecology in a biblical perspective. Studies in bible. 2006 <2000> ⇒ 219. 351-362.

8613 *Habel, Norman* Earth ministry: a third mission of the church. LTJ 40/3 (2006) 108-116.

8614 **Hillel, Daniel** The natural history of the bible: an environmental exploration of the Hebrew scriptures. NY 2006, Columbia University Press xii; 354 pp. $32.50. 0-231-13362-6. Bibl. 319-336.

8615 **MacDonald, Ivor** Land of the living: christian reflections on the countryside. 2005 ⇒21,8981. [R]SBET 24/1 (2006) 120-122 (*MacPherson, Allan*).

8616 *Primavesi, Anne* Ecology. Blackwell companion to the bible. 2006 ⇒465. 432-446.

8617 **Wagner, Volker** Profanität und Sakralisierung im Alten Testament. BZAW 351: 2005 ⇒21,8985. [R]OLZ 101 (2006) 453-456 (*Körting, Corinna*).

H3.1 *Foedus*—The Covenant; *the Chosen People, Providence*

8618 *Berner, Ulrich* Erwählungsglaube und Rassismus: das Alte Testament und die Entstehung der Apartheid-Ideologie. Prekäre Zeitgenossenschaft. 2006 ⇒432. 134-149.

8619 *Blocher, Henri* Old covenant, new covenant. Always reforming: explorations in systematic theology. ᴱMcGowan, A.T.B. Leicester 2006, Apollos 240-270 978-18447-41304.

8620 *Brueggemann, Walter* Faith at the *Nullpunkt*. The word that redescribes. 2006 <2000> ⇒197. 59-71.

8621 *Carruthers, Jo* Nationalism. Blackwell companion to the bible. 2006 ⇒465. 480-496.

8622 *Cunha, Elenira* Aliança em Paulo e Hebreus: continuidade e ruptura. Estudos bíblicos 90 (2006) 60-67.

8623 *Dohmen, Christoph* "Für eure Generationen ..." (Ex 29,42): Gedanken zum "bleibenden Bund". ᶠMUSSNER, F.: SBS 209: 2006 ⇒117. 19-24.

8624 *Frymer-Kensky, Tikva* Biblical voices on chosenness. Studies in bible. 2006 <2001> ⇒219. 109-117.

8625 *Fuchs, Ottmar* Das Problem der Erwählung: zum Verhältnis von Wahrheitsanspruch und Ebenbürtigkeit. Prekäre Zeitgenossenschaft. 2006 ⇒432. 169-192.

8626 **Gräbe, Petrus J.** New covenant, new community: the significance of biblical and patristic covenant theology for contemporary understanding. Milton Keynes 2006, Paternoster xx; 254 pp. 18422-72489.

8627 **Groß, Walter** Zukunft für Israel: Alttestamentliche Bundeskonzepte und die aktuelle Debatte um den Neuen Bund. SBS 176: 1998 ⇒14, 6674... 19,8376. ᴿThR 71 (2006) 2-5 (*Reventlow, Henning Graf*).

8628 *Heil, Christoph* Die Absonderung Israels von Sündern und Heiden. Prekäre Zeitgenossenschaft. 2006 ⇒432. 150-168.

8629 **Horton, Michael** God of promise: introducing covenant theology. GR 2006, Baker 204 pp. $20.

8630 *Klingbeil, Gerald A.* The "church" in the Old Testament: systematic, linguistic, and metaphoric perspectives. JAAS 9 (2006) 13-33.

8631 *Köstenberger, Andreas J.; Croteau, David A.* "Will a man rob God?" (Malachi 3:8): a study of tithing in the Old and New Testaments. BBR 16 (2006) 53-77 [{Mt 23,23; Heb 7].

8632 *MacEwen, Alastair* The kingdom of God in the Old Testament. VR 72 (2006) 29-58.

8633 *Mußner, Franz* Drei Fragen zum Thema "Das Mysterium Israel". Laetare Jerusalem. 2006 ⇒92. 477-488.

8634 *Perondi, Ildo* A aliança com toda a criaçao. Estudos bíblicos 90 (2006) 11-19.

8635 *Raath, A.W.G.; Freitas, S.A. de* The covenant in Ulrich Huber's enlightened theology, jurisprudence and political theory. AcTh(B) 26/2 (2006) 199-226.

8636 *Rahner, Johanna* Rechtfertigung und Erwählung: zur Israellehre Karl BARTHs. ThPh 81 (2006) 213-240.

8637 *Saucy, Mark* Between Da Vinci and Rome: the new covenant as a theological norm in early christianity. TrinJ 27 (2006) 199-225 [Jer 31,34].

8638 **Souzenelle, Annick de; Lenoir, Frédéric** L'alliance oubliée: la bi-
ble revisitée. 2005 ⇒21,9010. [R]VS 762 (2006) 78-9 (*Burnet, Régis*).
8639 *Stefani, Piero* Elezione di Israele: alleanza mai revocata. PaVi 51/5
(2006) 40-44.
8640 **Williams, Michael D.** Far as the curse is found: the covenant story of
redemption. 2005 ⇒21,9015. [R]SBET 24 (2006) 240-241 (*MacKay,
John L.*).

H3.5 *Liturgia, spiritualitas VT*—**OT prayer**

8641 *Adams, Robert M.* How can I give you up, O Ephraim?. ThTo 63
(2006) 88-93 [Hos 11,8].
8642 *Balentine, Samuel E.* "I was ready to be sought out by those who did
not ask";
8643 Afterword;
8644 *Boda, Mark J.* Confession as theological expression: ideological ori-
gins of penitential prayer;
8645 Form criticism in transition: penitential prayer and lament, Sitz im
Leben and form. Seeking the favor of God, 1. Early judaism and its
literature 21: 2006 ⇒700. 1-20/193-204/21-50/181-192.
8646 **Brueggemann, Walter** Worship in ancient Israel: an essential guide.
2005 ⇒21,9019. [R]RExp 103 (2006) 625-627 (*Nogalski, James D.*).
8647 **Fillingim, David** Extreme virtues: living on the prophetic edge. 2003
⇒19,8393. [R]RExp 103 (2006) 843-844 (*Tillman, William M., Jr.*).
8648 *Hayes, Katherine M.* When none repents, earth laments: the chorus of
lament in Jeremiah and Joel [Jer 12,1-13; Joel 1-2];
8649 *Hogewood, Jay* The speech act of confession: priestly performative
utterance in Leviticus 16 and Ezra 9-10. Seeking the favor of God, 1.
Early judaism and its literature 21: 2006 ⇒700. 119-43/69-82.
8650 [E]**Kugel, James L.** Prayers that cite scripture. CM 2006, Harvard
Univ. Pr. v; 119 pp. $27.50. 0-674-01971-7.
8651 *Lombaard, Christo* Genealogies and spiritualities in Genesis 4:17-22,
4:25-26, 5:1-32. AcTh(B).S 8 (2006) 145-164.
8652 **McDowell, Markus** Prayers of Jewish women: studies of patterns of
prayer in the second temple period. [D]*Scholer, David M.*: WUNT 2/
211: Tü 2006, Mohr S. xiv; 277 pp. €54. 3-16-148850-4. Diss. Ful-
ler; Bibl. 223-244.
8653 *Morrow, William* The affirmation of divine righteousness in early
penitential prayers: a sign of Judaism's entry into the axial age. Seek-
ing the favor of God, 1. 2006 ⇒700. 101-117.
8654 *Oosterhuis, Melle H.* Een rein hart: rituele reinheidsterminologie in
spirituele contexten van het Oude Testament [A clean heart: ritual
purity terminology in spiritual contexts of the Old Testament].
[D]*Kwakkel, G.* Heerenveen 2006, Groen 298 pp. Diss. Kampen [RTL
38,615].
8655 *Rom-Shiloni, Dalit* Between protest and theodicy–the dialogue be-
tween communal laments and penitential prayers in biblical prayers.
Shnaton 16 (2006) 71-96 [Neh 9,6-37; Ps 44]. **H.**;
8656 Socio-ideological setting or settings for penitential prayers?. Seeking
the favor of God, 1. 2006 ⇒700. 51-68.
8657 **Rossi de Gasperis, Francesco; Carfagna, Antonella** Prendi il libro
e mangia!, 3/2: dall'esilio alla nuova alleanza: pietà, poesia, sapienza.

Bibbia e spiritualità 18: 2003 ⇒19,8401. ᴿLat. 72 (2006) 720-721 (*Cardellini, Innocenzo*).
8658 *Werline, Rodney A.* Defining penitential prayer. Seeking the favor of God, 1. Early judaism and its literature 21: 2006 ⇒700. xiii-xvii.

H3.7 *Theologia moralis*—OT moral theology

8659 *Brichto, Sidney* Human rights in the Hebrew Bible. Religion & Human Rights 1/2 (2006) 131-143.
8660 *Brueggemann, Walter* Vision for a new church and a new century, part I: homework against scarcity. The word that redescribes. 2006 <2000> ⇒197. 157-176.
8661 ᴱ**Carroll R., M. Daniel; Lapsley, Jacqueline E.** Character ethics and the Old Testament: moral dimensions of scripture. LVL 2006, Westminster 260 pp. $30. 978-06642-29368.
8662 *Frymer-Kensky, Tikva* The theology of catastrophe: a question of historical justice. Studies in bible. 2006 <1982> ⇒219. 307-313 [Gen 18,22-33].
8663 *Heuser, Stefan* Geborenwerden und politische Ethik: Erkundungen im Alten Testament und bei Hannah Ahrendt. "Du hast mich aus meiner Mutter Leib gezogen". BThSt 75: 2006 ⇒374. 145-165.
8664 **Hoppe, Leslie J.** There shall be no poor among you: poverty in the bible. 2004 ⇒20,8381; 21,9042. ᴿBBR 16/1 (2006) 149-150 (*Wilson, Jonathan R.*).
8665 **Houston, Walter J.** Contending for justice: ideologies and theologies of social justice in the Old Testament. LHBOTS 428: NY 2006, Clark xix; 272 pp. Bibl. 231-252.
8666 **Kaplan, Kalman J.; Schwartz, Matthew B.** The seven habits of the good life: how the biblical virtues free us from the seven deadly sins. Lanham 2006, Rowman & L. ix, 123 pp. 978-0-7425-3274-8. Bibl. 117-119.
8667 *Kessler, Rainer* Die Sprache der Vergeltung erhielt einen alttestamentarischen Klang': zu einer Bemerkung von Jürgen Habermas. Gotteserdung. BWANT 170: 2006 <2005> ⇒249. 24-29.
8668 *Lage, Francisco* Pluralismo ético del Antiguo Testamento. Moralia 29 (2006) 381-403.
8669 **Lalleman, Hetty** Celebrating the law?: rethinking Old Testament ethics. 2004 ⇒20,8384. ᴿJETh 20 (2006) 208-210 (*Krüger, Tillmann O.*).
8670 **Laufer, Nathan** The genesis of leadership: what the bible teaches us about vision, values, and leading change. Woodstock, VT 2006, Jewish Lights xxi; 261 pp. 978-1-58023-241-8. Foreword *Joseph I. Lieberman* ; Pref. *Michael Hammer*.
8671 *Marböck, Johannes* Lohn–Verdienst–um sonst?: Stationen eins Gespräches im Alten Testament. Weisheit und Frömmigkeit. ÖBS 29: 2006 ⇒269. 227-236.
8672 **McConville, James G.** God and earthly power: an Old Testament political theology Genesis-Kings. LHBOTS 454: NY 2006, Clark xii; 200 pp. 0-567-04493-9. Bibl. 177-185.
8673 **Rogerson, John William** Theory and practice in Old Testament ethics. ᴱ*Carroll R., M. Daniel*: JSOT.S 405: 2004 ⇒20,267; 21, 9052. ᴿRRT 13 (2006) 169-171 (*Bury, Benjamin*); Theol. 109 (2006) 42-43

(*Rodd, C.S.*); BBR 16 (2006) 356-358 (*Young, Theron*); CBQ 68 (2006) 366-368 (*Willis, Timothy*); RBLit (2006)* (*Müller, Denis*).

8674 **Roubalová, Marie** Bozi vlastnosti zjevené v Ex 34,6-7 jako motivacni základ imperative socialne etickych norem spolecenství Boziho lidu: kontextuálni exegese a analysa etickych pozadavku Tóry [The attributes of God, revelated in Ex 34,6-7 as the motivations basis of the imperative of the socio-ethical norms of the God's people: the contextual exegesis and the analysis of the ethical requests of the Torah]. ᴰ*Sázava, Z.* 2006, Diss. Prague [RTL 38,615]. **Czech.**

8675 *Toloni, Giancarlo* Memoria e perdono nella Biblia ebraica. Perdono e riconciliazione. ᴱ**Canobbio, G.** Brescia 2006, Morcelliana. 109-31.

8676 **Van Meegen, Sven** Alttestamentliche Ethik als Grundlage einer heutigen Lebensethik: ein Beitrag zum interreligiösen Dialog. Bibel und Ethik 3: 2005 ⇒21,9055. ᴿThPh 81 (2006) 290-291 (*Lehner, U.L.*).

8677 *Wafawanaka, Robert* Poverty in the Old Testament in African perspectives. Biblical interpretation in African perspective. 2006 ⇒333. 223-258.

8678 **Weber, Max** Die Wirtschaftsethik der Weltreligionen: das antike Judentum: Schriften...Reden 1911-20. ᴱ*Otto, Eckart; Offermann, Julia*: Weber Gesamtausgabe 21/1-2: 2005 ⇒21,9056. ᴿThLZ 131 (2006) 697-699 (*Kaesler, Dirk*); ZAR 12 (2006) 375-385 (*Treiber, Hubert*).

8679 **Wright, Christopher J.H.** Old Testament ethics for the people of God. 2004 ⇒20,8409; 21,9058. ᴿThEv(VS) 5 (2006) 191-199 (*Nicole, Emile*).

8680 *Zenger, Erich* "Ich finde Wohlgefallen an Liebe, nicht an Opfer" (Hos 6,6): ersttestamentliche Stellungnahmen zum Verhältnis von Kult und Ethos. Die diakonale Dimension der Liturgie. QD 176: 2006 ⇒544. 16-30 [Ps 15; 24; Hos 6,1-6; Amos 5,21-25].

H3.8 *Bellum et pax VT-NT*—War and peace in the whole Bible

8681 *Alegre, Xavier* La paz en el evangelio. RLAT 23 (2006) 195-215.

8682 *Assmann, Jan* Gesetz, Gewalt und Monotheismus. ThZ 62 (2006) 475-486.

8683 **Avalos, Hector** Fighting words: the origins of religious violence. 2005 ⇒21,9065. ᴿCBQ 68 (2006) 717-719 (*Smiles, Vincent M.*).

8684 **Batsch, Christophe** La guerre et les rites de guerre dans le judaïsme du deuxième temple. JSJ.S 93: 2005 ⇒21,9066. ᴿJSJ 37 (2006) 407-409 (*Berthelot, Katell*); CDios 219 (2006) 564-566 (*Gutiérrez, J.*); RHPhR 86 (2006) 397-398 (*Grappe, C.*).

8685 *Baumann, Gerlinde* Der gnädige Gott ist zornig: Micha 7,18-20 und Nahum 1,2 f. als Beispiel inneralttestamentlicher Gewaltbearbeitung. Prekäre Zeitgenossenschaft. 2006 ⇒432. 39-49.

8686 **Baumann, Gerlinde** Gottesbilder der Gewalt im Alten Testament verstehen. Da:Wiss 2006, 224 pp. €49.90. 978-35341-79336.

8687 *Biggar, Nigel* Specifying the meaning: Jesus, the New Testament, and violence. ᶠFREYNE, S. 2006 ⇒46. 251-273.

8688 *Castelli, E.A.* The ambivalent legacy of violence and victimhood: using early christian martyrs to think with. Spiritus(B) 6/1 (2006) 1-24.

8689 **Collins, John J.** A bíblia justifica a violência?. São Paulo 2006, Paulinas 54 pp. 85-356-1712-4.

8690 *Dangl, Oskar* Immer härter, immer brutaler?: von biblischen und lite-rarischen Thrillern. BiKi 61 (2006) 54.

8691 **Dietrich, Walter; Mayordomo, Moisés** Gewalt und Gewaltüberwin-dung in der Bibel. 2005 ⇒21,9072. [R]ThRv 102 (2006) 206-9 (*Bees-termöller, Gerhard*); ZNT 17 (2006) 64 (*Busch, Peter*).

8692 *Eder, Sigrid* "Tu mir keine Gewalt an, denn so handelt man nicht ..." (2 Sam 13,12): wie und wozu biblische Gewalttexte heute lesen. Pre-käre Zeitgenossenschaft. 2006 ⇒432. 50-66.

8693 *Ford, Richard Q.* Der Irak-Konflikt und ein Gleichnis Jesu. JK 67/1 (2006) 39-41 [Mark 12,1-11].

8694 **Grassi, Joseph A.** Jesus is shalom: a vision of peace from the gos-pels. Mahwah 2006, Paulist 158 pp. $17. 0-8091-4308-9. Bibl. 157-158 [BiTod 44,199—Donald Senior].

8695 *Janse, Sam* Hoe gewelddadig is het Nieuwe Testament?: Over "Vio-lence in the New Testament" (red. Shelly Matthews en E. Leigh Gib-son) en andere publicaties over geweld in het Nieuwe Testament. KeTh 57/3 (2006) 216-235.

8696 *Jucci, Elio* Guerra e pace: note di lettura. BeO 48 (2006) 41-58.

8697 *Kaminsky, J.* Violence in the bible. Midstream 52/1 (2006) 28-30.

8698 **Laconis, T. de** Sanglante bible: faits divers et faits de guerre dans l'Ancien et le Nouveau Testament. Enigmes et polémiques: P 2006, Grancher 214 pp. €15.50. 27339-09851.

8699 *Lage, Francisco* La violencia en el Antiguo Testamento. Moralia 30 (2006) 49-77.

8700 *Lang, Bernhard* Das Buch der Kriege: eine kurze Lektüre der Bibel. Mythos no. 2: politische Mythen. Wü 2006, Königshausen & N. 66-81. 3-8260-3242-X. [Num 21,14].

8701 *Lemos, T.M.* Shame and mutilation of enemies in the Hebrew Bible. JBL 125 (2006) 225-241 [Judg 1; 1 Sam 10,27-11,11; 2 Sam 10; Ju-dith 13-14].

8702 *Leutzsch, Martin* Gewalt und Gewalterfahrung im Neuen Testament: ein vergessenes Thema der neutestamentlichen Wissenschaft?. ZNT 9/17 (2006) 2-13.

8703 *Lindemann, Andreas* "... und auf Erden Frieden." (Lk 2,14): zum Friedensverständnis im Neuen Testament. BiKi 61 (2006) 138-143.

8704 *Lohfink, Norbert* Violencia y monoteísmo: un ejemplo: el AT. Sel-Teol 45 (2006) 209-218 < ThPQ 153 (2005) 149-162.

8705 [E]**Matthews, Shelly; Gibson, Leigh E.** Violence in the New Testa-ment. 2005 ⇒21,439. [R]NewTR 19/2 (2006) 88-89 (*Reid, Barbara*); RBLit (2006)* (*Bredin, Mark*).

8706 **McDonald, Patricia M.** God and violence: biblical resources for living in a small world. 2004, ⇒20,8433; 21,9086. [R]TS 67 (2006) 165-178 (*Tambasco, Anthony J.*); NewTR 19/2 (2006) 86-88 (*Reid, Barbara*); CTJ 41 (2006) 402-403 (*Stanglin, Keith D.*).

8707 *Mercer, Calvin* Sexual violence and the male warrior God. LexTQ 41/1 (2006) 23-37.

8708 **Nelson-Pallmeyer, Jack** Is religion killing us?: violence in the bible and the Quran. 2003 ⇒19,8475... 21,9090. [R]CBQ 68 (2006) 125-126 (*Washington, Harold C.*).

8709 *Niewiadomski, Józef* "Von Gift und Gegengiften": Monotheismuskri-tik und Monotheismus im Lichte der mimetischen Theorie von René GIRARD. ThZ 62 (2006) 503-520;

8710 Religion, Gewalt und Entfeindungsstrategie des biblischen Monotheismus: systematische Überlegungen nicht nur zum Nahostkonflikt. Laetare Jerusalem. 2006 ⇒92. 514-537.
8711 *Oeming, Manfred* "Suche Frieden und jage ihm nach!" (Ps 34,15): der umstrittene Weg zum Frieden im Alten Testament. BiKi 61 (2006) 126-129.
8712 *Pelletier, Anne-Marie* Par le chemin des écritures: de la peur à la paix. Christus 53/212 (2006) 420-429.
8713 [E]**Perani, M.** Guerra santa, guerra e pace dal Vicino Oriente antico alle tradizioni ebraica, ciristiana e islamica: atti del convegno internazionale, Ravenna 11 maggio–Bertinoro 12-13 maggio 2004. F 2005, Giustina 378 pp. [R]BeO 48 (2006) 41-58 (*Jucci, Elio*).
8714 *Regan, Dennis* War and violence in the bible. JJSS 6 (2006) 6-23.
8715 *Reger, Joachim* "Ihr werdet alle an mir Anstoß nehmen" Mk 14,27: das Skandalon Jesu als Quelle des Friedens. Ment. *Girard, René*: TThZ 115 (2006) 131-148.
8716 *Seidl, Theodor* Gewalt und Gewaltkritik: vom Umgang des AT mit Konflikt, Aggression und Vergeltung. [F]KLINGER, E., 2. 2006 ⇒86. 424-442.
8717 *Stroumsa, Guy* Le radicalisme religieux du premier christianisme: contexte et implications. Le rire du Christ. 2006 <1993> ⇒312. 71-105.
8718 **Swartley, Willard M.** Covenant of peace: the missing peace in New Testament theology and ethics. GR 2006, Eerdmans xviii; 542 pp. $23/£20. 0-8028-2937-6. Bibl. 475-506. [R]VJTR 70 (2006) 716-717 (*Gispert-Sauch, G.*); HBT 28 (2006) 172-175 (*García, Ismael*); IBSt 27/1 (2006) 32-34 (*Burnett, Gary W.*).
8719 *Swartley, Willard M.* Resistance and nonresistance: when and how?. [F]WINK, W. 2006 ⇒172. 143-156.
8720 *Theißen, Gerd* Aggression und Aggressionsbearbeitung im Neuen Testament: ein Beitrag zur historischen Psychologie des Urchristentums. ZNT 9/17 (2006) 31-40.
8721 **Tite, Philip L.** Conceiving peace and violence: a New Testament legacy. 2004 ⇒20,8441. [R]SR 35 (2006) 366-8 (*Weaver, Dorothy J.*).
8722 *Vermeylen, Jacques* La paix du Ressucité. Spiritus 184 (2006) 331-343.

H4.1 Messianismus

8723 *Abrego de Lacy, José María* Mesianismo: orígenes y desarrollo. ResB 50 (2006) 5-14.
8724 *Acillona, Mercedes* Mesianismo y literatura. ResB 50 (2006) 51-60.
8725 *Carbullanca N., César* Estudio del paradigma mesiánico de Elías: historia de su interpretación. TyV 47 (2006) 423-442.
8726 *Collins, Adela Y.* Christian messianism and the first Jewish war with Rome. [F]KNIBB, M.: JSJ.S 111: 2006 ⇒87. 333-343.
8727 *Evans, Craig A.* Messianic hopes and Messianic figures in late antiquity. JGRChJ 3 (2006) 9-40.
8728 **Ifrah, Lionel** Sion et Albion: juifs et puritains attendent le Messie. P 2006, Champion 256 pp. 2-7453-1362-2.
8729 **Knohl, Israel** The messiah before Jesus: the suffering servant of the Dead Sea scrolls. [T]*Maisel, David* 2000 ⇒16,7581; 17,7411. [R]Christian beginnings. 2006 [2000] ⇒710. 37-44 (*Collins, John J.*).

8730 **Laato, Antti J.** A star is rising: the historical development of the OT royal ideology and the rise of the Jewish messianic expectations. 1998 ⇒14,6837... 19,8521. ᴿThR 71 (2006) 9-11 (*Reventlow, Henning Graf*).

8731 *Miralles, Lorena* El mesías en tiempo del NT. ResB 50 (2006) 39-49.

8732 *Morla Asensio, Víctor* El mesianismo en la literatura deuterocanónica y en la apocalíptica del AT. ResB 50 (2006) 23-30.

8733 *Obersteiner, J.* Messianismo. RCB (2006) 177-190.

8734 **Pentiuc, Eugen J.** Jesus the Messiah in the Hebrew Bible. NY 2006, Paulist xviii; 188 pp. $25. 0-8091-4346-1. Bibl. 186-188.

8735 *Prato, Gian Luigi* In nome di Davide: simbologia, polivalenza e ambiguità del potere regale messianico. Gesù e i messia di Israele. 2006 ⇒739. 31-55.

8736 **Rayner, John D.** Signposts to the messianic age: sermons and lectures. L 2006, Vallentine M. xiii; 262 pp. 0-85303-703-5. Bibl.

8737 *Rutishauser, Christian M.* Jesus von Nazareth und Sabbatai Zwi oder das Scheitern des Messias. Gr. 87 (2006) 324-346.

8738 *Sacchi, Paolo* Figure superumane e attesa messianica fra il II secolo a.C. e I secolo d.C. Gesù e i messia di Israele. 2006 ⇒739. 57-79.

8739 **Schiavo, Luigi** Anjos e Messias—messianismos judaicos e origem da cristologia. São Paulo 2006, Paulinas 177 pp. 85-356-1867-8.

8740 *Schiffman, Lawrence H.* Messianism and apocalypticism in rabbinic texts. The Cambridge history of Judaism, 4. 2006 ⇒541. 1053-1072.

8741 *Sicre Díaz, José Luis* El mesianismo durante el destierro y la época persa. ResB 50 (2006) 15-22.

8742 *Sollamo, Raija* Messianism and the 'branch of David': Isaiah 11,1-5 and Genesis 49,8-12. The Septuagint and messianism. BEThL 195: 2006 ⇒753. 357-370.

8743 *Testaferri, Francesco* Il messia fra memoria e profezia. ConAss 8/2 (2006) 81-98.

8744 *Vázquez Allegue, Jaime* El mesías en Qumrán. ResB 50 (2006) 31-7.

8745 *Zamora, José A.* Mesianidad e historia en Walter Benjamin. ResB 52 (2006) 55-64.

8746 *Zwick, Reinhold* Militante Friedensfürsten: zur Messianologie des neueren Hollywood-Kinos. BiKi 61 (2006) 150-156.

H4.3 *Eschatologia VT*—**OT hope of future life**

8747 *Bautch, Kelley C.* Situating the afterlife. ᴹQUISPEL, G.: SBL.Symposium 10: 2006 ⇒134. 249-264.

8748 *Berlejung, Angelika* Was kommt nach dem Tod?: die alttestamentliche Rede von Tod und Unterwelt. BiKi 61 (2006) 2-7.

8749 *Crenshaw, James L.* Love is stronger than death: intimations of life beyond the grave. Resurrection: the origin. 2006 ⇒705. 53-78.

8750 **Fischer, Alexander A.** Tod und Jenseits im alten Orient und Alten Testament. 2005 ⇒21,9151. ᴿActBib 43 (2006) 191-192 (*Boada, Josep*).

8751 *Hoppe, Leslie J.* The resurrection of the body and life everlasting. BiTod 44 (2006) 243-247.

8752 *Janowski, Bernd* Sehnsucht nach Unsterblichkeit: zur Jenseitshoffnung in der weisheitlichen Literatur. BiKi 61 (2006) 34-39.

8753 *Kiuchi, N.* The book of life: a biblical-theological reconsideration. Exegetica [Tokyo] 17 (2006) 19-43. **J.**

8754 **Levenson, Jon D.** Resurrection and the restoration of Israel: the ultimate victory of the God of life. NHv 2006, Yale Univ. Pr. 304 pp. $40. 0-300-11735-3. Bibl. 231-262.

8755 *Schnocks, Johannes* "Wacht auf und jubelt, Bewohner des Staubes!" (Jes 26,19): theologische Aspekte der Auferstehungshoffnung in den prophetischen Schriften des Alten Testaments. BiKi 61 (2006) 40-45.

8756 **Triebel, Lothar** Jenseitshoffnung in Wort und Stein: Nefesch und pyramidales Grabmal als Phänomene antiken jüdischen Bestattungswesens im Kontext der Nachbarkulturen. AGJU 56: 2004 ⇒20,8478. ^RJSJ 37 (2006) 153-157 (*Berlejung, Angelika*).

8757 *Vidal, Senén* La risurrezione nella tradizione israelita. Conc(I) 42 (2006) 742-753; Conc(D) 42,533-541; Conc(GB) 5,47-55.

8758 *Wenning, Robert* "... und begruben ihn im Grab seines Vaters": zur Bedeutung von Bestattungen im Alten Israel. BiKi 61 (2006) 8-15.

8759 *Wuckelt, Agnes* Sterben Frauen anders als Männer?: Todeserzählungen geschlechterspezifisch betrachtet. BiKi 61 (2006) 22-26.

H4.5 *Theologia totius VT*—General Old Testament theology

8760 *Avsenik Nabergoj, Irena* Neki aspekti shvacanja grijeha, krivnje i kazne u Svetom pismu Staroga zavjeta. BoSm 76 (2006) 817-830. **Croatian**.

8761 *Barton, John* Biblical theology: an Old Testament perspective. ^FMORGAN, R. 2006 ⇒115. 18-30.

8762 *Brueggemann, Walter* Old Testament theology. Oxford handbook of biblical studies. 2006 ⇒438. 675-697;

8763 At the mercy of Babylon: a subversive rereading of the empire. Presidential voices. 2006 <1990> ⇒340. 247-266.

8764 **Brueggemann, Walter** Theology of the Old Testament.: testimony, dispute, advocacy. 2005 <1997> ⇒21,9164. ^RRBLit (2006)* (*McEntire, Mark; Kraus, Thomas*).

8765 *Cortese, E.* I tentativi di una teologia (cristiana) dell'Antico Testamento. LASBF 56 (2006) 9-28.

8766 **Dempster, Stephen G.** Dominion and dynasty: a biblical theology of the Hebrew Bible. New studies in biblical theology 15: Leicester 2006, Apollos 267 pp. 978-08511-17836.

8767 *Ehrlich, Carl S.* Jews and biblical theology: a contradiction in terms?. ^FAGUS, A.. 2006 ⇒1. 91-100.

8768 *Feininger, Bernd* Das Erste Testament und die Mitte der Schrift. Wozu brauchen wir das Alte Testament?. Ment. *Deissler, A.* Übergänge 5: 2006 ⇒207. 11-26.

8769 *Frymer-Kensky, Tikva* The emergence of Jewish biblical theologies. Studies in bible. 2006 <2000> ⇒219. 365-379.

8770 *García López, Félix* Teologías del Antiguo Testamento y teologías bíblicas. EstTrin 40/1-2 (2006) 5-29.

8771 **Gerstenberger, Erhard S.** Theologien im Alten Testament: Pluralität und Synkretismus alttestamentlichen Gottesglaubens. 2001 ⇒17, 7455... 21,9166. ^RÖR 55 (2006) 388-391 (*Klaiber, Walter*);

8772 Teologie nell'Antico Testamento: pluralità e sincretismo della fede veterotestamentaria. 2005 ⇒21,9168. ^RRBLit (2006)* (*West, James*).

8773   *Gertz, Jan C.* Grundfragen einer Theologie des Alten Testaments. Grundinformation AT. 2006 ⇒1128. 509-526.

8774   **Goldingay, John** Old Testament theology, vol. 1: Israel's gospel. 2003 ⇒19,8547...21,9170. ᴿBS 163 (2006) 357-9 (*Chisholm, Robert B., Jr.*); Interp. 60 (2006) 214-216 (*Ollenburger, Ben C.*);

8775   Old Testament theology, vol. 2: Israel's faith. DG 2006, Inter-Varsity 891 pp. $25. 0-8308-25622.

8776   **Herrmann, Wolfram** Theologie des Alten Testaments: Geschichte und Bedeutung des israelitisch-jüdischen Glaubens. 2004 ⇒20,8489; 21,9175. ᴿZKTh 128 (2006) 310-312 (*Bilić, Niko*).

8777   *Jeremias, Jörg* Alttestamentliche Wissenschaft im Kontext der Theologie. Eine Wissenschaft. 2006 ⇒508. 9-11.

8778   **Meadors, Edward P.** Idolatry and the hardening of the heart: a study in biblical theology. L 2006, Clark 213 pp. $30. 0-567-02563-2/73-X. Bibl. 196-202.

8779   *Meadowcroft, Tim* Method and Old Testament theology: Barr, Brueggemann and Goldingay considered. TynB 57 (2006) 35-56.

8780   **Merrill, Eugene H.** Everlasting dominion: a theology of the Old Testament. Nv 2006, Broadman & H. xvi; 682 pp. $40.

8781   **Perdue, Leo G.** Reconstructing Old Testament theology: after the collapse of history. 2005 ⇒21,9185. ᴿCBQ 68 (2006) 312-313 (*Gnuse, Robert K.*); RBLit (2006)* (*Gerstenberger, Erhard*); JHScr 6 (2006)* = PHScr III,457-459 (*Patrick, Dale*) [⇒593].

8782   **Rendtorff, Rolf** The canonical Hebrew Bible: a theology of the OT. ᵀ*Orton, David E.* Tools for biblical study 7: 2005 ⇒21, 9188. ᴿHBT 28 (2006): 5-10 (*Blenkinsopp, Joseph*); 11-17 (*Brueggemann, Walter*); 19-29 (*Kamionkowski, S.T.*); 31-38 (*Soulen, Richard K.*); 39-47 [Resp. 49-55] (*Sweeney, Marvin A.*); JThS 57 (2006) 173-177 (*Moberly, R.W.L.*); JHScr 6 (2006)* = PHScr III,381-385 (*Dempster, Stephen*) [⇒593].

8783   *Reventlow, Henning von* Biblische, besonders alttestamentliche Theologie und Hermeneutik V: theologische Einzelthemen. ThR 71 (2006) 1-59.

8784   **Smith-Christopher, Daniel L.** A biblical theology of exile. Overtures to Biblical Theology: 2002 ⇒18,7993...21,9194. ᴿThR 71 (2006) 5-8 (*Reventlow, Henning Graf*).

8785   **Steinberg, Julius** Die Ketuvim—ihr Aufbau und ihre Botschaft. BBB 152: B 2006, Philo 544 pp. 3-86572-572-4. Bibl. 493-531.

8786   *Wagner, Andreas* Primäre/sekundäre Religion und Bekenntnis–Religion als Thema der Religionsgeschichte. Primäre und sekundäre Religion. BZAW 364: 2006 ⇒489. 3-20.

8787   *Wessels, Willie* Old Testament theology: uniqueness, modes of interpretation and meaning. OTEs 19 (2006) 1032-1051.

H5.1 *Deus*—**NT**—**God** [as Father ⇒H1.4]

8788   *Cummings, O.* Receptive ecumenism: N.T. Wright and the eucharist. Emmanuel 112 (2006) 504-514 [Luke 24,13-35].

8789   *Davies, Oliver* Monotheismus und Pluralismus: Menschenrechte und das Schweigen Gottes. Der Monotheismus. 2006 ⇒578. 103-117.

8790   *Feldmeier, Reinhard* "Abba, Vater, alles ist dir möglich": das Gottesbild der synoptischen Evangelien. Götterbilder-Gottesbilder-Weltbilder, II. FAT 2/18: 2006 ⇒636. 115-133.

8791 *Fuchs, Ottmar* Was "bringt" Gott für das diesseitige und jenseitige Leben?: spirituelle und kirchliche Aspekte der ökonomischen Symbolisierung der Gottesbeziehung. JBTh 21 (2006) 297-322.

8792 *Haas, Alois M.* "die durch wundersame Inseln geht ...": Gott, der Ganz Andere in der christlichen Mystik. Wege mystischer Gotteserfahrung. 2006 ⇒859. 129-158.

8793 *Haubeck, Wilfrid* Die Anbetung Jesu und der Monotheismus im Neuen Testament. Der Monotheismus. 2006 ⇒578. 39-59.

8794 *Horbury, William* Jewish and christian monotheism in the Herodian age. Herodian Judaism. WUNT 193: 2006 <2004> ⇒240. 2-33.

8795 *Navone, John* Ospitalità e accoglienza: l'invito di Dio all'uomo. RdT 47 (2006) 437-453.

8796 *Palumbo, Egidio* Dio, il veniente. Horeb 15/1 (2006) 36-42.

8797 *Reinmuth, Eckart* Ist der eine Gott gewalttätig?: Fragen an das Neue Testament. ZNT 9/17 (2006) 48-52.

8798 *Wolter, Michael* Der Reichtum Gottes. Ment. PHILO: JBTh 21 (2006) 145-160.

8799 *Zeller, Dieter* Der eine Gott und der eine Herr Jesus Christus: religionsgeschichtliche Überlegungen. N.T. und Hellenistische Umwelt. BBB 150: 2006 <2002> ⇒331. 47-59.

8800 **Zimmermann, Christiane** Die Namen des Vaters: Studien zu ausgewählten frühchristlichen Gottesbezeichnungen. ᴰ*Breytenbach, Cilliers*: 2006, Diss.-Habil. Humboldt [ThRv 103/2,xiii].

8801 *Zumstein, Jean* Das Gottesbild bei Jesus, Paulus und Johannes. ThZ 62 (2006) 158-173.

H5.2 Christologia ipsius NT

8802 *Battaglia, Vincenzo* 'I sentimenti' del Signore Gesù: un modello cristologico per la vita spirituale e l'agire morale. Anton. 81 (2006) 209-255.

8803 *Chacón Gallardo, Luis* Santo de Dios, Nazareno, Nazareo. EstB 64 (2006) 31-49.

8804 *Dannhauser, Estelle; Van Aarde, Andries G.* Jesus–prophetic emissary of God. HTSTS 62 (2006) 425-444.

8805 *Davis, Stephen T.* "Who can forgive sins but God alone?": Jesus, forgiveness, and divinity. The multivalence. SBL.Symposium 37: 2006 ⇒745. 113-123 [Mark 2,1-12].

8806 *Díez Merino, Luis* El Cordero de Dios en el Nuevo Testamento y en el Tárgum. EstB 64 (2006) 581-611.

8807 *Dunn, John L.* Jesus scholarship and paradigm shifts in christology. Colloquium 38 (2006) 140-157.

8808 *Elowsky, Joel* With a view to the end: Christ in the ancient church's understanding of scripture. CTQ 70/1 (2006) 63-83.

8809 *Fletcher-Louis, Crispin H.T.* Jesus as the high priestly Messiah: Part 1. JSHJ 4 (2006) 155-175 [Ps 110,1; Dan 7,13].

8810 **Garrido, Javier** El camino de Jesús: relectura de los evangelios. Sdr 2006, Sal Terrae 352 pp

8811 *Hahn, Ferdinand* Die christologische Begründung urchristlicher Paränese. Studien zum NT, II. WUNT 192: 2006 <1981> ⇒231. 517-528.

8812 *Hengel, Martin* Christologie und neutestamentliche Chronologie: zu einer Aporie in der Geschichte des Urchristentums. Studien zur Christologie. WUNT 201: 2006 <1972> ⇒237. 27-51;

8813 Der Sohn Gottes. <1977> 74-145;

8814 Jesus, der Messias Israels: zum Streit über das 'messianische Sendungsbewußtsein' Jesu. <1992> 259-280;

8815 'Setze dich zu meiner Rechten!': die Inthronisation Christi zur Rechten Gottes und Psalm 110,1. <1993> 281-367;

8816 Abba, Maranatha, Hosanna und die Anfänge der Christologie. Studien zur Christologie. WUNT 201: 2006 <2004> ⇒237. 496-534.

8817 **Horton, Michael S.** Lord and servant: a covenant christology. 2005 ⇒21,9220. [R]SdT 18/1 (2006) 81-83 (*De Chirico, Leonardo*).

8818 *Hurtado, L., al.*, La devoción a Jesús en el cristianismo más antiguo: una conversación con el Prof. L.W. Hurtado. Salm. 53 (2006) 61-80.

8819 **Hurtado, Larry W.** Lord Jesus Christ: devotion to Jesus in earliest christianity. 2003 ⇒19,8590... 21,9225-6. [R]MoTh 22/1 (2006) 152-154 (*Fowl, Stephen*); HeyJ 47 (2006) 453-454 (*Turner, Geoffrey*); ThZ 62 (2006) 88-90 (*Veenhof, Jan*); SvTK 82 (2006) 138-139 (*Skinstad, Trond*); ZKG 117 (2006) 325-328 (*Weidemann, Ulrich*).

8820 *Janssen, Friedrich* Offenbarung durch den Logos. [F]UNTERGASSMAIR, F. 2006 ⇒161. 315-327.

8821 *Keck, Leander* The task of New Testament christology. ThD 53 (2006) 31-36 <PSB 26 (2005) 266-276.

8822 *Levin, Yigal* Jesus, 'Son of God' and 'Son of David': the 'adoption' of Jesus into the Davidic line. JSNT 28 (2006) 415-442.

8823 [E]**Longenecker, Richard N.** Contours of christology in the New Testament. McMaster NT Studies: 2005 ⇒21,775. [R]BS 163 (2006) 355-356 (*Kreider, Glenn R.*); TrinJ 27 (2006) 311-313 (*Skinner, Christopher W.*); RBLit (2006)* (*Steyn, Gert; Carrell, Peter*).

8824 *Matera, Frank J.* Christ in the theologies of Paul and John: a study in the diverse unity of New Testament theology. TS 67 (2006) 237-256.

8825 **Meeks, Wayne A.** Christ is the question. LVL 2006, Westminster x; 166 pp. $13. 978-0-664-22962-7. [R]AThR 88 (2006) 648-650 (*Carroll, R. William*); RBLit (2006)* (*Dunn, James*); HBT 28 (2006) 65-66 (*Jinkins, Michael*).

8826 *Mlakuzhyil, George* Listen to the spirit: the gospel of John: Jesus, the universal messiah (Jn 2-4). VJTR 70 (2006) 130-144.

8827 *Nathan, N.M.L.* Jewish monotheism and the christian God. RelSt 42 (2006) 75-85.

8828 **Pagazzi, Giovanni C.** Il polso della verità: memoria e dimenticanza per dire Gesù. Studi cristologici: Assisi 2006, Cittadella 130 pp. €13.50. 88-30808-385. [R]Lat. 72 (2006) 678-679 (*Ancona, Giovanni*).

8829 *Penna, Romano* Foundations of New Testament christology: some aspects of the question. Lat. 72/1 (2006) 49-63.

8830 *Pitta, Antonio; Politi, Marco; Coda, Piero* Questo Gesù (At 2,32): pensare la singolarità di Gesù Cristo. RdT 47 (2006) 291-302.

8831 **Rausch, Thomas P.** ¿Quién es Jesús?: introducción a la cristología. [T]**Reus Canals, Manuel** Bilbao 2006, Mensajero 299 pp. 84271-277-66.

8832 *Räisänen, Heikki* True man or true God?: christological conceptions in early christianity. [M]ILLMAN, K. 2006 ⇒72. 331-351.

8833 *Repschinski, Boris* "For he will save his people from their sins" (Matthew 1:21): a christology for christian Jews. CBQ 68 (2006) 248-267.

8834 *Reumann, John* Archaeology and early christology. Jesus and archaeology. 2006 ⇒362. 660-682.

8835 **Rey, Bernard** C'est toi mon Dieu: le Dieu de Jésus. P 2006, Cerf 182 pp. €18. 2-204-07774-7.

8836 *Schlosser, Jacques* Q et la christologie implicite. À la recherche de la parole. LeDiv 207: 2006 <2001> ⇒296. 233-263.

8837 *Scholtissek, Klaus* Jesus, der Christus, im Zeugnis des Neuen Testaments–Wegmarken einer sprachlichen und hermeneutischen Pionierarbeit. SNTU.A 31 (2006) 89-126.

8838 **Schwindt, Rainer** Gesichte der Herrlichkeit: eine exegetisch-traditionsgeschichtliche Studie zur paulinischen und johanneischen Christologie. ^D*Hoppe, Rudolf*: 2006, Diss.-Habil. Bonn [ThRv 103/2,xiii].

8839 *Stolle, Volker* Jesus Christus, der göttliche Exeget (Joh 1,18): zur theologischen Standortbestimmung neutestamentlicher Exegese. ZNW 97 (2006) 64-87.

8840 *Thyssen, Henrik P.* Philosophical christology in the New Testament. Numen 53/2 (2006) 133-176.

8841 *Trabucco, Giovanni* Il testimone fedele: coscienza e fede di Gesù. Teol(Br) 31 (2006) 75-88.

8842 *Zeller, Dieter* Die Menschwerdung des Sohnes Gottes im Neuen Testament und die antike Religionsgeschichte. <1988>;

8843 Die Christologie des Neuen Testaments in ihrer hellenistischen Rezeption. N.T. und Hellenistische Umwelt. BBB 150: 2006 ⇒331. 61-81/141-159.

H5.3 *Christologia praemoderna*—**Patristic to Reformation**

8844 *Botha, Phil J.* Tamar, Rahab, Ruth, and Mary: the bold women in EPHREM the Syrian's hymn "De nativitate" 9. APB 17 (2006) 1-21.

8845 **Edmondson, Stephen** CALVIN's christology. 2004 ⇒20,8551; 21, 9252. ^RTrinJ 27 (2006) 331-332 (*Fink, David C.*); SCJ 37 (2006) 798-799 (*Lim, Paul C.H.*).

8846 **Fédou, Michel** La voie du Christ: genèses de la christologie dans le contexte religieux de l'antiquité du IIe au début du IVe siècle. CFi 253: P 2006, Cerf 560 pp. €44. 2204-081375. Bibl.541-544.

8847 **Grillmeier, Alois** Jesus der Christus im Glauben der Kirche, 2/3: die Kirchen von Jerusalem und Antiochien. ^E*Hainthaler, Theresia* 2002 ⇒18,8057...21,9258. ^RRSPhTh 90 (2006) 525-9 (*Meunier, Bernard*).

8848 *Le Boulluec, Alain* De l'unité du couple à l'union du Christ et de l'église chez les exégètes chrétiens antiques. Alexandrie antique et chrétienne. 2006 <2004> ⇒260. 163-177 [Gen 2,24].

8849 *Narvaja, José Luis* 'Jesucristo, predestinado Hijo de Dios': algunas notas sobre la cristología de los Padres a partir de los comentarios a *Romanos* 1,4. Strom. 62 (2006) 269-299.

8850 *Pettibone, D.* The Da Vinci code, the nature of Christ, and historical accuracy. JATS 17/1 (2006) 73-79.

8851 *Prieur, Jean-Marc* EUNOME selon l'Histoire ecclésiastique de PHILOSTORGE. RHPhR 86 (2006) 171-182.

8852 *Tomassini, Loris M.* La christologie affective et méditative d'AELRED de Rievaulx dans le traité *Quand Jésus eut douze ans*. CCist 68 (2006) 287-302.

8853	*Young, Frances M.* Monotheism and christology. Cambridge history of christianity 1. 2006 ⇒558. 452-469.

H5.4 *(Commentationes de) Christologia* moderna

8854	**Adams, Marilyn M.** Christ and horrors: the coherence of christology. Current Issues in theology: NY 2006, CUP xii; 313 pp. $85/30.
8855	**Amaladoss, Michael** The Asian Jesus. 2005 ⇒21,9265. [R]NewTR 19/3 (2006) 94-95 (*Chia, Edmund*).
8856	*Brambilla, Franco G.* La narrazione evangelica nelle cristologie recenti. La figura di Gesù. Disputatio 17: 2006 ⇒337. 197-238.
8857	**Burridge, Richard A.; Gould, Graham** Jesus now and then. 2004 ⇒20,8563; 21,9267. [R]TJT 22 (2006) 73-75 (*Choi, Agnes*).
8858	**Gamberini, Paolo** Questo Gesù (At 2,32): pensare la singolarità di Gesù. Manuali 24: 2005 ⇒21,9272. [R]Isidorianum 15/1 (2006) 344-346 (*Calero de los Ríos, Antonio M.*); Gr. 87 (2006) 849-850 (*Dotolo, Carmelo*); CivCatt 157/1 (2006) 509-511 (*Mazzolini, S.*); RdT 47 (2006) 291-302 (*Pitta, A.; Politi, M.; Coda, P.*).
8859	**González de Cardedal, O.** Fundamentos de cristología. M 2006, BAC 1002 pp.
8860	**Heyward, Carter** Jesus neu entwerfen: die Macht der Liebe und der Gerechtigkeit. Luzern 2006, Exodus 264 pp. €29. 978-39055-77495.
8861	**Hoping, Helmut** Einführung in die Christologie. 2004 ⇒20,8573; 21,9277. [R]ThRv 102 (2006) 390-392 (*Kühn, Ulrich*).
8862	[E]**Hoping, Helmut; Tück, Jan-Heiner** Streitfall Christologie: Vergewisserungen nach der Shoah. QD 214: 2005 ⇒21,549. [R]ÖR 55 (2006) 265-267 (*Bruckmann, Florian*); Conc(D) 42 (2006) 124-127 (*Petzel, Paul*).
8863	**Jones, Michael Keenan** Toward a christology of Christ the high priest. TGr.T 135: R 2006, E.P.U.G. 408 pp. 88-7839-066-6.
8864	*Kalcina, Domagoj; Gašpar, Veronika* Humanistički model kristologije prema H. Küngu. EThF 14/1 (2006) 291-312. **Croatian**.
8865	**Kaufman, Gordon** Jesus and creativity. Mp 2006, Fortress xvi; 142 pp. $20. 0-8006-3798-4.
8866	**Kärkkäinen, Veli-Matti** Christology: a global introduction. 2003 ⇒ 19,8665; 20,8576. [R]CTJ 41 (2006) 159-161 (*McCall, Tom*).
8867	**Lecuit, Jean** 'Jésus misérable': introduction à la christologie du Père Joseph Wresinski. CJJC 92: P 2006, Desclée 139 pp. €19. 27189-09-838 [RTL 38,422—B. Bourgine].
8868	**Lobo, Joseph** Encountering Jesus Christ in India: an alternative way of doing christology in a cry-for-life situation based on the writings of George M. Soares-Prabhu. 2005 ⇒21,9278. [R]VJTR 70 (2006) 463-469 (*Mlakuzhyil, G.*).
8869	[E]**Malek, Roman** The Chinese face of Jesus Christ, 2, 3a. Monograph 50/2, 3a: 2005 ⇒21,564. [R]ThLZ 131 (2006) 1078-1083 (*Ahrens, Theodor*); AcOr 67 (2006) 364-365 (*Kvaerne, Per*).
8870	**Manzi, Franco; Pagazzi, Giovanni C.** Le regard du fils: christologie phénoménologique. [T]*Gilbert, Paul* Donner raison 18: Bru 2006, Lessius 144 pp. 28729-91506. Préf. *Franco Brambilla*; Bibl. 123-42.
8871	**McCready, Douglas** He came down from heaven: the preexistence of Christ and the christian faith. 2005 ⇒21,9280. [R]RBLit (2006)* (*Karrer, Martin*).

8872 **O'Reilly, Kevin J.** Christ—the last Adam: towards an Adamic christology. ^D*O'Collins, Gerald* 2006, 141 pp. Excerpt Diss. Gregoriana; Bibl. 107-138.

8873 *Peters, T.* Six ways of salvation: how does Jesus save?. Dialog 45/3 (2006) 223-235.

8874 **Rovira Belloso, Josep M.** Qui és Jesús de Natzaret: una teologia per unir coneixement i vida. 2005 ⇒21,9285. ^RAST 78-79 (2005-2006) 657-658 (*Sanchez Bosch, Jordi*).

8875 **Schönemann, Eva** Bund und Tora: Kategorien einer im christlich-jüdischen Dialog verantworteten Christologie. Gö 2006, Vandenhoeck & R. 255 pp.

8876 **Souletie, Jean-Louis** Les grands chantiers de la christologie. 2005 ⇒21,9289. ^RRICP 100 (2006) 195-201 (*Boissieu, Béatrice de*).

8877 *Strauss, S.A.* The uniqueness of Jesus Christ and pluralism from the perspective of the reformed confession. AcTh(B) 26/2 (2006) 227-241.

8878 *Taussig, Hal* History matters: a postmodern case for Jesus and meaning today. Forum 4/2 (2001) 247-272.

H5.5 *Spiritus Sanctus: pneumatologia*—The Holy Spirit

8879 *Balkenohl, Manfred* Der Geist des Evangeliums. ^FUNTERGASSMAIR, F.. 2006 ⇒161. 363-366.

8880 **Beynon, Graham** Experiencing the Spirit: New Testament essentials for every christian. Leicester 2006, Inter-Varsity 155 pp. 1-8447-41-50-8.

8881 ^E**Brouwer, R. Reeling; Van Ligten, A.** Die gesproken heeft door de profeten: over de Geest. Kampen 2006, Kok 143 pp. 97890-4351-29-78.

8882 **Coste, René** L'évangile de l'Esprit: pour une théologie et une spiritualité intégrantes de l'Esprit Saint. P 2006, Cerf 346 pp. €32.

8883 *Gössmann, Elisabeth* Rûach, Spiritus und Sapientia: Aspekte aus der Frauentradition. ^FSCHÜNGEL-STRAUMANN, H. 2006 ⇒153. 206-214.

8884 *Hahn, Ferdinand* Das biblische Verständnis des Heiligen Geistes: soteriologische Funktion und 'Personalität' des Heiligen Geistes. Studien zum NT, II. WUNT 192: 2006 <1974> ⇒231. 61-77;

8885 Die biblische Grundlage unseres Glaubens an den Heiligen Geist, den Herrn und Lebensspender. Studien zum NT, II. WUNT 192: 2006 <1983> ⇒231. 79-96.

8886 *Hainz,* Josef Die neutestamentliche Rede vom Hl. Geist. NT und Kirche. 2006 ⇒232. 333-361.

8887 **Hamilton, James M., Jr.** God's indwelling presence: the Holy Spirit in the Old and New Testaments. ^D*Schreiner, Thomas*: NACSBT 1: Nv 2006, B&H xiv; 233 pp. $20. 08054-43835. Diss.

8888 **Kaniyamparampil, Emmanuel** The Spirit of life: a study of the Holy Spirit in the early Syriac tradtion. 2003 ⇒19,8696; 21,9300. ^RL&S 2 (2006) 243-244.

8889 **Lazaar, John Peter** The Holy Spirit as the intimate source enabling Jesus of Nazareth to perform prophetic symbols of eschatological fulfillment: the stances of S. Amsler—H. Schürmann—E. Schillebeeckx —J. Moltmann. ^D*O'Collins, Gerald*: R 2006, 88 pp. Exc. Diss. Gregoriana; Bibl. 61-82.

8890 **Rogers, Eugene F., Jr.** After the Spirit: a constructive pneumatology from resources outside the modern west. GR 2005, Eerdmans xi; 251 pp. 08028-28914.

8891 **Romerowski, Sylvain** L'oeuvre du Saint-Esprit dans l'histoire du salut. 2005 ⇒21,9303. ᴿThEv(VS) 5 (2006) 316-319 (*Carsonò, Donald A.*).

8892 *Skorka, Abraham* El concepto de 'Ruaḥ hakodesh' en las fuentes judías y su relación con el cristianismo. Teol. 43 (2006) 479-487.

8893 *Trigo, Pedro* Espíritu de Jesús y entrañas de misericordia. Iter 17/1 (2006) 105-162

8894 *Weinrich, William C.* The spirit of holiness–the holiness of man. CTQ 70/3-4 (2006) 253-268.

8895 **Wright, Christopher J.H.** Knowing the Holy Spirit through the Old Testament. DG 2006, IVP 159 pp. $15. 978-0-8308-2591-2.

H5.7 *Ssma Trinitas*—The Holy Trinity

8896 *Crump, David M.* Re-examining the Johannine Trinity: perichoresis or deification?. SJTh 59 (2006) 395-412.

8897 *Fackre, Gabriel* The triune God and The passion of Christ. ProEc 15 (2006) 87-99.

8898 *Ferraro, Giuseppe* Lo Spirito, il Padre e il Figlio nell'uso dei testi biblici pneumatologici e nel pensiero della Beata ELISABETTA della Trinità. Ter. 57 (2006) 149-184.

8899 *Kochuthara, Thomas* The biblical tradition of the trinitarian mystery. JJSS 6 (2006) 137-156.

8900 *Kreiml, Josef* Das trinitarische Bekenntnis als Grundstruktur des neutestamentlichen Zeugnisses: die trinitätstheologische Konzeption Walter Kardinal Kaspers. FKTh 22 (2006) 135-142.

8901 **Letham, Robert** The Holy Trinity—in scripture, history, theology and worship. 2004 ⇒20,8623. ᴿSBET 24/1 (2006) 122-125 (*Hulse, Errol*); CTJ 41 (2006) 396-399 (*Thompson, Thomas*).

8902 *Marquardt, Manfred* Das Trinitätsdogma als christlicher Monotheismus. Der Monotheismus. 2006 ⇒578. 83-102.

8903 *Merrigan, Terrence; Lemmelijn, Bénédicte* From the God of the Fathers to God the Father: Trinity and its Old Testament background. LouvSt 31 (2006) 175-195.

8904 *Oberdorfer, Bernd* "... Who proceeds from the Father"–and the Son?: the use of the bible in the Filioque debate: a historical and ecumenical case study and hermeneutical reflections. The multivalence. SBL. Symposium 37: 2006 ⇒745. 145-159.

8905 *Pikaza, Xabier* Bibliografía Trinitaria: Nuevo Testamento (1990-2005). EstTrin 40/1-2 (2006) 31-123.

8906 *Schneider, Theodor* Der Einzige ist der Dreieine: Israels Gotteserfahrung und das christliche Glaubensbekenntnis. ᶠSCHÜNGEL-STRAUMANN, H. 2006 ⇒153. 40-54.

8907 *Schwank, Benedikt* Κύριος Ἰησοῦς. ᶠUNTERGASSMAIR, F. 2006 ⇒ 161. 357-361.

8908 **So, Damon W.K.** Jesus' revelation of his Father: a narrative-conceptual study of the Trinity with special reference to Karl BARTH. Carlisle 2006, Paternoster 348 pp. £25. 1-84227-323-X. Foreword by *Daniel W. Hardy*; Bibl. 325-335.

8909 *Young, Frances* The Trinity and the New Testament. ^FMORGAN, R. 2006 ⇒115. 286-305 [Prov 8,22-31].
8910 *Yuen-tai, So* Trinity and *sola scriptura*. Jian Dao 25 (2006) 117-139. **C.**

H5.8 *Regnum messianicum, Filius hominis—*
Messianic kingdom Son of Man

8911 *Barbaglio, Giuseppe* Gesù ha affermato di essere Messia?. Gesù e i messia di Israele. 2006 ⇒739. 107-120.
8912 *Caragounis, Chrys C.* Ἡ βασιλεία τοῦ Θεοῦ in Johannine and synoptic tradition. ^FGALITIS, G. 2006 ⇒49. 161-174.
8913 *Fantino, J.* Foi chrétienne et transformation du monde. RSPhTh 90 (2006) 297-315.
8914 *Fuellenbach, John* The kingdom of God: Jesus' principle of action in the world. Sedos Bulletin 38/1-2 (2006) 223-231.
8915 *Haacker, Klaus* Ewiges Heil als 'Gelobtes Land': die Urgeschichte Israels als Metapher der Verkündigung Jesu. ThBeitr 37 (2006) 301-312.
8916 **Lee, Aquila H.I.** From Messiah to preexistent Son: Jesus' self-consciousness and early christian exegesis of Messianic psalms. WUNT 2/192: 2005 ⇒21,9339. ^RTrinJ 27 (2006) 169-171 (*Grindheim, Sigurd*); ThLZ 131 (2006) 1283-86 (*Karrer, Martin*); CrSt 27 (2006) 947-951 (*Rascher, Angela*).
8917 *Pagliara, Cosimo* Il modello giudaico del 'profeta escatologico': stadio essenziale nel riconoscimento protocristiano di Gesù;
8918 *Salvatore, Emilio* Il messianismo di Gesù: immagini pre-kerigmatiche. Gesù e i messia di Israele. 2006 ⇒739. 145-157/121-144.
8919 *Salvesen, Alison* Without shame or desire: the pronouncements of Jesus on children and the kingdom, and early Syriac attitudes to childhood. SJTh 59 (2006) 307-326.
8920 Schlosser, Jacques L'accomplissement du salut dans la vision de Jésus. À la recherche de la parole. LeDiv 207: 2006 ⇒296. 119-153.
8921 *Sobrino, Jon* La centralidad del reino de Dios anunciado por Jesús. RLAT 23 (2006) 135-160.
8922 *Souza, Ivo de Conceicao* God's kingdom: biblico-existential perspectives. Jeevadhara 36 (2006) 101-111.
8923 *Vignolo, Roberto* 'Il Figlio dell'uomo'–ovvero il chiaroscuro della 'figura' preferita da Gesù. Fede, ragione, narrazione. 2006 ⇒682. 215-254.
8924 *Vorster, N.* Transformation in South Africa and the kingdom of God. HTSTS 62 (2006) 731-753.
8925 **Weder, Hans** Tempo presente a signoria di Dio: la concezione del tempo in Gesù e nel cristianesimo delle origini. StBi 147: 2005 ⇒21,9349. ^RProtest. 61 (2006) 91-92 (*Noffke, Eric*); RBLit (2006)* (*Brankaer, Johanna*); CivCatt 157/1 (2006) 521-522 (*Scaiola, D.*).

H6.1 *Creatio, sabbatum NT*; The Creation [⇒E1.6]

8926 **Ayala, F.J.** DARWIN and intelligent design. Facets: Mp 2006, Fortress xi; 116 pp. 978-08006-36023.

8927 *Brueggemann, Walter* Options for creatureliness: consumer or citizen. The word that redescribes. 2006 <2001> ⇒197. 114-137.
8928 *Mihăilă, Alexandru* Sabatul: spre o teologie a timpului sacru. StTeol 2/2 (2006) 78-99.
8929 *Pansa, Battista Angelo* Il giorno del Signore in prospettiva biblico-teologica. Il futuro dell'uomo 6/1 (2006) 23-49.
8930 Les sens du shabbat: échanges juifs et chrétiens autour du 7ᵉ jour. Nouan-le-Fusilier 2006, Béatitudes 185 pp. €13. 2--84024-246-X.
8931 **Sturcke, H.** Encountering the rest of God: how Jesus came to personify the sabbath. TVZ Dissertationen: 2005 ⇒21,9362. ᴿCBQ 68 (2006) 784-785 (*Hogan, Karina M.*); RBLit (2006)* (*Repschinski, Boris*).
8932 **Wirzba, Norman** Living the sabbath: discovering the rhythms of rest and delight. GR 2006, Brazos 172 pp. $20.

H6.3 *Fides, veritas in NT*—Faith and truth

8933 *Anderlini, Gianpaolo* Al cospetto di Gesù di Nazaret: fede o religione?. Qol(I) 121-122 (2006) 7-8.
8934 **Disse, Jörg** Glaube und Glaubenserkenntnis: eine Studie aus bibeltheologischer und systematischer Sicht. Ment. AQUINAS; BALTHASAR H. von. FHSS 48: Fra 2006, Knecht 276 pp. €17.90. 978-3782-0089-0-7.
8935 **Eibach, Ulrich** Glaube, Krankenheilung und Heil. EvTh 66 (2006) 297-316.
8936 Glaube und Öffentlichkeit. JBTh 11: 1996. ᴿThR 71 (2006) 145-146 (*Reventlow, Henning Graf*).
8937 **Gudiel García, Hugo Caín** La fe según Xavier Zubiri: una aproximación al tema desde la perspectiva del problema teologal del hombre. TGr.T 136: R 2006, E.P.U.G. 380 pp. 88-7839-067-4.
8938 *Hahn, Ferdinand* La fe cristiana en Dios desde la perspectiva bíblica. SelTeol 45 (2006) 189-199 < MThZ 55 (2004) 27-41;
8939 Der christliche Gottesglaube in biblischer Sicht;
8940 Bekenntnisformeln im Neuen Testament;
8941 Das Apostolische Glaubensbekenntnis in historischer und theologischer Sicht. Studien zum NT, II. WUNT 192: 2006 <2003> ⇒231. 4-17/45-60/97-109.
8942 **Lüdemann, Gerd** Die Intoleranz des Evangeliums: erläutert an ausgewählten Schriften des Neuen Testaments. 2004 ⇒20,8656. ᴿThZ 62 (2006) 90-92 (*Raupp, Werner*).
8943 **Margaria, Claudio** Fede come sequela: una teologia in via Christi negli scritti teologici (1968-2002) di Joseph Moingt. TGr.T 137: R 2006, E.P.U.G. 382 pp. 88-7839-072-0.
8944 *Schöttler, Heinz-Günther* Suchen–nicht finden!: die Offenheit der Glaubensgestalt. "Der Leser begreife!". 2006 ⇒472. 65-91.
8945 *Spaccapelo, Natalino* Genesi della fede dei cristiani. Il teologo e la storia. 2006 ⇒526. 301-321.
8946 **Stoker, Wessel** Is faith rational?: a hermeneutical-phenomenological accounting for faith. Studies in philosophical theology 34: Lv 2006, Peeters x; 267 pp. 90-429-1788-1. Bibl. 249-260.
8947 *Stramare, Tarcisio* La teologia in funzione pastorale: l'adattamento come legge dell'evangelizzazione. Scrutate le scritture. 2006 ⇒311. 171-183.

8948 *Wilkin, R.N.* Should we rethink the idea of degrees of faith?. Journal of the Grace Evangelical Society 19/37 (2006) 3-21.

H6.6 *Peccatum NT*—Sin, evil [⇒E1.9]

8949 **Girard, René** I see Satan fall like lightning. [T]*Williams, James G.* 2001 ⇒17,7682; 18,8188. [R]LouvSt 31 (2006) 372-74 (*Tóth, Beata*).

8950 *Ibba, Giovanni* Dal battesimo di Giovanni al perdono cristiano. RivBib 54 (2006) 185-200.

8951 *Kohler-Spiegel, Helga* Schuldfähig: versöhnungsfähig?: biblische Einsichten und religionspädagogische Aussichten. Prekäre Zeitgenossenschaft. 2006 ⇒432. 81-94.

8952 *Marcus, Joel* Idolatry in the New Testament. Interp. 60 (2006) 152-164.

8953 *Navone, John* Our adversary. HPR 106/9 (2006) 65-70.

8954 *Reno, Russell R.* Pride and idolatry. Ment. AUGUSTINUS Hippo: Interp. 60 (2006) 166-180 [Rom 1].

8955 *Ricoeur, Paul* Das Böse: eine Herausforderung für Philosophie und Theologie. ThZ 62 (2006) 379-398 [Isa 45,7].

8956 **Schaafsma, Petruschka** Reconsidering evil: confronting reflections with confessions. Studies in philosophical theology 36: Lv 2006, Peeters vii; 304 pp. 90-429-1840-3. Bibl. 289-297.

8957 *Swartley, Willard M.* Jesus Christ victor over evil. [F]WINK, W. 2006 ⇒172. 96-112.

H7.0 **Soteriologia NT**

8958 *Bendemann, Reinhard von* 'Many-coloured illnesses' (Mark 1.34): on the significance of illnesses in New Testament therapy narratives. Wonders never cease. LNTS 288: 2006 ⇒758. 100-124.

8959 **Boersma, Hans** Violence, hospitality, and the cross: reappropriating the atonement tradition. 2004 ⇒20,8671; 21,9391. [R]RExp 103 (2006) 841-842 (*English, Adam C.*).

8960 *Dever, M.* Nothing but the blood. ChrTo 50/5 (2006) 28-33.

8961 **Finlan, Stephen** Problems with atonement: the origins of, and controversy about, the atonement doctrine. 2005 ⇒21,9393. [R]Worship 80 (2006) 278-280 (*Krieg, Robert A.*); CBQ 68 (2006) 541-542 (*TeSelle, Eugene*); RBLit (2006)* (*Eberhart, Christian*).

8962 **Fischer, Georg; Backhaus, Knut** Espiazione e riconciliazione: prospettive dell'Antico e del Nuovo Testamento. 2002 ⇒18,8197; 19, 8770. [R]RivBib 54 (2006) 463-467 (*Deiana, Giovanni*) [Gen 3; 4; 25-33; 37-50; Exod 34; Lev 16].

8963 *Gehman, R.J.* An evangelical approach to the problem of fear of death. Africa Journal of Evangelical Theology 25/2 (2006) 97-116.

8964 **Grün, Anselm** Nuestro Dios cercano: imágenes bíblicas de la redención. 2005 ⇒21,9399. [R]SalTer 94 (2006) 164-165 (*Álvarez Rodríguez, David*); EfMex 71 (2006) 265-67 (*Cepeda Salazar, Antonino*).

8965 **Hahn, Ferdinand** Gerechtigkeit Gottes und Rechtfertigung des Menschen nach dem Zeugnis des Neuen Testaments. <1999>;

8966 Beobachtungen zur Soteriologie des Kolosser- und Epheserbriefs. Studien zum NT, II. WUNT 192: 2006 ⇒231. 299-312/409-421.

8967 *Hell, Leonhard* "Von Gnade und Recht will ich singen" (Ps 101,1):
Anmerkungen zum Gedanken der "salvifikativen Gerechtigkeit" aus
dogmatischer Sicht. "Deine Bilder". 2006,⇒429. 103-113.

8968 *Hemraj, Shilanand* God the liberator. Jeevadhara 36 (2006) 112-128.

8969 *Hengel, Martin* Der stellvertretende Sühnetod Jesu: ein Beitrag zur
Entstehung des urchristlichen Kerygmas. Studien zur Christologie.
WUNT 201: 2006 <1980> ⇒237. 146-184.

8970 *Hodges, Z.C.* Justification: a new covenant blessing. Journal of the
Grace Evangelical Society 19/37 (2006) 79-85.

8971 *Hoffmann, Veronika* Die Gabe der Anerkennung: ein Beitrag zur So-
teriologie aus der Perspektive des Werkes von Paul RICOEUR. ThPh
81 (2006) 503-528.

8972 *Hossfeld, Frank-L.* Alttestamentliche Bemerkungen zum Thema
Rechtfertigung. Von Gott angenommen. ÖR.B 78: 2006 ⇒532. 285-
298.

8973 *Hultgren, A.J.* Salvation: its forms and dynamics in the New Testa-
ment. Dialog 45/3 (2006) 215-222.

8974 *Kirk, J.R. Daniel* The sufficiency of the cross (I): the crucifixion as
Jesus' act of obedience. SBET 24/1 (2006) 36-64;

8975 (II): the law, the cross and justification. SBET 24 (2006) 133-154.

8976 **Rainbow, Paul A.** The way of salvation: the role of christian obedi-
ence in justification. 2005 ⇒21,9419. [R]TrinJ 27 (2006) 340-341
(*Long, Phillip J.*).

8977 *Röhser, Günter* Erlösung als Kauf: zur neutestamentlichen Lösegeld-
Metaphorik. JBTh 21 (2006) 161-191.

8978 *Sattler, Dorothea* Sind personale Schuldkonten durch Verdienste
auszugleichen?: Geldmetaphern bei der Erfassung des generationenü-
bergreifenden Versöhnungsgeschehens. JBTh 21 (2006) 277-295.

8979 **Spence, Alan** The promise of peace: a unified theory of atonement. L
2006, Clark xv; 126 pp. 0-567-03118-7. Bibl. 119-121.

8980 **Stevenson, Peter K.; Wright, Stephen I.** Preaching the atonement.
2005 ⇒21,9422. [R]RBLit (2006)* (*Vos, C.J.A.*).

8981 *Vos, Johan S.* The destructive power of atonement theology. Ment.
Girard, René: Neotest. 40 (2006) 383-401.

8982 *Walton, Stephen* Penal substitution and social transformation. ChM
120 (2006) 337-352.

8983 **Wells, Paul** Cross words: the biblical doctrine of the atonement.
Fearn 2006, Christian Focus 255 pp.

8984 *Williams, D.H.* Justification by faith: a patristic doctrine. JEH 57
(2006) 649-667.

H7.2 *Crux, sacrificium*; **The Cross, the nature of sacrifice** [⇒E3.4]

8985 **Baert, Barbara** A heritage of holy wood: the legend of the true cross
in text and image. [T]**Preedy, Lee** Medieval and early modern peoples
22: 2004 ⇒20,8687. [R]RHE 101 (2006) 177-179 (*Arblaster, Paul*).

8986 *Böttigheimer, Christoph* Der Verantwortungsbegriff LEVINAS' und
der Stellvertretertod Jesu. ThGl 96 (2006) 420-436.

8987 [E]**Dettwiler, Andreas; Zumstein, Jean** Kreuzestheologie im Neuen
Testament. WUNT 151: 2002 ⇒18,298... 21,9434. [R]BZ 50 (2006)
142-144 (*Wehr, Lothar*).

8988 **Durrwell, François-Xavier** La mort du Fils: le mystère de Jésus et de l'homme. Théologies: P 2006, Cerf 192 pp. €23. 2-204-07639-2. [R]Lat. 72 (2006) 649-652 (*Tremblay, Réal*).

8989 **Harrisville, Roy A.** Fracture: the cross as irreconcilable in the language and thought of the biblical writers. GR 2006, Eerdmans xi; 298 pp. $20. 0-8028-3308-X.

8990 **Harvey, Susan A.** Scenting salvation: ancient christianity and the olfactory imagination. Transformation of the classical heritage 42: Berkeley 2006, Univ. of California Pr. xviii; 421 pp. 978-0-520-241-47-3. Bibl. 331-388.

8991 **Heim, S. Mark** Saved from sacrifice: a theology of the cross. GR 2006, Eerdmans xiv; 346 pp. $27. 978-08028-32153.

8992 *Heim, S.M.* No more scapegoats: how Jesus put an end to sacrifice. CCen 123/18 (2006) 22-23, 25, 27, 29.

8993 *Heisig, James W.* Śūnyatā e kenōsis. RdT 47 (2006) 667-685.

8994 *Körtner, Ulrich* Für uns gestorben?–die Heilsbedeutung des Todes Jesu als religiöse Provokation. Amt und Gemeinde 57 (2006) 189-200.

8995 *Kreinecker, Christina M.* Das Leben bejahen: Jesu Tod, ein Opfer: zur Bedeutung der unterschiedlichen Rede von victima und oblatio. ZKTh 128 (2006) 31-52.

8996 *Lupo, Maria* Il cuore di Cristo sorgente inesauribile di vita per l'umanità. LSDC 21 (2006) 109-120, 227-240.

8997 *Paximadi, Giorgio* I sacrifici nell'Antico Testamento e il sacrificio di Cristo. RTLu 11 (2006) 291-315.

8998 *Pöhlmann, Horst G.* Abgründige Wahrheit. zeitzeichen 7/4 (2006) 47-48.

8999 **Prieur, Jean-Marc** La croix chez les Pères: du IIe au début du IVe siècle. CBiPa 8: Strasbourg 2006, Univ. Marc Bloch 230 pp. €30. 2-906805-076;

9000 La croix dans la littérature chrètienne des premiers siècles. TC 14: Bern 2006, Lang xlviii; 233 pp. €66. 30391-0487X;

9001 Das Kreuz in der christlichen Literatur der Antike. Traditio Christiana 14: Bern 2006, Lang 234 pp. FS103. 3-03910-4888.

9002 *Reid, Barbara E.* Telling the terror of the crucifixion. BiTod 44 (2006) 225-230.

9003 *Ritter, W.H.* Blutiges Verlustgeschäft?. zeitzeichen 7/4 (2006) 45-47.

9004 *Stramare, Tarcisio* Cristo fu crocifisso per noi (1 Cor 1,13). Scrutate le scritture. 2006 ⇒311. 145-152.

9005 **Stroumsa, Guy** La fine del sacrificio: le mutazioni religiose della tarda antichità. T 2006, Einaudi vii; xxi; 146 pp. €15.

9006 [E]**Trelstad, Marit** Cross examinations: readings on the meaning of the cross today. Mp 2006, Fortress 320 pp. $20. 9780-8006-20462.

9007 **Trojan, Jakub S.** Ježišův příběh—výzva pro nás [Vom Kreuz Jesu zu seiner Lebensgeschichte]. 2005 ⇒21,9446. [R]CV 48/1 (2006) 73-76 (*Zámečník, Jan*). **Czech**.

9008 **Vanhoye, Albert** Tanto amò Dios al mundo: lectio sobre el sacrificio de Cristo. [T]*Maio, María Teresa* 2005 ⇒21,9447. [R]SalTer 94 (2006) 696-697 (*López Guzmán, M. Dolores*); AnVal 32 (2006) 169-172 (*Chica Arellano, Fernando*);

9009 Lectio sobre el sacrificio de Cristo. Madrid 2006, San Pablo 126 pp. [AcBib 11/2,149].

9010 **Viladesau, Richard** The beauty of the cross: the passion of Christ in theology and the arts—from the catacombs to the eve of the Renaissance. NY 2006, OUP viii; 214 pp. $35. [R]RBLit (2006)* (*Stander, Hennie*).

9011 *Vouga, François* "Gott hat ihn als Sühneort hingestellt": René Girard, das Problem der Stellvertretung, traditionelle Vorstellungen des Todes Jesu und Paulus. ZNT 9/17 (2006) 14-20 [Rom 3,21-26; 1 Cor 15,3-5].

9012 **Westhelle, Vítor** The scandalous God: the use and abuse of the cross. Mp 2006, Fortress xii; 180 pp. $22.

9013 *Wolter, Michael* The theology of the cross and the quest for a doctrinal norm. [F]MORGAN, R. 2006 ⇒115. 263-285.

9014 *Young, Brad H.* A fresh examination of the cross, Jesus and the Jewish people. Jesus' last week. Jewish and Christian Perspectives 11: 2006 ⇒346. 191-209.

H7.4 *Sacramenta, gratia*

9015 *Altripp, Michael* Tauforte und Taufen in Byzanz. OS 55 (2006) 259-289.

9016 *Araya-Guillén, V.* El evangelio de la gracia de Dios. Vida y Pensamiento [San José, Costa Rica] 26/2 (2006) 9-32.

9017 *Bradshaw, Paul F.* The profession of faith in early christian baptism. EvQ 78 (2006) 101-115.

9018 **Coleman, Peter** Christian attitudes to marriage: from ancient times to the third millennium. 2004 ⇒20,8726; 21,9458. [R]Worship 80 (2006) 567-569 (*McDonough, William*).

9019 **Fairbairn, Donald** Grace and christology in the early church. 2003 ⇒19,8838. [R]HeyJ 47 (2006) 303-304 (*Hill, Robert C.*).

9020 *Groenewald, J.; Van Aarde, Andries G.* The role alternate states of consciousness played in the baptism and eucharist of the earliest Jesus-followers. HTSTS 62 (2006) 41-67.

9021 *Hahn, Ferdinand* Kindersegnung und Kindertaufe im ältesten Christentum. Studien zum NT, II. WUNT 192: 2006 <1989> ⇒231. 665-675.

9022 *Hägerland, Tobias* Jesus and the rites of repentance. NTS 52 (2006) 166-187.

9023 **Jeynes, William** A hand not shortened. Greenwich 2006, Information Age v; 132 pp. 1-593-11455-9 [Grace].

9024 *Kirchschläger, Walter* Die Ehe als Sakrament: eine biblische Spurensuche. BiLi 79 (2006) 228-237.

9025 *Kwiatkowski, K.* Biblijny fundament posługi kapłańskiej w sakramencie pojednania. Roczniki Teologiczne 53/3 (2006) 39-56. **P**.

9026 *Manicardi, Luciano* Le baptême chrétien selon le Nouveau Testament. PosLuth 54 (2006) 11-23.

9027 *Metzger, Marcel* Les chrétiens des premiers siècles et "ceux du dehors". RevSR 80 (2006) 155-166.

9028 *Metzger, Marcel* 'Je sais en qui j'ai mis ma foi' (2 Tm 1,12): aperçu historique sur le cheminement des catéchumènes, 1. EeV 116/2 (2006) 8-14 [Mark 7,24-30].

9029 *Miron, Constantin* Die Gnade Gottes in der Hl. Schrift–der Versuch einer orthodoxen Lektüre. Die Gnade Gottes. ÖR.B 79: 2006 ⇒844. 21-31.

9030 *Morrill, Bruce* Le Christ guérisseur: enquête critique sur les sources liturgiques, pastorales et bibliques. RICP 99 (2006) 219-238.

9031 *Pasquato, O.* Iniziazione pagana e iniziazione cristiana (I-III sec.): le vie della salvezza. Aug. 46 (2006) 5-23.

9032 *Rouwhorst, Gerard* Christian initiation in early christianity. QLP 87 (2006) 100-119.

9033 **Siffer-Wiederhold, Nathalie** La présence divine à l'individu d'après le Nouveau Testament. LeDiv 203: 2005 ⇒21,9481. [R]Rivista di scienze religiose 20 (2006) 203-204 (*Lorusso, Giacomo*); RevSR 80 (2006) 566-568 (*Osborne, Thomas P.*); RBLit (2006)* (*Brankaer, Johanna*).

9034 **Spinks, Bryan D.** Early and medieval rituals and theologies of baptism: from the New Testament to the Council of Trent. Aldershot 2006, Ashgate xiv ; 192 pp. $30.

9035 *Stahl, Rainer* Die sakramentlich zeichenhaften kirchlichen Handlungen: Gedankengänge zu ihrer biblischen Grundlegung. LKW 53 (2006) 101-121.

9036 *Vieweger, Dieter* "Die Gnade" im Alten und Neuen Testament aus evangelischer Sicht. Gnade Gottes. ÖR.B 79: 2006 ⇒844. 33-40.

9037 *Wilson, Michael P.* Nakedness, bodiliness and the new creation. MoBe 47/3 (2006) 42-50.

9038 **Wolf, Robert H.W.** Mysterium Wasser: eine Religionsgeschichte zum Wasser in Antike und Christentum. 2004 ⇒20,8739. [R]ÖR 55 (2006) 262-265 (*Geldbach, Erich*).

9039 **Zimmermann, Ulrich** Kinderbeschneidung und Kindertaufe: exegetische, dogmengeschichtliche und biblisch-theologische Betrachtungen zu einem alten Begründungszusammenhang. [D]*Oeming, Manfred*: Beiträge zum Verstehen der Bibel 15: Müns 2006, LIT 440 pp. 3-8258-9193-5. Diss. Heidelberg.

H7.6 *Ecclesiologia, Theologia missionis, laici*—The Church

9040 *Aguirre Monasterio, Rafael* La misión y los orígenes del cristianismo. EstB 64 (2006) 475-484.

9041 *Ballenger, Isam E.* Missiological thoughts prompted by Genesis 10. RExp 103 (2006) 391-401.

9042 *Bird, Michael F.* "A light to the nations" (Isaiah 42:6 and 49:6): inter-textuality and mission theology in the early church. RTR 65 (2006) 122-131.

9043 *Carr, Dhanchand* A biblical theological reflection on the theme of conversion. Dialogue 32-33 (2005-2006) 83-104.

9044 *Colzani, Gianni* La bibbia: parola di missione, parola per la missione. Ad Gentes 10/1 (2006) 5-24.

9045 *Dassmann, Ernst* Die Kirche als wahres Israel. ThZ 62 (2006) 174-192.

9046 *Dreyer, Y.* Heteronormatiwiteit, homofobie en homoseksualiteit—'n roetekaart vir 'n inklusiewe kerk. HTSTS 62 (2006) 445-471.

9047 *Dunn, James D.G.* Church and churches in the New Testament. DBM 34 (2006) 9-32. **G**.

9048 *Fuellenbach, John* "No podéis servir a Dios y al dinero" (Mt 6,24): consideraciones bíblicas y teológicas en relación con la misión y el dinero. MisEx(M) 212/213 (2006) 52-67.

9049 **Gehring, Roger W.** House church and mission: the importance of household structures in early christianity. 2004 ⇒20,8754; 21,9495. ᴿNRTh 128 (2006) 314-315 (*Clarot, B.*); TrinJ 27 (2006) 171-172 (*Hyde, Michelle C.*); SEÅ 71 (2006) 271-272 (*Mika, Åsa*).

9050 *Giesen, Heinz* "Ihr seid das Salz der Erde!: wenn das Salz aber 'töricht' wird, womit soll dann gesalzen werden?" (Mt 5,13): zur missionarischen Dimension der christlichen Gemeinde. ᶠUNTERGASSMAIR, F. 2006 ⇒161. 131-143.

9051 *Henderson, Ian H.* Mission and ritual: revisiting HARNACK's "Mission and expansion of christianity". ᶠCHARLESWORTH, J. 2006 ⇒19. 34-56.

9052 *Hennaux, Jean-Marie* La femme et le sacerdoce éternel. NRTh 128 (2006) 192-213.

9053 **Heyndrikx, Marcel** Towards another future: on the christian faith and its shape between yesterday and tomorrow. LThPM 34: Lv 2006, x; 358 pp. 90-429-1774-1. Bibl. 319-343.

9054 *Johnson, L.T.* After the big chill: intellectual freedom & catholic theologians. Commonweal 133/2 (2006) 10-14.

9055 *Kasselouri-Hatzivassiliadi, Eleni* Women and mission in the New Testament. DBM 34 (2006) 123-136. **G**.

9056 *Lachner, Raimund* Die Kirche–ein Sakrament?: ein Aspekt neuerer katholischer Ekklesiologie und Sakramententheologie und seine ökumenische Problematik. ᶠUNTERGASSMAIR, F. 2006 ⇒161. 369-396.

9057 *Malipurathu, Thomas* Mission as witnessing. VJTR 70 (2006) 807-826 [Acts 6,1-8,3].

9058 *McVay, John K.* Biblical metaphors for the church and Adventist ecclesiology. AUSS 44 (2006) 285-315.

9059 *Mena Salas, Enrique* Condiciones para una misión cristiana a los gentiles en el entorno sirio: el ejemplo de Antioquia. EstB 64 (2006) 163-199.

9060 *Morali, Ilaria* Senso e ruolo di un corretto rapporto tra bibbia e missione: brevi spunti di riflessione. Ad Gentes 10/1 (2006) 82-93.

9061 **Okoye, James C.** Israel and the nations: a mission theology of the Old Testament. ASMS 39: Mkn 2006, Orbis 178 pp. $28. 978-1-570-75-654-2. Bibl. 159-172 [BiTod 45,123—Dianne Bergant].

9062 *Papu, J.; Verster, P.* A biblical, cultural and missiological critique of traditional circumcision among Xhosa-speaking christians. AcTh(B) 26/2 (2006) 178-198.

9063 *Pathrapankal, Joseph* The *Nazareth manifesto* in the evangelizing mission of Jesus. ITS 43 (2006) 291-308.

9064 *Pesce, Mauro* Dall'itineranza di Gesù a quella dei suoi seguaci. Ad Gentes 10/1 (2006) 48-65.

9065 *Pérez Herrero, F.* Mission following the missionary mandate of the risen Christ. IRM 95 (2006) 306-319;

9066 La mission dans la perspective du mandat missionnaire du Ressuscité. Spiritus 185 (2006) 488-507;

9067 La misión desde el mandato misionero del resucitado. Burg. 47 (2006) 357-374 [Luke 24,13-35].

9068 *Rayappan, A.* Mission in contexts: biblical foundations for plurality in mission. ThirdM 9/2 (2006) 27-44.

9069 *Reinbold, Wolfgang* Mission im Neuen Testament. PTh 95 (2006) 76-87.

9070 *Rikhof, Herwi* The holiness of the church. A holy people. 2006 ⇒ 565. 321-335.

9071 *Río, Pilar* Usos y sentidos de ekklesía-ecclesia: líneas de reflexión teológica a partir de la recepción y transmisión de los significados bíblicos y tradicionales en la doctrina magisterial. AnnTh 20/2 (2006) 233-287.

9072 **Scerra, Lucie** Le piccole communità bibliche: il nuovo volto della volontà di Dio nella chiesa del terzo millennio. Bogotà 2006, Pont. Univ. Javeriana 452 pp. Diss. Javeriana [VJTR 70,637s—G. Gispert-Sauch].

9073 *Schirrmacher, Thomas* Biblische Texte und Themen zur Mission: Jesus und sein Missionar, der Heilige Geist (Joh. 16,5-15). em 22 (2006) 99-100.

9074 *Schnabel, Eckhard J.* Die Theologie des Neuen Testaments als Missionstheologie: die missionarische Realität der Kirche des ersten Jahrhunderts und die Theologie der ersten Theologen. JETh 20 (2006) 139-163.

9075 *Schoon, Simon* 'Holy people': some Protestant views. A holy people. 2006 ⇒565. 279-306.

9076 **Skreslet, Stanley H.** Picturing christian witness: New Testament images of disciples in mission. GR 2006, Eerdmans xv; 263 pp. $24. 9780-8020-29566 [BiTod 44,400—Donald Senior].

9077 *Spieker, Manfred* "Geht hinaus in alle Welt": Notwendigkeit, Ziel und Grenzen des interreligiösen Dialogs. ᶠUNTERGASSMAIR, F. 2006 ⇒161. 479-494.

9078 **Stiewe, Martin; Vouga, François** Das Fundament der Kirche im Dialog: Modelle des Kirchenverständnisses im Neuen Testament und in der konfessionellen Rezeptionsgeschichte. 2003 ⇒19,8918. ᴿThLZ 131 (2006) 284-286 (*Klaiber, Walter*).

9079 *Stroumsa, Guy* Philosophie des barbares: sur les représentations ethnologiques des premiers chrétiens. Le rire du Christ. 2006 <1996> ⇒ 312. 231-280.

9080 *Theissen, Gerd* Kirche oder Sekte?: über Einheit und Konflikt im frühen Christentum. DBM 34 (2006) 33-54. **G.**

9081 *Theobald, Michael* 'Vergesst die Gastfreundschaft nicht!' (Hebr 13, 2): biblische Perspektiven zu einem ekklesiologisch zentralen Thema. ThQ 186 (2006) 190-212.

9082 **Tillard, Jean-Marie R.** Carne della chiesa, carne di Cristo: alle sorgenti dell'ecclesiologia di comunione. Liturgia e vita: Magnano (BI) 2006, Qiqajon 223 pp. €13.50.

9083 *Vassiliadis, Petros* The eucharist as an inclusive and unifying element in the New Testament ecclesiology. DBM 34 (2006) 77-105. **G.**

9084 **Vouga, François** Querelles fondatrices: églises des premiers temps et d'aujourd'hui. Essais bibliques 32: 2003 ⇒19,8925. ᴿETR 81 (2006) 123-124 (*Gloor, Daniel*).

9085 **Wright, Christopher J.H.** The mission of God: unlocking the bible's grand narrative. Nottingham 2006, IVP 581 pp. €33.50. 978-08-308-25714.

H7.7 *Oecumenismus*—**The ecumenical movement**

9086 *Bolen, Donald* The reception of scripture in the agreed statements of ARCIC. ᶠWANSBROUGH, H. LNTS 316: 2006 ⇒168. 247-265.

9087 *Brueggemann, Walter* Ecumenism as the shared practice of a peculiar
      identity. The word that redescribes. 2006 <1998> ⇒197. 138-153.
9088 *Denaux, A.* Sacred scripture and christian unity: reflections from a
      Roman Catholic point of view. BDV 81 (2006) 4-7.
9089 *Diotallevi, Luca* La promozione della bibbia impegno ecumenico.
      Orientamenti pastorali 54/9 (2006) 22-33.
9090 *Garrone, Daniele* Bibbia ed ecumenismo. La bibbia nella chiesa.
      2006 ⇒749. 59-69.
9091 *Kappes, Michael* Die "Charta Oecumenica" und ihre Bedeutung für
      die ökumenische Arbeit in Deutschland. ᶠUNTERGASSMAIR, F. 2006
      ⇒161. 397-412.
9092 *Krüger, Klaus* Bibliographische Hinweise zur ökumenischen Theolo-
      gie. Cath(M) 60 (2006) 151-162.
9093 *Levoratti, Armando J.* ¿Es posible una exégesis ecuménica de la bi-
      blia?. ResB 51 (2006) 23-34.
9094 *Luz, Ulrich* Das Problem der eucharistischen Gastfreundschaft in
      neutestamentlicher Sicht. ᶠGALITIS, G. 2006 ⇒49. 377-394.
9095 *Moraleja Ortega, Ricardo* Cinco frutos maduros de una misma raíz.
      ResB 51 (2006) 35-44.
9096 *Muddiman, J.* Sacred scripture and christian unity: reflections from
      an Anglican point of view. BDV 81 (2006) 16-18.
9097 *Neuner, P.* Gegen eine Legendenbildung im 'Fall Berger'. StZ 224
      (2006) 57-60.
9098 *Pătuleanu, Constantin* Importanţa unei ermineutici biblice comune în
      cadrul dialogurilor ecumenice. StTeol 2/2 (2006) 24-36.
9099 *Plock, Heinrich* Ökumenischer Gottesdienst in der "Friedensstadt"
      Osnabrück. ᶠUNTERGASSMAIR, F. 2006 ⇒161. 413-419.
9100 *Stylianopoulos, T.G.* Holy scripture and christian unity: reflections
      from an Orthodox point of view. BDV 81 (2006) 8-15.
9101 *Young, F.* Sacred scripture and christian unity: reflections from a
      Methodist point of view. BDV 81 (2006) 18-21.

H7.8 **Amt**—*Ministerium ecclesiasticum*

9102 *Cabié, Robert* Le diaconat: un renouveau?: du diacre d'autrefois au
      diacre d'aujourd'hui. BLE 107 (2006) 101-116.
9103 *Capper, Brian* Apôtres, maîtres de maison et domestiques: les ori-
      gines du ministère tripartite. ETR 81 (2006) 395-428.
9104 *Dünzl, Franz* Die Diakonin in altchristlichen Kirchenordnungen oder:
      der Spielraum der Kirche. ᶠKLINGER, E., 2. 2006 ⇒86. 169-187.
9105 *Ebner, Martin* Diakonie und Liturgie: neutestamentliche Rückfragen.
      Die diakonale Dimension der Liturgie. QD 176: 2006 ⇒544. 31-40.
9106 *Gill, LaVerne M.* Wanted: women in ministry: requirements: Susan-
      na's faith, Vashti's courage, and Mary's obedience. PSB 27/1 (2006)
      34-50 [Esth 1,1-2,1; Luke 1,38].
9107 **Gröne, Stephan** Kontra Frauenordination: warum Jesus die Gemein-
      deleitung durch Frauen verbietet. Hamburg 2006, Mein Buch 128 pp.
      €12.80. 3-86516-7276 [1 Cor 14,33-38].
9108 *Hahn, Ferdinand* Grundfragen von Charisma und Amt in der gegen-
      wärtigen neutestamentlichen Forschung: Fragestellungen aus evange-
      lischer Sicht. Studien zum NT, II. 2006 <1985> ⇒231. 471-485;

9109   Berufung, Amtsübertragung und Ordination im ältesten Christentum. Studien zum NT, II. WUNT 192: 2006 <1983> ⇒231. 487-504.

9110   *Hoffmann, Paul* Der "Stiftungswille" Jesu: das hierarchische Amtsverständnis der Römischen Kirche im Spiegel des Neuen Testaments. Orien. 70 (2006) 154-160.

9111   *Hofius, Otfried* Gemeindeleitung und Kirchenleitung nach dem Zeugnis des Neuen Testaments: eine Skizze. ZThK 103 (2006) 184-205.

9112   *Johnston, R.M.* Leadership in the early church during its first hundred years. JATS 17/2 (2006) 2-17.

9113   *Jones, R.J.; Van Aarde, A.G.* 'n Kerugmatiese perspektief op bedieninge in die Nuwe Testament. HTSTS 62 (2006) 1489-1511.

9114   *Kirchhoff, Renate* Röm 12,1-2 und der Qualitätsanspruch diakonischen Handelns. ᶠBURCHARD, C.: NTOA 57: 2006 ⇒13. 87-98.

9115   ᴱ**Madigan, K.; Osiek, C.** Mujeres ordenadas en la iglesia primitiva: una historia documentada. Aletheia: Estella 2006, Verbo Divino 318 pp.

9116   **Martelet, Gustave** Das Geheimnis des Bundes in seiner Beziehung zum Amtspriestertum. Von "Inter Insignores" bis "Ordinatio Sacerdotalis": Dokumente und Studien der Glaubenskongregation. ᴱ**Müller, Gerhard L.** Wü 2006, Echter 122-130 978-3-429-02791-9.

9117   *Overath, Joseph* Klaus Berger—sind wir alle Gottes Verräter?: ein gemäßigter Joachimitist und die Einheit der Christen. Theologisches 36/5-6 (2006) 147-154.

9118   **Perrot, Charles** Ministri e ministeri: indagine nelle comunità cristiane del Nuovo Testamento. Parola di Dio 21: CinB 2002, San Paolo 276 pp. 88-215-4775-2. Bibl. 269-271.

9119   *Reingrabner, Gustav* Das "Geistliche Amt" und "förmliche Stellen der heiligen Schrift". WJT 6 (2006) 265-283.

9120   *Rodríguez-Ruiz, Miguel* Apostelamt, kirchliches Amt und apostolische Sukzession im Neuen Testament. ᶠUNTERGASSMAIR, F. 2006 ⇒ 161. 295-311.

9121   *Scaer, David P.* The office of the ministry according to the gospels and the Augsburg Confession. CTQ 70/2 (2006) 113-121.

9122   *Schlosser, Jacques* The ministry of the episkope. Jurist 66/1 (2006) 93-113.

9123   *Vanhoye, Albert* Das Zeugnis des Neuen Testamentes zur Nichtzulassung der Frauen zur Priesterweihe. Von "Inter Insignores" bis "Ordinatio Sacerdotalis": Dokumente und Studien der Glaubenskongregation. ᴱ**Müller, Gerhard L.** Wü 2006, Echter. 150-155. 978-3-429-02791-9.

9124   **Williams, Ritva H.** Stewards, prophets, keepers of the word: leadership in the early church. Peabody, Mass. 2006, Hendrickson xii; 228 pp. $25. 978-1-56563-949-2. Bibl. 199-210.

9125   *Wright, Nicholas T.* Bishops, women and the bible: a response. ChM 120 (2006) 7-9;

9126   The biblical basis for women's service in the church. Priscilla Papers [Mp] 20/4 (2006) 5-10.

9127   *Zimmerman, Theodore I.* Reflection on the episcopacy from a biblical perspective. ThLi 29 (2006) 105-125.

H8.0 **Oratio**, *spiritualitas personalis NT*

9128 **Adam, Peter** Hearing God's words: exploring biblical spirituality. 2004 ⇒20,8828. [R]CTJ 41 (2006) 172-173 (*Schwanda, Tom*).

9129 **Aláiz, Atilano** Jesús habla hoy: el evangelio de cada día. M 2006, Perpetuo Socorro 950 pp.

9130 *Andreassen, Carsten* Bibelmeditation i Højby Kirke. Kritisk forum for praktisk teologi 26/104 (2006) 68-72.

9131 *Austriaco, Nicanor P.* Reading Genesis with Cardinal RATZINGER. HPR 106/5 (2006) 22-27 [Genesis}1,1-2,4].

9132 *Becker, Klaus M.* "Das Wort ist Fleisch geworden" (Joh 1,14): eine Weihnachtsbetrachtung. Theologisches 36/11-12 (2006) 347-352.

9133 **Berger, Klaus** Evangelium unseres Herrn Jesus Christus: Meditationen zu den Sonntagsevangelien [Lesejahr C]. FrB 2006, Herder 315 pp. €20. 9783-45129-2422.

9134 **Bianchi, Enzo** Ecouter la parole: les enjeux de la lectio divina. Le livre et le rouleau 28: Bru 2006, Lessius 102 pp. 978-2-87299-154-9. [T]*Wirz, Matthias*.

9135 *Blocher, Henri* Pour une théologie biblique de la prière. ThEv(VS) 5/2 (2006) 85-102;

9136 *Blocher, Henri* Le coeur fait le théologien. La bible au microscope. 2006 ⇒192. 11-24.

9137 *Breitenbach, Roland* Tischgemeinschaft ist mehr als Almosengeben: Taten und Worte zum Leben. BiLi 79 (2006) 54-58.

9138 *Calle Zapata, Flavio* 'Todo proviene de Dios que nos reconcilió consigo por Cristo y nos confió el ministerio de la reconciliación' (2 Cor 5,18). Revista católica 106/1 (2006) 35-44.

9139 **Cantalamessa, Raniero** Easter: meditations on the resurrection. ColMn 2006, Liturgical viii; 146 pp. $8 [BiTod 45,391: D. Senior].

9140 **Carfagna, Antonella; Rossi de Gasperis, Francesco** Da Dan a Bersabea: pregare e camminare in tutta la parola e la terra di Dio. Lettura pastorale della Bibbia, Bibbia e spiritualità 25: Bo 2006, Dehoniane 96 pp. 88-10-21117-0.

9141 *Carfagna, Antonella* Ghichon: l'acqua del santuario: topografia, archeologia e contemplazione. Da Dan a Bersabea. 2006 ⇒9140. 77-94.

9142 *Carfagna, Antonella; Rossi de Gasperis, Francesco* Sulla terra. Da Dan a Bersabea. 2006 ⇒9140. 55-75.

9143 **Crump, David** Knocking on heaven's door: a New Testament theology of petitionary prayer. GR 2006, Baker 345 pp. $23. 0-8010-268-9-X. Bibl. 305-327.

9144 *Cunningham, W.P.* The pilgrim way. HPR 106/9 (2006) 60-64.

9145 *De Villiers, P.G.R.* Spirituality, theology and the critical mind. The spirit that moves. AcTh(B).S 8: 2006 ⇒510. 99-121.

9146 **Den Heyer, Cees** Het boek der verandering: de bijbel als bron voor een alternatief christendom. Amst 2006, Vesuvius 175 pp. €18.50. 90-8659-016-0.

9147 *deSilva, David* Never without a witness: the apocrypha and spiritual formation. AThJ 38 (2006) 77-89.

9148 **Domek, Johanna** Respuestas que liberan—veinticuatro preguntas a la biblia. 2005 ⇒21,9602. [R]Iter 17/1 (2006) 170-72 (*Frades Gaspar, Eduardo*).

9149 **Dunn, Demetrius** Praying the scriptures. 2004 ⇒20,8840. [R]ABenR 57 (2006) 96-97 (*Kardong, Terrence G.*).

9150 **Durrwell, François-Xavier** Cristo, nossa Páscoa. [T]*Fleuri, Ubenai*: Aparecida 2006, Santuário 207 pp.

9151 **Eapen, J.** Church in the desert: prayer in the bible. Guwahati 2006, Don Bosco 192 pp. Rs125 [ITS 43,235—A. Alfred Joseph].

9152 **Ekblad, Bob** Reading the bible with the damned. 2005 ⇒21,9605. [R]RBLit (2006)* (*Dietrich, Walter; Kraus, Thomas*); JTSA 124 (2006) 99-108 (*Draper, Jonathan A.*).

9153 *Endean, P.; James, R.* The bible in personal formation: a dialogue. Contact [Bolton, UK] 150 (2006) 40-48.

9154 [E]**Filoramo, Giovanni** Storia della direzione spirituale, 1: l'età antica. Brescia 2006, Morcelliana 532 pp.

9155 **Foster, David** Reading with God, lectio divina. 2005 ⇒21,9610. [R]DR 124 (2006) 231-232 (*Boulding, Maria*).

9156 **Gariel, Cécile** Le pain d'Emmaüs. P 2006, Mediaspaul 127 pp. €10. 978-27122-09865 [Luke 24,13-35].

9157 *Gehman, R.J.* Communion with the dead according to the scriptures. Africa Journal of Evangelical Theology 25/1 (2006) 9-31.

9158 *Gerhards, Albert* "Ehre sei dem Vater ..."–wie monotheistisch betet die Kirche?: zur Frage des Adressaten christlichen Betens. "... dass er euch auch erwählet hat". 2006 ⇒511. 89-103.

9159 **Gianto, Agustinus** Membarui Wajah Manusia. Yogyakarta 2006, Kanisius xv; 192 pp. 979-21-1393-2. Bibl. 189-190. **Indonesian**.

9160 Bersama Día. Yogykarta 2006, Kanisius xiii; 166 pp. 979-21-1394-0. Bibl. 165-166. **Indonesian**.

9161 **Grenz, Stanley J.** Prayer: the cry for the kingdom. [2]2005 <1988> ⇒ 21,9617. [R]RExp 103 (2006) 433-435 (*Steibel, Sophia R.G.*).

9162 *Henner, Jutta* "Wenn ihr nicht werdet wie die Kinder ..." (Mt 18,1-5)–Spiritualität einer kinderfreundlichen Kirche. Amt und Gemeinde 57 (2006) 170-176 [Matthew 18,1-5].

9163 **Howard, Katherine L.** Waiting in joyful hope. ColMn 2006, Liturgical v; 94 pp. $2 [BiTod 44,398—Donald Senior].

9164 *Jakab, Attila* Prière des Pères–prières à nous. Les Pères de l'église. 2006 ⇒810. 241-255.

9165 **Keller, Christoph** Alles will verstanden sein: Durchleuchtung christlicher Botschaften. Bibel konkret 1: Müns 2006, Lit 182 pp. €14.90. 978-38258-94795.

9166 *Kofsky, Aryeh* Renunciation of will in the monastic school of Gaza. LASBF 56 (2006) 321-346.

9167 *Kourie, C.* The "turn" to spirituality. The spirit that moves. AcTh(B). S 8: 2006 ⇒510. 19-38.

9168 *Kraus, Wolfgang; Schröder, Bernd* Beten zu Jesus?: christliche Gebetspraxis und christlich-jüdischer Dialog. "... dass er euch auch erwählet hat". 2006 ⇒511. 105-135.

9169 **Lambiasi, Francesco** Una parola al giorno: meditazioni sui vangeli feriali. [E]*Diaco, Ernesto* R 2006, Ave 413 pp. €17. Ill.

9170 *Löser, Werner* "Bleib den Geboten treu!" (Sir 28,6): Leben und Lebensordnung im Volke Gottes. GuL 79 (2006) 321-330.

9171 **Maggioni, Bruno** Come la pioggia e la neve: potenza del vangelo e generazione della fede. Mi 2006, Vita e P. 168 pp. €15.

9172 *Marty, François* Les évangiles et les *Exercices spirituels* de saint Ignace. Bible et théologie. 2006 ⇒449. 103-121.

9173 *Matthey, Jacques* Opening biblical meditation. IRM 95 (2006) 151-153.

9174 **McGrath, Michael** At the name of Jesus. Franklin Park, IL 2006, World Library 94 pp. $40. Ill.; collab. *Richard Fragomeni* [BiTod 45,62—Donald Senior].

9175 **Medina, Danilo Antonio** Nuestro corazón ardía: itinerario espiritual de cinco días con los discípulos de Emaús. Bogotá 2006, San Pablo 155 pp. 958-692-333-9. Bibl. 151-155 [Luke 24,23-35].

9176 **Miller, Patrick D.** They cried to the Lord: the form and theology of biblical prayer. 1994 ⇒10,8179... 17,7881. ᴿThR 71 (2006) 19-21 (*Reventlow, Henning Graf*).

9177 *Mlakuzhyil, George* Listen to the Spirit: the gospel of John: Jesus, the departing "lover" (Jn 13-17). VJTR 70 (2006) 379-390.

9178 **Moody, Josh** Biblische Spiritualität in der neuheidnischen Gesellschaft. Ha 2002, Fliss 167 pp. 3-931188-59-0.

9179 *Morrison, Craig* Psalm 132 a covenant forever. Carmel 45 (2006) 215-220.

9180 *Mursell, Gordon* Praying the gospels: spirituality and worship. Cambridge companion to the gospels. 2006 ⇒344. 245-263.

9181 **Orsuto, Donna** Holiness. NY 2006, Continuum 212 pp. $25 [BiTod 45,266—Donald Senior].

9182 **Ostmeyer, Karl-Heinrich** Kommunikation mit Gott und Christus: Sprache und Theologie des Gebets im Neuen Testament. ᴰ*Stegemann, Hartmut*: WUNT 197: Tü 2006, Mohr S. xvi; 466 pp. €99. 3-16-148969-1. Diss.-Habil.; Bibl. 375-415.

9183 *Paisie, Ion* L'ascolto obbediente del discepolo: riflessioni di un ortodosso. RSEc 24 (2006) 335-345.

9184 *Paris, Peter J.* A meditation on love: I Corinthians 13. PSB 27/1 (2006) 1-4.

9185 **Pasquetto, Virgilio** Chiamati a vita nuova: temi di spiritualità biblica, 1: Antico Testamento, 2: Nuovo Testamento. 2002 ⇒18,8435... 21,9647. ᴿLat. 72 (2006) 354-357 (*Rava, Eva Carlota*).

9186 **Peterson, Eugene** Eat this book: a conversation in the art of spiritual reading. GR 2006, Eerdmans xii; 186 pp. $20. 08028-29481.

9187 **Reedijk, Wim** Zuiver lezen: de bijbel gelezen op de wijze van de vroegchristelijke woestijnvaders. Budel 2006, Damon 292 pp. €24. 90. 90-557-3699-6. Epiloog van *Ilse N. Bulhof*; Diss. Vrije Univ. Amsterdam 2003.

9188 *Reyer, Martin* In Symbole gekleidet: alle sind fremd hier–alle finden hier Heimat. zeitzeichen 7/1 (2006) 13 [Matthew 25,35].

9189 **Rivas Rebaque, Fernando** La experiencia espiritual de Jesús: materiales para reflexionar personalmente y en grupo. 2005 ⇒21,9656. ᴿSalTer 94 (2006) 337-338 (*Aleixandre, Dolores*).

9190 *Rossi de Gasperis, Francesco* Nel libro. Da Dan a Bersabea. 2006 ⇒ 9140. 9-53.

9191 **Rossi de Gasperis, Francesco** Sentieri di vita: la dinamica degli esercizi ignaziani nell'itinerario delle scritture, 2.1: seconda settimana, prima parte. Mi 2006, Paoline 523 pp. €25. 88-315-3033-X.

9192 **Sabbatucci, Dario** Saggio sul misticismo greco. Universale Bollati Boringhieri 506: T 2006, Bollati Boringhieri 286 pp. 88-339-1658-8. Postfazione di *Paolo Scarpi*.

9193 *Sabutis, Mindaugas* "Gott spricht: 'Ich lasse dich nicht fallen und verlasse dich nicht'" (Jos 1,5b): zur Jahreslosung für 2006. LKW 53 (2006) 11-15.

9194 *Schubert, Benedict* Beobachtungen zur Geschichte "vom reichen Mann und vom armen Lazarus"–Lukas 16,19-31. ZMiss 32 (2006) 184-188.

9195 ᴱ**Searle, David C.** Through the year with William Still. E 2006, Banner of Truth Trust viii; 376 pp. 978-0-85151-941-8.

9196 **Secondin, Bruno** Leitura orante da palavra. ᵀ*Valério, Paulo Ferreira* Viver a palavra: 2004 ⇒20,8886. ᴿGrande Sinal 60 (2006) 237-240 (*Guimarães, Almir Ribeiro*).

9197 **Standaert, Benoît** L'espace Jésus: la foi pascale dans l'espace des religions. L'autre et les autres 7: 2005 ⇒21,9671. ᴿSpiritus 184 (2006) 376 (*Pivot, Maurice*).

9198 *Tamez, Elsa* Biblia y espiritualidad. Vida y Pensamiento [San José, Costa Rica] 26/2 (2006) 33-42.

9199 *Teuffel, J.* Some remarks on prayer. ThLi 29 (2006) 127-142.

9200 **Thomas, Joseph** Nicodème: un nom pour temps de peur. 2004 ⇒20, 8892. ᴿEeV 116/2 (2006) 28 (*Pousseur, Robert*) [John 3,1-21].

9201 *Trakatellis, Dimitrios* Living the image of God: perspectives of meditation and prayer. ᶠGALITIS, G. 2006 ⇒49. 565-571. **G.**

9202 **Vouga, François** Evangile et vie quotidienne. Genève 2006, Labor et F. 290 pp. FS36. 2-8309-1222-5.

9203 *Waaijman, K.* What is spirituality?;
9204 Conformity in Christ;
9205 Spirituality and contextuality;
9206 *Welzen, H.* The word that moves. The spirit that moves. AcTh(B).S 8: 2006 ⇒510. 1-18/41-53/54-62/125-144.

9207 **Wright, Nicholas T.** The scriptures, the cross & the power of God: reflections for Holy Week. I.VL 2006, Westminster xi; 84 pp. $13 [BiTod 45,64—Donald Senior].

9208 **Zevini, Giorgio; Maritano, Mario** La lectio divina nella vita della chiesa. Studi di spiritualità 15: R 2006, LAS 224 pp.

H8.1 *Spiritualitas publica*: Liturgia, Via communitatis, Sancti

9209 *Aleixandre, Dolores* La 'primavera galilea' del discipulado: 'rebajas' para atraer seguidores. SalTer 94/1 (2006) 29-38.

9210 **Angelini, Giuseppe** Il tempo e il rito alla luce delle scritture. Assisi 2006, Cittadella 344 pp. €27.50. ᴿTeol(Br) 31 (2006) 308-309 (*Trabucco, Giovanni*).

9211 *Arens, Eduardo* Discípulos en el seguimiento de Jesús. Paginas 31/ 202 (2006) 13-26.

9212 *Baraniak, Marek* Bóg powiedział raz, dwa razy usłyszałem (Ps 62, 12) [Dieu a dit une fois, deux fois j'ai entendu ceci (Ps 62,12)]. PrzPow 1 (2006) 77-83; 2,75-80; 3,79-84; 4,92-97; 5,61-66; 6,85-90; 7-8,107-118; 9,63-68; 10,69-75; 11,75-81. **P.**

9213 **Barker, Margaret** The great high priest: the temple roots of christian liturgy. L 2006 <2003>, Clark xii; 423 pp. 0-567-08941-X. Bibl. 365-388.

9214 **Binz, Stephen J.** The Sacred Heart of Jesus. New London, CT 2006, Twenty-third ix; 121 pp. $13 [BiTod 45,59—Donald Senior].

9215 *Bourgeois, Daniel* Les Mages accourent aux noces de Cana. Com(F) 31 (2006) 53-65 [John 2,1-11].

9216 *Böttrich, Christfried* Neues Testament und hellenistisch-römische Welt. JLH 45 (2006) 112-142 [Liturgie].

9217 **Brakke, David** Demons and the making of the monk: spiritual combat in early christianity. CM 2006, Harvard Univ. Pr. ix; 308 pp. $50. [R]RBLit (2006)* (*Burrus, Virginia*).

9218 **Braulik, Georg; Lohfink, Norbert** Osternacht und Altes Testament: Studien und Vorschläge. ÖBS 22: 2003 ⇒19,9082; 20,8912. [R]BiLi 79 (2006) 64-66 (*Pacik, Rudolf*).

9219 *Brueggemann, Walter* Evangelism and discipleship: the God who *calls*: the God who *sends*. The word that redescribes. 2006 <2004> ⇒197. 92-113.

9220 *Bühlmann, Walter* "Denn ich bin Gott, nicht ein Mensch" (Hos 11,9 EÜ): das bibelpastorale Defizit der sonn- und werktäglichen Perikopenordnung der Messfeier. [F]SCHÜNGEL-STRAUMANN, H. 2006 ⇒ 153. 357-369.

      [E]**Bürki, B.**, *al.*, Présence...de la bible dans la liturgie 2006 ⇒703.

9221 [E]**Casarin, G.** Lezionario commentato feriale: rigenerati dalla parola di Dio, 2: Quaresima. Ascoltare: Padova 2006, Messagero 217 pp. €12.80;

9222 3: Pasqua. Ascoltare: Padova 2006, Messagero 2397 pp. €13.80.

9223 **De Wedon-Jones, Athanasius Vernon** Hören und Antworten: biblische und pastorale Aspekte des Ordensgehorsams. 2004 ⇒20,8924. [R]OrdKor 47/1 (2006) 119-120 (*Bopp, Karl*).

9224 *De Zan, Renato* Quale lezionario per il rito delle esequi?. RivLi 93 (2006) 858-869.

9225 **Delbrêl, Madeleine** Comunità secondo il vangelo. Mi 2006, Gribaudi 160 pp. €9.50. Prem. *G. Lafon.*

9226 **Due, Noel** Created for worship: from Genesis to Revelation. 2005 ⇒ 21,9720. [R]SEBT 24 (2006) 248 (*Burke, Gareth*).

9227 *Ellis, Robert R.* Creation, vocation, crisis and rest: a creational model for spirituality. RExp 103 (2006) 307-324 [Gen 1-3].

9228 *Fagerberg, David W.* Theologia prima: the liturgical mystery and the mystery of God. L&S 2 (2006) 55-67.

9229 *Focant, Camille* Du temple à la maison: l'espace du culte en esprit et en vérité. RTL 37 (2006) 342-360.

9230 *Franz, Ansgar* Das Alte Testament und die gottesdienstlichen Lesungen: zur Diskussion um die Reform christlicher Lektionare. "... dass er euch auch erwählet hat". 2006 ⇒511. 227-257.

9231 *Gerhards, Albert* Zurück zu den Quellen: Erfahrungen von einem Workshop über die Liturgien in Judentum und Christentum. LJ 56 (2006) 208-211.

9232 *Godet-Calogeras, Jean François* Evangelical radicalism in the writings of FRANCIS and CLARE of Assisi. FrS 64 (2006) 103-121.

9233 [E]**Gregory, Andrew** The fourfold gospel commentary. L 2006, SPCK xii; 211 pp. £20. 978-0-281-05691-0. Bibl. 209-211; Revised common lectionary, Roman Catholic lectionary for Sunday Mass, common worship lectionary.

9234 *Groen, Bert* Antijudaismus in der christlichen Liturgie und Versuche seiner Überwindung. Prekäre Zeitgenossenschaft. 2006 ⇒432. 247-278.

9235 *Heid, Stefan* Gebetshaltung und Ostung in frühchristlicher Zeit. RivAC 82 (2006) 347-404.

9236   ^E**Heinemann, Christoph** Gottes Wort im Kirchenjahr 2006: Lesejahr B, Bd. 2: Fasten- und Osterzeit. Wü 2006, Echter 240 pp. €15. CD-ROM €22;

9237   Lesejahr B, Bd. 3: die Zeit nach Pfingsten. Wü 2006, Echter 336 pp. €19. CD-ROM €25.

9238   *Hengel, Martin* Hymnus und Christologie. <1980>;

9239   Das Christuslied im frühesten Gottesdienst. Studien zur Christologie. WUNT 201: 2006 <1987> ⇒237. 185-204/205-258.

9240   *Herbstrith, Waltraud* Assimilation und Suche nach dem Eigenen: Gott erfahren heute–bei EDITH STEIN. ^FSCHÜNGEL-STRAUMANN, H. 2006 ⇒153. 162-173.

9241   *Holeton, D.R.* Reading the word of God together: the Revised Common Lectionary and the unity of christians. CV 48/3 (2006) 223-243.

9242   **Holyhead, Verna A.** With burning hearts: welcoming the word in Year C. ColMn 2006, Liturgical vi; 217 pp. $20. 978-08146-18349.

9243   *Hughes, Thomas* Prophetic dialogue in religious life in the light of the bible. VSVD 47/1 (2006) 37-49;

9244   Ordensleben und prophetischer Dialog im Licht der Bibel. Ordensnachrichten 45/6 (2006) 19-31.

9245   *Klöckner, Stefan* "Kommt alle zusammen, die ihr sie lieb habt!": der Introitus "Laetare Ierusalem": ein vorösterlicher Jubelruf der Kirche Christi. Laetare Jerusalem. 2006 ⇒92. 24-40.

9246   *Kranemann, Daniela* Lobpreis für das Wort der Heiligen Schrift–Lobpreis für Israel: Anmerkungen zu einem neuen Gebetstypus. "... dass er euch auch erwählet hat". 2006 ⇒511. 137-154.

9247   **Lambiasi, Francesco** Nella casa di Gesù: esercizi spirituali con l'evangelista Giovanni. R 2005, Ave 158 pp. €8. Ill.

9248   Lectionary: Revised Standard Version, second catholic edition. SF 2006, Ignatius 2 vols; 1044 + 2438 pp. $270.

9249   *Lenchak, Timothy A.* Lectio divina and prophetic dialogue. VSVD 47/1 (2006) 51-55.

9250   *Leonhard, Clemens* Übergänge–zur liturgischen Entwicklung in Christentum und Judentum: ein interdisziplinäres Symposium in Erinnerung an Jakob J. Petuchowski. LJ 56 (2006) 202-207;

9251   Ostern–ein christliches Pesach?: Ähnlichkeiten und Unterschiede. WUB 40 (2006) 22-27.

9252   **Leonhard, Clemens** The Jewish Pesach and the origins of the christian Easter: open questions in current research. ^D*Gerhards, Albert*: SJ 35: B 2006, De Gruyter xi, 507 pp. €118. 9783-11018-8578. Diss.-Habil. Bonn; Bibl. 439- 482.

9253   **Légasse, Simon** Les fêtes de l'année: fondements scripturaires. LeDiv 205: P 2006, Cerf 242 pp. €23. 2-204-07671-6. ^RTheologica 41/1 (2006) 197-198 (*Lima, José da Silva*); SR 35 (2006) 593-595 (*Vogels, Walter*).

9254   **Lionel, Joseph** Speak O Lord: on the word of God in liturgy. Bangalore 2006, Asian T.C. xxv; 188 pp. Rs75/$10.

9255   *Loretan, Adrian* "Euch muss es zuerst um das Reich Gottes und seine Gerechtigkeit gehen (Mt 6,33)": eine prophetische Frau des 20. Jahrhunderts. ^FSCHÜNGEL-STRAUMANN, H. Ment. *Heinzelmann, Gertrud* 2006 ⇒153. 342-351.

9256   *Lossky, André* Himmel auf Erden: die Osterliturgie der Orthodoxie. WUB 40 (2006) 56-60.

9257 **Margoni-Kögler, Michael** Die Perikopen im Gottesdienst bei AU-
GUSTINUS: ein Beitrag zur Erforschung der liturgischen Schriftlesung
in der frühen Kirche. *DKlöckener, Martin* 2006, Diss. Wien [ThRv
103/2,xii].

9258 *Marín, Joan Ramon* El paso del Mar Rojo: lectura de Éxodo 14 en la
Vigilia Pascual. Phase 46 (2006) 157-162.

9259 *McCarthy, David M.* The gospels embodied: the lives of saints and
martyrs. Cambridge companion to the gospels. 2006 ⇒344. 224-244.

9260 *Metogo, Eloi Messi* Bibbia e liturgia. Conc(I) 42 (2006) 619-625;
Conc(E) 317,73-78; Conc(D) 42,443-448; Conc(GB) 2006/4,56-61.

9261 *Mildenberger, Irene* "Mein Volk, meine Kirche, was habe ich dir
getan?": neue Improprien in den protestantischen Kirchen. "... dass er
euch auch erwählet hat". 2006 ⇒511. 203-226.

9262 *Mitchell, N.D.* Liturgy's language of presence: light from the bible.
Worship 80/2 (2006) 162-176.

9263 **Murphy, Roland E.** Experiencing our biblical heritage. 2001 ⇒17,
7966... 19,9146. *RMount Carmel* 54 (2006) 68-73 (*Morrison, Craig*).

9264 *Muttathottil, Shiny Lectio divina* in the writings of Blessed John
Antony FARINA. LivWo 112/1 (2006) 15-26.

9265 *Müller, Hans-Jürgen* Die Feier der Kasualien und unsere Verbunden-
heit zu Israel: Fragestellungen und Chancen. "... dass er euch auch er-
wählet hat". 2006 ⇒511. 281-287.

9266 **Müllner, I.; Dschulnigg, P.** Feste ebraiche e feste cristiane: prospet-
tive dell'Antico e del Nuovo Testamento. I temi della bibbia 9: Bo
2006, Dehoniane 188 pp. €16.40. 88102-21117.

9267 **O'Loughlin, Thomas** Liturgical resources for Advent and Christ-
mastide, Year A, B and C. Dublin 2006, Columba 273 pp.

9268 *Odenthal, Andreas* Die Feier des Pascha-Mysteriums als "sinngeben-
der Interpretationsrahmen": symboltheoretische Überlegungen zum
gregorianischen Introitus "Nos autem gloriari oportet" im Hinblick
auf eine "aktive Sprachkompetenz" der feiernden Gemeinde. LJ 56/1
(2006) 54-77.

9269 **Padovese, Luigi** Cercatori di Dio: sulle tracce dell'ascetismo pagano,
ebraico e cristiano dei primi secoli. 2002 ⇒18,8529. *RATT* 12
(2006) 444-445 (*Ghiberti, Giuseppe*).

9270 *Panimolle, Salvatore A.* Le radici bibliche del preconio pasquale:
l'Exultet. *FFABRIS, R.*: SRivBib 47: 2006 ⇒38. 355-368.

9271 *Papadopoulos, Konstantinos N.* Liturgische Studien zum Neuen Tes-
tament: A': das Fest der Ungesäuerten in den Kirchen; B': die Epi-
klese der Liturgie im Neuen Testament. *FGALITIS, G.* 2006 ⇒49.
491-495. G.

9272 *Peña Careaga, Alfredo* El seguimiento apostólico: una linea funda-
mental de identidad presbiteral. Medellín 32 (2006) 337-373.

9273 *Pereparambil, Paul Sajan* St. THERESE of Lisieux and the bible: an
enquiry into the biblical foundations of her spirituality. LivWo 112/1
(2006) 27-39.

9274 *Pfirrmann, Maria* "Eine Sprache höre ich, die ich nicht kannte": Im-
pulse aus den Niederlanden. "... dass er euch auch erwählet hat".
2006 ⇒511. 155-171.

9275 *Prétot, Patrick* Les saintes écritures et la liturgie: épiphanie d'une
présence. Ist. 51 (2006) 315-329.

9276 **Ralph, Margaret N.** Breaking open the lectionary: lectionary read-
ings in their biblical context for RCIA, faith sharing groups, and lec-

tors: cycle C. Mahwah, NJ 2006, Paulist x; 213 pp. $20. 08091-4406-9 [BiTod 45,63—Donald Senior].

9277 *Reid, Barbara E.* What's biblical about... the kiss of peace?;

9278 What's biblical about...the Stations of the Cross?. BiTod 44 (2006) 47-48/179-184.

9279 *Riches, John; Miller, Susan; Russell, Maureen* Contextual bible study notes for March lectionary readings. ET 117 (2006) 192-195 [Gen 9; Ps 19; Mark 8,31-38; John 1,43-51].

9280 *Rixon, Gordon* Transforming mysticism: adorning pathways to self-transcendence. Il teologo e la storia. Ment. St IGNATIUS Loyola; *Lonergan, B.* 2006 ⇒526. 35-51.

9281 **Ross, Allen P.** Recalling the hope of glory: biblical worship from the garden to the new creation. GR 2006, Kregel 591 pp. $36. 08254-35-781.

9282 *Rudnick, Ursula* Gottesdienst in der Gegenwart–und Abwesenheit–Israels: gemeindedidaktische Reflexionen. "... dass er euch auch erwählet hat". 2006 ⇒511. 289-297.

9283 *Ryder, A.* The bible and the lectionary. RfR 65/4 (2006) 365-374.

9284 *Sankarathil, John* "To pluck up, to tear down, to plant and to build": challenges from the prophetic call narrative of Jeremiah in the Indian context. VJTR 70 (2006) 601-612 [Jer 1,1-19].

9285 *Saoût, Yves* Evangile de Jésus Christ selon saint Luc. CEv 137 (2006) 3-117.

9286 *Schwarz, Roland* Fernstehende in frühchristlichen Gemeinden: Überlegungen zu Anlass-Gottesdiensten. HlD 60 (2006) 40-48 [1 Cor 11; 14].

9287 **Shea, John** The spiritual wisdom of the gospels for christian preachers and teachers—Year B: eating with the bridegroom. 2005 ⇒21, 9793. [R]ACR 83 (2006) 375-376 (*Plant, Geoff*);

9288 Year C: The relentless widow. ColMn 2006, Liturgical 330 pp. $30.

9289 **Slattery, Joseph A.** The challenge of the gospel: reflections on the Sunday gospels, cycle C. Staten Island, NY 2006, Alba H. x; 150 pp. $16 [BiTod 44,266—Donald Senior].

9290 *Stadelmann, Andreas* Liturgie und Bibel: gut begründete Vorschläge. EO 23/2 (2006) 249-258.

9291 *Steins, Georg* Die vier heiligen Nächte des Gottesvolkes: das Alte Testament in der österlichen Vigilfeier. WUB 40 (2006) 50-55.

9292 *Stewart-Sykes, Alistair* The domestic origin of the liturgy of the word. Studia patristica 40. 2006 ⇒833. 115-120.

9293 **Stock, Klemens** The call of the disciple. [T]*Chalmers, Joseph*: Carmel in the world paperbacks 11: R 2006, Carmelitane 94 pp.

9294 **Swanson, Richard W.** Provoking the gospel of Luke: a storyteller's commentary: year C. Cleveland 2006, Pilgrim 367 pp. $35. DVD. [R]RBLit (2006)* (*Green, Joel*).

9295 *Šoltés, Peter* JÁN PAVOL II. mladým: 'Vy ste sol' zeme, svetlo sveta ...' [John Paul II to the youth: 'You are the salt of the earth, the light of the world']. SBSl (2006) 38-57 [Matthew 5,13-14].

9296 **Thurston, Bonnie B.** Religious vows, the Sermon on the Mount, and christian living. ColMn 2006, Liturgical 104 pp. $10 [BiTod 44,202 —Donald Senior].

9297 [E]**Upchurch, Cackie** A year of Sundays: gospel reflections 2007. ColMn 2006, Liturgical 83 pp. $2 [BiTod 45,63—Donald Senior].

9298 *Vannier, Marie-Anne* Nascita della tradizione cristiana. Mondo della bibbia 17/2 (2006) 48-53;

9299 Hindurchgang zum Leben: die Geburt der christlichen Tradition des Pascha. WUB 40 (2006) 38-41.

9300 *Venturi, Gianfranco* Parola di Dio e vita consacrata. RivLi 93 (2006) 411-418.

9301 *Vílchez Líndez, José* La adoración en espíritu y verdad. [F]RODRÍGUEZ CARMONA, A. 2006 ⇒138. 391-407.

9302 *Wachowski, Johannes* "Die Leviten lesen"–jüdische Toralesung und protestantisches Perikopenwesen: Bemerkungen zu einer Perikopen-gemeinschaft mit dem Judentum. "... dass er euch auch erwählet hat". 2006 ⇒511. 259-280.

9303 *Webster, John* Discipleship and obedience (Finlayson memorial lecture, 2005). SBET 24/1 (2006) 4-18.

9304 **Wick, Peter** Die urchristlichen Gottesdienste: Entstehung und Entwicklung im Rahmen der frühjüdischen Tempel-, Synagogen- und Hausfrömmigkeit. BWANT 150: 2002 ⇒18,8558... 21,9813. [R]BZ 50 (2006) 126-128 (*Claußen, Carsten*); FrRu 13 (2006) 65-66 (*Gollinger, Hildegard*).

H8.2 Theologia moralis NT

9305 *Angelini, Giuseppe* "Soyez perfaits, comme le Père ..." (Mt 5,48): dimensions morale et spirituelle de l'expérience chrétienne. NRTh 128 (2006) 177-191.

9306 **Arndt, Emily** Demanding our attention: the Hebrew Bible in christian ethics and illustrative analysis of the Akedah. [D]*Porter, J.* 2005, 275 pp. Diss. Notre Dame [RTL 38,646] [Gen 22,1-19].

9307 *Bader-Saye, Scott* Living the gospels: morality and politics. Cambridge companion to the gospels. 2006 ⇒344. 264-283.

9308 *Bayertz, Kurt* Il naturalismo evoluzionistico in etica: due dilemmi e due limiti. Natura senza fine. 2006 ⇒612. 175-196.

9309 **Berger, Klaus** Von der Schönheit der Ethik. Fra 2006, Insel 166 pp. [R]FolTh 17 (2006) 323-324 (*Rokay, Zoltán*).

9310 **Blandenier, Jacques** Les pauvres avec nous, la lutte contre la pauvreté selon la bible et dans l'histoire de l'église. Dossier vivre 26: Genève 2006, Je Sème 144 pp. €7. 29403-30069. Préf. *Patrick Guiborat.* [R]Hokhma 90 (2006) 75-77; ThEv(VS) 5 (2006) 319-21 (*Blocher, Henri*).

9311 *Blomberg, C.L.* Definición neotestamentaria de la herejía (o, ¿Cuándo Jesús y los apóstoles se enojan de verdad?). Kairós [Guatemala City] 39 (2006) 37-59.

[E]**Brawley, R.** Character ethics and the NT 2006 ⇒356.

9312 **Brinkschröder, Michael** Sodom als Symptom: gleichgeschlechtliche Sexualität im christlichen Imaginären–eine religionsgeschichtliche Anamnese. RVV 55: B 2006, De Gruyter xv; 658 pp. 31101-8527X.

9313 *Brueggemann, Walter* Vision for a new church and a new century, part II: holiness becomes generosity. The word that redescribes. 2006 <2000> ⇒197. 177-197.

9314 **Carden, Michael** Sodomy: a history of a christian biblical myth. 2004 ⇒20,9010. [R]CBQ 68 (2006) 300-301 (*Cotter, David W.*); RBLit (2006)* (*Römer, Thomas*).

9315 **Carmichael, Liz** Friendship: interpreting christian love. L 2006, Clark 480 pp. £15. 0-567-08072-2. Bibl. 202-217.

9316 *Ceresko, Anthony R.* Scripture and the quest for a new society. Scripture and the quest. 2006 ⇒785. 7-12.

9317 *Corradini, Antonella* Può l'etica fare a meno dell'ontologia?: osservazioni sul rapporto tra biologia evoluzionistica ed etica. Natura senza fine. 2006 ⇒612. 151-162.

9318 **Crouzet, Didier** Travailler faire son marché lire la bible. Convictions et société: Lyon 2006, Olivétan 180 pp. €13. 2-915245-398.

9319 *Davies, Eryl W.* The bible in ethics. Oxford handbook of biblical studies. 2006 ⇒438. 732-753.

9320 *Dejung, Karl H.* Biblische Überlegungen zum Thema Reichtum. JK 67/4 (2006) 17-18.

9321 **Doldi, M.; Picozzi, M.; Ponte, A.** Bioetica: la parola di Dio e le parole dell'uomo. 2005 ⇒21,9828. ᴿSdT.S 4 (2006) 39-40 (*De Chirico, Leonardo*).

9322 *Donatelli, Piergiorgio* L'etica e l'atteggiamento naturalista. Natura senza fine. 2006 ⇒612. 163-173.

9323 *Duchrow, Ulrich* Die biblische Ökonomie des Genug für alle im damaligen Kontext von Eigentums-/Geldwirtschaft und Imperien. Schulfach Religion 25/3-4 (2006) 37-59.

9324 *Ekonomou, Christos K.* The contribution of the holy scripture to the humanitarian approach to the poor and humble of the world. ᶠGALITIS, G. 2006 ⇒49. 443-456. **G**.

9325 **Fedler, Kyle D.** Exploring christian ethics: biblical foundations for morality. LVL 2006, Westminster xiii; 233 pp. $30 [BiTod 44,263—Donald Senior].

9326 *Flood, David* Poverty and the gospel. FrS 64 (2006) 1-15.

9327 **Fumagalli, Aristide; Manzi, Franco** Attirerò tutti a me: ermeneutica biblica ed etica cristiana. 2005 ⇒21,9842. ᴿRTM 38/1 (2006) 121-130 (*Petrà, Basilio*); SdT.S 4 (2006) 34-35 (*Morai, Giovanni*).

9328 **Gagnon, Robert A.J.** The bible and homosexual practice: texts and hermeneutics. 2001 ⇒17,8030; 19,9224. ᴿThTo 63 (2006) 386, 388, 390, 392, 394 (*Johnson, William Stacy*).

9329 *Gerhardsson, Birger* Biblical ethics: multiplicity and unity. ᶠELLIS, E. 2006 ⇒36. 309-323.

9330 *Gorringe, Tim* Politics. Blackwell companion to the bible. 2006 ⇒ 465. 414-431.

9331 *Gómez, Fausto B.* Some notes on biblical teachings on justice. PhilipSac 41/1 (2006) 47-80.

9332 *Grbac, Josip* Biblija i moralna teologija [The bible and moral theology]. EThF 14 (2006) 557-570. **Croatian**.

9333 *Gubler, Marie-Louise* Unsere ganze Gerechtigkeit ist wie ein schmutziges Kleid: Schuld und Vergebung in der Bibel. Diak. 37 (2006) 84-89.

9334 *Hahn, Ferdinand* Neutestamentliche Grundlagen einer christlichen Ethik. Studien zum NT, II. 2006 <1977> ⇒231. 505-515;

9335 Prophetie und Lebenswandel: Bemerkungen zu Paulus und zu zwei Texten aus den Apostolischen Vätern. Studien zum NT, II. WUNT 192: 2006 <1989> ⇒231. 653-663.

9336 *Hamm, D.* Dodging faith's call. America 194/11 (2006) 8-10;

9337 Faith's call to justice. America 195/3 (2006) 18-20 [John 18,36].

9338 *Hart, Curtis* Hiroshima and the King of Tyre. JRHe 45 (2006) 471-476 [Ezek 28,1-19].
9339 *Hays, Richard B.* Mapping the field: approaches to New Testament ethics. Identity, ethics. BZNW 141: 2006 ⇒795. 3-19.
9340 **Helminiak, Daniel** Ce que la bible dit vraiment de l'homosexualité. 2005 ⇒21,9849. ᴿLV(L) 55/2 (2006) 103-104 (*Long, Jean-Etienne*).
9341 *Holloway, Z.* A conceptual foundation for using the Mosaic law in christian ethics–part 2. ChM 120 (2006) 213-230.
9342 *Isaak, J.* The biblical witness/invitation to an alternative world: a reading strategy for the journey. Direction 35 (2006) 222-234.
9343 *Kessler, Rainer* Bibel und Zukunft der Arbeit: von Nutzen und Grenzen biblischer Texte bei sozialethischen Fragen. Gerechtigkeit–Illusion oder Herausforderung?: Felder und Aufgaben für die interdisziplinäre Diskussion. ᶠ**Frey, Christofer; Hädrich, Jürgen; Klinnert, Lars** Müns 2006, LIT. 244-256;
9344 Die Bibel in Zeiten der Globalisierung: Quelle der Inspiration oder Dokument der Modernisierungsverlierer?. Gotteserdung. BWANT 170: 2006 <2002> ⇒249. 14-23.
9345 *Klaghofer-Treitler, Wolfgang* Zeitgerechte Unzeitgemäßheit: katholisches Christentum in neuheidnischer Gesellschaft?. Inkulturation. 2006 ⇒543. 249-270.
9346 *Kos, Elmar* Ethik und Offenbarung: Anmerkungen zu einem spannungsreichen Verhältnis. ᶠUNTERGASSMAIR, F. 2006 ⇒161. 329-343.
9347 *Köstenberger, Andreas J.; Croteau, David A.* Reconstructing a biblical model for giving: a discussion of relevant systematic issues and New Testament principles. BBR 16 (2006) 237-260 [1 Cor 9; 16; 2 Cor 8-9; Phil 4].
9348 *Lefebure, Leo D.* 'Father, forgive them': reflections on Jesus' prayer on the cross and the power of forgiving love. ChiSt 45 (2006) 214-227 [Luke 23,33-34].
9349 *Levi Della Torre, Stefano* L'altra guancia. Studi Fatti Ricerche 113 (2006) 4-7.
9350 **Léon-Dufour, Xavier** Agir segundo o evangelho. ᵀ*Endlich, Lúcia Mathilde* 2003 ⇒19,9241; 21,9862. ᴿGrande Sinal 60 (2006) 370-372 (*Campos, José Benedito de*);
9351 To act according to the gospel. ᵀ*Smith, Christopher R.* 2005 ⇒21, 9863. ᴿRBLit (2006)* (*Burridge, Richard*).
9352 **Lintner, Martin M.** Eine Ethik des Schenkens: von einer anthropologischen zu einer theologisch-ethischen Deutung der Gabe. Studien der Moraltheologie 35: Müns 2006, Lit 496 pp. 978-3-8258-9762-8.
9353 **Mackay, John L.** The moral law: its place in scripture and its relevance today. 2004 ⇒20,9053. ᴿSBET 24 (2006) 220-221 (*Thomas, Geoff*).
9354 *Marguerat, Daniel* Dieu et l'argent font-ils bon ménage?. MoBi 172 (2006) 16-21;
9355 Entre Dieu et mamon: parcours biblique sur l'argent. Parlons argent. 2006 ⇒853. 31-51.
9356 **McCleary, Rollan** A special illumination: authority, inspiration and heresy in gay spirituality. 2004 ⇒20,9058. ᴿRBLit (2006)* (*Carden, Michael*).
9357 *Meyer, John R.* What is so new about Jesus' love commandment?. AnnTh 20/1 (2006) 87-108 [Matthew 22,34-40].

9358 **Michael, Biju** Jesus' ways to success. Staten Island 2006, St Paul's xviii; 153 pp. $13 [BiTod 44,201—Donald Senior].

9359 *Mingo, Alberto de* Pluralismo ético en el Nuevo Testamento: el caso de la moral familiar. Moralia 29 (2006) 405-415.

9360 *Müller, B.A.* The role of worship and ethics on the road towards reconciliation. VeE 27 (2006) 641-663.

9361 *Nabergoj, Irena A.* Pomen kazni in odpuščanja v Svetem pismu [The meaning of punishment and forgiveness in the bible]. Bogoslovni Vestnik 66 (2006) 471-483. **S.**

9362 **Nardoni, Enrique** Rise up, O Judge: a study of justice in the biblical world. [T]*Martin, Sean C.* 2004 ⇒20,9063; 21,9873. [R]ThLZ 131 (2006) 19-20 (*Otto, Eckart*); Theol. 109 (2006) 149-150 (*Northcott, Michael*); JHScr 6 (2006)* = PHScr III,359-361 (*Yee, Gale*) [⇒593].

9363 *Naudé, Piet J.* The challenge of cultural justice under conditions of globalisation: is the New Testament of any use?. [F]LATEGAN, B. NT.S 124: 2006 ⇒94. 267-287.

9364 *Oakman, Douglas E.* I denaro nell'universo etico del Nuovo Testamento. Il nuovo Gesù storico. 2006 ⇒788. 203-215.

9365 **Paska, Paskalis E.I.N.** Inherited punishment in the bible: exegetical and theological inquiry into the principle of intergenerational punishment. [D]*Pisano, Stephen*: R 2006, 88 pp. Exc. Diss. Gregoriana; Bibl. 65-98.

9366 **Piper, John** What Jesus demands from the world. DG 2006, InterVarsity 400 pp. 978-1-5813-4845-3.

9367 **Powell, Mark A.** Giving to God: the bible's good news about living a generous life. GR 2006, Eerdmans xviii; 186 pp. $13. 08028-29260 [BiTod 45,200—Donald Senior].

9368 **Prévost, Jean-Pierre** Les scandales de la bible. P 2006, Bayard 202 pp. €19.80. 22274-74254.

9369 *Prüller-Jagenteufel, Gunter* "Dem Rad in die Speichen fallen" (Dietrich Bonhoeffer): theologische Ethik zwischen Anpassung und Widerstand. Inkulturation. 2006 ⇒543. 228-248.

9370 *Rauchwarter, Barbara* Mammonsystem und seine Überwindung in biblischen Texten. Schulfach Religion 25/3-4 (2006) 125-128.

9371 *Ricciardi, Mario* Contratto e comportamento. Natura senza fine. 2006 ⇒612. 197-215.

9372 **Rogers, Jack** Jesus, the bible, and homosexuality: explode the myths, heal the church. LVL 2006, Westminster 176 pp. $18. 978-0-664-22939-9. [R]ThTo 63 (2006) 386, 388, 390, 392, 394 (*Johnson, William Stacy*).

9373 **Römelt, Josef** Menschenwürde und Freiheit: Rechtsethik und Theologie des Rechts jenseits von Naturrecht und Positivismus. QD 220: FrB 2006, 191 pp. 3-451-02220-6. Bibl. 183-191.

9374 *Rudhardt, Jean* Les religions, juges de la richesse. Les dieux, le féminin. 2006 ⇒294. 161-180.

9375 *Schirrmacher, Thomas* Ausländerpolitik einmal anders: Gastfreundschaft. em 22/2 (2006) 63-66.

9376 *Seifrid, Mark A.* Rightly dividing the word of truth: an introduction to the distinction between law and gospel. Southern Baptist Convention 10/2 (2006) 56-68.

9377 *Singe, Georg* Bibeltheologische Analogien zum Prozess der Professionalisierung sozialer Arbeit. [F]UNTERGASSMAIR, F. 2006 ⇒161. 607-616.

9378 **Soering, Jens** The convict Christ: what the gospel says about criminal justice. Mkn 2006, Orbis xiii; 138 pp. $14 [BiTod 44,266— Donald Senior].

9379 *Stassen, Glen* The kind of justice Jesus cares about. [F]WINK, W. 2006 ⇒172. 157-175.

9380 *Stegemann, Wolfgang* Occasione e contesto dei detti morali di Gesù: per una nuova concezione della cosiddetta etica di Gesù. Il nuovo Gesù storico. 2006 ⇒788. 216-239.

9381 *Syauswa, Daniel* The biblical concept of *shalom* in the context of globalization and its consequent ethical implications. Hekima Review 36 (2006) 8-25.

9382 **Tremblay, Réal** 'Ma io vi dico...': l'agire eccelente, specifico della morale cristiana. ETO 40: 2005 ⇒21,9894. [R]StMor 44 (2006) 251-270 [Resp. 271-274] (*Ladaria, Luis; Russo, Giovanni*).

9383 *Van der Watt, Jan G.* Again: identity, ethics, and ethos in the New Testament: a few tentative remarks. Identity, ethics. BZNW 141: 2006 ⇒795. 611-632.

9384 **Venetz, Hermann-Josef** Es ist an der Zeit ... biblische Zwischenrufe. FrS 2006, Paulus 172 pp. €16. 3-7228-0685-2.

9385 **Via, Dan O.; Gagnon, Robert A.J.** Homosexuality and the bible: two views. 2003 ⇒19,9898... 21,9898. [R]HeyJ 47 (2006) 292-294 (*Jung, K.A.*).

9386 *Villiers, D.E. de* Kruispunte in christene se besluitneming oor homoseksualiteit. VeE 27 (2006) 186-198;

9387 Prospects of a christian ethics of responsibility (part 1): an assessment of an American version. VeE 27 (2006) 468-487.

9388 *Villiers, E. de* Gee die Bybel nog vandag aan ons morele oriëntering oor kwessies soos homoseksualiteit?. AcTh(B) 26/1 (2006) 54-78.

9389 *Wenthe, Dean O.* Looking at the moral vision of the New Testament with Richard Hays. CTQ 70/1 (2006) 33-42.

9390 *Wojciechowski, M.* Philosophical vocabulary of ARIUS DIDYMUS and the New Testament. Roczniki Teologiczne 53/1 (2006) 25-34.

H8.4 *NT de reformatione sociali*—Political action in Scripture

9391 **Bryan, Christopher** Render to Caesar: Jesus, the early church, and the Roman superpower. 2005 ⇒21,9903. [R]AThR 88 (2006) 438-440, 442 (*Hughson, Thomas*); JThS 57 (2006) 638-41 (*Pietersen, Lloyd*); Sewanee Theological Review 50/1 (2006) 195-203 (*Parrent, A.M.*).

9392 *Hanson, Paul D.* In search of a biblically-based political theology. Scripture and the quest. 2006 ⇒785. 50-74.

9393 *Landgrave G., Daniel* Notas sueltas sobre fe y política. Qol 41 (2006) 3-52.

9394 *Monera, Arnold T.* The christian and the state according to the New Testament. Scripture and the quest. 2006 ⇒785. 13-49. [Mark 12,13-17; Rom 13,1-7; 1 Pet 2,13-17; Rev 13].

9395 *Segovia, Fernando F.* The counterempire of God: postcolonialism and John. PSB 27 (2006) 82-99 [John 1,1-18].

9396 **Storkey, Alan** Jesus and politics: confronting the powers. 2005 ⇒ 21,9912. [R]RRT 13 (2006) 12-15 (*Barram, Michael*); TrinJ 27 (2006) 318-9 (*Fuhrmann, Justin*); Theol. 109 (2006) 364-65 (*Kee, Alistair*).

9397 *Wright, Nicholas T.* God and Caesar: the bible, postmodernity and the new imperialism. St Mark's Review [Barton, Australia] 201 (2006) 3-13.

H8.5 Theologia liberationis latino-americana...

9398 ^E**Barros, Marcelo; Tomita, Luiza; Vigil, José M.** Por los muchos caminos de Dios, 3: teología latinoamericana pluralistica de la liberación. Tempo axial 6: Quito 2006, Abya Yala 207 pp. 9978-22-598-6.

9399 *Cardoso Pereira, Nancy* Glück–Schwere und Gnade in der lateinamerikanischen Theologie. Zum Leuchten bringen. 2006 ⇒446. 80-97.

9400 **Gardocki, Dariusz** Jezus z Nazaretu—Mesjasz królestwa, Syn Boży i Droga do Ojca: studium analityczno—krytyczne chrystologii Jona Sobrino. Bobolanum: Wsz 2006, Rhetos 628 pp. Diss. **P.**

9401 *Gerstenberger, Erhard S.* Latin America. Blackwell companion to the bible. 2006 ⇒465. 217-231.

9402 *Gutiérrez, Gustavo* Seguimiento de Jesús y opción por el pobre. Páginas 31/201 (2006) 6-21 = MisEx 215 (2006) 692-706.

9403 **Hinkelammert, Franz Josef** Der Schrei des Subjekts: vom Welttheater des Johannesevangeliums zu den Hundejahren der Globalisierung. Luzern 2001, Exodus 411 pp. 3-905577-46-1 [John 8,31-56].

9404 *Irizarry-Fernández, Aida* A communal reading: see–judge–act: a different approach to bible study. Engaging the bible. 2006 ⇒336. 47-80 [Luke 16,19-31].

9405 **Libânio, Joao Batista** Gustavo Gutiérrez. ^T*Gutiérrez Carreras, Rosario*: Teólogos del siglo XX 2: M 2006, San Pablo 111 pp. €7. 84-285-2898-5.

9406 *Míguez, Néstor O.* Latin American reading of the bible: experiences, challenges and its practice. ET 118 (2006) 120-129.

9407 *Schürger, Wolfgang* Reading the bible in Latin America. ThD 53 (2006) 143-147 <Una Sancta (2003) 62-69.

H8.6 *Theologiae emergentes*—Theologies of emergent groups

9408 *Adamo, David T.* The historical development of Old Testament interpretation in Africa. Biblical interpretation in African perspective. 2006 ⇒333. 7-30.

9409 **Anderson, Ray S.** An emergent theology for emerging churches. DG 2006, InterVarsity 236 pp.

9410 *Asaju, Dapo F.* Africentric biblical hermeneutics enroute: chieftaincy institution in post-colonial Nigeria. Biblical interpretation in African perspective. 2006 ⇒333. 155-174.

9411 ^E**Barros, Marcelo; Tomita, Luiza E.; Vigil, José María** Por los muchos caminos de Dios, 4: teología liberadora intercontinental del pluralismo religioso. Tempo axial 8: Quito 2006, Abya Yala 255 pp. 9978-22-613-3.

9412 *Boer, Roland; Abraham, Ibrahim* Australasia. Blackwell companion to the bible. 2006 ⇒465. 232-249.

9413 *Chetty, Denzil* Towards a *mudzimu* hermeneutic: a Basuto reading of the 'strange woman' in the post-exilic texts [Prov 1-9];

9414 *Dube, Musa W.* Circle readings of the bible/scriptoratures. ^FOOSTHUI-
ZEN, G.: SHR 109: 2006 ⇒122. 147-169/77-96.

9415 ^E**Foskett, Mary F.; Kuan, Jeffrey K.** Ways of being, ways of read-
ing: Asian American biblical interpretation. St. Louis, Mo. 2006,
Chalice xvi; 240 pp. $30. 978-0-8272-4254-8. Bibl. 238-240.

9416 *Gilkes, Cheryl T.* A prophetic apocalyptic reading: resurrection in
prophetic context: 'the poor man Lazarus' and christian agency. En-
gaging the bible. 2006 ⇒336. 1-19 [Luke 16,19-31].

9417 *Holter, Knut* Let my people stay!: introduction to a research project
on africanization of Old Testament studies. OTEs 19 (2006) 377-92;

9418 = Let my people stay!. 2006 ⇒416. 1-18.

9419 *Huffard, Evertt W.* When scholarship goes south: biblical scholarship
and global trends. RestQ 48/2 (2006) 65-72.

9420 *Kalu, O.U.* James Cone's legacy in Africa: confession as political
praxis in the Kairos document. VeE 27 (2006) 576-595.

9421 *Le Roux, Magdel* Using the Old Testament to interpret Africa: the
Malagasy religious context. Let my people stay!. 2006 ⇒416. 81-96.

9422 *Masenya, Madipoane* 'A small herb increases itself (Makes impact)
by a strong odour': re-imagining Vashti in an African South African
context. Biblical interpretation in African perspective. 2006 ⇒333.
87-98.

9423 **Moore, Stephen D.** Empire and Apocalypse: postcolonialism and the
New Testament. Bible in the Modern World 12: Shf 2006, Sheffield
Phoenix 172 pp. $25. 978-1-905048-85-4. Bibl. 126-151.

9424 *Mosala, Itumeleng J.* The implications of the text of Esther for Afri-
can women's struggle for liberation in South Africa. Postcolonial
biblical reader. 2006 <1992> ⇒479. 134-141.

9425 *Ntumba, Valentine Kapambu* Trois clès pour une lecture africaine du
Nouveau Testament. Hekima Review 35 (2006) 23-32.

9426 **Orevillo-Montenegro, Muriel** The Jesus of Asian women. Women
from the Margins: Mkn 2006, Orbis xiv; 270 pp. $18.

9427 *Ossom-Batsa, George* Making Jesus a journey companion of the
Krobo: a theological view point. BiBh 32 (2006) 210-224.

9428 *Raymond, Ahoua* Facing the challenge of living in multi-cultural reli-
gious communities in Africa in light of the case of Matthew the tax
collector and Simon the Zealot. African Christian Studies 22/3
(2006) 39-61.

9429 *Razafindrakoto, Georges* The Malagasy *famadihana* ritual and the
Old Testament. Let my people stay!. 2006 ⇒416. 111-130.

9430 *Razafindrakoto, Georges* The Old Testament outside the realm of the
church: a case from Madagascar. Let my people stay!. 2006 ⇒416.
97-110.

9431 *Segovia, Fernando F.* Biblical criticism and postcolonial studies:
towards a postcolonial optic. Postcolonial biblical reader. 2006 ⇒
479. 33-44.

9432 *Snyman, Gerrie* The rhetoric of shame in religious and political dis-
courses: constructing the perpetrator in South African academic dis-
course. OTEs 19 (2006) 183-204.

9433 **Sugirtharajah, Rasiah S.** The bible and the third world: precolonial,
colonial and postcolonial encounters. 2001 ⇒17,8111... 21,9949.
^RBiCT 2/3 (2006)* (*Seesengood, Robert P.*);

9434 The bible and empire: postcolonial explorations. 2005 ⇒21,9950.
^RScrB 36/1 (2006) 38-39 (*Fortune, Colin*); Theol. 109 (2006) 222-

223 (*Stanley, Brian*); RRT 13 (2006) 480-483 (*Burke, Sean D.*); RBLit (2006)* (*Larson, Jason*).

9435 *Sugirtharajah, Rasiah S.* Charting the aftermath: a review of postcolonial criticism. Postcolonial biblical reader. 2006 ⇒479. 7-32.

9436 **Tabard, René** Voie africaine de christologie des apparitions pascales. [D]*Van Belle, G.* 2006, 303+551 pp. Diss. Leuven [EThL 83, 242] [John 20,19-29].

9437 *Tshehla, Maarman S.* Selected 19th century Sesotho readings of the bible: David Moiloa and the days of Basotho's ignorance. [F]LATEGAN, B.: NT.S 124: 2006 ⇒94. 227-246.

9438 *Van Eck, E.* The word is life: African theology as biblical and contextual theology. HTSTS 62 (2006) 679-701.

9439 *West, Gerald* The vocation of an African biblical scholar on the margins of biblical scholarship. OTEs 19 (2006) 307-336;

9440 The bible in South African black theology: the bible as *bola* and other forms of African biblical interpretation. Biblical interpretation in African perspective. 2006 ⇒333. 31-59;

9441 Reading Shembe 'Re-membering' the bible: Isaiah Shembe's instructions on adultery. Neotest. 40 (2006) 157-184.

9442 **Wilde, Wilf** Crossing the river of fire: Mark's gospel and global capitalism. L 2006, Epworth 294 pp. £17.

9443 *Wilfred, Felix* Jesus–interpretations in Asia: fragmentary reflections on fragments. EAPR 43 (2006) 334-358.

9444 *Williams, Delores S.* Hagar in African American biblical appropriation. Hagar, Sarah. 2006 ⇒481. 171-184.

9445 *Wimberly, E.P.* An African-American perspective. Contact [Bolton, UK] 150 (2006) 18-25.

H8.7 *Mariologia*—The mother of Jesus in the NT

9446 *Ammicht-Quinn, Regina* Maria und Eva als Bilder und Vor-Bilder: religiöse Foren, religiöse Inhalte und der neue Hunger nach Religion. [F]SCHÜNGEL-STRAUMANN, H. 2006 ⇒153. 63-72.

9447 **Ben-Chorin, Schalom** Mutter Mirjam: Maria in jüdischer Sicht. [E]*Lenzen, Verena; Ben-Chorin, Avital*: Schalom Ben-Chorin, Werke, SWB 6: Gü 2006, Gü xviii; 160 pp. €30. 3-579-05344-2.

9448 Bibliografia mariana, vol. XI 1999-2002. R 2006, Marianum 630 pp. 88870-16739.

9449 *Böhler, Dieter* Mary, Daughter of Sion: the mother of Jesus in the scriptures. Way 45/3 (2006) 53-66.

9450 *Clark-King, Ellen* Mary: a revolutionary virgin (Advent 4). ET 118 (2006) 85-86.

9451 *Crocetti, Giuseppe* Maria,'donna eucaristica'. RCI 87 (2006) 385-98.

9452 **Danieli, Silvano M.**, *al.*, Bibliografia mariana, 10, 1994-1998. 2005 ⇒21,9957. [R]Theotokos 14 (2006) 185-186 (*De Fiores, Stefano*); Miles Immaculatae 42/1 (2006) 231-233 (*Costa, Francesco*).

9453 **De Fiores, Stefano** Maria: novissimo dizionario, 1-2. Bo 2006, EDB xxxi; xii; 1937 pp. €65+65. 88102-31067/7-4.

9454 **Duquesne, Jacques** Maria: die Mutter Jesu. 2005 ⇒21,9959. [R]Leb-Zeug 61 (2006) 148-150 (*Seip, Jörg*).

9455 *Giesen, Richard* Die Abstammung der Gottesmutter von König David. Theologisches 36/3-4 (2006) 107-120.

9456	*Ladouceur, Paul* Old Testament prefigurations of the mother of God. SVTQ 50 (2006) 5-57.
9457	*Lange, Günter* Marias Arbeit am "roten Faden". KatBl 131 (2006) 279-281.
9458	ᴱ**Levine, Amy-Jill; Robbins, Maria Mayo** A feminist companion to mariology. FCNT 10: 2005 ⇒21,431. ᴿCBQ 68 (2006) 580-582 (*Streete, Gail P.C.*).
9459	**Manelli, Stefano M.** Mariologia biblica. ²2005 ⇒21,9972. ᴿEphMar 56/1 (2006) 185-188 (*Arellano, Joaquín Ferrer*).
9460	**Masini, Mario** I silenzi di Maria di Nazareth. 2005 ⇒21,9978. ᴿCamillianum 6 (2006) 715-721 (*Lazzari, Riccarda*).
9461	**Panimolle, Salvatore A.**, *al.*, Maria di Nazaret nella bibbia. DSBP 40: 2005 ⇒21,458. ᴿMiles Immaculatae 42 (2006) 294-300 (*Scuderi, Agata*).
9462	*Parker, D.* Evangelicals and Mary: recent theological evaluations. ERT 30 (2006) 121-140.
9463	**Perry, Tim** Mary for Evangelicals: towards an understanding of the mother of our Lord. DG 2006, Inter-Varsity 320 pp. $24/€21.50/¥2, 536.
9464	ᴱ**Piastra, Maria C.; Santi, Francesco** Maria, l'Apocalisse e il medioevo. F 2006, Galluzzo 154 pp. Atti del III convegno mariologico della fondazione Ezio Franceschini.
9465	**Poucouta, Paulin** La mère de Jésus dans l'évangile de Jean figure et actrice de l'humanité nouvelle. Mar. 68 (2006) 539-556.
9466	**Serra, Aristide** La donna dell'alleanza: prefigurazioni di Maria nell' Antico Testamento. Bibliotheca Berica 9; Maria nella tradizione biblica 1: Padova 2006, Messagero 367 pp. 8825017936. Bibl. 309-15.
9467	*Shoemaker, Stephen J.* Death and the maiden: the early history of the Dormition and Assumption apocrypha. SVTQ 50 (2006) 59-97 [⇒ 10699].
9468	**Stock, Klemens** Mary the Mother of the Lord in the New Testament. ᵀ*Chalmers, Joseph* Carmel in the world paperbacks 12: R 2006, Carmelitane 167 pp. 88-7288-090-4.
9469	*Stone, Nathan* Servants of the Lord. Way 45/1 (2006) 79-92.
9470	*Uricchio, Francesco* Maria Immacolata nelle citazioni bibliche degli scritti di S. Massimiliano KOLBE. Miles Immaculatae 42 (2006) 579-690.
9471	*Varghese, R.A.* Ten hard facts about the doctrine of perpetual virginity. HPR 106/9 (2006) 24-31, 44-45.
9472	**Wright, Rosemary Muir** Sacred distance: representing the Virgin. Manchester 2006, Manchester University Press xiv; 161 pp. 0-7190-5545-8. Bibl. 151-158.
9473	*Ziccardi, C.A.* Mary, Mother of Good Counsel: a biblical reflection. HPR 106/10 (2006) 48-54 [John 2,1-12; 19,25-27].

H8.8 *Feminae NT*—**Women in the NT and church history**

9474	*Auberger, Jean-Baptiste*, *al.*, Figures de Marie-Madeleine. CEv.S 138 (2006) 1-148.
9475	**Baert, B.**, *al.*, Noli me tangere: Maria Magdalena in veelvoud: tentoonstelling Maurits Sabbebibliotheek 23 februari - 30 april 2006 K.U. Leuven / Noli me tangere: Mary Magdalene: one person, many

images. Exhib. Maurits Sabbe Library 23. Feb.-30 April 2006, K.U. Leuven. Lv 2006, Maurits Sabbe Bibliotheek 124 pp. €24. 90-429-1773-3.

9476 *Baert, Barbara* De tranen van Maria Magdalena. Streven 73 (2006) 331-341.

9477 *Barrientos Perezagua, Carmela* Las mujeres en las comidas de Jesús: una novedad que nace del encuentro. ResB 49 (2006) 5-12.

9478 *Berder, Michel* Figures de Marie-Madeleine: Marie-Madeleine dans les évangiles. CEv.S 138 (2006) 3-14.

9479 **Boer, E. de** De geliefde discipel: vroegchristelijke teksten over Maria Magdalena. Zoetermeer 2006, Meinema 268 pp. €20. 90-211-40-74-8.

9480 **Burnet, Regis** Maria Maddalena: dalla peccatrice pentita alla sposa di Gesù: storia della ricezione di una figura biblica (I-XXI secolo). Guida alla Bibbia: CinB 2006, San Paolo 136 pp. €9. 88215-5628X;

9481 Marie-Madeleine: de la pécheresse repentie à l'épouse de Jésus: histoire de la réception d'une figure biblique. LiBi 140: 2004 ⇒20, 9158. [R]RHE 101 (2006) 164-166 (*Delville, Jean-Pierre*).

9482 *Burnet, Régis* Marie-Madeleine, illustre inconnue des premiers siècles. MoBi 170 (2006) 36-37.

9483 *Bustamante E., Cristina* María Magdalena: literatura, psicoanálisi y teología (1). TyV 47 (2006) 304-318.

9484 **Carpinello, Mariella** Données à Dieu: figures féminines dans les premiers siècles chrétiens. Spiritualité orientale 78: 2001 ⇒17,8149. [R]Sources 32 (2006) 158-159 (*Bondolfi-Masraff, Monique*).

9485 **Chilton, Bruce** Mary Magdalene: a biography. NY 2006, Doubleday 240 pp. $24. 0-2855-1317-8. Bibl. [R]America 194/3 (2006) 34 (*Barta, Karen A.*).

9486 *Cornuz, Michel* Madame GUYON et Marie-Madeleine: une figure mystique au coeur du Nouveau Testament. FV 105/4 (2006) 27-42.

9487 *D'Amico, Donato* Maria Maddalena: la sposa di Gesù?: l'interpretazione iconografica del CARAVAGGIO. ACr 94 (2006) 369-380.

9488 **Epp, Eldon Jay** Junia: the first woman apostle. 2005 ⇒21,10007. [R]RRT 13 (2006) 488-490 (*Toom, Tarmo*); RBLit (2006)* (*Nicklas, Tobias*); HBT 28 (2006) 64 (*Dearman, J. Andrew*) [Rom 16,7].

9489 *Estévez López, Elisa* Autoridad y liderazgo de mujeres en las cartas auténticas de Pablo. ResB 49 (2006) 13-22;

9490 Leadership femminile nelle comunità cristiane dell'Asia Minore. Donne e bibbia. La Bibbia nella storia 21: 2006 ⇒484. 241-276.

9491 *Foster, Paul* Junia–female and an apostle. ET 117 (2006) 371-372.

9492 *Jancke, Gabriele* Lydia, die Gastgeberin: Apostelgeschichte 16. Die besten Nebenrollen. 2006 ⇒1164. 242-248.

9493 *Jayachitra, L.* A postcolonial feminist biblical interpretation: Mary Magdalene and canonization. BTF 38/1 (2006) 93-107.

9494 *King, Karen L.* Canonization and marginalization: Mary of Magdala. Postcolonial biblical reader. 2006 <1998> ⇒479. 284-290.

9495 **Lacordaire, Henri-Dominique** Marie-Madeleine. 2005 <1860> ⇒ 21,10014. [R]VS 763 (2006) 170-171 (*Potin, Jean-Michel*).

9496 *Lee, Young-Mi* Ich, Priska: Apostelgeschichte 18. Die besten Nebenrollen. 2006 ⇒1164. 249-256.

9497 **López Villanueva, Mariola** Un amor al fondo: mujeres que arriesgan y bendicen. 2005 ⇒21,10019. [R]SalTer 94 (2006) 338-340 (*Morales Pruneda, Ana*).

9498   *MacDonald, Margaret Y.* Women in early christianity: the challenge to a New Testament theology. [F]MORGAN, R. 2006 ⇒115. 135-157.

9499   [ET]**Madigan, Kevin; Osiek, Carolyn A.** Ordained women in the early church: a documentary history. 2005 ⇒21,10022. [R]Bijdr. 67 (2006) 473-475 (*Koet, Bart J.*); RBLit (2006)* (*Coloe, Mary; Jackson, Glenna*).

9500   *Marguerat, Daniel* Des femmes à l'aube du christianisme. MoBi 170 (2006) 32-35.

9501   *Mary, Geo* Women disciples in the gospels revisited: towards a new dimension of equality. LivWo 112 (2006) 168-182.

9502   [E]**Miller, Patricia C.** Women in early christianity: translations from Greek texts. 2005 ⇒21,10025. [R]RBLit (2006)* (*Huber, Lynn*).

9503   *Nápole, Gabriel M.* 'iOh mujer, grande es tu fe!' (Mt 15,28): discípulas de Jesús según los evangelios. RevBib 68 (2006) 5-33.

9504   *Nikolakopoulos, Konstantin* Das Neue Testament über die Stellung der Frau im Urchristentum. [F]GALITIS, G. 2006 ⇒49. 425-442. **G.**
       Osiek, C., *al.*, A woman's place: house churches 2006 ⇒457.

9505   *Perkins, P.* First apostle: the search for Mary Magdalene. CCen 123/10 (2006) 26-29.

9506   *Perroni, Marinella* Discepole di Gesù. Donne e bibbia. La Bibbia nella storia 21: 2006 ⇒484. 197-240;

9507   'Murió y fue sepultado': contribución de las discipulas de Jesús a la elaboración de la fe en la resurrección. En el umbral. 2006 ⇒562. 147-180.

9508   *Puerto Pascual, Cosme* Magdalena ¿primera célibe?. TE 50 (2006) 313-324.

9509   *Ravotti, Jean-Pierre* Immortelle Marie-Madeleine. Sedes Sapientiae 24/3 (2006) 85-90.

9510   *Reid, Barbara E.* Leading ladies of the early church. U.S. Catholic 71/2 (2006) 28-31.

9511   *Ruschmann, Susanne* Maria von Magdala: Apostolin der Apostel. Apostel. entdecken: 2006 ⇒338. 86-95.

9512   **Schaberg, Jane; Johnson-Debaufre, Melanie** Mary Magdalene understood. NY 2006, Continuum 176 pp. $13.

9513   *Schneider, Herbert* Women in early christianity and the institutionalization of charisma. Scripture and the quest. 2006 ⇒785. 124-148.

9514   *Schröder, Anke* Junia: Römer 16. Die besten Nebenrollen. 2006 ⇒ 1164. 272-276 [Rom 16,7].

9515   **Spencer, Franklin Scott** Dancing girls, loose ladies, and women of the cloth: the women in Jesus' life. 2004 ⇒20,9182. [R]Neotest. 40 (2006) 215-216 (*Villiers, Gerda de*).

9516   **Taschl-Erber, Andrea** Maria Magdala–erste Apostolin?: eine Symbolfigur im Spiegel sich wandelnder Kontexte. [D]*Kühschelm, Roman* 2006, Diss. Wien [ThRv 103/2,xii].

9517   **Thompson, Mary R.** Mary of Magdala: what *The Da Vinci Code* misses. Mahwah, NJ 2006, Paulist 156 pp. $15 [BiTod 44,202—Donald Senior].

9518   **Toca, Andrea** María Magdalena: lo divino femenino. 2004 ⇒20, 9185. [R]SalTer 94 (2006) 874-875 (*Sánchez, Marta*).

9519   *Vignolo, Roberto* La fede di chi ama: Maria Maddalena. RCI 87 (2006) 459-470.

9520   *Wagener, Ulrike* Phoebe: Römer 16. Die besten Nebenrollen. 2006 ⇒1164. 266-271 [Rom 16,1-2].

9521 **Wainwright, Elaine M.** Women healing/healing women: the gen-
      derization of healing in early christianity. Bible World: L 2006,
      Equinox xvi; 262 pp. £16/$27. 978-18455-31355. Bibl. 234-247.
9522 **Weiß, Maike; Weiß, Alexander** Giftgefüllte Nattern oder heilige
      Mütter?: Frauen, Frauenbilder und ihre Rolle in der Verbreitung des
      Christentums. Antike Kultur und Geschichte 8: Müns 2005, LIT 152
      pp. €20.90.
9523 **Welborn, Amy** Descodificando a María Magdalena: verdad, leyen-
      das y mentiras. M 2006, Palabra 157 pp. 84984-00147;
9524 De-coding Mary Magdalene. Huntington, IN 2006, Our Sunday
      Visitor 141 pp. $10 [BiTod 44,332—Donald Senior].
9525 *Yebra Rovira, Carme* El descubrimiento de las mujeres del NT en el
      arte cristiano. ResB 49 (2006) 50-58.

H8.9 *Theologia feminae*—Feminist theology

9526 *Berger, Teresa* Von Christusbildern und Geschlechterkonstruktionen.
      [F]SCHÜNGEL-STRAUMANN, H. 2006 ⇒153. 55-62.
9527 *Berlis, Angela* Elisabeth Cady Stanton e la Woman's Bible: un'esege-
      si femminista nel XIX secolo. Donne e bibbia. La Bibbia nella storia
      21: 2006 ⇒484. 117-137.
9528 *Bird, Phyllis A.* Feminist interpretation and biblical theology. [F]SA-
      KENFELD, K. 2006 ⇒142. 215-226.
9529 *Bogner, Magdalena* Feministische Theologie und katholische Frau-
      enverbandsarbeit: eine aufeinander verwiesene Beziehung. [F]SCHÜN-
      GEL-STRAUMANN, H. 2006 ⇒153. 352-356.
9530 **Brenner, Athalya** I am... biblical women tell their own stories. 2004
      ⇒20,9194; 21,10039. [R]CBQ 68 (2006) 98-99 (*Cook, Joan E.*); SR
      35 (2006) 342-344 (*Bach, Alice*); HebStud 47 (2006) 398-402
      (*Fuchs, Esther*); OTEs 19 (2006) 340-342 (*Klopper, Frances*).
      Chapman, C. The gendered language of warfare 2004 ⇒4404.
9531 *Claassens, L. Juliana M.* And the moon spoke up: Genesis 1 and
      feminist theology. RExp 103 (2006) 325-342.
9532 *Del Bianco Cotrozzi, Maddalena* Le ebree di fronte alla bibbia. Don-
      ne e bibbia. La Bibbia nella storia 21: 2006 ⇒484. 139-158.
9533 *Fiorenza, Elisabeth S.* Monotheismus und Herr-schaft: eine kritisch-
      feministische Anfrage. ThZ 62 (2006) 487-502;
9534 An other name for G*d. [F]FREYNE, S. 2006 ⇒46. 160-181;
9535 Das offene Haus der Weisheit: Not-wendigkeit und Zukunfts-trächt-
      tigkeit feministischer Befreiungstheologie. [F]KLINGER, E., 2. 2006 ⇒
      86. 106-126;
9536 A critical feminist emancipative reading: invitation to 'dance' in the
      open house of wisdom: feminist study of the bible. Engaging the bi-
      ble. 2006 ⇒336. 81-104 [Luke 16,19-31].
9537 **Fiorenza, Elisabeth Schüssler** Weisheits Wege: eine Einführung in
      feministische Bibelinterpretation. 2005 ⇒21,10055. [R]BiKi 61 (2006)
      50-51 (*Reuter, Eleonore*).
9538 *Fluck, Marlon* O papel da mulher na história: una perspectiva cristã.
      VTeol 13 (2006) 7-22.
9539 *Frymer-Kensky, Tikva* The bible and women's studies. <1994>;
9540 On feminine God-talk. <1994>;

9541 The ideology of gender in the bible and the ancient Near East. Studies in bible. 2006 <1989> ⇒219. 159-183/393-401/185-193.

9542 *Gardner, Freda* A. Feminist interpretation for the laity. ^FSAKENFELD, K. 2006 ⇒142. 227-237.

9543 *Gericke, Jaco W.* YHWH's funeral: a feminist perspective on projection and non-metaphorical religious language in the Old Testament. JSem 15 (2006) 311-336.

9544 **Graetz, Naomi** Unlocking the garden: a feminist Jewish look at the bible, midrash and God. Piscataway (N.J.) 2005, Gorgias xv; 191 pp. 1-593-33058-8. Bibl.

9545 **Grudem, Wayne** Evangelical feminism and biblical truth: an analysis of more than one hundred disputed questions. 2004 ⇒20,9210; 21,10066. ^REvQ 78/1 (2006) 65-84 (*Wilks, J.; James, S.; Fulton, K.*); Anvil 23/1 (2006) 43-51 (*Hendry, C.; Dyer, A.*).

9546 **Guest, Deryn** When Deborah met Jael: lesbian biblical hermeneutics. 2005 ⇒21,10067. ^RRRT 13 (2006) 213-216 (*Burke, Dean D.*).

9547 *Günter, Andrea* Gottesebenbildlichkeit und Frauenbilderkritik: systematisch-theologische und philosophische Überlegungen. ^FSCHÜNGEL-STRAUMANN, H. 2006 ⇒153. 73-81.

9548 *Heimbach-Steins, Marianne* Geschlechtersymbolismus und "frauliche Werte": biblische Rekurse im lehramtlichen Geschlechterdiskurs. ^FSCHÜNGEL-STRAUMANN, H. 2006 ⇒153. 420-428.

9549 *Isasi-Díaz, Ada M.* Communication as communion: elements in a hermeneutic of *lo cotidiano*. ^FSAKENFELD, K. 2006 ⇒142. 27-36.

9550 *Jackson, Bernard S.* A feminist reading of the decalogue(s). Bib. 87 (2006) 542-554 [Exod 20; Deut 5].

9551 **Jobling, J'annine** Feminist biblical interpretation in theological context: restless readings. 2002 ⇒18,8780... 21,10070. ^RJian Dao 26 (2006) 195-197 (*Kwok, Benedict H.*).

9552 *Johnson, Elizabeth A.* Die Weisheit ward Fleisch und wohnte unter uns: Christologie aus einer feministischen Perspektive. EvTh 66 (2006) 142-155.

9553 *Jost, Renate* Feministisch-exegetische Hermeneutiken des Ersten Testaments. Lesarten der Bibel. 2006 ⇒699. 255-273.

9554 *Junior, Nyasha* Womanist biblical interpretation. ^FSAKENFELD, K. 2006 ⇒142. 37-46.

9555 *King, Ursula* Geist und Geschlecht: Frauen verschiedener Weltreligionen auf Suche nach Geist und Transzendenz. ^FSCHÜNGEL-STRAU- MANN, H. 2006 ⇒153. 404-410.

9556 *Klopper, Frances* Reflections of a feminist scholar from the threshold between African and European biblical exegesis. OTEs 19 (2006) 882-891.

9557 *Löffler, Irene* Helen Schlüngel-Straumann—eine Lehrmeisterin in der Auseinandersetzung mit biblischen Gottesbildern?: Umsetzung ihrer Forschungsergebnisse zu Hosea 11,1-4 und Hosea 11,9 beim Weltgebetstag 1999 aus Venezuela zum Thema "Gottes zärtliche Berührung". ^FSCHÜNGEL-STRAUMANN, H. 2006 ⇒153. 411-419.

9558 *Löwisch, Ingeborg* "Und Zelofhad hatte Töchter" (I Chronik 7,15): eine feministische Sicht auf die biblischen Genealogien. JK 67/4 (2006) 61-63.

9559 *Markert-Wizisla, Christiane* Feministische Exegese als Treue zur Bibel. ZThG 11 (2006) 253-263.

9560 *Masenya, Madipoane* Killed by Aids and buried by religion: African female bodies in crisis. OTEs 19 (2006) 486-499;

9561 = Let my people stay!. 2006 ⇒416. 131-146.

9562 *Miller, Patrick D.* What I have learned from my sisters. [F]SAKENFELD, K. 2006 ⇒142. 238-252.

9563 [E]**Moltmann-Wendel, Elisabeth; Kirchhoff, Renate** Christologie im Lebensbezug. 2005 ⇒21,577. [R]EvTh 66 (2006) 156-160 (*Gerber, Christine*).

9564 *Moltmann-Wendel, Elisabeth* Gott, eine alte Frau. [F]SCHÜNGEL-STRAUMANN, H. 2006 ⇒153. 86-95.

9565 *Navarro Puerto, Mercedes* Tendenze attuali nell'esegesi femminista: Mc 5. Donne e bibbia. Bibbia nella storia 21: 2006 ⇒484. 329-66.

9566 *Nelavala, Surekha* Smart Syrophoenician woman: a Dalit feminist reading of Mark 7:24-31. ET 118 (2006) 64-69.

9567 *O'Connor, Kathleen M.* The feminist movement meets the Old Testament: one woman's perspective. [F]SAKENFELD, K. 2006 ⇒142. 3-24.

9568 *Økland, Jorunn* Donne interpreti della bibbia nella tradizione protestanti. Donne e bibbia. La Bibbia nella storia 21: 2006 ⇒484. 99-116.

9569 *Praetorius, Ina* Gott, die Welthausfrau. [F]SCHÜNGEL-STRAUMANN, H. 2006 ⇒153. 96-104.

9570 *Pui-lan, Kwok* A postcolonial reading: sexual morality and national politics: reading biblical 'loose women'. Engaging the bible. 2006 ⇒ 336. 21-46 [Luke 16,19-31];

9571 Making the connections: postcolonial studies and feminist biblical interpretation. Postcolonial biblical reader. 2006 <2005> ⇒479. 45-63.

9572 **Raming, Ida** Gleichrangig in Christus anstatt: Ausschluss von Frauen 'im Namen Gottes': zur Rezeption und Interpretation von Gal 3, 27f in vatikanischen Dokumenten. Theologische Plädoyers 1: Berlin 2006, LIT 108 pp. €10.

9573 *Raske, Michael* Feministische Bibelauslegung im Religionsunterricht: auf dem Weg zu einer neuen hermeneutischen Praxis. [F]SCHÜNGEL-STRAUMANN, H. 2006 ⇒153. 385-393.

9574 *Rivera, Mayra* God at the crossroads: a postcolonial reading of Sophia. Postcolonial biblical reader. 2006 <2004> ⇒479. 238-253.

9575 **Ruether, Rosemary** Goddesses and the divine feminine: a western religious history. 2005 ⇒21,10098. [R]RRT 13 (2006) 58-59 (*Arrandale, Rick*).

9576 *Sawyer, Deborah* Gender. Blackwell companion to the bible. 2006 ⇒465. 464-479.

9577 *Tanner, Beth L.* My sister Sarah: on being a woman in the first world. [F]SAKENFELD, K. 2006 ⇒142. 60-72.

9578 *Trible, Phyllis* Wrestling with scripture. BArR 32/2 (2006) 46-52, 76-77.

9579 *Troch, Lieve* Literatuuroverzicht feministische theologie en vrouwenstudies theologie. Praktische Theologie 33 (2006) 522-536.

9580 *Valerio, Adriana* La bibbia nell'umanesimo femminile (secoli XV-XVII). Donne e bibbia. La Bibbia nella storia 21: 2006 ⇒484. 73-98.

9581 *Varakukala, Jojo* Feminist biblical hermeneutics: towards equal discipleship in a global context. BiBh 32 (2006) 245-254.

9582 *Viero, Gloria Josefina* O símbolo feminino de Deus na teologia feminista. AtT 10 (2006) 195-219.

9583   *Vorster, Johannes* Why opting for foolishness is wise: ambiguity and
       the rhetoric of gender enquiry. OTEs 19 (2006) 1005-1031.
9584   *Wacker, Marie-Theres* Theologie einer Mutter–eine Mutter als Theo-
       login: feministisch-exegetische Anmerkungen zu 2 Makk 7. ^FSCHÜN-
       GEL-STRAUMANN, H. 2006 ⇒153. 259-270;
9585   Feminist criticism and related aspects. Oxford handbook of biblical
       studies. 2006 ⇒438. 634-654.

H9.0 Eschatologia NT, *spes*, hope

9586   *Adams, Edward* The "coming of God" tradition and its influence on
       New Testament parousia texts. ^FKNIBB, M.: JSJ.S 111: 2006 ⇒87. 1-
       19 [Isa 40,10; Zech 14,5].
9587   *Aguilar, A.* Terminología escatológica en el Nuevo Testamento. Da-
       varLogos 5/2 (2006) 95-105.
9588   *Angelini, M. Ignazia* Dio sicuramente spera. RCI 87 (2006) 440-458.
9589   **Berger, Klaus**, *al.*, Bilder des Himmels: die Geschichte des Jenseits
       von der Bibel bis zur Gegenwart. FrB 2006, Herder 240 pp. €29.90.
       34512-90863.
9590   *Blocher, Henri* L'eschatologie du catholicisme. ThEv(VS) 5/1 (2006)
       3-18.
9591   **Bloesch, Donald G.** The last things: resurrection, judgment, glory.
       Christian foundations: 2004 ⇒20,9244; 21,10113. ^RBS 163 (2006)
       239-241 (*Kreider, Glenn R.*).
9592   *Brancato, Francesco* L'escatologia cristiana tra eschaton ed eschata:
       il contributo di Joseph RATZINGER. Synaxis 24/1 (2006) 7-40.
9593   **Clark-Soles, Jaime** Death and afterlife in the New Testament. NY
       2006, Clark x; 261 pp. $30. 9780-5670-29126. Bibl. 229-237.
9594   *Coulot, Claude* A la venue du Seigneur (1 Th 4,13-18). RevSR 80
       (2006) 409-509.
9595   *Córdova González, Eduardo* Estaremos para siempre con el Señor.
       Qol 40 (2006) 75-91.
9596   *Godzieba, Anthony J.; Boeve, Lieven; Saracino, Michele* Resurrec-
       tion –interruption–transformation: incarnation as hermeneutical
       strategy: a symposium. TS 67 (2006) 777-815.
9597   *Hamm, Berndt* Den Himmel kaufen: heilskommerzielle Perspektiven
       des 14. bis 16. Jahrhunderts. JBTh 21 (2006) 239-275.
9598   **Harrington, Daniel J.** What are we hoping for?: New Testament im-
       ages. ColMn 2006, Liturgical x; 126 pp. $15. 978-081-46-316-14.
       Bibl. 118-119.
9599   *Hart, Thomas M.* He descended into hell. BiTod 44 (2006) 42-46.
9600   *Hübner, Kurt* Über das christliche Totenreich: Purgatorium und
       Scheol. ThPh 81 (2006) 339-366.
9601   *Ito, Akio* Afterlife in the New Testament: ᾅδης, ἄβυσσος, γεέννα,
       παράδεισος. Exegetica [Tokyo] 17 (2006) 1-10. **J**.
9602   *Jensen, Michael P.* The genesis of hell: eternal torment in the con-
       sciousness of early christianity. RTR 65 (2006) 132-148.
9603   *Kealy, Séan P.* What is our vision?. BiTod 44 (2006) 36-41.
9604   **Kelly, Anthony** Eschatology and hope. Mkn 2006, Orbis xiii; 242
       pp. $20.
9605   **Klaine, Roger** La fin du monde selon les écrits bibliques de notre
       ère. Le devenir du monde et la bible 3: 2005 ⇒21,10126. ^RRSPhTh
       90 (2006) 150-153; BLE 106 (2006) 322-324 (*Maldamé, J.-M.*).

9606 **Kurz, William** What does the bible say about the end times?: a catholic view. 2005 ⇒21,10129. ^RHPR 106/5 (2006) 70-71 (*Koterski, Joseph W.*).

9607 **Lambiasi, Francesco** Esercizi di speranza: cammino spirituale sulla prima lettera di Pietro. Sulla tua parola: R 2006, Ave 132 pp. €8. 978-88828-43427. Ill.

9608 *Martín-Moreno González, Juan Manuel* Hoy estarás conmigo en el paraíso: centralidad de Jesús en nuestra anticipación del cielo. SalTer 94 (2006) 283-296.

9609 *Moo, Douglas J.* Nature in the new creation: New Testament eschatology and the environment. JETS 49 (2006) 449-488.

9610 *Navone, John* Sharing the vision, hope and love of Jesus. HPR 106/10 (2006) 56-61.

9611 *Neugebauer, Fritz* Der Gott der Lebenden und das ewige Leben. ZThK 103 (2006) 394-421 [Mt 25,31-46; Mk 12,18-27; 1 Pet 1,9].

9612 *Nicklas, Tobias* "Die letzte Stunde" (1 Joh 2,18): Johannesbriefe und Apokalypse. BiLi 79 (2006) 189-192.

9613 *Niemand, Christoph* Gegenwart als "wahrgenommene" Zukunft: Erfahrungen und Einschätzungen von Zeit im Neuen Testament. ThPQ 154 (2006) 365-374.

9614 *Osipov, Alexei* The eschatological concept in the Russian Orthodox theology today. ^FGALITIS, G. 2006 ⇒49. 457-470.

9615 **Peres, Imre** Griechische Grabinschriften und neutestamentliche Eschatologie. WUNT 157: 2003 ⇒19,9504... 21,10138. ^RSEÅ 71 (2006) 272-274 (*Hartman, Lars*).

9616 **Pietras, Henryk** L'escatologia della chiesa: dagli scritti giudaici fino al IV secolo. R 2006, Augustinianum 140 pp. 88796-11046.

9617 **Pitre, Brant** Jesus, the tribulation, and the end of the exile: restoration eschatology and the origin of the atonement. WUNT 2/204: 2005 ⇒21,10140. ^RRHPhR 86 (2006) 417-418 (*Grappe, C.*).

9618 *Popkes, Wiard* "Heimat" als eschatologische und ethische Motivation: Beobachtungen zu 1Petr, Hebr, Eph und Joh. ^FHAUFE, G. GThF 11: 2006 ⇒63. 225-247.

9619 *Prasad, Jacob* God the judge and his justice. Jeevadhara 36 (2006) 129-151.

9620 *Rannestad, Amund* Helvete-krematorium eller tortursted?: en undersøkelse av det bibelske grunnlaget for annihilasjonslaeren. Ung teologi 39/3 (2006) 27-41.

9621 *Räisänen, Heikki* Towards an alternative to New Testament theology: 'individual eschatology' as an example. ^FMORGAN, R. 2006 ⇒115. 167-185.

9622 *Rietz, Henry W.M.* Reflections on Jesus' eschatology in light of Qumran. Jesus and archaeology. 2006 ⇒362. 186-205.

9623 **Roose, Hanna** Teilhabe an JHWHs Macht: endzeitliche Hoffnungen in der Zeit des zweiten Tempels. Beiträge zum Verstehen der Bibel 7: 2004 ⇒20,9267. ^RZKTh 128 (2006) 315-317 (*Bilić, Niko*).

9624 *Rossow, J.* If Jesus 'came down from heaven,' where does that leave me?. ConJ 32 (2006) 388-395.

9625 **Segal, Alan F.** Life after death: a history of the afterlife in the religions of the West. 2004 ⇒20,9272; 21,10145. ^RJAAR 74 (2006) 235-38 (*Alles, Gregory D.*); IThQ 71 (2006) 179-181 (*Huxley, G.L.*).

9626 **Terrinoni, U.** C'è l'aldilà?: indagine biblica sulle ultime realtà dell' uomo. Bo 2006, Dehoniane 200 pp.

9627 *Van Wyk, I.W.C.* The final judgment in African perspectives. HTSTS 62 (2006) 703-729.
9628 **Wendebourg, Nicola** Der Tag des Herrn: zur Gerichtserwartung im Neuen Testament auf ihrem alttestamentlichen und frühjüdischen Hintergrund. BWANT 96: 2003 ⇒19,9522. [R]ThLZ 131 (2006) 386-388 (*Konradt, Matthias*).

H9.5 *Theologia totius [VT-]NT*—General [OT-]NT theology

9629 *Adam, A.K.M.* Towards a resolution yet to be revealed;
9630 Poaching on Zion: biblical theology as signifying practice. Reading scripture. 2006 ⇒332. 143-148/17-34;
9631 *Ashton, John* History and theology in New Testament studies. [F]MORGAN, R. 2006 ⇒115. 1-17.
9632 **Barth, Karl** Introducción a la teología evangélica. S 2006, Sígueme 238 pp. [R]Studium 46 (2006) 334-336 (*López, L.*).
9633 [E]**Bartholomew, Craig G.; Healy, Mary** Out of Egypt: biblical theology and biblical interpretation. Scripture and hermeneutics 5: 2004 ⇒20,653. [R]JETh 20 (2006) 210-211 (*Kupfer, Christian D.*).
9634 *Carson, Donald A., al.,* Biblical theology for the church: the SBJT forum. Southern Baptist Convention 10/2 (2006) 88-100.
9635 *Dunn, James D.G.* New Testament theology. Oxford handbook of biblical studies. 2006 ⇒438. 698-715.
9636 **Esler, Philip E.** New Testament theology: communion and community. 2005 ⇒21,10162. [R]BTB 36 (2006) 135-136 (*Stewart, Eric*); StPat 53 (2006) 756-761 (*Segalla, Giuseppe*).
9637 **Grünwaldt, Klaus** Gott und sein Volk: die Theologie der Bibel. Da:Wiss 2006, 288 pp. €49.90. 3534-138880.
9638 **Haffner, Paul** New Testament theology: an introduction. R 2006, Millstream 271 pp.
9639 **Hahn, Ferdinand** Theologie des Neuen Testaments, 1: Die Vielfalt des Neuen Testaments: Theologiegeschichte des Urchristentums; 2: Die Einheit des Neuen Testaments: thematische Darstellung. 2002 ⇒ 18,8875... 21,10164. [R]VeE 27 (2006) 393-394 (*Du Toit, Andrie*).
9640 *Hahn, Ferdinand* Vorfragen zu einer biblischen Theologie. Studien zum NT, I. WUNT 191: 2006 <1989> ⇒230. 69-82;
9641 Urchristliche Lehre und neutestamentliche Theologie: exegetische und fundamentaltheologische Überlegungen zum Problem christlicher Lehre. Studien zum NT, I. 2006 <1982> ⇒230. 83-135;
9642 Zum Problem einer neutestamentliche Theologie. <1994> 137-149;
9643 Eine religionswissenschaftliche Alternative zur neutestamentlichen Theologie?: ein Gespräch mit Heikki RÄISÄNEN. <2003> 151-162;
9644 Das Zeugnis des Neuen Testaments in seiner Vielfalt und Einheit: zu den Grundproblemen einer neutestamentlichen Theologie. Studien zum NT, I. WUNT 191: 2006 <2002> ⇒230. 163-181.
9645 *Hamilton, James* The glory of God in salvation through judgment: the centre of biblical theology?. TynB 57 (2006) 57-84.
9646 *Hooker, Morna* The nature of New Testament theology. [F]MORGAN, R. 2006 ⇒115. 75-92.
9647 *Izquierdo García, Antonio* Bibbia e teologia: presupposti generali per un rapporto fecondo. La bibbia nella chiesa. 2006 ⇒749. 99-124.

9648   *Janowski, Bernd* Biblical theology. Oxford handbook of biblical studies. 2006 ⇒438. 716-731.

9649   *Joy, C.I.D.* New Testament theology: some preliminary thoughts. BTF 38/2 (2006) 93-102 [Mark 10,17-27].

9650   *Lampe, Peter* Une théologie du Nouveau Testament pour athées?: perspectives constructivistes. ETR 81/1 (2006) 65-79.

9651   *Luz, Ulrich* The contribution of reception history to a theology of the New Testament. ᶠMORGAN, R. 2006 ⇒115. 123-134.

9652   **Marshall, I. Howard** New Testament theology: many witnesses, one gospel. 2004 ⇒20,9298; 21,10178. ᴿInterp. 60 (2006) 84-86 (*Matera, Frank J.*); Theol. 109 (2006) 130-131 (*Morgan, Robert*).

9653   **Metzger, Bruce M.** Apostolic letters of faith, hope, and love: Galatians, 1 Peter and 1 John. Eugene, OR 2006, Cascade xiv; 95 pp. $12. 978-15975-25015.

9654   *Myers, J.D.* The gospel is more than faith alone in Christ alone. Journal of the Grace Evangelical Society 19/37 (2006) 33-56.

9655   *Neufeld, A.* BARTH, Yoder, and J.B. Toews: my personal search for systematics in biblical theology. Direction 35 (2006) 104-126.

9656   *Niebuhr, K.-W.* Biblische Theologie evangelisch: neutestamentliche Wissenschaft im Zusammenspiel der Theologie. Eine Wissenschaft. 2006 ⇒508. 23-46.

9657   *Rowe, Christopher K.* New Testament theology: the revival of a discipline: a review of recent contributions in the field. JBL 125 (2006) 393-410.

9658   *Rowland, Christopher; Bennett, Zoë* 'Action is the life of all': New Testament theology and practical theology. ᶠMORGAN, R. 2006 ⇒ 115. 186-206.

9659   **Scobie, Charles H.H.** The ways of our God: an approach to biblical theology. 2003 ⇒19,9559... 21,10192. ᴿProEc 15 (2006) 249-252 (*Treier, Daniel J.*).

9660   **Segalla, Giuseppe** Teologia biblica del Nuovo Testamento. Logos 8/ 2: Leumann (Torino) 2006, Elledici 555 pp. €37. 88-01-03325-7. Bibl. 15-24 [Ecclesia 20,412—Caballero, José Antonio].

9661   *Söding, Thomas* Die Einheit des Zeugnisses in der Vielfalt der Zeugen: eine neutestamentliche Perspektive. Cath(M) 60 (2006) 163-83.

9662   *Söding, Thomas, al.,* Eine Frage–fünf Antworten: mein roter Faden durch die Bibel. KatBl 131 (2006) 249-254.

9663   *Stroumsa, Guy* Un Dieu son nom: 'théologies du nom' judéo-chrétiennes et gnostiques. Le rire du Christ. 2006 <2003> ⇒312. 47-69.

9664   *Theissen, Gerd* Theory of primitive christian religion and New Testament theology: an evolutionary essay. ᶠMORGAN, R. 2006 ⇒115. 207-230;

9665   Theorie der urchristlichen Religion und Theologie des Neuen Testaments: ein evolutionärer Versuch. Primäre und sekundäre Religion. BZAW 364: 2006 ⇒489. 227-248.

9666   *Theobald, Christoph* De la bible en théologie. Bible et théologie. 2006 ⇒449. 57-79.

9667   **Thielman, F.** Theology of the NT: a canonical and synthetic approach. 2005 ⇒21,10200. ᴿRBLit (2006)* (*Carson, Donald*).

9668   *Verboom, Willem* De weerbarstige schoonheid van bijbelse grondwoorden. ThRef 49/1 (2006) 61-65.

XIV. Philologia biblica

J1.1 Hebraica *grammatica*

9669 *Albrektson, Bertil* Hebreiskans plats i teologutbildningen. SEÅ 71 (2006) 11-23.

9670 *Anstey, Matthew P.* The grammatical-lexical cline in Tiberian Hebrew. JSSt 51 (2006) 59-84.

9671 *Bar-Asher, Moshe* The *qal* passive participle of geminate verbs in Biblical Hebrew. Biblical Hebrew. 2006 ⇒725. 11-25.

9672 **Bazylinski, Stanislaw; Deiana, Giovanni; Spreafico, Ambrogio** Wprowadzenie do hebrajszczyzny biblijnej. Wsz ²2006, Towarzystwo Biblijne w Polsce 2 vols. 83-85260-40-4. **P.**

9673 *Behrens, Achim* Die 'syntaktische Wiederaufnahme' als textgrammatisches Phänomen im biblischen Hebräisch. KUSATU 6 (2006) 1-32.

9674 **Benner, Jeff** Learn to read Biblical Hebrew: a guide to learning the Hebrew alphabet, vocabulary and sentence structure of the Hebrew Bible. 2004 ⇒20,9325. ᴿKerux 21/1 (2006) 55-57 (*Sanborn, Scott*).

9675 **Bergman, Nava** The Cambridge Biblical Hebrew workbook: introductory level. 2005 ⇒21,10214. ᴿWThJ 68 (2006) 147-149 (*Blumfield, Fiona*); RBLit (2006)* (*Cathey, Joseph*).

9676 *Beyer, Klaus* Der hebräische Mensch im Wandel. ꟳAGUS, A. 2006 ⇒ 1. 159-180.

9677 *Blau, Joshua* Topics in Hebrew grammar. Leš. 68 (2006) 183-200. **H.**

9678 **Callaham, Scott** The modality of the verbal infinitive absolute in Biblical Hebrew. ᴰ*Klein, G.L.* 2006, 248 pp. Diss. Fort Worth [RTL 38,613].

9679 *Cassuto, Phillippe* Le *Compendium grammatices linguae hebraeae.* Spinoza. 2006 ⇒559. 185-202.

Chisholm, R. Workbook for intermediate Hebrew 2006 ⇒3302.

9680 *Clements, Ronald E.* A fruitful venture: the origin of Hebrew studies at King's College London. ꟳKNIBB, M.: JSJ.S 111: 2006 ⇒87. 61-79.

9681 *Cook, John A.* The finite verbal forms in Biblical Hebrew do express aspect. JANES 30 (2006) 21-35.

9682 *De Lange, Nicholas* The teaching of Hebrew in European universities: a short report. Materia Giudaica 11/1-2 (2006) 333-336.

9683 *Ehrensvärd, Martin* Why biblical texts cannot be dated linguistically. HebStud 47 (2006) 177-189 [Zech 1-8].

9684 **Ellis, Robert Ray** Learning to read Biblical Hebrew: an introductory grammar. Waco, Tex. 2006, Baylor University Pr. xx; 387 pp. 1-932-792-56-0. Bibl.

9685 **Ellul, Danielle** Apprendre l'hébreu biblique par les textes. 2003 ⇒ 19,9587. ᴿEThL 82 (2006) 234-236 (*Schoors, Antoon*).

9686 *Fassberg, Steven E.* Sequences of positive commands in Biblical Hebrew: לֵךְ אֱמֹר, לֵךְ וְאָמַרְתָּ, הָלוֹךְ וְאָמַרְתָּ. Biblical Hebrew. 2006 ⇒725. 51-64.

9687 **Freitas, Humberto G. de** Gramática para o Hebraico: uma abordagem pragmática. Petrópolis 2006, Vozes 206 pp.

9688 **Furuli, R.J.** A new understanding of the verbal system of Classical Hebrew: an attempt to distinguish between semantic and pragmatic factors. Oslo 2006, Awatu 508 pp. NOK300.

9689 **Futato, Mark David** Beginning Biblical Hebrew. 2003 ⇒19,9591; 20,9337. ᴿJSSt 51 (2006) 176-178 (*Hall, Sarah*).
9690 *Garr, W. Randall* The paragogic *nun* in rhetorical perspective. Biblical Hebrew. 2006 ⇒725. 65-74.
9691 **Heller, Roy L.** Narrative structure and discourse constellations: an analysis of clause function in Biblical Hebrew prose. Harvard Semitic Studies 55: 2004 ⇒20,9343. ᴿCBQ 68 (2006) 116-117 (*Cook, John A.*); BS 163 (2006) 360-361 (*Chisholm, Robert B., Jr.*); BiTr 57 (2006) 153-156 (*Regt, Lénart J. de*) [Gen 37-47; 2 Sam 9-20].
9692 *Hoffmann, Hans W.* Die Afformativkonjugation mit präfigiertem waw in der Genesis: וְהוֹכִחַ in Gen 21,25 und weitere problematische weqatal-Formen auf dem Prüfstand. ᶠSCHMITT, H.-C.: BZAW 370: 2006 ⇒151. 75-88.
9693 *Holmstedt, Robert D.* Issues in the linguistic analysis of a dead language, with particular reference to Ancient Hebrew. JHScr 6 (2006)*.
9694 *Hurvitz, Avi* The recent debate on Late Biblical Hebrew: solid data, experts' opinions, and inconclusive arguments. HebStud 47 (2006) 191-210;
9695 Continuity and change in Biblical Hebrew: the linguistic history of a formulaic idiom from the realm of the royal court. Biblical Hebrew. 2006 ⇒725. 127-133.
9696 *Joosten, Jan* The disappearance of iterative WEQATAL in the Biblical Hebrew verbal system. Biblical Hebrew. 2006 ⇒725. 135-147.
9697 **Joüon, Paul; Muraoka, Takamitsu** A grammar of Biblical Hebrew. SubBi 27: R ²2006 <1991>, Pontificio Istituto Biblico xliv; 772 pp. $79. 88-7653-629-9.
9698 ᴱ**Kaltner, John; McKenzie, Steven L.** Beyond Babel: a handbook for Biblical Hebrew and related languages. SBL.Resources for Biblical Study 42: 2002 ⇒18,8903... 21,10239. ᴿJNES 65 (2006) 291-295 (*Clemens, D.M.*).
9699 *Knauf, Ernst A.* Bethel: the Israelite impact on Judean language and literature. Judah and the Judeans. 2006 ⇒941. 291-349.
9700 *Kofoed, Jens B.* Using linguistic difference in relative text dating: insights from other historical linguistic case studies. HebStud 47 (2006) 93-114.
9701 **Kramer, Johannes; Kowallik, Sabine** Einführung in die hebräische Schrift. Einführungen in fremde Schriften: Ha ²2006, Buske xvi; 67 pp. 978-3-87548-416-8.
9702 *Lillas-Schuil, R.* A survey of syntagms in the Hebrew Bible classified as *hendiadys*. Current issues in the analysis of Semitic grammar and lexicon II. ᴱ**Edzard, L.; Retsö, J.** AKM 59: Wsb 2006, Harrassowitz. 79-110. 978-34470-54416.
9703 **Malessa, Michael** Untersuchungen zur verbalen Valenz im biblischen Hebräisch. SSN 49: Assen 2006, Van Gorcum xiii; 248 pp. €85. 978-90232-42406. Bibl. 220-233.
9704 **Michel, Diethelm** Grundlegung einer hebräischen Syntax, Teil 2: der hebräische Nominalsatz. ᴱ*Behrens, Achim, al.*, 2004 ⇒20,9349. ᴿBiOr 63 (2006) 447-467 (*Muraoka, Takamitsu*).
9705 *Moshvi, Adina* The discourse functions of object/adverbial-fronting in Biblical Hebrew. Biblical Hebrew. 2006 ⇒725. 231-245.
9706 *Müller, Achim* Tiefenstrukturell nebensätzliche Parataxen: einige Überlegungen zur Klassifikation und Übersetzung 'impliziter Hypo-

taxe' im biblischen Hebräisch am Beispiel der Fortführung des Imperativs. KUSATU 6 (2006) 61-86.

9707 **Neef, Heinz-Dieter** Arbeitsbuch Hebräisch: Materialien, Beispiele und Übungen zum Biblisch-Hebräisch. UTB Medium-Format 2429: Stu ^{2}2006, UTB Medium-Format xvii; 374 pp. 3-8252-2429-5.

9708 *Neto, Joaquim A.* A oração de elipse verbal (ou *verbless clause*) do Hebraico Bíblico. Hermenêutíca 6 (2006) 81-87.

9709 *Niccacci, Alviero* The Biblical Hebrew verbal system in poetry. Biblical Hebrew. 2006 ⇒725. 247-268.

9710 *Norin, Stig* Hebreiska i 400 år. SEÅ 71 (2006) 7-9.

9711 Now I know my ABCs. BArR 32/1 (2006) 14.

9712 *Ottosson, Magnus* Främreorientalisk aktivitet språklig och arkeologisk, inom studiet av semitiska språk i Uppsala under 400 år. SEÅ 71 (2006) 26-53.

9713 **Pepi, Luciana; Serafini, Filippo** Corso di ebraico biblico. CinB 2006, San Paolo x; 316 pp. €19.50. 8-215-5742-1. Con un CD-audio per apprendere la pronuncia dell'ebraico; Bibl. ix-x. ^{R}LASBF 56 (2006) 677-678 (*Pazzini, Massimo*).

9714 *Perani, Mauro* The teaching of Hebrew language in Italy. Materia Giudaica 11/1-2 (2006) 351-354.

9715 *Polak, Frank* Sociolinguistics: a key to the typology and the social background of Biblical Hebrew. HebStud 47 (2006) 115-162;

9716 Sociolinguistics and the Judean speech community in the Achaemenid empire. Judah and the Judeans. 2006 ⇒941. 589-628.

9717 **Pratico, Gary D.; Van Pelt, Miles V.** Graded reader of Biblical Hebrew: a guide to reading the Hebrew Bible. GR 2006, Zondervan 237 pp.

9718 *Qimron, Elisha* The pausal *pataḥ* in Biblical Hebrew. Biblical Hebrew. 2006 ⇒725. 305-314.

9719 *Regt, Lénart J. de* Hebrew syntactic inversions and their literary equivalence in English: Robert Alter's translations of Genesis and 1 and 2 Samuel. JSOT 30 (2006) 287-314.

9720 **Rogland, Max** Alleged non-past uses of qatal in Classical Hebrew. SSN 44: 2003 ⇒19,9623... 21,10262. ^{R}ThLZ 131 (2006) 267-268 (*Groß, Walter*); JSSt 51 (2006) 417-419 (*Tropper, Josef*).

9721 **Serafini, Filippo** Esercizi per il corso di ebraico biblico. CinB 2006, San Paolo (4), 351 pp. €19.50. 88-215-5743-X. ^{R}LASBF 56 (2006) 677-678 (*Pazzini, Massimo*).

9722 **Shimron, Joseph** Reading Hebrew: the language and the psychology of reading it. Mahwah, NJ 2006, Erlbaum xv; 205 pp. 0-8058-5076-7. Bibl. 171-189.

9723 **Valla, Danilo** Le basi per lo studio dell'ebraico della bibbia. 2002 ⇒ 21,10270. ^{R}BeO 48 (2006) 249-253 (*Jucci, Elio*).

  Van Peursen, W. The verbal system in the Hebrew text of Ben Sira. 2004 ⇒4357.

9724 **Walker-Jones, Arthur** Hebrew for biblical interpretation. SBL.Resources for Biblical Study 48: 2003 ⇒19,9633... 21,10273. ^{R}JSSt 51 (2006) 415-416 (*Moberly, Walter*).

9725 *Zevit, Ziony* What a difference a year makes: can biblical texts be dated linguistically?. HebStud 47 (2006) 83-91.

J1.2 **Lexica et inscriptiones hebraicae**; *later Hebrew*

9726 *Abramson, Glenda* Language and intimation in Mul ha-ya'arot by A.B. Yehoshua. Materia Giudaica 11/1-2 (2006) 345-350.

9727 **Aḥituv, Shmuel** HaKetav VeHamiktav: handbook of ancient inscriptions. Biblical encyclopaedia library 21: ²2005 <1992> ⇒21,10278. ᴿQad. 39 (2006) 126-7 (*Galil, G.*). **H**.

9728 **Arnet, Samuel** Wortschatz der Hebräischen Bibel: zweieinhalbtausend Vokabeln alphabetisch und thematisch geordnet. Z 2006, Theologischer 312 pp. €17.50. 3-290-17374-7. Bibl. 17-20.

9729 *Bar-Asher, Moshe* Mishnaic Hebrew: an introductory survey. The literature of the sages, part 2. = Cambridge History of Judaism 4, 369-403. CRI II,3b: 2006 ⇒669. 567-595.

9730 **Beit-Arié, Malachi; Sirat, Colette; Glatzer, Mordechai** Codices hebraicis litteris exarati quo tempore scripti fuerunt exhibentes, 4: de 1144 à 1200. Monumenta Palaeographica Medii Aevi: Ser. Hebraica 5: Turnhout 2006, Brepols 147 pp. €272. 978-25035-22609. 99 ill.

9731 *Bolozky, Shmuel* A note on initial consonant clusters in Israeli Hebrew. HebStud 47 (2006) 227-235.

9732 **Bolozky, Shmuel; Coffin, Edna A.** A reference grammar of Modern Hebrew. 2005 ⇒21,10282. ᴿHebStud 47 (2006) 457-460 (*Raizen, Esther*).

9733 *Bulakh, Maria* Basic color terms of Biblical Hebrew in diachronic aspect. B&B 3 (2006) 181-218.

9734 *Cohen, Chaim* Modern Biblical Hebrew lexicography: three issues of methodology: 1. homonymy vs. polysemy; 2. poetic semantically equivalent B-words; 3. Sumerian determinatives on Akkadian parallel terms. Stimulation from Leiden. BEAT 54: 2006 ⇒686. 269-284.

9735 *Eshel, Hanan* On the use of the Hebrew language in economic documents from the Judean Desert. Jesus' last week. Jewish and Christian Perspectives 11: 2006 ⇒346. 245-258.

9736 *Florentin, Moshe* Tawḥīd: the language and structure of unknown Samaritan poems. HUCA 77 (2006) 167-178.

9737 **Garbini, Giovanni** Introduzione all'epigrafia semitica. Studi sul Vicino Oriente Antico 4: Brescia 2006, Paideia 417 pp. €49.70. 88-394-0716-2. ᴿBiOr 63 (2006) 475-477 (*Stol, M.*); Iren. 79 (2006) 446-447.

9738 **Groom, Sue** Linguistic analysis of Biblical Hebrew. 2003 ⇒19, 9657; 20,9382. ᴿBiTr 57 (2006) 54-56 (*Ogden, Graham S.*).

9739 **Harkavy, Alexander** Yiddish-English-Hebrew dictionary. NHv 2006, Yale University Press xlvii; 583 pp. 0-300-10839-7. Introduction by *Dovid Katz*; Reprint of the 1928 expanded second edition.

9740 **Jaroš, Karl** Inschriften des Heiligen Landes aus vier Jahrtausenden. 2001 ⇒17,8363... 21,10295. CD-ROM. ᴿOLZ 101 (2006) 41-43 (*Becking, Bob*).

9741 *Kaddari, Menaḥem* Homonymy and polysemy in the new Modern Hebrew lexicon of the Hebrew Bible. Biblical Hebrew. 2006 ⇒725. 149-153.

9742 **Kaddari, Menaḥem Z.** מילון העברית המקראית: אוצר לשון המקרא מאל"ף עד תי"ו [A dictionary of Biblical Hebrew: Alef-Taw]. Ramat Gan 2006, Bar-Ilan University Pr. lxiv; 1188 pp.

9743   *Knauf, Ernst A.* Israel: Tel-Zayit: das Tel-Zayit-Alphabet und was es (nicht) bedeutet. WUB 40 (2006) 65.

9744   *Lemaire, André* A re-examination of the inscribed pomegranate: a rejoinder-appendix by *Amnon Rosenfeld* and *Shimon Ilani*. IEJ 56 (2006) 167-177;

9745   Khirbet el-Qôm and Hebrew and Aramaic epigraphy. ^FDEVER, W. 2006 ⇒32. 231-238.

9746   *Leoni, Aron di Leone* The pronunciation of Hebrew in the western Sephardic settlements (XVIth-XXth centuries): first part: early modern Venice and Ferrara (1-2). Sef. 66 (2006) 89-142, 377-406.

9747   ^{ET}**Lindenberger, James A.** Ancient Aramaic and Hebrew letters. Writings from the ancient world 14: ²2003 <1994> ⇒19,9673. ^RJSSt 51 (2006) 393-394 (*Pardee, Dennis*); JNES 65 (2006) 295-296 (*Conklin, Blane W.*).

9748   **Matheus, Frank** PONS Kompaktwörterbuch Althebräisch: Althebräisch-Deutsch. Stu 2006, Klett Sprachen 396 pp. €20. 978-3-12-5175-75-4.

9749   **Mittler, Doron** Grammatica ebraica. 2000 ⇒17,8370. ^RBeO 48 (2006) 191-192 (*Jucci, Elio*).

9750   *Mor, U. Hry 'th dn*: two presentative particles in Mishnaic Hebrew according to Ms. Ebr. 32.2 to Sifre on Numbers. Leš. 68 (2006) 209-242. **H.**

9751   **Mykytiuk, Lawrence J.** Identifying biblical persons in Northwest Semitic inscriptions of 1200-539 B.C.E.. SBL.Academia Biblica 12: 2004 ⇒20,9392; 21,10302. ^RBiOr 63 (2006) 356-358 (*Geus, C.H.J. de*); JAOS 125 (2005) 544-545 (*Veenker, Ronald*).

9752   *Na'aman, Nadav* Ostracon no. 7 from Arad reconsidered. ^FDEVER, W. 2006 ⇒32. 265-267.

9753   *Neuman, Yishai* A lexically creative approach to the teaching of Modern Hebrew as a foreign language. Materia Giudaica 11/1-2 (2006) 369-376.

9754   *Parker, Simon B.* The question of restorations in epistolary inscriptions with special reference to Arad 40. IEJ 56 (2006) 96-101.

9755   *Price, Jonathan J.; Misgav, Haggai* Jewish inscriptions and their use. The literature of the sages, part 2. CRI II,3b: 2006 ⇒669. 461-483.

9756   Probing for "Why"?: the arguments on which the forgery accusations rely are about to fall apart. BArR 32/1 (2006) 6, 64-65.

9757   **Renz, Johannes; Röllig, Wolfgang** Handbuch der althebräischen Epigraphie, 2/2: Materialien zur althebräischen Morphologie; Siegel und Gewichte. 2003 ⇒19,9686; 21,9395. ^ROLZ 101 (2006) 117-123 (*Lehmann, Reinhard G.*).

9758   *Rodrigue Schwarzwald, Ora* The linguistic unity of Hebrew: colloquial trends and academic needs. Materia Giudaica 11/1-2 (2006) 355-368.

9759   *Rosenberg, Stephen G.* A new element in the dating of the Tobyah inscriptions at Airaq al-Amir in Jordan. BAIAS 24 (2006) 85-92.

9760   *Schreiner, Stefan* Zwei hebräische Handschriftenfragmente als Buchdeckelverstärker. Jud. 62 (2006) 246-251, 343-347.

9761   *Shemesh, Rivka* Direct discourse markers in Mishnaic Hebrew. JSSt 51 (2006) 45-58.

9762   **Smelik, Klaas A.D.** Neem een boekrol en schrijf: teksvondsten uit het oude Israël. Zoetermeer 2006, Boekencentrum 220 p. €19.90. 90-239-1987-4.

9763 ^E**Streck, Michael P.; Weninger, Stefan** Altorientalische und semitische Onomastik. AOAT 296: 2002 ⇒18,8959; 19,9697. ^RJSSt 51 (2006) 381-387 (*Hayajneh, Hani*).

9764 *Tappy, Ron E., al.*, An abecedary of the mid-tenth century B.C.E. from the Judaean Shephelah. BASOR 344 (2006) 5-46.

9765 Temple Mount dump yields inscription. BArR 32/1 (2006) 14.

9766 *Thompson, Jeremy* Towards a more theoretical understanding of Biblical Hebrew vocabulary. JNSL 32/1 (2006) 97-111.

9767 *Van der Heide, Albert* S.Y. Agnon: three fragments and their history. Materia Giudaica 11/1-2 (2006) 337-344.

9768 *Van der Horst, Pieter W.* Inscriptiones judaicae orientis: a review article. Jews and Christians. WUNT 196: 2006 <2005> ⇒321 [⇒21,10305]. 71-86.

9769 *Van der Merwe, Christo H.J.* Biblical Hebrew lexicology: a cognitive linguistic perspective. KUSATU 6 (2006) 87-112;

9770 Lexical meaning in Biblical Hebrew and cognitive semantics: a case study. Bib. 87 (2006) 85-95.

9771 *Zanella, Francesco* Could componential analysis be more than a heuristic tool?: examples from ancient Hebrew. KUSATU 6 (2006) 113-137.

J1.3 Voces *ordine alphabetico consonantium* hebraicarum

Akkadian

9772 *apiru*: *Cohen, Mark E.* A small Old Babylonian army of *a-pí-ru-ú*. ^FLEICHTY, E. 2006 ⇒95. 63-86.

9773 *babtūm*: *Millet Albà, Adelina* Le *bābtum* à Mari. ^FSANMARTÍN, J.: AuOr.S 22: 2006 ⇒144. 303-313.

9774 *gala*: *Michalowski, Piotr* Love or death?: observations on the role of the GALA in Ur III ceremonial life JCS 58 (2006) 49-61.

9775 *qadištu*: *Stuckey, Johanna M.* Priestesses and 'sacred prostitutes' in the ancient Near East CSMSJ 1/1 (2006) 45-49.

Aramaic

9776 אבא: *D'Angelo, Mary R. Abba* and father: imperial ideology in the contexts of Jesus and the gospels. The historical Jesus. 2006 ⇒334. 64-78 [Mt 27,45].

9777 ארמודדת: *Dietrich, Manfried; Loretz, Oswald* Ugar. *arbdd* / altaram. *'rmwddt* 'Erhaltung (der Ordnung), Stabilität': Erwägungen zu einem Begriff für Stablisierung der Ordnung im Nordwestsemitischen der Späten Bronzezeit und Eisenzeit. ^FSANMARTÍN, J.: AuOr.S 22: 2006 ⇒144. 183-193.

9778 שכח: *Wajsberg, Eljakim* The root *šk"ḥ* in Babylonian Aramaic. Leš. 68 (2006) 365-371. **H.**

Hebrew

9779 אב: **Biberger, Bernd** Unsere Väter und wir: Unterteilung von Geschichtsdarstellungen in Generationen und das Verhältnis der Generationen im Alten Testament. BBB 145: 2003 ⇒19,9712. ᴿThLZ 131 (2006) 831-833 (*Conrad, Joachim*).

9780   אדמה: **Storm, M.** 'Adamah' ground of life. ᴰ*Deurloo, K.A.* 2006, 218 pp. Diss. Amsterdam, V.U. [RTL 38,616].

9781   אור; חושך Syrén, *Roger* The metaphoric use of 'light and 'darkness' in some biblical and post-biblical traditions. ᴹILLMAN, K. 2006 ⇒72. 409-418.

9782   אלהים: **Frey-Anthes, Henrike** Unheilsmächte und Schutzgenien, Antiwesen und Grenzgänger: Vorstellungen von Dämonen im alten Israel. ᴰ*Rüt, U.*: OBO 227: FrS 2006, Academic xiv; 363 pp. 978-37278-15911. Diss. Bonn.

9783   אמת: *Parisi, Serafino* Osservazioni sull'uso del termine 'verità' nella bibbia: un caso esemplare per alcune considerazioni metodologiche. Vivar(C) (2006) 14-25.

9784   אשר: *Holmstedt, Robert D.* The story of Ancient Hebrew *'ašer*. ANESt 43 (2006) 7-26.

9785   באר: *Hyman, Ronald T.* Multiple functions of wells in the Tanakh JBQ 34 (2006) 180-189.

9786   בראשית: *Soto Rivera, Rubén* ¿Qué significa Bᵉreshit en Génesis 1,1?. Qol 41 (2006) 69-82.

9787   ברית: *Foster, Stuart J.* A prototypical definition of ברית, 'covenant' in Biblical Hebrew. OTEs 19 (2006) 35-46;

9788   *Linington, Silvia* The term בְּרִית in the Old Testament, part IV: an enquiry into the meaning and use of the word in the books of Samuel and Kings. OTEs 19 (2006) 118-143;

9789   part V: an enquiry into the meaning and use of the word in 1-2 Chronicles, Ezra and Nehemiah. OTEs 19 (2006) 671-693.

9790   ברכה: *Baum, Vladimir Itamar* Gesegnet seist Du, Ewiger: zur Bedeutung des Segens. FrRu 13 (2006) 195-198.

9791   גורן: *Aspesi, Francesco* Aspetti fonetici del confronte fra gr. *gérèn: géranos* ed ebr. *gôren*. ᶠPENNACHIETTI, F. 2006 ⇒127. 29-33.

9792   גליון: *Norin, Stig* Was ist ein Gillajon? VT 56 (2006) 363-369 [Isa 3, 23; 8,1].

9793   גר: *Kraus, Stuart* The word 'ger' in the bible and its implications. JBQ 34 (2006) 264-270.

9794   גשם: **Dias da Silva, Cássio Murilo** Aquele que manda a chuva sobre a face da terra. ᴰ*Simian-Yofre, Horacio*: Bíblica Loyola 50: São Paulo 2006, Loyola 334 pp 85-15-03386-0. Diss. Pont. Ist. Biblico. חושך ⇒9781.

9795   חסד: **Börschlein, Wolfgang** Häsäd—der Erweis von Solidarität als eine ethische Grundhaltung im Alten Testament. EHS.T 685: 2000 ⇒16,8528. ᴿZAR 12 (2006) 386-387 (*Otto, Eckart*).

9796   טרם: *Hatav, Galia* The modal nature of טֶרֶם in Biblical Hebrew. HebStud 47 (2006) 23-47 [Qoh 4,17-5,6].

9797   יום ה': *Ishai-Rosenboim, Daniella* Is יום ה' (the Day of the Lord) a term in biblical language?. Bib. 87 (2006) 395-401.

9798   יחד: *Metso, Sarianna* Whom does the term Yaḥad identify?. ᶠKNIBB, M.: JSJ.S 111: 2006 ⇒87. 213-235.

9799   ישראל: **Hayward, C.T.R.** Interpretations of the name Israel in ancient Judaism and some early christian writings: from victorious athlete to heavenly champion. 2005 ⇒21,10350. ᴿJSJ 37 (2006) 450-451 (*Niehoff, Maren*);

9800 *Kogan, Leonid* The etymology of Israel (with an appendix on non-Hebrew Semitic names among Hebrews in the Old Testament). B&B 3 (2006) 237-255;

9801 *Scatolini Apóstolo, Silvio S.* On the elusiveness and malleability of 'Israel' JHScr 6 (2006)*.

9802 כוש: **Lokel, Philip** The importance and challenges of finding Africa in the Old Testament: the case of the Cush texts. n.p. 2006, n.p. xii; 305 pp. Bibl. 275-305.

9803 כפרת: *Bordreuil, Pierre pårōket* et *kappōret*: à propos du saint des saints en Canaan et en Judée. ^FMARGUERON, J.: Subartu 17: 2006 ⇒ 104. 161-168.

9804 לב: *Blocher, Henri* Le coeur. La bible au microscope. 2006 <1997> ⇒192. 25-38.

9805 לויתן: *Kater, Thomas* Leviathan: Ijob 3 und 40, Psalm 74 und 104 und Jesaja 27 Die besten Nebenrollen. 2006 ⇒1164. 165-167.

9806 מזבח: *Lenchak, Timothy A.* What's biblical about... the altar? BiTod 44 (2006) 248-250.

9807 מזרק: *Borowski, Oded* The biblical מזרק: what is it? ^FHAYES, J.: LHBOTS 446: 2006 ⇒64. 152-157.

9808 מלך: *Kee, Min Suc* Semantic development of *mlk* within the council system of ancient Mesopotamia Stimulation from Leiden. BEAT 54: 2006 ⇒686. 295-304.

9809 מן: **García-Huidobro Correa, Alfonso F.** El maná en la tradición bíblica. ^D*Varo Pineda, F.* 2006, Diss. Pampeluna [RTL 38,614].

9810 מצבה: *Bloch-Smith, Elizabeth* Massebot in the Israelite cult: an argument for rendering implicit cultic criteria explicit. Temple and worship. LHBOTS 422: 2006 ⇒716. 28-39 [Arad; Megiddo; Hazor].

9811 מרזח: *Ravasco, Andrea* Il marzeah nell'esegesi e nella filologia. Materia Giudaica 11/1-2 (2006) 391-403 [Jer 16,5; Amos 6,4-7].

9812 משא: *Willi-Plein, Ina* Wort, Last oder Auftrag?: zur Bedeutung von משא in Überschriften prophetischer Texteinheiten. ^FMEINHOLD, A.: ABIG 23: 2006 ⇒110. 431-438 [Jer 23,33-40].

9813 נדר: *Zanella, Francesco* "Promised gift" and "promise of a gift": the case of the lexeme ndr. Materia Giudaica 11/1-2 (2006) 255-262.

9814 נקד: *Lang, Martin* na-gada–naqidu–noqed: ein Beitrag zur altorientalisch-biblischen Hirtenterminologie. ^FHAIDER, P.: Oriens et Occidens 12: 2006 ⇒60. 331-339.

9815 עולה;עלה: *Watts, James W. ʿŌlāh*: the rhetoric of burnt offerings. VT 56 (2006) 125-137.

9816 עקן: *Zwickel, Wolfgang* Lähmen oder in Besitz nehmen? BN 128 (2006) 27-29 [Josh 11,6; 2 Sam 8,4].

9817 פָּרֹכֶת: *Gurtner, Daniel M.* The biblical veil in the Dead Sea scrolls. Qumran Chronicle 14/1-2 (2006) 57-79.
       פרכת ⇒9803.

9818 צלם: *Ferrer Costa, Joan* 'Imatge de Déu', un concepte ambigu en la Bíblia hebrea. Imatge de Déu. Scripta Biblica 7: 2006 ⇒463. 11-30.

9819 צנור: *Poirier, John C.* David's 'hatred' for the lame and the blind (2 Sam. 5.8A). PEQ 138 (2006) 27-33.

9820 קדש: *Martínez A., Hugo O.* La consagración sacerdotal. ^FORTÍZ VALDIVIESO, P. 2006 ⇒123. 33-44.
       קדשה ⇒9775.

9821 ראשית: *Blocher, Henri* The fear of the Lord as the 'principle' of wisdom. La bible au microscope. 2006 <1977> ⇒192. 29-55.

9822   רוח: **Camilloni, Maria T.** Parole a confronto. R 2006, Arti Grafiche
       30 pp.
9823   רחק: *Botta, Alejandro F.* רחק in the bible: a re-evaluation. Ment.
       Cross, Frank M.: Bib. 87 (2006) 418-420 [Ezek 8,6; 11,15-17].
9824   שעירים *Münnich, Maciej M.* What did the biblical goat-demons look
       like? UF 38 (2006) 525-535 [Lev 17,7; 2 Kgs 23,8; 2 Chr 11,15; Isa
       13,21; 34,14].
9825   -ש: *Huehnergard, John* On the etymology of the Hebrew relative *še-*.
       Biblical Hebrew. 2006 ⇒725. 103-125.
9826   שלט: *Garbini, Giovanni* La lancia del re: indagini su ebr. *shelet.*
       ᶠPENNACHIETTI, F. 2006 ⇒127. 301-305.
9827   שלמים: **Modéus, Martin** Sacrifice and symbol: biblical šelamîm in a
       ritual perspective. CB.OT 52: 2005 ⇒21,10387. ᴿRivBib 54 (2006)
       379-380 (*Cardellini, Innocenzo*); RB 113 (2006) 306-308 (*Tar-
       ragon, J.-M. de*); RBLit (2006)* (*Watts, James*).
9828   שמים: *Sachs, Gerardo* Why *shamayim* as sky. JBQ 34 (2006) 130.

Syriac

9829   *aggen*: *Brock, Sebastian P.* From Annunciation to Pentecost: the
       travels of a technical term. Fire from heaven. 2006 <1993> ⇒195.
       XIII.71-91 [Luke 1,35].
9830   *ḥyʾ*: *Lenzi, Giovanni* The Syriac usage of the term 'life' for 'salva-
       tion' reconsidered. JNSL 32/1 (2006) 83-95.

Ugaritic

       arbdd ⇒9777.
9831   *hby*: *Noegel, Scott B.* 'He of two horns and a tail'. UF 38 (2006) 537-
       542.
9832   *ḥbṭ*: *Tropper, Josef* Zur Semantik des ugaritischen Verbs ḥbṭ. ᶠSAN-
       MARTÍN, J.: AuOr.S 22: 2006 ⇒144. 391-398.
9833   *nqdm*: *Dijkstra, Meindert* Some prosopographical remarks on the
       nqdm in KTU 4.412+. ᶠSANMARTÍN, J.: 2006 ⇒144. 207-218.
9834   *sākinu*: *Van Soldt, Wilfred* Studies on the *sākinu*-official (3): the
       sākinu of other Ugaritic towns and of the palace and the queen's
       house, and the findspots of the tablets. UF 38 (2006) 675-697.

J1.5 *Phoenicia, ugaritica*—**Northwest Semitic** [⇒T5.4]

9835   **Aartun, Kjell** Studien zur ugaritischen Lexikographie, mit kultur-
       und religionsgeschichtlichen Parallelen, 2: Beamte, Götternamen,
       Götterepitheta, Kultbegriffe, Metalle, Tiere, Verbalbegriffe: neue
       vergleichbare Inschriften. Wsb 2006, Harrassowitz 2 vols; xiii; 1409
       pp. €198. 978-34470-53266. Teil II, A-B; Ill.
9836   *Alexandre, Yardenna* A Canaanite early Phoenician inscribed bronze
       bowl in an Iron Age IIa-B burial cave at Kefar Veradim, northern Is-
       rael. Maarav 13 (2006) 7-41, 129-133.
9837   *Amadasi Guzzo, Maria G.* Un'iscrizione fenicia da Ibiza. ᶠPENNA-
       CHIETTI, F. 2006 ⇒127. 13-20;
9838   Tas Silġ—le iscrizioni fenicie nel santuario di Astarte. Scienze
       dell'antichità 12 (2005) 285-299.

9839 *Ambros, Arne A.; Jursa, Michael* No flight of peace, no lover of wisdom?: a reconsideration of two phrases in Phoenician and Punic. JSSt 51 (2006) 257-265.

9840 *Arnaud, Daniel* Un fragment de lettre en canaanéen: RS 94.2615, provenant sans doute de Tyr. AuOr 24 (2006) 7-15.

9841 *Barker, William D.* 'And thus you brightened the heavens...': a new translation of KTU 1.5 i 1-8 and its significance for Ugaritic and biblical studies. UF 38 (2006) 41-52 [Job 3,8; 26,13; Isa 27,1].

9842 **Bordreuil, Pierre; Pardee, Dennis** Manuel d'Ougaritique. 2004 ⇒ 20,9464; 21,10398. [R]JAOS 125 (2005) 434-436 (*Parker, Simon B.*).

9843 *Bron, François* La stèle bilingue latine et néo-punique de Henchir Brighita (KAI 142). AuOr 24 (2006) 143-144.

9844 *Brugnatelli, V.* Come si concludeva il poema di Aqhat?. [F]PENNACHIETTI, F. 2006 ⇒127. 149-157.

9845 **Chesson, Meredith S.; Darnell, John Coleman** Results of the 2001 Kerak plateau Early Bronze Age survey: two early alphabetic inscriptions from the Wadi el-Hôl: new evidence for the origin of the alphabet from the western desert of Egypt. AASOR 59: Boston, Mass. 2005, ASOR v; 124 pp. 0-89757-071-5.

9846 *Cunchillos, Jesús-Luis* Los análisis morfológicos del Ugaritic Data Bank: el contexto hermeneumático. [F]SANMARTÍN, J.: AuOr.S 22: 2006 ⇒144. 145-155.

9847 *Dietrich, Manfried; Loretz, Oswald* Varianten einer Segensformel, Schreibfehler und Korrektur in KTU 1.15 II 16b-20 ‖ 1.17 I 34-36a;

9848 Der Name *åkpgt* auf dem Siegelzylinder KTU 6.15 (RS 6.223). UF 38 (2006) 139-144/145-147.

9849 *Gantzert, Merijn* Syrian lexical texts (1): a comparison of the Ugarit and Emar Syllabary A Palaeography texts. UF 38 (2006) 269-281;

9850 (2): the Peripheral Syllabary A appendices. UF 38 (2006) 283-297;

9851 (3): the Peripheral Weidner God lists. UF 38 (2006) 299-311.

9852 *Gass, Erasmus* Samson and Delilah in a newly found inscription?. JNSL 32/2 (2006) 103-114.

9853 Gath inscription evidences Philistine assimilation. BArR 32/2 (2006) 16.

9854 *Greenstein, Edward L.* Forms and functions of the finite verb in Ugaritic narrative verse. Biblical Hebrew. 2006 ⇒725. 75-102.

9855 *Gzella, Holger* Die Entstehung des Artikels im Semitischen: eine 'phönizische' Perspektive. JSSt 51 (2006) 1-18.

9856 *Hutton, Jeremy M.* Ugaritic */Š/ and the roots ŠBM and ŠM[D] in KTU 1.3.III.40. Maarav 13 (2006) 75-83 [Job 40,25-26].

9857 *Israel, Felice Yânu* + accusativo nel semitico siro-palestinese e il sincretismo dei casi nel semitico. [F]PENNACHIETTI, F. 2006 ⇒127. 337-353.

9858 *Kafafi, Z. R-ḥ-b* and *y-n-<w>-ʿ-m*: two Late Bronze Age sites in north Jordan: a study of toponomy. Proceedings of Yarmouk Second Annual Colloquium on epigraphy. 2005 ⇒890. 51-68.

9859 *Kallai, Zecharia* Note on J.A. Emerton: Lines 25-6 of the Moabite Stone and a recently-discovered inscription. VT 56 (2006) 552-553.

9860 *Khan, Geoffrey* Some aspects of the copula in North West Semitic. Biblical Hebrew. 2006 ⇒725. 155-176.

9861 *Kogan, Leonid* Lexical evidence and the genealogical position of Ugaritic (I). B&B 3 (2006) 429-488.

9862 *Kottsieper, Ingo* Hebräische, transjordanische und aramäische Briefe. Briefe. TUAT N.F. 3: 2006 ⇒632. 357-383.

9863 *Lam Joseph* The Hurrian section of the Ugaritic ritual text RS 24.643 (KTU 1.148). UF 38 (2006) 399-413.

9864 *Lehmann, R.G.* Space-syntax and metre in the inscription of Yaḥaw-milk, King of Byblos. Proceedings of Yarmouk Second Annual Colloquium on epigraphy and ancient writings. 2005 ⇒890. 69-98.

9865 *Lemaire, A.* Syrie-Phénicie-Palestine: première partie: épigraphie. TEuph 32 (2006) 185-194;

9866 Hebrew and Aramaic in the first millennium B.C.E. in the light of epigraphic evidence (socio-historical aspects);

9867 *Lemaire, André; Yardeni, Ada* New Hebrew ostraca from the Shephelah. Biblical Hebrew. 20 pl. 2006 ⇒725. 177-196/197-223

9868 *Loretz, Oswald* Heimführung des betrunkenen Greises/Vaters nach KTU 1.17 I 30-31, Jes 51,18 und XENOPHANES (B 1,17-18). UF 38 (2006) 437-443.

9869 *Martone, C.* Le lettere di Bar Kokhba provenienti dal Deserto di Giuda: testo e traduzione. ᶠPENNACHIETTI, F. 2006 ⇒127. 469-474.

9870 **Molke, Christian** Der Text der Mescha-Stele und die biblische Geschichtsschreibung. Beiträge zur Erforschung der antiken Moabitis (Ard El-Kerak) 5: Fra 2006, Lang 144 pp. €34. 3-631-55807-4. Bibl. 138-144.

9871 *Moriggi, M.* A bilingual silver lamella in the Medagliere Capitolino (Rome). ᶠPENNACHIETTI, F. 2006 ⇒127. 515-522.

9872 *Mosca, Paul G.* Some grammatical and structural observations on the Trophy inscription from Kition (Cyprus). Maarav 13 (2006) 175-192.

9873 *Niehr, Herbert; Schwemer, Daniel* Briefe aus den Archiven von Ugarit. Briefe. TUAT N.F. 3: 2006 ⇒632. 248-272;

9874 Briefe aus Syrien: Korrespondenzen innerhalb des Königreichs von Ugarit und seiner Verwaltung. Briefe. 2006 ⇒632. 273-288.

9875 *O'Connor, Michael* The human characters' names in the Ugaritic poems: onomastic eccentricity in Bronze-Age West Semitic and the name Daniel in particular. Biblical Hebrew. 2006 ⇒725. 269-283.

9876 *Olmo Lete, Gregorio del* The alphabetic sequence of a Ugaritic dictionary. AuOr 24 (2006) 145-148.

9877 **Olmo Lete, Gregorio del; Sanmartín Ascaso, Joaquín** A dictionary of the Ugaritic language in the alphabetic tradition, 1: ['(a/i/u-k], 2: [l-z]. ᵀ*Watson, Wilfred G.E.*: HO 1/67: 2003 ⇒19,9806; 21, 10421. ᴿJNES 65 (2006) 232-234 (*Pardee, Dennis*); AuOr 24 (2006) 135-141 (*Kogan, Leonid*).

9878 *Parker, Julie F.* Women warriors and devoted daughters: the powerful young woman in Ugaritic narrative poetry. UF 38 (2006) 557-75.

9879 *Scagliarini, Fiorella* Tas Sil̄ġ–recipienti del santuario. Scienze dell'antichità 12 (2005) 301-308.

9880 **Schade, Aaron** A syntactic and literary analysis of ancient Northwest Semitic inscriptions. Lewiston, N.Y 2006, Mellen 329 pp. 978-0-77-34-5526-9. Bibl. 309-322.

9881 *Schade, Aaron* The syntax and literary structure of the Phoenician inscription of Yeḥmilk. Maarav 13 (2006) 119-122.

9882 *Stehlik, Ondrej (Andrew)* A divine bribe: multi-disciplinary approach to unravel conundrum of KTU 1.14 II 1-3 (and parallels): transfer of prestige technology as attested in Ugarit. UF 38 (2006) 665-673.

9883 *Villeneuve, Estelle* Signé Goliath?. MoBi 170 (2006) 49.

9884 *Watson, Wilfred G.E.* Non-Semitic words in the Ugaritic lexicon (6). UF 38 (2006) 717-728.
9885 *Weigl, Michael* Eine Inschrift aus Silo 4 in Ḥirbet el-Mudeyine (Wadi et-Temed, Jordanien). ZDPV 122 (2006) 31-45; Taf. 10.
9886 *Worschech, Udo* An inscription from Al-Balu (Ard1 Al-Karak). ADAJ 50 (2006) 99-105.

J1.6 Aramaica

9887 *Abdelaziz, Mahdi* Remarques sur quelques inscriptions nabatéennes du sud de la Jordanie. ANESt 43 (2006) 118-129.
9888 *al-Jadir, Adil H.* A new inscription from Hatra. JSSt 51 (2006) 305-311.
9889 *Alonso Fontela, Carlos; Alarcón Sainz, Juan J.* Las cartas arameas de Bar Kokba: texto, traducción y comentario. Sef. 66 (2006) 23-54.
9890 *Athas, George* Setting the record straight: what are we making of the Tel Dan inscription?. JSSt 51 (2006) 241-255.
9891 **Athas, George** The Tel Dan inscription: a reappraisal and a new interpretation. JSOT.S 360: 2003 ⇒19,9823... 21,10434. ᴿJNES 65 (2006) 289-291 (*Pardee, Dennis*).
9892 *Ben-Shammai, Haggai* Babylonian Aramaic in Arabic characters: a passage from 'Anan's *Book of precepts* in a work by Yehoshuʿa b. Judah the Karaite. JSAI 32 (2006) 419-432.
9893 *Blau, Joshua; Hopkins, Simon* On Aramaic vocabulary in early Judaeo-Arabic texts written in phonetic spelling. JSAI 32 (2006) 433-471.
9894 *Breuer, Yochanan* Aramaic in late antiquity. The Cambridge history of Judaism, 4. 2006 ⇒541. 457-491;
9895 The Aramaic of the talmudic period. The literature of the sages, part 2. CRI II,3b: 2006 ⇒669. 597-625.
9896 *Briquel Chatonnet, F.* The newly published Aramaic inscription of Yanouḥ (Lebanon) and the question of the Ituraeans. Proceedings Yarmouk Second Annual Colloquium. 2005 ⇒890. 1-10.
9897 *Cross, Frank M.* Personal names in the Samaria papyri. BASOR 344 (2006) 75-90.
9898 *Estelle, Bryan* The use of deferential language in the Arsames correspondence and Biblical Aramaic compared. Maarav 13 (2006) 43-74 [Elephantine].
9899 *Geller, M.J.* Philology versus linguistics and Aramaic phonology. BSOAS 69 (2006) 79-89.
9900 *Graf, David F.; Said, Salah* New Nabataean funerary inscriptions from Umm al-Jimāl. JSSt 51 (2006) 267-303.
9901 *Gzella, Holger* Das Aramäische in den römischen Ostprovinzen: Sprachsituationen in Arabien, Syrien und Mesopotamien zur Kaiserzeit. BiOr 63 (2006) 15-39;
9902 Zu den Verlaufsformen für die Gegenwart im Aramäischen. Or. 75 (2006) 184-188.
9903 **Gzella, Holger** Tempus, Aspekt und Modalität im Reichsaramäischen. VOK 48: 2004 ⇒20,9506; 21,10450. ᴿWO 36 (2006) 258-262 (*Oelsner, Joachim*); ThZ 62 (2006) 465-467 (*Jenni, Hanna*).
9904 **Hackl, Ursula; Jenni, Hanna; Schneider, Christoph** Quellen zur Geschichte der Nabatäer: Textsammlung mit Übersetzung und Kom-

mentar. NTOA 51: 2003 ⇒19,9840. [R]WO 36 (2006) 252-255 (*Kühn, Dagmar*).

9905 **Hagelia, Hallvard** The Tel Dan inscription: a critical investigation of recent research on its palaeography and philology. AUU.SSU 22: U 2006, Uppsala Univ. 250 pp. $59.50. 91554-66133.

9906 *Häberl, Charles G.* Iranian scripts for Aramaic languages: the origin of the Mandaic script. BASOR 341 (2006) 53-62.

9907 *Heltzer, Michael* The Galgūla family in south Judah and the local sanctuaries. AltOrF 33 (2006) 164-167.

9908 **Khan, Geoffrey** The Jewish Neo-Aramaic dialect of Sulemaniyya and Halabja. SStLL 44: 2004 ⇒20,9517; 21,10461. [R]OLZ 101 (2006) 528-529 (*Arnold, Werner*).

9909 *Koch, Christoph* Zwischen Hatti und Assur: traditionsgeschichtliche Beobachtungen zu den aramäischen Inschriften von Sfire. Die deuteronomistischen Geschichtswerke. BZAW 365: 2006 ⇒492. 379-406.

9910 **Lamprecht, Adriaan** Verb movement in Biblical Aramaic. Acta Academica.S 1: 2001 ⇒19,9851. [R]HebStud 47 (2006) 436-439 (*Holmstedt, Robert D.*).

9911 *Lemaire, André* New Aramaic ostraca from Idumea and their historical interpretation. Judah and the Judeans. 2006 ⇒941. 413-456.

9912 *Levene, Dan* Calvariae magicae: the Berlin, Philadelphia and Moussaieff skulls. Or. 75 (2006) 359-379 (Tab. XXXVII-XLIX).

9913 **Levene, Dan** A corpus of magic bowls: incantation texts in Jewish Aramaic from late antiquity. 2003 ⇒19,9860. [R]JSSt 51 (2006) 207-214 (*Ford, J.N.*).

9914 **Lozachmeur, Hélène**, *al.*, La collection Clermont-Ganneau : ostraca, épigraphes sur jarre, étiquettes de bois. MAIBL 35: P 2006, De Boccard 2 vols; 558 pp. €190. 2-87754-164-9. Préf. *Jean Leclant*; 347 pl.; Bibl. 547-556.

9915 *MacDonald, M.C.A.* Burial between the desert and the sown: cavetombs and inscriptions near Dayr al-Kahf in Jordan (Taf. 42-54). DaM 15 (2006) 273-301.

9916 *McCollum, Adam* Recent studies on the Jewish Neo-Aramaic dialects. JQR 96 (2006) 569-577 [Gen 35,22].

9917 *Murre-van den Berg, H.* A Neo-Aramaic gospel lectionary translation by Israel of Alqosh. [F]PENNACHIETTI, F. 2006 ⇒127. 523-533.

9918 *Mutzafi, Hezy* On the etymology of some enigmatic words in NorthEastern Neo-Aramaic. AramSt 4 (2006) 83-99.

9919 **Mutzafi, Hezy** The Jewish Neo-Aramaic dialect of Koy Sanjaq (Iraqi Kurdistan). Semitica Viva 32: 2004 ⇒20,9525; 21,10474. [R]OLZ 101 (2006) 67-76 (*Waltisberg, M.*).

9920 **Müller-Kessler, Christa** Die Zauberschalentexte in der HilprechtSammlung, Jena, und weitere Nippur-Texte anderer Sammlungen. 2005 ⇒21,10476. [R]BiOr 63 (2006) 579-588 (*Gzella, Holger*).

9921 *Na'aman, Nadav* The story of Jehu's rebellion: Hazael's inscription and the biblical narrative. IEJ 56 (2006) 160-166.

9922 *Nebe, G. Wilhelm* Zu den Bausteinen der deiktischen Pronomina im babylonisch-talmudischen Aramäischen. [F]AGUS, A. 2006 ⇒1. 251-274.

9923 **Neef, Heinz-Dieter** Arbeitsbuch Biblisch-Aramäisch: Materialien, Beispiele und Übungen zum Biblisch-Aramäisch. Tü 2006, Mohr S. xvi; 206 pp. 3-16-148874-1.

9924 *Newman, Hillel I. P.* Yadin 8: a correction. JJS 57 (2006) 330-335.

9925 *Notarius, Tania* 'q(n) "wood" in the Aramaic ostraca from Idumea: a note on the reflex of protosemitic /*s/ in Imperial Aramaic. AramSt 4 (2006) 101-109.

9926 *Porten, Bezalel; Yardeni, Ada* Social, economic, and onomastic issues in the Aramaic ostraca of the fourth century B.C.E. Judah and the Judeans. 2006 ⇒941. 457-488.

9927 **Río Sánchez, F. del** Textos epigráficos en arameo palmireno, hatreo y nabateo. Estudios de filología semítica 6: Barc 2006, Univ. de Barcelona 123 pp. 84931-11856.

9928 *Río Sánchez, Francisco del* Diglosia en arameo antiguo. [F]SANMARTÍN, J.: AuOr.S 22: 2006 ⇒144. 173-181.

9929 **Rosenthal, Franz** A grammar of Biblical Aramaic. PLO 5: Wsb [7]2006, Harrassowitz x: 107 pp. 3-447-05251-1.

9930 **Schattner-Rieser, Ursula** L'araméen des manuscrits de la mer Morte I: grammaire. 2004 ⇒20,9531. [R]JSJ 37 (2006) 491-494 (*Cook, Edward*); BiOr 63 (2006) 358-360 (*Muraoka, Takamitsu*); BSLP 101 (2006) 175-178 (*Kessler-Mesguich, Sophie*).

9931 [E]**Schwiderski, Dirk** Die alt- und reichsaramäischen Inschriften, Band 2: Texte und Bibliographie. FoSub 2: 2004 ⇒20,9532; 21,10482. [R]TEuph 31 (2006) 177-179 (*Lemaire, André*).

9932 *Shaked, Shaul* Notes on some Jewish Aramaic inscriptions from Georgia. JSAI 32 (2006) 503-510.

9933 **Sokoloff, Michael** A dictionary of Judean Aramaic. 2003 ⇒19,9888 ... 21,10488. [R]JSSt 51 (2006) 204-205 (*Beyer, Klaus*).

9934 *Tadmor, Hayim* On the role of Aramaic in the Assyrian Empire. Assyria, Babylonia and Judah. 2006 <1991> ⇒314. 177-182. **H**.

9935 *Tubach, Jürgen* Die so genannte Bel-Triade in Palmyra und ihre Herkunft. [F]HAIDER, P.: Oriens et Occidens 12: 2006 ⇒60. 195-218.

9936 *Wesselius, Jan-Wim* Language play in the Aramaic letters from Hermopolis. AramSt 4 (2006) 243-258.

9937 *Yun, Ilsung A.* A case of linguistic transition: the Nerab inscriptions. JSSt 51 (2006) 19-43.

J1.7 Syriaca

9938 *Abou Samra, G.* A Syriac inscription in the church of Saint Memas, Ihden–Lebanon. Proceedings of Yarmouk Second Annual Colloquium on epigraphy and ancient writings. 2005 ⇒890. 3-17. **A**.

9939 *Alencherry, Joseph* Notion of "Raza'" in Syriac biblical tradition. ETJ 10/2 (2006) 152-164.

9940 *Becker, Adam H.* The discourse on priesthood (BL Add 18295, FF. 137B-140B): an anti-Jewish text on the abrogation of the Israelite priesthood. JSSt 51 (2006) 85-115.

9941 **Bohas, Georges** Les *bgdkpt* en Syriaque: selon Bar Zoʻbî. Toulouse 2005, Amam-Cemaa 92 pp. €12. 29615-67197.

9942 **Brock, Sebastian P.** An introduction to Syriac studies. Gorgias Handbooks 4: Piscataway, NJ 2006, Gorgias ix, 78 pp. $38. 1-59333-349-8.

9943 *Brock, S.P.* Syriac literature: a crossroads of cultures. ParOr 31 (2006) 17-35.

9944 **Coakley, J.F.** The typography of Syriac: a historical catalogue of printing types, 1537-1958. New Castle, Del. 2006, Oak Knoll xxxiv; 272 pp. 1-584-56192-0. Bibl. xviii-xxxiv.

9945   *Géhin, Paul* Manuscrits sinaïtiques dispersés I: les fragments syriaques et arabes de Paris. OrChr 90 (2006) 23-43.
9946   *Gorea, M.* The first Syriac inscriptions from the Jordanian Ḥarrah. Proceedings Yarmouk 2nd Annual Colloquium. 2005 ⇒890. 21-34.
9947   *Healey, John F.* A new Syriac mosaic inscription. JSSt 51 (2006) 313-327.
9948   **Magiera, Janet M.** Aramaic Peshitta New Testament translation: with explanatory footnotes marking variant readings, customs and figures of speech. Torrance, CA 2006, Light of the Word 615 pp.
9949   **Moriggi, Marco** La lingua delle coppe magiche siriache. 2004 ⇒20, 9549; 21,10501. [R]WO 36 (2006) 265-272 (*Müller-Kessler, Christa*); AuOr 24 (2006) 152-155 (*Río Sánchez, F. del*).
9950   *Muraoka, Takamitsu* Further remarks on ʾyt clauses in classical Syriac. [F]JENNER, K.: MPIL 14: 2006 ⇒75. 129-134.
9951   **Muraoka, Takamitsu** Classical Syriac: a basic grammar with a chrestomathy. PLO 19: [2]2005 <1997> ⇒21,10503. [R]OLZ 101 (2006) 65-66 (*Weninger, Stefan*); BiOr 63 (2006) 365-368 (*Gzella, Holger*); WZKM 96 (2006) 546-549 (*Ambros, Arne A.*).
9952   *Pat-El, Naʾama* Syntactical aspects of negation in Syriac. JSSt 51 (2006) 329-348.

J1.8 Akkadica (sumerica)

9953   **Al-Rawi, Farouk N.H.; Verderame, Lorenzo** Documenti amministrativi neo-sumerici da Umma conservati al British Museum: (NATU II). Nisaba 11: Messina 2006, Di.Sc.A.M. 287 pp. 88826-8010X.
9954   *Alster, Bendt; Oshima, Takayoshi* A Sumerian proverb tablet in Geneva, with some thoughts on Sumerian proverb collections. Or. 75 (2006) 31-72 (Tab. III).
9955   **Baker, H.D.** The archive of the Nappāḫu family. AfO.B 30: 2004 ⇒ 20,9555. [R]BiOr 63 (2006) 331-334 (*Sandowicz, Malgorzata*).
9956   *Balcioǧlu, Burhan; Mayer, Werner R.* Eine neuassyrische Votivstele aus Turlu Höyük. Or. 75 (2006) 177-181 (Tab. XII-XIII).
9957   **Balke, Thomas E.** Das sumerische Dimensionalkasussystem. AOAT 331: Müns 2006, Ugarit-Verlag €86. 3-934628-80-X. Bibl. 227-263.
9958   *Berlejung, Angelika* Briefe aus dem Archiv von Taanach. Briefe. TUAT N.F. 3: 2006 ⇒632. 230-234.
9959   [T]**Black, Jeremy; Cunningham, Graham; Zólyomi, Gábor** The literature of ancient Sumer. 2004 ⇒20,9559; 21,10508. [R]BiOr 63 (2006) 552-554 (*Katz, Dina*); AfO 51 (2005-2006) 257-258 (*Glassner, Jean-Jacques*).
9960   **Borger, Riekele** Babylonisch-assyrische Lesestücke, Heft I: die Texte in Umschrift. AnOr 54: R [3]2006, E.P.I.B. xx; 1-147 pp. 88-7653-254-4;
9961   Heft II: Elemente der Grammatik und der Schrift; Glossar; die Texte in Keilschrift. AnOr 54: R [3]2006, E.P.I.B. 149-350 pp. 88765-32544.
9962   *Civil, Miguel* The song of the millstone. [F]SANMARTÍN, J.: AuOr.S 22: 2006 ⇒144. 121-138.
9963   *Cohen, Eran* The Old Babylonian paronomastic infinitive in *-am*. JAOS 126 (2006) 425-432.
9964   **Cohen, Eran** The modal system of Old Babylonian. Harvard Semitic Studies 56: 2005 ⇒21,10513. [R]RA 100 (2006) 190-191 (*Charpin, Dominique*).

9965 *Cooper, Jerrold S.* Genre, gender, and the Sumerian lamentation. JCS 58 (2006) 39-47.
ᴱ**Deutscher, G.**, *al.*, The Akkadian language in its Semitic context 2006 ⇒901.

9966 *Dietrich, Manfried: Loretz, Oswald* Alalaḫ-Texte der Schicht VII (III). UF 38 (2006) 87-137.

9967 *Durand, Jean-Marie* La lettre de Labarna au roi de Tigunânum, un réexamen. ᶠSANMARTÍN, J.: AuOr.S 22: 2006 ⇒144. 219-227. Note de *D. Charpin* 225-227.

9968 **Edzard, Dietz Otto** Sumerian grammar. HO I/71: 2003 ⇒19,9918; 21,10520. ᴿOLZ 101 (2006) 26-30 (*Tanos, Bálint*).

9969 *Ephʿal, I.; Tadmor, H.* Observations on two inscriptions of Esarhaddon: Prism Niniveh A and the letter to the god. ᶠNAʾAMAN, N. 2006 ⇒120. 155-170.

9970 **Foster, Benjamin R.** Before the muses: an anthology of Akkadian literature. ³2005 ⇒21,10522. ᴿRBLit (2006)* (*Greenstein, Edward*).

9971 *Galil, Gershon* Financing of private commercial enterprises in the neo-Assyrian period: KAV 121 and other related texts from Aššur. SAA Bulletin 15 (2006) 21-41.

9972 **Halloran, John Alan** Sumerian lexicon: a dictionary guide to the ancient Sumerian language. LA 2006, Logogram xiv; 318 pp. €108. 97-8-09786-42914. Bibl. v-xiv.

9973 **Hasselbach, Rebecca** Sargonic Akkadian: a historical and comparative study of the syllabic texts. 2005 ⇒21,10527. ᴿRBLit (2006)* (*Johnson, Justin*).

9974 *Hecker, Karl* Altassyrische Briefe;
9975 Mittelassyrische Briefe [Dur-Katlimmu];
9976 Mittelbabylonische Briefe. Briefe. TUAT N.F. 3: 2006 ⇒632. 77-100/106-113/114-115.

9977 *Horowitz, Wayne* Cuneiform in Canaan: history, historiography, and methodology. Journal of Ancient Civilizations [Changchun, PRC] 21 (2006) 29-40.

9978 *Horowitz, Wayne; Oshima, Takayoshi; Kreuzer, Siegfried* Die Keilschrifttexte von Taanach / Tell Taʾannek;

9979 *Horowitz, Wayne; Oshima, Takayoshi* The Taanach cuneiform tablets: a retrospective. Taanach. WÄS 5: 2006 ⇒638. 85-99/77-84.

9980 **Horowitz, Wayne; Oshima, Takayoshi** Cuneiform in Canaan: cuneiform sources from the Land of Israel in ancient times. J 2006, Israel Exploration Society 256 pp. $50. 965-221-0625. With *S. Sanders*; Bibl. 187-204.

9981 **Jacques, Margaret** Le vocabulaire des sentiments dans les textes sumériens: recherches sur le lexique sumérien et akkadien. AOAT 332: Müns 2006, Ugarit-Verlag xxii; 656 pp. 39346-28818. Bibl. 603-19.

9982 *Jursa, Michael* Neubabylonische Briefe. Briefe. TUAT N.F. 3: 2006 ⇒632. 158-172.

9983 **Jursa, Michael** Neo-Babylonian legal and administrative documents: typology, contents and archives. 2005 ⇒21,10536. ᴿWZKM 96 (2006) 416-418 (*MacGinnis, John*).

9984 *Karahashi, Fumi* Sumero-Akkadian language contact: a case of coordinating conjunctions in OB royal inscriptions. ᶠSANMARTÍN, J.: AuOr.S 22: 2006 ⇒144. 259-267.

9985 *Keetman, Jan* Wann und warum sprach man im Akkadischen einen Lateralfrikativ?. UF 38 (2006) 363-378.

9986   *Kilmer, Anne D.* Visualizing text: schematic patterns in Akkadian poetry. ^FLEICHTY, E. 2006 ⇒95. 209-221.

9987   *Kleber, Kristin; Frahm, Eckart* A not-so-great escape: crime and punishment according to a document from Neo-Babylonian Uruk. JCS 58 (2006) 109-122.

9988   *Koch, Johannes* Neues vom astralmythologischen Bericht BM 55466+. JCS 58 (2006) 123-135.

9989   ^E**Laurito, Romina; D'Agostino, Franco; Pomponio, Francesco** Neo-Sumerian texts from Ur in the British Museum. Nisaba 5: 2004 ⇒20,9587. ^RJAOS 126 (2006) 265-269 (*Widell, Magnus*).

9990   **Luukko, Mikko** Grammatical variation in Neo-Assyrian. SAAS 16: 2004 ⇒20,9588. ^RJAOS 126 (2006) 127-129 (*Yakubovich, Maria*).

9991   **Malbran-Labat, Florence** Pratique de la grammaire akkadienne: exercises et corrigés. Langues et cultures anciennes 6: Bru 2006, Safran 212 pp. ^RMaarav 13 (2006) 261-268 (*Hasselbach, Rebecca*).

9992   **Martin, Harriet P.**, *al.*, The Fara tablets in the University of Pennsylvania Museum of Archaeology and Anthropology. 2001 ⇒17, 8620. ^RBiOr 63 (2006) 310-311 (*Pasquali, Jacopo*).

9993   *Mayer, Werner R.* Sargons Märchen-Gürtel. Or. 75 (2006) 182-183.

9994   *Michalowski, Piotr* How to read the liver–in Sumerian. ^FLEICHTY, E. 2006 ⇒95. 247-257.

9995   **Mittermayer, Catherine** Altbabylonische Zeichenliste der sumerisch-literarischen Texte. FrS 2006, Academic xi 285 pp. €65.90. 3-7278-1551-5. Bibl. 206-211.

9996   *Neumann, Hans* Sumerische und akkadische Briefe des 3. Jt. v.Chr. Briefe. TUAT N.F. 3: 2006 ⇒632. 1-20.

9997   *Notizia, Palmiro* Messenger texts from G̃irsu: for a new classification. Or. 75 (2006) 317-333.

9998   **Notizia, Palmiro** Testi amministrativi Neo-Sumerici da Girsu nel British Museum: (BM 98119 - BM 98240). Nisaba 13: Messina 2006., Di.Sc.A.M. 131 pp.

9999   *Novotny, Jamie* Assurbanipal inscriptions in the Oriental Institute, part II: prism I. SAA Bulletin 15 (2006) 1-20.

10000   *Oelsner, Joachim* Zu spätbabylonischen Urkunden aus Ur und dem Archiv der Familie gallâbu "Barbier". ^FHAASE, R.: Philippika 13: 2006 ⇒58. 75-87 [Ur].

10001   *Pearce, Laurie E.* Secret, sacred and secular: Mesopotamian intertextuality. CSMSJ 1/1 (2006) 11-23.

10002   *Peterson, Jeremiah* Direct interconnections between the lexical traditions of Kassite Babylonia and the periphery. UF 38 (2006) 577-592.

10003   *Pientka-Hinz, Rosel* Altbabylonische Briefe. Briefe. TUAT N.F. 3: 2006 ⇒632. 21-37.

10004   *Pruzsinszky, Regine* Das Onomastikon der Texte von Tell Ta'annek / Taanach. Taanach. WAS 5: 2006 ⇒638. 101-117.

10005   *Radner, Karen* Briefe aus der Korrespondenz der neuassyrischen Könige. Briefe. TUAT N.F. 3: 2006 ⇒632. 116-157.

10006   ^E**Roth, Martha T.** CAD 18: T: The Assyrian Dictionary of the Oriental Institute of the Univ. of Chicago. Ch 2006, Oriental Institute xxx; 500 pp. 1-885923-42-2;

10007 CAD 19: Ṭ: The Assyrian Dictionary of the Oriental Institute... Ch 2006, Oriental Institute xxxii; 167 pp. 1-885923-43-0.

10008 *Rutz, Matthew T.* Textual transmission between Babylonia and Susa: a new solar omen compendium. JCS 58 (2006) 63-96;

10009 Archaizing scripts in Emar and the diviner Šagger-abu. UF 38 (2006) 593-616.

10010 **Seminara, Stefano** Le iscrizioni reali sumero-accadiche d'età paleobabilonese: un'analisi tipologica e storico-letteraria. AAL.M 18/3: 2004 ⇒20,9603. [R]RA 100 (2006) 131-160 (*Charpin, Dominique*).

10011 **Sigrist, M.; Walker, C.B.F.; Zadok, R.** Catalogue of the Babylonian tablets in the British Museum, 3. L 2006, British Museum Pr. xvii; 334 pp. £45. 07141-11600. [R]JRAS 16 (2006) 305-306 (*MacGinnis, John*).

10012 **Slanski, Kathryn E.** The Babylonian entitlement narûs (kudurrus): a study in their form and function. ASOR Books 9: 2003 ⇒19, 9950. [R]JESHO 49/1 (2006) 1-47 (*Brinkman, J.A.*).

10013 *Streck, Michael P.* Akkadisch. Sprachen des Alten Orients. 2006 <2005> ⇒667. 44-79.

10014 *Tadmor, Hayim* Propaganda, literature, historiography: cracking the code of the Assyrian royal inscriptions. <1997> **H.**;

10015 History and ideology in the Assyrian royal inscriptions. Assyria, Babylonia and Judah. 2006 <1981> ⇒314. 1-19/21-39. **H.**;

10016 Autobiographical apology in the Assyrian royal literature. Assyria, Babylonia and Judah. 2006 <1983> ⇒314. 57-76. **H.**

10017 [T]**Van Dijk, Johannes J.A.; Geller, Markham J.** Ur III incantations from the Frau Professor Hilprecht-Collection, Jena. 2003 ⇒ 19,9964; 20,9605. [R]JNES 65 (2006) 308-309 (*Biggs, Robert D.*).

10018 [T]**Veenhof, Klaas R.** Letters in the Louvre. ABBU 14: 2005 ⇒21, 10563. [R]JAOS 126 (2006) 551-565 (*Cohen, Eran*).

10019 [E]**Westenholz, Aage; Westenholz, Joan M. Goodnick** Cuneiform inscriptions in the collection of the Bible Lands Museum Jerusalem: the Old Babylonian inscriptions. Cuneiform monographs 33: Lei 2006, Brill xiii; 191 pp. €99/$129. 9004-147101. Bibl. 131-47.

10020 **Widell, Magnus** The administrative and economic Ur III texts from the city of Ur. 2003 ⇒19,9970; 21,10565. [R]BiOr 63 (2006) 311-314 (*Molina, Manuel*).

10021 *Wilhelm, Gernot* Briefe aus Nuzi. Briefe. TUAT N.F. 3: 2006 ⇒ 632. 101-105.

10022 *Worthington, Martin* Clause grouping in Neo-Assyrian on the evidence of the direct speech marker ma. Or. 75 (2006) 334-358.

10023 *Wunsch, Cornelia* Metronymika in Babylonien: Frauen als Ahnherrin der Familie. [F]SANMARTÍN, J.: AuOr.S 22: 2006 ⇒144. 459-469.

10024 *Yamada, Masamichi* Lift up your eyes!: EMAR VI 42 in the light of a Ugaritic prayer. Orient 41 (2006) 127-143.

10025 *Ziegler, Nele* Briefe aus Mari. Briefe. 2006 ⇒632. 38-76.

10026 *Zólyomi, Gábor* Sumerisch. Sprachen des Alten Orients. 2006 <2005> ⇒667. 11-43.

J2.7 **Arabica**

10027 *Abdelaziz, Mahdi; Ma'ani, Sultan* Nouvelles inscriptions thamudiénnes du sud de la Jordanie. ANESt 43 (2006) 130-141.

10028 **Declich, Lorenzo** The Arabic manuscripts of the Zanzibar National
       Archives: a checklist. Pisa 2006, Accademia editoriale 111 pp.
10029 *Eksell, K.* Verbs of sadness in Safaitic inscriptions. Proceedings
       Yarmouk 2nd Annual Colloquium. 2005 ⇒890. 11-19.
10030 *Mendenhall, George E.* Arabic in Semitic linguistic history. JAOS
       126 (2006) 17-26.
10031 *Radscheit, Matthias* Arabisch als lingua sacra: zum linguistischen
       Rangstreit im Irak des 9. Jh. n. Chr. Gotteswort und Menschenrede.
       2006 ⇒371. 105-122.
10032 *Sadaqah, I.* A new reading of the verb *ḤRṢ* in the Safaitic inscrip-
       tions. Proc. Yarmouk 2nd Ann. Colloquium. 2005 ⇒890. 35-49. **A**.
10033 *Sholan, A.* An analytical study of a new Sabaic inscription on a
       censer. Proc. Yarmouk 2nd...Colloquium. 2005 ⇒890. 19-34. **A**.
10034 *Stein, Peter* Sabäische Briefe. Briefe. 2006 ⇒632. 384-398;
10035 Träume im antiken Südarabien. AltOrF 33 (2006) 293-312.
10036 **Stein, Peter** Untersuchungen zur Phonologie und Morphologie des
       Sabäischen. Epigraphische Forschungen auf der Arabischen Halb-
       insel 3: 2003 ⇒20,9614. ^ROr. 75 (2006) 129-131 (*Bron, François*);
       JSSt 51 (2006) 218-220 (*Knauf, Ernst Axel*); OLZ 101 (2006) 76-
       84 (*Mazzini, Giovanni*); JAOS 126 (2006) 253-260 (*Avanzini, A.*).
10037 *Talafha, Z.* The *'Imālah* and the phonetic interchange *'Ibdal* in the
       Safaitic inscriptions. Proceedings of Yarmouk Second Annual Col-
       loquium on epigraphy and ancient writings. 2005 ⇒890. 51-62. **A**.
10038 *Winet, Monika* 'Suche das Wissen, auch wenn es in China wäre':
       Reisende und Reiseberichte in der arabischen Literatur. Mensch
       und Raum. Colloquium Rauricum 9: 2006 ⇒879. 150-168.

J3.0 Aegyptia

10039 ^T**Allen, James P.** The ancient Egyptian pyramid texts. ^E*Der Manu-
       elian, Peter*: Writings from the Ancient World 23: 2005 ⇒21,
       10580. ^RRBLit (2006)* (*Volokhine, Youri*); JBL 125 (2006) 569-70
       (*Moore, Michael*).
10040 **Altenmüller, Hartwig** Einführung in die Hieroglyphenschrift.
       2005 ⇒21,10581. ^ROLZ 101 (2006) 390-392 (*Lieven, Alexandra
       von*); WZKM 96 (2006) 365-368 (*Holaubek, Johanna*).
10041 *Aly, Mohamed I.* Documents inédits provenant des petits souter-
       rains du Sérapéum de Memphis (textes et commentaire). MDAI.K
       62 (2006) 43-61; Pl. 10-14.
10042 **Barbotin, Christophe** La voix des hiéroglyphes: promenade au
       Département des antiquités égyptiennes du Musée du Louvre. 2005
       ⇒21,10582. ^RCRAI (2006) 1030-1032 (*Grimal, Nicolas*).
10043 **Bassiouney, Reem** Functions of code switching in Egypt: evidence
       from monologues. SStLL 46: Lei 2006, Brill ix; 260 pp. 90-04-14-
       760-8. Bibl. 253-258.
10044 **Bárta, Miroslav** Sinuhe, the bible, and the patriarchs. 2003 ⇒20,
       9620; 21,10583. ^RJARCE 42 (2005-6) 167-9 (*Roberson, Joshua*).
10045 *Ben-Tor, Amnon* Do the execration texts reflect an accurate picture
       of the contemporary settlement map of Palestine?. ^FNA'AMAN, N.
       2006 ⇒120. 63-87.
10046 *Bommas, Martin* Die hieroglyphischen Texte auf dem Sarg des
       Tabnit (Arch. Museum Istanbul, InvNr. 800): zur Vergesellschaf-

tung und Performanz von Einzelsprüchen auf spätzeitlichen Särgen. Or. 75 (2006) 1-15 (Taf. I-II).

10047 **Bouvier, Guillaume.** Les étiquettes de jarres hiératiques de l'Institut d'Égyptologie de Strasbourg. DFIFAO 43: 2003 ⇒19,9990. ^{R}OLZ 101 (2006) 407-409 (*Neunert, Gregor*).

10048 *Contardi, Federico* The stela of Seshen-Nefertem from the tomb of Sheshonq (TT 27). Or. 75 (2006) 141-155 [Thebes].

10049 **Darnell, John C.** The inscription of Queen Katimala at Semna: textual evidence for the origins of the Napatan state. Yale Egyptological studies 7: NHv 2006, Yale Egyptological Seminar xi; 112 pp. £22. 0-9740025-3-4. Bibl. 73-91;

10050 Theban desert road survey in the Egyptian Western desert: vol. 1: Gebel Tjauti rock inscriptions 1-45 and Wadi el-Hôl rock inscriptions 1-45. UCOIP 119: 2002 ⇒18,9243; 21,10593. ^{R}OLZ 101 (2006) 123-129 (*Franke, Detlef*).

10051 **David, Arlette** Syntactic and lexico-semantic aspects of the legal register in Ramesside royal decrees. GOF.Ä 38; Classification and Categorisation in Ancient Egypt 5: Wsb 2006, Harrassowitz vii; 313 pp. €78. 3-447-05232-5. Bibl. 265-288.

10052 ^{T}**Devauchelle, Didier** La pierre de Rosette. Ment. *Champollion, Jean-François* P 2003, Ed. Alternatives 63 pp. 286-227-3805. Bibl.

10053 ^{E}**Dorn, Andreas; Hofmann, Tobias** Living and writing in Deir el-Medina: socio-historical embodiment of Deir el-Medina texts. Aegyptiaca Helvetica 19: Ba 2006, Schwabe 200 pp. €47.50. 3-7965-2213-0. Bibl. 171-183.

10054 **Gasse, Annie** Ostraca littéraires de Deir al-Médina, 5: Nos. 1775-1873 et 1156. Documents des fouilles 44: 2005 ⇒21,10597. ^{R}OLZ 101 (2006) 409-413 (*Burkard, Günter*).

10055 *Gestermann, Louise* Ägyptische Briefe: Briefe in das Jenseits. Briefe. TUAT N.F. 3: 2006 ⇒632. 289-306.

10056 *Goldwasser, Orly* Canaanites reading hieroglyphs: Horus is Hathor?–the invention of the alphabet in Sinai. Ä&L 16 (2006) 121-160.

10057 *Goren, Yuval, al.*, Provenance study and re-evaluation of the cuneiform documents from the Egyptian residency at Tel Aphek. Ä&L 16 (2006) 161-171.

10058 **Grandet, Pierre** Catalogue des ostraca hiératiques non littéraires de Deîr el-Médînéh, tome X—nos 10001-10123. DFIFAO 46—2006: Cairo 2006, Inst. Français d'Archéologie Orientale du Caire xx; 321 pp. €40. 27247-04185.

10059 **Hannig, Rainer** Zur Paläographie der Särge aus Assiut. HÄB 47: Hildesheim 2006, Gerstenberg xxvii; 930 pp. 978-3-8067-8569-2;

10060 Ägyptisches Wörterbuch. Kulturgeschichte der antiken Welt 98, 112; Hannig-Lexica 4, 5: Mainz 2006, Von Zabern 2 vols. 3-8053-3088-X/690X.

10061 *Jansen-Winkeln, Karl* Die Libyer in Herakleopolis Magna. Or. 75 (2006) 297-316, Taf. XXXI-XXXVI.

10062 *Kaplony-Heckel, Ursula* Theben Ost III: die r-rḫ=w-Tempel-Quittungen und ähnliche Texte; zweiter Teil: neunzehn r-rḫ=w-Tempel-Quittungen (Nr. 26-44), eine staatliche r-rḫ=w-Quittung (*Nr. 30A) und drei inj-Tempel-Quittungen (*Nr. 35A, 45, 46);

10063 *Kockelmann, Holger* Ein Fragment vom verschollenen Anfang des "Papyrus Ryerson": pNew York, Columbia University Library Inv. 784. ZÄS 133 (2006) 34-50/94-95.

10064   *Leach, Bridget* A conservation history of the Ramesseum papyri. JEA 92 (2006) 225-240.

10065   ^E**Lepper, Verna M.** 'After Polotsky': new research and trends in Egyptian and Coptic linguistics. LingAeg 14: Gö 2006, Seminar für Ägyptologie und Koptologie xii; 492 pp. €80. 0942-5659. Conf. Bonn 2005.

10066   *Loprieno, Antonio* Travel and space in Egyptian literature. Mensch und Raum. Colloquium Rauricum 9: 2006 ⇒879. 1-22.

10067   *Lüscher, Barbara* Der Totenbuch-Papyrus des Minherchetiu. SAÄK 35 (2006) 175-192.

10068   *Manassa, Colleen* The crimes of Count Sabni reconsidered. ZÄS 133 (2006) 151-163, Tafel XXXIV-XXXVI [Elephantine].

10069   *Martin, Cary J.; Ryholt, Kim* Put my funerary papyrus in my mummy, please. JEA 92 (2006) 270-274.

10070   **Meeks, D.** Les architraves du temple d'Esna: paléographie. Paléographie hiéroglyphique 1: 2004 ⇒20,9648. ^RBiOr 63 (2006) 44-47 (*Lieven, Alexandra von*).

10071   *Morenz, Ludwig D.* Der "Fisch an der Angel": die hieroglyphenbildliche Metapher eines Mathematikers. ZÄS 133 (2006) 51-55.

10072   *Muhs, Brian; Dieleman, Jacco* A bilingual account from late Ptolemaic Tebtunis: P. Leiden RMO Inv. No. F 1974/7.52. ZÄS 133 (2006) 56-65.

10073   *Müller, Matthias* Ägyptische Briefe aus der Zeit der 18. Dynastie;
10074   Ägyptische Briefe vom Beginn der 21. Dynastie. Briefe. TUAT N. F. 3: 2006 ⇒632. 314-329/330-339.

10075   *Noegel, Scott; Szpakowska, Kasia* 'Word play' in the Ramesside Dream Manual. SAÄK 35 (2006) 193-212.

10076   **Parkinson, Richard B.** Poetry and culture in Middle Kingdom Egypt: a dark side to perfection. 2002 ⇒18,9278; 20,9657. ^RJNES 65 (2006) 57-58 (*Foster, John L.*).

10077   *Peust, Carsten* Zur Syntax der Koordination ägyptischer Nominalphrasen. ZÄS 133 (2006) 175-180;
10078   Das Lehrstück Kemit. Briefe. TUAT N.F. 3: 2006 ⇒632. 307-313.

10079   **Posener-Kriéger, Paule; Verner, Miroslav; Vymazalová, Hana** Abusir X: the pyramid complex of Raneferef: the papyrus archive. Prague 2006, Czech Institute of Egyptology 465 pp. 978-80-7308-154-6. Bibl. 10-14.

10080   *Quack, Joachim F.* Zur Lesung und Deutung des Dramatischen Ramesseumpapyrus. ZÄS 133 (2006) 72-89.

10081   **Quack, Joachim Friedrich** Einführung in die altägyptische Literaturgeschichte, 3: die demotische und gräko-ägyptische Literatur. 2005 ⇒21,10614. ^RAPF 52/1 (2006) 77-80 (*Kockelmann, Holger*); BiOr 63 (2006) 487-491 (*Martin, Cary J.*).

10082   **Quirke, Stephen** Egyptian literature 1800 BC: questions and readings. Egyptology 2: 2004 ⇒20,9662; 21,10615. ^RBiOr 63 (2006) 483-487 (*Shubert, Steven B.*).

10083   ^E**Quirke, Stephen; Collier, Mark** The UCL Lahun papyri: accounts. BAR internat. ser. 1471: Oxf 2006, Archaopress vi; 339 pp. 1-8417-1907-2. CD-ROM; Bibl. vi.

10084   *Rainey, Anson* Sinuhe's world. ^FMAZAR, A.. 2006 ⇒108. 277-299.

10085   **Ray, J.D.** Demotic papyri and ostraca from Qasr Ibrim. 2005 ⇒21, 10616. ^ROr. 75 (2006) 160-161 (*Quack, Joachim Friedrich*).

10086 ^E**Ryholt, Kim S.B.** Hieratic texts from the collection. CNI publications 30; The Carlsberg papyri 7: K 2006, Museum Tusculanum Press 159 pp. €43. 87-635-0405-7;

10087 ^{ET}**Ryholt, Kim S.B.** The Petese stories II (P. Petese II). CNI publications 29; Carlsberg papyri 6: K 2006, Museum Tusculanum xiv; 210 pp. 87-635-0404-9. Bibl. 155-162.

10088 **Sadek, Ashraf A.** Méthode progressive d'apprentissage des hiéroglyphes. Limoges 2006, Le Monde Copte xix; 481 pp. €70. 978-29-527-36916;

10089 Dictionnaire hiéroglyphes-français. Limoges 2006, Le Monde Copte iv; 620 pp. €70. 978-29527-36900.

10090 **Schenkel, Wolfgang** Die hieroglyphische Schriftlehre und die Realität der hieroglypischen Graphien. SSAW.Philologisch-hist. Kl. 138, Heft 5: Lp 2003, Sächsische Akademie der Wissenschaften zu Leipzig 38 pp. 3-7776-1269-3.

10091 *Schentuleit, Maren* Demotische Briefe. Briefe. TUAT N.F. 3: 2006 ⇒632. 340-348.

10092 **Schentuleit, Maren** Aus der Buchhaltung des Weinmagazins im Edfu-Tempel: der demotische P. Carlsberg 409. CNI publications 32; Carlsberg papyri 9: K 2006, Museum Tusculanum 2 vols. 8-7635-0344-1. Bibl. 509-528.

10093 **Schipper, Bernd Ulrich** Die Erzählung des Wenamun: ein Literaturwerk im Spannungsfeld von Politik, Geschichte und Religion. OBO 209: 2005 ⇒21,10618. ^RWO 36 (2006) 219-226 (*Fischer-Elfert, Hans-W.*); OLZ 101 (2006) 399-407 (*Schentuleit, Maren*); JAOS 126 (2006) 261-262 (*Eyre, Christopher*).

10094 *Schneider, Thomas* Die Hundenamen der Stele Antefs II: eine neue Deutung. ^FHAIDER, P.: Oriens et Occidens 12: 2006 ⇒60. 527-536.

10095 **Schweitzer, Simon** Schrift und Sprache der 4. Dynastie. MENES 3: 2005 ⇒21,10619. ^RArOr 74 (2006) 223-227 (*Landgráfová, Renata*); OLZ 101 (2006) 392-397 (*Peust, Carsten*).

10096 **Shalomi-Hen, Racheli** The writing of gods: the evolution of divine classifiers in the Old Kingdom. GÖF.Ä 38; Classification and Categorisation in Ancient Egypt 4: Wsb 2006, Harrassowitz xii; 198 pp. €54. 3-447-05274-0. Bibl. 167-186.

10097 ^E**Simpson, William K.** The literature of ancient Egypt: an anthology of stories, instructions, stelae, autobiographies, and poetry. NHv ³2003, Yale Univ. Pr. 598 pp. ^RJARCE 41 (2004) 193-194 (*Manassa, Colleen*).

10098 ^{ET}**Smith, Mark** Papyrus Harkness (MMA 31.9.7). 2005 ⇒21, 10621. ^ROr. 75 (2006) 156-160 (*Quack, Joachim Friedrich*).

10099 **Spalinger, Anthony John** The transformation of an ancient Egyptian narrative: P. Sallier III and the battle of Kadesh. GÖF.Ä 40: 2002 ⇒18,9289. ^RBiOr 63 (2006) 47-50 (*Winand, Jean*).

10100 *Szafrański, Zbigniew E.* Two new royal inscriptions from Tell el-Dab'a. ^FBIETAK, M., I: OLA 149: 2006 ⇒8. 377-380.

10101 **Van der Molen, Rami** An analytical concordance of the verb, the negation and the syntax in Egyptian coffin texts. HO 1/77: 2005 ⇒ 21,10625. ^RArOr 74 (2006) 126-128 (*Landgráfová, Renata*); BiOr 63 (2006) 467-475 (*Depuydt, Leo*).

10102 *Vinson, Steve* The accent's on evil: ancient Egyptian 'melodrama' and the problem of genre. JARCE 41 (2004) 33-54.

10103   *Wegner, Wolfgang* "Erzfeinde" oder "völlige Vernichtung"?: ein neuer Vorschlag zu P. Moskau 127,2.6f. ZÄS 133 (2006) 181-192.

10104   **Wettengel, Wolfgang** Die Erzählung von den beiden Brüdern: der Papyrus d'Orbiney und die Königsideologie der Ramessiden. OBO 195: 2003 ⇒19,10043; 21,13081. [R]JEA 92 (2006) 290-293 (*Hollis, Susan T.*).

10105   *Willems, Harco* An astronomer at Deir al-Barsha. [F]BIETAK, M., I: OLA 149: 2006 ⇒8. 437-445.

10106   **Winand, Jean** Temps et aspect en égyptien: une approche sémantique. PÄ 25: Lei 2006, Brill xi; 484 pp. €175. 90041-52164.

J3.4 Coptica

10107   *Alcock, Anthony* Hebrew and Syriac words in the *Coptic dictionary*. [F]FUNK, W.: BCNH.Etudes 7: 2006 ⇒48. 1-18.

10108   **Aufrère, Sydney H.; Bosson, Nathalie** Guillaume BONJOUR, Elementa linguae copticae: grammaire inédite du XVIIe siècle. COr 24: 2005 ⇒21,10628. [R]JAOS 126 (2006) 596-598 (*Depuydt, Leo*); Aeg. 86 (2006) 326-329 (*Lucchesi, Enzo*).

10109   [E]**Förster, Hans** Wörterbuch der griechischen Wörter in den koptischen dokumentarischen Texten. TU 148: 2002 ⇒18,9301; 20, 9681. [R]OLZ 101 (2006) 413-416 (*Plisch, Uwe-Karsten*).

10110   *Ghica, Victor* Kellis: notes toponymiques. [F]FUNK, W.: BCNH. Etudes 7: 2006 ⇒48. 325-337.

10111   **Hasitzka, Monika R.** Koptisches Sammelbuch II. MPSW 23/2: 2004 ⇒20,9682. [R]Or. 75 (2006) 133-137 (*Boud'hors, Anne*); WZKM 96 (2006) 373-377 (*Vittmann, Günter*).

10112   **Heurtel, Chantal** Les inscriptions coptes et grecques du temple d'Hathor à Deir al-Médîna: suivies de la publication des notes manuscrites de François Daumas (1946-1947). BEC 16: 2004 ⇒ 20,9683. [R]JAOS 126 (2006) 263-265 (*Depuydt, Leo*).

10113   *Kasser, Rodolphe* KAT'ASPE ASPE: constellations d'idiomes coptes plus ou moins bien connus et scientifiquement reçus, aperçus, pressentis, enregistrés en une terminologie jugée utile, scintillant dans le firmament égyptien à l'aube de notre troisième millénaire. [F]FUNK, W.: BCNH.Etudes 7: 2006 ⇒48. 389-492.

10114   *Layton, Bentley* A Sahidic manuscript with *djinkim* points: the Sahidic Coptic *Apophthegmata patrum aegyptiorum*. [F]FUNK, W.: BCNH.Etudes 7: 2006 ⇒48. 493-517.

10115   **Layton, Bentley** A Coptic grammar: with chrestomathy and glossary: Sahidic dialect. PLO 20: [2]2004 <2000> ⇒20,9686; 21,10636. [R]Or. 75 (2006) 132-133 (*Shisha-Halevy, Ariel*); WZKM 96 (2006) 383-387 (*Satzinger, Helmut*).

10116   [E]**Layton, Bentley** Coptic Gnostic chrestomathy: a selection of Coptic texts with grammatical analysis and glossary. 2004 ⇒20, 9687; 21,10637. [R]OLZ 101 (2006) 140-142 (*Plisch, Uwe-Karsten*).

10117   *Luttikhuizen, Gerard P.* The revelation of the unknowable God in Coptic gnostic texts. The revelation of the name. 2006 ⇒796. 237-246.

10118   **Reintges, Christoph H.** Coptic Egyptian (Sahidic dialect): a learner's grammar. Afrikawissenschaftliche Lehrbücher 15: Köln 2004, Köppe xxiii; 616 pp. 978-3-89645-570-3.

[T]**Righi, D.** SEVERIANUS Gabalensis: In apostolos 2004 ⇒1640.
10119 **Van der Vliet, Jacques** Catalogue of the Coptic inscriptions in the Sudan National Museum at Khartoum (I. Khartoum Copt.). OLA 121: 2003 ⇒19,10057. [R]BiOr 63 (2006) 302-4 (*Hasitzka, Monika*).

J3.8 Aethiopica

10120 [ET]**Haile, Getatchew** The Ge'ez Acts of Abba Estifanos of Gwendagwende. CSCO.Ae 110-111; CSCO 619-620: Lv 2006, Peeters 2 vols. 90-429-1740-7/1-5.
10121 *Kogan, Leonid* Ethiopian cognates to the Akkadian and Ugaritic lexicon. [F]SANMARTÍN, J.: AuOr.S 22: 2006 ⇒144. 269-274.
10122 **Tropper, Josef** Altäthiopisch: Grammatik des Ge'ez mit Übungstexten und Glossar. Elementa Linguarum Orientis 2: 2002 ⇒18, 9324; 20,9697. [R]OrChr 90 (2006) 267-270 (*Kropp, Manfred*).

J4.0 Anatolica; *Lydian*

10123 [T]**Bernabé, Alberto; Álvarez-Pedrosa, Juan A.** Historia y leyes de los hititas: textos del Reino Medio y del Imperio Nuevo. 2004 ⇒ 20,9699. [R]EM 74 (2006) 368-369 (*Carracedo Doval, Juan José*).
10124 **Dardano, Paola** Die hethitischen Tontafelkataloge aus Hattusa (CTH 276-282). StBT 47: Wsb 2006, Harrassowitz xviii; 396 pp. €98. 3-447-05244-9. Bibl. 369-388. [R]OLZ 101 (2006) 436-439 (*Haas, Volkert*).
10125 *Fink, Amir S.* The historical prologue in a letter from Šuppiluliuma II to 'Ammurapi', King or Ugarit (RS 18.038). [F]MAZAR, A.: 2006 ⇒108. 673-688.
10126 **Groddek, Detlev** Texte aus dem Bezirk des grossen Tempels VI. KBo 54: B 2006, Mann xxv; num. pl.. 3-7861-2540-6;
10127 Hethitische Texte in Transkription KUB 60. Dresdner Beiträge zur Hethitologie 20: Wsb 2006, Harrassowitz xiv; 196 pp.
10128 **Groddek, Detlev; Kloekhorst, Alwin** Hethitische Texte in Transkription KBo 35. Dresdner Beiträge zur Hethitologie 19: Wsb 2006, Harrassowitz xiv; 353 pp. 3-447-05254-6.
10129 **Hawkins, John David** Corpus of hieroglyphic Luwian inscriptions 1: inscriptions of the Iron Age. 2000 ⇒16,8890; 19,10070. [R]BiOr 63 (2006) 133-138 (*Van den Hout, Theo*).
10130 *Hazenbos, Joost* Hurritisch und Urartäisch. Sprachen des Alten Orients. 2006 <2005> ⇒667. 135-158.
10131 *Kassian, Alexei* Hittite fragments of the State Hermitage Museum (St. Petersburg). JCS 58 (2006) 137-138.
10132 *Klinger, Jörg* Hattisch. Sprachen des Alten Orients. 2006 <2005> ⇒667. 128-134.
10133 *Marazzi, Massimiliano* Luvio, Luvii e Luwija revisited. Or. 75 (2006) 107-114.
10134 [E]**Miller, Jared L.** Texte historischen Inhalts. KBo 50: B 2006, Mann xxvi pp. 978-3-7861-2539-6. Num. pl.
10135 **Payne, Annick** Hieroglyphic Luwian. Elementa Linguarum Orientis ELO 3: 2004 ⇒20,9716; 21,10669. [R]JAOS 125 (2005) 535-536 (*Melchert, H. Craig*).

10136   **Puhvel, Jaan** Hittite etymological dictionary, 6: words beginning with M. Trends in linguistics, documentation 22: 2004 ⇒20,9717. ᴿBiOr 63 (2006) 560-572 (*Soysal, Oğuz*).
10137   *Rieken, Elisabeth* Zum hethitisch-luwischen Sprachkontakt in historischer Zeit. AltOrF 33 (2006) 271-285;
10138   Hethitisch. Sprachen des Alten Orients. 2006 <2005> ⇒667. 80-127.
10139   *Rollinger, Robert* The terms 'Assyria' and 'Syria' again. JNES 65 (2006) -287.
10140   **Rose, Sarah R.** The Hittite -hi/-mi conjugations: evidence for an early Indo-European voice opposition. Innsbrucker Beiträge zur Sprachwissenschaft 121: Innsbruck 2006, Institut für Sprachen und Literaturen der Universität Innsbruck xxxvi; 515 pp. 3-85124-703-3. Bibl. 471-499.
10141   **Tischler, Johann; Neumann, Günter; Neu, Erich** Hethitisches etymologisches Glossar: Teil 2, Lfg. 14, S/2. Innsbrucker Beiträge zur Sprachwissenschaft 20: Innsbruck 2006, Inst. für Sprachwiss. d. Univ. Innsbruck 959-1238 pp. 3-85124-706-X.
10142   **Torri, Giulia** Texte aus Stadtplanquadrat L/18, IV Teil. KBo 49: B 2006, Mann xviii pp. 978-3-7861-2538-9. Num. ill.
10143   *Wilhelm, Gernot; Miller, Jared L.* Briefe aus den Archiven von Ḫattuša. Briefe. TUAT N.F. 3: 2006 ⇒632. 235-247.
10144   **Zeilfelder, Susanne** Hittite exercise book. ᵀ*Wagner, Esther-Miriam*: Dresdner Beiträge zur Hethitologie 17: 2005 ⇒21,10675. ᴿOLZ 101 (2006) 447-449 (*Rieken, Elisabeth*).

10145   **Gérard, Raphaël** Phonétique et morphologie de la langue lydienne. BCILL 114: 2005 ⇒21,10676. ᴿOLZ 101 (2006) 449-451 (*Rieken, Elisabeth*); BSLP 101 (2006) 206-208 (*Brixhe, Claude*).

J4.8 Armena

10146   **Sterling, Gregory E.** Armenian paradigms. ᴱ*Stone, Michael E.* 2004 ⇒20,9727. ᴿOCP 72 (2006) 208-210 (*Bais, M.*).
10147   *Stone, Michael E.* The new Armenian inscriptions from Jerusalem. <1997> 731-736;
10148   The oldest Armenian pilgrim inscription from Jerusalem. <1997> 737-747;
10149   Three observations on early Armenian inscriptions from the Holy Land. <1997> 717-724;
10150   Armenian inscriptions of the fifth century from Nazareth. <1990-91> 765-782;
10151   Further Armenian inscriptions from Nazareth. <1996-97> 783-799. Collab. *Van Lint, Theo M.; Nazarjan, J.*;
10152   *Stone, Michael E.; Van Lint, Theo M.* More Armenian inscriptions from Sinai. Apocrypha, Pseudepigrapha, II. OLA 145: 2006 <1999> ⇒310. 697-705.
10153   **Van Damme, Dirk** Altarmenische Kurzgrammatik. ᴱ*Böhm, Thomas*: OBO.Subsidia linguistica 1: 2004 ⇒20,9728. ᴿOCP 72 (2006) 206-208 (*Bais, M.*).

J5.1 Graeca grammatica

10154 **Allan, Rutger J.** The middle voice in Ancient Greek: a study of polysemy. Amsterdam Studies in Classical Philology 11: 2003 ⇒ 19,10095; 21,10680. ᴿGn. 78 (2006) 683-686 (*Crespo, Emilio*).

10155 *Amphoux, Christian-B.* Variations vocaliques et séries consonantiques dans la forme verbale grecque à l'époque de la Koiné. ᶠCIGNELLI, L.: SBFA 68: 2006 ⇒21. 11-34.

10156 *Barnard, Jody A.* Is verbal aspect a prominence indicator?: an evaluation of Stanley Porter's proposal with special reference to the gospel of Luke. FgNT 19 (2006) 3-29.

10157 **Burk, Denny** Articular infinitives in the Greek of the New Testament: on the exegetical benefit of grammatical precision. NTMon 14: Shf 2006, Sheffield A. xiv; 179 pp. $55. 1-905048-41-6. Bibl. 155-164.

10158 **Caragounis, Chrys C.** The development of Greek and the NT: morphology, syntax, phonology, and textual transmission. WUNT 167: 2004 ⇒20,9734; 21,10684. ᴿLTP 62/1 (2006) 137-9 (*Lavoie, Jean-Michel*); ThLZ 131 (2006) 1146-1150 (*Dafni, Evangelia G.*).

10159 *Cignelli, Lino* Articolo individuante o generico?. LASBF 56 (2006) 317-320.

10160 *Clark, David J.* Vocatives in the epistles. BiTr 57 (2006) 32-44.

10161 **Conti, Luz; Crespo, Emilio; Maquieira, Helena** Sintaxis del griego clasico. Grandes Manuales 60: 2003 ⇒20,9737. ᴿBSLP 101 (2006) 208-211 (*Jacquinod, Bernard*).

10162 *Danove, Paul* Systematic notation in lexical entries: syntactic, semantic, and lexical information. Forum 2/2 (1999) 261-280;

10163 Verbs of transference and their derivatives of motion and state in the New Testament: a study of focus and perspective. FgNT 19 (2006) 53-72.

10164 **Delgado Jara, I.** Diccionario Griego-Español del Nuevo Testamento. S 2006, Publ. de la Univ.Pont. 228 pp. 84-7299-680-8.

10165 *Denaux, Adelbert* Style and stylistcs [!], with special reference to Luke. FgNT 19 (2006) 31-51.

10166 **Duff, Jeremy** The elements of New Testament Greek. C ³2006, CUP xiii; 340 pp. 05217-55514.

10167 *Ferguson, Everett* The Greek grammar of sexuality. ᶠOSBURN, C.: TaS 4: 2006 ⇒124. 255-269.

10168 *Fuller, Lois K.* The 'genitive absolute' in New Testament/Hellenistic Greek: a proposal for clearer understanding. JGRChJ 3 (2006) 142-167.

10169 ᴱ**Gruber-Miller, John** When dead tongues speak: teaching beginning Greek and Latin. Classical resources 6: NY 2006, OUP xiii; 238 pp. 978-0-19-517494-6. Bibl. 221-233.

10170 *Harrisville, Roy A., III* Before πίστις Χριστοῦ: the objective genitive as good Greek. NT 48 (2006) 353-358.

10171 *Hewson, John* Le système verbal du grec ancien: trois distinctions de temps, ou deux?. Glotta 82 (2006) 96-107.

10172 **Hwang, Andrew** Linguistics and interpretation: biblical word study. 1999 ⇒20,9747. ᴿSiChSt 2 (2006) 207-212 (*Yu, Jonathan Chun-hung*).

10173   *Kim, S.-H.* A syntactic-analytic New Testament Greek study with a newly promoted pedagogical consideration. Caribbean Journal of Evangelical Theology [Kingston, Jamaica] 10 (2006) 55-75.

10174   **Long, Gary A.** Grammatical concepts 101 for Biblical Greek: learning Biblical Greek grammatical concepts through English grammar. Peabody, MASS 2006, Hendrickson xxiii; 239 pp. £12. 1-56563-406-3. Bibl. [R]RBLit (2006)* (*Jordaan, P.J.*).

10175   **Lorente Fernández, Paula** L'aspect verbal en grec ancien: le choix des thèmes verbaux chez Isocrate. BCILL 111: 2003 ⇒19, 10110; 21,10702. [R]EM 74 (2006) 170-174 (*Villa, Jesús de la*).

10176   *Malone, Andrew S.* Wenhams old and new: the elements of a classroom Greek text. RTR 65 (2006) 149-166.

10177   *Markovic, D.* Hyperbaton in the Greek literary sentence. GRBS 46/2 (2006) 127-145.

10178   **Mawet, Francine** Deux cahiers de grammaire grecque: cahier de phonétique grecque et cahier de morphologie verbale grecque. Lettres orientales 9: Lv 2006, Peeters 265 pp. 90-429-1765-2.

10179   *Palmer, Michael W.* From the lexicon to the sentence: argument structure in Hellenistic Greek. Forum 2/2 (1999) 215-238.

10180   *Pierri, Rosario* Due note filologiche di greco biblico. LASBF 56 (2006) 311-316 [Gal 4,6].

10181   *Porter, Stanley E.* A modern grammar of an ancient language: a critique of the Schmidt proposal. Forum 2/2 (1999) 201-213.

10182   *Porter, Stanley E.; O'Donnell, Matthew B.* The vocative case in Greek: addressing the case at hand. [F]Cignelli, L.: SBFA 68: 2006 ⇒21. 35-48.

10183   **Probert, Philomen** Ancient Greek accentuation: synchronic patterns, frequency effects, and prehistory. Oxf 2006, OUP xxv; 444 pp. £80. 0-19-927960-8. Bibl. 391-411.

10184   *Rau, Jeremy* The Greek adverbs in -δην -δον -δα. Glotta 82 (2006) 211-220.

10185   **Richards, W. Larry** Read New Testament Greek in 30 days (or less). Berrien Springs, Mich. 2006, Breakthrough xiv; 175 pp. $24. 80. 09778-43106.

10186   *Schmidt, Daryl D.* Revising Blass-Debrunner-Funk;
10187   Greek indirect questions: a model for a new reference grammar. Forum 2/2 (1999) 179-199/289-300.

10188   **Siebenthal, Heinrich von** Kurzgrammatik zum griechischen Neuen Testament. 2005 ⇒21,10715. [R]JETh 20 (2006) 215-216 (*Schröder, Michael*).

10189   *Taylor, Bernard A.* Semitic influence on Greek syntax: the Greek middle voice. [F]Cignelli, L.: SBFA 68: 2006 ⇒21. 49-68.

10190   **Vaz, Eurides Divino** A gramática grega em sinopse: com exercícios e vocabulário. n.p. 2006, n.p. 91 pp.

10191   *Voelz, James W.* Word order part II: adjectives;
10192   Word order part III: participles. ConJ 32 (2006) 79-80/211-213;
10193   Participles, part II. ConJ 32 (2006) 312-314;
10194   Participles, part III. ConJ 32 (2006) 401-403.
10195   **Wallace, Daniel B.** Greek grammar beyond the basics: an exegetical syntax of the New Testament. 1996 ⇒12,7925; 13,8379. [R]Forum 2/2 (1999) 301-304 (*Webb, Robert L.*).

10196   *Worp, Klaas A.* Aorist passive stems with middle endings: do they really exist?. ZPE 156 (2006) 183-184.

10197   **Zinsmeister, Hans** Griechische Grammatik, 1: griechische Laut-
        und Formenlehre. Sprachwissenschaftliche Studienbücher: Heid
        2006 <1954>, Universitätsverlag 250 pp. €19. 38253-51505.

J5.2 *Voces ordine alphabetico consonantium* **graecarum**

10198   ἀββά: *Díaz Rodelas, Juan M.* La doble dimensión del *Abbá* neote-
        stamentario. ᶠRODRÍGUEZ CARMONA, A. 2006 ⇒138. 201-218.

10199   ἄγγελος: *Schmidt, Christoph* Auszug aus der Polis: Anmerkungen
        zu Erik PETERSONS "Buch von den Engeln: Stellung und Bedeutung
        der heiligen Engel im Kultus" von 1935. Laetare Jerusalem. 2006
        ⇒92. 368-388.

10200   ἀκούω: *Danove, Paul* The grammatical uses of ἀκούω: in the Sep-
        tuagint & the New Testament. Forum 2/2 (1999) 239-260.

10201   ἀλήθεια: *Thiselton, Anthony C.* Does lexicographical research yield
        'Hebrew' and 'Greek' concepts of truth? (1978), and How does this
        research related to notions of truth today? (new summary). Thisel-
        ton on hermeneutics. 2006 ⇒318. 267-285. ⇒10229.

10202   ἀνήρ: *Zeller, Dieter* The θεια φυσις of HIPPOCRATES and of other
        "divine men". N.T. und Hellenistische Umwelt. BBB 150: 2006
        <2003> ⇒331. 129-140.

10203   ἀπολύτρωσις: *Rojas Gálvez, Ignacio* La apolytrosis en Pablo: estu-
        dio sobre el uso del término en los escritos paulinos. ᶠRODRÍGUEZ
        CARMONA, A. 2006 ⇒138. 321-340.

10204   ἀπόστολος: *Brock, Ann Graham* Apostleship: the claiming and bes-
        towing of authority. RiSCr 3/1 (2006) 31-44;

10205   *Hahn, Ferdinand* Der Apostolat im Urchristentum: seine Eigenart
        und seine Voraussetzungen. Studien zum NT, II. WUNT 192: 2006
        <1974> ⇒231. 425-448;

10206   *Leinhäupl-Wilke, Andreas* Zeugen bis an die Grenzen der Welt:
        Apostelbilder im Neuen Testament. Apostel entdecken: 2006 ⇒
        338. 8-21.

10207   ἀρσενοκοίτης: *Martin, Dale B. Arsenokoitês* and *malakos*: mean-
        ings and consequences. Sex and the single Savior. 2006 <1996>
        ⇒270. 37-50.

10208   αὐθέντης: *Wolters, A.* A semantic study of αὐθέντης and its deriva-
        tives JBMW 11/1 (2006 <2000>) 44-65 [1 Tim 2,12].

10209   βαπτίζω: *Brekke, T.* Mission impossible?: baptism and the politics
        of bible translation in the early Protestant mission in Bengal. HR 45
        (2006) 213-233.

10210   βασιλεία: *Bouttier, Michel* Les dits du royaume dans les évangiles.
        ETR 81 (2006) 197-210.

10211   γινομαι: *McGaughy, Lane C.* The verb γινομαι in New Testament
        Greek: a descriptive analysis. Forum 2/2 (1999) 281-287.
        διακονείν ⇒10214.

10212   διακονία: *Gooder, Paula Diakonia* in the New Testament: a dia-
        logue with John N. Collins. Ecclesiology 3/1 (2006) 33-56.

10213   δικαιοσύνη: *Weed, Ronald* ARISTOTLE on justice (δικαιοσύνη):
        character, action and some Pauline counterparts. JGRChJ 3 (2006)
        72-98.

10214   εἶναι: *Hübner, Hans* Gottes und des Menschen εἶναι und διακονείν.
        ᶠGALITIS, G. 2006 ⇒49. 291-308.

ἐκκλησία ⇒10233.

10215 ἐνέργεια; ἐνεργεῖν: *Bradshaw, David* The divine energies in the New Testament. SVTQ 50 (2006) 189-223.

10216 εὐαγγέλιον: *Horbury, William* 'Gospel' in Herodian Judaea. Herodian Judaism. WUNT 193: 2006 <2005> ⇒240. 80-103.

10217 θεοσεβής: *Koch, Dietrich-Alex* The God-fearers between facts and fiction: two theosebeis-inscriptions from Aphrodisias and their bearing for the New Testament. StTh 60 (2006) 62-90.

10218 ἱλασμός; ἱλαστήριον: *Romanello, Stefano* 'Hilastêrion', 'hilasmós', 'propiziatorio/espiazione' (Rm 3,25; 1Gv 2,2; 4,10). PSV 54 (2006) 167-179.

10219 Ἰουδαῖοι: *Roetzel, Calvin J.* Iudaioi and Paul. ᶠAUNE, D.: NT.S 122: 2006 ⇒4. 3-15.

10220 καταπέτασμα: *Gurtner, Daniel M.* The veil of the temple in history and legend. JETS 49 (2006) 97-114.

10221 κοινονειν: **Baumert, Norbert** KOINONEIN und METECHEIN—synonym?: eine umfassende semantische Untersuchung. SBAB 51: 2003 ⇒19,10150. ᴿThPh 81 (2006) 130-132 (*Giesen, Heinz*).

μαλᾶκός ⇒10207.

μετεχειν ⇒10221.

10222 μῦθος: *Bettini, M.* Mythos/fabula: authoritative and discredited speech. HR 45 (2006) 195-212.

10223 μυστήριον: *Hahn, Ferdinand* Der Begriff '*mysterion*' im Neuen Testament. Studien zum NT, II. WUNT 192: 2006 <2000> ⇒231. 449-456.

10224 Ναζαρηνός; Ναζωραῖος: *Rius-Camps, Josep* 'Nazareno' y 'Nazoreo' con especial atención al Códice Bezae. ᶠCIGNELLI, L.: SBFA 68: 2006 ⇒21. 183-204.

10225 ὄξος: *Alvarado, Salustio; Santos Marinas, Enrique* Vino *versus* vinagre en pasajes de la pasión de Cristo dentro de la traducción de los evangelios en antiguo eslavo. 'Ilu 11 (2006) 63-69 [Mt 27,48].

10226 ὅτι: *Pierri, Rosario* La congiunzione ὅτι nel greco biblico. ᶠCIGNELLI, L.: SBFA 68: 2006 ⇒21. 81-108.

10227 παῖς; παιδίσκη: *Heinen, Heinz* Zur Terminologie der Sklaverei im ptolemäischen Ägypten: παῖς und παιδίσκη in den Papyri und der Septuaginta. Vom hellenistischen Osten. Hist.E 191: 2006 <1984> ⇒235. 425-459.

10228 πιστεύω: *Jung, Chang-Wook* Distinction between two constructions, ππιστεύω + dative and πιστεύω εἰς + accusative: implications for exegesis. ProcGLM 26 (2006) 79-92.

10229 πίστις: *Thiselton, Anthony C.* 'Faith', 'flesh' and 'truth' as context-dependent concepts: 'language-games and polymorphous concepts' (1980). Thiselton on hermeneutics. 2006 <1980> ⇒318. 183-189.

10230 πνεῦμα: *Hainz, Josef* MThW, Art. Geist. NT und Kirche. 2006 ⇒232. 328-332.

σάρξ ⇒10229.

10231 σκιά: *Van der Horst, Pieter W.* The shadow in Hellenistic popular belief. Jews and Christians. WUNT 196: 2006 ⇒321. 234-241 [Acts 5,15].

10232 σπλάγχνα: *Dafni, Evangelia G.* ΣΠΛΑΓΧΝΑ im altgriechischen Schrifttum und in der Septuaginta: zur Anthropologie der Septuaginta. Stimulation from Leiden. BEAT 54: 2006 ⇒686. 285-294.

10233 συναγωγή: **Horňanová, Sidonia** Synagógy, kontinuita medzi SY-NAGÓGE a EKKLÉSIA. Bratislava 2006, Univ. Komenského 104 pp. €4. **Slovak.**

10234 ὕδωρ: *Chiquete, D.* Gratuidad que fluye: algunas consideraciones sobre el agua en el Nuevo Testamento Vida y Pensamiento [San José, Costa Rica] 26/1 (2006) 113-130.

10235 χήρα: *Rudhardt, Jean* La situation des veufs et des veuves en Grèce, selon l'Ancien et selon le Nouveau Testament. Les dieux, le féminin. 2006 ⇒294. 139-160.

10236 χριστός: *Jonge, Marinus de* Translating [ὁ] χριστός in the New Testament FELLIS, E. 2006 ⇒36. 340-354.

J5.4 *Papyri et inscriptiones graecae*—Greek epigraphy

10237 E**Ameling, Walter** Inscriptiones Judaicae Orientis, 2: Kleinasien. TSAJ 99: 2004 ⇒20,9817. RBZ 50 (2006) 297-299 (*Klauck, Hans-Josef*).

10238 E**Armoni, Charikleia** Papyri aus dem Archiv des königlichen Schreibers Dionysios (P.Heid. IX). Veröffentlichungen aus der Heidelberger Papyrus-Sammlung 12: Heid 2006, Winter xvi; 135 pp. €42. 38253-51653. 19 pl.

10239 **Bagnall, Roger S.; Cribiore, Raffaella** Women's letters from ancient Egypt: 300 BC - AD 800. AA 2006, Univ. of Michigan Pr. xiv; 421 pp. $75. 32 fig.

10240 E**Bagnall, Roger S.; Derow, Peter** The Hellenistic period: historical sources in translation. ²2004 <1981> ⇒20,9818; 21,10773. RLTP 62/1 (2006) 133-134 (*Wees, Jennifer K.*).

10241 *Barker, Don C.* Codex, roll, and libraries in Oxyrhynchus. TynB 57 (2006) 131-148.

10242 *Bichler, Reinhold* Der Lyder Inaros: über die ägyptische Revolte des Ktesias von Knidos. FHAIDER, P.: Oriens et Occidens 12: 2006 ⇒60. 445-459.

10243 *Bierl, Anton* Räume im Anderen und der griechische Liebesroman des XENOPHON von Ephesos: Träume?. Mensch und Raum. Colloquium Rauricum 9: 2006 ⇒879. 71-103.

10244 *Blanshard, Alastair* Rhetoric. Edinburgh companion. 2006 ⇒596. 339-350.

10245 **Byrne, Maurice; Labarre, Guy** Nouvelles inscriptions d'Antioche de Pisidie d'après les Note-Books de W.M. Ramsay. Inschriften griechischer Städte aus Kleinasien 67: Bonn 2006, Habelt 163 pp. 37749-34045.

10246 **Canfora, Luciano** Histoire de la littérature grecque à l'époque hellénistique. TRaiola, Marilène; Sanchi, Luigi-Alberto 2004 ⇒20, 9822. RAnCl 75 (2006) 406-308 (*Donnet, Daniel*).

10247 *Chadwick, Henry* The authorship of Egerton Papyrus No. 3. Studies on ancient christianity. 2006 <1956> ⇒200. IV.145-151.

10248 *Cohen, Nahum* New Greek papyri from a cave in the vicinity of Ein Gedi. SCI 25 (2006) 87-95.

10249 **Demarée, Robert J.** The Bankes late Ramesside papyri. L 2006, British Museum v; 33 pp. £20. 978-0861-59155-8. 33 pl.; Collab. *Bridget Leach; Patricia Usick.* RArOr 74 (2006) 480-481 (*Mynářová, Jana*).

10250 **Dessau, Hermann**, *al.*, Inschriften von Milet. B 1997-2006, De Gruyter 3 vol. 3-11-014540-5/5092-1/8966-6.

10251 *Di Segni, Leah* Varia arabica: Greek inscriptions from Jordan (Pls. 53-56). LASBF 56 (2006) 578-592.

10252 **Ercolani, Andrea** OMERO: introduzione allo studio dell'epica greca arcaica. Studi superiori, lettere classiche 515: R 2006, Carocci 308 pp. 88-430-3793-5. Bibl. 283-305.

10253 *Evans,Trevor V.* Greek Numbers 6,22-27 on vellum and stone: a note on the verbal forms in the Thessalonica inscription. ᶠCIGNELLI, L.: SBFA 68: 2006 ⇒21. 109-116.

10254 *Feeney, Denis* Criticism ancient and modern. Ancient literary criticism. 2006 ⇒641. 440-454.

10255 **Felle, Antonio E.** Biblia epigraphica: la sacra scrittura nella documentazione epigrafica dell'*Orbis christianus antiquus* (III-VIII secolo), '*Inscriptiones christianae Italiae*'. Inscriptiones Christianae Italiae, Subsidia 5: Bari 2006, Edipuglia 701 pp. €85. 978-88722-84711.

10256 ᴱ*Förster, Hans* Die Anfänge des Geburtsfestes Jesu in Ägypten: Neuedition von P. Vindob G. 19.934. ZAC 10 (2006) 386-409.

10257 **French, D.H.** The inscriptions of Sinope, 1: inscriptions. Inschriften Griechischer Städte aus Kleinasien 64: 2004 ⇒20,9834; 21, 10789. ᴿAWE 5 (2006) 342-344 (*Hind, J.G.F.*).

10258 **Gentili, Bruno** Poesia e pubblico nella Grecia antica: da OMERO al V secolo. Universale economica 1903: Mi 2006, Feltrinelli 468 pp. 88-07-81903-1. Bibl. 374-423.

10259 ᴱ**Gonis, N.; Thomas, J.D.; Hatzilambrou, R.** The Oxyrhynchus papyri, 70 [nos. 4759-4802]. PEES.GR 90: L 2006, Egypt Exploration Society xii; 164 pp. £65. 0-85698-173-7. 16 pl.

10260 *Ilan, Tal* The new Jewish inscriptions from Hierapolis and the question of Jewish Diaspora cemeteries. SCI 25 (2006) 71-86.

10261 **Johnson, William A.** Bookrolls and scribes in Oxyrhynchus. 2004 ⇒20,9841; 21,10798. ᴿBasPap 43 (2006) 169-73 (*Kraus, Thomas*).

10262 *Jones, M.* Heavenly and pandemic names in HELIODORUS' *Aethiopica*. CQ 56 (2006) 548-562.

10263 *Jördens, Andrea* Griechische Briefe aus Ägypten. Briefe. TUAT N. F. 3: 2006 ⇒632. 399-427.

10264 *Kloppenborg, John S.* The Theodotos synagogue inscription and the problem of the first-century synagogue buildings. Jesus and archaeology. 2006 ⇒362. 236-282.

10265 ᴱ**Kouremenos, Theokritos; Parássoglou, George; Tsantsanoglou, Kyriakos** The Derveni papyrus. Studi e testi per il *Corpus dei papiri filosofici* 13: F 2006, Olschki xiv; 307 pp. €35. 30 pl. ᴿAnalecta Papyrologica 16-17 (2004-5) 349-350 (*Pintaudi, Rosario*).

10266 Kölner Papyri (P. Köln), 9-10. ᴱ**Maresch, Klaus**, *al.*, PapyCol VII/9-10: 2001-3 ⇒19,526. ᴿGn. 78 (2006) 554-556 (*Schubert, Paul*).

10267 10. ᴱ**Maresch, Klaus**, *al.*, PapyCol VII/10: 2003 ⇒19,526. ᴿBasPap 43 (2006) 159-164 (*Papathomas, Amphilochios*).

10268 *König, Jason* The novel. Edinburgh companion. 2006 ⇒596. 329-334.

10269 *Kritzas, Charalambos* Nouvelles inscriptions d'Argos: les archives des comptes du trésor sacré (IVᵉ s. av. J.-C.). CRAI 1 (2006) 397-434.

10270 *Laird, Andrew* The value of ancient literary criticism. Ancient literary criticism. 2006 ⇒641. 1-36.

10271 **Lau, Dieter** Metaphertheorien der Antike und ihre philosophischen Prinzipien: ein Beitrag zur Grundlagenforschung in der Literaturwissenschaft. Lateres 4: Fra 2006, Lang 437 pp. 978-3631-559499.

10272 **Legras, Bernard** Lire en Égypte, d'Alexandre à l'Islam. Antiqua 6: 2002 ⇒18,9440; 20,9845. [R]REA 108 (2006) 798-799 (*Drew-Bear, Marie*).

10273 *Long, A.A.* Stoic readings of HOMER. Ancient literary criticism. 2006 ⇒641. 211-237.

10274 [E]**Loukopoulou, Louisa** Inscriptions de la Thrace égéenne. 2005 ⇒ 21,10809. [R]CRAI (2006/1) 148-150 (*Hatzopoulos, Miltiade*).

10275 [E]**Maresch, Klaus; Andorlini, Isabella** Das Archiv des Aurelius Ammon (P. Ammon), Band 2,B: Photographien. PapyCol 26/2,B: Pd 2006, Schöningh 3-506-75716-4. Nr. 32-46.

10276 **McLean, B.H.** An introduction to Greek epigraphy of the Hellenistic and Roman periods from ALEXANDER the Great down to the reign of CONSTANTINE (323 B.C.-A.D. 337). 2002 ⇒18,9451. [R]VDI 255 (2006) 209-218 (*Kantor, G.M.*).

10277 *Mitthof, Fritz* Urkundenreferat 2004 (2. Teil). APF 52/1 (2006) 83-122.

10278 *Mittmann, Siegfried* Die hellenistische Mauerinschrift von Gadara (Umm Qēs) und die seleukidisch dynastische Toponymie Palästinas. JNSL 32/2 (2006) 25-54.

10279 [E]**Noy, David**, *al.*, Inscriptiones Judaicae Orientis, 1-3. TSAJ 99, 101-102: 2004 ⇒20,9817... 21,10305. [R]NT 48 (2006) 83-86 (*Schnabel, Eckhard J.*); JSSt 51 (2006) 419-422 (*Trebilco, Paul*).

10280 *Pfann, Stephen J.* Mary Magdalene has left the room: a suggested new reading of ossuary CJO 701. NEA 69/3-4 (2006) 130-131.

10281 [E]**Poethke, Günter** Griechische Papyrusurkunden spätrömischer und byzantinischer Zeit aus Hermupolis Magna. ÄgU.G 17; APF.B 7: 2001 ⇒17,8812. [R]BiOr 63 (2006) 85-88 (*Drew-Bear, Marie*).

10282 *Ricl, Marijana* A confession-inscription from Jerusalem?. SCI 25 (2006) 51-56.

10283 *Rosenmeyer, Thomas G.* Ancient literary genres: a mirage?. Ancient literary criticism. 2006 ⇒641. 421-439.

10284 *Russell, Donald* Literary criticism. Edinburgh companion. 2006 ⇒ 596. 351-354.

10285 **Said, Salah** Two new Greek inscriptions with the name YṬWR from Umm Al-Jimal. PEQ 138 (2006) 125-132 [Thainatha].

10286 SGUÄ: Sammelbuch griechischer Urkunden aus Ägypten 26 (Nr. 16341-16831). [E]**Rupprecht, Hans-Albert** Wsb 2006, Harrassowitz xvii; 418 pp. 3-447-05218-X. Mitarbeit *Joachim Hengstl*.

10287 **Skinner, Marilyn B.** Sexuality in Greek and Roman culture. Ancient cultures: Oxf 2005, Blackwell xxiv; 343 pp. $30. 978-06312-32346.

10288 *Stenger, J.* Apophthegma, Gnome und Chrie: zum Verhältnis dreier literarischer Kleinformen. Ph. 150/2 (2006) 203-221.

10289 **Tracy, Stephen V.** Athens and Macedon: Attic letter-cutters of 300 to 229 B.C. 2003 ⇒20,9871. [R]AJA 110 (2006) 329-330 (*Kosmetatou, Elizabeth*).

10290 *Trapp, Michael* Letters. Edinburgh companion. 2006 ⇒596. 335-8.

10291   **Watts, Edward J.** City and school in late antique Athens and Al-
         exandria. Transformation of the Classical Heritage 41: Berkeley
         2006, Univ. of California Pr. 304 pp. $27.50. 978-05202-58167.

J5.5 Cypro-Minoan; *Indo-Iranian*

10292   *Best, Jan* Reconstructing the Linear A syllabary. UF 38 (2006) 53-
         62.
10293   *Cross, Frank M.; Stager, Lawrence E.* Cypro-Minoan inscriptions
         found in Ashkelon. IEJ 56 (2006) 129-159.

10294   *Alemany, Agustí* Onomastica elamo-scythica. FSANMARTÍN, J.:
         AuOr.S 22: 2006 ⇒144. 29-34.
10295   *Koch, Heidemarie* Briefe aus Iran. Briefe. 2006 ⇒632. 349-356.
10296   *Krebernik, Manfred* Elamisch. Sprachen des Alten Orients. 2006
         <2005> ⇒667. 159-182.
10297   **Schmitt, Rüdiger** Das iranische Personennamenbuch: Rückschau,
         Vorschau, Rundschau. Iranische Onomastik 1: W 2006, Österr.
         Akad. der Wissenschaften 56 pp. 978-37001-37191.

J6.5 Latina

10298   **Barchiesi, Alessandro; Graverini, Luca; Keulen, Wytse** Il ro-
         manzo antico: forme, testi e problemi. R 2006, Carocci 247 pp.
10299   **Battaglini, Sergio** L'iscrizione del Niger Lapis in una nuova propo-
         sta di lettura. R 2006, n.p. 44 pp. 88-902194-9-1.
10300   **Caldelli, Maria L.; Cébeillac-Gervasoni, Mireille; Zevi, Fausto**
         Epigraphie latine. Collection U. Histoire: P 2006, Colin 334 pp.
         €27.50. 2200-217749. Num. ill.
10301   **Carroll, M.** Spirits of the dead: Roman funerary commemoration
         in western Europe. Oxf 2006, OUP xx; 331 pp. £70. 978-01992-91-
         076.
10302   *Caston, R.R.* Love as illness: poets and philosophers on romantic
         love. CJ 101/3 (2006) 271-298.
10303   **Devine, Andrew M.; Stephens, Laurence D.** Latin word order:
         structured meaning and information. NY 2006, OUP xii; 639 pp. 0-
         19-518168-9. Bibl. 611-630.
         Felle, A. Biblia epigraphica: la sacra scrittura 2006 ⇒10255.
10304   *Graßl, Herbert* Marktgeschehen und Schalttag: ein verkanntes
         Graffito am Magdalensberg. FHAIDER, P.: Oriens et Occidens 12:
         2006 ⇒60. 651-653.
10305   *Grüll, Tibur* A fragment of a monumental Roman inscription at the
         Islamic museum of the Haram ash-Sharif, Jerusalem. IEJ 56 (2006)
         183-200.
10306   *Harich-Schwarzbauer, Henriette* An der Schwelle neuer Räume:
         zur Dialektik von Vermessen und Vermessenheit in der lateinischen
         Alexanderliteratur am Beispiel der Alexandreis des Walter von
         Châtillon. Mensch und Raum. 2006 ⇒879. 104-126.
10307   *Hoffer, S.E.* Divine Comedy?: accession propaganda in PLINY,
         Epistles 10.1-2 and the *Panegyric*. JRS 96 (2006) 73-87.

10308   **Kaster, Robert A.** Emotion, restraint, and community in ancient Rome. 2005 ⇒21,10835. [R]JRS 96 (2006) 234-6 (*Konstan, David*).

10309   **Kiesler, Reinhard** Einführung in die Problematik des Vulgärlateins. Romanistische Arbeitshefte 48: Tü 2006, Niemeyer 150 pp. [RBen 118,159–P.-M. Bogaert].

10310   *Laes, Christian* Children and fables, children in fables in Hellenistic and Roman antiquity. Latomus 65 (2006) 898-914.

10311   Mittellateinisches Wörterbuch, 3/9: enitor-evito. [E]**Antony, Heinz** Mü 2006, Beck 1281-1440 Sp.. 3-406-55048-7.

10312   *Orlandi, Giovanni* Riflessioni su aspetti del latino merovingo. Aevum 80 (2006) 335-352.

10313   **Quirk, Ronald J.** The Appendix Probi: a scholar's guide to text and context. Estudios lingüísticos 8: Newark, Del. 2006, Juan de la Cuesta 313 pp. 1-588-71109-9. Bibl. 303-313.

10314   [ET]**Shackleton Bailey, David R.** QUINTILIAN: The lesser declamations. LCL 500-501: CM 2006, Harvard Univ. Pr. 2 vols.; 480 pp. 0-674-99618-6/94.

10315   Thesavrus lingvae latinae, X/2, Fasc. XV: protego-pubertas. [E]**Vogt, Ernst**, *al.*, Lp 2006, Saur 2257-2432 Sp. 3-598-77054-5.

J8.1 General philology and linguistics

10316   *Krahn, Marie A.W.* O estudo das línguas bíblicas: descartável ou essencial?. EsTe 46 (2006) 7-21 [Num 12,6; Jer 1,11-12].

10317   **Küster, Marc W.** Geordnetes Weltbild: die Tradition des alphabetischen Sortierens von der Keilschrift bis zur EDV: eine Kulturgeschichte. Tü 2006, Niemeyer xvi; 712 pp. €74. 9783484108998. Ill.

10318   **Litosseliti, Lia** Gender and language: theory and practice. L 2006, Hodder A. vi; 192 pp. 0-340-80959-0. Bibl. 165-190.

10319   *Olmo Lete, Gregorio del* The biconsonantal Semitic lexicon: the series /ˤ-X-/. AuOr 24 (2006) 17-56.

10320   **Ackema, Peter; Neeleman, A.** Beyond morphology: interface conditions on word formation. 2004 ⇒20,9900. [R]BSLP 101 (2006) 100-107 (*François, Jacques*).

10321   **Allan, Keith; Burridge, Kate** Forbidden words: taboo and the censoring of language. C 2006, CUP ix; 303 pp. 978-0-521-81960-2. Bibl. 277-292.

10322   **Anderson, Stephen R.** Aspects of the theory of clitics. 2005 ⇒21, 10845. [R]BSLP 101 (2006) 129-144 (*Rouveret, Alain*).

10323   **Booij, Geert** The grammar of words: an introduction to linguistic morphology. 2005 ⇒21,10847. [R]BSLP 101 (2006) 97-100 (*Rebuschi, Georges*).

10324   **Cameron, Deborah** On language and sexual politics. NY 2006, Routledge vi; 198 pp. 0-415-37343-3. Bibl. 186-194.

10325   **Cohen, David** Essais sur l'exercice du langage et des langues, 1: communication et langage. P 2006, Maisonneuve & L. xiv; 510 pp. 2-7068-1746-1. Préf. *Jérôme Lentin*; Bibl.

10326   **Croft, William; Cruse, Allan** Cognitive linguistics. Cambridge Textbooks in Linguistics: 2004 ⇒20,9903. [R]BSLP 101 (2006) 64-79 (*François, Jacques; Venant, Fabienne*).

10327 **Culioli, Antoine; Normand, Claudine** Onze rencontres sur le langage et les langues. L'homme dans la langue: 2005 ⇒21,10852. ᴿBSLP 101 (2006) 52-56 (*Mellet, Sylvie*).

10328 **Dronsch, Kristina** Bedeutung als Grundbegriff neutestamentlicher Wissenschaft: texttheoretische und semiotische Entwürfe zur Kritik der Semantik dargelegt anhand einer Analyse zu ἀκούειν in Mk4. ᴰ*Alkier, Stefan* 2006, Diss. Frankfurt/M [ThRv 103/2,vi].

10329 ᴱ**Enjalbert, Patrice** Sémantique et traitement automatique du langage naturel. 2005 ⇒21,10853. ᴿBSLP 101 (2006) 160-175 (*François, Jacques; Dutoit, Dominique*).

10330 **Fairclough, Norman** Language and globalization. L 2006, Routledge viii; 186 pp. 0-415-31765-7/6-5. Bibl. 174-182.

10331 **Feuillet, Jack** Introduction à la typologie linguistique. Bibliothèque de grammaire et de linguistique 19: P 2006, Champion 716 pp. 2-7453-1269-3. Bibl. 641-672.

10332 *Hume, Elizabeth* The indeterminacy/attestation model of metathesis. Lg. 80 (2004) 203-237.

10333 **Laycock, Henry** Words without objects: semantics, ontology, and logic for non-singularity. Oxf 2006, Clarendon xvi; 202 pp. 0-19-9-28171-8. Bibl. 190-196.

10334 ᴱ**Lepore, Ernest; Smith, Barry C.** The Oxford handbook of philosophy of language. Oxf 2006, OUP xvi; 1083 pp. 0-19-925941-0.

10335 **Lightfoot, David** How new languages emerge. C 2006, CUP ix; 199 pp. 0-521-67629-0. Bibl. 186-195.

10336 **Mattoso Câmara, Joaquim, Jr.** Historia da lingüística. ᵀ*Azevedo, Maria do A.B. de* Petrópolis ⁶2006, Vozes 238 pp.

10337 **Mitjashin, Alexander** The world and language: the ontology for natural language. Lanham 2006, University Press of America xi; 147 pp. 978-0-7618-3523-3. Bibl. 145-147.

10338 **Olmo Lete, Gregorio del** Questions de linguistique sémitique: racine et lexème: histoire de la recherche (1940-2000). 2003 ⇒19, 10271; 21,10865. ᴿJSSt 51 (2006) 378-381 (*Voigt, Rainer*).

10339 **Parkvall, Mikael** Limits of language: almost everything you didn't know you didn't know about language and languages. L 2006, Battlebridge vi; 394 pp. 978-1-903292-04-4.

10340 **Pétroff, André-Jean** SAUSSURE: la langue, l'ordre et le désordre. 2004⇒20,9909. ᴿBSLP 101 (2006) 49-52 (*Bergounioux, Gabriel*).

10341 **Portner, Paul H.** What is meaning?: fundamentals of formal semantics. Oxf 2005, Blackwell ix; 235 pp. 1-405-10917-3. Bibl.; Ill.

10342 **Swadesh, Morris** The origin and diversification of language. New Brunswick, NJ 2006, Transaction xviii; 350 pp. 0-202-30841-3. Foreword *Dell Hyme*; Bibl. 324-336.

10343 ᴱ**Tallerman, Maggie** Language origins: perspectives on evolution. Studies in the evolution of language: 2005 ⇒21,10870. ᴿBSLP 101 (2006) 1-6 (*Levet, Jean-Pierre*).

10344 **Westendorp, Gerard** From language as speech to language as thought: the great leap in evolution (40,000 B.C.). Lewiston (N.Y.) 2006, Mellen xxvi; 295 pp. 978-0-7734-5682-2. Bibl. 269-286.

J8.2 Comparative grammar

10345 **Aikhenvald, Alexandra Y.** Evidentiality. Oxf 2006, OUP xxiii, 452 pp. 0-19-920433-0. Bibl. 397-427.

10346 **Bres, Jacques** L'imparfait dit *narratif.* Sciences du Langage: 2005 ⇒21,10873. ᴿBSLP 101 (2006) 144-148 (*Mellet, Sylvie*).

10347 **Butt, Miriam** Theories of case. C 2006, CUP xiii; 258 pp. 978-0-521-79322-3. Bibl. 228-249.

10348 ᴱ**Clairis, Christos,** *al.,* Typologie de la syntaxe connective. 2005 ⇒21,10875. ᴿBSLP 101 (2006) 148-158 (*Feuillet, Jack*).

10349 **Corbett, Greville G.** Agreement. C 2006, CUP xviii; 328 pp. 0-521-80708-5. Bibl. 285-317.

10350 *Corriente, Federico* Lexicostatistics and the Central Semitic theory. ᶠSANMARTÍN, J.: AuOr.S 22: 2006 ⇒144. 139-144.

10351 **Fox, Joshua** Semitic noun patterns. Harvard Semitic Studies 59: 2003 ⇒19,10284. ᴿBiOr 63 (2006) 396-406 (*Gzella, Holger*).

10352 **Haelewyck, Jean-Claude** Grammaire comparée des langues sémitiques: éléments de phonétique, de morphologie et de syntaxe. Langues et cultures anciennes 7: Bru 2006, Safran 191 pp. €45. 2-87457-003-6. Bibl. 183-187. ᴿMaarav 13 (2006) 269-275 (*Kaye, Alan S.*).

10353 *Lipiński, Edward* Dissimilation of gemination. ᶠPENNACHIETTI, F. 2006 ⇒127. 437-446.

10354 ᴱ**Robert, Stéphane** Perspectives synchroniques sur la grammaticalisation: polysémie, transcatégorialité et échelles syntaxiques. Afrique et langage 5: 2003 ⇒20,9915. ᴿBSLP 101 (2006) 108-112 (*Lazard, Gilbert*).

10355 **Rubin, Aaron D.** Studies in Semitic grammaticalization. Harvard Semitic Studies 57: 2005 ⇒21,10885. ᴿBiOr 63 (2006) 340-343 (*Cohen, Eran*); OLZ 101 (2006) 709-714 (*Waltisberg, M.*); BSOAS 69 (2006) 464-466 (*Deutscher, Guy*); HebStud 47 (2006) 433-436 (*Cook, John A.*); JAOS 126 (2006) 284-286 (*Kaye, Alan S.*); RBLit (2006)* (*Engle, John*).

J8.4 The origin of writing

10356 **Glassner, Jean-Jacques** The invention of cueniform: writing in Sumer. ᵀᴱ*Bahrani, Zainab; Van De Mieroop, Marc* 2003 ⇒19, 10306; 21,10891. ᴿAJA 110 (2006) 171-172 (*Robson, Eleanor*).

10357 *Goedicke, Hans* A *bamah* at the first cataract. ᶠBIETAK, M., II. OLA 149: 2006 ⇒8. 119-127.

10358 **Hamilton, Gordon J.** The origins of the West Semitic alphabet in Egyptian scripts. CBQ.MS 40: Wsh 2006, Catholic Biblical Association of America xxv; 433 pp. $18. 09151-7040X. Bibl. 407-431.

10359 *Zamora López, José A.* Les utilisations de l'alphabet lors du IIᵉ millénaire av. J.C. et le développement de l'épigraphie alphabétique: une approche à travers la documentation ougaritique en dehors des tablettes (II). ᶠSANMARTÍN, J.: AuOr.S 22: 2006 ⇒144. 491-528.

10360 *Zwickel, Wolfgang* Von der Keilschrift zum Codex. Alles echt. 2006 ⇒469. 17-33.

J9.1 *Analyis linguistica loquelae de Deo*—God talk

10361 **Neyrey, Jerome H.** Render to God: New Testament understandings of the divine. 2004 ⇒20,9930; 21,10898. ᴿRBLit (2006)* (*Bertone, John*).

XV. Postbiblica

K1.1 **Pseudepigrapha [=catholicis 'Apocrypha']** *VT generalis*

10362 *Atkinson, Kenneth* Astrology and history in the Treatise of Shem: two astrological pseudepigrapha and their relevance for understanding the astrological Dead Sea scrolls. Qumran Chronicle 14 (2006) 37-55.

10363 [ET]**Balzaretti, Claudio** L'Apocalisse del giovane Daniele (Syr Dan). RSLR 42/1 (2006) 119-129.

10364 *Bazzana, Giovanni B.* L'*Oratio Manasse* a Hierapolis: osservazioni di storia testuale. RPARA 79 (2005-2006) 434-442.

10365 *Brooke, George J.* The formation and renewal of scriptural tradition. [F]KNIBB, M.: JSJ.S 111: 2006 ⇒87. 39-59.

10366 *Cacitti, Remo* 'Codex in pariete'?: due ipotesi per la destinazione d'uso della *Preghiera di Manasse* nell'epigrafe dipinta di Hierapolis di Frigia. RPARA 79 (2005-2006) 443-449.

10367 **Davila, James R.** The provenance of the pseudepigrapha: Jewish, christian, or other?. 2005 ⇒21,10905. [R]JBL 125 (2006) 827-831 (*Inowlocki, Sabrina*).

10368 **deSilva, David A.** Introducing the Apocrypha: message, context, and significance. 2004 ⇒20,9936. [R]SBET 24 (2006) 242-244 (*Grogan, Geoffrey*); TrinJ 27 (2006) 172-174 (*Long, Phillip J.*).

10369 [ET]**Fürst, Alfons,** *al.*, Der apokryphe Briefwechsel zwischen Seneca und Paulus: zusammen mit dem Brief des Mordechai an ALEXANDER und dem Brief des Annaeus SENECA über Hochmut und Götterbilder. Sapere 11: Tü 2006, Mohr S. x; 215 pp. €24. 3-16-149130-0. Bibl. 201-208.

10370 *Fürst, Alfons* Der Brief des Annaeus SENECA über Hochmut und Götterbilder: ein angeblicher Brief des Hohepriesters Annas an Seneca. Der apokryphe Briefwechsel. 2006 ⇒10369. 176-197.

10371 *Heath, Jane* EZEKIEL Tragicus and Hellenistic visuality: the Phoenix at Elim. JThS 57 (2006) 23-41.

10372 *Horn, Cornelia B.* The Virgin and the perfect virgin: traces of early eastern christian mariology in the *Odes of Solomon*. Studia patristica 40. 2006 ⇒833. 413-428.

10373 *Jacobson, Howard* Artapanus Judaeus. JJS 57 (2006) 210-221.

10374 [ET]**Lanfranchi, Pierluigi** L'Exagoge d'EZÉCHIEL le Tragique: introduction, texte, traduction et commentaire. [D]*Jonge, Henk Jan de* SVTP 21: Lei 2006, Brill xix; 390 pp. €145/$195. 90-04-15063-3. Diss. Leiden; Bibl. 339-368. [R]Adamantius 12 (2006) 335-336 (*Jonge, Henk Jan de*) [Exod 1-15].

10375 *Latour, Élie* Une proposition de reconstruction de l'Apocryphe de Moïse (1Q29, 4Q375, 4Q376, 4Q408). RdQ 22 (2006) 575-591.

10376 **Lattke, Michael** Oden Salomos: Text, Übersetzung, Kommentar, 3: Oden 29-42. NTOA 41: 2005 ⇒21,10912. [R]ThLZ 131 (2006) 158-159 (*Frey, Jörg*); RHPhR 86 (2006) 452-453 (*Grappe, C.*).

10377 *Longosz, Stanisław* Maryja w apokryfach Starego Testamentu [De Maria in apocryphis Veteris Testamenti]. Vox Patrum 26 (2006) 357-366. P.

10378   **Lorein, Geert Wouter** The antichrist theme in the intertestamental period. JSPE.S 44: 2003 ⇒19,10332... 21,10913. [R]JSJ 37 (2006) 131-2 (*Xeravits, Géza*); CBQ 68 (2006) 154-155 (*Stokes, Ryan E.*).

10379   **Lührmann, Dieter** Weisheitliche, magische und legendarische Erzählungen: Bundesbuch. JSHRZ 2/12: Gü 2006, Gü viii; 32 pp. 35-790-52438.

10380   *Nickelsburg, George W.E.* Torah and the deuteronomic scheme in the Apocrypha and Pseudepigrapha: variations on a theme and some noteworthy examples of its absence. [F]BURCHARD, C.: NTOA 57: 2006 ⇒13. 222-235.

10381   *Siegert, Folker* Der Brief des Mordechai an ALEXANDER: zur jüdischen Öffentlichkeitsarbeit in der Antike. Der apokryphe Briefwechsel. Sapere 11: 2006 ⇒10369. 147-175.

10382   *Stone, Michael E.* The book(s) attributed to Noah. DSD 13 (2006) 4-23;

10383   Categorization and classification of the Apocrypha and Pseudepigrapha. <1986> 3-13;

10384   Jewish tradition, the Pseudepigrapha and the christian west. Apocrypha, Pseudepigrapha, I. 2006 <1994> ⇒310. 41-59;

10385   The study of the Armenian Apocrypha. <1999> 95-104;

10386   The Armenian apocryphal literature: translation and creation. Apocrypha, Pseudepigrapha, I. 2006 <1996> ⇒310. 105-137;

10387   The document called '*Question*'. <1998> 237-242;

10388   The genealogy of Bilhah. <1996> 243-259;

10389   Aramaic Levi in its contexts. <2002> 275-294;

10390   Apocryphal notes and readings. <1971> 445-453 [Sir 42,1; 42,3];

10391   Two Armenian manuscripts and the *Historia sacra*. Apocrypha, Pseudepigrapha, I. OLA 144: 2006 <1999> ⇒310. 399-414;

10392   Pseudepigraphy reconsidered. Review of Rabbinic Judaism 9 (2006) 1-15.

10393   [T]*Stone, Michael E.* Selections from *On the creation of the world* by Yovhannēs Tʿulkurancʿi. Apocrypha, Pseudepigrapha, I. 2006 <2000> ⇒310. 147-193.

10394   *Trafton, Joseph L.* The bible, the *Psalms of Solomon*, and Qumran. The bible and the Dead Sea scrolls, II. 2006 ⇒706. 427-446;

10395   The *Psalms of Solomon*. The historical Jesus. 2006 ⇒334. 256-65.

10396   **Whitney, K. William** Two strange beasts: Leviathan and Behemoth in second temple and early rabbinic Judaism. HSSt 63: WL 2006, Eisenbrauns xiv; 213 pp. $35. 978-1-57506-914-2. Bibl. 181-197. [R]EThL 82 (2006) 498-500 (*Scatolini, S.S.*).

K1.2 **Henoch**

10397   *Anderson, Jeff* Two-way instruction and covenantal theology in the Epistle of Enoch. Henoch 28/1 (2006) 125-140.

10398   *Arbel, Daphna* Divine secrets and divination. [M]QUISPEL, G.: SBL. Symposium 10: 2006 ⇒134. 355-379.

10399   *Arcari, Luca* A proposito dell'esistenza di una tradizione sul figlio dell'uomo tra giudaismo del periodo ellenistico-romano e protocristianesimo. Materia Giudaica 11/1-2 (2006) 239-254;

10400   Il *Libro delle parabole* di Enoch: alcuni problemi filologici e letterari. Gesù e i messia di Israele. 2006 ⇒739. 81-92.

10401 *Bautch, Kelley C.* What becomes of the angels' "wives"?: a text-critical study of 1 Enoch 19:2. JBL 125 (2006) 766-780.

10402 **Bautch, Kelley Coblentz** A study of the geography of 1 Enoch 17-19: "No one has seen what I have seen". JSJ.S 81: 2003 ⇒19, 10340; 20,9952. ᴿDSD 13 (2006) 266-270 (*Brooke, George J.*).

10403 *Baxter, Wayne* Noachic traditions and the Book of Noah. JSPE 15 (2006) 179-194.

10404 *Bhayro, Siam* Noah's library: sources for 1 Enoch 6-11. JSPE 15 (2006) 163-177.

10405 ᴱ**Boccaccini, Gabriele** Enoch and Qumran origins: new light on a forgotten connection. 2005 ⇒21,921. ᴿSR 35 (2006) 337-340 (*DiTommaso, Lorenzo*); OTEs 19 (2006) 338-340 (*Venter, P.M.*); JAOS 126 (2006) 630-631 (*Flannery, Frances*); CBQ 68 (2006) 561-564 (*Goff, Matthew*); RBLit (2006)* (*Kraus, Thomas*); JBL 125 (2006) 593-599 (*Harding, James*).

10406 *Davies, Philip* And Enoch was not, for Genesis took him. ᶠKNIBB, M.: JSJ.S 111: 2006 ⇒87. 97-107 [Gen 6,1-4].

10407 *Del Verme, Marcello* Il testo enochico greco del Papiro Gizeh (in sigla G): progetto per una (ri)edizione critica in prospettiva storico-religiosa. Henoch 28/2 (2006) 139-159.

10408 *Isaac, Ephraim* Enoch and the archangel Michael. The bible and the Dead Sea scrolls, II. 2006 ⇒706. 363-375.

10409 **Jackson, David R.** Enochic Judaism: three defining paradigm exemplars. LSTS 49: 2004 ⇒20,9956; 21,10938. ᴿBib. 87 (2006) 577-580 (*Wright, Benjamin*); JBL 125 (2006) 587-589 (*Harding, James E.*); JThS 57 (2006) 211-212 (*Barker, Margaret*).

10410 *Langlois, Michael* Les manuscrits araméens d'Hénoch: nouvelle documentation et nouvelle approche. ᴹCAQUOT, A.: Coll. REJ 40: 2006 ⇒16. 111-121.

10411 *Lesses, Rebecca* Eschatological sorrow, divine weeping, and God's right arm. ᴹQUISPEL, G.: SBL.Symposium 10: 2006 ⇒134. 265-83.

10412 *Martin de Viviés, Pierre de* Dites-le avec des bêtes: l'apocalypse animalière d'Hénoch et l'historiographie apocalyptique de la période grecque. ᶠGIBERT, P.: 2006 ⇒52. 136-149.

10413 *Mitchell, David C.* Firstborn Shor and Rem: a sacrificial Josephite Messiah in 1 Enoch 90.37-38 and Deuteronomy 33.17. JSPE 15 (2006) 211-228.

10414 *Nickelsburg, George W.E.* First and Second Enoch: a cry against oppression and the promise of deliverance. The historical Jesus. 2006 ⇒334. 87-109.

10415 *Orlov, Andrei* 'The learned savant who guards the secrets of the great gods': evolution of the roles and titles of the seventh antediluvian hero in Mesopotamian and Enochic traditions (part 1: Mesopotamian traditions). ᴹCHERNETSOV, S. 2005 ⇒20. 248-264;

10416 God's face in the Enochic tradition. ᴹQUISPEL, G.: SBL.Symposium 10: 2006 ⇒134. 179-193.

10417 **Orlov, Andrei A.** The Enoch-Metatron tradition. TSAJ 107: 2005 ⇒21,10950. ᴿNeotest. 40 (2006) 213-215 (*Draper, Jonathan A.*); Sal. 68 (2006) 596-597 (*Vicent, Rafael*); RBLit (2006)* (*Davila, James R.*); JBL 125 (2006) 589-592 (*Harding, James E.*); JHScr 6 (2006)* = PHScr III,468-471 (*Mroczek, Eva*) [⇒593].

10418 *Ruffatto, Kristine J.* Polemics with enochic traditions in the Exagoge of EZEKIEL the Tragedian. JSPE 15 (2006) 195-210.

10419 *Sacchi, Paolo* Qumran and the dating of the Parables of Enoch. The bible and the Dead Sea scrolls, II. 2006 ⇒706. 377-395.

10420 *Suter, David W.* The third Enoch seminar (Camaldoli, Italy, June 2-6, 2005) and the problem of dating the parables of Enoch. Henoch 28/1 (2006) 185-192.

10421 *VanderKam, James C.* 1 Enoch 80 within the book of the luminaries. ᶠPUECH, E.: StTDJ 61: 2006 ⇒133. 333-355;

10422 Daniel 7 in the Similitudes of Enoch (1 Enoch 37-71). ᶠKNIBB, M.: JSJ.S 111: 2006 ⇒87. 291-307.

10423 *Werrett, Ian* Introduction: the inaugural meeting of the graduate Enoch Seminar (University of Michigan, Ann Arbor, May 2-4, 2006). Henoch 28/2 (2006) 7-10.

10424 *Wright, Archie T.* Evil spirits in second temple Judaism: the watcher tradition as a background to the demonic pericopes in the gospels. Henoch 28/1 (2006) 141-159 [Gen 6,4; Mark 5,1-20].

K1.3 Testamenta

10425 *Atkinson, Kenneth R.* Taxo's martyrdom and the role of the Nuntius in the Testament of Moses: implications for understanding the role of other intermediary figures. JBL 125 (2006) 453-476.

10426 **Busch, Peter** Das Testament Salomos: die älteste christliche Dämonologie, kommentiert und in deutscher Erstübersetzung. TU 153: B 2006, De Gruyter xii; 322 pp. €88. 3-11-018528-9. Bibl. 291-310.

10427 (a) *Carnevale, Laura* Il caso di Giobbe tra persistenze bibliche e trasformazioni: il ruolo del "Testamentum Iobi". ASEs 23 (2006) 225-256.
(b) *Catastini, A.* La veste profumata del giusto. ᶠPENNACHIETTI, F. 2006 ⇒127. 167-172. Testament of Abraham.

10428 *Dochhorn, Jan* Abel and the three stages of postmortal judgement: a text-critical and redaction-critical study of the christian elements in Testament of Abraham A 13:2-8. ᶠCHARLESWORTH, J. 2006 ⇒ 19. 398-415.

10429 *Drawnel, Henryk* The literary form and didactic content of the Admonitions (Testament) of Qahat. ᶠPUECH, E.: StTDJ 61: 2006 ⇒ 133. 55-73.

10430 **Drawnel, Henryk** An Aramaic wisdom text from Qumran: a new interpretation of the Levi document. JSJ.S 86: 2004 ⇒20,9976. ᴿJAC 48-49 (2005-6) 168-172 *(Terbuyken, Peri J.)*; RSR 94/1 (2006) 147-149 *(Paul, André)*.

10431 *Elledge, C.D.* The resurrection passages in the *Testaments of the Twelve Patriarchs*: hope for Israel in early Judaism and christianity. Resurrection: the origin. 2006 ⇒705. 79-103.

10432 ᴱᵀ**Greenfield, Jonas C.; Eshel, Esther; Stone, Michael E.** The Aramaic Levi document: edition, translation, commentary. SVTP 19: 2004 ⇒20,9977. ᴿRB 113 (2006) 127-131 *(Drawnel, Henryk)*; JAC 48-49 (2005-2006) 168-172 *(Terbuyken, Peri J.)*; Meghillot IV (2006) 215-218 *(Dimant, Devorah)*.

10433 *Jonge, Marinus de* The *Testaments of the Twelve Patriarchs* and the "two ways". ᶠKNIBB, M.: JSJ.S 111: 2006 ⇒87. 179-194.

10434 *Kalman, Jason* Job denied the resurrection of Jesus?: a rabbinic critique of the Church Fathers' use of exegetical traditions found in the Septuagint and the Testament of Job. [F]CHARLESWORTH, J.: 2006 ⇒ 19. 371-397.

10435 [ET]**Monferrer Sala, Juan P.** Testamentum Salomonis Arabicum. Manuales y estudios 5: Córdoba 2006, Servicio de publicaciones de la Univ. de Córdoba 167 pp. 84780-18298. Ed. según mss. BnF 214 y Vat. ar. 448.

10436 *Parchem, Marek* Testament Mojzesza: wprowadzenie oraz prekład z objaśnieniami. CoTh 76/2 (2006) 79-103. **P.**

10437 [ET]**Raurell, Frederic** El Testament de Job. [T]*Morelli, Patrizia* 2005 ⇒21,10966. [R]Laur. 47 (2006) 313-316 (*Solà, Teresa*); ActBib 43 (2006) 193-195 (*Alegre, Xavier*).

10438 *Rosen-Zvi, Ishay* Bilhah the temptress: *The Testament of Reuben* and 'the birth of sexuality'. JQR 96 (2006) 65-94 [Gen 35,22].

10439 *Stone, Michael E.* Why Naphtali?: an electronic discussion. Apocrypha, Pseudepigrapha, I. OLA 144: 2006 <1998> ⇒310. 261-264;

10440 Aramaic Levi document and Greek Testament of Levi. Apocrypha, Pseudepigrapha, I. OLA 144: 2006 <2003> ⇒310. 265-273.

K1.6 Adam, Jubilaea, Asenet

10441 *Fodor, Alexander* An Arabic version of *Sefer Ha.Razim.* JSQ 13 (2006) 412-427. Adam.

10442 [T]**González Casado, Pilar** La cueva de los tesoros. Apócrifos cristianos 5: 2004 ⇒20,9990; 21,10969. [R]CDios 219 (2006) 844-845 (*Gutiérrez, Jesús*).

10443 *Stone Michael E.* Adam and Eve traditions in fifth-century Armenian literature. Muséon 119 (2006) 89-121;

10444 The Bones of Adam and Eve. <2000> 141-145;

10445 The legend of the Cheirograph of Adam. <2000> 195-212;

10446 Adam, Eve and the incarnation. <1997> 213-225;

10447 New discoveries relating to the Armenian Adam books. Apocrypha, Pseudepigrapha, I. OLA 144: 2006 <1989> ⇒310. 227-235.

10448 **Toepel, Alexander** Die Adam- und Seth-Legenden im syrischen Buch der Schatzhöhle: eine quellenkritische Untersuchung. CSCO 618; CSCO.sub 119: Lv 2006, Peeters xxix; 258 pp. €85. 90-429-1739-3. Diss. Tübingen; Bibl. ix-xxix.

10449 **Tromp, Johannes** The Life of Adam and Eve in Greek: a critical edition. PVTG 6: 2005 ⇒21,10975. [R]JSJ 37 (2006) 157-160 (*Roig Lanzillotta, Lautaro*).

10450 *Gilders, William K.* Blood and convenant: interpretive elaboration on Genesis 9.4-6 in the Book of Jubilees. JSPE 15 (2006) 83-118.

10451 *Halpern-Amaru, Betsy* A note on Isaac as first-born in Jubilees and only son in 4Q225. DSD 13 (2006) 127-133 [Gen 22].

10452 *Hamidović, David* Les *Répartitions des temps*, titre du *Livre des Jubilés*, dans les manuscrits de Qoumrân. Le temps et les temps. JSJ.S 112: 2006 ⇒408. 137-145.

10453 *Hanneken, Todd Russell* Angels and demons in the Book of Jubilees and contemporary apocalypses. Henoch 28/2 (2006) 11-25.

10454 *Lambert, David* Did Israel believe that redemption awaited its repentance?: the case of Jubilees 1. CBQ 68 (2006) 631-650.

10455 *Rothstein, David* Laws regulating relations with outsiders in 1QS and Jubilees: biblical antecedents. ZAR 12 (2006) 107-130.

10456 *Sollamo, Raija* The creation of angels and natural phenomena intertwined in the Book of Jubilees (4QJub^a). ^F Knibb, M.: JSJ.S 111: 2006 ⇒87. 273-90 [Job 38; Ps 148; Sir 42,15-43,33; Dan 3,57-73].

10457 *Stökl, Jonathan* A list of the extant Hebrew text of the book of Jubilees, their relation to the Hebrew Bible and some preliminary comments. Henoch 28/1 (2006) 97-124;

10458 The book formerly known as Genesis: a study of the use of biblical language in the Hebrew fragments of the *Book of Jubilees*. RdQ 22 (2006) 431-449.

10459 **Van Ruiten, Jacobus T.A.G.M.** Primaeval history interpreted: the rewriting of Genesis 1-11 in the book of Jubilees. JSJ.S 66: 2000 ⇒16,8982...20,10006. ^R DSD 13 (2006) 117-121 (*Falk, Daniel K.*).

10460 *Van Ruiten, Jacques* A miraculous birth of Isaac in the *Book of Jubilees?*. Wonders never cease. LNTS 288: 2006 ⇒758. 1-19.

10461 *VanderKam, James C.* The scriptural setting of the book of Jubilees. DSD 13 (2006) 61-72.

10462 *Chesnutt, Randall D.* The Dead Sea scrolls and the meal formula in *Joseph and Aseneth*: from Qumran fever to Qumran light. The bible and the Dead Sea scrolls, II. 2006 ⇒706. 397-425;

10463 Joseph and Aseneth: food as an identity marker. The historical Jesus. 2006 ⇒334. 357-365.

10464 *Nisse, Ruth* 'Your name will no longer be Aseneth': apocrypha, anti-martyrdom, and Jewish conversion in thirteenth-century England. Spec. 81 (2006) 734-753.

10465 ^ET **Tragan, Pius-Ramon** Josep i Àsenet. ^T Ros, Montserrat 2005 ⇒ 21,11008. ^R ActBib 43 (2006) 192-193 (*Alegre, Xavier*).

K1.7 Apocalypses, ascensiones

10466 *Davila, James R.* The ancient Jewish apocalypses and the *hekhalot* literature. ^M Quispel, G.: SBL.Symposium 10: 2006 ⇒134. 105-25.

10467 **Dochhorn, Jan** Die Apokalypse des Mose: Text, Übersetzung, Kommentar. TSAJ 106: 2005 ⇒21,11010. ^R Sal. 68 (2006) 390-391 (*Vicent, Rafael*).

10468 *Gil, Moshe* The Apocalypse of Zerubbabel in Judaeo-Arabic. REJ 165 (2006) 1-98. Erratum, cf p 523.

10469 *Henze, Matthias* From Jeremiah to Baruch: pseudepigraphy in the Syriac Apocalypse of Baruch. ^F Knibb, M.: JSJ.S 111: 2006 ⇒87. 157-177.

10470 *Horbury, William* Moses and the covenant in the Assumption of Moses and the pentateuch. Herodian Judaism. WUNT 193: 2006 <2004> ⇒240. 34-46 [Exod 34].

10471 **Kulik, Alexander** Retroverting Slavonic pseudepigrapha: toward the original of the Apocalypse of Abraham. Text-Critical Studies 3: 2004 ⇒20,10020; 21,11012. ^R CBQ 68 (2006) 335-337 (*Roddy, Nicolae*).

10472   **Laporte, Jean** Les apocalypses et la formation des vérités chréti-
ennes. Initiations aux Pères de l'Église: 2005 ⇒21,11013. [R]SR 35
(2006) 161-162 (*Piovanelli, Pierluigi*).

10473   **Reeves, John C.** Trajectories in Near Eastern apocalyptic: a post-
rabbinic Jewish apocalypse reader. SBL.Resources for Biblical
Study 45: Lei 2006, Brill xvi; 262 pp. $30/€99. 158983-1020. Bibl.
225-243. [R]CBQ 68 (2006) 776-778 (*Himmelfarb, Martha*); RBLit
(2006)* (*DiTommaso, Lorenzo*).

10474   *Rosenstiehl, Jean-Marc* Modèles du temps et de la fin des temps
dans l'*Apocalypse du Pseudo-Méthode*. Le temps et les temps. JSJ.
S 112: 2006 ⇒408. 231-257.

10475   *Stone, Michael E.* On reconsideration of apocalyptic visions. Apoc-
rypha, Pseudepigrapha, I. OLA 144: 2006 <1989> ⇒310. 353-366.

K2.1 Philo judaeus alexandrinus

10476   **Berthelot, Katell** L'"humanité de l'autre homme" dans la pensée
juive ancienne. JSJ.S 87: 2004 ⇒20,10030. [R]RSR 94 (2006) 215-
221 (*Paul, André*); ThLZ 131 (2006) 979-981 (*Bons, Eberhard*).

10477   *Birkan-Shear, Amy* "Does a serpent give life?": understanding the
brazen serpent according to Philo and early rabbinic literature.
[F]CHARLESWORTH, J. 2006 ⇒19. 416-426 [Num 21,4-9].

10478   *Birnbaum, Ellen* Two millennia later: general resources and partic-
ular perspectives on Philo the Jew. CuBR 4 (2006) 241-276.

10479   *Borgen, Peder* Some crime-and-punishment reports. [M]ILLMAN, K.
2006 ⇒72. 67-80 [2 Macc 4,7-9,29; Acts 12,1-24].

10480   *Bosman, Philip R.* Conscience and free speech in Philo. StPhiloA
18 (2006) 33-47.

10481   **Böhm, Martina** Rezeption und Funktion der Vätererzählungen bei
Philo von Alexandria: zum Zusammenhang von Kontext, Herme-
neutik und Exegese im frühen Judentum. BZNW 128: 2005 ⇒21,
11018. [R]JSJ 37 (2006) 416-418 (*Niehoff, Maren*); CBQ 68 (2006)
534-536 (*Hay, David M.*); RBLit (2006)* (*Zamagni, Claudio*).

10482   *Cohen, Naomi G.* La dimensión judía del judaísmo de Filón: una
elucidación de *De Spec. Leg.* IV 132-150. RevBib 68 (2006) 215-
240;

10483   Philo's Cher: 40-52, Zohar III 31a, and BT Hag. 16a 1,2. JJS 57
(2006) 191-209;

10484   The prophetic books in Alexandria: the evidence from Philo Judae-
us. Prophets, prophecy. LHBOTS 427: 2006 ⇒728. 166-193.

10485   *Coleman, Ian* Antiphony: another look at Philo's *On the contem-
plative life*. StLi 36 (2006) 212-230.

10486   *Deutsch, Celia* The therapeutae, text work, ritual, and mystical ex-
perience. [M]QUISPEL, G.: SBL.Sympos. 10: 2006 ⇒134. 287-311.

10487   *Di Mattei, Steven* Moses' Physiologia and the meaning and use of
Physikôs in Philo of Alexandria's exegetical method. StPhiloA 18
(2006) 3-32.

10488   *Feldman, Louis H.* Philo's version of the 'aqedah. Judaism and
Hellenism reconsidered. JSJ.S 107: 2006 <2002> ⇒215. 255-279
[Gen 22,1-19];

10489   Philo, Pseudo-Philo, JOSEPHUS, and THEODOTUS on the rape of Di-
nah. Judaism and Hellenism reconsidered. JSJ.S 107: 2006 <2004>
⇒215. 281-309 [Gen 34].

10490 **Feldman, Louis H.** "Remember Amalek!": vengeance, zealotry, and group destruction in the bible according to Philo, Pseudo-Philo, and JOSEPHUS. MHUC 31: 2004 ⇒20,10043; 21,11023. ᴿJSSt 51 (2006) 412-15 (*Fisk, Bruce N.*); CBQ 68 (2006) 730-731 (*Grabbe, Lester L.*) [Deut 25,17-19].

10491 *Geljon, Albert C.* Philo of Alexandria and GREGORY of Nyssa on Moses at the burning bush. The revelation of the name. 2006 ⇒ 796. 225-236 [Exod 3,1-4,17].

10492 *Ham, Bertrand* L'interprétation allégorique de l'arche de Noé chez Philon d'Alexandrie. Graphè 15 (2006) 63-77 [Gen 6,14-16].

10493 *Kerkeslager, Allen* Agrippa and the mourning rites for Drusilla in Alexandria. JSJ 37 (2006) 367-400.

10494 *Konstan, David* Philo's De virtutibus in the perspective of classical Greek philosophy. StPhiloA 18 (2006) 59-72.

10495 *Koskenniemi, Erkki* Philo and classical drama. ᴹILLMAN, K. 2006 ⇒72. 137-151.

10496 *Levison, John R.* Philo's personal experience and the persistence of prophecy. Prophets, prophecy. LHBOTS 427: 2006 ⇒728. 194-209.

10497 *Lévy, Carlos* Philon d'Alexandrie et les passions. Réceptions antiques. 2006 ⇒605. 27-41.

10498 *Lindqvist, Pekka* Sin at Sinai: three first century versions. ᴹILLMAN, K. Ment. *Josephus*. 2006 ⇒72. 225-246 [Exod 32].

10499 **Martens, John W.** One God, one law: Philo of Alexandria on the Mosaic and Greco-Roman law. 2003 ⇒19,10472... 21,11030. ᴿAdamantius 12 (2006) 545-550 (*Termini, Cristina*).

10500 *McGing, Brian* Philo's adaptation of the bible in his *Life of Moses*. The limits of ancient biography. 2006 ⇒881. 117-140.

10501 *Pernot, Laurent* La vie exceptionnelle de Joseph d'après Philon d'Alexandrie, *De Joseph*. Signes et destins d'élection. 2006 ⇒877. 147-165 [Gen 37-50].

10502 ᴱ**Radice, Roberto** Filone di Alessandria: tutti i trattati del commentario allegorico alla bibbia. 2005 ⇒21,11034. ᴿAdamantius 12 (2006) 539-542 (*Calabi, Francesca*).

10503 ᴱᵀ**Raurell, Frederic** Filó d'Alexandria: "De vita contemplativa". Barc 2006, PPU 267 pp. 84-477-0917-5. Bibl. 69-87.

10504 *Reventlow, Henning von* Alegorična razlaga Svetega pisma–Filon Aleksandrijski. Tretji dan. Krscanska revija za duhovnost in kulturo 35/9-10 (2006) 84-87. **S.**

10505 *Robertson, David G.* Mind and language in Philo. Journal of the History of Ideas 67 (2006) 423-441.

10506 *Royse, James R.* The text of Philo's De virtutibus;

10507 *Runia, David T.* Philo's De virtutibus: Introduction;

10508 *Runia, David T., al.*, Philo of Alexandria: an annotated bibliography 2003. StPhiloA 18 (2006) 73-101/57-58/143-187.

10509 ᵀ**Runia, David T.** Philo of Alexandria: On the creation of the cosmos according to Moses: introduction, translation and commentary. Philo of Alexandria Commentary Series 1: 2005 <2001> ⇒21, 11039. ᴿRBLit (2006)* (*Weedman, Mark; Zamagni, Claudio*).

10510 *Seland, Torrey* Philo, magic and Balaam: neglected aspects of Philo's exposition of the Balaam story. ᶠAUNE, D.: NT.S 122: 2006 ⇒ 4. 333-346 [Num 22-24].

10511   *Sterling, Gregory E.* "The queen of the virtues": piety in Philo of Alexandria. StPhiloA 18 (2006) 103-123;
10512   Philo of Alexandria. The historical Jesus. 2006 ⇒334. 296-308.
10513   Supplement: a provisional bibliography 2004-2006. StPhiloA 18 (2006) 189-204.
10514   **Taylor, Joan E.** Jewish women philosophers of first-century Alexandria: Philo's 'Therapeutae' reconsidered. 2003 ⇒19,10493... 21, 11043. ᴿJJS 57 (2006) 179-180 (*Pearce, Sarah*); JR 86 (2006) 146-149 (*Van den Hoek, Annewies*).
10515   *Termini, Cristina* The historical part of the pentateuch according to Philo of Alexandria: biography, genealogy, and the philosophical meaning of the patriarchal lives. History and identity. DCLY 2006: 2006 ⇒704. 265-295.
10516   *Tilly, Michael* Die Sünden Israels und der Heiden: Beobachtungen zu L.A.B. 25:9-13. JSJ 37 (2006) 192-211.
10517   *Van der Horst, Pieter W.* Philo and the rabbis on Genesis: similar questions, different answers. Jews and Christians. WUNT 196: 2006 <2004> ⇒321. 114-127;
10518   Two short notes on Philo. StPhiloA 18 (2006) 49-55;
10519   Common prayer in Philo's *In Flaccum* 121-124 <2003>;
10520   Philo of Alexandria on the wrath of God. Jews and Christians. WUNT 196: 2006 ⇒321. 108-113/128-133.
10521   ᵀ**Van der Horst, Pieter W.** Philo's Flaccus: the first pogrom. Philo of Alexandria Comm. 2: 2003 ⇒19,10496...21,11045. ᴿAdamantius 12 (2006) 542-4 (*Lanfranchi, Pierluigi*); Gn. 78 (2006) 679-83 (*Taylor, Joan*); RBLit (2006)* (*Bloch, René; Oegema, Gerbern*).
10522   The works of Philo: Greek text with morphology. Bellingham, Wash. 2005, Logos Bible Software $120. CD-ROM. ᴿRBLit (2006)* (*Seland, Torrey*).

K2.4 *Evangelia apocrypha*—**Apocryphal gospels**

10523   *Allerton, J.* The Secret Gospel of Mark and the sexual orientation of Jesus. FaF 59/2 (2006) 108-113.
10524   *Bauer, Johannes B.* Et numquam laeti sitis: zur Interpretation von Ev. Hebr (Hieronymus, In Eph. 5,4). VigChr 60 (2006) 342-345.
10525   *Beatrice, Pier F.* The "Gospel according to the Hebrews" in the apostolic fathers. Ment. *Ignatius.* NT 48 (2006) 147-195.
10526   ᴱ**Bernhard, Andrew E.** Other early Christian gospels: a critical edition of the surviving Greek manuscripts. LNTS 315: L 2006, Clark xiv; 157 pp. $55. 0-567-04204-9. Bibl. 128-133.
10527   *Beyers, Rita* La *Compilation latine de l'enfance*: une somme de la tradition de l'enfance à découvrir. Marie et la sainte famille. 2006 ⇒762. 61-83 [Mt 1,18-25].
10528   **Boer, Esther A. de** The gospel of Mary: beyond a Gnostic and a biblical Mary Magdalene. JSNT.S 260: 2004 ⇒20,10095; 21, 11055. ᴿThLZ 131 (2006) 1124-1125 (*Petersen, Silke*); Neotest. 40 (2006) 410-413 (*Decock, Paul B.*); JThS 57 (2006) 682-4 (*Wilson, R.M.*).
10529   *Bourgine, Benoît* L'évangile selon Adam. RTL 37 (2006) 361-378.
10530   ᴱ**Bovon, François; Geoltrain, Pierre** Écrits apocryphes chrétiens, I. Bibliotheque de la Pleiade 442: P 2006, Gallimard lxvi; 1782 pp. 2-07-011387-6.

10531 *Brown, Scott* Reply to Stephen Carlson. ET 117 (2006) 144-149;
10532 The question of motive in the case against Morton Smith. JBL 125 (2006) 351-383;
10533 Factualizing the folklore: Stephen Carlson's case against Morton Smith. HThR 99 (2006) 291-327.
10534 *Carlson, Stephen C.* Reply to Scott Brown. ET 117 (2006) 185-88.
10535 *Cross, Lawrence* The *Protoevangelium of James* in the formulation of eastern christian marian theology. StPatr 40. 2006 ⇒833. 381-391.
10536 ^T**Dimier-Paupert, Catherine** Livre de l'enfance du Sauveur: une version médiévale de l'évangile de l'enfance du Pseudo-Matthieu, XIIIe siècle. Sagesses chrétiennes: P 2006, Cerf 192 pp. €21. 2-23-581004-0. Préf. *Simon C. Mimouni* [BCLF 685,16]. ^REstJos 60 (2006) 267-269 (*Egido, Teófanes*); ASSR 51/4 (2006) 172-173 (*Van den Kerchove, Anna*).
10537 *Duval, Yvette* Sur la genése des libelli miraculorum. Ment. *Augustinus*. REAug 52 (2006) 97-112.
10538 **Ehlen, Oliver** Leitbilder und romanhafte Züge in apokryphen Evangelientexten: Untersuchungen zur Motivistik und Erzählstruktur (anhand des Protevangelium Jacobi und der Acta Pilati Graec. B). 2004 ⇒20,10098. ^RThLZ 131 (2006) 1037-9 (*Dochhorn, Jan*).
10539 **Ehrman, Bart D.** Lost christianities: the battles for scripture and the faiths we never knew. 2005 <2003> ⇒19,10509... 21,11064. ^RJThS 57 (2006) 700-702 (*Houlden, Leslie*); JGRChJ 3 (2006) 168-176 (*Watt, Jonathan M.*).
10540 *Elliott, J. Keith* The christian apocrypha and archaeology. Jesus and archaeology. 2006 ⇒362. 683-691.
10541 **Elliott, James K.** A synopsis of the apocryphal nativity and infancy narratives. NTTS 34: Lei 2006, Brill xxvii; 170 pp. €124. 90-04-15067-6. Bibl. xxi-xxvii.
10542 **Faria, Jacir de Freitas** História de Maria, mãe e apóstola de seu filho, nos evangelhos apócrifos. Comentários aos Apócrifos: Petrópolis 2006, Vozes 190 pp.
10543 *Foster, Paul* Are there any early fragments of the so-called Gospel of Peter?. NTS 52 (2006) 1-28.
10544 ^E**Geoltrain, Pierre; Kaestli, Jean-Daniel** Écrits apocryphes chrétiens, 2. Bibliothèque de la Pléiade 516: 2005 ⇒21,11080. ^RVS 762 (2006) 77-78 (*Cothenet, Edouard*); Adamantius 12 (2006) 490-491 (*Zamagni, Claudio*); AnBoll 124 (2006) 202-208 (*Lequeux, X.*); RTL 37 (2006) 572-573 (*Focant, C.*)
10545 *Gounelle, Rémi* Valeur et vérité des récits apocryphes. MoBi 170 (2006) 28-31;
10546 L'enfer selon l'*Évangile de Nicodème*. RHPhR 86 (2006) 313-333.
10547 *Gregory, Andrew* Hindrance or help: does the modern category of 'Jewish-Christian Gospel' distort our understanding of the texts to which it refers?. JSNT 28 (2006) 387-413.
10548 *Guevara Llaguno, Miren Junkal* Los nuevos apócrifos: de caballos, códigos, prioratos y otras revelaciones. EstB 64 (2006) 613-624; Cistercium 245 (2006) 615-653; Proyección 53/3 (2006) 73-100.
10549 *Harrison, Verna E.F.* The entry of the Mother of God into the temple. SVTQ 50 (2006) 149-159 [Protevangelium James].
10550 *Hendrickx, Benjamin; Sansaridou-Hendrickx, Thekla* Magdalene, Judas and relics' cloning: do early christian apocrypha and modern bio-ethics challenge christianity?. APB 17 (2006) 257-271.

10551 *Horn, Cornelia B.* Intersections: the reception history of the Proto-evangelium of James in sources from the christian east and the Qur-'an. Apocrypha 17 (2006) 113-150.

10552 *Houziaux, Alain* Marie-Madeleine était-elle la compagne de Jésus-Christ?. ETR 81 (2006) 167-182.

10553 ^{TE}**King, Karen** The gospel of Mary of Magdala: Jesus and the first woman apostle. 2003 ⇒19,10527; 21,11088. ^RThLZ 131 (2006) 864-5 (*Schröter, Jens*); CBQ 68 (2006) 766-767 (*Marjanen, Antti*).

10554 **Klauck, Hans-Josef** Los evangelios apócrifos: una introducción. ^T*Blanco Moreno, María del Carmen* Presencia teológica 145: Sdr 2006, Sal Terrae 342 pp. 84-293-1628-0.

10555 *Kraus, Thomas J.* P. Vindob. G 2325: einige Modifikationen von Transkription und Rekonstruktion. ZAC 10 (2006) 383-385.

10556 **Kraus, Thomas J.; Nicklas, Tobias** Das Petrusevangelium und die Petrusapokalypse: die griechischen Fragmente mit deutscher und englischer Übersetzung. GCS 11; Neutestamentliche Apokryphen 1: 2004 ⇒20,10111. ^RNT 48 (2006) 99-100 (*Elliott, J.K.*).

10557 **Kruger, Michael J.** The Gospel of the Savior: an analysis of P. Oxy 840 and its place in the gospel traditions of early christianity. TENTS 1: 2005 ⇒21,11091. ^RRBLit (2006)* (*Verheyden, Joseph*); FgNT 35-36 (2005) 175-178 (*Kraus, Thomas J.*); Apocrypha 17 (2006) 203-210 (*Nicklas, Tobias*).

10558 *Le Boulluec, Alain* De l'*Évangile des Egyptiens* à l'*Évangile selon Thomas* en passant par Jules CASSIEN et CLÉMENT d'Alexandrie. Alexandrie antique et chrétienne. 2006 ⇒260. 255-274.

10559 ^T**Leloup, Jean-Yves** O evangelho de Felipe. ^T*Kreuch, João Batista* Petrópolis 2006, Vozes 183 pp.

10560 *Lührmann, Dieter* Kann es wirklich keine frühe Handschrift des Petrusevangeliums geben?: Corrigenda zu einem Aufsatz von Paul Foster. NT 48 (2006) 379-383.

10561 **Lührmann, Dieter** Die apokryph gewordenen Evangelien: Studien zu neuen Texten und zu neuen Fragen. NT.S 112: 2004 ⇒20,236; 21,11097. ^RBZ 50 (2006) 288-290 (*Janßen, Martina*).

10562 *Malzoni, Cláudio V.* L'Évangile de Barnabé et la tradition du Dia-tessaron en Occident: l'exemple de Jn 4,4-42. RB 113 (2006) 585-600.

10563 ^E**Meyer, Marvin W.** The gnostic gospels of Jesus: the definitive collection of mystical gospels and secret books about Jesus of Na-zareth. SF 2005, HarperSanFrancisco xxix; 338 pp. 0-06-076208-X. Bibl. 329-338.

10564 **Mimouni, Simon C.** Les fragments évangéliques judéo-chrétiens "apocryphisés": recherches et perspectives. CRB 66: P 2006, Gabalda 93 pp. €35. 2-85021-174-6. Bibl. 85-89.

10565 *Minczew, Georgi* Critical study: The old Slavic Apocrypha in Ser-bian translation. Apocrypha 17 (2006) 245-253.

10566 *Minczew, Georgi; Skowronek, Malgorzata* The Gospel of Nicode-mus in the Slavic manuscript tradition: initial observations;

10567 *Nicklas, Tobias* Semiotik–Intertextualität–Apokryphität: eine An-näherung an den Begriff "christlicher Apokryphen". Apocrypha 17 (2006) 179-201/55-78;

10568 Christliche Apokryphen als Spiegel der Vielfalt frühchristlichen Lebens: Schlaglichter, Beispiele und methodische Probleme. ASEs 23 (2006) 27-44.

10569 *Norelli, Enrico* Étude critique: une collection de paroles de Jésus non comprises dans les évangiles canoniques. Apocrypha 17 (2006) 223-244.

10570 *Oegema, Gerbern S.* Non-canonical writings and biblical theology. [F]CHARLESWORTH, J.: 2006 ⇒19. 491-512.

10571 **Peña Fernández, Francisco** José Saramago e la intertextualidad inversa: transformación de la tradición apócrifa en O Evanghelo segundo Jesus Cristo. 'Ilu.M 14: M 2006, Universidad Complutense 104 pp. 84952-15799.

10572 [E]**Pesce, Mauro** Le parole dimenticate di Gesù. 2004 ⇒20,10131; 21,11103. [R]FgNT 19 (2006) 126-128 (*Kraus, Thomas J.*).

10573 *Piovanelli, Pierluigi* Qu'est-ce qu'un 'écrit apocryphe chrétien', et comment ça marche?: quelques suggestions pour une herméneutique apocryphe. Pierre Geoltrain. 2006 ⇒556. 173-186.

10574 *Quarles, Charles L.* The gospel of Peter: does it contain a precanonical resurrection narrative?. The resurrection of Jesus. 2006 ⇒ 476. 106-120, 205-210.

10575 *Rüegger, Hans-Ulrich* "Es war ein Mann mit Namen Jesus ...": philologische Überlegungen zur Komposition des Evangeliums der Ebionäer. ThZ 62 (2006) 24-40.

10576 *Schmidt, Daryl D.* Early gospel fragments from Oxyrhynchus: POXY 1, 654, 655, 840, 1224. Forum 2/2 (1999) 305-310.

10577 *Skarsaune, Oskar* Jewish-Christian gospels: which and how many?. [M]ILLMAN, K. 2006 ⇒72. 393-408.

10578 *Thomassen, Einar* Gos.Philip 67:27-30: not 'in a mystery'. [F]FUNK, W.: BCNH.Etudes 7: 2006 ⇒48. 925-939.

10579 *Van Os, Bas* Was the Gospel of Philip written in Syria?. Apocrypha 17 (2006) 87-93.

10580 *Alfaro, G.A.* El *Evangelio de Judas*: ni evangelio, ni de Judas. Kairós [Guatemala City] 38 (2006) 121-128.

10581 *Bauer, Dieter* Der "wahre Jünger Jesu": zum Evangelium des Judas. BiHe 42/165 (2006) 4-5.

10582 *Blankenhorn, B.* The claims of the *Gospel of Judas*. Catholic World Report [SF] 16/5 (2006) 32-36.

10583 *Boccaccini, Gabriele* Il vangelo di Giuda: gnosticismo e ricerca del Gesù storico. Il Regno 51/989 (2006) 222-223.

10584 *Buitenwerf, Rieuwerd* De historische waarde van het Judasevangelie. Theologisch debat 3/2 (2006) 30-33.

10585 **Cockburn, Andrew** Il vangelo di Giuda: un antico papiro riscrive la storia del discepolo più odiato. Mi 2006, National Geografic Italia 2-23 pp; ill.; DVD video. Estratto da: "National Geographic Italia", vol. 17, n° 5, Maggio 2006.

10586 *Cothenet, Edouard* L'évangile de Judas. EeV 159 (2006) 12-13.

10587 *Dubois, Jean-Daniel* Un scénario où Judas tient le rôle principal. MoBi 174 (2006) 26-27. L'évangile de Judas.

10588 *Ehrman, Bart D.* Christianity turned on its head: the alternative vision of the gospel of Judas. The gospel of Judas. 2006 73-113 L'Évangile de Judas 97-143; Evangelium des Judas ⇒10599-603.

10589 **Ehrman, Bart D.** The lost gospel of Judas Iscariot: a new look at betrayer and betrayed. Oxf 2006, OUP 208 pp. $22. 0-1953146-03. Bibl. 181-188.

10590   *Evans, Craig A.* Qué debemos pensar del *Evangelio de Judas?*.
DavarLogos 5/2 (2006) 87-93.
10591   *Faria, Jacir de Freitas* O evangelho de Judas: traidor ou liberta-
dor?. Convergência 41 (2006) 440-448.
10592   *Fluck, Marlon R.* Evangelho de Judas. VTeol 14 (2006) 91-103.
10593   ᵀ**Gianto, Agustinus** 'Prakata', *Injil Yudas.* Jakarta 2006, Gramedia
219 pp. Indonesian transl. of The Gospel of Judas, eds. *R. Kasser;
M. Meyer; G. Wurst* [AcBib 11/2,145].
10594   *Gusso, Antonio R.* O Evangelho de Judas: questões introdutórias.
VTeol 14 (2006) 105-112.
10595   *Heindl, Andreas* Zur Rezeption der Gestalt des Judas Iskariot im Is-
lam und im Judentum: ein Versuch der Annäherung an ein heikles
Thema (Teil I). PzB 15 (2006) 133-151.
10596   *Iacşa, Daniil-Corneliu* Evanghelia lui Iuda: scriere gnostică sau
evanghelie creştină?. StTeol 2/2 (2006) 127-155.
10597   *Jakab, Attila* L'évangile de Judas. Choisir 562 (2006) 13-16.
10598   *Johnson, L.T.* The lost Judas. CCen 123/10 (2006) 34-36.
10599   ᵀᴱ**Kasser, Rodolphe; Meyer, Marvin W.; Wurst, Gregor** The
gospel of Judas: from Codex Tchacos. Wsh 2006, National Geog-
raphic Society 185 pp. $22. 1-4262-0042-0. Bibl. 179-181. ᴿREG
119 (2006) 468-470 *(Pouderon, Bernard)*;
10600   L'évangile de Judas du Codex Tchacos. ᵀ*Bismuth, Daniel* P 2006,
Flammarion 222 pp. €15. 2-0821-05806. ᴿCEv 137 (2006) 127-128
(Gounelle, Rémi);
10601   Het evangelie van Judas uit de Codex Tchacos. ᵀ*Goddijn, Servaas*
Amst 2006, Bakker 167 pp. €17.90. 90-3513-1177;
10602   Il vangelo di Giuda: estratto dal Codex Tchacos. ᵀ*Lavagno, E.* Wsh
2006, National Geographic 174 pp. €18. 88-540-0556-8. Bibl. 163-
174. ᴿOCP 72 (2006) 451-461 *(Marucci, Corrado)*;
10603   Das Evangelium des Judas. Wsb 2006, White Star 173 pp. 39391-
28600.
10604   *Kasser, Rodolphe* The story of Codex Tchacos and the gospel of
Judas. Gospel of Judas. 2006 ⇒10599. 47-76; Evangelium des Ju-
das 2006 ⇒10603. 47-72; Évangile de Judas 2006 ⇒10600. 63-96;
10605   L'évangile de Judas, damné, perdu, retrouvé, mais très maltraité.
CRAI (2006) 1561-1581.
10606   *Keerankeri, George* The controversy over the Gospel of Judas.
Ment. *Irenaeus* VJTR 70 (2006) 406-416.
10607   **Krosney, Herbert** L'évangile perdu: la véritable histoire de l'évan-
gile de Judas. ᵀ*Vaché, Jean, al.*, P 2006, Flammarion 339 pp. €19.
2-08-210581-4;
10608   The lost gospel: the quest for the gospel of Judas Iscariot. Wsh
2006, National Geographic Society xxiii; 309 pp. $27. 1-426-20-0-
412;
10609   Il vangelo perduto: l'avvincente racconto del ritrovamento del van-
gelo di Giuda Iscariota. R 2006, National Geographic xvii; 293 pp.
€7.90.
10610   *MacAdam, H.I.* New christian fiction: postscript to *Rush to Judg-
ment: validating 'biblical' artifacts c. 1980-2006.* PJBR 5/2 (2006)
133-136. Reaction of media to *Gospel of Judas.*
10611   *Marucci, Corrado* Un nuovo vangelo apocrifo. OCP 72 (2006)
451-461.

10612   *Meyer, Marvin* 'Cet évangile a aussi des racines juives'. MoBi 174 (2006) 22-25;

10613   Judas and the gnostic connection. The gospel of Judas. 2006 ⇒ 10599. 137-169; L'Évangile de Judas 161-194 ⇒10600; Evangelium des Judas 129-158 ⇒10603.

10614   *Miles, J.T.* Judas & Jesus: what did the gnostics really believe?. Commonweal 133/11 (2006) 7-8.

10615   ᵀ**Montserrat Torrents, José** El evangelio de Judas. M 2006, Edaf 198 pp. ᴿRCatT 31 (2006) 468-470 (*Sánchez Bosch, Jordi*); VetChr 43 (2006) 316-317 (*Nigro, Giovanni*).

10616   *Myszor, Wincenty* Jezus w ewangelii Judasza [Jesus im *Evangelium des Judas*]. Vox Patrum 26 (2006) 439-444. **P**.

10617   *Nicklas, Tobias* Das Judasevangelium–Dimensionen der Bedeutung eines Textfunds. BN 130 (2006) 79-103.

10618   **Noffke, Eric** Il vangelo di Giuda: la verità storica tra scoop e pregiudizi. T 2006, Claudiana 84 pp. €6. 88-7016-662-7. Bibl. 81-82.

10619   *Painchaud, Louis* A propos de la (re)découverte de l'"Évangile de Judas". LTP 62 (2006) 553-568.

10620   *Perkins, P.* Good news from Judas?. America 194/19 (2006) 8-11.

10621   *Plisch, Uwe-K.* Das Evangelium des Judas. ZAC 10 (2006) 5-14.

10622   *Prolongeau, Hubert* Un Judas qui rapporte. Choisir 562 (2006) 17-18.

10623   **Robinson, James McConkey** The secrets of Judas: the story of the misunderstood disciple and his lost Gospel. NY 2006, HarperSanFrancisco ix; 192 pp. $20. 0-0611-7063-1. Bibl.;

10624   Les secrets de Judas: histoire de l'apôtre incompris et de son évangile. ᵀ*Antoine, Joseph, al.*, Neuilly-sur-Seine 2006, Lafon 279 pp. Introd. *Rémi Gounelle*.

10625   **Schutten, Henk** Het Judas-evangelie: wat joden, christenen en moslims niet mogen weten. Amst 2006, Monitor 272 pp. €19.90. 90-8092-6000.

10626   *Scopello, Madeleine* La gnose, une doctrine pour des élus. MoBi 174 (2006) 16-21;

10627   La fascination du négatif. MoBi 174 (2006) 38-39.

10628   *Shanks, Hershel* Sensationalizing Gnostic christianity: is all the recent hype about the gospel of Judas really justified?. BArR 32/4 (2006) 6, 66.

10629   *Soto-Hay y García, Fernando* El evangelio de Judas. AnáMnesis 16/2 (2006) 5-33.

10630   *Taussig, H.* The significance of the Gospel of Judas. Fourth R [Santa Rosa, CA] 19/4 (2006) 9.

10631   *Van der Vliet, Jacques* Judas and the stars: philological notes on the newly published gospel of Judas (*GosJud*, Codex Gnosticus Maghâgha 3). JJP 36 (2006) 137-152.

10632   **Van der Vliet, Jacques** Het evangelie van Judas: verrader of bevrijder?. Utrecht 2006, Servire 224 pp. €17. 90-215840-69.

10633   ᵀ**Van Oort, J.** Het evangelie van Judas: inleiding, vertaling, toelichting. Kampen 2006, Ten Have 191 pp. €19.50. 90-25957-250.

10634   *Van Oort, Johannes* Les noms de Jésus d'Évangiles en évangiles. MoBi 174 (2006) 36-37. Evangile de Judas.

10635   *Walsh, Richard* The gospel according to Judas: myth and parable. BiblInterp 14 (2006) 37-53.

10636   *Williams, Thomas D.* Judas Iscariotes: traidor ou herói?. Grande
         Sinal 60 (2006) 609-612.
10637   **Wright, Nicholas T.** Judas and the gospel of Jesus: have we
         missed the truth about christianity?. GR 2006, Baker 155 pp. 0-80-
         10-1294-5. Bibl. 147-155.
10638   *Wurst, Gregor* IRENAEUS of Lyon and the gospel of Judas. The gos-
         pel of Judas. 2006 ⇒10599. 121-135; L'Évangile de Judas 145-
         160 ⇒10600; Evangelium des Judas 115-128 ⇒10603.

K2.7 *Alia apocrypha NT*—Apocryphal acts of apostles

10639   **Baldwin, Matthew C.** Whose Acts of Peter?: text and historical
         context of the *Actus Vercellenses*. WUNT 2/196: 2005 ⇒21,11132.
         ᴿZKG 117 (2006) 333-335 (*Giesen, Heinz*); ThLZ 131 (2006)
         1121-1124 (*Nicklas, Tobias*); RBLit (2006)* (*Kraus, Thomas J.*).
10640   *Bauer, Johannes B.* Die Saat aufs Wasser geht auf: PEgerton 2 fr. 2
         verso (Bell/Skeat). ZNW 97 (2006) 280-282.
10641   *Biggs, Frederick M.* 'Righteous people according to the old law':
         AELFRIC on Anne and Joachim. Apocrypha 17 (2006) 151-178.
10642   *Bovon, François; Bouvier, Bertrand* Un fragment grec inédit des
         Actes de Pierre?. Apocrypha 17 (2006) 9-54.
10643   *Bremmer, Jan N.* Drusiana, Cleopatra and some other women in the
         Acts of John;
10644   *Calef, Susan A.* Thecla 'tried and true' and the inversion of ro-
         mance. Feminist companion to the NT apocrypha. FCNT 11: 2006
         ⇒436. 77-87/163-185.
10645   **Cameron, Ron** Sayings traditions in the Apocryphon of James.
         2004 ⇒20,10149. ᴿJRH 30 (2006) 225-7 (*Kim, David W.*).
10646   **Chae, Seonghee** Women's ascetic communities in the Acts of
         John. 2006, Diss. Virginia, Union [RTL 38,617].
10647   *Chétanian, Rose* Un nouveau fragment des Constitutions Aposto-
         liques au Matenadaran d'Erevan. VigChr 60 (2006) 332-41.
10648   **Claes, Alfons; Claes, Jo; Vincke, Kathy** De Twaalf: apocriefe
         verhalen over de apostelen. Lv 2006, Davidsfonds 267 pp. 90-779-
         42-238.
10649   ᴱᵀ**Colin, Gérard** Le livre éthiopien des miracles de Marie: Taamra
         Mâryâm. 2004 ⇒20,10152; 21,11144. ᴿOrChr 90 (2006) 262-264
         (*Kropp, Manfred*).
10650   **Conybeare, Frederick C.** The Acts of Pilate. Analecta Gorgiana
         11: Piscataway, NJ 2006 <1896>, Gorgias 74 pp. $38. 978-15933-
         34895.
10651   *Czachesz, I.* Eroticism and epistemology in the *Apocryphal Acts of
         John*. NedThT 60 (2006) 59-72.
10652   *D'Anna, Alberto* The relationship between the Greek and Latin re-
         censions of the *Acta Petri et Pauli*. Studia patristica 39. 2006 ⇒
         833. 331-338.
10653   ᴱᵀ**Darling, Gregory J.** The Cross legends of the Leabhar Breac: a
         critical edition, translation, and commentary. AA 2006, UMI Dis-
         sertation Services.
10654   ᴱ**Förster, Hans** Transitus Mariae: Beiträge zur koptischen Überlie-
         ferung, mit einer Edition von P. Vindob. K. 7589, Cambridge Add
         1876 8 und Paris BN Copte 129 17 ff. 28 und 29. GCS 14; Neutes-

tamentliche Apokryphen 2: B 2006, De Gruyter ix: 277 pp. €74.
978-3-11-018227-9. Bibl. 230-254.
10655 *Fürst, Alfons* Text und Übersetzung;
10656 Erläuterungen;
10657 Testimonien. Der apokryphe Briefwechsel...Seneca. Sapere 11:
2006 ⇒10369. 23-35/36-67/68-82.
10658 [ET]**Ghica, Victor-C.** 'Les Actes de Pierre et des douze apôtres' (NH
VI.1): la vie d'un écrit apocryphe: rédaction, remaniement, traduc-
tion. [D]*Poirier, P.-H.* 2006, 417 pp. Diss. Laval [RTL 38,618].
10659 *Gierth, Brigitte* La sotériologie dans la sentence 9 de l'*Évangile
selon Philippe (NH* II,3). Etudes coptes IX. CBCo 14: 2006 ⇒893.
179-186.
10660 *Gilmour, Michael J.* Delighting in the sufferings of others: early
christian Schadenfreude and the function of the Apocalypse of
Peter. BBR 16 (2006) 129-139.
10661 *Gorman, Jill C.* Sexual defence by proxy: interpreting women's
fasting in the *Acts of Xanthippe and Polyxena*. Feminist companion
to the NT apocrypha. FCNT 11: 2006 ⇒436. 206-215.
10662 *Haines-Eitzen, Kim* The apocryphal acts of the apostles on papyrus:
revisiting the question of readership and audience. NT manuscripts.
2006 ⇒453. 293-304.
10663 [T]**Harrak, Amir** The Acts of Mar Mari the Apostle. SBL.Writings
from the Greco-Roman World 11: 2005 ⇒21,11167. [R]Muséon 119
(2006) 482-85 (*Jullien, Florence*); RBLit (2006)* (*Amar, Joseph*).
10664 **Hartenstein, Judith** Die zweite Lehre: Erscheinungen des Aufer-
standenen als Rahmenerzählungen frühchristlicher Dialoge. TU
146: 2000 ⇒16,9099... 21,11168. [R]Theologische Literaturzeitung
131 (2006) 13-15 (*Vollenweider, Samuel*).
10665 *Horn, Cornelia B.* Suffering children, parental authority and the
quest for liberation?: a tale of three girls in the *Acts of Paul (and
Thecla)*, the *Acts of Peter*, the *Acts of Nerseus [!] and Achilleus*
and the *Epistle of Pseudo-Titus*;
10666 *Jacobs, Andrew* 'Her own proper kinship': marriage, class and wo-
men in the apocryphal Acts of the Apostles. Feminist companion to
the NT apocrypha. FCNT 11: 2006 <1999> ⇒436. 118-45/18-46.
10667 **Jirousková, Lenka** Die Visio Pauli: Wege und Wandlungen einer
orientalischen Apokryphe im lateinischen Mittelalter unter Ein-
schluss der alttschechischen und deutschsprachigen Textzeugen.
MLST 34: Lei 2006, Brill xvi; 1033 pp. €206. 978-90-04-15055-3.
Bibl. 1001-1024.
10668 *Johnson, Scott* Classical sources for early christian miracle collec-
tions: the case of the fifth-century *Life and miracles of Thecla*.
Studia patristica 39. 2006 ⇒833. 399-407.
10669 **Johnson, Scott Fitzgerald** The life and miracles of Thekla: a
literary study. Hellenic studies 13: Wsh 2006, Center for Hellenic
Studies xxiv; 288 pp. $20. 0-674-01961-X. Bibl. 245-270.
10670 **Kaler, Michael** An investigation of the Coptic gnostic Apocalypse
of Paul and its context. [D]*Painchaud, L.* 2006, 254 pp. Diss. Laval
[RTL 38,619].
10671 **Klauck, Hans-Josef** Apokryphe Apostelakten: eine Einführung.
2005 ⇒21,11175. [R]ZNT 9/18 (2006) 64-66 (*Vogel, Manuel*).
10672 *Kraus, Thomas J.* "Knowing letters": (il)literacy, books, and
literary concept in the "Life and miracles of Saint Thecla" (Mir.
Thcl. 45). ASEs 23 (2006) 283-308.

10673 *Lauer, Joachim* Apostel im weiteren Weg der Kirche: apokryphe Apostelakten. Apostel. entdecken: 2006 ⇒338. 124-132.

10674 *Leonhardt-Balzer, Jutta* Apokalyptische Motive im Johannes-Apokryphon. Apokalyptik als Herausforderung. WUNT 2/214: 2006 ⇒348. 235-263.

10675 *Livne-Kafri, Ofer* Is there a reflection of the Apocalypse of Pseudo-Methodius in Muslim tradition?. POC 56 (2006) 108-119.

10676 *MacDonald, Dennis R.* Who was that chaste prostitute?: a socratic answer to an enigma in the *Acts of John.* Feminist companion to the NT apocrypha. FCNT 11: 2006 ⇒436. 88-97.

10677 **MacDonald, Dennis R.** The Acts of Andrew. Early Christian Apocrypha 1: 2005 ⇒21,11182. ᴿCBQ 68 (2006) 770-72 (*Jacobs, Andrew S.*).

10678 **Mirkovic, Alexander** Prelude to CONSTANTINE: the Abgar tradition in early christianity. ARGU 15: 2004 ⇒20,10167. ᴿJRS 96 (2006) 305-306 (*Jacobs, Andrew S.*).

10679 *Misset-Van de Weg, Magda* Answers to the plights of an ascetic woman named Thecla. Feminist companion to the NT apocrypha. FCNT 11: 2006 ⇒436. 146-162.

10680 *Molinari, Andrea* The Apocalypse of Peter and its dating. ᶠFUNK, W.: BCNH.Etudes 7: 2006 ⇒48. 583-605.

10681 *Morrison, Craig E.* The text of the New Testament in the *Acts of Judas Thomas.* The Peshitta. MPIL 15: 2006 ⇒781. 187-205.

10682 **Mueller, Joseph G.** L'Ancien Testament dans l'ecclésiologie des Pères: une lecture des Constitutions Apostoliques. IP 41: 2004 ⇒ 20,10169. ᴿTS 67 (2006) 190-192 (*Mayer, Wendy*).

10683 *Mueller, Joseph G.* The use of Tobit and Revelation in the *Apostolic Constitutions:* corrections of the critical edition. Studia patristica 42. 2006 ⇒833. 193-197.

10684 ᴱᵀ**Piñero, Antonio; Del Cerro, Gonzalo** Hechos apócrifos de los Apóstoles, 1-2. 2004-2005 ⇒20,10175; 21,11196. Ed. bilingüe. ᴿEM 74 (2006) 147-148 (*Adrados, Francisco R.*);

10685 Hechos apócrifos de los Apóstoles, 2: Hechos de Pablo y Tomás. 2005 ⇒21,11196. ᴿCDios 219 (2006) 842-844 (*Gutiérrez, Jesús*).

10686 *Piovanelli, Pierluigi* The Book of the Cock and the rediscovery of ancient Jewish-Christian traditions in fifth-century Palestine. ᶠCHARLESWORTH, J. 2006 ⇒19. 308-322.

10687 **Plese, Zlatko** Poetics of the gnostic universe: narrative and cosmology in the Apocryphon of John. NHMS 52: Lei 2006, Brill x; 329 pp. $129. 90-04-11674-5. Bibl. 276-302.

10688 *Ramelli, Ilaria* Possible historical traces in the *Doctrina Addai.* Hugoye 9/1 (2006)*.

10689 **Rhodes, James N.** The epistle of Barnabas and the Deuteronomic tradition: polemics, paraenesis, and the legacy of the golden-calf incident. WUNT 2/188: 2004 ⇒20,10182; 21,11201. ᴿJEH 57 (2006) 100-102 (*Carleton Paget, James*) [Exod 32].

10690 *Rickets, Peter T.* An Evangelium Infantiae in medieval Occitan (ms. Paris, BnF, nouv. acq. fr. 10453). RomP 58 (2004) 1-49 [Scr. 62, 97*–F. Noirfalise].

10691 *Roig Lanzillotta, Lautaro* The Coptic Ms. Or 7023 (partly, Layton 158): an assessment of its structure and value. Muséon 119 (2006) 25-32. Coptic version of Apocalypse of Paul;

10692 Cannibals, Myrmidonians, Sinopeans or Jews?: the five versions of *The Acts of Andrew and Matthias* and their source(s). Wonders never cease. LNTS 288: 2006 ⇒758. 221-243.

10693 *Rosenstiehl, Jean-Marc* La montagne de Jéricho (NH V,2,19,11-13): contribution à l'étude de l'*Apocalypse copte de Paul*. [F]FUNK, W.: BCNH.Etudes 7: 2006 ⇒48. 885-892;

10694 *cōlp*: 'révéler'–*cōlp*: 'modeler' (NH V,2/19,6b-7): contribution à l'étude de l'*Apocalypse copte de Paul*. Etudes coptes IX. CBCo 14: 2006 ⇒893. 311-319.

10695 [ET]**Rosenstiehl, Jean-M.** L'Apocalypse de Paul: (NH V,2). BCNH. T 31: 2005 ⇒21,11204. Commenté par *Michael Kaler*. [R]RHPhR 86 (2006) 453-454 (*Gounelle, R.*); JThS 57 (2006) 681-82 (*Elliott, J.K.*).

10696 [ET]*Salomons, Rob* The correspondence between Abgar and Jesus: a re-edition of a Bodleian papyrus. [F]KESSELS, A.. 2006 ⇒84. 299-307.

10697 *Schäufele, Wolf-Friedrich* Die Höllen der Alexandriner: negative Jenseitsvorstellungen im frühchristlichen Ägypten. ZKG 117 (2006) 197-210.

10698 *Schroeder, Caroline T.* The erotic asceticism of the *Passion of Andrew*: the apocryphal *Acts of Andrew*, the Greek novel and Platonic philosophy. Feminist companion to the NT apocrypha. FCNT 11: 2006 <2000> ⇒436. 47-59.

10699 **Shoemaker, Stephen J.** Ancient traditions of the Virgin Mary's Dormition and Assumption. Oxford Early Christian Studies: Oxf 2006, OUP xvi; 460 pp. £25. 978-01992-10749 [⇒9467].

10700 **Stewart-Sykes, Alistair** The Apostolic Church Order: the Greek text with introduction, translation and annotation. Early Christian Studies 10: Sydney 2006, St Paul's xii; 153 pp. AUD40. 09752-13-849.

10701 *Stone, Michael E.* The Armenian Vision of Ezekiel. Apocrypha, Pseudepigrapha, I. 2006 <1986> ⇒310. 295-303 [Ezek 1].

10702 *Streete, Gail P.C.* Buying the stairway to heaven: Perpetua and Thecla as early christian heroines. Feminist companion to the NT apocrypha. FCNT 11: 2006 ⇒436. 186-205.

10703 **Thomas, Christine** The *Acts of Peter*, gospel literature, and the ancient novel: rewriting the past. 2003 ⇒19,10580... 21,11216. [R]Religion 36 (2006) 109-110 (*Hedrick, Charles W.*).

10704 *Thomas, Christine M.* Die Rezeption der Apostelakten im frühen Christentum. ZNT 9/18 (2006) 52-63.

10705 *Valantasis, Richard* The question of early christian identity: three strategies exploring a third *genos*. Feminist companion to the NT apocrypha. FCNT 11: 2006 ⇒436. 60-76 [Gal 1-3].

10706 *Van den Berg-Onstwedder, Gonnie* Les *Actes* apocryphes *d'André* en copte. Etudes coptes IX. CBCo 14: 2006 ⇒893. 375-379.

10707 *Vorster, Johannes N.* Construction of culture through the construction of person: the construction of Thecla in the *Acts of Thecla*. Feminist companion to the NT apocrypha. FCNT 11: 2006 <1997> ⇒436. 98-117.

K3.1 **Qumran**—*generalia*

10708   *Abdalla, M.* Memory of Bishop Mar Athanasius Yeshue Samuel and his adventure with Qumran scrolls. Qumran Chronicle 14/3-4 (2006) 121-126.

10709   *Bar-Asher, Moshe* Grammatical and lexical phenomena in the Dead Sea scrolls (4Q374). Meghillot IV. 2006 ⇒589. 153-167. **H**.

10710   *Bar-Nathan, Rachel* Qumran and the Hasmonaean and Herodian winter palaces of Jericho: the implication of the pottery finds on the interpretation of the settlement at Qumran. Qumran, the site. StTDJ 57: 2006 ⇒932. 263-277.

10711   *Bélis, Mireille* The production of indigo dye in the installations of ʿAin Feshkha. Qumran, the site. StTDJ 57: 2006 ⇒932. 253-261.

10712   **Bioul, Bruno** Qumrân et les manuscrits de la mer Morte: les hypothèses, le débat. 2004 ⇒20,10196. ᴿQumran Chronicle 14/3-4 (2006) 161-170 (*Kapera, Z.J.*).

10713   *Boccaccini, Gabriele* Qumran and the Enoch groups: revisiting the Enochic-Essene hypothesis. The bible and the Dead Sea scrolls, I. 2006 ⇒706. 37-66.

10714   *Branham, Joan* Hedging the holy at Qumran: walls as symbolic devices. Qumran, the site. StTDJ 57: 2006 ⇒932. 117-131.

10715   *Brooke, George John* The site of Qumran: what is all the fuss about?. BAIAS 24 (2006) 127-128.

10716   *Broshi, Magen; Eshel, Hanan* Was there agriculture at Qumran?. Qumran, the site. StTDJ 57: 2006 ⇒932. 249-252.

10717   *Clements, Ruth A.; Sharon, Nadav* The Orion Center bibliography of the Dead Sea scrolls (January-June 2006). RdQ 22 (2006) 665-704.

10718   *Davies, Philip* Qumran studies. Oxford handbook of biblical studies. 2006 ⇒438. 99-107.

10719   **Davies, Philip R.; Brooke, George J.; Callaway, Phillip R.** The complete world of the Dead Sea scrolls. 2002 ⇒18,9773; 19, 10594. ᴿOTEs 19 (2006) 766-770 (*Lübbe, John*).

10720   *Doudna, Gregory L.* The legacy of an error in archaeological interpretation: the dating of the Qumran cave scroll deposits. Qumran, the site. StTDJ 57: 2006 ⇒932. 147-157.

10721   **Elledge, Casey D.** The Bible and the Dead Sea scrolls. 2005 ⇒21, 11229. ᴿRBLit (2006)* (*Nitzan, Bilha; Tov, Emanuel*).

10722   *Fabry, Heinz-J.* Archäologie und Text: Versuch einer Verhältnisbestimmung am Beispiel von Chirbet Qumran. Texte, Fakten. NTOA 59; StUNU 59: 2006 ⇒940. 69-101.

10723   **Fields, Weston W.** The Dead Sea scrolls: a short history. Lei 2006, Brill 128 pp. $26.

10724   *Galor, Katharina; Zangenberg, Jürgen* Qumran archaeology in search of a consensus. Qumran, the site. StTDJ 57: 2006 ⇒932. 1-15.

10725   *Geoltrain, Pierre* Qoumrân, anthropologie d'un site. Pierre Geoltrain. 2006 ⇒556. 45-47.

10726   **Hirschfeld, Yizhar** Qumran in context: reassessing the archaeological evidence. 2004 ⇒20,10207; 21,11234. ᴿDSD 13 (2006) 121-125 (*Broshi, Magen*); JAOS 125 (2005) 389-394 (*Eshel, H.*);

10727   Qumran—die ganze Wahrheit: die Funde der Archäologie—neu bewertet. ^T*Nicolai, K.H.*; ^E*Zangenberg, J.* Gü 2006, Gü 348 pp. €30. 3-579-05225-X.

10728   *Humbert, Jean-Baptiste* Some remarks on the archaeology of Qumran. Qumran, the site. StTDJ 57: 2006 ⇒932. 19-39.

10729   *Hyatt, J. Philip* The Dead Sea discoveries: restrospect and challenge. Presidential voices. 2006 <1956> ⇒340. 95-105.

10730   *Kapera, Zdislaw J.* Mistakes in the archaeological interpretation of finds at Qumran. Qumran Chronicle 13/2-4 (2006) 153-160.

10731   ^E**Katzoff, Ranon; Schaps, David** Law in the documents of the Judaean Desert. JSJ.S 96: 2005 ⇒21,662. ^RJSJ 37 (2006) 464-466 (*Oudshoorn, Carolien*); AnCl 75 (2006) 500-502 (*Straus, Jean A.*); BasPap 43 (2006) 189-191 (*Verhoogt, Arthur*); JThS 57 (2006) 627-629 (*Lim, Timothy H.*).

10732   *Knox, Keith T.; Easton, Roger L., Jr.; Johnston, Robert H.* Digital miracles: revealing invisible scripts. The bible and the Dead Sea scrolls, II. 2006 ⇒706. 1-16.

10733   *Lange, Armin* The Qumran Dead Sea scrolls–library or manuscript corpus?. ^FPUECH, E.: StTDJ 61: 2006 ⇒133. 177-193.

10734   *Lemaire, André* Lire, écrire, étudier à Qoumrân et ailleurs;
10735   Conclusion: une nouvelle étape de la recherche sur Qoumrân. ^MCAQUOT, A.: Coll. REJ 40: 2006 ⇒16. 63-79/151-153.

10736   *Lönnqvist, Kenneth; Lönnqvist, Minna* Reconstructing some palaeoenvironmental phenomena and geoarchaeological processes at Qumran, Israel. Qumran Chronicle 14/1-2 (2006) 1-35.

10737   *MacAdam, Henry I.* Two notes on recent Qumran/Dead Sea scrolls research. Qumran Chronicle 14 (2006) 81-90.

10738   *Magen, Yizhak; Peleg, Yuval* Back to Qumran: ten years of excavation and research, 1993-2004. Qumran, the site. StTDJ 57: 2006 ⇒ 932. 55-113.

10739   *Magness, Jodi* Qumran: the site of the Dead Sea Scrolls: A review article. RdQ 22 (2006) 641-664.

10740   **Magness, Jodi** The archaeology of Qumran and the Dead Sea scrolls. 2002 ⇒18,9795... 21,11241. ^RBiblInterp 14 (2006) 301-308 (*Charlesworth, James H.*).

10741   *Mimouni, Simon C.* Introduction: les recherches sur la bibliothèque et l'établissement de 'Qoumrân'. ^MCAQUOT, A.: Coll. REJ 40: 2006 ⇒16. 7-15.

10742   **Newsom, Carol Ann** The self as symbolic space: constructing identity and community at Qumran. StTDJ 52: 2004 ⇒20,10224; 21,11244. ^RCBQ 68 (2006) 308-310 (*Lambert, David A.*).

10743   *Pfann, Stephen* A table prepared in the wilderness: pantries and tables, pure food and sacred space at Qumran;

10744   *Politis, Konstantinos D.* The discovery and excavation of the Khirbet Qazone cemetery and its significance relative to Qumran. Qumran, the site. StTDJ 57: 2006 ⇒932. 159-178/213-219.

10745   *Reif, Stefan C.* Qumran research and rabbinic liturgy. Problems with prayers. 2006 ⇒289. 33-49.

10746   *Röhrer-Ertl, Olav* Facts and results based on skeletal remains from Qumran found in the Collectio Kurth: a study in methodology. Qumran, the site. StTDJ 57: 2006 ⇒932. 181-193.

10747   *Sanders, James A.* The impact of the Judean Desert scrolls on issues of text and canon of the Hebrew Bible. The bible and the Dead Sea scrolls, I. 2006 ⇒706. 25-36.

10748 **Schattner-Rieser, Ursula** Textes araméens de la Mer morte: édition bilingue, vocalisée et commentée. 2005 ⇒21,11247. [R]BiOr 63 (2006) 360-365 (*Gzella, Holger*).

10749 **Schuler, Eileen M.** The Dead Sea scrolls: what have we learned 50 years on?. L 2006, SCM xvii; 126 pp. £13. 0-3340-40248. Bibl. 110-115. [R]JJS 57 (2006) 352-353 (*Collins, Matt*); JHScr 6 (2006)* = PHScr III,465-467 (*Duhaime, Jean*) [⇒593].

10750 *Schultz, Brian* The Qumran cemetery: 150 years of research. DSD 13 (2006) 194-228.

10751 *Schwartz, Daniel R.* Die Bedeutung der Qumranschriften für das Verständnis des antiken Judentums. Qumran–Bibelwissenschaften–antike Judaistik. Einblicke 9: 2006 ⇒372. 91-100.

10752 *Shanks, Hershel* Qumran–the pottery factory. BArR 32/5 (2006) 28-32.

10753 *Sheridan, Susan; Ullinger, Jaime* A reconsideration of the human remains in the French collection from Qumran. Qumran, the site. StTDJ 57: 2006 ⇒932. 195-212.

10754 *Strange, James F.* The 1996 excavations at Qumran and the context of the new Hebrew ostracon. Qumran, the site. StTDJ 57: 2006 ⇒ 932. 41-54.

10755 *Tassin, Claude* Qumrân: quel état de la recherche?. RICP 97 (2006) 160-167.

10756 *Taylor, Joan E.* Khirbet Qumran in period III. Qumran, the site. StTDJ 57: 2006 ⇒932. 133-146.

10757 **Tov, Emanuel** Scribal practices and approaches reflected in the texts found in the Judean desert. StTDJ 54: 2004 ⇒20,10233. [R]RSR 94/1 (2006) 138-139 (*Paul, André*); JSJ 37 (2006) 504-508 (*Millard, Alan*); JJS 57 (2006) 354-356 (*Vermes, Geza*).

10758 **Trever, John C.** The Dead Sea scrolls in perspective. 2004 ⇒20, 10235. [R]JAOS 126 (2006) 273-276 (*Eshel, Esther*).

10759 **Ullmann-Margalit, Edna** Out of the cave: a philosophical inquiry into the Dead Sea scrolls research. CM 2006, Harvard Univ. Pr. 167 pp. $45. 0-674-02223-8. Bibl. 152-160.

10760 **Vaux, Roland de** The excavations of Khirbet Qumran and Ain Feshkha, 1B: synthesis of Roland de Vaux's field notes. [T]*Pfann, Stephen J.*; [E]*Humbert, Jean-Baptiste; Chambon, Alain* NTOA.archaeologica 1B: 2003 ⇒19,10632... 21,11257. [R]JSJ 37 (2006) 452-456 (*Popović, Mladen*); DSD 13 (2006) 262-266 (*Magness, Jodi*).

10761 [E]**Vazquez Allegue, J.** I manoscritti del Mar Morto. 2005 ⇒21,697. [R]ConAss 8/1 (2006) 113-116 (*Testaferri, Francesco*).

10762 *Villeneuve, Estelle* Israel: Qumran: ein Schatz unter dem Toten Meer. WUB 41 (2006) 66.

10763 *Wellmann, Bettina* Qumran–eine Geschichte wird neu erzählt: neue Erkenntnisse über die Ruinen vom Toten Meer. WUB 41 (2006) 2-7.

10764 *Zangenberg, Jürgen* Von Texten und Töpfen: Überlegungen zum Verhältnis von literarischen und materiellen Relikten antiker Kulturen bei der Interpretation des Neuen Testaments;

10765 Region oder Religion?: Überlegungen zum interpretatorischen Kontext von Chirbet Qumran. Texte, Fakten. NTOA 59; StUNU 59: 2006 ⇒940. 1-24/25-67.

10766 *Zias, Joe E.* Qumran toilet practices: a response to a response. RdQ 22 (2006) 479-481.

10767 *Zias, Joe E.; Tabor, James D.; Harter-Lailheugue, Stephanie* Toilets at Qumran, the Essenes, and the scrolls: new anthropological data and old theories. RdQ 22 (2006) 631-640.

10768 *Zias, Joseph E.* The cemeteries of Qumran and celibacy: confusion laid to rest?. Jesus and archaeology. 2006 ⇒362. 444-471.

K3.4 *Qumran,* libri biblici et parabiblici

10769 *Adamczewski, Bartosz* Chronological calculations and messianic expectations in *Apocryphon of Jeremiah* D (4Q390). Qumran Chronicle 14/3-4 (2006) 127-142.

10770 [E]**Bar-Asher, Moshe; Dimant, Devorah** Meghillot: studies in the Dead Sea scrolls, volume 2. 2004 ⇒20,449; 21,11261. [R]JSJ 37 (2006) 403-406 (*Nikolsky, Ronit*).

10771 *Baruchi, Y.; Eshel, H.* Another fragment of SdeirGenesis. JJS 57 (2006) 136-138 [Gen 36,3-5].

10772 **Berrin, Shani L.** The Pesher Nahum Scroll from Qumran: an exegetical study of 4Q169. StTDJ 53: 2004 ⇒20,10244. [R]RBLit (2006)* (*Doudna, Gregory*).

10773 [ET]**Beyer, Klaus** Die aramäischen Texte vom Toten Meer: Band 2. 2004 ⇒20,10245. [R]JSJ 37 (2006) 413-414 (*Tigchelaar, Eibert*).

10774 *Brooke, George* The structure of 1QHa XII 5-XIII 4 and the meaning of resurrection. [F]PUECH, E.: StTDJ 61: 2006 ⇒133. 15-33;

10775 On Isaiah at Qumran. "As those who are taught". SBL.Symposium 27: 2006 ⇒765. 69-85;

10776 Biblical interpretation at Qumran. The bible and the Dead Sea scrolls, I. 2006 ⇒706. 287-319.

10777 **Campbell, Jonathan Goodson** The exegetical texts. CQuS 4: 2004 ⇒20,10247; 21,11273. [R]CBQ 68 (2006) 100-102 (*Duhaime, Jean*); JSJ 37 (2006) 425-427 (*Vielhauer, Roman*); RBLit (2006)* (*Kraus, Thomas*).

10778 *Charlesworth, James H.; McSpadden, James D.* The sociological and liturgical dimensions of Psalm pesher 1 (4QpPs[a]): some prolegomenous reflections. The bible and the Dead Sea scrolls, II. 2006 ⇒706. 317-349.

10779 **Charlesworth, James Hamilton** The pesharim and Qumran history: chaos or consensus?. 2002 ⇒18,9831... 21,11274. [R]JSJ 37 (2006) 98-101 (*Fröhlich, Ida*).

10780 *Crawford, Sidnie W.* The rewritten bible at Qumran. The bible and the Dead Sea scrolls, I. 2006 ⇒706. 131-147.

10781 *Cross, Frank M.* A new reconstruction of 4QSamuel a 24:16-22. [F]ULRICH, E.: VT.S 101: 2006 ⇒160. 77-83;

10782 The biblical scrolls from Qumran and the canonical text. The bible and the Dead Sea scrolls, I. 2006 ⇒706. 67-75.

10783 *Cross, Frank Moore; Saley, Richard J.* A statistical analysis of the textual character of 4QSamuel A (4Q51). DSD 13 (2006) 46-54.

10784 *Dimant, Devorah* Two "scientific" fictions: the so-called Book of Noah and the alleged quotation of Jubilees in CD 16:3-4. [F]ULRICH, E.: VT.S 101: 2006 ⇒160. 230-249;

10785 Old Testament pseudepigrapha at Qumran. The bible and the Dead Sea scrolls, II. 2006 ⇒706. 447-467.

10786   ^E**Ego, Beate,** *al.*, Biblia Qumranica 3B: Minor Prophets. 2005 ⇒
        21,11279. ^RAUSS 44 (2006) 176-178 (*Pröbstle, Martin*); DSD 13
        (2006) 365-367 (*Fuller, Russell*).

10787   *Eshel, Hanan* The two historical layers of pesher Habakkuk. Zion
        71 (2006) 143-152. **H.**

10788   *Fabry, Heinz-Josef* Die Jesaja-Rolle in Qumran: älteste Handschrif-
        ten und andere spannende Entdeckungen. BiKi 61 (2006) 227-230;

10789   Die Handschriften vom Toten Meer und ihre Bedeutung für den
        Text der Hebräischen Bibel. Qumran–Bibelwissenschaften–antike
        Judaistik. Einblicke 9: 2006 ⇒372. 11-29.

10790   *Fernández Marcos, Natalio* Rewritten Bible or imitatio?: the vest-
        ments of the High Priest. ^FULRICH, E.: VT.S 101: 2006 ⇒160. 321-
        336.

10791   **Fitzmyer, Joseph A.** The Genesis Apocryphon of Qumran Cave
        1(1Q20): a commentary. BibOr 18/B: 2004 ⇒20,10252. ^RCrSt 27
        (2006) 952-958 (*Prato, Gian Luigi*).

10792   *Flint, Peter W.* Psalms and psalters in the Dead Sea scrolls. The
        bible and the Dead Sea scrolls, I. 2006 ⇒706. 233-272.

10793   *Hallermayer, Michaela; Elgvin, Torleif* Schøyen Ms. 5234: ein
        neues *Tobit*-Fragment vom Toten Meer. RdQ 22 (2006) 451-461.

10794   *Hempel, Charlotte* Maskil(im) and Rabbim: from Daniel to Qum-
        ran. ^FKNIBB, M.: JSJ.S 111: 2006 ⇒87. 133-156 [Dan 11-12].

10795   *Hendel, Ronald S.* Qumran and a new edition of the Hebrew Bible.
        The bible and the Dead Sea scrolls, I. 2006 ⇒706. 149-165.

10796   **Hughes, Julie A.** Scriptural allusions and exegesis in the Hodayot.
        StTDJ 59: Lei 2006, Brill xiii; 268 pp. €89/$120. 90-04-14739-X.
        Bibl. 237-247.

10797   *Jassen, Alex* Intertextual readings of the Psalms in the Dead Sea
        scrolls: *4Q160 (Samuel Apocryphon)* and *Psalm 40*. RdQ 22
        (2006) 403-430.

10798   *Jokiranta, Jutta* Qumran–the prototypical teacher in the Qumran
        pesharim: a social-identity approach. Ancient Israel. 2006 ⇒724.
        254-263.

10799   *Kottsieper, Ingo* 11Q5 (11QPsa) XIX–a plea of deliverance?.
        ^FPUECH, E.: StTDJ 61: 2006 ⇒133. 125-150.

10800   *Kugel, James* Exegetical notes on 4Q225. "Pseudo-Jubilees". DSD
        13 (2006) 73-98 [Gen 22].

10801   *Kugler, Robert A.* Joseph at Qumran: the importance of 4Q372 Frg.
        1 in extending a tradition. ^FULRICH, E.: VT.S 101: 2006 ⇒160.
        261-278.

10802   *Lemaire, André* Le Psaume 154: sagesse et site de Qoumrân.
        ^FPUECH, E.: StTDJ 61: 2006 ⇒133. 195-204.

10803   *Loader, James A.* Qumran, text and intertext: on the significance of
        the Dead See scrolls for theologians reading the Old Testament.
        OTEs 19 (2006) 892-911.

10804   *Martone, Corrado* Recentiores non deteriores: a neglected philo-
        logical rule in the light of the Qumran evidence. ^FPUECH, E.: StTDJ
        61: 2006 ⇒133. 205-215.

10805   *Noam, Vered* The origin of the list of David's songs in "David's
        compositions". DSD 13 (2006) 134-149.

10806   *Parry, Donald W.* 4QSam^a (=4Q51), the canon, and the community
        of lay readers. The bible and the Dead Sea scrolls, I. 2006 ⇒706.
        167-182.

10807 *Paul, André* Une composition tardive: le témoignage de Qumrân. MoBi hors série (2006) 36-41.

10808 **Paul, André** La bible avant la bible: la grande révélation des manuscrits de la mer Morte. 2005 ⇒21,11289. [R]CBQ 68 (2006) 310-312 (*Bernas, Casimir*).

10809 *Puech, Émile* Les manuscrits 4QJuges[c] (= 4Q50[A]) et 1QJuges (= 1Q6). [F]ULRICH, E.: VT.S 101: 2006 ⇒160. 184-202.

10810 *Roberts, J.J.M.* The importance of Isaiah at Qumran. The bible and the Dead Sea scrolls, I. 2006 ⇒706. 273-286.

10811 *Stone, Michael E.* The axis of history at Qumran. <1999>;

10812 The Dead Sea scrolls and the Pseudepigrapha. Apocrypha, Pseudepigrapha, I. 2006 <1996> ⇒310. 61-77/15-40;

10813 *Strawn, Brent A.* Excerpted manuscripts at Qumran: their significance for the textual history of the Hebrew Bible and the socio-religious history of the Qumran community and its literature. The bible and the Dead Sea scrolls, II. 2006 ⇒706. 107-167.

10814 *Stuckenbruck, Loren T.* The formation and re-formation of Daniel in the Dead Sea scrolls. The bible and the Dead Sea scrolls, I. 2006 ⇒706. 101-130.

10815 *Tigchelaar, Eibert* Hosea xii 10[9] [!–Read 10(11)] in 4Q82. VT 56 (2006) 558-559.

10816 **Trudinger, Peter L.** The psalms of the Tamid service: a liturgical text from the second temple. VT.S 98: 2004 ⇒20,10276. [R]RBLit (2006)* (*Schuller, Eileen*).

10817 *Ulrich, Eugene* A revised edition of the *1QpaleoLev-Num*[a] and *1QpaleoLev*[b]? fragments. RdQ 22 (2006) 341-347;

10818 The Dead Sea scrolls and the Hebrew scriptural texts. The bible and the Dead Sea scrolls, I. 2006 ⇒706. 77-99.

10819 *VanderKam, James C.* The apocrypha and pseudepigrapha at Qumran. The bible and the Dead Sea scrolls, II. 2006 ⇒706. 469-491.

10820 *Willitts, Joel* The remnant of Israel in 4 QpIsaiah a (4Q161) and the Dead Sea Scrolls. JJS 57 (2006) 11-25.

K3.5 *Qumran*—**varii rotuli et fragmenta**

10821 [E]**Abegg, Martin G., Jr.**, *al.*, The Dead Sea scrolls concordance I: the non-biblical texts from Qumran. 2003 ⇒19,10686... 21,11303. [R]JJS 57 (2006) 177-179 (*Vermes, Geza*); JSJ 37 (2006) 85-87 (*Tigchelaar, Eibert*); IEJ 56 (2006) 236-240 (*Qimron, Elisha*); JThS 57 (2006) 625-627 (*Hempel, Charlotte*).

10822 *Adamczewski, Bartosz* The Hasmonean temple and its water-supply system in 4QMMT. Qumran Chronicle 13 (2006) 135-146.

10823 *Alexander, Philip S.* The Qumran *Songs of the Sabbath Sacrifice* and the *Celestial Hierarchy* of DIONYSIUS the Areopagite: a comparative approach. RdQ 22 (2006) 349-372.

10824 [ET]*Baumgarten, Joseph M.*, *al.*, Damascus Document: 4Q266-273 (4QD[a-h]). Dead Sea scrolls, 3. 2006 ⇒10830. 1-185.

10825 [ET]*Baumgarten, Joseph M.; Novakovic, Lidija* Miscellaneous rules: 4Q265. Dead Sea scrolls, 3. 2006 ⇒10830. 253-269.

10826 *Berthelot, Katell* 4QMMT et la question du canon de la bible hébraïque. [F]PUECH, E.: StTDJ 61: 2006 ⇒133. 1-14.

10827 *Borukhov, Eli* The oil festival: a comment. RdQ 22 (2006) 475-78.

10828   **Brizemeure, Daniel; Lacoudre, Noël; Puech, Émile** Le rouleau
de cuivre de la grotte 3 de Qumrân (3Q15): expertise, restauration,
épigraphie. StTDJ 55/1-2: Lei 2006, Brill 2 vols; xxii; 227+ xxv;
424 pp. 90-04-15468-X/9-8. Présenté par *Jean-Michel Poffet.*

10829   *Callaway, Philip R.* Some thoughts on writing exercise (4Q341).
Qumran Chronicle 13 (2006) 147-151.

10830   ^E**Charlesworth, James H.** The Dead Sea scrolls: Hebrew, Arama-
ic, and Greek texts with English translations, 3: Damascus Docu-
ment II, some works of the Torah, and related documents. The Prin-
ceton Theological Seminary Dead Sea Scrolls Project 3: Tü 2006,
Mohr S. xxvii; 304 pp. €109. 3-16-147423-6.

10831   ^{ET}*Charlesworth, James H.; Claussen, Carsten* Halakah A. 4Q251.
Dead Sea scrolls, 3. 2006 ⇒10830. 271-285;

10832   Halakah B. 4Q264a. Dead Sea scrolls, 3. 2006 ⇒10830. 286-289;

10833   Halakah C. 4Q472a. Dead Sea scrolls, 3. 2006 ⇒10830. 291-293;

10834   Harvesting: 4Q284a. Dead Sea scrolls, 3. 2006 ⇒10830. 295-297;

10835   ^E**Charlesworth, James Hamilton,** *al.,* Miscellaneous texts from
the Judaean Desert. DJD 38: 2000 ⇒16,9290; 17,9148. ^RDSD 13
(2006) 372-377 (*Lange, Armin*).

10836   *Daoust, Francis* L'identité du sujet perdu de la lacune de 1 QM l 4:
une reconstruction narratologique. Et vous. 2006 ⇒760. 257-282.

10837   *Davis, Philip R.* The biblical and Qumranic concept of war. The bi-
ble and the Dead Sea scrolls, I. 2006 ⇒706. 209-232.

10838   *Dimant, Devorah* The composite character of the Qumran sectarian
literature as an indication of its date and provenance. RdQ 22
(2006) 616-630;

10839   Non pas l'exil au désert mais l'exil spirituel: l'interprétation d'Isaïe
40,3 dans la *Règle de la Communauté.* ^MCAQUOT, A.: Coll. REJ 40:
2006 ⇒16. 17-36;

10840   *Dimant, Devorah* A prayer for the people of Israel: on the nature of
manuscript 4Q374. Meghillot IV. 2006 ⇒589. 25-54. **H.**

10841   *Drawnel, Henryk* Priestly education in the Aramaic Levi Document
(Visions of Levi) and Aramaic Astronomical Book (4Q208-211).
RdQ 22 (2006) 547-574.

10842   **Duhaime, Jean** The war texts: 1QM and related manuscripts.
CQuS 6: 2004 ⇒20,10293; 21,11314. ^RJSJ 37 (2006) 110-112
(*Eshel, Hanan*).

10843   *Elgvin, Torleif* 4QMysteries^c: a new edition. ^FPUECH, E.: StTDJ 61:
2006 ⇒133. 75-85.

10844   **Elledge, C.D.** The statutes of the king: the Temple Scroll's legisla-
tion on kingship (11Q19 LVI 12–LIX 21). CRB 56: 2004 ⇒20,
10296. ^RRSR 94/1 (2006) 152-153 (*Paul, André*).

10845   *Eshel, Hanan* When were the *Songs of the sabbath sacrifice* re-
cited?. Meghillot IV. 2006 ⇒589. 3-12. **H.**

10846   *García Martínez, Florentino* Marginalia on 4QInstruction. DSD 13
(2006) 24-37;

10847   La conception de 'l'autre' dans le *Document de Damas.* ^MCAQUOT,
A.: Coll. REJ 40: 2006 ⇒16. 37-50.

10848   *Gilders, William K.* Blood manipulation ritual in the Temple Scroll.
RdQ 22 (2006) 519-545.

10849   **Goff, Matthew J.** The worldly and heavenly wisdom of 4QInstruc-
tion. StTDJ 50: 2003 ⇒19,10712... 21,11317. ^RDSD 13 (2006)
385-388 (*Wold, Benjamin G.*); RBLit (2006)* (*Wright, Benjamin*).

10850 *Harrington, Daniel J.* Recent study of 4QInstruction. [F]PUECH, E.: StTDJ 61: 2006 ⇒133. 105-123.

10851 **Harrington, Hannah K.** The purity texts. CQuS 5: 2004 ⇒20, 10303; 21,11321. [R]JSJ 37 (2006) 445-447 (*Knop, Arjan P.*); CBQ 68 (2006) 302-303 (*Gruber, Mayer I.*).

10852 *Heger, Paul* Sabbath offerings according to the Damascus Document – scholarly opinions and a new hypothesis. ZAW 118 (2006) 62-81.

10853 *Hempel, Charlotte* The literary development of the *S* tradition–a new paradigm. RdQ 22 (2006) 389-401.

10854 *Holst, Søren; Høgenhaven, Jesper* Physiognomy and eschatology: some more fragments of 4Q561. JJS 57 (2006) 26-43.

10855 **Ibba, Giovanni** Le ideologie del Rotolo della Guerra (1QM): studio sulla genesi e la datazione dell'opera. 2005 ⇒21,11323. [R]MTh 57/2 (2006) 79-81 (*Abela, Anthony*); Henoch 28/1 (2006) 168-171 (*Arcari, Luca*).

10856 *Japhet, Sara* The prohibition of the habitation of women: the Temple Scroll's attitude toward sexual impurity and its biblical precedents. From the rivers of Babylon. 2006 ⇒246. 268-288.

10857 *Kratz, Reinhard G.* Mose und die Propheten: zur Interpretation von 4QMMT[C]. [F]PUECH, E.: StTDJ 61: 2006 ⇒133. 151-176.

10858 *Kugel, James* A prayer about Jacob and Israel from the Dead Sea scrolls. The ladder of Jacob. 2006 ⇒259. 186-221.

10859 *Lignee, Hubert* De Qoumran à l'église: l'éclairage d'un extrait de la *Règle de la communauté* (1QS VIII,1-16). AETSC 11/18 (2006) (2006) 103-138.

10860 *Marx, Alfred* Les fêtes du vin nouveau et de l'huile fraîche dans le *Rouleau du Temple*: fêtes des prémices ou anticipations du repas eschatologique?. Le temps et les temps. JSJ.S 112: 2006 ⇒408. 89-105.

10861 *Naudé, Jacobus A.* The wiles of the Wicked Woman (4Q184), the netherworld and the body. JSem 15 (2006) 372-384.

10862 *Niccum, Curt* The blessing of Judah in 4Q252. [F]ULRICH, E.: VT.S 101: 2006 ⇒160. 250-260 [Gen 49,10].

10863 *Olson, Dennis T.* Daily and festival prayers at Qumran. The bible and the Dead Sea scrolls, II. 2006 ⇒706. 301-315.

10864 *Parry, Donald W.* Linguistic profile of the nonbiblical Qumran texts: a multidimensional approach. [F]PUECH, E.: StTDJ 61: 2006 ⇒ 133. 217-241.

10865 [E]**Parry, Donald W.; Tov, Emanuel** The Dead Sea scrolls reader, 1, 2, 4, 6. 2004-2005 ⇒20,10312...21,11334. [R]CBQ 68 (2006) 126-128 (*Wise, Michael O.*).

10866 *Qimron, Elisha* Improving the editions of the Dead Sea scrolls (4): benedictions. Meghillot IV. 2006 ⇒589. 191-200. **H.**

10867 [ET]*Qimron, Elisha, al.*, Some works of the torah: 4Q394-4Q399 (= 4QMTT[a-f]) and 4Q313. Dead Sea scrolls, 3. 2006 ⇒10830. 187-251.

10868 **Rey, Jean-Sébastien** 4QInstruction: sagesse et eschatologie. [D]*Bons, E.* 2006, 399 pp. Diss. Strasbourg [RTL 38,615].

10869 *Reymond, Eric D.* The poetry of 4Q416 2 III 15-19. DSD 13 (2006) 177-193.

10870 [T]**Sacchi, Paolo** Regola della Comunità. StBi 150: Brescia 2006, Paideia 188 pp. €16.20. 88-394-0719-7. Bibl. 167-182. [R]Anton. 81 (2006) 571-574 (*Nobile, Marco*).

10871   *Schmidt, Francis* Le calendrier liturgique des *Prières quotidiennes* (4Q503): en annexe: l'apport du verso (4Q512) à l'édition de 4Q503. Le temps et les temps. JSJ.S 112: 2006 ⇒408. 55-87.

10872   *Sen, Felipe* Historia del manuscrito 04QMMT. EstB 64 (2006) 699-700.

10873   *Steudel, Annette* 4Q448–the lost beginning of MMT?;

10874   *Tigchelaar, Eibert* Publication of PAM 43.398 (IAA #202) including new fragments of 4Q269. ^FPUECH, E.: StTDJ 61: 2006 ⇒133. 247-263/264-280.

10875   ^E**Tov, Emanuel** The Dead Sea scrolls electronic library. Lei 2006, Brill €272/$405. 978-90041-50621. Rev. ed.

10876   ^E**Vázquez Allegue, Jaime** La "Regla de la Comunidad" de Qumrán. Biblioteca de estudios bíblicos Minor 8: S 2006, Sígueme 157 pp. 84-301-1592-7. Bibl. 145-152.

10877   *Volgger, David* The day of atonement according to the Temple Scroll. Bib. 87 (2006) 251-260.

10878   **Volgger, David** Der Opferkalender der Tempelrolle: eine Untersuchung zu 11Q19 Kolumne 13-30. ATSAT 79: St. Ottilien 2006, EOS v; 196 pp. 3-8306-7236-5. Bibl. 187-190.

10879   **Wacholder, Ben Z.** The new Damascus Document: the midrash on the eschatological Torah of the Dead Sea scrolls: reconstruction, translation, and commentary. StTDJ 56: Lei 2006, Brill xxx; 425 pp. €130/$175. 90-04-14108-1. Bibl. 379-391.

10880   **Wassen, Cecilia** Women in the Damascus document. Academia biblica 21: 2005 ⇒21,11346. ^RRBLit (2006)* (*Dimant, Devorah*).

10881   **Weissenberg, Hanne von** 4QMMT: the problem of the epilogue. 2006, 268 pp Diss. Helsinki [RTL 38,617].

10882   *Werman, Cana* Appointed times of atonement in the *Temple Scroll*. Meghillot IV. 2006 ⇒589. 89-119. **H.**

10883   *Zahn, Molly M.* New voices, ancient words: the Temple Scroll's reuse of the bible. Temple and worship. LHBOTS 422: 2006 ⇒716. 435-458.

K3.6   Qumran et Novum Testamentum

10884   *Abegg, Martin G., Jr.* Paul and James on the law in light of the Dead Sea scrolls. Christian beginnings. 2006 ⇒710. 63-74.

10885   *Attridge, Harold W.* How the scrolls impacted scholarship on Hebrews. Bible and Dead Sea scrolls, III. 2006 ⇒706. 203-230.

10886   *Berthelot, Katell* Guérison et exorcisme dans les textes de Qumrân et les évangiles. Guérisons. 2006 ⇒815. 135-148.

10887   *Berthelot, Katell* La place des infirmes et des "lépreux" dans les textes de Qumrân et les évangiles. RB 113 (2006) 211-241.

10888   **Brooke, George J.** The Dead Sea scrolls and the New Testament. 2005 ⇒21,194. ^RJJS 57 (2006) 181-182 (*Vermes, Geza*); CBQ 68 (2006) 369-371 (*Hoppe, Leslie*); RBLit (2006)* (*Moore, Michael*).

10889   *Charlesworth, James H.* John the Baptizer and the Dead Sea scrolls. The bible and the Dead Sea scrolls, III. 2006 ⇒706. 1-35;

10890   A study in shared symbolism and language: the Qumran community and the Johannine community. The bible and the Dead Sea scrolls, III. 2006 ⇒706. 97-152;

10891 Resurrection: the Dead Sea scrolls and the New Testament. Resurrection: the origin. 2006 ⇒705. 138-186.
10892 *Collins, Adela Y.* The dream of a new Jerusalem at Qumran. The bible and the Dead Sea scrolls, III. 2006 ⇒706. 231-254.
10893 *Collins, John J.* A messiah before Jesus?;
10894 Apocalyptic theology and the Dead Sea scrolls: a response to Jonathan Wilson. Christian beginnings. 2006 ⇒710. 15-35/129-133.
10895 **Cryer, Frederick H.; Thompson, Thomas L.** Qumran between the Old and New Testaments. JSOT.S 290: 1998 ⇒14,327... 17, 9186. [R]HeyJ 47 (2006) 109-110 (*McNamara, Martin*).
10896 *Dunn, James D.G.; Charlesworth, James H.* Qumran's *Some works of torah* (4Q394-399 [4QMMT]) and Paul's Galatians. The bible and the Dead Sea scrolls, III. 2006 ⇒706. 187-201.
10897 *Evans, Craig A.* Jesus, John, and the Dead Sea scrolls: assessing typologies of restoration. Christian beginnings. 2006 ⇒710. 45-62;
10898 The synoptic gospels and the Dead Sea scrolls. The bible and the Dead Sea scrolls, III. 2006 ⇒706. 75-95.
10899 *Flint, Peter* Jesus and the Dead Sea scrolls. The historical Jesus. 2006 ⇒334. 110-131.
10900 *Focant, Camille* Un fragment du second évangile à Qumrân 7Q5= Mc 6,52-53?. Marc, un évangile étonnant. BEThL 194: 2006 <1985> ⇒218. 21-29.
10901 *Frey, Jörg* Zur Bedeutung der Qumran-Funde für das Verständnis des Neuen Testaments. Qumran—Bibelwissenschaften—antike Judaistik. Einblicke 9: 2006 ⇒372. 33-65;
10902 The impact of the Dead Sea scrolls on New Testament interpretation: proposals, problems, and further perspectives;
10903 *Garnet, Paul* Atonement: Qumran and the New Testament. The bible and the Dead Sea scrolls, III. 2006 ⇒706. 407-461/357-380.
10904 *Horsley, Richard A.* The Dead Sea scrolls and the historical Jesus;
10905 *Johns, Loren L.* The Dead Sea scrolls and the Apocalypse of John;
10906 *Juel, Donald H.* The future of a religious past: Qumran and the Palestinian Jesus movement;
10907 *Kuhn, Heinz-Wolfgang* The impact of selected Qumran texts on the understanding of Pauline theology. The bible and the Dead Sea scrolls, III. 2006 ⇒706. 37-60/255-279/61-73/153-185.
10908 *Lichtenberger, Hermann* Messiasvorstellungen in Qumran und die neutestamentliche Christologie. Qumran—Bibelwissenschaften—antike Judaistik. Einblicke 9: 2006 ⇒372. 67-87;
10909 Qumran and the New Testament;
10910 *McDaniel, Karl J.* Qumran and 1 Chronicles: backgrounds for Revelation 4-5 and the enigmatic 24. [1 Chr 29]. [F]CHARLESWORTH, J. 2006 ⇒19. 103-129/130-145.
10911 *Mimouni, Simon C.* Qoumrân et les origines du christianisme. [M]CAQUOT, A.: Coll. REJ 40: 2006 ⇒16. 141-150.
10912 *Paul, André* Les manuscrits de la mer Morte et les origines du christianisme. NRTh 128 (2006) 388-404.
10913 *Pixner, Bargil* Jesus and the two feast-calendars. Qumran Chronicle 14/3-4 (2006) 143-159.
10914 *Popkes, Enno E.* About the differing approach to a theological heritage: comments on the relationship between the gospel of John, the *Gospel of Thomas*, and Qumran. The bible and the Dead Sea scrolls, III. 2006 ⇒706. 281-317.

10915   *Puech, Émile* Les manuscrits de la Mer Morte et le Nouveau Testament. EstB 64 (2006) 337-368.

10916   *Schiffman, Lawrence H.* Jewish law in the gospels and the Dead Sea scrolls. Meghillot IV. 2006 ⇒589. 141-150. **H.**

10917   **VanderKam, James C.; Flint, Peter W.** The meaning of the Dead Sea scrolls: their significance for understanding the bible, Judaism, Jesus, and christianity. 2002 ⇒18,9975. [R]Theol. 109 (2006) 44-45 (*Hayward, Robert*).

10918   *Wilson, Jonathan R.* The Dead Sea scrolls and christian theology;

10919   *Wooden, R. Glenn* Guided by God: divine aid in interpretation in the Dead Sea scrolls and the New Testament. Christian beginnings. 2006 ⇒710. 121-128/101-120.

10920   *Zerbe, Gordon M.* Economic justice and nonretaliation in the Dead Sea scrolls: implications for New Testament interpretation. The bible and the Dead Sea scrolls, III. 2006 ⇒706. 319-355.

K3.8 Historia et doctrinae Qumran

10921   **Alexander, Philip S.** The mystical texts: Songs of the Sabbath Sacrifice and related manuscripts. LSTS 61; Companion to the Qumran Scrolls 7: L 2006, Clark x; 171 pp. £30. 0-567-04082-8. Bibl. 145-163.

10922   **Arnold, Russell C.D.** The social role of liturgy in the religion of the Qumran community. StTDJ 60: Lei 2006, Brill ix, 267 pp. €95/ $124. 90-04-15030-7. Diss. UCLA; Bibl. 237-252.

10923   *Baumgarten, Joseph M.* Tannaitic halakhah and Qumran–a reevaluation. Rabbinic perspectives. StTDJ 62: 2006 ⇒837. 1-11;

10924   The law and spirit of purity at Qumran. The bible and the Dead Sea scrolls, II. 2006 ⇒706. 93-105.

10925   *Bengtsson, Håkan* Three sobriquets, their meaning and function: the wicked priest, synagogue of Satan, and the woman Jezebel. The bible and the Dead Sea scrolls, I. 2006 ⇒706. 183-208.

10926   *Brooke, George J.* Prophecy and prophets in the Dead Sea scrolls: looking backwards and forwards. Prophets, prophecy. LHBOTS 427: 2006 ⇒728. 151-165.

10927   *Broshi, Magen* Qumran and the Essenes: purity and pollution, six categories. RdQ 22 (2006) 463-474;

10928   Predestination in the bible and the Dead Sea scrolls;

10929   *Cherian, Jacob* The Moses at Qumran; the מורה הצדק as the nursing-father of the יחד. The bible and the Dead Sea scrolls, II. 2006 ⇒706. 235-246/351-361.

10930   *Collins, John J.* The time of the teacher: an old debate renewed. [F]ULRICH, E.: VT.S 101: 2006 ⇒160. 212-229;

10931   The Yaḥad and "The Qumran community". [F]KNIBB, M.: JSJ.S 111: 2006 ⇒87. 81-96;

10932   What was distinctive about Messianic expectation at Qumran?. The bible and the Dead Sea scrolls, II. 2006 ⇒706. 71-92.

10933   *Dimant, Devorah* Israel's subjugation to the gentiles as an expression of demonic power in Qumran documents and related literature. RdQ 22 (2006) 373-388;

10934   Temps, torah et prophétie à Qoumrân. Le temps et les temps. JSJ.S 112: 2006 ⇒408. 147-167.

10935 *Doering, Lutz* Parallels without "parallelomania": methodological reflections on comparative analysis of Halakhah in the Dead Sea scrolls. Rabbinic perspectives. StTDJ 62: 2006 ⇒837. 13-42.

10936 *Dubs, Jean-C.* 4Q317 et le rôle de l'observation de la pleine lune pour la détermination du temps à Qoumrân. Le temps et les temps. JSJ.S 112: 2006 ⇒408. 37-54.

10937 *Fabry, Heinz-Josef* Isaak in den Handschriften von Qumran. ᶠPUECH, E.: StTDJ 61: 2006 ⇒133. 87-103.

10938 **Fletcher-Louis, Crispin** All the glory of Adam: liturgical anthropology in the Dead Sea scrolls. StTDJ 42: 2002 ⇒18,9983... 21, 11391. ᴿRSR 94/1 (2006) 146-147 *(Paul, André)*.

10939 *Fraade, Steven D.* Looking for narrative midrash at Qumran. Rabbinic perspectives. StTDJ 62: 2006 ⇒837. 43-66.

10940 *Freedman, David N.; Geoghegan, Jeffrey C.* Another stab at the wicked priest. The bible and the Dead Sea scrolls, II. 2006 ⇒706. 17-24.

10941 *García Martínez, Florentino* Divine sonship at Qumran: between the Old and the New Testament. ᶠKNIBB, M.: JSJ.S 111: 2006 ⇒ 87. 109-132.

10942 *Hanson, Kenneth L.* The law of reproof: a Qumranic exemplar of pre-rabbinic halakah. HebStud 47 (2006) 211-225.

10943 *Harrington, Daniel J.* "Holy War" texts among the Qumran scrolls. ᶠULRICH, E.: VT.S 101: 2006 ⇒160. 175-183.

10944 *Harrington, Hannah K.* Purity and the Dead Sea scrolls: current issues. CuBR 4 (2006) 397-428.

10945 ᴱ**Hempel, Charlotte; Lange, Armin; Lichtenberger, Hermann** The wisdom texts from Qumran and the development of sapiential thought. BEThL 159: 2002 ⇒18,482... 21,11398. ᴿRSR 94/1 (2006) 141-142 *(Paul, André)*.

10946 *Hirschfeld, Yizhar* Qumran in the second temple period–a reassessment. Qumran, the site. StTDJ 57: 2006 ⇒932. 223-239.

10947 *Langermann, Tzvi* A great light in midheaven. Meghillot IV. 2006 ⇒589. 203-206. **H.**

10948 *Lemaire, André* Les écrits de sagesse à Qoumrân et l'interprétation du site. JA 294/1 (2006) 53-65.

10949 *Levison, John R.* The two spirits in Qumran theology. The bible and the Dead Sea scrolls, II. 2006 ⇒706. 169-194.

10950 *Lichtenberger, Hermann* Friede durch Krieg?: vom imaginierten Krieg zum imaginierten Frieden in Qumran. BiKi 61 (2006) 144-149.

10951 *Metso, Sarianna* Creating community halakhah. ᶠULRICH, E.: VT.S 101: 2006 ⇒160. 279-301;

10952 Qumran community structure and terminology as theological statement. The bible and the Dead Sea scrolls, II. 2006 ⇒706. 283-300.

10953 **Monti, Ludwig** Una comunità alla fine della storia: messia e messianismo a Qumran. StBi 149: Brescia 2006, Paideia 147 pp. €12.90. 88394-07189. Bibl. 127-138. ᴿAnton. 81 (2006) 571-573 *(Nobile, Marco)*.

10954 *Morisada Rietz, Henry W.* The Qumran concept of time. The bible and the Dead Sea scrolls, II. 2006 ⇒706. 203-234.

10955 *Noam, Vered* Traces of sectarian Halakhah in the rabbinic world. Rabbinic perspectives. StTDJ 62: 2006 ⇒837. 67-85.

10956 *Philonenko, Marc* Sur les expressions "maison fidèle en Israel," "maison de vérité in Israel, "maison de perfection et de vérité en Israel". ᶠPUECH, E.: StTDJ 61: 2006 ⇒133. 243-246.

10957 *Popovic, Mladen* Physiognomic knowledge in Qumran and Babylonia: form, interdisciplinarity, and secrecy. DSD 13 (2006) 150-176.

10958 *Puech, Emile* Apports des manuscrits de Qoumrân à la croyance à la résurrection dans le judaïsme ancien. ᴹCAQUOT, A.: Coll. REJ 40: 2006 ⇒16. 81-110;

10959 Resurrection: the bible and Qumran. The bible and the Dead Sea scrolls, II. 2006 ⇒706. 247-281.

10960 *Qimron, Elisha* Dualism in the Essene communities. The bible and the Dead Sea scrolls, II. 2006 ⇒706. 195-202.

10961 *Regev, Eyal* Reconstructing Qumranic and rabbinic worldviews: dynamic holiness vs. static holiness. Rabbinic perspectives. StTDJ 62: 2006 ⇒837. 87-112.

10962 *Reynolds, Bennie H.* What are the demons of error?: the meaning of שׁידי טעותא and Israelite child sacrifices. RdQ 22 (2006) 593-613.

10963 *Schiffman, Lawrence H.* Holiness and sanctity in the Dead Sea scrolls. A holy people. 2006 ⇒565. 53-67;

10964 Prohibited marriages in the Dead Sea scrolls and rabbinic literature. Rabbinic perspectives. StTDJ 62: 2006 ⇒837. 113-125.

10965 *Schmidt, Francis* 'Recherche son thème de géniture dans le mystère de ce qui doit être': astrologie et prédestination à Qoumrân. ᴹCAQUOT, A.: Coll. REJ 40: 2006 ⇒16. 51-62.

10966 *Schremer, Adiel* Seclusion and exclusion: the rhetoric of separation in Qumran and Tannaitic literature. Rabbinic perspectives. StTDJ 62: 2006 ⇒837. 127-145.

10967 *Shemesh, Aharon* The halakhic and social status of women according to the Dead Sea scrolls. Bar-Ilan 30-31 (2006) 533-546. **H.**;

10968 The history of the creation of measurements: between Qumran and the Mishnah. Rabbinic perspectives. StTDJ 62: 2006 ⇒837. 147-173.

10969 **Swarup, Paul** Self-understanding of the Dead Sea Scrolls community: an eternal planting, a house of holiness. LSTS 59: L 2006, Clark xv; 233 pp. 0-567-04384-3. Bibl. 203-224.

10970 *Talmon, Shemaryahu* What's in a calendar?: calendar conformity and calendar controversy in ancient Judaism: the case of the 'Community of the Renewed Covenant'. The bible and the Dead Sea scrolls, II. 2006 ⇒706. 25-58.

10971 *VanderKam, James C.* To what end?: functions of scriptural interpretations in Qumran texts. ᶠULRICH, E.: VT.S 101: 2006 ⇒160. 302-320.

10972 *Weinfeld, Moshe* The covenant in Qumran. The bible and the Dead Sea scrolls, II. 2006 ⇒706. 59-69.

10973 *Yishai, Ronni* The model for eschatological war descriptions in Qumran literature. Meghillot IV. 2006 ⇒589. 121-139. **H.**

10974 **Zurli, Emanuela** La giustificazione 'solo per grazia' negli scritti di Qumran: analisi dell'inno finale della *Regola della comunità* e degli *Inni*. 2003 ⇒19,10823... 21,11428. ᴿRivBib 54 (2006) 473-478 (*Marenco, Mariarita*).

K4.1 Sectae iam extra Qumran notae: Esseni, Zelotae

10975 *Broshi, Magen* The Essene sect and other second commonwealth Jewish religious movements: sociological aspects. Meghillot IV. 2006 ⇒589. 13-23. **H.**

10976 *Burns, Joshua E.* Essene sectarianism and social differentiation in Judaea after 70 C.E.. HThR 99 (2006) 247-274.

10977 *Capper, Brian J.* Essene community houses and Jesus' early community. Jesus and archaeology. 2006 ⇒362. 472-502.

10978 *Collins, John J.* The Essenes and the afterlife. ᶠPUECH, E.: StTDJ 61: 2006 ⇒133. 35-53.

10979 *Eisenman, Robert H.* Sicarii Essenes, "Those of the circumcision", and Qumran. JHiC 12/1 (2006) 17-28.

10980 **Taylor, Justin** Pythagoreans and Essenes: structural parallels. Collection de la REJ 32: 2004 ⇒20,10369; 21,11431. ᴿJSJ 37 (2006) 500-503 (*Gusella, Laura*).

K4.3 Samaritani

10981 *Albrile, Ezio* Wisdom and metempsychosis: a gnostic myth. Ter. 57 (2006) 185-202.

10982 **Anderson, Robert T.; Giles, Terry** Tradition kept: the literature of the Samaritans. 2005 ⇒21,11433. ᴿJSJ 37 (2006) 106-107 (*Van der Horst, Pieter W.*); CBQ 68 (2006) 294-296 (*Hjelm, Ingrid*); RBLit (2006)* (*Schorch, Stefan*); JThS 57 (2006) 619-620 (*Coggins, Richard*).

10983 *Knoppers, Gary N.* Revisiting the Samarian question in the Persian period. Judah and the Judeans. 2006 ⇒941. 265-289.

10984 *Laurant, Sophie* La pasqua dei Samaritani, eco dell'antico Israele. Mondo della bibbia 17/2 (2006) 56-59;

10985 Das Pesachfest der Samaritaner: ein Nachhall aus dem Alten Israel. WUB 40 (2006) 28-31.

10986 *Pummer, R.* The tabernacle in the Samaritan tradition. Theoforum 37 (2006) 45-64.

10987 **Pummer, Reinhard** Early christian authors on Samaritans and Samaritanism: texts, translations and commentary. TSAJ 92: 2002 ⇒ 18,10017... 21,11438. ᴿJSJ 37 (2006) 241-259 (*Di Segni, Leah*).

10988 *Tharekadavil, Antony* Samaritans Mount Gerizim and pentateuch. BiBh 32 (2006) 42-64.

10989 *Van der Horst, Pieter W.* Jacques BASNAGE (1653-1723) on the Samaritans: or: how much did one know about the Samaritans three centuries ago in the Netherlands?. Jews and christians. WUNT 196: 2006 ⇒321. 151-160;

10990 Anti-Samaritan propaganda in early Judaism. Jews and Christians. WUNT 196: 2006 <2003> ⇒321. 134-150.

K4.5 *Sadoqitae, Qaraitae*–Cairo Genizah; Zadokites, Karaites

10991 *Bohak, Gideon* Catching a thief: the Jewish trials of a christian ordeal. JSQ 13 (2006) 344-362.

10992 *Cohen, Mark R.* GOITEIN, magic, and the Geniza. JSQ 13 (2006) 294-304.

10993 **Frank, Daniel H.** Search scripture well: Karaite exegetes and the origins of the Jewish bible commentary in the Islamic East. EJM 29: 2004 ⇒20,10381; 21,11445. ^RJud. 62 (2006) 86-87 (*Eißler, Friedmann*).

10994 *Goldman, Liora* A comparison of the Genizah manuscripts A and B of the *Damascus Document* in light of their pesher units. Meghillot IV. 2006 ⇒589. 169-189. **H.**

10995 **Hunt, Alice** Missing priests: the Zadokites in tradition and history. LHBOTS 452: NY 2006, Clark xiv; 218 pp. $120. 0-567-02852-6.

10996 **Jefferson, Rebecca J.W.; Hunter, Erica C.D.** Published material from the Cambridge Genizah collection: a bibliography 1980-1997. 2004 ⇒20,10383. ^RJRAS 16 (2006) 206-207 (*Gallego, María Á.*).

10997 *Lichtenberger, Hermann* Historiography in the Damascus document. History and identity. DCLY 2006: 2006 ⇒704. 231-238.

10998 *Reif, Stefan C.* 'Truth and faith' in Genizah manuscripts;

10999 A Genizah fragment of grace after meals;

11000 A well-known hymn in Aramaic guise. Problems with prayers. 2006 ⇒289. 271-290/333-348/315-332.

11001 *Rofé, Alexander* Notes to the Damascus Document 5:15 and 6:14. Meghillot IV. 2006 ⇒589. 207-211. **H.**

11002 *Shaked, Shaul Dramatis personae* in the Jewish magic texts: some differences between incantation bowls and Geniza magic;

11003 *Swartz, Michael D.* Ritual procedures in magical texts from the Cairo Geniza. JSQ 13 (2006) 363-387/305-318.

K5 Judaismus prior vel totus

11004 **Abécassis, Armand** Judaïsmes: de l'hébraïsme aux messianités juives. P 2006, Michel 502 pp. €28. 2226-171053. Bibl. 493-497.

11005 **Anderson, Jeff S.** The internal diversification of second temple Judaism: an introduction to the second temple period. 2002 ⇒18, 10031. ^RHenoch 28/1 (2006) 161-164 (*Ehrenkrook, Jason Q. von*).

11006 **André, Paul** In ascolto della Torah: introduzione all'ebraismo. Brescia 2006, Queriniana 162 pp. 88-399-2180-X.

11007 ^E**Barclay, John M.G.** Negotiating diaspora: Jewish strategies in the Roman empire. LSTS 45: 2004 ⇒20,548; 21,11457. ^RJSJ 37 (2006) 93-95 (*Van der Horst, Pieter*); JThS 57 (2006) 226-228 (*Horbury, William*).

11008 *Bergmann, Claudia* Idol worship in Bel and the Dragon and other Jewish literature from the second temple period. Septuagint research. SBL.SCSt 53: 2006 ⇒755. 207-223.

11009 **Berthelot, Katell** Philanthrôpia judaica: le débat autour de la "misanthropie" des lois juives dans l'antiquité. JSJ.S 76: 2003 ⇒19, 10869; 21,11462. ^RRSR 94 (2006) 215-221 (*Paul, André*).

11010 **Bringmann, Klaus** Geschichte der Juden im Altertum: vom babylonischen Exil bis zur arabischen Eroberung. 2005 ⇒21,11471. ^RHZ 283 (2006) 435 (*Schuol, Monika*).

11011 *Brock, Sebastian* The Lives of the Prophets in Syriac: some soundings. ^FKNIBB, M.: JSJ.S 111: 2006 ⇒87. 21-37.

11012 **Burkes, Shannon** God, self, and death: the shape of religious transformation in the second temple period. JSJ.S 79: 2003 ⇒19, 10878; 21,11472. [R]JSJ 37 (2006) 422-425 (*Liesen, Jan*).

11013 **Chepey, Stuart Douglas** Nazirites in late second temple Judaism: a survey of ancient Jewish writings, the New Testament, archaeological evidence, and other writings from late antiquity. AGJU 60; AJEC 60: 2005 ⇒21,11475. [R]RBLit (2006)* (*Schwartz, Joshua*).

11014 *Cromhout, Markus; Van Aarde, Andries G.* A socio-cultural model of Judean ethnicity: a proposal. HTSTS 62 (2006) 69-101.

11015 **Cuffari, Anton** Judenfeindschaft in Antike und Altem Testament: terminologische, historische und theologische Untersuchungen. [D]*Schwienhorst-Schönberger, Ludger* 2006, Diss. Passau [ThRv 103/2,x].

11016 *Deines, Roland* Historische Analyse I: die jüdische Mitwelt. Das Studium des NT. TVG: 2006 ⇒451. 101-140.

11017 *Donaldson, Terence L.* Royal sympathizers in Jewish narrative. JSPE 16 (2006) 41-59.

11018 *Doran, Robert* Narratives of noble death. The historical Jesus. 2006 ⇒334. 385-399.

11019 **Enger, Philipp A.** Die Adoptivkinder Abrahams: eine exegetische Spurensuche zur Vorgeschichte des Proselytentums. BEAT 53: Fra 2006, Lang 551 pp. 3-631-53707-7. Bibl. 519-549.

11020 *Feldman, Jackie* 'A city that makes all Israel friends': normative communitas and the struggle for religious legitimacy in pilgrimages to the second temple. A holy people. 2006 ⇒565. 109-126.

11021 *Feldman, Louis H.* Hatred for and attraction to the Jews in classical antiquity. Judaism and Hellenism reconsidered. JSJ.S 107: 2006 <2000> ⇒215. 157-181;

11022 Reflections on Rutgers' Attitudes to Judaism in the Greco-Roman world. <1995-6>;

11023 Conversion to Judaism in classical antiquity. Judaism and Hellenism reconsidered. JSJ.S 107: 2006 <2003> ⇒215. 183-203/205-52.

11024 **Fine, Steven** Art and Judaism in the Greco-Roman world: toward a new Jewish archaeology. 2005 ⇒21,11488. [R]JJS 57 (2006) 348-350 (*Hales, Shelley J.*); Henoch 28/1 (2006) 165-168 (*Ehrenkrook, Jason Q. von*); RBLit (2006)* (*Lapin, Hayim*).

11025 **Gerstenberger, Erhard S.** Israel in der Perserzeit: 5. und 4. Jahrhundert v. Chr. Biblische Enzyklopädie 8: 2005 ⇒21,11494. [R]BiLi 79 (2006) 71-72 (*Hieke, Thomas*).

11026 *Gilbert, G.* Jewish involvement in ancient civic life: the case of Aphrodisias. RB 113 (2006) 18-36.

11027 *Grabbe, Lester L.* Scribes and synagogues. Oxford handbook of biblical studies. 2006 ⇒438. 301-371.

11028 **Grabbe, Lester L.** A history of the Jews and Judaism in the second temple period, 1: Yehud: a history of the Persian province of Judah. LSTS 47: 2004 ⇒20,10424. [R]RRT 13 (2006) 27-28 (*Bury, Benjamin*); JBL 125 (2006) 579-581 (*Berquist, Jon L.*); JThS 57 (2006) 219-211 (*Mason, Rex*).

11029 **Gross, Benjamin** L'aventure du language: l'alliance de la parole dans la pensée juive. Présences du judaïsme: 2003 ⇒19,10904. [R]REJ 165 (2006) 338-340 (*Alcoloumbre, Thierry*).

11030 *Hamilton, Mark W.* 11QTemple 57-59, Ps.-Aristeas 187-300, and second temple period political theory. [F]OSBURN, C.: TaS 4: 2006 ⇒124. 181-195.

11031 *Harland, Philip* Acculturation and identity in the Diaspora: a Jewish family and 'pagan' guilds at Hierapolis. JJS 57 (2006) 222-244.

11032 *Henshke, David* Tithing of livestock: the roots of a second temple halakhic controversy. Meghillot IV. 2006 ⇒589. 55-87. **H.**

11033 *Hezser, Catherine* Diaspora and rabbinic Judaism. Oxford handbook of biblical studies. 2006 ⇒438. 120-132.

11034 **Hezser, Catherine** Jewish slavery in antiquity. Oxf 2006, OUP 439 pp. £55. 0-19-928086-X. [R]SvTK 82 (2006) 188-189 (*Svartvik, Jesper*).

11035 **Himmelfarb, Martha** A kingdom of priests: ancestry and merit in ancient Judaism. Ph 2006, Univ. of Pennsylvania Pr. 270 pp. $60. 978-0-8122-3950-8. Bibl. 237-254.

11036 *Hirschfeld, Yizhar* Ramat Hanadiv and Ein Gedi: property versus poverty in Judea before 70. Jesus and archaeology. 2006 ⇒362. 384-392.

11037 **Horowitz, Elliott** Reckless rites: Purim and the legacy of Jewish violence. Princeton 2006, Princeton Univ. Pr. xiv; 340 pp. $35.

11038 *Husser, Jean-Marie* Scribes inspirés et écrits célestes. Congress volume Leiden 2004. VT.S 109: 2006 ⇒759. 195-213.

11039 **Jaffee, Martin S.** Early Judaism: religious worlds of the first Judaic millennium. Studies and texts in Jewish history and culture 13: Bethesda, MD 2006, University Press of Maryland x; 277 pp. 1-88-305-393-5.

11040 **Kalimi, Isaac** Early Jewish exegesis and theological controversy. Jewish and Christian Heritage 2: 2002 ⇒18,10067... 21,11513. [R]Biblical interpretation in Judaism & christianity (2006) 196-210 [Resp. 211-219] (*Meacham, Tirzah*).

11041 **Kiefer, Jörn** Exil und Diaspora: Begrifflichkeit und Deutungen im antiken Judentum und in der Hebräischen Bibel. ABIG 19: 2005 ⇒ 21,11514. [R]RBLit (2006)* (*Adam, Klaus-Peter*).

11042 *Kister, Menahem* Some early Jewish and christian exegetical problems and the dynamics of monotheism. JSJ 37 (2006) 548-593 [Gen 1,26-27; Job 9; Isa 45,5-7].

11043 *Klawans, Jonathan* Moral and ritual purity. The historical Jesus. 2006 ⇒334. 266-285.

11044 **Koskenniemi, Erkki** The Old Testament miracle-workers in early Judaism. WUNT 2/206: 2005 ⇒21,11520. [R]Henoch 28/2 (2006) 161-163 (*Havrelock, Rachel*).

11045 *Kratz, Reinhard G.* "Denn dein ist das Reich": das Judentum in persischer und hellenistisch-römischer Zeit. Götterbilder-Gottesbilder-Weltbilder, I. FAT 2/17: 2006 ⇒636. 347-374.

11046 *Lange, Armin* Pre-Maccabean literature from the Qumran library and the Hebrew Bible. DSD 13 (2006) 277-305.

11047 **Laras, Giuseppe** Storia del pensiero ebraico nell'età antica. F 2006, Giuntina 200 pp.

11048 **Lawrence, Jonathan D.** Washing in water: trajectories of ritual bathing in the Hebrew Bible and second temple literature. [D]*VanderKam, James C.*: Academia Biblica 23: Lei 2006, Brill xix; 294 pp. $48. 978-90-04-14670-9. Diss. Notre Dame; Bibl. 269-279.

11049 *Leicht, Reimund* Mashbia' Ani 'Alekha: types and patterns of ancient Jewish and christian exorcism formulae. JSQ 13 (2006) 319-343.

11050 **Levine, Lee I.** La sinagoga antica. Introduzione allo studio della Bibbia, Suppl. 20-21: 2005 ⇒21,11524. [R]Sal. 68 (2006) 591-592 (*Vicent, Rafael*); CivCatt 157/2 (2006) 96-99 (*Prato, G.L.*).

11051 *Lieu, Judith M.* Movements. Oxford handbook of biblical studies. 2006 ⇒438. 372-381.

11052 **Lightstone, Jack N.** The commerce of the sacred: mediation of the divine among Jews in the Greco-Roman world. NY [2]2006 <1984>, Columbia Univ. Pr. 224 pp. $26.50. 0-231-12857-6. Foreword *Willi Braun*; Bibl. *Herbert Basser* 155-166.

11053 *Malinowski, Michał* Sentencje (gnomy) PSEUDO-FOKYLIDESA na tle pisma świętego [The maxims (gnomes) of Pseudo-Phokylides in the context of the bible]. STV 44/2 (2006) 155-169. **P.**

11054 **Middlemas, Jill Anne** The troubles of templeless Judah. 2005 ⇒ 21,11528. [R]JThS 57 (2006) 606-608 (*Blenkinsopp, Joseph*).

11055 *Mittmann-Richert, Ulrike* DEMETRIOS the exegete and chronographer – a new theological assessment. [F]CHARLESWORTH, J. 2006 ⇒19. 186-209.

11056 *Morgenstern, Matthias* Halachische Schriftauslegung: auf der Suche nach einer jüdischen 'Mitte der Schrift'. ZThK 103 (2006) 26-48.

11057 **Mosterín, Jesús** Los judíos: historia del pensamiento. M 2006, Alianza 313 pp. 8-206-5837-54.

11058 *Najman, Hindy* Towards a study of the uses of the concept of wilderness in ancient Judaism. DSD 13 (2006) 99-113.

11059 **Neusner, Jacob** Transformations in ancient Judaism: textual evidence for creative responses to crisis. 2004 ⇒20,10453; 21,11531. [R]TJT 22 (2006) 79-81 (*Tobias, Norman*); Theoforum 37 (2006) 86-88 (*Laberge, Léo*); RExp 103 (2006) 638-640 (*Biddle, Mark E.*).

11060 **Nickelsburg, George W.E.** Jewish literature between the bible and the mishnah: a historical and literary introduction. [2]2005 <1981> ⇒21,11536. [R]RBLit (2006)* (*Pomykala, Kenneth; Inowlocki, Sabrina*); Sewanee Theological Review 49/2 (2006) 251-255 (*Harrington, Daniel J.*).

11061 Noam, Vered מגילת תענית. הנוסחים פשרם. תולדותיהם בצירוף מהדורה ביקורתית [Megillat ta'anit: versions: interpretation: history: with a critical edition]. 2003 ⇒19,10958; 21,11538. [R]JJS 57 (2006) 184-186 (*Stern, Sacha*); DSD 13 (2006) 381-385 (*Stemberger, Günter*).

11062 *Otzen, Benedikt* Den apokalyptiske Abraham: patriarken i den antikke jødiske litteratur. DTT 69/1 (2006) 2-13.

11063 *Paul, André* Bulletin du Judaisme ancien (II);
11064 Sources, limites et grandeurs de l'"humanisme" du judaïsme ancien. RSR 94 (2006) 129-160/215-221.

11065 **Paul, André** A l'écoute de la torah: introduction au judaïsme. 2004 ⇒20,10463; 21,11541. [R]SR 35 (2006) 170-3 (*Piovanelli, Pieluigi*);
11066 In ascolta della torah: introduzione all'ebraismo. Introduzioni e trattati: Brescia 2006, Queriniana 168 pp. €14.80. 88-399-2180-X. [R]CredOg 26/4 (2006) 139-140 (*Vela, Alberto*).

11067 *Rajak, Tessa* The Jewish diaspora. Cambridge history of christianity 1. 2006 ⇒558. 52-68.

11068 *Regev, E.* The Sadducees, the Pharisees, and the sacred: meaning and ideology in the halakhic controversies between the Sadducees and Pharisees. Review of Rabbinic Judaism 9 (2006) 126-140.

11069   *Reif, Stefan C.* Priesthood in early sources. Problems with prayers. 2006 ⇒289. 93-105.
11070   *Remaud, Michel* Il merito dei padri: sul perdono dei peccati nella tradizione ebraica. Qol(I) 119, 121-122 (2006) 2-6, 2-7.
11071   *Rizzi, Giovanni* 'Nohachismo' e teologia delle religioni. Ad Gentes 10/1 (2006) 25-36.
11072   *Rosenfeld, Ben Zion* Places of rabbinic settlement in Judea, 70-400 C.E. center and periphery. HUCA 77 (2006) *1-*50. **H.**
11073   *Rosso Ubigli, Liliana* Religione e potere politico nel medio giudaismo. RstB 18 (2006) 133-153.
11074   **Runesson, Anders** The origins of the synagogue: a socio-historical study. CB.NT 37: 2001 ⇒17,9330... 20,10470. ᴿBZ 50 (2006) 296-297 (*Rutgers, Leonard V.*).
11075   **Sacchi, Paolo** Historia del Judaísmo en la época del segundo templo. ᵀ*Castillo Mattasoglio, C.; Sánchez Rojas, A.;* ᴱ*Piñero, A.*: M 2006, Trotta 606 pp. 84-8164-6865.
11076   *Safrai, Shmuel* Early testimonies in the New Testament of laws and practices relating to pilgrimage and passover. Jesus' last week. Jewish and Christian Perspectives 11: 2006 ⇒346. 41-51.
11077   *Schiffman, Lawrence H.* Pre-Maccabean Halakhah in the Dead Sea scrolls and the biblical tradition. DSD 13 (2006) 348-361.
11078   *Schipper, Friedrich T.* Jüdische Identität und griechische Athletik: Beschneidung und Epispasmos in der Zeit der sogenannten "hellenistischen Reform". WJT 6 (2006) 45-59 [1 Macc 1,15].
11079   *Schuller, Eileen M.* Prayers and psalms from the pre-Maccabean period. DSD 13 (2006) 306-318.
11080   **Schwartz, Seth** Imperialism and Jewish society, 200 BCE to 640 CE. 2001 ⇒17,9340... 21,11563. ᴿJJS 57 (2006) 139-158 (*Millar, Fergus*).
11081   **Sivertsev, Alexei** Households, sects, and the origins of rabbinic Judaism. JSJ.S 102: 2005 ⇒21,11566. ᴿThLZ 131 (2006) 1259-1260 (*Hezser, Catherine*); CBQ 68 (2006) 553-554 (*Satlow, Michael L.*); RBLit (2006)* (*Porton, Gary*).
11082   *Smith, Barry D.* 'Spirit of holiness' as eschatological principle of obedience. Christian beginnings. 2006 ⇒710. 75-99.
11083   *Sommer, Michael* Kulturelle Identität im Zeichen der Krise: die Juden von Dura-Europos und das Römische Reich. Chilufim 1 (2006) 12-31.
11084   *Stemberger, Günter* Die Frage nach einem "mainstream Judaism" in der Spätzeit des Zweiten Tempels. Qumran–Bibelwissenschaften – antike Judaistik. Einblicke 9: 2006 ⇒372. 101-118.
11085   **Stern, Sacha** Time and process in ancient Judaism. 2003 ⇒19, 10991... 21,11572. ᴿJSJ 37 (2006) 146-148 (*Batsch, Christophe*).
11086   *Stuckenbruck, Loren T.* Prayers of deliverance from the demonic in the Dead Sea scrolls and related early Jewish literature. ᶠCHARLESWORTH, J. 2006 ⇒19. 146-165.
11087   *Sulzbach, Carla* Of temples on earth, in heaven, and in-between. ᶠCHARLESWORTH, J. 2006 ⇒19. 166-185.
11088   ᴱᵀ**Swartz, Michael D.; Yahalom, Joseph** Avodah: ancient poems for Yom Kippur. 2005 ⇒21,11575. ᴿJSJ 37 (2006) 149-150 (*Van Bekkum, Wout*).
11089   *Tabory, Joseph* Jewish festivals in late antiquity. The Cambridge history of Judaism, 4. 2006 ⇒541. 556-572.

11090 *Thoma, Clemens* Von bösen Engeln, Mächten und Dämonen: Aussagen in frühjüdischen und frühchristlichen Texten. FrRu 13 (2006) 256-262.

11091 *Toepel, Alexander* Yonton revisited: a case study in the reception of Hellenistic science within early Judaism. HThR 99 (2006) 235-245.

11092 *Troiani, Lucio* La rappresentazione dell'autorità nella letteratura ebraica di lingua greca. RstB 18 (2006) 155-164.

11093 *Van der Horst, Pieter W.* The Jews of ancient Sicily. Jews and Christians. WUNT 196: 2006 <2005> ⇒321. 37-42.

11094 *Van Henten, Jan W.; Avemarie, Friedrich* Martirio e morte nobile nel giudaismo e nelle fonti dell'antico ebraismo ellenistico. CrSt 27 (2006) 31-65 [Dan 3; 6; 2 Macc 6,18-31].

11095 **VanderKam, James C.** From Joshua to Caiaphas: high priests after the exile. 2004 ⇒20,10493; 21,11582. [R]CDios 219 (2006) 566-568 (*Gutiérrez, J.*); TrinJ 27 (2006) 310-311 (*Gurtner, Daniel M.*); TJT 22 (2006) 86-87 (*McDaniel, Karl J.*).

11096 *Vinel, Nicolas* Le judaïsme caché du carré "SATOR" de Pompéi. RHR 223 (2006) 173-194.

11097 *Viviano, Benedict T.* Synagogues and spirituality: the case of Beth Alfa. Jesus and archaeology. 2006 ⇒362. 223-235.

11098 *Weiller, Lúcia* Compreensão e prática do mandamento do amor na sinagoga judeu-palestinense. AtT 10 (2006) 61-85.

11099 **Weitzman, Steven** Surviving sacrilege: cultural persistence in Jewish antiquity. 2005 ⇒21,11589. [R]RBLit (2006)* (*Bloch, René*).

11100 *Werman, Cana* Epochs and end-time: the 490-year scheme in second temple literature. DSD 13 (2006) 230-255.

11101 *Wills, Lawrence M.* Ascetic theology before asceticism?: Jewish narratives and the decentering of the self. JAAR 74 (2006) 902-25.

11102 **Woschitz, Karl Matthäus** Parabiblica: Studien zur jüdischen Literatur in der hellenistisch-römischen Epoche: Tradierung–Vermittlung–Wandlung. Theologie: Forschung und Wissenschaft 16: 2005 ⇒21,11598. [R]ASEs 23 (2006) 565-566 (*Nicklas, Tobias*).

11103 *Wright, Benjamin G.* From generation to generation: the sage as father in early Jewish literature. FS KNIBB, M. JSJ.S 111: 2006 ⇒ 87. 309-332;

11104 History, fiction , and the construction of ancient Jewish identities. Prooftexts 26 (2006) 449-467.

11105 *Zarrow, Edward M.* Imposing romanisation: Flavian coins and Jewish identity. JJS 57 (2006) 44-55.

K6.0 **Mišna**, *tosepta: Tannaim*

11106 **Alexander, Elizabeth S.** Transmitting Mishnah: the shaping influence of oral tradition. [D]*Fraade, S. C* 2006, CUP xvi; 246 pp. £45. 978-0521-857505. Diss. Yale.

11107 [E]**Avery-Peck, Alan Jeffery; Neusner, Jacob** The Mishnah in contemporary perspective, 2. HO 1/87: Lei 2006, Brill xvii; 216 pp. 90-04-15220-2.

11108 *Bar-Asher, Moshe* The modern study of Mishnaic Hebrew: achievements and challenges. Leš. 68 (2006) 11-29. **H**.

11109   **Ben-Zion, Sigalit** The quest for social identity through group interaction: negotiating social position through imitation, confrontation and cooperation: a focus on the Tannaitic sages. Trondheim 2006, Norwegian University of Science and Technology, Diss. [StTh 61, 86].

11110   **Berkowitz, Beth A.** Execution and invention: death penalty discourse in early rabbinic and christian cultures. Oxf 2006, OUP 349 pp. £33. 978-01951-79194.

11111   **Bernasconi, Rocco** 'Amei ha-'aretz e kutim nel discorso della Mishna e della Tosefta: tra inclusione e marginalizzazione / 'Amei ha-'aretz et kutim dans le discours de la Mishna et de la Tosephta. ᴰ*Mimouni, Simon C.; Pesce, Mauro* 2006, 329 pp. Diss. Ecole pratique des Hautes études; Bologna [REJ 165,545-551].

11112   ᵀ**Correns, Dietrich** Die Mischna ins Deutsche übertragen, mit einer Einleitung und Anmerkungen. 2005 ⇒21,11607. ᴿJSJ 37 (2006) 101-105 (*Stemberger, Günter*).

11113   *Cortès, Enric* L'home imatge de Déu en els tannaïtes. Imatge de Déu. Scripta Biblica 7: 2006 ⇒463. 111-125.

11114   **Finkelstein, Menachem** Conversion: *halakhah* and practice. ᵀ*Levin, Edward*: Ramat-Gan 2006, Bar-Ilan Univ. Pr. 782 pp. €76.17. 965-226-325-7.

11115   *Fishbane, Simcha* The structure and implicit message of Mishnah Tractate Nazir. The Mishnah in contemporary perspective, 2. HO 1/ 87: 2006 ⇒11107. 110-135.

11116   *Friedheim, E.* A new look at the historical background of *Mishna 'Aboda Zara* 1,1. Zion 71 (2006) 273-300. **H.**

11117   *Gafni, Chanan* Abraham GEIGER's independent commentary on Mishnah. HUCA 77 (2006) *51-*70. **H.**

11118   **Hauptman, Judith** Rereading the mishnah: a new approach to ancient Jewish texts. TSAJ 109: 2005 ⇒21,11611. ᴿHenoch 28/2 (2006) 174-176 (*Cohen, Aryeh*); FJB 33 (2006) 154-159 (*Stemberger, Günter*); RBLit (2006)* (*Schwartz, Joshua*).

11119   **Instone-Brewer, David** Prayer and agriculture. TRENT 1: 2004 ⇒ 20,10511; 21,11612. ᴿJSJ 37 (2006) 116-20 (*Stemberger, Günter*); ThLZ 131 (2006) 740-2 (*Lehnardt, Andreas*); CBQ 68 (2006) 545-546 (*Avery-Peck, Alan*).

11120   *Kavon, E.* A Tisha B'Av meditation: Yohanan Ben Zakkai: Yavneh's last hero. Midstream 52/4 (2006) 22-23.

11121   *Kraemer, David* The mishnah. The Cambridge history of Judaism, 4. 2006 ⇒541. 299-315.

11122   *Kulp, Joshua* History, exegesis or doctrine: framing the tannaitic debates on the circumcision of slaves. JJS 57 (2006) 56-79.

11123   *Lapin, Hayim* The construction of households in the mishnah. The Mishnah in contemporary perspective, 2. 2006 ⇒11107. 55-80.

11124   *Lightstone, Jack N.* Early rabbinic writings, the formation of the early rabbinic guild, and Roman governance. ᶠCHARLESWORTH, J. 2006 ⇒19. 349-370.

11125   *Mandel, Paul* The tosefta. The Cambridge history of Judaism, 4. 2006 ⇒541. 316-335.

11126   *Morselli, Marco* Tra Edut e Qiddush ha-Shem: alcune riflessioni sul martirio nella storia ebraica. Qol(I) 119 (2006) 10-12.

11127   *Neusner, Jacob* Why we cannot assume the historical reliability of attributions: the case of the houses in Mishnah-Tosefta Makhshirin.

The Mishnah in contemporary perspective, 2. HO 1/87: 2006 ⇒ 11107. 190-212;

11128 Extra- and non-documentary writing in the rabbinic canon of late antiquity: the theoretical problem and Mishnah, Tosefta, and Abot;

11129 The integrity of the rabbinic law of purity (Mishnah-Tractate Tohorot). Review of Rabbinic Judaism 9 (2006) 16-74/167-180;

11130 From biography to theology: Gamaliel and the patriarchate. JHiC 12/1 (2006) 29-62.

11131 **Neusner, Jacob** How the Halakhah unfolds, 1: Moed Qatan in the Mishnah, Tosefta Yerushalmi and Bavli. Lanham, MD 2006, University Press of America viii; 396 pp. $52. 0-7618-3393-5. Bibl. vii-viii;

11132 Halakhic theology: a sourcebook. Lanham, MD 2006, University Press of America xxvii; 296 pp. $42. 0-7618-3384-6;

11133 How important was the destruction of the second temple in the formation of rabbinic Judaism?. Studies in Judaism: Lanham, MD 2006, Univ. Pr. of America xxvii; 310 pp. 0-7618-3341-2. [R]L&S 2 (2006) 241-243;

11134 How the Halakhah unfolds, 2, part A. Lanham, MD 2006, University Press of America viii; 299 pp. $37. 0-7618-36152;

11135 How the Halakhah unfolds, 2, part B. Lanham, MD 2006, University Press of America viii; 741 pp. $60. 0-7618-36160.

11136 *Regev, Eyal* Archaeology and the mishnah's halakhic tradition: the case of stone vessels and ritual baths. The Mishnah in contemporary perspective, 2. HO 1/87: 2006⇒11107. 136-152.

11137 *Rosen-Zvi, Ishay* Measure for measure as a hermeneutical tool in early rabbinic literature: the case of Tosefta Sotah. JJS 57 (2006) 269-286.

11138 *Schwartz, Joshua* 'Reduce, reuse and recycle': prolegomena on breakage and repair in ancient Jewish society: broken beds and chairs in Mishnah *Kelim*. JSIJ 5 (2006) 147-180.

11139 *Stemberger, Günter* Das Leben als Geschäft (mAv 3,16). JBTh 21 (2006) 195-211.

11140 **Tönges, Elke** "Unser Vater im Himmel": die Bezeichnung Gottes als Vater in der tannaitischen Literatur. BWANT 147: 2003 ⇒19, 11029; 21,11630. [R]ThRv 102 (2006) 223-6 (*Strotmann, Angelika*).

11141 **Tropper, Amram** Wisdom, politics, and historiography—Tractate Avot in the context of the Graeco-Roman Near East. OOM: 2004 ⇒20,10528; 21,11631. [R]Bijdr. 67 (2006) 349-350 (*Koet, Bart J.*); Bib. 87 (2006) 140-143 (*Stern, Sacha*).

K6.5 **Talmud; midraš**

11142 *Abegg, Martin G.* "And he shall answer and say..."–a little backlighting. [F]ULRICH, E.: VT.S 101: 2006 ⇒160. 203-211.

11143 *Arnow, David* The Passover haggadah: Moses and the human role in redemption. Jdm 55/3-4 (2006) 4-28.

11144 *Avery-Peck, Alan J.* The Galilean charismatic and rabbinic piety: the holy man in the talmudic literature. The historical Jesus. 2006 ⇒334. 149-165.

11145 *Bakhos, Carol* Method(ological) matters in the study of midrash. Current trends. JSJ.S 106: 2006 ⇒11147. 161-187.

11146   **Bakhos, Carol** Ishmael on the border: rabbinic portrayals of the
        first Arab. Albany 2006, SUNY Pr. vii; 207 pp. $60. 07914-67597.
        Diss. Jewish Theological Sem.
11147   ^E**Bakhos, Carol** Current trends in the study of midrash. JSJ.S 106:
        Lei 2006, Brill 336 pp. €119/$145. 90-04-13870-6.
11148   *Bar, D.* Rabbinic sources for the study of settlement reality in late
        Roman Palestine. Review of Rabbinic Judaism 9 (2006) 92-113.
11149   *Baskin, Judith R.* 'She extinguished the light of the world': justifi-
        cations for women's disabilities in *Abot De-Rabbi Nathan* B. Cur-
        rent trends. JSJ.S 106: 2006 ⇒11147. 277-297.
11150   *Basser, Herbert W.* Gospel and talmud. The historical Jesus. 2006
        ⇒334. 285-295.
11151   **Basta, Pasquale** Gezerah Shawah: storia, forme e metodi dell'ana-
        logia biblica. SubBi 26: R 2006, E.P.I.B. 120 pp. €13. 88-7653-62-
        8-0. Bibl. 105-110. ^RTheologia Viatorum 9-10 (2005) 226-227
        (*Messina, Gerardo*).
11152   *Becker, Hans-Jürgen* Einheit und Namen Gottes im rabbinischen
        Judentum. Götterbilder-Gottesbilder-Weltbilder, II. FAT 2/18:
        2006 ⇒636. 153-187.
11153   ^E**Becker, Hans-Jürgen** Avot de-Rabbi Natan: synoptische Edition
        beider Versionen. TSAJ 116: Tü 2006, Mohr S. xxvii; 409 pp.
        €279. 978-3-16-148887-0. Collab. *Christoph Berner.*
11154   *Becker, Michael* Apokalyptisches nach dem Fall Jerusalems: An-
        merkungen zum frührabbinischen Verständnis. Apokalyptik als He-
        rausforderung. WUNT 2/214: 2006 ⇒348. 283-360;
11155   Miracle traditions in early rabbinic literature: some questions on
        their pragmatics. Wonders never cease. LNTS 288: 2006 ⇒758.
        48-69.
11156   **Ben Ahron, Zadoq** Alles, was Sie schon immer über den Talmud
        wissen wollten. Neu Isenburg 2006, Melzer 976 pp. 3937-389725.
11157   *Ben-Menahem* Talmudic law: a jurisprudential perspective. The
        Cambridge history of Judaism, 4. 2006 ⇒541. 877-898.
11158   **Bernstein, Marc S.** Stories of Joseph: narrative migrations be-
        tween Judaism and Islam. Detroit, MICH 2006, Wayne State Uni-
        versity Press xix; 315 pp. 978-0-8143-2565-0. Bibl. 289-304.
11159   *Bodenheimer, Alfred* "Eine über die Ufer des Gedächtnisses treten-
        de Geschichte": zu Emmanuel LÉVINAS' Talmud-Lektüre "Jenseits
        der Erinnerung". Jud. 62 (2006) 131-139.
11160   *Bodi, Daniel* Was Abigail a scarlet woman?: a point of rabbinic ex-
        egesis in light of comparative material. Stimulation from Leiden.
        BEAT 54: 2006 ⇒686. 67-79 [1 Sam 25].
11161   **Borowitz, Eugene B.** The talmud's theological language-game: a
        philosophical discourse analysis. Albany 2006, State Univ. of New
        York Pr. 316 pp. $75.
11162   **Boyarin, Daniel** Sparks of the logos: essays in rabbinic hermeneu-
        tics. 2003 ⇒19,11047; 21,11643. ^RREJ 165 (2006) 574-575 (*Roth-
        schild, Jean-Pierre*).
11163   *Boyarin, Daniel* Thinking with virgins: engendering Judaeo-Chris-
        tian difference. Feminist companion to the NT apocrypha. FCNT
        11: 2006 <1999> ⇒436. 216-244;
11164   De/re/constructing midrash. Current trends. JSJ.S 106: 2006 ⇒
        11147. 299-321;

11165 Anecdotal evidence: the Yavneh conundrum, *birkat hamminim* and the problem of talmudic historiography. The Mishnah in contemporary perspective, 2. HO 1/87: 2006 ⇒11107. 1-35.

11166 *Braiterman, Zachary* Stretched flesh-space: temple, talmud, and MERLEAU-PONTY. Philosophy Today 50/2 (2006) 92-103.

11167 **Brodsky, David** A bride without a blessing: a study in the redaction and content of Massekhet Kallah and its Gemara. ᴰ*Schiffman, Lawrence*: TSAJ 118: Tü 2006, Mohr S. xviii, 551 pp. €124. 3-16-149019-3. Diss. New York; Bibl. 510-522.

11168 *Bunta, Silviu* The likeness of the image: Adamic motifs and ṣlm anthropology in rabbinic traditions about Jacob's image enthroned in heaven. JSJ 37 (2006) 55-84.

11169 *Capelli, Piero* Il Wikkuaḥ Rabbenu Yeḥi'el: problemi di storia del testo. SacDo 51/6 (2006) 148-166.

11170 *Cohen, A.* Non-chronological *sugvot* in the Babylonian talmud: the case of Baba Qumma 41A. Review of Rabbinic Judaism 9 (2006) 75-91.

11171 **Costa, José** L'au-dela et la resurrection dans la litterature rabbinique ancienne. Collection REJ 33: 2004 ⇒20,10542. ᴿJud. 62 (2006) 171-172 (*Morgenstern, Matthias*); OLZ 101 (2006) 469-74 (*Siegert, Folker*); REJ 165 (2006) 572-4 (*Rothschild, Jean-Pierre*).

11172 *Danzig, Neil* From oral talmud to written talmud: on the methods of transmission of the Babylonian talmud and its study in the Middle Ages. Bar-Ilan 30-31 (2006) 49-112. **H.**

11173 **Diamond, Eliezer** Holy men and hunger artists: fasting and asceticism in rabbinic culture. 2004 ⇒20,10544; 21,11652. ᴿJJS 57 (2006) 358-360 (*Hezser, Catherine*).

11174 **Durand, Marie-Laure** L'herméneutique midrashique: un défi pour l'église: une étude réalisée dans un contexte français. ᴰ*Gagey, Henri-Jérôme* 2006, Diss. Institut catholique de Paris.

11175 **Embry, Bradley J.** The name "Solomon" as a prophetic hallmark in Jewish and christian texts. Henoch 28/1 (2006) 47-62.

11176 Encyclopaedia of midrash: biblical interpretation in formative Judaism, 1. ᴱ**Neusner, Jacob; Avery-Peck, Alan J.** 2005 ⇒21, 11655. ᴿJSJ 37 (2006) 476-480 (*Pérez Fernández, Miguel*).

11177 ᴱ**Evans, Craig A.; Sanders, James A.** The function of scripture in early Jewish and christian tradition. JSNT.S 154: 1998 ⇒14,236... 16,9609. ᴿThR 71 (2006) 141-144 (*Reventlow, Henning Graf*).

11178 *Feldman, Louis H.* Rabbinic sources for historical study. <1999>;

11179 Rabbinic insights on the decline and forthcoming fall of the Roman Empire. Judaism and Hellenism reconsidered. JSJ.S 107: 2006 <2000> ⇒215. 763-781/783-804.

11180 **Fishbane, Michael A.** Biblical myth and rabbinic mythmaking. 2003 ⇒19,11061... 21,11657. ᴿJJS 57 (2006) 350-352 (*Hezser, Catherine*); JQR 96 (2006) 233-261 (*Wolfson, Elliot R.; Schweiker, William; Yassif, Eli*); RBLit (2006)* (*West, James*).

11181 *Fleischer, Ezra* Piyyut. The literature of the sages, part 2. CRI II,3b: 2006 ⇒669. 363-374.

11182 *Florentin, Moshe* Embedded midrashim in Samaritan piyyutim. JQR 96 (2006) 527-541 [Gen 35,22].

11183 *Fonrobert, Charlotte E.* The handmaid, the trickster and the birth of the Messiah: a critical appraisal of the feminist valorization of midrash aggada. Current trends. JSJ.S 106: 2006 ⇒11147. 245-75.

11184 *Fraade, Steven D.* Rewritten bible and rabbinic midrash as commentary. Current trends. JSJ.S 106: 2006 ⇒11147. 59-78.

11185 **Friedheim, Emmanuel** Rabbinisme et paganisme en Palestine romaine: étude historique des realia talmudiques (Ier-IVème siècles). RGRW 157: Lei 2006, Brill xx; 447 pp. €165. 9004-146431. Bibl. 385-421.

11186 *Friedman, Mordechai A.* Contracts: rabbinic literature and ancient Jewish documents. The literature of the sages, part 2. CRI II,3b: 2006 ⇒669. 423-460.

11187 **Garsiel, Bat-Sheva** Bible, midrash and the Quran: an intertextual study of common narrative materials. TA 2006, Kibbuz Hammauchad. **H.**

11188 **Ginzberg, Louis** Les légendes des Juifs, 6: Juda et Israël, Elie, Elisée et Jonas, les rois de Juda des périodes plus tardives, l'éxil, le retour de captivité, Esther. ^{ET}*Sed-Rajna, Gabrielle*: Patrimoines Judaïsme: P 2006, Cerf 369 pp. €42. 2-204-07978-2. Bibl.

11189 *Goldenberg, R.* Gentile customs and Jewish consciousness. Midstream 52/2 (2006) 28-30.

11190 **Gray, Alyssa M.** A talmud in exile: the influence of Yerushalmi Avodah Zarah on the formation of Bavli Avodah Zarah. BJSt 342: 2005 ⇒21,11664. ^{R}RBLit (2006)* (*Valler, Shulamit; Toews, Casey*).

11191 *Grossfeld, Bernard* Reuben's deed (Genesis 35:22) in Jewish exegesis: what happened there?. Biblical interpretation in Judaism & christianity. LHBOTS 439: 2006 ⇒742. 44-51.

11192 **Grushcow, Lisa** Writing the wayward wife: rabbinic interpretations of sotah. AJEC 62: Lei 2006, Brill xvi; 336 pp. €97. 90-04-14628-8. Diss. Oxford; Bibl. 301-309 [Num 5,11-31].

11193 ^{ET}**Guggenheimer, Heinrich W.** The Jerusalem Talmud: third order: Našim: tractate *Ketubot*; sixth order: Tahorot: tractate *Niddah*. SJ 34: B 2006, De Gruyter xiii; 727 pp. 3-11-019033-8.

11194 **Hadas-Lebel, Mireille** Jerusalem against Rome. ^{T}*Fréchet, Robyn* Interdisciplinary Studies in Ancient Culture and Religion 7: Lv 2006, Peeters xix; 581 pp. €64. 90429-16877. Bibl. 535-566.

11195 *Harari, Yuval* The sages and the occult. The literature of the sages, part 2. CRI II,3b: 2006 ⇒669. 521-564.

11196 *Harris, Jay M.* Midrash halachah. The Cambridge history of Judaism, 4. 2006 ⇒541. 336-368.

11197 *Hasan-Rokem, Galit* Rabbi Meir, the illuminated and the illuminating: interpreting experience. Current trends. JSJ.S 106: 2006 ⇒ 11147. 227-243.

11198 *Hatley, James* Persecution and expiation: a talmudic amplification of responsibility in LEVINAS. Philosophy Today 50/2 (2006) 80-91.

11199 **Hayman, A. Peter** Sefer Yeṣira: edition, translation and text-critical commentary. TSAJ 104: 2004 ⇒20,10562. ^{R}Sal. 68 (2006) 183-184 (*Vicent, Rafael*); RBLit (2006)* (*Tilly, Michael*).

11200 *Hedner Zetterholm, Karin* Kontinuitet och förändring i judendomen: den muntliga Torahs roll. SEÅ 71 (2006) 209-230.

11201 **Heger, Paul** The pluralistic halakhah: legal innovations in the late second commonwealth and rabbinic periods. SJ 22: 2003 ⇒19, 11077... 21,11670. ^{R}Zion 71 (2006) 106-108 (*Brody, Robert*).

11202 **Heschel, A.J.** Heavenly torah as refracted through the generations. ^{ET}*Tucker, G.* 2005 ⇒21,11671. ^{R}RRT 13 (2006) 136-141 (*Blumenthal, David R.*).

11203 *Hirshman, Marc* Aggadic midrash. The literature of the sages, part 2. CRI II,3b: 2006 ⇒669. 107-132;

11204 Torah in rabbinic thought: the theology of learning. The Cambridge history of Judaism, 4. 2006 ⇒541. 899-924.

11205 *Horbury, William* Rabbinic literature in New Testament interpretation. Herodian Judaism. WUNT 193: 2006 ⇒240. 221-235.

11206 [T]**Hüttenmeister, Frowald Gil** Shabbat—Schabbat. Übersetzung des Talmud Yerushalmi 2,1: 2004 ⇒20,10567. [R]JSJ 37 (2006) 456-458 (*Doering, Lutz*); Sal. 68 (2006) 184-185 (*Vicent, Rafael*).

11207 *Jacobs, Andrew S.* 'Papinian commands one thing, our Paul another': Roman christians and Jewish law in the *Collatio Legum Mosaicarum et Romanorum*. Religion and law. 2006 ⇒493. 85-99.

11208 *Jacobs, J.* Reclaiming talmudic Judaism: an aggadic approach to halakhah. CJud 58/2-3 (2006) 53-73.

11209 *Jaffee, Martin S.* Gender and otherness in rabbinic oral culture: on gentiles, undisciplined Jews, and their women. [F]KELBER, W. 2006 ⇒82. 21-43.

11210 **Jaffé, Dan** Le judaïsme et l'avènement du christianisme: orthodoxie et hétérodoxie dans la littérature talmudique Ier-IIe siècle. Patrimoines judaïsme: 2005 ⇒21,11677. [R]REJ 165 (2006) 559-563 (*Bernasconi, Rocco*); RBLit (2006)* (*Nicklas, Tobias*).

11211 *Kahana, Menahem I.* The halakhic midrashim. The literature of the sages, part 2. CRI II,3b: 2006 ⇒669. 3-105.

11212 **Kahn, Jean-G.** Le midrash à la lumière des sciences humaines. P 2006, Connaissances et Savoirs 142 pp. €15. 27539-00957.

11213 *Kalman, Jason* Righteousness restored: the place of Midrash Iyov in the history of the Jewish exegesis of the biblical book of Job. OTEs 19 (2006) 77-100.

11214 *Kalmin, Richard* Midrash and social history. Current trends. JSJ.S 106: 2006 ⇒11147. 133-159;

11215 The formation and character of the Babylonian Talmud. The Cambridge history of Judaism, 4. 2006 ⇒541. 840-876.

11216 **Kalmin, Richard L.** Jewish Babylonia between Persia and Roman Palestine. NY 2006, OUP xiv, 285 pp. $65. 0-19-530619-8. Bibl. 255-274.

11217 *Kamesar, A.* The church fathers and rabbinic midrash: a supplementary bibliography, 1985-2005. Review of Rabbinic Judaism 9 (2006) 190-196.

11218 *Katz, Steven T.* Man, sin, and redemption in rabbinic Judaism. The Cambridge history of Judaism, 4. 2006 ⇒541. 925-945.

11219 *Kay, P.A.; Chodos, B.* Man the hunter?: hunting, ecology, and gender in Judaism. Ecotheology [L] 11 (2006) 494-509.

11220 *Kimelman, Reuven* The rabbinic theology of the physical: blessings, body and soul, resurrection, and covenant and election. The Cambridge history of Judaism, 4. 2006 ⇒541. 946-976.

11221 *Kulp, Joshua* "Go enjoy your acquisition": virginity claims in rabbinic literature reexamined. HUCA 77 (2006) 33-65.

11222 **Kunst, Judith M.** The burning wood: a christian encounter with Jewish midrash. Brewster, MA 2006, Paraclete ix; 151 pp. $16. 1-55725-426-5.

11223 *Kushelevsky, Rella* Hillel as the 'image of a man in the skylight': a hermeneutic perspective. REJ 165 (2006) 363-381.

11224   *Lapin, Hayim* The origins and development of the rabbinic move-
        ment in the land of Israel. The Cambridge history of Judaism, 4.
        2006 ⇒541. 206-229.

11225   *Lehman, M.* The gendered rhetoric of sukkah observance. JQR 96
        (2006) 309-335.

11226   ᵀ**Lehnardt, Andreas** Talmud Yerushalmi: Pesaḥim-Pesachopfer.
        Übersetzung des Talmud Yerushalmi 2/3: Tü 2004, Mohr S. xlix;
        404 pp.

11227   *Lerner, Meron Bialik* The simple meaning of talmudic teachings: 'a
        person who desires to achieve piety'. Bar-Ilan 30-31 (2006) 233-
        249. **H.**;

11228   The works of aggadic midrash and the Esther midrashim. The liter-
        ature of the sages, part 2. CRI II,3b: 2006 ⇒669. 133-229.

11229   *Levene, Nancy* The fall of Eden: reasons and reasoning in the bible
        and the talmud. Philosophy Today 50/2 (2006) 6-23.

11230   *Levinson, Joshua* Literary approaches to midrash. Current trends.
        JSJ.S 106: 2006 ⇒11147. 189-226.

11231   ᴱ**Malinowitz, Chaim,** *al.*, The Schottenstein edition Talmud Yeru-
        shalmi...: tractate Berachos, vol. 1. 2005 ⇒21,11691. ᴿJJS 57
        (2006) 356-358 (*Hezser, Catherine*).

11232   *Malkiel, D.* Manipulating virginity: digital defloration in midrash
        and history. JSQ 13 (2006) 105-127.

11233   *Mandel, Paul* The loss of center: changing attitudes towards the
        temple in aggadic literature. HThR 99 (2006) 17-35;

11234   The origins of *midrash* in the second temple period. Current trends.
        JSJ.S 106: 2006 ⇒11147. 9-34.

11235   *Marx, Dalia* The morning ritual in the talmud: the reconstitution of
        one's body and personal identity through the blessings. HUCA 77
        (2006) 103-129.

11236   *Milikowsky, Chaim* Seder olam. The literature of the sages, part 2.
        CRI II,3b: 2006 ⇒669. 231-237;

11237   Reflections on the practice of textual criticism in the study of mid-
        rash aggada: the legitimacy, the indispensability and the feasibility
        of recovering and presenting the (most) original text. Current
        trends. JSJ.S 106: 2006 ⇒11147. 79-109.

11238   **Miller, Stuart S.** Sages and commoners in late antique 'Erez Israel:
        a philological inquiry into local traditions in Talmud Yerushalmi.
        TSAJ 111: Tü 2006, Mohr S. xii, 554 pp. €124. 3-16-148567-X.
        Bibl. 467-492.

11239   *Mishor, Mordechay* La oración de "Modim": te damos gracias: su
        comentario en TB Sotá 40a. EstB 64 (2006) 625-630.

11240   ᵀ**Morgenstern, Matthias** Nidda: die Menstruierende. Übersetzung
        des Talmud Yerushalmi 2, 6.1: Tü 2006, Mohr S. xxxiii; 210 pp.
        €89. 3-16-148906-3. Bibl. xiv-xxxi.

11241   *Moscovitz, Leib* The formation and character of the Jerusalem Tal-
        mud. The Cambridge history of Judaism, 4. 2006 ⇒541. 663-677.

11242   ᵀ**Nelson, W. David** Mekhilta de-Rabbi Shimon Bar Yohai. Ph
        2006, Jewish Publication Society 398 pp. $75. 978-0-8276-0799-6.

11243   *Neudecker, Reinhard* 'These and these are words of the living
        God': contradictory statements in rabbinic Judaism, Sufism, and
        Zen Buddhism. Kiyo: Studies in Culture 30 (2006) 11-20. Collab.
        K. Suzawa [AcBib 11/3,271].

11244 **Neudecker, Reinhard** The voice of God on Mount Sinai: rabbinic commentaries on Exodus 20:1 in the light of Sufi and Zen-Buddhist texts. SubBi 23: R [2]2006 <2002>, E.P.I.B. 178 pp. €25. 88-7653-619-1. Bibl. 167-178.

11245 *Neusner, Jacob* The parable (*mashal*): a documentary approach. [M]ILLMAN, K. 2006 ⇒72. 259-283.

11246 **Neusner, Jacob** The social teaching of rabbinic Judaism. 2001 ⇒ 17,9419. [R]OLZ 101 (2006) 55-59 (*Hezser, Catherine*);

11247 The idea of history in rabbinic Judaism. [2]2004 <1996> ⇒20,10597 [R]OLZ 101 (2006) 49-55 (*Bormann, Lukas*);

11248 Judaism and the interpretation of scripture: introduction to the rabbinic midrash. 2004 ⇒20,10598; 21,11710. [R]OLZ 101 (2006) 203-205 (*Morgenstern, Matthias*);

11249 Rabbinic literature: an essential guide. 2005 ⇒21,11712. [R]CTJ 41 (2006) 145-146 (*Williams, Michael J.*);

11250 Theological dictionary of rabbinic Judaism, 1-3. 2005 ⇒21,11716 ...11718. [R]RRT 13 (2006) 563-567 (*Anderson, Owen*);

11251 Questions and answers: intellectual foundations of Judaism. 2005 ⇒21,11719. [R]PIBA 29 (2006) 103-105 (*Maher, Michael*); RBLit (2006)* (*Verheij, Arian*);

11252 The implicit norms of rabbinic Judaism: the bedrock of a classical religion. Lanham, MD 2006, University Press of America xii; 119 pp. 0-7618-3383-8;

11253 Analytical templates of the Bavli. Lanham, MD 2006, University Press of America xviii; 297 pp. 0-7618-3392-7;

11254 Theology in action: how the rabbis of the talmud present theology (aggadah) in the medium of the law (halakkah): an anthology. Lanham 2006, University Press of America viii; 152 pp. 978-0-7618-3488-5. Bibl. 149-152;

11255 The theological foundations of rabbinic midrash. Lanham 2006, University Pr. of America lii: 278 pp. $44. 978-07618-34892;

11256 Jeremiah in talmud and midrash: a source book. Lanham 2006, University Press of America xx; 406 pp. 978-0-7618-3487-8;

11257 Reading scripture with the rabbis: the five books of Moses. Lanham 2006, Univ. Pr. of America xx; 200 pp. $29. 0-7618-35946.

11258 [T]**Neusner, Jacob** The Babylonian talmud: a translation and commentary. 2005 ⇒21,11720. [R]Gr. 87 (2006) 876-878 (*Sievers, Joseph*).

11259 *Niclós Albarracín, José Vicente* Harbel y 'arbel: la espada qumránica y el valle escatológico de 'El libro de Zorobabel'. EstB 64 (2006) 237-255.

11260 *Niehoff, Maren R.* Creatio ex nihilo theology in *Genesis Rabbah* in light of christian exegesis. HThR 99 (2006) 37-64.

11261 *Nikolsky, Ronit* "God tempted Moses for seven days": the bush revelation in rabbinic literature. The revelation of the name. 2006 ⇒796. 89-104 [Exod 3,1-4,17].

11262 *Noam, Vered* Megillat Taanit–the scroll of fasting. The literature of the sages, part 2. CRI II,3b: 2006 ⇒669. 339-362.

11263 *Petzel, Paul* Bürgschaft der Kommentare: zur Autorität im rabbinischen Judentum. Orien. 70 (2006) 207-209, 219-223, 231-235.

11264 *Plietzsch, Susanne* Zwischen Widerstand und Selbstaufopferung: die rabbinische Rezeption der Gestalt der Hanna (Babylonischer Talmud, Berachot 31a-32b). LecDif 6/2 (2006)* [1 Sam 1-2].

11265   *Raffeld, M.* Jerusalem's ruins and a renaissance in the wedding blessing. Review of Rabbinic Judaism 9 (2006) 181-189.

11266   *Raurell, Frederic* Midrash i literatura apòcrifa. RCatT 31 (2006) 283-296.

11267   *Rebic, Adalbert* Abraham prema židovskoj rabinskoj egzegezi. BoSm 76 (2006) 595-615. **Croatian.**

11268   *Reed, Annette Yoshiko* Rabbis, "Jewish Christians" and other late antique Jews: reflections on the fate of Judaism(s) after 70 C.E. ^FCHARLESWORTH, J.. 2006 ⇒19. 323-346.

11269   **Reichman, Ronen** Abduktives Denken und talmudische Argumentation: eine rechtstheoretische Annäherung an eine zentrale Interpretationsfigur im babylonische Talmud. TSAJ 113: Tü 2006, Mohr S. xi; 292 pp. €89. 3-16-14770-2. Bibl. 268-277.

11270   *Reichman, Ronen* Aspekte institutioneller Autorität in der rabbinischen Literatur. ^FAGUS, A. 2006 ⇒1. 27-44.

11271   *Reif, Stefan C.* Use of the bible;

11272   The theological significance of the *Shema^c*;

11273   Prayer in Ben Sira, Qumran and second temple Judaism. Problems with prayers. 2006 ⇒289. 71-92/107-125/51-69;

11274   The function of history in early rabbinic liturgy. History and identity. DCLY 2006: 2006 ⇒704. 321-339.

11275   *Rosik, Mariusz* Letteratura giudaica dei primi secoli sulla persona di Gesù. PJBR 5 (2006) 75-86.

11276   **Roth, Jeffrey I.** Inheriting the crown in Jewish law: the struggle for rabbinic compensation, tenure, and inheritance rights. Columbia 2006, Univ. of South Carolina Pr. 171 pp. $40. 15700-3608X.

11277   **Rubenstein, Jeffrey** The culture of the Babylonian talmud. 2003 ⇒19,11128... 21,11744s. ^RJR 86 (2006) 700-702 (*Elman, Yaakov*).

11278   ^E**Rubenstein, Jeffrey L.** Creation and composition: the contribution of the Bavli redactors (Stammaim) to the aggada. TSAJ 114: 2005 ⇒21,11632. ^RJSJ 37 (2006) 487-489 (*Rosen-Zvi, Ishay*); Henoch 28/2 (2006) 182-184 (*Goldenberg, Robert*); FJB 33 (2006) 160-165 (*Stemberger, Günter*).

11279   **Ruiz Morell, Olga; Salvatierra, Aurora** La mujer en el talmud: una antología de textos rabínicos. 2005 ⇒21,11746. ^RSef. 66 (2006) 482 (*Martín Contreras, E.*).

11280   *Safrai, Ze'ev* Appendix: the scroll of Antiochos and the scroll of fasts;

11281   The targums as part of rabbinic literature;

11282   Geography and cosmography in talmudic literature. Literature of the sages, part 2. CRI II,3b: 2006 ⇒669. 238-41/243-278/497-508.

11283   **Schofer, Jonathan Wyn** The making of a sage: a study in rabbinic ethics. 2005 ⇒21,11751. ^RRBLit (2006)* (*Scheffler, Eben*).

11284   ^E**Schäfer, Peter** The Talmud Yerushalmi and Graeco-Roman culture, 3. TSAJ 93: 2002 ⇒18,767; 20,10613. Conf. Princeton 2000. ^RJSJ 37 (2006) 489-490 (*Cohen, Shaye J.D.*).

11285   **Segal, Eliezer** From sermon to commentary: expounding the bible in talmudic Babylonia. SCJud 17: 2005 ⇒21,11754. ^RSR 35 (2006) 611-612 (*Basser, Herbert*); RBLit (2006)* (*Schwartz, Joshua*).

11286   **Shemesh, Abraham O.** Biology in rabbinic literature: fact and folklore. Literature of the sages, part 2. CRI II,3b: 2006 ⇒669. 509-19.

11287   *Shemesh, Y.* Vegetarian ideology in talmudic literature and traditional biblical exegesis. Review of Rabbinic Judaism 9 (2006) 141-166.

11288 *Soloveitchik, Haym* Printing and the history of *halakha*—a case study. Bar-Ilan 30-31 (2006) 319-322. **H**.

11289 *Sperber, Daniel* Rabbinic knowledge of Greek. The literature of the sages, part 2. CRI II,3b: 2006 ⇒669. 627-640.

11290 *Steinmetz, D.* Beyond the verse: midrash aggadah as interpretation of biblical narrative. AJS Review 30/2 (2006) 325-345.

11291 *Tabory, Joseph* Prayers and berakhot;

11292 The Passover haggada. The literature of the sages, part 2. CRI II,3b: 2006 ⇒669. 281-326/327-338.

11293 *Townsend, John T.* Christianity in rabbinic literature. Biblical interpretation in Judaism & christianity. LHBOTS 439: 2006 ⇒742. 150-159.

11294 *Tropper, Amram* Children and childhood in light of the demographics of the Jewish family in late antiquity. JSJ 37 (2006) 299-343.

11295 *Ulmer, Rivka* The boundaries of the rabbinic genre midrash. Colloquium 38 (2006) 59-73;

11296 Visions of Egypt and the land of Israel under the Romans: a dialectical relationship between history and homiletic midrash. FJB 33 (2006) 1-33;

11297 Visions of Egypt in midrash: 'Pharaoh's birthday' and the 'Nile festival' text. Biblical interpretation in Judaism & christianity. LHBOTS 439: 2006 ⇒742. 52-78.

11298 ᴱ**Valle Rodríguez, Carlos del** Obras completas de Jerónimo de Santa Fe, 1: errores y falsedades del talmud. España judía 24: M 2006, Aben Ezra 210 pp [REJ 166,580s–Jean-Pierre Rothschild].

11299 *Van der Horst, Pieter W.* A note on the evil inclination and sexual desire in talmudic literature. <2003>;

11300 Huldah's tomb in early Jewish tradition [2 Kgs 22,14-20]. Jews and Christians. WUNT 196: 2006 ⇒321. 59-65/87-92.

11301 *Visotzky, Burton L.* Midrash, christian exegesis, and hellenistic hermeneutic. Current trends. JSJ.S 106: 2006 ⇒11147. 111-131.

11302 **Visotzky, Burton L.** Golden bells and pomegranates: studies in Midrash Leviticus Rabbah. TSAJ 94: 2003 ⇒19,11159; 20,10627. ᴿJud. 62 (2006) 368-370 (*Deines, Roland*).

11303 *Voghera Luzzatto, Laura* La donna nella tradizione ebraica: spunti poetici. Donne e bibbia. La Bibbia nella storia 21: 2006 ⇒484. 307-328.

11304 *Wajsberg, Eljakim* The Aramaic dialect of the Palestinian traditions in the Babylonian talmud–part A. Leš. 66 (2004) 243-282. **H**.;

11305 part B. Leš. 67 (2005) 301-326. **H**.;

11306 part C. Leš. 68 (2006) 31-61. **H**.

11307 **Wiesel, Elie** Le storie dei saggi: i maestri della bibbia, del talmud, del chassidismo. Mi 2006, Garzanti 395 pp.

11308 *Yadin, A.* Rabban Gamliel, Aphrodite's bath, and the question of pagan monotheism. JQR 96 (2006) 149-179:

11309 Resistance to midrash?: midrash and *halakhah* in the halakhic midrashim. Current trends. JSJ.S 106: 2006 ⇒11147. 35-58.

11310 *Yahalom, Joseph* 'Syriac for dirges, Hebrew for speech'–ancient Jewish poetry in Aramaic and Hebrew. The literature of the sages, part 2. CRI II,3b: 2006 ⇒669. 375-391.

11311 *Yona, Shamir* Rhetorical features in talmudic literature. HUCA 77 (2006) 67-101.

11312   *Young, Rodger* The talmud's two jubilees and their relevance to the date of the Exodus. WThJ 68 (2006) 71-83.

11313   *Zipor, Moshe* When Midrash met Septuagint: the case of Esther 2, 7. ZAW 118 (2006) 82-92.

11314   *Zumbroich, Walburga* Der siebte Schöpfungstag: eschatologische Aspekte der Rezeption in Bereschit Rabba. [F]AGUS, A. 2006 ⇒1. 45-54 [Gen 2,2-3].

11315   *Zur, Uri* Objectives of *sugyot*—a study of the redaction of the Babylonian Talmud as reflected in three *sugyot* of Tractate ʿEruvin. Sef. 66 (2006) 251-264.

K7.1 Judaismus mediaevalis, *generalia*

11316   *Albertini, Francesca Y.* Hiob 2,1-7a: Aspekte zur 'Wette' zwischen Gott und dem Satan in der jüdischen Philosophie des Mittelalters und der Neuzeit. FJB 33 (2006) 69-79.

11317   *Baumgarten, Elisheva; Kushelevsky, Rella* From 'the mother and her sons' to 'the mother of the sons' in medieval Ashkenaz. Zion 71 (2006) 301-342 [2 Macc 7]. **H.**

11318   **Becker, Dan** Arabic sources of Isaac Ben Barun's Book of Comparison between the Hebrew and the Arabic languages. 2005 ⇒21, 11777. [R]REJ 165 (2006) 307-308 (*Lacombe-Hagaï, Gabriel*). **H.**

11319   *Biondi, Clara; Perani, Mauro* Il testamento di un ebreo catanese del 1392 con firme dei testi in ebraico. Materia Giudaica 11/1-2 (2006) 217-228.

11320   *Blasco Orellana, Meritxell* Fragmento de un manuscrito hebreo de farmacología y medicina medieval. [F]SANMARTÍN, J.: AuOr.S 22: 2006 ⇒144. 45-53.

11321   [ET]**Börner-Klein, Dagmar** Pirke de-Rabbi Elieser: nach der Edition Venedig 1544; unter Berücksichtigung der Edition Warschau 1852. SJ 26: 2004 ⇒20,10638; 21,11780. [R]JSJ 37 (2006) 418-420 (*Teugels, Lieve*); JAOS 126 (2006) 442-445 (*Ilmer, Rivka B.K.*).

11322   *Burgaretta, Dario* Il Purim di Siracusa alla luce dei testimoni manoscritti. Materia Giudaica 11/1-2 (2006) 51-80.

11323   *Calders i Artís, Tessa* Catalans jueus medievals: l'aportació de la cultura hebrea. [F]SANMARTÍN, J.: AuOr.S 22: 2006 ⇒144. 55-68.

11324   *Colafemmina, Cesare* Un medico ebreo di Oria alla corte dei Fatimidi. Materia Giudaica 11/1-2 (2006) 5-12.

11325   *Colesanti, Gemma T.* Frammenti di microstoria ebraica della Sicilia orientale da un libro contabile catalano del XV secolo;

11326   *David, Avraham* Jewish intellectual life at the turn-of-the-sixteenth-century kingdom of Naples according to Hebrew sources. Materia Giudaica 11/1-2 (2006) 229-236/143-151.

11327   **Even-Chen, Alexander** עקדת יצחק: בפרשנות דמיסטית והפילוסופית של המקרא [The binding of Isaac: mystical and philosophical interpretation of the bible]. J 2006, Yedioth Ahronoth 253 pp. [Gen 22,1-19].

11328   [E]**Frank, D.H.; Leaman, O.** The Cambridge companion to medieval Jewish philosophy. 2003 ⇒19,15781. [R]HeyJ 47 (2006) 322-323 (*Madigan, Patrick*).

11329   *Freudenthal, Gad* The medieval astrologization of the aristotelian cosmos: from Alexander of Aphrodisias to AVERROES. MUSJ 59 (2006) 29-68.

11330   *Friedman, Yvonne* Community responsibility toward its members: the case of ransom of captives. A holy people. 2006 ⇒565. 199-215.

11331   [E]**Girón-Negrón, Luis; Minervini, Laura** Las coplas de Yosef: entre la biblia y el midrash en la poesía judeo-española. M 2006, Gredos 390 pp. [R]RasIsr 72/2 (2006) 185-188 (*Novoa, James W.N.*).

11332   *Gogos, Manuel* Saloniki–Mutter Israels: zur Geschichte der sephardischen Juden von Saloniki. Orien. 70 (2006) 252-256.

11333   **Harris, Robert** Discerning parallelism: a study in Northern French medieval Jewish biblical exegesis. 2005 ⇒21,11785. [R]RBLit (2006)* (*Liss, Hanna*).

11334   *Hollender, Elisabeth; Lehnardt, Andreas* Ein unbekannter hebräischer Esther-Kommentar aus einem Einbandfragment. FJB 33 (2006) 35-67 [Esth 8,5-10,3].

11335   **Ilan, Tal** Silencing the queen: the literary histories of Shelamzion and other Jewish women. TSAJ 115: Tü 2006, Mohr S. xv; 315 pp. 3-16-148879-2. Bibl. 281-298.

11336   **Katsumata, Naoya** שְׁלִישִׁי שְׁמוּאֵל בְּפִיּוּטֵי הָעִבְרִי הַסִּגְנוֹן [Hebrew style in the liturgical poetry of Shmuel Hashlishi]. Hebrew Language and Literature 5: Lei 2003, Brill xlii; 377 pp. €95. 90-04-131515. **H.**

11337   **Kogman-Appel, Katrin** Illuminated haggadot from medieval Spain: biblical imagery and the Passover holiday. University Park 2006, Penn State Univ. Pr. xix; 297 pp. $99. 978-02710-27401. 184 pl.

11338   *Krasner, Mariuccia* L'onomastica degli ebrei di Palermo nei secoli XIV e XV: nuove prospettive di ricerca. Materia Giudaica 11/1-2 (2006) 97-112.

11339   **Kreisel, Howard** Prophecy: the history of an idea in medieval Jewish philosophy. Amsterdam studies in Jewish thought: 2001 ⇒19, 11179. [R]HeyJ 47 (2006) 123-124 (*Madigan, Patrick*).

11340   *Lacerenza, Giancarlo* La topografia storica delle giudecche di Napoli nei secoli X-XVI. Materia Giudaica 11/1-2 (2006) 113-142.

11341   *Lamdan, Ruth* The wanderings of a manuscript: Sefer Tikkun Soferim by Rabbi Itzhak Zabakh of Jerusalem (Ms. Jerusalem 8° 958). Materia Giudaica 11/1-2 (2006) 153-158.

11342   *Lelli, Fabrizio* L'influenza dell'ebraismo italiano meridionale sul culto e sulle tradizioni linguistico-letterarie delle comunità greche;

11343   *Mancuso, Piergabriele* Il sefer Ḥakmony nella biblioteca degli Ḥasidei Aškenaz: l'esempio del commento alle tefillot di El'azar da Worms;

11344   *Mandalà, Giuseppe* La migrazione degli ebrei del Garbum in Sicilia. Materia Giudaica 11/1-2 (2006) 201-216/263-286/179-199.

11345   *Niessen, Friedrich; Lev, Efraim* Addenda to Isaacs's catalogue of the medical and para-medical manuscripts in the Cambridge Genizah collection together with the edition of two medical documents T-S 12.33 and T-S NS 297.56. HUCA 77 (2006) 131-165.

11346   *Noffke, Eric* Il sacrificio e il tempio nel mediogiudaismo: storia di un divorzio consensuale. Protest. 61 (2006) 105-122.

11347   *Pazzini, Massimo; Veronese, A.* Due lettere in ebraico da Gerusalemme (XV sec.): R. Yosef da Montagnana e R. Jiṣḥaq Latif da Ancona. LASBF 56 (2006) 347-374.

11348   *Perani, Mauro; Grazi, Alessandro* La "scuola" dei copisti ebrei pugliesi (Otranto?) del secolo XI: nuove scoperte. Materia Giudaica 11/1-2 (2006) 13-41.

11349   *Reif, Stefan C.* Modern study of medieval liturgy. Problems with prayers. 2006 ⇒289. 229-254.
11350   *Scandaliato, Angela* Due illustri medici ebrei nella Sicilia del sec. XV. Materia Giudaica 11/1-2 (2006) 81-86.
11351   **Schwartz, Dov** Studies on astral magic in medieval Jewish thought. 2005 ⇒21,11797. ᴿJJS 57 (2006) 182-184 (*Sela, Shlomo*); Šef. 66/1 (2006) 225-228 (*Sela, S.*).
11352   *Simonsohn, Shlomo* Dalla Sicilia a Gerusalemme: 'Aliyyah di ebrei siciliani nel Quattrocento. Materia Giudaica 11/1-2 (2006) 43-50.
11353   *Sysling, Harry* 'Go, Moses, and stand by the sea': an acrostic poem from the Cairo Genizah to Exodus 14:30. ᶠHOUTMAN, C.: CBET 44: 2006 ⇒68. 139-154.
11354   *Tasca, Cecilia* Aspetti economici e sociali delle comunità ebraiche sarde nel Quattrocento: nuovi contributi. Materia Giudaica 11/1-2 (2006) 87-96.
11355   **Ta-Shma, Israel M.** Studies in medieval rabbinic literature, 1-3. 2004-2005 ⇒20,10658; 21,11801s. ᴿŠef. 66 (2006) 483-485 (*Orfall, M.*). **H.**;
11356   Creativity and tradition: studies in medieval rabbinic scholarship, literature and thought. CM 2006, Harvard Univ. Center for Jewish Studies xvii; 238 pp. 0-674-02393-5.
11357   **Trachtenberg, Joshua** Jewish magic and superstition: a study in folk religion. 2004 <1939> ⇒20,10662. ᴿJRH 30/1 (2006) 101-103 (*Simms, Norman*).
11358   *Woolf, Jeffrey R.* 'Qehilla qedosha': sacred community in medieval Ashkenazic law and culture. A holy people. 2006 ⇒565. 217-235.

K7.2 **Maimonides**

11359   *Brody, Robert* On Maimonides' attitude towards the anonymous talmud. Bar-Ilan 30-31 (2006) 37-47. **H.**
11360   **Chalier, Catherine** SPINOZA lecteur de Maïmonide: la question théologico-politique. Philosophie et théologie: P 2006, Cerf 326 pp. €25. 22040-80152.
11361   **Davidson, Herbert A.** Moses Maimonides: the man and his works. 2005 ⇒21,11805. ᴿJR 86 (2006) 702-703 (*Wasserstein, David J.*).
11362   *Diamond, James A.* Maimonides on kingship: the ethics of imperial humility. JRE 34 (2006) 89-114.
11363   *Faur, José* On martyrdom in Jewish law: Maimonides and NAH-MANIDES. Bar-Ilan 30-31 (2006) 373-407. **H.**
11364   *Fiocchi, Claudio* Maimonide e il suo tempo. RSF 61 (2006) 379-383.
11365   **Kellner, Menachem** Maimonides' confrontation with mysticism. Oxf 2006, Littman Library xix; 343 pp. €53.60. 1-904113-29-X. Pref. *Moshe Idel*; Bibl. 299-334.
11366   *Kraemer, Joel L.* How (not) to read *The guide of the perplexed*. JSAI 32 (2006) 351-409.
11367   ᴱ**Lévy, Tony; Roshdi, Rashed** Maïmonide—philosophe et savant (1138-1204). 2004 ⇒20,10679. ᴿREJ 165 (2006) 580-582 (*Rothschild, Jean-Pierre*).
11368   *Lustigman, Maayan* Moses Maimonides on mashal, hash'alah and Gen. 28:12-15. Scriptura(M) 8/2 (2006) 67-77.

11369 *Outhwaite, Ben; Niessen, Friedrich* A newly discovered autograph fragment of Maimonides' "Guide for the perplexed" from the Cairo Genizah. JJS 57 (2006) 287-297.

11370 *Pepi, Luciana* Letture di Maimonide nell'Italia meridionale. Materia Giudaica 11/1-2 (2006) 159-168.

11371 *Reif, Stefan C.* Maimonides on the prayers. Problems with prayers. 2006 ⇒289. 207-228.

11372 **Schmelzer, Hermann** Moses ben Maimon, ein Lebens- und Charakterbild. St. Gallen 2006, Liberales Forum 24 pp. [R]Orient. 70 (2006) 176 (*Oberholzer, Paul*).

11373 **Seeskin, Kenneth** Maimonides on the origin of the world. C 2005, CUP 224 pp. £37. 978-05218-45533. [R]RMet 60 (2006) 421-422 (*McLaughlin, Thomas J.*); RB 113 (2006) 311-312 (*Schenker, Adrian*).

11374 **Valle Rodríguez, Carlos del** Maimónides: Etica (los ocho capítulos). España Judía: 2004 ⇒20,10686. [R]HispSac 58 (2006) 385-386 (*Soto Rábanos, José María*).

11375 *Van Loopik, Marcus* Rambam—arts en zielzorger. ITBT 14/7 (2006) 14-17.

K7.3 **Alteri magistri Judaismi mediaevalis**

11376 ABRAVANEL: *Haas, Jair* Abarbanel's attitude towards 'repetition of meaning in different words'. Shnaton 16 (2006) 231-258. **H.**;

11377 [T]**Kellner, Menachem** Isaac Abravanel: Principles of faith (Rosh Amanah). 2004 ⇒20,10695. [R]Sal. 68 (2006) 177-178 (*Vicent, Rafael*).

11378 ABULAFIA A: *Hames, Harvey* Three in one or one that is three: on the dating of Abraham Abulafia's *Sefer ha-ot*. REJ 165 (2006) 179-189.

11379 BAHYA: [T]**Mansoor, Menahem** The book of direction to the duties of the heart: from the original Arabic version of Bahya ben Joseph Ibn Pakuda. 2004 ⇒20,10697. [R]Sal. 68 (2006) 185-186 (*Vicent, Rafael*).

11380 IBN KASPI: *Eisen, Robert* Joseph Ibn Kaspi on the book of Job. JSQ 13 (2006) 50-86.

11381 KARA J: *Fudeman, Kirsten A.* The Old French glosses in Joseph Kara's Isaiah commentary. REJ 165 (2006) 147-177.

11382 RADAK: *Berger, Yitzhak* Radak's commentary to Chronicles and the development of his exegetical programme. JJS 57 (2006) 80-98.

11383 RASHI: *Kanarfogel, Ephraim* Rashi's familiarity with *hekhalot* literature and esoteric teachings. Bar-Ilan 30-31 (2006) 491-500. **H.**;

11384 *Kearney, Jonathan* Rashi's commentary on the Song of Moses: soundings in mediaeval Jewish exegesis. PIBA 29 (2006) 57-77 [Deut 32];

11385 *Penkower, Jordan S.* Corrections and additions to Rashi's commentary on Joshua by Rashi, his students and anonymous correctors. Shnaton 16 (2006) 205-229. **H.**

K7.4 *Qabbalâ, Zohar, Merkabā*—Jewish mysticism

11386   *Altshuler, Mor* Prophecy and Maggidism in the life and writings of
R. Joseph KARO. FJB 33 (2006) 81-110.

11387   *Arbel, Daphna* Pure marble stones or water?: on ecstatic percep-
tion, group identity, and authority in Hekhalot and Merkavah litera-
ture. Studies in Spirituality 16 (2006) 21-38.

11388   **Arbel, Vita Daphna** Beholders of divine secrets: mysticism and
myth in the Hekhalot and Merkavah literature. 2003 ⇒19,11211...
21,11838. ᴿJSJ 37 (2006) 90-93 (*Laenen, J.H.*).

11389   **Ariel, David** Kabbalah: the mystic quest in Judaism. Lanham 2006,
Rowman & L. xxii; 257 pp. 0-7425-4565-2. Bibl. 235-239.

11390   *Basser, Herbert W.* Kabbalistic teaching in the commentary of Job
by Moses NAHMANIDES (Ramban). Biblical interpretation in Juda-
ism & christianity. LHBOTS 439: 2006 ⇒742. 91-105.

11391   **Boustan, Ra'anan S.** From martyr to mystic: rabbinic martyrology
and the making of Merkavah mysticism. TSAJ 112: 2005 ⇒21,
11840. ᴿFJB 33 (2006) 166-170 (*Kuyt, Annelies*).

11392   *Boustan, Raʿanan S.* Rabbi Ishmael's priestly genealogy in *hekhalot*
literature. ᴹQUISPEL, G.: SBL.Symposium 10: 2006 ⇒134. 127-41.

11393   *Callow, Anna L.* L'aramaico dello 'Zohar': problemi di traduzione
di una lingua artificiale. Acme 59/3 (2006) 317-326.

11394   **Chalier, Catherine** Les lettres de la création: l'alphabet hébraïque.
Carnets spirituels: P 2006, Arfuyen 156 pp. €16.

11395   **Cohn-Sherbok, Dan** Kabbalah & Jewish mysticism: an introducto-
ry anthology. Oxf ²2006, Oneworld xi; 180 pp. 1-85168-454-9.

11396   **Dan, Joseph** Kabbalah: a very short introduction. NY 2006, OUP
xi; [2], 130 pp. $19. 01953-00343. Bibl. 113-117. ᴿJRHe 45 (2006)
633-634 (*Barbre, Claude*).

11397   **Davila, James R.** Descenders to the chariot: the people behind the
hekhalot literature. JSJ.S 70: 2001 ⇒17,9482; 19,11217. ᴿSef. 66/1
(2006) 219-222 (*Torijano, P.A.*); RSO 78 (2004) 267-268 (*Catasti-
ni, Alessandro*).

11398   *DeConick, April D.* What is early Jewish and christian mysticism?.
ᴹQUISPEL, G.: SBL.Symposium 10: 2006 ⇒134. 1-24.

11399   *Elior, Rachel* The foundations of early Jewish mysticism: the lost
calendar and the transformed heavenly chariot. Wege mystischer
Gotteserfahrung. 2006 ⇒859. 1-18;

11400   The emergence of the mystical traditions of the *Merkabah.* ᴹQUIS-
PEL, G.: SBL.Symposium 10: 2006 ⇒134. 83-103;

11401   Early forms of Jewish mysticism. The Cambridge history of Juda-
ism, 4. 2006 ⇒541. 749-791.

11402   **Elior, Rachel** Temple and chariot, priests and angels, sanctuary
and heavenly sanctuaries in early Jewish mysticism. 2002, ⇒20,
10711. ᴿZion 71 (2006) 501-505 (*Dimant, Dvorah*). H.

11403   **Frankiel, Tamar** Kabbalah: a brief introduction for christians.
Woodstock,Vt. 2006, Jewish Lights xvi; 184 pp. $17. 978-1-5802-
3-303-3. Bibl. 183-184.

11404   **Freedman, Daphne** Man and the theogony in the Lurianic Cabala.
Gorgias dissertations 12, Jewish studies 2: Berkeley 2006, Univer-
sity of California Pr. vii; 215 pp. 1-593-33200-9. Bibl. 207-212.

11405   **González, F.; Valls, M.** Presencia viva de la cábala. Zaragoza 2006, Libros del Innombrable 398 pp.

11406   **Green, Arthur** A guide to the Zohar. 2004 ⇒20,10715. ᴿHebStud 47 (2006) 423-430 (*Hecker, Joel*).

11407   **Grinvald, Zeev** Las puertas de la ley. ᵀ**Jojmá, Alef**: Barc 2006, Obelisco 575 pp. 84-9777-163-X.

11408   *Gruhl, Reinhard; Morgenstern, Matthias* Zwei hebräische Gebete der Prinzessin Antonia von Württemberg (1613-1679) im Kontext der Einweihung der kabbalistischen Lehrtafel in Bad Teinach. Jud. 62 (2006) 97-130.

11409   **Hansel, Joëlle** Moïse Hayyim LUZZATTO (1707-1746). 2004 ⇒20, 10718. ᴿREJ 165 (2006) 316-318 (*Guetta, Alessandro*).

11410   *Himmelfarb, Martha* Merkavah mysticism since Scholem: Rachel Elior's The Three Temples. Wege mystischer Gotteserfahrung. 2006 ⇒859. 19-36.

11411   **Idel, Moshe** La mystique messianique de la kabbale au hassidisme XIIIᵉ-XIXᵉ siècle. ᵀ*Aslanov, Cyril* 2005 ⇒21,11852. ᴿREJ 165 (2006) 583-584 (*Nahon, Gérard*).

11412   **Israel, Giorgio** La kabbalah. 2005 ⇒21,11853. ᴿHum(B) 61/1 (2006) 161-163 (*Bertagna, Marco*).

11413   **Koch, Katharina** Franz Joseph MOLITOR und die jüdische Tradition: Studien zu den kabbalistischen Quellen der "Philosophie der Geschichte". SJ 33: B 2006, De Gruyter 379 pp. 3-11-018892-9. Bibl. 359-371.

11414   **Laitman, Michael** Awakening to Kabbalah: the guiding light of spiritual fulfillment. Woodstock, VT 2006, Jewish Lights xxiii; 156 pp. 1-580-23264-7. Bibl. 155-156.

11415   **Langer, Georg** Die Erotik der Kabbala. Neu Isenburg 2006 <1923, 1989>, Melzer 253 pp. 39373-89601. Vorwort von *Peter Orban*.

11416   *Liebes, Yehuda* Hebrew and Aramaic as languages of the Zohar. AramSt 4 (2006) 35-52.

11417   *Maier, Johann* Mystik im Judentum: Neuplatonismus, Kabbalah und Chasidismus. Hirschberg 59 (2006) 716-721;

11418   Christliche Elemente in der jüdischen Kabbala?. Katholizismus und Judentum. 2006 ⇒663. 30-45.

11419   ᵀ**Matt, Daniel C.** The Zohar: translation and commentary. 2003, 2 vols. ⇒19,11224... 21,11857. Pritzker edition. ᴿFirst Things 167 (2006) 44-47 [of vol. 1] (*Wieder, Laurance*); HebStud 47 (2006) 403-423 (*Hecker, Joel*);

11420   The Zohar, 3. Stanford, CA 2006, Stanford University Press 600 pp. 0-8047-5210-9. Pritzker ed.; Bibl. 559-568.

11421   ᴱ**Meier, Heinrich; Meier, Wiebke** Gershom SCHOLEM et Leo STRAUSS: cabale et philosophie, correspondance 1933-1973. ᵀ*Sedeyn, Olivier*: P 2006, Eclat 216 pp. €18. 2-84162-1243.

11422   *Morray-Jones, Christopher R.A.* The temple within. ᴹQUISPEL, G.: SBL.Symposium 10: 2006 ⇒134. 145-178.

11423   *Morselli, Marco* La qabbalah di Elia Benamozegh: un maestro dell'ebraismo sefardita e italiano. Io sono l'altro degli altri. Quaderni di Synaxis 19: 2006 ⇒948. 55-60.

11424   *Rapoport-Albert, Ada; Kwasman, Theodore* Late Aramaic: the literary and linguistic context of the "Zohar". AramSt 4 (2006) 5-19.

11425   *Reintjens-Anwari, Hortense* Zwiesprache: mystische Philosophie von Franz ROSENZWEIG und Martin BUBER. US 61 (2006) 343-53.

11426 **Rosen, Jeremy** Kabbala Inspirationen: das Geheimnis ihrer Texte und Symbole. Dü 2006, Patmos 160 pp. 3-491-45075-6.
11427 *Sanders, Seth L.* Performative exegesis. ^MQUISPEL, G.: SBL.Symposium 10: 2006 ⇒134. 57-79.
11428 *Schauer, Eva Johanna* Jüdische Kabbala und christlicher Glaube: Die Lehrtafel der Prinzessin Antonia zu Württemberg in Bad Teinach. FrRu 13 (2006) 242-255.
11429 *Schäfer, Peter* Communion with the angels: Qumran and the origins of Jewish mysticism. Wege mystischer Gotteserfahrung. 2006 ⇒ 859. 37-66.
11430 *Schmidt-Biggemann, Wilhelm* Katholizismus und Kabbala: Athanasius Kircher SJ als Beispiel. Katholizismus und Judentum. 2006 ⇒ 663. 46-72.
11431 **Scholem, Gershom Gerhard** Alchemy and kabbalah. ^T*Ottmann, Klaus*: Putnam (Conn.) 2006, Spring 110 pp. 0-88214-566-5. Bibl.
11432 *Schulze, Manfred* Die ganze Offenbarung für die Christenheit: Pico della MIRANDOLA und Johannes REUCHLIN auf der Suche nach dem jüdischen Wissen. Gemeinsame Bibel. 2006 ⇒546. 215-235.
11433 *Segal, Alan F.* Religious experience and the construction of the transcendent self. ^MQUISPEL, G.: SBL.Symposium 10: 2006 ⇒134. 27-40.
11434 **Sherwin, Byron L.** Kabbalah: an introduction to Jewish mysticism. Lanham 2006, Rowman & L. xiv; 249 pp. £16. 07425-43641. Bibl.
11435 **Smith, Howard** A. Let there be light: modern cosmology and kabbalah: a new conversation between science and religion. Novato, Calif. 2006, New World Library xxii; 280 pp. 978-1-57731-548-3. Bibl. 253-264.
11436 *Swartz, Michael D.* Mystical texts. The literature of the sages, part 2. CRI II,3b: 2006 ⇒669. 393-420.
11437 *Thoma, Clemens* Kabbalistische Glaubensinhalte über Gott und die erschaffenen Menschen. ^FMUSSNER, F.: SBS 209: 2006 ⇒117. 319-328.
11438 *Urban, Martina* Mysticism and Sprachkritik: Martin BUBER's rendering of the mystical metaphor 'ahizat 'enayim. RPF 62/2-4 (2006) 535-552.
11439 **Wolfson, Elliot R.** Aleph, mem, tau: kabbalistic musings on time, truth, and death. Berkeley 2006, Univ. of California Pr. xv; 327 pp. $45. 05202-46195; ·
11440 Venturing beyond: law and morality in kabbalistic mysticism. L 2006, OUP 389 pp. £55. 978-0-19-927779-7. Bibl. 317-364.

K7.5 Judaismus saec. 14-18

11441 **Bourel, Dominique** Moses MENDELSSOHN: la naissance du judaïsme moderne. 2004 ⇒20,10737; 21,11873. ^RREJ 165 (2006) 323-326 (*Osier, Jean-Pierre*).
11442 *Cabezas Alguacil, Concepción* Comentario al salmo 121 de Daniel López Laguna, judío sefardí. ^FRODRÍGUEZ CARMONA, A.: 2006 ⇒ 138. 159-171.
11443 **Chajes, Jeffrey Howard** Between worlds: dybbuks, exorcists, and early modern Judaism. 2003 ⇒19,11235... 21,11876. ^RHR 46 (2006) 179-184 (*Yassif, Eli*).

11444 **Goldish, Matt** The Sabbatean prophets. 2004 ⇒20,10743; 21, 11877. [R]JRH 30/1 (2006) 119-120 (*Simms, Norman*); JQR 96 (2006) 453-456 (*Chajes, J.H.*).

11445 *Graetz, Michael* BOSSUETs Schrift "Politique tirée des propres paroles de l'Écriture sainte" (1709) und deren Relevanz für das moderne Judentum. Katholizismus und Judentum. 2006 ⇒663. 102-11.

11446 **Heller, Marvin** The sixteenth century Hebrew book: an abridged thesaurus. 2004 ⇒20,10744; 21,11878. [R]Zion 71 (2006) 109-111 (*Arbiib, Shifra Baruchson*).

11447 *Kal, Victor* The holy people among the philosophers–a grim tale. A holy people. 2006 ⇒565. 349-360.

11448 *Levenson, Alan* The rise of modern Jewish bible studies: preliminary reflections. Biblical interpretation in Judaism & christianity. LHBOTS 439: 2006 ⇒742. 163-178.

11449 *Levi, Joseph* Il commento rinascimentale di Ovadia Sforno a Qohelet. Qohelet. 2006 ⇒779. 25-35.

11450 *Miletto, Gianfranco* Der Katechismus des Petrus CANISIUS und die Ratio Studiorum als Vorbild für das jüdische Erziehungssystem in der Gegenreformation. Katholizismus und Judentum. 2006, ⇒663. 73-90.

11451 **Miletto, Gianfranco** Glauben und Wissen im Zeitalter der Reformation: der salomonische Tempel bei Abraham ben David PORTA-LEONE (1542-1612). SJ 27: 2004 ⇒20,10749. [R]REJ 165 (2006) 313-314 (*Rothschild, Jean-Pierre*).

11452 *Necker, Gerold* Katholische Bildung und jüdische Identität: die humanistische Tradition im Werk Abraham COHEN de Herreras. Katholizismus und Judentum. 2006 ⇒663. 91-101.

11453 *Paolella, Francesco* Ateismo nel pensiero ebraico: a proposito della scomunica di Baruch SPINOZA. Qol(I) 119 (2006) 15-17.

11454 *Paz, Yair* Holy inhabitants of a holy city: how Safed became one of the four holy cities of Eretz Israel in the 16th century. A holy people. 2006 ⇒565. 237-260.

11455 *Pazzini, Massimo* Lettera di Rabbi Elia da Ferrara (1435 ca.): traduzione letterale dall'originale ebraico. SacDo 51/6 (2006) 190-201.

11456 **Sutcliffe, Adam** Judaism and enlightenment. 2003 ⇒19,11241; 20, 10753. [R]REJ 165 (2006) 269-275 (*Schwarzbach, Bertram Eugene*).

11457 [T]**Weinberg, Joanna** Azariah DE' ROSSI: The light of the eyes. YJS 31: 2001 ⇒17,9506; 21,11886. [R]REJ 165 (2006) 586-588 (*Guetta, Alessandro*).

K7.7 Hasidismus et Judaismus saeculi XIX

11458 **Altshuler, Mor** The messianic secret of hasidism. Lei 2006, Brill xii; 440 pp. €120. 90041-5356X.

11459 *Bauer, Yehuda; Pickus, Keith H.* Profiles of acculturation: Jewish communities in 19th-century Germany. Jdm 55/1-2 (2006) 63-74.

11460 **Baumgarten, Jean** La naissance du hassidisme: mystique, rituel et société (XVIIIe-XIXe siècle). P 2006, Michel 650 pp. €27. 2-2261-5884-7. [R]MoBi 170 (2006) 69 (*Boyer, Frédéric*).

11461 **Dynner, Glenn** Men of silk: the Hasidic conquest of Polish Jewish society. NY 2006, OUP xii; 384 pp. 0-19-517522-0. Bibl. 349-378.

11462 **Elior, Rachel** The mystical origins of Hasidism. Oxf 2006, Littman Library xii; 258 pp. £30. 18747-74846.

11463 *Gellman, Jerome* Hasidic mysticism as an activism. RelSt 42 (2006) 343-349.

11464 [T]**Gross, Benjamin** Rabbi Hayyim de Vlozhyn: L'âme de la vie = Nefech ha-haïm. Verdier poche, grands textes de la pensée juive: Lagrasse 2006 <1986>, Verdier 569 pp. €11. 2-86-73432-47. Préf. *Emmanuel Levinas*; Bibl. 523-525 [BCLF 685,18].

11465 *Herrmann, Klaus* Die jüdische Reformbewegung zwischen Protestantismus und Katholizismus. Katholizismus und Judentum. 2006 ⇒663. 222-240.

11466 *Kluft, Volker* משכיל גבר–oder Schiller hebräisch gelesen: Anmerkungen zur SCHILLER-Rezeption im Judentum des frühen 19. Jahrhunderts. Jud. 62 (2006) 216-228.

11467 **Kooij-Bas, Aaltje E.** Nothing but heretics: torat ha-qena'ot: a study and translation of nineteenth century responsa against religious reform in Judaism. [D]*Frishman, J.* 2006, Diss. Utrecht [RTL 38,617].

11468 **Magid, Shaul** Hasidism on the margin: reconciliation, antinomianism, and messianism in Izbica/Radzin hasidism. 2003 ⇒21,11895. [R]JQR 96 (2006) 276-282 (*Nadler, Allan*).

11469 **Markéta, Holubová** Likutej Amarim a chasidská spiritualita [Likutej Amarim and Hasidic spirituality]. [D]*Nosek, B.* 2006, 288 pp. Diss. Prague [RTL 38,617]. **Czech**.

11470 *Wineman, Aryeh* Hewn from the divine quarry: an examination of Isaac of Radvil's אור יצחק. HUCA 77 (2006) 179-207.

K7.8 Judaismus contemporaneus

11471 [E]**Abrahams, Israel** Hebrew ethical wills. [E]*Fine, Lawrence* Ph 2006 <1926>, Jewish Publication Society Pag. varia. 0-8276-0827-6. Foreword by *Judah Goldin*; expanded facsim. ed.

11472 *Albertini, Francesca Y.* Wirtschaftsethik aus jüdischer Sicht oder der Aufstand der Armen als Herausforderung des 21. Jahrhunderts. Jud. 62 (2006) 229-245.

11473 *Armenteros Cruz, Víctor M.* La liturgia aludida: la haftarah de TanjB a Génesis. DavarLogos 5/1 (2006) 15-30.

11474 *Azzariti-Fumaroli, Luigi* Fra rivelazione dialogica ed escatologia: riflessioni su Martin BUBER e Jakob TAUBES. Fenomenologia e società 29/2 (2006) 56-71.

11475 *Backenroth, Ofra A.; Epstein, Shira D.; Miller, Helena* Bringing the text to life and into our lives: Jewish education and the arts. RelEd 101 (2006) 467-480.

11476 *Battegay, Caspar* Walter BENJAMINs verpasster Synagogenbesuch: das Erinnerungsbild Erwachen des Sexus als Modell eines deutschjüdischen Selbstentwurfs. Jud. 62 (2006) 331-342.

11477 **Benamozegh, Elia** Il Noachismo. Genova 2006, Marietti 76 pp.

11478 *Bernasconi, Robert* What are prophets for?: negotiating the teratological hypocrisy of Judeo-Hellenic Europe. Ment. *Lévinas, Emmanuel* RPF 62/2-4 (2006) 441-455.

11479 *Blaha, Josef* Suffering and redemption of the Jewish people. MillSt 58 (2006) 38-56.

11480 *Böckler, Annette M.* Das Geburtstagsfest des Volkes: wie Jüdinnen und Juden heute Pessach feiern. WUB 40 (2006) 32-37.

11481 *Brocke, Edna* Die "große Hannah"–meine Tante. KuI 21 (2006) 145-155.

11482 *Brown-Fleming, Suzanne* Saint of silence?. Jdm 55 (2006) 117-120.

11483 *Burggraeve, Roger* The other and me: interpersonal and social responsibility in Emmanuel LEVINAS. RPF 62/2-4 (2006) 631-649.

11484 *Burkard, Dominik* Papst PIUS XII. und die Juden: zum Stand der Debatte. Katholizismus und Judentum. 2006 ⇒663. 282-296.

11485 *Calabrese, Rita* Ebrei tedeschi dopo la Shoa: dall'autobiografia al romanzo familiare. Materia Giudaica 11/1-2 (2006) 303-313.

11486 [E]**Cantor, G.N.; Swetlitz, Marc** Jewish tradition and the challenge of Darwinism. Ch 2006, University of Chicago Pr. xii; 260 pp. 978-0-226-09276-8. Bibl. 247-249 [Gen 1-2].

11487 *Casper, Bernhard* Franz ROSENZWEIG: desafio para um novo futuro. RPF 62/2-4 (2006) 769-784.

11488 *Cherry, Shai* Crisis management via biblical interpretation: fundamentalism, modern orthodoxy, and Genesis. Jewish tradition. 2006 ⇒11486. 166-187 [Gen 1-2].

11489 **Chester, M.A.** Divine pathos and human being: the theology of Abraham Joshua HESCHEL. 2005 ⇒21,11957. [R]JJS 57 (2006) 366-368 (*Obirek, Stanislaw*).

11490 *Chinitz, Jacob* My problem with the Amidah. Jdm 55/1-2 (2006) 89-98.

11491 **Cohen, Jeffrey M.** 500 questions and answers on Chanukah. L 2006, Vallentine M. xi, 235 pp. 0-85303-676-4. Bibl. 222-224.

11492 *Cooper, Alan* On the typology of Jewish Psalms interpretation. Biblical interpretation in Judaism & christianity. 2006 ⇒742. 79-90.

11493 *Cooper, Alanna E.* The 'forgotten refugees' remembered in film. Jdm 55 (2006) 121-125.

11494 **Dalferth, Ingolf U.** Freiheit und Liebe: Selbstwerdung nach LEVINAS und ROSENZWEIG. Jahrbuch für Religionsphilosophie 5 (2006) 45-67.

11495 **De Benedetti, Paolo** La chiamata di Samuele e altre letture bibliche. Pellicano rosso 38: Brescia 2006 <1976>, Morcelliana 191 pp. €15. 88372-21169.

11496 *Domhardt, Yvonne* Auswahlbibliographie von Werken mit jüdisch-judaistischer Thematik, die seit Sommer 2005 bis Redaktionsschluss 2006 in Schweizer Verlagen erschienen sind bzw. durch Inhalt oder Verfasser/in die Schweiz betreffen. BSGJ 15 (2006) 34-40.

11497 *Ernst, Hanspeter* Als der Heilige, gelobt sei er, die Worte des Lebens sprach. KatBl 131 (2006) 418-421 [Exod 20,1-17].

11498 *Even-Chen, Alexander* On the holiness of the people of Israel in the thought of Abraham Joshua HESCHEL. A holy people. 2006 ⇒565. 361-377.

11499 *Fiorato, Pierfrancesco* In margine alla questione dell'origine: una traccia coheniana nella Premessa al Dramma barocco tedesco di Walter BENJAMIN. RPF 62/2-4 (2006) 491-510.

11500 *Firestone, Reuven* Holy war in modern Judaism?: "Mitzvah war" and the problem of the "three vows". JAAR 74 (2006) 954-982.

11501   *Frishman, Judith* Who we say we are: Jewish self-definition in two modern Dutch liberal prayer books. A holy people. 2006 ⇒565. 307-319.

11502   *Frymer-Kensky, Tikva Halakhah,* law and feminism <1995>;

11503   The feminist challenge to *halakhah.* <1994>;

11504   Woman Jews. Studies in bible. 2006 <1991> ⇒219. 255-262/263-281/403-423.

11505   **Galley, Susanne** Das Judentum. Campus Einführungen: Fra 2006, Campus 199 pp. 978-3-593-37977-7.

11506   *Garrido-Maturano, Ángel E.* La estética al servicio de la socialidad: sobre la relación entre las concepciones de la estética de Emmanuel LEVINAS e Emmanuel KANT. RPF 62/2-4 (2006) 651-674.

11507   **Geaves, Ron** Key words in Judaism. L 2006, Continuum viii; 98 pp. 0-8264-8051-9.

11508   *Gibbs, Robert B.* Law and ethics. Ment. *Lévinas, Emmanuel*;

11509   *Görtz, Heinz-Jürgen* "Ins Leben": zum "theologischen Interesse" des "Neuen Denkens" Franz ROSENZWEIGs. RPF 62/2-4 (2006) 395-407/567-590.

11510   *Greene, Wallace* Dispensing medical marijuana: some halachic parameters. Jdm 55/1-2 (2006) 28-38.

11511   *Greenspahn, Frederick E.* Why Jews translate the bible. Biblical interpretation in Judaism & christianity. 2006 ⇒742. 179-195.

11512   *Guccione, Agostino* Dal logos all'ethos: la diatesi ebraica del pensiero filosofico di Ludwig WITTGENSTEIN. RPF 62 (2006) 841-850.

11513   **Haas, Peter J.** The Jewish tradition, 1: of human rights and the world's major religions. 2005 ⇒21,11979. [R]JR 86 (2006) 704-705 (*Wolf, Arnold Jacob*).

11514   *Hansel, Georges* Judaísmo e Islao: choque de valores ou conflito político?. RPF 62/2-4 (2006) 785-792.

11515   **Hayoun, Maurice-Ruben** La philosophie juive. U-philosophie: 2004 ⇒20,10800. [R]REJ 165 (2006) 334-338 (*Ullern-Weite, Isabelle*).

11516   [E]**Heinemann, Joseph** Literature of the synagogue. Jewish studies classics 4: Piscataway (N.J.) 2006, Gorgias xxii*; x; 292 pp. 978-1-593-33364-5. Collab. *Petuchowski, Jakob J.*; New introduction by *Richard S. Sarason.*

11517   **Isaacs, Ronald H.** Questions christians ask the rabbi. Jersey City, NJ 2006, KTAV xxiii; 159 pp. 0-88125-924-1.

11518   *Kavka, Martin* What does it mean to receive tradition?: Jewish studies in higher education. CrossCur 56/2 (2006) 180-197.

11519   *Keller, Zsolt* Formen jüdischer Erinnerung in der Schweiz: Skizze einer Archiv- und Gedächtnispolitik des Schweizerischen Israelitischen Gemeindebundes. Schweizerische Zeitschrift für Religions- und Kulturgeschichte 100 (2006) 105-124.

11520   **Kellner, Menachem Marc** Must a Jew believe anything?. Oxf [2]2006, Littman Library x; 204 pp. 1-904113-38-9. Bibl. 185-195.

11521   *Kessler, Edward* Judaism. Blackwell companion to the bible. 2006 ⇒465. 119-134.

11522   **Kessler, Edward** What do Jews believe?. L 2006, Granta x; 117 pp. 978-1-86207-862-8. Bibl. 106-108.

11523   *Klapheck, Elisa* 'Casa del rinnovamento': un nuovo ebraismo. Conc(I) 42 (2006) 392-400; Conc(E) 316, 25-31; Conc(GB) 2006/3,20-26; Conc(D) 42,276-282.

11524 **Lamm, Norman** Faith and doubt: studies in traditional Jewish thought. Jersey City, NJ ³2006, KTAV xvi; 364 pp. 978-0-88125-9-52-0.

11525 *Langer, Gerhard* Prolegomena zu einer Zeitschrift für jüdische Kulturgeschichte. Chilufim 1 (2006) 4-11.

11526 **Leaman, Oliver** Jewish thought: an introduction. L 2006, Routledge xxii; 177 pp. £15. 0-415-37425-1/6-X. Bibl. 164-169.

11527 **Levenson, Alan T.** An introduction to modern Jewish thinkers: from SPINOZA to SOLOVEITCHIK. Lanham ²2006, Rowman & L. xiv; 235 pp. £16. 978-07425-46073 [JJS 69,175s–Goldberg, David J.].

11528 *Levine, Joseph A.* Touching the infinite through liturgy. Jdm 55/1-2 (2006) 76-88.

11529 *Lissa, Giuseppe* Qohelet nel 'nuovo pensiero'. Qohelet. 2006 ⇒ 779. 49-97.

11530 *Liverani, Mario* Giorgio LEVI DELLA VIDA e la questione delle origini semitiche. Scienze Umanistiche [Roma] 2 (2006) 157-165.

11531 *Maggi, Lidia* Una scrittura che moltiplica i pensieri: riflessioni a partire dal libro di André Neher *Hanno ritrovato la loro anima.* Studi Fatti Ricerche 116 (2006) 5-7.

11532 *Magonet, Jonathan* Jewish interpretation of the bible. Oxford handbook of biblical studies. 2006 ⇒438. 754-774.

11533 **Maher, Michael J.** Judaism: an introduction to the beliefs and practices of the Jews. Dublin 2006, Columba 191 pp. €7.50. 1-856-07-553-2. Bibl. 188.

11534 *Marquardt, Friedrich-W.* Hoffen nach Auschwitz?: Friedrich-Wilhelm Marquardt im Gespräch mit CELAN. JK 67/3 (2006) 33-40.

11535 *Matitiani, Gillian* South African Jewry. AnBru 11 (2006) 29-38.

11536 *Mendes-Flohr, Paul* A post-modern humanism from the sources of Judaism. Ment. *Buber, Martin; Lévinas, Emmanuel* RPF 62/2-4 (2006) 369-377.

11537 *Michaelson, Jay* Researching Judaism online: paths through the minefield. RStR 32 (2006) 226-228.

11538 *Moriggi, Marco* Le prescrizioni alimentari ebraiche. Io sono l'altro degli altri. Quaderni di Synaxis 19: 2006 ⇒948. 27-35.

11539 *Mosès, Stéphane* L'idée de justice dans la philosophie d'Emmanuel LÉVINAS. RPF 62/2-4 (2006) 379-394.

11540 *Nachama, Andreas* Das Judentum und seine Haltung zu anderen Religionen. Ein neuer Kampf der Religionen?: Staat, Recht und religiöse Toleranz. EMahlmann, Matthias; Rottleuthner, Hubert: B 2006, Duncker & H. 127-139. 978-3-428-12095-6.

11541 **Neusner, Jacob** Judaism: the basics. L 2006, Routledge xii; 198 pp. £10. 0-415-40176-3. Bibl. 191-193.

11542 *Nömmik, Urmas* Lazar Gulkowitsch und das Seminar für jüdische Wissenschaft an der Universität Tartu (Dorpat) (Teil II). Jud. 62 (2006) 1-42.

11543 *Nurmela, Risto* A Holocaust survivor and the bible: Viktor E. Frankl reads the psalter and Job. MILLMAN, K.: 2006 ⇒72. 315-30.

11544 EOchs, Peter W.; Levene, Nancy Textual reasonings: Jewish philosophy and text study at the end of the twentieth century. 2002 ⇒ 18,2680... 20,10830. RTThZ 115 (2006) 72-79 *(Assel, Heinrich)*.

11545 *Pinker, Aron* Ben Zoma's query on Genesis 1:7: was it what drove him insane?. Jdm 55/3-4 (2006) 51-58.

11546 *Reinhartz, Adele* Le donne nell'ebraismo. Conc(I) 42 (2006) 382-391; Conc(E) 316,15-23; Conc(GB) 2006/3,13-19; Conc(D) 42, 269-276.

11547 *Reinhartz, Adele; Walfish, Miriam-Simma* Conflict and coexistence in Jewish interpretation. Hagar, Sarah. 2006 ⇒481. 101-125 [Gen 16; 21].

11548 *Resing, Volker* Auf dem Weg zur Religionsgemeinschaft: jüdische Gemeinden in Deutschland im vielfachen Umbruch. HerKorr 60 (2006) 352-356.

11549 *Reyes Mate, Manuel* El nuevo pensamiento: renacimiento del pensamiento judío en el siglo XX. Ment. *Lévinas, Emmanuel*: RPF 62/2-4 (2006) 409-431.

11550 *Ruggieri, Giuseppe* Io sono l'altro degli altri: introduzione alla lettura; .

11551 L'essenza del giudaismo secondo Franz ROSENZWEIG. Io sono l'altro degli altri. Quaderni di Synaxis 19: 2006 ⇒948. 9-25/267-282.

11552 *Saalfrank, Wolf-Thorsten* Geschichtlichkeit in Martin BUBERs pädagogischem Denken als Grundlage der "Jüdischen Renaissance". Jud. 62 (2006) 71-85.

11553 *Satlow, Michael L.* Defining Judaism: accounting for "religions" in the study of religion. JAAR 74 (2006) 837-860.

11554 **Satlow, Michael L.** Creating Judaism: history, tradition, practice. NY 2006, Columbia University Press xii; 340 pp. 0-231-13488-6/9-4. Bibl. 307-324.

11555 **Schonfield, Jeremy** Undercurrents of Jewish prayer. Oxf 2006, Littman L. xx; 394 pp. £37.50/$55. 9781904-113003. Bibl. 359-73.

11556 **Schwarz, Sid** Judaism and justice: the Jewish passion to repair the world. Woodstock, VT 2006, Jewish Lights xxvi; 312 pp. 978-1-58023-312-5. Foreword *Ruth Messinger*; Bibl. 285-305.

11557 *Seltzer, Sanford* Whither scholarship?: the rabbinate vs. the academy. Jdm 55/1-2 (2006) 4-11.

11558 *Shiber, Yair* The status of "unfit" witnesses in Jewish marriage law. HUCA 77 (2006) *71-*87. H.

11559 **Silver, Mitchell** A plausible God: secular reflections on liberal Jewish theology. NY 2006, Fordham Univ. Pr. xviii; 184 pp. 978-0-8232-2681-8/25. Bibl. 175-178.

11560 **Soloveitchik, Joseph B.** (Dov) The emergence of ethical man. E*Berger, Michael S.* MeOtzar HoRav 5: 2005 ⇒21,12029. RRelSt 42 (2006) 364-368 (*Rynhold, Daniel*);

11561 The Lord is righteous in all His ways: reflections on the Tish'ah be-Av kinot. E*Schacter, Jacob J.* MeOtzar HoRav 7: NY 2006, KTAV 369 pp.

11562 *Souza, Ricardo T. de* A radicalidade do humano: filosofia, Judaísmo e a emergência do real. Ment. *Lévinas, Emmanuel*: RPF 62/2-4 (2006) 433-440.

11563 *Stegmaier, Werner* Tora zur Orientierung: jüdische Skepsis gegen Religionsphilosophie. Ment. *Rosenzweig, Franz; Lévinas, Emmanuel*: Jahrbuch für Religionsphilosophie 5 (2006) 23-43.

11564 **Telushkin, Joseph** A code of Jewish ethics. NY 2006, Bell Tower xiv; 559 pp. $30. 1-400-04835-4. Bibl.

11565 **Trepp, Leo** Der jüdische Gottesdienst: Gestalt und Entwicklung. ²2004 ⇒20,10851. RFrRu 13 (2006) 152-54 (*Böckler, Annette M.*).

11566 **Trepp, Leo; Wöbken-Ekert, Gunda** 'Dein Gott ist mein Gott': Wege zum Judentum und zur jüdischen Gemeinschaft. 2005 ⇒21, 12037. [R]Jud. 62 (2006) 367-368 (*Galley-Talabardon, Susanne*).

11567 *Tück, Jan-Heiner* "Warum hast du geschwiegen?": der deutsche Papst in Auschwitz. IKaZ 35 (2006) 615-622.

11568 *Urabayen, Julia* Tiempo y libertad en el pensamiento de Henri BERGSON y de Emmanuel LEVINAS. RPF 62/2-4 (2006) 675-696.

11569 *Walzer, Michael* Morality and politics in the work of Michael Wyschogrod. MoTh 22 (2006) 687-692.

11570 *Welz, Claudia* Rupture, renewal and relations: ROSENZWEIG and LEVINAS on co-presence, language and love. Jahrbuch für Religionsphilosophie 5 (2006) 69-96.

11571 *Wiehl, Reiner* Tempo e experiência no pensamento "novo" de Franz ROSENZWEIG. RPF 62/2-4 (2006) 553-565.

11572 *Winer, Mark L.* Dialogue on holocaust theology: a response to Bob Reiss. Theol. 109 (2006) 334-342.

11573 **Wylen, Stephen M.** The seventy faces of Torah: the Jewish way of reading the sacred scriptures. 2005 ⇒21,12041. [R]RBLit (2006)* (*Sherman, Phillip*).

11574 *Wyschogrod, Edith* Emmanuel LEVINAS und die Fragen Hillels. KuI 21/1 (2006) 3-16.

11575 *Yadgar, Yaacov* Gender, religion, and feminism: the case of Jewish Israeli traditionalists. JSSR 45 (2006) 353-370.

11576 **Yerushalmi, Yosef H.** Israel, der unerwartete Staat: Messianismus: Sektiertum und die zionistische Revolution. [T]*Heath, S.; Pachel, A.*: Tü 2006, Mohr S. 119 pp.

11577 *Zucker, David J.* Women rabbis: a novel idea. Jdm 55/1-2 (2006) 108-116.

K8 *Philosemitismus*—Jewish Christian relations

[E]**Aitken, J.**, *al.*, Challenges in Jewish-Christian relations 2006 ⇒805.

11578 *Andersen, Peter; Kampling, Rainer* Judenfeindschaft: alte Gesichter–neue Gewänder. Gemeinsame Bibel. 2006 ⇒546. 147-150.

11579 *Arnold, Claus* Antisemitismus und "Liberaler Katholizismus". Katholizismus und Judentum. 2006 ⇒663. 181-192.

11580 *Ashbel, Dan* Nostra Aetate und der Staat Israel. Dialog 63 (2006) 15-18.

11581 *Aulisa, Immacolata* Motivi iconoclastici e presunta presenza islamica in un episodio della polemica antiebraica nel Mediterraneo orientale (VII-VIII secolo). ASEs 23 (2006) 481-497.

11582 *Bartolini, Elena* Tra chiesa e sinagoga: l'apporto di Paolo De Benedetti al dialogo interreligioso fra cristiani ed ebrei. Hum(B) 61/1 (2006) 28-36;

11583 Universalismo ebraico-cristiano e prospettive di dialogo a partire da Gerusalemme. Studi Fatti Ricerche 113 (2006) 8-12.

11584 *Bastos Mateus, Susana; Mendes Pinto, Paolo* O massacre de Lisboa em 1506: reflexoes em torno de um edifício de intolerância. RPF 62/2-4 (2006) 793-804.

11585 **Bauer, Alfredo** Anders als die anderen: 2000 Jahre jüdisches Schicksal: eine Szenenfolge. [E]*Kucher, Primus-Heinz*: Mn. 13: 2004 ⇒20,10866. [R]KuI 21 (2006) 173-185 (*Langer, Gerhard*).

11586   *Bechmann, Ulrike* Abraham und der jüdisch-christlich-muslimische Dialog: Überlegungen aus christlicher Perspektive. JK 67/4 (2006) 55-59.

11587   [E]**Bell, Dean Phillip; Burnett, Stephen G.** Jews, Judaism, and the Reformation in sixteenth-century Germany. Studies in Central European Histories 37: Brill 2006, xxxi; 572 pp.

11588   BENEDICTUS XVI Dazu bin ich heute hier, die Gnade der Versöhnung zu erbitten: Ansprache von Papst Benedikt XVI. im Konzentrationslager Auschwitz-Birkenau am 28. Mai 2006. FrRu 13 (2006) 273-277.

11589   **Ben-Toviya, Esther** You called my name: the hidden treasures of your Hebrew heritage. New Alresford, UK 2006, O Books xvi; 256 pp. $20. 1-905-047-79-7.

11590   *Bewersdorff, Harald* Bildung und Erziehung im Angesicht Israels. Gemeinsame Bibel. VKHW 9: 2006 ⇒546. 144-146.

11591   **Blanchetière, François** Enquête sur les racines juives du mouvement chrétien (30-135). 2001 ⇒17,9592... 20,10871. [R]RTL 37 (2006) 89-90 (*Auwers, Jean-Marie*).

11592   **Blech, Arthur** The causes of anti-Semitism: a critique of the bible. Amherst, NY 2006, Prometheus xx; 462 pp. 1-591-02446-3. Bibl. 427-429.

11593   *Blohm, Uta* Das christliche Bekenntnis zu 'Israel': Erfahrungen im christlich-jüdischen Gespräch. [F]HUBER, F.: 2006 ⇒69. 134-140.

11594   **Bloom, Harold** Gesù e Yahvè: la frattura originaria tra ebraismo e cristianesimo. [T]*Didero, Daniele*: Mi 2006, Rizzoli 280 pp. €18.50. [R]StPat 53 (2006) 780-782 (*Segalla, Giuseppe*).

11595   **Blumenkranz, Bernhard** Juifs et chrétiens dans le monde occidental: 430-1096. Collection REJ 41: Lv 2006, Peeters xiv; 440 pp. 978-90-429-1879-5.

11596   *Bohlen, Reinhold* Wende und Neubeginn: die Erklärung des Zweiten Vatikanischen Konzils zu den Juden "Nostra aetate" Nr. 4. Katholizismus und Judentum. 2006 ⇒663. 297-308.

11597   *Bollag, David* Grenzen und Gemeinsamkeiten: ein jüdischer Beitrag zum interreligiösen Dialog. Laetare Jerusalem. 2006 ⇒92. 489-498.

11598   **Boyarin, Daniel** Border lines: the partition of Judaeo-Christianity. 2004 ⇒20,10874; 21,12057. [R]RHPhR 86 (2006) 451 (*Grappe, C.*); JQR 96 (2006) 441-446 (*Boustan, Ra'anan S.*); JThS 57 (2006) 229-232 (*Dunn, James D.G.*); Review of Rabbinic Judaism 9 (2006) 197-206 (*Neusner, Jacob*).

11599   *Boyarin, Daniel* Apartheid comparative religion in the second century: some theory and a case study. JMEMS 36 (2006) 3-34.

11600   **Boys, Mary C.** Has God only one blessing?: Judaism as a source for christian self-understanding. 2000 ⇒16,9832... 18,10439. [R]RExp 103 (2006) 261-262 (*Harrelson, Walter*).

11601   **Boys, Mary C.; Lee, Sara S.** Christians and Jews in dialogue: learning in the presence of the other. Woodstock, VT 2006, Skylight P. xvi; 220 pp. 978-1-59473-144-0. Bibl. 214-216.

11602   [E]**Braaten, Carl E.; Jenson, Robert W.** Jews and christians: people of God. 2003 ⇒19,11348; 20,10876. [R]ThirdM 9/3 (2006) 104-105 (*Mattam, Joseph*); EThL 82 (2006) 237-238 (*Geldhof, J.*).

11603   **Brandau, Robert** Innerbiblischer Dialog und dialogische Mission: die Judenmission als theologisches Problem. [D]*Klappert, Bertold*

Neuk 2006, Neuk 518 pp. €39.90. 978-37887-21671. Diss. Wup-pertal.

11604 *Brechenmacher, Thomas* Das Ende der doppelten Schutzherrschaft: Päpste und Juden zwischen Gegenreformation und Erstem Vatika-num (1555-1870);

11605 *Brenner, Michael* Von der Novemberrevolution bis zu den Ad-ventspredigten: zum Verhältnis zwischen Juden und Katholiken in Bayern zwischen 1918 und 1933. Katholizismus und Judentum. 2006 ⇒663. 162-180/270-281.

11606 *Breuning, Wilhelm* Das Trennende nicht verbergen–das Gemeinsa-me auch dabei suchen. ^FMUSSNER, F.: SBS 209: 2006 ⇒117. 329-336.

11607 *Buchholz, René* Gottes Mischpoche(n): zum Familienverhältnis von Judentum und Christentum. Pastoralblatt für die Diözesen Aachen, Berlin, Essen etc. 58 (2006) 227-234.

11608 *Burrus, Virginia, al.*, Boyarin's work: a critical assessment. Henoch 28/1 (2006) 7-45.

11609 *Castello, Gaetano* Le relazioni tra Chiesa cattolica ed ebraismo: a quarant'anni dalla Nostra aetate. Asp. 53 (2006) 319-348.

11610 **Chazan, Robert** Fashioning Jewish identity in medieval western christendom. 2004 ⇒20,10884; 21,12066. ^RJJS 57 (2006) 167-169 (*Muessig, Carolyn*); REJ 165 (2006) 305-7 (*Bobichon, Philippe*).

11611 *Chilton, Bruce* Single scripture, multiple meanings: 2, covenantal divide. NBl 87 (2006) 276-281.

11612 **Chilton, Bruce David; Neusner, Jacob** Classical christianity and rabbinic Judaism: comparing theologies. 2004 ⇒20,10885. ^RRExp 103 (2006) 270-271 (*Neusner, Jacob*); RBLit (2006)* (*Koet, Bart*).

11613 **Cohen, Jeremy** Living letters of the law: ideas of the Jew in medi-eval christianity. 1999 ⇒15,9816; 18,10449. ^RRExp 103 (2006) 241-243 (*Chazan, Robert*).

11614 **Cohn-Sherbok, Dan** The paradox of anti-semitism. L 2006, Con-tinuum xiv; 242 pp. 0-8264-8896-X. Bibl. 225-227.

11615 *Deeg, Alexander* Neue Worte in einer alten Beziehung: liturgische Sprachfindung im Kontext des christlich-jüdischen Dialogs. "... dass er euch auch erwählet hat". 2006 ⇒511. 33-62.

11616 *Deeg, Alexander; Bohlen, Reinhold* Die Präsenz Israels im christli-chen Gottesdienst. Gemeinsame Bibel. 2006 ⇒546. 138-143.

11617 *Deines, Roland* Die Bedeutung des Landes Israel in christlicher Perspektive. Jud. 62 (2006) 309-330.

11618 **Dowdey, David** Jewish-Christian relations in eighteenth-century Germany: textual studies on German archival holdings, 1729-1742. Lewiston, NY 2006, Mellen vi; 140 pp. 077345912X. Bibl. 123-36.

11619 **Dubois, Marcel-Jacques** Nostalgie d'Israël. L'Histoire à vif: P 2006, Cerf 417 pp. €34. 22040-76740. Entretiens avec *Olivier-Tho-mas Venard*; Préf. *Youssef Schwarz*.

11620 **Dunn, James D.G.** The partings of the ways: between christianity and Judaism and their significance for the character of christianity. L ²2006 <1991>, SCM xxxvi; 410 pp. £25. 0-334-02999-6.

11621 *Ehrlich, Ernst Ludwig* Das Judentum ist das Fundament des Chris-tentums: Laudatio für Kardinal Karl Lehmann anläßlich der Ver-leihung des Abraham Geiger Preises am 20. März 2006 in Berlin. FrRu 13 (2006) 162-165.

11622 *Erlemann, Kurt* Gnade und Liebe statt Gerechtigkeit und Zorn? Überlegungen zum Verhältnis von jüdischem und christlichem Gottesbild. [F]HUBER, F.: VKHW 8: 2006 ⇒69. 11-24.

11623 **Falk, Gerhard** The restoration of Israel: christian Zionism in religion, literature, and politics. AmUSt.TR 257: NY 2006, Lang ix; 224 pp. 0-8204-8862-3.

11624 *Feldtkeller, Andreas; Brandau, Robert* Zeugen Gottes voreinander – Judenmission?. Gemeinsame Bibel. 2006 ⇒546. 118-123.

11625 *Fernández, V.M.* La complémentarité irréductible: l'herméneutique biblique après la Shoah. NRTh 128 (2006) 561-578.

11626 *Forstner, Thomas* Das "Institutum Judaeologicum Catholicum": eine Stätte des jüdisch-christlichen Dialogs im Nachkriegsdeutschland. FrRu 13 (2006) 263-272.

11627 **Frankemölle, Hubert** Frühjudentum und Urchristentum: Vorgeschichte—Verlauf—Auswirkungen (4. Jahrhundert v. Chr. bis 4. Jahrhundert n. Chr.). Studienbücher zur Theologie 5: Stu 2006, Kohlhammer 446 pp. €32. 3-17-019528-X.

11628 *Fredriksen, Paula; Irshai, Oded* Christian anti-Judaism: polemics and policies. The Cambridge history of Judaism, 4. 2006 ⇒541. 977-1034.

11629 *Frettlöh, Magdalene L.* Doppelter Dank für Judah: andenkende Notizen zu zwei Deutungen eines Namens. KuI 21/1 (2006) 47-63 [Gen 29,35].

11630 *Garrone, Daniele* Die gemeinsame Sendung leben. Gemeinsame Bibel. VKHW 9: 2006 ⇒546. 94-98.

11631 *González Salinero, Raúl* Sinagogae Iudaeorum, fontes persecutionum?: il supposto intervento degli ebrei nelle persecuzioni anticristiane durante l'Impero Romano. VetChr 43 (2006) 93-104.

11632 **Greenberg, Irving** For the sake of heaven and earth: the new encounter between Judaism and christianity. 2004 ⇒20,10916. [R]RExp 103 (2006) 271-272 (*Stendahl, Krister*).

11633 *Grilli, Massimo* Israele e l'ekklesìa delle genti: un ripensamento teologico sulle radici ebraiche della fede cristiana. Ad Gentes 10/1 (2006) 37-47.

11634 [E]**Guilbaud, Juliette; Le Moigne, Nicolas; Lüttenberg, T.** Normes culturelles et construction de la déviance: accusations et procès antijudaïques et antisémites à l'époque moderne et contemporaine / Kulturelle Normen.... 2004 ⇒20,10923. [R]REJ 165 (2006) 318-320 (*Savy, Pierre*).

11635 *Haacker, Klaus* Das "neue Paulusbild" und unser Bild vom Judentum. Gemeinsame Bibel. VKHW 9: 2006 ⇒546. 204-214.

11636 *Harrelson, Walter J.* How to interpret the Old Testament: the central issue between christians and Jews. RExp 103 (2006) 25-44.

11637 *Henrix, Hans H.* Herausforderung und Verheißung: Liturgie im Kontext des christlich-jüdischen Dialogs. "... dass er euch auch erwählet hat". 2006 ⇒511. 11-32;

11638 Die gemeinsame Bibel lesen–ein christliches Echo auf ein jüdisches Votum. Gemeinsame Bibel. 2006 ⇒546. 75-87;

11639 Jesus Christ in Jewish-Christian dialogue. ThD 53 (2006) 103-112;

11640 Jesus Christus im jüdisch-christlichen Dialog. StZ 224 (2006) 43-56.

11641 **Henrix, Hans Hermann** Judentum und Christentum: Gemeinschaft wider Willen. TOPOS-plus-Taschenbücher 525: 2004 ⇒20,10930. [R]ThLZ 131 (2006) 1250-1251 (*Diefenbach, Manfred*).

11642 ^E**Henrix, Hans Hermann; Kraus, Wolfgang** Die Kirchen und das Judentum, 2: Dokumente von 1986 bis 2000. 2001 ⇒17,9643; 18, 10481. ^RTThZ 115 (2006) 78-79 (*Mußner, Franz*).

11643 *Heschel, Susannah* Christen und Juden: was ist unsere gemeinsame Sendung?. Gemeinsame Bibel. VKHW 9: 2006 ⇒546. 88-93.

11644 **Hilton, Michael; Marshall, Gordian** The gospels and rabbinic Judaism. 1988 ⇒4,4243... 6,4352. ^RRExp 103 (2006) 247-49 (*Rosen, David*).

11645 *Hoff, Gregor Maria* "Redet Wahrheit"–welche Wahrheit?: Theologische Stolpersteine in "Dabru Emet". Dialog 66 (2006) 15-18.

11646 *Hofmann, Norbert J.* Wir brauchen einander, und die Welt braucht uns: eine historische Begegnung in Berlin. FrRu 13 (2006) 179-81.

11647 *Holtschneider, K. Hannah* Dabru Emet und jüdische Interpretationen des Christentums. Dialog 66 (2006) 19-43.

11648 **Horbury, William** Jews and christians: in contact and controversy. 1998 ⇒14,8978... 20,10935. ^RSJTh 59 (2006) 100-102 (*Bakhos, Carol*).

11649 *Ilsar, Yehiel* Religiöse Sprache und Antisemitismus auf Hitlers Weg zur Macht. FrRu 13 (2006) 182-194.

11650 **Jacobs, Andrew S.** Remains of the Jews: the Holy Land and christian empire in late antiquity. Divinations: 2004 ⇒20,10937. ^RReligion 36 (2006) 113-115 (*Latham, Jacob A.*); Adamantius 12 (2006) 493-95 (*Kofsky, Aryeh*); RivAC 82 (2006) 489-490 (*Heid, Stefan*).

11651 *Jones, P.H.* From intra-Jewish polemics to persecution: the christian formation of the Jew as religious other. Encounter 67/2 (2006) 161-197.

11652 *Kannemann, Horst; Stöhr, Martin* Dialog mit Israel und Dialog mit dem Islam. Gemeinsame Bibel. VKHW 9: 2006 ⇒546. 130-137.

11653 *Katz, Steven T.* The rabbinic response to christianity. The Cambridge history of Judaism, 4. 2006 ⇒541. 259-298.

11654 *Kaufmann, Uri R.* Eine liberale Theologie–aber keine neue Einstellung zum Judentum: der Zürcher Protestantismus 1830-1912. KuI 21/1 (2006) 29-46.

11655 ^E**Kessler, Edward; Wenborn, Neil** A dictionary of Jewish-Christian relations. 2005 ⇒21,12128. ^RTS 67 (2006) 897-898 (*Athans, Mary C.*); RBLit (2006)* (*Garber, Zev*); JThS 57 (2006) 691-692 (*De Lange, Nicholas*).

11656 *Kessler, Hans* Dialog zwischen Juden, Christen und Muslimen: Herausforderung für die christliche Identität. LS 57 (2006) 306-13;

11657 Jesus–für Christen das letzt-gültige Wort Gottes: die Replik von Hans Kessler auf Heinz-Günther Schöttlers Beitrag. LS 57 (2006) 320-321.

11658 *Klappert, Bertold* Gedenken, Ertrag und Auftrag des Rheinischen Synodalbeschlusses von 1980. Gemeinsame Bibel. VKHW 9: 2006 ⇒546. 236-255.

11659 **Klinghoffer, David** Why the Jews rejected Jesus: the turning point in western history. 2005 ⇒21,12130. ^RNBl 87 (2006) 101-102 (*Neusner, Jacob*).

11660 *Kochel, Jan* Podstawowe założenia katechezy o Żydach i judaizmie [Principaux fondements de la catéchèse sur les Juifs et le judaïsme]. AtK 146 (2006) 546-555. **P.**

11661 *Kock, Manfred* Um Jesu willen gehasst von der Welt: Predigt zu Joh 15,18-21. Gemeinsame Bibel. VKHW 9: 2006 ⇒546. 99-104.

11662 *Krausen, Halima* Abraham und der jüdisch-christlich-muslimische Dialog. JK 67/3 (2006) 42-46.

11663 *Kreuzer, Siegfried* "Gemeinsam die Schrift lesen": Aspekte jüdischer Schriftauslegung. Gemeinsame Bibel. 2006 ⇒546. 173-203.

11664 **Kruger, Steven F.** The spectral Jew: conversion and embodiment in medieval Europe. Medieval cultures 40: Mp 2006, University of Minnesota Pr. xxx; 320 pp. 0-8166-4062-9. Bibl. 209-296.

11665 [E]**Kushner, Tony; Valman, Nadia** Philosemitism, antisemitism and 'the Jews': perspectives from the middle ages to the twentieth century. 2004 ⇒20,597. [R]EHR 121 (2006) 863-865 (*Kochan, Lionel*).

11666 *Lagatz, Tobias* Der "Ewige Jude" des 19. Jahrhunderts im Fokus von Römischer Inquisition und Indexkongregation: Zerrbild seiner selbst und Spiegelbild der Zeit. Katholizismus und Judentum. 2006 ⇒663. 209-221.

11667 *Langer, Gerhard* Juden und Christen in Alfredo Bauers Roman "Anders als die anderen". KuI 21 (2006) 173-185.

11668 **Laqueur, Walter** The changing face of antisemitism: from ancient times to the present day. NY 2006, OUP x; 228 pp. Bibl. 209-214.

11669 *Lehmann, Karl* Judentum und Christentum im Gespräch: eine fortwährende Aufgabe. FrRu 13 (2006) 166-178.

11670 *Lenhardt, Pierre* La Torà e Gesù Cristo: sull'importanza delle fonti ebraiche per un cristiano. Qol(I) 119 (2006) 7-15.

11671 *Leuser, Claudia* Spurensuche: Ansatzpunkte und Perspektiven zum jüdisch-christlichen Dialog im Werk von Emmanuel LEVINAS. [F]KLINGER, E., 2. 2006 ⇒86. 263-281.

11672 *Lémonon, Jean-Pierre* Les judéo-chrétiens: des témoins oubliés. CEv 135 (2006) 3-57.

11673 *Licharz, W.* Leo BAECK–Brückenbauer zwischen Juden und Christen. StZ 224 (2006) 767-778.

11674 *Lieu, Judith* Self-definition vis-à-vis the Jewish matrix. Cambridge history of christianity 1. 2006 ⇒558. 214-229;

11675 Where did Jews and christians meet (or part ways)?. Comienzos del cristianismo. 2006 ⇒740. 217-232.

11676 *Lindsay, Mark R.* "The righteous among the nations": BONHOEFFER, Yad Vashem and the church. TJT 22/1 (2006) 23-38.

11677 *Lowe, Walter* The intensification of time: Michael Wyschogrod and the task of christian theology. MoTh 22 (2006) 693-699.

11678 *Lundgren, Svante* The three phases of Jewish-Christian relations. [M]ILLMAN, K. 2006 ⇒72. 247-258.

11679 *Lustiger, Jean-Marie* "Unsere älteren Brüder" (JOHANNES PAUL II.): die Brüderlichkeit zwischen dem Erstgeborenen und dem Nachgeborenen. Dialog 63 (2006) 23-30.

11680 *Lüpke, Johannes von; Herweg, Rahel M.* Das jüdisch-christliche Menschenbild angesichts der Herausforderung der Bioethik und der neurologischen Forschung. Gemeinsame Bibel. 2006 ⇒546. 112-7.

11681 *Magonet, Jonathan* Der Dialog mit Israel und der Dialog mit den Religionen. Gemeinsame Bibel. VKHW 9: 2006 ⇒546. 54-65.

11682 **Manns, Frédéric** Un père avait deux fils: Judaïsme et christianisme en dialogue. 2004 ⇒20,10971; 21,12146. [R]RThPh 138 (2006) 270-272 (*Couteau, Elisabeth*);

11683 Les racines juives du christianisme. P 2006, Renaissance 309 pp. €22. 2-7509-0189-8.

11684   *Mayo, Philip L.* The role of the Birkath Haminim in early Jewish-Christian relations: a reexamination of the evidence. BBR 16 (2006) 325-343.

11685   *McNutt, J.E.* Vessels of wrath, prepared to perish: Adolf Schlatter and the spiritual extermination of the Jews. ThTo 63/2 (2006) 176-190.

11686   **Miller, Ron; Bernstein, Laura** Healing the Jewish-Christian rift: growing beyond our wounded history. Woodstock, VT 2006, Skylight P. xiii; 261 pp. 15947-3139X. Foreword *Beatrice Bruteau*; Bibl.

11687   **Mimouni, Simon Claude** Les chrétiens d'origine juive dans l'antiquité. 2004 ⇒20,10978; 21,12153. ᴿREJ 165 (2006) 557-559 (*Bernasconi, Rocco*).

11688   *Muir, Steven C.* Mending yet fracturing: healing as an arena of conflict. ᶠCHARLESWORTH, J. 2006 ⇒19. 57-71.

11689   *Müller, Daniela* The Cathar community in the south of France and its religious self-definition as God's holy people. A holy people. 2006 ⇒565. 185-197.

11690   *Nausner, Helmut* 17. Jänner–Tag des Judentums: einige Hinweise zu seiner Einführung in Österreich. Dialog 66 (2006) 6-13.

11691   *Neusner, Jacob* Single scripture, multiple meanings: 1, the Judaeochristian divorce in the first century and what it means for the twenty-first. NBl 87 (2006) 276-281.

11692   **Nickelsburg, George W.E.** Ancient Judaism and christian origins: diversity, continuity, and transformation. 2003 ⇒19,11459... 21, 12162. ᴿJAAR 74 (2006) 212-215 (*Deutsch, Celia*); JSJ 37 (2006) 137-140 (*Wright, Benjamin*); JSSt 51 (2006) 200-204 (*Fletcher-Louis, Crispin*).

11693   **Novak, David** Talking with Christians: musings of a Jewish theologian. L 2006, SCM xiv; 269 pp. 0-334-04029-9. Bibl.

11694   *Oelke, Harry* Zwischen Schuld und Sühne: Evangelische Kirche und Judentum nach 1945. PTh 95 (2006) 2-23.

11695   *Oesch, Josef M.* Die gemeinsame Bibel von Juden und Christen: der steinige Ausstieg aus dem katholischen Antijudaismus. Religionen – Miteinander. theologische trends 15: 2006 ⇒842. 45-60.

11696   *Osten-Sacken, Peter von der* Gottesdienst im Judentum–Gottesdienst im Christentum: Wanderungen auf einem Lernpfad. "... dass er euch auch erwählet hat". 2006 ⇒511. 63-88.

11697   *Pawlikowski, John T.* Brücke zu neuem christlich-jüdischem Verständnis: 40 Jahre "Nostra Aetate". Dialog 63 (2006) 31-51.

11698   *Peerenboom, Elisabeth* Edith STEIN und der jüdisch-christliche Dialog: Edith-Stein-Gesellschaft Deutschland tagte vom 5. bis 7. Mai 2006 in Köln. Katholische Bildung 107 (2006) 321-325.

11699   **Peters, Francis E.** The monotheists: Jews, christians, and muslims in conflict and competition, 1: the peoples of God, 2: the words and will of God. 2003 ⇒19,11465; 20,10990. ᴿICMR 17 (2006) 242-243 (*Ipgrave, Michael*).

11700   *Pizzaballa, Pierbattista* Die Kirchen und die Schoah: Ansprache zum Schoah-Gedenktag am 25. April 2006 in der Universität Tel-Aviv. KuI 21 (2006) 109-119.

11701   *Pollmann, Viktoria* Struktur und Funktion des katholischen Antisemitismus in Mittelosteuropa um 19. Jahrhundert am Beispiel Polens. Katholizismus und Judentum. 2006 ⇒663. 241-252.

11702 *Ragacs, Ursula* Edieren oder nicht edieren ...?: Überlegungen zu einer Neuedition des hebräischen Berichtes über die Disputation von Barcelona 1263. Jud. 62 (2006) 157-170.

11703 *Richardson, Peter* The beginnings of christian anti-Judaism, 70-c. 235. The Cambridge history of Judaism, 4. 2006 ⇒541. 244-258.

11704 *Ritter-Werneck, Roland* Kirchen und Antisemitismus: sieben Thesen. Dialog 63 (2006) 19-22.

11705 ^E**Rothschild, Fritz A.** Jewish perspectives on christianity. 1996 ⇒12,8696; 14,9025. ^RRExp 103 (2006) 257-59 (*Mittleman, Alan*).

11706 *Ruddat, Günter* Der Aaronitische Segen im Gottesdienst und die Gemeinschaft mit Israel. Gemeinsame Bibel. VKHW 9: 2006 ⇒ 546. 256-276 [Num 6,22-27].

11707 ^E**Sandmel, David F.; Catalano, Rosann; Leighton, Christopher** Irreconcilable differences?: a learning resource for Jews and Christians. 2001 ⇒17,9700. ^RRExp 103 (2006) 259-261 (*Langer, Ruth*).

11708 *Sardella, Teresa* Gerarchie e identità religiose nei primi secoli dell'era cristiana: cristianesimo e ebraismo;

11709 *Schillaci, Giuseppe* Ebraismo e cristianesimo in Emmanuel LEVINAS. Io sono l'altro degli altri. 2006 ⇒948. 37-54/283-306.

11710 *Schmidt, Johann M.* Theologische Entwicklungen im Verhältnis von Kirche und Israel seit 1950 bis zum Beschluss der Synode der Evangelischen Kirche im Rheinland von 1980;

11711 *Schneider, Nikolaus* 25 Jahre Rheinischer Synodalbeschluss "Zur Erneuerung des Verhältnisses von Christen und Juden". Gemeinsame Bibel. VKHW 9: 2006 ⇒546. 34-53/17-33.

11712 *Schöttler, Heinz-Günther* "Beziehungen wie zu keiner anderen Religion" (JOHANNES PAUL II.): das besondere Verhältnis von Christentum und Judentum. LS 57 (2006) 314-319;

11713 Religionen sind immer in Auslegungsprozesse verstrickt: Heinz-Günther Schöttlers Replik auf den Beitrag von Hans Kessler. LS 57 (2006) 322-324.

11714 *Schreiner, Stefan* Zwischen Polemik und Verbrüderung. Katholiken und Juden im Polen des 17. und 18. Jahrhunderts. Katholizismus und Judentum. 2006 ⇒663. 112-139.

11715 **Seidman, Naomi** Jewish-christian difference and the politics of translation: afterlives of the bible. Ch 2006, Univ. of Chicago Pr. viii; 334 pp.

11716 *Senior, Donald* Understanding the divide between Judaism and christianity: what happened centuries ago? Why does it matter now?. NBl 87 (2006) 67-72.

11717 *Sievers, Joseph* GIOVANNI PAOLO II e i rapporti ebreo-cristiani. Karol Wojtyla, un Pontefice in diretta: sfida e incanto nel rapporto tra Giovanni Paolo II e la tv. ^E**Mazza, J.** R 2006, RAI 187-190.

11718 *Signer, Michael A.* Reading the same scripture?: Jews and christians: towards renovation of the relationship between Jews and christians. Gemeinsame Bibel. VKHW 9: 2006 ⇒546. 66-74.

11719 *Soulen, Richard K.* The achievement of Michael Wyschogrod. MoTh 22 (2006) 677-685.

11720 *Spreafico, Ambrogio* Gli sviluppi del dialogo ebraico cristiano come paradigma del dialogo interreligioso. ED 59/4 (2006) 67-80.

11721 *Springer, A.J.* Proof of identification: patristic and rabbinic exegesis of the Cain and Abel narrative. Studia patristica 39. 2006 ⇒833. 259-271 [Gen 4,1-16].

11722 *Stefani, Piero* Chiesa e Israele: la radice ritrovata. CredOg 26/1 (2006) 97-113.

11723 *Stegemann, Wolfgang* Schwierigkeiten mit der Erinnerungskultur: Gedenkjahr für Landesbischof Meiser gerät zur kritischen Auseinandersetzung. KuI 21 (2006) 120-144.

11724 *Stendahl, Krister* Qumran and supersessionism–and the road not taken. The bible and the Dead Sea scrolls, III. 2006 ⇒706. 397-405.

11725 **Stow, Kenneth R.** Jewish dogs: an image and its interpreters: continuity in the Catholic-Jewish encounter. Stanford, CA 2006, Stanford University Press xx; 316 pp. €16.50. 0-8047-5281-8. Bibl. 293-308.

11726 **Stökl Ben Ezra, Daniel** The impact of Yom Kippur on early christianity: the day of atonement from Second Temple Judaism to the fifth century. WUNT 2/163: 2003 ⇒19,11500... 21,12194. [R]Numen 53 (2006) 223-227 (*Gemünden, Petra von*); REJ 165 (2006) 299-300 (*Mimouni, Simon C.*); RThPh 137 (2006) 89-90 (*Morvant, Yann*); ThLZ 131 (2006) 1288-1290 (*Knöppler, Thomas*); CBQ 68 (2006) 782-784 (*Schuller, Eileen*); JAC 48-49 (2005-2006) 174-177 (*Rouwhorst, Gerard*).

11727 *Stroumsa, Guy* De l'antijudaïsme à l'antisémitisme dans le christianisme ancien?. Le rire du Christ. 2006 <1996> ⇒312. 139-182.

11728 *Taschner, Johannes; Kriener, Tobias* Biblische Landverheißung und politische Realitäten. Gemeinsame Bibel. 2006 ⇒546. 107-11.

11729 **Teixidor, Javier** Le judéo-christianisme. Folio histoire inédit 146: P 2006, Gallimard 320 pp. €7. 207-033-9556.

11730 **Thoma, Clemens** Pour une théologie chrétienne du judaïsme. [T]*Vidal, Maurice; Hahn, Olaf.*: P 2005, Parole et S. 271 pp.

11731 *Trautner-Kromann, Hanne* Bible interpretations: use or abuse?: debated bible passages and Jewish-Christian relations. [M]ILLMAN, K. 2006 ⇒72. 419-427.

11732 *Van der Horst, Pieter W.* Twenty-five questions to corner the Jews: a Byzantine anti-Jewish document from the seventh century. Jews and Christians. WUNT 196: 2006 <2004> ⇒321. 216-226.

11733 *Van Peperstraten, Frans* Verdringing of samenstelling?: Lyotard en Nancy over de *trait d'union* tussen 'joods' en 'christelijk'. Bijdr. 67 (2006) 424-445.

11734 *Van Rahden, Till* Pluralismus, Kulturkampf und die Grenzen der Toleranz: Juden, Katholiken und das Breslauer Johannesgymnasium 1865-1880. Katholizismus und Judentum. 2006 ⇒663. 193-208.

11735 *Van Slageren, Jaap* Influences juives dans l'histoire de l'Église en Afrique. AnBru 11 (2006) 39-49.

11736 *Veltri, Giuseppe* "... in einigen Glaubensartikeln neigt die jüdische Nation eher zur römischen Kirche": jüdische Gelehrte über Reformation und Gegenreformation. Katholizismus und Judentum. 2006 ⇒663. 15-29.

11737 *Venard, Olivier-Thomas* Pour un dialogue théologique entre Catholiques et Juifs, an essay in sincerity. Ist. 51/1 (2006) 85-112.

11738 *Weinrich, Michael* Christentum, Judentum und Islam–durch den Monotheismus verbunden?. Der Monotheismus. 2006 ⇒578. 119-140.

11739 *Wendehorst, Stefan* Der pluralistische Gesellschaftstheoretiker und Labour-Politiker Harold Laski und seine katholische Welt: ein methodischer Anstoß zur Erforschung der Geschichte der Juden und des Katholizismus im 19. und 20. Jahrhundert?. Katholizismus und Judentum. 2006 ⇒663. 140-161.

11740 **Williamson, Clark M.** A guest in the house of Israel: post-Holocaust church theology. 1993 ⇒10,10154; 11/2,7751. [R]RExp 103 (2006) 254-255 (*Sweeney, Marvin A.*).

11741 *Wolf, Hubert* Liturgischer Antisemitismus?: die Karfreitagsfürbitte für die Juden und die Römische Kurie (1928-1975). Katholizismus und Judentum. 2006 ⇒663. 253-269.

11742 *Wróbel, Miroslaw S.* "Birkat ha-minim" and the process of separation between Judaism and christianity. PJBR 5 (2006) 99-120.

11743 *Wyschogrod, Michael* Responses to friends. MoTh 22 (2006) 701-704.

11744 **Wyschogrod, Michael** Abraham's promise: Judaism and Jewish-Christian relations. [E]*Soulen, Kendall* 2004 ⇒20,303. [R]TJT 22 (2006) 121-122 (*Robinson, Margaret*).

11745 *Xiaowei, Fu* Confusing Judaism and Christianity in contemporary Chinese letters. Jdm 55/1-2 (2006) 12-27.

11746 **Yoder, John Howard** The Jewish-Christian schism revisited. [E]*Cartwright, Michael G.; Ochs, Peter* 2003 ⇒19,297...21,12208. [R]HeyJ 47 (2006) 301-302 (*Madigan, Patrick*); RExp 103 (2006) 240-241 (*Hauerwas, Stanley*).

11747 **Yuval, Israel Jacob** Two nations in your womb: perceptions of Jews and Christians in Late Antiquity and the Middle Ages. [T]*Chipman, Jonathan; Harshav, Barbara*: Berkeley 2006, University of California Press xxi; 313 pp. 0-520-21766-7. Bibl.

11748 *Zank, Michael* Abraham und der jüdisch-christlich-muslimische Dialog: Überlegungen aus jüdischer Perspektive. JK 67/4 (2006) 50-52.

11749 *Zeldes, Nadia* The diffusion of Sefer Yosippon in Sicily and its role in the relations between Jews and Christians. Materia giudaica 11/1-2 (2006) 169-177.

11750 *Zeller, Susanne* Der Humanist ERASMUS von Rotterdam (1469-1536) und sein Verhältnis zum Judentum. KuI 21/1 (2006) 17-28.

11751 **Zetterholm, Magnus** The formation of christianity in Antioch: a social-scientific approach to the separation between Judaism and christianity. 2003 ⇒19,11521... 21,12210. [R]HeyJ 47 (2006) 302-303 (*Madigan, Patrick*); CBQ 68 (2006) 353-355 (*Sim, David C.*); RBLit (2006)* (*Stewart, Eric*).

11752 *Zinni, Raffaello* La roccia su cui siamo stati tagliati: gli ebrei e la questione di Dio. Qol(I) 121-122 (2006) 9-11.

11753 *Zonis, Mark* REMBRANDT und die Juden. FrRu 13 (2006) 207-210.

XVI. Religiones parabiblicae

M1.1 Gnosticismus classicus

11754 *Brakke, David* Self-differentiation among christian groups: the gnostics and their opponents. Cambridge history of christianity 1. 2006 ⇒558. 245-260.

11755 *Chiapparini, Giuliano* Gnosticismo: fine di una categoria storico-religiosa?: a proposito di alcune tendenze recenti nell'ambito degli studi gnostici. AnScR 11 (2006) 181-217.

11756 *Dubois, Jean-Daniel* Etudes gnostiques 2000-2004. Huitième congrès. CBCo 15: 2006 ⇒894. 151-171.

11757 *Gianotto, Claude* Les interprétations gnostiques de la Passion. MoBi 174 (2006) 34-35;

11758 Pouvoir et salut: quelques aspects de la 'théologie politique' des gnostiques et des manichéens. [F]FUNK, W.: BCNH.Etudes 7: 2006 ⇒48. 339-355.

11759 *Goldstein, Ronnie; Stroumsa, Guy G.* The Greek and Jewish origins of Docetism: a new proposal. ZAC 10 (2006) 423-441 [Gen 22; Ps 2].

11760 **Grypeou, Emmanouela** "Das vollkommene Pascha": gnostische Bibelexegese und Ethik. Orientalia Biblica et Christiana 15: 2005 ⇒21,12222. [R]RBLit (2006)* *(Kaiser, Ulrike).*

11761 *Guerra Gómez, Manuel* La gnosis y sus rebrotes en nuestros días. Burg. 47 (2006) 71-130.

11762 **King, Karen** What is Gnosticism?. 2003 ⇒19,11532... 21,12224. [R]JRH 30 (2006) 371-2 *(Jacobs, Andrew S.)*; ThLZ 131 (2006) 695-697 *(Schröter, Jens)*; BiblInterp 14 (2006) 546-549 *(Castelli, Elizabeth A.).*

11763 **Logan, Alastair H.B.** The Gnostics: identifying an early christian cult. L 2006, Clark xvii; 150 pp. $28. 0-567-04062-3. Foreword *Rowan Williams*; Bibl. 124-131.

11764 *Luttikhuizen, Gerard P.* Gnostische theologie: kennis van de onkenbare God. NedThT 60 (2006) 25-40.

11765 **Luttikhuizen, Gerard P.** Gnostic revisions of Genesis stories and early Jesus traditions. NHMS 58: Lei 2006, Brill xviii; 208 pp. €88/$119. 90-04-14510-9. Bibl. 185-197. [R]StPhiloA 18 (2006) 221-225 *(Cox, Ronald R.)*; RBLit (2006)* *(Perkins, Pheme).*

11766 [E]**Marjanen, Antti** Was there a Gnostic religion?. SESJ 87: 2005 ⇒21,12227. [R]RHE 101 (2006) 1102-1103 *(Brankaer, Johanna)*; CBQ 68 (2006) 802-803 *(Timbie, Janet A.).*

11767 **Mastrocinque, Attilio** From Jewish magic to gnosticism. STAC 24: 2005 ⇒21,12231. [R]JSJ 37 (2006) 132-135 *(Nicklas, Tobias).*

11768 [E]**Müller, Wolfgang; Büttemeyer, Wilhelm** Hans JONAS–von der Gnosisforschung zur Verantwortungsethik. Judentum und Christentum 10: 2003 ⇒19,463. [R]Jud. 62 (2006) 174-5 *(Dober, Hans M.).*

11769 **Nitoglia, Gurzio** Gnosi e gnosticismo, paganesimo e giudaismo: dalla tradizione primitiva alla fine dei tempi. Brescia 2006, Cavinato 272 pp. €20.

11770 *Norelli, Enrico* Faut-il s'engager dans ce monde?: des réponses divergentes dans le premier christianisme. Les Pères de l'église. 2006 ⇒810. 165-181.

11771 **Onfray, Michel** Contre-histoire de la philosophie, II: le christianisme hédoniste. P 2006, Grasset et F. 342 pp CAN$35. 978-2246-6-89010.

11772 **Rasimus, Tuomas** Paradise reconsidered: a study of the Ophite myth and ritual and their relationship to Sethianism. 2006, Diss. Helsinki [StTh 61,84].

11773 *Saudelli, Lucia* Étude critique: la philosophie du gnostique BASILIDE. Apocrypha 17 (2006) 211-222.

11774 *Scopello, Maddalena* Le thème du miracle dans la gnose ancienne. RSLR 42 (2006) 621-637.
11775 **Smith, Carl B.** No longer Jews: the search for gnostic origins. 2004, ⇒20,11073; 21,12240. [R]HeyJ 47 (2006) 461-462 (*Madigan, Patrick*); RSR 94 (2006) 601-602 (*Sesboüé, Bernard*); Bib. 87 (2006) 143-146 (*Pearson, Birger*); JThS 57 (2006) 687-689 (*Lane, Margaret*).
11776 **Smoley, Richard** Forbidden faith: the gnostic legacy from the gospels to the Da Vinci Code. SF 2006, Harper 244 pp. $25. [R]Parabola 31/3 (2006) 103, 105 (*Wilson, Peter Lamborn*).
11777 *Stroumsa, Guy* Le rire du Christ: retour sur les origines du docétisme. Le rire du Christ. 2006 <2004> ⇒312. 13-45 [Gen 22].
11778 *Turner, John D.* The gnostic Sethians and middle Platonism: interpretations of the Timaeus and Parmenides. VigChr 60 (2006) 9-64.

M1.2 **Valentinus**; *Corpus hermeticum*

11779 *Kovacs, Judith L.* CLEMENT of Alexandria and Valentinian exegesis in the *Excerpts from Theodotus*. StPatr 41. 2006 ⇒833. 187-200.
11780 **Thomassen, Einar** The spiritual seed: the church of the "Valentinians". NHMS 60: Lei 2006, Brill xv; 545 pp. €129/$174. 90041480-27. Bibl. 509-19. [R]Numen 53 (2006) 396-401 (*Williams, Michael*).

11781 [E]**Delp, Mark D.; Lucentini, Paolo** Hermetis Trismegisti De sex rerum principiis. CChr.CM 142; Hermes Latinus 2: Turnhout 2006, Brepols 228 pp. 2-503-04421-2. Bibl. 121-124.
11782 **Ebeling, Florian** Das Geheimnis des Hermes Trismegistos: Geschichte des Hermetismus von der Antike bis zur Neuzeit. Mü 2005, Beck 214 pp. 34065-28163.
11783 **Festugière, A.** La révélation d'Hermès Trismégiste. CEA.grecque 75: P 2006 <1944-54; 1981>, Belles Lettres 1680 pp. [R]RThPh 138 (2006) 277-278 (*Borel, Jean*).
11784 [E]**Lucentini, Paolo; Perrone Compagni, Vittoria; Parri, Ilaria** Hermetism from late antiquity to humanism: atti del convegno internazionale di studi, Napoli, 20-24 novembre 2001. Instrumenta Patristica et Mediaevalia 40: 2003 ⇒19,11557. [R]RSF 61 2006) 801-805 (*Bray, Nadia*).
11785 **Van den Broek, Roelof** Hermes Trismegistus: inleiding, teksten, commentaren. Pinander 15: Amst 2006, Pelikaan 366 pp. €37.50. 978907-1608-223.

M1.5 **Mani**, *dualismus*; **Mandaei**

11786 *Albrile, Ezio* Nei giardini di luce: prospettive astrali e gnosi iranica. OCP 72 (2006) 145-165.
11787 *Baker-Brian, N.J.* Biblical traditions and their transformation in fourth century Manichaeism. Aug(L) 56 (2006) 63-80.
11788 [E]**Blois, François de; Sims-Williams, Nicholas** Dictionary of Manichaean texts, 2: texts from Iraq and Iran (texts in Syriac, Arabic, Persian and Zoroastrian Middle Persian). Corpus Fontium Manichaeorum: Turnhout 2006, Brepols xiii; 157 pp. 25035-18621.

11789 **Buckley, Jorunn J.** The Mandaeans: ancient texts and modern people. 2002 ⇒19,11564. ᴿJRH 30 (2006) 220-21 (*Gardner, Iain*).

11790 *Dubois, Jean-Daniel* Une lettre du manichéen Matthaios (P. Kell. Copt. 25). ᶠFUNK, W.: BCNH.Etudes 7: 2006 ⇒48. 227-236;

11791 Un *kephalaion* copte sur le canon des écritures manichéennes (*Keph.* Berlin, 148). Pierre Geoltrain. 2006 ⇒556. 215-221.

11792 **Durkin, Desmond** The hymns to the living soul: Middle Persian and Parthian texts in the Turfan Collection. Berliner Turfantexte 24: Turnhout 2006, Brepols xliv, 235 pp. 2-503-52292-0. Bibl. 205-208.

11793 *Franzmann, Majella* An "heretical" use of the New Testament: a Manichaean adaptation of Matt 6:19-20 in P. Kell. Copt. 32. ᶠLA-TEGAN, B.: NT.S 124: 2006 ⇒94. 153-162.

11794 **Franzmann, Majella** Jesus in the Manichaean writings. 2003 ⇒ 19,11566; 21,12267. ᴿRHE 101 (2006) 167-9 (*Swennen, Philippe*).

11795 *Gardner, Iain* A letter from the Teacher: some comments on letter-writing and the Manichaean community of IVᵗʰ century Egypt;

11796 *Lieu, Samuel N.C.* 'My church is superior...': Mani's missionary statement in Coptic and Middle Persian. ᶠFUNK, W.: BCNH.Etudes 7: 2006 ⇒48. 317-323/519-527.

11797 **Lupieri, Edmondo F.** The Mandaeans: the last Gnostics. ᵀHindley, Charles 2002 ⇒18,10611... 21,12281. ᴿJRH 30 (2006) 217-220 (*Gardner, Iain*).

11798 ᴱ**Pedersen, Nils A.** The Manichaean Coptic papyri in the Chester Beatty Library Manichaean homilies: with a number of hitherto unpublished fragments. Corpus fontium Manichaeorum 2: Turnhout 2006, Brepols 196 pp. 978-25035-10453. Num. pl.

11799 *Pettipiece, Timothy* Rhetorica manichaica: a rhetorical analysis of *Kephalaia* chapter 38: 'On the light mind and the apostles and the saints' (Ke 89.19-102.12). ᶠFUNK, W.: BCNH.Etudes 7: 2006 ⇒ 48. 731-745.

11800 **Scopello, Madeleine** Femme, gnose et manichéisme: de l'espace mythique au territoire du réel. NHMS 53: 2005 ⇒21,12237. ᴿMuséon 119 (2006) 227-229 (*Brankaer, Johanna*); LTP 62/1 (2006) 155-157 (*Dritsas-Bizier, Moa*); REG 118 (2005) 635-636 (*Pouderon, Bernard*); CRAI (2006) 1165-1167 (*Mahé, Jean-Pierre*).

11801 ᴱ**Sims-Williams, Nicholas** Dictionary of Manichaean texts, 3: texts from Central Asia and China; part 4: Dictionary of Manichaean texts in Chinese. Corpus Fontium Manichaeorum: Turnhout 2006, Brepols xxv; 193 pp. 978-2-503-51863-3. Dict. of texts in Chinese by *Mikkelsen, Gunner B.*

11802 ᴱ**Stein, Markus** Manichaica latina, 3,2: codex Thevestinus. Papy-Col 27/3,2: Pd 2006, Schöningh 81 pp. 3506-72982-9. Photo.

M2.1 Nag Hammadi, *generalia*

11803 *Abramowski, Luise* "Audi, ut dico": literarische Beobachtungen und chronologische Erwägungen zu Marius Victorinus und den "platonisierenden" Nag Hammadi-Traktaten. ZKG 117 (2006) 145-168.

11804 *Bumazhnov, Dmitrij F.* Zur Bedeutung der Targume bei der Herausbildung des μοναχος-Konzeptes in den Nag Hammadi-Texten. ZAC 10 (2006) 252-259.

11805   *Charron, Régine* A propos des *oua ouwt* et de la solitude divine dans les textes de Nag Hammadi. [F]FUNK, W.: BCNH.Etudes 7: 2006 ⇒48. 109-133.

11806   *De Menezes, Rui* Gnosticism and Nag Hammadi literature. ITS 43 (2006) 267-290.

11807   *Dogniez, Cécile; Scopello, Madeleine* Autour des anges: traditions juives et relectures gnostiques;

11808   *Goehring, James E.* An early Roman bowl from the monastery of Pachomius at Pbow and the milieu of the Nag Hammadi codices. [F]FUNK, W.: BCNH.Etudes 7: 2006 ⇒48. 179-225/357-371.

11809   *Marjanen, Antti* The figure of Authades in the Nag Hammadi and related documents. [F]FUNK, W. 2006 ⇒48. 567-581.

11810   *Painchaud, Louis; Bussières, Marie-Pierre; Kaler, Michael* Le syntagme *pma tērf* dans quelques textes de Nag Hammadi;

11811   *Perkins, Pheme* Christian books and Sethian revelations. [F]FUNK, W.: BCNH.Etudes 7: 2006 ⇒48. 619-645/697-730.

11812   **Schneemelcher, Wilhelm P.** Zwischen Apokalyptik und Gnosis: Untersuchungen zu gnostischen Apokalypsen aus Nag Hammadi. Bonn 2006, Borengässer 158 pp. 39238-46732.

M2.2 *Evangelium etc. Thomae*—The Gospel of Thomas

11813   *Alarcón Sainz, Juan José; Torijano, Pablo A.* Las versiones Siriaca y Griega del "Himno de la perla": introducción, traducción y notas. CCO 3 (2006) 49-81.

11814   [E]**Asgeirsson, Jon Ma.; DeConick, April D.; Uro, Risto** Thomasine traditions in antiquity: the social and cultural world of the gospel of Thomas. NHMS 59: Lei 2006, Brill xix; 307 pp. €95. 90-04-14779-9. Bibl. 273-292.

11815   *Asgeirsson, Jon Ma.* Conflicting epic worlds. Thomasine traditions. NHMS 59: 2006 ⇒11814. 155-174.
        [E]**Betz, P** Da gedachte ich der Perle 2006 ⇒350.

11816   *Brankaer, Johanna* 'Je ne suis pas ton maître': Jésus, Thomas et les disciples dans l'*Évangile de Thomas*. Et vous. 2006 ⇒760. 245-55.

11817   *DeConick, April D.* Corrections to the critical reading of the Gospel of Thomas. VigChr 60 (2006) 201-208;

11818   On the brink of the apocalypse: a preliminary examination of the earliest speeches in the Gospel of Thomas. Thomasine traditions. NHMS 59: 2006 ⇒11814. 93-118.

11819   **DeConick, April D.** Recovering the original gospel of Thomas: a history of the gospel and its growth. Library of NT Studies 286: 2005 ⇒21,12317. [R]VigChr 60 (2006) 231-233 (*Quispel, Gilles*);

11820   The original gospel of Thomas in translation: with a commentary and new English translation of the complete gospel. LNTS 287: L 2006, Clark xv; 359 pp. £90. 0-5670-4382-7. Bibl. 317-339.

11821   *Dunderberg, Ismo* From Thomas to VALENTINUS: Genesis exegesis in Fragment 4 of Valentinus and its relationship to the Gospel of Thomas. Thomasine traditions. NHMS 59: 2006 ⇒11814. 221-37.

11822   *Gathercole, Simon* A proposed rereading of P.Oxy. 654 line 41 (*Gos. Thom.* 7). HThR 99 (2006) 355-359.

11823   *Hartin, Patrick J.* The role and significance of the character of Thomas in the Acts of Thomas. Thomasine traditions. NHMS 59: 2006 ⇒11814. 239-253.

11824 *Kim, David W.* The wind blowing desert: Thomasine scholarship. JCoptS 8 (2006) 87-101.

11825 **Kurikilamkatt, James** First voyage of the apostle Thomas to India. 2005 ⇒21,12325. ᴿETJ 10/1 (2006) 95-96 (*Kudiyiruppil, John*).

11826 *Kvalbein, Hans* The kingdom of the father in the gospel of Thomas. FS AUNE, D.: NT.S 122: 2006 ⇒4. 203-228.
    Lake, K. Gospel texts...Acts of Saint Thomas 2006 ⇒2155.

11827 *Lovette, G.* The parable of the assassin, then and now. Fourth R [Santa Rosa, CA] 19/5 (2006) 19-20.

11828 *Luomanen, Petri* "Let him who seeks, continue seeking": the relationship between the Jewish-Christian gospels and the Gospel of Thomas. Thomasine traditions. NHMS 59: 2006 ⇒11814. 119-53.

11829 *Marjanen, Antti* The portrait of Jesus in the Gospel of Thomas;

11830 *Meyer, Marvin* "Be passersby": Gospel of Thomas 42, Jesus traditions and Islamic literature;

11831 *Moreland, Milton* The twenty-four prophets of Israel are dead: Gospel of Thomas 52 as a critique of early christian hermeneutics. Thomasine traditions. 2006 ⇒11814. 209-219/255-271/75-91.

11832 *Myers, Susan E.* Revisiting preliminary issues in the Acts of Thomas. Apocrypha 17 (2006) 95-112.

11833 **Nordsieck, Reinhard** Das Thomas-Evangelium: Einleitung—zur Frage des historischen Jesus—Kommentierung aller 114 Logien. 2004 ⇒20,11140; 21,12326. ᴿThLZ 131 (2006) 1268-1270 (*Popkes, Enno E.*).

11834 **Pagels, Elaine H.** Das Geheimnis des fünften Evangeliums: warum die Bibel nur die halbe Wahrheit sagt: mit dem Text des Thomasevangeliums. Mü 2006, Dt. Taschenbuch-Verlag 239 pp. 978-3-42-3-34333-6.

11835 *Patterson, Stephen J.* The Gospel of Thomas and christian beginnings. Thomasine traditions. NHMS 59: 2006 ⇒11814. 1-17;

11836 The Gospel of Thomas and historical Jesus research. ᶠFUNK, W.: BCNH.Etudes 7: 2006 ⇒48. 663-684.

11837 *Perrin, N.* Thomas: the fifth gospel?. JETS 49 (2006) 67-80.

11838 *Plisch, Uwe-Karsten* Die Frau, der Krug und das Mehl: zur ursprünglichen Bedeutung von EvThom 97. ᶠFUNK, W.: BCNH.Etudes 7: 2006 ⇒48. 747-760.

11839 *Popkes, Enno E.* Von der Eschatologie zur Protologie: Transformationen apokalyptischer Motive im Thomasevangelium. Apokalyptik als Herausforderung. WUNT 2/214: 2006 ⇒348. 211-233.

11840 **Popkes, Enno E.** Das Menschenbild des Thomasevangeliums: ein Beitrag zur Entwicklungsgeschichte frühchristlicher und gnostischer Anthropologie. ᴰNiebuhr, K.-W. 2006, Diss.-Habil. Jena [ThLZ 132,487].

11841 *Price, R.M.* The purloined kingdom. Fourth R [Santa Rosa, CA] 19/5 (2006) 11-13, 20.

11842 *Puig i Tàrrech, A.* El evangelio según Tomás: ¿otra lectura de Jesús?. Did(L) 36/2 (2006) 71-105.

11843 *Robbins, Vernon K.* Enthymeme and picture in the Gospel of Thomas. Thomasine traditions. NHMS 59: 2006 ⇒11814. 175-207.

11844 *Schüngel, Paul* Zur Neuübersetzung des Thomasevangeliums in der Alandschen Synopse. NT 48 (2006) 275-291.

11845   *Sellew, Philip H.* Jesus and the voice from beyond the grave: Gospel of Thomas 42 in the context of funerary epigraphy. Thomasine traditions. NHMS 59: 2006 ⇒11814. 39-73.

11846   **Serafim, Munkki** Tuomaan teot: johdanto ja käännös. SESJ 91: Helsinki 2006, Suomen Eksegeettinen Seura iv; 295 pp. 951-9217-46-0. Bibl. 280-294.

11847   *Tubach, Jürgen* Historische Elemente in den Thomasakten. Studien zu den Thomas-Christen in Indien. ᴱTubach, Jürgen; Vashalomidze, G. Sophia: HBO 33: Halle 2006, Institut für Orientalistik. 49-116. 0233-2205.

11848   *Uro, Risto* The social world of the Gospel of Thomas. Thomasine traditions. NHMS 59: 2006 ⇒11814. 19-38.

11849   **Uro, Risto** Thomas: seeking the historical context of the gospel of Thomas. 2003 ⇒19,11607...21,1233. ᴿJR 86 (2006) 112-113 (*Patterson, Stephen J.*); ZKG 117 (2006) 94-96 (*Eisele, Wilfried*).

11850   *Van Aarde, Andries G.* Ebionite tendencies in the Jesus tradition: the Infancy Gospel of Thomas interpreted from the perspective of ethnic identity. Neotest. 40 (2006) 353-382.

11851   *Vouga, François* Mort et résurrection de Jésus dans la Source des logia et dans l'Évangile de Thomas. ᶠFUNK, W.: BCNH.Etudes 7: 2006 ⇒48. 1009-1024.

M2.3 *Singula scripta*—Various titles [⇒κ3.4]

11852   *Broze, Michèle* Les Enseignements de Sylvanos et la parole tranchante: jeux de mots et assonances plurilinguistiques. Ment. *Philo*: Apocrypha 17 (2006) 79-86.

11853   *Dunderberg, Ismo* Lust for power in the *Tripartite tractate* (NHC I,5). ᶠFUNK, W.: BCNH.Etudes 7: 2006 ⇒48. 237-257.

11854   *Hyldahl, Jesper* Text and reader in *Eugnostos the Blessed* (NHC III,3 and V,1). ᶠFUNK, W.: BCNH.Etudes 7: 2006 ⇒48. 373-387.

11855   ᴱᵀKaiser, Ursula U. Die Hypostase der Archonten: Nag-Hammadi-Codex II,4. ᴰ*Bethge, Hans-Gebhard*: TU 156: B 2006, De Gruyter viii; 460 pp. 978-3-11-019071-7. Diss. Humboldt; Bibl. 419-436.

11856   **King, Karen L.** The Secret Revelation of John. CM 2006, Harvard Univ. Pr. xi; 397 pp. $25. 0-674-01903-2. Bibl. 271-314. ᴿRBLit (2006)* (*Aune, David*); JThS 57 (2006) 684-687 (*Wilson, R.M.*).

11857   ᴱᵀKulawik, Cornelia Die Erzählung über die Seele (Nag-Hammadi-Codex II.6): neu herausgegeben, übersetzt und erklärt. ᴰ*Bethge, Hans-Gebhard*: TU 155: B 2006, De Gruyter viii, 351 pp. 3-11-01-8672-1. Diss. Humboldt; Bibl. 319-333.

11858   *Luisier, Philippe* De PHILON d'Alexandrie à la *Prôtennoia trimorphe*: variations sur un thème de grammaire grecque. ᶠFUNK, W.: BCNH.Etudes 7: 2006 ⇒48. 535-555.

11859   **Magnusson, Jörgen** Rethinking the Gospel of Truth: a study of its eastern Valentinian setting. AUU: U 2006, Univ. Uppsala 189 pp. Diss. Uppsala. ᴿSvTK 82 (2006) 187-188 (*Pearson, Birger A.*).

11860   *Mahé, Jean-Pierre* Accolade ou baiser?: sur un rite hermétique de régénération: ἀσπάζεσθαι en NH VI,57,26 et 65,4. ᶠFUNK, W.: BCNH.Etudes 7: 2006 ⇒48. 557-565.

11861   *McCree, J. Woodrow* The Gospel of Truth's interpretation of the delusion of the Demiurge. Studia patristica 41. 2006 ⇒833. 57-63.

11862   *Pearson, Birger A. Marsanes* revisited;
11863   *Poirier, Paul-Hubert* Deux doxographies sur le destin et le gouver-
         nement du monde: le *Livre des lois des pays* et *Eugnote* (NH III,3
         et V,1). ᶠFUNK, W. 2006 ⇒48. 685-696/761-786.
11864   ᴱᵀ**Poirier, Paul-Hubert** La pensée première à la triple forme: (NH
         XIII,1). BCNH.T 32: Québec, Canada 2006, Presses de l'Université
         Laval xxxix; 400 pp. Bibl. vii-xxxix.
11865   *Roberge, Michel* L'analogie sexuelle et embriologique dans la *Pa-
         raphrase de Sem* (NH VII,1);
11866   *Turner, John D.* The Sethian baptismal rite;
11867   *Williams, Michael A.; Jenott, Lance* Inside the covers of Codex VI.
         ᶠFUNK, W.: BCNH.Etudes 7: 2006 ⇒48. 847-71/941-92/1025-52.
11868   *Zmorzanka, Anna Z.* Motyw róży w piśmie gnostyckim *O początku
         świata*, NHC II 5, 111,12-15 [Il motivo della rosa nel testo gnostico
         'De origine mundi', NHC II 5, 111,12-15]. Vox Patrum 26 (2006)
         749-754. **P**.

M3.2 **Religio comparativa**

11869   ᴱ**Antes, Peter; Geertz, Armin W.; Warne, Randi R.** New ap-
         proaches to the study of religion, 1: Regional, critical, and histori-
         cal approaches; 2: Textual, comparative, sociological, and cogni-
         tive approaches. Religion and Reason 42-43: 2004 ⇒20,11155.
         ᴿNumen 53 (2006) 238-246 (*Stausberg, Michael*); ThLZ 131
         (2006) 689-692 (*Uehlinger, Christoph*).
11870   *Bechmann, Ulrike* Monotheismus in der Kritik: eine religionswis-
         senschaftliche Debatte und ihre Relevanz für den interreligiösen
         Dialog. Prekäre Zeitgenossenschaft. 2006 ⇒432. 9-22.
11871   *Borgeaud, Philippe* L'Orient des religions: réflexion sur la con-
         struction d'une polarité, de Creuzer à Bachofen. AfR 8 (2006) 153-
         162.
11872   **Crook, Zeba A.** Reconceptualising conversion: patronage, loyalty,
         and conversion in the religions of the ancient Mediterranean.
         BZNW 130: 2004 ⇒20,11157. ᴿThLZ 131 (2006) 374-376 (*Omer-
         zu, Heike*).
11873   *Diesel, Anja A.* Primäre und sekundäre Religion(serfahrung)–das
         Konzept von Th. Sundermeier und J. Assmann. Primäre und
         sekundäre Religion. BZAW 364: 2006 ⇒489. 23-41.
11874   *Flood, Gavin D.* The phenomenology of scripture: patterns of re-
         ception and discovery behind scriptural reasoning. MoTh 22 (2006)
         503-514.
11875   *Grünschloß, Andreas* Jenseits von "primärer" und "sekundärer" Re-
         ligion. Primäre und sekundäre Religion. 2006 ⇒489. 251-258.
11876   *Heinonen, Reijo E.* Interconnectedness and complementarity: pre-
         conditions for an inter-cultural and inter-religious dialogue;
11877   *Illman, Ruth* Seeing the other: understanding and dialogue in inter-
         cultural and inter-religious encounters. ᴹILLMAN, K. 2006 ⇒72.
         107-115/117-136.
11878   *Jacques, Francis* Transformer la philosophie de la religion. RHPhR
         86 (2006) 41-65.
11879   *Kepnes, Steven* A handbook for scriptural reasoning;

11880   *Koshul, Basit B.* Scriptural reasoning and the philosophy of social science. MoTh 22 (2006) 367-383/483-501.
11881   *Loprieno, Antonio* Primäre und sekundäre Religionserfahrung als dreiteilige Hierarchie. Primäre und sekundäre Religion. BZAW 364: 2006 ⇒489. 259-266.
11882   *Ochs, Peter* Philosophic warrants for scriptural reasoning;
11883   *Quash, J. Ben* Heavenly semantics: some literary-critical approaches to scriptural reasoning. MoTh 22 (2006) 465-482/403-420.
11884   *Santiemma, Adriano* Il rito come umano operare. StEeL 23 (2006) 9-15.
11885   *Splett, Jörg* A fé como obséquio da razao: algumas perguntas a Reiner Wimmer. RPF 62/2-4 (2006) 763-767.
11886   *Ticciati, Susannah* Scriptural reasoning and the formation of identity. MoTh 22 (2006) 421-438.
11887   *Uehlinger, Christoph* Visible religion und die Sichtbarkeit von Religion(en): Voraussetzungen, Anknüpfungsprobleme, Wiederaufnahme eines religionswissenschaftlichen Forschungsprogramms. BThZ 23 (2006) 165-184.
11888   *Wimmer, Reiner* Racionalidade e credibilidade da religiosidade monoteísta. RPF 62/2-4 (2006) 739-761.
11889   **Wunn, Ina** Die Religionen in vorgeschichtlicher Zeit. 2005 ⇒21, 12358. ^ROTEs 19 (2006) 365-366 *(Riekert, S.J.P.K.)*.
11890   *Xella, Paolo* Per una ricerca sugli operatori cultuali: introduzione metodologica e tematica. StEeL 23 (2006) 3-8.

M3.5 Religiones mundi cum christianismo comparatae

11891   **Randall, Albert B.** Strangers on the shore: the beatitudes in world religions. NY 2006, Lang x; 169 pp. 0-8204-8136-X. ^RScEs 58 (2006) 320-324 *(Dumsday, Travis)* [Mt 5,3-11].
11892   **Seelig, Gerald** Religionsgeschichtliche Methode in Vergangenheit und Gegenwart: Studien zur Geschichte und Methode des religionsgeschichtlichen Vergleichs in der neutestamentlichen Wissenschaft. ABIG 7: 2001 ⇒17,9827; 19,11655. ^RFgNT 19 (2006) 121-124 *(Stenschke, Christoph)*.

M3.6 Sectae—Cults

11893   *Abad, Alfredo* La palabra de Dios en la vida de las iglesias de la Reforma. ResB 51 (2006) 61-64.
11894   *Gagliano, Stefano* La bibbia, i doveri del cristiano e l'amor di patria: il Protestantesimo italiano nel primo conflitto mondiale. RiSCr 3 (2006) 359-381.
11895   **Greer, Rowan A.** Anglican approaches to scripture: from the Reformation to the present. NY 2006, Crossroad xxxiii; 244 pp. $30. 0-8245-2368-7. Bibl. 230-234.
11896   *Hamilton, M.W.* Transition and continuity: biblical scholarship in today's Churches of Christ. Stone-Campbell journal [Loveland, OH] 9 (2006) 187-203.
11897   *Heen, Erik M.* The bible among Lutherans in America: the ELCA as a test case. Dialog 45/1 (2006) 9-20.

11898 *Huls, J.* From theology to mystagogy: the interiorisation of the Protestant tradition by a world citizen: Dag Hammarskjöld. The spirit that moves. AcTh(B).S 8: 2006 ⇒510. 84-98.

11899 *Jacobson, Diane Levy; LaHurd, Carol Schersten; McArver, Susan Wilds* LUTHER's legacy in American Lutheran women's bible study. Dialog 45/1 (2006) 29-35.

11900 **Jenkins, Philip** The new faces of christianity: believing the bible in the global south. NY 2006, OUP 193 pp. $26. 978-01953-00659.

11901 ᴱ**Kimbrough, S.T., Jr.** Orthodox and Wesleyan scriptural understanding and practice. 2005 ⇒21,12377. ᴿAsbJ 61/2 (2006) 115 (*Collins, Kenneth J.*).

11902 *Koch, Dietrich-A.; Schinkel, Dirk* Die Frage nach den Vereinen in der Geistes- und Theologiegeschichte des 19. und 20. Jahrhunderts unter besonderer Berücksichtigung des zeitgenössischen Vereinswesens und der "Wende" in der protestantischen Theologie nach 1918. Vereine. STAC 25: 2006 ⇒741. 129-148.

11903 *Langford, M.* The bible for Quakers. Friends Quarterly [Ashford, UK] 35/2 (2006) 45-53.

11904 *Manoel, Marcel* L'autorité doctrinale dans la tradition réformée: fondements théologiques, pratique et défis à partir de l'exemple de l'Eglise Réformée de France. RHPhR 86 (2006) 231-251.

11905 *Milano, Barbara Felix Y.* Manalo: il quinto angelo dell'Apocalisse. SMSR 72 (2006) 347-374.

11906 *Oblau, Gotthard* Heilende Kräfte in den Pfingstkirchen. Überraschende Einsichten auf der Suche nach einer Theologie der Armen in Lateinamerika. BiKi 61 (2006) 108-110.

11907 *Olson, Dennis T.* How Lutherans read the bible: a North American and global conversation. Dialog 45/1 (2006) 4-8.

11908 *Parsons, Mikeal Carl* Luke among Baptists. PRSt 33 (2006) 137-154.

11909 **Phelan, Peter** Comparisons: Sabah local culture and the bible. 2005 ⇒21,12385. ᴿNewTR 19/1 (2006) 85-86 (*Gros, Jeffrey*).

11910 *Price, Robert M.* The oracles of Samuel the Lamanite: a deconstruction of Helaman 13-15. Ment. *Smith, Joseph*: JHiC 12/2 (2006) 50-68.

11911 **Raineri, Osvaldo** Muovi le corde della mia anima: inni e preghiere della chiesa etiopica. Preghiere dalla varie tradizioni 2: R 2006, Appunti di Viaggio 193 pp. Bibl. 187-189.

11912 *Reisz, H. Frederick, Jr.* Reading the bible in the Lutheran tradition. Dialog 45/1 (2006) 21-28.

11913 *Smit, Dirk J.* "Bevrydende waarheid?": nagedink oor die aard van gereformeerde belydenis. AcTh(B) 26/1 (2006) 134-158.

11914 *Spangenberg, I.J.J.* Oor doodloopstrate en omweë: kanttekeninge by die boek Doodloopstrate van die geloof–'n perspektief op die Nuwe Hervorming. VeE 27 (2006) 361-373.

11915 *Van Lieburg, Fred* Bible reading and Pietism in the Dutch Reformed tradition. Lay bibles. BEThL 198: 2006 ⇒719. 223-244.

11916 **Warburg, Margit** Citizens of the world: a history and sociology of the Baha'is in a globalisation perspective. SHR 106: Lei 2006, Brill xxx; 592 pp. 90-04-14373-4. Bibl. 543-576.

M3.8 Mythologia

11917 **Barber, Elizabeth W.; Barber, Paul T.** When they severed earth from sky: how the human mind shapes myth. 2005 ⇒21,12397. [R]AfR 8 (2006) 348-350 (*Rader, Richard*).

11918 **Borgeaud, Philippe** Exercises de mythologie. 2004 ⇒20,11192. [R]AnCl 75 (2006) 427-428 (*Bonnet, Corinne*).

11919 *Bremmer, Jan N.* The myth of the golden fleece. JANER 6 (2006) 9-38.

11920 **Edmonds, Radcliffe G., III** Myths of the underworld journey: PLATO, ARISTOPHANES, and the 'Orphic' gold tablets. 2004 ⇒20, 11195. [R]JR 86 (2006) 153-154 (*Bouvrie, Synnøve des*); AnCl 75 (2006) 429-430 (*Pirenne-Delforge, Vinciane*).

11921 *Fürst, Alfons* "Einer ist Gott": die vielen Götter und der eine Gott in der Zeit der alten Kirche. WUB 39 (2006) 58-63.

11922 **Gangloff, Anne** DION CHRYSOSTOME et les mythes: hellénisme, communication et philosophie politique. Horos: Grenoble 2006, Millon 428 pp. Préf. *Luc Brisson*; Diss. Paris IV-Sorbonne 2003. [R]REG 119 (2006) 801-804 (*Bost-Pouderon, Cécile*).

11923 **Garbini, Giovanni** Mito e storia nella bibbia. StBi 137: 2003 ⇒ 19,11690... 21,12409. [R]RivBib 54 (2006) 478-481 (*Deiana, Giovanni*).

11924 *Schutte, F.* At the foot of Mount Olympus: a theory on myth. HTSTS 62 (2006) 577-605.

11925 *Zeller, Dieter* Halt und Bedrohung im Weltall: zum Astralglauben der Antike. N.T. und Hellenistische Umwelt. BBB 150: 2006 <2002> ⇒331. 241-250.

M4.0 Religio romana

11926 **Beard, Mary; North, John; Price, Simon** Religions de Rome. [T]*Cadoux, Jean-Louis; Cadoux, Margaret*: Antiquité—Synthèses 10: P 2006, Picard 414 pp. €67. 2-7084-0766-X. Préf. *John Scheid*; Bibl.365-397.

11927 *Beck, Roger* The religious market of the Roman Empire: Rodney Stark and christianity's pagan competition. Religious rivalries. 2006 ⇒670. 233-252.

11928 *Bendlin, Andreas* 'Eine wenig Sinn für Religiosität verratende Betrachtungsweise': Emotion und Orient in der römischen Religionsgeschichtsschreibung der Moderne. AfR 8 (2006) 227-256.

11929 *Benoist, Stéphane* Les Romains ont-ils cru à la divinité de leurs principes?. [F]MARTIN, J. 2006 ⇒106. 115-127.

11930 *Berner, Ulrich* Christentum und Herrscherkult: Religion und Politik im römischen Kaiserreich. Gottesmacht. 2006 ⇒572. 57-73.

11931 **Calisti, Flavia** Mefitis: dalle madri alla madre: un tema religioso italico e la sua interpretazione romana e cristiana. Chi siamo 41: R 2006, Bulzoni 330 pp.

11932 [TE]**Chapot, Frédéric; Laurot, Bernard** Corpus de prières grecques et romaines. Recherches sur les Rhétoriques Religieuses 2: 2001 ⇒ 17,9864. [R]RHR 223 (2006) 97-99 (*Lhommé, Marie-Karine*).

11933   *Dandamayev, Muhammad A.* Neo-Babylonian and Achaemenid state administration in Mesopotamia. Judah and the Judeans. 2006 ⇒941. 373-398.

11934   **Davies, Jason P.** Rome's religious history: LIVY, TACITUS and AMMIANUS on their gods. 2004 ⇒20,11217. ^RJRS 96 (2006) 248-249 (*Nice, Alex*).

11935   *Gall, Dorothee* Aspekte römischer Religiosität: Iuppiter optimus maximus. Götterbilder-Gottesbilder-Weltbilder, II. FAT 2/18: 2006 ⇒636. 69-92.

11936   **Guillaumont, François** Le *De diuinatione* de CICÉRON et les théories antiques de la divination. Bru 2006, Latomus 396 pp. €57. 287-03-12393. ^REtCl 74 (2006) 361-362 (*Clarot, B.*).

11937   *Hainzmann, Manfred* (Dea) Noreia-Isis: alte und neue Schutzherrin der Noriker. ^FHAIDER, P.: Oriens et Occidens 12: 2006 ⇒60. 675-692.

11938   *Harrill, J. Albert* Servile functionaries or priestly leaders?: Roman domestic religion, narrative intertextuality, and PLINY's reference to slave christian ministrae (Ep. 10,96,8). ZNW 97 (2006) 111-130.

11939   **Krauter, Stefan** Bürgerrecht und Kultteilnahme: politische und kultische Rechte und Pflichten in griechischen Poleis, Rom und antikem Judentum. BZNW 127: 2004 ⇒20,11226; 21,12442. ^RThLZ 131 (2006) 275-278 (*Öhler, Markus*).

11940   *Kreikenbom, Detlev* "Ist dies Iuppiters Haus?": die Residenz des AUGUSTUS zwischen Präsentation und Wahrnehmung. Der ägyptische Hof. 2006 ⇒904. 231-266.

11941   *Lipka, M.* Notes on Pompeian domestic cults. Numen 53 (2006) 327-358.

11942   *Loriot, Xavier* Le culte impérial dans le Pont sous le Haut-Empire. ^FMARTIN, J. 2006 ⇒106. 521-540.

11943   ^T**Luck, Georg** Arcana mundi: magic and the occult in the Greek and Roman worlds: a collection of ancient texts. Baltimore, MD 2006, Johns Hopkins Univ. Pr. xvii; 544 pp. $95. 0-8018-8346-6. Bibl. 519-527.

11944   *Manthe, Ulrich* Ein Orakel aus dem 7. Jahrhundert v. Chr.. ^FHAASE, R.: Philippika 13: 2006 ⇒58. 157-178.

11945   *Margel, S.* Religio/superstitio: la crise des institutions, de CICÉRON à AUGUSTIN. RThPh 138 (2006) 193-207.

11946   **Martin, Michaël** Magie et magiciens dans le monde gréco-romain. 2005 ⇒21,12445. ^RREA 108 (2006) 811-812 (*Haack, Marie-Laurence*).

11947   *Mrozewicz, Leszek* Religion et despotisme: le cas de DOMITIEN. ^FMARTIN, J.: 2006 ⇒106. 89-96.

11948   **Naiden, F.S.** Ancient supplication. NY 2006, OUP xiv; 426 pp. £45. 978-01951-83412.

11949   *Pearce, Laurie E.* New evidence for Judeans in Babylonia. Judah and the Judeans. 2006 ⇒941. 399-411.

11950   *Prescendi, Francesca* Some observations concerning the difference between magic and religion in Roman culture. VDI 258 (2006) 124-134. **R**.

11951   *Rathmayr, Elisabeth* Götter- und Kaiserkult im privaten Wohnbereich anhand von Skulpturen aus dem Hanghaus 2 in Ephesos. RöHM 48 (2006) 103-133.

11952 *Ripat, P.* Roman omens, Roman audiences, and Roman history. GaR 53/2 (2006) 155-174.
11953 *Rüpke, Jörg* Roman imperial and provincial religion: an interim report. AfR 8 (2006) 327-342. Collab. *Franca Fabricius*;
11954 Patterns of religious change in the Roman Empire. ᶠCHARLES-WORTH, J. 2006 ⇒19. 13-33.
11955 **Rüpke, Jörg**, *al.*, Fasti sacerdotum: die Mitglieder der Priesterschaften und das sakrale Funktionspersonal römischer, griechischer, orientalischer und jüdisch-christlicher Kulte in der Stadt Rom von 300 v.Chr. bis 499 n.Chr.. 2005 ⇒21,12460. ᴿHZ 283 (2006) 157-160 (*Beck, Hans*).
11956 *Santi, Claudia* I *viri sacris faciundis* tra *concordia ordinum* e *pax deorum*. StEeL 23 (2006) 171-184.
11957 **Scheid, John** Quand faire, c'est croire: les rites sacrificiels des Romains. 2005 ⇒21,12463. ᴿASSR 51/2 (2006) 257-259 (*Van den Kerchove, Anna*); RH 130 (2006) 723-726 (*Benoist, Stéphane*); AnCl 75 (2006) 442-444 (*Pirenne-Delforge, Vinciane*); VDI 259 (2006) 205-209 (*Smirnova, O.P.*).
11958 *Schmitzer, Ulrich* Friede auf Erden?: latinistische Erwägungen zur pax Augusta. Götterbilder-Gottesbilder-Weltbilder, II. FAT 2/18: 2006 ⇒636. 93-111.
11959 **Van Haeperen, Françoise** Le collège pontifical (3ᵉ s. a.C.-4ᵉ s. p.C.): contribution à l'étude de la religion publique romaine. EPAHA 39: 2002 ⇒19,11756; 21,12466. ᴿAt. 94 (2006) 770-774 (*Novellini, Alessandro*).
11960 **Warrior, Valerie M.** Roman religion. C 2006, CUP xvii; 165 pp. 978-0-521-53212-9. Bibl. 149-155.
11961 **Wildfang, R.L.** Rome's Vestal Virgins: a study of Rome's Vestal priestesses in the Late Republic and Early Empire. L 2006, Routledge xiv; 158 pp. £60/$110; £20/$36. 04153-97952/60.

M4.5 Mithraismus

11962 *Beck, Roger* On becoming a mithraist: new evidence for the propagation of the mysteries. Religious rivalries. 2006 ⇒670. 175-194.
11963 **Beck, Roger** The religion of the Mithras cult in the Roman Empire: mysteries of the unconquered sun. Oxf 2006, OUP xiii; 285 pp. £50. 0-19-814089-4. Bibl. 261-271. ᴿEtCl 74 (2006) 352-353 (*Kamara, Aphrodite*).
11964 **Betz, Hans Dieter** The 'Mithras liturgy': text, translation and commentary. STAC 18: 2003 ⇒19,11760... 21,12468. ᴿRBLit (2006)* (*Thom, Johan*).
11965 *Campos Méndez, Israel* El dios Mithra en los nombres personales durante la dinastía persa aqueménida. AuOr 24 (2006) 165-175.
11966 *Griffith, Alison B.* Completing the picture: women and the female principle in the Mithraic cult. Numen 53 (2006) 48-77.
11967 *Meyer, Marvin* The Mithras liturgy. Historical Jesus. 2006 ⇒334. 179-192.
11968 *Rubino, Claudio* POMPEYO Magno, los piratas cilicios y la introducción del mitraísmo en el imperio romano según PLUTARCO. Latomus 65 (2006) 915-927.

M5.1 *Divinitates Graeciae*—**Greek gods and goddesses**

11969 *Albrile, Ezio* Oltre le soglie di Ade: un excursus mitografico. Laur. 47 (2006) 337-348.

11970 *Alfè, Marialuisa; Scafa, Enrico* Sul ruolo del santuario e del clero nell'economia dei regni micenei. StEeL 23 (2006) 63-82.

11971 *Bendlin, Andreas* Vom Nutzen und Nachteil der Mantik: Orakel im Medium von Handlung und Literatur in der Zeit der Zweiten Sophistik. Texte als Medium. 2006 ⇒834. 159-207.

11972 *Biraschi, Anna Maria* A proposito di 'operatori cultuali' nelle panatenee. StEeL 23 (2006) 141-149.

11973 **Bowden, Hugh** Classical Athens and the Delphic Oracle: divination and democracy. 2005 ⇒21,12479. [R]RH 308 (2006) 423-425 (*Sineux, Pierre*).

11974 **Broad, William J.** The oracle: the lost secrets and hidden message of ancient Delphi. NY 2006, Penguin 320 pp. 1-594-20081-5. Bibl. 287-294.

11975 **Bruit Zaidman, Louise** Les Grecs et leurs dieux: pratiques et représentations religieuses dans la cité à l'époque classique. 2005 ⇒ 21,12482. [R]RH 308 (2006) 425-428 (*Sineux, Pierre*).

11976 *Burkert, Walter* Mythen–Tempel–Götterbilder: von der nahöstelichen Koiné zur griechischen Gestaltung. Götterbilder–Gottesbilder – Weltbilder, II. FAT 2/18: 2006 ⇒636. 3-20;

11977 Griechische Religion als "primäre Religion"?. Primäre und sekundäre Religion. BZAW 364: 2006 ⇒489. 211-226.

11978 **Busine, Aude** Paroles d'Apollon: pratiques et traditions oraculaires dans l'antiquité tardive (IIe-VIe siècles). RGRW 156: 2005 ⇒21, 12486. [R]AfR 8 (2006) 351-352 (*Graf, Fritz*).

11979 **Carastro, Marcello** La cité des mages: penser la magie en Grèce ancienne. Horos: Grenoble 2006, Millon 272 pp. 28413-71905. [R]EtCl 74 (2006) 319-322 (*Bonnet, Corinne*).

11980 *Cardete del Olmo, María Cruz* El sacrificio humano: víctimas en el monte Liceo. 'Ilu 11 (2006) 93-115.

11981 **Clay, Jenny Strauss** HESIOD's cosmos. 2003 ⇒20,11255. [R]Gn. 78 (2006) 355-357 (*Musäus, Immanuel*).

11982 *Cotter, Wendy* Miracle stories: the god Asclepius, the Pythagorean philosophers, and the Roman rulers. The historical Jesus. 2006 ⇒ 334. 166-178.

11983 **Dillon, Matthew** Girls and women in classical Greek religion. 2002 ⇒18,10762; 19,11778. [R]HeyJ 47 (2006) 132 (*Waterfield, Robin*).

11984 **Dowden, Ken** Zeus. L 2006, Routledge xxv; 164 pp. 0-415-30502-0/3-9. Bibl. 144-149.

11985 *Finkelberg, Margalit* Ino-Leukothea between east and west. JANER 6 (2006) 105-121.

11986 **Goff, Barbara** Citizen Bacchae: women's ritual practice in ancient Greece. 2004 ⇒20,11259. [R]AnCl 75 (2006) 436-438 (*Pirenne-Delforge, Vinciane*); Gn. 78 (2006) 733-734 (*Scodel, Ruth*).

11987 **Humphreys, Sally C.** The strangeness of gods: historical perspectives on the interpretation of Athenian religion. 2004 ⇒20,11262. [R]EM 74 (2006) 191-194 (*Valdés Guía, Miriam*); AnCl 75 (2006) 435-436 (*Van Liefferinge, Carine*).

11988 *Mazzola, Elena* Ecate: solo dea delle donne?: la dea nelle testimonianze letterarie dalle origini al III secolo a.C.. Acme 59/2 (2006) 305-318.

11989 **Munn, M.** The mother of the gods, Athens, and the tyranny of Asia: a study of sovereignty in ancient religion. Berkeley 2006, Univ. of California Pr. xviii; 452 pp. £32.50/$50. 05202-43498.

11990 *Nesselrath, Heinz-Günther* Die Griechen und ihre Götter;

11991 Tempel, Riten und Orakel: die Stellung der Religion im Leben der Griechen. Götterbilder-Gottesbilder-Weltbilder, II. FAT 2/18: 2006 ⇒636. 21-44/45-67.

11992 ᴱ**Nissim, Liana; Preda, Alessandra** Magia, gelosia, vendetta: il mito di Medea nelle lettere francesi: Gargnano del Garda (8-11 giugno 2005). Quaderni di Acme 78: Mi 2006, Cisalpino 464 pp. 88-323-6048-9. Bibl.

11993 *Peres, Imre* Positive griechische Eschatologie. Apokalyptik als Herausforderung. WUNT 2/214: 2006 ⇒348. 267-282.

11994 *Pernot, Laurent* The rhetoric of religion. Rhetorica 24/3 (2006) 235-254.

11995 *Sablon, Vincent du* Religiosité hellénistique et accès au cosmos divin. EtCl 74 (2006) 3-23.

11996 **Schörner, G.** Votive im römischen Griechenland: Untersuchungen zur späthellenistischen und kaiserzeitlichen Kunst- und Religionsgeschichte. Altertumswissenschaftliches Kolloquium 7: 2003 ⇒19, 11803... 20,11273. ᴿHZ 282 (2006) 458-459 (*Scheer, Tanja*).

11997 *Sève, Michel* Qu'est-ce qu'un dieu grec?. BAGB 2 (2006) 133-146.

11998 *Thomas, Florence* Spiele und Feste zu Ehren der Athene: die großen Panathenäen. WUB 39 (2006) 20-25.

11999 *Valdés Guía, Miriam* La constitución de la religión cívica en Atenas arcaica: parte tercera. 'Ilu 11 (2006) 237-326.

12000 **Vatin, Claude** Ariane et Dionysos: un mythe de l'amour conjugal. Études de littérature ancienne 14: 2004 ⇒20,11277; 21,12531. ᴿRThPh 137 (2006) 93-94 (*Bérard, Claude*).

12001 *Waldner, Katharina* Die poetische Gerechtigkeit der Götter: Recht und Religion im griechischen Roman. Texte als Medium. 2006 ⇒ 834. 101-123.

M5.2 *Philosophorum critica religionis*—**Greek philosopher religion**

12002 *Adamson, P.* Neoplatonism. Phron. 51 (2006) 408-422.

12003 ᵀ**Albrecht, Michael von** Jamblich: Περι του Πυθαγορειου βιου: Pythagoras: Legende—Lehre—Lebensgestaltung. 2002 ⇒19, 11810; 21,12537. ᴿAt. 94/1 (2006) 354-356 (*Ferrari, Franco*).

12004 *Annas, Julia* Recent work on PLATO's Timaeus. StPhiloA 18 (2006) 125-142.

12005 *Armisen-Marchetti, Mireille* Les stoïciens ont-ils cru au déluge universel?. Pallas 72 (2006) 323-338.

12006 *Beierwaltes, Werner* PLOTINs philosophische Mystik und ihre Bedeutung für das Christentum. Wege mystischer Gotteserfahrung. 2006 ⇒859. 81-95.

12007 *Bucur, Cristina; Bucur, Bogdan G.* "The place of splendor and light": observations on the paraphrasing of Enn 4.8.1 in the Theology of ARISTOTLE. Ment. *Plotinus*: Muséon 119 (2006) 271-292.

12008 *Burnyeat, M.F.* Platonism in the bible: NUMENIUS of Apamea on Exodus and eternity. Revelation of the name. 2006 ⇒796. 139-168.

12009 **Fortenbaugh, William** ARISTOTLE's practical side: on his psychology, ethics, politics and rhetoric. PhAnt 101: Lei 2006, Brill xii; 482 pp. 978-90-04-15164-2. Bibl.

12010 *Fuhrer, Therese* Stoa und Christentum;

12011 *Fürst, Alfons* SENECA–ein Monotheist?: ein neuer Blick auf eine alte Debatte. Der apokryphe Briefwechsel. Sapere 11: 2006 ⇒10369. 108-125/85-107.

12012 *Gill, C.* Hellenistic and Roman philosophy. Phron. 51 (2006) 285-293.

12013 ᵀ**Görgemanns, Herwig**, *al.*, PLUTARCH: Dialog über die Liebe. Sapere 10: Tü 2006, Mohr S. x; 322 pp. 31614-88113. Bibl. 299-305.

12014 *Henderson, Ian H.* APULEIUS of Madauros. The historical Jesus. 2006 ⇒334. 193-205.

12015 *Hunink, Vincent* Dreams in APULEIUS' *Metamorphoses*. ᶠKESSELS, A. 2006 ⇒84. 18-31.

12016 **Kasulke, Christoph T.** FRONTO, MARC AUREL und kein Konflikt zwischen Rhetorik und Philosophie im 2. Jh. n. Chr. Beiträge zur Altertumskunde 218: Mü 2005, Saur 456 pp. 3-598-77830-9. Bibl. 387-406.

12017 ᴱᵀ**Konstan, David; Russell, Donald A.** HERACLITUS: Homeric problems. 2005 ⇒21,12572. ᴿRBLit (2006)* (*Jaillard, Dominique; MacDonald, Dennis*).

12018 *Magny, Ariane* PORPHYRY *Against the christians*: a critical analysis of the book of Daniel in its historical context. Studia patristica 42. 2006 ⇒833. 181-186.

12019 *Marin, Maurizio* Sapienza e sagezza nell'antica filosofia greca. Sal. 68 (2006) 215-236.

12020 **Martin, Dale B.** Inventing superstition: from the Hippocratics to the christians. 2004 ⇒20,11304. ᴿGn. 78 (2006) 521-526 (*Gordon, Richard*).

12021 **McGroarty, Kieran** PLOTINUS on eudaimonia: a commentary on Ennead I.4. Oxf 2006, OUP xxiii; 236 pp. 0-19-928712-0. Bibl. 208-219.

12022 *Millar, Fergus* PORPHYRY: ethnicity, language, and alien wisdom. Rome, the Greek world, 3. 2006 <1997> ⇒275. 331-350.

12023 *Moles, John* Cynic influence upon first-century Judaism and early christianity. The limits of ancient biography. 2006 ⇒881. 89-116.

12024 **Muller, Robert** Les stoïciens: la liberté et l'ordre du monde. Bibliothèque des philosophies: P 2006, Vrin 290 pp. €28. 978-27116-18132.

12025 ᴱ**Nesselrath, Heinz-Günter** DION von Prusa: Menschliche Gemeinschft und göttliche Ordnung: die Borysthenes-Rede. SAPERE 6: 2003 ⇒20,11305. ᴿBZ 50 (2006) 299-301 (*Schmeller, Thomas*).

12026 *Niederwimmer, Kurt* PANAITIOS von Rhodos: die Masken des Lebens. Amt und Gemeinde 57 (2006) 238-245.

12027 *Nolan, D.* Stoic gunk. Phron. 51 (2006) 162-183.

12028 ᴱ**Obbink, Dirk** ANUBION: Carmen astrologicum elegiacum. Mü 2006, Saur x; 79 pp. 978-3-598-71228-9. Bibl. vi-viii.

12029 **Obenga, Théophile** L'Egypte, la Grèce et l'école d'Alexandrie: histoire interculturelle dans l'antiquité: aux sources égyptiennes de la philosophie grecque. 2005 ⇒21,12582. ^RCongo-Afrique 410 (2006) 503-505 (*Lusala, Luka*).

12030 *Osborne, Catherine* Philosophy. Edinburgh companion. 2006 ⇒ 596. 361-376.

12031 ^E**Rabe, Hugo** Invention and method: two rhetorical treatises from the Hermogenic corpus. ^T*Kennedy, George A.*: 2005 ⇒21,12586. ^RRBLit (2006)* (*Hock, Ronald; Verheyden, Joseph*).

12032 **Reydams-Schils, Gretchen** The Roman Stoics: self, responsibility and affection. 2005 ⇒21,12589. ^RSCI 25 (2006) 166-168 (*Griffin, Miriam*); JRS 96 (2006) 237-238 (*Gill, Christopher*).

12033 *Rosen, Klaus* Auf der Suche nach dem glücklichen Leben: die Philosophen von Athen. WUB 39 (2006) 26-28, 30-31.

12034 *Schenkeveld, D.M.* What do we do with HOMER?: literary criticism in the Hellenistic age. ^FKESSELS, A.. 2006 ⇒84. 189-202.

12035 *Schmid, Alfred* Das ptolemäische Weltbild. Mensch und Raum. Colloquium Rauricum 9: 2006 ⇒879. 127-149.

12036 **Seaford, Richard** Money and the early Greek mind: HOMER, philosophy, tragedy. 2004 ⇒20,11310. ^RHeyJ 47 (2006) 622-623 (*Madigan, Patrick*).

12037 *Siegert, Folker* Arbeit Gottes, Arbeit der Menschen: PLUTARCH im Gespräch mit Johannes. Arbeit in der Antike. 2006 ⇒618. 5-26.

12038 *Van der Horst, Pieter W.* PSEUDO-PHOCYLIDES on the afterlife: a rejoinder to John Collins. <2004>;

12039 The first atheist. Jews and Christians. Ment. *Critias*: WUNT 196: 2006 ⇒321. 93-97/242-249.

12040 *Walter, Peter* Senecabild und Senecarezeption vom späten Mittelalter bis in die frühe Neuzeit. Der apokryphe Briefwechsel. Sapere 11: 2006 ⇒10369. 126-146.

12041 **Wildberger, Jula** SENECA und die Stoa: der Platz des Menschen in der Welt, Band 1: Text; Band 2: Anhänge, Literatur, Anmerkungen und Register. UALG 84/1-2: B 2006, De Gruyter 2 vols; 1034 pp. 3-11-019148-2.

12042 *Zanker, Paul* Dal culto della *paideia* alla visione di Dio. Musa pensosa. 2006 ⇒597. 173-189.

12043 **Zuntz, Günther** Griechische philosophische Hymnen. ^E*Käppel, Lutz; Cancik, Hubert*: STAC 35: Tü 2005, Mohr S. xxv; 227 pp. 3-16-147428-7. Bibl. 203-217.

M5.3 *Mysteria eleusinia; Hellenistica*—**Mysteries; Hellenistic cults**

12044 *Apicella, Catherine* Asklépios, Dionysos et Eshmun de Sidon: la création d'une identité religieuse originale. Transferts culturels. 2006 ⇒614.141-149.

12045 *Auffarth, Christoph* 'Licht im Osten': die antiken Mysterienkulte als Vorläufer, Gegenmodell oder katholisches Gift zum Christentum. AfR 8 (2006) 206-226.

12046 *Bonnet, Corinne* Les 'religions orientales' au laboratoire de l'hellénisme, 2: Franz Cumont. AfR 8 (2006) 181-205.

12047 *Bru, Hadrien; Demirer, Ünal* Dionysisme, culte impériale et vie civique à Antioche de Pisidie (première partie). REA 108 (2006) 581-611.

12048 **Busch, Peter** Magie in neutestamentlicher Zeit. FRLANT 218: Gö 2006, Vandenhoeck & R. 190 pp. €80. 35255-30811. Bibl. 173-84.

12049 *Caponera, Annarita* La mistica nei "misteri" di Eleusi. ConAss 8/2 (2006) 11-18.

12050 ^{ET}**Chuvin, Pierre; Fayant, Marie-Christine** NONNOS de Panopolis: les dionysiaques, 15: chants XLI-XLIII. CUFr: P 2006, Belles Lettres xiv; 217 pp. €49. 2-251-00530-7.

12051 **Cumont, Franz** Les religions orientales dans le paganisme romain. ^E*Bonnet, Corinne; Van Haeperen, Françoise*: Bibliotheca Cumontiana, Scripta Maiora 1: T 2006, Aragno lxxiv; 403 pp. 88841-928-97.

12052 ^E**De Caro, Stefano** Egittomania: Iside e il misterio. Mi 2006, Electa 271 pp. 88370-46464. Catalogo mostra Napoli 2006.

12053 ^{ET}**Frangoulis, H.** NONNOS de Panopolis: les dionysiaques, 12: chants XXXV-XXXVI. CUFr.G 448: P 2006, Belles Lettres xvii; 171 pp. 2-251-00531-5.

12054 *Genberg, Gil H.* Was incubation practiced in the Latin West. AfR 8 (2006) 105-147.

12055 *Glinister, Fay* Women, colonisation and cult in Hellenistic central Italy. AfR 8 (2006) 89-104.

12056 *Hirschmann, Vera* Macht durch Integration?: Aspekte einer gesellschaftlichen Wechselwirkung zwischen Verein und Stadt am Beispiel der Mysten und Techniten des DIONYSOS von Smyrna. Vereine. STAC 25: 2006 ⇒741. 41-59.

12057 *Kaizer, Ted* In search of oriental cults: methodological problems concerning 'the particular' and 'the general' in Near Eastern religion in the Hellenistic and Roman periods. Hist. 55 (2006) 26-47.

12058 **Kloft, Hans** Mysterienkulte der Antike: Götter, Menschen, Rituale. Beck'sche Reihe 2106: Mü ³2006, Beck 127 pp. 978-3406-446061.

12059 *Martin, Luther H.* Cognitive science, ritual, and the Hellenistic mystery religions. R & T 13 (2006) 383-395.

12060 **Meyer, Marion** Die Personifikation der Stadt Antiocheia: ein neues Bild für eine neue Gottheit. JdI.E 33: B 2006, De Gruyter xvi; 541 pp. 978-3-11-019110-3.

12061 *Parrish, J.W.* It's all in the definition: the problem with 'dying and rising gods'. Council of Societies for the Study of Religion Bulletin [Houston, TX] 35/3 (2006) 71-75.

12062 *Payen, Pascal* Les 'religions orientales' au laboratoire de l'hellénisme, 1: Johann Gustav DROYSEN. AfR 8 (2006) 163-180.

12063 **Sanzi, Ennio** Cultos orientais e magia no mundo helenístico-romano: modelos e perspectivas metodólogicas. ^T*Siqueira, Silvia M.A.*: Fortaleza 2006, EdUECE 147 pp. 85-88544-09-1. Bibl. 129-146.

12064 ^E**Sanzi, Ennio** I culti orientali nell'impero romano: un'antologia di fonti. Collana di Studi storico-religiosi 4: 2003 ⇒19,11851; 20, 11324. ^RRHR 223 (2006) 229-231 (*Turcan, Robert*).

12065 **Sfameni Gasparro, Giulia** Oracoli, profeti, sibille: rivelazione e salvezza nel mondo antico. BSRel 171: 2002 ⇒18,10837... 20, 11327. ^RLat. 72 (2006) 386-388 (*Pasquato, Ottorino*).

12066 ^{ET}**Simon, Bernadette** NONNOS de Panopolis: les dionysiaques, 16: chants XLIV-XLVI. CUFr Sér. grecque 438: 2004 ⇒20,11328. ^RREA 108 (2006) 774-775 (*Cusset, Christophe*).

12067 *Van der Horst, Pieter W.* The Great Magical Papyrus of Paris (PGM IV) and the bible. Jews and christians. WUNT 196: 2006 ⇒ 321. 269-279.

12068   **Vian, Francis; Fayant, Marie-Christine** NONNOS de Panopolis:
les dionysiaques, 19: index général des noms propres. CUFr: P
2006, Belles Lettres 136 pp. €25. 2-251-00534-X.

M5.5 Religiones anatolicae

12069   *Archi, Alfonso* Hurrian gods and the festivals of the Hattian-Hittite
layer. [F]ROOS, J. de. UNHAII 103: 2006 ⇒140. 147-163.
12070   *Bachvarova, Mary* Divine justice across the Mediterranean: Hittite
arkuwars and the trial scene in AESCHYLUS' *Eumenides*. JANER 6
(2006) 123-153.
12071   **Bawanypeck, Daliah** Die Rituale der Auguren. Texte der Hethiter
25: 2005 ⇒21,12635. [R]RA 100 (2006) 184-185 (*Mouton, Alice*).
12072   *Berndt-Ersöz, Susanne* The Anatolian origin of Attis. Pluralismus
und Wandel. AOAT 337: 2006 ⇒846. 9-39.
12073   **Bunnens, Guy** Tell Ahmar II: a new Luwian stele and the cult of
the storm-god at Til Barsib-Masuwari. Lv 2006, Peeters xv; 174
pp. 90-429-1817-9. Contrib. *J. David Hawkins; Isabelle Leirens*.
12074   *Busine, Aude* The officials of oracular sanctuaries in Roman Asia
Minor. AfR 8 (2006) 275-316.
12075   **Christiansen, Birgit** Die Ritualtradition der Ambazzi: eine philo-
logische Bearbeitung und entstehungsgeschichtliche Analyse der
Ritualtexte CTH 391, CTH 429 und CTH 463. StBT 48: Wsb
2006, Harrassowitz xix; 449 pp. €48. 3447-05333-X. Bibl. 427-49.
12076   *Collins, Billie Jean* Pigs at the gate: Hittite pig sacrifice in its east-
ern Mediterranean context. JANER 6 (2006) 155-188.
12077   *Crasso, Daniela* Alcuni aspetti cultuali della città ittita di Ankuwa.
AltOrF 33 (2006) 328-346.
12078   *Haider, Peter W.* Der Himmel über Tarsos: Tradition und Meta-
morphose in der Vorstellung vom Götterhimmel in Tarsos vom En-
de der Spätbronzezeit bis ins 4. Jahrhundert v.Chr.. Pluralismus und
Wandel. AOAT 337: 2006 ⇒846. 41-54.
12079   **Hazenbos, Joost** The organization of the Anatolian cults during the
thirteenth century B.C.: an appraisal of the Hittite cult inventories.
Cuneiform Monographs 21: 2003 ⇒19,11865...21,12641. [R]AfO 51
(2005-2006) 361-363 (*Beal, Richard H.*).
12080   **Hirschmann, Vera-E.** Horrenda secta: Untersuchungen zum früh-
christlichen Montanismus und seinen Verbindungen zur paganen
Religion Phrygiens. Historia, Einzelschriften 179: 2005 ⇒21,
12642. [R]JECS 14 (2006) 537-538 (*Tabbernee, William*).
12081   *Högemann, Peter; Oettinger, Norbert* Eine hethitische Parallele zur
Bestrafung des Flussgottes Mäander bei STRABON?. Pluralismus
und Wandel. AOAT 337: 2006 ⇒846. 55-63.
12082   *Hutter, Manfred* Die Kontinuität des palaischen Sonnengottes Ti-
yaz in Phrygien. [F]HAIDER, P.: Oriens et Occidens 12: 2006 ⇒60.
81-88;
12083   Die phrygische Religion als Teil der Religionsgeschichte Anatoli-
ens. Pluralismus und Wandel. AOAT 337: 2006 ⇒846. 79-95.
12084   *Hutter-Braunsar, Sylvia* Materialien zur religiösen Herrscherlegiti-
mation in hieroglyphenluwischen Texten;
12085   *Hülden, Oliver* Überlegungen zum Totenkult der lykischen Dynas-
tenzeit. Pluralismus und Wandel. 2006 ⇒846. 97-114/ 65-78.

12086 *Kryszat, Guido* Herrscher, Herrschaft und Kulttradition in Anatolien nach den Quellen aus den altassyrischen Handelskolonien–Teil 2: Götter, Priester und Feste Altanatoliens. AltOrF 33 (2006) 102-124.

12087 **Langkjer, Erik** The origin of our belief in God: from Inner Anatolia 7000 B.C. to Mt. Sinai and Zion. 2004 ⇒20,11350. [R]OLZ 101 (2006) 177-180 (*Huber, Friedrich*).

12088 *Mazoyer, Michel* Pluralisme des cercles e Télipinu: Télipinu et son cercle en Cilicie au début de l'âge du Fer. Pluralismus und Wandel. AOAT 337: 2006 ⇒846. 115-121.

12089 **Miller, Jared L.** Studies in the origins, development and interpretation of the Kizzuwatna rituals. StBT 46: 2004 ⇒20,11354; 21, 12646. [R]BiOr 63 (2006) 129-133 (*Mouton, Alice*).

12090 *Mouton, Alice* Quelques usages du feu dans les rituels hittites et mésopotamiens. RHR 223 (2006) 251-264.

12091 **Nakamura, Mitsuo** Das hethitische nuntarriyasha-Fest. UNHAII 94: 2002 ⇒18,10873; 20,11358. [R]WO 36 (2006) 243-247 (*Taracha, Piotr*).

12092 *Ökse, A.* Tuba Gre Vîrîke (period I)—Early Bronze Age ritual facilities on the middle Euphrates River. Anatolica 32 (2006) 1-27.

12093 *Popko, Maciej* Ein neues hethitisches Textfragment mythologischen Inhalts. AltOrF 33 (2006) 155-159.

12094 *Roller, Lynn E.* Midas and Phrygian cult practice;

12095 *Rutherford, Ian* Religion at the Greco-Anatolian interface: the case of Karia. Pluralismus und Wandel. 2006 ⇒846. 123-135/137-144.

12096 *Schwemer, Daniel* Das hethitische Reichspantheon: Überlegungen zu Struktur und Genese. Götterbilder-Gottesbilder-Weltbilder, I. FAT 2/17: 2006 ⇒636. 241-265.

12097 *Sievertsen, Uwe* 'Red lustrous wheel-made ware' und offizielle Religion in Anatolien im späten 2. Jahrtausend v.Chr. Pluralismus und Wandel. AOAT 337: 2006 ⇒846. 145-174.

12098 **Strauss, R.** Reinigungsrituale aus Kizzuwatna: ein Beitrag zur Erforschung hethitischer Ritualtradition und Kulturgeschichte. B 2006, De Gruyter xx; 470 pp. €128. 9783-110179-750. Diss. FU Berlin.

12099 **Taggar-Cohen, Ada** Hittite priesthood. Texte der Hethiter 26: Heid 2006, Winter xiv; 514 pp. 978-3-8253-5262-5. Bibl. 447-465.

12100 *Talloen, Peter, al.,* Matar in Pisidia: Phrygian influences in southwestern Anatolia. Pluralismus und Wandel. 2006 ⇒846. 175-190.

12101 *Torri, Giulia* Le [MUNUS.MES]*hazkarai*: operatori cultuali femminili nelle feste ittite. StEeL 23 (2006) 99-106.

12102 *Trémouille, Marie-Claude* Un exemple de continuité religieuse en Anatolie: le dieu Šarrumma;

12103 *Vassileva, Maya* Phrygian literacy in cult and religion;

12104 *Woudhuizen, Fred C.* Aspects of Anatolian religion. Pluralismus und Wandel. AOAT 337: 2006 ⇒846. 191-224/225-239/241-248.

M6.0 Religio canaanaea, syra

12105 *Ackerman, Susan* Women and the worship of Yahweh in ancient Israel. [F]DEVER, W. 2006 ⇒32. 189-197.

12106   *Albani, Matthias* Israels Feste im Herbst und das Problem des Ka-
lenderwechsels in der Exilszeit. Festtraditionen in Israel und im Al-
ten Orient. 2006 ⇒698. 111-156.

12107   **Albertz, Rainer** Storia della religione nell'Israele antico, 1: dalle
origini alla fine dell'età monarchica. Introd. allo studio della bibbia,
Suppl. 23: 2005 ⇒21,12657. [R]Protest. 61 (2006) 277-278 (*Noffke,
Eric*);

12108   Storia della religione nell'Israele antico, 2: dall'esilio ai Maccabei.
Introd. allo studio della bibbia, Suppl. 24: Brescia 2005, Paideia
392 pp. €38.60.

12109   *Albright, W.F.* The ancient Near East and the religion of Israel.
Presidential voices. 2006 <1939> ⇒340. 45-65.

12110   **Albright, William F.** Archaeology and the religion of Israel. LVL
[5]2006 <1942>, Westminster xlviii; 247 pp. $40. 978-06642-27425.
Reprint of 5th ed. (1968); New introd. by *Theodore J. Lewis*.

12111   *Assmann, Jan* L'iconoclasmo come teologia politica. Mondo della
bibbia 17/2 (2006) 13-17.

12112   **Atwell, James E.** The sources of the Old Testament: a guide to the
religious thought of the Hebrew Bible. 2004 ⇒20,11385; 21,
12662. [R]RRT 13 (2006) 23-24 (*Bury, Benjamin*).

12113   *Aurelius, Erik* "Ich bin der Herr, dein Gott": Israel und sein Gott
zwischen Katastrophe und Neuanfang. Götterbilder-Gottesbilder-
Weltbilder, I. FAT 2/17: 2006 ⇒636. 325-345.

12114   **Azize, Joseph** The Phoenician solar theology: an investigation into
the Phoenician opinion of the sun found in JULIAN's Hymn to King
Helios. Gorgias Dissertations 15: 2005 ⇒21,12663. [R]ANESt 43
(2006) 291-295 (*Frendo, Anthony J.*).

12115   *Baumann, Gerlinde* Trendy monotheism?: ancient Near Eastern
models and their value in elucidating 'monotheism' in ancient Israel.
OTEs 19 (2006) 9-25.

12116   *Biezeveld, Kune E.* Identiteitsvorming impliceertbeeldvorming: de
polariteit tussen "Israël" en "Kanaän" opnieuw bekeken. NedThT
60 (2006) 222-234.

12117   *Bons, Eberhard* Ist der Monotheismus Israels das Ergebnis eines
prophetischen Umkehrprogramms?: Überlegungen zum Artikel
Bernhard Langs. Primäre und sekundäre Religion. BZAW 364:
2006 ⇒489. 139-146.

12118   **Dever, William G.** Did God have a wife?: archaeology and folk
religion in ancient Israel. 2005 ⇒21,12672. [R]RRT 13 (2006) 163-
168 (*Bunta, Silviu*); JJS 57 (2006) 342-343 (*Curtis, Adrian H.W.*);
SJOT 20 (2006) 314-315 (*Lemche, Niels Peter*); ArOr 74 (2006)
491-494 (Břeňová, Klára); CBQ 68 (2006) 727-728 (*Fulco, Wil-
liam J.*); RBLit (2006)* (*Amit, Yairah; Becking, Bob*); JHScr 6
(2006)* = PHScr III,422-424 (*Wiggins, Steve*) [⇒593].

12119   *Dutcher-Walls, Patricia* Sleeping next to the elephant: ideological
adaptation on the periphery. [F]PECKHAM, B.: LHBOTS 455: 2006
⇒126. 182-193.

12120   *Faust, Avraham* Trade, ideology, and boundary maintenance in
Iron Age Israelite society. A holy people. 2006 ⇒565. 17-35.

12121   [E]**Gittlen, Barry Melvin** Sacred time, sacred place: archaeology
and the religion of Israel. 2002 ⇒18,2679; 19,11899. [R]ArOr 74
(2006) 137-140 (*Čech, Pavel*).

12122 **Goldingay, John E.** Israel's faith. Old Testament theology 2: DG 2006, InterVarsity 891 pp. 978-0-8308-2562-2. Bibl. 835-852.

12123 **Gottwald, Norman K.** Proto-globalization and proto-seculariza-tion in ancient Israel. [F]DEVER, W. 2006 ⇒32. 207-214.

12124 *Handy, Lowell K.* Josiah in a new light: assyriology touches the re-forming king. Orientalism, assyriology and the Bible. HBM 10: 2006 ⇒626. 415-435.

12125 *Hess, Richard S.* A new discussion of archaeology and the religion of ancient Israel. BBR 16 (2006) 141-148.

12126 *Human, D.J.* Perspektiewe op erotiek en seksualiteit in die ou Na-bye Ooste. VeE 27 (2006) 1-25.

12127 **Kaizer, Ted** The religious life of Palmyra: a study of social pat-terns of worship in the Roman period. Oriens et Occidens 4: 2002 ⇒18,10919...21,12687. [R]JRAS 16 (2006) 299-304 (*Lieu, Samuel*).

12128 *Kratz, Reinhard G.* Theologisierung oder Säkularisierung?: der bib-lische Monotheismus im Spannungsfeld von Religion und Politik. Der biblische Gesetzesbegriff. AAWG.PH 278: 2006 ⇒695. 43-72.

12129 *Kühn, Dagmar* Jordanien: Petra: Nefesch-Totengedenken bei den Nabatäern. WUB 39 (2006) 68-69.

12130 *Lambert, W.G.* Gods of second millennium BCE Syria: texts and art. BAIAS 24 (2006) 125-126.

12131 *Lang, Bernhard* Der Ruf zur Umkehr: Israels Religionsgeschichte aus ethnologischer Sicht. Primäre und sekundäre Religion. BZAW 364: 2006 ⇒489. 121-137.

12132 **Lemaire, André** La nascita del monoteismo: il punto di vista di uno storico. StBi 145: 2005 ⇒21,12690. [R]Protest. 61 (2006) 193-194 (*Noffke, Eric*); Sal. 68 (2006) 593-594 (*Mantovani, Mauro*).

12133 [ET]**Lightfoot, J.L.** LUCIAN: On the Syrian goddess. 2003 ⇒19, 11920; 20,11421. [R]Gn. 78 (2006) 74-75 (*Billault, Alain*); AfO 51 (2005-2006) 363-365 (*Hutter, Manfred*).

12134 *Loretz, Oswald* Das Neujahrsfest im syrisch-palästinischen Regen-baugebiet; der Beitrag der Ugarit- und Emar-Texte zum Verständ-nis biblischer Neujahrstradition. Festtraditionen in Israel und im Alten Orient. 2006 ⇒698. 81-110.

12135 *Miller, Daniel R.* The shadow of the overlord: revisiting the ques-tion of Neo-Assyrian imposition on the Judaean cult during the eighth-seventh centuries BCE. [F]PECKHAM, B.: LHBOTS 455: 2006 ⇒126. 146-168.

12136 *Miller, Robert D., II Lineamenta* for an understanding of Israelite monotheism. BiBh 32 (2006) 124-134.

12137 **Nakhai, Beth Alpert** Archaeology and the religions of Canaan and Israel. ASOR 7: 2001 ⇒17,9989; 21,12701. [R]BASOR 342 (2006) 116-118 (*Byrne, Ryan*).

12138 *Niehr, Herbert* Die phönizischen Stadtpanthea des Libanon und ih-re Beziehung zum Königtum in vorhellenistischer Zeit. Götterbil-der-Gottesbilder-Weltbilder, I. FAT 2/17: 2006 ⇒636. 303-324.

12139 *Nissinen, Martti* Elemente sekundärer Religionserfahrung im nach-exilischen Juda?: Erwiderung auf R. Schmitt. Primäre und sekundä-re Religion. BZAW 364: 2006 ⇒489. 159-167.

12140 **Nocquet, Dany** Le "livret noir de Baal": la polémique contre le dieu Baal dans la Bible hébraïque et l'ancien Israël. 2004 ⇒20, 11432; 21,12705. [R]RTL 37 (2006) 256-257 (*Wénin, André*); ETR 81 (2006) 439-440 (*Vincent, Jean Marcel*).

12141 *Nunn, Astrid* Aspekte der syrischen Religion im 2. Jahrtausend
       v.Chr. Götterbilder-Gottesbilder-Weltbilder, I. FAT 2/17: 2006 ⇒
       636. 267-281.
12142 *Olmo Lete, Gregorio del* Una 'ventana' en el templo de Baal. AuOr
       24 (2006) 177-188;
12143 Once again on the Ugaritic ritual texts I: on D. Pardee's epigraphy
       and other methodological issues. AuOr 24 (2006) 265-274.
12144 *Ortlund, Eric* Intentional ambiguity in Old Testament and Ugaritic
       descriptions of divine conflict. UF 38 (2006) 543-556 [Isaiah 30;
       Habakkuk 3].
12145 **Penchansky, David** Twilight of the gods: polytheism in the He-
       brew Bible. 2005 ⇒21,12709. ᴿJHScr 6 (2006)* = PHScr III,375-
       378 (*Heiser, Michael S.*) [⇒593].
12146 Le religioni della Siria antica. ᴱ**Mantovani, Piera Arata**: Mondo
       della Bibbia 17/4 (2006) 1-55.
12147 *Roberts, J.J.M.; Roberts, Kathryn L.* Yahweh's significant other.
       ᶠSAKENFELD, K. 2006 ⇒142. 176-185.
12148 *Schmid, Konrad* Gibt es "Reste hebräischen Heidentums" im Alten
       Testament?: methodische Überlegungen anhand von Dtn 32,8f und
       Ps 82;
12149 *Schmitt, Rüdiger* Die nachexilische Religion Israels: Bekenntnisre-
       ligion oder kosmotheistische Religion?. Primäre und sekundäre Re-
       ligion. BZAW 364: 2006 ⇒489. 105-120/147-157.
12150 *Schwartz, Joshua* A holy people in the winepress: treading the
       grapes of holiness. A holy people. 2006 ⇒565. 39-51.
12151 **Seidl, Theodor** Vermittler von Weisung und Erkenntnis: Priester
       außerhalb der Priesterschrift: eine Textstudie. ATSAT 81: St. Otti-
       lien 2006, EOS vii; 196 pp. 3-8306-7243-8. Bibl. 175-187.
12152 *Smith, Mark S.* Primary and secondary religion in Psalms 91 and
       139: a response to Andreas Wagner. Primäre und sekundäre Reli-
       gion. BZAW 364: 2006 ⇒489. 99-103.
12153 *Snyman, D.* Die ontwikkeling van monoteïsme in Israel as agter-
       grond vir die verstaan van die JHWH-mlk-psalms. VeE 27 (2006)
       676-691 [Ps 47; 93; 96-99].
12154 *Spieckermann, Hermann* "Des Herrn ist die Erde": ein Kapitel alt-
       syrisch-kanaanäischer Religionsgeschichte. Götterbilder-Gottesbil-
       der-Weltbilder, I. FAT 2/17: 2006 ⇒636. 283-301.
12155 **Stark, Christine** "Kultprostitution" im Alten Testament?: die Qe-
       deschen der Hebräischen Bibel und das Motiv der Hurerei. OBO
       221: FrS 2006, Academic 249 pp. FS76. 3-7278-1567-1. Bibl. 219-
       239.
12156 *Stern, Ephraim* Goddesses and cults at Tel Dor. ᶠDEVER, W. 2006
       ⇒32. 177-180;
12157 The sea peoples cult in Philistia and northern Israel. ᶠMAZAR, A..
       2006 ⇒108. 385-398.
12158 *Thomas, M.C.* Plurality of religious groups beliefs and practices in
       the Northern Kingdom of Israel. BiBh 32 (2006) 272-298.
12159 *Wagner, Andreas* Ps 91–Bekenntnis zu Jahwe;
12160 *Welke-Holtmann, Sigrun* Das Konzept von primärer und sekundä-
       rer Religion in der alttestamentlichen Wissenschaft–eine Bestands-
       aufnahme. Primäre und sekundäre Religion. BZAW 364: 2006 ⇒
       489. 73-97/45-55.

12161   *Xella, Paolo* Il 'dio santo' di Sarepta. [F]SANMARTÍN, J.: AuOr.S 22: 2006 ⇒144. 481-489.

12162   *Zatelli, Ida* Monti e luoghi elevati nella Bibbia ebraica: monti di Dio e sacralità di Sion. Religioni e sacri monti. [E]**Barbero, Amilcare; Piano, Stefano**: Atlas.Suppl. 2 al n. 137: 2006. 95-107. Atti convegno, Torino, Moncalvo, CasM, 12-16 ottobre 2004.

12163   **Zevit, Ziony** The religions of ancient Israel: a synthesis of parallactic approaches. 2001 ⇒17,10015... 20,11450. [R]JBL 125 (2006) 410-416 (*Burnett, Joel*).

M6.5 Religio aegyptia

12164   *Abdelrahiem, Mohamed* Chapter 144 of the Book of the Dead from the temple of Ramesses II at Abydos. SAÄK 34 (2006) 1-16.

12165   *Albert, Florence* La composition du Livre des Morts tardif: des traditions locales aux traditions 'scripturales'. Egypte Afrique & Orient 43 (2006) 39-46.

12166   *Assmann, Jan* Kulte und Religionen: Merkmale primärer und sekundärer Religion(serfahrung) im Alten Ägypten. Primäre und sekundäre Religion. BZAW 364: 2006 ⇒489. 269-280.

12167   **Assmann, Jan** Altägyptische Totenliturgien, v.1: Totenliturgien in den Sargtexten des Mittleren Reiches. 2002 ⇒19,11969; 20,11457. [R]JNES 65 (2006) 226-229 (*Hays, Harold*);

12168   Ägyptische Geheimnisse. 2004 ⇒20,11456. [R]BiOr 63 (2006) 278-282 (*Spieser, Cathie*).

12169   **Backes, Burkhard** Wortindex zum späten Totenbuch (pTurin 1791). 2005 ⇒21,12732. [R]BiOr 63 (2006) 506-8 (*Lucarelli, Rita*).

12170   [E]**Backes, Burkhard; Munro, Irmtraut; Stöhr, Simone** Totenbuch-Forschungen: gesammelte Beiträge des 2. Internationalen Totenbuch-Symposiums Bonn, 25.-29. September 2005. Wsb 2006, Harrassowitz ix; 370 pp. €68. 978-34470-54706. Num. ill.

12171   *Barta, Heinz* SOLONs Eunomia und das Konzept der ägyptischen Ma'at–ein Vergleich: zu Volker Fadingers Übernahms-These. [F]HAIDER, P. Oriens et Occidens 12: 2006 ⇒60. 409-443.

12172   **Beinlich, Horst** Das Buch vom Ba. 2000 ⇒16,10280... 18,10982. [R]OLZ 101 (2006) 133-137 (*Lieven, Alexandra von*).

12173   *Bickel, Susanne* Die Verknüpfung von Weltbild und Staatsbild: Aspekte von Politik und Religion in Ägypten. Götterbilder-Gottesbilder-Weltbilder, I. FAT 2/17: 2006 ⇒636. 79-99.

12174   *Billing, Nils* The Secret One: an analysis of a core motif in the books of the netherworld. SAÄK 34 (2006) 51-71.

12175   **Bricault, Laurent** Isis, dame des flots. Aegyptiaca Leodiensia 7: Liège 2006, Centre Informatique de Philosophie et Lettres 243 pp. 80 ill.

12176   *Broekman, Gerard P.F.* The "High Priests of Thot" in Hermopolis in the fourth and early third centuries B.C.E.. ZÄS 133 (2006) 97-103, pl. XXVII.

12177   *Calmettes, Marie-Astrid* La vignette du chapitre 151 du Livre pour Sortir au jour. Egypte Afrique & Orient 43 (2006) 23-30.

12178   **Campagno, Marcelo** Una lectura de la contienda entre Horus y Seth. Razón Política 4: 2004 ⇒20,11465. [R]BiOr 63 (2006) 495-496 (*Patanè, Massimo*).

12179 *Cervelló Autuori, Josep* Imephor-Impy, gran sacerdote de Ptah: una nota prosopográfica. [F]SANMARTÍN, J.: AuOr.S 22: 2006 ⇒144. 109-119.

12180 *Chandler, Tertius* Breasted's blunder. BeO 48 (2006) 204.

12181 **Dieleman, Jacco** Priests, tongues, and rites: the London-Leiden magical manuscripts and translation in Egyptian ritual (100-300 CE). RGRW 153: 2005 ⇒21,12743. [R]Numen 53 (2006) 385-392 (*Volokhine, Youri*); Henoch 28/1 (2006) 174-176 (*Bohak, Gideon*).

12182 **Dunand, Françoise; Zivie-Coche, Christiane** Gods and men in Egypt, 3000 BCE to 395 CE. [T]*Lorton, David*: Ithaca 2004, Cornell Univ. Pr. xiii; 378 pp. $45. [R]JAOS 125 (2005) 442-443 (*Teeter, Emily*).

12183 *Eaton, Katherine* A 'mortuary liturgy' from the *Book of the Dead* with comments on the nature of the ꜣḫ-spirit. JARCE 42 (2005-2006) 81-94;

12184 The festivals of Osiris and Sokar in the month of Khoiak: the evidence from Nineteenth Dynasty royal monuments at Abydos. SAÄK 35 (2006) 75-101.

12185 [E]**Enmarch, Roland** The dialogue of Ipuwer and the Lord of all. 2005 ⇒21,12747. [R]BiOr 63 (2006) 491-495 (*Adrom, Faried*).

12186 **Falck, Martin von** Das Totenbuch der Qeqa aus der Ptolemäerzeit: (pBerlin P. 3003). Handschriften des altägyptischen Totenbuches 8: Wsb 2006, Harrassowitz xvii; 66 pp. €48. 3-447-05298-8. Num. pl.

12187 [T]**Fischer-Elfert, Hans-W.** Altägyptische Zaubersprüche. ⇒ 21,12750. [R]OLZ 101 (2006) 397-399 (*Quack, Joachim Friedrich*).

12188 *Gabolde, Marc* Une interprétation alternative de la 'pesée du coeur' du Livre des Morts. Egypte Afrique & Orient 43 (2006) 11-22.

12189 *Gasse, Annie* Les Livres des Morts sur tissu. Egypte Afrique & Orient 43 (2006) 3-10.

12190 *Goldwasser, Orly* King Apophis of Avaris and the emergence of monotheism. [F]BIETAK, M., II: OLA 149: 2006 ⇒8. 129-133.

12191 **Goyon, Jean-Claude** Le rituel du shtp Shmt au changement de cycle annuel: d'aprés les architraves du temple d'Edfou et textes parallèles, du Nouvel Empire à l'époque ptolémaïque et romaine. Bibliothèque d'étude 141: Le Caire 2006, Institut Français d'Archéologie Orientale 164 pp. 2-7247-0415-0.

12192 *Grajetzki, Wolfram* Another early source for the Book of the Dead: the Second Intermediate Period burial D 25 at Abydos. SAÄK 34 (2006) 205-216.

12193 **Grimm, Alfred; Schlögl, Hermann A.** Das thebanische Grab Nr. 136 und der Beginn der Amarnazeit. 2005 ⇒21,12757. [R]WZKM 96 (2006) 371-372 (*Wasmuth, Melanie*); BiOr 63 (2006) 524-528 (*Eaton-Krauss, Marianne*).

12194 *Guilhou, Nadine* La protection du cadavre dans le Livre des Morts: textes rituels et devenir de l'être. Egypte Afrique & Orient 43 (2006) 31-38.

12195 **Hallmann, Silke** Die Tributszenen des Neuen Reiches. ÄAT 66: Wsb 2006, Harrassowitz viii; 364 pp. 3447-05414-X. Bibl. 335-51.

12196 **Hegenbarth-Reichardt, Ina** Der Raum der Zeit: eine Untersuchung zu den altägyptischen Vorstellungen und Konzeptionen von Zeit und Raum anhand des Unterweltenbuches Amduat. ÄAT 64: Wsb 2006, Harrassowitz 297 pp. 3447-05375-5. Bibl. 271-295.

12197 **Hermsen, Edmund** Schlaf und Traum als Medien zwischen Diesseits und Jenseits im Alten Ägypten: moderne und altägyptische Schlaf- und Traumkonzeptionen. ^FAGUS, A. 2006 ⇒1. 211-228.

12198 *Holt, Frank L.* PTOLEMY's Alexandrian postscript*. Saudi Aramco world 57/6 (2006) 4-9.

12199 *Hornung, Erik* Der Verborgene Raum der Unterwelt in der ägyptischen Literatur. Mensch und Raum. Colloquium Rauricum 9: 2006 ⇒879. 23-34.

12200 **Hornung, Erik; Staehelin, Elisabeth** Neue Studien zum Sedfest. Aegyptiaca Helvetica 20: Ba 2006, Schwabe 106 pp. €33.50. 978-37965-22871. Ill.

12201 **Jacquet-Gordon, Helen** The graffiti on the Khonsu temple roof at Karnak: a manifestation of personal piety. The Temple of Khonsu 3; UCOIP 123: 2003 ⇒19,12004; 21,12762. ^RAJA 110 (2006) 172-3 (*Dieleman, Jacco*); JAOS 126 (2006) 448-450 (*Peden, A.J.*).

12202 **Jasnow, Richard; Zauzich, Karl-Theodor** The ancient Egyptian Book of Thoth: a demotic discourse on knowledge and pendant to the classical hermetica. 2005 ⇒21,12764. ^ROLZ 101 (2006) 610-615 (*Quack, Joachim F.*).

12203 *Junge, Friedrich* "Unser Land ist der Tempel der ganzen Welt": über die Religion der Ägypter und ihre Struktur. Götterbilder-Gottesbilder-Weltbilder, I. FAT 2/17: 2006 ⇒636. 3-44.

12204 **Klotz, David** Adoration of the Ram: five hymns to Amun-Re from Hibis temple. NHv 2006, Yale Egyptological Seminar xiii; 337 pp. 0-9740025-2-6. Bibl. 251-279.

12205 **Knigge, Carsten** Das Lob der Schöpfung: die Entwicklung ägyptischer Sonnen- und Schöpfungshymnen nach dem Neuen Reich. OBO 219: FrS 2006, Academic xii; 365 pp. 3-7278-1557-4. Bibl. 307-336.

12206 *Lange, Eva* Die Ka-Anlage Pepis I. in Bubastis im Kontext königlicher Ka-Anlagen des Alten Reiches. ZÄS 133 (2006) 121-140. Tafel XXVIII-XXXIII.

12207 **Lapp, Gunther** The papyrus of Nebseni (BM EA 9900). 2004 ⇒ 20,11490. ^RJEA 92 (2006) 293-294 (*Munro, Irmtraut*).

12208 **Leitz, Christian** Quellentexte zur ägyptischen Religion, 1: die Tempelinschriften der griechisch-römischen Zeit. Einführungen und Quellentexte zur Ägyptologie 2: Müns ²2006 <2004>, Lit 224 pp. 3-8258-7340-4.

12209 *Lieven, Alexandra von* Seth ist im Recht, Osiris ist im Unrecht!: Sethkultorte und ihre Version des Osiris-Mythos. ZÄS 133 (2006) 141-150.

12210 **Lucarelli, Rita** The book of the dead of Gatseshen: ancient Egyptian funerary religion in the 10th century BC. Egyptologische uitgaven 21: Lei 2006, Nederlandsch Instituut voor Het Nabije Oosten xiv; 305 pp. €59.36. 90-6258-221-4. Bibl. 268-283.

12211 *Luft, Ulrich* Rund um den Beginn des ägyptischen Tages. ^FBIETAK, M., I.: OLA 149: 2006 ⇒8. 207-215.

12212 **Malaise, Michel** Pour une terminologie et une analyse des cultes isiaques. 2005 ⇒21,12776. ^ROr. 75 (2006) 169-171 (*Brenk, Frederick E.*).

12213 *Manassa, Colleen* The judgment hall of Osiris in the Book of Gates. RdE 57 (2006) 109-150.

12214   **McDermott, Bridget** Death in ancient Egypt. Stroud 2006, Sutton xv; 240 pp. 0-7509-3932-X. Bibl. 231-237.

12215   **Meeks, Dimitri** Mythes et légende du Delta: d'après le papyrus Brooklyn 47.218.84. Mémoires de l'Institut Français d'Archéologie Orientale du Caire 125: Le Caire 2006, Institut Français d'Archéologie Orientale v; 498 pp. 2-2747-0427-4.

12216   *Meltzer, Edmund S.* The caring God: the experience and lexicon of grace in the ancient Egyptian religion. JSSEA 33 (2006) 129-138.

12217   **Meyer-Dietrich, Erika** Senebi und Selbst: Personenkonstituenten zur rituellen Wiedergeburt in einem Frauensarg des Mittleren Reiches. OBO 216: Gö 2006, Vandenhoeck & R. xii; 438 pp. €84. 3-525-53012-9. Bibl. 379-392.

12218   *Minas, Martina* Die ptolemäischen Sokar-Osiris-Mumien: neue Erkenntnisse zum ägyptischen Dynastiekult der Ptolemäer. MDAI.K 62 (2006) 197-213; Taf. 36-42.

12219   **Minas-Nerpel, Martina** Der Gott Chepri: Untersuchungen zu Schriftzeugnissen und ikonographischen Quellen vom Alten Reich bis in griechisch-römische Zeit. OLA 154: Lv 2006, Peeters xii; 542 pp. 90-429-1824-1. Bibl. 487-510.

12220   *Miosi, Frank T.* Pharaonic transformations and identifications in the Pyramid texts. JSSEA 33 (2006) 139-158.

12221   *Monson, Andrew* Priests of Soknebtunis and Sokonopis: P. BM EA 10647. JEA 92 (2006) 205-216.

12222   *Morales, Antonio J.* Expresiones del mal ejemplo en los textos egipcios del Reino Antiguo y Medio: antihéroes, villanos y cobardes. AuOr 24 (2006) 213-231.

12223   *Morenz, Ludwig D.* Licht im Dunkeln: ein paradoxales Denk-Bild des nächtlichen Sonnengottes im Grab Ramses VI. AfR 8 (2006) 317-326.

12224   *Morgan, Enka-Elvira* Einige Bemerkungen zur Thematik der persönlichen Frömmigkeit. SAÄK 34 (2006) 333-352.

12225   **Munro, I.** Der Totenbuch-Papyrus des Hor aus der frühen Ptolemäerzeit (pCologny Bodmer-Stiftung CV + pCincinnati Art Museum 1947.369 + pDenver Art Museum 1954.61). Handschriften des Altägyptischen Totenbuches 9: Wsb 2006, Harrassowitz xvi; 76 pp. €72. 978-34470-53761. 29 pl.;

12226   Ein Ritualbuch für Goldamulette und Totenbuch des Month-em-hat. Studien zum altägyptischen Totenbuch 7: 2003 ⇒19,12030... 21, 12782. [R]BiOr 63 (2006) 504-506 (*Dieleman, Jacco*).

12227   [T]**Muñiz Grijalvo, Elena** Himnos a Isis. M 2006, Trotta 173 pp. 84-8164-818-3. Bibl. 167-169.

12228   **Naydler, Jeremy** Shamanic wisdom in the pyramid texts: the mystical tradition of ancient Egypt. Rochester, VT 2005, Inner Traditions xiii; 466 pp. [R]JARCE 42 (2005-6) 166-7 (*Roberson, Joshua*).

12229   *Preys, René* Les manifestations d'Hathor: protection, alimentation et illumination divines. SAÄK 34 (2006) 353-375;

12230   Hathor fille de Noun: créateur et démiurge dans le temple de Dendera. RdE 57 (2006) 199-216.

12231   *Pusch, Edgar B.; Eggebrecht, Arne* Zweimal Baal aus der Ramses-Stadt. [F]BIETAK, M., I: OLA 149: 2006 ⇒8. 249-261.

12232   **Reeves, Nicholas** Akhénaton et son dieu: pharaon et faux prophètes. [T]*Gandelot, Bernard*: Mémoires 108: P 2004, Autrement 272 pp. €19. Préf. *Alain Zivie.*

12233 *Refai, Hosam* Die Westgöttin nach dem Neuen Reich. SAÄK 35 (2006) 245-260;

12234 Hathor als gleichzeitige West- und Baumgöttin. [F]BIETAK, M., I: OLA 149: 2006 ⇒8. 287-290.

12235 *Ripat, P.* The language of oracular inquiry in Roman Egypt. Phoenix [Toronto] 60 (2006) 304-328.

12236 *Rose, Miriam-Rebecca* Dimensionen der Göttlichkeit im Diskurs: der Thothymnus des Haremhab. SAÄK 35 (2006) 261-293.

12237 **Sandri, Sandra** Har-Pa-Chered (Harpokrates): die Genese eines ägyptischen Götterkindes. OLA 151: Lv 2006, Peeters xii; 350 pp. €70. 90-429-1730-X. Bibl. 314-340.

12238 **Sayed Mohamed, Zeinab** Festvorbereitungen: die administrativen und ökonomischen Grundlagen altägyptischer Feste. OBO 202: 2004 ⇒20,11516; 21,12791. [R]AuOr 24 (2006) 155-158 (*Moreno García, J.C.*).

12239 *Schipper, Bernd U.* Ma'at und die "gespaltene Welt": zur Anwendung der Unterscheidung von primärer und sekundärer Religion auf die Religion Ägyptens. Primäre und sekundäre Religion. BZAW 364: 2006 ⇒489. 191-209.

12240 *Servajean, Frédéric* Les formules des transformations du Livre des Morts. Egypte Afrique & Orient 43 (2006) 47-56.

12241 *Shirai, Yayoi* The development and decline of private mortuary cults in Old Kingdom Egypt. Orient 49/2 (2006) 110-132. **J**.

12242 *Smith, Mark* The Great Decree issued to the Nome of the Silent Land. RdE 57 (2006) 217-232.

12243 *Sourouzian, Hourig* Seth fils de Nout et Seth d'Avaris dans la statuaire royale ramesside. [F]BIETAK, M., I: 2006 ⇒8. 331-354.

12244 *Spieser, Cathie* Vases et peaux animales matriciels dans la pensée religieuse égyptienne. BiOr 63 (2006) 219-234.

12245 *Sternberg-el Hotabi, Heike* "Die Erde entsteht auf deinen Wink": der naturphilosophische Monotheismus des Echnaton. Götterbilder-Gottesbilder-Weltbilder, I. FAT 2/17: 2006 ⇒636. 45-78.

12246 [E]**Szpakowska, Kasia M.** Through a glass darkly: magic, dreams & prophecy in ancient Egypt. Swansea 2006, Classical Press of Wales xiv; 274 pp. 1-905125-08-9.

12247 *Taha, Ali. M.* Art and the Ancient Egyptian eschatology. ASAE 80 (2006) 555-562.

12248 **Wallin, P.** Celestial cycles: astronomical concept of regeneration in the ancient Egyptian coffin texts. Uppsala Studies in Egyptology 1: 2002 ⇒20,11529. [R]BiOr 63 (2006) 496-498 (*Locher, Kurt*).

12249 *Winkler, Andreas* The efflux that issued from Osiris: a study on *rḏw* in the Pyramid Texts. GöMisz 211 (2006) 125-139.

12250 *Wortham, Robert A.* Urban networks, deregulated religious markets, cultural continuity and the diffusion of the Isis cult. MTSR 18/2 (2006) 103-123.

12251 *Wüthrich, Annik* D'étranges vocables dans le Livre des Morts. Egypte Afrique & Orient 43 (2006) 57-60.

12252 [E]**Zecchi, Marco** Inni religiosi dell'Egitto antico. 2004 ⇒20,11532; 21,12801. [R]RivBib 54 (2006) 109-110 (*Mantovani, Piera Arata*).

12253 *Zeller, Dieter* Ägyptische Königsideologie im Neuen Testament?: Fug und Unfug religionswissenschaftlichen Vergleichens. N.T. und Hellenistische Umwelt. BBB 150: 2006 <2000> ⇒331. 161-170.

M7.0 **Religio mesopotamica**

12254 **Annus, Amar** The standard Babylonian epic of Anzu. State Archives of Assyria Cuneiform texts 3: 2001 ⇒17,10071; 19,12064. ᴿOr. 75 (2006) 125-129 (*Mayer, Werner R.*);

12255 The god Ninurta in the mythology and royal ideology of ancient Mesopotamia. SAAS 14: 2002 ⇒18,11051; 21, 12804. ᴿOLZ 101 (2006) 158-161 (*Ambos, Claus*); ArOr 74 (2006) 234-236 (*Prosecký, Jiří*); BiOr 63 (2006) 554-556 (*Schwemer, Daniel*); JAOS 125 (2005) 436-437 (*Pearce, Laurie*).

12256 *Asher-Greve, Julia M.* From 'Semiramis of Babylon' to 'Semiramis of Hammersmith'. Orientalism, assyriology and the Bible. HBM 10: 2006 ⇒626. 322-373.

12257 **Bahrani, Zainab** The graven image: representation in Babylonia and Assyria. 2003 ⇒19,12068; 20,11542. ᴿAntiquity 80 (2006) 210-211 (*Tanner, Jeremy*); OLZ 101 (2006) 148-158 (*Abar, Aydin; Alrez, Wassim; Bonatz, Dominik; Götting, Eva; Jantzen, Heinz; Möhle, Max; Müller, Nina*).

12258 *Battini, Laura* La déesse aux oies: une représentation de la fertilité. RA 100 (2006) 57-70.

12259 **Beaulieu, Paul-Alain** The pantheon of Uruk during the Neo-Babylonian period. Cuneiform Monographs 23: 2003 ⇒19,12069; 21, 12806. ᴿRA 100 (2006) 161-165 (*Joannès, Francis*).

12260 *Brisch, Nicole* The priestess and the king: the divine kingship of Šu-Sîn of Ur. JAOS 126 (2006) 161-176.

12261 **Cohen, Andrew C.** Death rituals, ideology, and the development of early Mesopotamian kingship: toward a new understanding of Iraq's Royal Cemetery of Ur. Ancient magic and divination 7: 2005 ⇒21,12808. ᴿPaléorient 32 (2006) 161-163 (*Forest, Jean-Daniel*).

12262 *Dietrich, Manfried* Das Enuma eliš als mythologischer Grundtext für die Identität der Marduk-Religion Babyloniens. Bedeutung von Grundtexten. FARG 40: 2006 ⇒831. 135-163.

12263 *Feliu, Lluís* Concerning the etymology of Enlil: the An=Anum approach. ᶠSANMARTÍN, J.: AuOr.S 22: 2006 ⇒144. 229-246.

12264 *Freedman, Sally M.* BM 129092: a commentary on snake omens. ᶠLEICHTY, E.: 2006 ⇒95. 149-166.

12265 **Fritz, Michael M.** "...und weinten um Tammuz": die Götter Dumuzi-Ama'usumgal'anna und Damu. AOAT 307: 2003 ⇒19,12078; 21,12812. ᴿAfO 51 (2005-2006) 352-354 (*Alster, Bendt*).

12266 *Frymer-Kensky, Tikva* Lolita-Inanna. Studies in bible. 2006 <2000> ⇒219. 83-88.

12267 *Galli, Elena; Valentini, Stefano* The dead cult in the Middle Bronze Age Mesopotamia: interpretation of the archaeological evidence through the cuneiform texts: a trial approach. Orient-Express 3 (2006) 83-87.

12268 *Groneberg, Brigitte* Aspekte der "Göttlichkeit" in Mesopotamien: zur Klassifizierung von Göttern und Zwischenwesen. Götterbilder-Gottesbilder-Weltbilder, I. FAT 2/17: 2006 ⇒636. 131-165.

12269 **Heessel, Nils P.** Pazuzu: archäologische und philologische Studien zu einem altorientalischen Dämon. Ancient Magic and Divination 4: 2002 ⇒19,12082; 21,12815. ᴿAfO 51 (2005-6) 355-358 (*Böck, Barbara*).

12270 **Herles, Michael** Götterdarstellungen Mesopotamiens in der 2. Hälfte des 2. Jahrtausends v. Chr.: das anthropomorphe Bild im Verhältnis zum Symbol. AOAT 329: Müns 2006, Ugarit-Verlag xiii; 394 pp. 3-934628-76-1. Bibl. 341-385.

12271 **Jean, Cynthia** La magie néo-assyrienne en contexte: recherches sur le métier d'exorciste et le concept d'asiputu. SAAS 17: Helsinki 2006, The Neo-Assyrian Text Corpus Project xiv; 223 pp. 952-10-1327-3. Bibl. 209-218.

12272 **Katz, Dina** The image of the netherworld in Sumerian sources. 2003 ⇒19,12089... 21,12819. ^RAuOr 24 (2006) 151 (*Feliu, L.*).

12273 **Koch, Ulla Susanne** Secrets of extispicy: the chapter Multabiltu of the Babylonian extispicy series and Nisirti baruti texts mainly from Assurbanipal's library. AOAT 326: 2005 ⇒21,12820. ^RJHScr 6 (2006)* = PHScr III,372-374 (*Noegel, Scott*) [⇒593].

12274 *Kryszat, Guido* Die altassyrischen Belege für den Gott Amurru. RA 100 (2006) 53-56.

12275 *Lanfranchi, Giovanni-Battista* Recenti sviluppi del dibattito sui caratteri della religione mesopotamica nel I millennio a.C.: culti ufficiali, credenze popolari e esoterismo d'*élite*. AfR 8 (2006) 257-72.

12276 **Lapinkivi, Pirjo** The Sumerian sacred marriage: in the light of comparative evidence. SAAS 15: 2004 ⇒20,11566. ^RBiOr 63 (2006) 103-107 (*Katz, Dina*); BSOAS 69 (2006) 315-317 (*George, A.R.*).

12277 *Ludwig, Marie-C.* 'Enki in Nippur': ein bislang unidentifiziertes, mythologisches Fragment. JCS 58 (2006) 27-38.

12278 ^E**Mander, Pietro** Canti sumerici d'amore e morte: la vicenda della dea Inanna/Ishtar e del dio Dumuzi/Tammuz. 2005 ⇒21,12822. ^RCivCatt 157/3 (2006) 328-330 (*Prato, G.L.*).

12279 **Marchesi, Gianni** Lumma in the onomasticon and literature of ancient Mesopotamia. History of the Ancient Near East, Studies 10: Padova 2006, S.A.R.G.O.N. vi; 139 pp.

12280 *Nunn, Astrid* Kulttopographie und Kultabläufe in mesopotamischen Tempeln: drei Beispiele. Götterbilder-Gottesbilder-Weltbilder, I. FAT 2/17: 2006 ⇒636. 167-195.

12281 **Ornan, Tallay** The triumph of the symbol: pictorial representation of deities in Mesopotamia and the biblical image ban. OBO 213: 2005 ⇒21,12824. ^RWZKM 96 (2006) 421-424 (*Bahrani, Zainab*); UF 38 (2006) 835-841 (*Herles, M.*); RBLit (2006)* (*Burnett, Joel*).

12282 *Oshima, T.* Marduk, the canal digger. JANES 30 (2006) 77-88.

12283 *Polonsky, J.* The Mesopotamian conceptualization of birth and the determination of destiny at sunrise. ^FLEICHTY, E.: 2006 ⇒95. 297-311.

12284 *Pongratz-Leisten, Beate* Gudea and his model of an urban utopia. BaghM 37 (2006) 45-59;

12285 — Cassandra's colleagues: prophetesses in the Neo-Assyrian empire. CSMSJ 1/1 (2006) 23-29.

12286 *Porter, Barbara N.* Feeding dinner to a bed: reflections on the nature of gods in ancient Mesopotamia. SAA Bulletin 15 (2006) 307-331.

12287 ^E**Porter, Barbara Nevling** Ritual and politics in ancient Mesopotamia. AOS 28: 2005 ⇒21,12829. ^RJRAS 16 (2006) 202-204 (*Radner, Karen*); ArOr 74 (2006) 373-375 (*Hruška, Blahoslav*); BiOr 63 (2006) 323-325 (*Ambos, Claus*).

12288 *Rochberg, F.* Old Babylonian celestial divination. ^FLEICHTY, E. 2006 ⇒95. 337-348.

12289 **Rochberg, Francesca** The heavenly writing: divination, horoscopy, and astronomy in Mesopotamian culture. 2004 ⇒20,11575; 21,12832. ^RRH 130 (2006) 139-140 (*Michel, Cécile*); JRAS 16 (2006) 306-307 (*George, A.R.*); BSOAS 69 (2006) 459-460 (*Worthington, Martin*); EtCl 74 (2006) 379-381 (*Recoursé, N.*).

12290 *Sallaberger, Walther* Konstanz und Neuerung in der Religion Mesopotamiens. Primäre und sekundäre Religion. BZAW 364: 2006 ⇒489. 171-182.

12291 *Scafa, Paolo N.* Operatori cultuali mesopotamici in ambito extratemplare. StEeL 23 (2006) 83-98.

12292 *Seri, Andrea* The fifty names of Marduk in *Enūma eliš*. JAOS 126 (2006) 507-519.

12293 *Shibata, Daisuke* The hermeneutics of the names of deities in ancient Mesopotamia: the names and epithets of Marduk in the Sumerian Šuilla-Prayer ur-sag uru ur₄-ur₄, 'Hero, Devastating Flood'. Orient 49/2 (2006) 22-39. **J.**

12294 *Shveka, Avi* Anzu, Ziz, and the locust. Shnaton 16 (2006) 143-155 [Ps 50,11; 80,14]. **H.**

12295 *Silver, Morris* Temple/sacred prostitution in ancient Mesopotamia revisited. UF 38 (2006) 631-663.

12296 *Takai, Keisuke* The Sumerian literary letter of petition and its significance. Orient 49/2 (2006) 1-21. **J.**

12297 *Veldhuis, Nick* Divination: theory and use. ^FLEICHTY, E. 2006 ⇒ 95. 487-497.

12298 **Vera Chamaza, Galo W.** Die Omnipotenz Assurs: Entwicklungen in der Assur-Theologie unter den Sargoniden Sargon II., Sanherib und Asarhaddon. AOAT 295: 2002 ⇒18,11097; 19,12112. ^RZAR 12 (2006) 412-414 (*Otto, Eckart*).

12299 *Villeneuve, Estelle* Die Feste des Neuwerdens im Alten Orient: Rituale im Rhythmus des Lebens. WUB 40 (2006) 12-17.

12300 **Walton, John H.** Ancient Near Eastern thought and the Old Testament: introducing the conceptual world of the Hebrew Bible. GR 2006, Baker 368 pp. $24. 978-0-8010-2750-5. Bibl. 343-350.

12301 *Westenholz, Joan G.* Women of religion in Mesopotamia: the high priestess in the temple. CSMSJ 1/1 (2006) 31-44.

12302 *Wilcke, Claus* Die Hymne auf das Heiligtum Keš: zu Struktur und 'Gattung' einer altsumerischen Dichtung und zu ihrer Literaturtheorie. ^FVANSTIPHOUT, H. 2006 ⇒164. 201-237.

12303 *Xella, Paolo* Altmesopotamische Religion und die Kategorien Primäre und sekundäre Religion, mit Seitenblicken auf Ugarit und Phönizien: Erwiderung auf W. Sallaberger. Primäre und sekundäre Religion. BZAW 364: 2006 ⇒489. 183-190.

12304 *Younger, K. Lawson* The production of ancient Near Eastern text anthologies from the earliest to the latest. Orientalism, assyriology and the Bible. HBM 10: 2006 ⇒626. 199-219.

12305 *Zgoll, Annette* Königslauf und Götterrat: Struktur und Deutung des babylonischen Neujahrsfestes. Festtraditionen in Israel und im Alten Orient. 2006 ⇒698. 11-80;

12306 Vielfalt der Götter und Einheit des Reiches: Konstanten und Krisen im Spannungsfeld politischer Aktion und theologischer Reflexion in der mesopotamischen Geschichte. Götterbilder-Gottesbilder-Weltbilder, I. FAT 2/17: 2006 ⇒636. 103-130.

12307 **Zgoll, Annette** Die Kunst des Betens: Form und Funktion, Theologie und Psychagogik in babylonisch-assyrischen Handerhebungsgebeten zu Ištar. AOAT 308: 2003 ⇒19,12117; 21,12843. [R]AfO 51 (2005-2006) 358-361 (*Foster, Benjamin R.*);

12308 Traum und Welterleben im antiken Mesopotamien: Traumtheorie und Traumpraxis im 3. - 1. Jahrtausend v. Chr. als Horizont einer Kulturgeschichte des Träumens. AOAT 333: Müns 2006, Ugarit-Verlag 568 pp. 3-934628-36-2. Bibl. 529-545.

M7.5 Religio persiana

12309 *Albrile, Ezio* Il colore dei Magi. Anton. 81 (2006) 323-338.

12310 *Isbell, Charles David* Zoroastrianism and biblical religion. JBQ 34 (2006) 143-154.

12311 *Jong, Albert de* One nation under God?: the early Sasanians as guardians and destroyers of holy sites. Götterbilder-Gottesbilder-Weltbilder, I. FAT 2/17: 2006 ⇒636. 223-238.

12312 *Kreyenbroek, Philip G.* Theological questions in an oral tradition: the case of Zoroastrianism. Götterbilder-Gottesbilder-Weltbilder, I. FAT 2/17: 2006 ⇒636. 223-238/199-222.

12313 **Pirart, Eric** L'Aphrodite iranienne: études de la déesse Ārti: traduction annotée et édition critique des textes avestiques la concernant. KUBABA, Antiquité 10: P 2006, L'Harmattan 278 pp. €24. 22960-14887.

12314 *Quack, Joachim Friedrich* Les mages égyptianisés?: remarks on some surprising points in supposedly Magusean texts. JNES 65 (2006) 267-282.

12315 **Stausberg, Michael** Die Religion Zarathustras: Geschichte—Gegenwart—Rituale, 1-3. 2002-2004 ⇒18,11118; 20,11602ss. [R]ThLZ 131 (2006) 1253-1256 (*Elsas, Christoph*); WO 36 (2006) 273-274 (*Gaube, Heinz*).

M8.2 *Muḥammad et asseclae*—Qur'an and early diffusion of Islam

12316 **Antequera, Luis** Jesús en el Corán. M 2006, Sepha 196 pp.

12317 *Blair, Sheila S.* Uses and functions of the Qur'anic text. MUSJ 59 (2006) 183-208.

12318 *Busse, H.* Important biblical characters in the Koran. BDV 79-80 (2006) 38-42.

12319 *Dean, Jason* Révélation et méthode historique chez Ibn Isḥaq. RHPhR 86 (2006) 473-495.

12320 *Déroche, François* Studying the manuscripts of the Qur'an past and future. MUSJ 59 (2006) 163-181.

12321 *Efthymiou, Marie* Un mode d'emploi du Coran: note sur les gloses persanes d'un manuscrit coranique d'Asie centrale;

12322 *Gacek, Adam* The copying and handling of Qur'ans: some observations on the Kitab al-Maṣaḥif by Ibn Abi Da'ud al-Sijistani. MUSJ 59 (2006) 209-228/229-251.

12323 **Gallez, Edouard-Marie** Le messie et son prophète: aux origines de l'Islam, 1: de Qumrân à Muḥammad; 2: Du Muḥammad des Califes au Muḥammad de l'histoire. 2005 ⇒21,12857. [R]IslChr 32 (2006) 324-326 (*Cottini, Valentino*).

12324 **Gnilka, Joachim** Bibel und Koran: was sie verbindet, was sie trennt. 2004 ⇒20,11608. [R]ThLZ 131 (2006) 145 (*Pöhlmann, Hans Georg*);

12325 Bibbia e Corano: che chosa li unisce e cosa li divide. Parola di vita: Mi 2006, Ancora 192 pp. €15. 88514-03708.

12326 *Gobillot, Geneviève* Le Coran, commentaire des Ecritures. MoBi 171 (2006) 24-29.

12327 *Hassan, Riffat* Islamic Hagar and her family. Hagar, Sarah. 2006 ⇒ 481. 149-167.

        Heindl, A. Zur Rezeption der Gestalt des Judas Iskariot im Islam und im Judentum 2006 ⇒10595.

12328 *Humbert, Geneviève; Vernay-Nouri, Annie* De quelques corans chinois et leur papier. MUSJ 59 (2006) 253-267.

12329 *Jaffer, I.E.* The meaning and development of Qur'anic exegesis. JSem 15 (2006) 146-174.

12330 *Jahdani, Abdelouahed* Du fiqh à la codicologie: quelques opinions de Malik (m. 179/796) sur le Coran-codex;

12331 *Jimoh, Ismaheel A.* Forms of Qur'anic manuscripts among the Yoruba islamic scholars of south-western Nigeria. MUSJ 59 (2006) 269-279/281-300.

12332 *Jourdan, François* Comment l'Islam a adopté Marie. Marie et la sainte famille. 2006 ⇒762. 121-129 [Mt 1,18-25].

12333 **Keeler, Annabel** Sufi hermeneutics: the Qur'an commentary of Rashid al-Din Maybudi. Qur'anic studies 3: Oxf 2006, OUP xxviii; 378 pp. 978-0-19-921478-5. Bibl. 319-345.

12334 [E]**Leaman, Oliver** The Qur'an: an encyclopedia. L 2006, Routledge xxvii; 771 pp. €32.20. 978-04157-75298. Bibl. 715-725.

12335 *Mazza, Biagio* Women of Genesis in the Qurʾan. BiTod 44 (2006) 88-93.

12336 [E]**McAuliffe, J. Dammen** The Cambridge Companion to the Qurʾan. Cambridge Companions to Literature: C 2006, CUP xv; 332 pp. £18. 978-05215-39340.

12337 *Millar, Fergus* Hagar, Ishmael, Josephus and the origins of Islam. Rome, the Greek world, 3. 2006 <1993> ⇒275. 351-377.

12338 *Muminov, Ashirbek* Disputes in Bukhara on the Persian translation of the Qur'an. MUSJ 59 (2006) 301-307.

12339 *Nagel, Tilman* Schöpfer und Kosmos im Koran. Götterbilder-Gottesbilder-Weltbilder, II. FAT 2/18: 2006 ⇒636. 191-209.

12340 *Naudé, Jacobus A.* The Qur'an in English–an analysis in descriptive translation studies. JSem 15 (2006) 431-464.

12341 *Polosin, Valery V.* Ibn Muqla and the qur'anic manuscripts in oblong format. MUSJ 59 (2006) 309-317.

12342 *Pouthier, Jean-Luc* Aux origines de l'islam. MoBi 171 (2006) 16-17.

12343 *Robin, Christian J.* La réforme de l'écriture arabe à l'époque du califat médinois. MUSJ 59 (2006) 319-364.

12344 **Saeed, Abdullah** Interpreting the Qurʾan: towards a contemporary approach. L 2006, Routledge ix; 192 pp. £17. 0-415-36538-6. [R]RRT 13 (2006) 479-480 (*Walsh, Jason*).

12345 *Shelley, Michael* Created by God, blessed with a sacred trust: some biblical and Qur'anic perspectives on humanity. CThMi 33 (2006) 239-245 [Gen 1-2].

12346 *Sobieroj, Florian* Repertory of suras and prayers in a collection of Ottoman manuscripts. MUSJ 59 (2006) 365-386.

12347 **Steenbrink, Karel** De Jezusversen in de Koran. Zoetermeer 2006, Meinema 190 pp. €17.50. 90-211-4102-7.

12348 *Tourkin, Sergei* The use of the Qur'an for divination in Iran. MUSJ 59 (2006) 387-394.

12349 *Vasilyeva, Olga V.* The collection of Qur'an manuscripts in the National Library of Russia. MUSJ 59 (2006) 395-406.

12350 **Wimmer, Stefan Jakob; Leimgruber, Stephan** Von Adam bis Muhammad: Bibel und Koran im Vergleich. 2005 ⇒21,12874. ^RIslChr 32 (2006) 357-358 (*Cottini, Valentino*); Jud. 62 (2006) 374-377 (*Eißler, Friedmann*).

M8.3 Islam, *evolutio recentior*—later theory and practice

12351 **Akar, Sylvia** But if you desire God and his messenger: the concept of choice in Sahih al-Bukhari. Studia Orientalia 102: Helsinki 2006, Finnish Oriental Society 175 pp. 9519380663. Bibl. 169-75.

12352 *Dadoo, Y.* Divine love, unity of being, and religious pluralism in the poetry of Ibn 'Arabi. JSem 15 (2006) 175-220.

12353 *Delpech, François* Cheminements morisques d'un thème sapiential oriental: Salomon, Moïse et les héros de la piété filiale. JA 294/1 (2006) 91-105.

12354 *Dockrat, Muhammad A.E.* Feminists as ḥadīth scholars?: the case of a tradition concerning female leadership of prayer. JSem 15 (2006) 278-310.

12355 *Kaufmann, Uri R.* Literatur über Juden im islamischen Bereich. Jud. 62 (2006) 348-359.

12356 *Khoury, Adel Theodor* Ist der Islam eine Religion des Friedens?. BiKi 61 (2006) 157-161.

12357 *Körner, Felix* Turkish theology meets European philosophy: Emilio Betti, Hans-Georg GADAMER and Paul RICOEUR in muslim thinking. RPF 62/2-4 (2006) 805-809.

12358 *Lambden, Stephen N.* Islam. Blackwell companion to the bible. 2006 ⇒465. 135-157.

12359 *Mårtensson, Ulrika* Bund und Land in muslimischer Rezeption: biblische Kategorien in ṬABARIs Geschichtswerk. Jud. 62 (2006) 289-308.

12360 *Milstein, Rachel* Les prophètes da la bible dans la peinture islamique: un exemple de syncrétisme. MoBi 171 (2006) 37-43.

12361 *Nagel, Tilman* Die Anthropologie des Islam.;

12362 Die muslimische Glaubensgemeinschaft als die Verwirklichung des göttlichen Willens auf Erden. Götterbilder-Gottesbilder-Weltbilder, II. FAT 2/18: 2006 ⇒636. 211-226/227-240.

12363 *Rizvi, Sajjad H.* Time and creation: the contribution of some Safavid philosophies. RPF 62/2-4 (2006) 713-737.

12364 *Stroumsa, Sarah* Ibn Masarra and the beginnings of mystical thought in al-Andalus. Wege mystischer Gotteserfahrung. 2006 ⇒859. 97-112.

12365 **Ta'labi, Abu** Quisas al-anbiya' oder Ara'is al-magalis: Erzählungen von den Propheten und Gottesmännern. [T]*Busse, Heribert*: Diskurse der Arabistik 9: Wsb 2006, Harrassowitz xiii; 593 pp. €148. 978-34470-52665.

12366 *Zilio-Grandi, Ida* Jonas, un prophète biblique dans l'islam. RHR 223 (2006) 283-318.

M8.4 Islamic-Christian relations

12367 **Afschar, Moussa** Jesus, wie ihn der Islam sieht: eine beispiellose Verfälschung. Stu 2002, Blaich 104 pp. 3-980938-14-X.

12368 *Battaglia, Vincent* A comparative analysis of the concept of revelation in christianity and Islam. EAPR 43 (2006) 287-306.

12369 **Beaumont, Mark** Christology in dialogue with Muslims: a critical analysis of christian presentations of Christ for Muslims from the ninth and twentieth centuries. 2005 ⇒21,12878. [R]ICMR 17 (2006) 243-4 (*Griffith, Sidney H.*); IslChr 32 (2006) 313-4 (*Horsten, Piet*).

12370 *Coleman, M.; Verster, P.* Contextualisation of the gospel among muslims. AcTh(B) 26/2 (2006) 94-115.

12371 *Glaser, Ida J.* "Get wisdom, get understanding": how study contributes to Muslim-Christian engagement. Anvil 23/2 (2006) 113-123.

12372 *Griffith, S.H.* The bible and the 'people of the book'. BDV 79-80 (2006) 22-30.

12373 *Maraval, Pierre* Juif, chrétien et musulman: le pèlerinage réinventé. MoBi 171 (2006) 34-36.

12374 *Mohagheghi, Hamideh* Abraham und der jüdisch-christlich-muslimische Dialog: Überlegungen aus muslimischer Perspektive. JK 67/4 (2006) 53-55.

12375 **Nehls, Gerhard** Al-kitab–das Buch: Gottes Wort kennenlernen. Wu 2006, Brockhaus 144 pp. €6.90.

12376 *Parappally, Jacob* Jesucristo, la palabra de Dios que revela al Dios trinitario: la fe cristiana en diálogo con la fe islámica. Omnis Terra 38 (2006) 380-388; Ed. franç. 380-388.

12377 *Pöhlmann, Horst G.* Jesus im Islam und Christentum. [F]UNTERGASS-MAIR, F. 2006 ⇒161. 495-501.

12378 **Reynolds, Gabriel Said** A Muslim theologian in the sectarian milieu: 'Abd al-Jabbār and the *Critique of christian origins*. 2004 ⇒20,11640. [R]ICMR 17 (2006) 240-241 (*Thomas, David*).

12379 *Tamcke, Martin* Im Schatten von Schah und Kaliph: Christsein östlich der griechisch-römischen Welt;

12380 Zwischen Größenwahn und Minderwertigkeitsgefühl: Christsein im Haus des Islam. Götterbilder-Gottesbilder-Weltbilder, II. FAT 2/18: 2006 ⇒636. 243-261/263-276.

12381 *Troll, Christian* Bible and Qur'an in dialogue. BDV 79-80 (2006) 31-38.

12382 United States Conference of Catholic Bishops: Revelation: Catholic & Muslim perspectives. Wsh 2006, U.S. Conference of Catholic Bishops 52 pp. $7 [BiTod 44,402—Donald Senior].

M8.5 **Religiones Indiae** *et Extremi Orientis*

12383 *Kadirgamar, Lakshman* The social relevance of the bible for our times. Dialogue 32-33 (2006) 218-254.

12384 **Oberhammer, Gerhard** Zur Eschatologie der Ramanuja-Schule vor Venkatanatha. DÖAW.PH 740; Meterialien zur Geschichte der Ramanuja-Schule 8; Veröffentlichungen zu den Sprachen und Kulturen Südasiens 38: W 2006, Verlag der Österreichischen Akademie der Wissenschaften 174 pp. Bibl. 7-11.

M8.7 *Interactio cum religione orientali*–Christian dialogue with the East

12385 *Fowlkes, D.W.; Verster, P.* Family (oikos) evangelism for reaching forward caste Hindus in India. VeE 27 (2006) 321-338.

12386 **Gira, Dennis; Midal, Fabrice** Jésus/Bouddha. Dialogue et Vérité: P 2006, Bayard 186 pp. €18.90. 22274-75544.

12387 *Haug, K.S.* Christianity as a religion of wisdom and kamma: a Thai Buddhist interpretation of selected passages from the gospels. Council of Societies for the Study of Religion Bulletin [Houston, TX] 35/2 (2006) 42-46.

12388 **Luz, Ulrich; Michaels, Axel** Encountering Jesus and Buddha: their lives and teachings. Mp 2006, Fortress xv; 231 pp. $16. 0-8006-35-64-7.

12389 ᴱ**Malek, Roman** El rostro chino de Jesucristo. MSer.M 50: 2002 ⇒20,11645. ᴿMisEx 214 (2006) 639-641 (*Sloboda, Michael J.*).

12390 *Song, Choan-Seng* Asia. Blackwell companion to the bible. 2006 ⇒465. 158-175.

M8.9 **Religiones Africae et Madagascar** [⇒H8.6]

12391 *Ahirika, Edwin* Exorcism in the bible and African traditional medicine. JDh 31 (2006) 349-364.

12392 *Draper, Jonathan A.* Africa. Blackwell companion to the bible. 2006 ⇒465. 176-197.

12393 *Holter, Knut* "Like living in Old Testament times": the interpretation of assumed affinities between traditional African culture and the Old Testament. AnBru 11 (2006) 17-27.

12394 *Hödl, Hans G.* Òrìsà, Heilige, Exodus und Babylon: Inkulturation "von unten" in afroamerikanischen Religionen?. Inkulturation. 2006 ⇒543. 108-128.

12395 *Ingram, R.* Similarities in Pentecostal and traditional African culture: a positive potential in a context of urbanization and modernization. VeE 27 (2006) 339-360.

12396 *Kibor, E.J.* Witchcraft and sorcery: a biblical perspective with implications for church ministry. Africa Journal of Evangelical Theology 25/2 (2006) 151-161.

12397 *Krawitz, Lillian; Shaw, Barbara* Axial age religious ideology: a new key to transforming African traditional religion and ethics. JSem 15 (2006) 32-66.

12398 *Le Roux, Magdel* Using the Old Testament to interpret Africa: the Malagasy religious context. OTEs 19 (2006) 441-454.
12399 *Masango, M.J.* Die konsep, rituele en proses van Afrika-huwelike;
12400 African spirituality that shapes the concept of Ubuntu. VeE 27 (2006) 226-236/930-943.
12401 *Nwaigbo, F.* Church in Africa and interreligious dialogue in the third millennium: Jesus and the Samaritan Woman as a paradigm. ThirdM 9/4 (2006) 38-57 [John 4,1-42].
12402 *Pretorius, S.P.* The significance of the use of ganja as a religious ritual in the Rastafari movement. VeE 27 (2006) 1012-1030.
12403 *Razafindrakoto, Georges* The Old Testament and the Malagasy *famadihana* ritual. OTEs 19 (2006) 455-472 [Gen 49,29-50,13; Exod 13,19; 20,12];
12404 The Old Testament outside the realm of the church: a case from Madagascar. OTEs 19 (2006) 473-485.
12405 *Van Heerden, Willie* Finding Africa in the Old Testament: some hermeneutical and methodological considerations. OTEs 19 (2006) 500-524.

XVII. Historia Medii Orientis Biblici

Q1 *Syria prae-Islamica, Canaan* Israel Veteris Testamenti

12406 **Albertz, Rainer** Israel in exile: the history and literature of the sixth century B.C.E. [T]*Green, David*: Studies in Biblical Literature 3: 2003 ⇒19,12198; 21,12903. [R]JSSt 51 (2006) 387-389 (*Middlemas, Jill*).
12407 *Archi, Alfonso* Ebla e la Siria del III millennio a.C. Storia d'Europa. 2006 ⇒590. 655-682.
12408 *Aznar Sánchez, Carolina* Aportaciones arqueológicas de los últimos diez años al estudio de la monarquía israelita. EstB 64 (2006) 283-317.
12409 **Banks, Diane** Writing the history of Israel. LHBOTS 438: NY 2006, Clark xiii, 248 pp. $145. 0-567-02662-0. Bibl. 235-245.
12410 **Bergant, Dianne** Israel's story: part one. ColMn 2006, Liturgical viii; 99 pp. $10. 978-08146-30464.
12411 *Berlejung, Angelika* Geschichte und Religionsgeschichte des antiken Israel. Grundinformation AT. 2006 ⇒1128. 55-185.
12412 *Borbone, Pier G.; Sacchi, Paolo* Gli ebrei. Storia d'Europa, 1, sez. I, Vol. II. 2006 ⇒590. 577-619.
12413 *Bord, Lucien-Jean* L'adoption du calendrier babylonien au moment de l'Exil. Le temps et les temps. JSJ.S 112: 2006 ⇒408. 21-36.
12414 *Bunimovitz, Shlomo; Greenberg, Raphael* Of pots and paradigms: interpreting the Intermediate Bronze Age in Israel/Palestine. [F]DEVER, W. 2006 ⇒32. 23-31.
12415 *Chadwick, Henry* Disagreement and the ancient church. Studies on ancient christianity. 2006 <1996> ⇒200. XXIII.557-566.
12416 La civiltà dei Hurriti. La parola del passato 55: 2000 ⇒16,10445... 20,11667. [R]Or. 75 (2006) 165-169 (*Mora, Clelia*).

12417 **Cohen, Susan L.** Canaanites, chronologies, and connections: the relationship of Middle Bronze IIA Canaan to Middle Kingdom Egypt. 2002 ⇒18,11216... 20,11655. ^RIEJ 56 (2006) 117-118 (*Maeier, Aren M.*).

12418 *Cohen, Yoram; Singer, Itamar* A late synchronism between Ugarit and Emar. ^FNA'AMAN, N. 2006 ⇒120. 123-139.

12419 **Dever, William G.** What did the biblical writers know and when did they know it?: what archaeology can tell us about the reality of Ancient Israel. 2001 ⇒17,10177... 21,12909. ^ROTEs 19 (2006) 345-348 (*Cronjé, S.I.*).

12420 *Dothan, Trude* The crisis years, 12th century BCE, Canaanites, Israelites, Egyptians and Philistines. BAIAS 24 (2006) 123-124.

12421 *Dubovsky, Peter* Tiglath-pileser III's campaigns in 734-732 B.C.: historical background of Isa 7; 2 Kgs 15-16 and 2 Chr 27-28. Bib. 87 (2006) 153-170.

12422 *Elayi, J.* An updated chronology of the reigns of Phoenician kings during the Persian period (539-333 BCE). TEuph 32 (2006) 11-43.

12423 **Ernst, Stephanie** Ahas, König von Juda: ein Beitrag zur Literatur und Geschichte des alten Israel. ATSAT 80: St. Ottilien 2006, EOS 260 pp. 38306-72381. Bibl. 235-254 [2 Kgs 16; 2 Chr 28; Isa 7].

12424 *Finkelstein, Israel* The last labayu: King Saul and the expansion of the first north Israelite territorial entity. ^FNA'AMAN, N. 2006 ⇒120. 171-187.

12425 *Freedman, David N.; Miano, David* "His seed is not": 13th-century BCE Israel. ^FDEVER, W. 2006 ⇒32. 295-301 [Gen 49,2-27].

12426 *Glazer, Eva K.* Narodi s mora–uzrok ili posljedica burnih promjena 13./12. st. pr. kr. BoSm 76 (2006) 13-27. **Croatian.**

12427 *Gordon, Robert P.* The ideological foe: the Philistines in the Old Testament. Hebrew Bible and ancient versions. MSSOTS: 2006 <2004> ⇒224. 157-168.

12428 **Hafthorsson, Sigurdur** A passing power: an examination of the sources for the history of Aram-Damascus in the second half of the ninth century B.C. CB.OT 54: Sto 2006, Almqvist & W. viii; 304 pp. SEK310. 91-22-02143-4. Diss. Uppsala; Bibl. 277-299. ^RRBLit (2006)* (*Sanders, Paul*).

12429 **Hayes, John H.; Miller, J. Maxwell** A history of ancient Israel and Judah. LVL ²2006 <1986>, Westminster 562 pp. $40. 0-664-2-2358-3. ^RHBT 28 (2006) 166-167 (*Dearman, J. Andrew*).

12430 *Jacobs, Bruno* Neue Überlegungen zu Genealogie und Chronologie der 'Ešmun'azar-Dynastie von Sidon. ^FHAIDER, P.: Oriens et Occidens 12: 2006 ⇒60. 133-149.

12431 *Jasmin, Michaël* The political organization of the city-states in southwestern Palestine in the Late Bronze Age IIB (13th century BC). ^FMAZAR, A. 2006 ⇒108. 161-191.

12432 *Kallai, Zechariah* Biblical narrative and history: a programmatic review. WZKM 96 (2006) 133-157.

12433 *King, Philip J.* The eighth, the greatest of centuries?. Presidential voices. 2006 <1988> ⇒340. 233-245.

12434 **Kitchen, Kenneth Anderson** On the reliability of the Old Testament. 2003 ⇒19,12242... 21,12925. ^RJNES 65 (2006) 230-232 (*Lemaire, André*); BAIAS 24 (2006) 115-19 (*Williamson, H.G.M.*); EThL 82 (2006) 491-493 (*Schoors, Antoon*).

12435	*Lehmann, Gunnar; Niemann, Hermann M.* Klanstruktur und charismatische Herrschaft: Juda und Jerusalem 1200-900 v. Chr. ThQ 186 (2006) 134-159.

12436	*Lemaire, André* La datation des rois de Byblos Abibaal et Elibaal et les relations entre l'Egypte et le Levant au Xe siècle av. notre ère. CRAI (2006) 1697-1716.

12437	*Levy, Thomas E.; Najjar, Mohammad* Edom and copper: the emergence of ancient Israel's rival. BArR 32/4 (2006) 24-35, 70.

12438	**Lipiński, Edward** On the skirts of Canaan in the Iron Age: historical and topographical researches. OLA 153: Lv 2006, Peeters 483 pp. €79. 90-429-1798-9. ^RUF 38 (2006) 824-829 (*Heltzer, M.*).

12439	*Liverani, Mario* Il potere politico nel Vicino Oriente antico: bisogno e rifiuto. RstB 18 (2006) 43-52.

12440	**Liverani, Mario** Israel's history and the history of Israel. ^T*Peri, Chiara; Davies, Philip R.* 2005 ⇒21,12930. ^RCV 48 (2006) 181-185 (*Sláma, Peter*); RBLit (2006)* (*Naʾaman, Nadav*).

12441	**Lopasso, Vincenzo** Breve storia di Israele: da Abramo a Bar Kokhbà. Quaderni di Vivarium 3: 2001 ⇒17,10198. ^RBeO 48 (2006) 63-64 (*Sardini, Davide*).

12442	^E**MacDonald, Burton; Younker, Randall W.** Ancient Ammon. 1999 ⇒15,8566; 17,10199. ^ROLZ 101 (2006) 639-645 (*Lehmann, Gunnar*).

12443	*Margueron, Jean-Claude* La base territoriale du royaume de Mari au IIIe millenaire: essai d'evaluation. ^FMATTHIAE, P. 2006 ⇒107. 309-320.

12444	*Mazzoni, Stefania; Merlo, Paolo* Siria e Palestina dal XII all'VIII sec. a.C.. Storia d'Europa, 1, sez. I, Vol. II. 2006 ⇒590. 413-458.

12445	**Merrill, Eugene** Die Geschichte Israels: ein Königreich von Priestern. ^E*Pehlke, Helmuth* 2001 ⇒19,12253. ^RThRv 102 (2006) 129-130 (*Ohler, Annemarie*).

12446	*Mielgo, C.* El debate sobre la historia antigua de Israel. EstAg 41/1 (2006) 5-43.

12447	*Rogerson, John W.* Israel to the end of the Persian period: history, social, political, and economic background. Oxford handbook of biblical studies. 2006 ⇒438. 268-284.

12448	*Schaper, Joachim* Auf der Suche nach dem alten Israel?: Text, Artefakt und "Geschichte Israels" in der alttestamentlichen Wissenschaft vor dem Hintergrund der Methodendiskussion in den Historischen Kulturwissenschaften (Teil I-II). ZAW 118 (2006) 1-21 [2 Kgs 22-23], 181-196.

12449	*Schniedewind, William* La thèse d'une écriture à l'époque royale. MoBi hors série (2006) 22-24, 26-27.

12450	**Schwantes, Milton** As monarquias no Antígo Israel. São Paulo 2006, Paulinas/CEB 85 pp. 85-89000-92-3.

12451	*Shai, Itzhaq* The political organization of the Philistines. ^FMAZAR, A. 2006 ⇒108. 347-359.

12452	*Sievertsen, Uwe* Neue Forschungen zur Chronologie der Mittelbronzezeit in Westsyrien im kulturellen Kontext des levantinischostmediterranen Raums: eine Zwischenbilanz. DaM 15 (2006) 9-65.

12453	**Soggin, J. Alberto** Histoire d'Israël et de Juda: introduction à l'histoire d'Israël et de Juda des origines à la révolte de Bar Kokhba. ^T*Bonnet, Corinne*: Le livre et le rouleau 19: 2004 ⇒20,11690;

21,12949. [R]NRTh 128 (2006) 111-113 (*Ska, Jean Louis*); RevSR 80 (2006) 271-273 (*Maussion, Marie*).

12454 **Tanner, Hans Andreas** Amalek: der Feind Israels und der Feind Jahwes: ein Studie zu den Amalektexten im Alten Testament. 2005 ⇒21,12952. [R]CBQ 68 (2006) 744-745 (*Nelson, Richard D.*).

12455 *Ussishkin, David* Lachish, Megiddo and the Philistine settlement in the coastal plain. BAIAS 24 (2006) 123.

12456 *Vidal, Jordi* The origins of the last Ugaritic dynasty. AltOrF 33 (2006) 168-175;

12457 El enfrentamiento entre Tiro y Sidón durante los reinados de Abi-Milki y Zimrida: ensayo de reconstrucción. AuOr 24 (2006) 255-263.

12458 Who were the Jebusites?. BArR 32/2 (2006) 17.

Q2 **Historiographia**—*theologia historiae*

12459 *Abou Diwan, G.; Khalil, W.; Khreich, M.* Problèmes et entraves de l'historien au Proche-Orient: l'exemple du Liban. TEuph 31 (2006) 115-116.

12460 *Amherdt, François-Xavier* Bible et histoire selon Paul RICOEUR, 2. CEv 135 (2006) 58-61.

12461 *Amit, Yairah* Looking at history through literary glasses too. [F]NA'A-MAN, N.: 2006 ⇒120. 1-15.

12462 **Bartholomew, Craig G.; Goheen, Michael W.** The drama of Scripture: finding our place in the biblical story. GR 2006, Baker 252 pp. 978-0-8010-2746-8.

12463 *Baslez, Marie-Françoise* Histoire locale et construction identitaire. La bible et l'histoire. CRB 65: 2006 ⇒776. 83-106.

12464 *Batsch, Christophe* Un considérable gâchis: le recrutement des chercheurs en histoire ancienne du Proche-Orient. TEuph 31 (2006) 121-122.

12465 *Baurain, C.* L'antiquité en otage et l'histoire ancienne en danger. TEuph 31 (2006) 15-25.

12466 *Becker, Eve-Marie* Artapanus: 'judaica': a contribution to early Jewish historiography. History and identity. DCLY 2006: 2006 ⇒ 704. 297-320.

12467 **Berner, Christoph** Jahre, Jahrwochen und Jubiläen: heptadische Geschichtskonzepte im Antiken Judentum. [D]*Becker, H.-J.*: BZAW 363: B 2006, De Gruyter xiii; 564 pp. €128. 3-11-019054-0. Diss. Göttingen; Bibl. 517-536.

12468 *Bispham, Edward* Roman historiography. Edinburgh companion. 2006 ⇒596. 384-390.

12469 *Bondì, Sandro F.* Histoire et historiens du monde phénicien d'Occident. TEuph 31 (2006) 27-33.

12470 *Bosman, Hendrik* Review article: three rounds with a heavyweight in the maximalist-minimalist 'context': a review of the DEVER trilogy. Scriptura 93 (2006) 457-466.

12471 *Brennecke, Hanns C.* Handeln Gottes in der Geschichte: Anmerkungen eines Kirchenhistorikers zu den Problemen einer Geschichtstheologie. ThZ 62 (2006) 341-356.

12472 *Carrez-Maratray, J.-Y.* L'histoire du Proche-Orient hors programme des concours du Capes et de l'Agrégation;

12473 *Elayi, J.* Être historienne de la Phénicie ici et maintenant. TEuph 31 (2006) 123/41-53.

12474 *Emerton, John A.* The kingdoms of Judah and Israel and ancient Hebrew history writing. Biblical Hebrew. 2006 ⇒725. 33-49.

12475 *Fales, F. M.* L'historien du Proche-Orient antique: entre passé et présent. TEuph 31 (2006) 55-66.

12476 *Fried, L.S.* Historians can use the scientific method. TEuph 31 (2006) 125-127.

12477 ^E**Goldhill, Simon; Osborne, Robin** Rethinking revolutions through ancient Greece. C 2006, CUP xv; 319 pp. 978-0-521-8621-2-7. Bibl.

12478 *Grabbe, Lester L.* Biblical historiography in the Persian period: or how the Jews took over the empire. Orientalism, assyriology and the Bible. HBM 10: 2006 ⇒626. 400-414.

12479 *Harrison, Thomas* Greek historiography. Edinburgh companion. 2006 ⇒596. 377-383.

12480 *Hazony, Yoram* Does the bible have a political teaching?. HPolS 1/2 (2006) 137-161.

12481 **Hedrick, Charles W., Jr.** Ancient history: monuments and documents. Blackwell Introductions to the Classical World: Oxf 2006, Blackwell 192 pp. $33. 978-14051-06580.

12482 **Hendel, Ronald** Remembering Abraham: culture, memory, and history in the Hebrew Bible. 2005 ⇒21,12978. ^RRBLit (2006)* (*Brenner, Athalya*); JAOS 125 (2005) 546-547 (*Van Seters, John*).

12483 *Henige, David* A war of pots and kettles: the dubious discourse of W.G. DEVER. SJOT 20/1 (2006) 77-95.

12484 *Hoof, Dieter* Das Evidenzproblem in der althistorischen Kindheitsforschung. "Schaffe mir Kinder ...". ABIG 21: 2006 ⇒756. 19-43.

12485 **Janiszewski, Pawel** The missing link: Greek pagan historiography in the second half of the third century and in the fourth century. ^T*Dzierzbicka, Dorota*: Journal of juristic papyrology.S 6: Wsz 2006, Rafala xii; 532 pp. 83-918250-5-1. Bibl. 465-525.

12486 *Japhet, Sara* Postexilic historiography: how and why?;
12487 Can the Persian period bear the burden: reflections on the origins of biblical history;
12488 Periodization between history and ideology: the Neo-Babylonian period in biblical historiography;
12489 Theodicy in Ezra-Nehemiah and Chronicles. From the rivers of Babylon. 2006 ⇒246. 307-330/342-352/353-366/367-398.

12490 *Joannès, F.* Recherche historique et assyriologie. TEuph 31 (2006) 67-74.

12491 *Kaiser, Otto* Hybris, Ate und Theia Dike in HERODOTs Bericht über den Griechenlandfeldzug des Xerxes (Historien VII-IX). ^FSCHMITT, H.-C.: BZAW 370: 2006 ⇒151. 279-293.

12492 *Klinger, Susanne* The lasting legacy of historical consciousness. ^FUNTERGASSMAIR, F. 2006 ⇒161. 79-86.

12493 **Kofoed, Jens Bruun** Text and history: historiography and the study of the biblical text. 2005 ⇒21,12983. ^RRBLit (2006)* (*Licona, Michael*).

12494 **Lachenaud, Guy** Promettre et écrire: essais sur l'historiographie des Anciens. 2004 ⇒20,11722. ^RREA 108 (2006) 745-747 (*Payen, Pascal*).

12495 *Le Roux, Magdel* The Lemba, the 'people of the book' in southern Africa. OTEs 19 (2006) 548-557.

12496 *Lemaire, A.* Comment peut-on être historien du Levant ancien aujourd'hui?. TEuph 31 (2006) 75-84.

Liverani, M. Myth and politics in ancient Near Eastern historiography 2004 ⇒262.

12497 **Lüdemann, Gerd** Altes Testament und christliche Kirche: Versuch einer Aufklärung. Springe 2006, zu Klampen 204 pp. €19.80.

12498 **Mendels, Doron** Memory in Jewish, pagan and christian societies of the Graeco-Roman world. LSTS 48: 2004 ⇒20,11729. ^RRBLit (2006)* (*Ben Zvi, Ehud*); JThS 57 (2006) 213-4 (*Morgan, Teresa*).

12499 *Meyers, Eric M.* Israel and its neighbors then and now: revisionist history and the quest for history in the Middle East today. ^FDEVER, W. 2006 ⇒32. 255-264.

12500 *Millar, Fergus* POLYBIUS between Greece and Rome. Rome, the Greek world, 3. 2006 <1987> ⇒275. 91-105.

12501 *Miller, J. Maxwell* Israel's past: our 'best guess scenario'. ^FHAYES, J.: LHBOTS 446: 2006 ⇒64. 9-22.

12502 *Miller, R.D., II* Yahweh and his Clio: critical theory and the historical criticism of the Hebrew Bible. CuBR 4 (2006) 149-168.

12503 *Moore, Megan B.* Writing Israel's history using the prophetic books. ^FHAYES, J.: LHBOTS 446: 2006 ⇒64. 23-36.

12504 **Moore, Megan B.** Philosophy and practice in writing a history of ancient Israel. LHBOTS 435: NY 2006, Clark ix, 205 pp. $115. 0-567-02981-6. Bibl. 184-201.

12505 **Morley, Neville** Theories, models, and concepts in ancient history. 2004 ⇒20,11731; 21,12994. ^RAnCl 75 (2006) 507-509 (*Raepsaet-Charlier, Marie-Thérèse*).

12506 *Nápole, Gabriel M.* Narración e historia: en torno a la cuestión del tiempo en el Antiguo Testamento. Teol. 43 (2006) 543-557.

12507 *Newsom, Carol A.* Rhyme and reason: the historical résumé in Israelite and early Jewish thought. Congress volume Leiden 2004. VT.S 109: 2006 ⇒759. 215-233;

12508 = ^FHAYES, J:. LHBOTS 446: 2006 ⇒64. 293-310.

12509 *Niebuhr, Karl-Wilhelm* Biblische Geschichte und Menschheitsgeschichte: Überlegungen in Anknüpfung an Herder. ^FHAUFE, G.: GThF 11: 2006 ⇒63. 195-211.

12510 *Nobbs, Alanna E.* What do ancient historians make of the New Testament?. TynB 57 (2006) 285-290.

12511 *Nutkowicz, H.* Le développement des "gender studies" dans l'histoire du Proche-Orient antique. TEuph 31 (2006) 129-132.

12512 *Pelletier, Anne-Marie* Patience du sens: petit plaidoyer pour une exégèse de la durée. ^FGIBERT, P. 2006 ⇒52. 81-96.

12513 *Petit, T.* L'historien-archéologue de la Méditerranée orientale et du Proche-Orient antique en 2005: entre critique et vérité historiques, renoncement méthodologique et idéologie. TEuph 31 (2006) 101-112.

12514 *Picard, Jacques* Jerusalem, Babylon und andere Orte der Erinnerung: über das Woher und Wohin in der jüdischen Geschichtsschreibung. Schweizerische Zeitschrift für Religions- und Kulturgeschichte 100 (2006) 89-104.

12515 *Piedad Sánchez, Jorge* Israel *narra* su propia historia. Qol 42 (2006) 37-52.

12516 *Raurell, Frederic* Creation of the past: the notion of history in the bible. Laur. 47 (2006) 143-160;

12517 The notion of history in the Hebrew Bible. History and identity. DCLY 2006: 2006 ⇒704. 1-20.

12518 **Revel, Jacques** Un parcours critique: douze exercices d'histoire sociale. P 2006, Galaade 446 pp. 2-35176-024-7. Bibl.

12519 *Rosendal, Bent* Grundtvig forkynder Israels historie: om "Verdens Krønike" 1814. DTT 69/2 (2006) 144-156.

12520 **Sattig, Thomas** The language and reality of time. Oxf 2006, OUP x; 222 pp. 0-19-927952-7. Bibl. 211-217.

12521 *Schmal, Stephan* Orientvorstellungen bei römischen Historikern. ᶠHAIDER, P.: Ment. *Tacitus*: 2006 ⇒60. 749-769.

12522 *Schneider, Ulrike* Die Erinnerungsfigur des Exodus als literarisches Mittel einer zeitgeschichtlichen jüdischen Geschichtsschreibung. ZRGG 58 (2006) 243-262.

12523 *Schröter, Jens* Geschichte im Licht von Tod und Auferweckung Jesu Christi: Anmerkungen zum Diskurs über Erinnerung und Geschichte aus frühchristlicher Perspektive. BThZ 23 (2006) 3-25.

12524 *Stager, Lawrence E.* Biblical Philistines: a Hellenistic literary creation?. ᶠMAZAR, A. 2006 ⇒108. 375-384.

12525 *Storck, Thomas* A biblical theology of history. HPR 107/1 (2006) 16-22.

12526 *Tadmor, Hayim* New observations on Assyrian historiography. Assyria, Babylonia and Judah. 2006 <1977> ⇒314. 41-49. **H.**

12527 *Thompson, Thomas L.* Archaeology and the bible revisited: A review article. SJOT 20 (2006) 286-313.

12528 **Thompson-Uberuaga, William** Jesus and the gospel movement: not afraid to be partners. Columbia, MO 2006, Univ. of Missouri Pr. xii; 266 pp. $40.

12529 *Ulf, Christoph* Von der Universalgeschichte zum Kulturtransfer: essayistische Gedanken zum Wandel methodisch-theoretischer Konzepte durch die Praxis historischer Analyse. ᶠHAIDER, P.: Oriens et Occidens 12: 2006 ⇒60. 773-786.

12530 *Whitelam, Keith W.* Introduction: general problems of studying the text of the bible in order to reconstruct history and social background. Oxford handbook of biblical studies. 2006 ⇒438. 255-267.

12531 *Wolf, Peter* Gläubige Deutung geschichtlicher Ereignisse: biblische Fundierung zur "Spurensuche". LebZeug 61/1 (2006) 20-28.

Q3 *Historia Ægypti*—**Egypt**

12532 *Agut-Labordère, D.* Du bon usage des théories socio-économiques en histoire ancienne de l'Égypte. TEuph 31 (2006) 117-119.

12533 **Bagnall, Roger S.** Later Roman Egypt: society, religion, economy, and administration. CStS 758: 2003 ⇒19,12323. ᴿSCI 25 (2006) 170-173 (*Keenan, James G.*);

12534 Hellenistic and Roman Egypt: sources and approaches. CStS 864: Aldershot 2006, Ashgate x; 336 pp. $75. 978-0-7546-5906-8. Bibl. 227-230.

12535 *Bennett, Chris* Genealogy and the chronology of the Second Intermediate Period. Ä&L 16 (2006) 231-243.

12536 *Beylage, Peter* Zur inhaltlichen Struktur des Berichtes Ramses' II. über die Schlacht bei Qadesh. Journal of Ancient Civilizations [Changchun, PRC] 21 (2006) 99-111.

12537 *Bietak, Manfred* The predecessors of the Hyksos. [F]DEVER, W. 2006 ⇒32. 285-293.

12538 **Blöbaum, A.I.** 'Denn ich bin der König, der die Maat liebt': Herrscherlegitimation im spätzeitlichen Ägypten: eine vergleichende Untersuchung der Phraseologie in den offiziellen Königsinschriften vom Beginn der 25. Dynastie bis zum Ende der makedonischen Herrschaft. Aegyptiaca Monasteriensia 4: Aachen 2006, Shaker xiv; 501 pp. €49.80. 38322-48250.

12539 *Bo, Zhang* The sed-festival and ancient Egyptian chronology. Journal of Ancient Civilizations [Changchun, PRC] 21 (2006) 61-89.

12540 *Bogdanov, I.V.* Two traditions on the origin of the fifth dynasty in Egypt. VDI 255 (2006) 3-17. **R.**

12541 **Bonnet, Charles; Valbelle, Dominique** The Nubian Pharaohs: black kings on the Nile. Cairo 2006, American University in Cairo Pr. 215 pp. 977-416-010-X. Foreword *Jean Leclant*; Bibl. 212-213;

12542 Pharaonen aus dem schwarzen Afrika. Mainz 2006, Von Zabern 216 pp. €60. 3-8053-3648-9 [Kerma].

12543 *Broekman, Gerard P.F.* Once again the reign of Takeloth II: another view on the chronology of the mid 22nd dynasty. Ä&L 16 (2006) 245-255.

[E]**Campagno, M.**, *al.*, Antiguos contactos 2004 ⇒601.

12544 **Capponi, Livia** Augustan Egypt: the creation of a Roman province. 2005 ⇒21,13029. [R]HZ 283 (2006) 163-164 (*Jördens, Andreas*).

12545 **Casson, Lionel** Everyday life in ancient Egypt. [2]2001 <1975> ⇒ 17,10285. [R]JNES 65 (2006) 55-57 (*Davies, Vanessa*).

12546 **Castañeda Reyes, Juan Carlos** Sociedad antigua y respuesta popular: movimientos sociales en Egipto antiguo. 2003 ⇒20,11762. [R]BiOr 63 (2006) 43-44 (*Gil Paneque, Cristina*);

12547 El papel de la mujer en la historia social del Egipto antiguo. 2003 ⇒20,11763. [R]BiOr 63 (2006) 277-278 (*Gil Paneque, Cristina*).

12548 *Castillos, Juan José* Social stratification in early Egypt. GöMisz 210 (2006) 13-17.

12549 *Chandler, Graham; Nelson, Michael* Before the mummies: the desert origins of the pharaohs. Saudi Aramco world 57/5 2006*.

12550 *Chandler, Tertius* The Hyksos date 1688 B.C. BeO 48 (2006) 10.

12551 [E]**Cline, Eric H.; O'Connor, David** Thutmose III: a new biography. AA 2006, University of Michigan Press xvii; 534 pp. $85. 0-472-11467-0. Bibl. 431-480.

12552 *Degrève, Agnès* La campagne asiatique de l'an 1 de Séthy Ier représentée sur le mur extérieur nord de la salle hypostyle du temple d'Amon à Karnak. RdE 57 (2006) 1-46.

12553 **Desplancques, Sophie** L'institution du Trésor en Égypte: des origines à la fin du Moyen Empire. Les institutions dans l'Égypte ancienne 2: P 2006, Presses de l'Université de Paris-Sorbonne 478 pp. 978-2-84050-451-1.

12554 *Engel, Eva-Maria* Die Entwicklung des Systems der ägyptischen Nomoi in der Frühzeit. MDAI.K 62 (2006) 151-160.

12555 *Feucht, Erika* Kinderarbeit und Erziehung im Alten Ägypten. "Schaffe mir Kinder ...". ABIG 21: 2006 ⇒756. 89-117.

12556   *Franke, Detlef* Arme und Geringe im Alten Reich Altägyptens: "Ich gab Speise den Hungernden, Kleider den Nackten ...". ZÄS 133 (2006) 104-120.
12557   *Frankfurter, D.* Fetus magic and sorcery fears in Roman Egypt. GRBS 46/1 (2006) 37-62.
12558   *Fraß, Monika* Reiselustige Frauen im römischen Ägypten;
12559   *Friedrich, Joachim* Inaros, Held von Athribis. ^FHAIDER, P.: Oriens et Occidens 12: 2006 ⇒60. 485-497/499-505.
12560   *Gee, John* Overlooked evidence for Sesostris III's foreign policy. JARCE 41 (2004) 23-31.
12561   **Gozzoli, Roberto B.** The writing of history in ancient Egypt during the first millennium BC (ca. 1070-180 BC): trends and perspectives. GHP Egyptology 5: L 2006, Golden House xii; 397 pp. £27. 09550-2563X.
12562   **Grajetzki, Wolfram** The Middle Kingdom of ancient Egypt: history, archaeology and society. L 2006, Duckworth xii; 208 pp. £17. 0-7156-3435-6. Bibl. 193-196.
12563   *Grimal, Nicolas* Les listes de peuples dans l'Egypte du deuxième millénaire av. J.-C. et la géopolitique du Proche-Orient. ^FBIETAK, M., I: OLA 149: 2006 ⇒8. 107-119.
12564   *Gundlach, Rolf* Hof–Hofgesellschaft–Hofkultur im pharaonischen Ägypten. Der ägyptische Hof. 2006 ⇒904. 1-38;
12565   Zu Zielen und Aspekten ägyptologischer Residenzforschung. Der ägyptische Hof. 2006 ⇒904. 267-268.
12566   **Hallmann, Silke** Die Tributszenen des Neuen Reiches. ÄAT 66: Wsb 2006, Harrassowitz viii; 364 pp. 978-3-447-05414-0.
12567   **Hawass, Zahi A.** The realm of the pharaohs. Vercelli 2006, White Star 415 pp. 978-88-544-0161-7.
12568   *Hirsch, Eileen* Die Beziehungen der ägyptischen Residenz im Neuen Reich zu den vorderasiatischen Vasallen–die Vorsteher der nördlichen Fremdländer und ihre Stellung bei Hofe. Der ägyptische Hof. 2006 ⇒904. 119-199.
12569   *Hofer, Peter* Die Schlacht von Qadesh im Lichte eines modernen militärischen Führungsverfahrens. GöMisz 208 (2006) 29-50.
    ^E**Hornung, E.**, *al.*, Ancient Egyptian chronology 2006 ⇒628.
12570   **Höveler-Müller, Michael** Am Anfang war Ägypten: die Geschichte der pharaonischen Hochkultur von der Frühzeit bis zum Ende des Neuen Reiches, ca. 4000-1070 v.Chr. Kulturgeschichte der antiken Welt 101: 2005 ⇒21,13038. ^RWZKM 96 (2006) 377-383 (*Jaroš, Karl*); JAOS 126 (2006) 262-263 (*Quack, Joachim F.*).
12571   *Huber, Irene* Von Affenwärtern, Schlangenbeschwörern und Palastmanagern: Ägypter im Mesopotamien des ersten vorchristlichen Jahrhunderts. ^FHAIDER, P.: Oriens et Occidens 12: 2006 ⇒60. 303-329.
12572   *Huß, Werner* Zur Invasion Ptolemaios' VIII. Soters II. in Ägypten (103 v.Chr.). ZPE 157 (2006) 168.
12573   *Jansen-Winkeln, Karl* The relevance of genealogical information for Egyptian chronology. Ä&L 16 (2006) 257-273.
12574   **Jäger, Stephan** Altägyptische Berufstypologien. Lingua aegyptia, Studia Monographica 4: Gö 2004, Seminar für Ägyptologie und Koptologie 339; xlvi pp. xciv pp ill.
12575   **Jiménez Serrano, A.** Royal festivals in the late pre-dynastic period and the first dynasty. BAR Internat. Ser. 1076: 2002 ⇒18,11332; 20,11781. ^RArOr 74 (2006) 231-233 (*Vlčková, Petra*).

12576 *Kahn, Dan'el* The Assyrian invasions of Egypt (673-663 B.C.) and the final expulsion of the Kushites. SAÄK 34 (2006) 251-267;

12577 Divided kingdom, co-regency, or sole rule in the kingdom(s) of Egypt-and-Kush?. Ä&L 16 (2006) 275-291.

12578 **Kessler, Rainer** Die Ägyptenbilder der Hebräischen Bibel: ein Beitrag zur neueren Monotheismusdebatte. SBS 197: 2002 ⇒18, 11337; 20,11784. [R]ThRv 102 (2006) 461-462 (*Görg, Manfred*).

12579 *Kitchen, Kenneth A.* The strengths and weaknesses of Egyptian chronology–a reconsideration. Ä&L 16 (2006) 293-308.

12580 **Kootz, Antje B.** Der altägyptische Staat: Untersuchungen aus politikwissenschaftlicher Sicht. Menes 4: Wsb 2006, Harrassowitz xii; 266 pp. €78. 3-447-05319-4. [R]ZAR 12 (2006) 400-402 (*Otto, Eckart*); BiOr 63 (2006) 510-513 (*Trigger, Bruce G.*).

12581 *Krauss, Rolf* Manethos Ägyptische Geschichte–eine ptolemäische oder römische Kompilation?. [F]Bietak, M., III: OLA 149: 2006 ⇒ 8. 227-234.

12582 [E]**Laurant, Sophie** Ramsès II pharaon de l'Exode?. MoBi hors série (2006) 12-65.

12583 **Legras, Bernard** L'Égypte grecque et romaine. 2004 ⇒20,11788. [R]RH 130 (2006) 151 (*Haziza, Typhaine*); AnCl 75 (2006) 497-498 (*Rochette, Bruno*).

12584 **Lembke, Katja** Ägyptens späte Blüte: die Römer am Nil. Zaberns Bildbände zur Archäologie: 2004 ⇒20,11789. [R]AnCl 75 (2006) 656-658 (*Melaerts, Henri*); WO 36 (2006) 226-230 (*Fritz, Ulrike*).

12585 *Linghu, Ruoming* On the establishment of the unified state in ancient Egypt. Journal of Ancient Civilizations [Changchun, PRC] 21 (2006) 91-97.

12586 *Lokel, Philip* Previously unstoried lives: the case of Old Testament Cush and its relevance to Africa. OTEs 19 (2006) 525-537.

12587 *Luft, Ulrich* Absolute chronology in Egypt in the first quarter of the second millennium BC. Ä&L 16 (2006) 309-316.

12588 *Lull, José* Psusennes, primer sacerdote de Amón, y Psusennes II, rey de Egipto: genealogía, documentación y problemas. AuOr 24 (2006) 57-77.

12589 **Manning, Joseph G.** Land power in Ptolemaic Egypt: the structure of land tenure. 2003 ⇒19,12367. [R]Gn. 78 (2006) 234-237 (*Huß, Werner*); JEA 92 (2006) 302-304 (*Rowlandson, Jane*); BasPap 43 (2006) 193-194 (*Verhoogt, Arthur*).

12590 *Menu, B.* Réflexions d'une historienne égyptologue. TEuph 31 (2006) 95-100.

12591 **Morris, Ellen Fowles** The architecture of imperialism: military bases and the evolution of foreign policy in Egypt's New Kingdom. PÄ 22: 2005 ⇒21,13045. [R]OLZ 101 (2006) 424-427 (*Vogel, Carola*); JAOS 126 (2006) 445-448 (*Spalinger, Anthony*).

12592 *Mumford, Gregory* Egypt's New Kingdom Levantine empire and Serabit El-khadim, including a newly attested votive offering of Horemheb. JSSEA 33 (2006) 159-203.

12593 *Müller, Vera* Wie gut fixiert ist die Chronologie des Neuen Reiches wirklich?. Ä&L 16 (2006) 203-230.

12594 *Na'aman, Nadav* Did Ramesses II wage campaign against the land of Moab?. GöMisz 209 (2006) 63-69.

12595 *O'Neil, James L.* Places and origin of the officials of Ptolemaic Egypt. Hist. 55 (2006) 16-25.

12596 *Ohshiro, Michinori* The cradle period of ancient Egyptian culture
—a study of the inflow of foreign elements in the pre and early dy-
nastic periods. GöMisz 210 (2006) 93-104.

12597 *Padró, Josep* La biblia como fente de la historia de Egipto durante
el segundo milenio. FSANMARTÍN, J. 2006 ⇒144. 333-336.

12598 EPantalacci, Laure; Berger-El-Naggar, Catherine Des Néferkarê
aux Montouhotep: travaux archéologiques en cours sur la fin de la
VIᵉ dynastie et la Première Période Intermédiaire. TMO 40: 2005
⇒21,13051. RBiOr 63 (2006) 522-524 (*Kuraszkiewicz, K.O.*).

12599 *Petrovich, Douglas* Amenhotep II and the historicity of the Exodus-
Pharaoh. MSJ 17 (2006) 81-110.

12600 *Piacentini, Patrizia* L'Egitto nel periodo protodinastico e nell'Anti-
co Regno. Storia d'Europa. 2006 ⇒590. 589-653.

12601 *Polz, Daniel* Die Hyksos-Blöcke aus Gebelên: zur Präsenz des
Hyksos in Oberägypten. FBIETAK, M., I: 2006 ⇒8. 239-247.

12602 Popko, Lutz Untersuchungen zur Geschichtsschreibung der Ahmo-
siden- und Thutmosidenzeit: "...damit man von seinen Taten noch
in Millionen von Jahren sprechen wird". Wahrnehmungen und Spu-
ren Altägyptens 2: Wü 2006, Ergon 326 pp. €42. 3-89913-458-3.
Bibl. 285-319.

12603 *Quirke, Stephen* In the name of the king: on late Middle Kingdom
cylinders. FBIETAK, M., I: OLA 149: 2006 ⇒8. 263-274.

12604 Quirke, Stephen Titles and bureaux of Egypt 1850-1700 BC. 2004
⇒20,11803; 21,13055. RJEA 92 (2006) 283-84 (*Kubisch, Sabine*);
JARCE 41 (2004) 199-200 (*Smith, Vanessa*).

12605 *Raedler, Christine* Zur Struktur der Hofgesellschaft Ramses' II. Der
ägyptische Hof. 2006 ⇒904. 39-87.

12606 Redford, Donald B. From slave to pharaoh: the black experience
of ancient Egypt. 2004 ⇒20,11804; 21,13057. RJAfH 47 (2006)
327-328 (*Phillips, Jacke*); BiOr 63 (2006) 289-294 (*Zibelius-Chen,
Karola*).

12607 Richards, Janet Society and death in ancient Egypt: mortuary
landscapes of the Middle Kingdom. 2005 ⇒21,12372. RArOr 74
(2006) 227-230 (*Vlčková, Petra*); CamArchJ 16 (2006) 354-356
(*Strudwick, Helen*).

12608 *Roth, Silke* Internationale Diplomatie am Hof Ramses' II.. Der
ägyptische Hof. 2006 ⇒904. 89-118.

12609 *Ruffing, Kai* Apollonios, Paniskos und die Frauen. FHAIDER, P.:
Oriens et Occidens 12: 2006 ⇒60. 517-526.

12610 *Schneider, Thomas* Akkulturation–Identität–Elitekultur–eine Posi-
tionsbestimmung zur Frage der Existenz und des Status von Aus-
ländern in der Elite des Neuen Reiches. Der ägyptische Hof. 2006
⇒904. 201-216;

12611 Überlegungen zur Chronologie der thebanischen Könige in der
Zweiten Zwischenzeit. FBIETAK, M., I: OLA 149: 2006 ⇒8. 299-
305.

12612 Silverman, David P.; Wegner, Jennifer H.; Wegner, Josef W.
Akhenaten and Tutankhamun: revolution and restoration. Ph 2006,
University of Pennsylvania Museum 196 pp. $25. 1-931707-90-1.
Bibl. 189-193.

12613 Spalinger, Anthony War in ancient Egypt: the New Kingdom.
Ancient world at war: 2004 ⇒20,11812. RJESHO 49 (2006) 260-
267 (*Warburton, David A.*).

12614 **Straus, Jean A.** L'achat et la vente des esclaves dans l'Égypte ro-
maine: contribution papyrologique à l'étude de l'esclavage dans une
province orientale de l'Empire romain. APF.B 14: 2004 ⇒20,
11813; 21,13069. [R]AnCl 75 (2006) 502-503 (*Melaerts, Henri*);
BiOr 63 (2006) 531-533 (*Salmenkivi, Erja*).

12615 [E]**Ucko, Peter** Encounters with ancient Egypt. L 2003, UCL Pr. 8
vols: Series; Conf. London 2000. [R]JARCE 41 (2004) 173-191
(*Davies, Sue; Smith, H.S.; Thompson, Dorothy J.*).

12616 **Veïsse, Anne-Emanuelle** Les 'révoltes égyptiennes': recherches
sur les troubles intérieurs en Égypte du règne de Ptolémée III à la
conquête romaine. StHell 41: 2004 ⇒20,11817; 21,13073. [R]APF
52/1 (2006) 58-63 (*McGing, Brian*).

12617 *Vittmann, Günter* Zwischen Integration und Ausgrenzung: zur Ak-
kulturation von Ausländern im spätzeitlichen Ägypten. [F]HAIDER,
P.: Oriens et Occidens 12: 2006 ⇒60. 561-595.

12618 **Vittmann, Günter** Ägypten und die Fremden im ersten vorchristli-
chen Jahrtausend. 2003 ⇒19,12397... 21,13076. [R]ArOr 74 (2006)
124-126 (*Smoláriková, Květa*).

12619 **Warburton, David** Egypt and the Near East: politics in the Bronze
Age. Civilisations du Proche-Orient, 4. 2001 ⇒17,10334... 21,
13077. [R]AfO 51 (2005-2006) 371-373 (*Liverani, Mario*).

12620 **Wedel, Carola** Nofretete und das Geheimnis von Amarna. 2005 ⇒
21,13078. [R]WZKM 96 (2006) 387-388 (*Jaroš, Karl*).

12621 When a woman ruled Egypt. BArR 32/2 (2006) 64-70.

12622 *Wiener, Malcolm H.* Egypt & time. Ä&L 16 (2006) 325-339.

12623 **Wilson, Kevin A.** The campaign of Pharaoh Shoshenq I into
Palestine. FAT 2/9: 2005 ⇒21,13082. [R]ThLZ 131 (2006) 994-995
(*Schipper, Bernd U.*); RBLit (2006)* (*Volokhine, Youri*).

12624 **Windus-Staginsky, Elka** Der ägyptische König im Alten Reich:
Terminologie und Phraseologie. Philippika 14: Wsb 2006, Harras-
sowitz 281 pp. €58. 978-3-447-05395-2. Bibl. 255-269. [R]LASBF
56 (2006) 635-636 (*Niccacci, Alviero*).

Q4.0 Historia Mesopotamiae

12625 *Adams, Robert McC.* Shepherds at Umma in the third dynasty of
Ur: interlocutors with a world beyond the scribal field of ordered
vision. JESHO 49 (2006) 133-169.

12626 **Arnold, Bill T.** Who were the Babylonians?. Archaeology and Bib-
lical Studies 10: 2004 ⇒20,11826; 21,13085. [R]CBQ 68 (2006) 95-
96 (*Chavalas, Mark W.*).

12627 *Besnier, Marie-Françoise* Quelques remarques sur les paysages de
Sumer. Journal of Ancient Civilizations [Changchun, PRC] 20
(2005) 37-59.

12628 *Cancik-Kirschbaum, Eva* Ab urbe condita—Assyria. BaghM 37
(2006) 259-266.

12629 **Charpin, Dominique; Dietz, Otto E.; Stol, Marten** Mesopotami-
en: die altbabylonische Zeit. Annäherungen 4; OBO 160/4: 2004 ⇒
20,11533; 21,13090. [R]BiOr 63 (2006) 314-317 (*Yuhang, Wu*).

12630 *Dezsö, Tamás* Reconstruction of the Assyrian army of Sargon II
(721-705 BC) based on the Nimrud horse lists. SAA Bulletin 15
(2006) 93-140.

12631   *Dolce, Rita* Têtes en guerre en Mésopotamie et Syrie. La guerre en tête. 2006 ⇒617. 32-46.

12632   *Dubovský, Peter* Conquest and reconquest of Muṣaṣir in the 8th century BCE. SAA Bulletin 15 (2006) 141-146.

12633   **Edzard, Dietz Otto** Geschichte Mesopotamiens: von den Sumeren bis zu ALEXANDER dem Grossen. 2004 ⇒20,11839; 21,13093. RGn. 78 (2006) 365-367 (*Frahm, Eckart*); JAOS 125 (2005) 543-544 (*Chavalas, Mark W.*).

12634   *Feldman, Marian H.* Assur Tomb 45 and the birth of the Assyrian Empire. BASOR 343 (2006) 21-43.

12635   *Galter, Hannes D.* Sargon der Zweite: über die Wiederinszenierung von Geschichte. FHAIDER, P.: Oriens et Occidens 12: 2006 ⇒60. 279-302.

12636   *Glassner, Jean-Jacques* Couper des têtes en Mésopotamie. La guerre en tête. 2006 ⇒617. 47-55.

12637   F**Glassner, Jean-Jacques** Mesopotamian Chronicles. E*Foster, Benjamin R.*: Writings from the Ancient World 19: 2004 ⇒20,11844; 21,13102. RBiOr 63 (2006) 103 (*Schramm, Wolfgang*).

12638   *Hrouda, Barthel* Die Assyrer in Nord Mesopotamien und in den westlichen Nachbargebieten. FMARGUERON, J.: Subartu 17: 2006 ⇒104. 257-260.

12639   *Kessler, K.* Provinz: B: Babylonien im 1. Jahrtausend. RLA 11/1-2. 2006 ⇒963. 38-42.

12640   **Koch, Heidemarie** Königreiche im alten Vorderen Orient. Mainz 2006, Von Zabern 135 pp. €39.90. 38053-36217. Ill.

12641   **Luukko, Mikko; Van Buylaere, Greta** The political correspondence of Esarhaddon. State Archives of Assyria 16: 2002 ⇒18, 11395... 21,13113. RAfO 51 (2005-2006) 335 (*Kessler, Karlheinz*).

12642   **Malik, Mirza D.G.** The throne of Saliq: the condition of Assyrianism in the era of the incarnation of our Lord; Notes on the history of Assyria. Piscataway (N.J.) 2006 <1916; 1931>, Gorgias ii; 92 pp. 1-59333-406-0.

12643   *Milano, Lucio* L'età di Accad e di Ur III. Storia d'Europa. 2006 ⇒ 590. 683-730.

12644   *Nadali, Davide* Esarhaddon's glazed bricks from Nimrud: the Egyptian campaign depicted. Iraq 68 (2006) 109-119.

12645   *Nakayama, Yatsuho* The 'administration' and 'management' of holdings in the Larsa area under the occupation of Ḫammu-rabi. Orient 49/1 (2006) 1-20. **J.**

12646   **Parker, Bradley J.** The mechanics of empire: the northern frontier of Assyria as a case study in imperial dynamics. Helsinki 2001, Neo-Assyrian Text Corpus Project xix; 348 pp. 978-951-45-9052-8. Bibl. 319-342.

12647   *Pinker, Aron* Nineveh's defensive strategy and Nahum 2-3. ZAW 118 (2006) 618-625.

12648   **Pollock, Susan** Ancient Mesopotamia: the Eden that never was. 1999 ⇒15,10552...17,10390. RANESt 43 (2006) 275-279 (*Boulter, Elizabeth; Evrim, Ilgi; Herring, Lydia A.*).

12649   *Pomponio, Francesco* I sumeri del periodo protodinastico. Storia d'Europa. 2006 ⇒590. 533-587.

12650   **Poo, Mu-Chou** Enemies of civilization: attitudes toward foreigners in ancient Mesopotamia, Egypt, and China. 2005 ⇒21,13130. RBSOAS 69 (2006) 351-353 (*Boretti, Valentina*).

12651   *Potts, D.T.* Elamites and Kassites in the Persian Gulf. JNES 65 (2006) 111-119.

12652   *Radner, K.* Provinz: C: Assyrien. RLA 11/1-2. 2006 ⇒963. 42-68.

12653   Rapport des historiens du Proche-Orient antique sur l'état de la recherche dans leur secteur, remis le 17-11-2004 à Monsieur François d'Aubert, Ministre délégué à la recherche. TEuph 31 (2006) 139-142.

12654   *Robertson, John F.* Nomads, barbarians, and societal collapse in the historiography of ancient southwest Asia. ^FLEICHTY, E. 2006 ⇒ 95. 325-336.

12655   **Roux, Georges** Irak in der Antike. ^E*Renger, Johannes*; ^T*Odenhardt-Donvez, I.* 2005 ⇒21,13135. ^RWZKM 96 (2006) 424-425 *(Selz, Gebhard J.)*.

12656   **Sack, Ronald H.** Images of Nebuchadnezzar: the emergence of a legend. Selinsgrove, Penn. ²2003 <1991>, Susquehanna Univ. Pr. xii; 175 pp. $39.50.

12657   *Sallaberger, W.* Provinz: A: Babylonien im 3. und 2. Jahrtausend. RLA 11/1-2. 2006 ⇒963. 34-38.

12658   *Sassmannshausen, Leonhard* Zur mesopotamischen Chronologie des 2. Jahrtausends. BaghM 37 (2006) 157-177.

12659   *Scheepers, C.L.* The olive oil industry at Ekron and co-existence under New-Assyrian dominion: a socio-economic model for South Africa. JSem 15 (2006) 590-616.

12660   *Scurlock, JoAnn* Whose truth and whose justice?: the Uruk and other late Akkadian prophecies re-visited. Orientalism, assyriology and the Bible. HBM 10: 2006 ⇒626. 449-467.

12661   ^E**Seminara, Stefano** Guerra e pace ai tempi di Hammu-rapi. 2004 ⇒20,11876; 21,13138. ^RRA 100 (2006) 131-60 *(Charpin, Dominique)*.

12662   *Solvang, Elna K.* Another look 'inside': harems and the interpretations of women. Orientalism, assyriology and the Bible. HBM 10: 2006 ⇒626. 374-398.

12663   *Tadmor, Hayim* Sennacherib, king of justice: tradition and change in royal epithets in Assyria. <2004> 51-55. H.;

12664   World dominion: the expanding borders of the Assyrian Empire. Assyria, Babylonia and Judah. 2006 <1999> ⇒314. 77-91. H.;

12665   Temple city and royal city in Babylonia and Assyria. 95-121. H.;

12666   The elite and the critique of the monarchy in Assyria. Assyria, Babylonia and Judah. 2006 <1986> ⇒314. 123-146. H.;

12667   The role of the chief eunuch and the place of eunuchs in the Assyrian Empire. <2002> 147-158. H.;

12668   Arameans and Aramaic in the Assyrian Empire <1982> 159-76. H.;

12669   Treaty and oath in the ancient Near East. <1982> 183-213. H.;

12670   Assyria and the west. <1975> 217-228. H.;

12671   The Assyrian campaigns to Philistia. <1966> 229-254. H.;

12672   Sennacherib's campaign to Judah: historiographical and historical considerations. Assyria, Babylonia...Judah. 2006 ⇒314. 255-74 H.

12673   *Tenu, Aline* Du Tigre à l'Euphrate: la frontière occidentale de l'empire medio-assyrien. SAA Bulletin 15 (2006) 161-181.

12674   *Tsirkin, J.B.* Oriental history is international. TEuph 31 (2006) 133-138.

12675   *Ussishkin, David* Sennacherib's campaign to Philistia and Judah: Ekron, Lachish, and Jerusalem. ^FNA'AMAN, N. 2006 ⇒120. 339-57.

12676   **Van De Mieroop, Marc** A history of the ancient Near East ca.
        3000-323 BC. Blackwell History of the Ancient World 1: 2004 ⇒
        20,11880; 21,13143. [R]ANESt 43 (2006) 265-274 (*Bunnens, Guy*);
12677   Cuneiform texts and the writing of history. 1999 ⇒15,10452... 18,
        11308. [R]RA 100 (2006) 108-111 (*Charpin, Dominique*); Or. 69
        (2000) 330-332 (*Liverani, Mario*);
12678   King Hammurabi of Babylon: a biography. 2005 ⇒21,13144.
        [R]BiÒr 63 (2006) 318-322 (*Lion, Brigitte*).
12679   *Vanderhooft, David* Cyrus II, liberator or conqueror?. Judah and
        the Judeans. 2006 ⇒941. 351-372.
12680   **Veenhof, Klaas R.** The old Assyrian list of year eponyms from Ka-
        rum Kanish and its chronological implications. 2003 ⇒19,12471.
        [R]AfO 51 (2005-2006) 321-324 (*Michel, Cécile*).
12681   *Vermaak, P.S.* The Babylonian gateway during the Kassite period.
        JSem 15 (2006) 521-543.
12682   *Volk, Konrad* Von Findel-, Waisen-, verkauften und deportierten
        Kindern: Notizen aus Babylonien und Assyrien. "Schaffe mir Kin-
        der ...". ABIG 21: 2006 ⇒756. 47-87.
12683   *Weinberg, Joel* The Babylonian conquest of Judah: some additional
        remarks to a scientific consensus. ZAW 118 (2006) 597-610.
12684   **Yamada, Shigeo** The construction of the Assyrian Empire: a his-
        torical study of the inscriptions of Shalmanesar III (859-824 B.C.)
        relating to his campaigns to the west. 2000 ⇒16,10683... 21,13148.
        [R]AfO 51 (2005-2006) 373-374 (*Liverani, Mario*).

Q4.5 *Historia Persiae*—Iran

12685   **Allen, Lindsay** The Persian Empire: a history. 2005 ⇒21,13150.
        [R]IHR 28 (2006) 808-810 (*Tuplin, Christopher*).
12686   *Amit, Yairah* The Saul polemic in the Persian period;
12687   *Becking, Bob* "We all returned as one!": critical notes on the myth
        of the mass return [Ezra 9-10; Ps 126]. Judah and the Judeans.
        2006 ⇒941. 647-661/3-18.
12688   *Biglari, Fereidoun; Shidrang, Sonia* The lower paleolithic occupa-
        tion of Iran. NEA 69/3-4 (2006) 160-168.
12689   *Blenkinsopp, Joseph* Benjamin traditions read in the early Persian
        period. Judah and the Judeans. 2006 ⇒941. 629-645 [Deut 33,12;
        Judg 19-21].
12690   **Brosius, M.** The Persians: an introduction. Peoples of the ancient
        world: L 2006, Routledge xviii; 217 pp. 48 fig.
12691   **Fried, Lisbeth S.** The priest and the great king: temple-palace rela-
        tions in the Persian Empire. 2004 ⇒20,11896; 21,13155. [R]TEuph
        31 (2006) 150-154 (*Heltzer, M.*); CTJ 41 (2006) 142-143 (*Ellens,
        J. Harold*); CBQ 68 (2006) 110-113 (*Bautch, Richard J.*); JHScr 6
        (2006)* = PHScr III,407-410 (*Cataldo, Jeremiah*) [⇒593].
12692   *Höffken, Peter* Religiöse Deutungen von Kyros d. Gr. im Kontext
        der Einnahme Babylons 539 vor Chr. BN 128 (2006) 5-18 [Isa
        41,2; 41,25; 45,13].
12693   **Klinkott, Hilmar** Der Satrap: ein achaimenidischer Amtsträger
        und seine Handlungsspielräume. 2005 ⇒21,13159. [R]HZ 283
        (2006) 155-156 (*Welwei, Karl-Wilhelm*).

12694 *Lipschits, Oded* Achaemenid imperial policy, settlement processes in Palestine, and the status of Jerusalem in the middle of the fifth century B.C.E.. Judah and the Judeans. 2006 ⇒941. 19-52.

12695 *Paspalas, Stavros* The Achaemenid Empire and the North-Western Aegean. AWE 5 (2006) 90-120.

12696 *Tadmor, Hayim* The rise of Cyrus and the historical background of his declaration. Assyria, Babylonia and Judah. 2006 ⇒314. 283-303. **H.**

12697 *Vallat, François* Atta-hamiti-Inšušinak, Šutur-Nahhunte et la chronologie néo-elamite. Akkadica 127 (2006) 59-62.

12698 *Wiesehöfer, Josef* Das elymäische Doppeldiadem. ᶠHAIDER, P.: Oriens et Occidens 12: 2006 ⇒60. 401-406.

Q5 *Historia Anatoliae*—**Asia Minor, Hittites** [⇒T8.2]; *Armenia*

12699 **Bryce, Trevor** Life and society in the Hittite world. 2002 ⇒18, 11436... 20,11906. ᴿBiOr 63 (2006) 334-335 (*Collins, Billie Jean*).

12700 **Cammarosano, Michele** Il decreto antico-ittita di Pimpira. Eothen 14: F 2006, LoGisma 78 pp. 88-87621-59-4. Bibl. 74-78.

12701 *Debord, P.* Méthodes et problèmes spécifiques de la recherche historique sur l'Anatolie antique. TEuph 31 (2006) 35-40.

12702 **Devecchi, Elena** Gli annali di Hattusili I nella versione accadica. Studia mediterranea, Ser. Hethaea 4; Studia mediterranea 16: Pavia 2005, Italian Univ. Pr. 175 pp. 88-8258-027-X. Bibl. 158-175.

12703 **Dmitriev, S.** City government in Hellenistic and Roman Asia Minor. Oxf 2005, OUP xvi; 428 pp.

12704 **Haas, Volkert** Die hethitische Literatur: Texte, Stilistik, Motive. B 2006, De Gruyter xvii; 362 pp. €58. 3-11-018877-5. Bibl. 329-346.

12705 *Hoz, María Paz de* Literacy in rural Anatolia: the testimony of the confession inscriptions. ZPE 155 (2006) 139-144.

12706 *Klengel, H.* Provinz: D: Bei den Hethitern. RLA 11/1-2. 2006 ⇒ 963. 68-72.

12707 **Klengel, Horst** Hattuschili und Ramses: Hethiter und Ägypter—ihr langer Weg zum Frieden. Kulturgeschichte der antiken Welt 95: 2002 ⇒18,11458... 21,13186. ᴿJEA 92 (2006) 287-290 (*Brand, Peter*).

12708 *Kurt, Mehmet* Killikia Region in Assyria—Anatolia relations of 1. millennium B.C. BTTK 70 (2006) 1-25. **Turkish.**

12709 ᴱ**Melchert, H. Craig** The Luwians. HO 1/68: 2003 ⇒19,12514... 21,13195. ᴿJESHO 49 (2006) 364-366 (*Goedegebuure, Petra*).

12710 **Mora, Clelia; Giorgieri, Mauro** Le lettere tra i re ittiti e i re assiri ritrovate a Hattusa. 2004 ⇒20,11923. ᴿMes. 41 (2006) 45-7 (*Lombardi, Alessandra*).

12711 *Safronov, A.V.* The reflection of the war in the north-west of Anatolia in the inscriptions of Ramses III. VDI 259 (2006) 124-139. **R.**

12712 **Schweyer, Anne-Valérie** Les Lyciens et la mort: une étude d'histoire sociale. Varia anatolica 14: 2002 ⇒18,11466; 21,13201. ᴿAJA 110 (2006) 323-324 (*Kopanias, Konstantinos*).

12713 *Singer, Itamar* The Hittites and the bible revisited. ᶠMazar, A. 2006 ⇒108. 723-756.

12714 **Sommer, S.** Rom und die Vereinigungen im südwestlichen Kleinasien (133 v.Chr.-284 n.Chr.). Pietas: Hennef 2006, Clauss 304 pp. 39340-4008X. Bibl.

12715 *Taggar-Cohen, Ada* The NIN.DINGIR in the Hittite Kingdom: a Mesopotamian priestly office in Hatti?. AltOrF 33 (2006) 313-327.

12716 *Yiğit, Turgut* A note on the administrative system of the Old Hittite kingdom. Journal of Ancient Civilizations [Changchun, PRC] 20 (2005) 31-35.

Q6.1 Historia Graeciae classicae

12717 *Cosmopoulos, Michael B.* The political landscape of Mycenaean states: a-pu_2 and the hither province of Pylos. AJA 110 (2006) 205-228.

12718 *Elayi, Josette* The role of the Phoenician kings at the battle of Salamis (480 B.C.E.). JAOS 126 (2006) 411-418.

12719 **Farenga, Vincent** Citizen and self in the Greek city state: individuals performing justice and the law. C 2006, CUP ix; 576 pp. 0-521-84559-9. Bibl. 549-575.

12720 *Feldman, Louis H.* HOMER and the Near East: the rise of the Greek genius. Judaism and Hellenism reconsidered. JSJ.S 107: 2006 <1996> ⇒215. 37-51.

12721 **Franco, Carlo** Intellettuali e potere nel mondo greco e romano. R 2006, Carocci 142 pp.

12722 **Hansen, Mogens Herman** Studies in the population of Aigina, Athens and Eretria. Historisk-filosofiske Meddelelser 94: K 2006, Det Kongelige Danske Videnskabernes Selskab 99 pp. 87-7304-626-5. Bibl.

12723 **Humer, Edith** Linkshändigkeit im Altertum: zur Wertigkeit von links, der linken Hand und Linkshändern in der Antike. Tönning 2006, Der Andere 359 pp. 44 ill.

12724 *Koch, Christian* Fremde im Dienst der Wiedererrichtung von Volkswirtschaften in griechischen Stadtstaaten. [F]HAASE, R.: Philippika 13: 2006 ⇒58. 97-108.

12725 **Rhodes, Peter J.** A history of the classical Greek world 478-323 BC. Malden, MA 2006, Blackwell xii; 407 pp. 978-0631-225652. Bibl. 388-395.

12726 [E]**Tsetskhladze, Gocha R.** Greek colonisation: an account of Greek colonies and other settlements overseas, 1. Mn.S 193: Lei 2006, Brill lxxxiii; 564 pp.

12727 *Ziegler, Daniela* Wo waren die Frauen im antiken Griechenland?: sittsam, still und bescheiden. WUB 39 (2006) 18.

Q6.5 Alexander, Seleucidae; historia Hellenismi

12728 **Aperghis, Gerassimos George** The Seleukid royal economy: the finances and financial administration of the Seleukid Empire. 2004 ⇒20,11938. [R]RH 130 (2006) 141-143 (*Graslin, Laetitia*); 118/1 (2006) 276-280 (*Foraboschi, Daniele*); AnCl 75 (2006) 532-534 (*Migeotte, Léopold*).

12729 **Austin, Michel M.** The Hellenistic world from Alexander to the Roman conquest: a selection of ancient sources in translation. C [2]2006, CUP xxx; 625 pp. £60/30. 05218-28600/535611.

12730   *Barclay, John M.G.* Jews in the Mediterranean diaspora from
        Alexander to TRAJAN (323 BCE-117 CE). 1996 ⇒12,9326... 16,
        10722. [R]Judaism and Hellenism reconsidered 135-53 [2000] (*Feld-
        man, Louis H.*).
12731   *Beyerle, Stefan* "If you preserve carefully faith..."–Hellenistic atti-
        tudes towards religion in pre-Maccabean times. ZAW 118 (2006)
        250-263.
12732   **Brutti, Maria** The development of the high priesthood during the
        pre-Hasmonean period: history, ideology, theology. [D]*Sievers, Jo-
        seph*: JSJ.S 108: Lei 2006, Brill xvii; 342 pp. €109/$147. 90-04-
        14910-4. Diss. Gregoriana.
12733   [E]**Bugh, Glenn R.** The Cambridge companion to the hellenistic
        world. C 2006, CUP xxvii; 371 pp. £45. 05215-35700.
12734   **Chaniotis, Angelos** War in the Hellenistic world: a social and cul-
        tural history. 2005 ⇒21,13234. [R]HZ 282 (2006) 456-457 (*Erring-
        ton, R. Malcolm*); International History Review 28 (2006) 135-137
        (*Burstein, Stanley M.*); AnCl 75 (2006) 540-541 (*Straus, Jean A.*).
12735   **Claußen, Carsten** Versammlung, Gemeinde, Synagoge: das helle-
        nistisch-jüdische Umfeld der frühchristlichen Gemeinden. StUNT
        27: 2002 ⇒18,11497. [R]BZ 50 (2006) 294-6 (*Rutgers, Leonard V.*).
12736   **Del Corso, L.** La lettura nel mondo ellenistico. R 2005, Laterza
        151 pp.
12737   **Fantuzzi, Marco; Hunter, Richard** Tradition and innovation in
        Hellenistic poetry. 2004 ⇒20,11944. [R]AnCl 75 (2006) 308-310
        (*Donnet, Daniel*).
12738   **Fröhlich, Pierre** Les cités grecques et le contrôle des magistrats
        (IVe-1e siècle avant J.-C.). HEMGR 33: 2004 ⇒20,11947; 21,
        13240. [R]AnCl 75 (2006) 535-536 (*Jacquemin, Anne*); REG 119
        (2006) 452-453 (*Kyriakidis, Nicolas*).
12739   **Gill, Christopher** The structured self in Hellenistic and Roman
        thought. Oxf 2006, OUP xxii; 522 pp. £84. 978-01981-52682. Bibl.
        462-486.
12740   *Grabbe, Lester L.* Israel from the rise of Hellenism to 70 CE.
        Oxford handbook of biblical studies. 2006 ⇒438. 285-300.
12741   **Gruen, Erich S.** Heritage and Hellenism: the reinvention of Jewish
        tradition. 1998 ⇒14,9861... 17,10473. [R]Judaism and Hellenism re-
        considered 103-127 [2001-2] (*Feldman, Louis H.*).
12742   **Haag, Ernst** Das hellenistische Zeitalter: Israel und die Bibel im 4.
        bis 1. Jahrhundert v. Chr. Biblische Enzyklopädie 9: 2003 ⇒19,
        3652. [R]ThLZ 131 (2006) 150-151 (*Kaiser, Otto*).
12743   *Harrison, Thomas* The Hellenistic world;
12744   *Harrison, Thomas; Bispham, Edward* The ancient calendar. Edin-
        burgh companion. 2006 ⇒596. 98-101/485-488.
12745   *Heinen, Heinz* Die politischen Beziehungen zwischen Rom und
        dem Ptolemäerreich von den Anfängen bis zum Tag von Eleusis
        (273-168 v.Chr.). <1972>;
12746   Die Tryphè des Ptolemaios VIII. Euergetes II: Beobachtungen zum
        ptolemäischen Herrscherideal und zu einer römischen Gesandt-
        schaft in Ägypten (140/39 v.Chr.). Vom hellenistischen Osten.
        Hist.E 191: 2006 <1983> ⇒235. 34-60/85-99.
12747   *Henry, M.* Christianity and Hellenism. IThQ 70 (2006) 366 [Mt 6,
        22].

12748 *Inowlocki, Sabrina* Trois auteurs juifs de langue grecque oubliés: Mousaios et les deux Agathobule dans le témoignage d'Anatole de Laodicée sur la Pâque. REJ 165 (2006) 383-396.

12749 *Kloppenborg, John S.* Associations in the ancient world. The historical Jesus. 2006 ⇒334. 323-338.

12750 **Kovelman, Arkady** Between Alexandria and Jerusalem: the dynamic of Jewish and Hellenistic culture. Brill Reference Library of Judaism 21: 2005 ⇒21,13249. ^RJSJ 37 (2006) 467-468 (*Van der Horst, Pieter W.*); StPhiloA 18 (2006) 225-228 (*Niehoff, Maren*).

12751 *Lanfranchi, Pierluigi* Tradizioni teatrali e tradizioni esegetiche nell'*Exagoge* di Ezechiele. Adamantius 12 (2006) 217-224.

12752 *Marciak, Michal* Antiochus IV Epiphanes and the Jews. PJBR 5 (2006) 61-74.

12753 *Mazzoleni, Danilo* L'era dei Seleucidi in un'iscrizione di una porta basaltica di Maarat an-Numan. RivAC 82 (2006) 405-415.

12754 *Millar, Fergus* The Phoenician cities: a case-study of Hellenisation. Rome, the Greek world, 3. 2006 <1983> ⇒275. 32-50;

12755 The problem of Hellenistic Syria. <1987>;

12756 The Roman *coloniae* of the Near East: a study of cultural relations. Rome, the Greek world, 3. 2006 <1990> ⇒275. 3-31/164-222.

12757 **Mittag, Peter F.** Antiochus IV. Epiphanes: eine politische Biographie. KLIO.B 11: B 2006, Akademie 429 pp. 978-30500-42053.

12758 **Müller, Katja** Settlements of the Ptolemies; city foundations and new settlement in the Hellenistic world. StHell 43: Lv 2006, Peeters xvii; 249 pp. €59. 90-429-1709-1. ^RAPF 52 (2006) 256-258 (*Poethke, Günter*).

12759 *Sandelin, Karl-Gustav* Jews and alien religious practices during the Hellenistic Age. ^MILLMAN, K. 2006 ⇒72. 365-392.

12760 *Sartre, Maurice* Religion und Herrschaft: das Seleukidenreich. Saec. 57 (2006) 163-190.

12761 **Stavrianopoulou, Eftychia** 'Gruppenbild mit Dame': Untersuchungen zur rechtlichen und sozialen Stellung der Frau auf den Kykladen im Hellenismus und in der römischen Kaiserzeit. Heidelberger Althistorische Beiträge und Epigraphische Studien 42: Stu 2006, Steiner 375 pp. €48. Diss.-Habil. Heidelberg.

12762 *Tassin, Claude* Histoire d'Israël: 4e partie: des Maccabées à Hérode le Grand. CEv 136 (2006) 3-49.

Q7 Josephus Flavius

12763 *Amitay, Ory* The story of Gviha Ben-Psisa and Alexander the Great. JSPE 16 (2006) 61-74.

12764 *Avioz, Michael* Josephus's portrayal of Lot and his family. JSPE 16 (2006) 3-13;

12765 Josephus' retelling of Nathan's oracle (2 Samuel 7). SJOT 20/1 (2006) 9-17.

12766 *Bardet, Serge* Le *Testimonium Flavianum*, intraduisible et illimité? (Flavius Josèphe, *Antiquités judaïques* XVIII §63-64). Pierre Geoltrain. 2006 ⇒556. 207-214.

12767 ^T**Begg, Christopher; Spilsbury, Paul** Josephus Flavius: translation and commentary 5: Judean Antiquities books 8-10. ^E*Mason, S.* 2005 ⇒21,13281. ^RJSJ 37 (2006) 411-412 (*Castelli, Silvia*).

12768   *Begg, Christopher* David's mourning for Absalom according to Josephus. Jian Dao 25 (2006) 29-52 [2 Sam 18,19-19,9];

12769   The first encounter between Saul and David: according to Josephus. AUSS 44 (2006) 3-11 [1 Sam 16,14-23];

12770   King David's double recognition at Hebron according to Josephus. RCatT 31 (2006) 269-281 [2 Sam 5,1-3; 1 Chr 11,1-3; 12,23-40];

12771   The crossing of the Jordan according to Josephus. AcTh(B) 26/2 (2006) 1-16 [Josh 3-5];

12772   The wealth of Solomon according to Josephus. Anton. 81 (2006) 413-429 [1 Kgs 10,11-19; 2 Chr 9,10-28];

12773   The end of Samson according to Josephus as compared with the bible, PSEUDO-PHILO and rabbinic tradition. BN 131 (2006) 47-61 [Judg 16,23-31];

12774   David's final depositions in Chronicles and Josephus. OTEs 19 (2006) 1064-1088 [1 Chr 23-29];

12775   The recall and revolt of Absalom according to Josephus. SEÅ 71 (2006) 75-95 [2 Sam 13-15];

12776   The Josephan judge Jephthah. Ment. *Pseudo-Philo*: SJOT 20 (2006) 161-188 [Judg 10,6-12,7];

12777   The judgment of Solomon according to Josephus. ThZ 62 (2006) 452-461 [1 Kgs 3,16-28];

12778   Josephus' retelling of 1 Kings 1 for a Graeco-Roman audience. TynB 57 (2006) 85-108;

12779   Samson's final erotic escapades according to Josephus. Hermenêutíca 6 (2006) 39-63 [Judg 16,1-21];

12780   The youth of Samuel according to Josephus. SE 45 (2006) 15-45 [1 Sam 1,1-4,1];

12781   David's sin according to Josephus. ANESt 43 (2006) 45-67 [1 Sam 11];

12782   The anointing of Saul according to Josephus. BBR 16 (2006) 1-24 [1 Sam 9-10];

12783   David's provisions for the temple according to Josephus. EThL 82 (2006) 453-465 [1 Chr 22];

12784   David's flight from Jerusalem according to Josephus. HTSTS 62 (2006) 1-22 [2 Sam 15,13-16,14];

12785   The visit of the Queen of Sheba according to Josephus. JSem 15 (2006) 107-129 [1 Kgs 10,1-13; 2 Chr 9,1-12];

12786   David versus Ishbosheth according to Josephus. Laur. 47 (2006) 187-204 [2 Sam 2,1-3,1];

12787   Israel's first judge according to Josephus. NedThT 60 (2006) 329-336 [Judg 3,7-11];

12788   David's homecoming according to Josephus, part two. PJBR 5 (2006) 9-28 [2 Sam 19,9-44];

12789   2 Samuel 12 as retold by Josephus. VeE 27 (2006) 291-320;

12790   A biblical royal triangle according to Josephus. RSLR 42/1 (2006) 3-24.

12791   *Ben Zeev, Miriam P.* Josephus' ambiguities: his comments on cited documents. JJS 57 (2006) 1-10.

12792   *Bloch, René* Josephus, Ant. Iud. 1,15: ἀσχήμων μυθολογία. ZNW 97 (2006) 131-133.

12793   *Callu, Jean-Pierre* Le 'De bello iudaïco' du PSEUDO-HÉGÉSIPPE: essai de datation. Culture profane et critique des sources de l'antiquité tardive: trente et une études de 1974 à 2003. R 2006 <1987>, École française de Rome. 597-622. 27283-07385.

12794   **Castelli, Silvia** Il terzo libro delle Antichità giudaiche di Flavio Giuseppe e la bibbia: problemi storici e letterari: traduzione e commento. Biblioteca di Athenaeum 48: 2002 ⇒18,11532; 21,13284. [R]Adamantius 12 (2006) 551-554 (*Prato, Gian Luigi*).

12795   *DeSilva, David* "... And not a drop to drink": the story of David's thirst in the Jewish scriptures, Josephus, and 4 Maccabees. JSPE 16 (2006) 15-40 [2 Sam }23,13-17; 1 Chr 11,15-19; 4 Macc 3,6-18].

12796   [E]**Edmondson, Jonathan; Mason, Steve; Rives, James** Flavius Josephus and Flavian Rome. 2005 ⇒21,938. [R]JSJ 37 (2006) 429-431 (*Sievers, Joseph*); BTB 36 (2006) 187-188 (*Maoz, Daniel*).

12797   **Elledge, Casey D.** Life after death in early Judaism: the evidence of Josephus. WUNT 2/208: Tü 2006, Mohr S. xiv; 219 pp. €44. 3-16-148875-X. Bibl. 181-201. [R]ActBib 43 (2006) 173-76 (*Fàbrega, Valentí*).

12798   *Evans, Craig A.* Josephus on John the Baptist and other Jewish prophets of deliverance. The historical Jesus. 2006 ⇒334. 55-63.

12799   *Feldman, Louis* The Levites in Josephus. Henoch 28/2 (2006) 91-102;

12800   Josephus' view of Saul. Saul in story and tradition. FAT 47: 2006 ⇒381. 214-244;

12801   Josephus. <1999> 313-342;

12802   Josephus' liberties in interpreting the bible in the *Jewish war* and in the *Antiquities*. <2001> 343-360;

12803   The influence of the Greek tragedians on Josephus <1998> 413-43;

12804   Josephus' biblical paraphrase as a commentary on contemporary issues. <2000> 445-521;

12805   Rearrangement of pentateuchal material in Josephus' *Antiquities*, books 1-4. <1999-2000> 361-411;

12806   Parallel lives of two lawgivers: Josephus' Moses and PLUTARCH's *Lycurgus*. <2005> 523-556;

12807   Josephus on the spies (Numbers 13-14). <2001> 557-577;

12808   The rehabilitation of non-Jewish leaders in Josephus' *Antiquities*. <2000> 579-605;

12809   On Professor Mark Roncace's portraits of Deborah and Gideon in Josephus. <2001> 607-636 [Judg 4-8];

12810   Josephus' portrayal (*Ant*. 5.136-74) of the Benjaminite affair of the concubine and its repercussions (Judg. 19-21). <1999-2000> 637-675;

12811   The importance of Jerusalem as viewed by Josephus. <1998> 677-693;

12812   The concept of exile in Josephus. <1997> 695-721;

12813   Restoration in Josephus. Judaism and Hellenism reconsidered. JSJ. S 107: 2006 <2001> ⇒215. 723-759;

12814   Prophets and prophecy in Josephus. Prophets, prophecy. LHBOTS 427: 2006 ⇒728. 210-239.

12815   *Forte, Anthony J.* Book I of Josephus' 'Bellum Iudaicum': sources and classical echoes revisited. Did(L) 36/2 (2006) 31-52.

12816   *Garribba, Dario* Pretendenti messianici al tempo di Gesù?: la testimonianza di Flavio Giuseppe. Gesù e i messia di Israele. 2006 ⇒ 739. 93-105.

12817 *Grabbe, Lester L.* Thus spake the prophet Josephus...: the Jewish historian on prophets and prophecy. Prophets, prophecy. LHBOTS 427: 2006 ⇒728. 240-247.

12818 **Haaland, Gunnar** Beyond philosophy: studies in Josephus and his *Contra Apionem*. 2006, Diss. Oslo: Norwegian Lutheran School of Theology [StTh 61,85].

12819 *Hadas-Lebel, Mireille* La décadence du pouvor sacerdotal en Judée depuis le règne d'Hérode jusqu'à la révolte contre Rome d'après Flavius Josèphe. ᶠMARTIN, J. 2006 ⇒106. 495-511.

12820 *Harris, James R.* Josephus and his Testimony. NT autographs. 2006 <1931> ⇒234. 192-216.

12821 *Herman, Geoffrey* Iranian epic motifs in Josephus' Antiquities (XVIII, 314-370). JJS 57 (2006) 245-268.

12822 *Höffken, Peter* Josephus Flavius: Antiquitates 11.1-6 als eine Schaltstelle des Werkes;

12823 Vorläufige Bemerkungen zur Gestalt der Prophetenworte bei Josephus;

12824 Propheten und Hermeneutik des Prophetischen am Beispiel des Josephus: Überlegungen anhand der Antiquitates. Josephus Flavius und das prophetische Erbe. 2006 ⇒241. 65-77/79-93/95-119.

12825 *Inowlocki, Sabrina* Josephus' rewriting of the Babel narrative (Gen 11:1-9). JSJ 37 (2006) 169-191.

12826 *Kaiser, Otto* 'Our forefathers never triumphed by arms...': the interpretation of biblical history in the addresses of Flavius Josephus to the besieged Jerusalemites in Bell.Jud. V.356-426. History and identity. DCLY 2006: 2006 ⇒704. 239-264.

12827 *Koskenniemi, Erkki* Josephus and Greek poets. Intertextuality. NTMon 16: 2006 ⇒778. 46-60.

12828 ᴱᵀ**Labow, Dagmar** Flavius Josephus, Contra Apionem: Buch I: Einleitung, Text, textkritischer Apparat, Übersetzung und Kommentar. BWANT 167: 2005 ⇒21,13309. ᴿJud. 62 (2006) 265-266 *(Bloch, René)*.

12829 **Landau, Tamar** Out-heroding Herod: Josephus, rhetoric and the Herod narratives. AGJU 63; Ancient Judaism and early Christianity 63: Lei 2006, Brill xiii; 262 pp. €99/$134. 90-04-14923-6. Bibl. 251-257.

12830 *Madden, Shawn C.* First Kings 11:31 and 12:20-21: Josephus and the constitution of the divided monarchy. Faith & Mission 24/1 (2006) 69-78.

12831 *Mason, Steve* The *Contra Apionem* in social and literary context: an invitation to Judean philosophy. Religious rivalries. 2006 ⇒670. 139-173.

12832 *Mézange, Christophe* Josèphe et la fin des temps. Le temps et les temps. JSJ.S 112: 2006 ⇒408. 209-230.

12833 ᵀ**Moraldi, Luigi** Antichità giudaiche. T 2006, Utet 2 vols; 1313 pp.

12834 ᴱᵀ**Nodet, Etienne** Flavius Josèphe: Les antiquités juives, 4: livres VIII et IX. 2005 ⇒21,13319. ᴿSal. 68 (2006) 578-579 *(Vicent, Rafael)*.

12835 *Parmentier, Edith* Peut-on se fier à la tradition indirecte pour un fragment historique sans référence?: l'exemple d'Hérode le Grand de Flavius Josèphe et Nicolas de Damas. ᶠCASEVITZ, M. 2006 ⇒ 17. 237-241.

12836   *Rodgers, Zuleika* Justice for Justus: a re-examination of Justus of
        Tiberias' role in Josephus' *Autobiography.* The limits of ancient bi-
        ography. 2006 ⇒881. 169-192.
12837   **Shahar, Yuval** Josephus Geographicus: the classical context of
        geography in Josephus. TSAJ 98: 2004 ⇒20,12004; 21,13327.
        ᴿRdQ 87 (2006) 483-484 (*Rey, Jean-Sébastien*).
12838   *Swart, Gerhard J.* Rahab and Esther in Josephus: an intertextual
        approach. APB 17 (2006) 50-65.
12839   *Van Henten, Jan W.* Ruler or God?: the demolition of Herod's
        eagle. ᶠAUNE, D.: NT.S 122: 2006 ⇒4. 257-286 [Exod 20,4-6].
12840   *Webb, Robert L.* Josephus on John the Baptist: Jewish Antiquities
        18.116-119. Forum 2/1 (1999) 141-168.
12841   *Weiler, Ingomar* Juden und Griechen: einige Assoziationen zu His-
        toriographie, Ethnographie und Rechtskodifikation in *Contra Apio-
        nem* von Iosephos. ᶠHAIDER, P. Oriens et Occidens 12: 2006 ⇒60.
        229-247.

Q8.1 *Roma Pompeii et Caesaris*—Hyrcanus to Herod

12842   *Bloch, René Di neglecti*: la politique augustéenne d'Hérode le
        Grand. RHR 223/2 (2006) 123-147.
12843   *Dabrowa, Edward* Religion and politics under the Hasmoneans.
        ᶠHAIDER, P. Oriens et Occidens 12: 2006 ⇒60. 113-120.
12844   **Günther, Linda-M.** Herodes der Große. Gestalten der Antike:
        2005 ⇒21,13339. ᴿZKTh 128 (2006) 268-9 (*Oberforcher, Robert*).
12845   **Najman, Hindy** Seconding Sinai: the development of Mosaic dis-
        course in second temple Judaism. JSJ.S 77: 2003 ⇒19,1260... 21,
        13343. ᴿJSJ 37 (2006) 470-473 (*Arnold, Russell C.D.*); StPhiloA
        18 (2006) 215-218 (*Orlov, Andrei A.*).
12846   **Netzer, Ehud** The architecture of Herod, the great builder. TSAJ
        117: Tü 2006, Mohr S. xiii; 443 pp. €129. 3-16-148570-X. Bibl.
        415-428.
12847   *Tammaro, Biancamarta* Alexandra Salome Regina Judaeorum. Stu-
        di e ricerche di intertestamentaria. 2006 ⇒316. 11-37.

Q8.4 **Zeitalter Jesu Christi**: *particular/general*

12848   *Andreau, Jean* La mauvaise réputation des publicains. MoBi 172
        (2006) 28-31.
12849   ᴱ**Bock, Darrell; Herrick, Gregory J.** Jesus in context: background
        readings for gospel study. 2005 ⇒21,13349. ᴿTrinJ 27 (2006) 313-
        314 (*Sweeney, James P.*) RBLit (2006)* (*Schufer, Michael*).
12850   *Cueva, E.P.* Recent texts on the ancient world and the occult. ClB
        82/2 (2006) 181-207.
12851   *Ebner, Martin* Israel zur Zeit Jesu: Land, Menschen, Politik und
        Wirtschaft. WUB 42 (2006) 8-10.
12852   **Ferguson, William Everett** Backgrounds of early christianity.
        ³2003 <1987, 1993> ⇒19,12616... 21,13351. ᴿNeotest. 40 (2006)
        197-199 (*Botha, Pieter J.J.*); CoTh 76/3 (2006) 219-223 (*Kręcidło,
        Janusz*).

12853 *Freyne, Sean* Galilee and Judaea in the first century. Cambridge history of christianity 1. 2006 ⇒558. 36-51.

12854 *Gorman, V.B.* The world in ancient times. ClB 82/2 (2006) 209-14.

12855 **Harland, Philip A.** Associations, synagogues, and congregations: claiming a place in ancient Mediterranean society. 2003 ⇒19, 12508... 21,13355. [R]ThLZ 131 (2006) 702-704 (*Feldmeier, Reinhard*); CBQ 68 (2006) 542-543 (*Cotter, Wendy*).

12856 **Jeffers, James S.** Il mondo greco-romano all'epoca del Nuovo Testamento. 2004 ⇒20,12024. [R]Alpha Omega 9/1 (2006) 188-189 (*Izquierdo, Antonio*).

12857 **Jensen, Morten H.** Herod Antipas in Galilee: the literary and archaeological sources on the reign of Herod Antipas and its socioeconomic impact on Galilee. [D]*Bilde, Per*: WUNT 2/215: Tü 2006, Mohr S. xiv; 316 pp. €59. 3-16-148967-5. Diss. Aarhus; Bibl. 261-285.

12858 **Kollmann, B.** Einführung in die neutestamentliche Zeitgeschichte. Da:Wiss 2006, 167 pp. €14.90. 3-354-17509-3.

12859 *Küchler, Max; Ostermann, Siegfried* Judäa–Zentrum der religiösen und politischen Hoffnungen. WUB 42 (2006) 44-55 [Jericho; Bethany; Bethlehem; Emmaus].

12860 **Longenecker, Bruce W.** The lost letters of Pergamum: a story from the New Testament world. 2003 ⇒19,12619. [R]BS 163 (2006) 123-124 (*Fantin, Joseph D.*).

12861 [ET]**Malitz, Jürgen** Nikolaos von Damaskus: Leben des Kaisers AUGUSTUS. TzF 80: 2003 ⇒19,12623; 21,12027. [R]OrdKor 47 (2006) 490 (*Giesen, Heinz*).

12862 **Martin, Russell** Understanding local autonomy in Judaea between 6 and 66 CE. Lewiston (N.Y.) 2006, Mellen iv; 379 pp. 978-0-773-4-5828-4. Bibl. 341-363.

12863 **Millard, Alan Ralph** Reading and writing in the time of Jesus. L 2004 <2000> ⇒16,10851... 19,10308. Clark 288 pp. £17. 05670-83489. Bibl. [R]JThS 57 (2006) 217-219 (*Elliott, J.K.*).

12864 *Muth, Susanne* Pax Augusta: die Politisierung des Friedens im antiken Rom. BiKi 61 (2006) 130-137.

12865 **Newman, Hillel** Proximity to power and Jewish sectarian groups of the ancient period: a review of lifestyle, values, and halakhah in the pharisees, sadducees, Essenes, and Qumran. [E]*Ludlam, Ruth* Reference Library of Judaism 25: Lei 2006, Brill xix; 332 pp. $143. 978-90041-46990.

12866 **Rocquet, Claude-Henri** Hérode [Antipas]. P 2006, Lethielleux 176 pp. €17. 22836-12357.

12867 *Safrai, Shmuel* Spoken and literary languages in the time of Jesus. Jesus' last week. Jewish and Christian Perspectives 11: 2006 ⇒ 346. 225-244.

12868 *Schmeller, Thomas* Zum exegetischen Interesse an antiken Vereinen im 19. und 20. Jahrhundert. Vereine. 2006 ⇒741. 1-19.

12869 *Taylor, Joan E.* Pontius Pilate and the imperial cult in Roman Judaea. NTS 52 (2006) 555-582.

12870 **Udoh, Fabian E.** To Caesar what is Caesar's: tribute, taxes and imperial administration in early Roman Palestine (63 B.C.E. - 70 C.E.). BJSt 343: Providence, Rhode Island 2006, Brown Univ. xiii; 350 pp. 978-1-930675-25-4. [R]RBLit (2006)* (*Schowalter, Daniel*).

12871   *Wenthe, Dean O.* The social configuration of the rabbi-disciple re-
        lationship: evidence and implications for first century Palestine.
        ᶠULRICH, E.: VT.S 101: 2006 ⇒160. 143-174.

Q8.7 *Roma et Oriens*, prima decennia post Christum

12872   *Ben Zeev, Miriam P.* The uprisings in the Jewish diaspora, 116-
        117. The Cambridge history of Judaism, 4. 2006 ⇒541. 93-104.
12873   **Blanchetière, François** Les premiers chrétiens étaient-ils mission-
        naires?: (30-135). 2002 ⇒18,11605... 21,13378. ᴿRTL 37 (2006)
        90-91 (*Auwers, Jean-Marie*).
12874   **Blázquez Martínez, José María** TRAJANO. 2003 ⇒20,12039.
        ᴿGn. 78 (2006) 368-369 (*Clauss, Manfred*).
12875   **Carter, Warren** The Roman Empire and the New Testament: an
        essential guide. Abingdon essential guides: Nv 2006, Abingdon xi;
        148 pp. $16. 0-687-34394-1. Bibl. 144-148.
12876   **Champlin, Edward** NERO. 2003 ⇒19,12638; 20,12042. ᴿJRS 96
        (2006) 230-231 (*Connors, Catherine*).
12877   *Eck, Werner; Pangerl, Andreas* Die Konstitution für die classis Mi-
        senensis aus dem Jahr 160 und der Krieg gegen Bar Kochba unter
        HADRIAN. ZPE 155 (2006) 239-252.
12878   *Eshel, Hanan* The Bar Kochba Revolt, 132-135. The Cambridge
        history of Judaism, 4. 2006 ⇒541. 105-127.
12879   *Horbury, William* Beginnings of christianity in the Holy Land.
        Christians and christianity. 2006 ⇒648. 7-89.
12880   *Jaffé, Dan* La figure messianique de Bar Kokhba: nouvelles per-
        spectives. Henoch 28/2 (2006) 103-123.
12881   *Mimouni, Simon C.* Les origines du mouvement chrétien entre 30 et
        135: autres réflexions et remarques. Pierre Geoltrain. 2006 ⇒556.
        149-166.
12882   **Morgan, Gwyn** 69 A.D.: the year of the four emperors. Oxf 2006,
        OUP xi; 322 pp. 01951-24685.
12883   *Porat, Ro'i; Eshel, Hanan* Fleeing the Romans: Judean refugees
        hide in caves. BArR 32/2 (2006) 60-63.
12884   *Rastoin, Marc* Les conséquences culturelles et religieuses de la
        'guerre de Quietus' (115-117): quelques réflexions sur une révolte
        négligée. Ist. 51 (2006) 421-430.
12885   **Schimanowski, Gottfried** Juden und Nichtjuden in Alexandrien:
        Koexistenz und Konflikte bis zum Pogrom unter TRAJAN (117 n.
        Chr.). 2005 ⇒21,13398. ᴿJud. 62 (2006) 373-374 (*Bloch, René*).
12886   *Zias, Joseph; Gorski, Azriel* Capturing a beautiful woman at
        Masada. NEA 69/1 (2006) 45-48.

Q9.1 *Historia Romae generalis et* post-christiana

12887   *Aja Sánchez, José Ramón* Egipto y la asimilación de elementos pa-
        ganos por el cristianismo primitivo: cultos, iconografías y devocio-
        nes religiosas. CCO 3 (2006) 21-47.
12888   **Allen, J.** Hostages and hostage-taking in the Roman Empire. C
        2006, CUP xiv; 291 pp. $80. 978-05218-61830.

12889 **Andreau, Jean; Descat, Raymond** Esclave en Grèce et à Rome. P 2006, Hachette 307 pp. €22. 201-235-3711.

12890 *Bakke, O.M.* Upbringing of children in the early church: the responsibility of parents, goal and methods. StTh 60 (2006) 145-163.

12891 *Barclay, John M.G.* Money and meetings: group formation among diaspora Jews and early christians. Vereine. 2006 ⇒741. 113-127.

12892 **Barnett, Paul** The birth of christianity: the first twenty years. After Jesus 1: 2005 ⇒21,13408. [R]Theol. 109 (2006) 202-204 (*Crossley, James G.*); SBET 24 (2006) 232-233 (*Reynolds, Benjamin E.*).

12893 *Baudy, Gerhard* Seuchenmetaphorik im ersten Jahrhundert n.Chr.: die Ausbreitung der Christusbewegung, ihre Bewertung durch das romloyale Judentum und die römische Religionspolitik. HBO 41 (2006) 25-55.

12894 *Bendlin, Andreas* Nicht der Eine, nicht die Vielen: zur Pragmatik religiösen Verhaltens in einer polytheistischen Gesellschaft am Beispiel Roms. Götterbilder-Gottesbilder-Weltbilder, II. FAT 2/18: 2006 ⇒636. 279-311.

12895 *Berneder, Helmut* Drei Fragmente aus dem Werk des Annalisten Sempronius Asellio. [F]HAIDER, P. 2006 ⇒60. 695-708.

12896 *Betz, Hans D.* Antiquity and christianity. Presidential voices. 2006 <1997> ⇒340. 301-321.

12897 *Bilde, Per* How did the fall of Jerusalem in 70 C.E. influence the development of christianity?. [M]ILLMAN, K. 2006 ⇒72. 35-65.

12898 *Bingham, D.J.* Development and diversity in early christianity. JETS 49 (2006) 45-66.

12899 *Birley, A.R.* Voluntary martyrs in the early church: heroes or heretics?. CrSt 27 (2006) 99-127 [Dan 3; 6; 2 Macc 6,18-31].

12900 *Bissoli, Cesare* Uno studio importante sulla catechesi nella chiesa antica: la voce "Katechese" nel "Reallexikon für Antike und Christentum" del prof. O. Pasquato. Sal. 68 (2006) 165-175.

12901 **Boatwright, Mary T.; Gargola,D.J.; Talbert, R.J.A.** A brief history of the Romans. Oxf 2006, OUP xxi; 330 pp. £20. 01951-8715-6. [R]EtCl 74 (2006) 400-401 (*Keaveney, A.*).

12902 *Botha, P.J.J.* Die lyf: fasette van die erotiese en sexuele in die Romeinse Ryk. VeE 27 (2006) 107-130.

12903 **Breeze, D.J.**, *al.*, Grenzen des Römischen Imperiums. Mainz 2006, Von Zabern 196 pp. 978-38053-3429X.

12904 *Breytenbach, Cilliers* Perspektiven der Erforschung des Diasporajudentums und frühen Christentums: zum Gedenken des 100. Geburtstags Gerhard Dellings. BThZ 23 (2006) 99-115.

12905 **Calore, Antonello** 'Per Iovem lapidem': alle origini del giuramento: sulla presenza del 'sacro' nell'esperienza giuridica romana. 2000 ⇒16,10887. [R]Gn. 78 (2006) 566-567 (*Hackl, Karl*).

12906 *Childers, Jeffrey W.* The Life of PORPHYRY: clarifying the relationship of the Greek and Georgian versions through the study of New Testament citations. [F]OSBURN, C.: 2006 ⇒124. 154-178.

12907 [E]**Chiusi, Tiziana J.; Filip-Fröschl, Johanna; Rainer, Michael** Corpus der römischen Rechtsquellen zur antiken Sklaverei, 6: Stellung der Sklaven im Sakralrecht. Forschungen zur antiken Sklaverei, Beiheft 3: Stu 2006, Steiner xxiii; 124 pp. €36.

12908 **Clark, Gillian** Christianity and Roman society. Key themes in ancient history: 2004 ⇒20,12063. [R]ChH 75 (2006) 649-651 (*Tilley, Maureen A.*); JRS 96 (2006) 297-298 (*Longenecker, Bruce*).

12909   **Daniélou, Jean** Los orígenes del cristianismo latino. M 2006, Cristiandad 422 pp. 84-7057-446-9.
12910   ^{ET}**Dubuisson, Michel; Schamp, Jacques** Johannes Lydus: Des Magistratures de l'État Romain. P 2006, Belles Lettres 2 vols; cdxcv + cdxcvi-dcclxxvii; 68 double pages; 69-140 pp + cccxviii; 141 double pages; 143-245 pp. 2-251-00533-1/5-8.
12911   *Duncan-Jones, R.* Roman customs dues: a comparative view. Latomus 65 (2006) 3-16.
12912   **Duriez, Colin** AD 33: the year that changed the world. Gloucestershire 2006, Sutton viii; 236 pp. 0-7509-3975-3. Bibl. 226-231.
12913   *Eck, Werner* Prosopographische Klärungen zu Statthaltern von Syria Palaestina. ZPE 155 (2006) 253-256.
12914   *Eliav, Yaron Z.* Jews and Judaism 70-429 CE. Companion to the Roman Empire. 2006 ⇒660. 565-586.
12915   *Elm, Dorothee* Mimes into martyrs: conversion on stage. Changing face of Judaism ^FCHARLESWORTH, J. 2006 ⇒19. 87-100.
12916   **Ferguson, Thomas C.** The past is prologue: the revolution of Nicene historiography. SVigChr 75: 2005 ⇒21,13438. ^RRBLit (2006)* (*Weedman, Mark*).
12917   ^E**Fiedrowicz, Michael** Christen und Heiden: Quellentexte zu ihrer Auseinandersetzung in der Antike. 2004 ⇒20,12069; 21,13440. ^RThLZ 131 (2006) 699-702 (*Gantz, Ulrike*).
12918   *Fredriksen, Paula* Christians in the Roman Empire in the first three centuries CE. Companion to the Roman Empire. 2006 ⇒660. 587-606.
12919   *Fürst, Alfons* Monotheismus und Monarchie: zum Zusammenhang von Heil und Herrschaft in der Antike. ThPh 81 (2006) 321-338;
12920   = Der Monotheismus. 2006 ⇒578. 61-81.
12921   *Galambush, J.* Christianity's forgotten Jews. Reform Judaism [NY] 35 (2006) 26-29, 64.
12922   *Gäckle, Volker* Historische Analyse II: die griechisch-römische Umwelt. Das Studium des NT. TVG: 2006 ⇒451. 141-180.
12923   *Gianotto, Claudio* Le origini del cristianesimo ad Antiochia: alcuni studi recenti. ASEs 23 (2006) 375-387.
12924   **Glancy, Jennifer A.** Slavery in early christianity. Mp 2006, Fortress xii; 203 pp. $22 [BiTod 45,61—Donald Senior].
12925   *Goldhill, Simon* Religion, Wissenschaftlichkeit und griechische Identität im römischen Kaiserreich. Texte als Medium. 2006 ⇒834. 125-140.
12926   *Goodblatt, David* The political and social history of the Jewish community in the land of Israel, c. 235-638. The Cambridge history of Judaism, 4. 2006 ⇒541. 404-430.
12927   **Guy, Laurie** Introducing early christianity: a topical survey of its life, beliefs and practices. 2004 ⇒21,13447. ^RRBLit (2006)* (*Judge, Peter*).
12928   **Harnack, Adolf von** Mission et expansion du christianisme: aux trois premiers siècles. ^T*Hoffmann, Joseph* 2004 ⇒20,12076; 21, 13448. ^RRSR 94 (2006) 619-620 (*Sesboüé, Bernard*).
12929   *Harvey, Susan Ashbrook* Syria and Mesopotamia. Cambridge history of christianity 1. 2006 ⇒558. 351-365.
12930   *Hedrick, C.W.* What is christian?: competing visions in the first century. Fourth R [Santa Rosa, CA] 19/4 (2006) 3-8, 22.

12931   **Hill, Robert C.** Reading the Old Testament in Antioch. 2005 ⇒ 21,13454. [R]JThS 57 (2006) 747-749 (*Lössl, Josef*).

12932   [E]**Hillen, Hans J.** Die Geschichte Roms: römische und griechische Historiker berichten. Dü 2006, Artemis & W. 495 pp. €29.90. 9783-5380-72350. Num. ill.

12933   *Horsley, Richard A.* Early christian movements: Jesus movements and the renewal of Israel. HTSTS 62 (2006) 1201-1225.

12934   **Humphries, Mark** Early christianity. L 2006, Routledge xii; 276 pp. 0-415-20539-5. Bibl. 250-267.

12935   *Irshai, Oded* From oblivion to fame: the history of the Palestinian church (135-303 CE). Christians and christianity. 2006 ⇒648. 91-139.

12936   *Kelhoffer, James A.* Early christian ascetic practices and biblical interpretation: the witnesses of GALEN and TATIAN. [F]AUNE, D.: NT.S 122: 2006 ⇒4. 439-444.

12937   *Kelley, Nicole* Philosophy as training for death: reading the ancient christian martyr acts as spiritual exercises. ChH 75 (2006) 723-747.

12938   *Kerkeslager, Allen, al.*, The diaspora from 66-c. 235 CE. The Cambridge history of Judaism, 4. 2006 ⇒541. 53-92.

12939   *Klauck, Hans-Josef* The Roman empire. Cambridge history of christianity 1. 2006 ⇒558. 69-83.

12940   **Klee, Margot** Grenzen des Imperiums: Leben am römischen Limes. Stu 2006, Theiss 160 pp. €39.90. 978-38062-20155. Num. ill.

12941   **Laplana, Josep de C.** L'església dels primers segles. Barc 2006, Mediterrània 795 pp.

12942   **Lieu, Judith M.** Christian identity in the Jewish and Graeco-Roman world. 2004 ⇒20,12084; 21,13469. [R]JR 86 (2006) 108-109 (*Patterson, Stephen J.*); StPhiloA 18 (2006) 218-220 (*Marshall, John W.*).

12943   *Linder, Amnon* The legal status of the Jews in the Roman Empire. The Cambridge history of Judaism, 4. 2006 ⇒541. 128-173.

12944   *Luijendijk, Anne Marie* Ongehoorde stemmen van vroege christenen uit Oxyrhynchus. Theologisch debat 3/2 (2006) 26-29.

12945   **Mackay, Christopher S.** Ancient Rome: a military and political history. 2004 ⇒20,12086. [R]RH 130 (2006) 152-153 (*Tran, Nicolas*); AnCl 75 (2006) 544-546 (*Birley, Anthony R.*).

12946   **Maraval, Pierre; Mimouni, Simon C.** Le christianisme, des origines à CONSTANTIN. Nouvelle Clio P 2006, PUF 528 pp. €49.

12947   *Marcus, Joel* Jewish christianity. Cambridge history of christianity 1. 2006 ⇒558. 86-102.

12948   *Mazzucco, Clementina* Donne e bibbia nel cristianesimo tra II e V secolo. Donne e bibbia. Bibbia nella storia 21: 2006 ⇒484. 23-49.

12949   **Meyer, Elisabeth A.** Legitimacy and law in the Roman world: *tabulae* in Roman belief and practice. 2004 ⇒20,12088; 21,13479. [R]SCI 25 (2006) 168-170 (*Bekker-Nielsen, Tønnes*).

12950   **Ménard, Hélène** Maintenir l'ordre à Rome (IIe-IVe siècles ap. J.-C.). 2004 ⇒20,12090. [R]REA 108 (2006) 802-804 (*Guédon, Stéphanie*).

12951   *Mimouni, Simon C.* La tradition des évêques chrétiens d'origine juive de Jérusalem. Studia patristica 40. 2006 ⇒833. 447-466.

12952   *Mitchell, Margaret M.* Gentile christianity;

12953   From Jerusalem to the ends of the earth. Cambridge history of christianity 1. 2006 ⇒558. 103-124/294-301.

12954   ^E**Morstein-Marx, Robert; Rosenstein, Nathan** A companion to the Roman Republic. Malden (MA) 2006, Blackwell xviii; 738 pp. £95/$150. 9781-4051-02179. 62 ill.

12955   *Moubarak, Youakim* La spiritualité syriaque dans son cadre persan et ses principales composantes: les tendances, les 'Actes de Thomas' et le 'Diatessaron' de TATIEN. Al-Machriq 80 (2006) 417-438. **A.**

12956   *Neumann, Josef N.* Kindheit in der griechisch-römischen Antike: Entwicklung–Erziehung–Erwartung. "Schaffe mir Kinder ...". ABIG 21: 2006 ⇒756. 119-133.

12957   **Noffke, Eric** Cristo contro Cesare: come gli ebrei e i cristiani del I secolo risposero alla sfida dell'imperialismo romano. PBT 71: T 2006, Claudiana 319 pp. €22.50. 88-7016-598-1. Bibl. 267-302.

12958   *Norelli, Enrico* La construction des origines chrétiennes: quelques étapes aux deux premiers siècles. Comienzos del cristianismo. 2006 ⇒740. 205-216.

12959   **Parkin, Tim G.** Old age in the Roman world: a cultural and social history. 2003 ⇒19,12688... 21,13490. ^RGn. 78 (2006) 470-472 (*Brandt, Hartwin*).

12960   *Pearson, Birger* Egypt. Cambridge history of christianity 1. 2006 ⇒558. 330-350.

12961   **Perry, Jonathan Scott** The Roman collegia: the modern evolution of an ancient concept. Mn.S 277: Lei 2006, Brill xii; 247 pp. 978-90-04-15080-5. Bibl. 225-242.

12962   *Pretorius, Wilhelm; Landman, Christina* Kulturele en teologiese lyne as die fondament van die vroegste christendom. APB 17 (2006) 272-294.

12963   *Price, Robert M.* Celibacy and free love in early christianity. Theology & Sexuality [London] 12/2 (2006) 121-141.

12964   **Rhee, Helen** Early christian literature: Christ and culture in the second and third centuries. 2005 ⇒21,13494. ^RJECS 14 (2006) 383-384 (*Straw, Carol*).

12965   *Richardson, Peter* Study of the Graeco-Roman world. Oxford handbook of biblical studies. 2006 ⇒438. 108-119.

12966   **Riley, Gregory J.** The river of God: a new history of christian origins. ²2003 <2001> ⇒19,12693; 20,12100. ^RCBQ 68 (2006) 551-552 (*Adam, A.K.M.*).

12967   *Rutgers, Leonard V.; Bradbury, Scott* The diaspora, c. 235-638. The Cambridge history of Judaism, 4. 2006 ⇒541. 492-518.

12968   *Rüpke, J.* Triumphator and ancestor rituals between symbolic anthropology and magic. Numen 53 (2006) 251-289.

12969   **Sartre, Maurice** The Middle East under Rome. ^T*Porter, Catherine; Routier-Pucci, Jeanine* 2005 ⇒21,13504. ^RJR 86 (2006) 480-481 (*Snyder, Graydon*); CBQ 68 (2006) 741-43 (*Patella, Michael*).

12970   **Schumacher, Leonhard** Corpus der Römischen Rechtsquellen zur antiken Sklaveri (CRRS), Teil VI: Stellung des Sklaven im Sakralrecht. Forschungen zur antiken Sklaverei.B 3,VI: Stu 2006, Steiner xxiii; 124 pp. €36. 978-35150-89777.

12971   *Schwartz, Joshua J.* The material realities of Jewish life in the land of Israel, c. 235-638. The Cambridge history of Judaism, 4. 2006 ⇒541. 431-456.

12972   *Schwartz, Seth* Political, social, and economic life in the land of Israel 66-c.235. Cambridge history of Judaism 4. 2006 ⇒541. 23-52.

12973 *Sirks, Adriaan J.B.* Die Vereine in der kaiserlichen Gesetzgebung. Vereine. STAC 25: 2006 ⇒741. 21-40.

12974 **Smith, Christopher** The Roman clan: the gens from ancient ideology to modern anthropology. C 2006, CUP xiii; 393 pp. 0-521-85-692-2. Bibl. 363- 383.

12975 **Sommer, Michael** Roms orientalische Steppengrenze: Palmyra–Edessa–Dura Europos–Hatra: eine Kulturgeschichte von POMPEIUS bis DIOCLETIAN. 2005 ⇒21,13509. [R]Mes. 41 (2006) 49-51 (*Lippolis, Carlo*).

12976 *Sommer, Stefan* Religion und Vereinigungsunruhen in der Kaiserzeit. Vereine. STAC 25: 2006 ⇒741. 77-93.

12977 *Soskice, Janet M.* Athens and Jerusalem, Alexandria and Edessa: is there a metaphysics of scripture?. IJST 8 (2006) 149-162.

12978 **Spielvogel, Jörg** Septimius SEVERUS. Gestalten der Antike: Da:Wiss 2006, 240 pp. €34.90. 9783-5341-54268. 35 ill.

12979 **Stark, Rodney** O crescimento do cristianismo—um sociólogo reconsidera. São Paulo 2006, Paulinas 263 pp. 85-356-1657-8;

12980 The cities of God: the real story of how christianity became an urban movement and conquered Rome. SF 2006, HarperCollins 280 pp. $25.

12981 **Thomas, Joël** L'imaginaire de l'homme romain: dualité et complexité. Latomus 299: Bru 2006, Latomus 246 pp. €39. 28703-12407.

12982 *Trevett, Christine* Asia Minor and Achaea. Cambridge history of christianity 1. 2006 ⇒558. 314-329.

12983 *Trombley, Frank* Overview: the geographical spread of christianity. Cambridge history of christianity 1. 2006 ⇒558. 302-313.

12984 *Van der Horst, Pieter W.* "The most superstitious and disgusting of all nations": Diogenes of Oenoanda on the Jews. Jews and christians. WUNT 196: 2006 ⇒321. 227-233 = [F]KESSELS, A. ⇒84. 291-298.

12985 *Versnel, H.S.* Red (herring?): comments on a new theory concerning the origin of the triumph. Numen 53 (2006) 290-326.

12986 *Veyne, Paul* Le choc du christianisme dans l'empire gréco-romain. MoBi 169 (2006) 48-51. Ed. *Jean-Luc Pouthier*.

12987 *Völker, W.* Walter Bauer's *Rechtgläubigkeit und Ketzerei im ältesten Christentum*. JECS 14 (2006) 399-405. English version of a review in ZKG 54 (1935) 628-631.

12988 **Wedderburn, Alexander J. M.** A history of the first christians. 2004 ⇒20,12107. [R]HeyJ 47 (2006) 634-635 (*Madigan, Patrick*).

12989 **Wilken, Robert L.** All ricerca del volto di Dio: la nascita del pensiero cristiano. Mi 2006, Vita & P. 296 pp.

12990 **Wilson, Stephen G.** Leaving the fold: apostates and defectors in antiquity. 2004 ⇒20,12111; 21,13518. [R]JJS 57 (2006) 166-167 (*Lahey, Lawrence*); JR 86 (2006) 150-151 (*Deming, Will*); RBLit (2006)* (*Redelings, David*).

12991 **Winkelmann, Friedhelm** Il cristianesimo delle origini. Bo 2004, Mulino 172 pp.

12992 **Wiseman, Timothy P.** The myths of Rome. 2004 ⇒20,12112. [R]HZ 283 (2006) 445-447 (*Beck, Hans*); AnCl 75 (2006) 546-548 (*Poucet, Jacques*).

12993 *Wisse, Frederik* Heterodidaskalia: accounting for diversity in early christian texts. [F]CHARLESWORTH, J. 2006 ⇒19. 265-279.

12994 *Wortley, John* The origins of christian veneration of body-parts. RHR 223 (2006) 5-28.

12995 **Zaffanella, Gian Carlo** Sulle orme di Mosè: eremiti cristiani nella penisola del Sinai. Esplorazioni mediterranee 3: Urbana (PD) 2006, Corradin 227 pp. 88-89796-03-0. Bibl. 225-227.

Q9.5 Constantine, Julian, Byzantine Empire

12996 *Bitton-Ashkelony, Brouria* Monastic leadership and municipal tensions in fifth-sixth century Palestine: the cases of the Judean Desert and Gaza. ASEs 23 (2006) 415-431.

12997 *Di Segni, Leah* The use of chronological systems in sixth-eighth centuries Palestine. Aram 18 (2006) 113-126.

12998 **Epstein, Steven** Purity lost: transgressing boundaries in the Eastern Mediterranean, 1000-1400. Johns Hopkins University Studies in Historical and Political Science, 124th ser., 3: Baltimore 2006, Johns Hopkins Univ. Pr. xiii; 250 pp. 978-0-8018-8484-9. Bibl. 233-242.

12999 *Hackl, Ursula* Einige Gedanken zur Geschichte der vorislamischen Araber. ^FHAIDER, P.: Oriens et Occidens 12: 2006 ⇒60. 121-132.

13000 *Heinen, Heinz* HELENA, KONSTANTIN und die Überlieferung der Kreuzauffindung im 4. Jahrhundert. Vom hellenistischen Osten. Hist.E 191: 2006 <1995> ⇒235. 425-459.

13001 *Kofsky, Aryeh* Observations on Christian-Jewish coexistence in late antique Palestine (fifth to seventh centuries). ASEs 23 (2006) 433-446.

13002 **Roldanus, Johannes** The church in the age of CONSTANTINE: the theological challenges. L 2006, Routledge xii; 227 pp. 978-0-415-40903-2. Bibl. 214-216.

13003 *Sion, Ofer* The agrarian reality in the central Samaritan hill-country and its influence on the Samaritan revolts during the Byzantine period. BAIAS 24 (2006) 93-100.

13004 **Slootjes, Daniëlle** The governor and his subjects in the later Roman Empire. Mn.S 275: Lei 2006, Brill xvi; 204 pp. 90-04-15070-6. Bibl. 187-194.

13005 *Van der Horst, Pieter W.* Jews and Blues in late antiquity. Jews and Christians. WUNT 196: 2006 <2003> ⇒321. 53-58.

XVIII. Archaeologia terrae biblicae

T1.1 General biblical-area archaeologies

13006 **Atwood, Roger** Stealing history: tomb raiders, smugglers, and the looting of the ancient world. 2004 ⇒20,12123. ^RAJA 110 (2006) 168 (*Gerstenblith, Patty*).

13007 *Bartlett, John R.* Archaeology. Oxford handbook of biblical studies. 2006 ⇒438. 53-73, 567-578.

13008 *Becker, Marshall J.* The archaeology of infancy and childhood: integrating and expanding research into the past: review article. AJA 110 (2006) 655-658.

13009 *Beinert, Wolfgang* Heilige Stätten im Christentum. StZ 224 (2006) 112-124.

13010 *Biran, Avraham* Introduction: what is biblical archaeology?. Jesus and archaeology. 2006 ⇒362. 1-8.

13011 *Briend, Jacques; Sapin, J.* Syrie-Phénicie-Palestine: première partie: archéologie. TEuph 32 (2006) 163-183.

13012 *Buccellati, Giorgio* An archaeologist on Mars. ^FDEVER, W. 2006 ⇒32. 17-21.

13013 *Cline, Eric; Yasur-Landau, Assaf* Your career is in ruins. BArR 32/1 (2006) 34-37, 71.

13014 *Davies, Philip R.* The ancient world. Blackwell companion to the bible. 2006 ⇒465. 9-27.

13015 *Dever, William G.* The western cultural tradition is at risk. BArR 32/2 (2006) 26, 76.

13016 **Dyson, Stephen L.** In pursuit of ancient pasts: a history of classical archaeology in the nineteenth and twentieth centuries. NHv 2006, Yale University Pr. xiii; 316 pp. 0-300-11097-9. Bibl. 279-304.

13017 **Finkelstein, Israel; Silberman, Neil A.** Keine Posaunen vor Jericho: die archäologische Wahrheit über die Bibel. Dtv 34151: Mü ³2006 <2002>, Dtv 381 pp. 3-423-34151-3. Ill.

13018 *Forest, Jean-Daniel* Le processus de néolithisation proche-oriental: pour une archéologie sans frontières. Syr. 83 (2006) 125-138.

13019 *Hendel, Ronald S.* Is there a Biblical Archaeology?. BArR 32/4 (2006) 20.

13020 **Hodos, Tamar** Local responses to colonization in the Iron Age Mediterranean. Abingdon 2006, Routledge x; 272 pp. £65. 0-415-37836-2. 97 ill.

13021 **Ioannès, Francis** Les premiers civilisations du Proche-Orient. Atouts histoire: P 2006, Belin 255 pp. €20.50. 27011-33971.

13022 **Kletter, Raz** Just past?: the making of Israeli archaeology. L 2006, Equinox xix; 362 pp. £35/$50. 1-8455-3085-3. Bibl. 333-343.

13023 *Levine, Lee I.* Jewish archaeology in late antiquity: art, architecture and inscriptions. The Cambridge history of Judaism, 4. 2006 ⇒ 541. 519-555.

13024 *McGeough, Kevin* Heroes, mummies, and treasure: Near Eastern archaeology in the movies. NEA 69/3-4 (2006) 174-185.

13025 **Petersen, Andrew** The towns of Palestine under Muslim rule, AD 600-1600. BAR International Ser. 1381: 2005 ⇒21,13554. ^RAntiquity 80 (2006) 1022-1023 (*Casana, Jesse*); BASOR 344 (2006) 99-100 (*Hoffman, Tracy*).

13026 *Ramazzotti, Marco* Segni, codici e linguaggi nell'"agire amministrativo" delle culture protostoriche di Mesopotamia, Alta Siria e Anatolia. ^FMATTHIAE, P. 2006 ⇒107. 511-563.

13027 ^E**Richard, Suzanne** Near Eastern archaeology: a reader. 2003 ⇒ 19,12740... 21,13556. ^RBiTr 57 (2006) 53 (*Pritz, Ray*); NEA(BA) 69 (2006) 42-43 (*Mullins, Robert A.*).

13028 **Rosen-Ayalon, Myriam** Islamic art and archaeology of Palestine. ^T*Singer, Esther*: Walnut Creek, CA 2006, Left Coast 213 pp. $30. Num. ill.

13029 *Shanks, Hershel* Archaeology as peep show. BArR 32/3 (2006) 4, 78.

13030 **Tal, Oren** The archaeology of Hellenistic Palestine: between tradition and renewal. J 2006, Bialik xxiv; 392 pp. 965-3429191. Ill. **H**.

13031   Update for digs 2006. BArR 32/2 (2006) 22.
13032   *Vieweger, Dieter; Häser, Jutta* Israel–Jordanien: Jerusalem und Amman: neue Möglichkeiten zur Forschung. WUB 42 (2006) 67.
13033   **Wilkinson, Tony J.** Archaeological landscapes of the Near East. 2003 ⇒19,12747... 21,13567. [R]Paléorient 32 (2006) 151-152 (*Roberts, Neil*).
13034   *Zwickel, Wolfgang* Israel-Libanon: Archäologie in Kriegszeiten. WUB 42 (2006) 63.

T1.2 Musea, organismi, *displays*

13035   [E]**Andrews, Carol A.R.; Van Dijk, Jacobus** Objects for eternity: Egyptian antiquities from the W. Arnold Meijer collection. Mainz 2006, Von Zabern 278 pp. 9783-8053-36512. Num. ill.
13036   **Benoît, Agnès**, *al.*, Art et archéologie: les civilisations du Proche-Orient ancien. Manuels de l'École du Louvre: 2003 ⇒19,12750. [R]RA 100 (2006) 111-115 (*Charpin, Dominique*).
13037   **Briend, Jacques; Caubet, Annie; Pouyssegur, Patrick** Le Louvre et la bible. 2005 ⇒21,13575. [R]RevSR 80/1 (2006) 99-101 (*Boespflug, François*).
13038   [E]**Brown, Michelle P.** In the beginning: bibles before the year 1000. Wsh 2006, Smithsonian vi; 360 pp. $25. 09348-68037. Catalogue Exhib. Sackler Gallery 2006-2007.
13039   *Byassee, Jason* Double take: christian artifacts in a Jewish museum. CCen 123/15 (2006) 28-30.
13040   **Cluzan, Sophie** De Sumer à Canaan. 2005 ⇒21,13577. [R]Syr. 83 (2006) 302-304 (*Contenson, Henri de*).
13041   [E]**Curtis, John; Tallis, Nigel** Forgotten empire: the world of ancient Persia. 2005 ⇒21,13578. Exhib. Brit. Museum 9.9.2005-8.1.2006. [R]AJA 110 (2006) 295-299 (*Wilkinson, Eleanor Barbanes*).
13042   *Froschauer, Harald; Schefzyk, Jürgen; Zwickel, Wolfgang* Katalog der Exponate. Alles echt. 2006 ⇒469. 83-131.
13043   [E]**Guzzo, Pier Giovanni** Pompeii: stories from an eruption: guide to the exhibition. 2005 ⇒21,13583. [R]AJA 110 (2006) 493-501 (*Bergmann, Bettina*).
13044   [E]**Heide, Birgit; Thiel, Andreas** Sammler—Pilger—Wegbereiter: die Sammlung des Prinzen Johann Georg von Sachsen: Katalog zur Ausstellung. 2004 ⇒20,12148. [R]ZDPV 122 (2006) 198 (*Fitschen, Klaus*).
13045   *Holloway, Steven W.* The Smithsonian institution's religious ceremonial objects and biblical antiquities exhibits at the world's Columbian exhibition (Chicago, 1893) and the Cotton states and international exposition (Atlanta, 1895). Orientalism, assyriology and the Bible. HBM 10: 2006 ⇒626. 95-138.
13046   **Marzahn, Joachim**, *al.*, Könige am Tigris: assyrische Palastreliefs in Dresden. 2004 ⇒20,12152. [R]WZKM 96 (2006) 418-421 (*Bleibtreu, Erika*).
13047   **Moser, Stephanie** Wondrous curiosities: ancient Egypt at the British Museum. Ch 2006, University of Chicago Pr. xvi; 328 pp. £20/$35. 978-0-226-54209-6. Bibl. 283-303.
13048   Das persische Weltreich—Pracht und Prunk der Großkönige. Stu 2006, Theiss 260 pp. €40. 978-30862-20414. Num. ill.; Ausstellung 2006 Pfalz Speyer.

13049 [E]**Roehrig, Catharine H.; Dreyfus, Renée; Keller, Cathleen A.** Hatshepsut: from queen to pharaoh. 2005 ⇒21,13593. [R]AJA 110 (2006) 649-653 (*Teeter, Emily*).

13050 *Sauerländer, Willibald* Elsheimers 'Flucht nach Ägypten' und die 'Neuen Sterne': aus Anlaß der Ausstellung: Adam Elsheimer, Die Flucht nach Ägypten, München, Alte Pinakothek, 17. Dezember 2005-26. Februar 2006. Kunst Chronik 2 (2006) 50-54.

13051 *Scham, Sandra* The reopened Museum of the Ancient Orient in Istanbul. NEA 69/3-4 (2006) 186-187.

13052 **Teeter, Emily** Ancient Egypt: treasures from the collection of the Oriental Institute University of Chicago. 2003 ⇒19,12764. [R]ArOr 74 (2006) 367-370 (*Vlčková, Petra*).

13053 [E]**Uggè, Sofia; Ferraris, Gianmario** Et verbum caro factum est...: la bibbia oggi e la sua trasmissione nei secoli. Vercelli 2005, Museo del Tesoro del Duomo 106 pp. Catalogo mostra Vercelli 2005-6.

13054 **Vassilika, Eleni** Art treasures from the Museo Egizio. T 2006, Allemandi not paginated. 978-88-8422-1417-5.

T1.3 *Methodi*—Science in archaeology

13055 **Davis, Thomas W.** Shifting sands: the rise and fall of biblical archaeology. Ment. *Albright, W.* 2004 ⇒20,12159; 21,13602. [R]Theol. 109 (2006) 199-200 (*Davies, Philip R.*).

13056 *Fischer, Peter M.* Copper and bronze objects from Tell Abu al-Kharaz and Sahem, Jordan: some reflections on the results of atomic-absorption spectroscopy. [F]MAZAR, A. 2006 ⇒108. 25-32.

13057 **Goddio, Franck** Versunkene Schätze: archäologische Entdeckungen unter Wasser. Da:Wiss 2005, 183 pp. 3-534-18521-8. Collab. *Constanty, Hélène.*

13058 [E]**Hodder, Ian** Towards reflexive method in archaeology: the example of Çatalhöyük. 2000 ⇒16,10986; 18,11725. [R]NEA(BA) 68/1-2 (2006) 79-80 (*Hitchcock, Louise A.*).

13059 *MacAdam, Henry I.* Rush to judgement: validating "biblical" artifacts c. 1980-2006. PJBR 5 (2006) 49-60.

13060 *Matney, Timothy; Donkin, Ann* Mapping the past: an archaeophysical case study from southeastern Turkey. NEA 69/1 (2006) 12-26 [Ziyaret Tepe].

13061 *Mazzoni, S.* Archéologie, entre histoire et anthropologie. TEuph 31 (2006) 85-93.

13062 *Pecere, Barbara* Applicazione GIS ai dati di scavo: uno strumento per la gestione delle ricerche a Tas Silġ. Scienze dell'antichità 12 (2006) 325-334.

13063 *Ramsey, Christopher B., al.,* Developments in radiocarbon calibration for archaeology. Antiquity 80 (2006) 783-798 al.

13064 **Randsborg, Klavs; Christensen, Kjeld** Bronze Age oak-coffin graves: archaeology & dendro-dating. AcAr 77; AcAr.S 7: K 2006, Blackwell Munksgaard 246 pp. Bibl. 244-246.

13065 *Rosen, Steven A.* The tyranny of texts: a rebellion against the primacy of written documents in defining archaeological agendas. [F]MAZAR, A. 2006 ⇒108. 879-893.

13066   *Valla, Francois* Décrire, analyser, interpréter: une difficile équilibre. Syr. 83 (2006) 147-152.
13067   *Wachsmann, Shelley* Archaeology under the sea. BArR 32/6 (2006) 26, 80.
13068   *Weninger, Franz, al.*, The principle of the Bayesian method. Ä&L 16 (2006) 317-324.
13069   *Wiener, Malcolm H.* Chronology going forward (with a query about 1525/4 B.C.). ᶠBIETAK, M., III.: 2006 ⇒8. 317-328 [Thera].

T1.4 *Exploratores*—Excavators, pioneers

13070   *Aufrère, Sydney H.* A l'orientalisme l'égyptologie reconnaissante...: vies de quelques copitisants européens avant la lettre aux XVIIᵉ et XVIIIᵉ siècles. Egypte Afrique & Orient 44 (2006) 23-34.
13071   ᴱ**Cohen, Getzel M.; Joukowsky, Martha Sharp** Breaking ground: pioneering women archaeologists. 2004 ⇒20,563. ᴿAJA 110 (2006) 311-312 (*Claassen, Cheryl*).
13072   **Goren, Haim** 'Zieht aus und erforscht das Land': die deutsche Palästina-Forschung im 19. Jahrhundert. 2003 ⇒20,12169. ᴿRHR 223 (2006) 352-354 (*Trimbur, Dominique*).
13073   **Hanisch, Ludmilla** Die Nachfolger der Exegeten: deutschsprachige Erforschung des Vorderen Orients in der ersten Hälfte des 20. Jahrhunderts. 2003 ⇒20,12170. ᴿOLZ 101 (2006) 13-17 (*Oelsner, J.*); ThLZ 131 (2006) 1028-1029 (*Männchen, Julia*).
13074   BANKES W: **Sartre-Fauriat, Annie** Les voyages dans le Hawran (Syrie de Sud) de William John Bankes (1816 et 1818). 2004 ⇒20, 12172; 21,13622. ᴿPEQ 138 (2006) 75-76 (*Usick, Patricia*); REA 108 (2006) 816-818 (*Fernoux, Henri-Louis*).
13075   CHAMPOLLION J: **Schneider, Hans D.** Notes diverses d'un futur grand antiquaire : un manuscrit de jeunesse de J.-F. Champollion se trouvant au Musée d'antiquités des Pays-Bas à Leyde. Turnhout 2006, Brepols 156 pp. 978-2503-524450. Ill.; Bibl. 151-153.
13076   CONTENSON H DE: Bibliographie d'Henri de Contenson;
13077   *Huot, Jean-Louis* Henri de Contenson: un parcours;
13078   *Moore, Andrew M.T.* Henri de Contenson: a personal memoir. Syr. 83 (2006) 7-18/19-24/25-30.
13079   EDWARDS A: **Moon, Brenda** More usefully employed: Amelia B. Edwards, writer, traveller and campaigner for ancient Egypt. Occasional Publications 15: L 2006, Egypt Exploration Society xiii; 319 pp. £35. 0-85698-169-9. Foreword *John Tait*.
13080   ESHEL C: Major scholars protest Eshel arrest. BArR 32/2 (2006) 74.
13081   HARRIS J: *Harris, James R.* Methods of research in eastern libraries. NT autographs. 2006 <1895> ⇒234. 72-82.
13082   LAYARD A: *Holloway, Steven W.* God save our gracious king: Sennacherib, the toast of Victorian England. ProcGLM 26 (2006) 23-33.
13083   LEGRAIN G: *Pizzarotti, Sabine* Georges Legrain l'homme de Karnak. Egypte Afrique & Orient 44 (2006) 5-14.
13084   MARIETTE A: *Solé, Robert* Auguste Mariette le pacha de l'égyptologie. MoBi 169 (2006) 64-67.

13085   PRISSE D'AVENNES E: *Thibaudault, Yohann* Emile Prisse d'A-
        vennes: l'archéologue 'franc-tireur'. Egypte Afrique & Orient 44
        (2006) 15-22.
13086   SEETZEN U: *Weippert, Helga* Unterwegs nach Afrika: Ulrich Jasper
        Seetzen (1767-1811). Unter Olivenbäumen. AOAT 327: 2006
        <1995> ⇒324. 253-265.
13087   TZAFERIS V: *Tzaferis, Vassilios* From monk to archaeologist. BArR
        32/4 (2006) 22.

T1.5 *Materiae primae*—metals, glass

13088   **Born, Hermann; Völling, Elisabeth**, *al.*, Gold im Alten Orient:
        Technik–Naturwissenschaft–Altorientalistik. Nachrichten Wagner
        Museum, A 6: Wü 2006, Ergon 127 pp. €39. 38991-34850. 86 ill.
13089   *Daszkiewicz, Malgorzata* Composition and technology of a glass
        vessel from Tell Arbid (Taf. 12 a). DaM 15 (2006) 95-99.
13090   *Gorin-Rosen, Yael* The glass finds from Horbat Hermas. 'Atiqot 51
        (2006) 33*-35*. **H.**;
13091   The glass finds from Khirbat el-Batiya (Triangulation Spot 819).
        'Atiqot 53 (2006) 29*-36*. **H.**
13092   [E]**Hauptmann, Harald; Pernicka, Ernst** Die Metallindustrie Me-
        sopotamiens von den Anfängen bis zum 2. Jahrtausend v. Chr. Ori-
        ent-Archäologie 3: 2004 ⇒20,12190; 21,13631. [R]JAOS 126 (2006)
        276-278 (*Zimmermann, Thomas*).
13093   **Philip, Graham** Tell el-Dab c A XV: metalwork and metalworking
        evidence of the late Middle Kingdom and the Second Intermediate
        Period. DÖAW 36; Untersuchungen der Zweigstelle Kairo des
        Österreichischen Archäologischen Institutes 26: W 2006, Verlag
        der ÖAW 252 pp. €131.50. 3-7001-3664-1. Bibl. 9-20.
13094   *Sawicka, Jolanta* Electrum od starozytności po średniowiecze. Stu-
        dia antyczne i mediewistyczne 4 [39] (2006) 115-149. **P.**
13095   **Seidl, Ursula** Bronzekunst Urartus. 2004 ⇒20,12198. [R]JAOS 126
        (2006) 581-583 (*Zimansky, Paul*).
13096   *Shalev, Sariel; Sari, Kamil* Persian-period metal finds from Tel Mi-
        khal (Tel Michal). 'Atiqot 52 (2006) 93-107.
13097   *Winter, Tamar* The glass vessels from 'Ein ez-Zeituna. 'Atiqot 51
        (2006) 77-84.

T1.6 *Silex, os*—'Prehistory' flint and bone industries

13098   *Breniquet, Catherine* "Ce lin, qui me le peignera?": enquête sur la
        fonction des peignes en os du Néolithique précéramique levantin;
13099   *Haidar-Boustani, Maya* Un objet néolithique en forme de pied hu-
        main à Labwé, Liban. Syr. 83 (2006) 167-175/139-146.
13100   *Mortensen, Peder* Firestones in the Near Eastern neolithic. Syr. 83
        (2006) 153-158.

T1.7 **Technologia antiqua**

13101   *Horwitz, Liora K.*, *al.*, Working bones: a unique Iron Age IIA bone
        workshop from Tell eş-Şâfi/Gath. NEA 69/3-4 (2006) 169-173.

13102   *Kloner, Amos* The structure and installations at Hulda and their functions as a Jewish winepress. [F]MAZAR, A. 2006 ⇒108. 853-864.
13103   **Mercati, Chiara** Epinetron: storia di una forma ceramica fra archeologia e cultura. 2003 ⇒20,12206. [R]AJA 110 (2006) 328-29 (*Benbow, Pamela*).
13104   **Panigua Aguilar, David** El panorama literario técnico-científico en Roma (siglos I-II d.C.). S 2006, Ed. Università 507 pp. 84780-04629. [R]EtCl 74 (2006) 382-383 (*Guillaumin, J.-Y.*).
13105   **Pedde, Friedhelm** Vorderasiatische Fibeln. 2000 ⇒16,11011... 20, 12208. [R]OLZ 101 (2006) 651-656 (*Lehmann, Gunnar*).
13106   *Pons Mellado, Esther* Útiles y herramientas utilizadas por los antiguos egipcios en la realización de piezas de orfebrería a través de las representaciones de las paredes de las mastabas. AuOr 24 (2006) 79-97.
13107   *Sass, Benjamin; Sebbane, Michael* The fourth-millennium BCE origin of the three-tanged "epsilon" axe. [F]MAZAR, A.. 2006 ⇒108. 79-88.
13108   *Segal, Irina* Chemical study of basaltic hopper-rubber (Olynthus) mills from Naḥal Tut and ʿEn Ḥofez. ʿAtiqot 52 (2006) 197-200.
13109   **Wilde, Heike** Technologische Innovationen im zweiten Jahrtausend vor Christus: zur Verwendung und Verbreitung neuer Werkstoffe im ostmediterranen Raum. GOF.Ä 44: 2003 ⇒20,12211. [R]WZKM 96 (2006) 431-437 (*Bagg, Ariel M.*); BiOr 63 (2006) 606-607 (*Meijer, Jan-Waalke*).

T1.8 **Architectura**; *Supellex*; **furniture**

13110   *Allinger-Csollich, Wilfrid* Der archäologische Befund und seine innere Glaubwürdigkeit: zur Korrektur der Abmessungen des neubabylonischen Tempels Ḫursagkalama. [F]HAIDER, P. Oriens et Occidens 12: 2006 ⇒60. 251-278.
13111   *Ballantyne, Andrew* Architecture. Blackwell companion to the bible. 2006 ⇒465. 323-337.
13112   *Baruch, Yuval* Buildings of the Persian, Hellenistic and early Roman periods at Khirbat Kabar, in the northern Hebron hills. ʿAtiqot 52 (2006) 49*-71*. **H.**
13113   *Battini, Laura* Pour une nouvelle classification de l'architecture domestique en Mésopotamie du IIIe au Ier mill. av. J.-C.. Akkadica 127 (2006) 73-92.
13114   *Briquel Chatonnet, Françoise* Le vocabulaire de la construction et de l'architecture en phénicien: étude de philologie architecturale. [F]MARGUERON, J.. Subartu 17: 2006 ⇒104. 505-512.
13115   *Burrell, Barbara* False fronts: separating the aedicular facade from the imperial cult in Roman Asia Minor. AJA 110 (2006) 437-469.
13116   *Carroll, Lynda; Fenner, Adam; LaBianca, Øystein S.* The Ottoman Qasr at Hisban: architecture, reform, and new social relations. NEA 69/3-4 (2006) 138-145.
        [E]**Castel, C.** Les maisons dans la Syrie antique 1997 ⇒922.
13117   *Davies, Gwyn; Magness, Jodi* The Roman fort at Yotvata, 2005. IEJ 56 (2006) 105-110.
13118   *Decker, M.* Towers, refuges, and fortified farms in the Late Roman East. LASBF 56 (2006) 499-520.

13119   *Faist, Betina* Zur Häusertypologie in Emar: Archäologie und Philologie im Dialog. BaghM 37 (2006) 471-480.

13120   **Goyon, Jean-Claude,** *al.*, La construction pharaonique du Moyen Empire à l'époque gréco-romaine: contexte et principes technologiques. 2004 ⇒20,12220; 21,13647. [R]BiOr 63 (2006) 68-71 (*Klemm, Rosemarie*).

13121   *Grimal, Nicolas* L'oeuvre architecturale de Thoutmosis III dans le temple de Karnak. CRAI (2006) 965-983.

13122   **Hellmann, Marie-Christine** L'architecture grecque, 2: architecture religieuse et funéraire. Les manuels d'art et d'archéologie antique: P 2006, Picard 357 pp. €94. 27084-07635. 458 fig.

13123   *Hirschfeld, Yizhar; Tepper, Yotam* Columbarium towers and other structures in the environs of Shivta. TelAv 33 (2006) 83-116.

13124   **Jahn, Beate** Altbabylonische Wohnhäuser, eine Gegenüberstellung philologischer und archäologischer Quellen. Orient-Archäologie 16: 2005 ⇒21,13648. [R]OLZ 101 (2006) 442-44 (*Miglus, Peter A.*).

13125   *Kletter, Raz; Segal, Orit; Ziffer, Irit* A Persian-period building from Tel Yaʿoz (Tell Ghaza). ʿAtiqot 52 (2006) 1*-24*. **H**.

13126   *Kletter, Raz; Zwickel, Wolfgang* The Assyrian building of ʾAyyelet ha-Šaḥar. ZDPV 122 (2006) 151-186.

13127   **Konrad, Kirsten** Architektur und Theologie: pharaonische Tempelterminologie unter Berücksichtigung königsideologischer Aspekte. [D]*Gundlach, Rolf:* Königtum, Staat und Gesellschaft früher Hochkulturen 5: Wsb 2006, Harrassowitz xvi; 405 pp. €98. 978-34-470-54362. Diss. Mainz.

13128   *Kornienko, T.V.* Cult architecture of South Mesopotamia in the Ubaid period (based upon findings from Eridu and Uruk). VDI 257 (2006) 3-23. **R**.

13129   *Lacher, Claudia; Meynersen, Felicia* Das 'Serail' in Qanawat–Ergebnisse des syrisch-europäischen Projektes zur Fortbildung und Bauforschung im Hauran (Taf. 33-41). DaM 15 (2006) 251-272.

13130   *Lass, Egon H.E.* A failed innovation: Early Bronze Age trapezoid mud bricks at Lod. [F]MAZAR, A. 2006 ⇒108. 49-54.

13131   *Mackensen, Michael; El-Bialy, Mohamed* The late Roman fort at Nag el-Hagar near Kom Ombo in the province of Thebaïs (Upper Egypt). MDAI.K 62 (2006) 161-195; Pl. 33-35.

13132   *Marchetti, Nicolò* Middle Bronze Age public architecture at Tilmen Höyük and the architectural tradition of Old Syrian palaces. FS MATTHIAE, P. 2006 ⇒107. 275-308.

13133   *Margueron, Jean* Notes d'archéologie et d'architecture orientales, 13: le bâtiment nord de Tepe Gawra XIII. Syr. 83 (2006) 195-228;

13134   Architecture et modélisme au Proche-Orient. [F]MAZAR, A. 2006 ⇒ 108. 193-218.

13135   *Matthiae, Paolo* The archaic palace at Ebla: a royal building between Early Bronze Age IVB and Middle Bronze Age I. [F]DEVER, W. 2006 ⇒32. 85-103.

13136   **McCormick, Clifford M.** Palace and temple: a study of architectural and verbal icons. BZAW 313: 2002 ⇒18,3213... 21,3479. [R]NEA(BA) 69 (2006) 43-44 (*Fritz, Volkmar*).

13137   **McLaren, P. Bruce** The military architecture of Jordan during the Middle Bronze Age: new evidence from Pella and Rukeis. 2003 ⇒ 20,12232. [R]BASOR 342 (2006) 113-114 (*Bramlett, Kent*).

13138   *Meijer, Diederik J.W.* Some thoughts on symbolism in architecture. ^FMARGUERON, J. Subartu 17: 2006 ⇒104. 529-532.

13139   *Meyers, Eric M.* Jewish art and architecture in the land of Israel, 70-c. 235. Cambridge history of Judaism, 4. 2006 ⇒541. 174-190.

13140   *Milson, David* Design analysis of the peristyle building from ʿEin ez-Zeituna. ʿAtiqot 51 (2006) 71-75.

13141   **Muller, Béatrice** Les 'maquettes architecturales' du Proche-Orient ancien: Mésopotamie, Syrie, Palestine du IIIe au milieu du 1er millénaire av. J.C. BAH 160: 2002 ⇒19,12853; 20,12234. ^RBASOR 344 (2006) 91-92 (*McClellan, Thomas L.; Porter, Ann*).

13142   **Netzer, Ehud** Nabatäische Architektur: insbesondere Gräber und Tempel. 2003 ⇒19,12854; 21,13654. ^ROLZ 101 (2006) 59-65 (*Wenning, Robert*).

13143   *Nissen, Hans J.* Machtarchitektur im frühen Babylonien. BaghM 37 (2006) 61-68.

13144   *Otto, Adelheid* Wohnhäuser als Spiegel sakraler Bauten?. ^FMARGUERON, J. Subartu 17: 2006 ⇒104. 487-496.

13145   *Panitz-Cohen, Nava* "Off the wall": wall brackets and cypriots in Iron Age I Israel. ^FMAZAR, A. 2006 ⇒108. 613-636 [Yarkon; Gezer; Lachish].

13146   **Pfälzner, Peter** Haus und Haushalt: Wohnformen des dritten Jahrtausends vor Christus in Nordmesopotamien. 2001 ⇒17,10788... 20,12236. ^RJESHO 49/1 (2006) 122-126 (*Bernbeck, Reinhard*).

13147   *Porat, Pinhas* A Late Byzantine-Early Islamic-period farmhouse at Mesillot in the Bet Sheʾan Valley. ʿAtiqot 53 (2006) 181-192.

13148   **Rosenberg, Stephen G.** Airaq al-Amir: the architecture of the Tobiads. Oxf 2006, Hadrian xiv; 229 pp. £42. 1841-717-576. 89 pl.

13149   **Rossi, Corinna** Architecture and mathematics in ancient Egypt. 2004 ⇒20,12247; 21,13658. ^RAJA 110 (2006) 316-317 (*Imhausen, Annette*); OLZ 101 (2006) 420-424 (*Hoffmann, Friedhelm*).

13150   *Ruprechtsberger, Erwin M.* Zuila (Zawila) und die Festungsarchitektur in Fezzan (Libyen). ^FHAIDER, P. 2006 ⇒60. 623-638.

13151   **Sear, Frank** Roman theatres: an architectural study. Oxf 2006, OUP xl; 466 pp. £195. 01981-44695. 492 fig.; 144 pl.; 25 tables.

13152   *Sharon, Ilan; Zarzecki-Peleg, Anabel* Podium structures with lateral access: authority ploys in royal architecture in the Iron Age Levant. ^FDEVER, W. 2006 ⇒32. 145-167.

13153   **Stamper, John W.** The architecture of Roman temples. 2005 ⇒21, 13662. ^RJRS 96 (2006) 276-278 (*Ball, Larry F.*).

13154   *Summers, G.D.* Aspects of material culture at the Iron Age capital on the Kerkenes Dağ in central Anatolia. ANESt 43 (2006) 164-202.

13155   *Tawil, Hayim* Two biblical architectural images in light of cuneiform sources (lexicographical note X). BASOR 341 (2006) 37-52 [כליל; מגדל].

13156   *Thalmann, Jean-Paul* Nouvelles données sur l'architecture domestique du Bronze Ancien IV à Tell Arqa (Liban). CRAI (2006) 841-873.

13157   *Turk, Horst* Der theatrale Raum. Mensch und Raum. Colloquium Rauricum 9: 2006 ⇒879. 189-216.

13158   *Villard, Pierre* Les descriptions des maisons néo-assyriennes. ^FMARGUERON, J. Subartu 17: 2006 ⇒104. 521-528.

13159   *Andrianou, Dimitra* Chairs, beds, and tables: evidence for furnished interiors in Hellenistic Greece. Hesp. 75 (2006) 219-266;
13160   Late classical and Hellenistic furniture and furnishings in the epigraphical record. Hesp. 75 (2006) 561-584.
13161   **Matthews, Victor H.** Manners and customs in the bible: an illustrated guide to daily life in bible times. Peabody [3]2006 <1988>, Hendrickson 256 pp. $25. 1-56563-7046.

T2.1 *Res militaris*—military matters

13162   *Backer, Fabrice de* Notes sur les lanceurs de 'pavés'. UF 38 (2006) 63-85.
13163   *Campbell, D.B.* Writing on the Roman army: discharges and siegecraft. AJA 110 (2006) 307-309.
13164   *Deger-Jalkotzy, Sigrid* Schwertkrieger und Speerträger im spätmykenischen Griechenland. [F]HAIDER, P. 2006 ⇒60. 711-718.
13165   *Dezső, Tamás* A reconstruction of the army of Sargon II (721-705 BC). SAA Bulletin 15 (2006) 93-140.
13166   **Drews, Robert** Early riders: the beginnings of mounted warfare in Asia and Europe. 2004 ⇒20,12260. [R]AJA 110 (2006) 322-323 (*Sekunda, Nicholas*).
13167   *Eck, Werner; Pangerl, Andreas* Eine Konstitution für die Truppen von Syria Palaestina aus dem Jahr 158. ZPE 157 (2006) 185-191.
13168   *Eder, Christian; Nagel, Wolfram* Grundzüge der Streitwagenbewegung zwischen Tiefeurasien, Südwestasien und Ägäis. AltOrF 33 (2006) 42-93.
13169   **Gilbert, Gregory P.** Weapons, warriors and warfare in early Egypt. BAR Intern. Ser. 1208: 2004 ⇒20,12261. [R]BiOr 63 (2006) 56-59 (*Ciałowicz, Krzysztof*).
13170   **Hamblin, William J.** Warfare in the ancient Near East to 1600 BC: holy warriors at the dawn of history. Warfare and History: 2005 ⇒ 21,13671. [R]RA 100 (2006) 188-190 (*Charpin, Dominique*).
13171   *Heinhold-Krahmer, Susanne* Zur Festlegung und Bedeutung der Heerfolge im Vertrag Muwatallis II. mit Alakšandu von Wiluša. [F]HAIDER, P.: Oriens et Occidens 12: 2006 ⇒60. 53-80.
13172   **Jerold, Anja** Streitwagentechnologie in der Ramses-Stadt: Knäufe, Knöpfe und Scheiben aus Stein: Forschungen in der Ramses-Stadt. Grabungen des Pelizaeus-Museums Hildesheim in Qantir-Piramesse 3: Mainz 2006, Von Zabern xiv; 407 pp. 3-8053-3506-7. [R]UF 37 (2005) 826-828 (*Zwickel, Wolfgang*).
13173   **Junkelmann, M.** Panis militaris: die Ernährung des römischen Soldaten oder der Grundstoff der Macht. Mainz [3]2006, Von Zabern 257 pp. 978-38053-23321.
13174   **Kennedy, David** The Roman army in Jordan. 2004 ⇒20,12263. [R]AJA 110 (2006) 525-526 (*Parker, S. Thomas*).
13175   *Kuznetsov, P.F.* The emergence of Bronze Age chariots in eastern Europe. Antiquity 80 (2006) 638-645.
13176   **Lundh, P.** Actor and event: military activity in ancient Egyptian narrative texts from Thutmosis II to Merenptah. Uppsala Studies in Egyptology 2: 2002 ⇒20,12264. [R]BiOr 63 (2006) 60-64 (*Müller, Marcus*).

13177 *MacDonald, David* New fragmentary diploma of the Syrian army, 22 March 129. SCI 25 (2006) 97-100.

13178 **Mayor, Adrienne** Greek fire, poison arrows, and scorpion bombs: biological and chemical warfare in the ancient world. 2003 ⇒19, 12876; 21,13674. [R]BAGB (2006/1) 225-228 (*Barbara, Sébastien*).

13179 *Montero Fenollós, Juan-Luis* El arte de la guerra en el período paleobabilónico: propuesta para una tiplogía textual y arqueológico de las lanzas del ejército de Mari. [F]SANMARTÍN, J. AuOr.S 22: 2006 ⇒144. 315-323.

13180 **Rehm, Ellen** Waffengräber im Alten Orient: zum Problem der Wertung von Waffen in Gräbern des 3. und frühen 2. Jahrtausends v.Chr. in Mesopotamien und Syrien. BAR Internat. Ser. 1191: 2004 ⇒20,12266; 21,13680. [R]OLZ 101 (2006) 142-145 (*Rehm, Ellen*).

13181 *Stager, Lawrence E.* Chariot fittings from Philistine Ashkelon. [F]DE-VER, W. 2006 ⇒32. 169-176.

T2.2 *Vehicula, nautica*—transport, navigation

13182 **Bollweg, Jutta** Vorderasiatische Wagentypen: im Spiegel der Terracottaplastk bis zur Altbabylonischen Zeit. OBO 167: 1999 ⇒15, 10945... 18,11812. [R]OLZ 101 (2006) 646-648 (*Martin, Lutz*)

13183 [E]**Fansa, Mamoun; Burmeister, Stefan** Rad und Wagen: der Ursprung einer Innovation: Wagen im Vorderen Orient und Europa. BAMN 40: 2004 ⇒20,12269; 21,13684. [R]BiOr 63 (2006) 378-384 (*Bartl, Peter Vinzenz*); JAOS 126 (2006) 278-279 (*Dunham, Sally*)

13184 *Bachhuber, Christoph* Aegean interest on the Uluburun ship. AJA 110 (2006) 345-363

13185 *Förster, Frank* 'Klar zum Gefecht!': zur Beschreibung des Kampfschiffes im Horusmuthos von Edfu (Edfou VI, 79, 11-80, 10). SAÄK 34 (2006) 141-158

13186 *Gorzalczany, Amir* Petrographic analysis of two ballast stones from Tel Mikhal (Tel Michal). 'Atiqot 52 (2006) 67-69

13187 **Kingsley, Sean A.** Shipwreck archaeology of the Holy Land: processes and parameters. 2005 ⇒21,13690. [R]BAIAS 24 (2006) 119-121 (*Landgraf, John E.*)

13188 **Lindner, Elisha; Kahanov, Yaacov** The Maʿagan Mikhael ship: the recovery of a 2400-year-old merchantman: final report, vol. 1. [E]*Black, Eve*: Haifa 2003, Israel Exploration Society xii; 256 pp. $72. 978-96522-10555.

13189 *Sharvit, Jacob* The stone anchor from Tel Mikhal (Tel Michal). 'Atiqot 52 (2006) 113-115

13190 *Ward, Cheryl* Boat-building and its social context in early Egypt: interpretations from the First Dynasty boat-grave cemetery at Abydos. Antiquity 80 (2006) 118-129.

T2.4 *Athletica*—sport, games

13191 *Baslez, Marie-Françoise* Le christianisme antique face à la culture sportive du monde gréco-romain. Com(F) 31/2 (2006) 15-23.

13192 *Decker, Wolfgang* Kampfrichter im Alten Ägypten. [F]HAIDER, P.: Oriens et Occidens 12: 2006 ⇒60. 461-472.

13193 **Decker, Wolfgang** Pharao und Sport. Zaberns Bildbände zur Archäologie: Mainz 2006, Von Zabern 108 pp. €60. Ill.

13194 **Decker, Wolfgang; Thuillier, Jean-Paul** Le sport dans l'antiquité: Egypte, Grèce, Rome. Antiqua 8: 2004 ⇒20,12276. [R]Gn. 78 (2006) 431-434 (*Pleket, H.W.*).

13195 **Futrell, Alison** The Roman games: a sourcebook. Blackwell Sourcebooks in Ancient History: Oxf 2006, Blackwell xii; 253 pp. £20. 14051-15696.

13196 **König, J.** Athletics and literature in the Roman Empire. 2005 ⇒21, 13701. [R]JRS 96 (2006) 216-218 (*Gleason, Maud*); REA 108 (2006) 799-800 (*Lafond, Yves*).

13197 **Miller, Stephen G.** Ancient Greek athletics. 2004 ⇒20,12280. [R]AJA 110 (2006) 673-674 (*Romano, David G.*).

13198 **Newby, Zahra** Greek athletics in the Roman world: victory and virtue. Oxford studies in ancient culture and presentation: 2005 ⇒ 21,13703. [R]Antiquity 80 (2006) 731-732 (*Henig, Martin*).

13199 *Rocca, Samuele* A Jewish gladiator in Pompeii. Materia Giudaica 11/1-2 (2006) 287-301.

13200 **Sinn, Ulrich** Das antike Olympia: Götter, Spiel und Kunst. 2004 ⇒ 20,12282; 21,13704. [R]Gn. 78 (2006) 624-630 (*Fuchs, Werner*).

13201 **Spivey, Nigel** The ancient Olympics: a history. 2004 ⇒20,12283. [R]IJCT 13 (2006) 154-156 (*Poliakoff, Michael*).

T2.5 *Musica, drama, saltario*—music, drama, dance

13202 **Bentivegna, Giuseppe** I carismi del canto e della danza: fondamenti biblici, linee catechetiche, testimonianze patristiche. R 2005, Rinnovamento nello Spirito Santo 134 pp. €10. [R]CivCatt 157/1 (2006) 99-100 (*Raffo, G.*).

13203 *Biga, Maria G.* La musique à Ebla. DosArch 310 (2006) 24-31.

13204 **Burgh, Theodore W.** Listening to the artifacts: music culture in ancient Palestine. NY 2006, Clark x, 181 pp. $35. 0-567-02552-7. Bibl. 163-173.

13205 *Charpin, Dominique* La louange des dieux et des rois;

13206 *Collon, Dominique* La musique dans l'art mésopotamien. DosArch 310 (2006) 56-59/6-15.

13207 *Cosgrove, Charles H.* The earliest christian hymn with musical notation: a critical history of interpretation of P. Oxy. 1786. EL 120 (2006) 257-276.

13208 *Doane, Sébastien* Qui est le messie de HAENDEL?. Scriptura(M) 8/1 (2006) 83-97.

13209 *Durand, Jean-Marie* Des saltimbanques: le divertissement hors du palais. DosArch 310 (2006) 46-49.

13210 **Emerson, Joel; McEntire, Mark** Raising Cain, fleeing Egypt, and fighting Philistines: the Old Testament in popular music. Macon, GA 2006, Smith & H. 115 pp. $15. 9781-5731-24645.

13211 *Franceschetti, Adele* L'armonia della lira tra storia, musica e archeologia: l'evidenza egea del II millennio a.C. AnCl 75 (2006) 1-14.

13212 *Franklin, John C.* Lyre gods of the Bronze Age: musical koine. JANER 6 (2006) 39-70.

13213 ^E**Gilmour, Michael J.** Call me the seeker: listening to religion in popular music. 2005 ⇒21,13713. ^RBiCT 2/2 (2006)* (*Culbertson, Philip*).

13214 *Groneberg, Brigitte* La musique des amoureux. DosArch 310 (2006) 50-54.

13215 *Jung, Hermann* Abraham und Isaak als Oratorienstoff im 17. und 18. Jahrhundert (mit Ausblicken auf Vertonungen bis zum 20. Jahrhundert). Isaaks Opferung. AKG 101: 2006 ⇒412. 693-729 [Gen 22,1-19].

13216 *Koldau, Linda M.* Entgeistlichung der Bibel: Anton RUBINSTEINs geistliche Opern. Moses und Christus. Gotteswort und Menschenrede. 2006 ⇒371. 175-257.

13217 *Long, Burke O.* The circus. Blackwell companion to the bible. 2006 ⇒465. 365-380.

13218 *Marcetteau, Myriam* L'approche des musicologues. DosArch 310 (2006) 4-5.

13219 *Marom, Nimrod; Bar-Oz, Guy; Münger, Stefan* A new incised scapula from Tel Kinrot. NEA 69 (2006) 37-40.

13220 *Marti, Lionel* Chanter les victoires, déplorer les défaites: la musique dans et après la guerre à l'époque néo-assyrienne. DosArch 310 (2006) 60-67.

13221 **Meier, Siegfried** Psalmen, Lobgesänge und geistliche Lieder—Studien zur musikalischen Exegese und biblischen Grundlegung evangelischer Kirchenmusik. Kontexte 36: 2004 ⇒20,12298. ^RThLZ 131 (2006) 427-429 (*Seidel, Hans*).

13222 **Monrabal, María V.T.** Música, dança e poesia na bíblia. Liturgia e Música: São Paulo 2006, Paulus 102 pp.

13223 ^E**Mortier-Waldschmidt, Odile** Musique & antiquité: actes du colloque d'Amiens, 25-26 octobre 2004. P 2006, Belles Lettres 314 pp. 22514-43037.

13224 *Mouton, Alice* La musique chez les Hittites. DosArch 310 (2006) 68-71.

13225 *Pilch, John J.* The sound of the 'flute'. BiTod 44 (2006) 49-52;

13226 Singing with one voice. BiTod 44 (2006) 114-119.

13227 ^E**Pöhlmann, Egert; West, Martin L.** Documents of ancient Greek music: the extant melodies and fragments. 2001 ⇒18,11840; 20, 12300. ^RGn. 78 (2006) 257-258 (*Zimmermann, Bernhard*).

13228 *Pruzsinszky, Régine* Hommes, femmes et enfants dans la musique. DosArch 310 (2006) 40-45.

13229 *Rogerson, John W.* Music. Blackwell companion to the bible. 2006 ⇒465. 286-298.

13230 *Schöttler, Heinz-Günther* Eine komponierte "Leerstelle": Johann Sebastian BACH: "Actus tragicus";

13231 Vier Versuche, eine Komposition zu hören: György Ligeti: Lux aeterna;

13232 Die Inszenierung der Unanschaulichkeit als "Leerstelle": Jiri Kolář: Une heure avant la Cène–une heure après la Cène;

13233 "Um den ungespielten Ton wirst du nun ewig bangen": Selma Meerbaum-Eisinger: Sehnsuchtslied. "Der Leser begreife!". 2006 ⇒472. 93-101/102-126/127-130/131-134.

13234 **Schuol, Monika** Hethitische Kultmusik: eine Untersuchung der Instrumental- und Vokalmusik anhand hethitischer Ritualtexte und von archäologischen Zeugnissen. 2004 ⇒20,12302; 21,13728. ᴿAJA 110 (2006) 669-670 (*Kilmer, Anne D.*).

13235 *Shehata, Dahlia* Les instruments de musique au Proche-Orient ancien. DosArch 310 (2006) 16-22.

13236 *Sillamy, Jean-Claude* La musique dans la bible: David, roi musicien. DosArch 310 (2006) 72-76.

13237 **Sölken, Peter** Ein Ort des Leidens- und der Hoffnung: eine bibeltheologische Annäherung an zwei Passionsvertonungen des 20. Jahrhunderts; die Lukaspassion (1965) von Krzysztof Penderecki und Deus Passus (2000) von Wolfgang Rihm. SBB 53: Stu 2006, Kath. Bibelwerk 298 pp. 3-460-00531-9. 1 CD.

13238 *Staubli, Thomas* Musikinstrumente der Levante und ihr Gebrauch: Teil I: Rasseln und Glöckchen. WUB 40 (2006) 74-75;

13239 Teil II: Handpauken und Zimbeln. WUB 41 (2006) 68-71.

13240 *Steinmetz, Agnes* "Mein Gott, mein Gott, warum hast du mich verlassen?": Beobachtungen zur musikalischen Ausdeutung des Psalms 22 von Felix MENDELSSOHN BARTHOLDY (op. 78,3). rhs 49 (2006) 349-361.

13241 *Tadmor, Miriam* Realism and convention in the depiction of ancient drummers. ᶠNA'AMAN, N. 2006 ⇒120. 321-338.

13242 *Twycross, Meg* The theatre. Blackwell companion to the bible. 2006 ⇒465. 338-364.

13243 *Venditti, Rodolfo* Musica e teologia nei '*Magnificat*' di VIVALDI e di BACH. ATT 12/1 (2006) 191-207 [Luke 1,46-55].

13244 *Ziegler, Nele* Les musiciens de la cour de Mari. DosArch 310 (2006) 32-38.

T2.6 *Vestis*, clothing; *ornamenta*, jewellry

13245 **Brune, Karl-Heinz** Die koptischen Textilien im museum kunst palast Düsseldorf, Teil 1: Wirkereien mit figürlichen Motiven. 2004 ⇒20,12308. ᴿOLZ 101 (2006) 433-436 (*Nauerth, Claudia*).

13246 *Reid, Barbara E.* What's biblical about... the color purple?. BiTod 44 (2006) 312-314.

13247 *Richmond, Joanna* Textile production in prehistoric Anatolia: a study of three early Bronze Age sites. ANESt 43 (2006) 203-238.

13248 **Scheele, Katrin** Die Stofflisten des Alten Reiches: Lexikographie, Entwicklung und Gebrauch. MENES 2: 2005 ⇒21,13732. ᴿWO 36 (2006) 217-219 (*Altenmüller, Hartwig*); BiOr 63 (2006) 513-515 (*Bolshakov, Andrey O.*).

13249 *Trnka, Edith* Zur archäologischen Evidenz der Textilproduktion in der ägäischen Bronzezeit. ᶠBIETAK, M., II. 2006 ⇒8. 489-498.

13250 **Zawadzki, Stefan** Garments of the gods: studies on the textile industry and the pantheon of Sippar according to the texts from the Ebabbar archive. OBO 218: FrS 2006, Academic xxi; 254 pp. €53/FS79. 3-7278-1555-8. Bibl. ix-xvii. ᴿRA 100 (2006) 165-169 (*Joannès, Francis*); AuOr 24 (2006) 161-163 (*Garcia-Ventura, A.*).

13251 *Caubet, Annie; Yon, Marguerite* Quelques perles de cornaline. ᶠMAZAR, A.: 2006 ⇒108. 137-147.

13252 *Cravinho, G.; Amorai-Stark, Shua* A Jewish intaglio from Roman Ammaia, Lusitania. LASBF 56 (2006) 521-546.

13253 *Hiller, Stefan* Insekt oder dreigliedrige Blüte?: zur Morphologie eines Ornaments zwischen Ägypten und Ägäis. ᶠHAIDER, P.: Oriens et Occidens 12: 2006 ⇒60. 719-733.

13254 *Hirschfeld, Yizhar; Peleg, Orit* A glass pendant from Tiberias. IEJ 56 (2006) 201-208.

13255 **Michel, Simone** Die magischen Gemmen: zu Bildern und Zauberformeln auf geschnittenen Steinen der Antike und Neuzeit. Studien aus dem Warburg-Haus 7: B 2004, Akademie xvi; 580 pp. 3-05-00-3849-7. Bibl.

T2.8 Utensilia

13256 *Ariel, Donald T.* Stamped amphora handles from Tel Mikhal (Tel Michal). ʿAtiqot 52 (2006) 89-91.

13257 *Khalaily, Hamoudi* The flint tools from Tel Mikhal (Tel Michal). ʿAtiqot 52 (2006) 117-119.

13258 *Lester, Ayala; Hirschfeld, Yizhar* Brass chains from a public building in the area of the bathhouse at Tiberias. Levant 38 (2006) 145-158.

13259 **Nunn, Astrid** Knaufplatten und Knäufe aus Assur. WVDOG 112; Ausgrabungen der Deutschen Orient-Gesellschaft in Assur, F: die Fundgruppen 1: Saarbrücken 2006, Saarbrücken 187 p. 3-939166-05-7. Num. ill.; Bibl. 10-11.

13260 **Seif El-Din, Merwatte** Die reliefierten hellenistisch-römischen Pilgerflaschen: Untersuchungen zur Zweckbestimmung und Formgeschichte der ägyptischen Pilger- und Feldflaschen während des Hellenismus und der Kaiserzeit. Études alexandrines 11: Le Caire: Institut Français d'Archéologie Orientale 2006, xiv; 319 pp. 2-7247-0413-4. Inst. Français d'Archéologie Oriental du Caire Catalogo.

13261 *Tillmann, Andreas* Zur wirtschaftlichen Bedeutung von Silexartefakten im alten Ägypten: eine Provokation. ᶠBIETAK, M., I. OLA 149: 2006 ⇒8. 381-387.

13262 *Van den Brink, Edwin C.M.* A note on a basalt Chalcolithic bowl from Mitzpe Aphek, Rosh ha-'Ayin. IEJ 56 (2006) 102-104.

13263 **Vlčková, Petrá**, *al.*, Abusir XV: stone vessels from the mortuary complex of Raneferef at Abusir. Prague 2006, Czech Institute of Egyptology 152 pp. 978-80-7308-114-0.

13264 Inscribed stone vessels from the mortuary complex of Raneferef at Abusir. ArOr 74 (2006) 259-270.

13265 *Zimmermann, Thomas* Bottles and netbags—some additional notes on the article about 'Syrian bottles' in Anatolica 31, 2005. Anatolica 32 (2006) 229-231.

T2.9 *Pondera et mensurae*—weights and measures

13266 **Ascalone, Enrico; Peyronel, Luca** I pesi da bilancia del Bronzo Antico e del Bronzo Medio. Materiali e studi archeologici di Ebla (MSAE) 7: R 2006, Univ. "La Sapienza" 643 pp. 978-88-88233-04-8. Bibl. 597-643.

13267 *Cancik-Kirschbaum, Eva; Chambon, Grégory* Maßangaben und Zahlvorstellungen in archaischen Texten. AltOrF 33 (2006) 189-214.

13268 *Chambon, Grégory* Chroniques du Moyen-Euphrate 7, écritures et pratiques métrologiques: la grande mesure à Mari. RA 100 (2006) 101-106.

13269 *Janssen, Thomas* Zu den Berechnungsweisen und Resultaten assyrischer Distanzangaben. Akkadica 127 (2006) 63-72.

13270 *Karwiese, Stefan* Was es wiegt, das hat's: ein Beitrag zur altägyptischen Metrologie. [F]BIETAK, M., I.: OLA 149: 2006 ⇒8. 171-181.

13271 *Stieglitz, Robert R.* Classical Greek measures and the builder's instruments from the Ma'agan Mikhael shipwreck. AJA 110 (2006) 195-203.

13272 *Torallas Tover, Sofía; Worp, Klaas A.* An official *mna* weight at the Museum Biblicum, Montserrat. ZPE 155 (2006) 188-190.

13273 *Van der Horst, Pieter W.* Subtractive versus additive composite numerals in ancient languages. Jews and Christians. WUNT 196: 2006 <1988> ⇒321. 250-268 [2 Cor 11,24].

13274 *Zissu, Boaz; Ganor, Amir* A lead weight of Bar Kokhba's administration. IEJ 56 (2006) 178-182.

T3.0 **Ars antiqua**, *motiva, picturae* [icones T3.1 infra]

13275 [E]**Aruz, John; Wallenfels, Ronald** Art of the first cities: the third millennium B.C. from the Mediterranean to the Indus. NY 2003, Metropolitan Museum of Art xxiv; 540 pp. 15883-90446. Bibl. 499-523.

13276 *Avramidou, Amalia* Attic vases in Etruria: another view on the divine banquet cup by the Codrus painter. AJA 110 (2006) 565-579.

13277 *Ben-Shlomo, David; Dothan, Trude* Ivories from Philistia: filling the Iron Age I gap. IEJ 56 (2006) 1-38.

13278 [E]**Bodiou, L.; Frère, D.; Mehl, V.** L'expression des corps: gestes, attitudes, regards dans l'iconographie antique. Rennes 2006, Presses universitaires 388 pp.

13279 *Charlesworth, James H.* Prolegomenous reflections on ophidian iconography, symbology, and New Testament theology. [F]AUNE, D.: NT.S 122: 2006 ⇒4. 315-329.

13280 **Clarke, John R.** Art in the lives of ordinary Romans: visual representation and non-elite viewers in Italy, 100 B.C.-A.D. 315. 2003 ⇒19,12954; 21,13763. [R]AnCl 75 (2006) 637-639 (*Balty, Janine*); Gn. 78 (2006) 716-721 (*Neudecker, Richard*).

13281 *Collins, Paul* Trees and gender in Assyrian art. Iraq 68 (2006) 99-107.

13282 **Collon, Dominique** The Queen of the Night. British Museum Objects in Focus: 2005 ⇒21,13764. [R]OLZ 101 (2006) 165-167 (*Klengel-Brandt, E.*).

13283 **Cornelius, Izak** The many faces of the goddess: the iconography of the Syro-Palestinian goddesses Anat, Astarte, Qedeshet, and Asherah c. 1500-1000 BCE. OBO 204: 2004 ⇒20,12334. [R]AJA 110 (2006) 164-165 (*Budin, Stephanie Lynn*); WZKM 96 (2006) 412-416 (*Selz, Gebhard J.*).

13284 *Costa, Salvador* On the scenes of the king receiving the Sed-Fests in the Theban temples of the Ramesside period. SAÄK 35 (2006) 61-74.

13285   *Dever, William G.* Archaeology and ancient Israelite iconography: did Yahweh have a face?. ^FMAZAR, A. 2006 ⇒108. 461-475.

13286   *Dothan, Trude* A decorated ivory lid from Tel Miqne-Ekron. ^FDE-VER, W. 2006 ⇒32. 33-40.

13287   **Durando, Furio; Bourbon, Fabio,** *al.*, Magna Graecia: Kunst und Kultur der Griechen in Italien. 2004 ⇒20,12339. ^RREG 119 (2006) 786-787 (*Maffre, Jean-Jacques*).

13288   **Garfinkel, Yosef; Miller, Michele A.,** *al.*, Sha'ar Hagolan: v.1, Neolithic art in context. 2002 ⇒18,11892; 20,12341. ^RQad. 39 (2006) 123-124 (*Belfer-Cohen, A.*).

13289   Ein Geistesblitz von fünf Sekunden beschäftigt mich seit 25 Jahren!": ein Gespräch mit Othmar Keel. WUB 39 (2006) 70-72.

13290   *Giovino, Mariana* Assyrian trees as cult objects. The iconography of cylinder seals. 2006 ⇒911. 110-125.

13291   **Giuliani, Luca** Bild und Mythos: Geschichte der Bilderzählung in der griechischen Kunst. 2003 ⇒19,12965... 21,13776. ^RGn. 78 (2006) 536-539 (*Stansbury-O'Donnell, Mark D.*).

13292   *Henig, Martin* How a christian might approach images of deities in polytheistic religions. Roman art. 2006 ⇒937. 117-126.

13293   *Hiller, Stefan* Spätminoische Pyxiden aus SM II/IIIA:1 und die Fresken aus dem Palast von Amenophis III in Malkata (Theben West). ^FBIETAK, M., II. OLA 149: 2006 ⇒8. 149-165.

13294   *Holloway, R. Ross* The tomb of the diver. AJA 110 (2006) 365-88.

13295   **Hope, Colin A.; McFarlane, Ann** Akhmin in the Old Kingdom. The Australian Centre for Egyptology. Studies 7: Sydney 2006, Australian Centre for Egyptology 2 vols. 978-0-85668-812-6.

13296   **Hölscher, Tonio** The language of images in Roman art. ^T*Snodgrass, Anthony; Künzl-Snodgrass, Annemarie* 2004 ⇒20,12348. ^RAnCl 75 (2006) 635-637 (*Balty, Jean Ch.*); JRS 96 (2006) 274-275 (*Newby, Zahra*).

13297   *Hrouda, Barthel* Die Besonderheiten der babylonischen und assyrischen Kunst sowie deren Unterschiede. ^FMATTHIAE, P. 2006 ⇒ 107. 229-235.

13298   *Kaizer, Ted* A note on the fresco of Iulius Terentius from Dura Europos. ^FHAIDER, P.: Oriens et Occidens 12: 2006 ⇒60. 151-159.

13299   *Karageorghis, Vassos* Notes on religious symbolism in Cypriot vase-painting, ca. 1050-600 BC. ^FMAZAR, A. 2006 ⇒108. 541-53.

13300   *Keel, Othmar* Der Kopf einer Kultstatue vom Typ Anat-Astarte: Sammlungen BIBEL+ORIENT der Universität Freiburg/Schweiz, Inv. Nr. VFig 2004.8. ^FSCHÜNGEL-STRAUMANN, H. 2006 ⇒153. 105-123.

13301   *King, Philip J.* Gezer and circumcision. ^FDEVER, W. 2006 ⇒32. 333-340.

13302   *Klopper, Frances* Springs and wells in the religious conceptual world of Israel through ancient Near Eastern iconography. Stimulation from Leiden. BEAT 54: 2006 ⇒686. 225-238.

13303   **Landgráfová, Renata** Abusir XIV: faience inlays from the funerary temple of King Raneferef: Raneferef's substitute decoration programme. Prague 2006, Czech Institute of Egyptology 120 pp. 978-80-7308-130-0. Contrib. *Jaromír Leichmann*; CD-ROM.

13304   *Lewis, Stan* Iconography and the study of gender. Images and gender. OBO 220: 2006 ⇒662. 23-39.

13305 *Masquelier-Loorius, Julie* Le fouet à double lanière. RdE 57 (2006) 95-108.

13306 *Merola, M.* Rescued frescoes: an unexpected discovery of rare Roman art. Arch. 59/3 (2006) 34-38.

13307 **Metzger, Martin** Vorderorientalische Ikonographie und Altes Testament. [E]*Pietsch, Michael; Zwickel, Wolfgang* 2004 ⇒20,242; 21, 13790. [R]ThLZ 131 (2006) 366-368 (*Uehlinger, Christoph*).

13308 **Moorey, Peter Roger Stuart** Idols of the people: miniature images of clay in the ancient Near East. 2003 ⇒19,12986; 21,13793. [R]AJA 110 (2006) 161-163 (*Budin, Stephanie Lynn*).

13309 *Morgan, Lycia* Art and international relations: the hunt frieze at Tell el-Dabʻa. [F]BIETAK, M., II. OLA 149: 2006 ⇒8. 249-258.

13310 [E]**Ockinga, B.G.; Sowada, K.N.** Egyptian art in the Nicholson Museum, Sydney. Sydney 2006, Meditarch ix; 320 pp. $135. 09580-2-6513. 64 pl.

13311 *Ornan, Tallay* The lady and the bull: remarks on the bronze plaque from Tel Dan. [F]NAʼAMAN, N. 2006 ⇒120. 297-312.

13312 *Pappalardo, Eleonora* Avori dagli scavi itialiani a Forte Salmanassar (Nimrud): figure umane–elementi vegetali–leoni. Mes. 41 (2006) 57-156. 411 pl.

13313 *Pinnock, Frances* Paying homage to the king: protocol and ritual in Old Syrian art. [F]MATTHIAE, P. 2006 ⇒107. 487-509.

13314 *Poisel, Timothy J.* Plate liii from Til-Barsip: the left-handed Assyrian king. Iraq 68 (2006) 121-127.

13315 **Porter, Barbara N.** Trees, kings, and politics: studies in Assyrian iconography. OBO 197: 2003 ⇒19,257... 21,13797. [R]WO 36 (2006) 236-239 (*Sievertsen, Uwe*); BiOr 63 (2006) 326-331 (*Ponchia, Simonetta*); AfO 51 (2005-2006) 365-367 (*Seidl, Ursula*).

13316 *Rollinger, Robert* Yauna takabara und maginnata tragende 'Ionier': zum Problem der 'griechischen' Thronträgerfiguren in Naqsch-i Rustam und Persepolis. [F]HAIDER, P.: 2006 ⇒60. 365-400.

13317 **Schachner, Andreas** Bilder eines Weltreichs: kunst- und kulturgeschichtliche Untersuchungen zu den Verzierungen eines Tores aus Balawat (Imgur-Enlil) aus der Zeit von Salmanassar III, König von Assyrien. Subartu 20: Turnhout 2006, Brepols xi; 354 pp. 978-2-503-52437-5. Zeichnungen von *Cornelie Wolff.*

13318 *Schroer, Silvia* Gender und Ikonographie–aus der Sicht einer feministischen Bibelwissenschaftlerin. Images and gender. OBO 220: 2006 ⇒662. 107-124.

13319 **Schroer, Silvia; Keel, Othmar** Die Ikonographie Palästinas, Israels und der Alte Orient: eine Religionsgeschichte in Bildern, 1: vom ausgehenden Mesolithikum bis zur Frühbronzezeit. 2005 ⇒21, 13799. [R]RHPhR 86 (2006) 282-284 (*Heintz, J.-G.*); Bijdr. 67 (2006) 90-91 (*Beentjes, P.C.*); JNSL 32/2 (2006) 129-131 (*Cornelius, Izak*).

13320 *Schroer, Silvia; Staubli, Thomas* Der göttliche Körper in der Miniaturkunst der südlichen Levante: Einblick in theologisch vernachlässigte Daten. [F]SCHÜNGEL-STRAUMANN, H. 2006 ⇒153. 124-155.

13321 [E]**Suter, Claudia E.; Uehlinger, Christoph** Crafts and images in contact: studies on eastern Mediterranean art of the first millennium BCE. OBO 210: 2005 ⇒21,693. [R]AuOr 24 (2006) 281-282 (*Valdés Pereiro, C.*); UF 38 (2006) 842-850 (*Hockmann, D.*).

13322 *Sweeney, Deborah* Forever young?: the representation of older and ageing women in ancient Egyptian art. JARCE 41 (2004) 67-84.

13323 **Tanner, Jeremy** The invention of art history in ancient Greece: religion, society and artistic rationalisation. C 2006, CUP xv; 331 pp. £55/$99. 978-0521-846141. 62 fig.

13324 *Tappy, Ron E.* The provenance of the unpublished ivories from Samaria. ^FMAZAR, A. 2006 ⇒108. 637-656.

13325 *Valdés Pereiro, Carmen* The 'gazelle jar' from Tell Qara Qûzâq (Syria): an essay of interpretation. ^FSANMARTÍN, J.: AuOr.S 22: 2006 ⇒144. 399-414.

13326 *Ziegler, Daniela* Andacht, Maß und Abbild: eine kleine Stilgeschichte griechischer Kunst. WUB 39 (2006) 32-38.

T3.1 *Icones*—ars postbiblica

13327 *Abrahamsen, Valerie* Female imagery in christian apocryphal art. JHiC 12/1 (2006) 1-16.

13328 *Acconci, Alessandra* S. Lorenzo fuori le mura, il dipinto della Pentecoste attraverso la sua copia (dalla *Raccolta Lanciani*, F.29). ASRSP 129 (2006) 5-32.

13329 *Amblard, Paule* Jean Baptiste et l'agneau: des repères pour comprendre l'iconographie des grands personnnages de la bible. MoBi 172 (2006) 62-63.

13330 **Arndt, Karl; Moeller, Bernd** Albrecht DÜRERs "Vier Apostel": eine kirchen- und kunsthistorische Untersuchung. SVRG 202: 2003 ⇒19,13013. ^RZKG 117 (2006) 365-366 (*Ganz, David*).

13331 *Bakker, Hinke* Fifteenth-century book illustrations and their makers: the relation of a cycle of woodcut illustrations of the life of Christ with a series of painted miniatures in a handwritten book of prayers. Lay bibles. BEThL 198: 2006 ⇒719. 27-52.

13332 *Balch, David L.* "A woman clothed with the sun" and the "great red dragon" seeking to "devour her child" (Rev 12:1, 4) in Roman domestic art. ^FAUNE, D.: NT.S 122: 2006 ⇒4. 287-314.

13333 *Bartoli, Vittorio* Perché nell'iconografia medievale della crocifissione la ferita della lancia di Longino fu raffigurata nel costato destro di Gesù?. Div. 49/1 (2006) 93-116 [John 19,34]..

13334 *Bauer, Dieter* Haman-ergeben in sein Schicksal: REMBRANDT Harmensz van Rijn (1606-1669), Haman erkennt sein Schicksal (1665, St. Petersburg). BiHe 42/167 (2006) 26-27 [Esth 7].

13335 *Bolard, Laurent* Le paradoxe de l'érudit: JÉRÔME et AUGUSTIN dans la peinture du Quattrocento. ETR 81 (2006) 149-166.

13336 *Bonacasa Carra, Rosa M.* L'adorazione dei Magi in due arcosoli della catacomba di Villagrazia di Carini (Palermo). RivAC 82 (2006) 55-73 [Mt 2,1-12].

13337 *Bossart, Irina* Bild(w)ort: oder: eine Dattelpalme in der Schmerzenkapelle von Mariastein. Fama 22 (2006) 9-11 [Cant 7,7].

13338 *Boyd, Jane* Picture this: VELÁZQUEZ' Christ with Martha and Mary. ET 118 (2006) 70-77 [Luke 10,38-42].

13339 **Bragantini, Gabriele** Vida de Jesús en iconos de la biblia de Tbilisi. M 2006, San Pablo 144 pp. 84285-29795;

13340 Vita di Gesù in icone: dala bibbia di Tbilisi. CinB 2006, San Paolo 143 pp.

13341 ^{E}**Breton, Jean-F.; Daoust, Francis** La bible et les arts: sources d'inspiration et univers de création. Scriptura(M) 8/1 (2006) 1-108.

13342 **Burnet, Régis; Burnet, Eliane** Pour décoder un tableau religieux: Nouveau Testament. P 2006, Cerf 158 pp. €28. 22040-80764. Préf. *R. Debray.*

13343 *Burrichter, Rita* Das Leichte und das Schwere. KatBl 131 (2006) 414-417 [Exod 20,1-17];

13344 Das Jesuskind als Randfigur–ist am Rand die Mitte?: oder bleibt der Rand Rand?: zu einem weit verbreiteten Bildmotiv der Malerfamilie BRUEGEL. Die besten Nebenrollen. 2006 ⇒1164. 49-54.

13345 **Butzkamm, Aloys** Faszination Ikonen. Pd 2006, Bonifatius 239 pp. €22.90. 978-38971-03566.

13346 **Büchsel, Martin** Die Entstehung des Christusporträts: Bildarchäologie statt Bildhypnose. 2003 ⇒19,13023. ^{R}RHE 101 (2006) 180-181 (*Lecocq, Isabelle*).

13347 *Büttner, Nils* 'Veelderleye ordinantien van lantschappen met fyne historien': die Opferung Isaaks in der niederländischen Landschaftskunst des 16. Jahrhunderts. Isaaks Opferung. AKG 101: 2006 ⇒412. 415-434 [Gen 22,1-19].

13348 **Cagliota, Francesco** DONATELLO e i Medici: storia del *David* e della *Giuditta*. Fondazione Carlo Marchi, Studi 14: F 2000, Olschki 2 vols; xxvi; 530 pp. 357 ill. ^{R}StMed 47/1 (2006) 225-230 (*Tampieri, Roberta*).

13349 **Calcagnini, D.** Minima biblica: immagini scritturistiche nell'epigrafia funeraria di Roma. Città del Vaticano 2006, Pont. Ist. di Archeologia Cristiana 146 pp. [VetChr 44,360s–Donatella Nuzzo].

13350 *Canetri, Elisa* Il rinnegamento di Pietro nell'arte paleocristiana: nuove considerazioni iconografiche e iconologiche. RivAC 82 (2006) 159-200.

13351 *Clauss, Mechthild* Die Steinigung des heiligen Stephanus: Sinndeutung eines barocken Märtyrerbildes der Südtiroler Benediktiner-Abtei Marienberg. SMGB 117 (2006) 383-407 [Acts 7].

13352 *Combes, Alain* La réconciliation de Joseph et ses frères: modèle impossible?. ThEv(VS) 5/1 (2006) 71-76 [Gen 42-50].

13353 *Coppens, Chris; Nuovo, Angela* The illustrations of the unpublished Giolito Bible. Lay bibles. BEThL 198: 2006 ⇒719. 119-41.

13354 *Delattre, Alain; Van Loon, Gertrud J.M.* Le cycle de l'enfance du Christ dans l'église rupestre de Saint-Jean-Baptiste à Deir Abou Hennis. Etudes coptes IX. CBCo 14: 2006 ⇒893. 119-134.

13355 *Deremble, Jean P.* L'écriture imagée d'une transformation baptismale: le vitrail de Noé de la cathédrale de Chartres. Graphè 15 (2006) 103-120 [Gen 6,5-9,17].

13356 *Desplanque, Christophe* REMBRANDT, exégète et interprète de la parabole des deux fils (Luc 15,11-32). Hokhma 90 (2006) 50-62.

13357 *Dulaey, Martine* L'évangile de Jean et l'iconographie: Lazare, la Samaritaine et la pédagogie des Pères. Les Pères de l'église. 2006 ⇒810. 137-164 [John 4; 11].

13358 *Esposito, Donato* Dalziels' Bible gallery (1881): Assyria and the biblical illustration in nineteenth-century Britain. Orientalism, assyriology and the Bible. HBM 10: 2006 ⇒626. 267-296.

13359 *Fendrich, Herbert* Bilder sind Geheimnisse: Mark Rothko, Ohne Titel (Black on Grey), 1969. BiHe 42/168 (2006) 24-25.

13360   *Fendrich, Herbert; Wellmann, Bettina* Apostel im Bild: zu den Ab-
        bildungen dieses Buches. Apostel. 2006 ⇒338. 133-141.
13361   *Figueras, Paul* Remains of a mural painting of the Transfiguration
        in the southern church of Sobata (Shivta). Aram 18 (2006) 127-151
        [Mt 17,1-9].
13362   **Fillitz, Hermann** Papst CLEMENS VII. und MICHELANGELO: das
        Jüngste Gericht in der Sixtinischen Kapelle. W 2005, Verl. d.
        Österr. Akademie der Wissenschaften 56 pp. Ill.
13363   *Franco, Hilário, Jr.* Entre la figue et la pomme: l'iconographie ro-
        mane du fruit défendu. RHR 223/1 (2006) 29-70 [Gen 3,7].
13364   ᴱ**Frommel, Christoph L.; Wolf, Gerhard** L'immagine di Cristo:
        dall'acheropita alla mano d'artista; dal tardo medioevo all'età baroc-
        ca. Studi e testi 432: Città del Vaticano 2006, Biblioteca Apostolica
        Vaticana 576 pp.
13365   *García Domene, Juan Carlos* El imaginario bíblico de REM-
        BRANDT. ResB 50 (2006) 61-67;
13366   Graffiti, pintadas y murales bíblicos. ResB 49 (2006) 65-67.
13367   ᴱ**Gastgeber, Christian; Fingernagel, Andreas** Splendore e ma-
        gnificenza delle bibbie illustrate. Köln 2004, Taschen 415 pp. 3-
        8228-3438-6. Catalogo della mostra tenutasi presso la Österreichi-
        schen Nationalbibliothek dal 24 novembre 2003 al 6 gennaio 2004.
13368   ᴱ**Geddes, Jane** The St Albans Psalter: a book for Christina of
        Markyate. L 2006, British Library 136 pp. $50. 0712306773. 89 ill.
13369   **Giebelhausen, Michaela** Painting the bible: representation of be-
        lief in mid-Victorian Britain. Aldershot 2006, Ashgate xii; 249 pp.
        $100.
13370   **Gilbert, Creighton** Lex amoris: la legge dell'amore nell'interpreta-
        zione di fra ANGELICO. Storia, Saggi 1: F 2005, Le Lettere 117 pp.
        €14.
13371   *Göttler, Christine* 'Figura passionis': Abraham und Isaak im Wie-
        ner Stundenbuch der Maria von Burgund: Affekt und religiöse
        Erinnerung in der frühniederländischen Malerei. Isaaks Opferung.
        AKG 101: 2006 ⇒412. 153-184 [Gen 22,1-19].
13372   *Guest, Gerald B.* The Prodigal's journey: ideologies of self and city
        in the Gothic cathedral. Spec. 81/1 (2006) 35-75 [Scr. 60,185*—A.
        Smets] [Luke 15,11-32].
13373   ᴱ**Hall, Marcia B.** MICHELANGELO's 'Last Judgement'. Master-
        pieces of western painting: 2005 ⇒21,13843. ᴿSCJ 37 (2006) 809-
        810 (*McIver, Katherine A.*).
13374   *Hammes, Axel; Schlimbach, Guido* "Ihr Licht war leuchtend klar
        wie Kristall" (Offb 21,11): das neue Südquerhausfenster von Ger-
        hard Richter im Kölner Dom und die Vision vom neuen Jerusalem
        in Offb 21,1-22,5. Pastoralblatt für die Diözesen Aachen, Berlin,
        Essen etc. 58 (2006) 341-346.
13375   **Harries, Richard** The passion in art. 2004 ⇒20,12417. ᴿIThQ 71
        (2006) 188-190 (*Madden, Nicholas*).
13376   *Heinen, Ulrich* Der Schrei Isaaks im 'Land des Sehens': Perspekti-
        ve als Predigt–Exegese als Medienimpuls: Abrahams Opfer bei
        BRUNELLESCHI und GHIBERTI (1401/1402). Isaaks Opferung. AKG
        101: 2006 ⇒412. 23-152 [Gen 22,1-19].
13377   *Hornik, Heidi J.; Parsons, Mikeal C.* Art. Blackwell companion to
        the bible. 2006 ⇒465. 299-322.

13378 **Hornik, Heidi J.; Parsons, Mikeal C.** Illuminating Luke: the public ministry of Christ in Italian Renaissance and baroque painting. 2005 ⇒21,6510. [R]RBLit (2006)* (*Prince, Deborah; Stander, Hendrik*).

13379 *Hughes, B.* Using the arts to open scripture. Sewanee Theological Review 50 (2006) 138-153.

13380 *Hvalvik, Reidar* Christ proclaiming his law to the apostles: the traditio legis-motif in early christian art and literature. [F]AUNE, D.: NT. S 122: 2006 ⇒4. 405-437.

13381 *Imorde, Joseph* Gehorsam und Begnadung: die 'Opferung Isaaks' als gemalte Kunsttheorie. Isaaks Opferung. AKG 101: 2006 ⇒412. 399-413 [Gen 22,1-19].

13382 **Jung-Inglessis, Eva-Maria** Das Antlitz Christi in Rom: römische Christusbilder von den Anfängen bis in die Gegenwart. Köln 2006, Christiana 170 pp.

13383 *Kauffmann, C.M.* The iconography of the Judgment of Solomon in the Middle Ages. [F]ALEXANDER, J. 2006 ⇒3. 297-306 {1 Kgs 3,16-28].

13384 [E]**Krischel, Roland; Morello, Giovanni; Nagel, Tobias** Ansichten Christi: Christusbilder von der Antike bis zum 20. Jahrhundert. 2005 ⇒21,13858. Ausstellung Köln 2005. [R]GuL 79 (2006) 154-155 (*Kronenberg, Peter C.*).

13385 *Kühnel, Bianca* The Holy Land as a factor in christian art. Christians and christianity. 2006 ⇒648. 463-504.

13386 *L'Engle, Susan* Outside the canon: graphic and pictorial digressions by artists and scribes. [F]ALEXANDER, J. 2006 ⇒3. 69-83.

13387 *Leroy, Chantal* De l'art et du théologien... promenades en quelques visages bibliques. [F]GIBERT, P. 2006 ⇒52. 245-258.

13388 *Lichtenecker, Sven* Das Katharinenkloster auf dem Sinai: Geschichte–Kunst–Gottesdienst. Alles echt. 2006 ⇒469. 47-63.

13389 *Lohmeier, Gerhard* Die Botschaft weitersagen: Osnabrücker Krippenkunst und Krippenkünstler von 1900 bis in die Gegenwart. [F]UNTERGASSMAIR, F. 2006 ⇒161. 587-606.

13390 *Long, Burke O.* Picturing biblical pasts. Orientalism, assyriology and the Bible. HBM 10: 2006 ⇒626. 297-319.

13391 **Mathews, Thomas F.** Scontro di dei: una reinterpretazione dell'arte paleocristiana. Mi 2005, Jaca 230 pp. €34. Ill. [R]CivCatt 157/1 (2006) 624-625 (*Lenzi, A.*).

13392 *Mellinkoff, Ruth* Pilate's wife. [F]MARROW, J. 2006 ⇒105. 337-341 [Mt 27,19].

13393 **Milner, Max** REMBRANDT à Emmaüs. Essais: P 2006, José Corti 128 pp. €15. 271-4309-151 [Luke 24,13-35].

13394 **Milstein, Rachel** La bible dans l'art islamique. 2005 ⇒21,13868. [R]ASSR 51/2 (2006) 243-244 (*Hamès, Constant*).

13395 **Muzi, Maria** Un maître pour l'art chrétien: André Grabar: iconographie et théophanie. 2005 ⇒21,13870. [R]Iren. 79 (2006) 182-183.

13396 [E]**O'Malley, John W.; Bailey, Gauvin A.** The Jesuits and the arts, 1540-1773. 2005 ⇒21,13872. [R]ScrB 36 (2006) (*O'Kane, Martin*).

13397 *Orofino, Giulia* Bibbie atlantiche: struttura del testo e del racconto nel libro 'riformato': spunti da una mostra. Medioevo: immagine e racconto. [E]**Quintavalle, Arturo C.**: Mi 2003, Mondadori. 253-264. 978-88370-25588. Ill.

13398   La palabra esculpida: la bibla en los origenes del arte cristiano: Museos Vaticanos, Museo Pio Cristiano 29 de Septiembre de 2005 - 7 de Enero de 2006: evangelio de Marcos y libro de Jonás: versión interconfesional popular Dios Habla Hoy. R 2005, Societa Biblica Britannica & Forestiera 84 pp. 88-237-3429-0.

13399   *Parker, Margaret A.* Printing the story: the bible in etchings, engravings, and woodcuts. Scrolls of love. 2006 ⇒411. 122-148.

13400   *Parodi, Luisa* Iconografia biblica e moralità laica nella pittura genoese del seicento con particolare attentione alle storie de Giuseppe. ACr 94 (2006) 347-358 [Gen 37-50].

13401   *Pettenò, Elena* Del 'prezioso vetro' raffigurante *Daniel de lacu leonum*: considerazioni sulla coppa vitrea del Museo Nazionale Concordiese di Portogruaro. Rivista di archeologia 30 (2006) 127-139 [Dan 14].

13402   *Preimesberger, R.* 'Und in meinem Fleisch werde ich meinen Gott schauen': biblische Regenerationsgedanken in MICHELANGELOS 'Bartholomäus' der Capella Sistina (Hiob). Das Buch der Bücher. 2006 ⇒441. 101-117.

13403   *Reeve, Matthew M.* Art, prophecy, and drama in the choir of Salisbury Cathedral. Religion and the arts 10 (2006) 161-190.

13404   *Reilly, George* Keith Harings Gegenbilder zum Dekalog. KatBl 131 (2006) 407-410 [Exod 20,1-17].

13405   *Rosenthal, Jane; McGurk, Patrick* Author, symbol, and word: the inspired evangelists in Judith of Flanders's Anglo-Saxon gospel books. ᶠALEXANDER, J. 2006 ⇒3. 185-202.

13406   **Ruf, Gerhard** Die Fresken der Oberkirche San Francesco in Assisi: Ikonographie und Theologie. 2004 ⇒20,12453. ᴿCFr 76 (2006) 465-467 (*Lehmann, Leonhard*).

13407   *Russo, Daniel* La sainte Famille dans l'art chrétien au Moyen-Âge: étude iconographique. Marie et la sainte famille. 2006 ⇒762. 101-119 [Mt 1,18-25].

13408   **Schmied, Wieland** Bilder zur Bibel: Maler aus sieben Jahrhunderten erzählen das Leben Jesu. Stu 2006, Radius 247 pp. €29. Vorwort *Wolfgang Huber*.

13409   **Scholl, Verena** REMBRANDTs biblische Frauenportraits: eine Begegnung von Theologie und Malerei. Z 2006, Theologischer 192 pp. €20.80. 978-32901-73845.

13410   *Selbach, Vanessa* The album of Jean Mès: the visual biblical culture of a merchant in Lille ca. 1590. Lay bibles. BEThL 198: 2006 ⇒719. 143-158.

13411   **Seraïidari, Katerina** Le culte des icônes en Grèce. 2005 ⇒21, 13888. ᴿASSR 51/2 (2006) 265-266 (*Wilmart, Mickaël*).

13412   *Serra, D.E.* The baptistery at Dura-Europos: the wall paintings in the context of Syrian baptismal theology. EL 120 (2006) 67-78.

13413   **Silver, Larry** Hieronymus BOSCH. Mü 2006, Hirmer 424 pp. €135. 3-7774-3135-4.

13414   *Skhirtladze, Zaza* Four images of Mount Sinai in a Georgian Psalter (State Art Museum of Georgia, Cod. I-182). Muséon 119 (2006) 429-461.

13415   *Smith, Kathryn A.* Accident, play, and invention: three infancy miracles in the Holkham Bible picture book. ᶠALEXANDER, J. 2006 ⇒ 3. 357-370.

13416   *Sobotka, Sabine M.* Tierische Theologie: Tiersymbolik in der mittelalterlichen Kunst. BiHe 42/166 (2006) 24-25.

13417   *Sorger, Karlheinz* Ochs und Esel, die Hebammen und das Bad des Kindes: einige Anmerkungen zur Darstellung der Geburt Jesu in der Kunst. FUNTERGASSMAIR, F. 2006 ⇒161. 577-586.

13418   **Spijkerboer, A.M.** REMBRANDTs engel: bijbelverhalen van een schilder. Vught 2006, Skandalon 239 pp. €29.50. 90-76564-183.

13419   *Spijkerboer, Anne M.* Geneest Jezus graag?. ITBT 14/7 (2006) 21 [Mt 8,2-4].

13420   *Steinberg, Faith* Women and the Dura-Europos Synagogue paintings. Religion and the arts 10 (2006) 461-496.

13421   *Taylor Cashion, Debra* The Man of Sorrows and Mel Gibson. FMARROW, J. 2006 ⇒105. 139-145.

13422   *Telesko, Werner* Bibel und Buchillustration im Mittelalter: Strukturen christlicher Bilderzählung. Gotteswort und Menschenrede. 2006 ⇒371. 85-104.

13423   **Thum, Veronika** Die Zehn Gebote für die ungelehrten Leut': der Dekalog in der Graphik des späten Mittelalters und der frühen Neuzeit. Kunstwissenschaftliche Studien 136: Mü 2006, Deutscher Kunstverlag 208 pp. €39.90. 978-34220-66373. 57 ill. [Exod 20,1-17].

13424   *Tümpel, Christian* Die Sprache der Künstler: der künstlerische Diskurs REMBRANDTs und seiner Zeitgenossen über die 'Opferung Isaaks'. Isaaks Opferung. AKG 101: 2006 ⇒412. 481-544 [Gen 22,1-19].

13425   *Vahanian, Gabriel* Eve ou la bible d'avant la bible: à propos de "Eve dans le jardin: la gloire de la femme" de Paul Nothomb. FV 105/3 (2006) 84-87.

13426   *Vallejo, Rémy* L'enfance du Christ dans les arts: figure, histoire et mystère de compassion. LV(L) 55/4 (2006) 51-59 [Mt 1-2].

13427   *Van den Brink, Eddy* Heilige met handicaps: Maria Magdalena in de beeldende kunst van de eerste duizend jaar. Theologisch debat 3/2 (2006) 38-45.

13428   *Van der Coelen, Peter* Pictures for the people?: bible illustrations and their audience. Lay bibles. BEThL 198: 2006 ⇒719. 185-205.

13429   **Varghese, Kleetus K.** MICHELANGELO and the human dignity: an anthropological reading of the Sistine frescoes. Bangalore 2005, Asian Trading 357 pp. Rs200/$20. 81708-63678. Diss. Urbaniana.

13430   E**Velmans, Tania** Le icone: il viaggio da Bisanzio al '900. Corpus bizantino slavo: Mi 2005, Jaca 239 pp. €78. Ill.

13431   **Verdon, Timothy** María: la representación de la Virgen en el arte europeo. Barc 2005, Electa 228 pp.

13432   **Verkerk, Dorothy** Early medieval bible illumination and the Ashburnham pentateuch. 2004 ⇒20,12466; 21,13903. RJR 86 (2006) 118-119 (*Chazelle, Celia*).

13433   *Wieck, Roger S.* The Susanna Hours. FMARROW, J. 2006 ⇒105. 577-584 [Dan 13].

13434   *Wijsman, Hanno* Het psalter van Lodewijk de Heilige: functie, gebruik en overlevering van een middeleeuws prachthandschrift. Bronnen van kennis. 2006 ⇒625. 32-47.

13435   *Yebra Rovira, Carme* El descubrimiento de las mujeres del NT en el arte cristiano. ResB 49 (2006) 50-58.

T3.2 Sculptura

13436　**Albersmeier, Sabine** Untersuchungen zu den Frauenstatuen des ptolemäischen Ägypten. Aegyptiaca Treverensia 10: 2002 ⇒18, 12025; 21,13913. [R]JEA 92 (2006) 298-301 (*Riggs, Christina*).

13437　*Ben-Tor, Amnon* The sad fate of statues and the mutilated statues of Hazor. [F]DEVER, W. 2006 ⇒32. 3-16.

13438　*Boehm, Gottfried* Zeit-Räume: zum Begriff des plastischen Raumes. Mensch und Raum. 2006 ⇒879. 175-188; Tafeln VII-XXII.

13439　**Bolshakov, A.O.** Studies on Old Kingdom reliefs and sculpture in the Hermitage. ÄA 67: 2005 ⇒21,13917. [R]LASBF 56 (2006) 633-634 (*Niccacci, Alviero*).

13440　**Bovot, Jean-Luc** Les serviteurs funéraires royaux et princiers de l'Ancienne Égypte. 2003 ⇒20,12478... 21,13920. [R]BiOr 63 (2006) 75-81 (*Schlick-Nolte, Birgit*).

13441　**Brinkmann, Vinzenz** Die Polychromie der archäischen und frühklassischen Skulptur. 2003 ⇒19,13100. [R]AJA 110 (2006) 176-177 (*Boardman, John*).

13442　*Caubet, Annie* Des yeux et des lunettes. Syr. 83 (2006) 177-181.

13443　**Cholidis, Nadja; Klengel-Brandt, Evelyn,** *al.*, Die Terrakotten von Babylon im Vorderasiatischen Museum in Berlin, Teil 1: die anthropomorphen Figuren. WVDOG 115: Saarwellingen 2006, Saarbrücker 2 vols; 836 pp. €109. 3-929166-02-2/3. Num. ill.

13444　[E]**Cosmopoulos, Michael B.** The Parthenon and its sculptures. 2004 ⇒20,12484. [R]AJA 110 (2006) 327-328 (*Hollinshead, Mary B.*).

13445　*Czichon, Rainer M.* Neue Überlegungen zur Bedeutung und Entstehung der frühdynastischen Beterstatuetten. AltOrF 33 (2006) 179-188.

13446　*D'Amore, Paolo* Ho fatto un'immagine del mio aspetto: stele ed obelischi assiri: tipologia, iconografia, funzione;

13447　*Di Paolo, Silvana* The relief art of northern Syria in the Middle Bronze Age: the Alsdorf stele and some sculptures from Karkemish. [F]MATTHIAE, P. 2006 ⇒107. 111-138/139-171.

13448　*Dothan, Trude* Female figurines from the Deir el-Balah settlement and cemetery. [F]MAZAR, A. 2006 ⇒108. 149-160.

13449　*Eaton-Krauss, M.* The Berlin goddess. GöMisz 211 (2006) 21-23;

13450　The head from a Shabti of Queen Tiye in Chicago. Or. 75 (2006) 84-90.

13451　**Englund, Klaudia** Nimrud und seine Funde: der Weg der Reliefs in die Museen und Sammlungen. 2003 ⇒19,13104; 21,13925. [R]OLZ 101 (2006) 439-442 (*Martin, Lutz*).

13452　*Erlich, A.* The Persian period teracotta figurines from Maresha in Idumea: local and regional aspects. TEuph 32 (2006) 45-59, Pls I-III.

13453　*Fischer-Bossert, Wolfgang* Der (bzw. die) Widder von Klazomenai: Bemerkungen zu einem attischen Urkundenrelief. AA 1 (2006) 11-16.

13454　**Gans, U.-W.** Attalidische Herrscherbildnisse: Studien zur hellenistischen Porträtplastik Pergamons. Philippika 15: Wsb 2006, Harrassowitz vii; 168 pp. 34470-54301.

13455　[E]**Hainaut-Zveny, Brigitte d'** Miroirs du sacré: les retables sculptés à Bruxelles XVe-XVIe siècles: production, formes et usages. 2005 ⇒21,13930. [R]RTL 37 (2006) 93-96 (*Haquin, André*).

13456 **Hallett, Christopher H.** The Roman nude: heroic portrait statuary 200 BC-AD 300. Oxford studies in ancient culture and presentation: 2005 ⇒21,13931. [R]Antiquity 80 (2006) 730-731 (*Henig, Martin*).

13457 *Karageorghis, Vassos* Aphrodite/Aštarte on horseback. [F]DEVER, W. 2006 ⇒32. 75-79.

13458 *Lawson, James* The bible of Moissac. NBl 87 (2006) 364-379.

13459 *Leahy, Anthony* A battered statue of Shedsunefertem, high priest of Memphis (BM EA 25). JEA 92 (2006) 169-184.

13460 **Lembke, Katja** Die Skulpturen aus dem Quellheiligtum von Amrit: Studie zur Akkulturation in Phönizien. Damazener Forschungen 12: 2004 ⇒20,12505. [R]AJA 110 (2006) 681-683 (*Counts, Derek B.*); OLZ 101 (2006) 648-651 (*Nunn, Astrid*).

13461 **López Pardo, Fernando** La torre de las almas: un recorrido por los mitos y creencias del mundo fenicio y orientalizante a través del monumento de Pozo Moro. *Gerión*-Anejos 10: M 2006, Univ. Complutense 277 pp. 84952-15993. 87 ill.

13462 **Marchetti, Nicolò** La statuaria regale nella Mesopotamia protodinastica. AAI.M 21/1: R 2006, Accademia Nazionale dei Lincei 415 pp. 88-218-0958-7. Bibl. 279-339.

13463 **Martin, Geoffrey T.** Stelae from Egypt and Nubia in the Fitzwilliam Museum, Cambridge. 2005 ⇒21,13942. [R]OLZ 101 (2006) 607-609 (*Kubisch, Sabine*).

13464 *Matthiae, Gabriella S.* An antecedent of Hatshepsut. [F]MATTHIAE, P. 2006 ⇒107. 617-622.

13465 **Nadali, Davide** Percezione dello spazio e scansione del tempo: studio della composizione narrativa del rilievo Assiro di VII secolo A.C. Contributi e materiali di archeologia orientale 12: R 2006, Università degli Studi di Roma "La Sapienza" 364 pp.

13466 [E]**Palagia, Olga** Greek sculpture: function, materials, and techniques in the archaic and classical periods. C 2006, CUP xv; 326 pp. 05217-72672. Bibl.

13467 *Parlasca, Klaus* Die Skulpturen aus dem Ḥabbaši-Grab in Hama (Taf. 17-23). DaM 15 (2006) 219-225.

13468 *Peleg, Y.* A seven-armed candelabrum relief from Ḥ. Dasha in the Jordan Valley. Qad. 39 (2006) 121. **H**.

13469 *Perrot, Jean* Autour des ivoires de Beersheba. Syr. 83 (2006) 159-165.

13470 **Perry, Ellen** The aesthetics of emulation in the visual arts of ancient Rome. 2005 ⇒21,13947. [R]AJA 110 (2006) 678-679 (*Varner, Eric R.*); JRS 96 (2006) 275-276 (*Stewart, Peter*).

13471 *Radwan, Ali* Die Göttin Hathor und das göttliche Königtum Altägyptens: zwei Reliefs aus Deir el-Bahari. [F]BIETAK, M., I. OLA 149: 2006 ⇒8. 275-285.

13472 [E]**Reinsberg, C.** Die Sarkophage mit Darstellungen aus dem Menschenleben, 3: Vita Romana. Die antiken Sarkophagreliefs, 1: B 2006, Mann 276 pp. €128. 37861-24809. Pl.

13473 *Ridgway, Brunilde* The boy strangling the goose: genre figure or mythological symbol. AJA 110 (2006) 643-648.

13474 *Sabelli, Roberto* Una copertura per il Memoriale di Mosè (Tavv. 63-64). LASBF 56 (2006) 596-602.

13475 *Sader, Hélène* Iron Age funerary stelae from Lebanon. Cuadernos de Arqueología Mediterránea [Univ. Pompeu Fabra, Barcelona] 11 (2005) 5-159 ⇒21,13952. [R]TEuph 31 (2006) 174-177 (*Elayi, J.*).

13476 *Schöne-Denkinger, Angelika* Das Artemis-Gigantenrelief von Kalapodi. AA 1 (2006) 1-9.

13477 **Stewart, Peter** Statues in Roman society: representation and response. 2003 ⇒19,13141; 21,13956. ᴿAJA 110 (2006) 334-335 (*Stirling, Lea*).

13478 *Summerer, Lâtife* Die Göttin am Skylax: ein monumentales hellenistisches Felsrelief in Nordanatolien. AA 1 (2006) 17-30.

13479 *Swiny, Stuart* Cypriot anthropomorphic figurines of a certain type. ᶠDEVER, W. 2006 ⇒32. 181-186.

13480 **Thomas, Renate** Eine postume Statuette Ptolemaios' IV. und ihr historischer Kontext: zur Götterangleichung hellenistischer Herrscher. 2002 ⇒19,13142; 20,12520. ᴿGn. 78 (2006) 247-250 (*Bonacasa, Nicola*).

13481 **Verbovsek, Alexandra** Die sogenannten Hyksosmonumente: eine archäologische Standortbestimmung. GOF.Ä 46: Wsb 2006, Harrassowitz x; 183 pp. €58. 3-447-05353-4. Bibl.

13482 *Wildung, Dietrich* Die Thematisierung des Raumes: zur Struktur der altägyptischen Skulptur. Mensch und Raum. Colloquium Rauricum 9: 2006 ⇒879. 169-174; Tafel I-VI.

13483 *Wilson, John F.* The 'statue of Christ' at Banias: a saga of paganchristian confrontation in 4th century Syro-Palestine. Aram 18 (2006) 1-11.

T3.3 *Glyptica*; **stamp and cylinder seals**; *scarabs, amulets*

13484 *Barker, William D.* Slaying the hero to build the temple: a new assessment of the Tell Asmar cylinder seal and the temple-building motif in the light of the Ningirsu/Ninurta myths. UF 38 (2006) 27-39.

13485 *Ben-Shlomo, David* New evidence of seals and sealings from Philistia. TelAv 33 (2006) 134-162.

13486 *Ben-Tor, Daphna* Chronological and historical implications of the early Egyptian scarabs on Crete. ᶠBIETAK, M., II. 2006 ⇒8. 77-86.

13487 ᴱ**Bietak, M.; Czerny, E.** Scarabs of the second millennium BC from Egypt, Nubia, Crete and the Levant: chronological and historical implications. 2004 ⇒20,12529. Symp. Vienna Jan. 2002. ᴿBiOr 63 (2006) 81-84 (*Stoof, Magdalena*).

13488 *Bonacossi, Daniele M.; Eidem, Jesper* A royal seal of Ishhi-Addu, King of Qatna. Akkadica 127 (2006) 41-57.

13489 *Collon, Dominique* New seal impressions from Tell el-Dabʿa. ᶠBIETAK, M., II. OLA 149: 2006 ⇒8. 97-101.

13490 **Eggler, Jürg; Keel, Othmar** Corpus der Siegel-Amulette aus Jordanien vom Neolithikum bis zur Perserzeit. OBO.A 25: FrS 2006, Academic 510 pp. €95. 37278-15493.

13491 *Eixler, Wendy* Ein mittanisches Rollsiegel aus Emar/Balis. BaghM 37 (2006) 455-470.

13492 *Enea, Alessandra* Alcune riflessioni sui sigilli in stile egittizzante da Ugarit. ᶠMATTHIAE, P. 2006 ⇒107. 207-227.

13493 **Garrison, Mark B.; Root, Margaret C.** Seals on the Persepolis fortification tablets. 2001 ⇒17,11040... 21,13977. ᴿAJA 110 (2006) 187-188 (*Porter, Barabra A.*).

13494   *Giovino, Mariana* Egyptian hieroglyphs on Achaemenid period cylinder seals. Iran 44 (2006) 105-114.

13495   *Gorzalczany, Amir* A lead amulet of Nefertem from Tel Mikhal (Tel Michal). ʿAtiqot 52 (2006) 109-111.

13496   *Greenberg, Raphael; Cinamon, Gilʾad* Stamped and incised jar handles from Rogem Gannim and their implications for the political economy of Jerusalem, late 8th-early 4th centuries BCE. TelAv 33 (2006) 229-240.

13497   *Harrauer, Hermann; Gastgeber, Christian* Bibel und Amulett. Alles echt. 2006 ⇒469. 37-45.

13498   **Herbordt, Suzanne** Die Prinzen- und Beamtensiegel der hethitischen Grossreichszeit auf Tonbullen aus dem Nisantepe-Archiv in Hattusa. Bogazköy-Hattusa 19: 2005 ⇒21,13980. ᴿBiOr 63 (2006) 335-340 (*Mouton, Alice*); BSOAS 69 (2006) 457-459 (*Schwemer, Daniel*); RA 100 (2006) 182-184 (*Beyer, Dominique*).

13499   **Herrmann, Christian** Ägyptische Amulette aus Palästina/Israel, 3. OBO.A 24: FrS 2006, Academic xii; 359 pp. FS138/€89. 3-7278-1543-4.

13500   **Hill, Jane A.** Cylinder seal glyptic in predynastic Egypt and neighboring regions. BAR Intern. Ser. 1223: 2004 ⇒20,12543. ᴿBiOr 63 (2006) 519-522 (*Charvát, Petr*).

13501   ᴱ**Invernizzi, Antonio** Seleucia al Tigri: le impronte di sigillo dagli archivi, 1: sigilli ufficiali, ritratti; 2: divinità; 3: figure umane, animali, vegetali, oggetti. 2004 ⇒20,12544; 21,13981. ᴿCRAI (2006/1) 210-217 (*Bernard, Paul*).

13502   *Jablonka, Peter* Emar und Troia: zur Verbreitung hethitischer Hieroglyphensiegel. BaghM 37 (2006) 511-529.

13503   *Kamlah, Jens* Sakraler Baum und mythische Jagd: zur ikonographischen Verbindung zweier mythologischer Motive auf einem eisenzeitlichen Rollsiegel aus Phönizien. BaghM 37 (2006) 549-563.

13504   **Keel-Leu, Hildi; Teissier, Beatrice** Die vorderasiatischen Rollsiegel der Sammlungen "Bibel+Orient" der Universität Freiburg Schweiz. OBO 200: 2004 ⇒20,12548; 21,13984. ᴿOr. 75 (2006) 162-165 (*Felli, Candida*); AfO 51 (2005-2006) 387-390 (*Collon, Dominique*).

13505   **Kist, Joost** Ancient Near Eastern seals from the Kist collection: three millennia of miniature reliefs. ᵀ*Watson, Wilfred G.E.*: 2003 ⇒ 19,13175. ᴿAfO 51 (2005-2006) 390-392 (*Colbow, Gudrun*).

13506   *Korpel, Marjo C.A.* Seals of Jezebel and other women in authority. JSem 15 (2006) 349-371 [Cant 8,6].

13507   Queen Jezebel's seal. UF 38 (2006) 379-398.

13508   *Kreuzer, Siegfried* Die Bildkomposition des Rollsiegels TT 13 aus Taanach. Taanach. WAS 5: 2006 ⇒638. 71-74.

13509   **Krsyszkowska, Olga** Aegean seals: an introduction. 2004 ⇒20, 12550; 21,13985. ᴿAJA 110 (2006) 320-322 (*Weingarten, Judith*).

13510   **Lindström, Gunvor** Uruk: Siegelabdrücke auf hellenistischen Tonbullen und Tontafeln. 2003 ⇒19,13179... 21,13987. ᴿAJA 110 (2006) 530-532 (*Wallenfels, Ronald*).

13511   *Meijer, Diederik J.W.* A late Akkadian cylinder seal from Tell Hammam al-Turkman. BaghM 37 (2006) 335-341.

13512   *Merrillees, Robert S.* A seal-cutter's workshop at Enkome and its implications for the nationality of Late Cypriot Bronze Age glyptics. ᶠMAZAR, A. 2006 ⇒108. 235-245.

13513   *Mlinar, Christa* Palästinensische Skarabäen aus einem Grab der frühen Hyksoszeit in Tell el-Dabʿa. [F]BIETAK, M., II. OLA 149: 2006 ⇒8. 213-247.

13514   [E]**Nunn, A.; Schulz, R.** Skarabäen außerhalb Ägyptens: lokale Produktion oder Import?. 2004 ⇒20,12556. [R]BiOr 63 (2006) 294-296 (*Stoof, M.*).

13515   [E]**Pini, Ingo** Corpus der minoischen und mykenischen Siegel, 5: Ägina-Mykonos; Nafplion-Volos und westliche Türkei. 2004 ⇒20, 12559; 21,13992. [R]Gn. 78 (2006) 342-348 (*Schiering, Wolfgang*).

13516   *Reich, Ronny; Sass, Benjamin* Three Hebrew seals from the Iron Age tombs at Mamillah, Jerusalem. [F]NAʾAMAN, N. 2006 ⇒120. 313-320.

13517   *Rova, Elena* Seal impressions on pottery in the Khabur region in the 3rd millennium B.C.: some new evidence from Tell Beydar;

13518   *Sader, Hélène* Phoenician stamp impressions from Beirut. BaghM 37 (2006) 295-312/565-573.

13519   **Schaefer, Karl** Enigmatic charms: medieval Arabic block printed amulets in American and European libraries and museums. HO 1/82: Lei 2006, Brill xiii; 250 pp. Bibl. 235-240.

13520   *Schmandt-Besserat, Denise* The interface between writing and art: the seals of Tepe Gawra. Syr. 83 (2006) 183-193.

13521   Siegel aus dem Tempelbezirk der Königszeit entdeckt: Israel: Jerusalem. WUB 39 (2006) 69.
      [E]**Taylor, P.** The iconography of cylinder seals 2006 ⇒911.

13522   *Vaughn, Andrew G.; Dobler, Carolyn P.* A provenance study of Hebrew seals and seal impressions: a statistical analysis. [F]MAZAR, A. 2006 ⇒108. 757-771.

13523   *Weippert, Helga* Siegel mit Mondsichelstandarten aus Palästina. Unter Olivenbäumen. AOAT 327: 2006 <1978> ⇒324. 115-128.

13524   *Wolfe, Leonard* A critical assessment of unprovenanced seals, and other artifacts known since 1968 and characterised by a 'lame bet'. KUSATU 6 (2006) 139-188.

T3.4 Mosaica

13525   *ʿAmr, Khairieh; Piccirillo, M.* Two "Nabataean" mosaic floors from Wadi Musa-Petra (Pls. 51-52. LASBF 56 (2006) 576-578.

13526   **Andreae, Bernard** Antike Bildmosaiken. 2003 ⇒19,13201; 20, 12568. [R]AJA 110 (2006) 331-332 (*Ling, Roger*).

13527   **Bleiberg, Edward** Tree of paradise: Jewish mosaics from the Roman Empire. 2005 ⇒21,14000. Exhib. Oct. 2005-June 2006. [R]AJA 110 (2006) 301-306 (*Kampen, Natalie B.*); Henoch 28/1 (2006) 171-174 (*Kreps, Anne*).

13528   **Bowersock, G.W.** Mosaics as history: the Near East from late antiquity to Islam. C 2006, Belknap vi; 146 pp. $23. 0674-022920. Ill. [R]LASBF 56 (2006) 614-615 (*Piccirillo, Michele*).

13529   *Cronin, Nicola* Sumus novi dei: approaches to a renewed understanding of the identity of the Romano-British church. Roman art. 2006 ⇒937. 127-140.

13530   **d'Agostino, Milena; Panciera, Nicola** Il mistero della salvezza nei mosaici di San Marco. Itaca 2005, Castel Bolognese 72 pp. €15.

^E**Duval, N.** Églises de Jordanie et leurs mosaïques 2003 ⇒927.

13531 **Ferdi, Sabah** Corpus des mosaïques de Cherchel. 2005 ⇒21, 14002. ^RRivAC 82 (2006) 462-465 (*Cipriano, Giuseppina*).

13532 *Gardini, Giovanni* Il sacrificio interpretato dai mosaici di San Vitale a Ravenna. PSV 54 (2006) 259-278.

13533 *Geiger, Joseph A* christian mosaic and a Jewish midrash. VigChr 60 (2006) 461-463 [Esth 1,9; Ps 10].

13534 *Geyer, Angelika* Bibelepik und frühchristliche Bildzyklen: die Mosaiken von Santa Maria Maggiore in Rom. MDAI.R 112 (2005-2006) 293-321.

13535 *Goethert, Rolf Christian* Die älteste christliche Kirche bei Megiddo in Israel gefunden?. FrRu 13 (2006) 155-156.

13536 *Merola, M.* Alexander, piece by piece. Arch. 59/1 (2006) 36-40.

13537 *Miziolek, Jerzy* I mosaici della Basilica del Monte Sinai: nuove osservazioni sulle fonti delle raffigurazioni e del loro contenuto ideale. ACr 94 (2006) 399-408.

13538 *Pinatsi, Christina* New observations on the pavement of the church of Haghia Sophia in Nicaea. ByZ 99 (2006) 119-126.

13539 *Quet, Marie-H.* La mosaïque dite d'*Aiôn* et les *Chronoi* d'Antioche: une invite à réfléchir aux notions de temps et d'éternité dans la *pars graeca* de l'empire, des Sévères à CONSTANTIN. La 'crise' de l'empire romain de MARC AURÈLE à Constantin: mutations, continuités, ruptures. ^E**Quet, Marie-H.** P 2006, Presses de l'Univ. Paris-Sorbonne. 511-590.

T3.5 *Ceramica*, **pottery**

13540 *Akkermans, Peter M.M.G., al.,* Investigating the early pottery neolithic of northern Syria: new evidence from Tell Sabi Abyad. AJA 110 (2006) 123-156.

13541 **Bar-Nathan, Rachel** Masada VII: the Yigael Yadin excavations 1963-1965: final reports: the pottery of Masada. J 2006, Israel Exploration Society xii; 425 pp. $92. 96522-10595.

13542 *Bergoffen, Celia* Canaanite wheelmade imitations of late Cypriot base ring II jugs. ^FBIETAK, M., II. OLA 149: 2006 ⇒8. 331-338.

13543 **Bergoffen, Celia J.** The Cypriot Bronze Age pottery from Sir Leonard WOOLLEY's excavations at Alalakh (Tell Atchana). 2005 ⇒ 21,14016. ^RAnCl 75 (2006) 602-603 (*Vansteenhuyse, Klaas*).

13544 **Bourriau, Janine,** *al.,* The Memphite tomb of Horemheb commander-in-chief of Tut'ankhamun, 3: the New Kingdom pottery. 2005 ⇒21,14018. ^RArOr 74 (2006) 477-480 (*Mynářová, Jana*).

13545 *Brown, Eliot* Parochialism in Early Bronze Age I ceramic traditions: the case of a "safi cup" from the EB I site at Palmahim Quarry, Jerusalem. ^FMAZAR, A. 2006 ⇒108. 3-6.

13546 *Cahill, Jane M.* The excavations at Tell el-Hammah: a prelude to Amihai Mazar's Beth-Shean valley regional project. ^FMAZAR, A. 2006 ⇒108. 429-459.

13547 *Cohen, Michael* An Iron Age pottery assemblage from underground chambers near Jatt (Tel Gat). 'Atiqot 53 (2006) 1*-7*. H.

13548 *Cohen-Weinberger, Anat* Petrographic analysis of the pottery from a Middle Bronze Age II site west of Tell Qasile. 'Atiqot 53 (2006) 129-131.

13549   *D'Agostino, Anacleto* La ceramica dal pozzo medioassiro di Tell Barri (Siria): comunicazione preliminare dei dati. OrExp 1 (2006) 15-26.

13550   *Edelman, Diana* The function of the m(w)ṣh-stamped jars revisited. ᶠMAZAR, A. 2006 ⇒108. 659-671.

13551   *Finkelstein, Israel; Piasetzky, Eliazer* The Iron I-IIA in the highlands and beyond: C anchors, pottery phases and the Shoshenq I campaign. Levant 38 (2006) 45-61.

13552   *Fischer, Peter M.* Chocolate-on-white ware from Tell el-Dabʻa. ᶠBIETAK, M., II. OLA 149: 2006 ⇒8. 103-110.

13553   *Frick, Frank S.* Pottery at Tell Taʻannek/Taanach. Taanach. WAS 5: 2006 ⇒638. 35-47.

13554   *Fuscaldo, Perla* The Egyptian painted wares from Tell el-Ghaba, north Sinai (early 26th dynasty). ᶠBIETAK, M., II. OLA 149: 2006 ⇒8. 111-117.

13555   **Genz, Hermann** Büyükkaya, 1: die Keramik der Eisenzeit: Funde aus den Grabungskampagnen 1993 bis 1998. Bogazköy-Hattusa 21: 2004 ⇒20,12589. ᴿAfO 51 (2005-6) 393-6 (*Muscarella, Oscar*).

13556   *Gilboa, Ayelet; Cohen-Weinberger, Anat; Goren, Yuval* Philistine bichrome pottery: the view from the northern Canaanite coast. ᶠMAZAR, A. 2006 ⇒108. 303-334.

13557   *Gitin, Seymour* The lmlk jar-form redefined: a new class of Iron Age II oval-shaped storage jar. ᶠMAZAR, A. 2006 ⇒108. 505-524.

13558   *Gorzalczany, Amir* Petrographic analysis of the Tel Mikhal (Tel Michal) pottery. ʻAtiqot 52 (2006) 57-65;

13559   Petrographic analysis of the pottery from Naḥal Tut. ʻAtiqot 52 (2006) 191-195;

13560   Petrographic analysis of the Persian-period ceramic assemblage from Tel Yaʻoz. ʻAtiqot 52 (2006) 39*-44*. **H.**

13561   *Greenberg, Raphael* What's cooking in Early Bronze Age III?. ᶠMAZAR, A. 2006 ⇒108. 39-47.

13562   *Herr, Larry* Black-burnished Ammonite bowls from Tall al-'Umayri and Tall Hisban in Jordan. ᶠMAZAR, A. 2006 ⇒108. 525-540.

13563   *Jung, Reinhard* Die mykenische Keramik von Tell Kazel (Syrien). DaM 15 (2006) 147-218.

13564   *Kapitaikin, Lev* Note on a glazed bowl with a medallion of a feline from Khirbat Burin. ʻAtiqot 51 (2006) 215-219;

13565   The pottery from the IAA excavations at Tel Mikhal (Tel Michal). ʻAtiqot 52 (2006) 21-56.

13566   *Kletter, Raz; Segal, Orit; Ziffer, Irit* Drinking vessels (rhyta) from Tel Yaʻoz. ʻAtiqot 52 (2006) 25*-37*. **H.**

13567   ᴱ**La Genière, Juliette de** Les clients de la ceramique grecque: actes du Colloque de l'Academie des Inscriptions et Belles-Lettres: Paris, 30-31 janvier 2004. Cahiers du corpus vasorum antiquorum 1: P 2006, Académie des inscriptions et belles-lettres 253 pp. 978-2-87754-177-0.

13568   *Lindner, Manfred* Quarries and pottery at ancient Sabra (Jordan). PEQ 138 (2006) 119-124.

13569   **Loffreda, Stanislao** Ceramica del tempo di Gesù: vasi della Terra Santa nel periodo romano antico 63 a.C.-70 d.C. 2000 ⇒16,11370 ... 18,12165. ᴿPEQ 138 (2006) 156-160 (*Dauphin, Claudine*).

13570   **Lüdorf, Gundula** Römische und frühbyzantinische Gebrauchskeramik im westlichen Kleinasien: Typologie und Chronologie. Internationale Archäologie 96: Rahden 2006, Leidorf xiii; 166 pp.

13571   *Maeir, Aren M.* A Philistine "head cup" (rhyton) from Tell es-Sâfi/ Gath. ^FMAZAR, A. 2006 ⇒108. 335-345.

13572   *Martin, Mario A.S.* Cream slipped Egyptian imports in Late Bronze Age Canaan. ^FBIETAK, M., II. OLA 149: 2006 ⇒8. 197-212.

13573   *Meyers, Eric M.* The ceramic incense shovels from Sepphoris: another view. ^FMAZAR, A. 2006 ⇒108. 865-878.

13574   *Mullins, Robert A.* A corpus of eighteenth dynasty Egyptian-style pottery from Tel Beth-Shean. ^FMAZAR, A. 2006 ⇒108. 247-262.

13575   *Na'aman, Nadav; Thareani-Sussely, Yifat* Dating the appearance of imitations of Assyrian ware in southern Palestine. TelAv 33 (2006) 61-82.

13576   *Oren, Eliezer D.* An Egyptian marsh scene on pottery from Tel Sera': a case of egyptianization on Late Bronze Age III Canaan. ^FMAZAR, A. 2006 ⇒108. 263-275.

13577   *Quercia, Alessandro* La ceramica punico-maltese del santuario di Tas Silġ: analisi tipologica e funzionale. Scienze dell'antichità 12 (2005) 335-354.

13578   **Rotroff, Susan I.** Hellenistic pottery: the plain wares. Agora 33: Princeton 2006, American School of Classical Studies at Athens 441 pp. $150. 978-08766-12330. 98 fig.; 90 pl.

13579   **Sabetai, Victoria** Corpus vasorum antiquorum: Greece 9; Athens 1: Benaki Museum. Athens 2006, Academy of Athens 82 pp. 978-96040-41015. Num. ill.;

13580   Corpus vasorum antiquorum, Greece, Fasc. 6: Thebes, Archaeological Museum I. 2001 ⇒17,11117. ^RAJA 110 (2006) 178-179 (*Sparkes, Brian A.*).

13581   **Schreiber, Nicola** The Cypro-Phoenician pottery of the Iron Age. 2003 ⇒19,13247; 20,12604. ^RAWE 5 (2006) 367-369 (*Gilboa, Ayelet*).

13582   *Sherratt, Susan* The chronology of the Philistine monochrome pottery: an outsider's view. ^FMAZAR, A. 2006 ⇒108. 361-374.

13583   *Spivey, Nigel* Greek vases in Etruria: review article. AJA 110 (2006) 659-661.

13584   ^E**Todisco, Luigi** La ceramica figurata a soggetto tragico in Magna Grecia e in Sicilia. 2003 ⇒20,12608. ^RAJA 110 (2006) 516-518 (*Green, Richard*).

13585   **Van de Put, W.D.J.** Corpus vasorum antiquorum: Netherlands 10; Amsterdam 4: Allard Pierson Museum, University of Amsterdam: red-figure and white-ground lekythoi. Amst 2006, Pierson Museum 96 pp. 978-90712-11393. Num. ill.

13586   *Way, Thomas von der* Zur zeitlichen Korrelierung der Buto-Ma'âdi-Kultur mit dem kanaanäischen Raum. ^FBIETAK, M., II. OLA 149: 2006 ⇒8. 59-64.

13587   *Yannai, Eli* The origin and distribution of the collared-rim pithos and krater: a case of conservative pottery production in the ancient Near East from the fourth to the first millennium BCE. ^FMAZAR, A. 2006 ⇒108. 89-112.

13588   *Yon, Marguerite* Remarques sur le "style linéaire figuré" dans les céramiques du Levant à la fin de l'âge du Bronze. Syr. 83 (2006) 259-277.

13589   *Ziese, Mark* Persistent potters of Early Bronze Age Tell Ta'annek. Taanach. WAS 5: 2006 ⇒638. 48-60.

13590   *Zimmermann, Thomas* Fluchtpunkt Hellespont?—einige Bemer-
kungen zur Renaissance frühbronzezeitlicher Keramiktraditionen in
der anatolischen Eisenzeit. AltOrF 33 (2006) 94-101.
13591   *Zwickel, Wolfgang* Die Kultständer aus Taanach. Taanach. WAS 5:
2006 ⇒638. 63-70.

T3.6 Lampas

13592   **Adler, Noam** A comprehensive collection of oil lamps of the Holy
Land from the Adler Collection. J 2004, Old City x; 176 pp. $65.
13593   *Fine, Steven* The united colors of the menorah: some Byzantine and
medieval perspectives on the biblical lampstand. Biblical inter-
pretation in Judaism & christianity. 2006 ⇒742. 106-113.
13594   **Loffreda, Stanislao** Light and life: ancient christian oil lamps of
the Holy Land. SBF.Museum 13: 2001 ⇒17,11128. [R]PEQ 138
(2006) 156-160 (*Dauphin, Claudine*).
13595   *Müller, Vera* Die Entwicklung der Gefässform 'cup-and-saucer' in
Ägypten und Palästina. [F]BIETAK, M., II. 2006 ⇒8. 259-277.
13596   *Regev, Eyal* Ancient Jewish style: why were ossuaries and southern
oil lamps decorated?. Levant 38 (2006) 171-186.
13597   *Sussman, Varda* A unique bronze oil lamp and bowl of the Hel-
lenistic period. IEJ 56 (2006) 39-50.

T3.7 *Cultica*—cultic remains

13598   *Abdalaal, Aisha M.* A Late Middle Kingdom offering table Cairo
Temp. No. 25.10.17.1. MDAI.K 62 (2006) 1-6; Pl. 1.
13599   **Albers, Gabriele** Studien zu den Siedlungsheiligtümern des 2.
Jahrtausends v. Chr. in Palästina: 'unregelmäßige' und symmetri-
sche Tempel im typologischen und funktionalen Vergleich, Teil I:
Text und Tabellen; Teil II: Katalog und Tafeln. Würzburger Arbei-
ten zur prähistorischen Archäologie 1: Rahden 2004, Leidorf 310
pp. Num. ill.
13600   *Battini, Laura* A propos des temples de Sin, de Shamash et de Nin-
gal à Dur-Sharrukin: analyse d'un type de plan caractéristique en
Mésopotamie aux IIe et Ier mill. av. J.-C.. [F]MARGUERON, J. Subartu
17: 2006 ⇒104. 169-176.
13601   **Bär, Jürgen** Die älteren Ischtar-Tempel in Assur: Stratigraphie,
Architektur und Funde eines altorientalischen Heiligtums von der
zweiten Hälfte des 3. Jahrtausends bis zur Mitte des 2. Jahrtausends
v. Chr.. WVDOG 105: 2003 ⇒19,13845. [R]WO 36 (2006) 233-236
(*Sievertsen, Uwe*).
13602   *Belmonte, J.A.; Shaltout, M.; Fekri, M.* The ancient Egyptian mon-
uments and their relation with the position of the sun, stars and
planets II: new experiments at the oases of the Western Desert.
ASAE 80 (2006) 67-83.
13603   *Ben-Ami, Doron* Early Iron Age cult places–new evidence from Tel
Hazor. TelAv 33 (2006) 121-133.
13604   **Berndt-Ersöz, Susanne** Phrygian rock-cut shrines and other reli-
gious monuments: a study of structure, function, and cult practice.

Culture and history of the ancient Near East 25: Lei 2006, Brill xxiv; 410 pp. 90-04-15242-3. Bibl. 271-290.

13605 **Blom-Böer, Ingrid** Die Tempelanlage Amenemhets III in Hawara: das Labyrinth: Bestandsaufnahme und Auswertung der Architektur- und Inventarfragmente. Egyptologische uitgaven 20: Lei 2006, Nederlandsch Instituut voor Het Nabije Oosten 322 pp. 90-6258-220-6. 1 CD-ROM.

13606 **Blyth, Elizabeth** Karnak: evolution of a temple. L 2006, Routledge xxv; 258 pp. 978-04154-04860. Bibl. 238-246.

13607 **Brandenburg, H.** Die frühchristlichen Kirchen Roms vom 4. bis zum 7. Jahrhundert: der Beginn der abendländischen Kirchenbaukunst. 2004 ⇒20,12624. ᴿRQ 101 (2006) 141-144 (*Brenk, Beat*); JAC 48-49 (2005-2006) 225-229 (*Blaauw, Sible de*).

13608 *Brückner, Helmut; Engel, Max; Kiderlen, Moritz* Geoarchäologische Studie über das Poseidon-Heiligtum vonn Akovitika in Messenien. AA 1 (2006) 189-202.

13609 *Cancik-Kirschbaum, Eva* Der Tempel des Gottes Assur: materielle und ästhetische Dimension 'Heiliger Orte' im alten Vorderasien;

13610 *Dally, Ortwin; Metzner-Nebelsick, Carola* Heilige Orte, heilige Landschaften. AA 1 (2006) 209-221/203-207 [Megiddo].

13611 Earliest church in Holy Land?. BArR 32 (2006) 14.

13612 *Egea Vivancos, A.* Monasterios cristianos primitivos en el Alto Éufrates Sirio: el complejo rupestre de Magara Sarasat. LASBF 56 (2006) 469-498.

13613 **Feyel, Christophe** Les artisans dans les sanctuaires grecs aux époques classique et hellénistique à travers la documentation financière en Grèce. BEFAR 318: Athènes 2006, Ecole française d'Athènes 572 pp. 978-28695-81692.

13614 *Foerster, Gideon; Netzer, Ehud* A Byzantine synagogue identified: recent excavations in southern Albania. BAIAS 24 (2006) 124.

13615 **Forest, Jean-Daniel** Les premiers temples de Mésopotamie (4e et 3e millénaires). 1999 ⇒15,11259... 17,11134. ᴿBiOr 63 (2006) 162-165 (*Kepinski, Christine*).

13616 *Freyberger. Klaus* Das Heiligtum in Ain Hersha: religiöses Leben im Gebiet des Hermon in römischer Zeit. DaM 15 (2006) 227-250.

13617 *Gerding, Henrik* The Erechtheion and the panathenaic procession. AJA 110 (2006) 389-401.

13618 **Hachlili, Rachel** The menorah, the ancient seven-armed candelabrum: origin, form and significance. JSJ.S 68: 2001 ⇒17,11138... 20,12637. ᴿQad. 39 (2006) 122-123 (*Levine, L.I.*).

13619 *Hamarneh, Basema* Relazione dello scavo del complesso ecclesiale di Nitl: stratigrafia e ceramica. LASBF 56 (2006) 399-458.

13620 *Hirschfeld, Yizhar* The monasteries of Palestine in the Byzantine period. Christians and christianity. 2006 ⇒648. 401-419.

13621 **Holtzmann, Bernard** L'Acropole d'Athènes: monuments, cultes et histoire du sanctuaire d'Athèna Polias. Antiqua: 2003 ⇒19,13285; 21,14068. ᴿREG 119 (2006) 784-786 (*Maffre, Jean-Jacques*).

13622 **Hölbl, Günther** Altägypten im römischen Reich: der römische Pharao und seine Tempel, 2: die Tempel des römischen Nubien. 2004 ⇒20,12640. ᴿBiOr 63 (2006) 92-95 (*Van der Wilt, Elsbeth*).

13623 **Hölzl, Regina** Ägyptische Opfertafeln und Kultbecken: eine Form- und Funktionsanalyse für das Alte, Mittlere und Neue Reich. HÄB

45: 2002 ⇒18,12211... 21,14070. ^RJARCE 41 (2004) 192-193 (*Routledge, Carolyn*).

13624 Israel: Megiddo: byzantinische Kirche beim Staatsgefängnis von Megiddo entdeckt. WUB 39 (2006) 64-65.

13625 *Kletter, Raz; Ziffer, Irit; Zwickel, Wolfgang* Cult stands of the Philistines: a genizah from Yavneh, Israel. NEA 69/3-4 (2006) 146-59.

13626 **Kohlmeyer, Kay** Der Tempel des Wettergottes von Aleppo. 2000 ⇒16,11413... 21,14073. ^RAfO 51 (2005-2006) 392-393 (*Richter, Thomas*).

13627 **Kyriakidis, Evangelos** Ritual in the Bronze Age Aegean: the Minoan peak sanctuaries. L 2006, Duckworth x; 201 pp. $44/£45. 07-156-32485. 50 fig.; 29 tables.

13628 *Lauer, Joachim* Weihrauch: Tränen für die Götter. WUB 42 (2006) 68-70.

13629 *MacGinnis, J.* Further evidence of intercity co-operation among neo-Babylonian temples. JRAS 16 (2006) 127-132.

13630 *Maoz, Z.U.; Ben David, H.* New finds in the Golan: a synagogue at Beit Aziz. Qad. 39/131 (2006) 25-31. **H**.

13631 ^E**Nigro, Lorenzo** Mozia XI: zona C, il tempio del Kothon: rapporto preliminare delle campagne di scavi XXIII e XXIV (2003-2004). Quaderni di archeologia fenicio-punica 2: R 2005, Missione Archeologica a Mozia vi; 596 pp. 88-88438-02-9. Bibl. 503-508.

13632 *Oggiano, Ida* Le 'categorie interpretative dell'architettura': gli edifici di culto del Levante del I millennio a.C. Archeologia e religione. 2006 ⇒863. 141-168.

13633 *Pakkanen, Jari* The Erechtheion construction work inventory (*IG* 1³ 474) and the Dörpfeld temple. AJA 110 (2006) 275-281.

13634 *Pappalardo, Carmelo* Ceramica e piccoli oggetti dallo scavo della Chiesa del Reliquiario ad Umm al-Rasas. LASBF 56 (2006) 389-398.

13635 *Piccirillo, Michele* Sebastiya, scoperte archeologiche nel nome di Giovanni il Battista. TS(I) 5 (2006) 62-63;

13636 The memorial of Moses at Mount Nebo. Holy Land (Summer 2006) 2-16;

13637 La chiesa del reliquiario a Umm al-Rasas. LASBF 56 (2006) 375-388;

13638 The sanctuaries of the baptism on the east bank of the Jordan river. Jesus and archaeology. 2006 ⇒362. 433-443.

13639 *Piccirillo, Michele; Pappalardo, Carmelo* Visita al monastero di Dayr al-Riyashi nel Wadi Heidan (Tavv. 65-67). LASBF 56 (2006) 602-607.

13640 *Pilgrim, Cornelius von* Zur Entwicklung der Verehrungsstätten des Heqaib in Elephantine. ^FBIETAK, M., I. 2006 ⇒8. 403-418.

13641 *Pinkowski, Jennifer* Egypt's ageless goddess: a modern pilgrim visits the temple of Mut. Arch. 59/5 (2006) 44-49.

13642 *Recchia, Giulia* Il tempio e l'area sacra megalitica di Tas Silġ: le nuove scoperte dagli scavi nei livelli del III e II millennio a.C. Scienze dell'antichità 12 (2005) 233-262.

13643 *Rosen-Ayalon, Myriam* The white mosque of Ramla: retracing its history. IEJ 56 (2006) 67-83.

13644 *Rossignani, Maria Pia* Il santuario in età tardo-ellenistica. Scienze dell'antichità 12 (2005) 355-69. Appendice di *Francesca Bonzano*.

13645 *Roukema, Riemer* Une église ancienne à Meguiddo. RHPhR 86 (2006) 389-395;

13646 Een oude kerkvloer in Megiddo. Theologisch debat 3/1 (2006) 28-32.

13647 *Seidlmayer, Stephan Johannes* Landschaft und Religion—die Region von Aswân. AA 1 (2006) 223-235.

13648 *Semeraro, Grazia* Nuove ricerche nel santuario di Astarte a Tas Silg: l'area nord. Scienze dell'antichità 12 (2005) 309-323.

13649 *Şimşek, C.* A menorah with a cross carved on a column of Nymphaeum A at Laodicea ad Lycum. Journal of Roman Archaeology 19 (2006) 343-346.

13650 *Spencer, Neal* Edouard Naville et l'Egypt Exploration Fund: à la découverte des temples de la XXXᵉ Dynastie dans le Delta. Egypte Afrique Orient 42 (2006) 11-18.

13651 *Sternberg-el Hotabi, Heike; Aigner, Heribert* Der Hibistempel in der Oase El-Chargeh: Architektur und Dekoration im Spannungsfeld ägyptischer und persischer Interessen. [F]HAIDER, P. Oriens et Occidens 12: 2006 ⇒60. 537-547.

13652 *Summers, Geoffrey D.* Phrygian expansion to the east: evidence of cult from Kerkenes Dağ. BaghM 37 (2006) 647-658.

13653 *Van der Horst, Pieter* The synagogue of Sardis and its inscriptions. Jews and Christians. WUNT 196: 2006 <2005> ⇒321. 43-52.

13654 *Virenque, Hélène* Les quatre naos de Saft el-Henneh: un rempart théologique construit par Nectanebo Iᵉʳ dans le Delta oriental. Egypte Afrique Orient 42 (2006) 19-28.

13655 *Weippert, Helga* Kultstätten als Orte der Begegnung am Beispiel des chalkolithischen Heiligtums von *Gīlat*. Unter Olivenbäumen. AOAT 327: 2006 <1998> ⇒324. 33-70.

13656 **Weiss, Ze'ev,** *al.*, The Sepphoris synagogue: deciphering an ancient message through its archaeological and socio-historical contexts. 2004 ⇒20,12668; 21,14105. [R]BASOR 342 (2006) 118-120 (*Fine, Steven*); Qad. 131 (2006) 59-61 (*Hachlili, R.*); ThLZ 131 (2006) 984-986 (*Stemberger, Günter*). H.

13657 **Willems, Harco; Coppens, Filip; De Meyer, Marleen** The temple of Shanhûr, 1: the sanctuary, the *Wabet*, and the gates of the central hall and the great vestibule (1-98). OLA 124: 2003 ⇒19,13317. [R]OLZ 101 (2006) 130-133 (*Kurth, Dieter*).

13658 *Zelinger, Yehiel; Di Segni, Leah* A fourth-century church near Lod (Diospolis). LASBF 56 (2006) 459-468.

T3.8 **Funeraria;** *Sindon,* **the Shroud**

13659 *Alexanian, Nicole, al.,* Die Residenznekropole von Dahschur: zweiter Grabungsbericht. MDAI.K 62 (2006) 7-41; Taf. 2-9.

13660 *Aubet, María E.* Begräbnispraktiken in der eisenzeitlichen Nekropole von Tyros. ZDPV 122 (2006) 1-13; Taf. 1-3.

13661 **Aufderheide, Arthur C.** The scientific study of mummies. 2003 ⇒20,12673. [R]JEA 92 (2006) 296-297 (*David, Rosalie*).

13662 *Baker, Jill L.* The funeral kit: a newly defined Canaanite mortuary practice based on the Middle and Late Bronze Age tomb complex at Ashkelon. Levant 38 (2006) 1-31.

13663 *Beinlich, Horst* Zwischen Tod und Grab: Tutanchamun und das Begräbnisritual. SAÄK 34 (2006) 17-31.

13664 **Ben-Arieh, Sara**, *al.*, Bronze and Iron Age Tombs at Tell Beit Mirsim. IAA Reports 23: 2004 ⇒20,12677. [R]BASOR 342 (2006) 114-116 (*Seger, Joe D.*).

13665 *Blau, Soren* An analysis of human skeletal remains from two Middle Bronze Age tombs from Jericho. PEQ 138 (2006) 13-26.

13666 **Bollone, PierLuigi B.** Il mistero della Sindone: rivelazioni e scoperte del terzo millennio. Mi 2006, Mondolibri 351 pp. 37 ill.

13667 *Bradley, Matthew* The medieval christian cemetery at Tel Jezreel. Levant 38 (2006) 33-35.

13668 *Brandenburg, Hugo* Die Architektur der Basilika San Paolo fuori le mura: das Apostelgrab als Zentrum der Liturgie und des Märtyrerkultes. MDAI.R 112 (2005-2006) 237-275.

13669 **Burton, Harry** Tutankhamun's tomb: the thrill of discovery. NY 2006, Metropolitan Museum of Art 103 pp. 0-300-12026-5. Phot. *Harry Burton*; texts *Susan J. Allen* ; introd. *James Allen*; Bibl. 103.

13670 *Ciampini, Emanuele M.* Il grande che vede il padre: osservazioni su una formula dei testi dei sarcofagi e la funzione cultuale eliopolitana. StEeL 23 (2006) 41-53.

13671 **Dawson, D.P.; Giles, S.; Ponsford, M.W.** Horemkenesi may he live forever. 2002 ⇒19,13336; 20,12688. [R]JEA 92 (2006) 295-296 (*David, Rosalie*).

13672 *Delemen, İnci* An unplundered chamber tomb on Ganos mountain in southeastern Thrace. AJA 110 (2006) 251-273.

13673 *Delpero, Claudio* La Sábana Santa y sus implicaciones teológicas. EfMex 24 (2006) 153-194.

13674 **Der Manuelian, Peter** Slab stelae of the Giza necropolis. 2003 ⇒ 20,12691; 21,14122. [R]BiOr 63 (2006) 71-75 (*Kanawati, Naguib*).

13675 *Dickson, D. Bruce* Public transcripts expressed in theatres of cruelty: the royal graves at Ur in Mesopotamia. CamArchJ 16 (2006) 123-144.

13676 *Dreyer, Günter, al.*, Umm el-Qaab: Nachuntersuchungen im frühzeitlichen Königsfriedhof: 16./17./18. Vorbericht. MDAI.K 62 (2006) 67-129; Taf. 16-28.

13677 **Dunand, Françoise; Lichtenberg, Roger** Mummies and death in Egypt. [T]*Lorton, David*: Ithaca 2006, Cornell Univ. Pr. xiii, 234 pp. 978-0-8014-4472-2. Foreword *Jean Yoyotte*; Bibl. 217-221.

13678 **Elsner, P.** Die Typologie der Felsgräber: strukturanalytische Untersuchung altägyptischer Grabarchitektur. 2004 ⇒20,12694. [R]BiOr 63 (2006) 64-68 (*Wasmuth, Melanie*).

13679 *Falck, Martin von* Text- und Bildprogramm ägyptischer Särge und Sarkophage der 18. Dynastie: Genese und Weiterleben. SAÄK 34 (2006) 125-140.

13680 *Funke, Johannes Gerrit* "Wie ER Tote begräbt, so begrabe auch du die Toten": zur Grablegung in der jüdisch-christlichen Tradition und im gegenwärtigen Kontext. DtPfrBl 106/9 (2006) 466-468.

13681 *Galpaz-Feller, Pnina* "And the physicians embalmed him" (Gen 50,2). ZAW 118 (2006) 209-217.

13682 **Ghiberti, Giuseppe** Dalle cose che patí (Eb 5,8): evangelizzare con la Sindone. 2004 ⇒20,207; 21,14132. [R]Lat. 72 (2006) 375-377 (*Marengo, Maria Rita*); PaVi 51/1 (2006) 60-61 (*Mosetto, Francesco*).

13683 *Gómez-Acebo, Isabel* Mujeres y ritos funerarios en Palestina. En el umbral. 2006 ⇒562. 85-145.

13684 **Hachlili, Rachel** Jewish funerary customs, practices and rites in the second temple period. JSJ.S 94: 2005 ⇒21,14135. [R]IEJ 56 (2006) 120-122 (*Magness, Jodi*).

13685 **Haerinck, Ernie; Overlaet, Bruno** Bani Surmah: an early Bronze Age graveyard in Pusht-i Kuh, Luristan. Acta Iranica 43; Luristan excavation documents 6; Acta Iranica textes et mémoires 28: Lv 2006, Peeters 181 pp. 90-429-1664-8. Bibl. 175-181.

13686 **Hawass, Zahi A.** The royal tombs of Egypt: the art of Thebes revealed. L 2006, Thames & H. 315 pp. 0-500-51322-8. Photographs by *Sandro Vannini*; Bibl. 315.

13687 **Höveler-Müller, Michael** Funde aus dem Grab 88 der Qubbet el-Hawa bei Assuan: (die Bonner Bestände). Bonner Sammlung von Aegyptiaca 5: Wsb 2006, Harrassowitz 153 pp. €48. 3-447-05307-0. Bibl. 149-153.

13688 *Junker, Klaus* Römische mythologische Sarkophage: zur Entstehung eines Denkmaltypus. MDAI.R 112 (2005-2006) 163-188.

13689 **Kanawati, Naguib,** *al.*, The Teti Cemetery at Saqqara, vol VIII: the tomb of Inumin. The Australian Centre for Egyptology. Reports 24: Warminster 2006, Aris & P. 78 pp. 0-85668-810-X.

13690 *Kockelmann, Holger* Drei Götter unterm Totenbett: zu einem ungewöhnlichen Bildmotiv in einer späten Totenbuch-Handschrift. RdE 57 (2006) 77-94.

13691 *Leicht, Barbara* Reise durch den Verborgenen Raum: Grabkammer Pharao Thutmosis' III. in Basel. WUB 42 (2006) 2-5.

13692 *Lepetz, Sébastien; Van Andringa, William* Pour une archéologie de la mort à l'époque romaine: fouille de la nécropole de Porta Nocera à Pompéi. CRAI (2006) 1131-1161.

13693 *Lieven, Alexandra von* Ägyptische Einflüsse auf die funeräre Kultur Palästinas. ZDPV 122 (2006) 101-110.

13694 **Lilyquist, Christine** The tomb of three foreign wives of Tuthmosis III. 2003 ⇒20,12714; 21,14145. [R]ArOr 74 (2006) 131-134 (*Mynářová, Jana*); BASOR 344 (2006) 92-94 (*Redmount, Carol A.*); [R]AJA 110 (2006) 510-511 (*Spence, Kate*).

13695 *Magness, Jodi* What did Jesus' tomb look like?. BArR 32/1 (2006) 38-49.

13696 *Minas, Martina* Die ptolemäischen Sokar-Osiris-Mumien: neue Erkenntnisse zum ägyptischen Dynastiekult der Ptolemäer. MDAI.K 62 (2006) 197-213.

13697 *Nagar, Yossi* Anthropological remains from a Middle Bronze Age II site west of Tell Qasile. ʿAtiqot 53 (2006) 133-134.

13698 *Nibbi, Alessandra* The four ceremonial shields from the tomb of Tutankhamun. ZÄS 133 (2006) 66-71.

13699 *Niehr, Herbert* Bestattung und Ahnenkult in den Königshäusern von Samʾal (Zincirli) und Guzana (Tell Ḥalaf) in Nordsyrien. ZDPV 122 (2006) 111-139;

13700 The royal funeral in ancient Syria: a comparative view of the tombs in the palaces of Qatna, Kumidi and Ugarit. JNSL 32/2 (2006) 1-24.

13701 **Nutkowicz, Hélène** L'homme face à la mort au royaume de Juda: rites pratiques et représentations. P 2006, Cerf 387 pp. €45. 2-204-07680-5. Bibl. 339-366. [R]RBLit (2006)* (*Vogels, Walter A.*).

13702 *Oenbrink, Werner* Späthellenistisch-frühkaiserzeitliche Rundgräber in den Nekropolen von *el-Qanawāt*/Kanatha (Syrien): eine Leitform der indigen-südsyrischen Grabarchitektur des *Haurān*. ZDPV 122 (2006) 61-83; Taf. 12-16.

13703 The other ossuaries. BArR 32/3 (2006) 12-13.

13704 *Ökse, A.* Tuba Early Bronze Age graves at Gre Virike (period II B): an extraordinary cemetery on the middle Euphrates. JNES 65 (2006) 1-37.

13705 [E]**Pearce, John; Millett, Martin; Struck, Manuela** Burial, society and context in the Roman world. 2000 ⇒16,11477; 18,12315. [R]AJA 110 (2006) 676-678 (*Rife, Joseph L.*).

13706 *Peilstöcker, Martin* Burials from the Intermediate Bronze Age and the Roman period at Bet Dagan. ʿAtiqot 51 (2006) 23-30.

13707 *Perry, Megan A.; Joukowsky, Martha S.* An infant jar burial from the Petra great temple. ADAJ 50 (2006) 169-177.

13708 **Polcaro, Andrea** Necropoli e costumi funerari in Palestina dal Bronzo Antico I al Bronzo Antico III. CMAO 11: R 2006, Università "La Sapienza" 327 pp. 1120-9631. Bibl. 310-327.

13709 *Porath, Yosef* Chalcolithic burial sites at Maʿabarot and Tel Ifshar;

13710 *Porath, Yosef; Yannai, Eli* A Chalcolithic burial cave at Eṭ-Ṭaiyiba. ʿAtiqot 53 (2006) 45-63/1-44.

13711 *Puech, É.* Un mausolée de saint Étienne à Khirbet Jiljil-Beit Gimal (Pl. I). RB 113 (2006) 100-126.

13712 *Riggs, Christina* Archaism and artistic sources in Roman Egypt: the coffins of the Soter family and the temple of Deir el-Medina. BIFAO 106 (2006) 315-332.

13713 **Riggs, Christina** The beautiful burial in Roman Egypt: art, identity, and funerary religion. 2005 ⇒21,14164. [R]BiOr 63 (2006) 528-531 (*Parlasca, Klaus*).

13714 *Roncalli, Alfredo; Ferri, Emma* Steli funerarie del cimitero orientale di Jizia-Zizia (Tavv. 59-60). LASBF 56 (2006) 593-596.

13715 *Roosevelt, Christopher H.* Symbolic door stelae and graveside monuments in western Anatolia. AJA 110 (2006) 65-91.

13716 **Sartre-Fauriat, Annie** Des tombeaux et des morts. 2001 ⇒17, 11215... 20,12734. [R]Gn. 78 (2006) 447-452 (*Oenbrink, Werner*).

13717 *Schwartz, Glenn M., al.,* A third-millennium B.C. elite mortuary complex at Umm el-Marra, Syria: 2002 and 2004 excavations. AJA 110 (2006) 603-641.

13718 *Seidlmayer, Stephan J.* Der Beitrag der Gräberfelder zur Siedlungsarchäologie Ägyptens. [F]BIETAK, M., I. 2006 ⇒8. 309-316.

13719 *Spigelman, Mark* The Jerusalem shroud: a second temple burial answers modern medical questions. BAIAS 24 (2006) 127.

13720 **Stadler, Martin Andreas** Ägyptische Mumienmasken in Würzburg (Schenkung Gütte). 2004 ⇒20,12738. [R]BiOr 63 (2006) 536-539 (*Aubert, Marie-France*).

13721 *Stern, Edna J.; Getzov, Nimrod* Aspects of Phoenician burial customs in the Roman period in light of an excavation near El-Kabri (Kabri). ʿAtiqot 51 (2006) 91-123.

13722 **Van Walsem, René** Iconography of Old Kingdom elite tombs: analysis & interpretation, theoretical and methodological aspects. MÉOL 35: Lei 2005, Ex Oriente Lux xi; 130 pp. 90-72690-15-X. Bibl. 105-113.

13723 *Verner, Miroslav* An unusual burial practice. [F]BIETAK, M., I. OLA 149: 2006 ⇒8. 399-401.

13724 *Wilhelm, Susanne* Ancestral bones: Early Bronze Age human skeletal remains from Tell Banat, Syria. BaghM 37 (2006) 359-380.

T3.9 *Numismatica,* coins

13725 *Amitai-Preiss, Nitzan* The coins from Shiqmona. 'Atiqot 51 (2006) 163-171.

13726 *Ariel, Donald T.* Coins from Tel Mikhal (Tel Michal). 'Atiqot 52 (2006) 71-88.

13727 *Arslan, Melih* The Hellenistic Erythrai bronze coin hoard from Çeşme-Germiyan Village. BTTK 70 (2006) 27-46. **Turkish;**

13728 The Alexander the Great tetradrachma hoard in the Durmaz Collection. BTTK 70 (2006) 479-500. **Turkish.**

13729 **Barkay, Rachel** The coinage of Nysa-Scythopolis (Beth-Shean). Corpus Nummorum Palaestinensium 5: 2003 ⇒19,13411. [R]ZDPV 122 (2006) 86-89 (*Lichtenberger, Achim*).

13730 *Berndt, Guido M.* Die Münzprägung im vandalenzeitlichen Nordafrika–ein Sonderweg?. [F]HAIDER, P. 2006 ⇒60. 599-622.

13731 *Bijovsky, Gabriela* Coins from 'Ein ez-Zeituna. 'Atiqot 51 (2006) 85-90.

13732 **Butcher, Kevin** Coinage in Roman Syria: northern Syria, 64 BC-AD 253. 2004 ⇒20,12754. [R]JRS 96 (2006) 232-233 (*Metcalf, William E.*).

13733 **Duyrat, Frédérique** Arados hellénistique: étude historique et monétaire. BAH1 173: 2005 ⇒21,14192. [R]CRAI (2006/1) 337-340 (*Duyrat, Frédérique*).

13734 *Duyrat, Frédérique* Bibliographie numismatique de la Syrie, II: périodes romaine et byzantine (1995-2000). Syr. 83 2006, 283-229.

13735 *Edelman, Diana* Dangerous liaisons: how fictitious Sanballists are skewing the dating of Samarian and Sidonian coinage. BAIAS 24 (2006) 124.

13736 *Franz, G.* Propaganda, power and the perversion of biblical truths: coins illustrating the book of Revelation. BiSp 19/3 (2006) 73-87.

13737 *Gitler, Haim; Tal, Oren* Philistine coins of the Persian period and the beginning of coinage in Eretz-Israel. Qad. 39 (2006) 104-9. **H.**

13738 **Gitler, Haim; Tal, Oren** The coinage of Philistia of the fifth and fourth centuries BC: a study of the earliest coins of Palestine. a study of the earliest coins of Palestine Collezioni Numismatiche 6: Mi 2006, Ennerre 411 pp. €120. 88-87235-384.

13739 *Günther, Linda-Marie* Alkaios und die Statere des Lyderkönigs. [F]HAIDER, P. Oriens et Occidens 12: 2006 ⇒60. 43-52.

13740 [E]**Howgego, Christopher; Burnett, Andrew** Coinage and identity in the Roman provinces. 2005 ⇒21,14197. [R]HZ 283 (2006) 451 (*Berger, Frank*); AnCl 75 (2006) 506-507 (*Van Heesch, Johan*).

13741 *Kool, Robert* The coins from Horbat Hermas. 'Atiqot 51 (2006) 37*-38*. **H.**

13742 **Le Rider, Georges; Callataÿ, François de** Les Séleucides et les Ptolémées: l'héritage monétaire et financier d'Alexandre le Grand. Champollion: P 2006, Du Rocher 297 pp. €23. 22680-58506.

13743   *Main, Emmanuelle* Des mercenaires 'rhodiens' dans la Judée has-
monéenne?: étude du motif floral de monnaies de Jean Hyrcan et
Alexandre Jannée. REJ 165 (2006) 123-146.

13744   *Marshak, Adam K.* The dated coins of Herod the Great: towards a
new chronology. JSJ 37 (2006) 212-240.

13745   **Papageorgiadou-Bani, Harikleia** The numismatic iconography of
the Roman colonies in Greece: local spirit and the expression of
imperial policy. Melethmata 39: 2004 ⇒20,12773. ᴿHZ 283 (2006)
452-453 (*Ehling, Kay*).

13746   ᴱ**Pera, Rossella** L'immaginario del potere: studi di iconografia mo-
netale. Seria antiqua e mediaevalia 8: R 2005, Bretschneider x; 282
pp. 88768-91935. 22 pl.

13747   *Perassi, Claudia* Rinvenimenti monetali da Tas Silġ. Scienze del-
l'antichità 12 (2005) 371-386.

13748   *Pfann, Stephen* Dated bronze coinage of the sabbatical years of re-
lease and the first Jewish city coin. BAIAS 24 (2006) 101-113.

13749   *Porat, Pinhas* Coins from Mesillot. 'Atiqot 53 (2006) 193-194.

13750   *Schick, Gerhard* Ein Dupond aus Caesaraugusta als Denkmal des
beginnenden Kaiserkultes in der Tarraconensis. ᶠHAIDER, P. Oriens
et Occidens 12: 2006 ⇒60. 641-648.

13751   *Silver, Morris* 'Coinage before coins?': a further response to Raz
Kletter. Levant 38 (2006) 187-189.

13752   *Sobocinski, Melanie G.* Visualizing ceremony: the design and audi-
ence of the Ludi Saeculares coinage of DOMITIAN. AJA 110 (2006)
581-602.

13753   *Sokolov, Helena* Coins from Khirbat Burin, eastern Sharon;

13754   The coins from Khirbat Marmita. 'Atiqot 51 (2006) 223-224/179.

13755   *Stone, Michael E.* A rare Armenian coin from Jerusalem. Apocry-
pha, Pseudepigrapha, II. OLA 145: 2006 <1980> ⇒310. 749-751.

13756   *Syon, Danny* The coins from El-Kabri. 'Atiqot 51 (2006) 125-129.

13757   *Villeneuve, Estelle* Petite histoire monétaire de la Judée antique.
MoBi 172 (2006) 22-26.

13758   ᴱ**Vita, Juan-Pablo; Zamora, José-Ángel** Nuevas perspectivas I: la
investigación fenicia y púnica. Cuadernos de arqueología mediter-
ránea 13: Barc 2006, Univ. Pompeu Fabra 143 pp. 84-7290-318-4.
Bibl. 99-143.

T4.3 **Jerusalem**, *archaeologia* **et historia**

13759   *Adameh, Salah* Die Bedeutung der Stadt Jerusalem im Islam. Lae-
tare Jerusalem. 2006 ⇒92. 499-513.

13760   *Adan-Bayewitz, D.; Asaro, F.; Giauque, R.D.* The discovery of a-
nomalously high silver abundances in pottery from early Roman ex-
cavation contexts in Jerusalem. Archaeometry 48/3 (2006) 377-98.

13761   *Adler, Yonatan* The ritual baths near the Temple Mount and extra-
purification before entering the temple courts: a reply to Eyal Re-
gev. IEJ 56 (2006) 209-215.

13762   *Avni, Gideon; Seligman, Jon* Between the Temple Mount/*Haram
el-Sharif* and the Holy Sepulchre: archaeological involvement in Je-
rusalem's holy places. Journal of Mediterranean Archaeology 19/2
(2006) 259-288.

13763 *Bongardt, Michael* "Zum Berg des Herrn wollen wir pilgern" (Ps 122,1): theologische Anmerkungen zur Problematik heiliger Orte;

13764 *Brakmann, Heinzgerd* Am Ort der Freude stehen: Jerusalem, EGE-RIA und ein altkirchlicher Kultbefehl. Laetare Jerusalem. 2006 ⇒ 92. 337-354/175-185.

13765 *Caseau, Béatrice* Hélène, impératrice à Rome, pèlerine à Jérusalem. MoBi 173 (2006) 26-29.

13766 **Clark, Victoria** Holy fire: the battle for Christ's tomb. 2005 ⇒21, 14220. ᴿPEQ 138 (2006) 162-164 (*Taylor, Joan E.*).

13767 *Cogan, Mordechai* Raising the walls of Jerusalem (Nehemia 3:1-32): the view from Dur-Sharrukin. IEJ 56 (2006) 84-95.

13768 **Díez Fernández, Florentino** El Calvario y la cueva de Adán: el resultado de la últimas excavaciones en la basílica del Santo Sepulcro. Instituto Bíblico y Oriental 1: 2004 ⇒20,12786. ᴿLASBF 56 (2006) 679-85 (*Piccirillo, Michele*); RB 113 (2006) 623-625 (*Tarragon, J.-M.*); CDios 219 (2006) 809-837 (*Gutiérrez Herrero, J.*).

13769 *Dohmen, Christoph* "Wenn ich dich je vergesse ...": Jehuda Halewi und die Zionssehnsucht. Laetare Jerusalem. 2006 ⇒92. 389-401.

13770 Dominus flevit. Holy Land (Summer 2006) 22-25.

13771 **Edelman, Diana Vikander** The origins of the 'second' temple: Persian imperial policy and the rebuilding of Jerusalem. 2005 ⇒21, 14225. ᴿJBL 125 (2006) 581-584 (*Hogeterp, Albert*).

13772 *Egender, Nikolaus* Armenier und Georgier in Jerusalem. Laetare Jerusalem. 2006 ⇒92. 425-445.

13773 *Gershuny, Lilly* Excavations at Khirbat Marmita. ʿAtiqot 53 (2006) 139-178.

13774 *Geva, Hillel* Small city, few people. BArR 32/3 (2006) 66-68;

13775 The settlement on the southwestern hill of Jerusalem at the end of the Iron Age: a reconstruction based on the archaeological evidence. ZDPV 122 (2006) 140-150.

13776 ᴱ**Geva, Hillel** Jewish quarter excavations in the Old City of Jerusalem conducted by Nahman AVIGAD, 1969-1982, III: area E and other studies. J 2006, Israel Exploration Society xv; 480 pp. $92. 96522-10609.

13777 **González Echegaray, J.** Pisando tus umbrales, Jerusalén: historia antigua de la ciudad. 2005 ⇒21,14232. ᴿCDios 219 (2006) 568-570 (*Gutiérrez, J.*).

13778 *Grünenfelder, Regula* Jerusalem–offene Stadt zum Erlernen des Friedens in der Welt: ein spirituell-politisches Projekt des Lassalle-Instituts. BiKi 61 (2006) 162-165.

13779 **Guinn, David E.** Protecting Jerusalem's holy sites: a strategy for negotiating a sacred peace. NY 2006, CUP vi; 223 pp. $75 [BiTod 45,393—Donald Senior].

13780 *Hahn, Ferdinand* Die Bedeutung Jerusalems für das Neue Testament: Überlegungen zu einer Jerusalem-Theologie. Laetare Jerusalem. 2006 ⇒92. 142-149.

13781 **Hjelm, Ingrid** Jerusalem's rise to sovereignty: Zion and Gerizim in competition. JSOT.S 404: 2004 ⇒20,12793; 21,14235. ᴿCBQ 68 (2006) 734-735 (*McLaughlin, John L.*).

13782 *Japhet, Sara* The wall of Jerusalem from a double perspective: Kings versus Chronicles. ᶠNAʾAMAN, N. 2006 ⇒120. 205-219.

13783 *Kaffanke, Jakobus* "... weil Papst und Kaiser unserer Congregation diese ehrenvolle Aufgabe zugedacht haben": die Gutachten der

Beuroner Äbte zur Besiedelung der Dormitio 1903. Laetare Jerusalem. 2006 ⇒92. 248-261.

13784 **Knowles, Melody D.** Centrality practiced: Jerusalem in the religious practice of Yehud and the diaspora in the Persian period. SBL Archaeology and biblical studies 16: Atlanta, Ga. 2006, SBL vii; 181 pp. $25. 978-1-58983-175-9. Bibl. 129-159.

13785 *Kopp, Matthias* "Jerusalem, geistiges Erbe aller Glaubenden" (Papst Johannes Paul II.): der Zion, der Heilige Stuhl und Jerusalem als "Gegenstand lebendiger Liebe";

13786 *Krüger, Jürgen* Die Marienkirche auf dem Berge Sion: ihre Baugestalt und ihr Platz in der wilhelminischen Baupolitik. Laetare Jerusalem. 2006 ⇒92. 538-565/294-318.

13787 *Küchler, Max* Die hellenistisch-römischen Felsgräber im Kedrontal: priesterlich-aristokratische Grabpracht im Angesicht des Zweiten Tempels. Texte, Fakten. NTOA 59; StUNU 59: 2006 ⇒940. 103-141.

13788 *Lemaire, André* Engraved in memory: Diaspora Jews find eternal rest in Jerusalem. BArR 32/3 (2006) 52-57.

13789 **Leppäkari, Maria** Apocalyptic representations of Jerusalem. SHR 111: Lei 2006, Brill xiii; 259 pp. 90-04-14915-5. Bibl. 235-248.

13790 *Leuenberger, Stefanie* "Heim nach Damschek": Jerusalem als Ursprung und Verschiebung in der deutsch-jüdischen Literatur vor 1948. ZRGG 58 (2006) 195-215.

13791 **Levine, Lee I.** Jerusalem: portrait of the city in the second temple period (538 BCE-70 CE). 2002 ⇒19,13470. [R]PEQ 138 (2006) 71-72 (*Rosenberg, Stephen G.*) RBLit (2006)* (*Gurtner, Daniel*); JThS 57 (2006) 597-599 (*Goldhill, Simon*).

13792 **Lipschits, Oded** The fall and rise of Jerusalem: Judah under Babylonian rule. 2005 ⇒21,14244. [R]CBQ 68 (2006) 737-738 (*Betlyon, John W.*); RBLit (2006)* (*Edelman, Diana; Fulton, Deirdre; Albertz, Rainer*).

13793 *Martínez Delgado, José* Las versiones árabes de "La destrucción de Jerusalén por los persas" (614 d.C.). 'Ilu 11 (2006) 179-204.

13794 *Mazar, Amihai* Jerusalem in the 10th century B.C.E.: the glass half full. [F]NA'AMAN, N. 2006 ⇒120. 255-272;

13795 *Mazar, Eilat* Did I find King David's palace?. BArR 32/1 (2006) 16-27;

13796 Hadrian's legion encamped on the Temple Mount. BArR 32/6 (2006) 52-58, 82-83;

13797 The Solomonic wall in Jerusalem. [F]MAZAR, A. 2006 ⇒108. 775-786.

13798 *Mazor, Gaby* The northern city wall of Jerusalem on the eve of the first crusade (excavations at the 'Jordanian Garden'). 'Atiqot 51 (2006) 49*-53*. H.

13799 *Metzger, Martin* Zion–Gottes Berg, Gottes Wohnung, Gottes Stadt. Laetare Jerusalem. 2006 ⇒92. 41-63.

13800 *Mimouni, Simon C.* La tradition des évéques chrétiens d'origine juive de Jérusalem. StPatr 40. 2006 ⇒833. 447-466.

13801 **Morris, Colin** The sepulchre of Christ and the medieval west: from the beginning to 1600. 2005 ⇒21,14251. [R]RRT 13 (2006) 174-176 (*Toom, Tarmo*); JEH 57 (2006) 312-313 (*Vincent, Nicholas*).

13802 *Na'aman, Nadav* The rise of Jerusalem as the Kingdom of Judah's premier city in the 8th-7th centuries BCE. Zion 71 (2006) 411-456. H.

13803 *Nason, Luigi* Il mistero di Gerusalemme: tra storia e profezia. Studi Fatti Ricerche 115 (2006) 10-15.

13804 *Patella, Michael* Seers' Corner: Sion, mother of all churches. BiTod 44 (2006) 170-174.

13805 *Paul, Shalom M.* Jerusalem of gold–revisited. [F]MAZAR, A. 2006 ⇒ 108. 787-794.

13806 *Peitz, Alois* Die Architektur der Dormitio des Heinrich Renard: ein spielerisch und hierarchisch geordneter Umgang mit den Grundelementen klösterlichen Bauens. Laetare Jerusalem. 2006 ⇒92. 262-293.

13807 *Prokschi, Rudolf* Die Präsenz der Russischen Orthodoxen Kirche in Jerusalem. Laetare Jerusalem. 2006 ⇒92. 446-463.

13808 *Reich, Ronny; Shukron, Eli* On the original length of Hezekiah's tunnel: some critical notes on David Ussishkin's suggestions. [F]MAZAR, A. 2006 ⇒108. 795-800.

13809 *Reif, Stefan C.* Jerusalem. Problems with prayers. 2006 ⇒289. 127-141.

13810 *Riesner, Rainer* Essener und Urkirche auf dem Südwesthügel Jerusalems (Zion III): die archäologisch-topographischen Forschungen von Bargil PIXNER OSB (1921-2002). Laetare Jerusalem. 2006 ⇒ 92. 200-234.

13811 **Ritmeyer, Leen** The quest, revealing the Temple Mount in Jerusalem. J 2006, Carta 440 pp. £60. 978-96522-06282. Num. ill.

13812 *Röwekamp, Georg* Streit in der Anastasis: Mönche und Theologie im Jerusalem des 4. Jahrhunderts. Laetare Jerusalem. 2006 ⇒92. 186-199.

13813 *Salopy, J.W.* The relationship between Sura 19 and the Dome of the Rock. JHiC 12/1 (2006) 111-131.

13814 *Schiel, Basilius* Israel: Jerusalem: 100 Jahre Benediktiner auf dem Zionsberg. WUB 41 (2006) 67.

13815 *Schwank, Benedikt* Jerusalem, Archäologie und Glaube. Laetare Jerusalem. 2006 ⇒92. 235-247.

13816 *Schwartz, Daniel R.* "Stone house", Birah, and Antonia during the time of Jesus. Jesus and archaeology. 2006 ⇒362. 341-348.

13817 [E]**Shanks, Hershel** The City of David: revisiting early excavations. 2004 ⇒20,12816; 21,14267. [R]BASOR 341 (2006) 73-74 (*Zorn, Jeffrey R.*).

13818 *Sharon, Moshe* Islam on the Temple Mount. BArR 32/4 (2006) 36-47, 68.

13819 *Ussishkin, David* The borders and *de facto* size of Jerusalem in the Persian period. Judah and the Judeans. 2006 ⇒941. 147-166.

13820 *Vauchez, André* Et Rome s'affirme comme la nouvelle Jérusalem. MoBi 173 (2006) 34-40.

13821 [E]**Vaughn, Andrew G.; Killebrew, Ann E.** Jerusalem in bible and archaeology: the first temple period. SBL.Symposium 18: 2003 ⇒ 19,829; 21,14272. [R]JHScr 6 (2006)* = PHScr III,399-407 (*Ehrlich, Carl S.*) [⇒593].

13822 *Vincent, Jean Marcel* L'impact de la chute de Jérusalem sur la littérature biblique: quelques éléments de réflexion. Ḥokhma 90 (2006) 2-25 [2 Kgs 25].

13823 *Wahlde, Urban C. von* The "upper pool," its "conduit," and "the road of the fuller's field" in eighth century BC Jerusalem and their significance for the pools of Bethesda and Siloam. RB 113 (2006) 242-262 [2 Kgs 18,17].

13824　*Weksler-Bdolah, Shlomit* The fortifications of Jerusalem in the Byzantine period. Aram 18 (2006) 85-112.

13825　*Wohlmuth, Josef* Dormitio Mariae–Assumptio Mariae: eine Besinnung auf das Dogma von 1950. Laetare Jerusalem. 2006 ⇒92. 319-336.

13826　*Zorn, Jeffrey R.* The burials of the Judean kings: sociohistorical considerations and suggestions. ᶠMAZAR, A. 2006 ⇒108. 801-820.

13827　*Zwickel, Wolfgang; Thiel, Wolfgang* "Ich wohne in einem Haus aus Zedernholz": israelische Archäologen auf der Suche nach dem Palast Davids–kritisch nachgefragt. WUB 40 (2006) 2-9.

T4.4　**Judaea, Negeb**; *situs alphabetice*

13828　*Erickson-Gini, Tali* 'Down to the sea': Nabataean colonisation in the Negev Highlands. Crossing the rift. 2006 ⇒594. 157-166.

13829　*Eshel, Hanan; Zissu, Boaz* Two notes on the history and archaeology of Judea in the Persian period. ᶠMAZAR, A. 2006 ⇒108. 823-831.

13830　*Faust, Avraham* The Negev 'fortresses' in context: reexamining the 'fortress' phenomenon in light of general settlement processes of the eleventh-tenth centuries B.C.E.. JAOS 126 (2006) 135-160.

13831　*Gittlen, Barry M.* Har Resisim 126: an ephemeral Early Bronze Age site. ᶠDEVER, W. 2006 ⇒32. 41-49.

13832　**Jasmin, Michaël** L'étude de la transition du Bronze récent II au Fer I en Palestine méridionale. BAR Internat. Ser. 1495: Oxf 2006, Archaeopress 290 pp. £47. Diss. Paris 1999; 65 pl.

13833　**Laughlin, John C.H.** Fifty major cities of the bible: from Dan to Beersheba. L 2006, Routledge xviii; 246 pp. $36. 0-415-22314-8/ 5-6.

13834　**Mondot, Jean-François** Une bible pour deux mémoires: archéologues israéliens et palestiniens. P 2006, Stock 243 pp. €19. 2-234-05871-6.

13835　*Ain Karim*: *Petrozzi, Maria T.* Ain Karim—St John's birthplace. Holy Land (Autumn 2006) 20-44.

13836　*Ashkelon*: *Stager, Lawrence* The House of the Silver Calf of Ashkelon. ᶠBIETAK, M., II. OLA 149: 2006 ⇒8. 403-410;

13837　New discoveries in the excavations of Ashkelon in the Bronze and Iron Ages. Qad. 39/131 (2006) 2-19. **H.**

13838　*Azeka*: *Abelow, Peter* On and off the beaten track in Tel Azeka. JBQ 34 (2006) 55-56.

13839　*Be'er Resisim*: *Rosen, Steven A., al.*, The chipped stone assemblage from Be'er Resisim in the Negev highlands: a preliminary study. ᶠDEVER, W. 2006 ⇒32. 133-144.

13840　*Bethlehem*: *Heitz, Carol* Sui passi di Gesù: la chiesa di Betlemme, vista dal pellegrino. Il Mondo della Bibbia 17/1 (2006) 34-36.

13841　*Deir el-Balah*: *Killebrew, Ann E.* Deir el-Balah: a geological, archaeological, and historical reassessment of an Egyptianizing 13th and 12th century B.C.E. center. BASOR 343 (2006) 97-119.

13842 **Ekron**: **Dothan, Trude K.; Gitin, Seymour; Meehl, Mark W.**, *al.*, Tel Miqne-Ekron excavations, 1995-1996: Field INE east slope, Iron Age I (early Philistine period). Tel Miqne-Ekron final field report 8: J 2006, Albright Institute of Archaeological Research 511 pp. $100. 978-96571-14018. Ill.;

13843 *James, Peter* Dating late Iron Age Ekron (Tell Miqne). PEQ 138 (2006) 85-97;

13844 *Ussishkin, David* Was the earliest Philistine city of Ekron fortified?: the excavators say "yes", our author says "no". BArR 32/5 (2006) 68-71, 76.

13845 **Emmaus**: Israel: Moza-Colonia: das Rätsel um Emmaus. WUB 40 (2006) 61;

13846 ^E**Fleckenstein, Karl-Heinz; Louhivuori, Mikko; Riesner, Rainer** Emmaus in Judäa: Geschichte—Exegese—Archäologie. 2003 ⇒ 19,512. ^RThLZ 131 (2006) 42-44 (*Zangenberg, Jürgen*);

13847 *Gruson, Philippe* Sui passi di Gesù: Efraim, Emmaus, Arimatea e l'Egitto. Il Mondo della Bibbia 17/1 (2006) 40-41.

13848 **'En Gedi**: *Hadas, Gideon* These are names of people from the past: the Jewish residents of Ein Gedi, from the Iron Age to the Byzantine Period. RB 113 (2006) 181-187;

13849 Fritz Frank, a Templar, surveyor of the 'Arava valley and cucumber grower in 'Ein Gedi, Israel. BAIAS 24 (2006) 77-83;

13850 ^E**Hirschfeld, Yizhar** Ein Gedi: 'a very large village of Jews'. Catalogue 25: Haifa 2006, Hecht Museum.

13851 **Gath**: *Wimmer, Stefan J.* Israel: Tell es-Safi: Beleg für den biblischen Goliat gefunden?. WUB 40 (2006) 70 [1 Sam 17,4];

13852 *Zukerman, Alexander; Shai, Itzhaq* 'The royal city of the Philistines' in the 'Azekah Inscription' and the history of Gath in the eighth century BCE. UF 38 (2006) 729-778.

13853 **Gaza**: *Bauzou, Thomas* D'un empire l'autre: Gaza d'Alexandre à Constantin. MoBi 169 (2006) 28-33;

13854 *Briend, Jacques* Entre l'Égypte et les royaumes du nord: une ville qui traverse l'histoire. MoBi 169 (2006) 18-21, 23;

13855 *Laurant, Sophie* Un carrefour prospère: quand les fouilles révèlent l'influence grecque. MoBi 169 (2006) 24-27;

13856 *Maraval, Pierre* Une terre de monastères. MoBi 169 (2006) 40-42;

13857 *Saliou, Catherine* Dans l'antiquité tardive 'une cité splendide et charmante'. MoBi 169 (2006) 34-39.

13858 **Gezer**: *Hardin, James W.; Seger, Joe D.* Gezer rectified: the dating of the south gate complex. ^FDEVER, W. 2006 ⇒32. 51-60;

13859 *Ussishkin, David* On the history of the high place at Gezer. ^FBIETAK, M., II. OLA 149: 2006 ⇒8. 411-416.

13860 **Gibea**: *Schniedewind, William M.* The search for Gibeah: notes on the historical geography of central Benjamin. ^FMAZAR, A. 2006 ⇒ 108. 711-722.

13861 **Gibeon**: *Brooks, Simcha S.* From Gibeon to Gibeah: high place of the kingdom. Temple and worship. 2006 ⇒716. 40-59.

13862 **Horbat Hermas**: *Sion, Ofer* Horbat Hermas. 'Atiqot 51 (2006) 19*-31*. H.

13863 *Horvat Sa'adon*: *Hirschfeld, Yizhar* Settlement of the Negev in the Byzantine period in light of the survey at Horvat Sa'adon. BAIAS 24 (2006) 7-49.

13864 *Jericho*: *Aurenche, Olivier* La tour de Jéricho, encore et toujours. Syr. 83 (2006) 63-68;

13865 *McClellan, Thomas L.* Early fortifications: the missing walls of Jericho. BaghM 37 (2006) 593-610;

13866 *Nigro, Lorenzo* Sulle mura di Gerico: le fortificazioni di Tell es-Sultan come indicatori della nascita e dello sviluppo della prima città di Gerico nel III millennio a.C. [F]MATTHIAE, P. 2006 ⇒107. 349-397;

13867 **Nigro, Lorenzo**, *al.*, Tell Es-Sultan/Gericho alle soglie della prima urbanizzazione: il villaggio e la necropoli del Bronzo Antico I (3300-3000 a.C.). 2005 ⇒21,14299. [R]LASBF 56 (2006) 617-618 (*Piccirillo, Michele*);

13868 *Stacey, David* Hedonists or pragmatic agriculturalists?: reassessing Hasmonean Jericho. Levant 38 (2006) 191-202.

13869 *Kathisma*: *Shanks, Hershel* Where Mary rested: recovering the Kathisma. BArR 32/6 (2006) 44-51.

13870 *Lachisch*: *Fantalkin, Alexander; Tal, Oren* Redating Lachish level 1: identifying Achaemenid imperial policy at the southern frontier of the fifth satrapy. Judah and the Judeans. 2006 ⇒941. 167-197;

13871 **Ussishkin, David** The renewed archaeological excavations at Lachish (1973-1994). Mon. 22: 2004 ⇒20,12859; 21,14302. [R]Qad. 39 (2006) 124-126 (*Reich, R.*).

13872 *Masada*: *Hirschfeld, Y.* King Herod's library in the northern palace of Masada. Qad. 39/131 (2006) 20-24. **H.**;

13873 *Jacobson, David M.* The northern palace at Masada–Herod's ship of the desert?. PEQ 138 (2006) 99-117;

13874 *Ovadiah, Asher; Peleg, Rachel* Some observations on the role of the middle terrace of the northern palace of Herod at Masada (pl. II-IV). RB 113 (2006) 321-336.

13875 *Modi'in*: *Zbenovich, Vladimir* Salvage excavations at a pre-pottery neolithic site at Modi'in. 'Atiqot 51 (2006) 1-14.

13876 *Nessana*: [E]**Urman, Dan** Nessana: excavations and studies, I. Beer-Sheva 17: 2004 ⇒20,12864. [R]BASOR 341 (2006) 76-77 (*Magness, Jodi*); CBQ 68 (2006) 573-575 (*Jacobs, Paul F.*).

13877 *Ramat Raḥel*: *Barkay, Gabriel* Royal palace, royal portrait?: the tantalizing possibilties of Ramat Raḥel. BArR 32/5 (2006) 34-44;

13878 *Lipschits, Oded, al.*, Ramat Raḥel, 2005. IEJ 56 (2006) 227-235;

13879 *Lipschits, Oded; Oeming, Manfred* Israel: Ramat Rahel: Palast der Könige Judas und eines der ältesten Marienheiligtümer der Welt. WUB 40 (2006) 64-65.

13880 *Timnah*: [E]**Panitz-Cohen, Nava; Mazar, Amihai** Timnah (Tel Batash) III: the finds from the second millennium BCE. Qedem 45: J 2006, Hebrew Univ. xiv; 502 pp.

13881 *Yarmuth*: *Miroschedji, Pierre de* At the dawn of history: sociopolitical developments in southwestern Canaan in Early Bronze Age III. [F]MAZAR, A. 2006 ⇒108. 55-78;

13882 Tel Yarmuth and the emergence of proto-state organizations in the southern Levant. BAIAS 24 (2006) 126.

T4.5 Samaria, Sharon

13883 *Faust, Avraham* Farmsteads in the foothills of western Samaria: a reexamination. [F]MAZAR, A. 2006 ⇒108. 477-504;

13884 Settlement patterns and state formation in southern Samaria and the archaeology of (a) Saul. Saul in story. FAT 47: 2006 ⇒381. 14-38.

13885 *Gass, Erasmus* Das Gebirge Manasse zwischen Bronze- und Eisenzeit. ThQ 186 (2006) 96-117.

13886 *Zangenberg, Jürgen* Between Jerusalem and the Galilee: Samaria in the time of Jesus. Jesus and archaeology. 2006 ⇒362. 393-432.

13887 **Zertal, Adam** The Manasseh hill country survey, 1: the Shechem syncline. 2004 ⇒20,12872. [R]BiOr 63 (2006) 176-178 (*Kaptijn, Eva*); CBQ 68 (2006) 323-324 (*Hawkins, Ralph K.*); JAOS 125 (2005) 548-550 (*Bloch-Smith, Elizabeth*).

13888 *Aphek*: *Gadot, Yuval* Aphek in the Sharon and the Philistine northern frontier. BASOR 341 (2006) 21-36.

13889 *Apollonia-Arsuf*: [E]**Roll, Israel; Tal, Oren** Apollonia-Arsuf: final report of the excavations, v.1: Persian and Hellenistic periods. 1999 ⇒15,11529... 18,12473. [R]ZDPV 122 (2006) 84-86 (*Wenning, Robert*).

13890 *'Atlit*: *Haggi, Arad* Phoenician Atlit and its newly-excavated harbour: a reassessment. TelAv 33 (2006) 43-60.

13891 *Bethel*: **Gomes, Jules F.** The sanctuary of Bethel and the configuration of Israelite identity. [D]*Davies, Graham*: BZAW 368: B 2006, De Gruyter xx; 303 pp. €84. 3-11-018993-3. Diss. Cambridge; Bibl. 225-286;

13892 **Koenen, Klaus** Bethel: Geschichte, Kult und Theologie. OBO 192: 2003 ⇒19,13580... 21,14319. [R]ThLZ 131 (2006) 833-835 (*Kessler, Rainer*) [Ps 20];

13893 **Köhlmoos, Melanie** Bet-El—Erinnerungen an eine Stadt: Perspektiven der alttestamentlichen Bet-El-Überlieferung. FAT 49: Tü 2006, Mohr S. x; 344 pp. €84. 3-16-148774-5. Diss.-Habil. Göttingen; Bibl. 318-337;

13894 *Rainey, Anson F.* Looking for Bethel: an exercise in historical geography. [F]DEVER, W. Ment. *Eusebius Caesarea* 2006 ⇒32. 269-273.

13895 *Caesarea M*: Israel: Cäsarea: prächtige byzantinische Villa nun zugänglich. WUB 39 (2006) 65.

13896 *'Ein ez-Zeituna*: *Glick, Don* A salvage excavation at 'Ein ez-Zeituna in Naḥal 'Iron. 'Atiqot 51 (2006) 31-69.

13897 *Khirbat Burin*: *Kletter, Raz; Stern, Edna J.* A Mamluk-period site at Khirbat Burin in the eastern Sharon. 'Atiqot 51 (2006) 173-214.

13898 *Khirbet es-Sauma'a*: *Gibson, Shimon; Rowan, Yorke M.* The Chalcolithic in the central highlands of Palestine: a reassessment based on a new examination of Khirbet es-Sauma'a. Levant 38 (2006) 85-108.

13899 *Megiddo*: *Finkelstein, Israel; Ussishkin, David* Two notes on Early Bronze Age Megiddo. [F]MAZAR, A. 2006 ⇒108. 7-23.

13900 *Mikhal*: *Gorzalczany, Amir* The 1996 excavations along the northern hill at Tel Mikhal (Tel Michal). 'Atiqot 52 (2006) 1-19.

13901 *Naḥal Tut*: *Alexandre, Yardenna* Naḥal Tut (Site VIII): a fortified storage depot from the late fourth century BCE. 'Atiqot 52 (2006) 131-189.

13902 *Qasile*: *Kletter, Raz* A Middle Bronze Age II site west of Tell Qasile. 'Atiqot 53 (2006) 65-128.

13903   *Sappho*: *Al-Houdalieh, Salah H.* The destruction of Palestinian
        archaeological heritage: Saffa Village as a model. NEA 69/2 (2006)
        102-112.
13904   *Shechem*: **Campbell, Edward F.; Ellenberger, Lee C.** Shechem
        III: the stratigraphy and architecture of Shechem/Tell Balâtah. 2002
        ⇒18,12487...20,12891. [R]JNES 65 (2006) 309-311 (*Burke, Aaron*);
13905   *Finkelstein, Israel* Shechem in Late Bronze and the Iron I. [F]BIETAK,
        M., II. OLA 149: 2006 ⇒8. 349-356.
13906   *Tanninim*: **Stieglitz, Robert R.** Tel Tanninim: excavations at Kro-
        kodeilon Polis, 1996-1999. Boston 2006, ASOR xv; 255 pp. $85.
        168 fig.

T4.6 Galilaea; *Golan*

13907   *Bieberstein, Sabine; Gruson, Philippe* Weitere Jesusorte in Galiläa:
        Chorazin, Kana, Nain, Kinneret, Tiberias. WUB 42 (2006) 30-33.
13908   *Bieberstein, Sabine; Rölver, Olaf* Galiläa: Ursprungsland der Jesus-
        bewegung. WUB 42 (2006) 16-22.
13909   *Debergé, Pierre* Sui passi di Gesù: la Galilea: una terra greca paga-
        na?. Il Mondo della Bibbia 17/1 (2006) 5-7.
13910   *Gal, Zvi* Die Besiedlung des unteren Galiläa und der Ränder der
        Jesreel-Ebene durch israelitische Stämme im Licht archäologischer
        Quellen. ThQ 186 (2006) 80-95.
13911   *Herzog, Ze'ev; Singer-Avitz, Lily* Sub-dividing the Iron Age IIA in
        northern Israel: a suggested solution to the chronological debate.
        TelAv 33 (2006) 163-195.
13912   **Horsley, Richard A.** Galilea: storia, politica, popolazione. Introdu-
        zione allo studio della Bibbia.Supplementi 27: Brescia 2006, Pai-
        deia 385 pp. 88-394-0720-0.
13913   [E]**Lapp, Nancy** Preliminary excavation reports and other archaeo-
        logical investigations: Tell Qarqur, Iron I sites in the north-central
        highlands of Palestine. AASOR 56: 2003 ⇒19,13658... 21,14369.
        [R]JNES 65 (2006) 315-316 (*Faust, Avraham*); AfO 51 (2005-2006)
        396-399 (*Weippert, Manfred*).
13914   *Manns, Frédéric* Mount Tabor. Jesus and archaeology. 2006 ⇒
        362. 167-177.
13915   *Wellmann, Bettina* Die galiläischen Jesus-Berge: der Berg Tabor
        und der Berg der Seligpreisungen. WUB 42 (2006) 28-29.

13916   *Acco*: *Arad, Pnina* Thanks to a neighbour's bad reputation: recon-
        structing an area of thirteenth-century Acre. Crusades 5 (2006) 193-
        197;
13917   *Artzy, Michal* "Filling in" the void: observations on the habitation
        pattern at Tel Akko at the end of the Late Bronze Age. [F]MAZAR, A.
        2006 ⇒108. 115-122.
13918   *'Ayyelet ha-Šaḥar*: *Kletter, Raz; Zwickel, Wolfgang* Israel: Ayyelet
        ha-Shahar: assyrisch-babylonischer Palast–55 Jahre später. WUB
        42 (2006) 66-67.
13919   *Bet Yeraḥ*: **Getzov, Nimrod,** *al.*, The Tel Bet Yeraḥ excavations,
        1994-1995. IAA Reports 28: J 2006, Israel Antiquities Authority
        viii; 194 pp. $33. 965-406-186-4. Bibl. 177-182.

13920 *Beth Shan*: **Braun, Eliot** Early Beth Shan (strata XIX-XIII): G.M. Fitzgerald's deep cut on the tell. University Museum Monographs 121: 2004 ⇒20,12904. [R]AJA 110 (2006) 670-671 (*Joffe, Alexander H.*); JNES 67 (2008) 302-304 (*Novacek, Gabrielle*).

13921 *Mazar, Amihai* Tel Beth-Shean and the fate of mounds in the Intermediate Bronze Age. [F]DEVER, W. 2006 ⇒32. 105-118.

13922 [E]**Mazar, Amihai** Excavations at Tel Beth-Shan 1989-1996, I: from the Late Bronze Age IIB to the medieval period. J 2006, Israel Exploration Society xxiv; 736 pp. $92. 96522-10587.

13923 *Beth Shemesh; Timna*: *Bunimovitz, Shlomo; Lederman, Zvi* The early Israelite monarchy in the Sorek valley: Tel Beth-Shemesh and Tel Batash (Timnah) in the 10th and 9th centuries BCE. [F]MAZAR, A. 2006 ⇒108. 407-427.

13924 *Bethsaida*: *Arav, Rami* Bethsaida. Jesus and archaeology. 2006 ⇒ 362. 145-166;

13925 *Strange, James* Sui passi di Gesù: Betsaida, la città misteriosa. Il Mondo della Bibbia 17/1 (2006) 22-23.

13926 *Caesarea Philippi*: **Wilson, John Francis** Caesarea Philippi: Banias, the lost city of Pan. 2004 ⇒20,12910. [R]IJMES 38 (2006) 315-317 (*Arav, Rami*); PEQ 138 (2006) 153-154 (*Jacobson, David M.*).

13927 *Cana*: *Richardson, Peter* Khirbet Qana (and other villages) as a context for Jesus. Jesus and archaeology. 2006 ⇒362. 120-144.

13928 *Capernaum; Nazareth*: *Bösen, Willibald* Mehr als eine freundliche Gesprächspartnerin: zur Bedeutung der Archäologie für die neutestamentliche Exegese. Texte, Fakten. 2006 ⇒940. 161-195;

13929 *Zindler, Frank R.* Capernaum–a literary invention. JHiC 12/2 (2006) 1-27.

13930 *Dan*: **Biran, Avraham; Ben-Dov, Rachel** Dan II: a chronicle of the excavations and the Late Bronze Age 'Mycenaean' tomb. 2002 ⇒18,12511; 20,12914. [R]ZDPV 122 (2006) 187-189 (*Genz, Hermann*); AfO 51 (2005-2006) 400-402 (*Weippert, Helga*).

13931 *el-Baṭiya*: *Abu ʿUqsa, Hanaa* Khirbat el-Baṭiya (Triangulation Spot 819). ʿAtiqot 53 (2006) 21*-28*. H.

13932 *Gamla*: **Berlin, Andrea** Gamla I: the pottery of the second temple period: the Shmarya Gutman excavations, 1976-1989. IAA Reports 29: J 2006, Israel Antiquities Authority 181 pp. $28. 965-406-191-0. Num. ill.; Bibl. 161-165.

13933 *Gennesar*: *Leibner, U.* Identifying Gennesar on the Sea of Galilee. Journal of Roman Archaeology 19 (2006) 229-246.

13934 *Gennesaret*: *Israel*: See Gennesaret: evangelikaler "Jesuspark" am Seeufer?. WUB 39 (2006) 67.

13935 *Golan*: *Röwekamp, Georg* Dekapolis, Syrophönizien, Samaria, Golan: die nichtjüdischen Gebiete. WUB 42 (2006) 34-43.

13936 *Hazor*: *Ben-Ami, Doron* Mysterious standing stones: what do these ubiquitous things mean?. BArR 32/2 (2006) 38-45.

13937 *Ben-Tor, Amnon* Hazor 2006. IEJ 56 (2006) 216-220;

13938 *Laurant, Sophie* Israel: Hazor: Ausgrabungen in Hazor, der größten Stadt Kanaans. WUB 40 (2006) 62-63;

13939 *Stepansky, Yosef* Rock-hewn channels near Tel Hazor: evidence of a Middle Bronze Age long-distance water-carrier?. BAIAS 24 (2006) 51-76;

13940 *Zuckerman, Sharon* Where is the Hazor archive buried?. BArR 32/2 (2006) 28-37.

13941 **Heptapegon**: *Röhrbein-Viehoff, Barbara; Röhrbein-Viehoff, Helmut* Tabgha–Ort der Brotvermehrung: Jesus zieht sich in die Einsamkeit zurück. WUB 42 (2006) 23-26.

13942 **Ḥorbat Usha**: *Peilstöcker, Martin* Remains of an early chalcolithic settlement on the fringes of Ḥorbat Usha. ʿAtiqot 51 (2006) 15-22.

13943 **Ibreika**: *Yannai, Eli* A settlement from the Middle Ages and the Byzantine period at Khirbat Ibreika. ʿAtiqot 53 (2006) 37*-47*. **H.**

13944 **Kinneret**: *Münger, Stefan; Zangenberg, Jürgen; Zwickel, Wolfgang* Israel: Kinneret: die geheimnisvolle Metropole Palästinas. WUB 41 (2006) 63-64.

13945 **Kisra**: *AbuʿUqsa, Hanaa* Kisra. ʿAtiqot 53 (2006) 9*-19*. **H.**

13946 **Megiddo**: [E]**Finkelstein, Israel; Ussishkin, David; Halpern, Baruch** Megiddo III—the 1992-1996 seasons. 2000 ⇒16,11690... 18, 12459. [R]AuOr 24 (2006) 277-278 (*Montero Fenollós, J.-L.*);

13947 Megiddo IV: the 1998-2002 seasons. Tel Aviv Univ. Mon. 24: TA 2006, Tel Aviv Univ. xvi; 860 pp. 96526-60221. [R]UF 38 (2006) 791-798 (*Zwickel, Wolfgang*);

13948 *Franklin, Norma* Revealing stratum V at Megiddo. BASOR 342 (2006) 95-111;

13949 **Harrison, Timothy P.** Megiddo, 3: final report on the Stratum VI excavations. OIP 127: 2004 ⇒20,12921; 21,14367. [R]PEQ 138 (2006) 149-151 (*Green, John D.M.*).

13950 **Nazareth** ⇒13928: **Bagatti, Bellarmino; Alliata, E.** Excavations in Nazareth, 2: from the 12th century until today. [T]*Bonanno, R.*: SBF.CMa 17: 2002 ⇒18,12520. [R]BiOr 63 (2006) 602-6 (*Vorderstrasse, Tasha*);

13951 *Mébarki, Farah* Sui passi di Gesù: indizi sulla Nazaret dei tempi di Gesù. Il Mondo della Bibbia 17/1 (2006) 8-9.

13952 **Sepphoris**: *Batey, Richard A.* Did Antipas build the Sepphoris theater?. Jesus and archaeology. 2006 ⇒362. 111-119;

13953 *Klein, Gil P.* The topography of symbol: between late antique and modern Jewish understanding of cities. ZRGG 58 (2006) 16-28.

13954 *Strange, James* Sui passi di Gesù: un sito importante: Sefforis. Il Mondo della Bibbia 17/1 (2006) 16-19;

13955 **Strange, James F.; Longstaff, Thomas R.W.; Groh, Dennis** Excavations at Sepphoris, 1: University of Florida probes in the citadel and villa. Brill reference library of Judaism 22: Lei 2006, Brill xvii; 170 pp. 90-04-12626-0.

13956 **Shiqmona**: *Amir, Roni* Pottery, stone and small finds from Shiqmona. ʿAtiqot 51 (2006) 145-161;

13957 *Hirschfeld, Yizhar* Excavations at Shiqmona—1994. ʿAtiqot 51 (2006) 131-143.

13958 **Sussita**: *Segal, Arthur; Eisenberg, Michael* The spade hits Sussita. BArR 32/3 (2006) 40-51, 78.

13959 **Taanach**: *Kreuzer, Siegfried* Die Ausgrabungen in Tell Taʻannek /Taanach. Taanach. WAS 5: 2006 ⇒638. 13-34;

13960 *Kreuzer, Siegfried; Schipper, Friedrich T.* Tell Taʻannek–das biblische Taanach: Ernst Sellins Ausgrabungen im wissenschaftsgeschichtlichen Kontext: 100 Jahre "Nachlese auf dem Tell Taʻannek in Palästina". WJT 6 (2006) 287-312.

13961 **Tiberias**: **Stacey, David** Excavations at Tiberias, 1973-1974: the early Islamic periods. IAA Reports 21: 2004 ⇒20,12932; 21, 14373. [R]BASOR 341 (2006) 82-84 (*Hoffman, Tracy*).

13962 **Umm el-Qanatir**: *Ben David, H.; Drei, J.; Gonen, I.* Umm el-Qa-
      natir—the first excavation season. Qad. 39 (2006) 110-120. **H**.
13963 **Zahara**: *Cohen, Susan L.* Tel Zahara, 2006. IEJ 56 (2006) 220-27.

T4.8 *Transjordania*: (East-)Jordan

13964 **Abujaber, Raouf S.; Cobbing, Felicity** Beyond the river: Otto-
      man Transjordan in original photographs. 2005 ⇒21,14379.
      [R]LASBF 56 (2006) 616-617 (*Piccirillo, Michele*).
13965 *Bartlett, John R.* The Wadi Arabah in the Hebrew Scriptures. Cros-
      sing the rift. 2006 ⇒594. 151-156.
13966 *Bisson, Michael S., al.*, Human evolution at the crossroads: an ar-
      chaeological survey in northwest Jordan. NEA 69/2 (2006) 73-85.
13967 *Hamarneh, Basema; Piccirillo, Michele; Comte, Marie-Christine*
      Bibliografia sulla Giordania. LASBF 56 (2006) 610-628.
13968 *Hirschfeld, Yizhar* The Nabataean presence south of the Dead Sea:
      new evidence. Crossing the rift. 2006 ⇒594. 167-190.
13969 *Kamlah, Jens* Das Ostjordanland im Zeitalter der Entstehung Isra-
      els. ThQ 186 (2006) 118-133.
13970 **Kennedy, David** The Roman army in Jordan. 2004 ⇒20,12263.
      [R]AJA 110 (2006) 525-526 (*Parker, S. Thomas*).
13971 **Kennedy, David; Bewley, Robert** Ancient Jordan from the air. L
      2004, Council for British Research in the Levant 282 pp. £30. 978-
      09539-10229.
13972 **Lindner, Manfred** Über Petra hinaus: archäologische Erkundun-
      gen im südlichen Jordanien. [E]*Vieweger, Dieter; Bienert, Hans-D.*
      2003 ⇒20,12948. [R]ZDPV 122 (2006) 89-91 (*Wenning, Robert*).
13973 **MacDonald, Burton**, *al.*, The Tafila-Busayra archaeological sur-
      vey 1999-2001, west-central Jordan. Archaeological Reports 9:
      2004 ⇒20,12951. [R]BASOR 341 (2006) 65-67 (*Bienkowski, Piotr*);
      JAOS 126 (2006) 592-594 (*Crowell, Bradley L.*).
13974 *Müller-Neuhof, Bernd* Tabular scraper quarry sites in the Wadi Ar-
      Ruwayshid region (n/e Jordan). ADAJ 50 (2006) 373-383.
13975 *Neeley, Michael P.* Prehistoric settlement in west-central Jordan:
      the Tafila-Busayra archaeological survey in its regional context.
      BASOR 341 (2006) 1-19.
13976 *Ninow, Friedbert* Das Wadi Mujeb (der biblische Arnon) und moa-
      bitische Eisenzeit-Anlagen im Tributär-Wadi-System ash-Shkafiya.
      Spes christiana 17 (2006) 165-180.
13977 **Parker, S. Thomas**, *al.*, The Roman frontier in central Jordan: fi-
      nal report on the Limes Arabicus Project, 1980-1989. DOS 60:
      Wsh 2006, Dumbarton Oaks Research Library 2 vols; xxvi; 287 +
      xv; 324 pp. $125. 0-888402-2986. Num. ill., pl.
13978 **Routledge, Bruce E.** Moab in the Iron Age: hegemony, polity, ar-
      chaeology. 2004, ⇒20,12956; 21,14392. [R]Antiquity 80 (2006)
      232-4 (*Levy, Thomas*); PEQ 138 (2006) 70-71 (*Edelman, Diana*).
13979 [E]**Salje, Beate; Riedl, Nadine; Schaurte, Günther** Gesichter des
      Orients: 10,000 Jahre Kunst und Kultur aus Jordanien. Mainz 2004,
      Von Zabern xvi; 280 pp €44.90. Ill.; Exhib. 2004, 2005 Berlin,
      Bonn.
13980 *Savage, Stephen H.; Keller, Donald R.* Archaeology in Jordan,
      2005 season. AJA 110 (2006) 471-491.

13981   **Van der Steen, Eveline J.** Tribes and territories in transition: the central East Jordan Valley in the late Bronze Age and early Iron Ages: a study of the sources. OLA 130: 2004 ⇒20,12961; 21, 14395. ᴿOLZ 101 (2006) 474-478 (*Gaß, Erasmus*); BiOr 63 (2006) 600-602 (*Geus, C.H.J. de*).

13982   *Abila*: *Chapman, David W., al.*, The 2004 season of excavation at Abila of the Decapolis. ADAJ 50 (2006) 61-68.

13983   *Abu al-Kharaz*: **Fischer, Peter M.** Tell Abu al-Kharaz in the Jordan Valley, 2: the Middle and Late Bronze Ages. DÖAW 39; Contributions to the Chronology of the Eastern Mediterranean 11: W 2006, Verlag der Österreichischen Akademie der Wissenschaften 385 pp. 978-37001-38150. Bibl. 375-385.

13984   *al-Ḥawariğ*: *Lovell, J.L., al.*, The second preliminary report of the Wadi Ar-Rayyan archaeological project: the first season of excavations at Al-Khawarij. ADAJ 50 (2006) 33-59.

13985   *al-ʿUmayri*: *Herr, Larry G.* An Early Iron Age I house with a cultic corner at Tall al-ʿUmayri, Jordan. ᶠDEVER, W. 2006 ⇒32. 61-73.

13986   *ʿAyn Qassiyya*: *Richter, Tobias; Röhl, Constanze* Rescue excavations at epipalaeolithic ʿAyn Qassiyya: report on the 2005 season. ADAJ 50 (2006) 189-203.

13987   *Azraq*: *Vibert-Guigue, Claude* Découverte de nouveaux blocs de basalte sculptés à ʿAyn As-Sawda (Azraq Al-Shishan), Jordanie. ADAJ 50 (2006) 325-349.

13988   *Baris*: *Rosenberg, Stephen G.* Felicien de Saulcy and the rediscovery of Tyros in Jordan. PEQ 138 (2006) 35-41.

13989   *Bâb edh-Drâʾ*: **Rast, Walter; Schaub, Thomas** Bâb edh-Dhrâʾ: excavations at the town site (1975-1981), 1: text, 2: plates and appendixes. 2003 ⇒19,537... 21,14411. ᴿArOr 74 (2006) 365-367 (*Vlčková, Petra*); IEJ 56 (2006) 242-251 (*Braun, Eliot*); CBQ 68 (2006) 315-317 (*Spencer, John R.*).

13990   *Bethany*: *Villeneuve, Estelle* Sui passi di Gesù: due rive per un solo battesimo. Il Mondo della Bibbia 17/1 (2006) 38-39.

13991   *Carmel*: *Rollefson, Gary O.; Quintero, Leslie A.; Wilke, Philip J.* Late acheulian variability in the southern Levant: a contrast of the western and eastern margins of the Levantine corridor. NEA 69/2 (2006) 61-72.

13992   *El-Ğafr*: *Fujii, Sumio* Wadi Abu Tltulayḥa: a preliminary report of the 2005 spring and summer excavation seasons of the Al-Jafr basin prehistoric project, phase 2. ADAJ 50 (2006) 9-31.

13993   *El-Mudeyine*: *Daviau, P.M. Michèle* Ḥirbet el-Mudeyine in its landscape: Iron Age towns, forts and shrines. ZDPV 122 (2006) 14-30; Pl. 4-9.

13994   *el-Yutum*: *Khalil, L., al.*, Archaeological survey and excavations at the Wadi Al-Yutum and Al-Magaṣṣ area-Al-ʿAqba (Aseym): a preliminary report on the excavations at Tall Ḥujayrat Al-Ghuzian in 2006. ADAJ 50 (2006) 139-146.

13995   *En-Naḥas*: *Levy, Thomas E.; Najjar, Mohammad* Some thoughts on Khirbet En-Naḥas, Edom, biblical history and anthropology–a response to Israel Finkelstein. TelAv 33 (2006) 3-17.

13996   *Farasa*: *Schmid, Stephan G.; Barmasse, André* The international Wadi Farasa Project (IWFP): preliminary report on the 2005 season. ADAJ 50 (2006) 217-227.

13997   *Gadara*: *Vieweger, Dieter; Häser, Jutta* Jordanien: Gadara-Region: Siedlungen aus fünf Jahrtausenden. WUB 42 (2006) 64-65;

13998   Der Tell Zeraʿa im Wadi el-'Arab: das 'Gadara Region Project' in den Jahren 2001 bis 2004. [F]HUBER, F.: 2006 ⇒69. 38-60.

13999   **Weber, Thomas Maria** Gadara—Umm Qês, 1: Gadara decapolitana. ADPV 30: 2002 ⇒18,12574... 21,14421. [R]BiOr 63 (2006) 178-182 (*Vriezen, Karel J.H.*).

14000   *Gerasa*: *Barnes, Hugh, al.*, From 'guard house' to congregational mosque: recent discoveries on the urban history of islamic Jarash. ADAJ 50 (2006) 285-314.

14001   *Ḫirbat al-Badiyya*: *Al-Muheisen, Zeidoun* Preliminary report on the excavations at Khirbat Al-Badiyya, 1998. ADAJ 50 (2006) 83-98.

14002   *Ḫirbet el-Batrawi*: *Nigro, Lorenzo* Preliminary report of the first season of excavations by the University of Rome "La Sapienza" at Khirbat Al-Batrawi (upper Wadi Az-Zarqaʾ). ADAJ 50 (2006) 229-248.

14003   *Ḫudruj; Jabal Adh-Dharwa*: *Wasse, Alexander; Rollefson, Garry* The Wadi As-Sirḥan project: notes on the 2002 archaeological reconnaissance of Wadi Ḥudruj and Jabal Adh-Dharwa, Jordan. ADAJ 50 (2006) 69-81.

14004   *Irbid*: *El-Khouri, Lamia, al.*, West Irbid survey (WIS) 2005, preliminary report. ADAJ 50 (2006) 121-138.

14005   *Jahaz*: *Richard, Suzanne* Early Bronze Age IV transitions: an archaeometallurgical study. [F]DEVER, W. 2006 ⇒32. 119-132.

14006   *Jawa*: **Daviau, Paulette M.** Excavations at Tall Jawa, Jordan, 1: the Iron Age town. 2002 ⇒18,12586... 21,14425. [R]JNES 65 (2006) 229-230 (*Porter, Benjamin*).

14007   *Khirbat Al-Muʿmmariyya*: *Ninow, Friedbert* The 2005 soundings at Khirbat Al-Muʿmmariyya in the greater Wadi Al-Mujib area. ADAJ 50 (2006) 147-155.

14008   *Khirbet al-Batrawy*: [E]**Nigro, Lorenzo** Khirbet al-Batrawy: an early Bronze Age fortified town in north-central Jordan: preliminary report of the first season of excavations (2005). Studies on the archaeology of Palestine & Transjordan 3: R 2006, "La Sapienza" Expedition to Palestine & Jordan xiv; 261 pp. 88-88438-02-10.

14009   *Legeon*: *Jones, Jennifer E.* Reconstructing manufacturing landscapes at early Bronze Age Al-Lajjun, Jordan: the first season (2003). ADAJ 50 (2006) 315-323.

14010   *Mahanaim; Penuel*: *Hutton, Jeremy M.* Mahanaim, Penuel, and transhumance routes: observations on Genesis 32-33 and Judges 8. JNES 65 (2006) 161-178.

14011   *Mudayna*: *Daviau, P.M. Michèle, al.*, Excavation and survey at Khirbat Al-Mudayna and its surroundings: preliminary report of the 2001, 2004 and 2005 seasons. ADAJ 50 (2006) 249-283;

14012   *Daviau, P.M.; Laurier, Wilfrid* The Wadi ath-Thamad project, 2006 (Pls. 41-43). LASBF 56 (2006) 566-568.

14013   *Nebo*: Ciriaci, Francesca Celebrating the 30th anniversary of an important discovery on Mount Nebo-August 31 (Pl. 68-70). LASBF 56 (2006) 607-609.

14014   *Nitl*: *Hamarneh, Basema* Nitl excavation campaign 2006 (Pls. 47-50). LASBF 56 (2006) 572-576;

14015   *Roncalli, Alfredo* Il parco archeologico di Nitl (Tavv. 61-62). LASBF 56 (2006) 594-596.

14016   **Pella**: *Bourke, Stephen J.; Eriksson, Kathryn O.* Pella in Jordan, royal name scarabs and the Hyksos empire: a view from the margins. ᶠBIETAK, M., II. OLA 149: 2006 ⇒8. 339-348.

14017   **Petra**: **Bedal, Leigh-Ann** The Petra pool complex: a Hellenistic paradeisos in the Hellenistic capital: results from the Petra 'Lower Market' survey and excavations, 1998. 2004 ⇒20,12993; 21, 14436. ᴿAJA 110 (2006) 520-522 (*Schmid, Stephan G.*);

14018   **Disi, Ahmad; Ruben, Isabelle** A field guide to the plants and animals of Petra. Amman 2006, Petra National Trust 224 pp. JD12. 99578-55514. Num. photos;

14019   *Joukowsky, Martha S.* Challenges in the field: the Brown University 2005 Petra great temple excavations. ADAJ 50 (2006) 351-72;

14020   ᴱ**Markoe, Glenn** Petra rediscovered: lost city of the Nabataeans. 2003 ⇒19,13725; 21,14441. ᴿPEQ 138 (2006) 151-153 (*Bowsher, Julian*);

14021   *Porter, Benjamin W.* The rose red city: a review of "Petra: Lost city of stone". NEA 69/2 (2006) 97-98;

14022   **Reid, S. Karz** The small temple: a Roman imperial cult building in Petra, Jordan. Gorgias Diss. 20; Near Eastern Studies 7: Piscataway, NJ 2006, Gorgias xvi; 236 pp. $75. 15933-33390;

14023   *Villeneuve, Estelle* À Petra, les jardins de la mémoire. MoBi 171 (2006) 6-11.

14024   **Ramm**: *Perry, Megan A.; Jones, Geoffrey L.* The 2005 Wadi Ramm GPR survey. ADAJ 50 (2006) 157-167.

14025   **Ras en-Naqb**: *MacDonald, B.* The Ayl to Ras an-Naqab archaeological survey, second season-2006 (Pls. 39-40). LASBF 56 (2006) 565-566;

14026   *MacDonald, Burton, al.*, The Ayl To Ras An-Naqab archaeological survey, southern Jordan-phase 2 (2006): preliminary report. ADAJ 50 (2006) 107-120.

14027   **Shuqayra Al-Gharbiyya**: *Al-Shdaifat, Younis; Al-Tarawneh, Khalaf; Ben Badhann, Zakariya N.* Mut'tah University excavations at Shuqayra Al-Gharbiyya: preliminary report on the 2005 season. ADAJ 50 (2006) 205-216.

14028   **Sukkot**: *Petit, Lucas, al.*, Dayr 'Alla regional project: settling the steppe second campaign 2005. ADAJ 50 (2006) 179-188.

14029   **Umm al-Rasas**: *Pappalardo, Carmelo; Abela, J.* Umm al-Rasas: the XXth archaeological archaeological campaign 2006 (Pls. 44-46). LASBF 56 (2006) 568-572;

14030   ᴱ*Piccirillo, Michele* Ricerca storico-archeologica in Giordania—XXVI—2006. LASBF 56 (2006) 563-626.

14031   **Zaphon**: *Kafafi, Zeidan A.* Henri DE CONTENSON's archaeological fieldwork in the eastern part of the Jordan valley: a re-evaluation. Syr. 83 (2006) 69-82.

T5.1 **Phoenicia**—*Libanus*, **Lebanon**; *situs mediterranei*

14032   *Berlyn, Patricia* The biblical view of Tyre. JBQ 34 (2006) 73-82.

14033   *Burke, Aaron A.* Tarshish in the mountains of Lebanon: attestations of a biblical place name. Maarav 13 (2006) 123-125 {1 Kgs 10,22; Isa 23,1; Ezek 27,12].

14034 **Doumet-Serhal, Claude**, *al.*, The Early Bronze Age in Sidon: 'College site' excavations (1998-2000-2001). BAH 178: Beyrouth 2006, Institut français du Proche-Orient ix; 349 pp. 978-23515-90-355.

14035 *Doumet-Serhal, Claude; Karageorghis, Vassos* Sidon: les fouilles du British Museum de 1998 à 2005. CRAI 1 (2006) 305-331.

14036 **Elayi, Josette; Sayegh, H.** Un quartier du port phénicien de Beyrouth au fer III / Perse: les objets. TEuph.S 6: 1998 ⇒14,10849; 18,12637. ᴿZDPV 122 (2006) 191-195 (*Fischer-Genz, Bettina*).

14037 **Lipiński, Edouard** Itineraria Phoenicia. OLA 127; Studia Phoenicia 18: 2004 ⇒20,13016. ᴿTEuph 31 (2006) 164-167 (*Elayi, J.*).

14038 *López Castro, José Luis* Colonials, merchants and alabaster vases: the western Phoenician aristocracy. Antiquity 80 (2006) 74-88.

14039 **Rey-Coquais, Jean-Paul** Inscriptions grecques et latines de Tyr. Baal.S 3: Beyrouth 2006, Ministère de la Culture, Direction Générale des Antiquités 183 + 8 pp. 410 ill.

14040 **Thalmann, Jean-Paul**, *al.*, Tell Arqa: I: les niveaux de l'âge du Bronze, vol. 1: texte; vol. 2: planches et plans de repérage (dépliants). BAHI 177: Beyrouth 2006, Institut français du Proche-Orient vi, 256 pp. €65. 23515-90325. ᴿUF 38 (2006) 851-852 (*Zwickel, Wolfgang*); Paléorient 32/2 (2006) 198-202 (*Cooper, Lisa*).

14041 *Villeneuve, Estelle* Libanon: Kamid-El Loz: eine Tänzerin, ihr Siegel und eine 2500 Jahre alte Babyflasche. WUB 41 (2006) 65-6.

14042 **Bugeja, Anton; Sagona, Claudia; Vella Gregory, Isabelle** Punic antiquities of Malta and other ancient artefacts held in ecclesiastic and private collections, 2. ANESt.S 18: Lv 2006, Peeters xxii; 276 pp. 978-90-429-1703-3..

14043 *Cazzella, Alberto; Moscoloni, Maurizio* Gli sviluppi culturali del III e II millennio a.C. a Tas Silġ: analisi preliminare dei materiali dagli scavi 1963-70 e della loro distribuzione spaziale. Scienze dell'antichità 12 (2005) 263-284.

T5.4 **Ugarit**—*Ras Šamra*

14044 *Belmonte-Marín, Juan A.* El 'lenguaje del suelo'* en el parcelario rústico de Ugarit según sus textos cuneiformes. ᶠSANMARTÍN, J.: AuOr.S 22: 2006 ⇒144. 35-44.

14045 *Bordreuil, Pierre* À propos du poste de garde du palais royal d'Ougarit. Syr. 83 (2006) 279-282.

14046 *Caubet, Annie; Yon, Marguerite* Ougarit et l'Egypte. ᶠBIETAK, M., II. OLA 149: 2006 ⇒8. 87-95.

14047 **Cornelius, Izak; Niehr, Herbert** Götter und Kulte in Ugarit: Kultur und Religion einer nordsyrischen Königsstadt in der Spätbronzezeit. Zaberns Bildbände zur Archäologie: 2004 ⇒20,13023; 21, 14480. ᴿWO 36 (2006) 248-252 (*Ahrens, Alexander*).

14048 **Freu, Jacques** Histoire politique du royaume d'Ugarit. Collection Kubaba.Série antiquité 11: P 2006, L'Harmattan 312 pp. 978-2-29-6-00462-7. Bibl. 261-306.

14049 *Heltzer, Michael* The lands of the gods (temples) in Ugarit and their personnel. UF 38 (2006) 341-346;

14050   On the circulation of money (silver) in Ugarit. ᶠSANMARTÍN, J.: AuOr.S 22: 2006 ⇒144. 247-249;

14051   A royal garantee with the donation of immobiles. ᶠHAASE, R.: Philippika 13: 2006 ⇒58. 71-73.

14052   *Lange, Dierk* Das Überleben der kanaanäischen Kultur in Schwarzafrika: Totenkultbünde bei den Yoruba und in Ugarit. SMSR 72 (2006) 303-345.

14053   **Márquez Rowe, Ignacio** The royal deeds of Ugarit: a study of ancient Near Eastern diplomatics. AOAT 335: Müns 2006, Ugarit-Verlag 336 pp. 3-934628-86-9. Bibl. 303-323. ᴿUF 38 (2006) 829-833 (*Kienast, B.*).

14054   *Merlo, Paolo* Il 'sacerdote incantatore' a Ugarit: tra culto ufficiale e religiosità quotidiana. StEeL 23 (2006) 55-62.

14055   **Monchambert, Jean-Yves** La céramique d'Ougarit: campagnes de fouilles 1975 et 1976. 2004 ⇒20,13028. ᴿBASOR 343 (2006) 125-126 (*Vansteenhuyse, Klaas*); IEJ 56 (2006) 241 (*Maeir, Aren M.*).

14056   *Mrozek, Andrzej* Entre l'ougrien et l'Ancien Testament. PrzPow 7-8 (2006) 73-85. **P.**

14057   *Niehr, Herbert* Ein Beitrag zur Konzeption des Königtums in Ugarit. ᶠHAIDER, P.: Oriens et Occidens 12: 2006 ⇒60. 161-182.

14058   *Olmo Lete, Gregorio del* Las listas de los reyes de Ugarit. ᶠSANMARTÍN, J.: AuOr.S 22: 2006 ⇒144. 165-171.

14059   ᴱ**Peri, Chiara** Poemi ugaritici della regalità: i poemi di Keret e di Aqhat. Testi del Vicino Oriente antico, 5: letteratura della Siria e Palestina 1: 2003 ⇒19,13764; 20,13033. ᴿRivBib 54 (2006) 365-368 (*Prato, Gian Luigi*).

14060   *Puytison-Lagarce, Élisabeth du; Lagarce, Jacques* L'incendie du Palais Nord de Ras Ibn Hani: traces et modalités d'une catastrophe. Syr. 83 (2006) 247-258.

14061   *Sauvage, Caroline* Warehouses and the economic system of the city of Ugarit: the example of the *80 Jar Deposit* and *Deposit 213* from Minet el-Beida. UF 38 (2006) 617-629.

14062   *Schretter, Manfred* Kulturkontakte im Umfeld ugaritischer Schreiber. ᶠHAIDER, P.: Oriens et Occidens 12: 2006 ⇒60. 183-193.

14063   *Singer, Itamar* Ships bound for Lukka: a new interpretation of the companion letters RS 94.2530 and RS 94.2523. AltOrF 33 (2006) 242-262.

14064   *Smith, Mark S.* Like deities, like temple. Temple and worship. LHBOTS 422: 2006 ⇒716. 3-27.

14065   **Smith, Mark S.** The rituals and myths of the feast of the goodly gods of KTU/CAT 1.23: royal constructions of opposition, intersection, integration, and domination. Resources for biblical study 51: Atlanta, GA 2006, Society of Biblical Literature xvii; 201 pp. $25. 1-58983-203-5. Bibl. 167-180.

14066   **Van Soldt, Wilfred Hugo** The topography of the city-state of Ugarit. AOAT 324: 2005 ⇒21,14496. ᴿAuOr 24 (2006) 158-161 (*Vidal, J.*).

14067   *Vidal, Jordi* Ugarit and the southern Levantine sea-ports. JESHO 49 (2006) 269-279;

14068   Ugarit at war (2): military equestrianism, mercenaries, fortifications and single combat. UF 38 (2006) 699-716.

14069   *Watson, Wilfred G.E.* Names for animals in the Ugaritic texts;

14070 *Wyatt, Nicolas* 'May Horon smash your head': a curse formula from Ugarit. [F]SANMARTÍN, J. 2006 ⇒144. 445-458/471-479.
14071 **Yon, Marguerite** The city of Ugarit at Tell Ras Shamra. WL 2006, Eisenbrauns viii; 179 pp. $34.50. 978-1-57506-029-3. Bibl. 173-4.
14072 [E]**Yon, Marguerite; Arnaud, Daniel** Études ougaritiques I: travaux 1985-1995. Ras Shamra-Ougarit 14: 2001 ⇒17,11482... 21,14504. [R]WZKM 96 (2006) 389-397 (*Vita, Juan-Pablo*).

T5.5 Ebla

14073 *Biga, Maria G.* Operatori cultuali a Ebla. StEeL 23 (2006) 17-37.
14074 **Catagnoti, Amalia; Lahlouh, Mohammed** Testi amministrativi di vario contenuto: (archivio L. 2769: TM.75.G.4102-6050). ARET 12; Archivi Reali di Ebla, Testi 12: R 2006, Missione Archeologica Italiana in Siria xxxii; 600 pp.
14075 *Dolce, Rita* Ebla and Akkad: clues of an early meeting: another look at the artistic culture of palace G. [F]MATTHIAE, P. 2006 ⇒107. 173-206.
14076 *Fronzaroli, Pelio, al.*, The *MI-SA-GA-TIM* rite at Ebla. [F]PENNACHI-ETTI, F. 2006 ⇒127. 277-290.
14077 **Fronzaroli, Pelio** Testi di cancelleria: i rapporti con le città: (Archivio L. 2769). ARET 13; Archivi Reali di Ebla, Testi 13: 2003 ⇒19,13783. [R]BiOr 63 (2006) 108-111 (*Foster, Benjamin R.*).
14078 *Matthiae, Paolo* Un grand temple de l'époque des archives dans l'Ebla protosyrienne: fouilles à Tell Mardikh 2004-2005. CRAI 1 (2006) 447-493;
14079 Middle Bronze Age II minor cult places at Ebla?. [F]MAZAR, A. 2006 ⇒108. 217-233.
14080 *Oates, David; Oates, Joan* Ebla and Nagar. [F]MATTHIAE, P. 2006 ⇒ 107. 399-423.
14081 *Pinnock, Frances* Ebla and Ur: relations, exchanges and contacts between two great capitals of the ancient Near East. Iraq 68 (2006) 85-97.

T5.8 Situs efossi Syriae in ordine alphabetico

14082 **Akkermans, Peter M.M.G.; Schwartz, Glenn M.** The archaeology of Syria: from complex hunter-gatherers to early urban societies (c. 16,000-300 BC). 2003 ⇒19,13797... 21,14509. [R]BASOR 341 (2006) 67-68 (*Parker, Bradley J.*).
14083 **Butcher, Kevin** Roman Syria and the Near East. 2003 ⇒19,13799; 21,14510. [R]BiOr 63 (2006) 138-140 (*Moormann, Eric M.*).
14084 [E]**Geyer, Bernard; Monchambert, Jean-Yves** La basse vallée de l'Euphrate Syrien du Néolithique à l'avènement de l'Islam: géographie, archéologie et histoire, 2. Annexes. 2003 ⇒19,13803-4... 21, 14511. [R]AJA 110 (2006) 511-513 (*Buccellati, Giorgio*); Paléorient 32/2 (2006) 195-197 (*Montero Fenollós, Juan-L.*).
14085 **Peña, Ignacio; Castellana, Pascal; Fernández, Romuald** Inventaire du Jébel Doueili: recherches archéologiques dans la région des villes mortes de la Syrie du Nord. SBF.CMi 43: 2003 ⇒19,13807; 20,13052. [R]CDios 219 (2006) 573-574 (*Gutiérrez, J.*).

14086 *Shaw, Andrew* The palaeolithic settlement history of Syria as contained in terrace deposits im major river systems. PEQ 138 (2006) 65-66.

14087 *Whincop, Matthew R.* A new look at ceramic regions: the case for more-complex societies in Iron Age Syria. PEQ 138 (2006) 65.

14088 *'Acharneh*: [E]**Fortin, Michel** Tell 'Acharneh 1998-2004: rapports préliminaires sur les campagnes de fouilles et saison d'études = Preliminary reports on excavation campaigns and study season. Subartu 18: Turnhout 2006, Brepols 257 pp. 978-2-503-52291-3.

14089 *Afis*: *Venturi, Fabrizio* Deux dépôts de fondation d'astragales à Tell Afis (Syrie). OrExp 1 (2006) 27-29.

14090 *Al Umbashi*: [E]**Braemer, Frank; Échallier, Jean-C.; Taraqji, Ahmad** Khirbet Al Umbashi: villages et campements de pasteurs dans le 'désert noir' (Syrie) à l'âge du Bronze. 2004 ⇒20,13054; 21, 14514. [R]Antiquity 80 (2006) 741-742 (*McCarthy, Andrew*).

14091 *Al-Rawda*: *Castel, Corinne* Syrie: Al-Rawda: urbanistes du Bronze ancien à la conquête de la steppe. MoBi 172 (2006) 40-42;

14092 *Castel, Corinne; Awad, Nazir* Quatrième mission archéologique franco-syrienne dans la micro-région d'al-Rawda (Syrie intérieure): la campagne de 2005. OrExp 1 (2006) 7-14.

14093 *Amarna (Syria)*: [E]**Molist, Miquel; Tunca, Öhnan** Tell Amarna (Syrie) I: la période de Halaf. 2004 ⇒21,14517. [R]AuOr 24 (2006) 282-284 (*Valdés Pereiro, C.*).

14094 *Arbid*: *Smogorzewska, Anna* Mittani grave at Tell Arbid. DaM 15 (2006) 67-93.

14095 *Armanum*: *Otto, Adelheid* Archeological perspectives on the location of Naram-Sin's Armanum. JCS 58 (2006) 1-26.

14096 *as-Sin*: *Montero Fenollós, Juan-Luis; Chebibe, Chakir* La mission archéologique syro-espagnole au Moyen Euphrate: première campagne à Tall as-Sin (Dir ez-Zor, Syrie). OrExp 1 (2006) 3-6.

14097 *Aswad*: *Cauvin, Marie-Claire* L'Aswadien: réévaluation de sa mise en évidence. Syr. 83 (2006) 31-38;

14098 *Stordeur, Danielle, al.*, L'aire funéraire de Tell Aswad (PPNB). Syr. 83 (2006) 39-62.

14099 *Bazi*: *Einwag, Berthold; Otto, Adelheid* Tall Bazi 2000 und 2001— die Untersuchungen auf der Zitadelle und in der Nordstadt. DaM 15 (2006) 105-130;

14100 *Görsdorf, Jochen* ^{14}C-Datierung von Proben aus der Siedlung der Weststadt von Tall Bazi. DaM 15 (2006) 131-135;

14101 **Otto, Adelheid** Alltag und Gesellschaft zur Spätbronzezeit: eine Fallstudie aus Tall Bazi (Syrien). Subartu 19: Turnhout 2006, Brepols x; 332 pp. 978-2-503-52289-0. Bibl. 313-332.

14102 *Beydar*: *Bretschneider, Joachim* Das spätere 2. Jahrtausend im Habur-Gebiet. [F]BIETAK, M., III. OLA 149: 2006 ⇒8. 9-16.

14103 *Damascus*: **Burns, Ross** Damascus: a history. L 2006, Routledge xx; 386 pp. £65. 978-04152-71059.

14104 *Dion*: *Kropp, Andreas; Mohammad, Qasim* Dion of the Decapolis: Tell al-Ash'arī in southern Syria in the light of ancient documents and recent discoveries. Levant 38 (2006) 125-144.

14105 *Dura-Europos*: *Millar, Fergus* Dura-Europos under Parthian rule. Rome, the Greek world, 3. 2006 <1998> ⇒275. 406-431.

14106 *es-Sweyhat*: **Holland, Thomas A.**, *al.*, Archaeology of the Bronze Age, Hellenistic and Roman remains at an ancient town on the Euphrates river. Excavations at Tell es-Sweyhat, Syria 2,1-2; UCOIP 125: Ch 2006, Univ. of Chicago Pr. lx; 620 + xxix pp. $185. 1885-923-333. Pt 1 text; 105 tables; pt. 2 figures and plates: 334 figs; 340 pl.

14107 *Hauran*: ᴱ**Dentzer-Feydy, Jacqueline; Dentzer, Jean-M.; Blanc, Pierre-M.** Hauran II: les installations de SIᶜ 8: du sanctuaire à l'établissement viticoles. BAH 164: 2003 ⇒19,13821; 21,14528. ᴿBASOR 341 (2006) 80-2 (*Walker, Bethany J.*) ZDPV 122 (2006) 195-197 (*Wenning, Robert*).

14108 *Jebel Khalid*: **Clarke, G.W.; Connor, Peter J.** Jebel Khalid on the Euphrates. Mediterranean Archaeology Supplement 5: Sydney 2002, Meditarch xi; 335 pp. $150. 0-9580265-0-5. Num. ill.

14109 *Kamid el-Loz*: *Weippert, Helga* Kumidi: die Ergebnisse der Ausgrabungen auf dem Tell Kamid el-Loz in den Jahren 1963 bis 1981. Unter Olivenbäumen. AOAT 327: 2006 <1998> ⇒324. 129-176.

14110 *Kazel*: *Badre, Leila* Tell Kazel-Simyra: a contribution to a relative chronological history in the eastern Mediterranean during the Late Bronze Age. BASOR 343 (2006) 65-95.

14111 *Khan Sheikhoun*: *Al-Maqdissi, Michel* Notes d'archéologie levantine, VII: matériel archéologique du Bronze moyen à Khan Sheikhoun. BaghM 37 (2006) 481-498.

14112 *Labwe*: *Al-Maqdissi, M.; Braemer, F.* Labwe (Syrie): une ville du Bronze ancien du Levant sud. Paléorient 32/1 (2006) 113-124.

14113 *Mari*: **Fleming, Daniel E.** Democracy's ancient ancestors: Mari and early collective governance. 2004 ⇒20,13075; 21,14532. ᴿNEA(BA) 69 (2006) 100-101 (*Rutz, Matthew T.*);

14114 **Margueron, Jean-Claude** Mari: métropole de l'Euphrate, au IIIe et au début du IIe millénaire av. J.C.. 2004 ⇒20,13077; 21,14533. ᴿBiOr 63 (2006) 165-174 (*Meyer, J.-W.*);

14115 *Mazzoni, Stefania* Syria and the emergence of cultural complexity. ᶠMATTHIAE, P. 2006 ⇒107. 321-347;

14116 *Meyer, Jan-Waalke; Hempelmann, Ralph* Bemerkungen zu Mari aus der Sicht von Tell Chuera—ein Beitrag zur Geschichte der ersten Hälfte des 3. Jts. v.Chr.. AltOrF 33 (2006) 22-41.

14117 *Mohammed Diyab*: **Nicolle, Christophe** Tell Mohammed Diyab 3: travaux de 1992-2000 sur les buttes A et B. P 2006, Recherche sur les Civilisations 273 pp. €45. 978-2-86538-309-2. Bibl. 247-262.

14118 *Palmyra*: *Schroeder, Bruce* Shelter or hunting camp?: accounting for the presence of a deeply stratified cave site in the Syrian steppe. NEA 69/2 (2006) 87-96;

14119 **Yon, Jean-Baptiste** Les notables de Palmyre. BAH 163: 2002 ⇒ 18,12698; 20,13080. ᴿGn. 78 (2006) 741-743 (*Kaizer, Ted*).

14120 *Qarqār*: *Weippert, M.* Qarqār. RLA 11/1-2. 2006 ⇒963. 154-155; ᴱ**Lapp, N.** ...Tell Qarqur 2003 ⇒13913.

14121 *Rad Shaqrah*: *Daszkiewicz, Malgorzata; Bobryk, Ewa* Early dynastic period pottery from Tell Rad Shaqrah—preliminary report on composition and technology. DaM 15 (2006) 1-7.

14122 *Ramad*: *Anfruns, Josep; Oms, Josep I.* Un nouveau regard sur les restes anthropologiques du site néolithique de Tell Ramad, Syrie;

14123 *Fernández, Eva, al.*, Análisis genético-poblacional del yacimiento neolítico de Tell Ramad, Siria. Syr. 83 (2006) 115-124/107-113.

14124 **Sharaya**: *Al-Maqdissi, M.; Nicolle, C.* Sharaya: un village du Bronze ancien Ia en Syrie du sud. Paléorient 32/1 (2006) 125-136.

14125 **Sianu**: *Al-Maqdissi, Michel* Notes d'archéologie levantine, VIII: stratigraphie du chantier B de Tell Sianu (plaine de Jablé). Syr. 83 (2006) 229-245.

14126 **Tuqan**: [E]**Baffi, Francesca** Tell Tuqan: ricerche archeologiche italiane nella regione del Maath (Siria). Galatina (LE) 2006, Congedo 334 pp. 88-8086-631-1. Bibl. 329-334.

T6.1 **Mesopotamia**, *generalia*

14127 **Allsen, Thomas T.** The royal hunt in Eurasian history. Ph 2006, Univ. of Philadelphia Pr. x; 406 pp.

14128 *Bohrer, Frederick N.* Inventing Assyria: exoticism and reception in nineteenth-century England and France. Orientalism, assyriology and the Bible. HBM 10: 2006 ⇒626. 222-266.

14129 **Bohrer, Frederick N.** Orientalism and visual culture: imagining Mesopotamia in nineteenth-century Europe. 2003 ⇒19,13846; 20, 13084. [R]AfO 51 (2005-2006) 421-422 (*Bahrani, Zainab*).

14130 **Kaelin, Oskar** "Modell Ägypten": Adoption von Innovationen im Mesopotamien des 3. Jahrtausends v. Chr. OBO.A 26: FrS 2006, Academic 205 pp. €52.90. 978-3-7278-1552-2. [R]UF 38 (2006) 809-813 (*Schweitzer, S.D.*).

14131 **Korn, Wolfgang** Mesopotamien: Wiege der Zivilisation: 6000 Jahre Hochkulturen am Euphrat und Tigris. 2004 ⇒20,13096. [R]WO 36 (2006) 241-242 (*Galter, Hannes D.*).

14132 *Lambert, W.G.* Ancient Near Eastern studies: Mesopotamia. Oxford handbook of biblical studies. 2006 ⇒438. 74-88.

14133 **Leick, Gwendolyn** Mesopotamia: the invention of the city. L 2004, Penguin xii; 360 pp. $16. 01402-65740.

14134 *Limet, Henri* Vivre en Mésopotamie dans l'antiquité. [F]MARGUE-RON, J.: Subartu 17: 2006 ⇒104. 477-485.

14135 **Margueron, Jean-C.** Les Mésopotamiens. [2]2003 ⇒20,13097. [R]RA 100 (2006) 15-118 (*Charpin, Dominique*).

14136 **Matthews, Roger** The archaeology of Mesopotamia: theories and approaches. 2003 ⇒19,13854... 21,14553. [R]ANESt 43 (2006) 279-284 (*Boulter, Elizabeth; Evrim, Ilgi; Herring, Lydia A.*).

14137 **Pinnock, Frances** Semiramide e le sue sorelle: immagini di donne nell'antica Mesopotamia. Biblioteca d'arte Skira 17: Mi 2006, Skira 275 pp. 88-7624-528-6. lxxx pp of ill.; Bibl. 265-275.

14138 **Saporetti, Claudio** Sulle strade dell'Iraq: un archeologo verso il monte del Diluvio. Soveria Mannelli (CZ) 2006, Rubbettino 122 pp. 88-498-1507-7.

14139 *Stauffer, Annemarie* Zum Nachleben babylonischer Wirktradition im Nahen Osten: mit einem Beitrag von Marie Schoefer (Taf. 55-57). DaM 15 (2006) 303-320.

14140 [E]**Steele, John M.; Imhausen, Annette** Under one sky: astronomy and mathematics in the ancient Near East. AOAT 297: 2002 ⇒18, 9014; 21,14558. [R]AfO 51 (2005-6) 350-352 (*Hunger, Hermann*).

14141 **Thomason, Allison K.** Luxury and legitimation: royal collecting in ancient Mesopotamia. Perspectives on Collecting: Burlington, VT 2005, Ashgate xx; 252 pp. $100. 29 fig.

T6.5 **Situs effossi Iraq** *in ordine alphabetico*

14142   *Axe, David* Back from the brink...in Iraqi Kurdistan. Arch. 59/4 (2006) 59-63.

14143   **Bernhardsson, Magnus Thorkell** Reclaiming a plundered past: archaeology and nation building in modern Iraq [1900-1941]. 2005 ⇒21,14561. [R]JAOS 126 (2006) 245-252 (*Gibson, McGuire*).

14144   *al-Ḥamidiya*: **Wäfler, Markus** Tall al-Ḥamidiya, 4: Vorbericht 1988-2001 [Text]. OBO.A 23: 2003 ⇒19,13861; 21,14565. [R]BiOr 63 (2006) 175-176 (*Schwartz, Glenn M.*).

14145   *Brak*: [E]**Matthews, Roger** Exploring an Upper Mesopotamian regional centre, 1994-6. Excavations at Tell Brak 4: 2003 ⇒19, 13866... 21,14572. [R]JNES 65 (2006) 313-315 (*Ur, Jason*).

14146   *Haditha*: [E]**Kepinski, Christine; Lecomte, Olivier; Tenu, Aline** Studia euphratica: le moyen Euphrate iraquien révélé par les fouilles préventives de Haditha. Travaux de la Maison René-Ginouvès 3: P 2006, De Boccard xii; 415 pp. €80. 978-27018-02206.

14147   *Hatra*: *Tucker, David I.; Hauser, Stefan R.* Beyond the world heritage site: a huge enclosure revealed at Hatra. Iraq 68 (2006) 183-190.

14148   *Khinnis*: *Bär, Jürgen* New observations on Khinnis/Bavian (northern Iraq). SAA Bulletin 15 (2006) 43-92.

14149   *Mashkan-shapir*: **Stone, Elizabeth Caecilia; Zimansky, Paul E.** The anatomy of a Mesopotamian city: survey and soundings at Mashkan-shapir. 2004 ⇒20,13109; 21,14576. [R]BiOr 63 (2006) 588-591 (*Kepinski, Christine*).

14150   *Nineveh*: *Pinker, Aron* Nahum and the Greek tradition on Nineveh's fall. JHScr 6 (2006)*.

14151   *Nippur*: **McMahon, Augusta**, *al.*, Nippur V: the early dynastic to Akkadian transition: the area WF sounding at Nippur. UCOIP 129: Ch 2006, Oriental Institute xxxiii; 173 pp. £55. 1-885923-38-4. Bibl. xxiii-xxxiii.

14152   *Samarra*: **Northedge, Alastair** The historical topography of Samarra. Samarra Studies 1: L 2006, British School of Archaeology in Iraq 426 pp. £50. 0-9034-7217-1. 91 pl.; 116 fig.

14153   *Uruk*: [E]**Postgate, J. Nicholas** Artefacts of complexity: tracking the Uruk in the Near East. Iraq archaeological reports 5: 2002 ⇒18, 12730. [R]BiOr 63 (2006) 155-162 (*Parker, Bradley J.*).

T6.7 **Arabia; Iran; Central Asia**

14154   Jemen: Sirwa: auf den Spuren der Königin von Saba. WUB 41 (2006) 62.

14155   **Retsö, Jan** The Arabs in antiquity: their history from the Assyrians to the Umayyads. 2003 ⇒19,13878; 20,13129. [R]ThPh 81 (2006) 452-454 (*Hainthaler, T.*).

14156   **Ascalone, E.** Archeologia dell'Iran antico: interazioni, integrazioni e discontinuità nell'Iran del III millennio a.C. Nisaba 14: Messina 2006, Di.Sc.A.M. 196 pp.

14157   ^E**Eichner, Heiner**, *al.*, Iranistik in Europa—gestern, heute, morgen. Veröffentlichungen der Kommission für Iranistik 34; ÖAW.PH 739: W 2006., Verlag der ÖAW 359 pp. 3-7001-3601-3.

14158   *Muscarella, Oscar W.* The excavation of Hasanlu: an archaeological evaluation. BASOR 342 (2006) 69-94.

T7.1 Ægyptus, *generalia*

14159   *Arnst, Caris-Beatrice* Nilschlammbälle mit Haaren. ZÄS 133 (2006) 10-19.

14160   ^E**Bagnall, Roger S.; Rathbone, Dominic W.** Egypt: from Alexander to the Copts: an archaeological and historical guide. 2004 ⇒20, 13132. ^RBiOr 63 (2006) 90-92 (*Rochette, Bruno*); ArOr 74 (2006) 370-371 (*Smoláriková, Květa*).

14161   **Bickel, Susanne** In ägyptischer Gesellschaft: Aegyptiaca der Sammlungen Bibel+Orient an der Universität Freiburg Schweiz. 2004 ⇒20,553; 21,614. ^RArOr 74 (2006) 230-231 (*Vlčková, Petra*).

14162   *Bolshakov, A.O.* About professionalism in studies of Ancient Egypt. VDI 258 (2006) 185-194. **R**.

14163   ^E**Bothmer, Bernard V.; Cody, Madeleine E.** Egyptian art: the selected writings of Bernard V. Bothmer. Oxf 2004, OUP 544 pp. ^RJARCE 41 (2004) (2006) 198-199 (*Bochi, Patricia A.*).

14164   *Bresciani, Edda, al.*, Rome in Egypt. EVO 29 (2006) 181-184; Website of Univ. of Pisa: www.romeinegypt.unipi.it.

14165   **Capriotti Vittozzi, Giuseppina** L'Egitto a Roma. Quaderni di Egittologia 5; AIO 59: R 2006, Aracne 97 pp. 88-548-0837-7. Bibl. 90-95.

14166   ^E**Clauss, Manfred; Goddio, Franck** Egypt's sunken treasures. Mü 2006, Prestel 464 pp. 3-7913-3545-6. Phot.*Christoph Gerigk*.

14167   *Clayton, Peter* Ancient Egypt, Israel and the bible: faith and the archaeological evidence. BAIAS 24 (2006) 126-127.

14168   **Grieshaber, Frank** Lexikographie einer Landschaft: Beiträge zur historischen Topographie Oberägyptens zwischen Theben und Gabal as-Silsila anhand demotischer und griechischer Quellen. GOF.A 45: 2004 ⇒20,13137; 21,14599. ^ROLZ 101 (2006) 427-433 (*Moje, Jan*).

14169   *Grimal, Nicolas* Les grandes expéditions scientifiques du XIXe siècle sur support numérique: La description de l'Égypte. CRAI 1 (2006) 359-364.

14170   *Grimal, Nicolas; Adly, Emad; Arnaudiès, Alain* Fouilles et travaux en Égypte et au Soudan, 2004-2005. Or. 75 (2006) 189-286 (Tab. XIV-XXX).

14171   **Gros de Beler, Aude** Guerriers et travailleurs. Anciens Égyptiens tome II: P 2006, Errance 320 pp. €30. 28777-23240.

14172   Imago Aegypti, 1. ^E**Verbovsek, Alexandra; Burkard, Günter; Junge, Friedrich** Gö 2006, Vandenhoeck & R. 162 pp. €49.90. Neue Zeitschrift; 29 pl.

14173   *Kitchen, Kenneth* Ancient Near Eastern studies: Egypt. Oxford handbook of biblical studies. 2006 ⇒438. 89-98.

14174   *Leonard, Albert* Planning a paleolithic picnic. ^FDEVER, W. 2006 ⇒ 32. 81-84.

14175 **Maruéjol, Florence** L'Egypte ancienne pour les nuls. Pour les nuls: P 2006, First 432 pp. €22.90. 978-27540-02561.

14176 **Massey, Gerald**† Ancient Egypt the light of the world part 2. Whitefish, MT 2006 <1907>, Kessinger P. 545-944 pp. 0-7661-26-55-2.

14177 ᴱ**Matthieu, B.; Meeks, D.; Wissa, M.** L'apport de l'Egypte à l'histoire des techniques. Cairo 2006, IFAO viii; 301 pp. 27247-04177. Ill.; Table rond Sept. 2003.

14178 **Meskell, Lynn** Private life in New Kingdom Egypt. 2002 ⇒18, 12750... 21,14601. ᴿAJA 110 (2006) 173-175 (*Frood, Elizabeth*);

14179 Object worlds in ancient Egypt: material biographies past and present. 2004 ⇒20,13149. ᴿCamArchJ 16 (2006) 253-254 (*Laviolette, Patrick*); NEA(BA) 69 (2006) 188-189 (*Musacchio, T.*).

14180 *Reid, Donald M.* Egyptology under Khedive Ismail: Mariette, al-Tahtawi, and Brugsch, 1850-82. Orientalism, assyriology and the Bible. HBM 10: 2006 ⇒626. 139-185.

14181 *Rowland, Joanne, al.*, Fieldwork, 2005-06: Delta survey, Memphis, Saqqara bronzes project, Tell el-Amarna, Middle Egypt survey, Qasr Ibrim. JEA 92 (2006) 1-73.

14182 **Wengrow, David** The archaeology of early Egypt: social transformations in North-East Africa, 10 000 to 2650 BC. C 2006, CUP xx; 343 pp. £50/23; $90/35. 0-521-83586-0/54374-6. 83 ill.; Bibl. 277-325. ᴿAntiquity 80 (2006) 1014-1016 (*McNamara, Liam*).

T7.2 *Luxor*; **Karnak** [East Bank]—**Thebae** [West Bank]

14183 *Bickel, Susanne* Amenhotep III à Karnak: l'étude des blocs épars. BSFE 167 (2006) 12-32.

14184 **Burgos, F.; Larché, F.** La chapelle rouge: le sanctuaire de barque d'Hatshepsout, vol. 1: facsimilés et photographies des scènes. P 2006, Recherches sur les Civilisations 420 pp. €150. 978-28653-8-3008. ᴿCRAI (2006/4) 2263-2265 (*Grimal, Nicolas*).

14185 *Gramal, Nicolas; Villeneuve, Estelle* 'Nous avons une vision plus claire du sanctuaire de Karnak'. MoBi 169 (2006) 44-45.

T7.3 Amarna

14186 **Feldman, Marian H.** Diplomacy by design: luxury arts and an 'international style' in the ancient Near East, 1400-1200 BCE. Ch 2006, Univ. of Chicago Pr. xvii; 278 pp. £38; $60. 0-226-24044-4. 83 fig.; 19 pl.

14187 *Heintz, Jean-Georges; Mehmedi, Rijad; Vita, Juan-Pablo* Bibliographie d'El-Amarna supplément V [2003-2006]–[= Supplément à I.D.E.A., vol. 2 (1995), pp. 1-119]–*[Addenda & Corrigenda–*Edition du 30 juin 2007]. UF 38 (2006) 313-339.

14188 *Morris, Ellen F.* Bowing and scraping in the ancient Near East: an investigation into obsequiousness in the Amarna Letters. JNES 65 (2006) 179-195.

14189 *Schwemer, Daniel, al.*, Briefe aus dem Archiv von el-Amarna. Briefe. TUAT N.F. 3: 2006 ⇒632. 173-229.

14190   *Thompson, Kristin* A shattered granodiorite dyad of Akhenaten and Nefertiti from Tell El-Amarna. JEA 92 (2006) 141-151.
14191   *Van der Westhuizen, J.P.* A proposed reading for El Amarna 186:20, 27, 34 and 42. JSem 15 (2006) 499-520.
14192   *Vita, Juan-Pablo* Anmerkungen zu einigen Amarnabriefen aus Kanaan. [F]SANMARTÍN, J.: AuOr.S 22: 2006 ⇒144. 437-444.

T7.4 **Memphis,** *Saqqara*—**Pyramides,** *Giza* (Cairo); **Alexandria**

14193   **Arnold, Dieter** The pyramid complex of Senwosret III at Dahshur: architectural studies. 2002 ⇒18,12776. [R]Or. 75 (2006) 115-120 (*Valloggia, Michel*).
14194   **Corteggiani, Jean-Pierre** Les grandes pyramides: chronique d'un mythe. Découvertes 501: P 2006, Gallimard 128 pp. €12.83.
14195   **Haase, Michael** Eine Stätte für die Ewigkeit: der Pyramidenkomplex des Cheops aus baulicher, architektonischer und kulturhistorischer Sicht. 2004 ⇒20,13179; 21,14631. [R]OLZ 101 (2006) 416-420 (*Jánosi, Peter*).
14196   **Harpur, Yvonne; Scremin, Paolo J.** The chapel of Kagemni: scene details. Egypt in Miniature 1: Reading 2006, Oxford Expedition to Egypt xxii; 521 pp. 978-09540-83519. Bibl.
14197   **Hawass, Zahi A.** Mountains of the pharaohs: the untold story of the pyramid builders. NY 2006, Doubleday 213 pp. 978-0-385-50-305-1. Bibl. 199-205.
14198   **Jeffreys, David G.** Survey of Memphis, 5: Kom Rabia: the New Kingdom settlement (levels II-V. Excavation memoir 79: L 2006, Egypt Exploration Society x; 142 pp. 0-85698-176-1. Bibl. 139-42.
14199   *Labrousse, Audran; Leclant, Jean* Découvertes récentes de la Mission Archéologique Française à Saqqara (campagnes 2001-2005). CRAI 1 (2006) 103-120.
14200   *Lawler, Andrew* City of the dead. Arch. 59/3 (2006) 20-27.
14201   **Lepre, J.P.** The Egyptian pyramids: a comprehensive, illustrated reference. Jefferson (N.C.) 2006, McFarland xv; 341 pp. 978-0-78-64-2955-4. Bibl. 319-324.
14202   **Manzini, Riccardo** Complessi piramidali egizi: le piramidi: genesi ed evoluzione. T 2006, Ananke 320 pp. [R]Aeg. 86 (2006) 317-319 (*Curto, Silvio*).
14203   **Raven, Maarten J.** The tomb of Pay and Raia at Saqqara. 2005 ⇒ 21,14634. [R]JEA 92 (2006) 285-287 (*Dodson, Aidan*).

14204   [E]**Harris, W.V.; Ruffini, Giovanni** Ancient Alexandria between Egypt and Greece. CSCT 26: 2004 ⇒20,582. [R]JSJ 37 (2006) 447-49 (*Dijkstra, Jitse*); JAOS 126 (2006) 300-301 (*Gambetti, Sandra*).
14205   *Razanajao, Vincent* Le Delta à basse époque: géographies d'un territoire. Egypte Afrique Orient 42 (2006) 3-10.

T7.6 *Alii situs Ægypti* **alphabetice**

14206   The historical sites of Egypt: a comprehensive atlas-ebook. Cairo 2005, American University in Cairo Pr. 184 pp. 977-424-481-7. CD-ROM; Egyptian antiquities information system.

14207   *Aboukir*: *Slope, Nick* NELSON in Egypt: excavations in Aboukir Bay. BAIAS 24 (2006) 125.
14208   *Abusir*: **Verner, Miroslav** Abusir: realm of Osiris. 2002 ⇒18, 12804. ^RJARCE 42 (2005-2006) 163-164 (*Musacchio, T.*);
14209   **Verner, Miroslav,** *al.*, Abusir IX: the pyramid complex of Raneferef: the archaeology. Prague 2006, Czech Institute of Egyptology xxiv; 521 pp. £110. 978-80200-13576.
14210   *Abydos*: *Effland, Ute* Funde aus dem Mittleren Reich bis zur Mamelukenzeit aus Umm el-Qaab. Taf. 29-31;
14211   *Deir al-Barsha*: *Willems, Harc, al.*, Preliminary report of the 2003 campaign of the Belgian mission to Deir al-Barsha. Taf. 55-64. MDAI.K 62 (2006) 131-150/307-339.
14212   *Edfu*: **Kurth, Dieter** Edfou VII. 2004 ⇒21,14643. ^RJAOS 126 (2006) 598-601 (*Depuydt, Leo*).
14213   *el-Balamun*: **Spencer, A. Jeffrey** Excavations at Tell el-Balamun 1999-2001. 2003 ⇒19,13980. ^RArOr 74 (2006) 123-124 (*Smoláriková, Květa*); JEA 92 (2006) 297-298 (*Aston, David A.*).
14214   *el-Dab'a*: **Hein, Irmgard; Jánosi, Peter** Tell el-Dab'a XI: Areal A/V Siedlungsrelikte der späten 2. Zwischenzeit. DÖAW 25: 2004 ⇒20,13207. ^RBiOr 63 (2006) 284-289 (*Morenz, Ludwig D.*).
14215   *Elephantine*: **Kopp, Peter** Elephantine XXXII: Die Siedlung der Naqadazeit. Archäologische Veröffentlichungen 118: Mainz 2006, Von Zabern 152 pp. 3-8053-3391-9. 42 pl.; Bibl. 7-9.
14216   *Ibrahim Awad*: *Van Haarlem, Willem M.; Hikade, Thomas* Recent results of research at Tell Ibrahim Awad. ^FBIETAK, M., I. OLA 149: 2006 ⇒8. 389-398.
14217   *Mahgar Dendera*: **Hendrickx, Stan; Midant-Reynes, Béatrix; Van Neer, Wim** Mahgar Dendera 2 (Haute Égypte), un site d'occupation Badarien. Egyptian Prehistory Monographs 3: 2001 ⇒17, 11633. ^RArOr 74 (2006) 363-364 (*Vlčková, Petra*).
14218   *Marsa Matruh*: **White, Donald** Marsa Matruh I: the excavation and Marsa Matruh II: the objects. Prehistory Mon. 1, 2: Ph 2002, Institute for Aegean Prehistory Academic Pr. Univ. of Pennsylvania Museum of Archaeology... excavations on Bates's Island, Marsa Matruh, Egypt, 1985-1989. ^RJARCE 41 (2004) 200-203 (*Merrillees, R.S.*).
14219   *Mons Claudianus*: ^E**Peacock, D.P.S.; Maxfield, V.A.** Survey and excavation Mons Claudianus 1987-1993,3: ceramic vessels & related objects. DFIFAO 54: Le Caire 2006, Institut Français d'Archéologie Orientale du Caire xxii; 450 pp. 9-7247-0428-2. Bibl. 429-450.
14220   *Oxyrhynchus*: **Padró i Parcerisa, J.** Oxyrhynchos I: fouilles archéologiques à El-Bahnasa (1982-2005). Nova studia aegyptiaca III: Barc 2006, Mission archéologique d'Oxyrhynchos 104 pp. 978-84475-31448.
14221   *Ptolemais*: *Mueller, Katja* Did Ptolemais Theron have a wall?: Hellenistic settlement on the Red Sea coast in the Pithom Stela and Strabo's Geography. ZÄS 133 (2006) 164-174.
14222   *Saïs*: **Wilson, Penelope** The survey of Saïs (Sa el-Hagar) 1997-2002. Excavation memoir 77: L 2006, Egypt Exploration Society xviii; 336 pp. £60. 0-85698-175-3. Bibl. 321-336.
14223   *Syene*: *Pilgrim, Cornelius von, al.*, The town of Syene: report on the 3rd and 4th season in Aswan. MDAI.K 62 (2006) 215-277; Pl. 43-52.

14224   *Tebtynis*: **Rondot, Vincent** Tebtynis II: le temple de Soknebtynis
        et son Dromos. FIFAO 50: 2004 ⇒20,13216. ^RBiOr 63 (2006) 95-
        97 (*Zecchi, Marco*).
14225   ***Umm El-Dabadib***: *Rossi, Corinna; Ikram, Salima* North Kharga
        oasis survey 2003: preliminary report: Umm El-Dabadib. MDAI.K
        62 (2006) 279-306; Taf. 53-54.

T7.7 Antiquitates Nubiae et alibi

14226   ^E**Chappaz, Jean-Luc** Kerma et archéologie nubienne: collection
        du musée d'art et d'histoire, Genève. Genève 2006, Musée d'art et
        d'histoire 60 pp.
14227   **Fantusati, Eugenio** Sudan: la terra dei tre Nili. 2003 ⇒20,13218.
        ^RBeiträge zur Sudanforschung 9 (2006) 174-75 (*Zach, Michael H.*).
14228   *Jiménez-Serrano, Alejandro* Two different names of Nubia before
        the Fifth Dynasty. SAÄK 35 (2006) 141-145.
14229   **Larson, John A.** Lost Nubia: a centennial exhibit of photographs
        from the 1905-1907 Egyptian expedition of the University of Chi-
        cago. Oriental Institute Museum publications 24: Ch 2006, Oriental
        Institute xiii; 109 pp. 1-88592-345-7.
14230   *Lokel, Philip* Previously unstoried lives: the case of Old Testament
        Cush and its relevance to Africa. Let my people stay!. 2006 ⇒416.
        177-190.
14231   **Scholz, P.O.** Nubien: geheimnisvolles Goldland der Ägypter. Stu
        2006, Theiss 224 pp. €25. 38062-18854. ^RFgNT 19 (2006) 128-
        131 (*Stenschke, Christoph*) [Acts 8,26-39].
14232   ^E**Shinnie, Peter L.; Anderson, Julie R.** The capital of Kush, 2:
        Meroë excavations 1973-1984. Meroitica 20: 2004 ⇒20,13221;
        21,14658. ^ROLZ 101 (2006) 632-636 (*Zibelius-Chen, Karola*).
14233   *Valbelle, Dominique* Hatchepsout en Nubie. BSFE 167 (2006) 33-
        50.
14234   ^E**Welsby, Derek A.; Anderson, Julie R.** Sudan: ancient treasures.
        2004 ⇒20,13225; 21,14659. ^RArOr 74 (2006) 371-373 (*Smolári-
        ková, Květa*).

T7.9 Sinai

14235   *Hoffmeier, James K.* 'The walls of the ruler' in Egyptian literature
        and the archaeological record: investigating Egypt's eastern frontier
        in the Bronze Age. BASOR 343 (2006) 1-20.
14236   *Hoffmeier, James K.; Moshier, Stephen O.* New paleo-environmen-
        tal evidence from north Sinai to complement Manfred Bietak's map
        of the eastern delta and some historical implications. ^FBIETAK, M.,
        II. OLA 149: 2006 ⇒8. 167-176.
14237   *Mumford, Gregory* Tell Ras Budran (site 345): defining Egypt's
        eastern frontier and mining operations in South Sinai during the late
        Old Kingdom (early EB IV/MB I). BASOR 342 (2006) 13-67.
14238   *Oren, Eliezer D.* The establishment of Egyptian imperial adminis-
        tration on the 'Ways of Horus': an archaeological perspective from
        north Sinai. ^FBIETAK, M., II. OLA 149: 2006 ⇒8. 279-292.

14239 *Patella, Michael* Seers' corner: Mount Sinai, the mountain of God. BiTod 44 (2006) 296-300.

14240 *Popescu-Belis, Andrei; Mouton, Jean-Michel* Un aperçu des descriptions grecques et arabes du Sinaï et du monastère Sainte-Catherine au XVIII siècle. CCO 3 (2006) 189-241.

14241 *Singer-Avitz, Lily* The date of Kuntillet 'Ajrud. TelAv 33 (2006) 196-228.

14242 **Woolley, C. Leonard; Lawrence, T.E.** The Wilderness of Zin. [3]2003 <1915> ⇒19,14002. [R]PEQ 138 (2006) 161-162 (*Cartwright, Caroline*).

T8.1 **Anatolia** *generalia*

14243 **Bayliss, Richard** Provincial Cilicia and the archaeology of temple conversion. BAR.Internat. Ser. 1281: Oxf 2004, Archaeopress xiv; 243 pp. £35. 18417-16340. 183 fig.

14244 **Casabonne, Olivier** La Cilicie à l'époque achéménide. Persika 3: 2004 ⇒20,13233; 21,14664. [R]TEuph 31 (2006) 143-47 (*Elayi, J.*).

14245 *Padilla Monge, Aurelio* Taršiš y Ταρτησσός de nuevo a examen. AuOr 24 (2006) 233-242.

14246 *Patitucci, Stella; Uggeri, Giovanni* La Cilicia in Plinio (*N.H.* V 91-93): aspetti storici e topografici I: la pianura costiera orientale. IX simposio paolino. Turchia 20: 2006 ⇒772. 151-192.

14247 *Slimak, Ludovic, al.,* The pleistocene peopling of Anatolia: evidence from Kaletepe Deresi. NEA 69/2 (2006) 51-60.

T8.2 **Boğazköy**—*Hethaei,* **the Hittites**

14248 **Alaura, Silvia** "Nach Boghasköi!": zur Vorgeschichte der Ausgrabungen in Bogazköy-Hattusa und zu den archäologischen Forschungen bis zum Ersten Weltkrieg: Darstellung und Dokumente. Sendschrift der Deutschen Orient-Gesellschaft 13: B 2006, Deutsche Orient-Gesellschaft 259 pp. 978-3-00-019295-1.

14249 **Baykal-Seeher, Ayse,** *al.,* Ergebnisse der Grabungen an den Ostteichen und am mittleren Büyükkale-Nordwesthang in den Jahren 1996-2000. Mainz 2006, Von Zabern x; 163 pp. 978-38053-36497.

14250 **Ehringhaus, Horst** Götter, Herrscher, Inschriften: die Felsreliefs der hethitischen Grossreichszeit in der Türkei. Bildbände zur Archäologie: 2005 ⇒21,14674. [R]OLZ 101 (2006) 161-165 (*Schachner, Andreas*).

14251 *Genz, Hermann* Hethitische Präsenz im spätbronzezeitlichen Syrien: die archäologische Evidenz. BaghM 37 (2006) 499-509.

14252 *Seeher, Jürgen* Die Ausgrabungen in Boğazköy-Ḫattuša 2005. AA 1 (2006) 171-187. Beitrag von *Suzanne Herbordt*;

14253 Ḫattuša–Tutḫalija-Stadt?: Argumente für eine Revision der Chronologie der hethitischen Hauptstadt. [F]Roos, J. de. UNHAII 103: 2006 ⇒140. 131-146.

T8.3 Ephesus; Pergamon

14254 **Halfmann, Helmut** Ephèse et Pergame: urbanisme et commanditaires en Asie mineure romaine. [T]*Voss, Isabelle*: Scripta Antiqua 11: 2004 ⇒20,13255. [R]AnCl 75 (2006) 585-587 (*Raepsaet-Charlier, Marie-Thérèse*).

14255 *Perrot, Charles* Antioche et Ephèse, tremplins vers Rome la païenne. MoBi 173 (2006) 22-25.

14256 **Trebilco, Paul** The early christians in Ephesus from Paul to Ignatius. WUNT 166: 2004 ⇒20,13253; 21,14681. [R]LTP 62/1 (2006) 146-147 (*Painchaud, Louis*); NT 48 (2006) 297-300 (*Stenschke, Christoph*); SEÅ 71 (2006) 262-263 (*Tellbe, Mikael*).

14257 *Brabant, Dominique* Persönliche Gotteserfahrung und religiöse Gruppe–die Therapeutai des Asklepios in Pergamon. Vereine. STAC 25: 2006 ⇒741. 61-75.

14258 [E]**Hoffmann, Adolf** Ägyptische Kulte und ihre Heiligtümer im Osten des Römischen Reiches. BYZAS 1: 2005 ⇒21,14683. [R]Antiquity 80 (2006) 743-744 (*Naerebout, Frederick*).

14259 *Pirson, Felix* Pergamon—das neue Forschungsprogramm und die Arbeiten in der Kampagne 2005. AA 2 (2006) 55-79.

T8.6 *Situs Anatoliae*—Turkey sites; *Urartu*

14260 [E]**Yener, Kutlu Aslihan** The Amuq Valley regional project, 1: surveys in the plain of Antioch and Orontes Delta, Turkey, 1995-2002. OIP 131: 2005 ⇒21,14687. [R]ASEs 23 (2006) 563-565 (*Calzolaio, Francesco*).

14261 *Ancyra*: Bennett, Julian The political and physical topography of early imperial Graeco-Roman Ancyra. Anatolica 32 (2006) 189-227.

14262 *Antioch O; Tarsus*: Zoroğlu, Levent Tarsus and Antioch during the Hellenistic age. IX simposio paolino. 2006 ⇒772. 143-150.

14263 *Çadir Höyük*: Gorny, Ronald L. The 2002-2005 excavation seasons at Çadir Höyük: the second millennium settlements. Anatolica 32 (2006) 29-54.

14264 *Çatalhöyük*: Hodder, Ian Çatalhöyük, the leopard's tale: revealing the mysteries of Turkey's ancient "town". L 2006, Thames & H. 288 pp. 0-500-05141-0. Bibl. 270-279.

14265 *Giremira; Minar*: Uysal, Bora Tell Minar and Giremira, two Ninevite 5 sites in Nusaybin Region. BTTK 70 (2006) 803-20. **Turkish**;

14266 *Gordion*: [E]**Kealhofer, Lisa** The archaeology of Midas and the Phrygians: recent work at Gordion. 2005 ⇒21,14690. [R]AJA 110 (2006) 529-530 (*Roller, Lynn E.*).

14267 *Ḫanḫana*: Camatta, Patrizia Die Stadt Ḫanḫana und ein Identifizierungsvorschlag. AltOrF 33 (2006) 263-270.

14268 *Issos*: Lehmann, G. 333 war bei Issos Keilerei ... Türkei: Kinet Höyük/Issos. WUB 39 (2006) 68-69.

14269 *Istanbul*: Dönmez, Sevket The prehistory of the Istanbul region: a survey. ANESt 43 (2006) 239-264.

14270   ***Ortakent***: *Salvini, Mirjo* Die Felsinschrift Argištis I. bei Ortakent, Kreis Hanak (Osttürkei). Or. 75 (2006) 73-83 (Taf. IV-VIII).
       Tarsus ⇒14262.

14271   ***Teichiussa***: **Voigtländer, Walter** Teichiussa: Näherung und Wirklichkeit. 2004 ⇒20,13265. [R]AJA 110 (2006) 507-508 (*Carstens, Anne Marie*).

14272   ***Togarma***: *Yamada, Shigeo* The city of Togarma in Neo-Assyrian sources. AltOrF 33 (2006) 223-236.

14273   ***Troia***: [E]**Korfmann, Manfred** Troia: Archäologie eines Siedlungshügels und seiner Landschaft. Mainz 2006, Von Zabern ix; 419 pp. 3-8053-3509-1. Bibl. 399-417.

14274   *Dagan, Y.* Urartu: rediscovering a forgotten kingdom. Qad. 39/131 (2006) 32-56. **H.**

T9.1 Cyprus

14275   [E]**Flourentzos, Paulos** Report of the Department of Antiquities, Cyprus. Nicosia 2006, Dept. of Antiquities viii; 416 pp. 0070-2374. Num. ill. **G.**;

14276   Annual report of the Department of Antiquities for the year 2004. Nicosia 2006, Dept. of Antiquities 152 pp. 1010-1136. 92 ill.

14277   *Flourentzos, Pavlos* Chroniques des fouilles et découvertes archéologiques à Chypre en 2003 et 2004. BCH 128-129/2 (2005) 1635-1708;

14278   Chroniques des fouilles et découvertes archéologiques à Chypre en 2005. BCH 130 (2006) 873-919.

14279   [E]**Fourrier, Sabine; Grivaud, Gilles** Identités croisées en milieu méditerranéen: le cas de Chypre (antiquité-moyen âge). Mont-Saint-Aignan 2006, Publications des Univ. de Rouen et du Havre 436 pp. Congr. Rouen mars 2004.

14280   **Iacovou, Maria** Archaeological field survey in Cyprus: past history, future potentials. British School at Athens Studies 11: 2004 ⇒ 20,873. [R]BASOR 341 (2006) 68-70 (*Bazemore, Georgia Bonny*).

14281   **Karageorghis, Vassos** Aspects of everyday life in ancient Cyprus: iconographic representations. Nicosia 2006, Leventis xiv; 275 pp.

14282   **Keswani, Priscilla** Mortuary ritual and society in Bronze Age Cyprus. 2004 ⇒20,13283; 21,14711. [R]BASOR 341 (2006) 71-73 (*Steel, Louise*); BiOr 63 (2006) 612-615 (*Peltenburg, Edgar*).

14283   [E]**Plagnieux, Philippe; Vaivre, Jean-Bernard de** L'art gothique en Chypre. MAIBL 34: P 2006, De Boccard 478 pp. 2-87754-175-4. Préf. et introduction historique de *Jean Richard*; Bibl. 473-475.

14284   [E]**Swiny, Stuart; Rapp, George; Herscher, Ellen** Sotira Kaminoudhia: an Early Bronze Age site in Cyprus. 2003, ⇒19,14038; 20, 13293. [R]AJA 110 (2006) 667-669 (*Vavouranakis, Georgios*).

14285   *Van der Horst, Pieter W.* The Jews of ancient Cyprus. Jews and Christians. WUNT 196: 2006 <2004> ⇒321. 28-36.

14286   **Yon, Marguerite** Kition-Bamboula V: Kition dans les textes: testimonia littéraires et épigraphiques et corpus des inscriptions. 2004 ⇒20,13296; 21,14721. [R]Syr. 83 (2006) 312-313 (*Briquel-Chatonnet, Françoise*); JAOS 126 (2006) 302-303 (*Janko, Richard*);

14287 Kition de Chypre: mission française de Kition-Bamboula. Guide Archéologiques de l'Istitut Français du Proche-Orient 4: P 2006, Recherche sur les Civilisations 156 pp. €35. 2-86538-302-4. Bibl. 145-150. [R]Mes. 41 (2006) 48-49 (*Bollati, Ariela*).

T9.3 *Graecia*, Greece

14288 **Alram-Stern, Eva** Die ägäische Frühzeit, 2 Serie: Forschungsbericht 1975-2002, 2.1: die Frühbronzezeit in Griechenland mit Ausnahme von Kreta. 2004 ⇒20,13298. [R]AJA 110 (2006) 505-507 (*Pullen, Daniel J.*).

14289 **Dickinson, O.T.P.K.** The Aegean from Bronze Age to Iron Age: continuity and change between the twelfth and eighth centuries BC. L 2006, Routledge xvi; 298 pp. $30. 04151-35907. 56 fig.

14290 [E]**Evely, R.D.G.** Lefkandi IV: the Bronze Age: the late Helladic IIIC settlement at Xeropolis. L 2006, British School at Athens xviii; 332 pp. 0-904887-51-0. Bibl. 311-317.

14291 **Gere, Cathy** The tomb of Agamemnon: Mycenae and the search for a hero. L 2006, Profile 201 pp. 1-86197-617-8. Bibl. 187-194.

14292 *Giebel, Marion* Wert und Wirkung einer großen Vergangenheit: Athen von Theseus zu Perikles. WUB 39 (2006) 10-17.

14293 **Hagel, D.K.; Simpson, R. Hope** Mycenaean fortifications, highways, dams and canals. Studies in Mediterranean Archaeology 133: Sävedalen 2006, Åströms 323 pp. $247.50. 91-7081-212-8. 16 fig.; 43 pl.

14294 *Korpel, Marjo C.A.* The Greek islands and Pontus in the Hebrew Bible. OTEs 19 (2006) 101-117.

14295 *Kulishova, O.V.* The Delphic omphalos: the ideas of geographical and sacral centre in ancient Greece. VDI 259 (2006) 140-153. **R**.

14296 *Laurent, Sophie; Camp, John M.* Das Herz des antiken Athen: die neuesten Ausgrabungen auf der Agora. WUB 39 (2006) 48-53.

14297 **Mauzy, Craig.A.** Agora excavations 1931-2006: a pictorial history. Princeton 2006, American School of Classical Studies 126 pp. 08766-19103.

14298 *Mulliez, Dominique, al.*, Rapport sur les travaux de l'Ecole française d'Athènes en 2003-2004. BCH 128-129/1 (2005) 727-1253;

14299 Rapport sur les travaux de l'Ecole française d'Athènes en 2005. BCH 130 (2006) 679-869.

14300 *Philippa-Touchais, Anna, al.*, Chroniques des fouilles et découvertes archéologiques en Grèce en 2003 et 2004. BCH 128-129/2 (2005) 1259-1634.

14301 *Tausend, Klaus; Tausend, Sabine* Lesbos–zwischen Griechenland und Kleinasien. [F]HAIDER, P. 2006 ⇒60. 89-110.

14302 *Whitley, J., al.*, Archaeology in Greece 2005-2006. ArRep 52 (2006) 1-112.

14303 [E]**Williams, Charles K., II; Bookidis, Nancy** Corinth, the centenary, 1896-1996. Corinth 20: 2003 ⇒19,14050; 21,14733. [R]AJA 110 (2006) 324-326 (*Lawall, Mark L.*).

T9.4 Creta

14304   *Adams, Ellen* Social strategies and spatial dynamics in Neopalatial Crete: an analysis of the north-central area. AJA 110 (2006) 1-36.

14305   ^E**Day, Leslie Preston; Mook, Margaret S.; Muhly, James D.** Crete beyond the palaces: proc. of the Crete 2002 conference. Prehistory monographs 10: 2004 ⇒20,13317. ^RAJA 110 (2006) 317-319 (*Platon, Lefteris*).

14306   *McInerney, Jeremy* Did Theseus slay the minotaur?: how myth and archaeology inform each other. BArR 32/6 (2006) 28-43.

14307   *Phillips, Jacke* Why?...and why not?: Minoan reception and perception of Egyptian influence. ^FBIETAK, M., II. OLA 149: 2006 ⇒ 8. 293-300.

14308   *Schoep, Ilse* Looking beyond the First Palaces: elites and the agency of power in EM III—MM II Crete. AJA 110 (2006) 37-64.

14309   *Sherratt, Susan* Diversity in diversification: a Cretan caseload. Antiquity 80 (2006) 996-999. Review article.

14310   *Van der Horst, Pieter W.* The Jews of ancient Crete. Jews and Christians. WUNT 196: 2006 <1988> ⇒321. 12-27.

14311   *Woudhuizen, Fred C.* Untying the Cretan hieroglyphic knot. AWE 5 (2006) 1-12.

T9.6 Urbs Roma

14312   *Aziza, Claude* À Rome, une diaspora juive très présente. MoBi 173 (2006) 16-19.

14313   **Benoist, Stéphane** Rome, le Prince et la Cité: pouvoir impérial et cérémonies publiques (1er s- av.-début du IVe siècle ap. J.-C.). 2005 ⇒21,14745. ^RAnCl 75 (2006) 556-557 (*Molin, Michel*).

14314   *Beutler, Johannes* Entdecken wir Romwallfahrten neu. BiKi 61 (2006) 118.

14315   **Cooley, Alison E.** Pompei. Archaeological Histories: 2003 ⇒19, 14061; 21,14747. ^RGn. 78 (2006) 375-377 (*Ciardiello, Rosaria*).

14316   *Gagliardo, Maria C.; Packer, James E.* A new look at Pompey's theater: history, documents, and recent excavation. AJA 110 (2006) 93-122.

14317   **Heiken, G.; Funiciello, R.; De Rita, D.** The seven hills of Rome: a geological tour of the eternal city. 2005 ⇒21,14754. ^RJRS 96 (2006) 279-281 (*Anderson, Michael*).

14318   *Jackson, Marie; Marra, Fabrizio* Roman stone masonry: volcanic foundations of the ancient city. AJA 110 (2006) 403-436.

14319   **Lancaster, Lynne C.** Concrete vaulted construction in imperial Rome: innovations in context. 2005 ⇒21,14757. ^RAJA 110 (2006) 680-681 (*Anderson, James C., Jr.*).

14320   **Langlands, Rebecca** Sexual morality in ancient Rome. C 2006, CUP viii; 395 pp. £55/$99. 0-521-85943-3. Bibl. 366-386. ^REtCl 74 (2006) 188-189 (*Rey, Sarah*).

14321   **Martini, W.** Das Pantheon Hadrians in Rom: das Bauwerk und seine Deutung. SbWGF 44/1: Stu 2006, Steiner 47 pp. €24. 35150-88598.

14322   **Pani Ermini, Letizia**, *al.*, Indagini archeologiche nel complesso di S. Gavino a Porto Torres: scavi 1989-2003. MPARA 7: R 2006, Quasar 301 pp. Bibl. 281-301.

14323   *Quenemoen, Caroline K.* The portico of the Danaids: a new reconstruction. AJA 110 (2006) 229-250.

14324   *Stewart, D.* Resurrecting Pompeii. Smithsonian 36/11 (2006) 60-68.

14325   ᴱ**Tomei, Maria A.; Liverani, Paolo** Carta archeologica di Roma: primo quadrante. Lexicon topographicum urbis Romae, Suppl. 1,1: R 2005, Quasar 534 pp.

14326   *Vinzent, Markus* Rome. Cambridge history of christianity 1. 2006 ⇒558. 397-412.

T9.7 Catacumbae

14327   **Cappelletti, Silvia** The Jewish community of Rome: from the second century B.C. to the third century C.E. JSJ.S 113: Lei 2006, Brill viii; 247 pp. €99/$129. 978-90041-51574. Bibl. 213-227.

14328   **Ghilardi, Massimiliano** Gli arsenali dell fede: tre saggi su apologia e propaganda delle catacombe romane (da Gregorio XIII e Pio XI). R 2006, Aracne 200 pp. €12.

14329   *Rutgers, Leonard V.* Les catacombes: une invention juive?. MoBi 173 (2006) 20-21.

14330   *Rutgers, Leonard V.*, *al.*, Sul problema di come datare le catacombe ebraiche di Roma. Babesch 81 (2006) 169-184.

14331   **Sgarlata, Mariarita; Salvo, Grazia** La catacomba di Santa Lucia e l'oratorio dei quaranta martiri. Siracusa 2006, Saturnia 113 pp. Ill.

14332   **Zimmermann, Norbert** Werkstattgruppen römischer Katakombenmalerei. JAC.E 35: 2002 ⇒18,12935; 19,14079. ᴿZKG 117 (2006) 332-333 (*Warland, Rainer*).

T9.8 *Archaeologia paleochristiana*—early Christian archaeology

14333   *Caillet, Jean-Pierre* Reliques de la passion dans la ville éternelle. MoBi 173 (2006) 30-33.

14334   *Heinen, Heinz* Eine neue alexandrinische Inschrift und die mittelalterlichen *laudes regiae: Christus vincit, Christus regnat, Christus imperat.* Vom hellenistischen Osten. 2006 <1982> ⇒235. 359-387.

14335   *Patrich, Joseph* Early christian churches in the Holy Land. Christians and christianity. 2006 ⇒648. 355-399.

14336   *Simonetti, Manlio* Roma cristiana tra vescovi e presbiteri. VetChr 43 (2006) 5-17.

14337   **Tepper, Yotam; Di Segni, Leah** A christian prayer hall of the third century CE at Kefar 'Othnay (Legio): excavations at the Megiddo Prison 2005. J 2006, Israel Antiquities Authority 59 pp. $20. 96540-61937.

14338   *Wischmeyer, Wolfgang* Durch Emanzipation zur Transdisziplinarität: von der christlichen Archäologie zur spätantiken und frühbyzantinischen Kunstwissenschaft und Archäologie. ThLZ 131 (2006) 817-832.

XIX. Geographia biblica

U1.0 Geographica

14339 ^E**Grähoff, G.; Stückelberger, A.** *Ptolemaios*: Handbuch der Geographie: Griechisch-Deutsch: Einleitung, Text und Übersetzung. Ba 2006, Schwabe 2 vols; 1018 pp. 978-37965-21485. 1. Teil: Einleitung und Buch 1-4; 2. Teil: Buch 5-8.

14340 *Kiss, Tímea* Geomorphological description of the neighbourhood of Tall ar-Rum and Qreiye-'Ayyash (Taf. 68). DaM 15 (2006) 383-87.

14341 *Priskin, Gyula* The Egyptian heritage in the ancient measurements of the earth. GöMisz 208 (2006) 75-88. Kadesh.

14342 ^E**Radt, Stephan** STRABONs Geographika, 5: Abgekürzt zitierte Literatur, Buch I-IV. Gö 2006, Vandenhoeck & R. vi; 495 pp. €179. 978-35252-59542.

14343 *Zadok, Ran* The geography of the Borsippa region. ^FNA'AMAN, N. 2006 ⇒120. 389-453.

U1.2 Historia geographiae

14344 *Gophna, Ram; Gazit, Dan* The southern frontier of Canaan during the Early Bronze Age III: some neglected evidence. ^FMAZAR, A. 2006 ⇒108. 33-38.

14345 **Gordon, Robert P.** Holy Land, Holy City: sacred geography and the interpretation of the bible. 2004 ⇒20,13362; 21,14787. ^RCBQ 68 (2006) 113-114 (*Ollenburger, Ben C.*).

14346 *LaBianca, Øystein* Tells, empires, and civilizations: investigating historical landscapes in the ancient Near East. NEA 69/1 (2006) 4-11.

14347 **Rainey, Anson F.**, *al.*, The sacred bridge: Carta's atlas of the biblical world. J 2006, Carta 448 pp. $100. 96522-0529X. Bibl. 403-32.

14348 *Riesner, Rainer* Geographie, Archäologie, Epigraphik und Numismatik. Das Studium des NT. TVG: 2006 ⇒451. 181-214.

14349 *Tenu, Aline* Du Tigre à l'Euphrate: la frontière occidentale de l'empire médio-assyrien. SAA Bulletin 15 (2006) 161-181.

14350 *Weber, Ekkehard* Areae Fines Romanorum. ^FHAIDER, P. Oriens et Occidens 12: 2006 ⇒60. 219-227.

14351 *Wright, John W.* Remapping Yehud: the borders of Yehud and the genealogies of Chronicles. Judah and the Judeans. 2006 ⇒941. 67-89 [1 Chr 2,3-4,23; 8,1-40].

U1.4 Atlas— maps

14352 ^E**Erlemann, Kurt; Noethlichs, Karl Leo** Neues Testament und Antike Kultur, 4: Karten, Abbildungen und Register. Neuk 2006, Neuk vii; 207 pp. €29.90. 3-7887-2039-5. Num. ill.

14353 **Gavish, Dov** A survey of Palestine under the British Mandate, 1920-1948. 2005 ⇒21,14801. ^RPEQ 138 (2006) 76-77 (*Chasseaud, Peter*).

14354   **Lawrence, Paul** The IVP atlas of bible history. DG 2006, Inter-Varsity 188 pp. $40. 0-8308-2452-9. Bibl. 177.

14355   **Ohler, A.M.** Atlante della bibbia. Brescia 2006, Queriniana 256 pp. €39;

14356   dtv-Atlas Bibel. 2004 ⇒20,13375; 21,14804. ^RBZ 50 (2006) 118-122 (*Müllner, Ilse*).

14357   ^E**Parpola, Simo; Porter, Michael** The Helsinki Atlas of the Near East in the Neo-Assyrian Period. 2001 ⇒17,11764... 21,14806. ^RAfO 51 (2005-6) 335-340 (*Gasche, Hermann; Vallat, François*).

14358   *Rubin, Rehav* Relief maps and models in the archives of the Palestine Exploration Fund in London. PEQ 138 (2006) 43-63. Jerusalem.

U1.5 Photographiae

14359   **Amir, Yoel** Holy Land scenes 1906: the Imberger album of colored photos–then and now. J 2006, Yad Ben-Zvi xi; 58; 11* pp.

14360   ^E**Bandini, Francesco** Album della Terrasanta. F 2006, Alinari 174 pp. 88-7292-507-X.

14361   **Bolen, Todd** Historic views of the Holy Land. 2004, Todd Bolen $125. 08308-15619. 8 CD set. ^RJBSt 6/1 (2006) 55-8* (*Udd, Kris*).

14362   **Borgonovo, Gianantonio; Gironi, Primo** Il mondo della bibbia. Immagini e parole 12: Mi 2006, Paoline 171 pp. Fotografie di *Roberto Di Diodato*.

14363   **Chatelard, Géraldine; Tarragon, Jean-Michel de** The empire and the kingdom—Jordan as seen by the Ecole biblique et archéologique de Jérusalem (1893-1935). Amman 2006, French Cultural Centre 173 pp.

14364   **Gerster, Georg; Wartke, Ralf-B.** Flugbilder aus Syrien: von der Antike bis zur Moderne. Zaberns Bildbände zur Archäologie: 2003 ⇒19,14094. ^RBiOr 63 (2006) 376-378 (*Nieuwenhuyse, Olivier*).

14365   *Jezierski, J.V.* Bonfils, Palestine and the Photocrom companies. PEQ 138 (2006) 66.

14366   **Weiss, Walter M.** Im Land der Pharaonen: Ägypten in historischen Fotos von Lehnert und Landrock. 2004 ⇒20,13382. ^RWO 36 (2006) 230-232 (*Fritz, Ulrike*).

U1.6 Guide books, *Führer*

14367   **Bernardo, Antonio** Nella terra della bibbia: guida della Terra Santa: bibbia—storia—archeologia—turismo. Bo ²2006, EDB 528 pp. 88-10-82019-3.

14368   **Diéz Fernández, F.** Guía de Tierra Santa: Israel, Palestina, Sinaí y Jordania: historia—arqueología—biblia. Estella, Navarra ³2006 <1990>, Verbo Divino 495 pp. 84816-97087.

14369   **Merino Abad, E.** Tierra Santa: te espera y te acoge: el viaje de tu vida. Variabilis: Villares de la Reina 2006, Anthema 128 pp.

14370   ^E**Vlassopoulou, Christina**, *al.*, Archaeological promenades around the Acropolis. Athens 2004, Association of Friends of the Acropolis 7 vols. €35 (boxed); €28 (unboxed); €4 (individ. vols). 978-96086-53672.

14371   **Walker, Peter** In the steps of Jesus: an illustrated guide to the places of the Holy Land. Oxf 2006, Lion Hudson 214 pp. £20. 978-07459-51928.

U1.7 Onomastica

14372   *Filigheddu, Paolo* Die Ortsnamen des Mittelmeerraums in der phönizischen und punischen Überlieferung. UF 38 (2006) 149-265.
14373   *Hess, Richard S.* Cultural aspects of onomastic distribution through southern Canaan in light of new evidence. UF 38 (2006) 353-361.
14374   [T]**Notley, R. Steven; Safrai, Ze'ev** EUSEBIUS, Onomasticon: the place names of divine scripture. 2005 ⇒21,14820. [R]JSJ 37 (2006) 140-143 (*Stökl Ben Ezra, Daniel*).

U2.1 Geologia

14375   *Bagg, Ariel* Identifying mountains in the Levant according to neo-Assyrian and biblical sources: some case studies. SAA Bulletin 15 (2006) 183-192 [Deut 3,9].
14376   *Barzilay, Eldad* The *kurkar* and *hamra* genesis of the northern hill of Tel Mikhal (Tel Michal). ʿAtiqot 52 (2006) 127-130.
14377   **Nützel, Werner** Einführung in die Geo-Archäologie des Vorderen Orients. 2004 ⇒20,13388; 21,14825. [R]JESHO 49 (2006) 367-368 (*Fuchs, Markus*).
14378   *Patella, Michael* Seers corner: geology in the Holy Land. BiTod 44 (2006) 30-35.
14379   *Warren, Peter M.* The date of the Thera eruption in relation to Aegean-Egyptian interconnections and the Egyptian historical chronology. [F]BIETAK, M., II. OLA 149: 2006 ⇒8. 305-321.
14380   *Williams, G.D.* Greco-Roman seismology and SENECA on earthquakes in *Natural Questions* 6. JRS 96 (2006) 124-146.
14381   *Wittke, Anne-M.* Einige Bemerkungen zu Erdbeben und ihrer Verknüpfung mit religösen Vorstellungen. BaghM 37 (2006) 531-547.

U2.2 *Hydrographia*; **rivers, seas, salt**; *Clima*, **climate**

14382   *Bagg, Ariel* Zisternen im Ostjordanland. BaghM 37 (2006) 611-31.
14383   **Bagg, Ariel M.** Assyrische Wasserbauten: landwirtschaftliche Wasserbauten im Kernland Assyriens zwischen der 2. Hälfte des 2. und der I. Hälfte des I. Jahrtausends v. Chr. 2000 ⇒16,12186... 20, 13390. [R]OLZ 101 (2006) 145-148 (*Wartke, R.-B.*).
14384   *Beaulieu, Marie-Armelle* The Dead Sea is dying. Holy Land (Autumn 2006) 7-19.
14385   *Hine, H.M.* Rome, the cosmos, and the emperor in SENECA's *Natural Questions*. JRS 96 (2006) 42-72.
14386   *Hritz, Carrie; Wilkinson, T.J.* Using shuttle radar topography to map ancient water channels in Mesopotamia. Antiquity 80 (2006) 415-424.
14387   [E]**Ohlig, Christoph; Peleg, Yehuda; Tsuk, Tsvika** Cura aquarum in Israel. 2002 ⇒20,13399. [R]ANESt 43 (2006) 288-291 (*Sear, Frank*).

14388   *Štrba, Blažej Miqveh*—rituálne vodné zariadenie na očist'ovanie v rannom judaizme [*Miqveh*—ritual water installation for the purification in the early period of Judaism]. SBSI (2006) 79-106. **Slovak.**
14389   *Zissu, Boaz; Tepper, Yotam; Amit, David* Miqwa'ot at Kefar 'Othnai near Legio. IEJ 56 (2006) 57-66.

14390   *Dorn, Andreas; Müller, Matthias* Regenfälle in Theben-West. ZÄS 133 (2006) 90-93.
14391   *Oswald, Wolfgang* Das Land der Bibel: Klima und Landschaften. Pflanzen und Pflanzensprache. 2006 ⇒766. 11-26.
14392   *Uemura, Shizuka* The climate of first-century Palestine. AJBI 32 (2006) 127-155.

U2.5 *Fauna,* animalia

14393   *Basson, Alec* Dog imagery in ancient Israel and the ancient Near East. JSem 15 (2006) 92-106.
14394   *Berelov, Ilya* The antelope jar from Zahrat adh-Dhra I in Jordan: cultural and chronological implications of a rare zoomorphic incised decoration from the MB II period. PEQ 138 (2006) 5-12.
14395   **Brewer, Douglas J.; Clark, Terence; Phillips, Adrian** Dogs in antiquity: Anubis to Cerberus: the origins of the domestic dog. 2001 ⇒17,11783; 19,14118. [R]JARCE 41 (2004) 191-192 (*Routledge, Carolyn*).
14396   **Davies, Sue**, *al.,* The sacred animal necropolis at North Saqqara: the mother of apis and baboon catacombs: the archaeological report. Excavation memoir 76: L 2006, Egypt Exploration Society xxx; 160 pp. 0-85698-172-9.
14397   **Davies, Sue; Smith, H.S.** The sacred animal necropolis at North Saqqâra: the falcon complex and catacomb: the archaeological report. Egypt Exploration Society Excavation memoir 73: 2005 ⇒ 21,14835. [R]Antiquity 80 (2006) 742-743 (*Riggs, Christina*).
14398   *Driesch, Angela von den* Tierknochenabfall aus zwei spätbronzezeitlichen Räumen auf der Zitadelle von Tall Bazi/Nordwestsyrien. DaM 15 (2006) 137-145.
14399   *Hagencord, Rainer* Das Tier–immer noch: diesseits von Eden!: biblische Theologie und Verhaltensbiologie. BiHe 42/166 (2006) 18-21.
14400   [E]**Helmer, D.; Peters, J.; Vigne, J.-D.** The first steps of animal domestication: new archaeozoological approaches. 2004 ⇒20, 13418. [R]Paléorient 32 (2006) 152-154 (*Davis, J.M.*).
14401   *Hieke, Thomas* "Auf Adelers Fittichen sicher geführet": Tiere als Symbole göttlicher Eigenschaften. BiHe 42/166 (2006) 14-15.
14402   *Horwitz, Liora K.* The application of ethnographic analogy to the examination of Roman/Byzantine pastoral practices in the Mount Carmel region. [F]MAZAR, Á. 2006 ⇒108. 833-851.
14403   **Jankovic, Bojana** Vogelzucht und Vogelfang in Sippar im 1. Jahrtausend v. Chr. AOAT 315: 2004 ⇒20,13420; 21,14844. [R]AfO 51 (2005-2006) 318-321 (*MacGinnis, John*).
14404   *Janowski, Bernd* Mensch und Tier im alten Israel und heute: "Der Gerechte kennt die Bedürfnisse seines Viehs" (Sprüche 12,10). BiHe 42/166 (2006) 6-9 [Exod 20,8-11; Prov 12,10; Isa 11,6-8].

14405 **Klenck, Joel D.** The Canaanite cultic milieu: the zooarchaeological evidence from Tel Haror, Israel. BAR.Internat. Ser. 1029: Oxf 2002, Archaeopress x; 263 pp. $65. 18417-10470. 63 fig., 48 tables, 26 pl.

14406 *Kogan, Leonid* Animal names in Biblical Hebrew: an etymological overview. B&B 3 (2006) 257-320.

14407 *Lasota-Moskalewska, Alicja; Grezak, Anna; Tomek, Teresa* Animal remains from the Mitanni grave at Tell Arbid. DaM 15 (2006) 101-104.

14408 *Peeters, Christoph, al.*, The role of animals in the funerary rites at Dayr al-Barshā. JARCE 42 (2005-2006) 45-71.

14409 *Poplin, François* L'ivoire de rhinocéros et les ivoires du Proche-Orient ancien. CRAI (2006) 1119-30. Contrib. *Mahnaz Rahimifar.*

14410 **Rice, Michael** Swifter than the arrow: the golden hunting hounds of ancient Egypt. L 2006, Tauris xix; 226 pp. £19. 1-8451-1116-8. Bibl. 212-214. [R]DiscEg 63 (2005) 105-110 (*DuQuesne, Terence*).

14411 *Sade, Moshe* Archaeozoological finds from Khirbat Burin. ʿAtiqot 51 (2006) 225-229;

14412 The archaeozoological finds from Tel Mikhal (Tel Michal). ʿAtiqot 52 (2006) 121-125,

14413 The archaeozoological finds from the excavations west of Tell Qasile. ʿAtiqot 53 (2006) 135-137.

14414 **Smith, Harry S.; Davies, Sue; Frazer, K.J.** The sacred animal necropolis at North Saqqara: the main temple complex, the archaeological report. Excavation Memoir 75: L 2006, Egypt Exploration Society xxix; 223 pp. £90. 0-85698-170-2.

14415 *Stadelmann, Rainer* Riding the donkey: a means of transportation for foreign rulers. [F]BIETAK, M., II. OLÄ 149: 2006 ⇒8. 301-304.

14416 *Then, Reinhold* Das Seufzen der Schöpfung: Tierschutz und Bibel. BiHe 42/166 (2006) 4-5.

14417 **Watanabe, Chikako Esther** Animal symbolism in Mesopotamia: a contextual approach. Wiener Offene Orientalistik 1: 2002 ⇒18, 13068; 21,14851. [R]AfO 51 (2005-6) 374-375 (*Albenda, Pauline*).

14418 *Winter, Erich* Gedanken zum Pavian-Fund von Tell el-Dabʿa. [F]BIETAK, M., I. OLÄ 149: 2006 ⇒8. 447-454.

14419 *Zangenberg, J.* Animal bone deposits from Qumran–an old problem and a new publication. Qumran Chronicle 14/3-4 (2006) 171-191.

U2.6 *Flora*; plantae biblicae et antiquae

14420 [ET]**Amigues, Suzanne** THÉOPHRASTE: recherches sur les plantes, V: livre IX. CUFr: P 2006, Belles Lettres lxx; 397 pp. €55. 2-251-005-29-3.

14421 *Basson, Alec* 'People are plants'–a conceptual metaphor in the Hebrew Bible. OTEs 19 (2006) 573-583.

14422 *Boer, Roland T.* He/brew(')s beer, or H(om)ebrew. The recycled bible. SBL. Semeia Studies 51: 2006 ⇒351. 45-68.

14423 *Kośmicki, Eugeniusz* Les plantes bibliques—leur connaissance et culture. PrzPow 6 (2006) 128-136. **P.**

14424 *Lehmann, Rike* Pflanzentexte des Neuen Testaments. Pflanzen und Pflanzensprache. 2006 ⇒766. 137-150.

14425   *Lichtenberger, Hermann* Von Pflanzen und Düften–Pflanzenmetaphorik in frühjüdischen Schriften. Pflanzen und Pflanzensprache. 2006 ⇒766. 91-105.
14426   *Macaulay-Lewis, Elizabeth R.* Planting pots at Petra: a preliminary study of *ollae perforatae* at the Petra Garden Pool complex and at the 'Great Temple'. Levant 38 (2006) 159-170.
14427   *Mell, Ulrich* Glossar zur Pflanzensprache im Neuen Testament;
14428   Bibliographie zur Pflanzenwelt im Neuen Testament und seiner Umwelt. Pflanzen...Pflanzensprache. 2006 ⇒766. 151-154/155-67.
14429   *Newton, Claire; Terral, Jean-Frédéric; Ivorra, Sarah* The Egyptian olive (*olea europaea* subsp. *europaea*) in the later first millennium BC: origins and history using the morphometric analysis of olive stones. Antiquity 80 (2006) 405-414.
14430   *Scheepers, C.L.* An archaeological investigation into the production of olive oil in Israel/Palestine during Iron Age I and II. JSem 15 (2006) 564-588.
14431   *Singer, Christiane* Pollenanalytische Voruntersuchungen am mittleren Euphrat zwischen Sarat al-Kasra und Deir ez-Zor (Syrien). DaM 15 (2006) 389-392.
14432   *Steiner, Adolf Martin* Die Hohenheimer Gärten. Pflanzen und Pflanzensprache. 2006 ⇒766. 65-70.
14433   *Stiehler-Alegria, Gisela* Weinrute oder Harmelraute, welche Spezies verbirgt sich hinter den Termini *šibburratu, šᵉmbrᵓ* und *sauma*?. AltOrF 33 (2006) 125-143.
14434   *Stückrath, Katrin* Bibelgärten. JK 67/1 (2006) 11-13.
14435   *Taxel, Itamar* Ceramic evidence for beekeeping in Palestine in the Mamluk and Ottoman periods. Levant 38 (2006) 203-212.
14436   **Wilson, Hanneke** Wine and words in classical antiquity and Middle Ages. 2003 ⇒20,13449. ᴿGn. 78 (2006) 328-333 (*Fabbro, Elena*).

U2.8 Agricultura, alimentatio

14437   *Amici, Roberto* Le categorie teologiche e antropologiche del 'mangiare' e del 'bere' nell'Antico Testamento. Vivar(C) 14 (2006) 27-44.
14438   **Barker, Graeme** The agricultural revolution in prehistory: why did foragers become farmers?. Oxf 2006, OUP xiv; 598 pp. 978-0-19-928109-1. Bibl. 415-526.
14439   **Bellwood, Peter** First farmers: the origins of agricultural societies. 2005 ⇒21,14878. ᴿAJA 110 (2006) 503-504 (*Dark, Petra*).
14440   **Bettenworth, Anja** Gastmahlszenen in der antiken Epik von HoMER bis CLAUDIAN: diachrone Untersuchungen zur Szenentypik. 2004 ⇒20,13451. ᴿGn. 78 (2006) 357-359 (*Krischer, Tilman*).
14441   **Brun, Jean-Pierre** Le vin et l'huile dans la Méditerranée antique: viticulture, oléiculture et procédés de fabrication. Hesperides: 2003 ⇒20,13455. ᴿAJA 110 (2006) 674-676 (*Mattingly, David J.*); AWE 5 (2006) 329-330 (*Mattingly, David J.*);
14442   Archéologie du vin et de l'huile. Hesperides: 2004-2005 ⇒21, 14880. ᴿAJA 110 (2006) 674-676 (*Mattingly, David J.*).
14443   **Dunbabin, Katherine M.D.** The Roman banquet: images of conviviality. 2003, ⇒19,14163... 21,14884. ᴿGn. 78 (2006) 39-45 (*Stein-Hölkeskamp, Elke*).

14444 *Fellmeth, Ulrich* Essen und Trinken im antiken Palästina. Pflanzen und Pflanzensprache. 2006 ⇒766. 71-89.

14445 **Furger, Andreas** Übrigens bin ich der Meinung... der römische Politiker und Landmann Marcus CATO zu Olivenöl und Wein. 2005 ⇒21,14885. [R]ThZ 62 (2006) 560-561 (*Stenschke, Christoph*).

14446 *Gil, Moshe* The decline of the agrarian economy in Palestine under Roman rule. JESHO 49 (2006) 285-328.

14447 *Götz, Erich* Frühe Landwirtschaft in Palästina. Pflanzen und Pflanzensprache. 2006 ⇒766. 27-37.

14448 **Hill, Shaun; Wilkins, John M.** Food in the ancient world. Oxf 2006, Blackwell xvi; 300 pp. £55/$80. 0-631-23550-7. 31 ill.

14449 *Klengel, Horst* Studien zur hethitischen Wirtschaft, 2: Feld- und Gartenbau. AltOrF 33 (2006) 3-21 Cf. AltOrF 32,3-22.

14450 *Moers, Gerald* "Jene Speise der Asiaten": zur bisher unbekannten Vorgeschichte spätzeitlicher Speisetabus. [F]HAIDER, P. Oriens et Occidens 12: 2006 ⇒60. 507-516 [Gen 43,32].

14451 *Patrich, Joseph* Agricultural development in antiquity: improvements in the cultivation and production of balsam. Qumran, the site. StTDJ 57: 2006 ⇒932. 241-248.

14452 *Zwickel, Wolfgang* Der Schutz der Felder und ihrer Früchte. WUB 39 (2006) 74-75.

U2.9 Medicina *biblica et antiqua*

14453 [E]**Andorlini, I.** Testi medici su papiro: atti del seminario di studio. 2004 ⇒20,13482. [R]BiOr 63 (2006) 88-90 (*Ioannidou, H. Grace*).

14454 **André, Jean-Marie** La médecine à Rome. P 2006, Tallandier 688 pp. €33.

14455 *Den Boeft, Jan* Asclepius' healing made known. Wonders never cease. LNTS 288: 2006 ⇒758. 20-31.

14456 **Distort, Marco** La depressione tra fede e terapia: attualità della bibbia per un problema antico. Mi 2006, Gribaudi 159 pp. €10.50.

14457 **Dörnemann, Michael** Krankheit und Heilung in der Theologie der frühen Kirchenväter. STAC 20: 2003 ⇒19,14178... 21,14918. [R]JAC 48-49 (2005-2006) 198-203 (*Breitenbach, Alfred*).

14458 *Dunand, Françoise* La guérison dans les temples (Égypte, époque tardive). AfR 8 (2006) 4-24.

14459 *Durand, Jean-Marie* Les premiers médecins en Mésopotamie: l'exemple de Mari. CRAI (2006) 1827-1834.

14460 *Edlund.Berry, Ingrid* Healing, health, and well-being: archaeological evidence for issues of health concerns in ancient Italy. AfR 8 (2006) 81-88.

14461 **Geller, Markham J.** Renal and rectal disease texts. 2005 ⇒21, 14920. [R]RA 100 (2006) 185-188 (*Buisson, Gilles*).

14462 *Goede, Brigitte* Haarpflege, Kosmetik und Körperpflege aus medizinischen Papyri. GöMisz 210 (2006) 39-57.

14463 *Grant, Robert M.* Views of mental illness among Greeks, Romans, and christians. [F]AUNE, D. NT.S 122: 2006 ⇒4. 369-404.

14464 *Greeff, Casper J.* The religious influence on the availability of paleopathological material in Syro-Palestine. JSem 15 2006, 406-430.

14465 **Haas, Volkert** Materia magica et medica hethitica: ein Beitrag zur Heilkunde im Alten Orient. 2003 ⇒19,14182; 21,14921. [R]BiOr 63 (2006) 122-129 (*Taracha, Piotr*).

14466 *Hartmann, Udo* Oreibasios in Persien. [F]HAIDER, P.: Oriens et Occidens 12: 2006 ⇒60. 343-364.
  [E]**Hermans, M.**, *al.*, Bible et médecine⇒413.

14467 [E]**Horstmanshoff, H.F.J.; Stol, M.** Magic and rationality in ancient Near Eastern and Graeco-Roman medicine. 2004 ⇒20,13495. [R]AnCl 75 (2006) 476-477 (*Gourevitch, Danielle*).

14468 [E]**King, Helen** Health in antiquity. 2005 ⇒21,14923. [R]AnCl 75 (2006) 467-468 (*Byl, Simon*).

14469 *Klauck, Hans-Josef* Von Ärzten und Wundertätern: Heil und Heilung in der Antike. BiKi 61 (2006) 94-98.

14470 *Kottek, Samuel S.* Medical interest in ancient rabbinic literature. The literature of the sages, part 2. CRI II,3b: 2006 ⇒669. 485-496.

14471 *Kraemer, D.* Why your son (or daughter), the doctor, really is God. CJud 59/1 (2006) 72-79.

14472 **Marganne, Marie-Hélène** Le livre médical dans le monde gréco-romain. 2004 ⇒20,13500. [R]AnCl 75 (2006) 469-470 (*Byl, Simon*).

14473 *Markschies, Christoph* Gesund werden im Schlaf?: die antiken Schlafkulte und das Christentum. ThLZ 131 (2006) 1233-1244.

14474 **Nutton, Vivian** Ancient medicine. Sciences of Antiquity: 2004 ⇒ 20,13503; 21,14926. [R]HZ 283 (2006) 438-439 (*Schlange-Schöningen, Heinrich*); BSOAS 69 (2006) 460-464 (*Geller, M.J.*).

14475 *Ritner, Robert K.* The cardiovascular system in ancient Egyptian thought. JNES 65 (2006) 99-109.

14476 **Scurlock, Jo Ann** Magico-medical means of treating ghost-induced illnesses in ancient Mesopotamia. Ancient magic and divination 3: Lei 2006, Brill xi; 788 pp. €199/$269. 90-04-12397-0. Bibl. 753-761.

14477 *Strohmaier, Gotthard* GALEN in den Schulen der Juden und Christen. Jud. 62 (2006) 140-156.

14478 *Turfa, Jean M.* Was there room for healing in the healing sanctuaries?. AfR 8 (2006) 63-80.

14479 **Van der Eijk, Philip J.** Medicine and philosophy in classical antiquity: doctors and philosophers on nature, soul, health and disease. 2005 ⇒21,14931. [R]AnCl 75 (2006) 470-471 (*Byl, Simon*).

14480 *Vikela, Evgenia* Healer gods and healing sanctuaries in Attica: similarities and differences. AfR 8 (2006) 41-62.

14481 *Wickkiser, Bronwen L.* Chronicles of chronic cases and tools of the trade at Asklepieia. AfR 8 (2006) 25-40.

14482 *Ziskind, Bernard* Les médecins de pharaon. Egypte Afrique & Orient 44 (2006) 49-56.

U3 *Duodecim tribus*; **Israel tribes**; *land ideology; adjacent lands*

14483 **Davies, W.D.** The territorial dimension in Judaism. 1982 ⇒63,e55 ... 2,6815. [R]RExp 103 (2006) 252-253 (*Saperstein, Marc*).

14484 **Eichenseer, Caelestis** De itinere Palaestinensi sive Israheliano. Bibliotheca Latina 1: 1992 ⇒20,13512. [R]Vox Latina 42 (2006) 301-304 (*Wochna, Wojciech*).

14485 *Kam, Abraham Y.* The lost tribes: myth or deception?. Jian Dao 25 (2006) 159-182. **C**.

14486 *Le Roux, Magdel* The Lemba: the 'people of the book' in southern Africa. Let my people stay!. 2006 ⇒416. 203-214.

14487 **Marchadour, Alain; Neuhaus, David** La terre, la bible et l'histoire: "vers le pays que je te ferai voir...". P 2006, Bayard 237 pp. €23. 2-227-47424-6. Préf.card. *Carlo Maria Martini.* [R]LV(L) 55/2 (2006) 100-103 (*Leroy, Marc*); CEv 136 (2006) 58 (*Flichy, Odile*).

14488 *Van der Steen, Eveline* Tribes and power structures in Palestine and the Transjordan. NEA 69/1 (2006) 27-36.

14489 Tribale Gesellschaften der südwestlichen Regionen des Königreiches Saudi Arabien: sozialanthropologische Untersuchungen. DÖAW.PH; Veröffentlichungen zur Sozialanthropologie 8: W 2006, Verlag der Österreichischen Akademie der Wissenschaften 713 pp. 3-7001-3598-X. Bibl. 535-551.

U4.5 *Viae*, roads, routes

14490 *Faist, Betina* Itineraries and travellers in the Middle Assyrian period. SAA Bulletin 15 (2006) 147-160.

14491 *Groh, Dennis E.* The road more traveled: the Onomasticon of EUSEBIUS. BArR 32/2 (2006) 54-59.

14492 **Nicholson, J.** The Hejaz railway. 2005 ⇒21,14941. [R]PEQ 138 (2006) 154-156 (*Bowsher, Julian*).

14493 [E]**Olshausen, Eckart; Sonnabend, Holger** Zu Wasser und zu Land: Verkehrswege in der antiken Welt. 1999: 2002 ⇒18,13122; 20, 13524. [R]At. 94/1 (2006) 310-317 (*Magnani, Stefano*).

14494 *Patella, Michael* Seers' corner: the road from Nazareth to Bethlehem. BiTod 44 (2006) 360-365.

14495 *Ponchia, Simonetta* Mountain routes in Assyrian royal inscriptions, part II. SAA Bulletin 15 (2006) 193-271 For part I, cf. KASKAL 1 (2004) 139-177.

14496 *Radner, Karen* How to reach the upper Tigris: the route through the Ṭur Abdin. SAA Bulletin 15 (2006) 273-305.

14497 **Staccioli, Romolo A.** The roads of the Romans. [T]**Sartarelli, Stephen**: LA 2003, Getty Museum 132 pp.

U5.0 *Ethnographia*, sociologia; *servitus*

14498 **Adamo, David Tuesday** Africa and Africans in the New Testament. Lanham 2006, University Press of America x; 130 pp. 0-7618-3302-1. Bibl. 121-125.

14499 **Agosto, Efrain** Servant leadership: Jesus and Paul. 2005 ⇒21, 14944. [R]CR&T 4/2 (2006) 143-149 (*Thompson, J.W.*).

14500 *Almond, Philip* Adam, pre-Adamites, and extra-terrestrial beings in early modern Europe. JRH 30 (2006) 163-174.

14501 **Balla, Peter** The child-parent relationship in the New Testament and its environment. WUNT 155: 2003 ⇒19,14221... 21,14948. [R]BZ 50 (2006) 146-148 (*Müller, Peter*); SEÅ 71 (2006) 269-271 (*Stenström, Hanna*); RBLit (2006)* (*Aasgaard, Reidar*).

14502 **Ben-Barak, Zafrira** Inheritance by daughters in Israel and the ancient Near East: a social, legal and ideological revolution. Jaffa 2006, Archaeological Center 254 pp. $48. 978-96571-62132. Num. ill.; Bibl. 215-234 [Num 27,1-11; 36].

14503 *Berquist, Jon L.* Postcolonialism and imperial motives for canonization. Postcolonial biblical reader. 2006 <1996> ⇒479. 78-95.
14504 **Blenkinsopp, Joseph** Sapiente, sacerdote, profeta. StBi 146: 2005 ⇒21,14950. ᴿProtest. 61 (2006) 278-279 (*Noffke, Eric*); Sal. 68 (2006) 587-588 (*Vicent, Rafael*); Anton. 81 (2006) 576-577 (*Nobile, Marco*).
14505 *Bordreuil, Pierre* Erwiderung auf R. Kessler. Primäre und sekundäre Religion. BZAW 364: 2006 ⇒489. 69-71.
14506 *Brueggemann, Walter* The city in biblical perspective: failed and possible. The word that redescribes. 2006 <1999> ⇒197. 75-91.
14507 *Budzanowska, Dominika* Le Nouveau Testament accepte-t-il l'esclavage?. PrzPow 5 (2006) 39-50. **P**.
14508 **Cook, Stephen L.** The social roots of biblical Yahwism. Studies in Bibl. Lit. 8: 2004 ⇒20,13546; 21,14955. ᴿInterp. 60 (2006) 210-2 (*Gottwald, Norman K.*); CBQ 68 (2006) 507-508 (*Seeman, Chris*); JHScr 6 (2006)* = PHScr III,396-9 (*Hayes, Katherine M.*) [⇒593].
14509 *Coote, Robert B.* Tribalism: social organization in the biblical Israels. Ancient Israel. 2006 ⇒724. 35-49.
14510 **Crossley, James G.** Why christianity happened: a sociohistorical account of christian origins (26-50 CE). LVL 2006, Westminster 248 pp. $25. 978-06642-30944 [BiTod 45,263—Donald Senior].
14511 **Destro, Adriana; Pesce, Mauro** Forme culturali del cristianesimo nascente. Scienze umane n.s. 2: 2005 ⇒21,14958. ᴿVetChr 43 (2006) 299-304 (*Infante, Renzo*).
14512 *Diebner, Bernd J.* Kult(ur)-Polemik im 'Alten Testament': Ideologie und historische Wahrscheinlichkeit. HBO 41 (2006) 73-83.
14513 *Esler, Philip F.* Social-scientific models in biblical interpretation;
14514 *Esler, Philip F.; Hagedorn, Anselm C.* Social-scientific analysis of the Old Testament: a brief history and overview. Ancient Israel. 2006 ⇒724. 3-14/15-32.
14515 **Gil Arbiol, Carlos J.** Los valores negados: ensayo de exégesis socio-científica sobre la autoestigmatización en el movimiento de Jesús. 2003 ⇒19,14240. ᴿRBLit (2006)* (*Botta, Alejandro*).
14516 **Goldenberg, David M.** The curse of Ham: race and slavery in early Judaism, christianity and Islam. 2003 ⇒19,14243... 21, 14971. ᴿChH 75 (2006) 884-886 (*Firestone, Reuven*); JSNT 28 (2006) 379-382 (*Edelman, Diana*) [Gen 9,18-25].
14517 **Goodblatt, David** Elements of ancient Jewish nationalism. C 2006, CUP xvi; 260 pp. $75. 978-05218-62028.
14518 **Gottwald, Norman K.** Social class as an analytic and hermeneutical category in biblical studies. Presidential voices. SBL.Biblical Scholarship in North America 22: 2006 <1992> ⇒340. 281-300;
14519 **Harrill, James A.** Slaves in the New Testament: literary, social, and moral dimensions. Mp 2006, Fortress xiv; 322 pp. $25. 0-800-6-3781X. Bibl. 271-312. ᴿSvTK 82 (2006) 137-138 (*Byron, John*); DR 124 (2006) 228-230 (*Brumwell, Anselm*); ASSR 51/4 (2006) 200-1 (*Van den Kerchove, Anna*); EtCl 74 (2006) 70-1 (Clarot, B.); BTB 36 (2006) 185-186 (*Spencer, F. Scott*); RBLit (2006)* (*Pilch, John; Malina, Bruce; Verheyden, Joseph; Sigismund, Marcus*).
14520 *Hayward, Robert* Priesthood, temple(s), and sacrifice. Oxford handbook of biblical studies. 2006 ⇒438. 319-350.
14521 *Horsley, Richard A.* Renewal movements and resistance to empire in ancient Judea. Postcolonial biblical reader. 2006 <2003> ⇒479. 69-77.

14522 **Horsley, Richard A.; Silberman, Neil A.** La revolución del reino: cómo Jesús y Pablo transformaron el mundo antiguo. Panorama 9: 2005 ⇒21,14981. [R]ActBib 43 (2006) 250-251 (*Boada, Josep*).

14523 *Janssen, Claudia* Die Autorität der Armen: Hunger war die bittere Realität der ersten Christinnen und Christen. zeitzeichen 7/9 (2006) 32-34.

14524 *Jenkins, P.* Believing in the global south. First things 168 (2006) 12-18.

14525 **Jossa, Giorgio** Giudei o cristiani?: i seguaci di Gesù in cerca di una propria identità. StBi 142: 2004 ⇒20,13571; 21,14985. [R]JSJ 37 (2006) 120-123 (*Stemberger, Günter*); Sal. 68 (2006) 804-806 (*Cimosa, Mario*); Henoch 28/1 (2006) 176-84 (*Gianotto, Claudio*);

14526 Jews or christians?: the followers of Jesus in search of their own identity. [T]*Rogers, Molly*: WUNT 202: Tü 2006, Mohr S. viii; 175 pp. $109.40. 978-3-16-149192-4. Bibl. 145-163.

14527 *Kelber, Werner H.* The generative force of memory: early christian traditions as processes of remembering. BTB 36 (2006) 15-22;

14528 Roman imperialism and early christian scribality. Postcolonial biblical reader. 2006 <2004> ⇒479. 96-111.

14529 *Kessler, Rainer* Differenz und Integration: Reaktionen auf die soziale Krise des 8. Jahrhunderts. Primäre und sekundäre Religion. BZAW 364: 2006 ⇒489. 57-67.

14530 **Kessler, Rainer** Sozialgeschichte des alten Israel: eine Einführung. Da:Wiss 2006, 223 pp. €34.90. 3-534-15917-9.

14531 **Kidd, Colin** The forging of races: race and scripture in the Protestant Atlantic world, 1600-2000. C 2006, CUP vii; 309 pp. £40/16. 978-05217-93247/7290.

14532 **Killebrew, Ann E.** Biblical peoples and ethnicity: an archaeological study of Egyptians, Canaanites, Philistines, and early Israel, 1300-1100 B.C.E.. SBL.Archaeology and Biblical Studies 9: 2005 ⇒21,14990. [R]RBLit (2006)* (*Edelman, Diana; Klingbeil, Gerald*); JBL 125 (2006) 416-419 (*Dever, William G.*).

14533 **Knust, Jennifer** Abandoned to lust: slander and ancient christianity. NY 2006, Columbia Univ. Pr. xviii; 279 pp. $45. [R]ChH 75 (2006) 648-9 (*Penn, Michael*); RBLit (2006)* (*Ivarsson, Fredrik*).

14534 [E]**Kujawa-Holbrook, Sheryl** Seeing God in each other. Harrisburg, PA 2006, Morehouse 70 pp. $12 [BiTod 44,393—Dianne Bergant].

14535 *Lang, Bernhard* Israels Religionsgeschichte aus ethnologischer Sicht. Anthr. 101 (2006) 99-109.

14536 *Leeb, Carolyn S.* Polygyny: insights from rural Haiti. Ancient Israel. 2006 ⇒724. 50-65.

14537 *Lemaire, André* Hiwwites, Perizzites et Girgashites: essai d'identification ethnique. Stimulation from Leiden. BEAT 54: 2006 ⇒686. 219-224 [Deut 7,1].

14538 **Magill, Elizabeth M.; Bauer-Levesque, Angela** Seeing God in diversity: Exodus and Acts. Harrisburg, PA 2006, Morehouse 64 pp. $7 [BiTod 44,394—Dianne Bergant].

14539 **Markschies, Christoph** Das antike Christentum: Frömmigkeit, Lebensformen, Institutionen. Beck'sche Reihe 1692: Mü 2006 <1997>, Beck 271 pp. €12.90. 3-406-54108-9. Überarbeitet "Zwischen den Welten wandern: Strukturen des antiken Christentums".

14540 *Meeks,Wayne A.* Social and ecclesial life of the earliest christians. Cambridge history of christianity 1. 2006 ⇒558. 144-173.

14541 *Meyers, Carol L.* Hierarchy or heterarchy?: archaeology and the theorizing of Israelite society. ^FDEVER, W. 2006 ⇒32. 245-254.

14542 *Michel, Andreas* Gewalt gegen Kinder im alten Israel: eine sozialgeschichtlicihe Perspektive. "Schaffe mir Kinder ...". ABIG 21: 2006 ⇒756. 137-163.

14543 *Muir, Steven C.* 'Look how they love one another': early christian and pagan care for the sick and other charity. Religious rivalries. 2006 ⇒670. 213-231.

14544 *Olick, Jeffrey K.* Products, processes, and practices: a non-reifactory approach to collective memory. BTB 36 (2006) 5-14.

14545 *Olmo Lete, Gregorio del* De la tienda al palacio // de la tribu a la dinastia: evolución del poder político en el mundo semitico antiguo. ^FPENNACHIETTI, F. 2006 ⇒127. 219-236.

14546 *Otto, Eckart* Staat–Gemeinde–Sekte: Soziallehren des antiken Judentums. ZAR 12 (2006) 312-343.

14547 **Otto, Eckart** Max WEBERs Studien des antiken Judentums: historische Grundlegung einer Theorie der Moderne. 2002 ⇒18,13189... 21,15002. ^RJud. 62 (2006) 89-91 (*Deines, Roland*).

14548 *Öhler, Markus* Iobackchen und Christusverehrer: das Christentum im Rahmen des antiken Vereinswesens. Inkulturation. 2006 ⇒543. 63-86.

14549 **Penna, Romano** Il DNA del cristianesimo: l'identità cristiana allo stato nascente. Guida alla Bibbia 103: 2004 ⇒20,13599; 21,15003. ^REstB 64 (2006) 263-265 (*Moreno, Abdón*).

14550 *Pierce, Timothy M.* Enslaved in slavery: an application of a sociological method to the complaint motif. JETS 49 (2006) 673-697.

14551 *Reinhartz, Adele* Rodney Stark and 'the mission to the Jews'. Religious rivalries. 2006 ⇒670. 197-212.

14552 *Ruby, Pascal* Peuples, fictions?: ethnicité, identité ethnique et sociétés anciennnes. REA 108 (2006) 25-60.

14553 **Sanders, Jack T.** Charisma, converts, competitors: societal and sociological factors in the success of early christianity. 2000, ⇒16, 12350... 20,13607. ^RVJTR 70 (2006) 717-719 (*Gispert-Sauch, G.*).

14554 **Schinkel, Dirk** Die 'himmlische Bürgerschaft' als Ausdruck religiöser Integration und Abgrenzung in früchristlichen Gemeinden: Untersuchung zu einem urchristlichen Sprachmotiv im 1. und 2. Jh. ^D*Koch, Dietrich-Alex* 2006, Diss. Münster [ThRv 103/2,x].

14555 *Schweitzer, Steven J.* Utopia and utopian literary theory: some preliminary observations. Utopia. SESJ 92: 2006 ⇒349. 13-26.

14556 **Spina, Frank A.** The faith of the outsider: exclusion and inclusion in the biblical story. 2005 ⇒21,15014. ^RRBLit (2006)* (*Frisch, Amos*); JHScr 6 (2006)* = PHScr III,369-371 (*Di Giovanni, Andrea K.*) [⇒593].

14557 **Stegemann, Ekkehard; Stegemann, Wolfgang** História social do protocristianismo: os primórdios no judaísmo e as comunidades de Cristo no mundo mediterrâneo. ^T*Schneider, Nélio* 2004 ⇒20, 13614; 21,15016. ^RREB 263 (2006) 751-754 (*Konings, Johan*).

14558 *Stowasser, Martin* Das Ringen um "Inkulturation": Ergebnisse und Perspektiven. Inkulturation. 2006 ⇒543. 271-280.

14559 **Theissen, Gerd** Le mouvement de Jésus: histoire sociale d'une révolution des valeurs. ^T*Hoffmann, Joseph* Initiations: P 2006, Cerf 364 pp. €35. 2-204-08043-8. ^RFgNT 19 (2006) 124-126 (*Amphoux, Christian-B.*).

14560 *Vaage, Leif E.* Why christianity succeeded (in) the Roman Empire. Religious rivalries. 2006 ⇒670. 253-278.

14561 *Vakayil, Prema* Biblical pluralism: its expressions. BiBh 32 (2006) 259-271 [Acts 16,11-45].

14562 *Van Hagen, J.* From paralyzing trauma to new identity: the development of second-century christianity. Fourth R [Santa Rosa, CA] 19/1 (2006) 19-21.

14563 *White, L. Michael* The first christians: what did the neighbours think?. Forum 3/1 (2000) 9-29.

14564 **Zehnder, Markus** Umgang mit Fremden in Israel und Assyrien: ein Beitrag zur Anthropologie des Fremden im Licht antiker Quellen. BWANT 168: 2005 ⇒21,15027. ᴿem 22 (2006) 103 (*Hilbrands, Walter*); JETh 20 (2006) 211-214 (*Riecker, Siegbert*).

U5.3 Commercium, oeconomica

14565 **Abraham, Kathleen** Business and politics under the Persian Empire: the financial dealings of Marduk-nasir-apli of the House of Egibi (521-487 B.C.E.). 2004 ⇒20,13622; 21,15028. ᴿJAOS 126 (2006) 123-125 (*Da Riva, R.*).

14566 *Artzy, Michal* The Carmel coast during the second part of the Late Bronze Age: a center for eastern Mediterranean transshipping. BASOR 343 (2006) 45-64. Abu Hawam; Akko; Nami.

14567 *Bell, Carol* Tin, pots and donkeys: a new look at Late Bronze Age trade in the Levant. BAIAS 24 (2006) 125.

14568 **Bell, Carol** The evolution of long distance trading relationships across the LBA/Iron Age transition on the northern Levantine coast: crisis, continuity and change. BAR Intern. Ser. 1574: Oxf 2006, Archaeopress viii; 138 pp. £37. 29 fig.

14569 *Bulgarelli, Odoardo* Appunti sull'argento come strumento monetario e finanziario nell'economia del Vicino Oriente Antico. RSO 79 (2006) 219-229.

14570 *Edelman, Diana* Tyrian trade in Yehud under Artaxerxes I: real or fictional?: independent or crown endorsed?. Judah and the Judeans. 2006 ⇒941. 207-246 [Neh 13,16].

14571 *Ernst, Wolfgang* Geld: ein Überblick aus historischer Sicht. JBTh 21 (2006) 3-21.

14572 *Galil, Gershon* Financing of private commercial enterprises in the Neo-Assyrian period: KAV 121 and other related texts from Aššur. SAA Bulletin 15 (2006) 21-41.

14573 *Gestoso Singer, Graciela N.* El intercambio de materias primas y bienes de prestigio entre Egipto y los estados de Mesopotamia (siglos XV y XIV a.C.). AuOr 24 (2006) 189-211.

14574 *Hadjsavvas, Sophocles* Aspects of Late Bronze Age trade as seen from Alassa-*Pano Mandilaris*. ᶠBIETAK, M., II. OLA 149: 2006 ⇒ 8. 449-453.

14575 *Harris, W.V.* A revisionist view of Roman money. JRS 96 (2006) 1-24.

14576 *Heltzer, M.* The 'royal merchants' (*tamkārū (ša) šarri*) in Neo-Babylonian and Achaemenid times and the West Semites among them. UF 38 (2006) 347-351.

14577 *Holladay, John S.* Hezekiah's tribute, long-distance trade, and the wealth of the nations ca. 1,000-600 BC: a new perspective. ^FDE-VER, W. 2006 ⇒32. 309-331.

14578 **Kloft, Hans** Die Wirtschaft des Imperium Romanum. Zaberns Bildbände zur Archäologie: Mainz 2006, Von Zabern 124 pp. €39.90. 3-8053-3547-4.

14579 ^E**Lunde, Paul; Porter, Alexandra** Trade and travel in the Red Sea region: proceedings of Red Sea Project I held in the British Museum, October 2002. Society for Arabian Studies Mon. 2; BAR Internat. Ser. 1269: Oxf 2004, Archaeopress viii; 178 pp. 18417-16227.

14580 *Malamat, Abraham* Trade relations between Mari and Hazor (state of research, 2002). ^FDEVER, W. 2006 ⇒32. 351-355.

14581 ^E**Manning, J.G.; Morris, Ian** The ancient economy: evidence and models. 2005 ⇒21,15037. ^RAfO 51 (2005-2006) 408-411 (*Hudson, Michael*).

14582 *Millar, Fergus* Caravan cities: the Roman Near East and long-distance trade by land. <1998>;

14583 Looking east from the classical world: colonialism, culture, and trade from Alexander the Great to Shapur I. Rome, the Greek world, 3. 2006 <1998> ⇒275. 275-299/300-327.

14584 *Montero Fenollós, Juan L.* Les relations commerciales entre le royaume de Mari et le monde iranien au IIIe millénaire av. J.-C.: deux nouveaux témoins en métal. ^FMARGUERON, J.: Subartu 17: 2006 ⇒104. 299-303.

14585 *Moyer, Ian S.* Golden fetters and economies of cultural exchange. JANER 6 (2006) 225-256.

14586 *Müller, Gerfrid G.W.* Die Wirtschaft im Spiegel altorientalischer Rechtssatzungen. ^FHAASE, R.: Philippika 13: 2006 ⇒58. 21-26.

14587 **Ratnagar, Shereen** Trading encounters: from the Euphrates to the Indus in the Bronze Age. New Delhi ²2006, OUP xvii; 408 pp. 0-19-568088-X. Oxford India paperbacks 2004; Bibl. 339-381.

14588 **Reed, Charles M.** Maritime traders in the ancient Greek world. 2003 ⇒19,14310; 20,13644. ^RGn. 78 (2006) 563-566 (*Ruffing, Kai*).

14589 *Rosenfeld, Ben-Zion; Menirav, Joseph* Fraud: from the biblical basis to general commercial law in Roman Palestine. JSJ 37 (2006) 594-627 [Exod 22,20; Lev 25,14-17].

14590 **Rosenfeld, Ben-Zion; Menirav, Joseph** Markets and marketing in Roman Palestine. ^T*Cassel, Chawa*: JSJ.S 99: 2005 ⇒21,15040. ^RJJS 57 (2006) 346-348 (*Morley, Neville*).

14591 **Sharlach, Tonia M.** Provincial taxation and the Ur III state. Cuneiform Monographs 26: 2004 ⇒20,13648. ^RJAOS 126 (2006) 77-88 (*Dahl, Jacob L.*).

14592 *Silver, Morris* Public, palace and profit in the ancient Near East. Akkadica 127 (2006) 5-12.

14593 **Simonetti, Cristina** La compravendita di beni immobili in età antico-babilonese. Studi Egei e vicinorientali 2: P 2006, De Boccard 230 pp. €45. 2-7018-0197-4. Bibl. 217-224.

14594 *Spalinger, Anthony* Costs and wages of Egypt with Nuzi equivalents. Or. 75 (2006) 16-30.

14595 **Van Driel, Govert** Elusive silver: in search of a role for a market in an agrarian environment. 2002 ⇒18,13246... 21,15043. ^RAfO 51 (2005-2006) 315-318 (*MacGinnis, John*).

14596   *Vidal, Jordi* La participación de tribus nómadas en el comercio internacional del Levante mediterráneo durante el Bronce Reciente. AuOr 24 (2006) 127-133.
14597   *Villeneuve, Estelle* Ein dreieinhalbtausend Jahre altes Wrack gibt Auskunft über den Welthandel in der Bronzezeit. WUB 40 (2006) 66-69.

U5.7 **Nomadismus**, ecology

14598   *Alarashi, Hala* Le nomadisme pastoral au Proche-Orient à la fin du Néolithique précéramique: état de la recherche. Syr. 83 (2006) 83-105.
14599   *Bietak, Manfred* Nomads or mnmn.t-shepherds in the eastern Nile delta in the New Kingdom. el-Dabʿa;
14600   *Borowski, Oded* Ecological principles in the bible: surviving in the hill country. [F]MAZAR, A. 2006 ⇒108. 123-136/401-406.
14601   [E]**Chatty, Dawn** Nomadic societies in the Middle East and North Africa: entering the 21st century. HO 1/81: Lei 2006, Brill xliii; 1060 pp. 90-04-14792-6..
14602   **Homan, Michael M.** To your tents, O Israel!: the terminology, function, form, and symbolism of tents in the Hebrew Bible and the ancient Near East. 2002 ⇒18,13248. [R]OLZ 101 (2006) 689-693 (*Naumann, Thomas*).
14603   **Mayrhofer, Manfred** Einiges zu den Skythen, ihrer Sprache, ihrem Nachleben. DÖAW.PH 742: W 2006, Verlag der Österreichischen Akademie der Wissenschaften 48 pp. €21. 978-37001-37313.

U5.8 **Urbanismus**; *demographia,* **population statistics**

14604   **Cohen, Getzel M.** The Hellenistic settlements in Syria, the Red Sea Basin, and North Africa. Berkeley 2006, Univ. of California Pr. xiv; 477 pp. $85. 978-05202-41480.
14605   **Cooper, Lisa** Early urbanism on the Syrian Euphrates. L 2006, Routledge xx; 316 pp. £60. 9780415-353519. Bibl. 290-307; e-book 0203-306724; £60.
14606   *Erarslan, Alev* Local steps towards urbanism in eastern and southeastern Anatolia (3900-2600 BC). Anatolica 32 (2006) 55-70.
         Georgi, D. The city in the valley 2005 ⇒223.
14607   **Geus, C.H.J. de** Towns in ancient Israel and in the southern Levant. 2003 ⇒19,14324; 20,13657. [R]NEA(BA) 69 (2006) 41 (*Ortiz, Steven M.*).
14608   **Greenberg, Raphael** Early urbanizations in the Levant: a regional narrative. 2002 ⇒18,13252; 20,13658. [R]IEJ 56 (2006) 118-120 (*Van den Brink, Edwin C.M.*).
14609   *Millar, Fergus* The Greek city in the Roman period. Rome, the Greek world, 3. 2006 <1993> ⇒275. 106-135.
14610   **Novak, M.** Herrschaftsform und Stadtbaukunst. 1999 ⇒15,12180 ... 21,15052. [R]AfO 51 (2005-2006) 367-371 (*Liverani, Mario*).
14611   **Pezzoli-Olgiati, Daria** Immagini urbane: interpretazioni religiose della città antica. OBO: 2002 ⇒18,13256; 21,15053. [R]AuOr 24 (2006) 278-280 (*Montero Fenollós, J.-L.*).

14612   **Yoffee, Norman** Myths of the archaic state: evolution of the earliest cities, states, and civilizations. 2005 ⇒21,15057. [R]Akkadica 127 (2006) 13-39 (*Warburton, David A.*).

14613   *Kennedy, David* Demography, the population of Syria and the census of Q. Aemilius Secundus. Levant 38 (2006) 109-124.

U6 Narrationes peregrinorum et exploratorum; *loca sancta*

14614   **Antonella, Cedarmas** Per la cruna del mondo: Carlo Camucio e Moisé Vita Capsuto, due pellegrini nella Terra Santa del Settecento. Temi di Storia '77: Mi 2006, Angeli 388 pp. €27.

14615   *Brock, Sebastian* East Syriac pilgrims to Jerusalem in the early Ottoman period. Aram 18 (2006) 189-201.

14616   **Chareyron, Nicole** Pilgrims to Jerusalem in the Middle Ages. [T]*Wilson, W. Donald* 2005 ⇒21,15062. [R]KHÅ 106 (2006) 219 (*Härdelin,Alf*).

14617   *Graboïs, Aryeh* Les pèlerinages du XIe siècle en Terre sainte dans l'historiographie occidentale de l'époque. RHE 101/2 (2006) 531-546.

14618   **Granella, Oriano** Penelope l'armena e altri racconti del Vecchio Pellegrino. Immagini e parole 10: Eteria 2006, Paoline 204 pp. 88-315-3129-8. Prefazione di *Luciano Pacomio*.

14619   *Lang, Bernhard* Der Orientreisende als Exeget, oder Turban und Taubenmist: Beiträge der Reiseliteratur zum Verständnis der Bibel im 18. und 19. Jahrhundert. In Spuren Reisen: Vor-Bilder und Vor-Schriften in der Reiseliteratur. [E]**Ecker, Gisela; Röhl, Susanne** Müns 2006, LIT. 31-61.

14620   [E]**Langeli, Attilio Bartoli; Niccacci, Alviero** Fra Giovanni di Fedanzola da Perugia (1330 c.): Descriptio Terrae Sanctae: Ms. Casanatense 3876. [E]*Nicolini, Ugolino; Nelli, Renzo;* [T]*De Sandoli, Sabino; Alliata, Eugenio; Boettcher, John*: SBF.CMa 43: 2003 ⇒19,14350. [R]ZDPV 122 (2006) 91-92 (*Hartmann, Gritje*); CFr 76 (2006) 693-694 (*Vadakkekara, Benedict*).

14621   *Limor, Ora* 'Holy journey': pilgrimage and christian sacred landscape. Christians and christianity. 2006 ⇒648. 321-353.

14622   *Lohfink, Norbert* Liebe zum Heiligen Land: Christusnähe bei IGNATIUS von Loyola. GuL 79 (2006) 401-407.

14623   *Stone, Michael E.* Holy Land pilgrimage of Armenians before the Arab conquest. <1986>;

14624   An Armenian pilgrim to the Holy Land in the early Byzantine era. Apocrypha, Pseudepigrapha, II. OLA 145: 2006 <1984> ⇒310. 673-690/691-696.

14625   **Taylor, Joan** The Englishman, the Moor and the Holy City—the true adventures of an Elizabethan traveller. Stroud 2006, Tempus 264 pp. £20. 97807-5244-0095.

14626   **Timm, Frederike** Der Palästina-Pilger-Bericht des Bernhard von Breidenbach von 1486 und die Holzschnitte Erhard Reuwichs: die Peregrinatio in terram sanctam (1486) als Propagandainstrument im Mantel der gelehrten Pilgerschrift. Stu 2006, Hauswedell vi; 621; 159 pp. 37762-05060. Diss. Hamburg 2004.

14627 **Ure, John** Pilgrimage: the greatest adventure of the Middle Ages. L 2006, Constable & R. 258 pp.

U7 *Crucigeri*—**The Crusades**

14628 *Biller, Thomas* Lage und Außenwerke. Der Crac des Chevaliers. 2006 ⇒595. 41-46;

14629 Die erste Burg der Johanniter (nach 1170). 47-77;

14630 Innerer Zwinger, Vorburg und die Frage der Burg vor 1170. 78-85;

14631 Die Esplanade. 136-141;

14632 Die Ernährung der Burgbewohner. 344-347;

14633 Zur Denkmalpflege auf dem Crac. 362-367;

14634 Zusammenfassung: Entwicklung und Funktion des Crac des Chevaliers. Der Crac des Chevaliers. 2006 ⇒595. 368-392. **A.**

14635 *Biller, Thomas; Burger, Daniel* Der Forschungsstand und das Werk von Deschamps/Anus. Der Crac des Chevaliers. 2006 ⇒595 31-40;

14636 Die Belagerung 1271 und die mamelukische Modernisierung;

14637 *Biller, Thomas; Großmann, G. Ulrich* Der Saalbau. Der Crac des Chevaliers. 2006 ⇒595. 285-292/271-284.

14638 *Boas, Adrian* The rugged beauty of Crusader castles. BArR 32/1 (2006) 50-61.

14639 *Burger, Daniel* Die Haupttore und die Zugänge zur Kernburg. Der Crac des Chevaliers. 2006 ⇒595. 185-228.

14640 *Ehrlich, Michael* The route of the first crusade and the Frankish roads to Jerusalem during the 12th century. RB 113 (2006) 263-83.

14641 *Großmann, G. Ulrich* Die Kapelle. 86-105;

14642 Torbau und Obergeschoss des Ostflügels der Kernburg. 106-118;

14643 Zu den Steinmetzzeichen und den mittelalterlichen Inschriften und Graffiti. Der Crac des Chevaliers. 2006 ⇒595. 348-361.

14644 *Großmann, G. Ulrich; Biller, Thomas* Der äußere Zwinger im Norden, Westen und Süden. 229-253;

14645 *Großmann, G. Ulrich; Biller, Thomas; Burger, Daniel* Die Datierung des Zwingers und die Inschrift des Nicolas Lorgne. 254-262;

14646 *Häffner, Hans-Heinrich* Die Südtürme der Kernburg im 13. Jahrhundert. Der Crac des Chevaliers. 2006 ⇒595. 142-184.

14647 **Housley, Norman** Contesting the crusades. Contesting the Past: Oxf 2006, Blackwell xiv; 198 pp. $36.

14648 **Jaspert, Nikolas** The Crusades. [T]*Jestice, Phyllis G.*: L 2006, Routledge 193 pp. £16. 0-415-359686.

14649 *Kaiser, Helga; Gaube, Heinz* Saladin und die Kreuzfahrer: Konfrontation der Kulturen?. WUB 39 (2006) 2-7.

14650 *Klieber, Rupert* Die Kreuzzüge–Erfolgsgeschichte einer "Inkulturation"?. Inkulturation. 2006 ⇒543. 87-107.

14651 **Leopold, Antony** How to recover the Holy Land: the crusade proposals of the late thirteenth and early fourteenth centuries. 2000 ⇒ 16,12448; 19,14377. [R]RHE 101 (2006) 244-246 (*Richard, Jean*).

14652 **Lock, Peter** The Routledge companion to the Crusades. L 2006, Routledge x; 527 pp.

14653 *Meyer, Werner* Das Heilige Land in Unruhe–ein historischer Essay über "Outremer" und die Kreuzzüge;

14654 *Meyer, Werner; Boscardin, Maria-L.* Wasserversorgung und Fäkalienbeseitigung. Crac des Chevaliers. 2006 ⇒595. 15-30/305-343.

14655 ^E**Murray, A.V.** The Crusades: an encyclopaedia. Santa Barbara 2006, ABC Clio 4 vols.

14656 *Piana, Mathias* The crusader castle of Toron: first results of its investigation. Crusades 5 (2006) 173-191.

14657 *Radt, Timm* Die Nordpoterne;

14658 Die Südostecke des Zwingers und der Hammam;

14659 *Schmitt, Reinhard* Der Nordturm der Erstanlage als "Danzker". Der Crac des Chevaliers. 2006 ⇒595. 263-270/293-304/119-135.

14660 **Sourdel, Dominique; Sourdel-Thomine, J.** Certificats de pèlerinage d'époque ayyoubide: contribution à l'histoire de l'idéologie de l'Islam au temps des croisades. Documents relatifs à l'histoire des croisades 19: P 2006, 362 pp. 978-28775-41794.

14661 **Tyerman, Christopher** God's war: a new history of the Crusades. CM 2006, Harvard Univ. Pr. xvi; 1,023 pp. $35. 978-06740-23871.

14662 **Yousif, Ephrem-Isa** Les Syriaques racontent les croisades. Peuples et cultures de l'Orient: P 2006, L'Harmattan 352 pp. €30. 2-296-01286-8.

14663 ^E**Zimmermann, Harald** Thomas Ebendorfer: Historia Jerusalemitana. MGH.SRG 21: Hanover 2006, Hahnsche xxiv; 171 pp. €25. 3-7752-0221-8. Nach Vorarbeiten von *Hildegard Schweigl*.

U8 Communitates Terrae Sanctae

14664 **Anderson, Irvine H.** Biblical interpretation and Middle East policy: the promised land, America, and Israel, 1917-2002. 2005 ⇒21,15083. ^RIHR 28 (2006) 421-422 (*Miller, Rory*).

14665 **Krämer, Gudrun** Historia de Palestina: desde la conquista otomana hasta la fundación del estado de Israel. M 2006, Sigla XXI xi; 386 pp.

14666 **Löffler, Roland** Protestanten in Palästina: Religionspolitik, sozialer Protestantismus und Mission in den deutschen evangelischen und anglikanischen Institutionen des Heiligen Landes 1917-1939. ^D*Kaiser, J.C.* 2006, Diss. Marburg [ThRv 103/2,ix].

14667 *Miller, Charles H.* Hermeneutical problems for a Palestinian catholic reading the Old Testament and current pastoral responses. Aram 18 (2006) 307-324.

14668 *Neuhaus, David* Qehilla, église et peuple juif. POC 56/1-2 (2006) 53-65.

14669 *O'Mahony, Anthony* Christian presence, church-state relations and theology in modern Jerusalem: the Holy See, Palestinian christianity and the Latin patriarchate of Jerusalem in the Holy Land. Aram 18 (2006) 229-305.

XX. Historia scientiae biblicae

Y1.0 History of exegesis: General

14670 *Aichele, George* Recycling the bible: a response. The recycled bible. SBL. Semeia Studies 51: 2006 ⇒351. 195-201.

14671 *Auwers, Jean-Marie* Théologie et exégèse chez les pères de l'église. Bible et théologie. 2006 ⇒449. 81-102.

14672 **Azkoul, Michael** God, immortality, and freedom of the will according to the church fathers: a philosophy of spiritual cognition. Lewiston, N.Y 2006, Mellen 225 pp. 978-0-7734-5640-2. Bibl. 213-219.

14673 **Badlita, Christian** Métamorphoses de l'Antichrist chez les pères de l'église. P 2005, Beauchesne 557 pp. Diss.

14674 *Black, Fiona C.* The recycled bible: autobiography, culture, and the space between. The recycled bible. 2006 ⇒351. 1-10.

14675 *Cattaneo, Enrico* Testi cristiani antichi e traduzioni moderne: problemi e attualità. RdT 47 (2006) 771-777.

14676 *Clark, Elizabeth A.* Interpretive fate amid the church fathers. Hagar, Sarah. 2006 ⇒481. 127-147 [Gen 16; 21].

14677 *Coman, Constantin* ἰδοὺ γὰρ ἡ βασιλεία τοῦ θεοῦ ἐντὸς ὑμῶν ἐστιν (Lk 17:21): an interpretation according to the Fathers of the Philokalia. [F]GALITIS, G. 2006 ⇒49. 175-187. G.

14678 **Cook, John Granger** The interpretation of the Old Testament in Greco-Roman paganism. STAC 23: 2004 ⇒20,13708; 21,15102. [R]ThRv 102 (2006) 377-378 (*Lona, Horacio E.*).

14679 *Cooper, Kate* The patristic period. Blackwell companion to the bible. 2006 ⇒465. 28-38.

14680 **Corsato, Celestino** Letture patristiche della scrittura. 2004 ⇒20, 13709. [R]CivCatt 157/3 (2006) 196-197 (*Cremascoli, G.*).

14681 **Daley, Brian E.** The hope of the early church: a handbook of patristic eschatology. [2]2003 <1991> ⇒19,14403... 21,15104. [R]OCP 72 (2006) 471-475 (*Farrugia, E-.G.*); Theoforum 37 (2006) 251-254 (*Coyle, J. Kevin*).

14682 **Kannengiesser, Charles**, *al.*, Handbook of patristic exegesis: the bible in ancient christianity, 1-2. 2004 ⇒20,375; 21,15109. [R]IKZ 96 (2006) 59-61 (*Parmentier, Martien*); Adamantius 12 (2006) 496-501 (*Simonetti, Manlio*); RSPhTh 90 (2006) 521-25 (*Meunier, Bernard*).

14683 **Meijering, Eginhard** Woorden en gedachten van vroege christenen: ze hebben ons iets te zeggen. Zoetermeer 2006, Meinema 133 pp. €13.90. 978-9021-141169 [KeTh 58,178—Riemer Roukema].

14684 *Michaud, Jean-Paul* Exégèse et culture à travers l'histoire. Theoforum 37 (2006) 133-169.

14685 **Moreschini, Claudio; Norelli, Enrico** Historia de la literatura cristiana griega y latina, 1: desde Pablo hasta la edad constantiniana. M 2006, BAC xxiv; 502 pp. €32.69. 84-7914-852-7.

14686 *Moro, Caterina* La Bibbia ebraica tra contesto orientale ed esegesi antica: un bilancio didattico e metodologico. ASEs 23 (2006) 527-534.

14687 **O'Keefe, John J.; Reno, Russel R.** Sanctified vision: an introduction to early christian interpretation of the bible. 2005 ⇒21,15117. [R]L&S 2 (2006) 245-246; JECS 14 (2006) 244-45 (*Hill, Robert C.*).

14688 *Paré, M.D.* Bible et culture aux Etats-Unis. Theoforum 37 (2006) 197-222.

14689 **Parris, David P.** Reading the bible with giants: how 2000 years of biblical interpretation can shed new light on old texts. L 2006, Paternoster xxii; 228 pp. £10. 978-18422-72732.

14690   *Runions, Erin* Panopticon gone mad?: staged lives and academic disciplines. The recycled bible. 2006 ⇒351. 185-193.
14691   **Sandys-Wunsch, John** What have they done to the bible?: a history of modern biblical interpretation. 2005 ⇒21,15118. [R]TJT 22 (2006) 82-83 (*Alary, Laura D.*); RBLit (2006)* (*Schoenfeld, Devorah*).
14692   *Tabbernee, William* 'Recognizing the Spirit': second-generation Montanist oracles. Studia patristica 40. 2006 ⇒833. 521-526.
14693   **Wilken, Robert Louis** The spirit of early christian thought: seeking the face of God. 2003 ⇒19,14423... 21,15126-7. [R]AugSt 37 (2006) 302-305 (*Finn, Thomas M.*).

Y1.4 *Patres apostolici et saeculi II*—**First two centuries**

14694   *Armogathe, Jean-Robert* Les apologistes chrétiens face au monde païen. Les Pères de l'église. 2006 ⇒810. 119-134.
14695   **Daniélou, Jean** Teología del judeocristianismo. [T]*Esquivias Villalobos, A.* 2004 ⇒20,13740; 21,15133. [R]Ecclesia 20 (2006) 416-417 (*Williams, Thomas D.*).
14696   **Ehrman, Bart D.** Peter, Paul, and Mary Magdalene: the followers of Jesus in history and legend. NY 2006, OUP xv; 285 pp. £16/$25. 0-19-530013-0. Bibl. 261-272.
14697   [ET]**Ehrman, Bart D.** The Apostolic Fathers. LCL 24-25: 2003 ⇒ 19,14429... 21,15135. [R]JR 86 (2006) 442-454 (*Cline, Brandon; Thompson, Trevor*).
14698   *Gahbauer, Ferdinand* Der Fels (Stein), ein Bild für Festigkeit und Zuverlässigkeit. OrthFor 20 (2006) 195-210.
14699   [T]**Holmes, Michael** The Apostolic Fathers in English. GR [3]2006, Baker 331 pp. $22. 978-0-8010-3108-3. After the earlier version of *J.B. Lightfoot* and *J.R. Harmer*.
14700   **Jefford, Clayton N.** The Apostolic Fathers: an essential guide. 2005 ⇒21,15140. [R]BTB 36 (2006) 138-139 (*Osiek, Carolyn*);
14701   The Apostolic Fathers and the New Testament. Peabody, MASS 2006., Hendrickson xii, 267 pp. $20. 1-56563-425-X. [R]PIBA 29 (2006) 108-110 (*Fitzpatrick, Noel*).
14702   *Koester, Helmut* The Apostolic Fathers and the struggle for christian identity. ET 117 (2006) 133-139.
14703   **Micaelli, Claudio** La cristianizzazione dell'ellenismo. Brescia 2005, Morcelliana 236 pp. €18. [R]Sandalion 26-28 (2003-2005) 286-287 (*De Gaetano, Miryam*).
14704   **Middleton, Paul** Radical martyrdom and cosmic conflict in early christianity. [D]*Hurtado, L.*: L 2006, Clark xv; 207 pp. 978-0-567-04-164-7. Diss. Edinburgh; Bibl. 173-188.
14705   *Norelli, Enrico* Scrivere per governare: modi della comunicazione e rapporti di potere nel cristianesimo antico. RiSCr 3/1 (2006) 5-30.
14706   *Osiek, Carolyn* The self-defining praxis of the developing *ecclēsia*. Cambridge history of christianity 1. 2006 ⇒558. 274-292.
14707   *Peper, Bradley M.; Delcogliano, Mark* The PLINY and TRAJAN correspondence. The historical Jesus. 2006 ⇒334. 366-371.
14708   *Pouderon, Bernard* Les apologistes grecs: naissance d'une théologie. ConnPE 102 (2006) 4-11.

14709 **Pouderon, Bernard** Les apologistes grecs du IIe siècle. Initiations aux Pères de l'Eglise 18: 2005 ⇒21,15148. ^{R}REG 119 (2006) 805-807 (*Bobichon, Philippe*); SR 35 (2006) 601-605 (*Zamagni, Claudio*); VetChr 43 (2006) 319 (*Nigro, Giovanni*).

14710 **Rankin, David I.** From CLEMENT to ORIGEN: the social and historical context of the church fathers. Aldershot 2006, Ashgate vi; 171 pp. $90. 0-7546-5716-7. Bibl. 147-159.

14711 *Rizzi, Marco* Tra oralità e scrittura: forme di comunicazione del cristianesimo del II secolo. RiSCr 3/1 (2006) 45-58.

14712 ^{E}**Robinson, Thomas Arthur; Mason, Steve N.** Early christian reader: christian texts from the first and second centuries in contemporary English translations including the New Revised Standard Version of the New Testament. 2004 ⇒20,13750. ^{R}OCP 72 (2006) 523-525 (*Farrugia, E.G.*); ThLZ 131 (2006) 1264-1266 (*Tilly, Michael*).

14713 **Ruiz Aldaz, Juan Ignacio** El concepto de Dios en la teología del siglo II: reflexiones de J. RATZINGER, W. PANNENBERG y otros. Colección Teológica 116: Pamplona 2006, EUNSA 291 pp. 84-31-3-2421-X.

14714 **Trevett, Christine** Christian women and the time of the Apostolic Fathers (AD c. 80-160): Corinth, Rome and Asia Minor. Cardiff 2006, University of Wales Press xiv; 322 pp. £55. 0-7083-1838-X. Bibl. 275-314.

14715 APULEIUS: ^{ET}**Hammerstaedt, Jürgen**, *al.*, Apuleius, de magia: über die Magie. SAPERE 5: 2002 ⇒18,13346. ^{R}BZ 50 (2006) 150-151 (*Graf, Fritz*).

14716 BARNABAS: *Carleton Paget, James* The epistle of Barnabas. ET 117 (2006) 441-446.

14717 CLEMENS A: *Alekniene, Tatjana* La piété véritable: De l'Euthyphron de PLATON à la piété gnostique dans le livre 7 des Stromates de Clément d'Alexandrie. VigChr 60 (2006) 447-460;

14718 *Aquino, Frederick D.* Clement of Alexandria: an epistemology of christian paideia. ^{F}OSBURN, C.: TaS 4: 2006 ⇒124. 270-284;

14719 *Bucur, Bogdan G.* The other Clement of Alexandria: cosmic hierarchy and interiorized apocalypticism. VigChr 60 (2006) 251-268;

14720 **Choufrine, Arkadi** Gnosis, theophany, theosis: studies in Clement of Alexandria's appropriation of his background. Patristic Studies 5: 2002 ⇒18,13348... 20,13899. ^{R}RSPhTh 90 (2006) 543-544 (*Meunier, Bernard*);

14721 **Feulner, R.** Clemens von Alexandrien: sein Leben, Werk und philosophisch-theologisches Denken. Da:Wiss 2006, 267 pp. €42.50. 3-631-54892-3. Diss. Innsbruck/Rom;

14722 **Hägg, Henny F.** Clement of Alexandria and the beginnings of christian apophaticism. Oxf 2006, OUP xii; 314 pp. $85. 0-19-928-808-9. Diss. Bergen; Bibl. 269-295;

14723 *Le Boulluec, Alain* Aux origines, encore, de l'"école" d'Alexandrie. Alexandrie antique et chrétienne. 2006 <1999> ⇒260. 29-60;

14724 Clément d'Alexandrie et la conversion du 'parler grec'. Alexandrie antique et chrétienne. 2006 <1991> ⇒260. 63-79;

14725 De l'usage de titres 'néotestamentaires' chez Clément d'Alexandrie. Alexandrie antique...chrétienne. 2006 <1993> ⇒260. 123-33;

14726 Extraits d'oeuvres de Clément d'Alexandrie: la transmission et le sens de leurs titres. <1997> 109-122;

14727 Exégèse et polémique antignostique chez IRÉNÉE et Clément d'Alexandrie: l'exemple du centon. <1982> 213-219;

14728 L'édition des *Stromates* de Clément d'Alexandrie en France au XVIIe siècle et la controverse entre FÉNELON et BOSSUET. Alexandrie antique et chrétienne. <1993> ⇒260. 277-290;

14729 La lettre sur l'"Evangile secret" de Marc et le *Quis dives salvetur?* de Clément d'Alexandrie. <1996> 291-302;

14730 La rencontre de l'hellénisme et de la 'philosophie barbare' selon Clément d'Alexandrie. <1999> 81-93;

14731 Les réflexions de Clément sur la prière et le traité d'ORIGÈNE. Alexandrie antique et chrétienne. <2003> ⇒260. 137-149;

14732 Pour qui, pourquoi, comment?: les *Stromates* de Clément d'Alexandrie. Alexandrie antique et chrétienne. <1998> ⇒260. 95-108;

14733 Voile et ornement: le texte et l'addition des sens, selon Clément d'Alexandrie. Alexandrie antique et chrétienne. Coll.REAug.Antiquité 178: 2006 <1982> ⇒260. 357-370;

14734 [T]**Pini, G.** Clemente d'Alessandria: Gli stromati: note di vera filosofia. LCPM 40: Mi 2006, Paoline lxxii; 952 pp. €54. Introd. *M. Rizzi*;

14735 **Pujiula, Martin** Körper und christliche Lebensweise: Clemens von Alexandreia und sein Paidagogos. Millennium-Studien 9: B 2006, De Gruyter xii; 420 pp. 978-3-11-018920-9. Bibl. 345-396;

14736 *Ulrich, Jörg* Clemens Alexandrinus' "Quis dives salvetur" als Paradigma für die Beurteilung von Reichtum und Geld in der Alten Kirche. JBTh 21 (2006) 213-238;

14737 *Van den Hoek, Annewies; Herrmann, John J.* Clement of Alexandria, acrobats, and the elite. RiSCr 3/1 (2006) 83-97;

14738 **Wood, Darin M.** Reconstructing the text of the gospels of Matthew and John from the writings of Clement of Alexandria. [D]*Schatzmann, S.* 2006, 221 pp. Diss. Fort Worth [RTL 38,621].

14739 CLEMENS R: *Aguirre Monasterio, Rafael* Casa y ciudad en la carta de Clemente. [F]RODRÍGUEZ CARMONA, A. 2006 ⇒138. 115-133;

14740 *Brakmann, Heinzgerd* Pseudo-Clemens Romanus, homilia 3,72 als petrinisches Konsekrationsgebet der Kopten und der ägyptischen Melchiten. ZAC 10 (2006) 233-251;

14741 [E]**Breytenbach, Cilliers; Welborn, Laurence L.** Encounters with Hellenism: studies on the first letter of Clement. AGJU 53: 2003 ⇒ 19,14449; 20,458. [R]VigChr 60 (2006) 346-348 (*Nicklas, Tobias*); ThLZ 131 (2006) 1144-1146 (*Löhr, Hermut*);

14742 *Calvet-Sebasti, Marie-A.* Dialoguer avec une femme: l'exemple du roman pseudo-clémentin. Discours...débats. 2006 ⇒887. 217-230;

14743 *Cirillo, Luigi* L'Écrit pseudo-clémentin primitif ('Grundschrift'): une apologie judéo-chrétienne et ses sources. Pierre Geoltrain. 2006 ⇒556. 223-237;

14744 *Gregory, Andrew* I Clement: An introduction. ET 117 (2006) 223-230;

14745 **Kelley, Nicole** Knowledge and religious authority in the Pseudo-Clementines: situating the *Recognitions* in fourth-century Syria. WUNT 2/213: Tü 2006, Mohr S. xii; 250 pp. €54. 3-16-149036-3. Bibl. 211-231;

14746   *Kozlowski, Jan M.* "Danaïdes et Dircés": sur 1 Cl 6,2. EThL 82
(2006) 467-478;

14747   **Löhr, Hermut** Studien zum frühchristlichen und frühjüdischen Ge-
bet: Untersuchungen zu 1 Clem 59 bis 61 in seinem literarischen,
historischen und theologischen Kontext. WUNT 160: 2003 ⇒19,
14456... 21,15179. [R]BŽ 50 (2006) 292-294 (*Lona, Horacio E.*);
SNTU.A 31 (2006) 285-286 (*Volgger, E.*);

14748   *Osborn, Eric* One hundred years of books on Clement. VigChr 60
(2006) 367-388;

14749   *Pani, Giancarlo* La *Prima Clementis:* l'originalità della preghiera
per i governanti. Studia patristica 40. 2006 ⇒833. 475-481;

14750   *Parvis, Paul* 2 Clement and the meaning of the christian homily.
ET 117 (2006) 265-270;

14751   *Petersen, William L.* Patristic biblical quotations and method: four
changes to Lightfoot's edition of Second Clement. VigChr 60
(2006) 389-419;

14752   *Pouderon, Bernard* La genèse du roman clémentin et sa significa-
tion théologique. StPatr 40. 2006 ⇒833. 483-507;

14753   *Pratscher, Wilhelm* Neutestamentliche und apokryphe Zitate im 2.
Clemensbrief. WJT 6 (2006) 99-111;

14754   Die Parusieerwartung im 2. Klemensbrief. Apokalyptik als Heraus-
forderung. WUNT 2/214: 2006 ⇒348. 197-210;

14755   The motivations of ethos in 2 Clement. Identity, ethics. BZNW
141: 2006 ⇒795. 597-610.

14756   DIDACHE: *Bradshaw, Paul F.* Une nouvelle explication de *Didachè*
9-10. MD 245 (2006) 149-157;

14757   Yet another explanation of Didache 9-10. StLi 36 (2006) 124-128;

14758   **Del Verme, Marcello** Didache and Judaism: Jewish roots of an
ancient Christian-Jewish work. 2004 ⇒20,13765; 21,15182.
[R]Neotest. 40 (2006) 191-192 (*Draper, Jonathan A.*); VigChr 60
(2006) 474-478 (*Van de Sandt, Huub*); JECS 14 (2006) 117-118
(*Harrill, J. Albert*); JThS 57 (2006) 693-695 (*Hall, Stuart G.*).

14759   *Draper, Jonathan A.* The Apostolic Fathers: the Didache. ET 117
(2006) 177-181;

14760   *Meßner, Reinhard* Die 'Lehre der Apostel'–eine syrische Kirchen-
ordnung: Übersetzung und Anmerkungen. [F]MÜHLSTEIGER, J.: KStT
51: 2006 ⇒118. 305-336;

14761   *Rivas, Fernando* Los profetas (y maestros) en la *Didajé*: cuadros
sociales de la memoria de los orígenes cristianos. Comienzos del
cristianismo. 2006 ⇒740. 181-203;

14762   *Van de Sandt, Huub* Was the Didache community a group within
Judaism?: an assessment on the basis of its eucharistic prayers. A
holy people. 2006 ⇒565. 85-107;

14763   *Varner, W.* What the *Teaching* can teach us. ChrTo 50/6 (2006) 30-
32;

14764   *Williams, Ritva H.* Social memory and the *Didachē*. BTB 36 (2006)
35-39 [Gal 3].

14765   DIOGNETUS: **Gentili, Giobbe** A Diogneto. Religione e religioni: Bo
2006, EDB 80 pp. €6. 88-10-60421-0.

14766   HERACLEON: *Kaler, Michael; Bussières, Marie-Pierre* Was Herac-
leon a Valentinian?: a new look at old sources. HThR 99 (2006)
275-289.

14767	HERMAS: *Bucur, Bogdan* Observations on the ascetic doctrine of
	the *Shepherd of Hermas*. StMon 48/1 (2006) 7-23;
14768	*Szulc, Franciszek* La théologie judéo-chrétienne du Fils de Dieu
	dans le Pasteur d'Hermas (Sim. V 2,1-6,7a). Vox Patrum 26 (2006)
	641-653;
14769	*Verheyden, Joseph* The Shepherd of Hermas. ET 117 (2006) 397-
	401.
14770	HIPPOLYTUS: **Cerrato, John A.** Hippolytus between East and
	West: the commentaries and the provenance of the corpus. OTM:
	2002 ⇒18,13518... 21,15413. ᴿRSPhTh 90 (2006) 644-546 (*Meu-
	nier, Bernard*); JECS 12 (2004) 361-362 (*Shelton, W. Brian*);
14771	*Heldt, Petra* Delineating identity in the second and third century
	CE: the case of the epistle of Paul to the Galatians 4:21-31 in the
	writings of Hippolytus. Studia patristica 42. 2006 ⇒833. 163-168;
14772	*McConvery, Brendan* Hippolytus' *Commentary on the Song of
	Songs* and John 20: intertextual reading in early christianity. IThQ
	71 (2006) 211-222;
14773	ᵀ**Stewart-Sykes, Alistair** Hippolytus: On the apostolic tradition.
	2001 ⇒17,12089; 19,14486. ᴿOCP 72 (2006) 259-260 (*Farrugia,
	E.G.*).

14774	IGNATIUS A: *Bergamelli, Ferdinando* 'Fede di Gesù Cristo' nelle
	lettere di Ignazio di Antiochia. StPatr 40. 2006 ⇒833. 339-351;
14775	*Brent, Allen* The enigma of Ignatius of Antioch. Ment. *Polycarp
	Smyrna*. JEH 57 (2006) 429-456;
14776	Ignatius' pagan background in second century Asia Minor. ZAC 10
	(2006) 207-232.
14777	**Brent, Allen** Ignatius of Antioch and the Second Sophistic: a study
	of an early christian transformation of pagan culture. STAC 36: Tü
	2006, Mohr S. xvi; 377 pp. €84. 9783-16-148794-1. Bibl. 343-351;
14778	*Cattaneo, Enrico* La figura del vescovo in Ignazio di Antiochia.
	RdT 47 (2006) 497-539;
14779	*Decrept, Étienne* La persécution oubliée des chrétiens d'Antioche
	sous TRAJAN et le martyre d'Ignace d'Antioche. REAug 52 (2006)
	1-29;
14780	*Faivre, Alexandre; Faivre, Cécile* Modes de communication et rap-
	ports de pouvoir dans les Lettres d'Ignace d'Antioche. RiSCr 3/1
	(2006) 59-82;
14781	*Foster, Paul* The epistles of Ignatius of Antioch (Part 1). ET 117
	(2006) 487-495;
14782	(Part 2). ET 118 (2006) 2-11;
14783	**Isacson, Mikael** To each their own letter: structure, themes, and
	rhetorical strategies in the letters of Ignatius of Antioch. CB.NT 42:
	2004 ⇒20,13782; 21,15212. ᴿOCP 72 (2006) 517-519 (*Farrugia,
	E.G.*); JECS 14 (2006) 381-383 (*Sumney, Jerry L.*); JThS 57
	(2006) 299-301 (*Edwards, M.J.*);
14784	*Jefford, Clayton N.* The role of 4 Maccabees in the vision of Igna-
	tius of Antioch. StPatr 40. 2006 ⇒833. 435-440;
14785	*Mitchell, Matthew W.* In the footsteps of Paul: scriptural and apos-
	tolic authority in Ignatius of Antioch. JECS 14 (2006) 27-45;
14786	*Trebilco, Paul* Christian communities in western Asia into the early
	second century: Ignatius and others as witnesses against Bauer.
	JETS 49 (2006) 17-44;

14787 *Waldner, Katharina* Letters and messengers: the construction of christian space in the Roman Empire in the epistles of Ignatius of Antioch. [F]CHARLESWORTH, J. 2006 ⇒19. 72-86.

14788 IRENAEUS L: Lo mejor de Ireneo de Lyon: Contra las herejías; Demostración de la Enseñanza Apostólica. Barc 2006, Clie 735 pp;

14789 **Benats, Bart** Il ritmo trinitario della verità: la teologia di Ireneo di Lione. R 2006, Città N. 532 pp;

14790 *Bingham, D. Jeffrey* Irenaeus on gnostic biblical interpretation;

14791 *Graham, Susan L.* Irenaeus and the covenants: 'immortal diamond'. StPatr 40. 2006 ⇒833. 367-379/393-398;

14792 **Holsinger-Friesen, Thomas** Irenaeus and the Genesis creation accounts: a case study of theological hermeneutics in the second century church. [D]*Watson, F.* 2006, Diss. Aberdeen [RTL 38,622];

14793 *Minns, Denis* Truth and tradition: Irenaeus. Cambridge history of christianity 1. 2006 ⇒558. 261-273;

14794 **Mutschler, Bernhard** Das Corpus Johanneum bei Irenäus von Lyon: Studien und Kommentare zum dritten Buch von Adversus Haereses. WUNT 189: Tü 2006, Mohr S. xviii; 629 pp. €119. 316148-744-3. Bibl. 539-71 [R]JETh 20 (2006) 236-38 (*Schröder, Michael*);

14795 *Nigro, Giovanni* La ricezione di I Cor 7 in Ireneo di Lione. VetChr 43 (2006) 83-92;

14796 *Slusser, Michael* How much did Irenaeus learn from JUSTIN?. StPatr 40. 2006 ⇒833. 515-520.

14797 JULIUS A: *Andrei, Osvalda* Dalle Chronographiai di Giulio Africano alla Synagoge di 'Ippolito': un dibattito sulla scrittura cristiana del tempo;

14798 *Staab, Gregor* Chronographie als Philosophie: die Urwahrheit der mosaischen Überlieferung nach dem Begründungsmodell des Mittelplatonismus bei Julius Africanus (Edition und Kommentierung von Africanus Chron. fr. 1). Julius Africanus und die christliche Weltchronistik. TU 157: 2006 ⇒862. 113-145/61-81.

14799 JUSTINUS M: **Allert, Craig D.** Revelation, truth, canon and interpretation: studies in Justin Martyr's Dialogue with Trypho. SVigChr 64: 2002 ⇒18,13384; 21,15228. [R]RSPhTh 90 (2006) 539-543 (*Meunier, Bernard*);

14800 *Bergian, Silke-Petra* Qualifying angel in Justin's logos christology. StPatr 40. 2006 ⇒833. 353-357;

14801 [ET]**Bobichon, Philippe** Justin Martyr, Dialogue avec Tryphon. Paradosis 47/1-2: 2003 ⇒19,14503... 21,15230. [R]REJ 165 (2006) 303-305 (*Maraval, Pierre*); RHPhR 86 (2006) 455-456 (*Prieur, J.-M.*); RSR 94 (2006) 597-598 (*Sesboüé, Bernard*);

14802 *Chadwick, Henry* The gospel a republication of natural religion in Justin Martyr. Studies on ancient christianity. 2006 <1993> ⇒200. II.237-247;

14803 *Dennison, James T., Jr.* Justin Martyr. Kerux 21/3 (2006) 53-61;

14804 *Droge, A.J.* Self-definition vis-à-vis the Graeco-Roman world. Cambridge history of christianity 1. 2006 ⇒558. 230-244;

14805 **Granados, José** Los misteros de la vida de Cristo en Justino Mártir. AnGr 296: 2005 ⇒21,15231. [R]EstAg 41/1 (2006) 146-147 (*De Luis, P.*); Gr. 87 (2006) 629-631 (*Bonanni, Sergio Paolo*); RET 66 (2006) 465-467 (*Toraño López, Eduardo*);

14806   *Lieu, Judith M.* Justin Martyr and the transformation of Psalm 22.
         [F]KNIBB, M.: JSJ.S 111: 2006 ⇒87. 195-211;
14807   *Misiarczyk, Leszek* Apologetic harmony as a source of liturgy: the
         eucharistic institution words in Justin Martyr's *I Apology* 66.3-4.
         Studia patristica 40. 2006 ⇒833. 55-61;
14808   [ET]**Munier, Charles** Justin: Apologie pour les chrétiens. SC 507: P
         2006, Cerf 390 pp. €39. 2-204-08254-6. Bibl. 101-119;
14809   [TE]**Munier, Charles** Justin Martyr: apologie pour les chrétiens: in-
         troduction, traduction et commentaire. Patrimoines, christianisme:
         P 2006, Cerf 400 pp. €48. 22040-81469;
14810   *Nasrallah, Laura S.* The rhetoric of conversion and the construc-
         tion of experience: the case of Justin Martyr. Studia patristica 40.
         2006 ⇒833. 467-474;
14811   *Perendy, László* A christian platonist: Saint Justin's teaching on
         God's monarchy. FolTh 17 (2006) 169-197;
14812   *Royalty, Robert M., Jr.* Justin's conversion and the rhetoric of here-
         sy. Studia patristica 40. 2006 ⇒833. 509-514;
14813   *Ulrich, Jörg* Ethik als Ausweis christlicher Identität bei Justin
         Martyr. ZEE 50 (2006) 21-28;
14814   Das Glaubensbekenntnis 'Justins' in den *Acta Iustini* AB 2. Studia
         patristica 39. 2006 ⇒833. 455-460.

14815   MARCION: *Gamble, Harry Y.* Marcion and the canon. Cambridge
         history of christianity 1. 2006 ⇒558. 195-213;
14816   **Harnack, Adolf von** Marcion: l'évangile du Dieu étranger: une
         monographie sur l'histoire de la fondation de l'église catholique.
         [T]*Lauret, Bernard* 2003 <1921> ⇒19,14515... 21,15243. [R]RSPhTh
         90 (2006) 537-539 (*Meunier, Bernard*);
14817   *Klinghardt, Matthias* Markion vs. Lukas: Plädoyer für die Wieder-
         aufnahme eines alten Falles. NTS 52 (2006) 484-513;
14818   **May, Gerhard** Markion: gesammelte Aufsätze. 2005 ⇒21,256.
         [R]RHE 101 (2006) 1110-1111 (*Brankaer, Johanna*);
14819   *Stern, Jean* "Sortie de la religion": marcionisme et eucharistie. NV
         81/3 (2006) 51-58.

14820   MONTANISMUS: *Hirschmann, Vera E.* Der Montanismus und der
         römische Staat. The impact of imperial Rome. 2006 ⇒872. 82-94.
14821   NUMENIUS A: **Achille, Cinzia** Il mondo spirituale di Numenio di
         Apamea: PITAGORA, PLATONE e Mosè. [D]*Troiani, Lucio* 2006, 377
         pp. Diss. Pavia.
14822   PAPIAS: *Hill, Charles* Papias of Hierapolis. ET 117 (2006) 309-15;
14823   [E]**Norelli, Enrico** Papias di Hierapoli: esposizione degli oracoli del
         Signore: i frammenti. 2005 ⇒21,15253. [R]JEH 57 (2006) 99-100
         (*Bockmuehl, M.*); RivBib 54 (2006) 481-488 (*Walt, Luigi*); JAC
         48-49 (2005-2006) 189-191 (*Lona, Horacio E.*).

14824   POLYCARPUS S.: **Berding, Kenneth** Polycarp and Paul: an analysis
         of their literary & theological relationship in light of Polycarp's use
         of biblical and extra-biblical literature. SVigChr 62: 2002
         ⇒18,13413 ... 20,13817. [R]RSPhTh 90 (2006) 535-537 (*Meunier,
         Bernard*);
14825   *Dehandschutter, Boudewijn* Un texte perdu du martyre de Poly-
         carpe retrouvé: le codex Kosinitza 28. EThL 82 (2006) 201-206;

14826   *Falcetta, Alessandro* From Jesus to Polycarp: reflections on the origins of christian martyrdom. CrSt 27 (2006) 67-98 [Mt 10,24-25; 23,8-12; 23,29-35];

14827   **Hill, Charles E.** From the lost teaching of Polycarp: identifying Irenaeus' apostolic presbyter and the author of Ad Diognetum. WUNT 186: Tü 2006, Mohr S. viii; 207 pp. $89.50. 3-16-148699-4. Bibl. 179-185;

14828   *Hill, Charles E.* Polycarp *Contra* Marcion: Irenaeus' presbyterial source in AH 4.27-32. StPatr 40. 2006 ⇒833. 399-412;

14829   *Holmes, Michael* Polycarp of Smyrna, Letter to the Philippians. ET 118 (2006) 53-63;

14830   *Parvis, Sara* The martyrdom of Polycarp. ET 118 (2006) 105-112;

14831   *Smith, J.W.* Martyrdom: self-denial or self-exaltation?: motives for self-sacrifice from HOMER to Polycarp. MoTh 22 (2006) 169-196.

14832   QUADRATUS: *Foster, Paul* The *Apology of Quadratus*. ET 117 (2006) 353-359.

14833   TATIANUS: *Hunt, Emily J.* Tatian's use of speech and fire metaphors: the development of a Judaeo-Christian philosophical tradition. StPatr 40. 2006 ⇒833. 429-433;

14834   **Hunt, Emily J.** Christianity in the second century: the case of Tatian. 2003 ⇒19,14524... 21,15258. [R]HeyJ 47 (2006) (*Madigan, Patrick*) 311-312.

Y1.6 **Origenes**

14835   *Alexandre, Monique* La redécouverte d'Origène au XXe siècle. Les Pères de l'église. 2006 ⇒810. 51-93.

14836   *Bauer, Dieter* Fähig zum Guten: die Judasdeutung bei Origenes. BiHe 42/165 (2006) 19-20.

14837   *Bendinelli, Guido* Il *Commento a Matteo* latino di Origene in epoca medioevale: i casi di Pascasio RADBERTO e TOMMASO d'Aquino. Adamantius 12 (2006) 263-301.

14838   [T]**Blanc, Cécile** Origène: Commentaire sur S. Jean: tome III (livre XIII). SC 222: P 2006 <1975>, Cerf 313 pp. €32. 22040-8316X. Texte grec d'*E. Preuschen* (GCS 10,4), revisé par *Cécile Blanc.*

14839   **Bonfrate, Giuseppe** Sequela futuri: l'omelia XXVII sul libro dei Numeri di Origene e la parola di Dio nella vita cristiana. [D]*Gargano, Innocenzo*: R 2006, 225 pp. Exc. Diss. Gregoriana; Bibl. 201-219. [R]Adamantius 12 (2006) 337-8 (*Danieli, Maria Ignazia*).

14840   *Bucchi, Federica, al.,* Pubblicazioni recenti su Origene e la tradizione alessandrina. Adamantius 12 (2006) 350-480.

14841   **Buchinger, Harald** Pascha bei Origenes, 1: diachrone Präsentation; 2: systematische Aspekte. IThS 64: 2005 ⇒21,15268. [R]TS 67 (2006) 672-674 (*Daly, Robert J.*); Iren. 79/1 (2006) 167-169; ThRv 102 (2006) 486-491 (*Leonhard, Clemens*); RHE 101 (2006) 1111-1118 (*Visonà, G.*).

14842   [E]**Castagno, Adele M.** La biografia di Origene fra storia e agiografia. 2004 ⇒21,15270. VI Conv. Gruppo di ricerca su Origene... [R]Sandalion 26-28 (2003-2005) 288-292 (*Piredda, Anna Maria*).

14843   *Chadwick, Henry* Origen, Celsus, and the resurrection of the body. Studies on ancient christianity. 2006 <1958> ⇒200. V.83-102.

14844 *Chin, Catherine M.* Origen and christian naming: textual exhaustion and the boundaries of gentility in *Commentary on John* 1. JECS 14 (2006) 407-436.

14845 *Cocchini, Francesca* Riflessioni origeniane sulla morale paolina. IX simposio paolino. Turchia 20: 2006 ⇒772. 67-75.

14846 **Cocchini, Francesca** Origene: teologo esegeta per una identità cristiana. Primi secoli 1: Bo 2006, Dehoniane 350 pp. €30. 88104-53-018. [R]Orph. 27/1-2 (2006) 219-225 (*Conte, Antonella*).

14847 *Dal Covolo, Enrico* La 'tenda' o la 'casa'?: Origene, *Omelie sui Numeri* XVII e XXVII. Sal. 68 (2006) 365-370 [Num 17; 27].

14848 [E]**Dal Covolo, Enrico; Maritano, Mario** Omelie sull'Esodo: lettura origeniana. BSRel 174: 2002 ⇒18,13426; 19,14541. [R]VetChr 43 (2006) 139-140 (*Nigro, Giovanni*).

14849 **Dively Lauro, Elizabeth Ann** The soul and spirit of scripture within Origen's exegesis. BAChr 3: 2005 ⇒21,15283. [R]JECS 14 (2006) 237-238 (*Trigg, Joseph*).

14850 **Elßner, Thomas R.; Heither, Theresia** Die Homilien des Origenes zum Buch Josua: die Kriege Josuas als Heilswirken Jesu. Beiträge zur Friedensethik 38: Stu 2006, Kohlhammer 128 pp. €10.80. 3-17-019323-6.

14851 *Fernández Eyzaguirre, Samuel* 'Passio Caritatis' according to Origen In Ezechielem Homiliae VI in the light of Dt 1,31. VigChr 60 (2006) 135-147 [Deut 1,31].

14852 **Grafton, Anthony; Williams, Megan** Christianity and the transformation of the book: Origen, EUSEBIUS, and the library of Caesarea. CM 2006, Harvard Univ. Pr. xvii; 367 pp. $30. 978-0-674-02-314-7. Bibl. 247-290.

14853 *Grossi, Vittorino* L'origenismo latino negli scritti agostiniani: dagli origenisti agli origeniani. Aug. 46 (2006) 51-88.

14854 *Hauck, Robert J.* "Like a gleaming flash": Matthew 6:22-23, Luke 11:34-36 and the divine sense in Origen. AThR 88 (2006) 557-573.

14855 *Hong, Samuel* Origen, the church rhetorician: the seventh homily on Genesis. Studia patristica 41. 2006 ⇒833. 163-168.

14856 *Johnson, Allan E.* Constructing a narrative universe: Origen's homily I on Genesis. Studia patristica 41. 2006 ⇒833. 175-180.

14857 *Kanaan, Marlène* Origène et le *Contre Celse* ou le débat entre christianisme, philosophie et religions païennes. ConnPE 104 (2006) 32-44.

14858 *Le Boulluec, Alain* Controverses au sujet de la doctrine d'Origène sur l'âme du Christ. <1987> 179-194;

14859 De la croissance selon les stoïciens à la résurrection selon Origène. <1975> 151-161;

14860 La place de la polémique antignostique dans le *Peri archôn*. <1975> 221-232;

14861 La réflexion d'Origène sur le discours hérésiologique. <1984> 243-254;

14862 Les emplois figurés du livre dans la Septante et leur interprétation chez Origène et les pères grecs. <1995> 393-413;

14863 Les représentations du texte chez les philosophes grecs et l'exégèse scripturaire d'Origène: influences et mutations. <1992> 371-392;

14864 Vingt ans de recherches sur le *Contre Celse*: état des lieux. <1998> 303-321;

14865 Y-a-t'il des traces de la polémique antignostique d'IRÉNÉE dans le *Peri archôn* d'Origène?. <1977> 233-241;

14866 De Paul à Origène: continuité ou divergence?. Alexandrie antique et chrétienne. 2006 <2005> ⇒260. 415-435.

14867 **Lubac, Henri de** Histoire et Esprit: l'intelligence de l'écriture d'après Origène. Oeuvres complètes 16: 2002 <1950> ⇒18,13418 ... 21,15297. ᴿRSPhTh 90 (2006) 550-551 (*Meunier, Bernard*).

14868 *Magny, Ariane* PORPHYRE, HIPPOLYTE, et Origène commentent sur Daniel. ᶠCHARLESWORTH, J. 2006 ⇒19. 427-451.

14869 Martens, P. Why does Origen refer to the trinitarian authorship of scripture in book 4 of Peri Archon?. VigChr 60 2006, 1-8.

14870 *Martens, Peter* On providence and inspiration: a short commentary on ΠΕΡΙ ΑΡΧΩΝ 4.1.7. Studia patristica 41. 2006 ⇒833. 201-206.

14871 ᴱ**McGuckin, John A.** The SCM Press A-Z of Origen. L 2006, SCM xi; 228 pp. £23. 0-334-04103-1.

14872 *Mitchell, Margaret M.* Rhetorical handbooks in service of biblical exegesis: EUSTATHIUS of Antioch takes Origen back to school. ᶠAUNE, D.: NT.S 122: 2006 ⇒4. 349-367.

14873 **Moser, Maureen Beyer** Teacher of holiness: the Holy Spirit in Origen's *Commentary on the epistle to the Romans*. Gorgias Diss. 17; Early Christian Studies 4: 2005 ⇒21,15304. ᴿAdamantius 12 (2006) 557-558 (*Scheck, Thomas P.*); Aug. 46 (2006) 265-269 (*Ramelli, Ilaria L.E.*); JECS 14 (2006) 122-124 (*Scheck, Thomas P.*).

14874 *Noce, Carla* Some questions about RUFINUS' translation of Origen's *Homiliae in Leviticum*. StPatr 43. 2006 ⇒833. 451-458 [Lev 6,17-7,34].

14875 *O'Leary, Joseph S.* Insights and oversights in Origen's reading of Romans 4:1-8. Studia patristica 41. 2006 ⇒833. 225-229.

14876 *Perrone, Lorenzo* Colloquium Origenianum Nonum: Origen and the religious practice of his time. Adamantius 12 (2006) 628-630;

14877 "The bride at the crossroads": Origen's dramatic interpretation of the Song of Songs. EThL 82 (2006) 69-102.

14878 ᴱ**Perrone, Lorenzo** Origeniana Octava: Origen and the Alexandrian tradition. BEThL 164: 2003 ⇒19,699; 21,15314. ᴿCDios 219/1 (2006) 328-331 (*Gutiérrez, J.*).

14879 *Prinzivalli, Emanuela* La contnroversia origeniana di fine IV secolo e la diffusione della conoscenza di Origene in occidente. Aug. 46 (2006) 35-50.

14880 ᴱ**Prinzivalli, Emanuela** Il commento a Giovanni di Origene: il testo e i suoi contesti 2005 ⇒21,789. ᴿCrSt 27 (2006) 958-70 (*Pazzini, Domenico*); Aug. 46 (2006) 529-536 (*Rist, John*); VetChr 43 (2006) 320-321 (*Aulisa, Immacolata*).

14881 *Rasimus, Tuomas* Anathema Iesous (1 Cor 12:3)?: Origen of Alexandria on the Ophite gnostics. ᶠFUNK, W. 2006 ⇒48. 797-821.

14882 *Reno, Russell R.* Origen and spiritual interpretation. ProEc 15 (2006) 108-126.

14883 **Rickenmann, Agnell** Sehnsucht nach Gott bei Origenes: ein Weg zur verborgenen Weisheit des Hohenliedes. 2002 ⇒18,13444; 20,13844. ᴿGuL 79 (2006) 238-239 (*Hastetter, Michaela C.*).

14884 ᵀ**Röwekamp, Georg** PAMPHILUS von Caesarea: Apologie für Origenes. FC 80: Turnhout 2005, Brepols 484 pp.

14885 *Sanders, James A.* Origen and the first christian testament. ᶠUL-RICH, E.: VT.S 101: 2006 ⇒160. 134-142.

14886	*Scott, Mark S.M.* Shades of grace: Origen and GREGORY of Nyssa's soteriological exegesis of the 'black and beautiful' bride in Song of Songs 1:5. HThR 99 (2006) 65-83.

14887	*Sheridan, Mark* The concept of the 'useful' as an exegetical tool in patristic exegesis. Studia patristica 39. 2006 ⇒833. 253-257.

14888	*Simonetti, Manlio* Origene in occidente prima della controversia;

14889	Un'interpretazione origeniana di Io. 1,14a + 15,22. Aug. 46 (2006) 25-34/277-283.

14890	**Simonetti, Manlio** Origene esegeta e la sua tradizione. 2004 ⇒20, 13845; 21,15323. ᴿCivCatt 157/4 (2006) 197-98 (*Cremascoli, G.*).

14891	*Stroumsa, Guy* Celse, Origène et la nature de la religion. Le rire du Christ. 2006 <1998> ⇒312. 207-229.

14892	*Studer, Basil* Paolo di Tarso, maestro di Origene di Alessandria. IX simposio paolino. Turchia 20: 2006 ⇒772. 55-66.

14893	**Torres Monteiro, Alina** Os sentidos espirituais no comentário ao Cântico dos Cânticos de Orígenes. 2003 ⇒20,13848. ᴿDid(L) 36/1 (2006) 227-229 (*Lamelas, Isidro*).

14894	**Tzamalikos, P.** Origen: cosmology and ontology of time. SVigChr 77: Lei 2006, Brill xiii; 418 pp. €147. 90-04-14728-4. ᴿRSR 94 (2006) 606-607 (*Sesboüé, Bernard*).

14895	*Van den Berg, Robert M.* Does it matter to call God Zeus?: Origen, Contra Celsum I 24-25 against the Greek intellectuals on divine names. The revelation of the name. 2006 ⇒796. 169-183.

14896	*Van der Horst, Pieter* 'The God who drowned the king of Egypt': a short note on an exorcistic formula. Jews and christians. WUNT 196: 2006 <2005> ⇒321. 280-284 [Exod 15,4; Deut 11,3-4].

14897	*Vianès, L.* Des ossements dispersés au corps de l'église: Ezéchiel 37,1-14 dans un groupement de citations chez Origène. Hôs ephat'. 2006 ⇒886. 191-207.

14898	*Viard, Jean-Sébastien* L'herméneutique biblique patristique: l'exemple d'Origène. Scriptura(M) 8/2 (2006) 37-50.

14899	*Weber, Augustinus* Die "Mosaische Unterscheidung" bei Kelsos und Origenes–eine kritische Begegnung zwischen platonischer Philosophie und christlichem Glauben. FolTh 17 (2006) 287-305.

14900	*Young, Frances M.* Towards a christian *paideia*. Cambridge history of christianity 1. 2006 ⇒558. 484-500.

Y1.8 **Tertullianus**

14901	**Alexandre, Jérôme** Le Christ de Tertullien. CJJC 88: 2004 ⇒20, 13853; 21,15331. ᴿRHE 101 (2006) 170-5 (*Mattei, Paul*); RSPhTh 90 (2006) 546-548 (*Meunier, Bernard*);

14902	La christologie de Tertullien. ᴰ*Blanchard, Yves-Marie* 2006, Diss. Institut catholique de Paris.

14903	*Cancik, Hubert* Wahrnehmung, Vermeidung, Entheiligung, Aneignung: Religionen bei Tertullian, im Talmud (AZ) und bei EUSEBIOS. Texte als Medium. 2006 ⇒834. 225-232.

14904	*Dunn, James D.G.* Tertullian's scriptural exegesis in *De praescriptione haereticorum*. JECS 14 (2006) 141-155.

14905	*Leal, Jerónimo* Nota sobre el método Tertulianeo;

14906	*Litfin, Bryan M.* Tertullian's use of the *Regula fidei* as an interpretive device in *Adversus Marcionem*. Studia patristica 42. 2006 ⇒ 833. 399-403/405-410.

14907   *Rüpke, Jörg* Literarische Darstellungen römischer Religion in christlicher Apologetik: Universal- und Lokalreligion bei Tertullian und Minucius Felix. Texte als Medium. 2006 ⇒834. 209-223.
14908   *Siat, Jeannine* Tertullien, défenseur du christianisme. ConnPE 102 (2006) 12-19.
14909   [ET]**Vicastillo, Salvador** Tertuliano: El bautisma; la oración: introducción, texto crítico, traducción y notas. Fuentes Patrísticas 18: M 2006, Ciudad Nueva 406 pp.
14910   *Vicastillo, Salvador* Los hermanos di Jesús en el testimonio de Tertuliano. RevAg 47 (2006) 621-623.
14911   **Zilling, Henrike Maria** Tertullian: Untertan Gottes und des Kaisers. 2004 ⇒20,13866; 21,15347. [R]RevSR 80/1 (2006) 108-110 (*Chapot, Frédéric*).

Y2.0 *Patres graeci*—The Greek Fathers—*in ordine alphabetico*

14912   [E]**Di Berardino, Angelo** Patrology: the Eastern fathers from the Council of Chalcedon (451) to JOHN of Damascus (+750). [T]*Walford, Adrian*: C 2006, Clarke xxxiii; 701 pp. $116. 978-0-227-67-979-1.
14913   *Hill, Robert C.* Antiochene exegesis of the prophets. Studia patristica 39. 2006 ⇒833. 219-231.
14914   **Krueger, Derek** Writing and holiness: the practice of authorship in the early christian east. Divinations: 2004 ⇒20,13871. [R]BiCT 2/3 (2006)* (*Van Heest, Katrina*).
14915   *Kurek-Chomycz, Dominika A.* Whose control over whose will?: 1Cor 7:36-38 in patristic exegesis. Studia patristica 39. 2006 ⇒ 833. 245-252.
14916   *Le Boulluec, Alain* L'"école" d'Alexandrie: de quelques aventures d'un concept historiographique. <1987>;
14917   L'Ecriture comme norme hérésiologique dans les controverses des IIe et IIIe siècles (domaine grec). Alexandrie antique et chrétienne. Coll.REAug.Antiquité 178: 2006 <1996> ⇒260. 13-27/197-211.
14918   *Legrand, Hervé-M.* Les femmes sont-elles à l'image de Dieu de la même manière que les hommes?: sondages dans les énoncés de quelques Pères grecs. NRTh 128 (2006) 214-239.
14919   *Meunier, Bernard* Paul et les Pères grecs. RSR 94 (2006) 331-355.
14920   *Pizzolato, Luigi F.* Il valore letterario della mistagogia antiochena. AnScR 11 (2006) 131-152.
14921   *Reynard, J.* La figure de Balaam chez les Cappadociens. Studia patristica 41. 2006 ⇒833. 403-408 [Num 22-24].
14922   *Sesboüé, Bernard* Bulletin de théologie patristique grecque. RSR 94 (2006) 595-624.
14923   *Van der Horst, Pieter W.* MACARIUS Magnes and the unnamed antichristian polemicist: a review article. Jews and Christians. WUNT 196: 2006 <2004> ⇒321. 181-189. Cf. [ET]*Richard Goulet*, Macarios de Magnésie, Le Monogénès (2003).
14924   *Vos, Nienke M.* Biblical biography: tracing scripture in *Lives* of early christian saints. Studia patristica 39. 2006 ⇒833. 467-472.

14925   ATHANASIUS A: **Ernest, James D.** The bible in Athanasius of Alexandria. TBAC 2: 2004 ⇒20,13875; 21,15358. [R]JECS 14 (2006) 126-127 (*Kannengiesser, Charles*);

14926 *Kolbet, Paul R.* Athanasius, the Psalms, and the reformation of the self. HThR 99 (2006) 85-101;

14927 *Van Rooy, Harry* The Peshitta and biblical quotations in the longer Syriac version of the commentary of Athanasius on the psalms (BL Add. 14568) with special attention to Psalm 23(24) and 102(103). The Peshitta. MPIL 15: 2006 ⇒781. 311-325.

14928 BASILIUS C: *Girardi, Mario* Identità come totalità in trasformazione: Basilio di Cesarea su cristianesimo, giudaismo, paganesimo. ASEs 23 (2006) ;447-462;

14929 *Hildebrand, Stephen* Basil of Caesarea and the hellenization of the gospel. Studia patristica 41. 2006 ⇒833. 351-355.

14930 CHRISOLOGUS P: **Scimè, Giuseppe** Giudei e cristiani nei sermoni di San Pietro Crisologo. SEAug 89: 2003 ⇒19,14627; 20,13883. ᴿRivBib 54 (2006) 106-108 (*Gianotti, Daniele*).

14931 CHRYSOSTOMUS: *Acatrinei, Nicoleta* Parlez-moi d'argent! Parlez-moi de l'être humain!: Saint Jean Chrysostome face à l'argent. Parlons argent. 2006 ⇒853. 103-123;

14932 *Broc, Catherine* La figure d'Anne, mère de Samuel, dans l'oeuvre de Jean Chrysostome. Studia patristica 41. 2006 ⇒833. 439-444 [1 Sam 1-2];

14933 *Brottier, Laurence* Dialogues entre le roi David et S. Paul dans des homélies de Jean Chrysostome. ConnPE 101 (2006) 14-22;

14934 Les deux couronnes: la véritable royauté selon Jean Chrysostome. ThZ 62 (2006) 209-221;

14935 *Calhoun, Robert M.* John Chrysostom on ἐκ πίστεως εἰς πίστιν in Rom. 1:17: a reply to Charles L. Quarles. NT 48 (2006) 131-146;

14936 *Chétanian, Rose V.* Les citations scripturaires dans la version arménienne du XIᵉ siècle de quatre homélies de Jean Chrysostome sur les *Actes des Apôtres.* Muséon 119 (2006) 321-374;

14937 ᴱᵀ**Chétanian, Rose Varteni** La version arménienne ancienne des Homélies sur les Actes des Apôtres de Jean Chrysostome: Homélies I, II, VII, VIII. CSCO.Ar 27-28; CSCO 607-608: 2004 ⇒20, 13886. ᴿRBLit (2006)* (*Hill, Robert C.*);

14938 *Cimosa, Mario* John Chrysostom and the Septuagint (Job and Psalms). XII Congress IOSCS. SCSt 54: 2006 ⇒774. 117-130;

14939 ᴱ**Coco, Lucio** Giovanni Crisostomo: Le omilie sulla passione del Signore. I mini grandi: Padova 2006, Messagero 224 pp. €13. 88-250-1741-3. ᴿAng. 83 (2006) 885-887 (*Degórski, Bazyli*).

14940 ᴱᵀ*Dochhorn, Jan* De iusto Job quando venerunt tres amici eius ut viderent eum (Oxford, Bodleian Library, Holkham 24 [olim 90], 173v-175r). ZAC 10 (2006) 187-194;

14941 *Dorival, Gilles* La *protheôria* de la *Synopse* de Jean Chrysostome. ThZ 62 (2006) 222-247;

14942 **Maxwell, Jaclyn L.** Christianization and communication in late antiquity: John Chrysostom and his congregation in Antioch. C 2006, CUP xi; 198 pp. 978-0-521-86040-6. Bibl. 176-193.

14943 *Mayer, Wendy* John Chrysostom: deconstructing the construction of an exile. ThZ 62 (2006) 248-258;

14944 *Miranda, Americo* Un modello di 'uomo spirituale' nel commento alla *Prima ai Corinzi* di Giovanni Crisostomo. FilTeo 20/1 (2006) 22-135;

14945 *Nigro, Giovanni* Musica e canto come fattori d'identità: giudei, pagani e cristiani nell'Antiochia di Giovanni Crisostomo. ASEs 23 (2006) 463-480;

14946 *Signifredi, Massimiliano* La schiavitù in Giovanni Crisostomo. SMSR 72 (2006) 271-289;

14947 *Stander, Hendrik F.* The concept of honour/shame in Chrysostom's commentary on Matthew. Studia patristica 41. 2006 ⇒833. 469-75;

14948 *Zincone, Sergio* La questione delle discordance tra gli evangelisti in Giovanni Crisostomo: il caso della guarigione di due paralitici (Mt 9,2 sgg.; Io 5,5 sgg.). ThZ 62 (2006) 259-266.

14949 CYRILLUS A: *Guinot, Jean-N.* Rétablir l'unité après la déchirure: Cyrille d'Alexandrie et THÉODORET de Cyr, des modèles pour le dialogue entre les églises?. Pères de l'église. 2006 ⇒810. 183-208;

14950 *Pazzinni, Domenico* Il *Liber adversariorum* nel *Commento a Giovanni* di Cirillo Alessandrino. StPatr 42. 2006 ⇒833. 199-203.

14951 DIDYMUS C: *Mackay, Thomas W.* The newly edited pages of Didymos the Blind on Psalms. StPatr 42. 2006 ⇒833. 175-179;

14952 *Siebach, James L.* Interpretive motives and practices in Didymus the Blind's *Commentary on Psalms*. Studia patristica 42. 2006 ⇒ 833. 223-229;

14953 *Steiger, Peter D.* The image of God in the commentary *On Genesis* of Didymus the Blind. Studia patristica 42. 2006 ⇒833. 243-247.

14954 DIONYSIUS AL: *Wischmeyer, Wolfgang* Bibelauslegung und bischöfliches Machtmonopol bei Dionysius von Alexandrien (Eus HE 7, 24-25). WJT 6 (2006) 143-154.

14955 DIONYSIUS AR: **Andia, Ysabel de** Denys l'Aréopagite: tradition et métamorphoses. P 2006, Vrin 352 pp;

14956 *Kaiser, Helga* Dionysius der Areopagit: ein Name schreibt Theologiegeschichte. WUB 39 (2006) 31 [Acts 17,34];

14957 *Ritter, Adolf M.* Dionysius Ps.-Areopagita und das Judentum. ^FAGUS, A. 2006 ⇒1. 113-124;

14958 **Schäfer, Christian** The philosophy of Dionysius the Areopagite: an introduction to the structure and the content of the treatise "On the divine names". PhAnt 99: Lei 2006, Brill xvi; 212 pp. $139. 90-04-15094-3. Bibl. 187-204.

14959 EPIPHANIUS C: **Osburn, Carroll D.** The text of the Apostolos in Epiphanius of Salamis. The NT in the Greek Fathers 6: 2004 ⇒20, 13910; 21,15381. ^RJR 86 (2006) 457-458 (*Racine, Jean-François*).

14960 EUSEBIUS A: *Ferguson, Everett* [Ps]-Eusebius of Alexandria, 'On baptism [of Christ]': a contest between Christ and the devil. StPatr 42. 2006 ⇒833. 127-131.

14961 EUSEBIUS C: *Armstrong, J.* Eusebius's quest for the historical Jesus: historicity and kerygma in the first book of the Ecclesiastical History. Themelios 32/1 (2006) 44-56;

14962 *Bremmer, Jan M.* The vision of Constantine. ^FKESSELS, A. 2006 ⇒ 84. 57-79;

14963 **Carriker, Andrew** The library of Eusebius of Caesarea. SVigChr 67: 2003 ⇒19,14657... 21,15382. ^RAdamantius 12 (2006) 563-567 (*Zambon, Marco*);

14964 **Freeman-Grenville, G.S.P.; Chapman, R.L., III; Taylor, J.E.** The Onomasticon by Eusebius of Caesarea. J 2003, Carta 220 pp. £45. 978-96522-05001;

14965   **Gwilliam, George H.** The Epistle of Carpianus: a critical edition of
the Syriac text with an essay on the Ammonian sections, Eusebian
canons, and harmonizing tables in the Syriac gospels. Analecta
Gorgiana 21: Piscataway, NJ 2006 <1901>, Gorgias 54 pp. $38.
978-15933-34994;

14966   **Inowlocki, Sabrina** Eusebius and the Jewish authors: his citation
technique in an apologetic context. AGJU 64: Lei 2006, Brill xx;
337 pp. €99. 90-04-149-902. Diss. Brussels 2003; Bibl. 299-318;

14967   *Jacobson, Howard* Artapanus and the flooding of the Nile. CQ 56
(2006) 602-603;

14968   *Johnson, Aaron P.* The blackness of Ethiopians: classical eth-
nography and Eusebius's *Commentary on the Psalms*. HThR 99
(2006) 165-186;

14969   Philonic allusions in Eusebius, P.E. 7.7-8. CQ 56/1 (2006) 239-
248;

14970   **Johnson, Aaron P.** Ethnicity and argument in Eusebius' *Praepara-
tio evangelica*. Oxford Early Christian Studies: Oxf 2006, OUP
xvii; 261 pp. £50. 978-01992-96132;

14971   *Morlet, Sébastien* L'introduction de l'Histoire ecclésiastique d'Eu-
sèbe de Césarée (I, II-IV): étude génétique, littéraire et rhétorique.
REAug 52 (2006) 57-95;

14972   L'Ecriture, image des vertus: la transformation d'un thème philoni-
en dans l'apologétique d'Eusèbe de Césarée. Studia patristica 42.
2006 ⇒833. 187-192;

14973   *Riaud, Jean* Pâque et sabbat dans les fragments I et V d'ARISTO-
BULE. Le temps et les temps. JSJ.S 112: 2006 ⇒408. 107-123 [Gen
2,2-3+;

14974   ᴱ**Timm, Stefan** Eusebius von Caesarea: Das Onomastikon der bib-
lischen Ortsnamen: Edition der syrischen Fassung mit griechischem
Text, englischer und deutscher Übersetzung. TU 152: 2005 ⇒21,
15388. ᴿJSJ 37 (2006) 143-146 (*Stökl Ben Ezra, Daniel*); WO 36
(2006) 263-265 (*Dochhorn, Jan*);

14975   *Van der Horst, Pieter W.* Eusebius' "Onomastikon" in het recente
onderzoek. NedThT 60 (2006) 299-309.

14976   Eᴠᴀɢʀɪᴜs P: **Casiday, A.M.** Evagrius Ponticus. Early Church Fa-
thers: L 2006, Routledge xii; 250 pp. £18/$32;

14977   **Dysinger, Luke** Psalmody and prayer in the writings of Evagrius
Ponticus. 2005 ⇒21,15393. ᴿCrSt 27 (2006) 970-973 (*Marchini,
Diego*); JECS 14 (2006) 385-386 (*Sinkewicz, Robert*); JThS 57
(2006) 313-316 (*Casiday, Augustine*);

14978   *Géhin, Paul* La tradition arabe d'Évagre le Pontique. CCO 3 (2006)
83-104.

14979   Gʀᴇɢᴏʀɪᴜs Nᴀᴢ: *Bady, Guillaume* Is Gregory of Nazianzus the
author of an unedited text on the plagues of Egypt?. Studia patristi-
ca 41. 2006 ⇒833. 279-285 [Exod 7-11];

14980   ᴱ**Børtnes, Jostein; Hägg, Tomas** Gregory of Nazianzus: images
and reflections. K 2006, Museum Tusculanum Press 349 pp. 87-
635-0386-7. Bibl. 297-322;

14981   **Daley, Brian E.** Gregory of Nazianzus. L 2006, Routledge 273 pp.
$110/36. 0-415-12181-7. Bibl. 259-267;

14982   *Jensen, Anne* Hat Gott einen Enkelsohn?: zur fünften theologischen
Rede von Gregor von Nazianz. ᶠSᴄʜÜɴɢᴇʟ-Sᴛʀᴀᴜᴍᴀɴɴ, H. 2006
⇒153. 82-85;

14983 ^E**Mossay, Justin** Sancti Gregorii Nazianzeni opera: versio graeca, 1: orationes X et XII. CChr.SG 64; Corpus Nazianzenum 22: Turnhout 2006, Brepols cxxxv; 61 pp. 978-2-503-40641-1.

14984 GREGORIUS NYS: ^T**Ferguson, William E.; Malherbe, Abraham J.** Gregory of Nyssa: The life of Moses. NY 2006, HarperSanFrancisco x; 132 pp. 0-06-075464-8. Foreword by *Silas House*;

14985 *Jenson, Robert W.* Gregory of Nyssa: "The life of Moses". ThTo 62 (2006) 533-537;

14986 *Mahlmann, Theodor* Gregor von Nyssa: Isaaks Opferung (Gen 22): aus dem Griechischen übersetzt. Isaaks Opferung. AKG 101: 2006 ⇒412. 773-780;

14987 ^E**Maspero, Giulio; Mateo-Seco, Lucas** Gregorio di Nissa: dizionario. R 2006, Città Nuova 600 pp. €66. 978-88-311-9336-8;

14988 Diccionario de San Gregorio de Nisa. Diccionarios MC: Burgos 2006, Monte Carmelo 942 pp. 84723-95367;

14989 *Mateo-Seco, Lucas F.* Obrazy obrazu (Rodzaju 1,26 i Kolosan 1,15 u św. Grzegorza z Nyssy) [Imágenes de la imagen (Gn 1,26 y Col 1,15 en Gregorio de Nisa). Vox Patrum 26 (2006) 367-381. **P.**;

14990 *Reyes Gacitúa, Eva* "¡Que me bese con los besos de su boca!": algunas reflexiones en torno a Las Homilías de Gregorio de Nisa en la cita del Cant 1,2. TyV 47 (2006) 368-374;

14991 *Trabace, Ilaria* Verginità e matrimonio nel De virginitate di Gregorio di Nissa: il presupposto paolino (I Cor 7). VetChr 43 (2006) 105-116.

14992 HIERACAS L: *Zarzeczny, Rafał* Pneumatologia Hierakasa z Egiptu na tle apokryficznego *Wniebowstąpienia Izajasza* i starożytnych tradycji melchizedekiańskich [Pneumatologia di Ieraca d'Egitto sullo sfondo d'apocrifico *Ascensione d'Isaia* e le tradizioni melchisedekiane antiche]. Vox Patrum 26 (2006) 735-748. **P.**

14993 MAXIMUS C: *Kattan, Assaad E.* The christological dimension of Maximus Confessor's biblical hermeneutics. Studia patristica 42. 2006 ⇒833. 169-174.

14994 MELITON S PS: *Cothenet, Edouard* Le *Pseudo-Méliton*. Marie et la sainte famille. 2006 ⇒762. 45-60.

14995 PAULUS S: *Uríbarri, Gabino* Trasfondo escriturístico del nacimiento de Cristo en los fragmentos de Pablo de Samosata. StPatr 42. 2006 ⇒833. 259-264.

14996 PIONIOS: *Baslez, Marie-Françoise* Entre Juifs et chrétiens: lectures de la bible à Smyrne au IIIe siècle. ^FGIBERT, P. 2006 ⇒52. 153-71.

14997 PROCLUS C: *Barkhuizen, Jan H.* Proclus of Constantinople: "Encomia" on the apostles Paul and Andrew (homilies 18 and 19). APB 17 (2006) 66-85.

14998 PROCOPIUS G: *Auwers, Jean-Marie* 'Ma vigne, je ne l'ai pas gardée': l'exégèse de Ct 1,6b dans l'Epitomé de Procope de Gaza. Studia patristica 39. 2006 ⇒833. 153-157.

14999 SEVERUS A: ^{ET}**Petit, Françoise** Sévère d'Antioche: fragments grecs tirés des chaînes sur les derniers livres de l'Octateuque et sur les Règnes. Traditio exegetica graeca 14: Lv 2006, Peeters €78. 97-8-90429-17255. Glossaire syriaque *Lucas Van Rompay*; Bibl. vii-x;

15000 ^{ET}**Youssef, Youhanna N.** A homily on Severus of Antioch by a bishop of Assiut (XV century). PO 50.1, n. 222: Turnhout 2006, Brepols 110 pp.

15001   SOZOMENOS: *Van Nuffelen, Peter* Sozomen's chapter on the finding of the true cross (*HE* 2.1) and his historical method. StPatr 42. 2006 ⇒833. 265-271.

15002   THEODORE M: **Thome, Felix** Historia contra Mythos: die Schriftauslegung Diodors von Tarsus und Theodors von Mopsuestia im Widerstreit zu Kaiser JULIANS und SALUSTIUS' allegorischem Mythenverständnis. Hereditas 24: 2004 ⇒20,13956; 21,15421. [R]ThLZ 131 (2006) 49-52 (*Gerber, Simon*) ZKTh 128 (2006) 345-346 (*Lies, Lothar*); OrChr 90 (2006) 226-228 (*Bruns, Peter*); JAC 48-49 (2005-2006) 196-198 (*Cook, John G.*).

15003   THEODORETUS C: **Pásztori-Kupán, Istvan** Theodoret of Cyrus. L 2006, Routledge xiv; 278 pp. £18/$32. 0-415-30960-3. Bibl. 221-265.

15004   THEOPHILUS A: *Voicu, Sever J.* Teofilo e gli antiocheni posteriori. Aug. 46 (2006) 375-387.

Y2.4 **Augustinus**

15005   [T]**Alici, Luigi; Pizzani, Ubaldo; Di Pilla, Alessandra** Sant'Agostino: Contro Fausto Manicheo. Nuova Biblioteca Agostiniana 14/1-2: 2004 ⇒20,13960; 21,15429. [R]CivCatt 157/3 (2006) 95-96 (*Cremascoli, G.*).

15006   *Beatrice, Pier F.* The treasures of the Egyptians: a chapter in the history of patristic exegesis and late antique culture. Studia patristica 39. 2006 ⇒833. 159-183 [Exod 3,21-22; 11,2-3; 12,35-36];

15007   Doctrina sana id est christiana: Augustine from the liberal arts to the science of the scriptures. ThZ 62 (2006) 269-282.

15008   *Bochet, Isabelle* La figure de Moïse dans la *Cité de Dieu*. StPatr 43. 2006 ⇒833. 9-14;

15009   Augustin disciple de Paul. RSR 94 (2006) 357-380.

15010   **Bochet, Isabelle** 'Le firmament de l'Ecriture': l'herméneutique augustinienne. 2004 ⇒20,13964; 21,15434. [R]ETR 81 (2006) 127-128 (*Gounelle, Rémi*); Gn. 78 (2006) 416-419 (*Gori, Franco*); RBen 116 (2006) 401-402 (*Bogaert, Pierre-Maurice*); JThS 57 (2006) 325-327 (*Lössl, Josef*).

15011   *Bogaert, Pierre-M.* Les bibles d'Augustin. RTL 37 (2006) 513-531.

15012   *Bronwen, Neil* Exploring the limits of literal exegesis: Augustine's reading of Gen 1:26. Pacifica 19 (2006) 144-155.

15013   **Brown, Peter** Santo Agostinho—uma biografia. [T]*Ribeiro, Vera* 2005 ⇒21,15437. [R]Veritas 51/3 (2006) 187-90 (*De Boni, Luis A.*).

15014   *Bruning, Bernard* Psaume 45,11 dans l'oeuvre d'Augustin. Studia patristica 43. 2006 ⇒833. 39-43.

15015   [T]**Calabrese, Claudio** San Agustín de Hipona: Interpretación literal del Génesis. Col. de Pensamiento Medieval 78: Pamplona 2006, EUNSA 347 pp.

15016   [ET]**Catapano, Giovanni** Aurelio Agostino: Tutti i dialoghi: testo latino a fronte. Mi 2006, Bompiani 1832 pp. €39. Al. trans.

15017   *Cipriani, Nello* L'utilizzazione di Fil. 3,13-14 nell'opera di S. Agostino. Aug(L) 56 (2006) 299-320.

15018   *Clancy, Finbarr G.* St Augustine's commentary on the Emmaus scene in Luke's gospel. Studia patristica 43. 2006 ⇒833. 51-58 [Luke 24,13-35].

15019 *Clintoc, Viorel S., Jr.; Cruceru, Marius D.* Augustine again?. Les Pères de l'église. 2006 ⇒810. 95-118.

15020 **Coninck, Lucas de; Coppieters 't Wallant, Bertrand; Demeulenaere, Roland** La tradition manuscrite de recueil de Verbum Domini jusqu'au XIIe siècle: prolégomènes à une édition critique des Sermones ad populum d'Augustin d'Hippone sur les évangiles (serm. 51 sqq.). Instrumenta Patristica et Mediaevalia 45: Turnhout 2006, Brepols 272 pp. €65. 2-503-52257-2. Bibl. 7-12. [R]RBen 116 (2006) 400-401 (*Baise, I.*).

15021 *Drobner, Hubertus R.* Psalm 21 in Augustine's *Sermones ad populum*: catecheses on *Christus totus* and rules of interpretation. AugSt 37 (2006) 145-169.

15022 *Eckmann, Augustyn* Znaczenie *Petra* (Mt 16,18) w interpretacji świętego Augustyna [Quomodo a Sancto Augustino 'Petra' in Mth 16,18 explicata sit]. Vox Patrum 26 (2006) 167-178. **P**.

15023 *Fabre, V.* La prophétie des Psaumes selon saint Augustin: à propos de Ps 1,1. NRTh 128 (2006) 546-560;

15024 La prophétie des Psaumes selon Augustin. ConnPE 101 (2006) 23-28.

15025 *Falardeau, Sébastien* Exégèse augustinienne: considérations générales et particulières. Scriptura(M) 8/2 (2006) 51-66.

15026 *Farrugia, Mario* Gn 1:26-27 in Augustine and LUTHER: "Before you are my strength and my weakness". Gr. 87 (2006) 487-521;

15027 Augustine's and LUTHER's understanding of Gn 1:26: an exercise in systematics. TTK 77 (2006) 182-202.

15028 *Fédou, Michel* L'herméneutique augustinienne de la bible et ses enjeux contemporains. REAug 52 (2006) 379-389.

15029 [E]**Fux, Pierre-Yves; Roessli, Jean-Michel; Wermelinger, Otto** Augustinus afer: Saint Augustin: africanité et universalité. 2003 ⇒ 19,676. [R]Adamantius 12 (2006) 592-597 (*Bernardini, Paolo*).

15030 [ET]**Fürst, Alfons** Augustinus—Hieronymus: Briefwechsel: epistulae mutuae. FC 41/1-2: 2002 ⇒18,13548... 20,13981. [R]Adamantius 12 (2006) 591 (*Menestrina, Giovanni*).

15031 *Garcia, Jaime* Les fondements de l'espérance: S. Augustin, *Commentaire du psaume 145*. ConnPE 101 (2006) 46-59.

15032 **García Grimaldos, M.** El nuevo impulso de San Agustín a la antropología cristiana. 2005 ⇒21,15462. [R]CDios 219 (2006) 599-600 (*Viñas, T.*).

15033 [T]**Greiner, Susanne** Aurelius Augustinus: Die Bergpredigt. Einsiedeln 2006, Johannes 170 pp. €14. 978-38941-13964. Ausgewählt von Susanne Greiner, durchgesehen von *Ludwig Kröger* u. *Nikolaus Nösges*. [R]Aug. 46 (2006) 546-548 (*Gaytán, Antonio*).

15034 *Hoskins, John P.* Augustine on love and church unity in 1 John. StPatr 43. 2006 ⇒833. 125-129 [1 John 4,8].

15035 *Hunter, David G.* Between Jovinian and JEROME: Augustine and the interpretation of 1 Corinthians 7. Studia patristica 43. 2006 ⇒ 833. 131-136.

15036 *Hwang, Alexander Y.* Augustine's interpretations of 1 Tim. 2:4 in the context of his developing views of grace. Studia patristica 43. 2006 ⇒833. 137-142.

15037 **Kapusta, Pawel** Articulating creation, articulating kerygma: a theological interpretation of evangelisation and Genesis narrative in the writings of Saint Augustine of Hippo. EHS.T 804: 2005 ⇒21,

15471. ^RRevAg 47 (2006) 154-155 (*Langa, Pedro*); AugSt 37/1 (2006) 136-138 (*Kloos, Kari*).

15038 *Keating, Daniel A.* 'For as yet the Spirit had not been given': John 7:39 in THEODORE of Mopsuestia, Augustine, and CYRIL of Alexandria. Studia patristica 39. 2006 ⇒833. 233-238.

15039 **Kim, Yoon Kyung** Augustine's changing interpretations of Genesis 1-3: from De Genesi contra Manichaeos to De Genesi ad litteram. Lewiston (N.Y.) 2006, Mellen ii; 195 pp. 0-7734-5670-8. Bibl. 177-191.

15040 *Kloos, Kari* 'In Christ there is neither male nor female': patristic interpretation of Galatians 3:28. Studia patristica 39. Ment. *Jerome; Gregorius, Naz; Gregorius, Nys.* 2006 ⇒833. 239-244.

15041 *Kotzé, Annemaré* Augustine, Paul and the Manichees. ^FLATEGAN, B.: NT.S 124: 2006 ⇒94. 163-174.

15042 *Lamberigts, M.* JULIAN of Aeclanum and Augustine of Hippo on 1 Cor. 15. StPatr 43. 2006 ⇒833. 155-172;

15043 The presence of 1 Cor. 4,7 in the anti-Pelagian works of Augustine. Aug(L) 56 (2006) 373-399.

15044 *Madec, Goulven* 'Agostino è prima di tutto un biblista'. Mondo della Bibbia 17/5 (2006) 6-12. Intervista di *Jean-Luc Pouthier.*

15045 **Manca, Luigi** Il volto ambiguo della ricchezza: Agostino e l'episodio evangelico del giovane ricco. R 2006, Armando 144 pp. €14. 8-8608-10345 [Mt 19,16-29].

15046 *Mara, Maria G.* Agostino interpreta Paolo: mediazione ciprianea e ticoniana. IX simposio paolino. Turchia 20: 2006 ⇒772. 77-86.

15047 *Marafioti, Domenico* Eucaristia e chiesa: l'esegesi di sant'Agostino al cap. 6 del vangelo di san Giovanni. RdT 47 (2006) 103-116.

15048 *Martin, Thomas F.* Paulus autem apostolus dicit (Cresc. 2.21.26): Augustine's Pauline polemic against the Donatists. Aug(L) 56 (2006) 235-259.

15049 **Matos, Manuel Alberto Pereira de** Interpretação trinitaria do *Pai Nosso*; o Espírito Santo e Espírito de filiação à luz do *De trinitate*, e de outros escritos de Santo Agostinho. 2004 ⇒20,13992. ^RDid(L) 36 (2006) 230-233 (*Rosa, José*).

15050 **Matthews, Gareth B.** Agustín. Barc 2006, Herder 261 pp. 84254-24720.

15051 *McCarthy, Michael C.* Creation through the Psalms in Augustine's *Enarrationes in Psalmos.* AugSt 37 (2006) 191-218.

15052 *Norris, John M.* Augustine's interpretation of Genesis in the *City of God* XI-XV. Studia patristica 43. 2006 ⇒833. 207-211.

15053 **O'Donnell, James J.** Augustine: a new biography. 2005 ⇒21, 15481. ^RVigChr 60 (2006) 109-114 (*Lössl, Josef*); JRS 96 (2006) 304-305 (*Clark, Gillian*).

15054 *Paciorek, Piotr* Christ and Melchizedek both fatherless and motherless in the christology of Augustine of Hippo. Studia patristica 43. 2006 ⇒833. 213-219 [Gen 14,17-20; Ps 45,11; Hebr 7,3].

15055 *Puthenveettil, Augustine Thomas* Concept of interiority in St. Augustine. LivWo 112/1 (2006) 5-14.

15056 ^E**Ramsey, Boniface** The Manichean debate. ^T*Teske, Roland*: Works of Saint Augustine 1/19: NY 2006, New City 424 pp. €49. 1-56548-247-6.

15057 **TeSelle, Eugene** Augustine. Abingdon Pillars of Theology: Nv 2006, Abingdon vi; 105 pp. $10. 0-687-05361-7. ^RRRT 13 (2006) 604-606 (*McCosker, Philip*).

15058 ^E**Thornton, John F.; Varenne, Susan B.** Late have I loved thee: selected writings of Saint Augustine on love. NY 2006, Vintage xxxviii; 413 pp. 0-3757-2569-5. Pref. *James J. O'Donnell*; Bibl. 411-413.

15059 *Toom, Tarmo* The necessity of semiotics: Augustine on biblical interpretation. StPatr 43. 2006 ⇒833. 257-262.

15060 **Trapè, Agostino** Introduzione generale a Sant'Agostino. Nuova Biblioteca Agostiniana; opere di Sant'Agostino: R 2006, Città Nuova 380 pp. €36. 88-311-9475-5.

15061 *Turek, Waldemar* 'Kto pokłada w nim tę nadzieję' (1J 3,3) w interpretacji niektórych pisarzy łacińskich okresu patrystycznego (Augustyn, Pseudo-Hilary z Arles, Beda Czcigodny) ['Chiunque ha questa speranza in lui' (1Gv 3,3) nell'interpretazione di alcuni scrittori latini dell'età patristica (Agostino, Pseudo-Ilario di Arles, Beda il Venerabile)]. Vox Patrum 26 (2006) 683-692. **P.**

15062 *Van Oort, H.* Augustine and manichaeism: new discoveries, new perspectives. VeE 27 (2006) 709-728.

15063 *Vannier, Marie-Anne* S. Augustin et le Psaume 41. ConnPE 101 (2006) 44-45.

15064 ^E**Vannier, Marie-Anne** Encyclopédie saint Augustin: la Méditerranée et l'Europe IVe-XXIe siècle. 2005 ⇒21,15503. ^RConPE 101 (2006) 61-63 (*Dideberg, Daniel*).

15065 *Wellmann, Bettina* Texte zum Stolpern: rabbinische und patristische Bibellektüre im Vergleich. BiKi 61 (2006) 235-239 [Ps 22].

15066 *Widdicombe, Peter* The two thieves of Luke 23:32-43 in patristic exegesis. Studia patristica 39. 2006 ⇒833. 273-277.

15067 *Yates, Jonathan* Selected remarks on some of Augustine's unique exegesis of the Catholic Epistles in the Pelagian controversies. StPatr 43. 2006 ⇒833. 303-321.

Y2.5 Hieronymus

15068 *Adkin, Neil* TERTULLIAN's *De spectaculis* and Jerome. Aug. 46 (2006) 89-94;

15069 Jerome on AMBROSE: the preface to the translation of Origen's homilies on Luke again. RSLR 42 (2006) 341-343.

15070 *Blázquez Martínez, José M.* Tolerancia e intolerancia religiosa en las cartas de Jerónimo. ^FGONZÁLEZ BLANCO, A. 2006 ⇒53. 467-473.

15071 *Cain, Andrew* ORIGEN, Jerome, and the Senatus pharisaeorum. Latomus 65 (2006) 727-734.

15072 *Dauzat, Pierre-Emmanuel* Jérôme ou l'ermite en courroux. MoBi 173, 174 (2006) 64-67, 64-67.

15073 *Degórski, Bazyli* L'esegesi geronimiana di Is 1,1 sulla base del *Commento in Isaia*. Vox Patrum 26 (2006) 135-143.

^{ET}**Fürst, A.** Augustinus–Hieronymus Briefwechsel 2002 ⇒15030.

15074 **González Salinero, Raúl** Biblia y polémica antijudía en Jerónimo. TECC 70: 2003 ⇒19,14760... 21,15517. ^RLatomus 65 (2006) 761-763 (*Adkin, Neil*); VetChr 43 (2006) 147-148 (*Nigro, Giovanni*).

15075 ^T**Gourdain, Jean-Louis** Jérôme: homélies sur Marc. SC 494: 2005 ⇒21,15518. ^RRHPhR 86 (2006) 458-459 (*Gounelle, R.*).

15076 *Guttilla, Giuseppe* L'*epist*. 58 di Girolamo negli scritti di PAOLINO di Nola (*Carmm*. 24, 19, 21 ed *epist*. 31). Seia 10-11 (2005-2006) 67-88.

15077 *Jakobi, Rainer* Argumentieren mit TERENZ: die Praefatio der 'Hebraicae Quaestiones in Genesim'. Hermes 134 (2006) 250-255.

15078 [T]**Jeanjean, Benoît; Lançon, Bertrand** Saint Jérôme: Chronique. [E]*Helm, R.* 2004, ⇒20,14022; 21,15521. Continuation de la *Chronique* d'Eusèbe années 326-378, suivie de quatre études sur les Chroniques et chronographies dans l'Antiquité tardive [R]REAug 62 (2006) 221-222 (*Laurence, Patrick*); Latomus 65 (2006) 1017-19 (*Arnaud-Lindet, Marie-Pierre*).

15079 **Rebenich, Stefan** Jerome. The Early Church Fathers: 2002 ⇒18, 13606; 19,14764. [R]JRS 96 (2006) 302-303 (*Hunt, David*).

15080 [T]**Risse, Siegfried** Hieronymus: Commentarioli in Psalmos, Anmerkungen zum Psalter. FC 79: 2005 ⇒21,15527. [R]Adamantius 12 (2006) 590 (*Pieri, Francesco*).

15081 [T]**Tovar Paz, Francisco Javier** San Jerónimo: contra Rufino. 2003 ⇒20,14028. [R]EM 74 (2006) 159-161 (*Cañas Reíllo, José Manuel*).

15082 [T]**Van der Horst, Pieter W.** Paula in Palestina: Hieronymus' biografie van een rijke Romeinse christin. Ad Fontes 3: Zoetermeer 2006, Meinema 147 pp. €16.50. 90-211-4107-8.

15083 *Volgers, Annelie* Damasus' request: why Jerome needed to (re)answer AMBROSIASTER's *Questions*;

15084 *Weingarten, Susan* Jerome's geography. StPatr 43. 2006 ⇒833. 531-536/537-541.

15085 **Williams, Megan** The monk and the book: Jerome and the making of christian scholarship. Ch 2006, University of Chicago Pr. x; 315 pp. £28.50/$45. 978-0-226-89900-8. Bibl. 303-312.

Y2.6 **Patres Latini** *in ordine alphabetico*

15086 *Dulaey, Martine* Bulletin de patristique latine. RSR 94 (2006) 443-471.

15087 *Dupont, Anthony; Depril, Ward* Marie-Madeleine et Jean 20,17 dans la littérature patristique latine. Aug(L) 56 (2006) 159-182.

       Green, R. Latin epics of the New Testament 2006 ⇒226.

15088 **Labriolle, Pierre de** History and literature of christianity: from TERTULLIAN to BOETHIUS. [T]*Wilson, Herbert*: L 2006, Kegan P. xxiii; 555 pp. 978-0-7103-1067-5.

15089 *Mendoza, Mario* Carmina *De Sodoma* et *De Iona*: una relectura. Vox Patrum 26 (2006) 383-397.

15090 *Morano, Ciriaca* Los comienzos de la discriminación de la mujer en la iglesia: algunos datos de la exégesis y las traducciones biblicas latinas del siglo IV. Proyección 53/4 (2006) 7-16.

15091 AMBROSIASTER: *Lunn-Rockliffe, Sophie* Ambrosiaster's political diabology. StPatr 43. 2006 ⇒833. 423-428.

15092 AMBROSIUS M: **Dassmann, Ernst** Ambrosius von Mailand: Leben und Werk. 2004 ⇒20,14038. [R]EstAg 41/1 (2006) 147-149 (*De Luis, P.*); REAug 62 (2006) 224-228 (*Savon, Hervé*);

15093 **Maschio, Giorgio** La figura di Cristo nel 'Commentario al Salmo 118' di Ambrogio di Milano. SEAug 88: 2003 ⇒19,14769... 21, 15548. [R]Gr. 87 (2006) 625-626 (*Carola, Joseph*);

15094 **Nauroy, Gérard** Ambroise de Milan: Écriture et esthétique d'une exégèse pastorale. 2003 ⇒19,464... 21,15549. [R]Gn. 78 (2006) 168-170 (*Edwards, Mark J.*); ScC 134 (2006) 743-45 (*Pasini, Cesare*).

15095 ARATOR D: [E]**Orbán, Arpad Peter** Aratoris subdiaconi Historia apostolica. CChr.SL 130-130A: Turnholti 2006, Brepols 2 vols; 584 + 695 pp. 2-503-01301-5/3-1. Bibl. [R]StMon 48/1 (2006) 259-260 (*Olivar, A.*).

15096 CAESARIUS A: *Grzywaczewski, Joseph* La lectio divina à la campagne en Gaule au VIe siècle d'après les *Sermons* de Césaire d'Arles. StPatr 43. 2006 ⇒833. 387-392.

15097 CASSIODORUS: **Agosto, Mauro** Impiego e definizione di tropi e scheme retorici nell'Expositio psalmorum di Cassiodoro. Biblioteca filologica CLE 1: 2003 ⇒20,10990. [R]Gn. 78 (2006) 419-422 (*Vidén, Gunhild*); AnCl 75 (2006) 383-386 (*Savon, Herve*);

15098 *Bureau, B.* Texte composé, texte composite: le mécanisme de la citation et sa fonction dans quelques commentaires de psaumes de Cassiodore. Hôs ephat'. 2006 ⇒886. 225-262.

15099 CEREALIS: *Baise, Ignace* La *Disputatio Cerealis contra Maximum* (CPL 813, CE). RBen 116 (2006) 233-286.

15100 CLAUDIUS M: [T]**Papini, Simona** Claudio Mario Vittorio: La verità. CTePa 189: R 2006, Città N. 138 pp. 88-311-3189-3. Bibl. 29-30.

15101 CROMAZIUS: [T]**Trettel, Giulio** Cromazio: trattati sul vangelo di Matteo. R 2005, Città Nuova 573 pp. €55.

15102 CYPRIANUS: [T]**Brent, Allen** St. Cyprian of Carthage: On the church: select treatises. Popular Patristics 32: Crestwood, NY 2006, St. Vladimir's Seminary Pr. 186 pp. 9780-88141-3120. Bibl. 183-186;

15103 St.Cyprian of Carthage: On the church: select letters. Popular Patristics 33: Crestwood, NY 2006, St. Vladimir's Seminary Pr. 248 pp. 978-088141-313-7. Bibl. 245-248;

15104 [T]**Poirier, Michel** Cyprien de Carthage: l' unité de l'Eglise. SC 500: P 2006, Cerf xviii; 334 pp. 2-204-08132-9. Texte critique du CCL 3 (*Maurice Bévenot*); introd. *Paolo Siniscalco; Paul Mattei*; apparats, notes, appendices Paul Mattei; Bibl. 145-162.

15105 ENNODIUS P: [ET]**Gioanni, Stéphane** Ennode de Pavie: lettres, 1. P 2006, Belles Lettres cxcviii; 282 pp. 2-251-01443-8. Bibl.

15106 FIRMICUS M: [T]**Sanzi, Ennio** Firmico Materno: L'errore delle religioni pagane. CTePa 191: R 2006, Città N. 204 pp. 88-311-8191-2.

15107 GAUDENTIUS B: *Degorski, Bazyli* L'interpretazione pneumatologica delle nozze di Cana secondo san Gaudenzio di Brescia. StPatr 43. 2006 ⇒833. 353-358 [John 2,1-11].

15108 GREGORIUS E: *Dulaey, Martine* Le "De arca Noe" de Grégoire d'Elvire et la tradition exégétique de l'Église ancienne. Graphè 15 (2006) 79-102 [Gen 6,5-9,17].

15109 GREGORIUS M: *Bartelink, Gerard* Träume und Visionen in den Dialogen Gregors des Grossen. [F]KESSELS, A. 2006 ⇒84. 80-93;

15110 [ET]**Etaix, Raymond; Judic, Bruno; Morel, Charles** Grégoire le Grand: Homélies sur l'évangile: livre I (homélies I-XX). SC 485: 2005 ⇒21,15571. [R]JThS 57 (2006) 756-758 (*Winterbottom, Michael*);

15111 *Greschat, Katharina* Die Verwendung des Physiologus bei Gregor dem Großen: Paulus als gezähmtes Einhorn in *Moralia in Job* XXXI. StPatr 43. 2006 ⇒833. 381-386 [Job 39,9-12].

15112 HILARIUS P [⇒15230]: **Ladaria, Luis F.** San Hilario de Poitiers: diccionario. Burgos 2006, Monte Carmelo 341 pp. 84-7239-5375.

15113 HILARIUS PS: ᴱ**Kreuz, Gottfried E.** Pseudo-Hilarius—Metrum in Genesin, Carmen de Evangelio: Einleitung, Text und Kommentar. SÖAW.PH 752: W 2006, Verlag der Österreichischen Akademie der Wissenschaften 456 pp. €55.20. 978-37001-37900. Bibl. 445-6.

15114 IUVENCUS: ᴱᵀ**Santorelli, P.** Giovenco: I libri dei vangeli II. Pisa 2005, ETS 280 pp. ᴿSandalion 26-28 (2003-2005) 294 (*De Gaetano, Miryam*).

15115 JULIANUS A: *Lössl, Josef* Julian of Aeclanum's 'prophetic exegesis'. Studia patristica 43. 2006 ⇒833. 409-421.

15116 OPTATUS M: *Marone, Paola* Alcune riflessioni sull'esegesi biblica di Ottato. Aug. 46 (2006) 389-410;

15117 L'esegesi biblica di Ottato di Milevi come veicolo della trasformazione della teologia africana. ASEs 23 (2006) 217-224.

15118 PAULINUS P: ᴱ**Lucarini, Carlo M.** Paulinus Pellaeus: Carmina. Mü 2006, Saur xxviii; 38 pp. 978-3-598-71323-1. Accedunt duo carmina ex Cod. Vat. Urb. 533; Bibl. xxvii-xxviii.

15119 PHILIPPUS: *Gorman, M.* The manuscript and printed editions of the commentary on Job by Philippus. RBen 116 (2006) 193-232.

15120 PRUDENTIUS: *Gosserez, Laurence* Citations païennes dans les paraphrases bibliques préfacielles de Prudence. Hôs ephat'. 2006 ⇒ 886. 209-223.

15121 PSEUDO CYPRIANUS: ᴱᵀ**Nucci, Chiara** Pseudo Cyprianus: il gioco dei dadi. BPat 43: Bo 2006, EDB 146 pp. 88-10-42053-5. Bibl. 139-141.

15122 TYCONIUS: *Marone, Paola* La sofferenza nell'esegesi biblica di Ticonio. VetChr 43 (2006) 231-243;

15123 ᵀ**Vercruysse, Jean-Marc** Tyconius: le livre des règles. SC 488: 2004 ⇒20,14072; 21,15591. ᴿScEs 58 (2006) 212-213 (*Bussières, Marie-Pierre*).

Y2.8 Documenta orientalia

15124 *Annus, Amar* The survivals of the ancient Syrian and Mesopotamian intellectual traditions in the writings of EPHREM Syrus. UF 38 (2006) 1-25.

15125 *Brock, Sebastian P.* Mary and the angel, and other Syriac dialogue poems. Mar. 68 (2006) 117-151;

15126 Fire from heaven: from Abel's sacrifice to the eucharist: a theme in Syriac christianity. Fire from heaven. 2006 <1993> ⇒195. V.229-243;

15127 'Come, compassionate Mother..., come Holy Spirit': a forgotten aspect of early eastern christian imagery. Fire from heaven. 2006 <1991> ⇒195. VI.249-257;

15128 The *ruah elōhīm* of Gen 1,2 and its reception history in the Syriac tradition. Fire from heaven. 2006 <1999> ⇒195. XIV.327-349.

15129 *Cook, John G.* A note on Tatian's Diatessaron, Luke and the Arabic Harmony. ZAC 10 (2006) 462-471.

15130 ᴱ**De Francesco, Ignazio** EFREM il Siro: Inni sul paradiso. Mi 2006, Paoline 360 pp. €36. ᴿLASBF 56 (2006) 674-676 (*Pazzini, Massimo*).

15131   *Fort, Jean-Louis* Deux microlectures de Monb. YV 129/130: les surlignes supraconsonantiques et les modes de citations dans le MS. Clarendon Press B.4, Fol. 53. ᶠFUNK, W.: 2006 ⇒48. 259-315.

15132   *Koster, Marinus* Aphrahat's use of his Old Testament;

15133   *Lane, David J.* 'There is no need of turtle-doves or young pigeons ...' (JACOB of Sarug): quotations and non-quotations of Leviticus in selected Syriac writers. Peshitta. 2006 ⇒781. 131-141/143-158.

15134   *Morrison, Craig* Efrem e la *lectio divina* all'Istituto Biblico. AcBib 11/2 (2006) 226-240. Conf. Istituto Biblico, 5 maggio 2006;

15135   The recasting of Elijah in Aphrahat's VI Demonstration. The Harp 19 (2006) 325-340 [1 Kgs 17-21].

15136   **Murray, Robert** Symbols of church and kingdom: a study in early Syriac tradition. L ²2006 <1975>, Clark xvi; 395 pp. £25. 0-567-03082-2.

15137   *Muto, Shinichi* Interpretation in the Greek Antiochenes and the Syriac fathers. The Peshitta. MPIL 15: 2006 ⇒781. 207-222.

15138   *Owens, Robert J.* The book of Proverbs in Aphrahat's *Demonstrations*. The Peshitta. MPIL 15: 2006 ⇒781. 223-241.

15139   *Pinggéra, Karl* Christi Seele und die Seelen der Gerechten: zum fünften Fragment aus dem Johanneskommentar des PHILOXENUS von Mabbug. Studia patristica 41. 2006 ⇒833. 65-70.

15140   ᵀ**Ridolfini, Francesco P.** Le 'Dimostrazioni' del 'Sapiente persiano': Dimostrazioni I-X. R 2006, Studium 205 pp. €20.

15141   *Stone, Michael E.* The transmission and reception of biblical and Jewish motifs in the Armenian tradition;

15142   Some Armenian angelological and uranographical texts.<1992>;

15143   Some further Armenian angelological texts;

15144   The months of the Hebrews. Apocrypha, Pseudepigrapha, I. OLA 144: 2006 <1988> ⇒310. 79-93/415-425/427-435/437-444.

15145   *Ter Haar Romeny, Bas* Greek or Syriac?: chapters in the establishment of a Syrian Orthodox exegetical tradition;

15146   *Thomson, R.W.* Is there an Armenian tradition of exegesis?. Studia patristica 41. 2006 ⇒833. 89-95/97-113.

15147   *Van Peursen, Wido* Sirach quotations in the Discourses of PHILOXENUS of Mabbug: text and context. The Peshitta. MPIL 15: 2006 ⇒781. 243-258.

15148   **Westerhoff, Matthias** Das Paulusverständnis des Liber graduum. ᴰ*Brennecke, H.C.* 2006, Diss.-Habil. Erlangen-Nürnberg [ThLZ 132,485].

Y3.0 Medium aevum, *generalia*

15149   *Albert, Bat-Sheva* Recording the sainthood of the missionaries in the Carolingian era: typology and its limits. A holy people. 2006 ⇒ 565. 149-184.

15150   *Backhouse, Janet* The case of Queen Melisende's Psalter: an historical investigation. ᶠALEXANDER, J. 2006 ⇒3. 457-470.

15151   *Barnay, Sylvie* La Vierge apocryphe des récits visionnaires: le *Liber specialis gratiae*. Marie et la sainte famille. 2006 ⇒762. 85-100 [Mt 1,18-25].

15152   ᴱᵀ**Bausi, Alessandro; Gori, Alessandro** Tradizioni orientali del "Martirio di Areta": la prima recensione araba e la versione etiopica, edizione critica e traduzione. QuSem 27: F 2006, Università di Firenze xxviii; 306 pp. 88-901340-8-9. Presentazione di *Paolo Marrassini*; Bibl. xii-xxviii.

15153 **Candler, Peter M., Jr.** Theology, rhetoric, manuduction, or reading scripture together on the path to God. GR 2006, Eerdmans xi; 190 pp. $26.

15154 *Chazelle, Celia* Christ and the vision of God: the biblical diagrams of the Codex Amiatinus. The mind'eye: art and theological argument in the Middle Ages. ^E**Hamburger, Jeffrey F.; Bouche, Anne-Marie** Princeton 2006, Princeton Univ. Pr. 84-111 [RBen 118,151–P.-M. Bogaert].

15155 ^E**Ciardella, Piero; Gronchi, Maurizio** Il corpo. Scritture 1: Mi 2006, Paoline 128 pp. €7.50.

15156 *Custer, John S.* The Virgin's birth pangs: a Johannine image in Byzantine hymnography. Mar. 68 (2006) 417-436.

15157 ^E**Dinkova-Bruun, Greti** The ancestry of Jesus. excerpts from Liber generationis Iesu Christi filii David filii Abraham (Matthew 1:1-17). 2005 ⇒21,15614. ^RLatomus 65 (2006) 1021-22 (*Adkin, Neil*).

15158 *Dinzelbacher, Peter* Zur Sozialgeschichte der christlichen Erlebnismystik im westlichen Mittelalter. Wege mystischer Gotteserfahrung. 2006 ⇒859. 113-127.

15159 *Dove, Mary* The Middle Ages. Blackwell companion to the bible. 2006 ⇒465. 39-53.

15160 *Fößel, Amalie* Die Kaiserin im Mittelalter und ihr göttlicher Herrschaftsauftrag. Gottesmacht. 2006 ⇒572. 75-87.

15161 *Fulton, Rachel* 'Taste and seen that the Lord is sweet' (Ps. 33:9): the flavor of God in the monastic west. JR 86 (2006) 169-204.

15162 *Grimanis, Stavros* Contribution to the relation between Old Testament and Byzantine hagiography: the use of the Old Testament in two Byzantine encomia to St.George. Kl. 36 (2006) 151-159.

15163 *Gumerlock, Francis X.* The interpretation of tongues in the Middle Ages. Antiphon [Waco] 10 (2006) 160-168 [1 Cor 12,10].

15164 **Hughes, Kevin L.** Constructing antichrist: Paul, biblical commentary, and the development of doctrine in the early middle ages. 2005 ⇒21,15626. ^RAugSt 37 (2006) 279-83 (*Sheppard, Carol A.*); RHPhR 86 (2006) 445-446 (*Arnold, M.*).

15165 **Junior, Peter M.C.** Theology, rhetoric, manuduction—or reading scripture together on the path to God. Radical Traditions: GR 2006, Eerdmans 194 pp.

15166 *Kay, S.* Original skin: flaying, reading, and thinking in the Legend of Saint Bartholomew and other works. JMEMS 36 (2006) 35-73.

15167 **Kemper, Tobias A.** Die Kreuzigung Christi: motivsgeschichtliche Studien zu lateinischen und deutschen Passionstratkaten des Spätmittelalters. MTUDL 131: Tü 2006, Niemeyer 563 pp. 3-4848-91-319.

15168 *Maayan Fanar, Emma* Visiting Hades: a transformation of the ancient god in the ninth-century Byzantine psalters. ByZ 99 (2006) 93-108.

15169 *Mayr-Harting, Henry* The reception of the bible in twelfth-century English prayer. ^FWANSBROUGH, H.: 2006 ⇒168. 166-182.

15170 *McNair, Bruce* Thomas AQUINAS, ALBERT the Great and HUGH of St Cher on the vision of God in Isaiah chapter 6. DR 124 (2006) 79-88.

15171 *Oliver, Judith* 'A bundle of myrrh': passion meditation in French vernacular poems and images in some Liège psalters. [F]MARROW, J. 2006 ⇒105. 361-371.

15172 **Payan, Paul** Joseph: une image de la paternité dans l'occident médiéval. P 2006, Aubier 476 pp. €24.50. 978-27007-23434.

15173 *Santi, Francesco* La bibbia delle mistiche nei secoli XII-XIV. Donne e bibbia. La Bibbia nella storia 21: 2006 ⇒484. 51-71.

15174 [E]**Sargent, Michael G.** Nicholas LOVE: the mirror of the blessed life of Jesus Christ: a reading text. 2004 ⇒20,14112; 21,15738. [R]RHE 101 (2006) 810-813 (*Robson, Michael*).

15175 *Šedinová, Hana* Mirabilia nebo terribilia?: symbolika mořských monster ve středověku [Mirabilia or terribilia?: sea monsters as symbols in medieval exegesis]. LFil 129 (2006) 83-116 [Scr. 60, 244*—P. Spunar]. **Czech.**

15176 *Vitz, Evelyn B.* Liturgical versus biblical citation in medieval vernacular literature. [F]ALEXANDER, J.: 2006 ⇒3. 443-450.

15177 [T]**Vredendaal, J.; Veenbaas, R.** Heliand: een Christusgedicht uit de vroege middeleeuwen: uit het Oudsaksisch vertaald. Amst 2006, SUN 240 pp. €29.50. 90-8506-296-6 [ITBT 15/3,34–M. den Dulk].

Y3.4 Exegetae mediaevales [Hebraei ⇒K7]

15178 *Engammare, Max* Les premiers hébraïsants chrétiens français de la Renaissance et leur usage de la littérature juive médiévale. Les églises et le talmud. 2006 ⇒789. 43-55.

Gire, P. Maître Eckhart et la métaphysique de l'Exode. 2006 ⇒2812.

15179 ABAELARDUS P: [E]**Romig, Mary; Burnett, Charles** Petrus Abaelardus: opera theologica V: Expositio in Hexameron; Abbreviatio Petri Abaelardi Expositionis in Hexameron. CChr.CM 15: 2004 ⇒20,14115. [R]JThS 57 (2006) 349-51 (*Ward, Benedicta*).

15180 AELRED R: [T]**Emery, Pierre-Yves** Aelred de Rievaulx: homélies sur les fardeaux selon le prophète Isaïe. Pain de Cîteaux 25: Oka, Québec 2006, Abbaye cistercienne Notre-Dame-du-Lac 445 pp. €23. 2-921592-32-0.

15181 ALCUIN: [E]**Depreux, Philippe; Judic, Bruno** Alcuin de York à Tours: Écritures, pouvoir et réseaux dans l'Europe du haut moyen âge. ABret 111/3: 2004 ⇒20,14117. [R]RHE 101 (2006) 208-209 (*Vogüé, Adalbert de*).

15182 ALEXANDER H: *Horowski, Aleksander* Aleksander z Hales a zasady interpretacji Pisma Świetego. Studia antyczne i mediewistyczne 4 [39] (2006) 195-206. **P.**

15183 AMALARIUS M: **Diósi, Dávid** Amalarius Fortunatus in der Trierer Tradition: eine quellenkritische Untersuchung der trierischen Zeugnisse über einen Liturgiger [i.e. Liturgiker] der Karolingerzeit. LWQF 94: Müns 2006, Aschendorff ix; 291 pp. 3-402-04074-3. Bibl. 7-20.

15184 ANASTASIUS S: [E]**Munitiz, Joseph A.; Richard, Marcel** Anastasii Sinaitae quaestiones et responsiones. CChr.SG 56: Turnhout 2006, Brepols lxi; 286 pp. Bibl. vii-xiv.

15185 ANSELMUS C: [ET]**Elia, Giacobbe; Marchetti, Giancarlo** Anselmus Cantuariensis archiepiscopus, 1033-1109: De casu diaboli; Anselmo d'Aosta: La caduta del diavolo. Bompiani testi a fronte 98: Mi 2006, Bompiani 213 pp. 88-452-5670-7. Bibl. 183-192.

15186   AQUINAS: *Alarcón, Enrique, al.*, Bibliographia thomistica 2005. Doctor Angelicus 6 (2006) 301-410;

15187   **Bisceglia, Bruno** "In natura humana Deus Pater impressit Verbum": Dio Padre nel commento di San Tommaso al vangelo di San Giovanni: indagine dottrinale e verifica analitica: analisi statistica e lessicografica. [D]*Pastor, Félix A.*: TGr.T 134: R 2006, E.P.U.G. 352 pp. €35. 88-7839-065-8. Diss. Gregoriana;

15188   *Brenet, Jean-Baptiste* "... set hominem anima" Thomas d'Aquin et la pensée humaine comme acte du composé. Ment. *Averroes*: MUSJ 59 (2006) 69-96;

15189   *Elders, Leo* Tomás de Aquino, comentador de San Pablo. ScrTh 38 (2006) 941-963;

15190   *Forment, Eudaldo* El problema de la justificación en los comentarios bíblicos de Santo Tomás de Aquino. Espiritu 55 (2006) 243-58;

15191   **Forschner, Maximilian** Thomas von Aquin. Denker 572: Mü 2006, Beck 238 pp. 3-406-52840-6. [R]LuThK 30 (2006) 144-146 (*Kandler, Karl-Hermann*);

15192   *Humbrecht, Thierry-Dominique* Nomen incommunicabile: sur l'emploi thomasein du "Nom incommunicable" de Sg 14,21. RThom 106 (2006) 393-411;

15193   *Le Pivain, Denis-Dominique* L'action du Saint-Esprit dans le *Commentaire de l'évangile de saint Jean* par saint Thomas d'Aquin. Croie et savoir 42: P 2006, Téqui 232 pp. €22. 27403-12180.

15194   **Levering, Matthew** Scripture and metaphysics: Aquinas and the renewal of trinitarian theology. 2004 ⇒20,14133; 21,15675. [R]JRH 30/1 (2006) 105-107 (*Herrick, Jennifer Anne*); NV(Eng) 4 (2006) 449-454 (*Hofer, Andrew*); HeyJ 47 (2006) 475-477 (*Madigan, Patrick*); JR 86 (2006) 692-694 (*Miner, Robert C.*).

15195   **Maritain, Jacques** Il dottore angelico San Tommaso d'Aquino. ClCr 303: Siena 2006, Cantagalli 184 pp. €15.90. Introd. *Inos Biffi*;

15196   **McInerny, Ralph** Aquinas. 2004 ⇒20,14136. [R]HeyJ 47 (2006) 472-473 (*Atkins, Margaret*);

15197   **Reinhardt, Elisabeth** La dignidad del hombre en cuanto imagen de Dios: Tomás de Aquino ante sus fuente. 2005 ⇒21,15684. [R]Doctor Angelicus 6 (2006) 281-282 (*Elders, Leo J.*) [Gen 1,26-27].

15198   *Selva, Agostino* San Tommaso d'Aquino e la Postilla super Psalmos (Napoli, 1272-1273). SacDo 51/6 (2006) 167-189;

15199   *Slenczka, Notger* Thomas von Aquin und die Synthese zwischen dem biblischen und dem griechisch-römischen Gesetzesbegriff. Der biblische Gesetzesbegriff. AAWG.PH 278: 2006 ⇒695. 107-149;

15200   *Somme, Luc-Thomas* L'adoption filiale des juifs de l'Ancienne Alliance selon saint Thomas d'Aquin. RThom 106 (2006) 149-169;

15201   **Torrell, J.-P.** Amico della verità: vita e opere di Tommaso d'Aquino. Bo 2006, Studio Domenicano 566 pp. €35;

15202   [E]**Torrell, J.-P.** Saint Thomas d'Aquin: la prophétie: Somme théologique, 2[a]-2[ac]: questions 171-178. [T]*Synave, Paul; Benoit, Pierre* [Z]2005 ⇒21,15691. [R]Brot. 162 (2006) 497-498 (*Silva, Isidro Ribeiro da*).

15203 ARMAND DE B: *Morard, Martin* Une certaine idée de la science: la *Collatio super sacram scripturam* d'Armand de Belvézer O.P. Recherches de théologie et philosophie médiévales 73 (2006) 99-174.

15204 ARNALDUS V: [E]**Perarnau, Josep** Arnaldi de Villanova: Introductio in librum [Ioachim] 'De semine scripturarum' e Allocutio super significatione nominis tetragrammaton. 2004 ⇒20,14145; 21,15697. [R]Studia Lulliana 45-46 (2005-2006) 140-142 (*Soler, A.*).

15205 BAR KONI T: *Salvesen, Alison* Obscure words in the Peshitta of Samuel, according to Theodore Bar Koni;

15206 BAR SALIBI: *Ryan, Stephen D.* The reception of the Peshitta psalter in Bar Salibi's *Commentary on the Psalms*. The Peshitta. MPIL 15: 2006 ⇒781. 339-349/327-338.

15207 BEDA V: [E]**Crépin, André** Bède le Vénérable: Histoire ecclésiastique du peuple anglais (Historia ecclesiastica gentis anglorum), 1: Livres I-II. [E]*Lapidge, Michael*; [T]*Monat, Pierre; Robin, Philippe* SC 489: 2005 ⇒21,15701. [R]RHE 101 (2006) 206-8 (*Elfassi, Jacques*); Scr. 60/1 (2006) 9*-10* (*Hamblenne, P.*) [vols 1-3];

15208 *Meyvaert, Paul* Dissension in Bede's community shown by a quire of Codex Amiatinus. RBen 116 (2006) 295-309;

15209 *Ward, Benedicta* Bede, the bible and the north. [F]WANSBROUGH, H.: LNTS 316: 2006 ⇒168. 156-165.

15210 BERNARDUS C: *Burton, Pierre André* Une lecture "aux éclats" du "Cantique des Cantiques": les enjeux de l'herméneutique biblique selon saint Bernard: un commentaire du Sermon 23 sur le "Cantique". Cîteaux 57/3-4 (2006) 165-241.

15211 BONAVENTURA B: *Karris, Robert J.* St. Bonaventure's interpretation of the evangelical life in his Commentary on the Gospel of St. John. FrS 64 (2006) 319-335;

15212 *Pospíšil, Ctirad Václav* La croce e l'umiltà nel pensiero di San Bonaventura da Bagnoregio. AUPO 7 (2006) 87-95.

15213 CESARIUS A: *Grzywaczewski, Joseph* La *lectio divina* à la campagne en Gaule au VIe siècle d'après les *Sermons* de Césaire d'Arles. Studia patristica 43. 2006 ⇒833. 387-392.

15214 COMESTOR P: *Boureau, Alain* La réécriture des miracles évangéliques par Pierre Comestor. Miracles, vies et réécriture dans l'Occident médiéval. [E]**Goullet, Monique; Heinzelmann, Martin** Francia.B 65: Ostfildern 2006, Thorbecke. 93-101. 37995-74603.

15215 CONRADUS DE M: [E]**Van de Loo, Tom** Conradi de Mure Fabularius. CChr.CM 210: Turnholti 2006, Brepols xcvi; 648 pp. 2-503-05101-4. Bibl. lxxxiii-xciii.

15216 CYRILLUS S: *Van der Horst, Pieter W.* The role of scripture in Cyril of Scythopolis' Lives of the monks of Palestine. Jews and Christians. WUNT 196: 2006 <2002> ⇒321. 206-215.

15217 DIONYSIUS BAR SALIBI: **Ryan, Stephen Desmond** Dionysius Bar Salibi's factual and spiritual commentary on Psalms 73-82. CRB 57: 2004 ⇒20,14158; 21,15717. [R]OCP 72 (2006) 293-295 (*Morrison, Craig*).

15218 ECKHART M: *Tugendhat, Ernst* Die anthropologischen Wurzeln der Mystik: Vortrag anlässlich der Verleihung des Meister-Eckhart-Preises am 5. Dezember 2005 in Berlin. Information Philosophie 34/2 (2006) 7-17. 1434-5250.

15219 EUSTRATIUS C: [E]**Van Deun, Peter** Eustratii presbyteri Constantinopolitani De statu animarum post mortem: (CPG 7522). CChr.SG 60: Turnhout 2006, Brepols liv; 139 pp. 978-2-503-40601-5.

15220   FIDATI S: *Eckermann, Willigis* Simon Fidati und das Evangelium: seine Verkündigung, Lektüre und Verwirklichung. [F]UNTERGASS-MAIR, F. 2006 ⇒161. 345-356.

15221   FLORUS L.: [E]**Fransen, Paul-Irénée; Coppieters 't Wallant, B.; Demeulenaere, R.** Florus Lugdunensis: Opera omnia: collectio ex dictis XII Patrum pars II. CChr.CM 193 A: Turnhout 2006, Brepols lxvii; 311 pp. 2-503-04933-8.

15222   FRANCISCUS A: **Stadler, Volker** 'Ich kenne Christus, den Armen, den Gekreuzigten': paulinische Rezeption in den Schriften des Franziskus von Assisi. 2005 ⇒21,15721. [R]CFr 76 (2006) 307-310 (*Matura, Thaddée*).

15223   GAUDENZIUS B: *Degórski, Bazyli* L'interpretazione pneumatologica delle nozze di Cana secondo san Gaudenzio di Brescia. Studia patristica 43. 2006 ⇒833. 353-358 [John 2,1-11].

15224   GIOACCHINO F: **Potestà, Gian Luca** Il tempo dell'Apocalisse: vita di Gioacchino da Fiore. 2004 ⇒20,14161. [R]RHE 101 (2006) 776-779 (*Rainini, Marco*); Bijdr. 67 (2006) 351-352 (*Honée, Eugène*).

15225   GREGORIUS N: *Sarkissian, Chahan* La signification spirituelle du commentaire de saint Grégoire de Narek sur le Cantique des cantiques. Saint Grégoire de Narek. OCA 275: 2006 ⇒852. 247-254.

15226   GUILLAUME D'A: *Dahan, Gilbert* L'exégèse de la bible chez Guillaume d'Auvergne. Autour de Guillaume d'Auvergne: études réunies. [E]**Morenzoni, Franco; Tilliette, Jean-Yves** LvN 2005, Brepols. 237-270. €60. 25305-17919.

15227   GULIELMUS C: [E]**Jeauneau, Édouard A** Gulielmi de Conchis: Glosae super PLATONEM. CChr.CM 203: Turnhout 2006, Brepols cxlvi; 402 pp. 978-2-503-05039-3. Bibl. cviii-cxlvi.

15228   HAIMO A: *Gorman, Michael M.* The commentary on the gospel of Mark by Haimo of Auxerre in Vat. Lat. 651. Miscellanea Bibliothecae Apostolicae Vaticanae, 13. StT 433: 2006 ⇒557. 195-239.

15229   HERBERTUS B: **Goodwin, Deborah L.** "Take hold of the robe of a Jew": Herbert of Bosham's christian Hebraism. Ment. *Jerome* Studies in the history of christian traditions 126: Lei 2006, Brill xii; 300 pp. €99/$134. 90-04-14905-8. Diss. Notre Dame.

15230   HILARIUS P [⇒15112]: *Milhau, Marc* Les *Commentaires sur les Psaumes* de S. Hilaire de Poitiers. ConnPE 101 (2006) 2-13.

15231   HRABANUS M: [E]**Cantelli Berarducci, Silvia** Hrabani Mauri opera exegetica: repertorium fontium. Instrumenta Patristica et Mediaevalia 38-38A-38B: Turnholti 2006, Brepols 3 vols; xxxii; 1508 pp. 978-2-503-51064-4/5-1/6-8.

15232   HUGH S-C: [E]**Bataillon, Louis-Jacques; Dahan, Gilbert; Gy, Pierre-Marie** Hugues de Saint-Cher (+ 1263), bibliste et théologien. Bibliothèque d'histoire culturelle du Moyen Âge 1: 2004 ⇒ 20,742; 21,15730. [R]BECh 164/1 (2006) 323-324 (*Gadrat, Christine*); JThS 57 (2006) 354-355 (*Evans, G.R.*).

15233   HUGO F: *Healy, Patrick* The polemical use of scripture in the chronicle of Hugh of Flavigny. Recherches de théologie et philosophie médiévales 73 (2006) 1-36.

15234   HUS J: [E]**Ryba, Bohumil** Magistri Iohannis Hus Quodlibet: disputationis de Quolibet Pragae in Facultate artium mense Ianuario anni 1411 habitae Enchiridion. CChr.CM 211: Turnhout [2]2006 <1948>, Brepols xl; 310 pp. 2-503-05111-1. Editionis anno 1948 perfectae impressio aucta et emendata.

15235 ISAAC N: ᴱᵀBrock, Sebastian P. The wisdom of St. Isaac of Nineveh. Texts from christian late antiquity 1: Piscataway (N.J.) 2006, Gorgias xx; 42 pp. 1-59333-335-8. Bibl. xviii-xx.

15236 ISHOʿDAD M: Lund, Jerome A. Ishoʿdad's knowledge of Hebrew as evidenced from his treatment of Peshitta Ezekiel. The Peshitta. MPIL 15: 2006 ⇒781. 177-186.

15237 ISIDORUS H: ᴱAndrés Sanz, María Adelaida Isidori Hispalensis episcopi Liber differentiarum (II). Ment. Jerome: CChr.SL 111A: Turnhout 2006, Brepols 323*; 126 pp. 2-503-01113-6. Bibl. 283*-312*;

15238 ᴱMartín, José Carlos Scripta de vita Isidori Hispalensis episcopi. CChr.SL 113B: Turnhout 2006, Brepols 454 pp. 2-503-01135-7. Bibl. 413-443.

15239 ISIDORUS S: Laato, Anni M. A shadow of things to come: Isidore of Seville on Jewish feast days. ᴹILLMAN, K. 2006 ⇒72. 183-194.

15240 JOACHINUS F: Honée, Eugène Joachim of Fiore: his early conception of the Holy Trinity: three Trinitarian figurae of the Calabrian abbot reconsidered. EThL 82 (2006) 103-137;

15241 Wannenmacher, Julia E. Hermeneutik der Heilsgeschichte: De septem sigillis und die sieben Siegel im Werk Joachims von Fiore. Lei 2004, Brill 393 pp.

15242 JOHANNES F: ᴱCostello, Hilary Sky-blue is the sapphire, crimson the rose: still-point of desire in John of Forde. CiFS 69: Kalamazoo, Mich 2006, Cistercian xxi; 332 pp. 0-87907-569-4. Sermons on Song of Songs; Bibl. 323-326.

15243 JUNILLUS A: ᵀMaas, Michael Exegesis and empire in the early Byzantine Mediterranean: Junillus Africanus and the Instituta regularia divinae legis. STAC 17: 2003 ⇒19,14898... 21,15736. ᴿAdamantius 12 (2006) 617-619 (Zamagni, Claudio); CrSt 27 (2006) 977-980 (Crimi, Carmelo).

15244 LAURENTIUS B: Armellada, Bernardino de La más bella profecía de la hermosura de la Virgen: el "Cantar de los Cantares" en San Lorenzo de Brindisi. Laur. 47 (2006) 349-362.

15245 LEONTIUS H: ᴱᵀGray, Patrick T.R. Leontius of Jerusalem: Against the Monophysites: testimonies of the saints and aporiae. Oxf 2006, OUP ix; 245 pp. 0-19-926644-1. Bibl. 234-236.

15246 LOBKOWITZ VON HASSENSTEIN B: ᴱVaculínová, M. Bohuslaus Hassensteinius a Lobkowicz: opera poetica. Mü 2006, Saur xl; 328 pp. 3-598-71283-9. Bibl. xxxi-xxxviii.

15247 LULLUS R: ᴱSánchez Manzano, Maria A. Raimundus Lullus: Opera Latina 12-15: Quattuor Libri Principiorum. CChr.CM 185; Raimundi Lulli Opera latina 31: Turnhout 2006, Brepols xlviii; 580 pp. 978-2-503-04851-2.

15248 MACHIAVELLI N: Lynch, Christopher Machiavelli on reading the bible judiciously. HPolS 1/2 (2006) 162-185.

15249 MAXIMUS C: Renczes, Philipp Gabriel Agir de Dieu et liberté de l'homme: recherches sur l'anthropologie théologique de saint Maxime le Confesseur. CFi 229: 2003 ⇒19,14903... 21,15744. ᴿThLZ 131 (2006) 293-295 (Suchla, Beate Regina).

15250 NICHOLAS, L: Hasselhoff, Görge K. RASCHI und die christliche Bibelauslegung dargestellt an den Kommentaren zum Neuen Testament von Nicolaus von Lyra. Jud. 62 (2006) 193-215.

15251   ODO: **Mutius, Hans-Georg von** Die hebräischen Bibelzitate beim englischen Scholastiker Odo: Versuch einer Revaluation. JudUm 78: Fra 2006, Lang xiv; 177 pp. €39. 3631-55382X.

15252   OGIER L: [T]**Jenni, Martin** Ogier of Locedio: homilies: in praise of God's holy mother; on our Lord's words to his disciples at the Last Supper. CiFS 70: Kalamazoo 2006, Cistercian viii; 341 pp. $30. 0-87907-570-8. [R]Cîteaux 57/1-2 (2006) 157-159 (*Bell, David N.*).

15253   PAGNINI S: *Morisi Guerra, Anna* Sancti Pagnini, traducteur de la bible. Les églises et le talmud. 2006 ⇒789. 35-42.

15254   PHOTIUS: *Leserri, Valeria* Riflessioni su un'esegesi biblica del patriarca Fozio: *Amphilochia*. Aug. 46 (2006) 261-263.

15255   PICO DELLA MIRANDOLA: **Black, Crofton** Pico's Heptaplus and biblical hermeneutics. Studies in medieval and Reformation traditions: history, culture, religion, ideas 116: Lei 2006, Brill x; 265 pp. $129. 978-90-04-15315-8. Bibl. 241-255.

15256   RICHARD S V: *Hallet, Carlos* La discretio en Beniamin minor de Ricardo de San Víctor. TyV 47/1 (2006) 47-54.

15257   ROBERT G: **Ginther, James R.** Master of the sacred page: a study of the theology of Robert Grosseteste (1229/30-1235). Aldershot 2006, Ashgate 248 pp. $100/£50.

15258   RUPERT VON D: *Meier, Christel* Rupert von Deutz' Befreiung von den Vätern: Schrifthermeneutik zwischen Autoritäten und intellektueller Kreativität. Ment. *Cassianus; Augustinus* Recherches de théologie et philosophie médiévales 73 (2006) 257-289.

15259   SIMEON N: [T]**Heiser, Lothar** Simeon Novus Theologus: Lichtvisionen: Hymnen über die mystische Schau des göttlichen Lichtes. Literatur Medien Religion 18: B 2006, LIT v; 293 pp. 3-8258-9286-7.

15260   THOMAS A K: *Huls, J.* The use of scripture in *The Imitation of Christ* by Thomas a Kempis. AcTh(B).S 8 (2006) 63-83.

15261   VAN RUUSBROEC J: [E]**Mertens, Thom** Jan van Ruusbroec: Van den geesteliken tabernakel. [T]*Rolfson, Helen* CChr.CM 105-106: Turnhout 2006, Brepols 2 vols; 1444 pp. 978-2-503-04051-6/61-5. Translated into Latin by *L. Surius* (1552).

15262   VINCENTIUS F: *Esponera Cerdán, Alfonso* San Vicente Ferrer y el arrepentimiento y salvación de Judas Iscariote. AnVal 30 (2006) 143-147.

15263   WILLIAM S-T: **Montanari, Cesare Antonio** "Per figuras amatorias": l'*Expositio super Cantica Canticorum* di Guglielmo di Saint-Thierry: esegesi e teologia. [D]*Pastor, Félix* AnGr 297: R 2006, EP.U.G. 625 pp. €25. 88-7839-055-0. Diss. Gregoriana; Bibl. 561-625. [R]CCist 68 (2006) 228-235 (*Delesalle, Jacques*).

15264   WYCLIF J: [E]**Levy, Ian C.** A companion to John Wyclif, late medieval theologian. Companions to the Christian Tradition 4: Lei 2006, Brill xii; 489 pp. €95/$124;

15265   *Rankin, William* 'As seynt Austeyn seith': the role of the Fathers in the 'virtuous' exegesis of the Wycliffites. Studia patristica 40. 2006 ⇒833. 325-330.

Y4.1 Luther

15266   *Artinian, Robert J.* Luther after the Stendahl/Sanders revolution: a responsive evaluation of Luther's view of first-century Judaism in his 1535 commentary on Galatians. TrinJ 27 (2006) 77-99.

15267 *Bayer, Oswald* L'héritage paulinien chez Luther. RSR 94 (2006) 381-394.

15268 **Beutel, Albrecht** Martin Luther: eine Einführung in Leben, Werk und Wirkung. Lp [2]2006 <1991>, Evangelische 184 pp. 3374-0241-06.

15269 [E]**Beutel, Albrecht** Luther Handbuch. 2005 ⇒21,15759. [R]JETh 20 (2006) 272-275 (*Padberg, Lutz E. von*).

15270 *Chester, Stephen J.* Paul and the introspective conscience of Martin Luther: the impact of Luther's Anfechtungen on his interpretation of Paul. BiblInterp 14 (2006) 508-536 [Phil 3].

15271 *Danz, Christian* Wort Gottes, Kirche, Organisation: zur evangelischen Ekklesiologie im Anschluss an Martin Luther. WJT 6 (2006) 155-172.

15272 *Dobbert-Dunker, Alexander* 'In summa angustia animi'–Jakobs Kampf mit Gott: Luthers Auslegung von Gen 32 auf dem Hintergrund der patristischen Tradition. Isaaks Opferung. AKG 101: 2006 ⇒412. 239-257.

15273 **Ebeling, Gerhard** Luther: Einführung in sein Denken. Tü [5]2006, Mohr S. 347 pp. 3-161489-349. Nachwort *Albrecht Beutel*.

15274 *Eder, Manfred* Hat Martin Luther 1505 die hl. Anna um Hilfe angerufen?: zur Bedeutung der Großmutter Jesu für die spätmittelalterliche Frömmigkeit und für den deutschen Reformator. [F]UNTERGASS-MAIR, F. 2006 ⇒161. 447-477.

15275 *Fabiny, Tibor* The 'strange acts of God': the hermeneutics of concealment and revelation in Luther and SHAKESPEARE. Dialog 45/1 (2006) 44-54.

15276 **Heise, Jürgen** Evangelisch: die Mitte der Bibel und die Einheit der Kirche. B 2006, LIT 47 pp. 3-8258-9290-5.

15277 *Hiebsch, Sabine* Figura ecclesiae: Lea und Rachel in Luthers Genesispredigten [Figurae ecclesiae: Leah and Rachel in Luther's sermons on Genesis]. Luther Digest 14 (2006) 68-71 < Luther 74/1 (2003) 5-22.

15278 **Kaufmann, Thomas** Martin Luther. Mü 2006, Beck 128 pp. €8. 3-406-50888X.

15279 *Kolb, Robert* Luther und seine Studenten erziehen zu christlicher Lebensweise: die reformatorische Predigt über Lukas 6,36-42 als Beispiel zur Ermahnung. Lutherische Beiträge 11/2 (2006) 106-22;

15280 The unsearchable judgments of God: Luther's uses of Romans 11,33-36. Luther-Bulletin 15 (2006) 30-49.

15281 **Leppin, Volker** Martin Luther. Gestalten des Mittelalters und der Renaissance: Da 2006, Primus 426 pp. €39.90. 978-38967-85763.

15282 *Lohse, Eduard* Martin Luther und der Römerbrief des Apostels Paulus: biblische Entdeckungen. KuD 52 (2006) 106-125.

15283 *Maffeis, Angelo* Martin Lutero e la lettera ai Romani: orientamenti fondamentali. PaVi 51/1 (2006) 47-49;

15284 Martin Lutero e la lettera ai Romani: la giustizia di Dio. PaVi 51/2 (2006) 47-49;

15285 Martin Lutero e la lettera ai Romani: la coscienza del peccato. PaVi 51/3 (2006) 51-53.

15286 *Mahrenholz, Jürgen C.* Messer des Geistes: Sprachkenntnisse waren für Luther Voraussetzung, ein Pfarramt bekleiden zu können. zeitzeichen 7/4 (2006) 43-44.

15287   *Mattox, Mickey L.* From faith to the text and back again: Martin
        Luther on the Trinity in the Old Testament. ProEc 15 (2006) 281-
        303.
15288   ^E**McKim, Donald K.** The Cambridge companion to Martin Luther.
        2003 ⇒19,14939... 21,15781. ^RHeyJ 47 (2006) 320-321 (*Penasko-
        vic, Richard*).
15289   **Nicolaus, Georg** Die pragmatische Theologie des Vaterunsers und
        ihre Rekonstruktion durch Martin Luther. 2005 ⇒21,15784.
        ^RLuther 77 (2006) 118-120 (*Rolf, Sibylle*) [Mt 6,9-13].
15290   ^E**Nissen, Ulrik**, *al.*, Luther between present and past: studies in Lu-
        ther and Lutheranism. SLAG 56: 2004 ⇒20,516. ^RTTK 77 (2006)
        157-158 (*Haga, Joar*).
15291   **Osten-Sacken, Peter von der** Martin Luther und die Juden: neu
        untersucht anhand von Anton Margarithas 'Der gantz Jüdisch
        glaub' (1530/31). 2002 ⇒18,13750; 19,14945. ^RThLZ 131 (2006)
        183-186 (*Stöhr, Martin*).
15292   **Parsons, Michael** Luther and CALVIN on Old Testament narratives:
        Reformation thought and narrative text. TSR 106: 2004 ⇒20,
        14218; 21,15786. ^RSBET 24/1 (2006) 105-6 (*Thomas, Derek*) .
15293   *Pérez de Labaorda, Alfonso* De la conciencia justificada: una lectu-
        ra filosófica del Comentario a los Gálatas (1535) de Martin Lutero.
        Una mirada a la gracia. 2006 ⇒564. 257-298.
15294   *Saarinen, Risto* The Pauline Luther and the law: Lutheran theology
        reengages the study of Paul. ProEc 15/1 (2006) 64-86.
15295   **Schulken, Christian** Lex efficax: Studien zur Sprachwerdung des
        Gesetzes bei Luther im Anschluß an die Disputationen gegen die
        Antinomer. HUTh 48: 2005 ⇒21,15790. ^RNZSTh 48 (2006) 239-
        241 (*Abraham, Martin*).
15296   **Schwanke, Johannes** Creatio ex nihilo: Luthers Lehre von der
        Schöpfung aus dem Nichts in der Großen Genesisvorlesung (1535-
        1545). TBT 126: 2004 ⇒20,14222. ^RLuther 77 (2006) 181-182
        (*Müller, Gerhard*); ThRv 102 (2006) 342-344 (*Bründl, Jürgen*).
15297   *Speers, David* Vocation and the concept of 'time' in Martin Lu-
        ther's lectures on Ecclesiastes. Luther Digest 14 (2006) 56-58 <
        The Pieper Lectures, 7, ed. *J.A. Maxfield*, St.Louis 2003, 1-18.
15298   *Steiger, Johann A.* Zu Gott gegen Gott oder: die Kunst, gegen Gott
        zu glauben: Isaaks Opferung (Gen 22) bei Luther, im Luthertum der
        Barockzeit, in der Epoche der Aufklärung und im 19. Jahrhundert;
15299   *Steiger, Renate* 'Mit Jsaac kommst du gebunden...': die Isaak-
        Christus-Typologie in der lutherischen Passionsbetrachtung der
        Barockzeit–eine auslegungsgeschichtliche Studie. Isaaks Opferung.
        AKG 101: 2006 ⇒412. 185-237/545-639 [Gen 22,1-19].
15300   **Stolle, Volker** Luther und Paulus: die exegetischen und hermeneu-
        tischen Grundlagen der lutherischen Rechtfertigungslehre im Pauli-
        nismus Luthers. 2002 ⇒18,13757... 20,14225. ^RNZSTh 48 (2006)
        222-238 (*Landmesser, Christof*).
15301   *Thiselton, Anthony C.* God will be all in all: 'Luther and BARTH on
        1 Corinthians 15: six theses for theology in relation to recent inter-
        pretation' (1995). Thiselton on hermeneutics. 2006 <1995> ⇒318.
        769-791.
15302   **Tomlin, Graham** Lutero y su mundo. Conocer la Historia: M
        2006, San Pablo 190 pp. 84285-29973.

15303 **Zimmermann, Béatrice A.** Die Gesetzesinterpretation in den Römerbriefkommentaren von Peter ABAELARD und Martin Luther: eine Untersuchung auf dem Hintergrund der Antijudaismusdiskussion. 2004 ⇒20,14230. ᴿThPh 81 (2006) 465-467 (*Löser, Werner*).

Y4.3 Exegesis et controversia saeculi XVI

15304 ᴱ**Bagchi, David; Steinmetz, David C.** The Cambridge companion to reformation theology. 2004 ⇒20,14231. ᴿKerux 21/2 (2006) 47-49 (*Dennison, James T., Jr.*); Thom. 70 (2006) 289-292 (*Wicks, Jared*).
15305 *Cameron, Euan* The Counter-Reformation. Blackwell companion to the bible. 2006 ⇒465. 85-103.
15306 *Hammann, Frédéric* Le rôle de l'Écriture dans l'identité protestante, 2: "sola scriptura": antidote contre l'isolement!. RRef 57/4 (2006) 33-43.
15307 *Matheson, Peter* The Reformation. Blackwell companion to the bible. 2006 ⇒465. 69-84.
15308 *Pani, Giancarlo* La predestinazione: i riformatori e la *Lettera ai Romani*. IX simposio paolino. 2006 ⇒772. 105-124 [Rom 9].
15309 *Quantin, Jean-L.* Réceptions soupçonneuses: le texte patristique au temps des confessions. Réceptions antiques. 2006 ⇒605. 131-151.
15310 *Wells, Paul* Le rôle de l'Écriture dans l'identité protestante, 1: relativisme et biblicisme. RRef 57/4 (2006) 27-32.

Y4.4 Periti aetatis reformatoriae

15311 *Bogner, Ralf G.* Ein Bibeltext im Gattungs- und Medienwechsel: deutschsprachige Abraham-und-Isaak-Schauspiele der frühen Neuzeit von Hans SACHS, Christian WEISE und Johann Kaspar LAVATER. Isaaks Opferung. 2006 ⇒412. 435-47 [Gen 22,1-19].
15312 *Bolliger, Daniel* Dramatisches Symbol konfessioneller Grundhaltungen zwischen Glaube und Politik: die Opferung Isaaks in frühen reformierten Auslegungen von Huldrych ZWINGLI bis Jean CRESPIN. Isaaks Opferung. 2006 ⇒412. 259-308 [Gen 22,1-19].
15313 *Mahlmann-Bauer, Barbara* Abraham, der leidende Vater: Nachwirkungen GREGORs von Nyssa in Exegese und Dramatik (im 16. bis 18. Jahrhundert). Isaaks Opferung. AKG 101: 2006 ⇒412. 309-397 [Gen 22,1-19].

15314 ARRAIS A: *Carvalho, José Carlos* A exegese bíblica nos *Diálogos* de Frei Amador Arrais. HumTeo 27/1 (2006) 3-15.
15315 BELLINTANI M: *Bellintani, Mattia; Cuvato, Roberto* "Discorso della vera beatitudine": un inedito di Mattia Bellintani da Salò. Laur. 47 (2006) 385-438 [Rev 14,13].
15316 BEZA T: *Weeda, Robert* "Dès ma jeunesse m'ont fait mille maux": les Psaumes de Théodore de Bèze (+ 1605) et la culture populaire du XVI siècle. PosLuth 54 (2006) 413-436.
15317 BULLINGER H: **Opitz, Peter** Heinrich Bullinger als Theologe: eine Studie zu den Dekaden. 2004 ⇒20,14241. ᴿJEH 57 (2006) 370-372 (*Taplin, Mark*).

15318   CALVIN J: *Blacketer, Raymond A.* Calvin as commentator on the Mosaic Harmony and Joshua. Calvin and the bible. 2006 ⇒443. 30-52;

15319   **Blacketer, Raymond A.** The school of God: pedagogy and rhetoric in Calvin's interpretation of Deuteronomy. Studies in early modern religious reforms 3: Dordrecht 2006, Springer xvi; 299 pp. £84. 1-402-03912-3. Bibl. 273-294;

15320   ᴱ**Boer, Erik A. de; Nagy, Barnabas** Jean Calvin: Sermons sur le livre des révélations du prophète Ezéchiel: chapitres 36-48. Supplementa Calvinia 10/3: Neuk 2006, Neuk lviii; 174 pp. €179. 37887-21367;

15321   *Coetzee, C.F.C.* Calvyn en die eenheid van die kerk. AcTh(B) 26/1 (2006) 16-35;

15322   *Edmondson, Stephen* The biblical historical structure of Calvin's Institutes. SJTh 59 (2006) 1-13;

15323   *Flaming, Darlene K.* Calvin as commentator on the synoptic gospels. Calvin and the bible. 2006 ⇒443. 131-163;

15324   *Greef, Wulfert de* Calvin as commentator on the psalms;

15325   *Hansen, Gary N.* Calvin as commentator on Hebrews and the Catholic Epistles. Calvin and the bible. 2006, ⇒443. 85-106/257-281;

15326   *Holder, R. Ward* Calvin as commentator on the Pauline epistles. Calvin and the bible. 2006 ⇒443. 224-256;

15327   **Holder, R. Ward** John Calvin and the grounding of interpretation: Calvin's first commentaries. Studies in the history of christian traditions 127: Lei 2006, Brill 321 pp. $134. 90041-49260. Bibl. 277-302;

15328   ᴱ**McKim, Donald K.** The Cambridge companion to John Calvin. 2004 ⇒20,507; 21,15819. ᴿSR 35 (2006) 362-63 (*Roney, John B.*);

15329   *Moehn, Wilhelmus H.T.* Calvin as commentator on the Acts of the Apostles. Calvin and the bible. 2006 ⇒443. 199-223.

15330   **Parsons, Michael** Calvin's preaching on the Prophet Micah: the 1550-51 sermons in Geneva. Lewiston 2006, Mellen vi; 338 pp. $120. 0-7734-5804-2. Bibl. 299-322;

15331   *Pitkin, Barbara* Calvin as commentator on the gospel of John. Calvin and the bible. 2006 ⇒443. 164-198;

15332   *Potgieter, P.C.* Natuurrampe en die voorsienigheid van God, met besondere verwysing na die beskouing van Johannes Calvyn. VeE 27 (2006) 986-1011;

15333   Calvyn oor natuurrampe. AcTh(B) 26/1 (2006) 112-133;

15334   **Reymond, Robert** John Calvin: his life and influence. 2004 ⇒20, 14255. ᴿSBET 24/1 (2006) 117-118 (*Woolsey, Andrew A.*);

15335   *Schreiner, Susan* Calvin as an interpreter of Job;

15336   *Steinmetz, David C.* John Calvin as an interpreter of the bible;

15337   *Wilcox, Pete* Calvin as commentator on the prophets. Calvin and the bible. 2006 ⇒443. 53-84/282-291/107-130;

15338   *Witte, John, Jr.* Honor thy father and thy mother: child marriage and parental consent in Calvin's Geneva. JR 86 (2006) 580-605 [Exod 20,12];

15339   *Zachman, Randall C.* Calvin as commentator on Genesis. Calvin and the bible. 2006 ⇒443. 1-29;

15340   **Zachman, Randall C.** John Calvin as teacher, pastor, and theologian: the shape of his writings and thought. GR 2006, Baker 277 pp. $25.

15341   COMENIUS J: **Neval, Daniel** Die Macht Gottes zum Heil: das Bibel-
verständnis von Johann Amos Comenius in einer Zeit der Krise und
des Umbruchs. ZBRG 23: Z 2006, TVZ xxxii; 604 pp. 978-3-290-
17361-6.

15342   ERASMUS: ᴱ**Bedouelle, Guy; Cottier, Jean-François; Vanaut-
gaerden, Alexandre** Erasme de Rotterdam: Exhortation à la lecture
de l'évangile, 1: le texte latin et la traduction française moderne, 2:
les traductions françaises de 1543 et 1563. Turnhout 2006, Brepols
157+193 pp. €65. 2503-520146;

15343   ERASMUS: **Christ-von Wedel, Christine** Erasmus von Rotterdam:
Anwalt eines neuzeitlichen Christentums. Historia profana et eccle-
siastica 5: 2003 ⇒19,14962; 21,15826. ᴿThRv 102 (2006) 145-147
(*Unterburger, Klaus*);

15344   ᴱ**Hovingh, P.F.** Opera omnia Desiderii Erasmi Roterodami [...] or-
dinis sexti tomus sextus: annotationes in Novum Testamentum
(pars secunda). ASD VI,6: 2003 ⇒20,14261. ᴿBHR 68 (2006)
415-418 (*Godin, André*);

15345   **Krans, Jan** Beyond what is written: Erasmus and BEZA as con-
jectural critics of the New Testament. Lei 2006, Brill 384 pp. $187.
978-9004-152861. Diss.;

15346   *Ménager, Daniel* La paraphrase érasmienne du discours de Paul à
l'Aéropage (Actes 17,16-32). Les paraphrases bibliques. THR 415:
2006 ⇒726. 59-70;

15347   *Rea, Manuela* Erasmo e i giudei. SMSR 72 (2006) 297-320;

15348   ᴱ**Van Poll-Van de Lisdonk, M.L.** Opera omnia Desiderii Erasmi
Roterodami [...] ordinis sexti tomus octavus: annotationes in No-
vum Testamentum (pars quarta). ASD VI,8: 2003 ⇒20,14265.
ᴿBHR 68 (2006) 418-420 (*Godin, André*).

15349   GASPAR DE G: ᴱᵀ**Miguélez Baños, Crescencio** Gasparde Grajar:
Obras completas, II. Humanistas Españoles 30: 2004 ⇒20,14266.
ᴿCDios 219 (2006) 574-575 (*Gutiérrez, J.*).

15350   GROPPER J: ᴱ**Braunisch, Reinhard** Johannes Gropper Briefwech-
sel II 1547-1559. CCath 44: Müns 2006, Aschendorff xxix; 828 pp.
3-402-03458-1.

15351   HOOKER R: *Simut, Corneliu C.* Holy Scripture and the faculty of
reason in Richard Hooker: a selection of secondary sources.
Perichoresis 4 (2006) 187-210.

15352   IGNATIUS L: **Martini, Carlo Maria** Gli esercizi ignaziani: alla luce
del vangelo di Matteo. R 2006, ADP 287 pp. 88-7357-388-6.
Nuova Ed.

15353   LAURENTIUS B: *Karris, R.J.* Two sermons of St. Lawrence of
Brindisi. Cord [St. Bonaventure, NY] 56/3 (2006) 136-144 [Lk 15].

15354   MAROT C: *Garnier-Mathez, Isabelle* Traduction et connivence:
Marot, paraphraste *évangélique* des Psaumes de David. Les para-
phrases bibliques. THR 415: 2006 ⇒726. 241-264.

15355   MELANCHTHON P: *Kieffer, René* The interpretation of the letter to
the Romans in Melanchthon's Loci Communes from 1521. Paul and
his theology. Pauline studies 3: 2006 ⇒462. 381-392.

15356   PERERA B: *Reiser, Marius* Die Opferung Isaaks im Genesiskom-
mentar des Jesuiten Benito Perera (1535-1610). Isaaks Opferung.
AKG 101: 2006 ⇒412. 449-480 [Gen 22,1-19].

15357   PETRUS S: *François, Wim* Petrus Sutor et son plaidoyer contre les
traductions de la bible en langue populaire (1525). EThL 82 (2006)
139-163.

15358   PORZIO S: *Del Soldato, Eva* La preghiera di un alessandrista: i commenti al Pater Noster di Simone Porzio. Rinasc. 46 (2006) 53-71 [Mt 6,9-13].

15359   REINA C: *Roldán-Figueroa, Rady* Reina's vision of a truly reformed ministry: a reconstruction. Lay bibles. BEThL 198: 2006 ⇒ 719. 159-181.

15360   SCÉVOLE DE S: *Brunel, Jean* Sur quelques paraphrases françaises et latines de la Genèse par Scévole de Sainte-Marthe. Les paraphrases bibliques. THR 415: 2006 ⇒726. 157-170.

15361   TYNDALE W: **Werrell, Ralph S.** The theology of William Tyndale. C 2006, Clarke 242 pp. $40. 02276-79857.

Y4.5   *Exegesis post-reformatoria*—Historical criticism to 1800

15362   **Acosta, Ana M.** Reading Genesis in the long eighteenth century: from MILTON to Mary Shelley. Aldershot 2006, Ashgate x; 207 pp. £50/$110. 978-07546-56135.

15363   **Raggenbass, Niklas** Harmonie und schwesterliche Einheit zwischen Bibel und Vernunft: die Benediktiner des Klosters Banz: Publizisten und Wissenschaftler in der Aufklärungszeit. SMGB.E 44: St. Ottilien 2006, EOS xx; 528 pp. €58. 38306-72357. Diss.; 19 ill.

15364   *Sánchez Nogales, José L.* De LUTERO a SPINOZA: libre examen, nuevo método exegético y libre pensamiento. ᶠRODRÍGUEZ CARMONA, A.: 2006 ⇒138. 341-369.

15365   **Sheehan, Jonathan** The Enlightenment Bible: translation, scholarship, culture. 2005 ⇒21,15844. ᴿAugustinus 51 (2006) 205-206 (*Silva, Alvaro*).

Y4.7   Auctores 1600-1800 alphabetice

15366   ABEILLE P: *Favier, Thierry* Entre prière et concert: les *Psaumes à plusieurs parties* (*ca* 1710) de Pierre-César Abeille. Les paraphrases bibliques. THR 415: 2006 ⇒726. 431-460;

15367   BAYLE P: *Krumenacker, Yves* Pierre Bayle et Richard SIMON. ᶠGIBERT, P. 2006 ⇒52. 172-186.

15368   BENGEL J: *Krauter, Stefan* Römer 7 in der Auslegung des Pietismus. KuD 52 (2006) 126-150.

15369   BOSSUET J: *Perreau-Saussine, Emile* Why draw a politics from scripture?: Bossuet and the divine right of kings. HPolS 1/2 (2006) 224-237.

15370   BROWNE T: *Killeen, Kevin* 'Three pounds and fifteen shillings: the inconsiderable salary of Judas': seventeenth-century exegesis, cultural historiography and Thomas Browne's *Pseudodoxia Epidemica*. RenSt 20 (2006) 502-519.

15371   CALOV A.: **Jung, Volker** Das Ganze der Heiligen Schrift: Hermeneutik und Schriftauslegung bei Abraham Calov. CThM.ST 18: 1999 ⇒15,12674... 18,13800. ᴿThR 71 (2006) 144-145 (*Reventlow, Henning Graf*).

15372   CONDREN C DE: ᴱ**Nardi, Carlo** Charles de Condren: l'idea del sacerdozio e del sacrificio di Gesù Cristo. Montespertoli 2006, Aleph 175 pp. €12.

15373   CORNELIUS A L.: **Noll, Raymund** Die mariologischen Grundlagen im exegetischen Werk des Cornelius a Lapide (1567-1637). MSt 16: 2003 ⇒20,14272. [R]FKTh 22 (2006) 231-233 (*Hauke, Manfred*); RHE 101 (2006) 1245-1249 (*Hauke, Manfred*).

15374   CRUZ J DELLA: *Valerio, Adriana* Juana Inés de la Cruz e l'interpretazione della bibbia: una intellettuale scomoda del Messico del XVII secolo. [F]SCHÜNGEL-STRAUMANN, H. 2006 ⇒153. 156-61.

15375   DIODATI G: **Farrari, Andrea** John Diodati's doctrine of holy scripture. GR 2006, Reformation Heritage 129 pp. $16. 1-892777-98-3.

15376   DRUSIUS J: **Korteweg, Peter** Die nieuwtestamentische commentaren van Johannes Drusius (1550-1616). [D]*Jonge, H.J. de* 2006, 176 pp. 978-90811-08119. Leiden: Rijksuniversiteit.

15377   EDWARDS J: [E]**Stein, Stephen J.** Jonathan Edwards: The "blank bible". NHv 2006, Yale University Pr. 2 vols; xiii; 1435 pp. 0-300-10931-8.

15378   GERHARD J: **Gerhard, Johann** On the nature of theology and scripture. [T]*Dinda, Richard*: Theological Commonplaces 1: St Louis, MO 2006, Concordia 502 pp. $55. 07586-09884;

15379   [E]**Steiger, Johann Anselm** Johann Gerhard: Erklährung der Historien des Leidens vnnd Sterbens vnsers Herrn Christ Jesu nach den vier Evangelisten (1611). Doctrina et Pietas 1: Johann Gerhard-Archiv 6: Stu 2002, Frommann-Holzboog 510 pp. €106. 978-37728-19605. [R]ThRv 102 (2006) 389-390 (*Matthias, Markus*).

15380   GICHTELF J: *Vosa, A.* Adam vor und nach dem Fall: die Geschichte des androgynen Urmenschen nach J.G. Gichtelf (1638-1710). Bedeutung von Grundtexten. 2006 ⇒831. 123-132 [Gen 2-3].

15381   GODEAU A: *Mantero, Anne* Paraphrase, autorité et alterité: Godeau interprète de saint Paul. Les paraphrases bibliques. THR 415: 2006 ⇒726. 207-221.

15382   GOETHE W: **Tillman, Thomas** Hermeneutik und Bibelexegese beim jungen Goethe. [D]*Osterkamp, Ernst* B 2006, De Gruyter xii; 286 pp. €98. 978-31101-90687. Diss. Berlin.

15383   HEMSTERHUIS T: **Ruhnkenius, David** Elogium Tiberii Hemsterhusii. [E]*Nikitinski, Oleg* Mü 2006, Saur ix; 41 pp. 978-3-598-71322-4.

15384   HERDER J: *North, J. Lionel* The spirit imitates POLYBIUS!: the source and background of an anonymous quotation in J.G. Herder about the nature of New Testament Greek, and some responses to it. ZNW 97 (2006) 235-249.

15385   HOBBES T: *Harvey, Warren Z.* The Israelite kingdom of God in Hobbes' political thought. HPolS 1/3 (2006) 310-327.

15386   KANT I: **Lema-Hincapié, Andrés** Kant y la biblia: principios kantianos de la exégesis bíblica. Barc 2006, Anthropos 259 pp. Diss. Montreal.

15387   LOCKE J: **Parker, Kim Ian** The biblical politics of John Locke. 2004 ⇒20,14288; 21,15850. [R]TJT 22 (2006) 92-94 (*Chaplin, Jonathan*); JISt 18 (2006) 205-207 (*Hollis, Daniel W., III*); Interpretation(F) 34/1 (2006) 83-97 (*Wybrow, Cameron*).

15388   PASCAL B: *Higaki, Julie* Pascal et saint Paul;

15389   *Mesnard, Jean* Bible et liturgie dans le *Mémorial*. Pascal, auteur spirituel. 2006 ⇒829. 71-112/187-217.

15390   REIMARUS H: *Agourides, Savvas* Jesus and the Messianic movement in Judaism (Hermann Samuel Reimarus). [F]GALITIS, G. 2006 ⇒49. 101-114. **G**.

15391   SIMON R: **Müller, Sascha** Richard Simon (1638-1712): Exeget,
        Theologe, Philosoph und Historiker: eine Biographie. 2005 ⇒21,
        15853. [R]ZNTG 13 (2006) 336-337 (*Voigt-Goy, Christopher*);
        FZPhTh 54 (2007) 275-276 (*Viviano, Benedict T.*).
15392   SPINOZA B: **Frampton, Travis L.** Spinoza and the rise of historical
        criticism of the bible. L 2006, Clark x; 262 pp. £65. 978-05670-24-
        937;
15393   **Levene, Nancy K.** Spinoza's revelation: religion, democracy, and
        reason. 2004 ⇒20,14294. [R]MoTh 22/1 (2006) 157-159 (*Kavka,
        Martin*).

                    Y5.0 *Saeculum XIX*—**Exegesis—19th century**

15394   **Haynes, Stephen R.** Noah's curse: the biblical justification of
        American slavery. 2002 ⇒18,13811... 20,14297. [R]Religion 36
        (2006) 107-108 (*Thuesen, Peter J.*) [Gen 9-11].
15395   *Holmes, Andrew R.* Biblical authority and the impact of higher crit-
        icism in Irish Presbyterianism, ca. 1850-1930. ChH 75 (2006) 343-
        373.
15396   **Irwin, Robert** The lust of knowledge: the orientalists and their
        enemies. L 2006, Allen Lane 409 pp.
15397   *Rogerson, John W.* The modern world. Blackwell companion to the
        bible. 2006 ⇒465. 104-116.
15398   *Thayer, J. Henry* The historical element in the New Testament.
        Presidential voices. 2006 <1895> ⇒340. 1-15.
15399   *Treloar, G.R.* The Cambridge triumvirate and the acceptance of
        New Testament higher criticism in Britain 1850-1900. JAnS 4/1
        (2006) 13-32.
15400   **Whelan, Irene** The bible war in Ireland: the 'Second Reformation'
        and the polarization of Protestant-Catholic relations, 1800-1840.
        2005 ⇒21,15862. [R]Studies 95 (2006) 459-461 (*Dunlop, Robert*).
15401   **Zager, Werner** Liberale Exegese des Neuen Testaments: David
        Friedrich STRAUSS—William WREDE—Albert SCHWEITZER—Ru-
        dolf BULTMANN. 2004 ⇒20,14298. [R]ThLZ 131 (2006) 860-862
        (*Bendemann, Reinhard von*).

15402   BAUR F: *Christophersen, Alf* Die "Freiheit der Kritik": zum
        theologischen Rang der Johannesoffenbarung im Werk Ferdinand
        Christian Baurs. Apokalyptik als Herausforderung. WUNT 2/214:
        2006 ⇒348. 363-381.
15403   CAMPBELL A: *Henderson, Donald* Alexander Campbell on the Bi-
        ble. Stone-Campbell journal [Loveland, OH] 9 (2006) 3-17.
15404   ELLUL J: *Landgraf, Virginia W.* Sennacherib in Jacques Ellul: the
        conceit of blasphemous empire building. ProcGLM 26 (2006) 35-
        49 [2 Kgs 18].
15405   FROUDE J: *Madden, Michael* Curious paradoxes: James Anthony
        Froude's view of the bible. JRH 30 (2006) 199-216.
15406   LE PAGE RENOUF P: *Cathcart, Kevin J.* Sir Peter le Page Renouf on
        bible and church. [F]WANSBROUGH, H.: LNTS 316: 2006 ⇒168.
        197-210.
15407   MEAD C [MCREALSHAM E]: *Michaels, J. Ramsey* E.D. McReal-
        sham on Romans. JHiC 12/2 (2006) 28-36.

15408 NEWMAN J: *Peterburs, Wulstan* Scripture, tradition and development towards Rome: some aspects of the thought of John Henry Newman. [F]WANSBROUGH, H.: LNTS 316: 2006 ⇒168. 183-196.

15409 RENAN E: **Chauvin, Charles** Renan (1823-1892). Biographies: P 2000, Desclée de B. 158 pp. [R]ASSR 51/2 (2006) 123-125 (*Lassave, Pierre*).

15410 SCHLEIERMACHER F: *Helmer, Christine* Recovering the real: a case study of Schleiermacher's theology. The multivalence. SBL.Symposium 37: 2006 ⇒745. 161-176.

Y5.5 *Crisi modernistica*—The Modernist Era

15411 *Gibert, Pierre* Les enjeux de l'histoire et de la critique historique dans la réception des Écritures: à propos des commentaires du Quatrième Évangile de Loisy (1903 et 1921). La bible et l'histoire. CRB 65: 2006 ⇒776. 107-129.

15412 **Goichot, Émile** Alfred LOISY et ses amis. 2002 ⇒18,13826; 21, 15875. [R]ASSR 51/2 (2006) 126-129 (*Lassave, Pierre*); LTP 62/1 (2006) 175-177 (*Turcotte, Nestor*).

15413 *Hill, Harvey* LOISY's *L'évangile et l'église* in light of the "Essais". TS 67 (2006) 73-98.

15414 *Kelly, James J.* The hermeneutical debate within Modernism: LOISY, BLONDEL and VON HÜGEL. IThQ 71 (2006) 285-301.

15415 *Losito, Giacomo* 'De la valeur historique du dogme' (1905): l'epilogo del confronto di Maurice BLONDEL con lo storicismo critico di LOISY. CrSt 27 (2006) 471-511.

15416 *Montagnes, Bernard* LAGRANGE dénoncé à Pie X en 1911. AFP 76 (2006) 217-239.

15417 **Müller, Andreas U.** Christlicher Glaube und historische Kritik: Maurice BLONDEL und Alfred LOISY im Ringen um das Verhältnis von Schrift und Tradition. [D]*Verweyen, Hansjürgen* 2006, Diss.-Habil. Freiburg/B [ThRv 103/2,xiii].

15418 *Virgoulay, René* L'exégèse biblique dans la crise moderniste: autour de Friedrich VON HÜGEL. [F]GIBERT, P. 2006 ⇒52. 207-229.

Y6.0 *Saeculum XX-XXI*—20th-21st Century Exegesis

15419 *Cadbury, Henry J.* Motives of biblical scholarship. Presidential voices. 2006 <1936> ⇒340. 33-43.

15420 *Ciappa, Rosanna* Storia, esegesi e teologia nel carteggio tra Alfred LOISY e Maurice BLONDEL. Religious studies. 2006 ⇒835. 75-90.

15421 *Enslin, Morton S.* The future of biblical studies. <1945>;

15422 *Fiorenza, Elisabeth C.* The ethics of biblical interpretation: decentering biblical scholarship. Presidential voices. 2006 <1987> ⇒ 340. 75-82/217-231.

15423 *Fredriksen, Paula* Mandatory retirement: ideas in the study of christian origins whose time has come to go. SR 35 (2006) 231-46.

15424 *Funk, Robert W.* The watershed of the American biblical tradition: the Chicago School, first phase, 1892-1920. Presidential voices. 2006 <1975> ⇒340. 169-188.

15425   *Ghiberti, Giuseppe* L'esegesi biblica nel novecento. Religious studies. 2006 ⇒835. 93-119.
15426   *Gibert, Pierre* L'histoire de l'exégèse moderne (1455-2004...): une impossible histoire?. RevSR 80 (2006) 297-307.
15427   **Harrington, Daniel J.** How do catholics read the bible?. 2005 ⇒ 21,15882. [R]NewTR 19/4 (2006) 89-90 (*Nguyen, Thanh V.*).
15428   *Hawkin, David* The bible and the modern world: taking it personally. BCSBS 65 (2006) 1-17.
15429   *Horbury, William* British New Testament study in its international setting 1902-2002. Herodian Judaism. WUNT 193: 2006 <2003> ⇒240. 142-220.
15430   **Knight, Douglas A.** Rediscovering the traditions of Israel. SBL. Studies in Biblical Literature 16: Lei [3]2006 <1973, 1975>, Brill xviii; 360 pp. 978-90-04-13765-3. Bibl. 319-347.
15431   *Langston, Scott M.* North America. Blackwell companion to the bible. 2006 ⇒465. 198-216.
15432   *LeMarquand, Grant* Siblings or antagonists?: the ethos of biblical scholarship from the north Atlantic and African worlds. Biblical interpretation in African perspective. 2006 ⇒333. 61-85.
15433   *Margolis, Max L.* Our own future: forecast and a programme. Presidential voices. 2006 <1923> ⇒340. 27-32.
15434   *Montgomery, James A.* Present tasks of American biblical scholarship. Presidential voices. 2006 <1919> ⇒340. 17-26.
15435   *Morgenstern, Julian* The Society of Biblical Literature and exegesis. Presidential voices. 2006 <1941> ⇒340. 67-73.
15436   *Orlinsky, Harry M.* Whither biblical research. <1970>;
15437   *Osiek, Carolyn* Catholic or catholic?: biblical scholarship at the center. Presidential voices. 2006 <2005> ⇒340. 139-151/325-342.
15438   *Poffet, Jean-Michel* L'écriture de l'histoire: du Père LAGRANGE à Paul RICOEUR. La bible et l'histoire. CRB 65: 2006 ⇒776. 133-54.
15439   *Rodríguez Carmona, Antonio* La biblia en España (1950-2000): reflexiones de un testigo. [F]RODRÍGUEZ CARMONA, A. 2006 ⇒138. 23-57.
15440   **Savran, George W.** Encountering the divine: theophany in biblical narrative. JSOT.S 420: 2005 ⇒21,15889. [R]ZAW 118 (2006) 316-317 (*Schöpflin, K.*).
15441   *Schravesande, Hans* Agag als crux: naar aanleiding van de hermeneutiek van BUBER en LEVINAS. ITBT 14/1 (2006) 28-30 [1 Sam 15].
15442   [E]**Yarbrough, Robert W.** The salvation historical fallacy: reassessing the history of New Testament theology. 2004 ⇒20,14319; 21,15892. [R]CBQ 68 (2006) 160-161 (*Räisänen, Heikki*); ThLZ 131 (2006) 1062-1064 (*Bendemann, Reinhard von*); Bib. 87 (2006) 442-446 (*Guthrie, George H.*).
15443   *Yoder, Christine R.; Penner, Todd C.* Book reviews in the Journal of Biblical Literature: 125 years in retrospect. JBL 125 (2006) 179-212.

15444   ADINOLFI M: [E]**Bruzzone, G.B.; Tavaroli, P.** Marco Adinolfi: il pellegrino della parola. CasM 2006, Portalupi 239 pp.
15445   AGUS A: *Pöttner, Martin* Aharon Agus' Beitrag zum Veständnis des Entstehens des Christentums. [F]AGUS, A. 2006 ⇒1. 15-26.

15446 ALLEGRO J: **Brown, Judith Anne** John Marco Allegro: the maverick of the Dead Sea scrolls. 2005 ⇒21,15893. [R]CBQ 68 (2006) 724-726 (*Crawford, Sidnie W.*); RBLit (2006)* (*Kalman, Jason; Nicklas, Tobias*); JAOS 125 (2005) [2006] 550-551 (*Tov, Emanuel*); BArR 32/5 (2006) 52-53 (*Shanks, Hershel*).

15447 AUNE D: *Fotopoulos, John* Encomium to David E. Aune. [F]AUNE, D.: NT.S 122: 2006 ⇒4. xi-xv.

15448 AYUSO MARAZUELA T: **Gallego Martín, Pablo** Vida y obra de Monseñor Teófilo Ayuso Marazuela. M 2004, Mainzer P.G. 596 pp. 84609-04415.

15449 BAECK L: *Levinson, Nathan P.* Leo Baeck-zum 40. Todestag. Widerstand und Eigensinn. 2006 ⇒548. 109-137.

15450 BALTHASAR H VON: [E]**Capol, Cornelia; Müller, Claudia** Hans Urs von Balthasar: Bibliographie 1925-2005. 2005 ⇒21,15897. [R]ThRv 102 (2006) 17-19 (*Lochbrunner, Manfred*);

15451 *Dahlke, Benjamin* "Gott ist sein eigener Exeget": Hans Urs von Balthasar und die historisch-kritische Methode. ThGl 96 (2006) 191-202.

15452 BARTH K: **Bourgine, Benoît** L'herméneutique théologique de Karl Barth: exégèse et dogmatique dans le quatrième volume de la Kirchliche Dogmatik. 2003 ⇒19,15064... 21,15902. [R]RTL 37 (2006) 113-114 (*Müller, Denis*);

15453 **Müller, Denis** Karl Barth. Initiation aux Théologiens: 2005 ⇒21, 15905. [R]RTL 37 (2006) 115-116 (*Bourgine, B.*);

15454 **Rostagno, Sergio** Karl Barth. [T]*Ruiz-Garrido, Constantino*: Teólogos del siglo XX 4: M 2006, San Pablo 224 pp. €10.60. 84-285-29-67-1;

15455 *Webster, John* Karl Barth's lectures on the gospel of John. [F]WANSBROUGH, H.: LNTS 316: 2006 ⇒168. 211-230;

15456 **Webster, John** Karl Barth. Outstanding christian thinkers: [2]2004 <2000> ⇒20,14334; 21,15910. [R]Pacifica 19 (2006) 219-221 (*Neville, David*).

15457 BEAUCHAMP P: *Cothenet, Édouard* Paul Beauchamp. EeV 116/157 (2006) 30-31 [John 14-17].

15458 BENEDICTUS XVI: *Hahn, Scott W.* The authority of mystery: the biblical theology of Benedict XVI. L&S 2 (2006) 97-140.

15459 BERGER K: *Berger, Klaus* Nichts als neue Legenden. StZ 224 (2006) 279-280.

15460 BLONDEL M: **Antonelli, Mario** Maurice Blondel. [T]*Gutiérrez Carreras, Rosario*: Teólogos del siglo XX 5: M 2006, San Pablo 142 pp. €7.50. 84-285-2968-X.

15461 BONHOEFFER D: *Anderson, Nigel* Following Jesus: an assessment of Dietrich Bonhoeffer's theology of discipleship. SBET 24 (2006) 176-194;

15462 *Berger, Johann* Eckdaten zu Dietrich Bonhoeffer und die Linzer Wanderausstellung. "Bonhoeffer weiterdenken". 2006 ⇒542. 179-181;

15463 *Felde, Irmelin* Zur Gültigkeit und Aktualität der Finkenwalder Vorlesungen über Seelsorge. 113-124;

15464 *Fischer, Martin* "Daß der Mann innerhalb der Ehe der Herr ist": Überlegungen zu Dietrich Bonhoeffers Männerbild. 157-178;

15465 *Fries, Patrick* "... etwas ganz Fremdes, Neues, Unbegreifliches": vom Wiederentdecken 'Gemeinsamen Lebens' unter den Bedingungen postmoderner Medienreligion–eine Relektüre. 97-111;

15466 *Geist, Matthias* Zur Entzauberung hoher Theologie im Praxisfeld des Strafvollzugs: religionsloses Hören und Reden im Gefängnis. "Bonhoeffer weiterdenken". 2006 ⇒542. 125-137;

15467 *Klein, Andreas* Etsi deus non daretur: zum Ende einer Arbeitshypothese. "Bonhoeffer weiterdenken". 2006 ⇒542. 67-95;

15468 *Klein, Rebekka A.* Der Andere und der Liebende: Bonhoeffers Hermeneutik des christlichen Lebens als Welt-Verständnis. 55-65;

15469 *Körtner, Ulrich H.J.* "... Auf die Anfänge des Verstehens zurückgeworfen": was ich von Dietrich Bonhoeffer gelernt habe. 1-16;

15470 *Kreitzscheck, Dagmar* Bonhoeffer und der Umgang mit dem angekündigten Tod. "Bonhoeffer weiterdenken". 2006 ⇒542. 139-156;

15471 *Nissen, Ulrik B.* Dietrich Bonhoeffers Ethik in einer säkularen Welt des Terrors: auf dem Weg zu einer Ethik der Fülle. 17-32;

15472 *Trauner, Karl-R.* Moderne Militärethik in der Nachfolge Dietrich Bonhoeffers. "Bonhoeffer weiterdenken". 2006 ⇒542. 33-53.

15473 BRUEGGEMANN W: *Psels, Hendrik G.* Stem en tegenstem: het beeld van God in de theologie van Walter Brueggemann. ThRef 49/2 (2006) 124-143.

15474 BUBER M: *Agassi, Joseph* The legacy of Martin Buber for an Israeli society after Zionism. New perspectives on Martin Buber. 2006 ⇒583. 237-245;

15475 *Batnitzky, Leora* Revelation and Neues Denken–rethinking Buber and ROSENZWEIG on the law. 149-164;

15476 *Biemann, Asher D.* Aesthetic education in Martin Buber–Jewish renaissance and the artist. 85-110;

15477 *Braiterman, Zachary J.* Martin Buber and the art of ritual. 111-124;

15478 *Brumlik, Micha* Theology without thorns?: Adorno's critique of Buber. New perspectives on Martin Buber. 2006 ⇒583. 247-253;

15479 *Buber Agassi, Judith* Buber's critique of MARX. New perspectives on Martin Buber. 2006 ⇒583. 231-234.

15480 ᴱ**Friedenthal-Haase, Martha; Koerenz, Ralf** Martin Buber: Bildung, Menschenbild und hebräischer Humanismus. 2005 ⇒21, 15922. ᴿJud. 62 (2006) 269-270 (*Dober, Hans Martin*);

15481 *Gordon, Haim* Martin Bubers weises Lesen der Bibel und die jüdische Erziehung. Jud. 62 (2006) 252-261;

15482 *Katz, Steven T.* Martin Buber in retrospect. New perspectives on Martin Buber. 2006 ⇒583. 255-266;

15483 ᴱ**Koschel, Ansgar; Melhorn, Annette** Vergegenwärtigung: Martin Buber als Lehrer und Übersetzer. B 2006, AphorismA 206 pp;

15484 *Levinson, Nathan P.* Das Werk Martin Bubers. Widerstand und Eigensinn. 2006 ⇒548. 67-97;

15485 *Mendes-Flohr, Paul* The desert within and social renewal–Martin Buber's vision of Utopia. New perspectives on Martin Buber. 2006 ⇒583. 219-230;

15486 *Poma, Andrea* Unity of the heart and scattered self–a postmodern reading of Buber's doctrine of evil. 165-174;

15487 *Schwartz, Yossef* The politicization of the mystical in Buber and his contemporaries. 205-218;

15488 *Simon, Jules* DILTHEY and SIMMEL: a reading from/toward Buber's philosophy of history. 127-147;

15489 *Urban, Martina* The Jewish library reconfigured–Buber and the Zionist anthology discourse. 31-60;

15490 *Zank, Michael* Martin Buber–a visualization of his life in the cities of his work. 11-28;

15491 Buber and Religionswissenschaft–the case of his studies on biblical faith. New perspectives on Martin Buber. 2006 ⇒583. 61-82; [E]**Zank, M**. New perspectives on Martin Buber. 2006 ⇒583.

15492 BULTMANN R: *Scibona, Rocco* Gesù di Nazareth 'Colui che toglie il peccato del mondo' (Gv 1,29b) nel pensiero di R. Bultmann. BeO 48 (2006) 11-40.

15493 CAQUOT A: *Lemaire, André* André Caquot et les études qoumrâniennes: un hommage. [M]CAQUOT, A. Coll. REJ 40: 2006 ⇒16. 1-6.

15494 CARLEBACH J: *Levinson, Nathan P.* Oberrabbiner Joseph Carlebach-zum 100. Geburtstag. Widerstand und Eigensinn. 2006 ⇒548. 139-161.

15495 CONGAR Y: *Borgman, Erik* The ambivalent role of the 'people of God' in twentieth century catholic theology: the examples of Yves Congar and Edward SCHILLEBEECKX. A holy people. 2006 ⇒565. 263-277.

15496 CRENSHAW J: *Crenshaw, James L.* Reflections on three decades of research. Prophets, sages. 2006 <1994> ⇒204. 132-136.

15497 DANIÉLOU J: *Guggenheim, Antoine* La théologie de l'accomplissement de Jean Daniélou. NRTh 128 (2006) 240-257;

15498 *Pottier, Bernard* Le GRÉGOIRE de Nysse de Jean Daniélou: *Platonisme et théologie mystique* (1944): eros et agapè. NRTh 128 (2006) 258-273.

15499 DAUBE D: **Carmichael, Calum** Ideas and the man: remembering David Daube. Studien zur europäischen Rechtsgeschichte: 2004 ⇒ 20,14349. [R]JJS 57 (2006) 160-163 (*Jackson, Bernard S.*).

15500 DE BENEDETTI, PAOLO: *Cini Tassinario, Agnese* 'Benedetto colui che dette parte della sua sapienza ai suoi tementi'. Hum(B) 61/1 (2006) 17-27.

15501 DEISSLER A: *Zenger, Erich* Bergführer zum Sinai: der Alttestamentler Alfons Deissler (1914-2005) als Theologe und Bibelausleger. Wozu brauchen wir das Alte Testament?. Übergänge 5: [2]2006 ⇒207. 262-267.

15502 DEISSMANN A: *Villiers, Jan de* Adolf Deissmann: a reappraisal of his work, especially his views on the mysticism of Paul. Paul and his theology. Pauline studies 3: 2006 ⇒462. 393-422.

15503 FUSCO V: *Mele, Salvatore* Tra Gesù e gli scritti neotestamentari: il contributo di Mons. Vittorio Fusco allo studio delle origini cristiane. Rivista di science religiose 20 (2006) 79-90.

15504 GADAMER H: **Eberhard, Philippe** The middle voice in Gadamer's hermeneutics: a basic interpretation with some theological implications. HUTh 45: 2004 ⇒20,14358. [R]JR 86 (2006) 515-516 (*Weisheimer, Joel*).

15505 GARRETT J: *Patterson, B.E.* James Leo Garrett Jr. and the doctrine of revelation. PRSt 33 (2006) 25-40.

15506 GIRARD R: *Bolewski, Jacek* Archeologia mitów i religii według R. Girarda. StBob 3 (2006) 97-126. **P**. [John 2,1-11];

15507 **Kirwan, Michael** Discovering Girard. 2004 ⇒20,14359; 21, 15947. [R]CV 48/1 (2006) 77-83 (*Tůmová, Kateřina*);

15508 **Llano, Alejandro** Deseo, violencia, sacrificio: el secreto del mito según René Girard. Astrolabio: 2004 ⇒20,14361. [R]AnFil 39 (2006) 533-537 (*Ortiz de Landázuri, Carlos*); Ecclesia 20 (2006) 414-415 (*Antón, José María*).

15509 GOGARTEN F: **Penzo, Giorgio** Friedrich Gogarten. 2004 ⇒20, 14363. [R]Alpha Omega 9 (2006) 510-513 (*Seravelli, Mario*).

15510 HARNACK, A. VON: **Kinzig, Wolfram** Harnack, MARCION und das Judentum: nebst einer kommentierten Edition des Briefwechsels Adolf von Harnacks mit Houston Stewart Chamberlain. 2004 ⇒20, 14365. [R]ThLZ 131 (2006) 404-406 (*Nottmeier, Christian*).

15511 HEIDEGGER M: *Carbone, Raffaele* Temporalità, relazione e angustia nell'esperienza effettiva della vita: Heidegger a confronto con Paolo e LUTERO. Protest. 61 (2006) 123-152;

15512 *Meessen, Yves* De la facticité à la métaphysique: Heidegger a-t-il bien lu Augustin?. NRTh 128 (2006) 48-66;

15513 *Popkes, Enno E.* "Phänomenologie frühchristlichen Lebens": exegetische Anmerkungen zu Heideggers Auslegung paulinischer Briefe. KuD 52 (2006) 263-286.

15514 HENRY M: **Vidalin, Antoine** La parole de la vie: la phénoménologie de Michel Henry et l'intelligence des Écritures. Essais de l'Ecole Cathédrale: P 2006, Parole et Silence 272 pp. €18. 2-84573-3-86-0.

15515 HESCHEL A: *Levinson, Nathan P.* Gedenken zum Sabbat in Anlehnung an meinen Lehrer Abraham Joshua Heschel. Widerstand und Eigensinn. 2006 ⇒548. 163-190.

15516 ILLMAN K: *Illman, Siv* Karl-Johan Illman ('Kalle') June 27, 1936–December 20, 2002: a memoir. [M]ILLMAN, K. 2006 ⇒72. 1-4.

15517 KÄSEMANN E: *Körtner, Ulrich H.J.* Über BULTMANN hinaus: biblische Hermeneutik bei Ernst Käsemann. WJT 6 (2006) 205-216;

15518 *Sellin, G.* Sturz der Götzen: Ernst Käsemann hat eine Wende in der Erforschung des Neuen Testaments eingeleitet. zeitzeichen 7/7 (2006) 19-21.

15519 KOWALSKI T: *Pelletier, Anne-Marie* Exégèse et prédication à l'école du Père Thomas Kowalski. Com(F) 31/2 (2006) 105-119.

15520 KUSS O: *Wachinger, Lorenz* Widerspruch und Eigensinn: Autobiographisches zu Otto Kuss (1905-1991). Orien. 70 (2006) 149-154.

15521 KÜMMEL W: *Merk, Otto* Werner Georg Kümmel 1905-1995: ein Neutestamentler im 20. Jahrhundert. [F]ELLIS, E. 2006 ⇒36. 355-71.

15522 LAGRANGE M: *Briend, Jacques* L'archéologie est-elle en conflit avec la bible?. La bible et l'histoire. CRB 65: 2006 ⇒776. 259-67;

15523 *Debergé, Pierre* Le Père Lagrange lit l'Évangile selon saint Marc;

15524 *Ellul, Danielle* Les conférences de Toulouse. La bible et l'histoire. CRB 65: 2006 ⇒776. 199-208/171-180;

15525 *Gilbert, Maurice* Otec Lagrange: vedecká exegéza v službe cirkvi [Father Lagrange: scientific exegesis in service for the church]. SBSl (2006) 4-18. **Slovak**;

15526 *Laplanche, François* Lagrange entre critique et apologétique: liberté des évangélistes et fixité de la tradition. La bible et l'histoire. CRB 65: 2006 ⇒776. 47-65;

15527 *Montagnes, Bernard* Le Père Lagrange interdit d'Ancien Testament?. La bible et l'histoire. CRB 65: 2006 ⇒776. 15-46;

15528 Un pionnier audacieux mais suspecté. La bible et l'histoire. CRB 65: 2006 ⇒776. 155-169;

15529 **Montagnes, Bernard** Marie-Joseph Lagrange: une biographie critique. 2005 ⇒21,15958. [R]Sources 32 (2006) 102-107 (*Poffet, Jean-Michel*); Sedes Sapientiae 95 (2006) 81-87 (*Bazelaire, Thomas-M. de*); ASSR 51/2 (2006) 125-126 (*Lassave, Pierre*); Cath(P) 93 (2006) 160-163 (*Clément, François*); RHE 101 (2006) 338-339 (*Aubert, R.*); ThLZ 131 (2006) 713-714 (*Riaud, Jean*); BLE 106 (2006) 330-331 (*Molac, P.*); RThom 106 (2006) 513-516 (*Guillaume, Paul-Marie*); CrSt 27 (2006) 999-1001 (*Falcetta, Alessandro*);

15530 The story of Father Marie-Joseph Lagrange: founder of modern catholic bible study. [T]*Viviano, Benedict*: Mahwah, NJ 2006, Paulist xviii; 214 pp. $23. 0-8091-4333-X. Bibl. 211-214;

15531 *Poffet, Jean-Michel* Du Père Lagrange à nos jours: les difficiles chemins de l'exègése. La bible et l'histoire. 2006 ⇒776. 7-11;

15532 *Poirier, Jean-Michel* Le commentaire de la Genèse: entre exégèse et théologie. La bible et l'histoire. CRB 65: 2006 ⇒776. 181-198;

15533 *Ponsot, Hervé* Le commentaire de M.-J. Lagrange sur la lettre aux Romains. La bible et l'histoire. CRB 65: 2006 ⇒776. 209-214;

15534 *Taylor, Justin* Histoire, mythe, fiction;

15535 *Tisin, Jean-Hugo* Le Père Lagrange et les religions (sémitiques et hellénistiques) du Proche-Orient ancien. La bible et l'histoire. CRB 65: 2006 ⇒776. 67-81/215-258.

15536 LATEGAN B: *Smit, D.J.* Interpreter interpreted: a reader's reception of Lategan's legacy. [F]LATEGAN, B.: NT.S 124: 2006 ⇒94. 3-25.

15537 LE ROUX J: *Lombaard, Christo J.S.* Teks en mens: J.H. Le Roux se lees van die bybel binne die konteks van hoofstroom-eksegese in Suid-Afrika. OTEs 19 (2006) 912-925.

15538 LÉON-DUFOUR X: **Léon-Dufour, Xavier** Dio si lascia cercare. Bo 2006, Dehoniane 168 pp. €15.50. 97888-10221-297. Dialogo con *Jean-Maurice de Montremy*.

15539 LÉVINAS E: *Capili, April D.* Emmanuel Levinas and the human person: on the philosophical conditions of war and peace. RPF 62/2-4 (2006) 697-711;

15540 *Cohen, Richard A.* Emmanuel Levinas: philosopher and Jew. RPF 62/2-4 (2006) 481-490;

15541 *Dickmann, Ulrich* "In der Spur Gottes": der Mensch als Ebenbild Gottes in der Philosophie von Emmanuel Levinas. ThGl 96 (2006) 460-480;

15542 *Figueiredo, Gonçalo* A ideia de infinito em Emmanuel Levinas. Itin. 52/185 (2006) 223-300;

15543 *Hayat, Pierre* La subversion éthique contre l'ordre moral: remarques sur la morale et la politique chez Lévinas. RHPhR 86 (2006) 507-514;

15544 *Henrix, Hans H.* Gott und der Andere bei Emmanuel Levinas. ThPh 81 (2006) 481-502;

15545 *Patterson, David* Emmanuel Levinas: a Jewish thinker. RPF 62/2-4 (2006) 591-608;

15546   *Vila-Cha, João J.* Perspectivas semíticas sobre a relação entre filo-
         sofia e religião em contexto de comunhão monoteísta. RPF 62/2-4
         (2006) 311-367.
15547   LOHMEYER E: **Köhn, Andreas** Der Neutestamentler Ernst Loh-
         meyer: Studien zu Biographie und Theologie. WUNT 2/180: 2004
         ⇒20,14378; 21,15966. ᴿThLZ 131 (2006) 853-854 (*Christopher-
         sen, Alf*);
15548   **Kuhn, Dieter** Metaphysik und Geschichte: zur Theologie Ernst
         Lohmeyers. TBT 131: 2005 ⇒21,15967. ᴿThLZ 131 (2006) 854-
         856 (*Christophersen, Alf*);
15549   *Scornaienchi, Lorenzo* Ernst Lohmeyer, un martire nell'epoca degli
         estremi. Protest. 61 (2006) 369-374.

15550   LONERGAN B: *Cottier, Georges* Prospettive;
15551   *Gallagher, Michael P.* Lonergan's Newman: appropriated affinities;
15552   *Martini, Carlo M.* Bernard Lonergan al servicio della chiesa;
15553   *Pottmeyer, Hermann J.* Die "Methode in der Theologie" von B.
         Lonergan und die Dogmengeschichte;
15554   *Sala, Giovanni B.* I fondamenti tomisti del metodo di Lonergan. Il
         teologo e la storia. Ment. *Aquinas* 2006, ⇒526. 375-381/53-77/1-
         11/323-334/217-248.
15555   LUBAC H DE: **Morali, Ilaria** Henri de Lubac. ᵀ*Domínguez García,
         José Francisco*: Teólogos del siglo XX 3: M 2006, San Pablo 191
         pp. €8. 84-285-2899-3.
15556   MOWINCKEL S: *Hjelde, Sigrud* Religion som utfordring til tanken
         og til livet: om Sigmund Mowinckels religionsstudier og religiøse
         utvikling. NTT 107 (2006) 67-83;
15557   **Hjelde, Sigurd** Sigmund Mowinckel und seine Zeit: Leben und
         Werk eines norwegischen Alttestamentlers. FAT 50: Tü 2006,
         Mohr S. xii, 365 pp. €79. 3-16-148734-6. Bibl. 323-358.
15558   MULLER R: **Muller, Richard A.** Post-Reformation reformed dog-
         matics: the rise and development of reformed orthodoxy, ca. 1520
         to ca. 1725, vol. 2: holy scripture, the cognitive foundation of theol-
         ogy. GR ²2003, Baker 537 pp. $45. 0801-0-26164.
15559   MUSSNER F: *Theobald, Michael; Hoppe, Rudolf* Schriftenverzeich-
         nis Franz Mußner 1982-2005. ᶠMUSSNER, F.: SBS 209: 2006 ⇒
         117. 369-379;
15560   *Thoma, Clemens* Nicht du trägst die Wurzel—die Wurzel trägt
         dich. FrRu 13 (2006) 43-45. Franz Mußner zum 90. Geburtstag.
15561   NIDA E: **Stine, Philip C.** Let the words be written: the lasting influ-
         ence of Eugene A. Nida. 2004 ⇒20,14382; 21,15979. ᴿBiTr 57
         (2006) 100-101 (*Shaw, R. Daniel*).
15562   ODEBERG H: *Bengtsson, H.* Fariséer mellan svensk protestantism
         och Tredje riket–en bakgrundsteckning till Hugo Odebergs 'Farisé-
         ism och kristendom'. SvTK 82 (2006) 97-109.
15563   PELIKAN J: *Cunningham, L.S.* The passing of a giant: notes on Ja-
         roslav Pelikan's final work. America 195/4 (2006) 29-31.
15564   RAD G VON: *Ska, Jean-Louis* Le 'Sitz-im-Leben' de Julius
         WELLHAUSEN, Hermann GUNKEL et Gerhard von Rad. ᶠGIBERT, P.
         2006 ⇒52. 187-206.
15565   RADERMAKERS J: **Radermakers, Jean** Ta parole, ma demeure: en-
         tretiens avec Fernand Colleye. 2005 ⇒21,15989. ᴿScEs 58 (2006)
         318-320 (*Bolduc, Adèle*).

15566 RAHNER K: **Sanna, I.** Karl Rahner. M 2006, San Pablo 183 pp.

15567 RICOEUR P: *Amherdt, François X.* Paul Ricoeur: à l'écoute de "la petite voix des Écritures". NV 81/1 (2006) 107-108;

15568 Théologiens, exégètes et prédicateurs à l'école de Paul Ricoeur. FV 105/1 (2006) 19-34;

15569 Entrer en reconnaissance avec Paul Ricoeur: un hommage. NRTh 128 (2006) 370-387;

15570 Paul Ricoeur (1913-2005) et la bible. RevSR 80 (2006) 1-20;

15571 **Amherdt, François-Xavier** L'herméneutique philosophique de Paul Ricoeur et son importance pour l'exégèse biblique: en debat avec la New Yale Theology School. La nuit surveillée: 2004 ⇒20,14399; 21,16001. [R]Sources 32 (2006) 156-157 (*Spescha, Flurin M.*); NRTh 128 (2006) 164-165 (*Jacobs, H.*); RevSR 80 (2006) 277-279 (*Fricker, Denis*);

15572 *Bühler, Pierre* "Als Leser finde ich mich nur, indem ich mich verliere": zur Einführung in die Hermeneutik Paul Ricoeurs. ThZ 62 (2006) 399-419;

15573 *Ferrara, Ricardo* Paul Ricoeur (1913-2005): sus aportes a la teología. Teol. 43 (2006) 9-48;

15574 *Maesschalck, Marc* Paul Ricoeur et les éthiques procédurales. RHPhR 86 (2006) 67-96;

15575 *Mancilla Troncoso, Sandro* Interpretación y fe: una breve presentación de la hermenéutica teológica de Paul Ricoeur. TyV 47 (2006) 531-539;

15576 *Müller, Denis* Paul Ricoeur (1913-2005): un philosophe aux prises avec la théologie. RTL 37 (2006) 161-178;

15577 *Petit, Jean-Luc* Sur la parole de Ricoeur: "le cerveau ne pense pas: je pense". RHPhR 86 (2006) 97-109;

15578 *Porée, Jérôme* Karl JASPERS et Paul Ricoeur: le déchiffrement de l'existence. RHPhR 86 (2006) 7-40;

15579 *Ricoeur, Paul* Les vierges folles avaient raison!: propos recueillis par Gabriel de Montmollin. Herméneutique de la bible. 2006 ⇒ 464. 369-371 = RThPh 138 (2006) 369-371 [Isa 45,7];

15580 **Vela Valldecabres, Daniel** Del simbolismo a la hermenéutica: Paul Ricoeur (1950-1985). Anejos de Revista de Literatura 67: 2005 ⇒21,16008. [R]Revista de Literatura 68 (2006) 650-654 (*Martín de la Nuez, Mercedes*);

15581 *Vincent, Gilbert* Reconnaissance Paul Ricoeur 1913-2005;

15582 Le concept de tradition selon Ricoeur: perspectives herméneutiques et pragmatiques. RHPhR 86 (2006) 3-5/111-143;

15583 [E]**Wierciński, Andrzej** Between suspicion and sympathy: Paul Ricoeur's unstable equilibrium. Hermeneutic 3: 2003 ⇒20,14404. [R]EThL 82 (2006) 252-256 (*Vandecasteele, P.*).

15584 ROSENZWEIG F: *Belmonte García, Olga* Franz Rosenzweig: una introducción a su pensamiento. RPF 62/2-4 (2006) 609-629;

15585 *Hailer, Martin* Gottes Macht und die Mächte des Politischen: politische Theologie mit Franz Rosenzweig und der Barmer Theologischen Erklärung. Gottesmacht. 2006 ⇒572. 135-156;

15586 *Levinson, Nathan P.* Franz Rosenzweig. Widerstand und Eigensinn. 2006 ⇒548. 99-107.

15587   SCHENKE H: *Bethge, Hans-Gebhard* Hans-Martin Schenke–Erinnerungen an den Lehrer, Forscher und Freund. ZAC 9 (2005) 53-63.
15588   SCHILLEBEECKX E: **Schillebeeckx, Edward** Ich höre nicht auf, an den lebendigen Gott zu glauben: Gespräche mit Francesco Strazzari. Wü 2006, Echter 93 pp. €9.90. ^RActBib 43 (2006) 179-185 (*Boada, Josep*).
15589   SCHLATTER A: Hempelmann, Heinzpeter; Lüpke, Johannes von; Neuer, Werner Realistische Theologie: eine Einführung zu Adolf Schlatter. Gießen 2006, Brunnen 144 pp. €15. 9783-7655-13848;
15590   *Yarbrough, Robert W.* Witness to the gospel in "academe": Adolf Schlatter as a teacher of the church. Perichoresis 4 (2006) 1-17.
15591   SCHWEITZER A: *Arnold, Matthieu* La correspondance entre Albert Schweitzer et Hélène Bresslau (1901-1905): à propos d'une édition récente. RHPhR 86 (2006) 515-532.
15592   SMITH G: **Campbell, Iain D.** Fixing the indemnity: the life and work of George Adam Smith (1856-1942). 2004 ⇒20,14415. ^RSBET 24/1 (2006) 119-120 (*Peterson, Eugene H.*).
15593   STREETER B: *Court, John M.* Burnett Hillman Streeter (17th November 1874-10th September 1937). ET 118 (2006) 19-25.
15594   TAEGER J: *Koch, Dietrich-Alex* Jens-W. Taeger als Neutestamentler und Theologe. Johanneische Perspektiven. FRLANT 215: 2006 ⇒315. 11-15.
15595   VOEGELIN E: *Cheek, H. Lee, Jr.* Recovering Moses: the contribution of Eric Voegelin and contemporary political science. HPolS 1/4 (2006) 493-509.
15596   WANSBROUGH H: *Borthwick, Julian* In a few words–Henry Wansbrough OSB: monk, scholar, and wordsmith. ^FWANSBROUGH, H.: LNTS 316: 2006 ⇒168. 290-292.
15597   WELLHAUSEN J: **Smend, Rudolf** Julius Wellhausen: ein Bahnbrecher in drei Disziplinen. Mü 2006, Carl Friedrich von Siemens Stiftung 71 pp. Bibl.
15598   WILLIAMS R: *Ellingworth, Paul* New Testament exegesis and the writings of Archbishop Rowan Williams. ^FGALITIS, G. 2006 ⇒49. 203-228.
15599   ZOLLI E: **Rigano, Gabriele** Il caso Zolli: l'itinerario di un intellettuale in bilico tra fedi, culture e nazioni. Contemporanea 15: Mi 2006, Guerini 447 pp. 88-8335-759-0. Bibl. 399-434.

Y6.3   *Influxus Scripturae saeculis XX-XXI*—**Survey of current outlooks**

15600   **Ayers, Robert H.** The bible and contemporary theology: the quest for truth and relevance. Lewiston (N.Y.) 2006, Mellen xiv; 237 pp. 0-7734-5855-7. Bibl. 225-228.
15601   **Bach, Alice** Religion, politics, media in the broadband era. 2004 ⇒20,14419; 21,16042. ^RBiblInterp 14 (2006) 294-296 (*Long, Burke O.*); BTB 36 (2006) 193-194 (*Grizzard, Carol S.*).
15602   *Botha, J. Eugene* The study of the New Testament in African universities. ^FLATEGAN, B.: NT.S 124: 2006 ⇒94. 247-265.
15603   *DiTommaso, Lorenzo* Pseudepigrapha notes I: 1. Lunationes Danielis; 2. Biblical figures outside the bible. JSPE 15 (2006) 116-144.
15604   *Downing, Frederick L.* The biblical archaeology movement: building and re-building the Albright house. a review essay. PRSt 33 (2006) 495-506.

15605 *Enns, Peter* Bible in context: the continuing vitality of reformed biblical scholarship. WThJ 68 (2006) 203-218.

15606 **Evans, Craig A.** Fabricating Jesus: how modern scholars distort the gospels. DG 2006, InterVarsity 290 pp. $19. 978-08308-33184 [BiTod 45,197—Donald Senior].

15607 *Foster, Benjamin R.* The beginnings of assyriology in the United States. Orientalism...and the Bible. HBM 10: 2006 ⇒626. 44-73.

15608 *Frahm, Eckart* Images of Assyria in nineteenth- and twentieth-century western scholarship. Orientalism, assyriology and the Bible. HBM 10: 2006 ⇒626. 74-94.

15609 *Gibert, Pierre* Exégèse de l'Ancien Testament (III-VII). RSR 94 (2006) 233-260.

15610 *Gray, Patrick* Presidential addresses of the Society of Biblical Literature: a quasquicentennial review. JBL 125 (2006) 167-177.

15611 *Holloway, Steven W.* Introduction: orientalism, assyriology and the bible. Orientalism, assyriology and the Bible. 2006 ⇒626. 1-41.

15612 *Köstenberger, Andreas* Of professors and madmen: currents in contemporary New Testament scholarship. Faith & Mission 23/2 (2006) 3-18.

15613 *LeMarquand, Grant* "And the rulers of the nations shall bring their treasures into it": a review of biblical exegesis in Africa. AThR 88 (2006) 243-255.

15614 **Lessing, Eckhard** Geschichte der deutschsprachigen evangelischen Theologie von Albrecht RITSCHL bis zur Gegenwart, 2: 1918-1945. 2004 ⇒20,14435. ᴿThLZ 131 (2006) 417-419 (*Basse, Michael*).

15615 *Luciani, Didier* Chronique d'Ecriture sainte: Ancien Testament. VieCon 78 (2006) 187-204.

15616 **Lüdemann, Gerd** Primitive christianity: a survey of recent studies and some new proposals. ᵀ*Bowden, John*: 2003 ⇒19,15174... 21, 14428. ᴿThLZ 131 (2006) 278-279 (*Lohse, Eduard*).

15617 **Markus, Robert Austin** Christianity and the secular. Notre Dame, IN 2006, University of Notre Dame Press xi; 99 pp. 0-268-03490-7. Bibl.

15618 *Moyise, Steve* Respect for context once more. IBSt 27/1 (2006) 24-31.

15619 *O'Day, Gail R.* Editorial reflections. JBL 125 (2006) 153-165.

15620 *Piovanelli, Pierluigi* L'interface entre sciences bibliques et sciences des religions au Canada: enquête sur quelques synergies prometteuses. SR 35 (2006) 413-427.

15621 *Reventlow, Henning von* Biblische, besonders alttestamentliche Theologie und Hermeneutik VI: Auslegungsgeschichte: Jahrbuch für Biblische Theologie. ThR 71 (2006) 141-163.

15622 *Rincón G., Alfonso* La biblia en la encrucijada de múltiples lecturas. ᶠORTÍZ VALDIVIESO, P. 2006 ⇒123. 45-61.

15623 *Shanks, Hershel* Covering controversy: scholarly debates help us better understand the biblical word. BArR 32/5 (2006) 4, 76.

Y7.2 *Congressus biblici*: **nuntii**, *rapports, Berichte*

15624 Association panafricaine des exégètes catholiques: 12ᵉᵐᵉ congrès, Kinshasa, 4-10.9.2005: Sagesse divine et sagesse humaine dans la bible: lecture de la bible dans le contexte de l'église famille de Dieu en Afrique. 2006. ^REThL 82 (2006) 272.

15625   *Ausloos, Hans* Bijbelse studiedagen te Leuven over de boeken Leviticus en Numeri. TTh 46 (2006) 396.

15626   *Barrado, Pedro* XVIII Jornadas de la Asociación Bíblica Española. ResB 52 (2006) 70-72.

15627   *Bellia, Giuseppe* Il libro di Giobbe: tradizione, redazione, teologia. RivBib 54 (2006) 499-501.

15628   *Benzi, Guido* Convegno nazionale del settore apostolato biblico: un servizio privilegiato: la bibbia nella liturgia. PaVi 51/2 (2006) 55-56.

15629   *Chia, Samuel* Society of Biblical Literature 2005 annual meeting, 19-22 November, 2005, Philadelphia, USA. SiChSt 1 (2006) 211-213. **C**.

15630   *Chialà, Sabino* Third Enoch Seminar—Camaldoli 2005: the parables of Enoch and the Messiah Son of Man. RivBib 54 (2006) 115-117.

15631   *Cifrak, Mario* Biblijska Konferencija u Szegedu;
15632   Konferencija katolickih biblijskih djela srednje Europe. BoSm 76 (2006) 781-782/788-789. **Croatian**.

15633   *De Luca, Elisabetta* La riunione annuale della 'Association pour l'étude de la littérature apocryphe chrétienne' (AELAC), Dole, 29 giugno - 1° luglio 2006. ASEs 23 (2006) 537-546.

15634   *De Virgilio, Giuseppe* L'insegnamento e la formazione biblica in Italia: valutazioni e prospettive future. RivBib 54 (2006) 118-124. Roma 17-19 nov. 2005;

15635   'La sacra scrittura nella vita della chiesa': punti fermi e prospettive per la Federazione biblica cattolica. PaVi 51/1 (2006) 55-57.

15636   *Dupuy, Michel* La 62ème session de la Société Française d'Etudes Mariales 'Marie et la sainte Famille: les récits apocryphes chrétiens'. Mar. 68 (2006) 591-594. Nevers, 5-7 sept. 2005.

15637   *Esau, Cornelius* Fontem VI asamblea plenaria de la Federación Bíblica Católica: 'Ecclesia in África' y la pastoral bíblica. Mis-Ex(M) 211 (2006) 270-275. Líbano, 3-12 septiembre 2002.

15638   *Focant, Camille* The death of Jesus in the fourth gospel: Colloquium biblicum lovaniense LIV (Leuven, 27-29 juillet 2005). RTL 37 (2006) 146-149.

15639   *François, Wim* Scripture for the eyes and *Biblia sacra* at the Sixteenth Century Society and Conference. EThL 82 (2006) 563-564 26-29 Oct. 2006, Salt Lake City.

15640   *Ghiberti, Giuseppe* 60° congresso della Studiorum Novi Testamenti Societas Halle, 2-6 agosto 2005. ATT 12/1 (2006) 238-241.

15641   *Giuntoli, Federico* La violenza nella bibbia: XXXIX Settimana Biblica Nazionale. RivBib 54 (2006) 493-498.

15642   *Hoover, R.W.* Retrospect on the spring Westar meeting. Fourth R [Santa Rosa, CA] 19/4 (2006) 10-11, 20.

15643   *Horvat, Mladen* Simpozij katolickih biblicara staroga zavjeta njemackog govornog podrucja u Strasbourgu (AGAT, 2006). BoSm 76 (2006) 783-787. **Croatian**.

15644   *Leemans, J.* Themes in biblical narrative conference: Hagar and Ishmael. EThL 82 (2006) 558-559. 12 -13 Oct. 2006, Groningen.

15645   *Leonardi, Giovanni* Esegesi biblica e testimonianza cristiana a confronto all'International Congress *Sacred Scripture in the life of the church*–40th anniversary of the *Dei Verbum*'. StPat 53 (2006) 239-247.

15646 *Lieber, Andrea* Voices from the SBL meeting (Philadelphia, PA, USA, Nov 21-23, 2005): early Jewish and christian mysticism group. Henoch 28/1 (2006) 193-194.

15647 *Müller, Christoph G.* Tagung der Arbeitsgemeinshaft der deutschsprachigen katholischen Neutestamentler vom 21.-25. Februar 2005 in Fribourg/Schweiz. BZ 50 (2006) 152-154.

15648 *Oosting, Reinhoud* Samenkomst van oudtestamentici in Apeldoorn. TTh 46 (2006) 396-397.

15649 *Ottenheijm, Eric* Colloquium te Leuven over het nieuwe testament en de rabbijnse literatuur. TTh 46 (2006) 181-182.

15650 *Römer, Thomas* The books of Leviticus and Numbers: les livres du Lévitique et des Nombres et l'achèvement du pentateuque: Colloquium Biblicum Lovaniense LV (2006). EThL 82 (2006) 533-541. 1-3 Aug. 2006, Leuven.

15651 *Schreiber, Stefan* 62nd General Meeting der Studiorum Novi Testamenti Societas vom 2. bis 6. August 2005 in Halle. BZ 50 (2006) 155-157.

15652 *Telford, W.R.* Studiorum Novi Testamenti societas: the sixtieth general meeting, 2-6 August 2005. NTS 52 (2006) 270-273.

15653 *Termini, Cristina* 'How Israel's later authors viewed its earlier history': international conference of the ISDCL. RivBib 54 (2006) 502-503.

15654 *Van Belle, G.* Vliebergh-Sencie sessie over 'Bijbelse wijsheid'. EThL 82 (2006) 548-549. 22-23 Aug. 2006, Leuven;

15655 Early christianity in its Jewish and Hellenistic context. EThL 82 (2006) 549-550. 9-10 Oct. 2006, Leuven;

15656 Figures de l'étrangeté dans l'évangile de Jean: études socio-historiques et littéraires. EThL 82 (2006) 549-550. 2-3 Feb. 2006, Bruxelles;

15657 *Van Belle, G.* 56. Studiosorum Novi Testamenti Conventus. EThL 82 (2006) 558. 12 June 2006, Doorn;

15658 Studiorum Novi Testamenti Societas: 61st general meeting. EThL 82 (2006) 562-563. 25-29 July 2006, Aberdeen.

15659 *Van Treek Nilsson, Mike* 21ᵉ Congrès de l'ACFEB (Issy-les-Moulineaux, 29 août-2 septembre 2005). RTL 37 (2006) 142-144.

15660 *Voß, Klaus Peter* Die Heilige Schrift in Theologie und Leben der Kirche: katholisch-freikirchliches Symposion im Johann-Adam-Möhler-Institut in Paderborn. ÖR 55 (2006) 249-251.

15661 *Walsh, Jerome T.* Report of the sixty-ninth international meeting of the Catholic Biblical Association of America. CBQ 68 (2006) 706-715.

15662 *Werline, Rodney A.; Flannery-Dailey, Frances* Religious experience in early Judaism and early christianity. Henoch 28/1 (2006) 195-198.

15663 *Wénin, André* 3ᵉ Symposium du réseau RRENAB (Montréal, 29 mai-1ᵉʳ juin 2005). RTL 37 (2006) 138-142;

15664 *Wénin, André; Vialle, Catherine* Colloque omnes gentes 2005: 'lire la bible—bijbel meerstemmig—Bibel mehrstimmig—reading the bible (Louvain-la-Neuve, 27-29 octobre 2005). RTL 37 (2006) 149-153.

Y7.4 *Congressus theologici*: **nuntii**

15665 *De Luca, Elisabetta* La riunione annuale della 'Association pour l'étude de la littérature apocryphe chrétienne' (AELAC), Dole, 29 giugno-1° luglio 2006. ASEs 23 (2006) 537-546.

15666 *Famerée, J.* L'herméneutique de Vatican II: une évaluation théologique. EThL 82 (2006) 555-556. 5-6 Oct. 2005, Paris;

15667 Catholic learning: explorations in receptive ecumenism. EThL 82 (2006) 560-262. 12 -17 Jan. 2006, Durham.

15668 *Geldhof, J.* Logos 1: Triniteit—een kruis erover?. EThL 82 (2006) 557-558. 8 May 2006, Leuven.

15669 *Join-Lambert, Arnaud* Les recherches en liturgie confrontées aux *Ritual studies*: die modernen *Ritual Studies* als Herausforderung für die Liturgiewissenschaft: congrès des liturgistes de langue allemande. EThL 82 (2006) 542-544. 28 Aug. - 1 Sept., Soesterberg.

15670 *Krienke, Markus* Dei Verbum und das Verhältnis von Schrift, Tradition und Lehramt: Reflexionen zur internationalen Tagung "Die loci theologici im Lichte von Dei Verbum", Universität des Lateran, 24.-25. November 2005. ThGl 96 (2006) 203-207.

15671 *Materne, P.-Y.* Colloque de théologie dogmatique 'Le péché': Louvain-la-Neuve, 3-4.11.2005. EThL 82 (2006) 272-276.

15672 *Matz, B.* North American Patristics Society, 26-28.5.2006, Chicago. EThL 82 (2006) 289-290.

15673 *Pa, Chin Ken* American Academy of Religion 2006 annual meeting 18-21 November, Washington, DC. SiChSt 2 (2006) 229-231. **C**.

15674 *Sławiński, Henryk; Nowak, Tomasz* Sesja naukowa 'Dziedzictwo judaizmu we współczesnej liturgii chrześcijańskiej' [Colloque scientifique 'Héritage du judaïsme dans la liturgie chrétienne actuelle']. AtK 146 (2006) 599-601. **P**.

15675 *Torresin, Antonio* Gesù: la figura e il racconto: un convegno della facoltà teologica [Italia settentrionale]. Il Regno 4 (2006) 96-98.

Y7.8 **Reports of archaeological meetings**

15676 *Bertalotto, Pierpaolo* 'Jews and christians between the fourth and eighth centuries'. Henoch 28/2 (2006) 189-192. Bari 2006.

15677 *Geva, H.* The sixty-first archaeological convention. Qad. 39 (2006) 128. **H**.

15678 *Thomas, Sam* 'Reading between the lines: scripture and community in the Dead Sea scrolls': a symposium in honor of James C. VanderKam on the occasion of his 60th birthday. Henoch 28/2 (2006) 185-186. Notre Dame 2006.

15679 *Zeder, M.A.* Archaeozoology in Southwest Asia: a status report based on the eighth meeting of the Archaeozoology of Southwest Asia and adjacent areas working group 2006 (Lyon, June 28th-July 1st 2006). Paléorient 32/1 (2006) 137-147.

Y8.0 *Periti*: **Scholars, personalia, organizations**

15680 ᴱ**Batalden, Stephen; Cann, Kathleen; Dean, John** Sowing the word: the cultural impact of the British and Foreign Bible Society,

1804-2004. 2004 ⇒20,315. ᴿChH 75 (2006) 925-926 (*Escobar, J. Samuel*); RBLit (2006)* (*Shavit, Yaakob*).

15681 *Berlinerblau, Jacques* What's wrong with the Society of Biblical Literature?. Chronicle of Higher Education [Wsh] November 10 (2006) B13-B15.

15682 *Bodenheimer, Alfred* Hälfte des Lebens: Laudatio für Ekkehard STEGEMANN anlässlich seines 60. Geburtstages am 8. November 2005. KuI 21/1 (2006) 74-77.

15683 ᴱ**Denoix, Sylvie; Pantalacci, Laure** Travaux de l'Institut d'archéologie orientale en 2005-2006. BIFAO 106 (2006) 333-453.

15684 *Dentzer, Jean-Marie* Rapport général sur la vie et les activités de l'École française de Rome 2005-2006. CRAI 4 (2006) 1789-1806;

15685 Rapport sur la vie et les activités de l'École biblique et archéologique française de Jérusalem pour l'année 2005-2006. CRAI 4 (2006) 1807-1812.

15686 **Hallote, Rachel S.** Bible, map, and spade: the American Palestine Exploration Society, Frederick Jones BLISS, and the forgotten story of early American biblical archaeology. Piscataway (N.J.) 2006, Gorgias xiv; 220 pp. 1-593333-47-1. Bibl. 195-211.

15687 *Harmon, Tera* Carroll Duane Osburn. ᶠOSBURN, C. TaS 4: 2006 ⇒ 124. 285-287.

15688 *Human, Dirk* Jurie Hendrik le Roux–deernisvolle mens en veelsydige akademikus. OTEs 19 (2006) 801-819.

15689 Jahresbericht 2005 des Deutschen Archäologischen Institut. AA 2 (2006) 121-352.

15690 *Klappert, Bertold* Laudatio anlässlich der Verleihung der Würde eines Doktors der Theologie ehrenhalber durch die Kirchliche Hochschule Wuppertal, Teil 2. Gemeinsame Bibel. Ment. *Magonet, Jonathan*: VKHW 9: 2006 ⇒546. 158-166.

15691 *Kreuzer, Siegfried* Laudatio anlässlich der Verleihung der Würde eines Doktors der Theologie ehrenhalber durch die Kirchliche Hochschule Wuppertal, Teil 1. Gemeinsame Bibel. Ment. *Magonet, Jonathan*: VKHW 9: 2006 ⇒546. 153-157.

15692 *Laronde, André* Rapport sur la vie et les activités de l'École française d'Athènes pour l'année 2005. CRAI (2006) 1655-1670.

15693 *Maeir, Aren M.; Miroschedji, Pierre de* Introduction: Amihai MAZAR, an appreciation. ᶠMAZAR, A. 2006 ⇒108. xiii-xv.

15694 *Magonet, Jonathan* Dankesrede bei der Verleihung der Würde eines Doktors der Theologie ehrenhalber durch die Kirchliche Hochschule Wuppertal am 29. Oktober 2005. Gemeinsame Bibel. VKHW 9: 2006 ⇒546. 167-170.

15695 *Maselli, Domenico* Storia della Società Biblica Valdese (1816-1829). BSSV 123/1 (2006) 193-211.

15696 *Mielcarek, K.* Życie i działalność naukowo-dydaktyczna dra Huberta ORDONA SDS. Roczniki Teologiczne 53/1 (2006) 119-123. **P.**

15697 *Montaño, Nohemy* Instituto de Sagrada Escritura ISE MESST. Qol 41 (2006) 121-123.

15698 **Noble, Thomas A.** Research for the academy and the church: Tyndale House and fellowship: the first sixty years. Leicester 2006, Inter-Varsity 336 pp. £20. 978-1844-7409-56. Bibl.

15699 *Perry, Yaron; Lev, Efraim* Ernest William Gurney MASTERMAN, British physican and scholar in the Holy Land. PEQ 138 (2006) 133-146.

15700 *Rademakers, Jean* Ta parole, ma demeure: entretiens avec Fernand Colleye. 2005 ⇒21,15989. [R]Assoc. Intern. Card. H. de Lubac, Bulletin 8 (2006) 62-64 (*Chantraine, Georges*).

15701 *Rollinger, Robert; Truschnegg, Brigitte* Pharao Djoser, die Altertumswissenschaften, ein Nubier aus Tirol und Vermischtes: einleitende Bemerkungen zu Peter HAIDERs rundem Geburtstag. [F]HAIDER, P.: Oriens et Occidens 12: 2006 ⇒60. 17-22.

15702 *Scott, B.B.* How did we get here?: looking back at twenty years of the Jesus Seminar. Fourth R [Santa Rosa, CA] 19/5 (2006) 3-10.

15703 *Smend, Rudolf* Zur Vollendung der 'Religion in Geschichte und Gegenwart' und der 'Theologischen Realenzyklopädie'. ZThK 103 (2006) 143-156.

15704 *Strecker, Christian* Respekt!: Laudatio für Wolfgang STEGEMANN anlässlich seines 60. Geburtstages am 8. November 2005. KuI 21/1 (2006) 64-73.

15705 Studium Biblicum Franciscanum of Tokyo, forty-ninth annual report. CBQ 68 (2006) 291-292.

15706 *Weidner, D.* Reading Gershom SCHOLEM. JQR 96 (2006) 203-231.

15707 *Wood, John Halsey, Jr.* Dutch Neo-Calvinism at Old Princeton: Geerhardus VOS and the rise of biblical theology at Princeton Seminary. ZNTG 13 (2006) 1-22.

15708 *Wróbel, M.S.* Sylwetka naukowa Prof. dra hab. Hugolina LANGKAMMERA OFM. Roczniki Teologiczne 53/1 (2006) 113-118. **P.**

Y8.5 *Periti*: in memoriam

15709 Alp, Sedat 2.1.1913-9.10.2006.

15710 Amiran, Ruth 1915-15.12.2005. ⇒21,16147. [R]Qad. 131 (2006) 63-64 (*Sabban, M.*); IEJ 56 (2006) 112-113.

15711 Arnaldez, Roger 1911-7.4.2006. [R]StPhiloA 18 (2006) 232-233 (*Lévy, Carlos*).

15712 Barr, James 20.3.1924-14.10.2006.

15713 Binder, Hermann 25.12.1911-2.8.2006.

15714 Birdsall, James N. 11.3.1928-1.7.2005. [R]OrChr 90 (2006) 221 (*Kaufhold, Hubert*).

15715 Boccaccio, Pietro 31.8.1910-24.6.2006. [R]Bib. 87 (2006) 581 (*Bovati, Pietro*).

15716 Bouzon, Manuel 8.1.1933-27.3.2006. [R]AtT 10 (2006) 155-157.

15717 Bowman, John 12.5.1916-8.5.2006. [R]ANESt 43 (2006) 3-6 (*Sagona, Antonio*).

15718 Boyce, Nora E.M. 2.8.1920-4.4.2006.

15719 Browne, G. Michael 13.12.1943-30.8.2004 ⇒20,14535. [R]Beiträge zur Sudanforschung 9 (2006) 5-24 [inc. bibl.] (*Bay, Stephen M.*).

15720 Caquot, André 24.4.1923-31.8.2004 ⇒20,14538; 21,16154. [R]Tōhōgaku [Tokyo] 112 (2006) 104 (*Fukui, Fumimasa*); UF 35 (2003) xiii-xiv (*Lemaire, André*); CRAI (2004/3) 1179-1180 (*Callu, Jean-Pierre*).

15721 Cardascia, Guillaume 1914-2006.

15722 Ceresko, Anthony Raymond 20.8.1942-13.8.2005 ⇒21,15253. [R]JbSalSt 37 (2006) 5-7 (*Költringer, Josef*).

15723 Cisterna, Félix E. 13.10.1942-11.10.2005 ⇒21,16157. [R]RevBib 68 (2006) 117-118.

15724 Cocagnac, Maurice 1926-2006.
15725 Cohen, Rudolph 1936-2006.
15726 Cunchillos Ilarri, Jesús 11.6.1936-30.5.2006. [R]Sef. 66 (2006) 247-250 (*Vita, Juan P.*); AuOr 24 (2006) 5-6 (*Vita, Pablo*).
15727 Derrida, Jacques 15.7.1930-8.10.2004 ⇒20,14546; 21,16162. [R]CrossCur 55/4 (2006) 564-567 (*Caputo, John D.*).
15728 DeVries, Keith 1937-16.7.2006.
15729 Dupuis, Jacques 5.12.1923-28.12.2004 ⇒20,14547; 21,16164. [R]SaThZ 10 (2006) 9-11 (*Amaladoss, Michael*).
15730 Durrwell, François-Xavier 26.1.1912-15.10.2005 ⇒21,16165. [R]CEv 136 (2006) 59.
15731 Fischer, Henry George 10.5.1923-11.1.2006.
15732 Franken, Hendricus Jacobus 4.7.1917-18.1.2005 ⇒21,16167. [R]AfO 51 (2005-2006) 424-426 (*Wright, G.R.H.*).
15733 Frymer-Kensky, Tikva 21.10.1943-31.8.2006.
15734 Funk, Robert Walter 18.7.1926-3.9.2005 ⇒21,16170. [R]Fourth R [Santa Rosa, CA] 19/2 (2006) 4-6 (*McGaughy, L.C.*).
15735 Garelli, Paul 23.4.1924-8.7.2006. [R]Akkadica 127 (2006) 1-4 (*Michel, Cécile*); RA 100 (2006) 1-3 (*Charpin, Dominique*); AfO 51 (2005-2006) 426-427 (*Joannès, Francis*).
15736 Grosjean, Jean 21.12.1912-10.4.2006. [R]CEv 136 (2006) 59-60 & CEv 138 (2006) 57-60 (*Beaude, Pierre-Marie*).
15737 Hart, Gillian R. 11.8.1934-8.2.2004 ⇒20,14558. [R]JRAS 16/1 (2006) 83-88 [incl. bibl.] (*Tucker, Elizabeth*).
15738 Hay, David McKechnie 19.9.1935-25.8.2006. [R]StPhiloA 18 (2006) 2 (*Runia, David; Sterling, Gregory E.*).
15739 Hirschfeld, Yizhar 1950-16.11.2006.
15740 Irigoin, Jean 1920-28.1.2006. [R]EM 74 (2006) 145-146 (*Pérez Martín, Immaculada*).
15741 Kehl, Nikolaus 26.12.1914-3.11.2005 ⇒21,16176. [R]BiKi 61 (2006) 57.
15742 Korfmann, Manfred Osman 26.4.1942-11.8.2005 ⇒21,16177. [R]AJA 110 (2006) 285-286 (*Rose, Brian*).
15743 Lehmann, Phyllis Williams 30.11.1912-29.9.2004 ⇒20,14566. [R]AJA 110 (2006) 283-284 (*McCredie, James R.*).
15744 Leslau, Wolf 14.11.1906-18.11.2006.
15745 Loubser, J.A. (Bobby) 25.7.1949-28.7.2006.
15746 McHugh, John F. 3.8.1927-3.2.2006.
15747 McPolin, James 4.6.1931-9.10.2005 ⇒21,16186. [R]MillSt 57 (2006) 1-5 (*O'Sullivan, Michael*).
15748 Mellink, Machteld Johanna 1917-24.2.2006. [R]BiOr 63 (2006) 446.
15749 Merkelbach, Reinhold 7.6.1918-28.7.2006. [R]Epigraphica Anatolica 39 (2006) iii (*Malay, Hasan*).
15750 Meyer, Léon de 1928-2006. [R]Akkadica 127 (2006) 105-107.
15751 Milik, Józef T. 24.3.1922-6.1.2006. [R]CEv 136 (2006) 59 (*Puech, Emile*); JJS 57 (2006) 336-338 (*Vermes, Geza*); Henoch 28/1 (2006) 201-204 (*VanderKam, James C.*); BArR 32/3 (2006) 18-19 (*Ornan, Tallay*); Qumran Chronicle 13/2-4 (2006) 77-106 (*Kapera, Z.J.*); PJBR 5/1 (2006) 3-8 (*Lemaire, André*).
15752 Moorey, P. Roger S. 30.5.1937-23.12.2004 ⇒20,14577; 21,16189. [R]AfO 51 (2005-6) 427-429 (*Herrmann, Georgina; Tenison, Jack*).
15753 Morris, Leon L. 15.3.1914-24.7.2006. [R]RTR 65/3 (2006) 121 (*Harman, A.M.*).

15754 Muñoz Iglesias, Salvador 9.3.1917-15.12.2004 ⇒20,14581.
ᴿEstMar 72 (2006) 419-421 (*Llamas, Enrique*).
15755 Negev, Avraham 1923-28.11.2004 ⇒20,14583; 21,16192. ᴿIEJ 56
(2006) 113-114.
15756 Orchard, Bernard 3.5.1910-28.11.2006. ᴿTablet (9 Dec. 2006) 37.
15757 Özgüç, Tahsin 20.3.1916-28.11.2005 ⇒21,16194. ᴿOrExp
(2006/1) 31 (*Hrouda, Barthel; Huot, Jean-Louis; Spycket, Agnès*);
AfO 51 (2005-2006) 429-430 (*Hrouda, Barthel*).
15758 Parker, Simon B. 23.2.1940-29.4.2006. ᴿMaarav 13 (2006) 279-
280 (*Zuckerman, Bruce*).
15759 Pelikan, Jaroslav 17.12.1923-13.5.2006. ᴿSVTQ 50 (2006) 333-
338 (*Erickson, John H.*); Logos 47 (2006) 1-3 (*Chirovsky, Andriy*);
CCen 123/17 (2006) 31, 33 (*Steinmetz, D.*); First Things 165
(2006) 19-21 (*Wilken, R.L.*).
15760 Perkins, Ann 18.4.1915-7.5.2006.
15761 Petersen, William L. 19.1.1950-20.12.2006.
15762 Pépin, Jean 1924-10.9.2005 ⇒21,16195. ᴿAdamantius 12 (2006)
328-329 (*Goulet, Richard*).
15763 Quast, Udo 18.4.1939-30.12.2005 ⇒21,16198. ᴿAdamantius 12
(2006) 330-331 (*Kharanauli, Anna*).
15764 Quispel, Gilles 30.5.1916-3.3.2006. ᴿVigChr 60/2 (2006) iii.
15765 Reiner, Erica 4.8.1924-31.12.2005 ⇒21,16200. ᴿAfO 51 (2005-
2006) 430-432 (*Renger, Johannes*).
15766 Ricoeur, Paul 27.2.1913-20.5.2005 ⇒21,16201. ᴿBAB.L 17
(2006) 43-49; RHPhR 86/1 (2006) 3-5 (*Vincent, G.*).
15767 Rosenthal, Franz 31.8.1914-8.4.2003 ⇒19,15289; 20,14595. ᴿJe-
rusalem Studies in Arabic and Islam [Jerusalem] 31 (2006) i-vi
(*Shaked, Shaul*).
15768 Saggs, Henry W.F. 2.12.1920-31.8.2005 ⇒21,16203. ᴿAfO 51
(2005-2006) 432-433 (*Postgate, J.N.*).
15769 Sarna, Nahum 27.3.1923-23.6.2005 ⇒21,12021. ᴿShnaton 16
(2006) 5-8 (*Brettler, Marc Z.*).
15770 Schmitt, Armin 9.6.1934-18.10.2006.
15771 Schofield, Elizabeth 1935-2005 ⇒21,13345. ᴿAJA 110 (2006)
157-159 (*Cadogan, Gerald*).
15772 Schweizer, Eduard 18.4.1913-27.6.2006. ᴿEvTh 66 (2006) 323-
324 (*Luz, U.*).
15773 Sherratt, Andrew 8.5.1946-24.2.2006. ᴿCBRL Bulletin 1 (2006) 17
(*Lovell, Jaimie; Prag, Kay*).
15774 Stefanini, Ruggero 11.7.1932-6.5.2005 ⇒21,16209. ᴿAfO 51
(2005-2006) 433-434 (*Archi, Alfonso*).
15775 Stegemann, Hartmut 18.12.1933-22.8.2005 ⇒21,16210. ᴿRdQ 87
(2006) 327-333 (*Steudel, Annette*); Henoch 28/1 (2006) 198-201
(*Porzig, Peter*); BArR 32/2 (2006) 18-19 (*Callaway, Phillip R.*);
Qumran Chronicle 13/2-4 (2006) 111-120 (*Callaway, Phillip R.*).
15776 Storaasli, Olaf K. 1915-16.5.2006.
15777 Strobel, August 4.3.1930-9.9.2006.
15778 Sullivan, Kathryn 17.5.1905-22.9.2006.
15779 Tadmor, Haim 18.11.1923-11.12.2005 ⇒21,16215. ᴿQad. 131
(2006) 62-63 (*Stern, E.; Geva H.*); IEJ 56 (2006) 114-116; AfO 51
(2005-2006) 434-435 (*Wasserman, Nathan*); Shnaton 16 (2006) 9-
11 (*Ephʿal, Israel*).
15780 Tefnin, Roland 4.1945-13.7.2006.

15781 Trever, John C. 1915-2006. [R]BArR 32/5 (2006) 14 (*Abegg, Martin G.*); Qumran Chronicle 14/3-4 (2006) 113-120 (*Kapera, Z.J.*).
15782 Trigger, Bruce G. 18.6.1937-1.12.2006.
15783 Van Loon, Maurits Nanning 22.9.1923-12.10.2006.
15784 Vanoni, Gottfried 30.3.1948-25.4.2006.
15785 Veijola, Timo 25.4.1947-1.8.2005 ⇒21,3161. [R]TTK 77 (2006) 59-61 (*Weyde, Karl W.*); SJOT 20/1 (2006) 5-8 (*Mettinger, Tryggve*).
15786 Vetter, Dieter 29.9.1931-21.6.2006.
15787 Weitemeyer, Mogens 26.5.1922-15.4.2005 ⇒21,16223. [R]AfO 51 (2005-2006) 435 (*Alster, Bendt*).
15788 Wiles, Maurice 17.10.1923-3.6.2005 ⇒21,16224. [R]AThR 88 (2006) 597-616 (*Macquarrie, John*).
15789 Young, Fred E. 1919-2005. [R]Qumran Chronicle 13/2-4 (2006) 125-134 (*Kapera, Z.J.*).
15790 Young, T. Cuyler 30.3.1934-7.2.2006. [R]BCSMS 40 (2005) 6-8 (Bibl. 49-56) (*Brown, Stuart C.*).

Index Alphabeticus

Auctorum

[D]dir. dissertationis [E]editor [F]Festschrift [M]mentio [R]recensio [T]translator/vertens

Aageson J 7411
Aalderink M 2360
Aaron D 2921
Aartun K 9835
Aasgaard R [R]14501
Abad A 11893
Abadie P 3531 [E]52
Abajo F 1483
Abar A [R]12257
Abasciano B 7732 7736 ·
Abbattista I 8454
Abdalaal A 13598
Abdalla M 10708
Abdelaziz M 9887 10027
Abdelrahiem M 12164
Abegg M 10884 11142 [E]10821 [R]7654 15781
Abeille P [M]15366
Abel O 1241 [E]137
Abela A 3351 4582 7128 [R]10855
Abelard P [M]15179 15303
Abelow P 13838
Abécassis A 11004
Abir A 7157

Abou Diwan G 12459 **Samra G** 9938
Abraha T 7608
Abraham I 9412 **J** 2589 **K** 14565 **M** [R]15295
Abrahams I [E]11471 [T]2431
Abrahamsen V 13327
Abramowski L 11803
Abramson G 9726
Abravanel I [M]11376s
Abrego de Lacy J 8723
Abreu A 5597
Abu ʿUqsa H 13931 13945
Abuh J 6411
Abujaber R 13964
Abulafia A [M]11378
Abusch I. [E]73
Acatrinei N 14931
Acconci A 13328
Acerbi A 6678
Acha A 4855

Achenbach R 3110 [E]458 3157 [R]2459 2921 3090 3118 3200
Achille C 14821
Achtemeier P 1550 [E]965 [R]11
Acillona M 8724
Ackema P 10320
Ackerman D 7803 **S** 3386 12105
Acosta A 15362
Adam A 332 1242 9629s [R]12966 **G** 1171 1551 **K** 3438 [R]3337s 3348 3391 11041 **P** 9128
Adamczewski B 1243 8095 10769 10822
Adamczyk D 5463
Adameh S 13759
Adamo D 3820 9408 14498 [E]333
Adams B [M]1 **E** 7804 9586 14304 [D]8009 [E]7785 [R]7811 **J** 4542 **M** 2806 3443 8854 **R** 8641 12625 [R]113 **S** 6358 [R]22
Adamson P 12002

Bakon S 3268
Balaguer V 1488
Balan Rajedran J 4672
Balancin E 4934
Balch A [E]40 **D** 13332
Balcioğlu B 9956
Balda M 4020
Baldanza G 8089 8094
Balde J [M]1949
Baldermann I [E]1340
Baldwin M 10639
Balensi J [E]61
Balentine S 4021
  8642s
Balke T 9957
Balkenohl M 8879
Ball E [E]23 **H** 6379 **L**
  [R]13153
Balla P 14501
Ballabriga A [R]165
Ballantyne A 13111
Ballard P [E]690
Ballenger I 9041
Ballentine S 4035
Ballester C [T]6504
Ballhorn E 3825 3881
Ballisager S 1835
Balthasar H von [M]561
  8934 15450s
Baltrusch E [R]62
Balty J [E]1022 [R]13280
  13296
Baltzer D 1173
Balz H 6187 [D]6272
  [R]568
Balzaretti C 3602
  [ET]10363
Banchini F 5788
Bande García J 6983
Bandini F [E]14360
Bandy A [R]398
Bankes W [M]13074
Banks D 12409
Banning E [E]915
Banschbach Eggen R
  5677
Baptista R 4690
Bar D 11148 **Koni T**
  [M]15205 **S** [R]1138
  8499 8501 **Salibi**
  [M]15206
Baraniak M 2922s
  5836 9212

Bar-Asher M 9671
  9729 10709 11108
  [E]155 588s 10770
Barbaglio G 5837
  7418ss 8364 8911
Barbara S [R]13178
Barbàra M 4177
  [R]4126
Barber E 11917 **P**
  11917
Barbero A [E]590
  12162
Barbi A 6515
Barbiero G 4109
  4136 [R]4130
Barbotin C 10042
Barbre C [R]11396
Barchiesi A 10298
Barclay J 12730
  12891 [E]11007
Barco J del 3758
Bardet S 12766
Bar-Efrat S 1455s
Baricci E 2779
Barkay G 13877 **R**
  13729
Barker D 10241 **G**
  14438 **M** 3474
  3665 9213 [R]10409
  W 9841 13484
Barkhuizen J 8305
  14997
Barlet L 6309
Barmash P 2975
  [R]3012
Barmasse A 13996
Barnard J 6279
  10156 **W** 3078
Bar-Nathan R 10710
  13541
Barnaud G [R]1890
Barnay S 15151
Barnes H 14000 **P**
  7952
Barnet J 5467 5675
  8093
Barnett P 7633
  12892
Barnhart J 3335 6502
Baroffio G 7599
Baroni M 2381
Barr D 7164s [E]691
  7133 [R]7195 **G**

1556 **J** 2591 †15712
  [M]8779 **R** [T]1020
Barrado Barquilla J
  [E]524 **P** 15626
Barram M 7542 [R]409
  7462 9396
Barrett C 179 6765
  7421 [R]6254
Barré M 3996 4540
  4987
Barrientos Perezagua C
  9477
Barrier J 8006
Barrios D [T]5176 **T H**
  6143 -**Delgado D**
  [R]5290
Barros M [E]9398 9411
Barsotti D 6959 7166
Barstad H 4397
Barta H 12171 **K** [R]9485
Bartchy S 5073
Bartelink G 15109
Bartelmus R 180 **R**
  3359 [R]3287 4116
  4132 4151
Barth H [F]5 **K** 9632
  [M]4080 6913 7644s
  7728 8436 8636 8908
  15301 15452-6
Barthélemy D 3768
Bartholomew C 1151
  12462 [E]342s 692s
  9633
Bartl P [R]13183
Bartlett D 1665 6735 **J**
  13007 13965
Bartoli M [R]712 '**V**
  13333
Bartolini E 11582s
Bartolomé J 5735
Barton J 1121 1247
  1726 4398 4477 5279
  8462 8761 [E]2414
  [R]1743 **S** 5434 [E]35 344
Bartsch S [E]591
Bartscherer T [E]591
Bartusch M [R]1145
Baruch Y 13112
Baruchi Y 3106 10771
Barus A 6948
Barzilay E 14376
Basdevant-Gaudemet B
  [R]2979

Beentjes P 186 2891
3575s 4323-34 4363-
9 4373 4375ss
4379ss 4383 4385
4389ss 4393 ^R430
2351 3574 3594
4281 13319
Beer M 1790
Beestermöller G ^R8691
Begg C 12768-90
^E1072 ^T12767
Behn W 1032
Behrends O 2976 ^E695
Behrens A 9673 ^E9704
Beierwaltes W 12006
Beilby J ^E497
Beinert W 5640 13009
Beinlich H 12172
13663
Beirne M 6768
Beißer F 8007
Beit-Arié M 9730
Beitia P 1489
Bekker-Nielsen T
^R12949
Belayche N ^E592 866
Belfer-Cohen A
^R13288
Belin C 4014
Bell C 14567s D
^E11587 ^R15252 R
7718 T ^R59
Bellavance E 4544
Bellefeuille E ^T5134
Bellelli V 1118
Belli F 5337 7733
^R5506
Bellia G 2892 15627
^E4314
Bellinger W ^R8369
Bellintani M ^M15315
Bellwood P 14439
Belmonte García O
15584 J 13602 -
Marín J 14044
Beltrán Flores A 7996
Bemporad G ^T4110 J
8466
Ben Ahron Z 11156
Badhann Z 14027
David H 13630
13962 Zeev M
12791 12872 Zvi E

187 3577 3606
3608 4401 4862
4884 ^E349 593
^R3590 4942 12498
Ben-Ami D 13603
13936
Benamozegh E
11477
Ben-Arieh S 13664
Benats B 14789
Ben-Barak Z 14502
Benbow P ^R13103
Ben-Chorin A ^E7523
9447 S 7523 7528
9447
Benckhuysen A
^R1801 1451
Bendemann R von
283 6641 7634
8958 ^R6331 6346
15401 15442
Bendinelli G 14837
^E5435
Bendlin A 11928
11971 12894
Ben-Dov J 2968
^R185 R 13930
BENEDICTUS XVI
1531 1538 1638
3882 11588 ^M1538
9131 9592 11567
14713 15458
Bengel J ^M15368
Bengtsson C 1119 H
10925 15562
Benjamin C 1558 W
^M8745 11476
11499
Ben-Menahem 11157
Benner J 9674
Bennett C 12535 J
14267 N 8463 Z
1383 9658
Benoist S 11929
14313 ^R11957
Benoit P ^T15202
Benoît A 13036
Benovitz M 2977
Ben-Shammai H
9892
Ben-Shlomo D
13277 13485

Benson B ^E867 H
^E1026
Bentivegna G 13202
Bentoglio G 1776 8467
^R7544
Ben-Tor A 10045
13437 13937 D
13486
Ben-Toviya E 11589
Bentué A 4036 ^R6565
Benun R 3828
Benware W 7933
Benzi G 5700 5740
7695 7761 15628
Ben-Zion S 11109
Bequette J 5954
Berard W 5955
Berder M 9478 ^E696
Berding K 7768 14824
Berelov I 14394
Berends B 7169
Beretta P ^E2305
Berg W ^D4371
Bergamelli F 14774
Bergant D 1056 12410
^F7
Berge K 2467 ^R2569
Bergen D 3516 ^R3426
W 3087 3089 ^E78
Berger F ^R13740 J
15462 K 188 5076s
9133 9309 9589
15459 ^D6225 ^M9097
15459 M ^E11560 T
9526 Y 11382 -El-
Naggar C ^E12598
Berges U 4478 4563
^E162 ^R4712
Bergian S 14800
Berginer V 3410
Bergman N 9675
Bergmann B ^R13043 C
11008
Bergmeier R 6769 7666
^R6880
Bergoffen C 13542s
Bergounioux G ^R10340
Bergson H ^M11568
Berkowitz B 11110 C
^R474
Berlanga Fernández I
^T3799ss

Binsfeld A ^{E}235
Binz S 3056 5789
  9214
Biondi C 11319
Bioul B 10712
Biran A 13010 13930
Biraschi A 11972
Biraud M ^{R}865
Birch B 1123 8365
Bird D ^{E}812 **J** 8271 **M**
  5078-83 5956 7422
  9042 ^{R}345 **P** 9528
Birdsall J 189 2112
  †15714 ^{R}5748 **N**
  6996
Birkan-Shear A 10477
Birley A 12899
  ^{R}12945
Birnbaum E 10478 -
  Monheit M 2726
Birtolo P ^{R}5144
Bisceglia B 15187
Bismuth D ^{T}10600
Bispham E 12468
  12744 ^{E}596
Bissoli C 1174ss
  12900 **M** 13966 ^{E}329
Bittasi S 8073
Bittner W 6776
Bitton-Ashkelony B
  12996
Biville F ^{E}865
Bivin D 6149
Bizer C 4037
Blaauw S de ^{R}13607
Black C 5957 15255
  ^{R}582 6009 **E** ^{E}13188
  F 4137 5756 14674
  ^{E}351 **J** ^{T}9959
Blacketer R 15318s
Blackwell R 2555
Blaha J 11479
Blair G 2325 **S** 12317
Blakely J ^{R}917
Blanc C ^{T}14838 **P**
  ^{E}14107
Blanchard Y 1252
  6682 6777s ^{D}14902
Blanchetière F 11591
  12873
Blanco Pérez C 2541
Bland D 1560 ^{E}352
Blandenier J 9310

Blankenhorn B
  10582
Blanshard A 10244
Blanton W 5283
Blasberg-Kuhnke M
  1177
Blasco Orellana M
  11320
Blasius A 4852
Blatherwick D 5958
Blathmac ^{M}1908
Blau J 9677 9893 **S**
  13665
Blázquez J 190
  Martínez J 12874
  15070
Blech A 11592
Blecker I 3883
Bleiberg E 13527
Bleibtreu E ^{R}13046
Blenkinsopp J 191
  4460 4537 4541
  4545 4584 4591
  4727 12689 14504
  ^{D}4532 ^{E}917 ^{R}8782
  11054
Blickenstaff M 5469
  ^{E}435 6516 6691
  7384
Blischke F 7543
Bliss F 15686
Bloch A ^{T}4111 **C**
  4138 ^{T}4111 **R**
  12792 12842
  ^{R}10521 11099
  12828 12885
Blocher H 192 464
  1561 1666-70 3759
  3935 3964 4512s
  4515 4517s 4521s
  4567 4642 4988
  5004 7011 7080
  7836 8150 8187
  8314 8619 9135s
  9590 9804 9821
  ^{R}442 9310
Bloch-Smith E 9810
  ^{R}939 13887
Block D 4728 4811
  4849 7423 **H** 2745
Bloesch D 9591
Blohm U 11593
Blois F de ^{E}11788

Blom S 7719
Blomberg C 5025 5084
  7424 9311 ^{R}5959
  7913 8458
Blom-Böer I 13605
Blondel M ^{M}15414s
  15417 15460
Blondy A 7600
Bloom H 5085 5284
  11594
Bloomquist L ^{R}5139
Blouin K ^{R}913
Blount B 7171
Blowers P ^{E}171
Blöbaum A 12538
Bluedorn W ^{R}3264
Blum E 1977 2428
  2804 ^{E}698s
Blumenkranz B 11595
Blumenthal D ^{R}11202 **F**
  3138
Blumfield F ^{R}9675
Blumhofer E ^{E}400
Blümer W 6517
Blyth E 13606
Bo Z 12539
Boada J ^{R}243 253 740
  1963 5819 8442 8448
  8750 14522 15588
Boadt L ^{R}4530 4626
Boardman J ^{R}13441
Boas A 14638
Boase E 4710
Boatwright M 12901
Bobichon P ^{ET}14801
  ^{R}11610 14709
Bobryk E 14121
Bobzin H ^{E}74
Boccaccini G 10583
  10713 ^{E}10405
Boccaccio P †15715
Bochenek K 2531
Bochet I 15008ss **M**
  4935
Bochi P ^{R}14163
Bock D 5285 ^{E}12849
  ^{R}6251 6479 **E** 1153
Bockmuehl M 8471
  ^{R}14823
Boda M 2468 4863
  5009 8644s ^{E}700 813
  ^{R}3591 5482
Bode E ^{R}8243

Bost-Pouderon C ^{E}887 ^{R}11922
Bosworth D 3388
Botha J 8318 15602 P 3965 4842 8844 12902 ^{R}3856 12852
Bothmer B ^{E}14163
Botica A 8610
Botta A 3020 4864 9823 ^{R}2819 14515
Botterweck G ^{E}973ss 989ss
Bottini A ^{E}597 G 5584 6311 ^{E}98
Bouche A ^{E}15154
Boud'hors A 2045 ^{E}893 ^{R}10111
Bouhot J ^{E}335
Boulding M ^{R}9155
Boulhol P ^{E}815
Boulnois M 2698
Boulogne J ^{R}660
Boulter E ^{R}12648 14136
Bourbon F 13287
Boureau A 15214
Bourel D 2827s 11441
Boureux C 1254
Bourgeault C 3884
Bourgeois D 9215
Bourgine B 10529 15452 ^{R}806 15453
Bourguet D ^{E}5438
Bourke S 14016
Bourlot A 5287
Bourriau J 13544
Bousset W ^{M}7187
Boustan R 11391s ^{E}816 ^{R}11598
Bouthors J 6780
Bouttier M 10210
Bouvarel-Boud'hors A ^{E}894
Bouvier B 10642 G 10047
Bouvrie S des ^{R}11920
Bouzon M †15716
Bovati P ^{D}2714 ^{R}15715
Boven N ^{E}112
Bovon F 193 5791 6227s 6281 10530 10642

Bovone M 8027
Bovot J 13440
Bowden H 11973 J 1121 ^{E}998 ^{T}15616 W ^{E}598
Bowe B 8319 ^{R}763
Bowen N 1792
Bower D ^{R}6250 6516
Bowersock G 13528
Bowman C 4896 J †15717
Bowsher H 7671 J ^{R}14019 14492
Boxall I 7137 ^{R}5449 5911 7340 7790
Boyarin D 11162-5 11598s ^{M}11608
Boyce J 5961 N †15718
Boyd J 13338 - Taylor C 2180s ^{R}2187
Boyer C 5087 F ^{R}4031 11460
Boyle N 1836 1870
Boys M 11600s ^{E}599 ^{R}599
Bozzetti C 1494
Böcher O ^{R}5563
Böck B ^{R}12269
Böcker O ^{R}7220
Böckler A 2346 2829 3987 8420 11480 ^{R}11565
Böhler D 3284 9449
Böhm M 7862 10481 T ^{E}10153
Böhme D 2076 H 6665
Böhnke M ^{E}132
Börner-Klein D ^{ET}11321 ^{R}4669
Börschlein W 9795
Bösen W 5416 5840 13928
Böttigheimer C 8986
Böttrich C 5752 9216 ^{E}63
Børresen K ^{E}500
Børtnes J ^{E}14980
Braaten C ^{E}2925 11602 L 4905 7712 ^{R}4884

Brabant D 14257
Bracchi R 6444 ^{R}975
Bracke J 1178
Bradbury S 12967
Bradley M 13667
Bradshaw D 10215 P 9017 14756s
Brady C 2077 D 7352
Braemer F 14112 ^{E}14090
Bragantini G 13339s
Braiterman Z 11166 15477
Brake D ^{R}2163
Brakke D 9217 11754 ^{E}354 817
Brakmann H 13764 14740
Brambilla F 5088 6312 8856
Bramlett K ^{R}13137
Brancato F 9592
Branch R 1793 4971 ^{R}12 271 2511 5175 5367
Brand P ^{R}12707
Brandau R 11603 11624
Branden R 5470
Brandenburg H 13607 13668
Brandmüller W ^{R}2579
Brandscheidt R 4318
Brandt H ^{R}12959 R ^{E}501
Branham J 10714
Branick V 4187 ^{R}7371
Brankaer J 11816 ^{R}551 6993 8925 9033 11766 11800 14818
Brant J 6781 ^{E}702
Brasser M ^{E}293
Braulik G 194 355 3057 3144-7 3164 3169ss 3885 9218
Braun E 13920 ^{R}13989 R 1565 W ^{E}502
Braund D ^{E}919 S 8472
Braunisch R ^{E}15350
Bravo A 5089
Brawley R ^{E}356 ^{R}6481
Bray G ^{E}5368 7610 ^{R}400 J 3295 ^{R}2914 N ^{R}11784

9219 9313 14506 ^{F}12
^{M}8779 15473 ^{R}8383
8782
Brugnatelli V 9844
Bruguière M ^{E}2979
Bruins H 3187
Bruit Zaidman L
11975
Brumlik M 15478
Brummitt M 4611
4685 ^{R}4546
Brumwell A ^{R}2330
14519
Brun J 14441s
Brune K 13245
Brunel J 15360
Brunelleschi F ^{M}13376
Bruners W 3887 ^{R}6048
Bruning B 8182 15014
Bruno C 3813 ^{M}3863
Bruns P ^{R}15002
Bruske W 1571
Brutti M 12732
Bruyn J de 3997
Bruyneel S ^{R}819
Bruzzone G ^{E}15444
Brückner H 13608
Brüggemann T 5291
Bründl J ^{R}15296
Brüning C 3832 4106
Bryan C 9391 S ^{R}5586
Bryce T 12699
Buber Agassi J 15479
M 11474 ^{M}583 2343
2358 2827s 4038
4069 11425 11438
11536 11552 15441
15474-91 ^{T}2359
Buccellati G 5541
13012 ^{R}14084
Bucchi F 14840 ^{E}8189
Buchegger J 7354
Buchhold J 7172 7954
Buchholz M 3021 R
11607
Buchinger H 14841
Buckley J 11789
^{R}1122
Bucur B 12007 14719
14767 C 12007
Budin S ^{R}13283 13308
Budzanowska D 14507
Buekens A 5090

Buela C 5757
Bugeja A 14042
Bugg L 8098
Bugh G ^{E}12733
Buhagiar M 6675
Buis P 3079
Buisson G ^{R}14461
Buitenwerf R 10584
^{E}2363
Bulakh M 9733
Bulgarelli O 14569
Bull K 7635 ^{E}170
Bullinger H ^{M}15317
Bullock C 3786
Bultmann C ^{ET}4477
^{R}4626 4668 R
^{M}1303 5182 5208
15401 15492
Bumazhnov D 2532
11804
Bunimovitz S 12414
13923
Bunine A 7529 7950
Bunnens G 12073
^{R}12676
Bunta S 11168
^{R}12118
Burchard C ^{F}13
Burdon C 5966
Bureau B 15098
Burgaretta D 11322
Burge G 1728 6784
^{R}7040
Burger C 6354 D
14635s 14639
14645
Burggraeve R 11483
Burgh T 13204
Burgos F 14184
Burk D 10157
Burkard D 11484 G
^{E}14172 ^{R}10054
Burke A 14033
^{R}13904 D ^{R}109
9546 G ^{R}9226 S
^{R}9434 T 7432 ^{E}157
Burkert W 199
11976s
Burkes S 11012
Burkett D 5899
Burkhalter C 5827
Burman T ^{E}743
Burmeister S ^{E}13183

Burnet E 13342 R 7355
9480ss 13342 ^{R}1514
8638
Burnett A ^{E}13740 C
^{E}15179 G ^{R}8719 J
3833 8367 ^{R}4116
12163 12281 S
^{E}11587
Burns D 6621 J 3707
10976 R 14103
Burnside J 3103
Burnyeat M 12008
Burrell B 13115
Burrichter R 4936
13343s
Burridge K 10321 R
5048ss 5967 8857
^{R}9351
Burroughs P 6976
Burrows M 4140
Burrus V 11608 ^{R}9217
Burstein S ^{R}12734
Burton H 13669 P 6728
15210 W 6461
Bury B ^{R}2187 2815
8673 11028 12112
Buscemi A 7955 ^{D}8020
Busch A 6085 P 10426
12048 ^{R}8691
Bush L ^{R}2654
Busine A 11978 12074
Buss M 3022 4403
Busse H 12318 ^{T}12365
U 6785
Bussières M 11810
14766 ^{R}15123
Bustamante E C 9483
Butcher K 13732 14083
Buth R 6475s 6499
Butt M 10347
Butterlin P ^{E}104
Butticaz S 6671
Buttigieg C 7900
Butting K 1258 3569
8474
Buttrick D 1572
Butts A 2079 5440
Butzkamm A 13345
Buzzetti C 1182 1496
2594 ^{R}1233
Büchsel M 13346
Bühler P 15572

Carbajosa I 6786 ^{R}2407 **Perez I** 3771
Carbonaro P 4388
Carbone C 8077 **R** 15511 **S** 7748
Carbullanca N. C 8725
Cardascia G †15721
Cardellini I 1260 2896 3058 ^{R}3454 8657 9827
Carden M 2479 3228 4866 9314 ^{R}9356
Cardenas Pallares J 5091
Cardete del Olmo M 11980
Cardinal P 5706
Cardona Ramírez H 5901
Cardoso Pereira N 9399
Carey G 7177
Carfagna A 8657 9140ss
Carl A 5092 **W** 5613
Carlebach J ^{M}15494
Carleton Paget J 14716 ^{R}10689
Carlson S 5902 10534 ^{M}10533
Carmichael C 2897 3080 15499 ^{E}205 **L** 9315
Carnaud J ^{T}312
Carneiro M 7287
Carnevale L 10427
Carola J ^{R}15093
Carosio F ^{E}3704
Carotta S 5537
Carpani R 1184
Carpinello M 9484
Carr D 1711 1729 2430 3208 4141 9043 ^{E}143 ^{R}1980 2496 2830 4116
Carracedo Doval J ^{R}10123
Carrell P ^{R}478 8823
Carrez-Maratray J 12472
Carrière J 3436
Carriker A 14963

Carroll J ^{R}5681 **L** 13116 **M** 10301 **R** 4612 ^{R}1470 8825 **R** **M** ^{E}359 8661 8673
Carruth S 1916
Carruthers I ^{E}821 **J** 1872 8621 ^{R}3710 3714
Carson D 7567 8476 9634 ^{E}7720 ^{R}1678 1707 8453 9667 **M** 7178
Carsonò D ^{R}8891
Carstens A ^{R}14271
Carter R 1730 **W** 6736 12875 ^{R}5138
Cartledge M ^{E}504 **T** 3122
Cartwright C ^{R}14242 **M** ^{E}11746
Caruso A ^{T}3802s
Carvalho C 1125 **J** 15314 ^{R}6401
Casabonne O 14244
Casale U ^{R}521
Casalegno A 6737 6787
Casalini N 8151 ^{R}8158 8233
Casana J ^{R}13025
Casanellas i Bassols P 2310 ^{E}2311
Casarella P ^{R}561
Casarin G 7670 ^{E}9221s
Caseau B 13765 ^{E}102
Casevitz M ^{F}17
Casey M ^{R}751 5390
Casiday A 14976 ^{R}4123 14977
Casper B 11487
Caspi M 3533
Cassel C ^{T}14590 **J** 2595 4480
Cassianus J ^{M}2024 15258
Cassiodorus 3802s ^{M}15097s
Casson L 12545
Cassuto P 9679 **U** 2431
Castagno A ^{E}14842

Castañeda Reyes J 12546s
Castel C 14091s ^{E}922
Castellana P 14085
Castellano Cervera J 5614 **Cernera J** 7055 8477
Castelli E 8688 ^{R}11762 **S** 12794 ^{R}12767
Castellion S ^{T}2314
Castello G 11609
Castillo Ch A 6422 **Mattasoglio C** ^{T}11075
Castillos J 12548
Castleman R 7993
Caston R 10302
Castro S ^{R}7124 **Sánchez S** 5969
Catagnoti A 14074
Catalano R ^{E}11707
Cataldo J ^{R}12691
Catani S 1185
Catapano G ^{ET}15016
Catastini A 10427 ^{R}3539 11397
Catchpole D 5093
Cate R 7331
Catenacci C ^{E}869
Cathcart K 15406 ^{F}18
Cathey J ^{R}1466 2946 3595 4456 4898 9675
Catic I 5473
Cattaneo A 5292 **E** 14675 14778
Cattani L ^{T}3148
Caubet A 13037 13251 13442 14046
Cauvin M 14097
Cavadini J 1497
Cavanaugh W ^{R}342
Caviglia G 8443
Cazeaux J 2480 3360
Cazelais S ^{R}5604
Cazzella A 14043
Ceausescu G 1186
Çebulj C 2831 6973
Čech P ^{R}169 586 631 12121
Celan P 11534 ^{M}1911
Cellada G ^{R}7922
Cepeda Salazar A ^{R}2005 8964

Dogniez C 2470 3480 11807

Dognin P 6438

Dohmen C 1272 1712 2509 2807 8623 8373 13769 ^{R}2817

Doizy G 1962

Dolbeau F 2275

Dolce R 12631 14075

Doldi M 9321

Dollar H ^{R}3475

Dolna B 6931

Domek J 9148

Domenichini E 8374

Domhardt Y 11496 ^{R}2741

Dominique P ^{T}2458

Domínguez García J ^{T}15555

Domning D 2598

Donahue J 5904 8375 ^{E}11

Donaldson T 7442 7532 11017

Donatelli P 9322

Donatello ^{M}13348

Donati A ^{E}914

Donbaz V 3025

Dondici G 6455

Donelson L ^{R}2104 8234

Donfried K 1985 7443

Donnet D ^{R}600 10246 12737 -Guez B 1791

D'Onofrio S ^{E}617

Doran R 3742 11018 ^{R}6481

Dorival G 3957 14941 ^{E}822

Dormeyer D 1778 5905s 6232 6609 ^{E}618 ^{R}116 220 733 5910

Dorn A 14389 ^{E}10053

Dorschky L 2782

Dorsey D 1839

Dotan A 2059

Dothan T 12420 13277 13286 13448 13842

Dotolo C ^{R}8858

Doudna G 10720 ^{R}10772

Doumet-Serhal C 14034s

Dove M 15159

Dowd S 6176

Dowden K 11984

Dowdey D 11618

Downey S ^{R}938

Downing F 5561 7994 15604

Downs D 6636 7780.

Doyle B ^{R}6726 ^{T}1861

Dozeman T 2833 3060 ^{E}722 ^{R}2429 2817

Dozzi D ^{E}375s ^{R}5046

Döhling J 2783

Döhnert A ^{E}964

Dönmez S 14266

Döpp S ^{E}1000

Dörnemann M 14457

Dracontius ^{M}1917

Draper J 1986 6393 12392 14759 ^{E}82 377s 832 ^{R}1583 6962 9152 10417 14758

Drawnel H 10429s 10841 ^{R}10432

Dray C 2085 S 3230 3641

Drei J 13962

Dresken-Weiland J ^{R}927

Drew-Bear M ^{R}10272 10281

Drewermann E 1963

Drews R 13166

Dreyer G 13676 Y 8488 9046

Dreyfus R ^{E}13049

Drieënhuizen T ^{E}2376

Driesch A von den 14398

Dritsas-Bizier M 1094 ^{R}11800

Drobner H 15021

Droge A 14804

Dronsch K 10328

Dronsz G 7121

Dross J ^{R}871

Drusius J ^{M}15376

Dryden J 8275

Dschulnigg P 5033

Du Plessis I 8196

Du Rand J 7192 ^{R}7142

Du Toit A 7637 ^{R}7631 9639 D 5975 8430 ^{R}5903 J 1797s

Dubbink J 4615

Dube M 3692 9414 ^{M}6864

Dubis M 8276

Dubois A ^{R}7217 J 10587 11756 11790s L 2276 M 2276 11619

Dubovský P 2277s 3566 12421 12632

Dubray J ^{R}1390 4045

Dubs J 10936

Dubuisson M ^{ET}12910

Duchrow U 9323

Due N 9226

Dufeuilly J ^{T}1888

Duff J 10166 N 2940 P 7280

Dufner D 2384

Dugan M 8323

Dugandzic I 7001

Duggan M 3638

Duguid I 3712

Duhaime J 10842 ^{R}10749 10777

Duhm B ^{M}4498

Dukan M 2060

Dulaey M 5663 13357 15086 15108

Duling D 5107 7948

Dulles A 1502

Dumbrell W 7614

Dumitrescu C ^{R}1151

Dumm D 1779 6122

Dumont C 4171s 4175s

Dumsday T ^{R}11891

Dunand F 12182 13677 14458

Dunbabin K 14443

Duncan P 5925 -Jones R 12911

Dunderberg I 6797 11821 11853

Dungan D 1733

Dunham R 1589 S ^{R}13183

Ferrada Moreira A 2836
Ferrara R 15573
Ferrari A 1592 **F** ^{R}12003 **P** 1504 **Schiefer V** 8379
Ferrario F ^{R}248
Ferraris G ^{E}13053
Ferraro G 8898
Ferreira J 6086
Ferrer Costa J 9818 **J** ^{R}2311 **V** 4271 ^{E}726
Ferri E 13714 **R** ^{E}521
Fesko J 1680
Festorazzi F 8498
Festugière A 11783
Feucht E 12555
Feuchtwanger L ^{M}1920
Feuerherm K ^{R}2551
Feuillet J 10331 ^{R}10348
Feulner H 5715 **R** 14721
Feyel C 13613
Fédou M 8846 15028
Féghali P 4336
Fidati S ^{M}15220
Fideles A 5679
Fidler R 3349 4306 8380 8499
Fiedler P 216 5442
Fiedrowicz M ^{E}12917
Fields W 10723
Fiensy D ^{R}475
Fierens B 6801
Figueiredo G 15542
Figuera López M 5301
Figueras P 13361
Figura M 6802
Fikhman I ^{R}1108
Filgueiras T 5119
Filho J 8254
Filigheddu P 14372
Filipič M 8052
Filippi G 7602s
Filippini R 6628
Fillingim D 8647
Fillitz H 13362
Filoramo G 1031 ^{E}9154
Finamore R 1277
Findlay J 3133

Fine L ^{E}11471 **S** 11024 13593 ^{E}850 ^{R}13656
Fingernagel A ^{E}13367
Fink A 10125 **D** ^{R}8845
Finkelberg M 2047 11985 ^{E}1738
Finkelde D 7363 7548 ^{R}7417 7522 7609 7725
Finkelstein I 3392ss 3481 12424 13017 13551 13899 13905 ^{E}13946s **M** 11114
Finlan S 8961 ^{E}522
Finley T 5730
Finn T ^{R}14693
Finney M 7813 **T** 2048
Finsterbusch K 2900
Finze-Michaelsen H 5599
Fiocchi C 11364
Fioramonti S ^{E}3805
Fiorato P 11499
Fiore B ^{R}787
Fiorenza E 5120 7307 9533-7 15422 ^{F}40s
Fiorini S 6676
Firestone R 11500 ^{R}14516
Firmicus M ^{M}15106
Firth D 3839 3890
Fischer A 3384 8750 **B** 6316s **F** 1192 **G** 1278 3891 4616 8962 ^{R}4626 **H** †15731 **I** 1800ss 2809 4196 8500 ^{E}103 426 727 ^{R}2667 4132 **M** 2599 15464 ^{R}611 **P** 13056 13552 13983 **R** 8444 **S** 4147 **-Bossert W** 13453 **-Elfert H** ^{R}10093 ^{T}12187 - **Genz B** ^{R}14036

Fishbane E ^{R}855 **M** 11180 **S** 11115
Fisk B ^{R}10490
Fistill U 3644 3648
Fitschen K ^{R}13044
Fitzenreiter M ^{E}931
Fitzgerald J 3027 ^{E}101
Fitzmyer J 1593 3672 10791 ^{M}1983
Fitzpatrick N ^{R}14701 **P** 4798
Flaming D 15323
Flannery F ^{R}540 ^{R}10405
Flannery-Dailey F 4816 8501 15662
Flantz R ^{T}3478
Fleck M 1594
Fleckenstein K ^{E}13846
Fleddermann H 5379
Fleer D 1595 ^{E}352
Fleg E ^{M}1921
Fleischer E 11181
Fleishman J 3245
Fleming D 14113
Flesher L 1596 7313 **P** ^{E}22
Fletcher R 8348 **-Louis C** 8809 10938 ^{R}2691 11692
Fleuri U ^{T}9150
Flichy O 6235 ^{R}14487
Flint P 10792 10899 10917 ^{E}160 3772
Flipo C 1161
Flood D 9326 **G** 11874
Florence A ^{E}1570
Florentin M 9736 11182 ^{E}155
Flores R 4104
Floristán C 1005
Florus L ^{M}15221
Floss J 1990
Flourentzos P 14277s ^{E}14275s
Floyd M 4411 4995 ^{E}728 ^{R}4709 4973
Fluck M 9538 10592
Flusser D 217 5417 ^{M}5804
Flynn S 4585 4592
Focant C 10900
Focant C 15638

7035 10376 **M** 2971
-Anthes H 9782
Freyberger K 13616
Freydank H 3028
Freyer T ^{R}239
Freyne S 5124s 5246
5988 12853 ^{F}46
Fréchet R ^{T}11194
Frère D ^{E}13278
Frick F 13553 **P** ^{R}718
Fricke M 1193s
Fricker D 1280 ^{R}15571
Frid B 7660
Friebel K ^{E}43
Fried L 3632 12476
12691 ^{R}3476 3624
Friedenthal-Haase M
^{E}15480
Friedheim E 11116
11185
Friedman M 11186 **R**
2420 ^{E}1 **Y** 11330
Friedrich J 12559
Friedrichsen T 5381
^{R}223
Fries P 15465
Fricsen S 7274 ^{E}7799
Frilingos C 7195
Frisch A ^{R}14556
Frishman J 11501
^{D}11467
Fritz M 12265 **U**
^{R}12584 14366 **V**
3269 3447 3521
^{R}13136
Frizzo A 4575
Frolov S 3348 3356
^{R}4122
Frommel C ^{E}13364
Fronto M ^{M}12016
Fronzaroli P 14076s
^{F}47
Frood E ^{R}14178
Froschauer H 13042
Frost M 1599 **R** ^{M}5186
Froude J ^{M}15405
Fröhlich I ^{R}10779 **P**
12738
Frymer-Kensky T 219
1780 1803 2542-545
2638 2702 2838
2901 2980-82 3238
5569 8506 8611-12

8624 8662 8769
9539ss 11502ss
12266 †15733
Fuchs A 5382-8
^{R}5028 5378s 5395
5453 5897 6299
6410 **E** ^{E}40 ^{M}5696
^{R}1824 9530 **M**
^{R}14377 **O** 220
8625 8791 **R** 8154
S ^{R}2735 **W** ^{R}13200
Fudeman K 11381
Fuellenbach J 8914
9048
Fuglseth K 6806
Fuhrer T 12010
Fuhrmann J ^{R}9396 **S**
8214
Fuhs H 4735 8431
Fujii S 13992
Fukui F ^{R}15720
Fulco W ^{R}12118
Fuller L 10168 **M**
6236 **R** ^{R}10786
Fullmer P ^{R}702
Fulton D ^{R}13792 **K**
^{R}9545 **R** 15161
Fumagalli A 1281
9327 ^{E}1092
Funiciello R 14317
Funk R 5680 15424
†15734 **W** ^{F}48
Funke J 13680 **P**
^{E}872
Furby S 1600
Furger A 14445
Furlong J ^{R}2978
Furnish V ^{R}7790
Furuli R 9688
Fuscaldo P 13554
Fusco V 221 ^{M}15503
Futato M 9689
Futrell A 13195
Fux P ^{E}15029
Führer H 1949
Fürst A 10370
10655-57 11921
12011 12919-920
^{ET}10369 15030
^{R}252

Gabel J 1840
Gabolde M 12188

Gabriel A 7449
Gacek A 12322
Gadamer H 1282
^{M}1243 1257 1270
15504
Gadenz P 7741
Gadot Y 13888
Gadrat C ^{R}15232
Gaffin R 7450
Gafney L 5615
Gafni C 11117
Gagarin M ^{E}607
Gagey H ^{D}11174
Gagliano S 11894
Gagliardo M 14316
Gagnon R 9328 9385
Gahbauer F 14698
Gaide F ^{E}815
Gaillardetz R 1682
Gaiser F 4548 ^{E}45
Gal Z 13910
Galambush J 4736 4799
12921
Galanis I 7909 ^{E}49
Galas M ^{E}902
Galbraith M ^{R}6868
Gale A 5480 ^{R}5367
Galen P ^{M}14477
Galenus ^{M}12936
Galil G 9971 14572
^{R}3458 9727
Galileo G ^{M}2565 2573
2577 2579 2587s
Galindo García A ^{E}524
I ^{R}1570
Galinsky K ^{E}621
Galitis G ^{F}49
Gall D 11935
Gallagher D ^{R}771 **M**
8445 15551 **R** ^{E}402
6527
Galleazzo V 4700
Gallego M ^{R}10996
Martín P 15448
Galley S 11505 **-Tala-**
bardon S ^{R}11566
Gallez E 12323
Galli E 12267
Galloway L 5591
Galor K 10724 ^{E}594
932
Galpaz-Feller P 3285
3294 13681

Gerhard J 6808 15378s
 M15378s
Gerhards A 2349 3984
 9158 9231 D9252
 E525 M 2839 4940
Gerhardsson B 5616
 9329
Gericke J 2869ss 9543
 P 7367
Gershuny L 13773
Gerstenberger E 2471
 8771s 9401 11025
 R941 3941 8781
Gerstenblith P R13006
Gerster G 14364
Gertz J 2433 2640
 2811 3163 3213
 8773 E1083 1128
 2434
Gerwing M R5076
Gesche B 3627 E3304
Gestermann L 10055
Gestoso Singer G 2472
 14573
Gesundheit S 3061
Getty M R7650
Getzov N 13721 13919
Geus C de 14607
 R9751 13981
Geva H 13774s 15677
 E13776 R15779
Geyer A 13534 B
 E14084
Geyser A 3580
Géhin P 9945 14978
Gérard J R6674 R
 10145
Gherardini B R3081
Ghezzi E 6711
Ghiberti G 1196 6809
 7872 13682 15425
 15640 F51 R163 R298
 732 5144 6381 7626
 9269 L M13376
Ghica V 10110
 ET10658
Ghilardi M 14328
Ghirardi P T3394
Gianotti D R14930
Gianotto C 1715 8326
 11757s 12923 R694
 838 14525

Gianto A 1781 4843
 9159s E114 R673
 T10593
Giauque R 13760
Gibbons A 2564
Gibbs R 11508
Gibert P 1841 2313
 2641 4414 5522
 15411 15426
 15609 F52 R684
 697 711 1886 2577
 3338 3737
Gibran K 5303
Gibson J 6202 L
 E8705 M M5279
 5314 8897 13421
 R14143 S 5128
 5553 13898 E981
 1602
Gichtelf J M15380
Giebel M 14292
Giebelhausen M
 13369
Gielen M 7338 7550
 7794
Gieniusz A 7697
 7709 7763 D5635
 6386 7848
Gierth B 10659
Gieschen C 7196
 7368
Giesen H 7669 8055
 9050 R182 5237
 5393 6157 6299
 6887 10221 10639
 12861 R 9455
Gignac A 7451 7655
 7975s E50 R7417
 7609
Gignilliat M 7714
Gil Arbiol C 7814-15
 14515 M 10468
 14446 Paneque C
 R12546s
Gilbert C 13370 G
 6237 11026 13169
 M 1463 1992 4198
 4315 4337 15525
 D4054 4378 4384 P
 1284 E526 T8870
Gilboa A 13556
 R13581
Gilchrist J 8139

Gilders W 2903 3134
 10450 10848 R3076
Giles S 13671 T 10982
Gilfillan Upton B 5989
Gilkes C 9416
Gill C 12012 12739
 R12032 L 9106 M
 E622
Gillespie T R5113
Gillingham S 3840s
 R3831 3870
Gillman N 2473
Gillmayr-Bucher S
 1464 1842 1877
 R3338
Gilmour M 1918 10660
 E13213
Gingerich R E172
Ginther J 15257
Ginzberg L 11188
Gioacchino F M15224
Gioanni S ET15105
Giorgieri M 12710
Giostra A 4305
Giovino M 13290
 13494
Gira D 12386
Girard R 2904 8949
 M2549 2660 3395
 7209 8709 8715 8981
 9011 15506ss
Girardi M 14928
Gire P 2812 2941
Girolami M 7676
Gironi P 14362
Girón-Negrón L E11331
Gisel P E684 1007
Gispert-Sauch G R242
 284 7444 7792 8719
 14553
Gissel J 1285
Gitay Y 1993
Gitin S 13557 13842
 E32 720
Gitler H 13737s
Gittlen B 13831 E12121
Giudici M 3980
Giuliani L 13291 M
 E29
Giuntoli F 15641
Giuriato D T7609
Giurisato G 7053
Giustiniani P E839

Hauptmann H ^E13092
Hauser S 14147
Hausmann J 5012
Hauspie K 4740ss
  ^E264
Havemann D 7595
Havrelock R ^R11044
Hawass Z 12567
  13686 14197
Hawkin D 15428 **J**
  10129 **P** 3306 ^E411
  R ^R109 358 3591
  13887
Hawley C 3629
Hay D 7461 †15738
  ^R10481
Hayajneh H ^R9763
Hayat P 15543
Hayes J 12429 ^E1130
  ^F64 **K** 4420 8648
  ^R14508
Hayman A 2246 11199
Haynes F ^E821 **S**
  15394
Hayoun M 11515
Hays H ^R12167 **R**
  5054 7462 9339
  ^D6338 ^R421
Hayward C 3485 9799
  R 14520 ^R10917
Hazenbos J 10130
  12079
Haziza T ^R12583
Hazony Y 12480
Häberl C 9906
Hädrich J ^E9343
Häffner H 14646
Hägerland T 9022
Hägg H 14722 **T**
  ^E14980
Hägglund B 1295
Härdelin A ^R14616
Härle W 7463s
Häser J 13032 13997s
  ^E916
Häusl M 4553 4566
Häußer D 7465
Heacock A ^R3386
Head P 6291
Heal K 2247
Healey J 9947 ^E18
Healy K 3535 **M** 1685
  ^E9633 **P** 15233

Heard R ^R3254
Hearon H 2003 7788
  ^R5466 7395
Heath J 10371 **S**
  ^T11576
Hebeche L 7373
Hecht A 3789 5554
  ^E382ss
Heckel T ^R2113 7912
  U 8512 **W** 1040
Hecker J ^R11406
  11419 **K** 9974ss
Heckl R 4659 5732
Hedner Zetterholm K
  11200
Hedrick C 2248 5681
  12481 12930 ^E702
  ^R10703
Heen E 6241 11897
  ^E8221
Heer J de 6292s
Heesch M 1883
Heessel N 12269
Heffer T 1673
Heffernan T ^E743
Hegedus T 5545
Hegenbarth-
  Reichardt I 12196
Heger P 2906 10852
  11201
Heid S 9235 ^R11650
Heide B ^E13044
Heidegger M ^M1303
  6823 7373 15511ss
Heider G ^R2488
Heiken G 14317
Heil C 8628 ^E292
  5393 **J** 6062 ^R5909
Heilmann R 2642
Heim S 8991s
Heimbach-Steins M
  9548
Hein I 14214
Heindl A 10595
Heine S 1964s 8513
Heinemann C ^E9236s
  J ^E11516
Heinen H 235 5628
  10227 12745s
  13000 14334 ^E1041
  U 13376 ^E412 2732
Heinhold-Krahmer S
  13171

Heininger B 1987 6242
  6374 7374s 7466
Heinke S 1199
Heinonen R 11876
Heintz J 14187 ^R1791
  2495 4682 4861
  13319
Heinz A ^F65
Heinzelmann G ^M9255
  M ^E15214
Heise J 15276
Heiser L ^T15259 **M**
  3197 ^R12145
Heisig J 8993
Heither T 2666 14850
Heitz C 13840
Helberg J 3846s
Helderman J ^R146
Heldt P 14771
Hell L 8967
Heller D ^E532 844 **M**
  11446 **R** 3339 9691
Hellerman J 8080
Hellerstein K 1960
Hellholm D 7689
  ^D7558
Hellmann M 13122
Hellwig M 2598
Helm R ^E15078
Helmer C 1296s 15410
  ^E361 533 744s 1743
  D ^E14400
Helminiak D 9340
Helton S 8041
Heltzer M 3677 9907
  14049ss 14576
  ^R12438 12691
Hempel C 10794 10853
  ^E87 10945 ^R10821
Hempelmann H 5854
  15589 **R** 14116 ^R658
Hemraj S 8968
Hemsterhuis T ^M15383
Hendel R 1846 3465
  10795 12482 13019
Henderson D 15403 **I**
  9051 12014 ^E19 **M**
  1609 **S** 5999 8100
Hendrickx B 10550 **S**
  14217 ^E1
Hendry C ^R399 9545
Hengel M 236ss 2196
  5728 5855 6000 7203

Hipólito I ^{R}7156
Hippocrates ^{M}10202
Hippolytus ^{M}14770-3
14797 14868
Hirsch A ^{E}135 **E**
12568 **H** ^{R}2652
Hirschfeld Y 10726s
10946 11036 13123
13254 13258 13620
13863 13872 13957
13968 †15739
^{E}13850
Hirsch-Luipold R 6820
Hirschmann V 12056
12080 14820
Hirshman M 11203s
His I 1885
Hitchcock L ^{R}13058 **M**
7207
Hitler A ^{M}11649
Hjelde S 15556s
Hjelm I 13781 ^{R}4540
10982
Ho C 2438 2604
Hobbes T ^{M}15385
Hobohm J 1612
Hobson T 5247
Hochmayr E 1804
Hock A 8157 **R**
^{R}12031
Hockmann D ^{R}668
13321
Hodder I 14263
^{E}13058
Hodge J 3395
Hodges Z 8970
Hodgkins C ^{E}514
Hodos T 13020
Hoehner H 7960 8013
Hoelzl M ^{E}536
Hoezee S ^{R}1580
Hofer A ^{R}15194 **P**
12569
Hoff G 11645 ^{E}860
Hoffer S 10307
Hoffman K 6001 **M**
6001 **T** ^{R}13025
13961 **Y** ^{E}569 ^{R}4884
Hoffmann A ^{E}624
14258 **F** ^{R}13149 **H**
9692 **J** ^{T}5799 12928
14559 **M** 7208 **P**

9110 ^{E}5393 **R** 5100
V 8971
Hoffmeier J 3112
14235s ^{E}939
Hoffner H 3035 ^{F}66
Hofius O 5762 7467
7940 9111
Hofmann N 11646 **P**
8448 **T** ^{E}10053
Hofrichter P 6915
Hoftijzer P ^{E}625
Hogan K ^{R}8931 **M**
^{R}5930 6226
Hogeterp A 7817
^{R}735 2462 3226
13771
Hogewood J 8649
Hohnjec N 5538
Holaubek J ^{R}10040
Holcomb J ^{E}415
Holder R 15326s
Holdsworth J 1131
Holeton D 9241
Holgate D 1299
Holladay C 5035
^{D}7146 **J** 14577
Holland G 7376 **T**
7596 14106
Hollender E 11334
Hollenweger W 1613
Hollinshead M
^{R}13444
Hollis D ^{R}15387 **S**
^{R}10104
Holloman H 977
Holloway P 8072 **R**
1132 13294 **S**
13045 13082
15611 ^{E}626 ^{R}905 **Z**
9341
Holm T ^{R}917 3396
4116
Holman J ^{R}3843
Holmås G 1300 6243
Holmberg B ^{R}5108
Holmes A 15395 **M**
2141 7618 14829
^{T}14699
Holmgren P 4658
Holms S ^{E}690
Holmstedt R 9693
9784 ^{R}9910
Holmstrand J ^{R}8197

Holsinger-Friesen T
14792
Holst S 10854
Holt F 12198
Holter K 1061s 3168
3466 9417s 12393
^{E}416
Holtschneider K 11647
Holtz T 8135 ^{F}67
Holtzmann B 13621 **H**
^{M}5147
Holwerda D 1614
Holyhead V 9242
Holzbach M 6532
Homan M 14602
Homer ^{M}2642 3027
10273
Homma T 2063
Honée E 15240 ^{R}15224
Hong S 4887 14855
Honold A 1847
Hood R ^{R}677 6523
Hoof D 12484
Hooker M 6052 6219
9646 ^{R}7401 **P** 1615 **R**
^{M}15351
Hoop R de ^{R}162
Hoornaert E 5305
Hoover R 8085 15642
Hope C 13295
Hoping H 8861 ^{E}8862
Hopkins D ^{E}627 **S** 9893
Hoppe L 1163 8664
8751 ^{R}3215 10888 **R**
8028 8122 8137
15559 ^{D}6029 ^{E}117
^{R}8116
Horbury W 240 2475
3486 4201 5763 8794
10216 10470 11205
11648 12879 15429
^{R}11007
Horn C 10372 10551
10665 ^{R}7574 8461 **F**
6689 ^{R}452 6706 7518
7790 **J** ^{R}2257 8294
Horňanová S 10233
Hornik H 6348 13377s
Hornsby T 4744 6188
^{R}285
Hornung E 12199s
^{E}628

Jorgensen D ^{R}832
Josephus F ^{M}5351
    6102 6371 7436
    7884 10489s 10498
    12763-841
Joslin B 7110
Jossa G 5143s 14525s
Jost L 3954 **R** 3255s
    9553
Josuttis M 8391
Joubert J ^{R}369 **S** ^{R}379
Joukowsky M 13707
    14022 ^{E}608 13071
Jourdan C ^{E}633 **F**
    12332 **W** ^{R}341
Journet C ^{M}5320
Jouve F 1186
Joüon P 9697
Jowers D 8078
Joy C 6134 6535 9649
Joyce J ^{M}1930 **P** 4746
    4789 4802
Joynes C 5920 6104
Jördens A 10263
    ^{R}12544
Jódar Estrella C 5346
Jucci E 8696 ^{R}8713
    9723 9749
Juckel A 2250
Judge P ^{R}1989 12927
Judic B ^{E}15181
Juel D 10906 ^{M}79
    5957
Julianus A ^{M}15042
    15115
Julius A ^{M}862 14797s
Jullien F ^{R}10663
Junco Garza C 1511
Jung C 6349 10228 **F**
    7213 **H** 13215 **K**
    ^{R}9385 **R** 13563 **V**
    15371
Junge F 12203 ^{E}14172
Jung-Inglessis E 13382
Junillus A 15243
    ^{M}15243
Junior N 9554 **P** 15165
Junkaala E 2485
Junkelmann M 13173
Junker K 13688
Junod E ^{E}339
Jurič S ^{R}4250
Jurissevich E ^{R}459

Jursa M 9839 9982s
Just A 7961 ^{E}6296s **F**
    ^{R}242
Justinus M ^{M}8240
    14796 14799-814
Juvencus ^{M}226
Jüngling H ^{D}4352
    4793 ^{R}4462
Jürgens H ^{E}3774

Kabamba E 7378
Kabasele Mukenge A
    1311 1512
Kadankavil J 6127
Kaddari M 9741s
Kadirgamar L 12383
Kaefer J 2439 4692
Kaelin O 14130
Kaesler D ^{R}8678
Kaestli J ^{E}7359
    10544
Kafafi Z 9858 14031
Kaffanke J 13783
Kahana H 3721 **M**
    11211
Kahanov Y 13188
Kahl W 1312
Kahn D 12576s **J**
    11212
Kaiser G 4056 **H**
    14649 14956 **J**
    1621 ^{D}14666 **O**
    3036 4027 4340s
    12491 12826 ^{F}80s
    ^{R}5 12742 **S** 8351 **U**
    ^{ET}11855 ^{R}11760
Kaizer T 3037 12057
    12127 13298
    ^{R}14119
Kajon I 8521
Kakkanattu J 4426
    4901
Kal V 11447
Kalantzis G ^{T}6714
Kalcina D 8864
Kaler M 10670
    10695 11810
    14766 ^{R}48 1774
Kalimi I 2096 3590s
    11040 ^{E}742
Kallai Z 9859 12432
Kallanchira J 4225
Kalloch C 6424

Kalluveettil P ^{R}4901
Kalman J 10434 11213
Kalmbach S 1202
Kalmin R 11214ss ^{R}281
Kaltner J ^{E}70 9698
Kalu O 9420
Kam A 14485
Kamara A ^{R}11963
Kamesar A 11217
    ^{T}7149
Kaminouchi A 6140
Kaminski C 2496
Kaminsky J 4555 8697
Kamionkowski S 3810
    4747 ^{R}8782
Kamlah J 13503 13969
    ^{R}720
Kammler H 6182 7833
Kamp A 4942
Kampen N ^{R}13527
Kampling R 2733 5347
    11578 ^{E}498 1806
    5443
Kanaan M 14857
Kanarfogel E 11383
Kanawati N 13689
    ^{R}13674
Kandler K ^{R}15191
Kangas R 7642
Kaniyamparampil E
    8888
Kannaday W 2149s
Kannemann H 11652
Kannenberg M ^{R}8145
Kannengiesser C 1313
    14682 ^{E}810 ^{R}14925
Kant I ^{M}11506 15386
Kantor G ^{R}10276
Kanyali Mughanda A
    6399
Kapera Z 1065 10730
    ^{R}1071 10712 15751
    15789
Kapitaikin L 13564s
Kaplan D 8522 **G** 8432
    K 8666
Kaplony-Heckel U
    10062
Kapongo L 6007 6212
Kappes M 9091
Kaptijn E ^{R}13887
Kapusta P 15037
Kara J ^{M}11381

Kovelman A 2202
12750
Kowalczyk D 2930s
Kowalik K 2670
Kowallik S 9701
Kowalski B 1317 6951
7219s ^R470 1987
5125 6708 7147
8327 **T** 4576 ^M15519
Kozlovic A 5308
Kozlowski J 14746
Kozyra J 5420
Köckert M 256 2671
2689 3552
Köhlmoos M 2350
13893 ^R430 2351
Köhn A 7221 15547
Köller K 3279 **W** 1467
Költringer J ^R15722
König F ^M88 **J** 10268
13196
Köpf U 7047
Körner F 12357
Körting C 3096 3855
5006 ^R2899 3082
8617
Körtner U 1318 7222
8994 15469 15517
Köstenberger A 5352s
6716 6834 8528
8631 9347 15612
^E848 ^R792 6805
Köster H ^E5451
Kraemer D 11121
14471 **J** 11366 **R**
6102
Kraft R 4827
Krahn M 10316
Kramer J 9701 **P** 3150
Kranemann B ^E544 **D**
9246
Kranenborg R ^R1038
Krans J 2152 15345
Kranz D 2203 **H**
^{ET}1025
Krasner M 11338
Kratz R 257 1134
3493 4431 4486s
10857 11045 12128
^E636
Kraus M 6745 **S** 9793
Kraus T 2153 4004
5617 7473 10555s

10672 ^E453 ^R425
979 8764 9152
10261 10405
10572 10639
10777 **W** 2204s
9168 ^E67 248 755
11642
Krause D 8155 8160
Krausen H 11662
Krauss H 2672 **R**
12581 ^E628
Krauter S 11939
15368
Krawitz L 12397
Krämer G 14665 -
Birsens M 1808
Kränkl E 3899
Krebernik M 10296
Krecidlo J 4252 4362
6835 ^R5109 6684
Kreeft P 1165
Kreider A ^E849 **G**
^R5849 8823 9591
Kreikenbom D
11940
Kreilkamp H 7223
Kreiml J 8900
Kreinath J ^E545
Kreinecker C 8995
Kreisel H 11339
^E637 840
Kreitzer L 8031
Kreitzscheck D
15470
Krenkel W 258
Krentz E 5487 7535
^R5451
Kreuch J ^T10559
Kreuz G ^E15113
Kreuzer M 7213 **S**
2206 2875s 3368
3791 9978 11663
13508 13959s
15691 ^D4511 ^E546
638 2207 ^R2069
Krey P ^E8221
Kreyenbroek P
12312
Krieg M 1887 **R**
^R8961
Kriener T 11728
Krienke M 15670
Krieser M 5783

Krischel R ^E13384
Krischer T ^R14440
Krispenz J 2008 ^E76
^R4247
Kritzas C 10269
Kritzer R 7381 7849
Kritzinger J 1809
Kroeger C 7866
Kroeze D 2098
Kronenberg P ^R13384
Kropp A 14104 **M**
^R7608 10122 10649
Krosney H 10607ss
Krötke W ^R6913
Krsyszkowska O 13509
Kruck G 8393 ^E429
Krueger D 14914 ^E639
Kruger M 10557 ^R242
P ^D3826 **S** 11664
Krumenacker Y 15367
Kruse C 6717 7102
7111 7474
Krüger J 1319 13786 **K**
9092 **T** 2009 4432
4748 ^R8669
Kryszat G 12086 12274
Kuan J ^E9415
Kuberski J 6644
Kubisch S ^R12604
13463
Kucher P ^E11585
Kudiyiruppil J 5309
^R11825
Kugel J 259 2673
2751s 2769ss 10800
10858 ^E8650 ^F89
Kugler R 10801
Kuhl R ^R8026
Kuhlmann H 2611 ^E430
1164 2351 **P** ^R604
Kuhn D 15548 **H** 7576
10907 **K** 1624 7665
^R6119 **W** ^R6567
Kujawa-Holbrook S
^E14534
Kujur K 6144
Kulandaisamy D 6945
Kulawik C ^{ET}11857
Kuld L 1205
Kulik A 10471
Kulishova O 14295
Kulmar T ^E831
Kulp J 11122 11221

Landgrave Gándara D 6468 9393 ^E410 851
Landgráfová R 13303 ^R10095 10101
Landman C 12962
Landmesser C ^E361 1743 15300
Landy F 2099 4562
Lane D 2252 15133 **M** ^R1038 11775
Lanfranchi G 12275 ^E905 **P** 12751 ^{ET}10374 ^R10521
Lang B 1783 3173 8700 12131 14535 14619 ^E1063 **J** 5354 **M** 3039s 4913 9814
Langa P ^R15037
Lange A 4433s 10733 11046 ^E547 10945 ^R3683 3685 10835 **C** 2253 **D** 14052 **E** 12206 **G** 9457 ^R6458
Langeli A ^E14620
Langenhorst G 1889 2932 3761 4059 4108
Langer G 5801 11415 11525 11667 ^R2807 11585 **R** ^E850 ^R11707
Langerman T 10947
Langford M 11903
Langkammer H ^M15708
Langkjer E 12087
Langlands R 14320
Langlois M 10410
Langner C 6387 6470 6477 ^E410
Langston S 2815 15431
Lanier D ^R7408
Lanner L 4978
Lanoir C 3257
Lapidge M ^E15207
Lapierre F 5399
Lapin H 11123 11224 ^R11024
Lapinkivi P 12276
Laplana J de 12941
Laplanche F 1514 15526

Laporte J 10472
Lapp G 12207 **N** ^E13913
Lapsley J 1810 2011 3313 4750 ^E359 8661
Laqueur W 11668
Laras G 4280 11047
Larcher G 8450
Larché F 14184
Lardinois A ^E84
Largo Domínguez P 5524 5856
Larocca N 2285 - **Pitts E** 3064
Laronde A 15692
Larsen K 6119 **T** ^E409
Larson J 14229 ^R9434
Larsson E ^R6839 **G** ^R8512 **T** 6839
Lash N ^F93
Lasota-Moskalewska A 14407
Lass E 13130
Lassave P 2316s ^R448 1290 1514 2195 15409 15412 15529
Lassus A de 7284 ^T7134
Lategan B ^F94 ^M1347 15536
Latham J ^R11650
Latorre i Castillo J 5149
Latour É 10375
Lattke M 10376 ^D5483
Latvus K 3570 ^R8369
Lau D 8530 10271
Lauber S 5022
Lauer J 10673 13628
Laufer N 8670
Laughery G 1324
Laughlin J 13833 **P** 5150s
Launay M ^T1390
Launderville D 3369
Laurant S 10984s 13855 13938 ^E12582

Laurence P ^R8189 15078
Laurent S 14296
Laurentius B ^M15244 15353
Lauret B ^T14816
Laurier W 14012
Laurito R ^E9989
Laurot B ^{TE}11932
Lauster J 1691
Lavagno E ^T10602
Lavik M 4529
Laviolette P ^R14179
Lavoie J 4304 ^R1886 4116 10158
Law T ^R3473
Lawall M ^R14303
Lawler A 14200
Lawrence F 1325s **J** 11048 **L** 5488 6840 8531 ^E677 ^R5467 **P** 14354 **T** 14242
Lawrie D 4230
Lawson J 13458 **K** 1207
Layard A ^M13082
Laycock H 10333
Layton B 10114s ^E10116
Lazaar J 8889
Lazard G ^R10354
Lazzari R ^R9460
Läufer E 3412 ^R5217
Láda C ^E266
Lázaro Barceló R 6249
Le Boulluec A 260 1850 8848 10558 14723-33 14858-66 14916s
Le Mière M ^E26
Le Moigne N ^E11634 **P** ^E2199
Le Page Renouf P ^M15406
Le Pivain D 15193
Le Rider G 13742
Le Roux J 8532 ^M15537 15688 ^R4941 **M** 5355 9421 12398 12495 14486
Leach B 10064 **T** 1167
Leahy A 13459 **F** 2613

Levin A 4902 **C** 2441s
4625 4956 ^R2420
2465 **E** ^T11114 **Y**
3142 8822
Levine A 5251s 5886
^E334 435s ^E5448
6250 6516 6691s
7384 9458 **B** 1516
4282 ^R845 2987 **J**
11528 **L** 11050
13023 13791 ^R13618
N 2710
Levinson B 1746 2443
2960 2992s 3151
^E644 770 **J** 11230 **N**
548 5253s 15449
15484 15494 15515
15586
Levison J 7819 10496
10949
Levoratti A 4818 7385
8334 9093 ^E455
5369
Levy I ^E15264 **T**
12437 13995 ^E645
^R13978
Lewicki T 8227
Lewin A ^E646
Lewis B 1370 **J** 1692
6093 ^D4506 **S** 6718
7225 13304 **T** 3065
Leyrier D 7070
Légasse S 5804 7621
9253
Lémann A & G 5805
Lémonon J 6159
11672
Léonas A 2208
Léon-Dufour X 5768s
6989 9350s 15538
^M15538
Léry J de ^M1936
Létourneau P 6843
^E760
Lévinas E ^M96 6414
8425 8986 11198
11159 11478 11483
11494 11506 11508
11536 11539 11549
11562s 11568 11570
11574 11671 15441
15539-46

Lévy C 10497
^R15711 **E** 1328 **T**
^E11367
Lhermenault É 1625
Lhommé M ^R11932
L'Hour J 2013
Li T 1469 ^R3591
Libânio J 9405
Licharz W 11673
Lichtenberg R 13677
Lichtenberger A
5152 ^R13729 **H**
10908s 10950
10997 14425 ^E25
547 847 10945
Lichtenecker S
13388
Lichtenstein M ^E632
Lichtenwalter L 7226
Licona M 5849 ^R177
476 7803 12493
Liderbach D ^R6911
Lidman S ^M1937
Lieber A 5770 15646
^R7855
Liebert E ^E152
Liebes Y 11416
Lienemann W ^E512
Lier G 2101 8395
Lierman J 6844 ^E761
Lies L ^R2666 15002
Liesen J ^E704 ^R11012
Liess K 3933
Lietaert Peerbolte B
4321 5653 8083
Lieth V von der 1927
Lieu J 7386 11051
11674s 12942
14806 ^E87 438 **S**
11796 ^R12127
Lieven A von 12209
13693 ^R10040
10070 12172
Liew T 6010
Ligabue G ^E647
Ligeti G ^M13231
Lightfoot D 10335 **J**
^{ET}12133
Lightstone J 11052
11124
Lignee H 10859
Lillas-Schuil R 9702
Lilyquist C 13694

Lim J 1329 **P** ^R8845 **T**
^R10731
Lima J da ^R9253 **M de**
4436
Limburg J 4283 4307
^R685
Limet H 14134
Limor O 14621 ^E648
Linafelt T 4060 ^E5281
Lincoln A 6719 6845
8228 ^R8025
Lindberg D ^E2574
Lindemann A 5028
6137 7387 7536 8703
^D7883 ^R361 7895
7897
Linden W 5704
Lindenberger J ^{ET}9747
Linder A 4343 12943
Lindgård F 7934
Lindner E 13188 **M**
13568 13972
Lindqvist P 10498
Lindsay M 11676
Lindström G 13510
Ling R ^R13526 **T** 6846
Linghu R 12585
Linington S 9788s
Lintner M 9352
Linton G 7227
Linville J ^R4881
Linzey A ^E549
Lion B ^E649 ^R925
12678
Lionel J 9254
Lipiński E 10353 12438
14037 ^R888
Lipka H 1747 **M** 11941
Lippolis C ^R12975
Lips H von 1748s 7820
Lipschits O 3561 12694
13792 13878s ^E917
941 ^R3216
Lipsyc S 3792
Lipton D 3066
Liss H 1135 2444 3371
4805 ^R11333
Lissa G 11529
Litfin B 14906
Litosseliti L 10318
Little K 1912
Litwak K 6251 6357
7746 ^R7650

Lucarelli R 12210 ^{R}12169
Lucarini C ^{E}15118
Lucas N ^{T}5166
Lucchesi E ^{R}10108
Lucentini P ^{E}11781 11784
Luchsinger J ^{E}247
Luciani D 15615 ^{R}2199
Luck G ^{T}11943
Ludlam R ^{E}12865
Ludolph C 3813 ^{M}3863
Ludwig M 12277
Luft U 12211 12587
Lugo Rodríguez R 7578
Luijendijk A 12944
Luisier P 11858 ^{R}2258
Lujic B 2908 8262
Lull J 12588
Lullus R ^{M}15247
Lumbreras Artigas B 6847
Lund J 2255 2407 4751 15236
Lundager Jensen H 3662
Lundbom J 4626s 6221
Lunde P ^{E}14579
Lundgren S 11678
Lundh P 13176
Lundqvist P 3068
Luneau R 6440s
Lunn N 3762 - Rockliffe S 15091
Luomanen P 11828 ^{E}551
Luongo G 7782
Lupieri E 5154 5490 7149 11797
Lupo A 6693 M 8996
Lupu E 3041
Luria I ^{M}11404
Lusala L ^{R}2852 12029
Lust J 264 4752s 4795 ^{F}99
Lustiger J 11679
Lustigman M 11368
Luth J ^{E}3774
Luther M ^{M}341 1362 3939 7463s 7555

15026s 15266-303 15364
Luttikhuizen G 10117 11764s ^{F}100
Luukko M 9990 12641
Lux R 4438 5003 8538 ^{E}110 698
Luyinda L 4787
Luz R ^{E}756 U 5449ss 5729 8123 9094 9651 12388 ^{R}15772
Luzárraga Fradua J 4121
Luzzatto M ^{M}11409
Lübbe J ^{R}10719
Lüdemann G 5155 8942 12497 15616
Lüdorf G 13570
Lührmann D 10379 10560s ^{R}7987
Lüling G 5772
Lüning P 1518
Lüpke J von 11680 15589
Lüscher B 10067
Lüth C ^{E}604
Lüttenberg T ^{E}11634
Lybaek L ^{R}758
Lynch C 15248 M 4103
Lyons K 8198 W 4285 5156
Lytle M ^{R}1839 2536

Maahs K 6721
Ma'ani S 10027
Maas J 2753 M ^{T}15243
Maayan Fanar E 15168
Mabiala A 5745
MacAdam H 10610 10737 13059
MacArthur J 1333 6722
Macaulay-Lewis E 14426
Macchi J 2064 ^{E}1143
MacDonald B 13973 14025s ^{E}12442 ^{R}2490 D 1851 6252

6637 10676s 13177 ^{E}778 ^{R}12017 I 8615
M 457 9498 9915 ^{R}8106 N 3152 3165 3678s ^{R}3083 7434
MacEwen A 8632
Macé S 1951
MacGinnis J 13629 ^{R}9983 10011 14403 14595
MacGregor K 7899
Mach D ^{T}3581
Machado C ^{E}598
Machiavelli N ^{M}15248
Machinist P ^{D}3566
Macho T 2615
Macintosh A ^{R}18
Mack B 265 H 4062
Mackay C 12945 J 9353 ^{R}8640 T 14951
Mackensen M 13131
Macleod A ^{R}1335
MacMullen R 1519
MacPherson A ^{R}8615 D ^{E}286 J ^{R}775
Macquarrie J ^{R}15788
Madden M 15405 ^{R}13375 S 12830
Madec G 15044
Madigan K 9115 ^{ET}9499 P ^{R}191 2187 2196 3474 6615 6684 6868 8410 11328 11339 11746 11751 11775 12036 12988 14834 15194
Maehler H 266
Maeier A ^{R}12417
Maeir A 13571 15693 ^{R}14055
Maesschalck M 15574
Maffeis A 7644s 15283ss ^{R}735
Maffi A 3042
Maffre J ^{R}13287 13621
Magary D ^{E}43
Magdalene F 4063
Magen Y 10738
Mager R ^{E}550
Mages D 5157
Mageto P 8003
Maggi A 5491 L 11531

McGinnis C 4466 ᴱ765
McGowan A ᴱ8619
McGrath M 9174
McGroarty K 12021
McGuckin J 1015
  ᴱ14871
McGurk P 13405
Mchami R 8133
McHugh J †15746
McIlwain Nihimura M
  2287
McInerney J 14306
McInerny R 15196
McIver K ᴿ13373 **R**
  ᴿ475 5449
McKendrick S 2052
McKenna M 5923s
McKenzie S 3372
  3399 3597 ᴱ9698
  ᴿ3387 3593
McKim D ᴱ442s 15288
  15328
McKinlay J 1812 ᴿ450
McKnight E 8234 **S**
  5164 5810 6352
  ᴱ379 444
McLaren P 13137
McLarty J ᴿ7384 7593
McLaughlin J ᴿ724
  13781 **T** ᴿ11373
McLay R 5357 **T** 2210
McLean B 10276
McLeod H ᴱ552
McLoughlin D 5165
McLure L ᴱ876
McMahon A 651
  14151 **J** ᴱ66
McMullin E ᴱ2579
McNair B 15170
McNamara L ᴿ14182
  M ᴱ553 ᴿ2104 3594
  4284 4290 6715
  10895
McNeil B ᵀ8461
McNutt J 11685
McPolin J †15747
McVay J 9058
McWhirter J 6183
  6851
McWilliams W 8541
Meacham J ᴿ5239 **T**
  ᴿ11040
Mead C ᴹ15407

Meadors E 8778
Meadowcroft T 4991
  8779
Meagher P 272
Medeiros T 6065
Medina D 9175
Medvedskaya I ᴿ905
Meech J 7580
Meehl M 13842
Meeks D 10070
  12215 ᴱ14177 **W**
  8825 14540 ᴿ5516
  7195
Meessen Y 15512
Mehl V ᴱ13278
Mehmedi R 14187
Mehnert F 5313
Meier C 15258 **H**
  ᴱ11421 **J** 5166s **S**
  3373 13221 **W**
  ᴱ11421 -**Brügger**
  M ᴱ1013
Meijer D 13138
  13511 **J** ᴿ13109
Meijering E 14683
Meilwes K ᴱ5314
Mein A 4755
Meinardus O 7605
Meinberg P 6961
Meinhold A 5016
  ᶠ110
Meiser M 2548 5774
  6852 ᴱ111 ᴿ5431
Mejía Montoya F
  6500
Melaerts H ᴿ12584
  12614
Melanchthon P
  ᴹ15355
Melchert H ᴱ12709
  ᴿ10135
Melchiorre V 4288s
Meldau V 7150
Mele S 15503
Melito S ᴹ6880
Meliton S Ps ᴹ14994
Mell U 5702 7963
  14427s ᴱ766
Mellet S ᴿ10327
  10346
Mellink M †15748
Mellinkoff R 13392
Mello A 3858s

Melloni A ᴱ835
Meltzer E 12216
Melugin R 4489
Melville S ᴿ899
Mena Salas E 9059
Mendels D 12498
Mendelssohn M
  ᴹ11441
Mendenhall G 10030
Mendes Pinto P 11584
  S 6121 -Flohr P
  11536 15485
Mendl H 8398 ᴱ554
Mendonça J 6400s
Mendoza M 15089 **Ma-**
  gallón P 7983
Menestrina G ᴿ15030
Mengelle E 7233
Mengozzi A ᴱ127
Menirav J 14589s
Menken M 4629 5492s
  ᴱ445 5358 ᴿ4754
  7462
Mentano G 6301
Menu B 12590 ᴱ943
Mercati C 13103
Mercer C 8707
Merceron R ᴿ5553
  7161
Mercier P 2877
Meredith A ᴿ7957
Merenlahti P 1470
Merino Abad E 14369
  Rodríguez M ᴱ6297
  ᵀ2489 5461
Merk O 15521 ᶠ111
Merkel H 6480
Merkelbach R †15749
Merkle B 8180
Merklein H 7794
Merleau-Ponty M
  ᴹ11166
Merlin B 7316
Merlo P 12444 14054
Merola M 13306 13536
Merrick J ᴿ1721
Merrigan T 8903
Merrill E 8780 12445
  ᴿ939 3591 4745 4992
  N 3902
Merrillees R 13512
  ᴿ14218
Mertens T ᴱ15261

Millett M ^{E}13705
Mills M 1472 3218
  3725 4290 4830
  ^{R}812
Milner M 13393
Milongo L 5170
Milson D 13140
Milstein R 12360
  13394
Milton J ^{M}1942s
Mimouni S 10564
  10741 10911 11687
  12881 12946 12951
  13800 ^{D}11111 ^{E}16
  556 592 ^{R}11726
Min Chun S 3523 **K**
  3623 **N** 7524
Minas M 12218 13696
  -Nerpel M 12219
Minczew G 10565s
Miner R ^{R}15194
Minervini L ^{E}11331
Ming C 1344
Mingo A de 9359
Mininger M 7821
Minissale A ^{R}175
Minj S 4793
Minns D 14793
Miogeotte L ^{R}607
Miola G ^{R}300 1147
  4130
Miosi F 12220
Miquel E 5400
Miralles L 8731
Miranda A 5171 14944
Mirkovic A 10678
Miron C 9029
Miroschedji P de
  13881s 15693 ^{E}108
Miscall P ^{R}184 3386s
Misgav H 9755
Mishor M 2910 11239
Misiarczyk L 14807
Misset-Van de Weg M
  10679
Mitchell A ^{R}11 **C** 3607
  4122 ^{R}3591 4404 **D**
  2103 3860s 10413 **M**
  1068 1752 2019
  5925 12952s 14785
  14872 ^{E}558 ^{R}7359 **N**
  9262 **P** 5809 ^{R}1882
Mitescu A 7234 7293

Mitjashin A 10337
Mittag P 12757
Mittelstaedt A 6256
Mittermayer C 9995
Mitthof F 10277
Mittleman A ^{R}11705
Mittler D 9749
Mittmann S 10278 -
  Richert U 11055
Miziolek J 13537
Míguez N 8125 8142
  8200 9406
Mlakuzhyil G 6854s
  6917 6981 7014
  7063 7092 8826
  9177 ^{R}6715 8868
Mlinar A 8548 **C**
  13513
Moatti-Fine J ^{T}4707
Mobbs F 5546
Moberly R 4439
  ^{R}8782 **W** ^{R}276
  1836 2429 2511
  2735 9724
Mobley G 2625 3258
  3289 3374
Modéus M 9827
Moehn W 15329
Moeller B 13330
Moenikes A 3154
  3530
Moers G 14450
Moessner D 6257
Moffitt D 5495
Mohagheghi H
  12374
Mohammad Q 14104
Moingt J 5272
  ^{M}8943
Moje J ^{R}14168
Mojola A 2371
Molac P ^{R}2195
  15529
Moles J 12023
Molin M ^{E}882
  ^{R}14313
Molina M ^{R}10020
Molinari A 10680
Molist M ^{E}14093
Molitor F ^{M}11413
Molke C 9870
Moloney F 5066
  5926-9 6723ss
  ^{D}6788 ^{R}5471 6980

Molthagen J 6544
Moltmann J 7894
  ^{M}8889 **-Wendel E**
  9564 ^{E}9563
Mombauer S 1808
Monat P ^{T}15207
Monchambert J 14055
  ^{E}61 14084
Mondin B ^{T}7918
Mondot J 13834
Monera A 9394
Monferrer Sala J
  ^{ET}10435
Mongrain K 6970
Monléon A de 6421
Monrabal M 13222
Monson A 12221
Montabrut M ^{T}1758 **S**
  ^{T}1758
Montagnes B 15416
  15527-30
Montagnini F 6489
Montanari C 15263 **F**
  ^{E}883
Montano B 2319
Montaño N 15697
Montero Fenollós J
  13179 14096 14584
  ^{R}13946 14084 14611
Montes Peral L 5172
  5423
Montgomery J 15434
  ^{E}44
Monti L 10953
Montserrat Torrents J
  ^{T}10615
Moo D 9609
Moody J 9178
Mook M ^{E}14305
Moon B 13079
Moor J de ^{E}433
Moore A 13078 **D** 5257
  J 5686 5743 **M**
  12503s ^{E}64 ^{R}3311
  3696 10039 10888 **S**
  5359 6018s 8201
  9423 ^{E}450 **-Keish M**
  1632
Moorey P 13308
  †15752 ^{F}113
Moormann E ^{R}14083
Mootz F 1345
Mor M ^{E}773 **U** 9750

Munier C ᴱᵀ14808 ᵀᴱ14809
Munima Mashie G 6857
Munitiz J ᴱ15184
Munn M 11989
Munnich O 4440 4831
Munro I 12225s ᴱ12170 ᴿ12207
Muñiz Grijalvo E ᵀ12227
Muñoz Iglesias S †15754 **León D** 1521 5884
Mura G 1348
Muraoka T 2212ss 9697 9950s ᴿ9704 9930
Murphy A ᴿ827 **F** 5175 **R** 9263 - **O'Connor J** 5176 7340 7581s 7795 ᴿ98 461
Murray A ᴱ14655 **C** ᵀ4291 **R** 15136
Murrell N ᴿ5318
Murre-van den Berg H 9917
Mursell G 9180
Musacchio T ᴿ14179 14208
Musäus I ᴿ11981
Muscarella O 14158 ᴿ13555
Muslow M 2653
Musotto E ᴿ3747
Mussner F 8402 8633 ᶠ117 ᴹ15559-560 ᴿ11642
Muth S 12864
Mutius H von 15251
Muto S 15137
Mutschler B 14794
Muttathottil S 9264
Mutzafi H 9918s
Muzi M 13395
Mühlen R 5776
Mühlsteiger J ᶠ118
Müller Å 2581 4909 9706 15417 **B** 9360 **C** 278 6324 7980 15647 ᴱ15450 **Celka S** ᴱ61 **D** 11689

15453 15576 ᴿ8673 15452 **F** 1633 **G** 14586 ᴱ9116 9123 ᴿ15296 **H** 9265 ᴱ709 **J** 2076 5859 **K** 7727 7750 12758 **M** 5452 10073s 14389 ᶠ119 ᴿ2207 13176 **N** ᴿ12257 **P** ᴿ6090 14501 **R** 3375 **S** 15391 **U** 279 6697 6749 **V** 12593 13595 **W** 1115 ᴱ11768 -**Kessler C** 9920 ᴿ9949 -**Neuhof B** 13974 -**Wille M** ᴰ3784 -**Wollermann R** 3044
Müllner I 1349 4207s 4249 9266 ᴿ3699 14356
Münch C 5687
Münger S 13219 13944
Münnich M 9824
Myers C 6169 **J** 9654 **L** ᴿ8202 **S** 11832
Mykytiuk L 9751
Myllykoski M 6597 8335
Mynářová J ᴿ83 ᴿ10249 13544 13694
Myre A 5571
Myszor W 10616

Na'aman N 3495 3549 9752 9921 12594 13575 13802 ᶠ120 ᴿ12440
Nabergoj I 1940 9361
Nachama A 11540
Nadali D 12644 13465
Nadler A ᴿ11468
Naef T ᴱ1059 ᴿ3087
Naerebout F ᴿ14258
Nagar Y 13697
Nagel G 1214 **T** 12339 12361s ᴱ13384 **W** 13168

Nagy B ᴱ15320 **K** 1888
Nahmanides M ᴹ11363 11390
Nahon G ᴿ11411
Naiden F 2911 11948
Naidoo X ᴹ1944
Naïm S ᴱ653
Najib I 8102
Najjar M 12437 13995
Najman H 11058 12845 ᴱ89
Nakai J 2372
Nakamura M 12091
Nakanose S 4571 4689
Nakayama Y 12645
Nakhai B 12137
Naluparayil J 6021
Nancy J 7078
Nannini D ᴿ4916
Nanz P ᴱ149
Narcy M ᴱ857
Nardelli J 3400
Nardi C 3680 ᴱ15372
Nardoni E 8235 9362
Narvaja J 7656 8849
Naso A ᴱ884
Nason L 13803
Nasrallah L 14810 ᴿ457
Nasuti H ᴿ3816
Nathan N 8827
Naudé J 2373 2393 10861 12340 ᴿ2342 **P** 9363
Nauerth C ᴿ13245 **T** 6147
Naumann T ᴿ14602
Nauroy G 15094
Nausner B 5596 **H** 11690
Navarro Puerto M 3697 5931s 9565 ᴱ562
Nave G 6259
Naville E ᴹ13650
Navone J 6260 6325 8795 8953 9610
Navrátilová H ᴿ3044
Nay R 4781
Naydler J 12228
Näf B 8550
Nápole G 9503 12506
Neagoe A 6261
Nebe G 8130 9922
Nebes N ᴱ885

Nikolsky R 11261 ^{R}10770
Nilsen T 6968
Nilus A 4126
Ninow F 13976 14007
Niño S F 6949
Nir R ^{R}8541
Niskanen P 4595
Nisse R 10464
Nissen H 13143 U 15471 ^{E}15290
Nissim L ^{E}11992
Nissinen M 4159 4442s 12139
Nißlmüller T 1352
Nitoglia G 11769
Nitsche S 4444 4533
Nitzan B ^{R}746 10721
Noailly J 1069
Noam V 10805 10955 11061 11262
Nobbs A 12510
Nobile M 4790 ^{R}4316 10870 10953 14504
Noble T 15698
Noce C 14874
Nocquet D 3069 12140
Nodet E 3737 ^{ET}12834 ^{R}2409
Noegel S 9831 10075 ^{R}752 8499 12273
Noel J ^{E}454
Noethlichs K ^{E}655 14352
Noë J 7237
Noël D 3265 F 6410
Noffke E 10618 11346 12957 ^{R}7136 8925 12107 12132 14504
Nogalski J ^{R}3591 3843 8646
Noguez de Herrera M ^{R}6720 7148
Nolan D 12027
Noll K ^{R}4624 R 15373
Nolland J 5453 ^{D}6789
Nonnos de P 12050 12053 12066 ^{M}1945s
Noorman R ^{R}6924
Noort E 2912 3233
Noratto Gutiérrez J ^{E}123
Nordling J 8202

Nordsieck R 11833
Norelli E 5542 7393 10569 11770 12958 14685 14705 ^{E}339 14823 ^{R}1371
Noret J ^{F}121 ^{R}121
Norin S 8552 9710 9792 ^{D}8564 ^{R}2953 3200
Normand C 10327
Norris J 15052 R ^{E}4123
North J 15384 ^{R}28 W 7013 ^{E}478 ^{R}7087
Northcott M ^{R}9362
Northedge A 14152
Nortjé-Meyer L ^{R}6768 7384
Norton D 2336 ^{E}2337 G 2067 3775
Nosek B ^{D}11469
Notarius T 9925
Noth M ^{M}3163 3221
Nothomb P ^{M}13425
Notizia P 9997s
Notley R 6193 6478 ^{E}346 ^{T}14374
Nottingham W ^{R}402 6527
Nottmeier C ^{R}15510
Nouis A 7623
Novacek G ^{R}13920
Novak D 11693 M 14610
Novakovic L 5497 ^{ET}10825
Novák M 3026
Novellini A ^{R}11959
Novo A 7896
Novoa J ^{R}11331
Novotny J 9999
Nowak T 15674
Nowell I 7890
Noy D ^{E}10279
Nömmik U 11542
Ntawuyankira J 7848
Ntumba Kapambu V 6614 7042 9425
Nucci C ^{ET}15121
Numbers R ^{E}2574
Numenius A ^{M}12008 14821

Nunn A 1053 12141 12280 13259 ^{E}13514 ^{R}13460
Nuovo A 13353
Nurmela R 4557 11543 ^{R}8564
Nurullin R 2649
Nutkowicz H 12511 13701
Nutton V 14474
Nutu E 2772 8553
Nützel W 14377
Núñez Regodón J 7479
Nwaigbo F 12401

O'Banion P 7238
O'Brien J 1354 4873 4979 K 6184 7989 M 2429 3131 ^{E}14 P ^{E}7720
O'Callaghan P ^{R}553
O'Cinnsealaigh B 1908
O'Collins G 5619 5630 ^{D}5257 8872 8889 ^{E}827 ^{R}5289 8449
O'Connell S 2215 ^{R}2113 6402
O'Connor D ^{E}12551 K 4631 9567 ^{R}4647 M 9875 ^{R}3258
O'Day G 1695 6713 15619
O'Donnell J 15053 ^{D}5257 M 10182
O'Donovan O ^{M}342
O'Dowd R 4209
O'Driscoll H 3904
O'Grady J ^{R}6690
O'Kane M 4536 ^{R}13396
O'Keefe J 14687
O'Kelly M 8063
O'Kennedy D 3518 4874
O'Leary A ^{R}4456 D 2582 J 14875
O'Loughlin T 6327 9267 ^{R}2336
O'Mahony A 14669 K 6977 7583
O'Malley J ^{E}2586 13396
O'Neil J 12595

Radt S ^{E}14342 **T**
14657s **W** ^{E}946
Radwan A 13471
Raedel C ^{R}2520
Raedler C 12605
Raepsaet-Charlier M
^{R}12505 14254
Raffeld M 11265
Raffo G ^{R}13202
Ragacs U 11702
Raggenbass N 15363
Ragies Gunda M 8563
Ragozzino G ^{R}1833
Raguse H ^{R}7115
Raharimanantsoa M
8564
Rahlfs A 2222 ^{E}2223
Rahner J 8636 **K**
^{M}5314 8436 15566
Rainbow P 8976
Rainer M ^{E}12907
Raineri O 11911
Rainey A 10084 13894
14347
Rainini M ^{R}15224
Raiola M ^{T}10246
Raizen E ^{R}9732
Raja R 3864
Rajak T 287 11067
Rajakoba H 8109
Rake M 3262
Rakel C 3699
Rakić R 984
Rakocy W 7753 ^{D}4817
Ralph M 9276
Ramazzotti M 13026
Rambaldi E ^{E}779
Ramelli I 6534 10688
^{R}14873
Raming I 9572
Ramis Darder F 4467
4565 4634
Ramond C ^{E}115 **S**
3413
Ramphou S 5195
Ramsay W ^{M}10245
Ramsey B ^{E}15056 **C**
13063
Randall A 11891
Randsborg K 13064
Rankin D 14710 **W**
15265
Rannestad A 9620

Rantrud J 8565
Ranzolin L ^{R}7515
Raphael M ^{E}2789 **R**
^{R}1466
Rapoport-Albert A
11424
Rapp G ^{E}14284 **U**
1819s 4386 5601
8566 ^{E}103 446
^{R}4322
Rappaport U 3745
Raquel S ^{R}5945
Rascher A 8238
^{R}8916
Rashi 3148 ^{M}11383ss
15250
Rashkow I 1967
2340
Rasimus T 11772
14881
Raske M 9573
Raspanti G ^{ET}7966
Rast W 13989
Rastoin M 7988
12884
Rathbone D ^{E}14160
Rathinam S 4579
Rathmayr E 11951
Ratnagar S 14587
Ratzinger J [vid. Be-
nedictus XVI]
Ratzmann W ^{E}568
^{R}512
Rau E 5196 5406 **J**
10184
Rauchwarter B 9370
Rauh H 4951 **M**
4951
Raupp W ^{R}8942
Raurell F 11266
12516s ^{ET}10437
10503 ^{R}4454
Rausch T 8831
Rava E ^{R}9185
Ravasco A 4927
9811
Ravasi G 288 1376
3116s 3907 4294
4468 8126 8143
Raven M 14203
Ravotti J 9509
Ray J 10085
Rayappan A 9068

Raymann A 4094
Raymond A 9428
Rayner J 8736
Razafindrakoto G
9429s 12403s
Razanajao V 14205
Räisänen H 8832 9621
^{M}9643 ^{R}15442
Re G ^{T}6586
Rea M 15347
Read-Heimerdinger J
6267 6560ss 6565s
6647
Reale V ^{E}841
Reasoner M 7628 7781
^{R}7619 7639 7726
Rebenich S 15079
Rebic A 2677 6941
11267
Rebillard E ^{E}857
Rebuschi G ^{R}10323
Recchia G 13642
Recoursé N ^{R}12289
Redalié Y 7072 8165
Reddish M ^{R}5050
Redditt P ^{E}27 ^{R}3590s
Redelings D ^{R}12990
Redford D 12606 ^{F}135
J 6868
Redmon A 7209
Redmount C ^{R}13694
Reed A 11268 ^{E}694
816 **C** 14588 **D** 6869
J 5101 5197s 7333
7437 **R** 7824
Reedijk W 9187
Reemts C 2666 3908
Rees W ^{E}118
Reeve M 13403
Reeves J 10473 **N**
12232
Refai H 12233s
Regan D 8714 ^{R}4872
Reger J 8715
Regev E 10961 11068
11136 13596
Reggi R ^{T}3320
Regt L de 9719 ^{R}9691
Reguzzoni G 1915
Rehm E 13180 ^{R}953
13180
Reich R 13516 13808
^{R}13871

Röwekamp G 13812
13935 [T]14884
Røsæg N 6630 7396
Ruben I 14023
Rubenstein J 11277
[E]11278 **R** 4447
Rubin A 10355 [R]2059
R 14358
Rubinkiewicz R [D]2662
Rubino C 11968
Ruby P 14552
Ruddat G 11706
Rudhardt J 294 9374
10235
Rudin A 3740
Rudnick U 9282
Rudnig T 3403 4806 -
Zelt S 4892
Ruether R 9575
Ruf G 13406
Rufete Tomico P [E]930
Ruffatto K 10418
Ruffing K 12609
[R]14588
Ruffini G [E]14204
Rufinus [M]14874
Ruggieri G 11550s
[E]948 1033
Ruhnkenius D 15383
Ruiz Aldaz J 14713
Freites A 3805 **J**
7252s 7292 **Morell
O** 11279 -**Garrido C**
[T]15454
Runacher C 6151
Runesson A 6593
11074
Runge S 1477
Runia D 10507s [E]574
[R]798 15738 [T]10509
Runions E 5007 14690
[R]487
Rupert C 3763 **v Deutz**
4113 4117 [M]15258
Ruppert L 2492 [R]2798
Rupprecht H [E]10286
Ruprecht R 4448
Ruprechtsberger E
13150
Ruschmann S 6874
9511
Rusconi R [E]1033
Rush O 1532 [R]1682

Russell B [R]3839 **D**
10284 **L** 8000 [E]481
M 9279
Russo B [R]880 **D**
13407 **G** [R]9382
Rutgers L 12967
14329s [R]11074
12735
Rutherford I 12095
Rutishauser C 8737
Rutz M 10008s
[R]14113
Ruzer S 5747 6270
[E]217 5568
Ruzé F [F]141
Rüegger H 10575
Rüpke J 11953ss
12968 14907 [E]493
834
Rüsen-Weinhold U
[R]2212
Rüterswörden U
3159 3176 4505
[D]9782
Ryan J 8069 **M**
[E]1042 **R** 2939 **S**
15206 15217 [E]3768
[R]89 421 721 824
1130
Ryba B [E]15234
Ryder A 9283
Ryholt K 10069
[E]10086 [ET]10087
Ryken L [E]986
Ryšková M 7538
Rynhold D [R]11560
Ryu H 5558

Saadia 4820
Saalfrank W 5813
Saari A 5813
Saarinen R 15294
Sabbah M 2852 **R**
2852
Sabban M [R]15710
Sabbatai Z [M]8737
Sabbatucci D 9192
Sabelli R 13474
Sabetai V 13579s
Sabin M 5938
Sablon V du 11995
Sabottka L 3924
Sabou S 7692

Sabutis M 9193
Sacchi A 7539 7773 **P**
5259 8738 10419
11075 12412 [R]2633
[T]10870
Sachs G 3425 9828 **N**
[M]1955
Sack R 12656
Sadan T 5260
Sadananda D 6875
Sadaqah I 10032
Saddington D 5636
Sade M 14411ss
Sadek A 10088s
Sader H 13475 13518
Sadler R 8570
Saeboe M [R]303
Saeed A 12344
Safrai C 6498 **S** 11076
12867 **Z** 11280ss
Safronov A 12711
Sager D 3931
Saggs H †15768
Sagona A [R]15717 **C**
14042
Said S 9900 10285
Saim M 6653
Saint-Germain M [T]5134
Sakenfeld K [E]982 [F]142
Sakvarelidze N 5629
Sala G 15554
Salani M 2656
Salas Mezquita D
[T]5193
Salazar M 6876
Saldanha A 7992 **J**
5203 **P** 8436
Saleh W 3378
Saleska T [R]4291
Salevao L 8239
Saley R 10783
Salier B 6877
Saliou C 13857
Salje B [E]13979
Sallaberger W 12290
12657
Sallmann J [E]1018
Salmenkivi E [R]12614
Salomons R [ET]10696
Salopy J 13813
Sals U 4494 5363 7305
7308 [R]3113
Salvador R 3971

Scarano A 7122
Scarpat G ᴱᵀ3757
Scatolini Apóstolo S
  9801 S ᴿ10396
Scerra L 9072
Scévole de S ᴹ15360
Schaafsma P 8956
Schaberg J 5529s 9512
  ᴱ40
Schachner A 13317
  ᴿ14250
Schacter J ᴱ11561
Schade A 9880s
Schaechtelin P 5592
Schaefer K 3815 3867
  3911 13519
Schaller B 7778
Scham S 5206 13051
  ᴱ640
Schamp J ᴱᵀ12910
  ᴿ816
Schapdick S 6878
Schaper J 3180 3624
  3748 3959 4495
  4765 12448
Schaps D ᴱ10731
Scharfenberg R 5657
  ᴿ5285
Schart A 4915 ᴱ76
  ᴿ1976 4913
Schattner-Rieser U
  9930 10748
Schatz K 1533
Schatzmann S ᴰ6607
  14738
Schaub T 13989
Schauer E 11428
Schaurte G ᴱ13979
Schäfer B ᴱ467s C
  14958 D 1108 H
  6625 P 11429 ᴱ859
  11283 R 4717 7341 -
  Lichtenberger C
  3404 ᴿ381 3338
Schärtl T 8452
Schäufele W 10697
Schearing L ᴿ1799
  1813
Scheck T ᴿ7628 14873
Scheele K 13248
Scheepers C 12659
  14430
Scheer T ᴿ11996

Scheffler E 3405
  5824 6339s ᴿ11284
Schefzyk J 13042
  ᴱ469
Scheid J 11957
Schellenberg A
  ᴿ4298 R 7325
Schelling P 987 3868
Schenck K ᴿ8219
Schenke G 7082 H
  ᶠ146 ᴹ15587 L
  ᴱ470
Schenkel W 10090
Schenker A 2227
  3428 3453s 3519
  4677 ᴰ3539 6406
  ᴱ783 2069 3768
  ᶠ147 ᴿ3458 3708
  4707 11373
Schenkeveld D
  12034
Schentuleit M
  10091s ᴿ10093
Schepers K ᴱᵀ4127
Scherberich K ᴱ655
Scherer A 3264 4983
  ᴿ4269 H ᴿ35
Scheuer B ᴿ4395 H
  1928 M ᴱ4616
Schewe S 8002
Schiavo L 8739
Schick A 5322 G
  13750
Schiel B 13814
Schiemenz G 4017
Schiering W ᴿ13515
Schierse F ᴹ1533
Schiffman L 5814
  8740 10916 10963s
  11077 ᴰ11167
Schiffner K 1203
  1959 6272
Schillaci G 11709
Schillebeeckx E
  15588 ᴹ8889
  15495 15588
Schiller F ᴹ11466 J
  ᴱ103
Schimanowski G
  12885
Schindler A 4072
Schinkel D 6666
  11902 14554

Schippe C 1226
Schipper B 10093
  12239 ᴱ910 4812
  ᴿ12623 F 11078
  13960 ᴱ950 J 8573
Schirach B von ᴹ1924
Schirrmacher T 7054
  9073 9375
Schlachter B ᵀ1346
Schlange-Schöningen H
  ᴿ14474
Schlatter A ᴹ11685
  15589s
Schlegel J ᴱ230s ᴿ2882
Schleiermacher F
  ᴹ15410
Schleritt F 7026
Schlick-Nolte B ᴿ13440
Schlimbach G 13374
Schlosser J 296 5207s
  5262 5409s 5671
  5866 6128 6170 6273
  6382 6427 6462 6464
  6490 6879 8065 8168
  8288-93 8836 8920
  9122 ᴰ5170 ᴱ784
  ᶠ148 ᴿ6793
Schlögl H 12193
Schluep C 7587
Schlumberger S 5592
Schlund C 6880
Schmal S 12521
Schmandt-Besserat D
  13520
Schmeller T 7920 7943
  12868 ᴿ157 380 7921
  7926 12025
Schmelzer H 11372 M
  297
Schmid A 12035 H
  7115 J ᶠ149 K 2450ss
  3223 4451 4635
  12148 ᴰ2499 ᴱ471
  722 727 768 800
  2434 ᴿ433 4627 S
  13996 ᴿ14018 U 2167
  2298 ᴿ2150 6824
Schmidinger H ᴱ860
Schmidt C 10199 D
  5209 5210 7979
  10186s 10576 F
  10871 10965 ᴱ2902 J
  5725 11710 K ᴱ940 L

Stauder E 4698
Staudigel H 4002
Stauffer A 14139
Stausberg M 12315
  ^{E}545 ^{R}11869
Stavrakopoulou F 3456
Stavrianopoulou E
  12761 ^{E}889
Stavrou M 1717
Steel L ^{R}14282
Steele J ^{E}14140
Steenbrink K 12347
Steenkamp Y ^{R}3693
Stefani P 4301 5263
  8584 8639 11722
Stefanini R †15774
Stefanovic R 7291
Stefanowitsch A ^{E}623
Stegemann E 5264
  7738 14557 ^{D}7760
  ^{M}15682 H †15775
  ^{D}9182 ^{E}372 W 6036
  6594 9380 11723
  14557 ^{E}788 ^{M}15704
Stegmaier W 11563
Stegman T 7921
Stehlik O 9882
Steibel S ^{R}9161
Steichele H 7499 8413
Steiger J 15298 ^{E}412
  2732 15379 P 14953
  R 15299
Steimer B ^{E}2271
Stein D ^{E}113 ^{E}2341 E
  ^{M}9240 11698 H ^{R}341
  I 3072 M ^{E}11802 P
  10034ss S ^{E}15377
Steinberg F 13420 J
  8785 T 2776 2883
Steiner A 14432 C
  2918 R 3631 4921
Steinhauser K ^{E}4029
Stein-Hölkeskamp E
  ^{R}14443
Steinkühler M 1231s
Steinmair-Pösel P ^{E}842
Steinmann A 7500
  ^{R}490
Steinmetz A 13240 D
  11290 15336 ^{E}15304
  ^{R}15759
Steins G 1398 1765
  2034 3869 9291

Stemberger G 11084
  11139 ^{E}372 ^{R}11061
  11112 11118-1119
  11278 13656
  14525
Stendahl K 1859
  11724 ^{R}11632
Stendebach F 8585
Stenger J 10288
Stenhammar M ^{R}599
Stenschke C 2035
  6595 ^{R}111 230s
  279 401 584 624
  646 657 936 971
  1335 1764 5042
  6256 6261 7341
  7485 7545 7553
  7563 7570 7718
  7812 7982 11892
  14231 14256
  14445
Stenström H ^{R}1119
  14501
Stepansky Y 13939
Stephens L 10303
Stepp P 8171
Sterling G 10146
  10511s ^{E}574 611
  ^{R}9 15738
Stern E 2884 12156s
  13721 13897
  ^{R}15779 F 5694 J
  14819 S 11085
  ^{R}11061 11141
Sternberg T ^{E}544 -el
  Hotabi H 12245
  13651
Sternberger J 5892
Stetson C 1226
Stettler C 7886
Steudel A 10873
  ^{E}133 ^{R}15775
Stevens C 5218 M
  3502
Stevenson K 4770
  5623 P 8980 R
  ^{M}1958
Stewart A 4555 D
  3086 14324 E
  ^{R}9636 11751 P
  13477 ^{R}13470 R
  476 5873s W 6153

-Sykes A 9292 10700
  ^{T}14773
Steymans H 2715 3982
Steyn G 6572 8240
  8266 8586 ^{R}6226
  6322 6349 8823
Stibbe M 6885
Sticher C 8414 ^{E}429
Stiebert J 4771
Stiegler S ^{E}578
Stieglitz R 13271
  13906
Stiehler-Alegria G
  14433
Stiewe M 9078
Still T 6660 W 9195
Stimpfle A 6886 7037
Stine P 15561
Stinglhammer H 8415
  ^{E}554
Stirewalt M 7402
Stirling L ^{R}13477
Stiver D 1399
Stock K 5942s 6190
  6306 6341 7156 9293
  9468 ^{D}5476 5666
  6020 6033
Stoehr-Monjou A 1917
Stoker W 8946
Stokes A 4354 R
  ^{R}10378
Stol M 12629 ^{E}14467
  ^{R}925 9737
Stolle V 8839 15300
  ^{R}7720
Stone E 14149 K 3343
  3457 4030 M 310
  2261ss 3653s 3658ss
  3780 4469 6573
  10147-52 10382-92
  10439s 10443-7
  10475 10701 10811s
  13755 14623s 15141-
  4 ^{E}10146 ^{ET}10432
  ^{T}10393 N 9469
Stoof M ^{R}13514 13487
Stoop-van Paridon P
  4131
Storaasli O †15776
Storck T 12525
Stordalen T 4078s
Stordeur D 14098
Storkey A 9396

Sznajder L 2300
Szpakowska K 10075
  E12246
Szulc F 14768
Szymik S D5421
Šimončič J 2301
Šoltés P 9295
Štrba B 3198 6469
  14387 R976

Tabard R 9436
Tabbernee W 14692
  R12080
Tabor J 5219s 10767
Tabory J 11089
  11291s
Tacitus M12521
Tadiello R 3925 4945
Tadmor H 314 2716
  3503 3550 9934
  10014ss 12526
  12663-72 12696
  †15779 M 13241
Taeger J 315 1650
  6704 6919 6950
  6954 6957 6972
  6982 7010 7132
  7257ss 7267 7270
  7273 7279 7285
  M6689 7215 15594
Taeuber H E326
Taggar-Cohen A 3073
  12099 12715
Tagliacarne P 2935
Taha A 12247 H E945
  M 4320
Takai K 12296
Tal A F155
Tal O 13030 13738
  E13889
Ta'labi A 12365
Talafha Z 10037
Talbert C 5533 5573 R
  12901
Talbot M 5604 E760
Talbott R 5509
Tallerman M E10343
Tallis N E13041
Talloen P 12100
Talmon S 10970 E4772
Talon P ET2550
Talshir Z E139

Talstra E 1078 2822
  2885 4681 D4302
  W E2410
Tambasco A R8706
Tamcke M 12379s
Tamez E 7968 9198
Tammaro B 316
  6596 12847
Tampieri R R13348
Tan R 7116 7501 Y
  6705
Tanis J 8068
Tankersley P 1651
Tannehill R F156
  R6329
Tanner B 9577 H
  12454 J 8259
  13323 R12257
Tanos B R9968
Tantlevskij I 2691
Tanzarella S E732
  838
Taplin M R15317
Taponecco G T6296
Tapp C 1402
Tappy R 9764 13324
Taracha P R12091
  14465
Taraqji A E14090
Tardieu M 4240
Tarocchi S 7830
Tarragon J de 14363
  R9827 13768
Tarwater J R8528
Tasca C 11354
Taschl-Erber A 7076
  9516
Taschner J 11728
Ta-Shma I 11355s
Tassin C 3139 5510
  5605 7588 10755
  12762
Tate A 1403 M
  R3866 W 988
Tatianus M2139 2295
  14833s
Tatu S 3273
Tatum G 7344 W
  5534
Taubes J M11474
Tauer J 7404
Tausend K 14301 S
  14301

Taussig H 5221 8878
  10630
Tavaroli P E15444
Tavo F 7296
Tawil H 13155
Taxel I 14435
Taylor A E617 B 10189
  E28 Cashion D 13421
  D 3781 J 1652 6574
  10514 10756 10980
  12869 14625 15534
  D6079 R10521 13766
  M 1829 8339 E1830
  R1810 N R790 P E911
  R 4992 D6127 6411
Tábet M R1751
Támez E 8175 Luna E
  8176
Tebes J 2757 4923
Teeter E 13052 R12182
  R13049
Tefnin R †15780
Teilhard de C P M856
Teissier B 13504
Teixidor J 11729
Teklak C 5327
Telesko W 13422
Telford W 15652 R6094
Tellbe M R14256
Telscher G 8257
Telushkin J 11564
Ten Brinke J 3986
Tenison J R15752
Tenu A 12673 14349
Tepedino A 8590
Tepper Y 13123 14337
Ter Haar Romeny B
  2264 4470 15145 E75
Ter Linden N 1168
Terbuyken P R10430
  10432
Terence 15077
Terian A R4241
Termini C 10515 15653
  R10499
Terra J E4457
Terral J 14429
Terrien S 3816 4031
Terrinoni U 9626
Tertullianus M15068
TeSelle E 15057 R8961
Teske R T15056

Van den Broek R 11785

Van den Brom L 5876

Van den Eynde S 2683 6364

Van den Hoek A 14737 ^{R}10514

Van den Hout T ^{E}140 ^{R}627 10129

Van den Kerchove A ^{R}10536 11957 14519

Van der Bergh R ^{R}802

Van der Coelen P 13428

Van der Eijk P 14479

Van der Heen P ^{E}676

Van der Heide A 9767

Van der Horst P 321 1048 1900 2631 5893 6459s 6579 6631 7754 9768 10231 10517-20 10989s 11093 11299s 11732 12038s 12067 12984 13005 13273 13653 14285 14310 14896 14923 14975 15216 ^{R}1046 2719 10982 11007 12750 ^{T}10521 15082

Van der Kooi C 1769

Van der Kooij A 2054 2657 2919 4471-4 4508 4851 ^{D}2234 ^{E}147 ^{R}166 4772

Van der Linden E 8594

Van der Louw T 2235 2358 ^{D}2234 ^{R}2208 3721

Van der Lugt P 3764 4082

Van der Maas E ^{T}7346

Van der Meer M 2266 3236s

Van der Merwe C 2037 7117 9769s **D** 7108 7118 D ^{R}5859 7915

Van der Molen R 10101

Van der Poel M ^{E}84

Van der Steen E 13981 14488

Van der Toorn K ·1770

Van der Vliet J 10119 10631s

Van der Watt J 6896ss 9383 ^{E}485 730 792 794s ^{R}5035

Van der Westhuizen J 14191

Van der Wilt E ^{R}13622

Van der Woude A 1861

Van Deun P ^{E}121 15219

Van Deventer H 4260 4840

Van Dijk J ^{E}13035 ^{T}10017

Van Dorp J ^{E}2376

Van Driel G 14595

Van Dyke Parunak H ^{R}2411

Van Eck E 9438

Van Eeckenrode M 567

Van Egmond R 5511

Van Haarlem W 14216

Van Haeperen F 11959 ^{E}12051

Van Hagen J 14562

Van Hecke P 4032 ^{R}4298

Van Heerden W 1434 4243s 12405

Van Heesch J ^{R}13740

Van Heest K ^{R}14914

Van Henten J 1901 7301 11094 12839 ^{E}2363

Van Heyster P ^{E}4616

Van Houwelingen P 8188

Van Keulen P 3459 3473 3509s 3571 ^{E}486 ^{R}5820

Van Kooten G 2889 ^{E}100 796

Van Leeuwen R 1938

Van Lieburg F 11915

Van Liefferinge C ^{R}11987

Van Ligten A ^{E}8881

Van Lint T 10152

Van Loon G 13354 **M** †15783

Van Loopik M 11375

Van Meegen S 423 2527 8676

Van Midden P 4638

Van Neer W 14217

Van Nuffelen P 15001

Van Oorschot J ^{E}1083

Van Oort H 15062 **J** 1100 10634 ^{T}10633

Van Os B 10579

Van Oyen G 6041ss ^{E}473 797

Van Pelt Campbell G 2717 **M** 9717

Van Peperstraten F 11733

Van Peursen W 2051 3511s 4357 4370 15147 ^{E}75 486 ^{R}139

Van Poll-Van de Lisdonk M ^{E}15348

Van Rahden T 11734

Van Rensburg F 1583s 3765 7880 8298 ^{R}101 299 1223 ^{R}8295

Van Rompay L 2267 3701 ^{ET}4033

Van Rooy H 3782 14927 ^{R}4772

Van Ruiten J 1919 10459s ^{R}267

Van Ruusbroec J ^{M}15261

Van Seters J 2038 2461 2823 2953 2958 3225 ^{R}191 2465 3222 12482

Van Slageren J 11735

Van Soldt W 9834 14066

Van Staalduine-Sulman E 2098 2964

Van Steenbergen G 2403

Van Tilborg S ^{M}162

Vervenne M ^{D}2743 2965 ^{E}99
Verweyen H 1437 ^{D}15417
Vesco J 3817
Vetta M ^{E}869
Vette J 3382 4083 ^{T}1355
Vetter D †15786
Veyne P 12986
Véron M & N ^{T}981
Via D 9385
Vialle C 3730 15664 ^{R}3708
Vian F 12068 ^{F}165
Vianès L 14897 ^{R}99
Viard J 14898
Višaticki K 2378
Vibert-Guigue C 13987
Vicastillo S 14909 ^{ET}14910
Vicchio S 4084
Vicent R ^{R}290 329 1233 10417 ^{R}735 746 5506 6805 8243 10467 11050 11199 11206 11377 11379 12834 14504
Vickers B 7507 7688
Vidal C 7348 J 12456s 14067s 14596 ^{R}14066 M ^{T}11730 S 5229 8127 8757
Vidalin A 15514
Vidas M 3783
Vide Rodríguez V 1545
Vidén G ^{R}15097
Vidovic M 7731
Viejo J ^{D}5745
Viel D 3050
Vielhauer R ^{R}10777
Viero G 9582
Viesel E 2109
Vieweger D 9036 13032 13997s ^{E}13972
Vigil J ^{E}9398 9411
Vigne J ^{E}14400
Vignes J 1885
Vigni G 994s

Vignolo R 2742 5230 6496 6932 8923 9519 ^{E}780 ^{R}6045
Vijgen J ^{R}713
Vikela E 14480
Vila-Cha J 15546
Viladesau R 9010
Viljoen F 5535 5576 8313 ^{R}6245
Villa J de la ^{E}870 ^{R}10175
Villard P 13158
Villeneuve E 3075 9883 10762 12299 13757 13990 14020 14041 14185 14597
Villiers D de 9386s E 9388 G 2039 2659 ^{R}9515 J 15502 P 8118 8177
Villing A ^{E}953
Villota Herrero S 6173
Vincent G 15581s ^{R}15766 J 3101 4998 6044 13822 ^{E}488 ^{R}76 90 276 303 3310 3594 3933 4459 4783 4875 4932 5000 8381 12140 N ^{E}651 ^{R}13801
Vincentius F ^{M}15262
Vincke K 10648
Vinel N 2920 11096
Vines M 6199
Vining P ^{R}6603
Vinson S 10102
Vinzent M 14326
Viñas T ^{R}15032
Virenque H 13654
Virgoulay R 15418
Vironda M 6045
Vischioni G ^{T}5446
Visonà G ^{R}14841
Visotzky B 11301s
Visser P 1546 't Hooft G 3130
Vita J 14187 14192 ^{E}13758 ^{R}14072 15726 P ^{R}15726

Vitelli M ^{E}739
Vittmann G 12617s ^{R}10111
Vitz E 15176
Vivaldi ^{M}13243
Viviano B 11097 ^{R}15391 ^{T}15530
Viviers H 4169
Vílchez Líndez J 9301
Vladimirescu M 2073
Vlassopoulou C ^{E}14370
Vlčková P 13263s ^{R}1 12575 12607 13989 13052 14161 14217
Vleeming S ^{R}880
Vleugels G 5275
Vobbe J 1657
Vocke H 2172
Voderholzer R 1547
Voegelin E ^{M}15595
Voelz J 6046 10191-4
Vogel C ^{R}12591 D ^{R}1903 M 7935 ^{R}7332 7342 7490 7934 10671
Vogels W 3291 ^{R}90 148 723 2801 3360 4115 4297 9253 13701
Voghera Luzzatto L 11303
Vogt E ^{E}1046 10315 H ^{R}6714 P 3161
Vogüé A de ^{R}15181
Voicu S 15004
Voigt R ^{R}10338 -Goy C ^{R}15391
Voigtländer W 14271
Voigts M ^{E}2436
Vojnovic T 5564
Volgers A 15083 ^{E}798
Volgger D 10877s E ^{R}14747
Volk K 12682 ^{E}671
Vollenweider S 8070 ^{R}10664
Vollmer U 3702
Volokhine Y ^{R}10039 ^{R}12181 12623
Volp U 8598 ^{R}8550
Vonach A 4652 4662
Voorwinde S 6900s 7717

Hammam al-Turkman
13511
Ḥanḫana 14269
Haror 14405
Ḥarrah 9946
Hasanlu 14158
Hatra 3037 9888
14147
Hattusa 13498
Hauran 13702 14107
Hawara 13605
Hazor 9810 13437
13603 13936-40
14580
Hebron 14351
Heliopolis 13670
Heptapegon 13941
Herakleopolis Magna
10061
Heshbon 13116 13562
Hierapolis 11031
Ḥirbat al-Badiyya
14001
Ḥirbet el-Batrawi
14002
Ḥirbet el-Kom 9745
Ḥorbat Hermas 13090
13741 13862
Ḥorbat Usha 13942
Horvat Sa'adon 13863
Ḥudruj 14003
Hulda 13102
Ibrahim Awad 14216
Ibreika 13943
Ifshar 13709
Irbid 14004
Issos 14262
Istanbul 14266
Jabal Adh-Dharwa
14003
Jafo 4944
Jahaz 14005
Jawa 14006
Jebel Khalid 14108
Jericho 945 3235 3243
10710 12859 13665
13864-8
Jerusalem 7974 9744
10148 10305 11347
12675 12694 12811
13496 13516 13521
13755 13759-827
14358

Jezreel 13551 13667
Kabar 13112
Kadesh 12249 12569
13449 14341
Kalapodi 13476
Kaletepe Deresi
14247
Kamid-El Loz 14041
14109
Kanatha 13129
13702
Karnak 13083 13121
13606 13641
14183ss
Kathisma 13869
Kazel 14110
Kefar Veradim 9836
Keisan 13556
Kellis 10110
Kerkenes 13652
Kerma 12541s 14226
Khan Sheikhoun
14111
Khinnis 14148
Khirbat Al-
Muʿmmariyya
14007
Khirbat Burin 13564
13753 13897
14411
Khirbet al-Batrawy
14008
Khirbet el-Kom 8404
Khirbet es-Saumaʿa
13898
Kinneret 13944
Kinrot 13219
Kish 13110
Kisra 13945
Kition 14286s
Kizzuwatna 12098
Klazomenai 13453
Kom Ombo 13131
Kumidi 13700
Kuntillet Ağrud 4893
14241
Labwe 14112
Lachish 12455 12675
13145 13870s
Laodicea 13649
Larsa 12645
Lefkandi 14290
Legeon 14009 14388

Legio 14337
Lod 13130 13658
Lukka 14063
Maarat an-Numan
12753
Maʿabarot 13709
Maʿâdi 13586
Magara Sarasat 13612
Mahanaim 14010
Mahgar Dendera 14217
Maresha 13452
Mari 4216 4441 4449s
9773 10025 12443
13134 13179 13244
13251 13268 14113-6
14459 14580
Marmita 13754 13773
Marsa Matruh 14218
Masada 12886 13541
13872-4
Mashkan-shapir 14149
Megiddo 9810 12455
13535 13611 13624
13645s 13899 13946-
9
Memphis 10041 14198
14200
Meroë 14232
Mesillot 13147 13749
Mikhal 13096 13186
13189 13256s 13495
13558 13565 13726
13900 14376 14412
Miletus 10250
Minar 14261
Mizpe Afek 13262
Modiʿin 13875
Mohammed Diyab
14117
Mons Claudianus
14219
Mozia 13631
Mudayna 14011s
Muṣaṣir 12632
Mycenae 14291
Naḥal Tut 13108 13559
13901
Nami 14566
Nazareth 10150s 13928
13950s
Nebo 13474 13636
14013
Nessana 13876

Voces

Akkadicae

apiru 9772
urbi 3550
babtūm 9773
gala 9774
qadištu 9775
rēši 12667

Aramaicae

אבא 9776
ארמדתה 9777
שׁבה 9778
שׁליט 3020

Graecae

ἀββά 10198
ἀγαθός 8154
ἄγγελος 10199
ἅγιος 8108
ἀγών 7430
ἀδελφός 4330
αἰών 13539
ἀκούειν 10328
ἀκούω 10200
ἀλήθεια 6800 9783
  10201 10229
ἀληθίνος 6820
ἀλληλούϊά 3778
ἄλλος 6271
ἀλλοτριεπίσκοπος
  8309
ἁμαρτία 7941
ἀνήρ 10202
ἀπολύτρωσις 10203
ἀπόστολος 10204s
ἀποφέρω 6460
ἀρνίον 7212
ἀρσενοκοίτης 10207
Ἀσιάρχης 6667
ἀσπάζεσθαι 11860
αὐθέντης 10208
βαπτίζω 10209
βασιλεία 6785 10210
γάρ 6220
γινομαι 10211
δει 6048
διαθήκη 8622

διάκονος 7906
διακονείν 10214
διακονία 6884 7909
  10212
διακρινομαι 8359
διασπορά 11041
διδάσκαλος 7524
δικαιοσύνη 7504
  7646 10213
δοκιμάζειν 8073
δόξα 6409
δύναμις 5655
εἴδωλα 8130
εἶναι 10214
ἐκκλησία 7814 7864
  9071 10233
ἐνέργεια 10215
ἐνεργεῖν 10215
ἐξουσία 5154
ἐπινετρον 13103
ἐπιούσιος 5627
ἐπισκοπή 8168 9122
ἔργα νόμου 7467
ἕτερος; 6271
εὐαγγέλιον 6550
  10216
εὐδοκία 6370
εὐσέβεια 8170
ζῆλος 6157
θαυμάζω 6014
θεοδίδακτοί 8134
θεοσεβής 10217
ἱερόν 6234
ἱλασμός 10218
ἱλαστήριον 7674
  10218
Ἰο υδαιοι 6771-2
  6829s 6862 10219
Ἰουδαῖος 10260
Ἰσραήλ 7729
καί 7294
καλεῖν 7440
καλέω 7806
καταλλάσσω 7487
καταπέτασμα 10220
κατέχον 8145
κεφαλή 7865s
κλῆσις 7440
κοινονειν 10221
κοινωνία 7108 7117s
  7861 8473
κόσμος 11329 12149
κύριος 6338

ληνός 12150
λόγος 6920
λοιπός 7245
μαλᾰκός 10207
μαρτῠρέω 6769
μαρτυρία 6769 7192
μάρτυς 9057
μετάνοια 6320
μετεχειν 10221
μοναχος 11804
μορφή 8078s
μῦθος 7298 10222
μυστήριον 10223
Ναζαρηνός; Ναζωραῖος
  8803 10224
ναός 9806
νόμος 7474 7724 8005
νοῦς 4044
ὁδός 10433
οἰκός 7577 12385
οἰκονομία 7577
ὀλιγοστός 4966
ὄξος 10225
ὁράω 6812
ὅτι 10226
παῖς 10227
παιδαγωγός 7990
παιδεία 14718
παιδίσκη 10227
παραβολή 6867
παραδίδωμι 6048
παράκλητος 6684
  6698s
παραλυτικός 6077
παροιμία 6820 6867
παρρησία 6820 10480
πάσχα 14841
πατήρ 6912
περιτομή 7436
πιστεύειν 6813
πιστεύω 6812 6847
  10228
πίστις 5995 7461 7765
  7970 7972 7984
  10229
πλάνος 7228
πληροφορέω 6357
πλοῦτος 8798
πνεῦμα 6521 7200
  7474 7819 7826
  10230
πραΰς 5604
προΐστημι 8181

προλαμβάνω 7870
σάρξ 7843s 10229
σημεῖον 6820 6903
  7566
σκηνοποιός 6660
σκιά 10231
σοφία 7829
σπλάγχνα 10232
συναγωγή 10233
συνεργεῖ 7714
συνηδῶς 7545
σῴζειν 6253
σῶμα 7492 7895
τελώνης 12848
ὕδωρ 10234
φιλανθρωπία 8194
  11009
φυσικός 10487
φυσιολογία 10487
χάρις 7460 7739
χενια 8458
χήρα 10235
χριστός 10236
ψυχή 7492
ὡς 6267
ὡσεί 6267

Hebraicae

אב 9779
אדמה 9780
אור 9781
אח 4330
אים 14294
אלהים 9782
אמן 2920
אמת 9783
אריה 1860
אדמה 4917
ארץ 4917
אשר 9784
אשרה 8360
אתד 3273
באר 9785
בהמות 10396
בחיר 4564
בעל 4898
בעל זבב 3553
בראשית 9786
ברית 2714 9787ss
ברכה 9790
גבירה 3505
גורן 9791

גיד 2776
גלה 11041
גליון 9792
גנן 2078
גר 9793 14564
גשם 9794
גת 12150
דם 2903
דרש 3553
הבל 4304
זבח 2898
זמן 4296
זרה 11041
חושך 9781
חטא; חטאת 3090
חלם 2788
חסד 3867
חפץ 4313
טרם 9796
ידע 8527
יהוה 2885 3123 8083
  10117 12008
  14895
יום ה' 9797
יחד 9798
ישעיהו 4525
ישראל 9799ss
כהן 12151
כוש 14230
כליל 13155
כפר 2459
כפרת 9803
כרת 8617
לב 9804
לויתן 9805 10396
למנצח 3767
מגדל 13155
מזבח 9806
מזרק 9807
מלאך 2814
מלך 9808
מן 9809
מצבה 9810
מקוה 14387
מרזח 9811 13836
משא 9812
משכיל 10794
משל 11245
משׁשא 5009
נגע 2675
נדח 11041
נדר 9813
נחלה 3219

נפץ 11041
נפש 3353 3933
נקבה 8495
נקד 9814
נשה 2776
עבר 2102
עולה 9815
עזר 2519 2521
עלה 9815
עם הארץ 3632
עמלק 12454
ענה 3897
ענוים 4426
עקן 9816
עת 4296
פסח 2078 3076
פָּרֹכֶת 9803 9817
פרת 2102
צבאות 2875
צדק 4591
ציון 3855
צלם 9818
צנור 9819
צרעת 8507
קדש 9820
קדשה; קדש 9775
ראשית 9821
רוח 8883
רחם 4332
רחק 9823
ריב 4646
רפאים 3167
שׁ- 9825
שארית 3620
שׁבה 11041
שלום 8694 9381
שׁלט 9826
שׁלמים 2898 9827
שׁמים 9828
שׁעירים 9824
תורה 3846

Safaitic

ḥrṣ 10032

Syriacae

aggen 6362 9829
'ḥ 4330
hy' 9830

Ugariticae

àkpgṭ 9848

arbdd 9777
ḥby 9831
ḫbṭ 9832

nqdm 9833
rpum 3353 3933
sākinu 9834

Sacra Scriptura

Genesis	2,4-25 2507	6,5-9,17 1884	16 481 1937
	2,7-17 2605	1931 1933s	2695 2706
1-2 1179 1930	2,7 2517	1941 1953	11547 14676
1938 8572	2,16-17 2607	1955 2645	17,17-19 2711
11486 11488	2,18-20 2509	2658 2660	17 2694 2720
12345	2,18 2519	13355 15108	18-19 2710
1-3 1902 8394	2521	6,14-16 10492	18,1-15 2703
9227 15039	2,18-25 2503	6 5743	18,12-15 2711
1-9 2544	2606	8,1-12 2646	18,22-33 8662
1-11 2454 2494	2,23-24 2184	9-11 15394	18,25 8487
2522 2562	2,24 8848	9,4-6 10450	18 2698s
2648 8365	3,1-6 2600	9,18-25 14516	19,5 8520
10459	3,1-7 2607	9,20-25 1219	19,9 8487
1,1-2,3 6923	3,7 2608	9,27 2915	19,15-26 2705
1,1-2,4 9131	13363	9 9279	19 2709 9314
9531	3,15 2603	10,4 2655	20-22 2704
1,1 9786	2915	10 9041	20 2675
1,2 15128	3,16-21 2621	11-12 2665	21,6 2711
1,6 2229	3,16 2597	11,1-9 2637	21,9-21 2706
1,7 11545	2626	2647 2656s	21,10 8001
1,9 2514	3,21 2596	12825	21 11547
1,14-19 2505	3,22-24 3199	11,7 8378	21,12 8240
1,26 2532 2534	3,22 8378	11,24-25,7	21 1937 14676
2537s 14989	3 2611 8962	2683	21,22-34 2713
15012	4,1-16 1886	11,27-19,38	21,25 9692
1,26-27 1901	2630 2632	2667	21,33 2678
2101 2531	11721	12,1-3 5731	22,1-14 2723
2539 11042	4,8 2097	12,1-9 2685	22,1-19 1900
15026s 15197	4,10 2629	12,2-3 2915	1927 1949
1,26-28 2498	4,17-22 8651	12,3 2678	1959 2725
2533 2536	4,25-26 8651	12,6 2680	2727s 19 2731
1,26-31 2503	4 2628 4265	12,10-20 2675	2733 2735
2529	8349 8397	13,5-11 8490	9306 10488
1,26 8378	8962	13 2710	11327 13215
1,28 2535	5,1-3 2498	14,17-20	13347 13371
1 2541 8551	5,1-32 8651	15054	13376 13381
8577	5,32-9,16 2255	14,18-20 2693	13424 14986
2-3 2008 2630	6-9 1867 2635	14 2694	1 5298 s
4792 15380	6,1-4 2633	15,6 5342	15311ss 15356
2-11 2602	10406	7677	22,2 2099
2,1-3 2525 2530	6,2 2627	15 2694 2712	22,17 8240
2,2-3 11314	6,3 2631	16-17 7999	22 233 1458
14973	6,4 10424	16,1-16 2717	1876 1907

18,5 7744
18,22 8520 8563
  8581
19,9-10 3098
19,11-18 3099
19,13 3100
19,18 3101
19,33-34 3102
20,13 8520
20,13 8581
20 3103
23,1-44 2470
23,15-17 3105
23,22 3098
23 2505 3104
23,38-44 3106
24,10-23 3107
24,15-16 3108
24,16-19 3106
25,1-7 2443
25,14-17 14589
26,46 2446
27,9-34 3109
27,34 2446

Numeri

5,11-31 11192
6,22-27 2032
  3123 10253
  11706
6,24-26 3124
6 3122
11 3125s
12-14 1454
12,1 3127s
12,6 10316
12,7 8240
13-14 2856 3129
  3206 12807
13,1-14,10 3130
14,30-31 5732
14,39 3131
15 3096 3122
  3132
16-17 3133
16 3860 6825
17 14847
18,15-18 2900
19,1-10 3134
20,7-11 2832
20,12-13 3198

21,4-9 6956
  10477
21,14 8700
22-24 2011
  2476 3136s
  10510 14921
22,1-24,25
  1932
22,21-35 3138
22,22-35 3602
22 3135
24,5-7 3713
24,24 2102
25,11 2629
25 3139s
26,52-56 3246
27,1-11 3141
  14502
27 14847
28-29 2470
30 3122
34,2-12 3142
36,13 2446
36 14502

Deuteronom.

1-2 1454
1-3 3163 3221
1-4 3164s
1,31 14851
1,35-39 5732
1,44 3166
3,9 14375
3,11 3167
4,1-40 3169
4,5-8 2915
4,23-31 8366
4 3168
4,32-40 3170s
5,6-10 3172
5,6-21 1746
  2935 3173
5,12-15 2944
  3174
5,15 3175
5 9550
6,1-15 1573
6,4 3176
7,1 14537
7,10-11 1746
9,1-10,11 3060
10,1-8 3177

11,3-4 14896
12 3178 3221
13 3179
14,22-29 3180
15,12-18 2443
15,13-17 8584
15,19-23 2900
16,1-17 2470
  3061 3181
17,8-13 3182
17,14-20 3183
  3843
17,15 3184
18,15-22 3185
19-25 3186
19,1-13 2961
  3189
19,15 1727
20,19-20 3187
21,1-9 3189
21,18-21
  3188s
21,22-23 7989
22,6-7 3190
22,13-21 3189
23,10-17 4237
24,14-15 3100
24,19-22 3098
25,4-10 3189
25,4 7859
25,11-12 3191-
  3192
25,17-19
  10490
25 5335
26,1-11 3193
28,1-30,10
  2915
28,20-44 3194
28,26 4310
29,2-4 3195
29,4 7651
30,11-14 3196
30,12-14 7744
30,15-30 8368
32,4 2920
32,8-9 3197
32,8 12148
32 3352 11384
32,43 7651
32,51 3198
33,12 12689
33,17 10413

33 2439
33,27-29 3199
34,10-12 3185
34 7510

Josue

1,5 9193
1,7 2266
2 3238-41 3692
3-5 12771
3 3242
5,13-6,26 3243
5,13-15 3602
6 3241 6469
9 3244
10-12 2485
10,12-13 1838
11,6 9816
15,16-19 3245
18,1-10 3246
23 3247
24 3140 3248

Judices

1-8 3263
1,12-15 3245
1 3262 7026
  8701
3-8 3264
3,7-16,31 3265
3,7-11 12787
3,15-22 3266
4-5 3268s
4-8 12809
4,17-22 3700
4,17-23 3270
4 3267
5,24 6364s
6-7 3271
8 14010
8,27 3272
9-21 3274
9,7-15 3275
9,8-15 3276
9 3273
10,6-12,7 3277
  12776
10,16-12,1 3278
11 1655 1949
11,29-40 3281ss
11 3279s

42,15-43,33
10456
44-49 4387
44-50 4388
44,1-50,24
4375s
44,1-16 4389
47,12-22 4390
48,15-25 4391s
49,1-4 4393
50 4394

Isaias

1-12 4501s
1,1-2,22 4503
1,1 15073
1,2 4504
1,2-3 4505
1,16-17 4506
2,18-19 4507
2,22 4508
3,16-4,1 1950
3,18-23 4474
3,23 9792
5,1-7 6156
5,7 1621
6 4509s 15170
6,1-9,6 4511
6,3 1838
6,9-10 5346
5419 6088
7 12421 12423
7,1-14 4512
7,14 4513s
8 4515
8,1 9792
8,1-17 4516
8,5-20 4517
8,23-9,6 4518s
9-10 4520
11-12 4521
11,1-5 5341
8742
11,1-9 4519
4522
11,6-8 14404
11,10 7651
11,11-12 4523
11,12 4570
11,15 4524
12,2-3 4525
13,21 9824

14,19 4526
14,28-32 4527
16,4-5 4528
18 4529
23 4530
23,1 14033
23,15-18 4531
24-27 2635
4532s
24,14-16 4534
25 4535
25,1-3 4474
25,8 5344
26,1-2 4474
26,5-6 4474
27 9805
27,1 9841
28-33 4536
28,16 7743
29,10 7651
29,13 6109
30 12144
30,20 4537
33,14-16 4538
34,14 9824
35 4539
36,7 4508
38,9-20 4540
39,1-8 4541
40,1-11 4561s
40,3 6905
10839
40,10 9586
41,2 12692
41,25 12692
41,27 4563
42,1-7 4578
42,1-9 4564
42,6 9042
43,16-21 4565
45,5-7 11042
45,7 1380
8955 15579
45,13 12692
45,14-23 1617
45,23 8083
49,6 9042
49,14-50,3
4566
49,14-23 4567
50,4-9 1636
51,18 9868
52,5 4568

52,7-9 4650
52,11 7942
52,13-53,12
4042 4579
53 4580 5760
7682
53,1 6905
53,1-12 4581
53,11 4582
54 4567 4569
54,1 7999
54,7-10 8366
54,13 6990
55,1-5 4570
55,1-11 4571
55,6-13 4583
56,7 5339
6150
56,9 4589s
57,1-2 4591
57,14-15 4592
58,6-10 4506
59 8045
60 4570
61 5604
62,6-12 1615
63-64 4593
63,7-64,11
3827 4594s
63,12-13 2905
63,16 8420
65-66 4567
65,1-2 7651
65,8 4596
66 4413
66,1-4 4597

Jeremias

1,1-19 9284
1,4-19 4642
1,8-10 6354
1,11-12 10316
1,18-19 6354
2-6 233 4643s
2,4-13 4645
2,20-37 4646
3,1-4,4 4647
3,1-5 4648
3,14-18 4649
6,13-15 4650
7,1-15 4651
7,11 6150

7,18 4652
8,18-9,3 4653
9,23 1634
9,23-24 6354
10,11 4654
11,18-12,6 4655
12,1-13 8648
15,10-20 1551
16,1-18 3066
16,5 9811
17,5-11 4656s
18,3 2846
20,4-11 4658
21-24 4659
21,1-10 4660
21,20-23 4661
23,29 6354
23,33-40 4662
9812
26-29 4663s
26-45 4665
27,8 4666
29,4-14 1651
29,5-7 4667
30-31 4668
30,6 8495
30,18-22 4649
31,2-6 4649
31,10-14 4649
31,13 3713
31,15 8533
31,15-17 4669
31,15-22 4670
31,21-22 4671
31,22 8495
31,31-34 4672-6
7413 8214
8254
31,31-37 4677
31,33 4678
31,34 8637
31,35-37 8366
31,38-40 4679
32-45 4682
32 4680s
32,3-5 4683
32,16-25 4684
33,14-16 4685
34,2-6 4683
35,18-19 4686
36-38 4693
36 4400 4687
36,1-32 4683

1,39-56 6363
1,42 6364s
1,46-55 6366
 13243
1,57-66 6396
1,67-79 6367
1,68-79 6368
1,70 7872
2,1-14 1632
2,1-20 2390
2,2 6369
2,14 6370
2,22-39 6371
2,29-35 6372
2,35 6373
2,36-38 6374s
2,41-52 6376
3 5561
3,1-6 6377
3,1-14 6378
3,7-18 6379
3,8 5564
3,23-38 5539
 6380
3,34 5538
4-9 6381
4,1-3 6382
4,1-12 6383
4,1-13 5566
4,14-30 6384
4,16-22 6385
4,16-30 6386ss
4,21-30 6389
5,1-11 6390
5,17-26 6391
6 6392
6,12-7,17 6393
6,20-26 6394
6,20-49 6395
6,27-28 6396
6,27-36 6397
6,31 6398
6,36-42 15279
7,1-10 1333
 5637
7,11-17 6399
7,36-50 6400-3
8 6404
8,1-3 6405
8,19-21 6406
8,22-25 8523
8,43-48 5667
 6264 6407

9,1-6 6408
9,28-36 6409
9,51-19,28
 6410
9,57-62 6411
9,59-60 6412
10,1-12 6408
10,5 1662
10,13-15 5674
10,17-24 6413
10,25-37 1541
 6414-8
10,25-42 6418
10,29 6419
10,29-37
 6420s
10,38-42
 13338
10,38-42
 6422-5
11 6426
11,3 5627
11,23 6427
11,27-28 6428
11,29-32 5676
11,33-36 6429
11,34-36
 14854
11,52 5749
12,4-5 5671
12,13-21 6430
12,16-21
 6431s
12,37 6433
12,39-40 5752
13 6434
13,1-5 8523
13,10-17 6435
13,28 5564
13,28-29 5082
14,16-24 6436
15 15353
15 6396
 6437ss
15,11-32
 6440-8
 13356 13372
16,1-8 6449
16,1-13 6450
16,1-18 6451
16,14-31 6452
16,15 6453

16,19-31 1298
 6454-8 9194
 9404 9416
 9536 9570
16,22 6459s
17,1-2 6461
17,2 6462
17,21 14677
17,22 6463
17,26-30 6464
18,1 6465
18,1-8 6466
18,11 6467
18,18-30 6137
 6468
18,35-43 5388
18,38 6469
19,1-10 1482
 6470ss
19,11-27 6232
19,40 6473
19,45-46 6474
19,46 5339
20,9-16 5744
20,9-19 6156
 6475s
20,17 6326
20,37 6326
21 8523
21,1-4 6165
 6477
21,29-31 6478
22-23 13237
22 6482
22,14-38 6483
22,16-18 6196
22,19 6484
22,19-20 6485-
 8
22,20 5785
22,24-38 6489
22,25-27 6490
22,43-44 6488
 6491
22,44 8483
22,47-53 5824
23 5885 6492
23,28-31 6494
23,28 6493
23,32-43
 15066
23,33-34 9348
23,34 6495

23,39-43 6496
23,49 6497
23,51 6498
24 5770 6499s
 6810
24,6-7 5884
24,13-32 6501
24,13-33 6628
24,13-35 5766
 6502-10 8788
 9067 9156
 1239 13393
 15018
24,23-35 9175
24,26 6231
24,36-49 6511
24,36-53 6512
24,44 6231

Joannes

1-2 6842
1-5 6856
1 6917 14844
1,1 6918
1,1-14 6919
1,1-18 6920-3
1,1-18 9395
1,14 6924 9132
 14889
1,18 6925 8839
1,19-2,12 7094
1,23 6905
1,29 6926 15492
1,34 6925
1,35-51 6927s
1,40 6929
1,43-51 9279
1,51 6930
2-4 8826
2,1-11 1638
 1915 6931-44
 9215 15107
 15223 15506
2,1-12 6945s
 9473
2,4 6802 6947
2,12-25 6948
2,13-22 6949s
2,13-25 6951
2,17 8440
3 6952s
3,1-15 6954

Actus Apost.

1 Thess.

1-3 8128
1,1-10 8129
1,9-10 8130
2,1-2 7428
2,1-12 8131s
2,13-16 7718
4,1-8 8133
4,9 8134
4,13-18 8135
  9594
4,15-17 8136
5,1-11 5752
  8137
5,12-24 1578

2 Thess.

2,1-12 8145
2,1-17 8146
2,2 8147
2,6-7 8148
2,8-12 8149
2,13-3,8 4642
  8150

1 ad Timoth.

1,3-17 1562
1,9-10 8157
1,10 8156
2,1-2 8165
2,4 15036
2,5-6 8151
2,8-15 7424
2,9 8178
2,12 10208
2,13 8179
2,13-14 8180
3 8181
4,12-14 8169
6,3 8156
6,4-5 8157
6,10 8182
6,13 8151

2 ad Timoth.

1,6-7 8186
1,9-10 8151
1,13 8156
2,11-13 8151

2,12 5058
3,2-4 8157
3,14-4,5 8187
4,3 8156
4,9-22 8188

Ad Titum

1,9 8156
1,12-13 8191
2,1-8 8156
2,11-14 8151
2,13 8192
3,1-2 8165
3,1-8 8193
3,3 8157
3,3-7 8151
3,4-7 8194

Ad Hebraeos

1-2 8246
1,3 8247
2,5-9 8248
2,5-18 8249
4,12 8250
4,15 8251
5,8 8243 8593
6 8252
6,4-12 8253
7 8631
7,3 15054
7,26 8251
8,1-13 8254
9 8252
9,6-10 8255
9,11-12 8256
9,11-14 1622
9,11-28 8257
9,14 8251
9,15 1642
9,15-22 6195
10,14 8258
10,26-31 8253
  8259
11 8260
11,6 8261
11,8-19 8262
12,4-11 8593
13 1372 1593
  3443 4674
  7233 8263ss
13,2 9081

13,6 8266
13,13-14 8267

Jacobi, **James**

1,12-18 8344
1,17 8345
2,1-13 1594
2,1-17 8346
2,20-24 8347
3,6 8348
5,1-6 8349
5,11 8350
5,13-18 8351
5,14 8352

1 Petri

1 8301
1,3 8302
1,9 9611
1,12 8303
1,13-21 1550
1,22-23 8302
2,4-6 8304
2,11-12 1584
2,11-25 1583
2,13-17 9394
2,18-25 1584
2,21-25 8305
2,22-25 5786
3 8301 8306
3,4 5604
3,15 1657
3,18 7894
3,18-20 8307
3,18-22 8308
3,20-21 1571
4,15 8309
5,1-4 1631
5,8 8310

2 Petri

1,12-21 8314
1,19-20 8315
2,4 8316
3,1-13 1624
3,2 7872
3,8-13 5752

1 Joannis

1,1-2,2 7119
1,1-4 6859
1,5-2,2 7120
2 7121
2,2 10218
3,3 15061
3,18-22 7122
4,3 7123
4,7-21 7124
4,8 15034
4,10 10218
4,18 7125

2 Joannis

7 7128

Judae

6 8316
9 8359
22-23 8359

Apocalypsis
Revelation

1-3 7266
1,1-3 7267
1,4-3,22 7269
1,4 7268
1,4-8 7270
1,5 7271
1,9-11 7272
1,9-18 7273
2-3 13736
2-3 7184
2-3 7274s
2,1-3,22 7276
2,1-7 7277
2,8-11 7278s
2,9 7280
2,12-17 7277
2,17 1637
3,3 5752
3,5 5058
3,9 7280
3,14-22 7281
3,21 7282
4-5 1592 10910
4 7283
4,6 7284

85

Finito di stampare nel mese di dicembre 2009
presso Servizi Grafici Editoriali Srl - Roma